ABC-

Die ABC-Griffleiste am Rand dieser Seite hilft dir, den gesuchten Buchstaben im englisch-deutschen oder deutsch-englischen Teil schnell aufzufinden.

Du „greifst“ den gesuchten Buchstaben hier am Rand und blätterst mit dem Daumen, bis der gesuchte Buchstabe auf dem Rand der betreffenden Seite auftaucht. Er kommt zweimal vor – einmal im englisch-deutschen und einmal im deutsch-englischen Teil.

Wenn du Linkshänder bist, benutze bitte in gleicher Weise die ABC-Griffleiste am Ende des Buches.

Tap water = Zapfer wasser or Haus wasser or Leitungs wasser
Bill = Rechnung

LANGENSCHEIDTS

SCHULWÖRTERBUCH ENGLISCH

ENGLISCH-DEUTSCH DEUTSCH-ENGLISCH

Von

HOLGER FREESE

und

BRIGITTE WOLTERS

Lautschrift von Prof. A. C. GIMSON

LANGENSCHEIDT

BERLIN · MÜNCHEN · WIEN · ZÜRICH · NEW YORK

Die Nennung von Waren erfolgt in diesem Werk, wie in Nachschlagewerken üblich, häufig ohne Erwähnung etwa bestehender Patente, Gebrauchsmuster oder Warenzeichen. Das Fehlen eines solchen Hinweises begründet also nicht die Annahme, eine Ware oder ein Warenname sei frei.

3. Neubearbeitung 1986

Auflage:	*21.*	*20.*	*19.*	*18.*		*Letzte Zahlen*
Jahr:	*1996*	*95*	*94*	*93*	*92*	*maßgeblich*

Druck: Philipp Reclam jun. Graph. Betrieb GmbH, Ditzingen
Printed in Germany · ISBN 3-468-13124-0

Vorwort

Dies ist eine völlige Neubearbeitung von „Langenscheidts Schulwörterbuch Englisch". Millionenfach in der Schule – vor allem in der Sekundarstufe I – verbreitet und bewährt, trägt das Wörterbuch in der Neubearbeitung 1986 den schulischen Bedürfnissen von heute noch besser Rechnung.

Der Umfang wurde wesentlich erweitert – nicht nur, um die Neuwörter der letzten Jahre unterzubringen, sondern vor allem, um Platz für benutzerfreundliche Neuerungen bereitzustellen.

So wurde das Schulwörterbuch für den Schüler noch vorteilhafter: Die schulische Forderung nach schülerfreundlichen Benutzerhinweisen wurde erfüllt. An die Stelle der etwas abstrakten Kurzinformation trat eine Darstellung, die den Schüler in anschaulicher Form mit den Eigenheiten des Wörterbuchs vertraut macht.

Sehr hilfreich ist auch die Einführung des Symbols ⚠ im eigentlichen Wörterbuch – ein Symbol, das ausdrücklich vor häufig gemachten Fehlern warnt bzw. solche gar nicht erst entstehen läßt.

Die hinter dem englischen Stichwort verzeichnete Lautschrift beansprucht jetzt ein Höchstmaß an Autorität: Professor A. C. Gimson, Präsident der International Phonetic Association (bis 1985) und Verfasser des maßgebenden „English Pronouncing Dictionary", hat sie persönlich in dieses Wörterbuch eingearbeitet.

Der deutsch-englische Teil wurde von Studiendirektor Holger Freese, Fachleiter für Englisch am Studienseminar in Freiburg, völlig neu gestaltet. Dadurch wurde sichergestellt, daß die für die Schule heute relevanten Wörter und Wendungen dem Schüler lexikalisch zur Verfügung stehen.

Mit großer Sorgfalt wurde die Auswahl der neu aufzunehmenden Wörter vorgenommen. Dabei wurden den Schüler besonders interessierende Gebiete wie Sport und Spiel ebenso berücksichtigt wie wichtige Wörter neuer Fachgebiete, z. B. Elektronik, Raumfahrt und Umwelt. Einige Neologismenbeispiele: *word processor*, *disk drive*, *debug*, *acid rain*, *ecosystem*; *Raumfähre*, *Katalysator*, *Gentechnologie*, *Leihmutter*, *Waldsterben*.

Nicht vergessen wurden auch Wörter wie *Fixer*, *Flipper*, *Oldtimer*, die im Deutschen gebräuchlich sind, in der englischen Sprache aber eine andere Bedeutung haben und deshalb dem Schüler häufig Schwierigkeiten bereiten.

Bei den englischen Übersetzungen im deutsch-englischen Teil wurden zum ersten Mal in unseren Wörterbüchern alle unregelmäßigen Verben mit einem Stern (*) gekennzeichnet, um den Schüler vor der Bildung falscher Formen zu bewahren. Neben der Liste der unregelmäßigen englischen Verben im Anhang wurden selbstverständlich auch die Stammformen dieser Verben als separate Stichwörter gegeben.

Das Wörterbuch bietet jetzt mehr als 48 000 Stichwörter und Wendungen. Neubearbeitet und mit den oben erwähnten zusätzlichen Informationen wird es sicherlich weiterhin das beliebte und kompetente Nachschlagewerk in der Schule bleiben.

Für ihre Beratung und Hilfe möchten wir den beiden „native speakers“ Mr. Alasdhair Collins (Wolverhampton) und Mr. Gordon Chastain (Indianapolis) unseren besten Dank sagen.

LANGENSCHEIDT

Inhaltsverzeichnis

Wie benutzt du das Schulwörterbuch?

Keine Angst vor unbekannten Wörtern!

Das Schulwörterbuch tut alles, um dir das Nachschlagen und das Kennenlernen eines Wortes so leicht wie möglich zu machen.

Damit du von deinem Wörterbuch den besten Gebrauch machen kannst, solltest du wissen, wie und wo du all die Informationen finden kannst, die du für deine Übersetzungen in der Schule, deinen Brief an einen englischen Freund oder eine englische Freundin oder zum Sprechen brauchst. Die folgenden Seiten sollen dir dabei helfen.

Wie und wo findest du ein Wort?

Du suchst ein bestimmtes Wort. Jetzt mußt du erst einmal wissen, daß das Wörterbuch in die Buchstaben von A–Z unterteilt ist. Auch innerhalb der einzelnen Buchstaben sind die Wörter **alphabetisch geordnet:**

a	b	c	d
aa	ba	ca	da
ab	bb	cb	db
ac	bc	cc	dc

Im deutsch-englischen Teil haben wir übrigens die Umlaute *ä ö ü* wie *a o u* behandelt und nicht in *ae oe ue* aufgelöst.

Jeder Buchstabe eines Wortes entscheidet darüber, ob das Wort vor oder nach einem anderen eingeordnet wird. Dabei ist es gleichgültig, ob die Wörter sich bereits beim ersten Buchstaben unterscheiden (**a**pple – **b**anana, **A**pfel – **B**anane) oder ob sie bis zum 4., 5., 6. oder 7. Buchstaben gleich geschrieben werden und sich erst dann unterscheiden. Wichtig ist immer der *erste* Buchstabe, in dem sie sich unterscheiden:

personality – personify   speculate – speculation
Partei – Partie   erfrieren – Erfrierung

Wenn du ein englisches oder deutsches Wort suchst, kannst du dich an den fettgedruckten **Leitwörtern** in der oberen Ecke jeder Seite orientieren. Angegeben werden dir in diesen Leitwörtern jeweils (links) das *erste* fettgedruckte Wort auf der linken Seite bzw. (rechts) das *letzte* fettgedruckte Wort auf der rechten Seite, z. B.:

bay 44	45 **bend**
bay² [~] Bai *f*, Bucht *f*; Erker *m*. **bay³** ⚘ [~] *a.* ~ *tree* Lorbeer(baum) *m*. **bay⁴** [~] **1.** bellen, Laut geben (*Hund*); **2.** *hold od. keep at* ~ *j-n* in Schach halten; *et.* von sich fernhalten.	**bench** [bentʃ] (Sitz)Bank *f*; Richterbank *f*; Richter *m od. pl.*; Werkbank *f*. **bend** [bend] **1.** Biegung *f*, Kurve *f*; *drive s.o. round the* ~ F j-n noch wahnsinnig machen; **2.** (*bent*) (sich) biegen; *Gedanken etc.* richten (*to, on* auf *acc.*); (sich) beugen; sich neigen.

Du wirst aber auch einmal einen Begriff nachschlagen wollen, der aus zwei einzelnen Wörtern besteht, wie z. B. *falling star*, oder bei dem die Wörter mit einem Bindestrich (hyphen) miteinander verbunden sind, wie in *fall-out*. Diese Wörter werden wie ein einziges Wort behandelt und dementsprechend alphabetisch so eingeordnet, daß du in deinem Wörterbuch *falling star* nach *fallible*, aber vor *fall-out* findest:

fal·li·ble □ [ˈfæləbl] fehlbar.
fal·ling star *ast.* [ˈfɔːlɪŋstɑː] Sternschnuppe *f*.
fall-out [ˈfɔːlaʊt] Fallout *m*, radioaktiver Niederschlag.

Aus Gründen der Platzersparnis wirst du aber einige zusammengesetzte Wörter nicht an ihrer alphabetischen Stelle finden. In solchen Fällen solltest du unter den Einzelbestandteilen an ihrer alphabetischen Stelle nachsehen. Du kannst dir dann die Übersetzung des zusammengesetzten Wortes aus seinen Einzelbestandteilen selbst bilden.

Du wirst beim Nachschlagen auch merken, daß eine Menge sogenannter „Wortfamilien" entstanden sind. Das sind Stichwortartikel, die von einem gemeinsamen Stamm oder Grundwort ausgehen und deshalb zusammenstehen:

depen|dable – ~dant – ~dence – ~dency – ~dent
left – ~-hand – ~-handed

Wie schreibst du das Wort?

Du kannst in deinem Wörterbuch genau wie in einem Rechtschreibwörterbuch nachschlagen, wie ein Wort richtig geschrieben wird. Die Unterschiede in der **amerikanischen Schreibung** haben wir dir in den betreffenden Stichwörtern gegeben und mit *Am.* gekennzeichnet. Fällt bei der amerikanischen Schreibweise nur ein Buchstabe weg, so steht dieser in runden Klammern:

centre, Am. -ter – theatre, Am. -ter
dialogue, Am. -log – programme, Am. -gram
colo(u)r – hono(u)r – travel(l)er

Für die Abweichungen in der Schreibung gibt es für das amerikanische Englisch ein paar einfache Regeln:

Die amerikanische Rechtschreibung

weicht von der britischen hauptsächlich in folgenden Punkten ab:

1. Für **...our** tritt **...or** ein, z.B. hon*or* = honour, lab*or* = labour.
2. **...re** wird zu **...er,** z.B. cent*er* = centre, theat*er* = theatre, meag*er* = meagre; ausgenommen sind og*re* und die Wörter auf ...cre, z.B. massa*cre*, na*cre*.
3. Statt **...ce** steht **...se**, z.B. defen*se* = defence, licen*se* = licence.
4. Bei sämtlichen Ableitungen der Verben auf **...l** und **...p** unterbleibt die Verdoppelung des Endkonsonanten, also travel – trave*l*ed – trave*l*ing – trave*l*er, worship – worshi*p*ed – worshi*p*ing – worshi*p*er. Auch in einigen anderen Wörtern wird der Doppelkonsonant durch einen einfachen ersetzt, z.B. wa*g*on = waggon, woo*l*en = woollen.
5. Ein stummes **e** wird in gewissen Fällen weggelassen, z.B. abrid*gm*ent = abridg*e*ment, acknowled*gm*ent = acknowledg*e*ment, jud*gm*ent = judg*e*ment, ax = ax*e*, good-by = good-by*e*.
6. Bei einigen Wörtern mit der Vorsilbe **en...** gibt es auch noch die Schreibung **in...**, z.B. *in*close = enclose, *in*snare = ensnare.
7. Der Schreibung **ae** und **oe** wird oft diejenige mit **e** vorgezogen, z.B. an*e*mia = anaemia, diarrh*e*a = diarrhoea.
8. Aus dem Französischen stammende stumme Endsilben werden gern weggelassen, z.B. catalog = catalog*ue*, program = programm*e*, prolog = prolog*ue*.
9. Einzelfälle sind: st*a*nch = staunch, m*o*ld = mould, m*o*lt = moult, gr*a*y = grey, pl*ow* = plough, ski*ll*ful = skilful, t*i*re = tyre.

In seltenen Fällen bedeutet die runde Klammer bei einem Buchstaben ganz allgemein zwei Möglichkeiten in der Schreibung für ein und dasselbe Wort: *judg(e)ment* = *judgment* oder *judgement*.

Wie trennst du das Wort?

Die Silbentrennung im Englischen ist für einen Deutschen ein heikles Kapitel. Aus diesem Grund haben wir dir die Sache erleichtert und geben dir für jedes englische Wort die Aufteilung in Silben an. Du mußt nur darauf achten, wo zwischen den Silben ein halbhoher Punkt steht.

Weißt du erst einmal, aus welchen Silben ein Wort besteht, wird es dir leichter fallen, das Wort richtig auszusprechen und korrekt zu schreiben. Die Silbentrennungspunkte haben natürlich auch den Sinn, dir zu zeigen, an welcher Stelle im Wort du am Zeilenende trennen kannst. Du solltest es aber vermeiden, nur einen Buchstaben abzutrennen, wie z. B. in *a·mend* oder *thirst·y*. Hier nimmst du besser das ganze Wort auf die neue Zeile.

Was bedeuten die verschiedenen Schriftarten?

Du findest **fettgedruckt** alle englischen und deutschen Stichwörter, außerdem die arabischen Ziffern zur Unterscheidung der Wortarten und grammatischen Funktionen eines Wortes:

feed ... **1.** Futter *n*; ... **2.** (*fed*) *v/t.* füttern; **~·back** ...
klopfen 1. *v/i. Herz, Puls*: beat*; ... **2.** *v/t.* beat* ...

Du findest *kursiv* a) die Grammatik- und Sachgebietsabkürzungen: *adj., adv., v/i., v/t., econ., pol.* etc.; b) die Genusangaben (Angaben des Geschlechtswortes): *m, f, n*; c) alle Zusätze, die eine nähere Angabe oder Sinnverdeutlichung bewirken sollen, wie z. B.:

file[1] ... *Computer*: Datei *f*
page ... Seite *f* (*e-s Buches, e-r Zeitung etc.*)
scan ... *Horizont etc.* absuchen
matt ... *Glas, Glühbirne*: frosted

Du findest in *Auszeichnungsschrift* alle Wendungen:

line ... *hold the ~ teleph.* am Apparat bleiben
depend ... *it ~s* F es kommt (ganz) darauf an
gut ... *ganz ~* not bad

Du findest in normaler Schrift alle Übersetzungen.

Wie sprichst du das Wort aus?

Die Lautschrift beschreibt, wie du ein Wort aussprechen sollst. So ist das „ch“ in „ich“ ein ganz anderer Laut als das „ch“ in „ach“. Da die normale Schrift für solche Unterschiede keine Hilfe bietet, ist es nötig, diese Laute mit anderen Zeichen zu beschreiben. Damit *jeder* genau weiß, welches Zeichen welchem Laut entspricht, hat man sich international auf eine Lautschrift geeinigt. Wenn du diese Zeichen lernst, kannst du jedes Wort in jeder Sprache aussprechen. Da die Zeichen von der **I**nternational **P**honetic **A**ssociation als verbindlich angesehen werden, nennt man sie auch **IPA-Lautschrift.**

Im Wörterbuch wird in den eckigen Klammern – [ ] – beschrieben, wie du das entsprechende englische Stichwort aussprechen mußt, z. B.:

coat [kəʊt] – *message* [ˈmesɪdʒ]

Für das Englische solltest du dir daher die folgenden Lautschriftzeichen einprägen.

Die phonetischen Zeichen der International Phonetic Association
im englisch-deutschen Teil

A. Vokale und Diphthonge

[ɑ:] reines langes a wie in Vater, kam, Schwan: *far* [fɑ:], *father* [ˈfɑ:ðə].

[ʌ] kommt im Deutschen nicht vor. Kurzes dunkles a, bei dem die Lippen nicht gerundet sind. Vorn und offen gebildet: *butter* [ˈbʌtə], *come* [kʌm], *colour* [ˈkʌlə], *blood* [blʌd], *flourish* [ˈflʌrɪʃ], *twopence* [ˈtʌpəns].

[æ] heller, ziemlich offener, nicht zu kurzer Laut. Raum zwischen Zunge und Gaumen noch größer als bei ä in Ähre: *fat* [fæt], *man* [mæn].

[eə] nicht zu offenes halblanges ä; im Englischen nur vor r, das als ein dem ä nachhallendes ə erscheint: *bare* [beə], *pair* [peə], *there* [ðeə].

[aɪ] Bestandteile: helles, zwischen ɑ: und æ liegendes a und schwächeres offenes i. Die Zunge hebt sich halbwegs zur i-Stellung: *I* [aɪ], *dry* [draɪ].

[aʊ] Bestandteile: helles, zwischen ɑ: und æ liegendes a und schwächeres offenes u: *house* [haʊs], *now* [naʊ].

[eɪ] halboffenes e, nach i auslautend, indem die Zunge sich halbwegs zur i-Stellung hebt: *date* [deɪt], *play* [pleɪ], *obey* [əˈbeɪ].

[e] halboffenes kurzes e, etwas geschlossener als das e in Bett: *bed* [bed], *less* [les].

[ə] flüchtiger Gleitlaut, ähnlich dem deutschen flüchtig gesprochenen e in Gelage: *about* [əˈbaʊt], *butter* [ˈbʌtə], *connect* [kəˈnekt].

[i:] langes i wie in lieb, Bibel, aber etwas offener einsetzend als im Deutschen; wird in Südengland doppellautig gesprochen, indem sich die Zunge allmählich zur i-Stellung hebt: *scene* [si:n], *sea* [si:], *feet* [fi:t], *ceiling* [ˈsi:lɪŋ].

[ɪ] kurzes offenes i wie in bin, mit: *big* [bɪg], *city* [ˈsɪtɪ].

[ɪə] halboffenes halblanges i mit nachhallendem ə: *here* [hɪə], *hear* [hɪə], *inferior* [ɪnˈfɪərɪə].

[əʊ] flüchtiger Gleitlaut wie bei [ə], in schwaches u auslautend; keine Rundung der Lippen, kein Heben der Zunge: *note* [nəʊt], *boat* [bəʊt], *below* [bɪˈləʊ].

[ɔ:] offener langer, zwischen a und o schwebender Laut: *fall* [fɔ:l], *nought* [nɔ:t], *or* [ɔ:], *before* [bɪˈfɔ:].

[ɒ] offener kurzer, zwischen a und o schwebender Laut, offener als das o in Motte: *god* [gɒd], *not* [nɒt], *wash* [wɒʃ], *hobby* [ˈhɒbɪ].

[ɜ:] im Deutschen fehlender Laut; offenes langes ö, etwa wie gedehnt gesprochenes ö in öffnen, Mörder; kein Vorstülpen oder Runden der Lippen, kein Heben der Zunge: *word* [wɜ:d], *girl* [gɜ:l], *learn* [lɜ:n], *murmur* [ˈmɜ:mə].

[ɔɪ] Bestandteile: offenes o und schwächeres offenes i. Die Zunge hebt sich halbwegs zur i-Stellung: *voice* [vɔɪs], *boy* [bɔɪ], *annoy* [əˈnɔɪ].

[u:] langes u wie in Buch, doch ohne Lippenrundung; vielfach diphthongisch als halboffenes langes u mit nachhallendem geschlossenen u: *fool* [fu:l], *shoe* [ʃu:], *you* [ju:], *rule* [ru:l], *canoe* [kəˈnu:].

[ʊə] halboffenes halblanges u mit nachhallendem ə: *poor* [pʊə], *sure* [ʃʊə], *allure* [əˈljʊə].

[ʊ] flüchtiges u: *put* [pʊt], *look* [lʊk], *full* [fʊl].

Die **Länge eines Vokals** wird durch [:] bezeichnet, z. B. *ask* [ɑ:sk], *astir* [əˈstɜ:].

Vereinzelt werden auch die folgenden französischen Nasallaute gebraucht: [ɑ̃] wie in frz. *blanc*, [ɔ̃] wie in frz. *bonbon* und [ɛ̃] wie in frz. *vin*.

B. Konsonanten

[r] nur vor Vokalen gesprochen. Völlig verschieden vom deutschen Zungenspitzen- oder Zäpfchen-r. Die Zungenspitze bildet mit der oberen Zahnwulst eine Enge, durch die der Ausatmungsstrom mit Stimmton hindurchgetrieben wird, ohne den Laut zu rollen. Am Ende eines Wortes wird r nur bei Bindung mit dem Anlautvokal des folgenden Wortes gesprochen: *rose* [rəʊz], *pride* [praɪd], *there is* [ðeər'ɪz].

[ʒ] stimmhaftes sch wie g in Genie, j in Journal: *azure* ['æʒə], *jazz* [dʒæz], *jeep* [dʒi:p], *large* [lɑ:dʒ].

[ʃ] stimmloses sch wie im Deutschen Schnee, rasch: *shake* [ʃeɪk], *washing* ['wɒʃɪŋ], *lash* [læʃ].

[θ] im Deutschen nicht vorhandener stimmloser Lispellaut; durch Anlegen der Zunge an die oberen Schneidezähne hervorgebracht: *thin* [θɪn], *path* [pɑ:θ], *method* ['meθəd].

[ð] derselbe Laut wie θ, nur stimmhaft, d.h. mit Stimmton: *there* [ðeə], *breathe* [bri:ð], *father* ['fɑ:ðə].

[s] stimmloser Zischlaut, entsprechend dem deutschen ß in Spaß, reißen: *see* [si:], *hats* [hæts], *decide* [dɪ'saɪd].

[z] stimmhafter Zischlaut wie im Deutschen sausen: *zeal* [zi:l], *rise* [raɪz], *horizon* [hə'raɪzn].

[ŋ] wird wie der deutsche Nasenlaut in fangen, singen gebildet: *ring* [rɪŋ], *singer* ['sɪŋə].

[ŋk] derselbe Laut mit nachfolgendem k wie im Deutschen senken, Wink: *ink* [ɪŋk], *tinker* ['tɪŋkə].

[w] flüchtiges, mit Lippe an Lippe gesprochenes w, aus der Mundstellung für u: gebildet: *will* [wɪl], *swear* [sweə], *queen* [kwi:n].

[f] stimmloser Lippenlaut wie im Deutschen flott, Eifer: *fat* [fæt], *tough* [tʌf], *effort* ['efət].

[v] stimmhafter Lippenlaut wie im Deutschen Vase, Ventil: *vein* [veɪn], *velvet* ['velvɪt].

[j] flüchtiger zwischen j und i schwebender Laut: *onion* ['ʌnjən], *yes* [jes], *filial* ['fɪljəl].

Um Raum zu sparen, werden die Endung -ed* und das Plural -s** der englischen Stichwörter an dieser Stelle einmal mit Lautschrift gegeben; sie erscheinen dann aber im Wörterverzeichnis ohne Lautschrift, sofern keine Ausnahmen vorliegen:

* [-d] nach Vokalen und stimmhaften Konsonanten; [-t] nach stimmlosen Konsonanten; [-ɪd] nach auslautendem d und t.

** [-z] nach Vokalen und stimmhaften Konsonanten; [-s] nach stimmlosen Konsonanten.

Die Aussprache des englischen Alphabets

a [eɪ], b [bi:], c [si:], d [di:], e [i:], f [ef], g [dʒi:], h [eɪtʃ], i [aɪ], j [dʒeɪ], k [keɪ], l [el], m [em], n [en], o [əʊ], p [pi:], q [kju:], r [ɑ:], s [es], t [ti:], u [ju:], v [vi:], w ['dʌblju:], x [eks], y [waɪ], z [zed, *Am.* zi:].

Betonung

Bei den englischen Wörtern wird in der Lautschrift mit einem vorangestellten Strich, dem Akzent, angegeben, auf welcher Silbe du das Wort betonen sollst:

record [rɪˈkɔːd] – *record* [ˈrekɔːd]
increase [ɪnˈkriːs] – *increase* [ˈɪnkriːs]
gamekeeper [ˈgeɪmkiːpə]

Haben zwei Silben eines Wortes einen Akzent, so mußt du beide gleichmäßig betonen:

unsound [ˈʌnˈsaʊnd]

Folgt in einem Stichwortartikel ein Wort, das wie das vorausgehende Wort betont wird, wird hier keine Betonungsangabe mehr gemacht. Das nachfolgende Wort betonst du immer genauso wie das unmittelbar vorhergehende Wort:

help [help] **1.** Hilfe *f*; (Hilfs)Mittel *n*; (Dienst)Mädchen *n*; **2.** helfen; ~ *o.s.* sich bedienen, zulangen; *I cannot* ~ *it* ich kann es nicht ändern; *I could not* ~ *laughing* ich mußte einfach lachen; **~·er** [ˈhelpə] Helfer(in); **~·ful** □ [~fl] hilfreich; nützlich; **~·ing** [~ɪŋ] Portion *f* (*Essen*); **~·less** □ [~lɪs] hilflos; **~·less·ness** [~nɪs] Hilflosigkeit *f*.

[ˈhelpfl]
[ˈhelpɪŋ] – [ˈhelplɪs]
[ˈhelplɪsnɪs]

Bei einem Begriff, der aus zwei einzelnen Wörtern besteht, kannst du die Aussprache bei dem jeweiligen Einzelwort nachsehen, z. B. *labour party*. Du suchst dir bei Buchstabe „L" das Wort *labour* und bei Buchstabe „P" das Wort *party* und verbindest dann die beiden eckigen Ausspracheklammern zu einem Wort: [ˈleɪbəˈpɑːtɪ]. Ebenso verfährst du bei einem Wort mit Bindestrich, wie z. B. *ill-mannered*.

Amerikaner sprechen viele Wörter anders aus als die Briten. Im Schulwörterbuch geben wir dir aber meistens nur die britische Aussprache, wie du sie auch in deinen Lehrbüchern findest. Ein paar Regeln für die Abweichungen in der amerikanischen Aussprache wollen wir dir hier aber doch geben.

Die amerikanische Aussprache

weicht hauptsächlich in folgenden Punkten von der britischen ab:

1. ɑː wird zu (gedehntem) æ(ː) in Wörtern wie *ask* [æ(ː)sk = ɑːsk], *castle* [ˈkæ(ː)sl = ˈkɑːsl], *grass* [græ(ː)s = grɑːs], *past* [pæ(ː)st = pɑːst] etc.; ebenso in *branch* [bræ(ː)ntʃ = brɑːntʃ], *can't* [kæ(ː)nt = kɑːnt], *dance* [dæ(ː)ns = dɑːns] etc.
2. ɒ wird zu ɑ in Wörtern wie *common* [ˈkɑmən = ˈkɒmən], *not*

[nɑt = nɒt], *on* [ɑn = ɒn], *rock* [rɑk = rɒk], *bond* [bɑnd = bɒnd] und vielen anderen.

3. ju: wird zu u:, z. B. *due* [du: = dju:], *duke* [du:k = dju:k], *new* [nu: = nju:].
4. r zwischen vorhergehendem Vokal und folgendem Konsonanten wird stimmhaft gesprochen, indem die Zungenspitze gegen den harten Gaumen zurückgezogen wird, z. B. *clerk* [klɜ:rk = klɑ:k], *hard* [hɑ:rd = hɑ:d]; ebenso im Auslaut, z. B. *far* [fɑ:r = fɑ:], *her* [hɜ:r = hɜ:].
5. Anlautendes p, t, k in unbetonter Silbe (nach betonter Silbe) wird zu b, d, g abgeschwächt, z. B. in *property*, *water*, *second*.
6. Der Unterschied zwischen stark- und schwachbetonten Silben ist viel weniger ausgeprägt; längere Wörter haben einen deutlichen Nebenton, z. B. *dictionary* [ˈdɪkʃəˌnerɪ = ˈdɪkʃənrɪ], *ceremony* [ˈserəˌməʊnɪ = ˈserɪmənɪ], *inventory* [ˈɪnvənˌtɔ:rɪ = ˈɪnvəntrɪ], *secretary* [ˈsekrəˌterɪ = ˈsekrətrɪ].
7. Vor, oft auch nach nasalen Konsonanten (m, n, ŋ) sind Vokale und Diphthonge nasal gefärbt, z. B. *stand*, *time*, *small*.

Was sagen dir die Symbole und Abkürzungen?

Fangen wir mit den **Symbolen** an. Sie zeigen dir, in welchem Lebens-, Arbeits- und Fachbereich das Wort am häufigsten benutzt wird.

- 🕮 wissenschaftlich, *scientific term.*
- ⚘ Botanik, Pflanzenkunde, *botany.*
- ⊕ Technik, *engineering*; Handwerk, *handicraft.*
- ⚒ Bergbau, *mining.*
- ⚔ militärisch, *military term.*
- ⚓ Schiffahrt, *nautical term.*
- 🚂 Eisenbahn, *railway, railroad.*
- ✈ Flugwesen, *aviation.*
- 📯 Postwesen, *post and telecommunications.*
- ♪ Musik, *musical term.*
- ⚡ Elektrotechnik, *electrical engineering.*
- ⚖ Rechtswissenschaft, *legal term.*
- 📐 Mathematik, *mathematics.*
- 🌾 Landwirtschaft, *farming.*
- ⚗ Chemie, *chemistry.*
- ⚕ Medizin, *medicine.*
- F umgangssprachlich, *familiar.*
- V vulgär, *vulgar.*

Zusätzlich gibt es noch das Zeichen ⚠, das vor beliebten Fehlerquellen warnt:

actual ... ⚠ nicht aktuell – sensibel ... ⚠ nicht sensible

Die Verwendung dieser Zeichen bezieht sich aber auch auf die stilistische Ebene. Sie weisen darauf hin, auf welcher Sprachebene (z. B. F für Umgangssprache) bzw. für welches Sachgebiet du das betreffende Wort benutzen sollst. Damit wollen wir vermeiden, daß du ein Wort in einem unpassenden Satzzusammenhang gebrauchst.

Im deutsch-englischen Teil zeigt dir ein F vor dem deutschen oder englischen Teil eines Beispielsatzes, daß nur dieser betreffende Teil umgangssprachlich gebraucht wird. Ein F: vor dem deutschen Teil hingegen zeigt, daß Beispiel und Übersetzung derselben sprachlichen Ebene angehören.

Ein weiteres Symbol ist das Kästchen: □. Steht es nach einem englischen Adjektiv, so bedeutet das, daß das Adverb regelmäßig durch Anhängung von *-ly* an das Adjektiv oder durch Umwandlung von *-le* in *-ly* oder von *-y* in *-ily* gebildet wird, z. B.:

beautiful □ = *beautifully*
acceptable □ = *acceptably*
happy □ = *happily*

Es gibt auch noch die Möglichkeit, ein Adverb durch Anfügen von *-ally* an das Stichwort zu bilden. In diesen Fällen haben wir auch das angegeben:

authentic ... (*~ally*) = *authentically*

Was bedeutet das Zeichen **~, die Tilde?**

Ein Symbol, das dir ständig in den Stichwortartikeln begegnet, ist ein Wiederholungszeichen: die Tilde (**~** **≗**, ~ ≗). Die fette Tilde (**~**) vertritt dabei entweder das ganze Stichwort oder den vor dem senkrechten Strich (|) stehenden Teil des Stichwortes. Die magere Tilde (~) vertritt das unmittelbar vorausgehende Stichwort, das selbst schon mit Hilfe der fetten Tilde gebildet sein kann:

foot ... **~ball** (= *football*)
happi|ly ... **~ness** (= *happiness*)
ab|blasen ... **~bringen:** *j-n* ~ (= *abbringen*) *von* ...

Wechselt die Schreibung von klein zu groß oder von groß zu klein, steht statt der einfachen Tilde (~) die Kreistilde (≗):

representative ... *House of ≗s* (= *House of Representatives*)
Geschicht|e ... **≗lich** (= *geschichtlich*)
dick ... **≗kopf** (= *Dickkopf*)

Genauso sind wir in der Lautschrift vorgegangen. Für das ganze Wort oder für den unverändert wiederholten Wortteil steht die einfache Tilde, und nur die Umschreibung für die Silben oder Buchstaben, die verändert werden, wird angegeben:

chap¹ [tʃæp] – **chap²** [~] – **chap³** [~]
per|suade [pəˈsweɪd] ... **~suasion** [~ʒn]
destruc|tion [dɪˈstrʌkʃn] ... **~tive** [~tɪv]

Neben den Symbolen findest du vor allem für den Grammatik- und Sachgebietsbereich die folgenden **Abkürzungen:**

a. *also*, auch.
abbr. *abbreviation*, Abkürzung.
acc. *accusative* (*case*), Akkusativ.
adj. *adjective*, Adjektiv.
adv. *adverb*, Adverb.
allg. allgemein, *commonly*.
Am. *American English*, amerikanisches Englisch.
anat. *anatomy*, Anatomie.
appr. *approximately*, etwa.
arch. *architecture*, Architektur.
art. *article*, Artikel.
ast. *astronomy*, Astronomie.
attr. *attributive*, attributiv.

biol. *biology*, Biologie.
Brit. britisch, *British*.
Brt. *British English*, britisches Englisch.
b.s. *bad sense*, in schlechtem Sinne.
bsd. besonders, *especially*.

cj. *conjunction*, Konjunktion.
co. *comic*(*al*), scherzhaft.
coll. *collectively*, als Sammelwort.
comp. *comparative*, Komparativ.
contp. *contemptuously*, verächtlich.

dat. *dative* (*case*), Dativ.
dem. *demonstrative*, hinweisend.

ea. einander, *one another*, *each other*.
eccl. *ecclesiastical*, kirchlich.
econ. *economics*, Volkswirtschaft.
e-e, e-e, *e-e* eine, *a* (*an*).
e-m, e-m, *e-m* einem, *to a* (*an*).
e-n, e-n, *e-n* einen, *a* (*an*).
e-r, e-r, *e-r* einer, *of a* (*an*), *to a* (*an*).
e-s, e-s, *e-s* eines, *of a* (*an*).
et., et., *et.* etwas, *something*.
etc. *et cetera*, *and so on*, und so weiter.
F umgangssprachlich, *familiar*.
f *feminine*, weiblich.
fig. *figuratively*, bildlich.
frz. französisch, *French*.

gen. *genitive* (*case*), Genitiv.
geogr. *geography*, Geographie.
geol. *geology*, Geologie.
geom. *geometry*, Geometrie.
ger. *gerund*, Gerundium.
gr. *grammar*, Grammatik.

hist. *history*, Geschichte.
hunt. *hunting*, Jagdwesen.

impers. *impersonal*, unpersönlich.
indef. *indefinite*, unbestimmt.
inf. *infinitive* (*mood*), Infinitiv.
int. *interjection*, Interjektion.
interr. *interrogative*, fragend.
iro. *ironically*, ironisch.

j., j., *j.* jemand, *someone*.
j-m, j-m, *j-m* jemandem, *to someone*.
j-n, j-n, *j-n* jemanden, *someone*.
j-s, j-s, *j-s* jemandes, *someone's*.

ling. *linguistics*, Sprachwissenschaft.
lit. *literary*, nur in der Schriftsprache vorkommend.

m *masculine*, männlich.
m-e, m-e, *m-e* meine, *my*.
m-r meiner, *of my*, *to my*.
metall. *metallurgy*, Metallurgie.
meteor. *meteorology*, Meteorologie.
min. *mineralogy*, Mineralogie.
mot. *motoring*, Kraftfahrwesen.
mount. *mountaineering*, Bergsteigen.
mst meistens, *mostly*, *usually*.
myth. *mythology*, Mythologie.

n *neuter*, sächlich.
nom. *nominative* (*case*), Nominativ.
npr. *proper name*, Eigenname.

od. oder, *or*.
o.s., o.s. *oneself*, sich.
östr. österreichisch, *Austrian*.

paint. *painting*, Malerei.
parl. *parliamentary term*, parlamentarischer Ausdruck.
pass. *passive voice*, Passiv.
pers. *personal*, persönlich.
pharm. *pharmacy*, Pharmazie.
phls. *philosophy*, Philosophie.
phot. *photography*, Photographie.
phys. *physics*, Physik.
physiol. *physiology*, Physiologie.
pl. *plural*, Plural.
poet. *poetry*, Dichtung.
pol. *politics*, Politik.
poss. *possessive*, besitzanzeigend.
p.p. *past participle*, Partizip Perfekt.
p.pr. *present participle*, Partizip Präsens.
pred. *predicative*, prädikativ.
pres. *present*, Präsens.

pret. *preterit(e)*, Präteritum.
print. *printing*, Buchdruck.
pron. *pronoun*, Pronomen.
prp. *preposition*, Präposition.
psych. *psychology*, Psychologie.

refl. *reflexive*, reflexiv.
rel. *relative*, Relativ...

s. siehe, *see, refer to.*
schott. schottisch, *Scotch.*
s-e, s-e, *s-e* seine, *his, one's.*
sg. *singular*, Singular.
sl. *slang*, Slang.
s-m, s-m, *s-m* seinem, *to his, to one's.*
s-n, s-n, *s-n* seinen, *his, one's.*
s.o., s.o., *s.o.* *someone*, jemand(en).
s-r, s-r, *s-r* seiner, *of his, of one's, to his, to one's.*
s-s, s-s, *s-s* seines, *of his, of one's.*
s.th., s.th., *s.th.* *something*, etwas.
subj. *subjunctive* (*mood*), Konjunktiv.
südd. süddeutsch, *Southern German.*
sup. *superlative*, Superlativ.

tel. *telegraphy*, Telegraphie.
teleph. *telephony*, Fernsprechwesen.
thea. *theatre*, Theater.
TM *trademark*, Warenzeichen.
TV *television*, Fernsehen.

u., *u.* und, *and.*
univ. *university*, Hochschulwesen, Studentensprache.

V vulgär, ***vulgar.***
v/aux. ***auxiliary verb***, Hilfsverb.
vet. ***veterinary medicine***, Tiermedizin.
v/i. ***verb intransitive***, intransitives Verb.
v/refl. ***verb reflexive***, reflexives Verb.
v/t. ***verb transitive***, transitives Verb.

weitS. in weiterem Sinne, *in a wider sense.*

zo. *zoology*, Zoologie, Tierkunde.
zs., zs., *zs.* zusammen, *together.*
Zssg(n) Zusammensetzung(en), *compound word(s).*

Einige Worte zu den Übersetzungen

Nach dem fettgedruckten Wort und der Ausspracheangabe in eckigen Klammern kommt als nächstes das, was für dich das Wichtigste ist: die Übersetzung.

Nun wirst du bereits gemerkt haben, daß es nur selten vorkommt, daß nur *eine* Übersetzung hinter dem jeweiligen Stichwort steht. Meist ist es so, daß ein Stichwort mehrere sinnverwandte Übersetzungen hat, die durch Komma voneinander getrennt werden. Das Stichwort kann aber auch mehrere Bedeutungen haben, je nachdem in welchem Zusammenhang es gebraucht wird.

Mehrere Bedeutungen eines Wortes erkennst du daran, daß sie durch ein Semikolon voneinander getrennt sind. Häufig sind die Bedeutungen eines Wortes aber so umfangreich oder so unabhängig voneinander, daß die Trennung durch das Semikolon nicht genügt. Hier benutzen wir verschiedene Unterteilungsmöglichkeiten.

a) Das Wort wird wiederholt und mit einer hochgestellten Zahl (einem Exponenten) geschrieben:

chap[1] ... Riß *m*
chap[2] ... Kerl *m*
chap[3] ... Kinnbacke *f*

Bank[1] *f* bench
Bank[2] *econ. f* bank

b) Wenn die Wortart (ein Substantiv, Verb, Adjektiv etc.) wechselt, werden die Übersetzungen mit fettgedruckten arabischen Ziffern unterteilt:

work ... **1.** Arbeit *f* (*Substantiv*)
2. *v/i.* arbeiten (*Verb*)
green ... **1.** grün (*Adjektiv*)
2. Grün *n* (*Substantiv*)

Im deutsch-englischen Teil stehen die fettgedruckten arabischen Ziffern auch zur Unterscheidung von transitiven, intransitiven und reflexiven Verben und bei Substantiven mit unterschiedlichem Gebrauch des Artikels (Geschlechtswortes):

stutzen **1.** *v/t.* trim ...
2. *v/i.* stop short ...
Bund **1.** *m* ...; **2.** *n* ...; **3.** *m, a. n* ...

Wie du sicher bereits weißt, gibt es im **britischen und amerikanischen Englisch** unterschiedliche Bezeichnungen für dieselbe Sache. Ein Engländer sagt z. B. *pavement*, wenn er den „Bürgersteig" meint, der Amerikaner spricht dagegen von *sidewalk* – und *fall* hat im amerikanischen Englisch auch noch die Bedeutung „Herbst". Im Wörterbuch findest du die Wörter, die hauptsächlich im britischen Englisch gebraucht werden, mit *Brt.* gekennzeichnet und die im amerikanischen Englisch gebräuchlichen mit *Am.*

Grammatik auch im Wörterbuch?

Auf die verschiedenen Wortarten haben wir bereits hingewiesen.

Der Eintrag *dependence* z. B. ist ein Substantiv (Hauptwort). Falls du das nicht wußtest, kannst du es daran erkennen, daß hinter der deutschen Übersetzung „Abhängigkeit" ein kursives *f* steht, bzw. hinter „Vertrauen" ein kursives *n*. Diese Buchstaben geben – wie auch das kursive *m* – in beiden Teilen des Wörterbuchs das Geschlecht des deutschen Wortes an und kennzeichnen es damit als Substantiv. Wenn das deutsche Wort ein Substantiv ist, kannst du davon ausgehen, daß das auch beim englischen Wort der Fall ist.

Oft wirst du folgende Abweichungen feststellen:

Unter *dependant* findest du die Übersetzung „Abhängige(r *m*) *f*". „Abhängige" ist weiblich; deshalb steht hinter der Klammer ein *f*. Es besteht aber auch die Möglichkeit *dependant* als „Abhängiger" zu übersetzen – und das ist männlich. Genau das steht in der Klammer: (r *m*), das Endungs-r und *m* = maskulin.

Im deutsch-englischen Teil steht das „(r)" in *Angestellte*(*r*) ebenfalls für die männliche Form *Angestellter* und in *Abenteurer*(*in*) steht das „(in)" für die weibliche Form *Abenteurerin*. Die Übersetzung „adventur|er (-ess)" mußt du hier sinngemäß auflösen in „*Abenteurer m* = adventurer –*Abenteurerin f* = adventuress", und bei *accomplice* löst du die Übersetzung „Kompli|ze, -zin" auf in „Komplize *m*, Komplizin *f*".

Genauso kannst du dir im englisch-deutschen Teil erschließen, daß ein Wort ein Adjektiv ist, wenn das □ dahintersteht. Adverbien, Präpositionen etc. werden, wenn nötig, mit den entsprechenden Abkürzungen (*adv.*, *prp.* etc.) gekennzeichnet.

Du kannst also häufig den grammatisch richtigen Gebrauch eines Wortes aus den dazugehörigen „Zusätzen" entnehmen. Wird z. B. das Stichwort (Verb, Adjektiv oder Substantiv) von bestimmten Präpositionen regiert, so werden diese mit den deutschen bzw. englischen Entsprechungen angegeben und der jeweiligen Bedeutung zugeordnet. Bleibt die englische bzw. deutsche Präposition für alle oder mehrere Übersetzungen unverändert, so wird sie nur *einmal* vor oder nach der ersten Übersetzung gebracht und gilt dann auch für die nachstehenden Übersetzungen.

Folgende Anordnungen sind möglich:

dissent ... anderer Meinung sein (*from* als) ...
dissimilar ... (*to*) unähnlich (*dat.*); verschieden (von) ...
abrücken 1. *v/t.* move away (*von* from) ...
befestigen *v/t.* fasten (*an* to), fix (to), attach (to) ...

Bei deutschen Präpositionen, die den Dativ und den Akkusativ regieren können, wird der Fall in Klammern angegeben:

enter ... (ein)treten in (*acc.*) ...

Nimm als weiteres Beispiel *depend*:

Du findest nach dem Wort und seiner Ausspracheumschreibung die Wendung ~ *on*, ~ *upon*. Das bedeutet für dich, daß du *depend* zusammen mit *on* oder *upon* gebrauchen sollst; also sagst du *depend on* oder *depend upon* und hängst an, *wovon* etwas *abhängt*. Das ist nämlich die Übersetzung dieser Wendung: abhängen von. (Siehe auch *Die Anwendung wichtiger Präpositionen* auf Seite 637-638.)

Häufig findest du auch die Abkürzungen *v/t.*, *v/i.* und *v/refl.* Sie zeigen dir an, daß es sich um Verben handelt, die transitiv, intransitiv oder reflexiv sind.

Da du ja deine Muttersprache beherrschst, haben wir im deutsch-englischen Teil des Wörterbuchs auf die Angaben zur deutschen Aussprache, Silbentrennung und Grammatik verzichtet. Zur Erleichterung haben wir dir dagegen in der englischen Übersetzung die *unregelmäßigen englischen Verben* mit einem * gekennzeichnet. Die Formen der unregelmäßigen englischen Verben siehst du bitte im englisch-deutschen Teil an alphabetischer Stelle oder unter dem jeweiligen Verb nach (oder auch im Anhang auf Seite 635-636).

Im englisch-deutschen Teil des Wörterbuchs findest du bei einigen Stichwörtern nach der eckigen Klammer für die Aussprache eine runde Klammer. Sie zeigt dir an, daß bei diesem Stichwort in folgenden Punkten eine grammatische Besonderheit vorliegt:

a) **unregelmäßiger Plural**

child ... (*pl. children*)
knife ... (*pl. knives*)
a·nal·y·sis ... (*pl. -ses* [-siːz]) = *analyses*
to·ma·to ... (*pl. -toes*) = *tomatoes*, im Vergleich zur regelmäßigen Pluralbildung:
ra·di·o ... (*pl. -os*) = *radios*

b) **unregelmäßige Verben** (s. auch Liste der unregelmäßigen englischen Verben auf Seite 635)

go ... (*went, gone*) = *pret. went, p.p. gone*
shut ... (*shut*) = *pret. u. p.p. shut*
learn ... (*learned od. learnt*) = *pret. u. p.p. learned od. learnt*
out·grow ... (*-grew, -grown*) = *pret. outgrew, p.p. outgrown*

c) **Verdoppelung der Endkonsonanten** nach kurzen, betonten Vokalen — im britischen Englisch bei *-l* auch in unbetonten Silben	**hit** ... (*-tt-*) = *hitting* **jot** ... (*-tt-*) = *jotting, jotted* **trav·el** ... (*bsd. Brt. -ll-, Am. a. -l-*) = *bsd. Brt. travelling, Am. a. traveling*
c und b	**shut** ... (*-tt-; shut*) **hit** ... (*-tt-; hit*) **out·bid** ... (*-dd-; -bid*)
d) **Auslautendes -c wird zu -ck** vor *-ed, -er, -ing* und *-y*	**frol·ic** ... (*-ck-*) = *frolicking* **pan·ic** ... (*-ck-*) = *panicked*
e) **Steigerungsformen** *-y* wird zu *-i* *-e* entfällt bei der regelmäßigen Steigerung mit *-er* und *-est*	**good** ... (*better, best*) = Komparativ *better*, Superlativ *best* **an·gry** ... (*-ier, -iest*) = *angrier, angriest* **sore** ... (*~r, ~st*) = *sorer, sorest*

Die vorausgegangenen Seiten sind Beispiele dafür, daß dir das Wörterbuch mehr bietet als nur einfache Wort-für-Wort-Gleichungen, wie du sie in den Vokabelteilen von Lehrbüchern findest.

Und nun viel Erfolg bei der Suche nach den richtigen Wörtern!

WÖRTERVERZEICHNIS

ENGLISCH-DEUTSCH
UND
DEUTSCH-ENGLISCH

Englisch-Deutsches Wörterverzeichnis

A

A

a [ə, *betont*: eɪ], *vor Vokal*: **an** [ən, *betont*: æn] *unbestimmter Artikel*: ein(e); per, pro, je; *not a(n)* kein(e); *all of a size* alle gleich groß; *£ 10 a year* zehn Pfund im Jahr; *twice a week* zweimal die *od.* in der Woche.

A 1 F [ˈeɪˈwʌn] Ia, prima.

a·back [əˈbæk]: *taken ~ fig.* überrascht, verblüfft; bestürzt.

a·ban·don [əˈbændən] auf-, preisgeben; verlassen; überlassen; **~ed:** *be found ~* verlassen aufgefunden werden (*Fahrzeug etc.*).

a·base [əˈbeɪs] erniedrigen, demütigen; **~·ment** [~mənt] Erniedrigung *f*, Demütigung *f*.

a·bashed [əˈbæʃt] verlegen.

a·bate [əˈbeɪt] *v/t.* verringern; *Mißstand* abstellen; *v/i.* abnehmen, nachlassen; **~·ment** [~mənt] Verminderung *f*; Abschaffung *f*.

ab·at·toir [ˈæbətwɑː] Schlachthof *m*.

ab·bess [ˈæbɪs] Äbtissin *f*.

ab·bey [ˈæbɪ] Kloster *n*; Abtei *f*.

ab·bot [ˈæbət] Abt *m*.

ab·bre·vi|ate [əˈbriːvɪeɪt] (ab)kürzen; **~·a·tion** [əbriːvɪˈeɪʃn] Abkürzung *f*, Kurzform *f*.

ABC [ˈeɪbiːˈsiː] Abc *n*, Alphabet *n*.

ABC weap·ons *pl.* ABC-Waffen *pl*.

ab·di|cate [ˈæbdɪkeɪt] *Amt, Recht etc.* aufgeben, verzichten auf (*acc.*); *~ (from) the throne* abdanken; **~·ca·tion** [æbdɪˈkeɪʃn] Verzicht *m*; Abdankung *f*.

ab·do·men *anat.* [ˈæbdəmən] Unterleib *m*; **ab·dom·i·nal** *anat.* [æbˈdɒmɪnl] Unterleibs...

ab·duct ⚖ [æbˈdʌkt] *j-n* entführen.

a·bet [əˈbet] (*-tt-*): *aid and ~* ⚖ Beihilfe leisten (*dat.*); begünstigen; **~·tor** [~ə] Anstifter *m*; (Helfers)Helfer *m*.

a·bey·ance [əˈbeɪəns] Unentschiedenheit *f*; *in ~* ⚖ in der Schwebe.

ab·hor [əbˈhɔː] (*-rr-*) verabscheuen; **~·rence** [əbˈhɒrəns] Abscheu *m* (*of* vor *dat.*); **~·rent** ☐ [~t] zuwider (*to dat.*); abstoßend.

a·bide [əˈbaɪd] *v/i.*: *~ by the law, etc.* sich an das Gesetz *etc.* halten; *v/t.*: *I can't ~ him* ich kann ihn nicht ausstehen.

a·bil·i·ty [əˈbɪlətɪ] Fähigkeit *f*.

ab·ject ☐ [ˈæbdʒekt] verächtlich, erbärmlich; *in ~ poverty* in äußerster Armut.

ab·jure [əbˈdʒʊə] abschwören; entsagen (*dat.*).

a·blaze [əˈbleɪz] in Flammen; *fig.* glänzend, funkelnd (*with* vor *dat.*).

a·ble ☐ [ˈeɪbl] fähig; geschickt; *be ~ to do* imstande sein zu tun; tun können; **~-bod·ied** kräftig; *~ seaman* Vollmatrose *m*.

ab·norm·al ☐ [æbˈnɔːml] abnorm, ungewöhnlich; anomal.

a·board [əˈbɔːd] an Bord; *all ~!* ⚓ alle Mann *od.* Reisenden an Bord!; 🚂 alles einsteigen!; *~ a bus* in e-m Bus; *go ~ a train* in e-n Zug einsteigen.

a·bode [əˈbəʊd] *a. place of ~* Aufenthaltsort *m*, Wohnsitz *m*; *of* (*od. with*) *no fixed ~* ohne festen Wohnsitz.

a·bol·ish [əˈbɒlɪʃ] abschaffen, aufheben.

ab·o·li·tion [æbəˈlɪʃn] Abschaffung *f*, Aufhebung *f*; **~·ist** *hist.* [~ʃənɪst] Gegner *m* der Sklaverei.

A-bomb [ˈeɪbɒm] = *atom(ic) bomb*.

a·bom·i|na·ble ☐ [əˈbɒmɪnəbl] abscheulich, scheußlich; **~·nate** [~eɪt] verabscheuen; **~·na·tion** [əbɒmɪˈneɪʃn] Abscheu *m*.

ab·o·rig·i|nal [æbəˈrɪdʒənl] **1.** ☐ eingeboren, Ur...; **2.** Ureinwohner *m*; **~·ne** [~niː] Ureinwohner *m* (*bsd. Australiens*).

a·bort [əˈbɔːt] ⚕ e-e Fehlgeburt herbeiführen bei *od.* haben; *Raumflug etc.* abbrechen; *fig.* fehlschlagen, scheitern; **a·bor·tion** ⚕ [~ʃn] Fehlgeburt *f*; Schwangerschaftsunterbrechung *f*, -abbruch *m*, Abtreibung *f*; *have an ~* abtreiben (lassen); **a·bor·tive** ☐ *fig.* [~ɪv] mißlungen, erfolglos.

a·bound [əˈbaʊnd] reichlich vorhanden sein; Überfluß haben, reich sein (*in* an *dat.*); voll sein (*with* von).

a·bout [əˈbaʊt] **1.** *prp.* um (...herum);

bei (*dat.*); (irgendwo) herum in (*dat.*); um, gegen, etwa; im Begriff, dabei; über (*acc.*); *I had no money* ~ *me* ich hatte kein Geld bei mir; *what are you* ~? was macht ihr da?; **2.** *adv.* herum, umher; in der Nähe; etwa, ungefähr.

a·bove [ə'bʌv] **1.** *prp.* über, oberhalb; *fig.* über, erhaben über; ~ *all* vor allem; **2.** *adv.* oben; darüber; **3.** *adj.* obig, obenerwähnt.

a·breast [ə'brest] nebeneinander; *keep od. be* ~ *of fig.* Schritt halten mit.

a·bridge [ə'brɪdʒ] (ab-, ver)kürzen; **a·bridg(e)·ment** [~mənt] (Ab-, Ver)Kürzung *f*; Kurzfassung *f*; Abriß *m.*

a·broad [ə'brɔ:d] im *od.* ins Ausland; überall(hin); *the news soon spread* ~ die Nachricht verbreitete sich rasch.

a·brupt □ [ə'brʌpt] abrupt; jäh; zusammenhanglos; schroff.

ab·scess ⚕ ['æbsɪs] Abszeß *m.*

ab·scond [əb'skɒnd] sich davonmachen.

ab·sence ['æbsəns] Abwesenheit *f*; Mangel *m.*

ab·sent 1. □ ['æbsənt] abwesend; fehlend; nicht vorhanden; *be* ~ fehlen (*from school* in der Schule; *from work* am Arbeitsplatz); **2.** [æb'sent]: ~ *o.s. from* fernbleiben (*dat.*) *od.* von; **~-mind·ed** □ ['æbsənt'maɪndɪd] zerstreut, geistesabwesend.

ab·so·lute □ ['æbsəlu:t] absolut; unumschränkt; vollkommen; ⚗ rein, unvermischt; unbedingt.

ab·so·lu·tion *eccl.* [æbsə'lu:ʃn] Absolution *f.*

ab·solve [əb'zɒlv] frei-, lossprechen; ⚠ *nicht absolvieren.*

ab·sorb [əb'sɔ:b] absorbieren, auf-, einsaugen; *fig.* ganz in Anspruch nehmen; **~·ing** *fig.* [~ɪŋ] fesselnd, packend.

ab·sorp·tion [əb'sɔ:pʃn] Absorption *f*; *fig.* Vertieftsein *n.*

ab·stain [əb'steɪn] sich enthalten (*from gen.*).

ab·ste·mi·ous □ [æb'sti:mɪəs] enthaltsam; mäßig.

ab·sten·tion [əb'stenʃn] Enthaltung *f*; *pol.* Stimmenthaltung *f.*

ab·sti|nence ['æbstɪnəns] Abstinenz *f*, Enthaltsamkeit *f*; **~·nent** □ [~t] abstinent, enthaltsam.

ab·stract 1. □ ['æbstrækt] abstrakt; **2.** [~] *das* Abstrakte; Auszug *m*; **3.** [æb'strækt] abstrahieren; entwenden; *e-n wichtigen Punkt aus e-m Buch etc.* herausziehen; **~·ed** □ *fig.* zerstreut; **ab·strac·tion** [~kʃn] Abstraktion *f*; abstrakter Begriff.

ab·struse □ [æb'stru:s] dunkel, schwer verständlich.

ab·surd □ [əb'sɜ:d] absurd; lächerlich.

a·bun|dance [ə'bʌndəns] Überfluß *m*; Fülle *f*; Überschwang *m*; **~·dant** □ [~t] reich(lich).

a·buse 1. [ə'bju:s] Mißbrauch *m*; Beschimpfung *f*; **2.** [~z] mißbrauchen; beschimpfen; **a·bu·sive** □ [~sɪv] ausfallend, Schimpf...

a·but [ə'bʌt] (*-tt-*) (an)grenzen (*on* an).

a·byss [ə'bɪs] Abgrund *m* (*a. fig.*).

ac·a·dem·ic [ækə'demɪk] **1.** Hochschullehrer *m*; ⚠ *nicht Akademiker*; **2.** (*~ally*) akademisch; **a·cad·e·mi·cian** [əkædə'mɪʃn] Akademiemitglied *n*; ⚠ *nicht Akademiker.*

a·cad·e·my [ə'kædəmɪ] Akademie *f*; ~ *of music* Musikhochschule.

ac·cede [æk'si:d]: ~ *to* zustimmen (*dat.*); *Amt* antreten; *Thron* besteigen.

ac·cel·e|rate [ək'seləreɪt] *v/t.* beschleunigen; *v/i.* schneller werden, *mot. a.* beschleunigen, Gas geben; **~·ra·tion** [əkselə'reɪʃn] Beschleunigung *f*; **~·ra·tor** [ək'seləreɪtə] Gaspedal *n.*

ac·cent 1. ['æksənt] Akzent *m* (*a. gr.*); **2.** [æk'sent] = **ac·cen·tu·ate** [æk'sentjʊeɪt] akzentuieren, betonen.

ac·cept [ək'sept] annehmen; akzeptieren; hinnehmen; **ac·cep·ta·ble** □ [~əbl] annehmbar; **~·ance** [~əns] Annahme *f*; Aufnahme *f.*

ac·cess ['ækses] Zugang *m* (*to* zu); *fig.* Zutritt *m* (*to* bei, zu); *easy of* ~ zugänglich (*Person*); ~ *road* Zufahrtsstraße *f*; (Autobahn)Zubringerstraße *f.*

ac·ces·sa·ry ⚖ [ək'sesərɪ] *s. accessory 2* ⚖.

ac·ces|si·ble □ [ək'sesəbl] (leicht) zugänglich; **~·sion** [~ʃn] Zuwachs *m*, Zunahme *f*; Antritt *m* (*e-s Amtes*); ~ *to power* Machtübernahme *f*; ~ *to the throne* Thronbesteigung *f.*

ac·ces·so·ry [ək'sesərɪ] **1.** zusätzlich; **2.** ⚖ Kompli|ze *m*, -zin *f*, Mitschul-

dige(r *m*) *f*; *mst accessories pl.* Zubehör *n*, *Mode a.* Accessoires *pl.*; ⊕ Zubehör(teile *pl.*) *n*.
ac·ci|dent [ˈæksɪdənt] Zufall *m*; Un(glücks)fall *m*; *by* ~ zufällig; **~·dental** □ [æksɪˈdentl] zufällig; versehentlich.
ac·claim [əˈkleɪm] freudig begrüßen.
ac·cla·ma·tion [ækləˈmeɪʃn] lauter Beifall; Lob *n*.
ac·cli·ma·tize [əˈklaɪmətaɪz] (sich) akklimatisieren *od.* eingewöhnen.
ac·com·mo|date [əˈkɒmədeɪt] (sich) anpassen (*to dat. od.* an *acc.*); unterbringen, beherbergen; Platz haben für; *j-m* aushelfen (*with* mit *Geld*); **~·da·tion** [əkɒməˈdeɪʃn] Anpassung *f*; Unterbringung *f*, (Platz *m* für) Unterkunft *f*, Quartier *n*.
ac·com·pa|ni·ment ♪ [əˈkʌmpənɪmənt] Begleitung *f*; **~·ny** [əˈkʌmpənɪ] begleiten (*a.* ♪); *accompanied with* verbunden mit.
ac·com·plice [əˈkʌmplɪs] Kompli|ze *m*, -zin *f*.
ac·com·plish [əˈkʌmplɪʃ] vollenden; ausführen; *Zweck* erreichen; **~ed** vollendet, perfekt; **~·ment** [~mənt] Vollendung *f*, Ausführung *f*; Fähigkeit *f*, Talent *n*.
ac·cord [əˈkɔːd] **1.** Übereinstimmung *f*; ⚠ *nicht Akkord*; *of one's own* ~ aus eigenem Antrieb; *with one* ~ einstimmig; **2.** *v/i.* übereinstimmen; *v/t.* gewähren; **~·ance** [~əns] Übereinstimmung *f*; *in* ~ *with* laut (*gen.*), gemäß (*dat.*); **~·ant** [~t] übereinstimmend; **~·ing** [~ɪŋ]: ~ *to* gemäß (*dat.*), nach; **~·ing·ly** [~ɪŋlɪ] (dem-) entsprechend.
ac·cost [əˈkɒst] *j-n bsd. auf der Straße* ansprechen.
ac·count [əˈkaʊnt] **1.** *econ.* Rechnung *f*, Berechnung *f*; *econ.* Konto *n*; Rechenschaft *f*; Bericht *m*; *by all* ~*s* nach allem, was man so hört; *of no* ~ ohne Bedeutung; *on no* ~ auf keinen Fall; *on* ~ *of* wegen; *take into* ~, *take* ~ *of* in Betracht *od.* Erwägung ziehen, berücksichtigen; *turn s.th. to (good)* ~ et. (gut) ausnutzen; *keep* ~*s* die Bücher führen; *call to* ~ zur Rechenschaft ziehen; *give (an)* ~ *of* Rechenschaft ablegen über (*acc.*); *give an* ~ *of* Bericht erstatten über (*acc.*); **2.** *v/i.*: ~ *for* Rechenschaft über *et.* ablegen; (sich) erklären; **ac·coun·ta·ble** □ [~əbl] verantwortlich; erklärlich; **ac·coun·tant** [~ənt] Buchhalter *m*; **~·ing** [~ɪŋ] Buchführung *f*.
ac·cu·mu|late [əˈkjuːmjʊleɪt] (sich) (an)häufen *od.* ansammeln; **~·la·tion** [əkjuːmjʊˈleɪʃn] Ansammlung *f*.
ac·cu|ra·cy [ˈækjʊrəsɪ] Genauigkeit *f*; **~·rate** □ [~rət] genau; richtig.
ac·cu·sa·tion [ækjuːˈzeɪʃn] Anklage *f*; An-, Beschuldigung *f*.
ac·cu·sa·tive *gr.* [əˈkjuːzətɪv] *a.* ~ *case* Akkusativ *m*.
ac·cuse [əˈkjuːz] anklagen; beschuldigen; *the* ~*d* der *od.* die Angeklagte, die Angeklagten; **ac·cus·er** [~ə] Ankläger(in); **ac·cus·ing** □ [~ɪŋ] anklagend, vorwurfsvoll.
ac·cus·tom [əˈkʌstəm] gewöhnen (*to* an *acc.*); **~ed** gewohnt, üblich; gewöhnt (*to* an *acc.*, zu *inf.*).
ace [eɪs] As *n* (*a. fig.*); *have an* ~ *up one's sleeve*, *Am. have an* ~ *in the hole fig.* (noch) e-n Trumpf in der Hand haben; *within an* ~ um ein Haar.
ache [eɪk] **1.** schmerzen, weh tun; **2.** *anhaltender* Schmerz.
a·chieve [əˈtʃiːv] zustande bringen; *Ziel* erreichen; **~·ment** [~mənt] Zustandebringen *n*, Ausführung *f*; Leistung *f*.
ac·id [ˈæsɪd] **1.** sauer; *fig.* beißend, bissig; ~ *rain* saurer Regen; **2.** ⚗ Säure *f*; **a·cid·i·ty** [əˈsɪdətɪ] Säure *f*.
ac·knowl·edge [əkˈnɒlɪdʒ] anerkennen; zugeben; *Empfang* bestätigen; **ac·knowl·edg(e)·ment** [~mənt] Anerkennung *f*; (Empfangs)Bestätigung *f*; Eingeständnis *n*.
a·corn ⚘ [ˈeɪkɔːn] Eichel *f*.
a·cous·tics [əˈkuːstɪks] *pl.* Akustik *f* (*e-s Raumes*).
ac·quaint [əˈkweɪnt] bekannt machen; ~ *s.o. with s.th.* j-m et. mitteilen; *be* ~*ed with* kennen; **~·ance** [~əns] Bekanntschaft *f*; Bekannte(r *m*) *f*.
ac·qui·esce [ækwɪˈes] (*in*) hinnehmen (*acc.*); einwilligen (in *acc.*).
ac·quire [əˈkwaɪə] erwerben; sich aneignen (*Kenntnisse*).
ac·qui·si·tion [ækwɪˈzɪʃn] Erwerb *m*; Erwerbung *f*; Errungenschaft *f*.
ac·quit [əˈkwɪt] (*-tt-*) ⚖ *j-n* freisprechen (*of a charge* von e-r Anklage); ~ *o.s. of e-e Pflicht* erfüllen; ~ *o.s. well* s-e Sache gut machen; **~·tal** ⚖ [~tl] Freispruch *m*.

a·cre [ˈeɪkə] Acre *m* (*4047 qm*).
ac·rid [ˈækrɪd] scharf, beißend.
a·cross [əˈkrɒs] **1.** *adv.* (quer) hin- *od.* herüber; querdurch; drüben, auf der anderen Seite; über Kreuz; **2.** *prp.* (quer) über (*acc.*); (quer) durch; auf der anderen Seite von (*od. gen.*), jenseits (*gen.*); über (*dat.*); *come* ~, *run* ~ stoßen auf (*acc.*).
act [ækt] **1.** *v/i.* handeln; sich benehmen; wirken; funktionieren; (Theater) spielen (*a. fig.*), auftreten; *v/t. thea.* spielen (*a. fig.*), *Stück* aufführen; ~ *out* szenisch darstellen, vorspielen; **2.** Handlung *f*, Tat *f*, Maßnahme *f*, Akt *m*; *thea.* Akt *m*; Gesetz *n*, Beschluß *m*; Urkunde *f*, Vertrag *m*; **~·ing** [ˈæktɪŋ] **1.** Handeln *n*; *thea.* Spiel(en) *n*; **2.** tätig; amtierend.
ac·tion [ˈækʃn] Handlung *f* (*a. thea.*), Tat *f*; Action *f* (*spannende Handlung*); Aktion *f*; Tätigkeit *f*, Funktion *f*; (Ein)Wirkung *f*; ⚖ Klage *f*, Prozeß *m*; ⚔ Gefecht *n*, Kampfhandlung *f*; ⊕ Mechanismus *m*; *take* ~ Schritte unternehmen, handeln.
ac·tive [ˈæktɪv] aktiv; tätig, rührig; lebhaft, rege; wirksam; *econ.* lebhaft; ~ *voice gr.* Aktiv *n*, Tatform *f*; **ac·tiv·ist** [~vɪst] Aktivist(in); **ac·tiv·i·ty** [ækˈtɪvətɪ] Tätigkeit *f*; Aktivität *f*; Betriebsamkeit *f*; *bsd. econ.* Lebhaftigkeit *f*.
ac·tor [ˈæktə] Schauspieler *m*; **ac·tress** [~trɪs] Schauspielerin *f*.
ac·tu·al □ [ˈæktʃʊəl] wirklich, tatsächlich, eigentlich; ⚠ *nicht aktuell.*
a·cute □ [əˈkjuːt] (~*r*, ~*st*) spitz; scharf(sinnig); brennend (*Frage*); ⚕ akut.
ad F [æd] = *advertisement.*
ad·a·mant □ *fig.* [ˈædəmənt] unerbittlich.
a·dapt [əˈdæpt] anpassen (*to dat. od.* an *acc.*); *Text* bearbeiten (*from* nach); ⊕ umstellen (*to* auf *acc.*); umbauen (*to* für); **ad·ap·ta·tion** [ædæpˈteɪʃn] Anpassung *f*; Bearbeitung *f*; **a·dapt·er, a·dapt·or** ⚡ [əˈdæptə] Adapter *m*.
add [æd] *v/t.* hinzufügen; ~ *up* zusammenzählen, addieren; *v/i.*: ~ *to* vermehren, beitragen zu, hinzukommen zu; ~ *up fig.* F e-n Sinn ergeben.
ad·dict [ˈædɪkt] Süchtige(r *m*) *f*; *alcohol* (*drug*) ~ Alkohol- (Drogen- *od.* Rauschgift)Süchtige(r *m*) *f*; *Fußball- etc.* Fanatiker(in), *Film- etc.* Narr *m*; **~ed** [əˈdɪktɪd] süchtig, abhängig (*to* von); *be* ~ *to alcohol* (*drugs, television, etc.*) alkohol- (drogen-, fernseh- *etc.*)süchtig sein; **ad·dic·tion** [~ʃn] Sucht *f*, *Zustand a.* Süchtigkeit *f*.
ad·di·tion [əˈdɪʃn] Hinzufügen *n*; Zusatz *m*; Zuwachs *m*; Anbau *m*; Å Addition *f*; *in* ~ außerdem; *in* ~ *to* außer (*dat.*); **~·al** [~l] zusätzlich.
ad·dress [əˈdres] **1.** *Worte* richten (*to* an *acc.*), *j-n* anreden *od.* ansprechen; **2.** Adresse *f*, Anschrift *f*; Rede *f*; Ansprache *f*; **~·ee** [ædreˈsiː] Empfänger(in).
ad·ept [ˈædept] **1.** erfahren, geschickt (*at, in* in *dat.*); **2.** Meister *m*, Experte *m* (*at, in* in *dat.*).
ad·e|qua·cy [ˈædɪkwəsɪ] Angemessenheit *f*; **~·quate** □ [~kwət] angemessen.
ad·here [ədˈhɪə] (*to*) kleben, haften (an *dat.*); *fig.* festhalten (an *dat.*); **ad·her·ence** [~rəns] Anhaften *n*; *fig.* Festhalten *n*; **ad·her·ent** [~rənt] Anhänger(in).
ad·he·sive [ədˈhiːsɪv] **1.** □ klebend; ~ *plaster* Heftpflaster *n*; ~ *tape* Klebestreifen *m*; *Am.* Heftpflaster *n*; **2.** Klebstoff *m*.
ad·ja·cent □ [əˈdʒeɪsnt] angrenzend, anstoßend (*to* an *acc.*); benachbart.
ad·jec·tive *gr.* [ˈædʒɪktɪv] Adjektiv *n*, Eigenschaftswort *n*.
ad·join [əˈdʒɔɪn] (an)grenzen an (*acc*).
ad·journ [əˈdʒɜːn] verschieben, (*v/i.* sich) vertagen; **~·ment** [~mənt] Vertagung *f*, -schiebung *f*.
ad·just [əˈdʒʌst] anpassen; in Ordnung bringen; *Streit* beilegen; *Mechanismus u. fig.* einstellen (*to* auf *acc.*); **~·ment** [~mənt] Anpassung *f*; Ordnung *f*; ⊕ Einstellung *f*; Beilegung *f*.
ad·min·is|ter [ədˈmɪnɪstə] verwalten; spenden; *Arznei* geben, verabreichen; ~ *justice* Recht sprechen; **~·tra·tion** [ədmɪnɪˈstreɪʃn] Verwaltung *f*; *pol. bsd. Am.* Regierung *f*; *bsd. Am.* Amtsperiode *f* (*e-s Präsidenten*); **~·tra·tive** □ [ədˈmɪnɪstrətɪv] Verwaltungs...; **~·tra·tor** [~reɪtə] Verwaltungsbeamte(r) *m*.
ad·mi·ra·ble □ [ˈædmərəbl] bewundernswert; großartig.
ad·mi·ral [ˈædmrəl] Admiral *m*.

ad·mi·ra·tion [ædməˈreɪʃn] Bewunderung *f*.
ad·mire [ədˈmaɪə] bewundern; verehren; **ad·mir·er** [~rə] Verehrer *m*.
ad·mis|si·ble □ [ədˈmɪsəbl] zulässig; **~·sion** [~ʃn] Zulassung *f*; Eintritt(sgeld *n*) *m*; Eingeständnis *n*; *~ free* Eintritt frei.
ad·mit [ədˈmɪt] (*-tt-*) *v/t*. (her)einlassen (*to, into* in *acc*.), eintreten lassen; zulassen (*to* zu); zugeben; **~·tance** [~əns] Einlaß *m*, Ein-, Zutritt *m*; *no ~* Zutritt verboten.
ad·mix·ture [ædˈmɪkstʃə] Beimischung *f*, Zusatz *m*.
ad·mon·ish [ədˈmɒnɪʃ] ermahnen; warnen (*of, against* vor *dat*.); **ad·mo·ni·tion** [ædməˈnɪʃn] Ermahnung *f*; Warnung *f*.
a·do [əˈduː] (*pl. -dos*) Getue *n*, Lärm *m*; *without much od. more od. further ~* ohne weitere Umstände.
ad·o·les|cence [ædəˈlesns] Adoleszenz *f*, Reifezeit *f*; **~·cent** [~t] **1.** jugendlich, heranwachsend; **2.** Jugendliche(r *m*) *f*.
a·dopt [əˈdɒpt] adoptieren; sich zu eigen machen, übernehmen; *~ed child* Adoptivkind *n*; **a·dop·tion** [~pʃn] Adoption *f*; **a·dop·tive** □ [~tɪv] Adoptiv...; angenommen; *~ child* Adoptivkind *n*; *~ parents pl*. Adoptiveltern *pl*.
a·dor·a·ble □ [əˈdɔːrəbl] anbetungswürdig; F entzückend; **ad·o·ra·tion** [ædəˈreɪʃn] Anbetung *f*, Verehrung *f*; **a·dore** [əˈdɔː] anbeten, verehren.
a·dorn [əˈdɔːn] schmücken, zieren; **~·ment** [~mənt] Schmuck *m*.
a·droit □ [əˈdrɔɪt] geschickt.
ad·ult [ˈædʌlt] **1.** erwachsen; **2.** Erwachsene(r *m*) *f*; *~ education* Erwachsenenbildung *f*.
a·dul·ter|ate [əˈdʌltəreɪt] verfälschen; **~·er** [~rə] Ehebrecher *m*; **~·ess** [~rɪs] Ehebrecherin *f*; **~·ous** □ [~rəs] ehebrecherisch; **~·y** [~rɪ] Ehebruch *m*.
ad·vance [ədˈvɑːns] **1.** *v/i*. vorrücken, -dringen; vorrücken (*Zeit*); steigen; Fortschritte machen; *v/t*. vorrücken; *Ansicht etc*. vorbringen; *Geld* vorauszahlen; vorschießen; (be)fördern; *Preis* erhöhen; beschleunigen; **2.** Vorrücken *n*, Vorstoß *m* (*a. fig*.); Fortschritt *m*; Vorschuß *m*; Erhöhung *f*; *in ~* im voraus; **~d** fortgeschritten; *~ for one's years* weit *od*. reif für sein Alter; **~·ment** [~mənt] Förderung *f*; Fortschritt *m*.
ad·van|tage [ədˈvɑːntɪdʒ] Vorteil *m*; Überlegenheit *f*; Gewinn *m*; *take ~ of* ausnutzen; **~·ta·geous** □ [ædvənˈteɪdʒəs] vorteilhaft.
ad·ven|ture [ədˈventʃə] Abenteuer *n*, Wagnis *n*; Spekulation *f*; **~·tur·er** [~rə] Abenteurer *m*; Spekulant *m*; **~·tur·ess** [~rɪs] Abenteu(r)erin *f*; **~·tur·ous** □ [~rəs] abenteuerlich; verwegen, kühn.
ad·verb *gr*. [ˈædvɜːb] Adverb *n*, Umstandswort *n*.
ad·ver·sa·ry [ˈædvəsərɪ] Gegner(in), Feind(in); **ad·verse** □ [ˈædvɜːs] widrig; feindlich; ungünstig, nachteilig (*to* für); **ad·ver·si·ty** [ədˈvɜːsətɪ] Unglück *n*.
ad·ver|tise [ˈædvətaɪz] ankündigen, bekanntmachen; inserieren; Reklame machen (für); **~·tise·ment** [ədˈvɜːtɪsmənt] Anzeige *f*, Ankündigung *f*, Inserat *n*; Reklame *f*; **~·tis·ing** [ˈædvətaɪzɪŋ] **1.** Reklame *f*, Werbung *f*; **2.** Anzeigen..., Reklame..., Werbe...; *~ agency* Anzeigenannahme *f*; Werbeagentur *f*.
ad·vice [ədˈvaɪs] Rat(schlag) *m*; Nachricht *f*, Meldung *f*; *take medical ~* e-n Arzt zu Rate ziehen; *take my ~* hör auf mich.
ad·vi·sab·le □ [ədˈvaɪzəbl] ratsam; **ad·vise** [ədˈvaɪz] *v/t*. *j-n* beraten; *j-m* raten; *bsd. econ*. benachrichtigen; avisieren; *v/i*. sich beraten; **ad·vis·er,** *Am. a*. **ad·vi·sor** [~ə] Berater *m*; **ad·vi·so·ry** [~ərɪ] beratend.
ad·vo·cate **1.** [ˈædvəkət] Anwalt *m*; Verfechter *m*; Befürworter *m*; **2.** [~keɪt] verteidigen, befürworten.
aer·i·al [ˈeərɪəl] **1.** □ luftig; Luft...; *~ view* Luftaufnahme *f*; **2.** Antenne *f*.
ae·ro- [ˈeərəʊ] Aero..., Luft...
aer·o|bics [eəˈrəʊbɪks] *sg*. *Sport*: Aerobic *n*; **~·drome** *bsd. Brt*. [ˈeərədrəʊm] Flugplatz *m*; **~·dy·nam·ic** [eərəʊdaɪˈnæmɪk] (*~ally*) aerodynamisch; **~·dy·nam·ics** *sg*. Aerodynamik *f*; **~·nau·tics** [eərəˈnɔːtɪks] *sg*. Luftfahrt *f*; **~·plane** *Brt*. [ˈeərəpleɪn] Flugzeug *n*.
aes·thet·ic [iːsˈθetɪk] ästhetisch; **~s** *sg*. Ästhetik *f*.
a·far [əˈfɑː] fern, weit (weg).
af·fa·ble □ [ˈæfəbl] leutselig.
af·fair [əˈfeə] Geschäft *n*, Angelegenheit *f*, Sache *f*; F Ding *n*,

Sache *f*; Liebesaffäre *f*, Verhältnis *n*.
af·fect [əˈfekt] (ein- *od.* sich aus-) wirken auf (*acc.*); rühren; *Gesundheit* angreifen; lieben, vorziehen; nachahmen; vortäuschen; **af·fec·ta·tion** [æfekˈteɪʃn] Vorliebe *f*; Affektiertheit *f*; Verstellung *f*; **~·ed** □ gerührt; befallen (*von Krankheit*); angegriffen (*Augen etc.*); geziert, affektiert; **af·fec·tion** [~kʃn] Zuneigung *f*; **af·fec·tion·ate** □ [~ʃnət] liebevoll.
af·fil·i·ate [əˈfɪlɪeɪt] *als Mitglied* aufnehmen; angliedern; *~d company econ.* Tochtergesellschaft *f*.
af·fin·i·ty [əˈfɪnətɪ] (geistige) Verwandtschaft; ⚗ Affinität *f*; Neigung *f* (*for, to* zu).
af·firm [əˈfɜːm] versichern; beteuern; bestätigen; **af·fir·ma·tion** [æfəˈmeɪʃn] Versicherung *f*; Beteuerung *f*; Bestätigung *f*; **af·fir·ma·tive** [əˈfɜːmətɪv] **1.** □ bejahend; **2.** *answer in the ~* bejahen.
af·fix [əˈfɪks] (*to*) anheften, -kleben (an *acc.*), befestigen (an *dat.*); bei-, hinzufügen (*dat.*).
af·flict [əˈflɪkt] betrüben, heimsuchen, plagen; **af·flic·tion** [~kʃn] Betrübnis *f*; Gebrechen *n*; Elend *n*, Not *f*.
af·flu|ence [ˈæflʊəns] Überfluß *m*; Wohlstand *m*; **~·ent** [~t] **1.** □ reich (-lich); *~ society* Wohlstandsgesellschaft *f*; **2.** Nebenfluß *m*.
af·ford [əˈfɔːd] sich leisten; gewähren, bieten; *I can ~ it* ich kann es mir leisten.
af·front [əˈfrʌnt] **1.** beleidigen; **2.** Beleidigung *f*.
a·field [əˈfiːld] im Feld; (weit) weg.
a·float [əˈfləʊt] ⚓ *u. fig.* flott; schwimmend; auf See; *set ~* ⚓ flottmachen; in Umlauf bringen.
a·fraid [əˈfreɪd]: *be ~ of* sich fürchten *od.* Angst haben vor (*dat.*); *I'm ~ she won't come* ich fürchte, sie wird nicht kommen; *I'm ~ I must go now* leider muß ich jetzt gehen.
a·fresh [əˈfreʃ] von neuem.
Af·ri·can [ˈæfrɪkən] **1.** afrikanisch; **2.** Afrikaner(in); *Am. a.* Neger(in).
af·ter [ˈɑːftə] **1.** *adv.* hinterher, nachher, danach; **2.** *prp.* nach; hinter (*dat.*) (... her); *~ all* schließlich (doch); **3.** *cj.* nachdem; **4.** *adj.* später; Nach...; **~-ef·fect** ⚕ Nachwirkung *f* (*a. fig.*); *fig.* Folge *f*; **~·glow** Abendrot *n*; **~·math** [~mæθ] Nachwirkungen *pl.*, Folgen *pl.*; **~·noon** [ɑːftəˈnuːn] Nachmittag *m*; *this ~* heute nachmittag; *good ~!* guten Tag!; **~·taste** [ˈɑːftəteɪst] Nachgeschmack *m*; **~·thought** nachträglicher Einfall; **~·wards,** *Am. a.* **~·ward** [~wəd(z)] nachher, später.
a·gain [əˈgen] wieder(um); ferner; *~ and ~, time and ~* immer wieder; *as much ~* noch einmal soviel.
a·gainst [əˈgenst] gegen; *räumlich*: gegen; an, vor (*dat. od. acc.*); *fig.* im Hinblick auf (*acc.*); *as ~* verglichen mit; *he was ~ it* er war dagegen.
age [eɪdʒ] **1.** (Lebens)Alter *n*; Zeit (-alter *n*) *f*; Menschenalter *n*; (*old*) *~* (hohes) Alter; (*come*) *of ~* mündig *od.* volljährig (werden); *be over ~* die Altersgrenze überschritten haben; *under ~* minderjährig; unmündig; *wait for ~s* F e-e Ewigkeit warten; **2.** alt werden *od.* machen; **~d** [ˈeɪdʒɪd] alt, betagt; [eɪdʒd]: *~ twenty* 20 Jahre alt; **~·less** [ˈeɪdʒlɪs] zeitlos; ewig jung.
a·gen·cy [ˈeɪdʒənsɪ] Tätigkeit *f*; Vermittlung *f*; Agentur *f*, Büro *n*.
a·gen·da [əˈdʒendə] Tagesordnung *f*.
a·gent [ˈeɪdʒənt] Handelnde(r *m*) *f*; (Stell)Vertreter(in); Agent *m* (*a. pol.*); Wirkstoff *m*, Mittel *n*, Agens *n*.
ag·glom·er·ate [əˈglɒməreɪt] (sich) zusammenballen; (sich) (an)häufen.
ag·gra·vate [ˈægrəveɪt] erschweren, verschlimmern; F ärgern.
ag·gre·gate 1. [ˈægrɪgeɪt] (sich) anhäufen; vereinigen (*to* mit); sich belaufen auf (*acc.*); **2.** □ [~gət] (an)gehäuft; gesamt; **3.** [~] Anhäufung *f*; Gesamtmenge *f*, Summe *f*; Aggregat *n*.
ag·gres|sion [əˈgreʃn] Angriff *m*; **~·sive** □ [~sɪv] aggressiv, Angriffs...; *fig.* energisch; **~·sor** [~sə] Angreifer *m*.
ag·grieved [əˈgriːvd] verletzt, gekränkt.
a·ghast [əˈgɑːst] entgeistert, entsetzt.
ag·ile □ [ˈædʒaɪl] flink, behend; **a·gil·i·ty** [əˈdʒɪlətɪ] Behendigkeit *f*.
ag·i|tate [ˈædʒɪteɪt] *v/t.* hin u. her bewegen, schütteln; *fig.* aufregen; erörtern; *v/i.* agitieren; **~·ta·tion** [ædʒɪˈteɪʃn] heftige Bewegung, Erschütterung *f*; Aufregung *f*; Agita-

tion *f*; ~·**ta·tor** ['ædʒɪteɪtə] Agitator *m*, Aufwiegler *m*.
a·glow [ə'gləʊ] glühend; *be* ~ strahlen (*with* vor).
a·go [ə'gəʊ]: *a year* ~ vor e-m Jahr.
ag·o·nize ['ægənaɪz] (sich) quälen.
ag·o·ny ['ægənɪ] heftiger Schmerz, *a. seelische* Qual; Pein *f*; Agonie *f*, Todeskampf *m*.
a·grar·i·an [ə'greərɪən] Agrar...
a·gree [ə'gri:] *v/i.* übereinstimmen; sich vertragen; einig werden, sich einigen (*on, upon* über *acc.*); übereinkommen; ~ *to* zustimmen (*dat.*), einverstanden sein mit; ~·**a·ble** □ [ə'grɪəbl] (*to*) angenehm (für); übereinstimmend (mit); ~·**ment** [ə'gri:mənt] Übereinstimmung *f*; Vereinbarung *f*; Abkommen *n*; Vertrag *m*.
ag·ri·cul·tur|al [ægrɪ'kʌltʃərəl] landwirtschaftlich; ~**e** ['ægrɪkʌltʃə] Landwirtschaft *f*; ~·**ist** [ægrɪ'kʌltʃərɪst] Landwirt *m*.
a·ground ⚓ [ə'graʊnd] gestrandet; *run* ~ stranden, auf Grund laufen.
a·head [ə'hed] vorwärts, voraus; vorn; *go* ~*!* nur zu!, mach nur!; *straight* ~ geradeaus.
aid [eɪd] **1.** helfen (*dat.*; *in* bei *et.*); fördern; **2.** Hilfe *f*, Unterstützung *f*.
ail [eɪl] *v/i* kränkeln; *v/t.* schmerzen, weh tun (*dat.*); *what* ~*s him?* was fehlt ihm?; ~·**ing** ['eɪlɪŋ] leidend; ~·**ment** [~mənt] Leiden *n*.
aim [eɪm] **1.** *v/i.* zielen (*at* auf *acc.*, nach); ~ *at fig.* beabsichtigen; *be* ~*ing to do s.th.* vorhaben, et. zu tun; *v/t.* ~ *at Waffe etc.* richten auf *od.* gegen (*acc.*); **2.** Ziel *n* (*a. fig.*); Absicht *f*; *take* ~ *at* zielen auf (*acc.*) *od.* nach; ~·**less** □ ['eɪmlɪs] ziellos.
air[1] [eə] **1.** Luft *f*; Luftzug *m*; Miene *f*, Aussehen *n*; *by* ~ auf dem Luftwege; *in the open* ~ im Freien; *on the* ~ im Rundfunk *od.* Fernsehen; *be on the* ~ senden (*Sender*); in Betrieb sein (*Sender*); *go off the* ~ die Sendung beenden (*Person*); sein Programm beenden (*Sender*); *give o.s.* ~*s, put on* ~*s* vornehm tun; **2.** (aus)lüften; *fig.* an die Öffentlichkeit bringen; erörtern.
air[2] ♪ [~] Arie *f*, Weise *f*, Melodie *f*.
air|base ⚔ ['eəbeɪs] Luftstützpunkt *m*; ~-**bed** Luftmatratze *f*; ~·**borne** in der Luft (*Flugzeug*); ⚔ Luftlande...; ~·**brake** ⊕ Druckluftbremse *f*; ~-**con·di·tioned** mit Klimaanlage; ~·**craft** (*pl.* ~*craft*) Flugzeug *n*; ~·**craft car·ri·er** Flugzeugträger *m*; ~·**field** Flugplatz *m*; ~ **force** ⚔ Luftwaffe *f*; ~ **host·ess** ✈ Stewardess *f*; ~-**jack·et** Schwimmweste *f*; ~·**lift** ✈ Luftbrücke *f*; ~·**line** ✈ Fluggesellschaft *f*; ~·**lin·er** ✈ Verkehrsflugzeug *n*; ~·**mail** Luftpost *f*; *by* ~ mit Luftpost; ~·**man** (*pl.* *-men*) Flieger *m* (*Luftwaffe*); ~·**plane** *Am.* Flugzeug *n*; ~ **pock·et** ✈ Luftloch *n*; ~ **pol·lu·tion** Luftverschmutzung *f*; ~·**port** Flughafen *m*; ~ **raid** Luftangriff *m*; ~-**raid pre·cau·tions** *pl.* Luftschutz *m*; ~-**raid shel·ter** Luftschutzraum *m*; ~ **route** ✈ Flugroute *f*; ~·**sick** luftkrank; ~·**space** Luftraum *m*; ~·**strip** (behelfsmäßige) Start- u. Landebahn; ~ **ter·mi·nal** Flughafenabfertigungsgebäude *n*; ~·**tight** luftdicht; ~ **traf·fic** Flugverkehr *m*; ~-**traf·fic con·trol** ✈ Flugsicherung *f*; ~-**traf·fic con·trol·ler** ✈ Fluglotse *m*; ~·**way** ✈ Fluggesellschaft *f*; ~·**wor·thy** flugtüchtig.
air·y □ ['eərɪ] (*-ier, -iest*) luftig; *contp.* überspannt.
aisle *arch.* [aɪl] Seitenschiff *n*; Gang *m*.
a·jar [ə'dʒɑ:] halb offen, angelehnt.
a·kin [ə'kɪn] verwandt (*to* mit).
a·lac·ri·ty [ə'lækrətɪ] Munterkeit *f*; Bereitwilligkeit *f*, Eifer *m*.
a·larm [ə'lɑ:m] **1.** Alarm(zeichen *n*) *m*; Wecker *m*; Angst *f*; **2.** alarmieren; beunruhigen; ~ **clock** Wecker *m*.
al·bum ['ælbəm] Album *n*.
al·bu·mi·nous [æl'bju:mɪnəs] eiweißhaltig.
al·co·hol ['ælkəhɒl] Alkohol *m*; ~·**ic** [ælkə'hɒlɪk] **1.** alkoholisch; **2.** Alkoholiker(in); ~·**is·m** ['ælkəhɒlɪzəm] Alkoholismus *m*.
al·cove ['ælkəʊv] Nische *f*; Laube *f*.
al·der·man ['ɔ:ldəmən] (*pl.* *-men*) Ratsherr *m*, Stadtrat *m*.
ale [eɪl] Ale *n* (*helles, obergäriges Bier*).
a·lert [ə'lɜ:rt] **1.** □ wachsam; munter; **2.** Alarm(bereitschaft *f*) *m*; *on the* ~ auf der Hut; in Alarmbereitschaft; **3.** warnen (*to* vor *dat.*), alarmieren.
al·i·bi ['ælɪbaɪ] Alibi *n*; F Entschuldigung *f*, Ausrede *f*.
a·li·en ['eɪljən] **1.** fremd; ausländisch (*mst administrativ od. formal*);

2. Fremde(r *m*) *f*, Ausländer(in); **~ate** [~eɪt] veräußern; entfremden.
a·light [əˈlaɪt] **1.** in Flammen; erhellt; **2.** ab-, aussteigen; ✈ niedergehen, landen; sich niederlassen (*on, upon* auf *dat. od. acc.*).
a·lign [əˈlaɪn] (sich) ausrichten (*with* nach); *~ o.s. with* sich anschließen an (*acc.*).
a·like [əˈlaɪk] **1.** *adj.* gleich; **2.** *adv.* gleich, ebenso.
al·i·men·ta·ry [ælɪˈmentərɪ] nahrhaft; *~ canal* Verdauungskanal *m.*
al·i·mo·ny ⚖ [ˈælɪmənɪ] Unterhalt *m.*
alive [əˈlaɪv] lebendig; (noch) am Leben; empfänglich (*to* für); lebhaft; belebt (*with* von).
all [ɔːl] **1.** *adj.* all; ganz; jede(r, -s); **2.** *pron.* alles; alle *pl.*; **3.** *adv.* ganz, völlig; *Wendungen*: *~ at once* auf einmal; *~ the better* desto besser; *~ but* beinahe, fast; *~ in Am.* F fertig, ganz erledigt; *~ right* (alles) in Ordnung; *for ~ that* dessenungeachtet, trotzdem; *for ~ (that) I care* meinetwegen; *for ~ I know* soviel ich weiß; *at ~* überhaupt; *not at ~* überhaupt nicht; *the score was two ~* das Spiel stand zwei zu zwei.
all-A·mer·i·can [ˈɔːləˈmerɪkən] rein amerikanisch; die ganzen USA vertretend.
al·lay [əˈleɪ] beruhigen; lindern.
al·le·ga·tion [ælɪˈgeɪʃn] *unerwiesene* Behauptung.
al·lege [əˈledʒ] behaupten; **~d** □ angeblich.
al·le·giance [əˈliːdʒəns] (Untertanen)Treue *f.*
al·ler|gic [əˈlɜːdʒɪk] allergisch; **~·gy** [ˈælədʒɪ] Allergie *f.*
al·le·vi·ate [əˈliːvɪeɪt] lindern, vermindern.
al·ley [ˈælɪ] (enge *od.* schmale) Gasse; Garten-, Parkweg *m*; *Bowling, Kegeln*: Bahn *f*; ⚠ *nicht Allee.*
al·li·ance [əˈlaɪəns] Bündnis *n.*
al·lo|cate [ˈæləkeɪt] zuteilen, anweisen; **~·ca·tion** [æləˈkeɪʃn] Zuteilung *f.*
al·lot [əˈlɒt] (*-tt-*) zuteilen, an-, zuweisen; **~·ment** [~mənt] Zuteilung *f*; Parzelle *f.*
al·low [əˈlaʊ] erlauben, bewilligen, gewähren; zugeben; ab-, anrechnen, vergüten; *~ for* berücksichtigen (*acc.*); **~·a·ble** □ [əˈlaʊəbl] erlaubt, zulässig; **~·ance** Erlaubnis *f*; Bewilligung *f*; Taschengeld *n*, Zuschuß *m*; Vergütung *f*; *fig.* Nachsicht *f*; *make ~(s) for s.th.* et. in Betracht ziehen.
al·loy 1. [ˈælɔɪ] Legierung *f*; **2.** [əˈlɔɪ] legieren.
all-round [ˈɔːlraʊnd] vielseitig; **~·er** [ɔːlˈraʊndə] Alleskönner *m*; *Sport*: Allroundsportler *m*, -spieler *m.*
al·lude [əˈluːd] anspielen (*to* auf *acc.*).
al·lure [əˈljʊə] (an-, ver)locken; **~·ment** [~mənt] Verlockung *f.*
al·lu·sion [əˈluːʒn] Anspielung *f.*
al·ly 1. [əˈlaɪ] (sich) vereinigen, verbünden (*to, with* mit); **2.** [ˈælaɪ] Verbündete(r *m*) *f*, Bundesgenoss|e *m*, -in *f*; *the Allies pl.* die Alliierten *pl.*
al·ma·nac [ˈɔːlmənæk] Almanach *m.*
al·might·y [ɔːlˈmaɪtɪ] allmächtig; *the* ℒ der Allmächtige.
al·mond ♀ [ˈɑːmənd] Mandel *f.*
al·mo·ner *Brt.* [ˈɑːmənə] Sozialarbeiter(in) im Krankenhaus.
al·most [ˈɔːlməʊst] fast, beinah(e).
alms [ɑːmz] *pl.* Almosen *n.*
a·loft [əˈlɒft] (hoch) (dr)oben.
a·lone [əˈləʊn] allein; *let od. leave ~* in Ruhe *od.* bleiben lassen; *let ~ ...* abgesehen von ...
a·long [əˈlɒŋ] **1.** *adv.* weiter, vorwärts; da; dahin; *all ~* die ganze Zeit; *~ with* (zusammen) mit; *come ~* mitkommen, -gehen; *get ~* vorwärts-, weiterkommen; auskommen, sich vertragen (*with s.o.* mit j-m); *take ~* mitnehmen; **2.** *prp.* entlang, längs; **~·side** [~ˈsaɪd] Seite an Seite; neben.
a·loof [əˈluːf] abseits; reserviert, zurückhaltend.
a·loud [əˈlaʊd] laut.
al·pha·bet [ˈælfəbɪt] Alphabet *n.*
al·pine [ˈælpaɪn] alpin, (Hoch)Gebirgs...
al·read·y [ɔːlˈredɪ] bereits, schon.
al·right [ɔːlˈraɪt] = *all right.*
al·so [ˈɔːlsəʊ] auch, ferner; ⚠ *nicht also.*
al·tar [ˈɔːltə] Altar *m.*
al·ter [ˈɔːltə] (sich) (ver)ändern; ab-, umändern; **~·a·tion** [ɔːltəˈreɪʃn] Änderung *f* (*to* an *dat.*), Veränderung *f.*
al·ter|nate 1. [ˈɔːltəneɪt] abwechseln (lassen); *alternating current* ⚡ Wechselstrom *m*; **2.** □ [ɔːlˈtɜːnət] abwechselnd; **3.** *Am.* [~] Stellvertreter *m*; **~·na·tion** [ɔːltəˈneɪʃn] Abwechslung *f*; Wechsel *m*; **~·na·tive**

[ɔːlˈtɜːnətɪv] **1.** □ alternativ, wahlweise; ~ *society* alternative Gesellschaft; **2.** Alternative *f*, Wahl *f*, Möglichkeit *f*.
al·though [ɔːlˈðəʊ] obwohl, obgleich.
al·ti·tude [ˈæltɪtjuːd] Höhe *f*; *at an* ~ *of* in e-r Höhe von.
al·to·geth·er [ɔːltəˈgeðə] im ganzen, insgesamt; ganz (u. gar), völlig.
al·u·min·i·um [æljʊˈmɪnjəm], *Am.* **a·lu·mi·num** [əˈluːmɪnəm] Aluminium *n*.
al·ways [ˈɔːlweɪz] immer, stets.
am [æm; *im Satz* əm] *1. sg. pres. von be.*
a·mal·gam·ate [əˈmælgəmeit] amalgamieren; verschmelzen.
a·mass [əˈmæs] an-, aufhäufen.
am·a·teur [ˈæmətə] Amateur *m*; Dilettant(in).
a·maze [əˈmeɪz] in Erstaunen setzen, verblüffen; **~·ment** [~mənt] Staunen *n*, Verblüffung *f*; **a·maz·ing** □ [~ɪŋ] erstaunlich, verblüffend.
am·bas·sa|dor *pol.* [æmˈbæsədə] Botschafter *m* (*to* in *e-m Land*); Gesandte(r) *m*; **~·dress** *pol.* [~drɪs] Botschafterin *f* (*to* in *e-m Land*).
am·ber *min.* [ˈæmbə] Bernstein *m*.
am·bi·gu·i·ty [æmbɪˈgjuːɪtɪ] Zwei-, Mehrdeutigkeit *f*; **am·big·u·ous** □ [æmˈbɪgjʊəs] zwei-, vieldeutig; doppelsinnig.
am·bi|tion [æmˈbɪʃn] Ehrgeiz *m*; Streben *n*; **~·tious** □ [~ʃəs] ehrgeizig; begierig (*of* nach).
am·ble [ˈæmbl] **1.** Paßgang *m*; **2.** im Paßgang gehen *od.* reiten; schlendern.
am·bu·lance [ˈæmbjʊləns] ⚔ Feldlazarett *n*; Krankenwagen *m*.
am·bush [ˈæmbʊʃ] **1.** Hinterhalt *m*; *be od. lie in* ~ *for s.o.* j-m auflauern; **2.** auflauern (*dat.*); überfallen.
a·me·li·o·rate [əˈmiːljəreɪt] *v/t.* verbessern; *v/i.* besser werden.
a·men *int.* [ɑːˈmen] amen.
a·mend [əˈmend] verbessern, berichtigen; *Gesetz* abändern, ergänzen; **~·ment** [~mənt] Besserung *f*; Verbesserung *f*; *parl.* Abänderungs-, Ergänzungsantrag *m* (*zu e-m Gesetz*); *Am.* Zusatzartikel *m* zur Verfassung; **~s** *pl.* (Schaden)Ersatz *m*; *make* ~ Schadenersatz leisten; *make* ~ *to s.o. for s.th.* j-n für et. entschädigen.
a·men·i·ty [əˈmiːnətɪ] *oft amenities pl.* Annehmlichkeiten *pl.*
A·mer·i·can [əˈmerɪkən] **1.** amerikanisch; ~ *plan* Vollpension *f*; **2.** Amerikaner(in); **~·is·m** [~ɪzəm] Amerikanismus *m*; **~·ize** [~aɪz] (sich) amerikanisieren.
a·mi·a·ble □ [ˈeɪmjəbl] liebenswürdig, freundlich.
am·i·ca·ble □ [ˈæmɪkəbl] freundschaftlich; gütlich.
a·mid(st) [əˈmɪd(st)] inmitten (*gen.*), (mitten) in *od.* unter.
a·miss [əˈmɪs] verkehrt, falsch, übel; *take* ~ übelnehmen.
am·mo·ni·a [əˈməʊnjə] Ammoniak *n*.
am·mu·ni·tion [æmjʊˈnɪʃn] Munition *f*.
am·nes·ty [ˈæmnɪstɪ] **1.** Amnestie *f* (*Straferlaß*); **2.** begnadigen.
a·mok [əˈmɒk]: *run* ~ Amok laufen.
a·mong(st) [əˈmʌŋ(st)] (mitten) unter, zwischen.
am·o·rous □ [ˈæmərəs] verliebt (*of* in *acc.*).
a·mount [əˈmaʊnt] **1.** (*to*) sich belaufen (auf *acc.*); hinauslaufen (auf *acc.*); **2.** Betrag *m*, (Gesamt)Summe *f*; Menge *f*.
am·ple □ [ˈæmpl] (~*r*, ~*st*) weit, groß, geräumig; reich(lich), beträchtlich.
am·pli|fi·ca·tion [æmplɪfɪˈkeɪʃn] Erweiterung *f*; *rhet.* weitere Ausführung; *phys.* Verstärkung *f*; **~·fi·er** ⚡ [ˈæmplɪfaɪə] Verstärker *m*; **~·fy** [~faɪ] erweitern; ⚡ verstärken; weiter ausführen; **~·tude** [~tjuːd] Umfang *m*, Weite *f*, Fülle *f*.
am·pu·tate [ˈæmpjʊteɪt] amputieren.
a·muck [əˈmʌk] = *amok*.
a·muse [əˈmjuːz] (*o.s.* sich) amüsieren, unterhalten, belustigen; **~·ment** [~mənt] Unterhaltung *f*, Vergnügen *n*, Zeitvertreib *m*; **a·mus·ing** □ [~ɪŋ] amüsant, unterhaltend.
an [æn, ən] *unbestimmter Artikel vor vokalisch anlautenden Wörtern*: ein(e).
a·nae·mi·a ⚕ [əˈniːmjə] Blutarmut *f*, Anämie *f*.
an·aes·thet·ic [ænɪsˈθetɪk] **1.** (~*ally*) betäubend, Narkose...; **2.** Betäubungsmittel *n*.
a·nal *anat.* [ˈeɪnl] anal, Anal...
a·nal·o|gous □ [əˈnæləgəs] analog, entsprechend; **~·gy** [~dʒɪ] Analogie *f*, Entsprechung *f*.

an·a·lyse *bsd. Brt.*, *Am.* **-lyze** [ˈænəlaɪz] analysieren; zerlegen; **a·nal·y·sis** [əˈnæləsɪs] (*pl.* *-ses* [-siːz]) Analyse *f*.

an·arch·y [ˈænəkɪ] Anarchie *f*, Gesetzlosigkeit *f*; Chaos *n*.

a·nat·o|mize [əˈnætəmaɪz] ⚕ zerlegen; zergliedern; **~·my** [~ɪ] Anatomie *f*; Zergliederung *f*, Analyse *f*.

an·ces|tor [ˈænsestə] Vorfahr *m*, Ahn *m*; **~·tral** [ænˈsestrəl] angestammt; **~·tress** [ˈænsestrɪs] Ahne *f*; **~·try** [~rɪ] Abstammung *f*; Ahnen *pl*.

an·chor [ˈæŋkə] **1.** Anker *m*; *at ~* vor Anker; **2.** verankern; **~·age** [~rɪdʒ] Ankerplatz *m*.

an·cho·vy *zo.* [ˈæntʃəvɪ] An(s)chovis *f*, Sardelle *f*.

an·cient [ˈeɪnʃənt] **1.** alt, antik; uralt; **2.** *the ~s pl. hist.* die Alten, die antiken Klassiker.

and [ænd, ənd] und.

a·ne·mi·a *Am.* = *anaemia*.

an·es·thet·ic *Am.* = *anaesthetic*.

a·new [əˈnjuː] von neuem.

an·gel [ˈeɪndʒəl] Engel *m*; ⚠ *nicht Angel*.

an·ger [ˈæŋgə] **1.** Zorn *m*, Ärger *m* (*at* über *acc.*); **2.** erzürnen, (ver)ärgern.

an·gi·na ⚕ [ænˈdʒaɪnə] Angina pectoris *f*.

an·gle [ˈæŋgl] **1.** Winkel *m*; *fig.* Standpunkt *m*; **2.** angeln (*for* nach); **~r** [~ə] Angler(in).

An·gli·can [ˈæŋglɪkən] **1.** *eccl.* anglikanisch; *Am.* britisch, englisch; **2.** *eccl.* Anglikaner(in).

An·glo-Sax·on [ˈæŋgləʊˈsæksən] **1.** angelsächsisch; **2.** Angelsachse *m*; *ling.* Altenglisch *n*.

an·gry ☐ [ˈæŋgrɪ] (*-ier*, *-iest*) zornig, verärgert, böse (*at*, *with* über *acc.*, mit *dat.*).

an·guish [ˈæŋgwɪʃ] (Seelen)Qual *f*, Schmerz *m*; **~ed** [~ʃt] qualvoll.

an·gu·lar ☐ [ˈæŋgjʊlə] winkelig, Winkel...; knochig.

an·i·mal [ˈænɪml] **1.** Tier *n*; **2.** tierisch.

an·i|mate [ˈænɪmeɪt] beleben, beseelen; aufmuntern, anregen; ⚠ *nicht animieren*; **~·ma·ted** lebendig; lebhaft, angeregt; *~ cartoon* Zeichentrickfilm *m*; **~·ma·tion** [ænɪˈmeɪʃn] Leben *n*, Lebhaftigkeit *f*, Feuer *n*; Animation *f*, Herstellung *f* von (Zeichen)Trickfilmen; (Zeichen)Trickfilm *m*.

an·i·mos·i·ty [ænɪˈmɒsətɪ] Animosität *f*, Feindseligkeit *f*.

an·kle *anat.* [ˈæŋkl] (Fuß)Knöchel *m*.

an·nals [ˈænlz] *pl.* Jahrbücher *pl*.

an·nex 1. [əˈneks] anhängen; annektieren; **2.** [ˈæneks] Anhang *m*; Anbau *m*; **~·a·tion** [ænekˈseɪʃn] Annexion *f*, Einverleibung *f*.

an·ni·hi·late [əˈnaɪəlaɪt] vernichten.

an·ni·ver·sa·ry [ænɪˈvɜːsərɪ] Jahrestag *m*; Jahresfeier *f*.

an·no|tate [ˈænəʊteɪt] mit Anmerkungen versehen; kommentieren; **~·ta·tion** [ænəʊˈteɪʃn] Kommentieren *n*; Anmerkung *f*.

an·nounce [əˈnaʊns] ankündigen; bekanntgeben; *Rundfunk*, *TV*: ansagen; durchsagen; ⚠ *nicht annoncieren*; **~·ment** [~mənt] Ankündigung *f*; Bekanntgabe *f*; *Rundfunk*, *TV*: Ansage *f*; Durchsage *f*; **an·nounc·er** [~ə] *Rundfunk*, *TV*: Ansager(in), Sprecher(in).

an·noy [əˈnɔɪ] ärgern; belästigen; **~·ance** [~əns] Störung *f*, Belästigung *f*; Ärgernis *n*; **~·ing** [~ɪŋ] ärgerlich, lästig.

an·nu·al [ˈænjʊəl] **1.** ☐ jährlich, Jahres...; **2.** ⚘ einjährige Pflanze; Jahrbuch *n*.

an·nu·i·ty [əˈnjuːɪtɪ] (Jahres)Rente *f*.

an·nul [əˈnʌl] (*-ll-*) für ungültig erklären, annullieren; **~·ment** [~mənt] Annullierung *f*, Aufhebung *f*.

an·o·dyne ⚕ [ˈænəʊdaɪn] **1.** schmerzstillend; **2.** schmerzstillendes Mittel.

a·noint [əˈnɔɪnt] salben.

a·nom·a·lous ☐ [əˈnɒmələs] anomal, abnorm, regelwidrig.

a·non·y·mous ☐ [əˈnɒnɪməs] anonym, ungenannt.

an·o·rak [ˈænəræk] Anorak *m*.

an·oth·er [əˈnʌðə] ein anderer; ein zweiter; noch eine(r, -s).

an·swer [ˈɑːnsə] **1.** *v/t. et.* beantworten; *j-m* antworten; entsprechen (*dat.*); *Zweck* erfüllen; ⊕ *dem Steuer* gehorchen; *e-r Vorladung* Folge leisten; *e-r Beschreibung* entsprechen; *~ the bell od. door* (die Haustür) aufmachen; *~ the telephone* ans Telefon gehen; *v/i.* antworten (*to* auf *acc.*); entsprechen (*to dat.*); *~ back* freche Antworten geben; widersprechen; *~ for* einstehen für; **2.** Antwort *f* (*to* auf *acc.*); **~·a·ble** [~rəbl] verantwortlich.

ant *zo.* [ænt] Ameise *f*.

an·tag·o|nis·m [æn'tægənɪzəm] Widerstreit *m*; Widerstand *m*; Feindschaft *f*; **~·nist** [~ɪst] Gegner(in); **~·nize** [~naɪz] ankämpfen gegen; sich *j-n* zum Feind machen.
an·te·ced·ent [æntɪ'si:dənt] **1.** □ vorhergehend, früher (*to* als); **2.** *~s pl.* Vorgeschichte *f*; Vorleben *n*.
an·te·lope *zo.* ['æntɪləʊp] Antilope *f*.
an·ten·na[1] *zo.* [æn'tenə] (*pl. -nae* [-ni:]) Fühler *m*.
an·ten·na[2] *Am.* [~] Antenne *f*.
an·te·ri·or [æn'tɪərɪə] vorhergehend, früher (*to* als); vorder.
an·te-room ['æntɪrʊm] Vorzimmer *n*; Wartezimmer *n*.
an·them ♪ ['ænθəm] Hymne *f*.
an·ti- ['æntɪ] Gegen..., gegen ... eingestellt *od.* wirkend, Anti..., anti...; **~-air·craft** ⚔ Flieger-, Flugabwehr...; **~·bi·ot·ic** [~baɪ'ɒtɪk] Antibiotikum *n*.
an·tic·i·pate [æn'tɪsɪpeɪt] vorwegnehmen; zuvorkommen (*dat.*); voraussehen, (-)ahnen; erwarten; **an·tic·i·pa·tion** [æntɪsɪ'peɪʃn] Vorwegnahme *f*; Zuvorkommen *n*; Voraussicht *f*; Erwartung *f*; *in ~* im voraus.
an·ti·clock·wise *Brt.* [æntɪ'klɒkwaɪz] entgegen dem Uhrzeigersinn.
an·tics ['æntɪks] *pl.* Gekasper *n*; Mätzchen *pl.*; ⚠ *nicht antik, Antike.*
an·ti|dote ['æntɪdəʊt] Gegengift *n*, -mittel *n*; **~·freeze** Frostschutzmittel *n*; **~·mis·sile** ⚔ [æntɪ'mɪsaɪl] Raketenabwehr...
an·tip·a·thy [æn'tɪpəθɪ] Abneigung *f*.
an·ti·quat·ed ['æntɪkweɪtɪd] veraltet, altmodisch.
an·tique [æn'ti:k] **1.** antik, alt; **2.** Antiquität *f*; ⚠ *nicht Antike*; *~ dealer* Antiquitätenhändler(in); *~ shop*, *bsd. Am. ~ store* Antiquitätenladen *m*; **an·tiq·ui·ty** [æn'tɪkwətɪ] Altertum *n*, Vorzeit *f*.
an·ti·sep·tic [æntɪ'septɪk] **1.** antiseptisch; **2.** antiseptisches Mittel.
ant·lers ['æntləz] *pl.* Geweih *n*.
a·nus *anat.* ['eɪnəs] After *m*.
an·vil ['ænvɪl] Amboß *m*.
anx·i·e·ty [æŋ'zaɪətɪ] Angst *f*; Sorge *f* (*for* um); ⚕ Beklemmung *f*.
anx·ious □ ['æŋkʃəs] besorgt, beunruhigt (*about* wegen); ⚠ *nicht ängstlich*; begierig, gespannt (*for* auf *acc.*); bestrebt (*to do* zu tun).
an·y ['enɪ] **1.** *adj. u. pron.* (irgend-)eine(r, -s), (irgend)welche(r, -s); (irgend) etwas; jede(r, -s) (beliebige); einige *pl.*, welche *pl.*; *not ~* keiner; **2.** *adv.* irgend(wie), ein wenig, etwas, (noch) etwas; **~·bod·y** (irgend) jemand; jeder; **~·how** irgendwie; trotzdem, jedenfalls; wie dem auch sei; **~·one** = *anybody*; **~·thing** (irgend) etwas; alles; *~ but* alles andere als; *~ else?* sonst noch etwas?; *not ~* nichts; **~·way** = *anyhow*; **~·where** irgendwo(hin); überall.
a·part [ə'pɑ:t] einzeln, getrennt, für sich; beiseite; ⚠ *nicht apart*; *~ from* abgesehen von.
a·part·heid [ə'pɑ:theɪt] Apartheid *f*, Politik *f* der Rassentrennung.
a·part·ment [ə'pɑ:tmənt] Zimmer *n*; *Am.* Wohnung *f*; *~s pl. Brt.* (möblierte) (Miet)Wohnung *f*; *~ house Am.* Mietshaus *n*.
ap·a|thet·ic [æpə'θetɪk] (*~ally*) apathisch, teilnahmslos, gleichgültig; **~·thy** ['æpəθɪ] Apathie *f*, Teilnahmslosigkeit *f*, Gleichgültigkeit *f*.
ape [eɪp] **1.** *zo.* (Menschen)Affe *m*; **2.** nachäffen.
a·pe·ri·ent [ə'pɪərɪənt] Abführmittel *n*.
ap·er·ture ['æpətjʊə] Öffnung *f*.
a·pi|a·ry ['eɪpjərɪ] Bienenhaus *n*; **~·cul·ture** [~ɪkʌltʃə] Bienenzucht *f*.
a·piece [ə'pi:s] für jedes *od.* pro Stück, je.
a·pol·o|get·ic [əpɒlə'dʒetɪk] (*~ally*) verteidigend; rechtfertigend; entschuldigend; **~·gize** [ə'pɒlədʒaɪz] sich entschuldigen (*for* für; *to* bei); **~·gy** [~ɪ] Entschuldigung *f*; Rechtfertigung *f*; *make od. offer s.o. an ~* (*for s.th.*) sich bei j-m (für et.) entschuldigen.
ap·o·plex·y ['æpəpleksɪ] Schlag(anfall) *m*.
a·pos·tle [ə'pɒsl] Apostel *m*.
a·pos·tro·phe *ling.* [ə'pɒstrəfɪ] Apostroph *m*.
ap·pal|(l) [ə'pɔ:l] (*-ll-*) erschrecken, entsetzen; **~·ling** □ [~ɪŋ] erschreckend, entsetzlich.
ap·pa·ra·tus [æpə'reɪtəs] Apparat *m*, Vorrichtung *f*, Gerät *n*.
ap·par·el [ə'pærəl] Kleidung *f*.
ap·par·ent □ [ə'pærənt] sichtbar; anscheinend; offenbar.
ap·pa·ri·tion [æpə'rɪʃn] Erscheinung *f*, Gespenst *n*.
ap·peal [ə'pi:l] **1.** ⚖ Berufung *od.*

Revision einlegen, Einspruch erheben, Beschwerde einlegen; appellieren, sich wenden (*to* an *acc.*); ~ *to* gefallen (*dat.*), zusagen (*dat.*), wirken auf (*acc.*); *j-n* dringend bitten (*for* um); **2.** ⚖ Revision *f*, Berufung *f*; Beschwerde *f*; Einspruch *m*; Appell *m* (*to* an *acc.*), Aufruf *m*; ⚠ *nicht* ⚔ *Appell*; Wirkung *f*, Reiz *m*; Bitte *f* (*to* an *acc.*; *for* um); ~ *for mercy* ⚖ Gnadengesuch *n*; **~·ing** □ [~ɪŋ] flehend; ansprechend.

ap·pear [əˈpɪə] (er)scheinen; sich zeigen; *öffentlich* auftreten; sich ergeben *od.* herausstellen; **~·ance** [~rəns] Erscheinen *n*; Auftreten *n*; Äußere(s) *n*, Erscheinung *f*, Aussehen *n*; Anschein *m*, äußerer Schein; *to all* ~(*s*) allem Anschein nach.

ap·pease [əˈpiːz] beruhigen; beschwichtigen; stillen; mildern; beilegen.

ap·pend [əˈpend] an-, hinzu-, beifügen; **~·age** [~ɪdʒ] Anhang *m*, Anhängsel *n*, Zubehör *n*.

ap·pen|di·ci·tis ⚕ [əpendɪˈsaɪtɪs] Blinddarmentzündung *f*; **~·dix** [əˈpendɪks] (*pl.* *-dixes*, *-dices* [-dɪsiːz]) Anhang *m*; *a. vermiform* ~ ⚕ Wurmfortsatz *m*, Blinddarm *m*.

ap·per·tain [æpəˈteɪn] gehören (*to* zu).

ap·pe|tite [ˈæpɪtaɪt] (*for*) Appetit *m* (auf *acc.*); *fig.* Verlangen *n* (nach); **~·tiz·er** [~zə] Appetithappen *m*, pikante Vorspeise; **~·tiz·ing** □ [~ɪŋ] appetitanregend.

ap·plaud [əˈplɔːd] applaudieren, Beifall spenden; loben; **ap·plause** [~z] Applaus *m*, Beifall *m*.

ap·ple ⚘ [ˈæpl] Apfel *m*; **~·cart**: *upset s.o.'s* ~ F j-s Pläne über den Haufen werfen; ~ **pie** (*warmer*) gedeckter Apfelkuchen; *in ~-pie order* F in schönster Ordnung; ~ **sauce** Apfelmus *n*; *Am. sl.* Schmus *m*, Quatsch *m*.

ap·pli·ance [əˈplaɪəns] Vorrichtung *f*; Gerät *n*; Mittel *n*.

ap·plic·a·ble □ [ˈæplɪkəbl] anwendbar (*to* auf *acc.*).

ap·pli|cant [ˈæplɪkənt] Antragsteller(in), Bewerber(in) (*for* um); **~·ca·tion** [æplɪˈkeɪʃn] (*to*) Anwendung *f* (auf *acc.*); Bedeutung *f* (für); Gesuch *n* (*for* um); Bewerbung *f* (*for* um).

ap·ply [əˈplaɪ] *v/t.* (*to*) (auf)legen, auftragen (auf *acc.*); anwenden (auf *acc.*); verwenden (für); ~ *o.s. to* sich widmen (*dat.*); *v/i.* (*to*) passen, zutreffen, sich anwenden lassen (auf *acc.*); gelten (für); sich wenden (an *acc.*); sich bewerben (*for* um), beantragen (*for acc.*).

ap·point [əˈpɔɪnt] bestimmen, festsetzen; verabreden; ernennen (*s.o. governor* j-n zum ...); berufen (*to* auf *e-n Posten*); **~·ment** [~mənt] Bestimmung *f*; Verabredung *f*; Termin *m* (*geschäftlich, beim Arzt etc.*); Ernennung *f*, Berufung *f*; Stelle *f*; ~ *book* Terminkalender *m*.

ap·por·tion [əˈpɔːʃn] ver-, zuteilen; **~·ment** [~mənt] Ver-, Zuteilung *f*.

ap·prais|al [əˈpreɪzl] (Ab)Schätzung *f*; **~e** [əˈpreɪz] (ab)schätzen, taxieren.

ap·pre|cia·ble □ [əˈpriːʃəbl] nennenswert, spürbar; **~·ci·ate** [~ʃɪeɪt] *v/t.* schätzen, würdigen; dankbar sein für; *v/i.* im Wert steigen; **~·ci·a·tion** [əpriːʃɪˈeɪʃn] Schätzung *f*, Würdigung *f*; Anerkennung *f*; Verständnis *n* (*of* für); Einsicht *f*; Dankbarkeit *f*; *econ.* Wertsteigerung *f*.

ap·pre|hend [æprɪˈhend] ergreifen, fassen; begreifen; befürchten; **~·hen·sion** [~ʃn] Ergreifung *f*, Festnahme *f*; Besorgnis *f*; **~·hen·sive** □ [~sɪv] ängstlich, besorgt (*for* um; *that* daß).

ap·pren·tice [əˈprentɪs] **1.** Auszubildende(r *m*) *f*, Lehrling *m*; **2.** in die Lehre geben; **~·ship** [~ʃɪp] Lehrzeit *f*, Lehre *f*, Ausbildung *f*.

ap·proach [əˈprəʊtʃ] **1.** *v/i.* näherkommen, sich nähern; *v/t.* sich nähern (*dat.*); herangehen *od.* herantreten an (*acc.*); **2.** (Heran)Nahen *n*; Ein-, Zu-, Auffahrt *f*; Annäherung *f*; Methode *f*.

ap·pro·ba·tion [æprəˈbeɪʃn] Billigung *f*, Beifall *m*.

ap·pro·pri·ate **1.** [əˈprəʊprɪeɪt] sich aneignen; verwenden; *parl.* bewilligen; **2.** □ [~ɪt] (*for, to*) angemessen (*dat.*), passend (für, zu).

ap·prov|al [əˈpruːvl] Billigung *f*; Anerkennung *f*, Beifall *m*; **~e** [~v] billigen, anerkennen; **~ed** bewährt.

ap·prox·i·mate **1.** [əˈprɒksɪmeɪt] sich nähern; **2.** □ [~mət] annähernd, ungefähr.

a·pri·cot ⚘ [ˈeɪprɪkɒt] Aprikose *f*.

A·pril [ˈeɪprəl] April *m*.

a·pron [ˈeɪprən] Schürze *f*; **~-string**

Schürzenband *n*; *be tied to one's wife's (mother's)* ~*s fig.* unterm Pantoffel stehen (der Mutter am Schürzenzipfel hängen).
apt □ [æpt] geeignet, passend; treffend; begabt; ~ *to* geneigt zu; **ap·ti·tude** [ˈæptɪtjuːd] (*for*) Begabung *f* (für), Befähigung *f* (für), Talent *n* (zu); ~ *test* Eignungsprüfung *f*.
a·quat·ic [əˈkwætɪk] Wassertier *n*, -pflanze *f*; ~*s sg.* Wassersport *m*.
aq·ue·duct [ˈækwɪdʌkt] Aquädukt *m*.
aq·ui·line [ˈækwɪlaɪn] Adler...; gebogen; ~ *nose* Adlernase *f*.
Ar·ab [ˈærəb] Araber(in); **Ar·a·bic** [~ɪk] **1.** arabisch; **2.** *ling.* Arabisch *n*.
ar·a·ble [ˈærəbl] anbaufähig; Acker...
ar·bi|tra·ry □ [ˈɑːbɪtrərɪ] willkürlich, eigenmächtig; **~·trate** [~reɪt] entscheiden, schlichten; **~·tra·tion** [ɑːbɪˈtreɪʃn] Schlichtung *f*; **~·tra·tor** ⚖ [ˈɑːbɪtreɪtə] Schiedsrichter *m*; Schlichter *m*.
ar·bo(u)r [ˈɑːbə] Laube *f*.
arc [ɑːk] (⚡ Licht)Bogen *m*; **ar·cade** [ɑːˈkeɪd] Arkade *f*; Bogen-, Laubengang *m*; Durchgang *m*, Passage *f*.
arch[1] [ɑːtʃ] **1.** Bogen *m*; Gewölbe *n*; *anat.* Rist *m*, Spann *m* (*Fuß*); **2.** (sich) wölben; krümmen; ~ *over* überwölben.
arch[2] [~] erste(r, -s), oberste(r, -s), Haupt..., Erz...
arch[3] □ [~] schelmisch.
ar·cha·ic [ɑːˈkeɪɪk] (~*ally*) veraltet.
arch|an·gel [ˈɑːkeɪndʒəl] Erzengel *m*; **~·bish·op** [ˈɑːtʃbɪʃəp] Erzbischof *m*.
ar·cher [ˈɑːtʃə] Bogenschütze *m*; **~·y** [~rɪ] Bogenschießen *n*.
ar·chi|tect [ˈɑːkɪtekt] Architekt *m*; Urheber(in), Schöpfer(in); **~·tec·ture** [~ktʃə] Architektur *f*, Baukunst *f*.
ar·chives [ˈɑːkaɪvz] *pl.* Archiv *n*.
arch·way [ˈɑːtʃweɪ] (Bogen)Gang *m*.
arc·tic [ˈɑːktɪk] **1.** arktisch, nördlich, Nord...; Polar...; **2.** *Am.* wasserdichter Überschuh.
ar·dent □ [ˈɑːdənt] heiß, glühend; *fig.* leidenschaftlich, heftig; eifrig.
ar·do(u)r *fig.* [ˈɑːdə] Leidenschaft (-lichkeit) *f*, Heftigkeit *f*, Feuer *n*; Eifer *m*.
ar·du·ous □ [ˈɑːdjʊəs] mühsam; zäh.
are [ɑː, *unbetont*: ə] *pres. pl. u. 2. sg. von be*.
ar·e·a [ˈeərɪə] Areal *n*; (Boden)Fläche *f*, Flächenraum *m*; Gegend *f*, Gebiet *n*, Zone *f*; Bereich *m*; ~ *code Am. teleph.* Vorwählnummer *f*, Vorwahl *f*.
a·re·na [əˈriːnə] Arena *f*.
Ar·gen·tine [ˈɑːdʒəntaɪn] **1.** argentinisch; **2.** Argentinier(in).
ar·gue [ˈɑːgjuː] *v/t.* (das Für u. Wider) erörtern, diskutieren; *v/i.* streiten; argumentieren, Gründe (für u. wider) anführen, Einwendungen machen.
ar·gu·ment [ˈɑːgjʊmənt] Argument *n*, Beweis(grund) *m*; Streit *m*, Wortwechsel *m*, Auseinandersetzung *f*.
ar·id □ [ˈærɪd] dürr, trocken (*a. fig.*).
a·rise [əˈraɪz] (*arose, arisen*) entstehen; auftauchen, -treten, -kommen; **a·ris·en** [əˈrɪzn] *p.p von arise*.
ar·is|toc·ra·cy [ærɪˈstɒkrəsɪ] Aristokratie *f*, Adel *m*; **~·to·crat** [ˈærɪstəkræt] Aristokrat(in); **~·to·crat·ic** (~*ally*) [ærɪstəˈkrætɪk] aristokratisch.
a·rith·me·tic [əˈrɪθmətɪk] Rechnen *n*.
ark [ɑːk] Arche *f*.
arm[1] [ɑːm] Arm *m*; Armlehne *f*; *keep s.o. at* ~*'s length* sich j-n vom Leibe halten; *infant in* ~*s* Säugling *m*.
arm[2] [~] **1.** *mst* ~*s pl.* Waffen *pl.*; Waffengattung *f*; ~*s control* Rüstungskontrolle *f*; ~*s race* Wettrüsten *n*, Rüstungswettlauf *m*; *up in* ~*s* kampfbereit; *fig.* in Harnisch; **2.** (sich) bewaffnen; (sich) wappnen *od.* rüsten.
ar·ma·da [ɑːˈmɑːdə] Kriegsflotte *f*.
ar·ma·ment [ˈɑːməmənt] (Kriegs-aus)Rüstung *f*; Aufrüstung *f*.
ar·ma·ture ⚡ [ˈɑːmətjʊə] Anker *m*.
arm·chair [ˈɑːmˈtʃeə] Lehnstuhl *m*, Sessel *m*.
ar·mi·stice [ˈɑːmɪstɪs] Waffenstillstand *m* (*a. fig.*).
ar·mo(u)r [ˈɑːmə] **1.** ⚔ Rüstung *f*, Panzer *m* (*a. fig., zo.*); **2.** panzern; ~*ed car* gepanzertes Fahrzeug (*für Geldtransporte etc.*); **~·y** [~rɪ] Waffenkammer *f*; Waffenfabrik *f*.
arm·pit [ˈɑːmpɪt] Achselhöhle *f*.
ar·my [ˈɑːmɪ] Heer *n*, Armee *f*; *fig.* Menge *f*; ~ *chaplain* Militärgeistliche(r) *m*.
a·ro·ma [əˈrəʊmə] Aroma *n*, Duft *m*; **ar·o·mat·ic** [ærəˈmætɪk] (~*ally*) aromatisch, würzig.

a·rose [əˈrəʊz] *pret. von arise.*
a·round [əˈraʊnd] **1.** *adv.* (rings)herum, (rund)herum, ringsumher, überall; umher, herum; in der Nähe; da; **2.** *prp.* um, um... herum, rund um; in (*dat.*) ... herum; ungefähr, etwa.
a·rouse [əˈraʊz] (auf)wecken; *fig.* aufrütteln, erregen.
ar·range [əˈreɪndʒ] (an)ordnen; in die Wege leiten, arrangieren; vereinbaren, ausmachen; ♪ arrangieren, bearbeiten (*a. thea.*); **~·ment** [~mənt] Anordnung *f*, Zusammenstellung *f*, Verteilung *f*, Disposition *f*; Vereinbarung *f*, Absprache *f*; ♪ Arrangement *n*, Bearbeitung *f* (*a. thea.*); *make ~s* Vorkehrungen *od.* Vorbereitungen treffen.
ar·ray [əˈreɪ] ⚔ Schlachtordnung *f*; Schar *f*, Aufgebot *n*.
ar·rear [əˈrɪə] *mst ~s pl.* Rückstand *m*, Rückstände *pl.*; Schulden *pl.*
ar·rest [əˈrest] **1.** ⚖ Verhaftung *f*, Festnahme *f*; ⚠ *nicht Arrest* (*Schule etc.*); **2.** ⚖ verhaften, festnehmen; an-, aufhalten; *fig.* fesseln.
ar·riv·al [əˈraɪvl] Ankunft *f*; Erscheinen *n*; Ankömmling *m*; *~s pl.* ankommende Züge *pl. od.* Schiffe *pl. od.* Flugzeuge *pl.*; **ar·rive** [~v] (an-) kommen, eintreffen, erscheinen; *~ at fig.* erreichen (*acc.*).
ar·ro|gance [ˈærəgəns] Arroganz *f*, Anmaßung *f*, Überheblichkeit *f*; **~·gant** □ [~t] arrogant, anmaßend, überheblich.
ar·row [ˈærəʊ] Pfeil *m*; **~·head** Pfeilspitze *f*.
ar·se·nal [ˈɑːsənl] Arsenal *n*, Zeughaus *n*.
ar·se·nic ⚗ [ˈɑːsnɪk] Arsen *n*.
ar·son ⚖ [ˈɑːsn] Brandstiftung *f*.
art [ɑːt] Kunst *f*; *fig.* List *f*; Kniff *m*; ⚠ *nicht Art*; *~s pl.* Geisteswissenschaften *pl.*; *Faculty of* ♀*s*, *Am.* ♀*s Department* philosophische Fakultät *f*.
ar·ter·i·al [ɑːˈtɪərɪəl] *anat.* Schlagader...; *~ road* Hauptstraße *f*; **ar·te·ry** [ˈɑːtərɪ] *anat.* Arterie *f*, Schlag-, Pulsader *f*; *fig.* Verkehrsader *f*.
art·ful □ [ˈɑːtfl] schlau, verschmitzt.
ar·ti·cle [ˈɑːtɪkl] Artikel *m* (*a. gr.*).
ar·tic·u|late 1. [ɑːˈtɪkjʊleɪt] deutlich (aus)sprechen; zusammenfügen; **2.** □ [~lət] deutlich; ♀, *zo.* gegliedert; **~·la·tion** [ɑːtɪkjʊˈleɪʃn] (deutliche) Aussprache; *anat.* Gelenk(verbindung *f*) *n*.
ar·ti|fice [ˈɑːtɪfɪs] Kunstgriff *m*, List *f*; **~·fi·cial** □ [ɑːtɪˈfɪʃl] künstlich, Kunst...; *~ person* juristische Person.
ar·til·le·ry [ɑːˈtɪlərɪ] Artillerie *f*.
ar·ti·san [ɑːtɪˈzæn] Handwerker *m*.
art·ist [ˈɑːtɪst] Künstler(in); *variety ~* Artist(in); **ar·tis·tic** [ɑːˈtɪstɪk] (*~ally*) künstlerisch, Kunst...
art·less □ [ˈɑːtlɪs] ungekünstelt, schlicht; arglos.
as [æz, əz] **1.** *adv.* so, ebenso; wie; (*in der Eigenschaft*) als; **2.** *cj.* (gerade) wie, so wie; ebenso wie; als, während; obwohl, obgleich; da, weil; *besondere Wendungen*: *~ ... ~* (eben)so ... wie; *~ for*, *~ to* was ... (an)betrifft; *~ from* von *e-m Zeitpunkt* an, ab; *~ it were* sozusagen; *~ Hamlet* als Hamlet.
as·cend [əˈsend] *v/i.* (auf-, empor-, hinauf)steigen; *v/t.* be-, ersteigen; *Fluß etc.* hinauffahren.
as·cen|dan·cy, ~·den·cy [əˈsendənsɪ] [~ənsɪ] Überlegenheit *f*, Einfluß *m*; **~·sion** [~ʃn] Aufsteigen *n* (*bsd. ast.*); Aufstieg *m* (*e-s Ballons etc.*); ♀ (*Day*) Himmelfahrt(stag *m*) *f*; **~t** [~t] Aufstieg *m*; Steigung *f*.
as·cer·tain [æsəˈteɪn] ermitteln.
as·cet·ic [əˈsetɪk] (*~ally*) asketisch.
as·cribe [əˈskraɪb] zuschreiben (*to dat.*).
a·sep·tic ⚕ [æˈseptɪk] **1.** aseptisch, keimfrei; **2.** aseptisches Mittel.
ash[1] [æʃ] ♀ Esche *f*; Eschenholz *n*.
ash[2] [~] *a. ~es pl.* Asche *f*; *Ash Wednesday* Aschermittwoch *m*.
a·shamed [əˈʃeɪmd] beschämt; *be ~ of* sich schämen für (*od. gen.*).
ash can *Am.* [ˈæʃkæn] = *dustbin.*
ash·en [ˈæʃn] Aschen...; aschfahl.
a·shore [əˈʃɔː] am *od.* ans Ufer *od.* Land; *run ~* stranden.
ash|tray [ˈæʃtreɪ] Asch(en)becher *m*; **~·y** [~ɪ] (*-ier, -iest*) = *ashen.*
A·sian [ˈeɪʃn, ˈeɪʒn], **A·si·at·ic** [eɪʃɪˈætɪk] **1.** asiatisch; **2.** Asiat(in).
a·side [əˈsaɪd] **1.** beiseite (*a. thea.*), seitwärts; *~ from Am.* abgesehen von; **2.** *thea.* Aparte *n*.
ask [ɑːsk] *v/t.* fragen (*s.th.* nach et.); verlangen (*of, from s.o.* von j-m); bitten (*s.o.* [*for*] *s.th.* j. um et.; *that* darum, daß); erbitten; *~* (*s.o.*) *a question* (j-m) e-e Frage stellen;

v/i.: ~ *for* bitten um; fragen nach; *he ~ed for it od. for trouble* er wollte es ja so haben; *to be had for the ~ing* umsonst zu haben.
a·skance [əˈskæns]: *look ~ at s.o.*, j-n von der Seite ansehen; j-n schief *od.* mißtrauisch ansehen.
a·skew [əˈskjuː] schief.
a·sleep [əˈsliːp] schlafend; *be (fast, sound)* ~ (fest) schlafen; *fall* ~ einschlafen.
as·par·a·gus ⚘ [əˈspærəgəs] Spargel *m.*
as·pect [ˈæspekt] Lage *f*; Aspekt *m*, Seite *f*, Gesichtspunkt *m.*
as·phalt [ˈæsfælt] **1.** Asphalt *m*; **2.** asphaltieren.
as·pic [ˈæspɪk] Aspik *m*, Gelee *n.*
as·pi|rant [əˈspaɪərənt] Bewerber(in); **~·ra·tion** [æspəˈreɪʃn] Ambition *f*, Bestrebung *f.*
as·pire [əˈspaɪə] streben, trachten (*to, after* nach).
ass *zo.* [æs] Esel *m*; ⚠ *nicht As.*
as·sail [əˈseɪl] angreifen; *be ~ed with doubts* von Zweifeln befallen werden; **as·sai·lant** [~ənt] Angreifer(in).
as·sas·sin [əˈsæsɪn] Mörder(in) (aus politischen Gründen), Attentäter(in); **~·ate** *bsd. pol.* [~eɪt] ermorden; *be ~d* e-m Attentat *od.* Mordanschlag zum Opfer fallen; **~·a·tion** [əsæsɪˈneɪʃn] (*of*) *bsd.* politischer Mord (*an dat.*), Ermordung *f* (*gen.*), (geglücktes) Attentat (auf *acc.*).
as·sault [əˈsɔːlt] **1.** Angriff *m*; **2.** angreifen, überfallen; ⚖ tätlich angreifen *od.* beleidigen.
as·say [əˈseɪ] **1.** (Erz-, Metall)Probe *f*; **2.** *v/t.* prüfen, untersuchen.
as·sem|blage [əˈsemblɪdʒ] (An-) Sammlung *f*; ⊕ Montage *f*; **~·ble** [~bl] (sich) versammeln; ⊕ montieren; **~·bly** [~ɪ] Versammlung *f*, Gesellschaft *f*; ⊕ Montage *f*; ~ *line* ⊕ Fließband *n.*
as·sent [əˈsent] **1.** Zustimmung *f*; **2.** (*to*) zustimmen (*dat.*); billigen.
as·sert [əˈsɜːt] behaupten; geltend machen; ~ *o.s.* sich behaupten *od.* durchsetzen; **as·ser·tion** [əˈsɜːʃn] Behauptung *f*; Erklärung *f*; Geltendmachung *f.*
as·sess [əˈses] *Kosten etc.* festsetzen; (zur Steuer) veranlagen (*at* mit); *fig.* abschätzen, beurteilen; **~·ment** [~mənt] Festsetzung *f*; (Steuer-) Veranlagung *f*; *fig.* Einschätzung *f.*
as·set [ˈæset] *econ.* Aktivposten *m*; *fig.* Plus *n*, Gewinn *m*; *~s pl.* Vermögen *n*; *econ.* Aktiva *pl.*; ⚖ Konkursmasse *f.*
as·sid·u·ous □ [əˈsɪdjʊəs] emsig, fleißig; aufmerksam.
as·sign [əˈsaɪn] an-, zuweisen; bestimmen; zuschreiben; **as·sig·na·tion** [æsɪgˈneɪʃn] (*bsd.* heimliches) Treffen (*e-s Liebespaares*); = **~·ment** [əˈsaɪnmənt] An-, Zuweisung *f*; Aufgabe *f*; Auftrag *m*; ⚖ Übertragung *f.*
as·sim·i|late [əˈsɪmɪleɪt] (sich) angleichen *od.* anpassen (*to, with dat.*); **~·la·tion** [əsɪmɪˈleɪʃn] Assimilation *f*, Angleichung *f*, Anpassung *f.*
as·sist [əˈsɪst] *j-m* beistehen, helfen; unterstützen; **~·ance** [~əns] Beistand *m*, Hilfe *f*; **as·sis·tant** [~t] **1.** stellvertretend, Hilfs...; **2.** Assistent(in), Mitarbeiter(in); *shop* ~ *Brt.* Verkäufer(in).
as·siz·es *Brt. hist.* [əˈsaɪzɪs] *pl.* Sitzung(en *pl.*) *f* des periodischen Geschworenengerichts.
as·so·ci|ate 1. [əˈsəʊʃɪeɪt] vereinigen, -binden; assoziieren; ~ *with* verkehren mit; **2.** [~ʃɪət] verbunden; ~ *member* außerordentliches Mitglied; **3.** [~] Kolleg|e *m*, -in *f*; Teilhaber(in); **~·a·tion** [əsəʊsɪˈeɪʃn] Vereinigung *f*, Verbindung *f*; Verein *m*; Assoziation *f.*
as·sort [əˈsɔːt] sortieren, aussuchen, zusammenstellen; **~·ment** [~mənt] Sortieren *n*; *econ.* Sortiment *n*, Auswahl *f.*
as·sume [əˈsjuːm] annehmen; vorgeben; übernehmen; **as·sump·tion** [əˈsʌmpʃn] Annahme *f*; Übernahme *f*; ♀ (*Day*) *eccl.* Mariä Himmelfahrt *f.*
as·sur|ance [əˈʃʊərəns] Zu-, Versicherung *f*; Zuversicht *f*; Sicherheit *f*, Gewißheit *f*; Selbstsicherheit *f*; (*life*) ~ *bsd. Brt.* (Lebens)Versicherung *f*; **~e** [əˈʃʊə] versichern; *bsd. Brt. j-s Leben* versichern; **~ed 1.** (*adv.* **~·ed·ly** [~rɪdlɪ]) sicher; **2.** Versicherte(r *m*) *f.*
asth·ma ⚕ [ˈæsmə] Asthma *n.*
a·stir [əˈstɜː] auf(gestanden); auf den Beinen; voller *od.* in Aufregung.
as·ton·ish [əˈstɒnɪʃ] in Erstaunen setzen; *be ~ed* erstaunt sein (*at* über *acc.*); **~·ing** □ [~ɪŋ] erstaunlich;

~·ment [~mənt] (Er)Staunen *n*, Verwunderung *f*.
as·tound [əˈstaʊnd] verblüffen.
a·stray [əˈstreɪ]: *go* ~ vom Weg abkommen; *fig.* auf Abwege geraten; irregehen; *lead* ~ *fig.* irreführen, verleiten; vom rechten Weg abbringen.
a·stride [əˈstraɪd] rittlings (*of* auf *dat.*).
as·trin·gent ⚕ [əˈstrɪndʒənt] **1.** □ adstringierend; **2.** Adstringens *n.*
as·trol·o·gy [əˈstrɒlədʒɪ] Astrologie *f.*
as·tro·naut [ˈæstrənɔːt] Astronaut *m*, (Welt)Raumfahrer *m.*
as·tron·o·my [əˈstrɒnəmɪ] Astronomie *f.*
as·tute □ [əˈstjuːt] scharfsinnig; schlau; **~·ness** [~nɪs] Scharfsinn *m.*
a·sun·der [əˈsʌndə] auseinander; entzwei.
a·sy·lum [əˈsaɪləm] Asyl *n.*
at [æt, *unbetont*: ət] *prp.* an; auf; aus; bei; für; in; mit; nach; über; um; von; vor; zu; ~ *school* in der Schule; ~ *the age of* im Alter von.
ate [et] *pret. von eat 1.*
a·the·is·m [ˈeɪθɪɪzəm] Atheismus *m.*
ath|lete [ˈæθliːt] (*bsd.* Leicht)Athlet *m*; **~·let·ic** [æθˈletɪk] (*~ally*) athletisch; **~·let·ics** *sg. od. pl.* (*bsd.* Leicht)Athletik *f.*
At·lan·tic [ətˈlæntɪk] **1.** atlantisch; **2.** *a.* ~ *Ocean* Atlantik *m.*
at·mo|sphere [ˈætməsfɪə] Atmosphäre *f* (*a. fig.*); **~·spher·ic** [ætməsˈferɪk] (*~ally*) atmosphärisch.
at·om [ˈætəm] Atom *n* (*a. fig.*); ~ **bomb** Atombombe *f.*
a·tom·ic [əˈtɒmɪk] (*~ally*) atomar, Atom...; ~ **age** Atomzeitalter *n*; ~ **bomb** Atombombe *f*; ~ **en·er·gy** Atomenergie *f*; ~ **pile** Atomreaktor *m*; ~ **pow·er** Atomkraft *f*; **~-pow·ered** atomgetrieben; ~ **waste** Atommüll.
at·om|ize [ˈætəmaɪz] in Atome auflösen; atomisieren; zerstäuben; **~·iz·er** [~ə] Zerstäuber *m.*
a·tone [əˈtəʊn]: ~ *for et.* wiedergutmachen; **~·ment** [~mənt] Buße *f*, Sühne *f.*
a·tro|cious □ [əˈtrəʊʃəs] scheußlich, gräßlich; grausam; **~c·i·ty** [əˈtrɒsətɪ] Scheußlichkeit *f*, Gräßlichkeit *f*; Greueltat *f*, Greuel *m.*
at·tach [əˈtætʃ] *v/t.* (*to*) anheften, ankleben (an *acc.*), befestigen, anbringen (an *dat.*); *Wert, Wichtigkeit etc.* beimessen (*dat.*); ~ *o.s. to* sich anschließen (*dat.*, an *acc.*); **~ed** zugetan; **~·ment** [~mənt] Befestigung *f*; ~ *for*, ~ *to* Bindung *f* an (*acc.*); Anhänglichkeit *f* an (*acc.*), Neigung *f* zu.
at·tack [əˈtæk] **1.** angreifen (*a. fig.*); befallen (*Krankheit*); *Arbeit* in Angriff nehmen; **2.** Angriff *m*; ⚕ Anfall *m*; Inangriffnahme *f.*
at·tain [əˈteɪn] *Ziel* erreichen, erlangen; **~·ment** [~mənt] Erreichung *f*; Erlangen *n*; **~s** *pl.* Kenntnisse *pl.*, Fertigkeiten *pl.*
at·tempt [əˈtempt] **1.** versuchen; **2.** Versuch *m*; Attentat *n.*
at·tend [əˈtend] *v/t.* begleiten; bedienen; pflegen; ⚕ behandeln; *j-m* aufwarten; beiwohnen (*dat.*), anwesend sein bei, teilnehmen an, *Schule etc.* besuchen; *e-e Vorlesung etc.* hören; *v/i.* achten, hören (*to* auf *acc.*); ~ *to* erledigen; **~·ance** [~əns] Begleitung *f*; Dienst *m*; (Auf)Wartung *f*, Pflege *f*; ⚕ Behandlung *f*; Anwesenheit *f* (*at* bei); Besuch *m* (*der Schule etc.*); Besucher(zahl *f*) *pl.*; **~·ant** [~t] Aufseher(in); ⊕ Bedienungsmann *m.*
at·ten|tion [əˈtenʃn] Aufmerksamkeit *f* (*a. fig.*); **~·tive** □ [~tɪv] aufmerksam.
at·tic [ˈætɪk] Dachboden *m*; Dachstube *f.*
at·tire [əˈtaɪə] **1.** kleiden; **2.** Kleidung *f.*
at·ti·tude [ˈætɪtjuːd] (Ein)Stellung *f*; Haltung *f.*
at·tor·ney [əˈtɜːnɪ] Bevollmächtigte(r) *m*; *Am.* Rechtsanwalt *m*; *power of* ~ Vollmacht *f*; ♀ *General Brt.* erster Kronanwalt; *Am.* Justizminister *m.*
at·tract [əˈtrækt] anziehen, *Aufmerksamkeit* erregen; *fig.* reizen; **at·trac·tion** [~kʃn] Anziehung(skraft) *f*, Reiz *m*; Attraktion *f*, *thea. etc.* Zugnummer *f*, -stück *n*; **at·trac·tive** [~tɪv] anziehend; attraktiv; reizvoll; **at·trac·tive·ness** [~nɪs] Reiz *m.*
at·trib·ute¹ [əˈtrɪbjuːt] beimessen, zuschreiben; zurückführen (*to* auf *acc.*).
at·tri·bute² [ˈætrɪbjuːt] Attribut *n* (*a. gr.*), Eigenschaft *f*, Merkmal *n.*
at·tune [əˈtjuːn]: ~ *to fig.* einstellen auf (*acc.*).

au·burn [ˈɔːbən] kastanienbraun.
auc|tion [ˈɔːkʃn] **1.** Auktion *f*; *sell by* (*Am. at*) ~ versteigern; *put up for* (*Am. at*) ~ zur Versteigerung anbieten; **2.** *mst* ~ *off* versteigern; **~·tio·neer** [ɔːkʃəˈnɪə] Auktionator *m*.
au·da|cious □ [ɔːˈdeɪʃəs] kühn; dreist; **~c·i·ty** [ɔːˈdæsətɪ] Kühnheit *f*; Dreistigkeit *f*.
au·di·ble □ [ˈɔːdəbl] hörbar.
au·di·ence [ˈɔːdjəns] Publikum *n*, Zuhörer(schaft *f*) *pl*., Zuschauer *pl*., Besucher *pl*., Leser(kreis *m*) *pl*.; Audienz *f*; *give* ~ *to* Gehör schenken (*dat*.).
au·di·o|cas·sette [ˈɔːdɪəʊkæˈset] Text-, Tonkassette *f*; **~-vis·u·al** [ɔːdɪəʊˈvɪʒʊəl]: ~ *aids pl*. audiovisuelle Unterrichtsmittel *pl*.
au·dit *econ*. [ˈɔːdɪt] **1.** Bücherrevision *f*; **2.** *Rechnungen* prüfen; **au·di·tor** [~ə] (Zu)Hörer(in); *econ*. Bücherrevisor *m*, Buchprüfer *m*; **au·di·to·ri·um** [ɔːdɪˈtɔːrɪəm] Zuschauerraum *m*; *Am*. Vortrags-, Konzertsaal *m*.
au·ger ⊕ [ˈɔːgə] *großer* Bohrer.
aught [ɔːt] (irgend) etwas; *for* ~ *I care* meinetwegen; *for* ~ *I know* soviel ich weiß.
aug·ment [ɔːgˈment] vergrößern.
au·gur [ˈɔːgə]: ~ *ill* (*well*) ein schlechtes (gutes) Zeichen *od*. Omen sein (*for* für).
Au·gust[1] [ˈɔːgəst] August *m*.
au·gust[2] □ [ɔːˈgʌst] erhaben.
aunt [ɑːnt] Tante *f*; **~·ie, ~·y** [ˈɑːntɪ] Tantchen *n*.
aus|pices [ˈɔːspɪsɪz] *pl*. Schirmherrschaft *f*; **~·pi·cious** □ [ɔːˈspɪʃəs] günstig.
aus|tere □ [ɒˈstɪə] streng; herb; hart; einfach; **~·ter·i·ty** [ɒˈsterətɪ] Strenge *f*; Härte *f*; Einfachheit *f*.
Aus·tra·li·an [ɒˈstreɪljən] **1.** australisch; **2.** Australier(in).
Aus·tri·an [ˈɒstrɪən] **1.** österreichisch; **2.** Österreicher(in).
au·then·tic [ɔːˈθentɪk] (*~ally*) authentisch; zuverlässig; echt.
au·thor [ˈɔːθə] Urheber(in); Autor(in), Verfasser(in); **~·i·ta·tive** □ [ɔːˈθɒrɪtətɪv] maßgebend; gebieterisch; zuverlässig; **~·i·ty** [~rətɪ] Autorität *f*; (Amts)Gewalt *f*; Nachdruck *m*, Gewicht *n*; Vollmacht *f*; Einfluß *m* (*over* auf *acc*.); Ansehen *n*; Quelle *f*; Fachmann *m*; *mst authorities pl*. Behörde *f*; **~·ize** [ˈɔːθəraɪz] *j-n* autorisieren, ermächtigen, bevollmächtigen, berechtigen; *et*. gutheißen; **~·ship** [~ʃɪp] Urheberschaft *f*.
au·to·graph [ˈɔːtəgrɑːf] Autogramm *n*.
au·to·mat *TM* [ˈɔːtəmæt] Automatenrestaurant *n* (*in den USA*).
au·to|mate [ˈɔːtəmeɪt] automatisieren; **~·mat·ic** [ɔːtəˈmætɪk] **1.** (*~ally*) automatisch; **2.** Selbstladepistole *f*, -gewehr *n*; *mot*. Auto *n* mit Automatik; **~·ma·tion** [~ˈmeɪʃn] Automation *f*; **~m·a·ton** *fig*. [ɔːˈtɒmətən] (*pl*. *-ta* [-tə], *-tons*) Roboter *m*.
au·to·mo·bile *bsd*. *Am*. [ˈɔːtəməbiːl] Auto *n*, Automobil *n*.
au·ton·o·my [ɔːˈtɒnəmɪ] Autonomie *f*.
au·tumn [ˈɔːtəm] Herbst *m*; **au·tum·nal** □ [ɔːˈtʌmnəl] herbstlich, Herbst...
aux·il·i·a·ry [ɔːgˈzɪljərɪ] helfend, Hilfs...
a·vail [əˈveɪl] **1.** ~ *o.s. of* sich *e-r Sache* bedienen, et. nutzen; **2.** Nutzen *m*; *of od. to no* ~ nutzlos; **a·vai·la·ble** □ [~əbl] verfügbar, vorhanden; erreichbar; *econ*. lieferbar, vorrätig, erhältlich.
av·a·lanche [ˈævəlɑːnʃ] Lawine *f*.
av·a|rice [ˈævərɪs] Habsucht *f*; **~·ri·cious** □ [ævəˈrɪʃəs] habgierig, -süchtig.
a·venge [əˈvendʒ] rächen; **a·veng·er** [~ə] Rächer(in).
av·e·nue [ˈævənjuː] Allee *f*; Boulevard *m*, Prachtstraße *f*.
a·ver [əˈvɜː] (*-rr-*) behaupten.
av·e·rage [ˈævərɪdʒ] **1.** Durchschnitt *m*; ⚓ Havarie *f*; **2.** □ durchschnittlich, Durchschnitts...; **3.** durchschnittlich betragen (ausmachen, haben, leisten, erreichen *etc*.); *a*. ~ *out* den Durchschnitt ermitteln.
a·verse [əˈvɜːs] abgeneigt (*to dat*.); **a·ver·sion** [~ʃn] Widerwille *m*, Abneigung *f*.
a·vert [əˈvɜːt] abwenden (*a. fig*.).
a·vi·a·ry [ˈeɪvɪərɪ] Vogelhaus *n*, Voliere *f*.
a·vi·a|tion ✈ [eɪvɪˈeɪʃn] Luftfahrt *f*; **~·tor** [ˈeɪvɪeɪtə] Flieger *m*.
av·id □ [ˈævɪd] gierig (*for* nach); begeistert, passioniert.
a·void [əˈvɔɪd] (ver)meiden; ausweichen; **~·ance** [~əns] Vermeidung *f*.
a·vow [əˈvaʊ] bekennen, (ein)geste-

hen; anerkennen; **~·al** [~əl] Bekenntnis *n*, (Ein)Geständnis *n*; **~ed·ly** [~ɪdlɪ] eingestandenermaßen.
a·wait [əˈweɪt] erwarten.
a·wake [əˈweɪk] **1.** wach, munter; *be ~ to* sich *e-r Sache* (voll) bewußt sein; **2.** *a.* **a·wak·en** [~ən] (*awoke od. awaked, awaked od. awoken*) *v/t.* (auf)wecken; *~ s.o. to s.th.* j-m et. zum Bewußtsein bringen; *v/i.* auf-, erwachen; **a·wak·en·ing** [~ənɪŋ] Erwachen *n*.
a·ward [əˈwɔːd] **1.** Belohnung *f*; Preis *m*, Auszeichnung *f*; **2.** zuerkennen, *Preis etc.* verleihen.
a·ware [əˈweə]: *be ~ of s.th.* von et. wissen, sich e-r Sache bewußt sein; *become ~ of s.th.* et. gewahr werden *od.* merken.
a·way [əˈweɪ] (hin)weg, fort; entfernt; immer weiter, d(a)rauflos; *Sport*: auswärts; *~ (game)* Auswärtsspiel *n*; *~ (win)* Auswärtssieg *m*.
awe [ɔː] **1.** Ehrfurcht *f*, Scheu *f*, Furcht *f*; **2.** (Ehr)Furcht einflößen (*dat.*).
aw·ful □ [ˈɔːfl] furchtbar, schrecklich.
a·while [əˈwaɪl] e-e Weile.
awk·ward □ [ˈɔːkwəd] ungeschickt, unbeholfen, linkisch; unangenehm; dumm, ungünstig (*Zeitpunkt etc.*).
awl [ɔːl] Ahle *f*, Pfriem *m*.
aw·ning [ˈɔːnɪŋ] Plane *f*; Markise *f*.
a·woke [əˈwəuk] *pret. von awake 2*; *a.* **a·wok·en** [~ən] *p.p. von awake 2.*
a·wry [əˈraɪ] schief; *fig.* verkehrt.
ax(e) [æks] Axt *f*, Beil *n*.
ax·is [ˈæksɪs] (*pl.* -*es* [-siːz]) Achse *f*.
ax·le ⊕ [ˈæksl] *a. ~-tree* (Rad)Achse *f*, Welle *f*.
ay(e) [aɪ] Ja *n*; *parl.* Jastimme *f*; *the ~s have it* der Antrag ist angenommen.
az·ure [ˈæʒə] azur-, himmelblau.

B

bab·ble [ˈbæbl] **1.** stammeln; plappern, schwatzen; plätschern (*Bach*); **2.** Geplapper *n*, Geschwätz *n*.
babe [beɪb] kleines Kind, Baby *n*; *Am.* F Puppe *f* (*Mädchen*).
ba·boon *zo.* [bəˈbuːn] Pavian *m*.
ba·by [ˈbeɪbɪ] **1.** Säugling *m*, kleines Kind, Baby *n*; *Am.* F Puppe *f* (*Mädchen*); **2.** Baby..., Kinder...; klein; **~ car·riage** *Am.* Kinderwagen *m*; **~·hood** [~hud] frühe Kindheit, Säuglingsalter *n*; **~-mind·er** *Brt.* [~maɪndə] Tagesmutter *f*; **~-sit** (-*tt*-; -*sat*) babysitten; **~-sit·ter** [~ə] Babysitter(in).
bach·e·lor [ˈbætʃələ] Junggeselle *m*; *univ.* Bakkalaureus *m* (*Grad*).
back [bæk] **1.** Rücken *m*; Rückseite *f*; Rücklehne *f*; Hinterende *n*; *Fußball*: Verteidiger *m*; **2.** *adj.* Hinter..., Rück..., hintere(r, -s), rückwärtig; entlegen; rückläufig; rückständig; alt, zurückliegend (*Zeitung etc.*); **3.** *adv.* zurück; rückwärts; **4.** *v/t.* mit e-m Rücken versehen; (*a. ~ up*) unterstützen; hinten grenzen an (*acc.*); zurückbewegen, zurückstoßen mit (*Auto*); wetten *od.* setzen auf (*acc.*); *econ. Scheck* indossieren; *v/i.* sich rückwärts bewegen, zurückgehen *od.* -treten *od.* -fahren, *mot. a.* zurückstoßen; **~ al·ley** *Am.* finstere Seitengasse; **~·bite** [ˈbækbaɪt] (-*bit*, -*bitten*) verleumden; **~·bone** Rückgrat *n*; **~-break·ing** [~ɪŋ] erschöpfend, mörderisch (*Arbeit*); **~·comb** *Haar* toupieren; **~·er** [~ə] Unterstützer(in); Wetter(in); **~·fire** *mot.* Früh-, Fehlzündung *f*; **~·ground** Hintergrund *m*; **~·hand** *Sport*: Rückhand *f*; **~·ing** [~ɪŋ] Unterstützung *f*; ⊕ versteifende Ausfütterung, Verstärkung *f*; ♪ Begleitung *f* (*e-s Popsängers*); **~ num·ber** alte Nummer (*e-r Zeitung*); **~ seat** Rücksitz *m*; **~·side** Gesäß *n*, Hintern *m*, Po *m*; **~ stairs** Hintertreppe *f*; **~ street** Seitenstraße *f*; **~·stroke** *Sport*: Rückenschwimmen *n*; **~ talk** *Am.* F freche Antwort(en *pl.*); **~·track** *fig.* e-n Rückzieher machen; **~·ward** [~wəd] **1.** *adj.* Rück-

(wärts)...; langsam; zurückgeblieben; rückständig; zurückhaltend; **2.** *adv.* (*a.* **~wards** [~wədz]) rückwärts, zurück; **~yard** *Brt.* Hinterhof *m*; *Am.* Garten *m* hinter dem Haus.

ba·con [ˈbeɪkən] Speck *m*.

bac·te·ri·a *biol.* [bækˈtɪərɪə] *pl.* Bakterien *pl.*

bad □ [bæd] (*worse, worst*) schlecht, böse, schlimm; *go* ~ schlecht werden, verderben; *he is in a ~ way* es geht ihm schlecht, er ist übel dran; *he is ~ly off* es geht ihm sehr schlecht; *~ly wounded* schwerverwundet; *want ~ly* F dringend brauchen.

bade [beɪd] *pret. von bid 1.*

badge [bædʒ] Abzeichen *n*; Dienstmarke *f*.

bad·ger [ˈbædʒə] **1.** *zo.* Dachs *m*; **2.** plagen, *j-m* zusetzen.

bad·lands [ˈbædlændz] *pl.* Ödland *n*.

baf·fle [ˈbæfl] *j-n* verwirren; *Plan etc.* vereiteln, durchkreuzen.

bag [bæg] **1.** Beutel *m*, Sack *m*; Tüte *f*; Tasche *f*; ~ *and baggage* (mit) Sack und Pack; **2.** (*-gg-*) in e-n Beutel *etc.* tun; in e-n Beutel verpacken *od.* abfüllen; *hunt.* zur Strecke bringen; (sich) bauschen.

bag·gage *bsd. Am.* [ˈbægɪdʒ] (Reise-) Gepäck *n*; ~ **car** 🚃 Gepäckwagen *m*; ~ **check** *Am.* Gepäckschein *m*; ~ **room** *Am.* Gepäckaufbewahrung *f*.

bag·gy F [ˈbægɪ] (*-ier, -iest*) sackartig; schlaff (herunterhängend); ausgebeult (*Hose*).

bag·pipes [ˈbægpaɪps] *pl.* Dudelsack *m*.

bail [beɪl] **1.** Bürge *m*; Bürgschaft *f*; Kaution *f*; *admit to* ~ ⚖ gegen Kaution freilassen; *go od. stand ~ for s.o.* ⚖ für j-n Kaution stellen; **2.** ~ *out* ⚖ *j-n* gegen Kaution freibekommen; *Am.* ✈ (mit dem Fallschirm) abspringen.

bai·liff [ˈbeɪlɪf] ⚖ *bsd.* Gerichtsvollzieher *m*; (Guts)Verwalter *m*.

bait [beɪt] **1.** Köder *m* (*a. fig.*); **2.** mit e-m Köder versehen; *fig.* ködern; *fig.* quälen, piesacken.

bake [beɪk] backen, im (Back)Ofen braten; *Ziegel* brennen; dörren; *~d beans pl.* Bohnen *pl.* in Tomatensoße; *~d potatoes pl. ungeschälte, im Ofen gebackene Kartoffeln*; Folienkartoffeln *pl.*; **bak·er** [ˈbeɪkə] Bäcker *m*; **bak·er·y** [~ərɪ] Bäckerei *f*; **bak·ing-pow·der** [~ɪŋpaʊdə] Backpulver *n*.

bal·ance [ˈbæləns] **1.** Waage *f*; Gleichgewicht *n* (*a. fig.*); Harmonie *f*; *econ.* Bilanz *f*; *econ.* Saldo *m*, Kontostand *m*, Guthaben *n*; F Rest *m*; *a.* ~ *wheel* Unruh *f* (*der Uhr*); *keep one's* ~ das Gleichgewicht halten; *lose one's* ~ das Gleichgewicht verlieren; *fig.* die Fassung verlieren; ~ *of payments econ.* Zahlungsbilanz *f*; ~ *of power pol.* Kräftegleichgewicht *n*; ~ *of trade* (Außen)Handelsbilanz *f*; **2.** *v/t.* (ab-, er)wägen; im Gleichgewicht halten, balancieren; ausgleichen; *v/i.* balancieren, sich ausgleichen.

bal·co·ny [ˈbælkənɪ] Balkon *m* (*a. thea.*).

bald □ [bɔːld] kahl; *fig.* dürftig; *fig.* unverblümt; ⚠ *nicht bald.*

bale[1] *econ.* [beɪl] Ballen *m*.

bale[2] *Brt.* ✈ [~]: ~ *out* (mit dem Fallschirm) abspringen.

bale·ful □ [ˈbeɪlfl] verderblich; unheilvoll; haßerfüllt (*Blick*).

balk [bɔːk] **1.** ✔ (Furchen)Rain *m*; Balken *m*; Hindernis *n*; **2.** *v/t.* (ver-) hindern, vereiteln; *v/i.* stutzen; scheuen.

ball[1] [bɔːl] **1.** Ball *m*; Kugel *f*; *anat.* (Hand-, Fuß)Ballen *m*; Knäuel *m*, *n*; Kloß *m*; *~s pl.* V Eier *pl.* (*Hoden*); *keep the ~ rolling* das Gespräch *od.* die Sache in Gang halten; *play* ~ F mitmachen; **2.** (sich) (zusammen-) ballen.

ball[2] [~] Ball *m*, Tanzveranstaltung *f*.

bal·lad [ˈbæləd] Ballade *f*; Lied *n*.

bal·last [ˈbæləst] **1.** Ballast *m*; Schotter *m*; **2.** mit Ballast beladen; beschottern.

ball-bear·ing ⊕ [ˈbɔːlˈbeərɪŋ] Kugellager *n*.

bal·let [ˈbæleɪ] Ballett *n*.

bal·lis·tics ⚔, *phys.* [bəˈlɪstɪks] *sg.* Ballistik *f*.

bal·loon [bəˈluːn] **1.** Ballon *m*; **2.** im Ballon aufsteigen; sich blähen.

bal·lot [ˈbælət] **1.** Wahl-, Stimmzettel *m*; geheime Wahl; **2.** (geheim) abstimmen; ~ *for* losen um; **~-box** Wahlurne *f*.

ball-point (pen) [ˈbɔːlpɔɪnt(ˈpen)] Kugelschreiber *m*.

ball·room [ˈbɔːlrʊm] Ball-, Tanzsaal *m*.

B

balm [bɑːm] Balsam *m* (*a. fig.*).
balm·y □ [ˈbɑːmɪ] (*-ier, -iest*) lind, mild (*Wetter*); *bsd. Am. sl.* bekloppt, verrückt.
ba·lo·ney *Am. sl.* [bəˈləʊnɪ] Quatsch *m*.
bal·us·trade [bæləˈstreɪd] Balustrade *f*, Brüstung *f*, Geländer *n*.
bam·boo ⚘ [bæmˈbuː] (*pl. -boos*) Bambus(rohr *n*) *m*.
bam·boo·zle F [bæmˈbuːzl] betrügen, übers Ohr hauen.
ban [bæn] **1.** (amtliches) Verbot, Sperre *f*; *eccl.* Bann *m*; **2.** (*-nn-*) verbieten.
ba·nal [bəˈnɑːl] banal, abgedroschen.
ba·na·na ⚘ [bəˈnɑːnə] Banane *f*.
band [bænd] **1.** Band *n*; Streifen *m*; Schar *f*, Gruppe *f*; (*bsd. Räuber*)Bande *f*; ♪ Kapelle *f*, (Tanz-, Unterhaltungs)Orchester *n*, (Jazz-, Rock-) Band *f*; ⚠ *nicht Buch-Band, Tonband*; **2.** ~ *together* sich zusammentun *od.* zusammenrotten.
ban·dage [ˈbændɪdʒ] **1.** Binde *f*; Verband *m*; **2.** bandagieren; verbinden.
ban·dit [ˈbændɪt] Bandit *m*.
band|-mas·ter [ˈbændmɑːstə] Kapellmeister *m*; **~·stand** Musikpavillon *m*, -podium *n*; **~·wa·gon** *Am.* Wagen *m* mit Musikkapelle; *jump on the* ~ sich der erfolgversprechenden Sache anschließen.
ban·dy[1] [ˈbændɪ]: ~ *words* (*with s.o.*) sich (mit j-m) streiten; ~ *about Gerüchte etc.* in Umlauf setzen *od.* weitererzählen.
ban·dy[2] [~] (*-ier, -iest*) krumm; **~-legged** säbel-, O-beinig.
bane [beɪn] Ruin *m*, Fluch *m*; **~·ful** □ [ˈbeɪnfl] verderblich.
bang [bæŋ] **1.** heftiger Schlag; Knall *m*; *mst* ~*s pl.* Ponyfrisur *f*; **2.** dröhnend (zu)schlagen.
ban·ish [ˈbænɪʃ] verbannen; **~·ment** [~mənt] Verbannung *f*.
ban·is·ter [ˈbænɪstə] *a.* ~*s pl.* Treppengeländer.
bank [bæŋk] **1.** Damm *m*; Ufer *n*; (Fels-, Sand-, Wolken-, ⚕ Blut- *etc.*)Bank *f*; *econ.* Bank(haus *n*) *f*; ~ *of issue* Notenbank *f*; ⚠ *nicht Sitz-Bank*; **2.** *v/t.* eindämmen; *econ. Geld* auf e-r Bank einzahlen; ⚕ *Blut etc.* konservieren u. aufbewahren; *v/i. econ.* Bankgeschäfte machen; *econ.* ein Bankkonto haben; ~ *on* sich verlassen auf (*acc.*); **~-bill** [ˈbæŋkbɪl] Bankwechsel *m*; *Am.* = *banknote*; **~-book** Kontobuch *n*, *a.* Sparbuch *n*; **~·er** [~ə] Bankier *m*; **~ hol·i·day** *Brt.* Bankfeiertag *m* (*gesetzlicher Feiertag*); **~·ing** [~ɪŋ] Bankgeschäft *n*, Bankwesen *n*; *attr.* Bank...; **~·note** Banknote *f*, Geldschein *m*; **~ rate** Diskontsatz *m*.
bank·rupt ⚖ [ˈbæŋkrʌpt] **1.** Zahlungsunfähige(r *m*) *f*; **2.** bankrott, zahlungsunfähig; *go* ~ in Konkurs gehen, Bankrott machen; **3.** Bankrott machen; **~·cy** ⚖ [~sɪ] Bankrott *m*, Konkurs *m*.
ban·ner [ˈbænə] Banner *n*; Fahne *f*.
banns [bænz] *pl.* Aufgebot *n*.
ban·quet [ˈbæŋkwɪt] Bankett *n*, Festessen *n*.
ban·ter [ˈbæntə] necken.
bap|tis·m [ˈbæptɪzəm] Taufe *f*; **~·tize** [bæpˈtaɪz] taufen.
bar [bɑː] **1.** Stange *f*, Stab *m*; Barren *m*; Riegel *m*; Schranke *f*; Sandbank *f*; (Ordens)Spange *f*; ♪ Takt(strich) *m*; dicker Strich; ⚖ (Gerichts-) Schranke *f*; ⚖ Anwaltschaft *f*; Bar *f* (*im Hotel etc.*); *fig.* Hindernis *n*; **2.** (*-rr-*) zu-, verriegeln; versperren; einsperren; (ver)hindern; ausschließen.
barb [bɑːb] Widerhaken *m*.
bar·bar·i·an [bɑːˈbeərɪən] **1.** barbarisch; **2.** Barbar(in).
bar·be·cue [ˈbɑːbɪkjuː] **1.** Bratrost *m*, Grill *m*; Grillfleisch *n* (*bsd. Ochse*); Grillparty *f*; **2.** *bsd. Ochse* auf dem Rost braten, grillen.
barbed wire [bɑːbd ˈwaɪə] Stacheldraht *m*.
bar·ber [ˈbɑːbə] (Herren)Friseur *m*.
bare [beə] **1.** (~*r*, ~*st*) nackt, bloß; kahl; bar, leer; **2.** entblößen; **~·faced** □ [ˈbeəfeɪst] frech; **~·foot, ~·footed** barfuß; **~·head·ed** barhäuptig; **~·ly** [~lɪ] kaum.
bar·gain [ˈbɑːgɪn] **1.** Vertrag *m*, Abmachung *f*; Geschäft *n*, Handel *m*, Kauf *m*; vorteilhafter Kauf; *a* (*dead*) ~ spottbillig; *it's a* ~*!* abgemacht!; *into the* ~ obendrein; **2.** (ver)handeln; übereinkommen; **~ sale** Ausverkauf *m*.
barge [bɑːdʒ] **1.** Flußboot *n*, Lastkahn *m*; Hausboot *n*; **2.** ~ *in*(*to*) hereinplatzen (in *acc.*).
bark[1] [bɑːk] **1.** ⚘ Borke *f*, Rinde *f*; **2.** abrinden; *Knie* abschürfen.
bark[2] [~] **1.** bellen; ~ *up the wrong*

tree F auf dem Holzweg sein; an der falschen Adresse sein; **2.** Bellen *n.*
bar·ley ⚘ [ˈbɑːlɪ] Gerste *f*; Graupe *f*.
barn [bɑːn] Scheune *f*; (Vieh)Stall *m*; **~·storm** *Am. pol.* [ˈbɑːnstɔːm] herumreisen u. (Wahl)Reden halten.
ba·rom·e·ter [bəˈrɒmɪtə] Barometer *n.*
bar·on [ˈbærən] Baron *m*; Freiherr *m*; **~·ess** [~ɪs] Baronin *f*; Freifrau *f*.
bar·racks [ˈbærəks] *sg.* ⚔ Kaserne *f*; *contp.* Mietskaserne *f*; ⚠ *nicht Baracke.*
bar·rage [ˈbærɑːʒ] Staudamm *m*; ⚔ Sperrfeuer *n*; *fig.* Hagel *m*, (Wort-, Rede)Schwall *m.*
bar·rel [ˈbærəl] **1.** Faß *n*, Tonne *f*; (*Gewehr*)Lauf *m*; ⊕ Trommel *f*, Walze *f*; **2.** in Fässer füllen; **~-or·gan** ♪ Drehorgel *f*.
bar·ren □ [ˈbærən] unfruchtbar; dürr, trocken; tot (*Kapital*).
bar·ri·cade [bærɪˈkeɪd] **1.** Barrikade *f*; **2.** verbarrikadieren; sperren.
bar·ri·er [ˈbærɪə] Schranke *f* (*a. fig.*), Barriere *f*, Sperre *f*; Hindernis *n.*
bar·ris·ter *Brt.* [ˈbærɪstə] (plädierender) Rechtsanwalt, Barrister *m.*
bar·row [ˈbærəʊ] Karre *f*.
bar·ter [ˈbɑːtə] **1.** Tausch(handel) *m*; **2.** tauschen (*for* gegen).
base[1] □ [beɪs] (*~r*, *~st*) gemein.
base[2] [~] **1.** Basis *f*; Grundlage *f*; Fundament *n*; Fuß *m*; ⚗ Base *f*; ⚔ Standort *m*; ⚔ Stützpunkt *m*; **2.** gründen, stützen (*on, upon* auf *acc.*).
base|ball [ˈbeɪsbɔːl] Baseball(spiel *n*) *m*; **~·board** *Am.* Scheuerleiste *f*; **~·less** [ˈbeɪslɪs] grundlos; **~·ment** [~mənt] Fundament *n*; Kellergeschoß *n.*
base·ness [ˈbeɪsnɪs] Gemeinheit *f*.
bash·ful □ [ˈbæʃfl] schüchtern.
ba·sic[1] [ˈbeɪsɪk] **1.** grundlegend, Grund...; ⚗ basisch; **2.** *~s pl.* Grundlagen *pl.*
BA·SIC[2] [~] BASIC *n* (*e-e Computersprache*).
ba·sic·al·ly [ˈbeɪsɪkəlɪ] im Grunde.
ba·sin [ˈbeɪsn] Becken *n*, Schale *f*, Schüssel *f*; Tal-, Wasser-, Hafenbecken *n.*
ba·sis [ˈbeɪsɪs] (*pl.* *-ses* [-siːz]) Basis *f*; Grundlage *f*.
bask [bɑːsk] sich sonnen (*a. fig.*).
bas·ket [ˈbɑːskɪt] Korb *m*; **~·ball** Basketball(spiel *n*) *m.*
bass[1] ♪ [beɪs] Baß *m.*
bass[2] *zo.* [bæs] (Fluß-, See)Barsch *m.*
bas·tard [ˈbɑːstəd] **1.** □ unehelich; unecht; Bastard...; **2.** Bastard *m.*
baste[1] [beɪst] *Braten* mit Fett begießen.
baste[2] [~] (an)heften.
bat[1] [bæt] *zo.* Fledermaus *f*; *as blind as a ~* stockblind.
bat[2] [~] *Sport*: **1.** Schlagholz *n*, Schläger *m*; **2.** (*-tt-*) *den Ball* schlagen; am Schlagen *od.* dran sein.
batch [bætʃ] Schub *m* (*Brote*); Stoß *m*, Stapel *m* (*Briefe etc.*).
bate [beɪt]: *with ~d breath* mit angehaltenem Atem.
bath [bɑːθ] **1.** (*pl.* *baths* [~ðz]) (Wannen)Bad *n*; *have a ~ Brt., take a ~ Am.* baden, ein Bad nehmen; *~s pl.* Bad *n*; Badeanstalt *f*; Badeort *m*; **2.** *Brt. v/t. Kind etc.* baden; *v/i.* baden, ein Bad nehmen.
bathe [beɪð] *v/t. Wunde etc., bsd. Am. Kind etc.* baden; *v/i.* baden; schwimmen; *bsd. Am.* baden, ein Bad nehmen.
bath·ing [ˈbeɪðɪŋ] Baden *n*; *attr.* Bade...; **~-suit** Badeanzug *m.*
bath|robe [ˈbɑːθrəʊb] Bademantel *m*; *Am.* Morgen-, Schlafrock *m*; **~-room** Badezimmer *n*; **~-tow·el** Badetuch *n*; **~-tub** Badewanne *f*.
bat·on [ˈbætən] Stab *m*; ♪ Taktstock *m*; Schlagstock *m*, Gummiknüppel *m.*
bat·tal·i·on ⚔ [bəˈtæljən] Bataillon *n.*
bat·ten [ˈbætn] Latte *f*.
bat·ter [ˈbætə] **1.** *Sport*: Schläger *m*; Rührteig *m*; **2.** heftig schlagen; *Ehefrau, Kind etc.* mißhandeln; verbeulen; *~ down od. in Tür* einschlagen; **~·y** [~rɪ] Batterie *f*; *assault and ~* ⚖ tätlicher Angriff; **~·y-op·e·rat·ed** batteriebetrieben.
bat·tle [ˈbætl] **1.** Schlacht *f* (*of* bei); **2.** streiten, kämpfen; **~·ax(e)** Streitaxt *f*; F alter Drachen (*bösartige Frau*); **~·field, ~·ground** Schlachtfeld *n*; **~·ments** [~mənts] *pl.* Zinnen *pl.*; **~·plane** ⚔ Kampfflugzeug *n*; **~·ship** ⚔ Schlachtschiff *n.*
baulk [bɔːk] = *balk.*
Ba·var·i·an [bəˈveərɪən] **1.** bay(e)risch; **2.** Bayer(in).
bawd·y [ˈbɔːdɪ] (*-ier, -iest*) obszön.
bawl [bɔːl] brüllen, schreien, grölen; *~ out Befehl* brüllen.
bay[1] [beɪ] **1.** rotbraun; **2.** Braune(r) *m* (*Pferd*).

B

bay² [~] Bai *f*, Bucht *f*; Erker *m*.
bay³ ⚘ [~] *a.* ~ *tree* Lorbeer(baum) *m*.
bay⁴ [~] **1.** bellen, Laut geben (*Hund*); **2.** *hold od. keep at* ~ *j-n* in Schach halten; *et.* von sich fernhalten.
bay·o·net ⚔ [ˈbeɪənɪt] Bajonett *n*.
bay·ou *Am.* [ˈbaɪuː] sumpfiger Flußarm.
bay win·dow [ˈbeɪˈwɪndəʊ] Erkerfenster *n*; *Am. sl.* Vorbau *m* (*Bauch*).
ba·za(a)r [bəˈzɑː] Basar *m*.
be [biː, bɪ] (*was od. were, been*) sein; *zur Bildung des Passivs*: werden; stattfinden; werden (*beruflich*); *he wants to* ~ ... er möchte ... werden; *how much are the shoes?* was kosten die Schuhe? ~ *reading* beim Lesen sein, gerade lesen; *there is, there are* es gibt.
beach [biːtʃ] **1.** Strand *m*; **2.** ⚓ auf den Strand setzen *od.* ziehen; ~ **ball** Wasserball *m*; ~ **bug·gy** *mot.* Strandbuggy *m*; ~**·comb·er** *fig.* [ˈbiːtʃkəʊmə] Nichtstuer *m*.
bea·con [ˈbiːkən] Leuchtfeuer *n*; Funkfeuer *n*.
bead [biːd] (Glas- *etc.*)Perle *f*; Tropfen *m*; ~*s pl. a.* Rosenkranz *m*; ~**·y** [ˈbiːdɪ] (*-ier, -iest*) klein, rund u. glänzend (*Augen*).
beak [biːk] Schnabel *m*; ⊕ Tülle *f*.
bea·ker [ˈbiːkə] Becher *m*.
beam [biːm] **1.** Balken *m*; Waagebalken *m*; Strahl *m*; ⚡ (Funk)Leit-, Richtstrahl *m*; **2.** ausstrahlen; strahlen (*a. fig. with* vor *dat.*).
bean [biːn] ⚘ Bohne *f*; *Am. sl.* Birne *f* (*Kopf*); *be full of* ~*s* F voller Leben(skraft) stecken.
bear¹ *zo.* [beə] Bär *m*.
bear² [~] (*bore, borne od. pass. geboren [werden]: born*) *v/t.* tragen; gebären; *ein Gefühl* hegen; ertragen; aushalten; *mst negativ*: ausstehen, leiden; ~ *down* überwinden, bewältigen; ~*out* bestätigen; *v/i.* tragen; *zo.* trächtig sein; ~**·a·ble** □ [ˈbeərəbl] erträglich.
beard [bɪəd] Bart *m*; ⚘ Grannen *pl.*; ~**·ed** [ˈbɪədɪd] bärtig.
bear·er [ˈbeərə] Träger(in); *econ.* Überbringer(in), (*Wertpapier*)Inhaber(in).
bear·ing [ˈbeərɪŋ] (Er)Tragen *n*; Betragen *n*; *fig.* Beziehung *f*; Lage *f*, Richtung *f*, Orientierung *f*; *take one's* ~*s* sich orientieren; *lose one's* ~*s* die Orientierung verlieren.
beast [biːst] Vieh *n*, Tier *n*; Bestie *f*; ~**·ly** [ˈbiːstlɪ] (*-ier, -iest*) scheußlich.
beat [biːt] **1.** (*beat, beaten od. beat*) *v/t.* schlagen; (ver)prügeln; besiegen; übertreffen; ~ *it!* F hau ab!; *that* ~*s all!* das ist doch der Gipfel *od.* die Höhe!; *that* ~*s me* das ist mir zu hoch; ~ *down econ. Preis* drücken, herunterhandeln; ~ *out Melodie etc.* trommeln; *Feuer* ausschlagen; ~ *up j-n* zusammenschlagen; *v/i.* schlagen; ~ *about the bush* wie die Katze um den heißen Brei herumschleichen; **2.** Schlag *m*; ♪ Takt(schlag) *m*; *Jazz*: Beat *m*; Pulsschlag *m*; Runde *f*, Revier *n* (*e-s Polizisten*); **3.** (*dead*) ~ F wie erschlagen, fix u. fertig; ~**·en** [ˈbiːtn] *p.p. von beat 1*; vielbegangen (*Weg*); *off the* ~ *track* abgelegen; *fig.* ungewohnt.
beau·ti|cian [bjuːˈtɪʃn] Kosmetikerin *f*; ~**·ful** □ [ˈbjuːtəfl] schön; ~**·fy** [~ɪfaɪ] schön(er) machen.
beaut·y [ˈbjuːtɪ] Schönheit *f*; *Sleeping* ♀ Dornrös-chen *n*; ~ *parlo(u)r*, ~ *shop* Schönheitssalon *m*.
bea·ver [ˈbiːvə] *zo.* Biber *m*; Biberpelz *m*.
be·came [bɪˈkeɪm] *pret. von become.*
be·cause [bɪˈkɒz] weil; ~ *of* wegen.
beck·on [ˈbekən] (zu)winken.
be·come [bɪˈkʌm] (*-came, -come*) *v/i.* werden (*of* aus); *v/t.* sich schikken für; *j-m* stehen, *j-n* kleiden; ⚠ *nicht bekommen*; **be·com·ing** □ [~ɪŋ] passend; schicklich; kleidsam.
bed [bed] **1.** Bett *n*; Lager *n* (*e-s Tieres*); 🌱 Beet *n*; Unterlage *f*; ~ *and breakfast* Zimmer *n* mit Frühstück; **2.** (*-dd-*): ~ *down* sein Nachtlager aufschlagen; ~**·clothes** [ˈbedkləʊðz] *pl.* Bettwäsche *f*; ~**·ding** [~ɪŋ] Bettzeug *n*; Streu *f*.
bed·lam [ˈbedləm] Tollhaus *n*.
bed|rid·den [ˈbedrɪdn] bettlägerig; ~**·room** Schlafzimmer *n*; ~**·side:** *at the* ~ am (*a. Kranken*)Bett; ~ *lamp* Nachttischlampe *f*; ~**·sit** F, ~**·sit·ter** [~ə], ~**·sit·ting room** [~ɪŋ] *Brt.* möbliertes Zimmer; Einzimmerappartement *n*; ~**·spread** Tagesdecke *f*; ~**·stead** Bettgestell *n*; ~**·time** Schlafenszeit *f*.
bee [biː] *zo.* Biene *f*; *have a* ~ *in one's bonnet* F e-n Tick haben.
beech ⚘ [biːtʃ] Buche *f*; ~**·nut** Buchecker *f*.
beef [biːf] **1.** Rindfleisch *n*; **2.** F

meckern (*about* über *acc.*); ~ **tea** Fleischbrühe *f*; **~y** [ˈbiːfɪ] (*-ier, -iest*) fleischig; kräftig, bullig.
bee|hive [ˈbiːhaɪv] Bienenkorb *m*, -stock *m*; **~-keep·er** Bienenzüchter *m*, Imker *m*; **~·line** kürzester Weg; *make a ~ for* schnurstracks losgehen auf (*acc.*).
been [biːn, bɪn] *p.p. von be.*
beer [bɪə] Bier *n*.
beet ♀ [biːt] (Runkel)Rübe *f*, Bete *f*; *Am. = beetroot.*
bee·tle[1] *zo.* [ˈbiːtl] Käfer *m*.
bee·tle[2] [~] **1.** überhängend; buschig (*Brauen*); **2.** *v/i.* überhängen.
beet·root ♀ [ˈbiːtruːt] Rote Bete *od.* Rübe.
be·fall [bɪˈfɔːl] (*-fell, -fallen*) *v/t. j-m* zustoßen; ⚠ *nicht befallen*; *v/i.* sich ereignen.
be·fit [bɪˈfɪt] (*-tt-*) sich schicken für.
be·fore [bɪˈfɔː] **1.** *adv. räumlich*: vorn, voran; *zeitlich*: vorher, früher, schon (früher); **2.** *cj.* bevor, ehe, bis; **3.** *prp.* vor; **~·hand** zuvor, (im) voraus.
be·friend [bɪˈfrend] sich *j-s* annehmen; ⚠ *nicht befreunden.*
beg [beg] (*-gg-*) *v/t. et.* erbetteln; erbitten (*of* von), bitten um; *j-n* bitten; *v/i.* betteln; bitten, flehen; betteln gehen; sich erlauben.
be·gan [bɪˈgæn] *pret. von begin.*
be·get [bɪˈget] (*-tt-; -got, -gotten*) (er)zeugen.
beg·gar [ˈbegə] **1.** Bettler(in); F Kerl *m*; **2.** arm machen; *fig.* übertreffen; *it ~s all description* es spottet jeder Beschreibung.
be·gin [bɪˈgɪn] (*-nn-; began, begun*) beginnen, anfangen; **~·ner** [~ə] Anfänger(in); **~·ning** Beginn *m*, Anfang *m*.
be·gone *int.* [bɪˈgɒn] fort!
be·got [bɪˈgɒt] *pret. von beget*; **~·ten** [~tn] *p.p. von beget.*
be·grudge [bɪˈgrʌdʒ] mißgönnen.
be·guile [bɪˈgaɪl] täuschen; betrügen (*of, out of* um); sich *die Zeit* vertreiben.
be·gun [bɪˈgʌn] *p.p. von begin.*
be·half [bɪˈhɑːf]: *on* (*Am. a. in*) *~ of* im Namen von (*od. gen.*).
be·have [bɪˈheɪv] sich (gut) benehmen.
be·hav·io(u)r [bɪˈheɪvjə] Benehmen *n*, Betragen *n*, Verhalten *n*; **~·al** *psych.* [~rəl] Verhaltens...
be·head [bɪˈhed] enthaupten.
be·hind [bɪˈhaɪnd] **1.** *adv.* hinten, dahinter; zurück; **2.** *prp.* hinter; **3.** F Hinterteil *n*, Hintern *m*; **~·hand** im Rückstand.
be·hold [bɪˈhəʊld] (*-held*) **1.** erblikken, sehen; ⚠ *nicht behalten*; **2.** *int.* siehe (da)!; **~·er** [~ə] Betrachter(in).
be·ing [ˈbiːɪŋ] (Da)Sein *n*; Wesen *n*; *in ~* wirklich (vorhanden).
be·lat·ed [bɪˈleɪtɪd] verspätet.
belch [beltʃ] **1.** aufstoßen, rülpsen; ausspeien; **2.** Rülpser *m*.
be·lea·guer [bɪˈliːgə] belagern.
bel·fry [ˈbelfrɪ] Glockenturm *m*, -stuhl *m*.
Bel·gian [ˈbeldʒən] **1.** belgisch; **2.** Belgier(in).
be·lie [bɪˈlaɪ] Lügen strafen.
be·lief [bɪˈliːf] Glaube *m* (*in* an *acc.*).
be·lie·va·ble □ [bɪˈliːvəbl] glaubhaft.
be·lieve [bɪˈliːv] glauben (*in* an *acc.*); **be·liev·er** *eccl.* [~ə] Gläubige(r *m*) *f*.
be·lit·tle *fig.* [bɪˈlɪtl] herabsetzen.
bell [bel] Glocke *f*; Klingel *f*; **~boy** *Am.* [ˈbelbɔɪ] (Hotel)Page *m*.
belle [bel] Schöne *f*, Schönheit *f*.
bell·hop *Am.* [ˈbelhɒp] (Hotel)Page *m*.
-bel·lied [ˈbelɪd] ...bäuchig.
bel·lig·er·ent [bɪˈlɪdʒərənt] **1.** kriegführend; streit-, kampflustig; aggressiv; **2.** kriegführendes Land.
bel·low [ˈbeləʊ] **1.** brüllen; **2.** Gebrüll *n*; **~s** *pl.* Blasebalg *m*.
bel·ly [ˈbelɪ] **1.** Bauch *m*; **2.** sich bauchen; (an)schwellen; bauschen; **~·ache** F Bauchweh *n*.
be·long [bɪˈlɒŋ] gehören; *~ to* gehören *dat. od.* zu; **~·ings** [~ɪŋz] *pl.* Habseligkeiten *pl.*
be·loved [bɪˈlʌvd] **1.** (innig) geliebt; **2.** Geliebte(r *m*) *f*.
be·low [bɪˈləʊ] **1.** *adv.* unten; **2.** *prp.* unter.
belt [belt] **1.** Gürtel *m*; ⚔ Koppel *n*; Zone *f*, Gebiet *n*; ⊕ Treibriemen *m*; **2.** *a. ~ up* den Gürtel (*gen.*) zumachen; **~·ed** [ˈbeltɪd] mit e-m Gürtel.
be·moan [bɪˈməʊn] betrauern, beklagen.
bench [bentʃ] (Sitz)Bank *f*; Richterbank *f*; Richter *m od. pl.*; Werkbank *f*.
bend [bend] **1.** Biegung *f*, Kurve *f*; *drive s.o. round the ~* F j-n noch wahnsinnig machen; **2.** (*bent*) (sich) biegen; *Gedanken etc.* richten (*to, on* auf *acc.*); (sich) beugen; sich neigen.

be·neath [bɪˈniːθ] = *below.*
ben·e·dic·tion [benɪˈdɪkʃn] Segen *m.*
ben·e·fac·tor [ˈbenɪfæktə] Wohltäter *m.*
be·nef·i·cent □ [bɪˈnefɪsnt] wohltätig.
ben·e·fi·cial □ [benɪˈfɪʃl] wohltuend, zuträglich, nützlich.
ben·e·fit [ˈbenɪfɪt] **1.** Nutzen *m*, Vorteil *m*; Wohltätigkeitsveranstaltung *f*; (*Sozial-*, *Versicherungs- etc.*)Leistung *f*; Rente *f*; Unterstützung *f*; **2.** nützen; begünstigen; ~ *by od. from* Vorteil haben von *od.* durch, Nutzen ziehen aus.
be·nev·o|lence [bɪˈnevələns] Wohlwollen *n*; **~·lent** □ [~t] wohlwollend; gütig, mildtätig.
be·nign □ [bɪˈnaɪn] freundlich, gütig; ⚕ gutartig.
bent [bent] **1.** *pret. u. p.p. von bend 2*; ~ *on doing* entschlossen zu tun; **2.** *fig.* Hang *m*, Neigung *f*; Veranlagung *f.*
ben·zene ⚗ [ˈbenziːn] Benzol *n.*
ben·zine ⚗ [ˈbenziːn] Leichtbenzin *n*; ⚠ *nicht Benzin.*
be·queath ⚖ [bɪˈkwiːð] vermachen.
be·quest ⚖ [bɪˈkwest] Vermächtnis *n.*
be·reave [bɪˈriːv] (*bereaved od. bereft*) berauben.
be·reft [bɪˈreft] *pret. u. p.p. von bereave.*
be·ret [ˈbereɪ] Baskenmütze *f.*
ber·ry ✿ [ˈberɪ] Beere *f.*
berth [bɜːθ] **1.** ⚓ Liege-, Ankerplatz *m*; ⚓ Koje *f*; 🚃 (Schlafwagen)Bett *n*; **2.** *v/t.* ⚓ vor Anker legen; *v/i.* ⚓ anlegen.
be·seech [bɪˈsiːtʃ] (*besought od. beseeched*) (inständig) bitten (um); anflehen.
be·set [bɪˈset] (*-tt-*; *beset*) heimsuchen, bedrängen; ~ *with difficulties* mit vielen Schwierigkeiten verbunden; ⚠ *nicht besetzen.*
be·side *prp.* [bɪˈsaɪd] neben; ~ *o.s.* außer sich (*with* vor); ~ *the point*, ~ *the question* nicht zur Sache gehörig; **~s** [~z] **1.** *adv.* außerdem; **2.** *prp.* abgesehen von, außer.
be·siege [bɪˈsiːdʒ] belagern; ⚠ *nicht besiegen.*
be·smear [bɪˈsmɪə] beschmieren.
be·sought [bɪˈsɔːt] *pret. u. p.p. von beseech.*
be·spat·ter [bɪˈspætə] bespritzen.
best [best] **1.** *adj.* (*sup. von good 1*) beste(r, -s) höchste(r, -s), größte(r, -s), meiste; ~ *man* Trauzeuge *m* (*des Bräutigams*); **2.** *adv.* (*sup. von well² 1*) am besten; **3.** *der, die, das* Beste; *All the* ~! Alles Gute!, Viel Glück!; *to the* ~ *of* ... nach bestem ...; *make the* ~ *of* das Beste machen aus; *at* ~ bestenfalls; *be at one's* ~ in Hochod. Höchstform sein.
bes·ti·al □ [ˈbestjəl] tierisch, viehisch.
be·stow [bɪˈstəʊ] geben, schenken, verleihen (*on, upon dat.*).
best·sell·er [bestˈselə] Bestseller *m*, Verkaufsschlager *m* (*bsd. Buch*).
bet [bet] **1.** Wette *f*; **2.** (*-tt-*; *bet od. betted*) wetten; *you* ~ F und ob!
be·tray [bɪˈtreɪ] verraten (*a. fig.*); verleiten; **~·al** [~əl] Verrat *m*; **~·er** [~ə] Verräter(in).
bet·ter [ˈbetə] **1.** *adj.* (*comp. von good 1*) besser; *he is* ~ es geht ihm besser; **2.** *das* Bessere; *~s pl.* Höherstehende *pl.*, Vorgesetzte *pl.*; *get the* ~ *of* die Oberhand gewinnen über (*acc.*); *et.* überwinden; **3.** *adv.* (*comp. von well² 1*) besser; mehr; *so much the* ~ desto besser; *you had* ~ (*Am.* F *you* ~) *go* es wäre besser, wenn du gingest; **4.** *v/t.* verbessern; *v/i.* sich bessern.
be·tween [bɪˈtwiːn] **1.** *adv.* dazwischen; *few and far* ~ F (ganz) vereinzelt; **2.** *prp.* zwischen; unter; ~ *you and me* unter uns *od.* im Vertrauen (gesagt).
bev·el [ˈbevl] (*bsd. Brt. -ll-*, *Am. -l-*) abkanten, abschrägen.
bev·er·age [ˈbevərɪdʒ] Getränk *n.*
bev·y [ˈbevɪ] Schwarm *m*, Schar *f.*
be·wail [bɪˈweɪl] be-, wehklagen.
be·ware [bɪˈweə] (*of*) sich in acht nehmen (vor *dat.*), sich hüten (vor *dat.*); ⚠ *nicht bewahren*; ~ *of the dog!* Warnung vor dem Hunde!
be·wil·der [bɪˈwɪldə] verwirren, irremachen; **~·ment** [~mənt] Verwirrung *f.*
be·witch [bɪˈwɪtʃ] bezaubern, behexen.
be·yond [bɪˈjɒnd] **1.** *adv.* darüber hinaus; **2.** *prp.* jenseits; über ... (*acc.*) hinaus.
bi- [baɪ] zwei(fach, -mal).
bi·as [ˈbaɪəs] **1.** *adj. u. adv.* schief, schräg; **2.** Neigung *f*; Vorurteil *n*; **3.** (*-s-*, *-ss-*) *mst ungünstig* beeinflussen; *~(s)ed bsd.* ⚖ befangen.

B

bi·ath|lete [baɪˈæθliːt] *Sport*: Biathlet *m*; **~·lon** [~ən] *Sport*: Biathlon *n*.
bib [bɪb] (Sabber)Lätzchen *n*.
Bi·ble [ˈbaɪbl] Bibel *f*.
bib·li·cal □ [ˈbɪblɪkl] biblisch, Bibel...
bib·li·og·ra·phy [bɪblɪˈɒgrəfɪ] Bibliographie *f*.
bi·car·bon·ate ⚗ [baɪˈkɑːbənɪt] *a*. ~ *of soda* doppeltkohlensaures Natron.
bi·cen|te·na·ry [baɪsenˈtiːnərɪ] *Am*. **~·ten·ni·al** [~ˈtenɪəl] Zweihundertjahrfeier *f*, zweihundertjähriges Jubiläum.
bi·ceps *anat*. [ˈbaɪseps] Bizeps *m*.
bick·er [ˈbɪkə] (sich) zanken; flakkern; plätschern; prasseln.
bi·cy·cle [ˈbaɪsɪkl] **1.** Fahrrad *n*; **2.** radfahren, radeln.
bid [bɪd] **1.** (*-dd-*; *bid od. bade, bid od. bidden*) gebieten, befehlen; (ent)bieten; *Karten*: reizen; ~ *farewell* Lebewohl sagen; **2.** *econ*. Gebot *n*, Angebot *n*; *Karten*: Reizen *n*; **~·den** [ˈbɪdn] *p.p. von bid 1*.
bide [baɪd] (*bode od. bided, bided*): ~ *one's time* den rechten Augenblick abwarten.
bi·en·ni·al □ [baɪˈenɪəl] zweijährlich; zweijährig (*Pflanzen*); **~·ly** [~lɪ] alle zwei Jahre.
bier [bɪə] (Toten)Bahre *f*; ⚠ *nicht Bier*.
big [bɪg] (*-gg-*) groß; erwachsen; (hoch)schwanger; F wichtig(tuerisch); ~ *business* Großunternehmertum *n*; ~ *shot* F hohes Tier (*Person*); *talk* ~ den Mund vollnehmen.
big·a·my [ˈbɪgəmɪ] Bigamie *f*.
big·ot [ˈbɪgət] selbstgerechte *od*. intolerante Person; **~·ed** selbstgerecht, intolerant.
big·wig F [ˈbɪgwɪg] hohes Tier (*Person*).
bike F [baɪk] (Fahr)Rad *n*.
bi·lat·er·al □ [baɪˈlætərəl] bilateral.
bile [baɪl] Galle *f* (*a. fig.*).
bi·lin·gual [baɪˈlɪŋgwəl] zweisprachig.
bil·i·ous □ [ˈbɪljəs] gallig; *fig*. gereizt.
bill[1] [bɪl] Schnabel *m*; Spitze *f*.
bill[2] [~] *econ*. **1.** Rechnung *f*; *pol*. Gesetzentwurf *m*; ⚖ Klageschrift *f*; *a*. ~ *of exchange econ*. Wechsel *m*; Plakat *n*; *Am*. Banknote *f*, Geldschein *m*; ~ *of fare* Speisekarte *f*; ~ *of lading* Seefrachtbrief *m*, Konnossement *n*; ~ *of sale* ⚖ Verkaufsurkunde *f*; **2.** (durch Anschlag) ankündigen.
bill·board *Am*. [ˈbɪlbɔːd] Reklametafel *f*.
bill·fold *Am*. [ˈbɪlfəʊld] Brieftasche *f*.
bil·li·ards [ˈbɪljədz] *sg*. Billiard(spiel) *n*.
bil·li·on [ˈbɪljən] Milliarde *f*.
bil·low [ˈbɪləʊ] Woge *f*; (*Rauch- etc.*) Schwade *f*; **~·y** [~ɪ] wogend; in Schwaden ziehend; gebläht, gebauscht.
bil·ly *Am*. [ˈbɪlɪ] (Gummi)Knüppel *m*; **~-goat** *zo*. Ziegenbock *m*.
bin [bɪn] (großer) Behälter.
bind [baɪnd] (*bound*) *v/t*. (an-, ein-, um-, auf-, fest-, ver)binden; *a*. vertraglich binden, verpflichten; *Saum* einfassen; *v/i*. binden; **~·er** [ˈbaɪndə] (*bsd. Buch*)Binder(in); Einband *m*, (Akten- *etc*.)Deckel *m*, Hefter *m*; **~·ing** [~ɪŋ] **1.** bindend, verbindlich; **2.** (Buch)Einband *m*; Einfassung *f*, Borte *f*.
bi·noc·u·lars [bɪˈnɒkjʊləz] *pl*. Feldstecher *m*, Fern-, Operngla*s* *n*.
bi·o·chem·is·try [baɪəʊˈkemɪstrɪ] Biochemie *f*.
bi·og·ra|pher [baɪˈɒgrəfə] Biograph *m*; **~·phy** [~ɪ] Biographie *f*.
bi·o·log·i·cal □ [baɪəʊˈlɒdʒɪkl] biologisch; **bi·ol·o·gy** [baɪˈɒlədʒɪ] Biologie *f*.
bi·ped *zo*. [ˈbaɪped] Zweifüßer *m*.
birch [bɜːtʃ] **1.** ⚘ Birke *f*; (Birken-)Rute *f*; **2.** (mit der Rute) züchtigen.
bird [bɜːd] Vogel *m*; ~ *of prey* Raubvogel *m*; ~ *sanctuary* Vogelschutzgebiet *n*; **~'s-eye** [ˈbɜːdzaɪ]: ~ *view* Vogelperspektive *f*.
bi·ro *TM* [ˈbaɪrəʊ] (*pl. -ros*) Kugelschreiber *m*.
birth [bɜːθ] Geburt *f*; Ursprung *m*, Entstehung *f*; Herkunft *f*; *give ~ to* gebären, zur Welt bringen; **~ control** Geburtenregelung *f*; **~·day** [ˈbɜːθdeɪ] Geburtstag *m*; **~·mark** Muttermal *n*; **~·place** Geburtsort *m*; **~ rate** Geburtenziffer *f*.
bis·cuit *Brt*. [ˈbɪskɪt] Keks *m*, *n*, Plätzchen *n*; ⚠ *nicht Biskuit*.
bish·op [ˈbɪʃəp] Bischof *m*; *Schach*: Läufer *m*; **~·ric** [~rɪk] Bistum *n*.
bi·son *zo*. [ˈbaɪsn] Bison *m*, Amer. Büffel; Europäischer Wisent *m*.
bit [bɪt] **1.** Bißchen *n*, Stück(chen) *n*;

B

Gebiß *n* (*am Zaum*); (Schlüssel)Bart *m*; *Computer*: Bit *n*; *a* (*little*) ~ ein (kleines) bißchen; **2.** *pret. von bite 2.*
bitch [bɪtʃ] *zo.* Hündin *f*; *contp.* Miststück *n*, -weib *n*.
bite [baɪt] **1.** Beißen *n*; Biß *m*; Bissen *m*, Happen *m*; ⊕ Fassen *n*; **2.** (*bit, bitten*) (an)beißen; stechen (*Insekt*); brennen (*Pfeffer*); schneiden (*Kälte*); beißen (*Rauch*); ⊕ fassen; *fig.* verletzen.
bit·ten [ˈbɪtn] *p.p. von bite 2.*
bit·ter [ˈbɪtə] **1.** □ bitter; *fig.* verbittert; **2.** ~*s pl.* Magenbitter *m*.
biz F [bɪz] = *business*.
blab F [blæb] (*-bb-*) (aus)schwatzen.
black [blæk] **1.** □ schwarz; dunkel; finster; ~ *eye* blaues Auge; *have s.th. in ~ and white* et. schwarz auf weiß haben *od.* besitzen; *be ~ and blue* blaue Flecken haben; *beat s.o. ~ and blue* j-n grün u. blau schlagen; **2.** schwärzen; wichsen; ~ *out* verdunkeln; **3.** Schwarz *n*; Schwärze *f*; Schwarze(r *m*) *f*, Neger(in); **~·ber·ry** ⚘ [ˈblækbərɪ] Brombeere *f*; **~·bird** *zo.* Amsel *f*; **~·board** (Schul-, Wand)Tafel *f*; ⚠ *nicht Schwarzes Brett*; **~·en** [~ən] *v/t.* schwärzen; *fig.* anschwärzen; *v/i.* schwarz werden; **~·guard** [ˈblægɑːd] **1.** Lump *m*, Schuft *m*; **2.** □ gemein, schuftig; **~·head** ⚕ Mitesser *m*; **~ ice** Glatteis *n*; **~·ing** [~ɪŋ] schwarze Schuhwichse; **~·ish** □ [~ɪʃ] schwärzlich; **~·jack** *bsd. Am.* Totschläger *m* (*Waffe*); **~·leg** *Brt.* Streikbrecher *m*; **~-let·ter** *print.* Fraktur *f*; **~·mail 1.** Erpressung *f*; **2.** *j-n* erpressen; **~·mail·er** [~ə] Erpresser(in); **~ mar·ket** schwarzer Markt; **~·ness** [~nɪs] Schwärze *f*; **~·out** Verdunkelung *f*; *thea.*, ⚕, *Raumfahrt*: Blackout *n*, *m*; ⚕ Ohnmacht *f*; **~ pud·ding** Blutwurst *f*; **~ sheep** *fig.* schwarzes Schaf; **~·smith** Grobschmied *m*.
blad·der *anat.* [ˈblædə] Blase *f*.
blade [bleɪd] ⚘ Blatt *n*, Halm *m*; (*Säge-, Schulter- etc.*)Blatt *n*; (Propeller)Flügel *m*; Klinge *f*.
blame [bleɪm] **1.** Tadel *m*; Schuld *f*; **2.** tadeln; *be to ~ for* schuld sein an (*dat.*); ⚠ *nicht blamieren*; **~·less** □ [~lɪs] untadelig.
blanch [blɑːntʃ] bleichen; erbleichen (lassen).
blanc·mange [bləˈmɒnʒ] Pudding *m*.
bland □ [blænd] mild, sanft.
blank [blæŋk] **1.** □ leer; unausgefüllt, unbeschrieben; *econ.* Blanko...; verdutzt; ⚠ *nicht blank* (*glänzend*); ~ *cartridge* ⚔ Platzpatrone *f*; ~ *cheque* (*Am. check*) *econ.* Blankoscheck *m*; **2.** Leere *f*; leerer Raum, Lücke *f*; unbeschriebenes Blatt, Formular *n*; *Lotterie*: Niete *f*.
blan·ket [ˈblæŋkɪt] **1.** (Woll)Decke *f*; *wet* ~ Spielverderber *m*; **2.** zudecken.
blare [bleə] brüllen, plärren (*Radio etc.*), schmettern (*Trompete*).
blas|pheme [blæsˈfiːm] lästern; **~·phe·my** [ˈblæsfəmɪ] Gotteslästerung *f*.
blast [blɑːst] **1.** Windstoß *m*; Ton *m* (*e-s Blasinstruments*); ⊕ Gebläse(luft *f*) *n*; Druckwelle *f*; ⚘ Mehltau *m*; **2.** *v/t.* vernichten; sprengen; ~ *off* (*into space*) *Rakete, Astronauten* in den Weltraum schießen; *v/i.*: ~ *off* abheben, starten (*Rakete*); ~*!* verdammt!; **~-fur·nace** ⊕ [ˈblɑːstfɜːnɪs] Hochofen *m*; **~-off** Start *m* (*Rakete*).
bla·tant □ [ˈbleɪtənt] lärmend; kraß; unverhohlen.
blaze [bleɪz] **1.** Flamme(n *pl.*) *f*, Feuer *n*; heller Schein; *fig.* Ausbruch *m*; *go to ~s!* zum Teufel mit dir!; **2.** brennen, flammen, lodern; leuchten; ⚠ *nicht blasen*.
blaz·er [ˈbleɪzə] Blazer *m*.
bla·zon [ˈbleɪzn] Wappen *n*.
bleach [bliːtʃ] bleichen.
bleak □ [bliːk] öde, kahl; rauh; *fig.* trüb, freudlos, finster.
blear·y □ [ˈblɪərɪ] (*-ier, -iest*) trübe, verschwommen; **~-eyed** mit trüben Augen; verschlafen.
bleat [bliːt] **1.** Blöken *n*; **2.** blöken.
bled [bled] *pret. u. p.p. von bleed*.
bleed [bliːd] (*bled*) *v/i.* bluten; *v/t.* ⚕ zur Ader lassen; *fig.* F schröpfen; **~·ing** [ˈbliːdɪŋ] **1.** ⚕ Bluten *n*, Blutung *f*; ⚕ Aderlaß *m*; **2.** *sl.* verflixt.
bleep [bliːp] **1.** Piepton *m*; **2.** *j-n* anpiepsen (*über Funkrufempfänger*).
blem·ish [ˈblemɪʃ] **1.** (*a.* Schönheits-)Fehler *m*; Makel *m*; **2.** entstellen.
blend [blend] **1.** (sich) (ver)mischen; *Wein etc.* verschneiden; ⚠ *nicht blenden*; **2.** Mischung *f*; *econ.* Verschnitt *m*; **~·er** [ˈblendə] Mixer *m*, Mixgerät *n*.
bless [bles] (*blessed od. blest*) segnen; preisen; *be ~ed with* gesegnet sein mit; (*God*) ~ *you!* alles Gute!;

Gesundheit!; ~ *me!*, ~ *my heart!*, ~ *my soul!* F du meine Güte!; **~·ed** *adj.* □ ['blesɪd] glückselig, gesegnet; **~·ing** [~ɪŋ] Segen *m.*
blest [blest] *pret. u. p.p. von bless.*
blew [blu:] *pret. von blow² 1.*
blight [blaɪt] **1.** ⚘ Mehltau *m*; *fig.* Gifthauch *m*; **2.** vernichten.
blind □ [blaɪnd] **1.** blind (*fig. to* gegen[über]); verborgen, geheim; schwererkennbar; ~ *alley* Sackgasse *f*; ~*ly fig.* blindlings; **2.** Rouleau *n*, Rollo *n*; *the* ~ *pl.* die Blinden *pl.*; **3.** blenden; *fig.* blind machen (*to* für, gegen); **~·ers** *Am.* ['blaɪndəz] *pl.* Scheuklappen *pl.*; **~·fold 1.** blindlings; **2.** *j-m* die Augen verbinden; **3.** Augenbinde *f*; **~·worm** *zo.* Blindschleiche *f.*
blink [blɪŋk] **1.** Blinzeln *n*; Schimmer *m*; **2.** *v/i.* blinzeln, zwinkern; blinken; schimmern; *v/t. fig.* ignorieren; **~·ers** ['blɪŋkəz] *pl.* Scheuklappen *pl.*
bliss [blɪs] Seligkeit *f*, Wonne *f.*
blis·ter ['blɪstə] **1.** Blase *f* (*auf der Haut, im Lack*); ⚕ Zugpflaster *n*; **2.** Blasen hervorrufen auf (*dat.*); Blasen ziehen.
blitz [blɪts] **1.** heftiger (Luft)Angriff; **2.** schwer bombardieren; ⚠ *nicht Blitz*; *blitzen.*
bliz·zard ['blɪzəd] Schneesturm *m.*
bloat|ed ['bləʊtɪd] (an)geschwollen, (auf)gedunsen; *fig.* aufgeblasen; **~·er** [~ə] Bückling *m.*
block [blɒk] **1.** Block *m*, Klotz *m*; Baustein *m*; Verstopfung *f*, (Verkehrs)Stockung *f*; *a.* ~ *of flats Brt.* Wohn-, Mietshaus *n*; *Am.* (Häuser-) Block *m*; **2.** formen; verhindern; *a.* ~ *up* (ab-, ver)sperren, blockieren.
block·ade [blɒ'keɪd] **1.** Blockade *f*; **2.** blockieren.
block|head ['blɒkhed] Dummkopf *m*; ~ **let·ters** *pl.* Blockschrift *f.*
bloke *Brt.* F [bləʊk] Kerl *m.*
blond [blɒnd] **1.** Blonde(r) *m*; **2.** blond; hell (*Haut*); **~e** [~] **1.** blond; **2.** Blondine *f.*
blood [blʌd] Blut *n*; *fig.* Blut *n*; Abstammung *f*; *attr.* Blut...; *in cold* ~ kaltblütig; **~-cur·dling** ['blʌdkɜ:dlɪŋ] grauenhaft; **~·shed** Blutvergießen *n*; **~·shot** blutunterlaufen; **~·thirst·y** □ blutdürstig; **~-ves·sel** *anat.* Blutgefäß *n*; **~·y** □ [~ɪ] (*-ier*, *-iest*) blutig; *Brt.* F verdammt, verflucht.

bloom [blu:m] **1.** *poet.* Blume *f*, Blüte *f*; *fig.* Blüte(zeit) *f*; ⚠ *nicht allg. Blume*; **2.** blühen; *fig.* (er)strahlen.
blos·som ['blɒsəm] **1.** Blüte *f*; **2.** blühen.
blot [blɒt] **1.** Klecks *m*; *fig.* Makel *m*; **2.** (*-tt-*) *v/t.* beklecksen, beflecken; (ab)löschen; ausstreichen; *v/i.* klecksen.
blotch [blɒtʃ] Klecks *m*; Hautfleck *m*; **~·y** ['blɒtʃɪ] (*-ier*, *-iest*) fleckig (*Haut*).
blot|ter ['blɒtə] (Tinten)Löscher *m*; *Am.* Eintragungsbuch *n*; **~·ting-pa·per** [~ɪŋpeɪpə] Löschpapier *n.*
blouse [blaʊz] Bluse *f.*
blow¹ [bləʊ] Schlag *m*, Stoß *m.*
blow² [~] **1.** (*blew, blown*) *v/i.* blasen, wehen; schnaufen; platzen (*Reifen*); ⚡ durchbrennen (*Sicherung*); ~ *up* in die Luft fliegen; *v/t.* blasen, wehen; ~ *one's nose* sich die Nase putzen; ~ *one's top* F an die Decke gehen (*vor Wut*); ~ *out* ausblasen; ~ *up* sprengen; *Foto* vergrößern; **2.** Blasen *n*, Wehen *n*; **~-dry** ['bləʊdraɪ] fönen; **~·fly** *zo.* Schmeißfliege *f*; **~n** [bləʊn] *p.p. von blow² 1*; **~·pipe** ['bləʊpaɪp] ⊕ Lötrohr *n*; Blasrohr *n*; **~-up** Explosion *f*; *phot.* Vergrößerung *f.*
blud|geon ['blʌdʒən] Knüppel *m.*
blue [blu:] **1.** blau; F melancholisch, traurig, schwermütig; **2.** Blau *n*; *out of the* ~ *fig.* aus heiterem Himmel; **~·ber·ry** ⚘ ['blu:bərɪ] Blau-, Heidelbeere *f*; **~·bot·tle** *zo.* Schmeißfliege *f*; **~-col·lar work·er** (Fabrik)Arbeiter(in).
blues [blu:z] *pl. od. sing.* ♪ Blues *m*; F Melancholie *f*; *have the* ~ F den Moralischen haben.
bluff [blʌf] **1.** □ schroff, steil; derb; **2.** Steilufer *n*; Bluff *m*; **3.** bluffen.
blu·ish ['blu:ɪʃ] bläulich.
blun·der ['blʌndə] **1.** Fehler *m*, Schnitzer *m*; **2.** e-n (groben) Fehler machen; stolpern; verpfuschen; ⚠ *nicht plündern.*
blunt [blʌnt] **1.** □ stumpf (*a. fig.*); grob, rauh; **2.** abstumpfen; **~·ly** ['blʌntlɪ] frei heraus.
blur [blɜ:] **1.** Fleck *m*; undeutlicher Eindruck, verschwommene Vorstellung; **2.** (*-rr-*) *v/t.* beflecken; verwischen, -schmieren; *phot.*, *TV* verwackeln, -zerren; *Sinn* trüben.
blurt [blɜ:t]: ~ *out* herausplatzen mit.

B

blush [blʌʃ] **1.** Schamröte *f*; Erröten *n*; **2.** erröten, rot werden.
blus·ter [ˈblʌstə] **1.** Brausen *n*, Toben *n* (*a. fig.*); *fig.* Poltern *n*; **2.** brausen; *fig.* poltern, toben.
boar *zo.* [bɔː] Eber *m*; Keiler *m*.
board [bɔːd] **1.** Brett *n*; (Anschlag-)Brett *n*; Konferenztisch *m*; Ausschuß *m*, Kommission *f*; Behörde *f*; Verpflegung *f*; Pappe *f*, Karton *m*; *Sport*: (Surf)Board *n*; ⚠ *nicht Bücher-Bord*; *on* ~ *a train* in e-m Zug; ~ *of directors econ.* Verwaltungsrat *m*; ♀ *of Trade Brt.* Handelsministerium *n*, *Am.* Handelskammer *f*; **2.** *v/t.* dielen, verschalen; beköstigen; an Bord gehen; ⚓ entern; einsteigen in (*ein Fahr- od. Flugzeug*); *v/i.* in Kost sein, wohnen; **~·er** [ˈbɔːdə] Kostgänger(in); Pensionsgast *m*; Internatsschüler(in); **~·ing-house** [~ɪŋhaʊs] Pension *f*, Fremdenheim *n*; **~·ing-school** [~ɪŋskuːl] Internat *n*; **~·walk** *bsd. Am.* Strandpromenade *f*.
boast [bəʊst] **1.** Prahlerei *f*; **2.** (*of, about*) sich rühmen (*gen.*), prahlen (mit); **~·ful** □ [ˈbəʊstfl] prahlerisch.
boat [bəʊt] Boot *n*; Schiff *n*; **~·ing** [ˈbəʊtɪŋ] Bootsfahrt *f*.
bob [bɒb] **1.** Quaste *f*; Ruck *m*; Knicks *m*; kurzer Haarschnitt; *Brt.* F *hist.* Schilling *m*; **2.** (*-bb-*) *v/t. Haar* kurz schneiden; ~*bed hair* Bubikopf *m*; *v/i.* springen, tanzen; knicksen.
bob·bin [ˈbɒbɪn] Spule *f* (*a.* ⚡).
bob·by *Brt.* F [ˈbɒbɪ] Bobby *m* (*Polizist*).
bob·sleigh [ˈbɒbsleɪ] *Sport*: Bob *m*.
bode [bəʊd] *pret. von bide*.
bod·ice [ˈbɒdɪs] Mieder *n*; Oberteil *n* (*e-s Kleides*).
bod·i·ly [ˈbɒdɪlɪ] körperlich.
bod·y [ˈbɒdɪ] Körper *m*, Leib *m*; Leiche *f*; Körperschaft *f*; Hauptteil *m*; *mot.* Karosserie *f*; ⚔ Truppenkörper *m*; **~·guard** Leibwache *f*; Leibwächter *m*; **~·work** Karosserie *f*.
Boer [ˈbəʊə] Bure *m*; *attr.* Buren...
bog [bɒg] **1.** Sumpf *m*, Moor *n*; **2.** (*-gg-*): *get* ~*ged down fig.* sich festfahren.
bo·gus [ˈbəʊgəs] falsch; Schwindel...
boil[1] ⚕ [bɔɪl] Geschwür *n*, Furunkel *m, n*.
boil[2] [~] **1.** kochen, sieden; **2.** Kochen *n*, Sieden *n*; **~·er** [ˈbɔɪlə] (Dampf-)Kessel *m*; Boiler *m*; **~·er suit** Overall *m*; **~·ing** [~ɪŋ] kochend, siedend; **~·ing-point** Siedepunkt *m* (*a. fig.*).
bois·ter·ous □ [ˈbɔɪstərəs] ungestüm; heftig, laut; lärmend.
bold □ [bəʊld] kühn; keck, dreist, unverschämt; steil; *as* ~ *as brass* F frech wie Oskar; **~·ness** [ˈbəʊldnɪs] Kühnheit *f*; Keckheit *f*; Dreistigkeit *f*.
bol·ster [ˈbəʊlstə] **1.** Keilkissen *n*; Nackenrolle *f*; ⚠ *nicht Polster*; **2.** ~ *up fig.* (unter)stützen, *j-m* Mut machen.
bolt [bəʊlt] **1.** Bolzen *m*; Riegel *m*; Blitz(strahl) *m*; plötzlicher Satz, Fluchtversuch *m*; **2.** *adv.* ~ *upright* kerzengerade; **3.** *v/t.* verriegeln; F hinunterschlingen; *v/i.* davonlaufen, ausreißen; scheuen, durchgehen (*Pferd*).
bomb [bɒm] **1.** Bombe *f*; *the* ~ die Atombombe; **2.** bombardieren.
bom·bard [bɒmˈbɑːd] bombardieren (*a. fig.*).
bomb|-proof [ˈbɒmpruːf] bombensicher; **~·shell** Bombe *f* (*a. fig.*).
bond [bɒnd] *econ.* Schuldverschreibung *f*, Obligation *f*; ⊕ Haftfestigkeit *f*; ~*s pl.* Bande *pl.* (*der Freundschaft etc.*); *in* ~ *econ.* unter Zollverschluß; **~·age** *lit.* [ˈbɒndɪdʒ] Hörigkeit *f*; Knechtschaft *f*.
bone [bəʊn] **1.** Knochen *m*; Gräte *f*; ⚠ *nicht Bein*; ~*s pl. a.* Gebeine *pl.*; ~ *of contention* Zankapfel *m*; *have a* ~ *to pick with s.o.* mit j-m ein Hühnchen zu rupfen haben; *make no* ~*s about* nicht lange fackeln mit; keine Skrupel haben hinsichtlich (*gen.*); **2.** die Knochen auslösen (aus); entgräten.
bon·fire [ˈbɒnfaɪə] Feuer *n* im Freien; Freudenfeuer *n*.
bon·net [ˈbɒnɪt] Haube *f*; *Brt.* Motorhaube *f*.
bon·ny *bsd. schott.* [ˈbɒnɪ] (*-ier, -iest*) hübsch; rosig (*Baby*); gesund.
bo·nus *econ.* [ˈbəʊnəs] Bonus *m*, Prämie *f*; Gratifikation *f*.
bon·y [ˈbəʊnɪ] (*-ier, -iest*) knöchern; knochig.
boob *sl.* [buːb] Blödmann *m*; *Brt.* (grober) Fehler; ~*s pl.* F Titten *pl.* (*Busen*).
boo·by [ˈbuːbɪ] Trottel *m*.
book [bʊk] **1.** Buch *n*; Heft *n*; Liste *f*; Block *m*; **2.** buchen; eintragen;

Fahrkarte etc. lösen; *Platz etc.* (vor-)bestellen, reservieren lassen; *Gepäck* aufgeben; ~ *in bsd. Brt.* sich (*im Hotel*) eintragen; ~ *in at* absteigen in (*dat.*); ~*ed up* ausgebucht, -verkauft, belegt (*Hotel*); **~·case** [ˈbʊkkeɪs] Bücherschrank *m*; **~·ing** [~ɪŋ] Buchen *n*, (Vor)Bestellung *f*; **~·ing-clerk** Schalterbeamt|e(r) *m*, -in *f*; **~·ing-of·fice** Fahrkartenausgabe *f*, -schalter *m*; *thea.* Kasse *f*; **~·keep·er** Buchhalter(in); **~·keep·ing** Buchhaltung *f*, -führung *f*; **~·let** [~lɪt] Büchlein *n*, Broschüre *f*; **~·mark(·er)** [~ə] Lesezeichen *n*; **~·sell·er** Buchhändler(in); **~·shop,** *Am.* **~·store** Buchhandlung *f*.

boom[1] [buːm] **1.** *econ.* Boom *m*, Aufschwung *m*, Hochkonjunktur *f*, Hausse *f*; **2.** in die Höhe treiben *od.* gehen.

boom[2] [~] dröhnen, donnern.

boon [buːn] Segen *m*, Wohltat *f*.

boor *fig.* [bʊə] Bauer *m*, Lümmel *m*; **~·ish** □ [ˈbʊərɪʃ] bäuerisch, ungehobelt.

boost [buːst] hochschieben; *Preise* in die Höhe treiben; *Wirtschaft* ankurbeln; verstärken (*a.* ⚡); *fig.* fördern, Auftrieb geben.

boot[1] [buːt]: *to* ~ obendrein.

boot[2] [~] Stiefel *m*; *Brt. mot.* Kofferraum *m*; ⚠ *nicht Boot*; **~·ee** [ˈbuːtiː] (*Damen*)Halbstiefel *m*.

booth [buːð] (Markt- *etc.*)Bude *f*; (Messe)Stand *m*; (Wahl-, *etc.*) Kabine *f*; (Fernsprech)Zelle *f*.

boot|lace [ˈbuːtleɪs] Schnürsenkel *m*; **~·leg·ger** [~legə] Alkoholschmuggler *m*.

boot·y [ˈbuːtɪ] Beute *f*, Raub *m*.

booze F [buːz] **1.** saufen; **2.** Alkohol *m* (*Getränk*); Sauferei *f*.

bop·per [ˈbɒpə] = *teeny-bopper*.

bor·der [ˈbɔːdə] **1.** Rand *m*, Saum *m*, Einfassung *f*; Rabatte *f*; Grenze *f*; **2.** einfassen; (um)säumen; grenzen (*on, upon* an *acc.*).

bore[1] [bɔː] **1.** Bohrloch *n*; Kaliber *n*; *fig.* langweiliger Mensch; langweilige Sache; *Brt.* F lästige Sache; **2.** bohren; langweilen; *j-m* lästig sein.

bore[2] [~] *pret. von bear*[2].

bor·ing □ [ˈbɔːrɪŋ] langweilig.

born [bɔːn] *p.p. von bear*[2] gebären.

borne [bɔːn] *p.p. von bear*[2] tragen.

bo·rough [ˈbʌrə] Stadtteil *m*; Stadtgemeinde *f*; Stadtbezirk *m*.

bor·row [ˈbɒrəʊ] (sich) *et.* borgen *od.* (aus)leihen; ⚠ *nicht j-m et. borgen.*

bos·om [ˈbʊzəm] Busen *m*; *fig.* Schoß *m*.

boss F [bɒs] **1.** Boss *m*, Chef *m*; *bsd. Am. pol.* (Partei-, Gewerkschafts-)Bonze *m*; **2.** *a.* ~ *about*, ~ *around* herumkommandieren; **~·y** F [ˈbɒsɪ] (*-ier, -iest*) herrisch.

bo·tan·i·cal □ [bəˈtænɪkl] botanisch; **bot·a·ny** [ˈbɒtənɪ] Botanik *f*.

botch [bɒtʃ] **1.** Pfusch(arbeit *f*) *m*; **2.** verpfuschen.

both [bəʊθ] beide(s); ~ ... *and* sowohl ... als (auch).

both·er [ˈbɒðə] **1.** Belästigung *f*, Störung *f*, Plage *f*, Mühe *f*; **2.** belästigen, stören, plagen; *don't* ~*!* bemühen Sie sich nicht!

bot·tle [ˈbɒtl] **1.** Flasche *f*; **2.** in Flaschen abfüllen; **~-neck** Flaschenhals *m*, Engpaß *m* (*e-r Straße*) (*a. fig.*).

bot·tom [ˈbɒtəm] unterster Teil, Boden *m*, Fuß *m*, Unterseite *f*; Grund *m*; F Hintern *m*, Popo *m*; *be at the* ~ *of* hinter *e-r Sache* stecken; *get to the* ~ *of s.th.* e-r Sache auf den Grund gehen.

bough [baʊ] Ast *m*, Zweig *m*.

bought [bɔːt] *pret. u. p.p. von buy.*

boul·der [ˈbəʊldə] Geröllblock *m*, Findling *m*.

bounce [baʊns] **1.** Aufprall(en *n*) *m*, Aufspringen *n* (*e-s Balles etc.*); Schwung *m* (*Lebensfreude, -kraft*); **2.** aufprallen *od.* springen (lassen) (*Ball*); F platzen (*ungedeckter Scheck*); *she* ~*d the baby on her knee* sie ließ das Kind auf den Knien reiten; **bounc·ing** [ˈbaʊnsɪŋ] stramm (*Baby*).

bound[1] [baʊnd] **1.** *pret. u. p.p. von bind*; **2.** *adj.* verpflichtet; bestimmt, unterwegs (*for* nach).

bound[2] [~] *mst* ~*s pl.* Grenze *f*, *fig. a.* Schranke *f*.

bound[3] [~] **1.** Sprung *m*; **2.** (hoch-)springen; auf-, abprallen.

bound·a·ry [ˈbaʊndərɪ] Grenze *f*.

bound·less □ [ˈbaʊndlɪs] grenzenlos.

boun|te·ous □ [ˈbaʊntɪəs], **~·ti·ful** □ [~fl] freigebig, reichlich.

boun·ty [ˈbaʊntɪ] Mildtätigkeit *f*, Freigebigkeit *f*; Spende *f*; Prämie *f*.

bou·quet [bʊˈkeɪ] Bukett *n*, Strauß *m*; Blume *f* (*des Weins*).

B

bout [baʊt] *Boxen, Ringen, Fechten*: Kampf *m*; (Verhandlungs)Runde *f*; ⚕ Anfall *m*; (Trink)Gelage *n*.
bou·tique [buːˈtiːk] Boutique *f*.
bow¹ [baʊ] **1.** Verbeugung *f*; **2.** *v/i.* sich verbeugen *od.* -neigen (*to* vor *dat.*); *fig.* sich beugen *od.* unterwerfen (*to dat.*); *v/t.* biegen; beugen, neigen.
bow² ⚓ [~] Bug *m*.
bow³ [bəʊ] **1.** Bogen *m*; Schleife *f*; **2.** geigen; *~-legged* O-beinig.
bow·els [ˈbaʊəlz] *pl. anat.* Eingeweide *pl.*; *das* Innere.
bowl¹ [bəʊl] Schale *f*, Schüssel *f*, Napf *m*; (*Pfeifen*)Kopf *m*; *geogr.* Becken *n*; *Am.* Stadion *n*; ⚠ *nicht Bowle* (*Getränk*).
bowl² [~] **1.** (*Bowling-, Kegel- etc.*) Kugel *f*; **2.** *v/t.* rollen; *Bowlingkugel, Kricketball* werfen; *v/i.* bowlen, Bowling spielen; kegeln; *Kricket*: werfen; **~ing** [ˈbəʊlɪŋ] Bowling *n*; Kegeln *n*.
box¹ [bɒks] **1.** ♣ Buchsbaum *m*; Kasten *m*, Kiste *f*; Büchse *f*; Schachtel *f*; ⊕ Gehäuse *n*; *thea.* Loge *f*; Box *f*; **2.** in Kästen *etc.* tun.
box² [~] **1.** *Sport*: boxen; *~ s.o.'s ears* j-n ohrfeigen; **2.** *~ on the ear* Ohrfeige *f*; **~er** [ˈbɒksə] Boxer *m*; **~ing** [~ɪŋ] Boxen *n*, Boxsport *m*; **2ing Day** *Brt.* der zweite Weihnachtsfeiertag.
box-of·fice [ˈbɒksɒfɪs] Theaterkasse *f*.
boy [bɔɪ] Junge *m*, Knabe *m*, Bursche *m*; *~friend* Freund *m*; *~ scout* Pfadfinder *m*.
boy·cott [ˈbɔɪkɒt] boykottieren.
boy|hood [ˈbɔɪhʊd] Knabenalter *n*, Kindheit *f*, Jugend(zeit) *f*; **~ish** □ [ˈbɔɪɪʃ] jungenhaft.
bra [brɑː] BH *m* (*Büstenhalter*).
brace [breɪs] **1.** ⊕ Strebe *f*, Stützbalken *m*; Klammer *f*; Paar *n* (*a. Wild, Geflügel*); (*a. a pair of*) *~s pl. Brt.* Hosenträger *pl.*; **2.** verstreben, -steifen, stützen; spannen; *fig.* stärken.
brace·let [ˈbreɪslɪt] Armband *n*.
brack·et [ˈbrækɪt] **1.** ⊕ Träger *m*, Halter *m*, Stütze *f*; (Wand)Arm (*e-r Leuchte*); Winkelstütze *f*; *arch.* Konsole *f*; *print.* (*mst* eckige) Klammer; (*bsd. Alters-, Steuer*)Klasse *f*; *lower income ~* niedrige Einkommensgruppe; **2.** einklammern; *fig.* gleichstellen.
brack·ish [ˈbrækɪʃ] brackig, salzig.
brag [bræg] **1.** Prahlerei *f*; **2.** (*-gg-*) prahlen (*about, of* mit).
brag·gart [ˈbrægət] **1.** Prahler *m*; **2.** prahlerisch.
braid [breɪd] **1.** (Haar)Flechte *f*, Zopf *m*; Borte *f*, Tresse *f*; **2.** flechten; mit Borte besetzen.
brain [breɪn] *anat.* Gehirn *n*; *oft ~s pl. fig.* Gehirn *n*, Verstand *m*, Intelligenz *f*, Kopf *m*; **~s trust** *Brt.*, *Am.* **~ trust** [ˈbreɪn(z)trʌst] Gehirntrust *m* (*bsd. politische od. wirtschaftliche Beratergruppe*); **~·wash** *j-n* e-r Gehirnwäsche unterziehen; **~·wash·ing** Gehirnwäsche *f*; **~·wave** F Geistesblitz *m*.
brake [breɪk] **1.** ⊕ Bremse *f*; **2.** bremsen.
bram·ble ♣ [ˈbræmbl] Brombeerstrauch *m*.
bran [bræn] Kleie *f*.
branch [brɑːntʃ] **1.** Ast *m*, Zweig *m*; Fach *n*; Linie *f* (*des Stammbaumes*); Zweigstelle *f*; **2.** sich verzweigen; abzweigen.
brand [brænd] **1.** *econ.* (Handels-, Schutz)Marke *f*, Warenzeichen *n*; Sorte *f*, Klasse *f* (*e-r Ware*); Brandmal *n*; ⚠ *nicht Brand*; *~ name* Markenbezeichnung *f*, -name *m*; **2.** einbrennen; brandmarken.
bran·dish [ˈbrændɪʃ] schwingen.
bran(d)-new [ˈbræn(d)ˈnjuː] nagelneu.
bran·dy [ˈbrændɪ] Kognak *m*, Weinbrand *m*.
brass [brɑːs] Messing *n*; F Unverschämtheit *f*; *~ band* Blaskapelle *f*; *~ knuckles pl. Am.* Schlagring *m*.
bras·sière [ˈbræsɪə] Büstenhalter *m*.
brat *contp.* [bræt] Balg *m, n*, Gör *n* (*Kind*).
brave [breɪv] **1.** □ (*~r, ~st*) tapfer, mutig, unerschrocken; ⚠ *nicht brav*; **2.** trotzen; mutig begegnen (*dat.*); **brav·er·y** [ˈbreɪvərɪ] Tapferkeit *f*.
brawl [brɔːl] **1.** Krawall *m*; Rauferei *f*; **2.** Krawall machen; raufen.
brawn·y [ˈbrɔːnɪ] (*-ier, -iest*) muskulös.
bray [breɪ] **1.** Eselsschrei *m*; **2.** schreien; schmettern; dröhnen.
bra·zen □ [ˈbreɪzn] unverschämt, unverfroren, frech.
Bra·zil·ian [brəˈzɪljən] **1.** brasilianisch; **2.** Brasilianer(in).

breach [briːtʃ] **1.** Bruch *m*; *fig.* Verletzung *f*; ⚔ Bresche *f*; **2.** e-e Bresche schlagen in (*acc.*).
bread [bred] Brot *n*; *brown* ~ Schwarzbrot *n*; *know which side one's* ~ *is buttered* F s-n Vorteil (er)kennen.
breadth [bredθ] Breite *f*, Weite *f*; *fig.* Größe *f*; (*Tuch*)Bahn *f*.
break [breɪk] **1.** Bruch *m*; Lücke *f*; Pause *f* (*Brt. a. Schule*), Unterbrechung *f*; *econ.* (*Preis- etc.*)Sturz *m*; (*Tages*)Anbruch *m*; *fig.* Zäsur *f*, Einschnitt *m*; *bad* ~ F Pech *n*; *lucky* ~ F Dusel *m*, Schwein *n* (*Glück*); *without a* ~ ununterbrochen; **2.** (*broke, broken*) *v/t.* ab-, auf-, durchbrechen; (zer)brechen; unterbrechen; übertreten; *Tier* abrichten, *Pferd* zureiten; *Bank* sprengen; *Vorrat* anbrechen; *Nachricht* (schonend) mitteilen; ruinieren; *v/i.* brechen; eindringen *od.* -brechen in (*acc.*); (zer)brechen; aus-, los-, an-, auf-, hervorbrechen; umschlagen (*Wetter*); *mit Adverbien*: ~ *away* ab-, losbrechen; sich losmachen *od.* losreißen; ~ *down* ein-, niederreißen, *Haus* abbrechen; zusammenbrechen (*a. fig.*); versagen; ~ *in* einbrechen, -dringen; ~ *off* abbrechen; *fig. a.* Schluß machen mit; ~ *out* ausbrechen; ~ *through* durchbrechen; *fig.* den Durchbruch schaffen; ~ *up* abbrechen, beendigen, schließen; (sich) auflösen; zerbrechen, auseinandergehen (*Ehe etc.*); **~·a·ble** [ˈbreɪkəbl] zerbrechlich; **~·age** [~ɪdʒ] Bruch *m*; **~·a·way** Trennung *f*, Bruch *m*; *Brt.* Splitter...; **~·down** Zusammenbruch *m* (*a. fig.*); ⊕ Maschinenschaden *m*; *mot.* Panne *f*.
break·fast [ˈbrekfəst] **1.** Frühstück *n*; **2.** frühstücken.
break|through *fig.* [ˈbreɪkθruː] Durchbruch *m*; **~·up** Auflösung *f*; Zerfall *m*; Zerrüttung *f*; Zusammenbruch *m*.
breast [brest] Brust *f*; Busen *m*; *fig.* Herz *n*; *make a clean* ~ *of s.th.* et. offen gestehen; **~-stroke** [ˈbreststrəʊk] *Sport*: Brustschwimmen *n*.
breath [breθ] Atem(zug) *m*; Hauch *m*; *waste one's* ~ s-e Worte verschwenden.
breath·a|lyse, *Am.* -lyze [ˈbreθəlaɪz] *Verkehrsteilnehmer* (ins Röhrchen) blasen *od.* pusten lassen; **~·lys·er**, *Am.* **-lyz·er** [~ə] Alkoholtestgerät *n*, F Röhrchen *n*.
breathe [briːð] *v/i.* atmen; leben; *v/t.* (aus-, ein)atmen; hauchen, flüstern.
breath|less □ [ˈbreθlɪs] atemlos; **~·tak·ing** atemberaubend.
bred [bred] *pret. u. p.p. von breed 2.*
breech·es [ˈbrɪtʃɪz] *pl.* Knie-, Reithosen *pl.*
breed [briːd] **1.** Zucht *f*, Rasse *f*; (*Menschen*)Schlag *m*; **2.** (*bred*) *v/t.* erzeugen; auf-, erziehen; züchten; *v/i.* sich fortpflanzen; **~·er** [ˈbriːdə] Züchter(in); Zuchttier *n*; **~·ing** [~ɪŋ] (Tier)Zucht *f*; Erziehung *f*; (gutes) Benehmen.
breeze [briːz] Brise *f*; **breez·y** [ˈbriːzɪ] (*-ier, -iest*) windig, luftig; heiter, unbeschwert.
breth·ren [ˈbreðrən] *pl.* Brüder *pl.*
brev·i·ty [ˈbrevətɪ] Kürze *f*.
brew [bruː] **1.** *v/t. u. v/i.* brauen; zubereiten; *fig.* aushecken; **2.** Gebräu *n*; **~·er** [ˈbruːə] (Bier)Brauer *m*; **~·er·y** [ˈbrʊərɪ] Brauerei *f*.
bri·ar [ˈbraɪə] = *brier*.
bribe [braɪb] **1.** Bestechung(sgeld *n*, -sgeschenk *n*) *f*; **2.** bestechen; **brib·er·y** [ˈbraɪbərɪ] Bestechung *f*.
brick [brɪk] **1.** Ziegel(stein) *m*; *drop a* ~ *Brt.* F ins Fettnäpfchen treten; **2.** ~ *up od. in* zumauern; **~·lay·er** [ˈbrɪkleɪə] Maurer *m*; **~·works** *sg.* Ziegelei *f*.
brid·al □ [ˈbraɪdl] Braut...
bride [braɪd] Braut *f*; **~·groom** [ˈbraɪdgrʊm] Bräutigam *m*; **~s·maid** [~zmeɪd] Brautjungfer *f*.
bridge [brɪdʒ] **1.** Brücke *f*; **2.** e-e Brücke schlagen über (*acc.*); *fig.* überbrücken.
bri·dle [ˈbraɪdl] **1.** Zaum *m*; Zügel *m*; **2.** *v/t.* (auf)zäumen; zügeln; *v/i. a.* ~ *up* den Kopf zurückwerfen; **~-path** Reitweg *m*.
brief [briːf] **1.** □ kurz, bündig; **2.** ⚖ schriftliche Instruktion; ⚠ *nicht Brief*; **3.** kurz zusammenfassen; instruieren; **~·case** [ˈbriːfkeɪs] Aktenmappe *f*.
briefs [briːfs] *pl.* (*a pair of* ~ ein) Slip (*kurze Unterhose*).
bri·er ⚘ [ˈbraɪə] Dorn-, Hagebuttenstrauch *m*; Wilde Rose.
bri·gade ⚔ [brɪˈgeɪd] Brigade *f*.
bright □ [braɪt] hell, glänzend; klar; heiter; lebhaft; gescheit; ⚠ *nicht breit*; **~·en** [ˈbraɪtn] *v/t.* auf-, erhel-

len; polieren; aufheitern; *v/i.* sich aufhellen; **~·ness** [~nɪs] Helligkeit *f*; Glanz *m*; Klarheit *f*; Heiterkeit *f*; Aufgewecktheit *f*, Intelligenz *f*.
bril|liance, ~·lian·cy [ˈbrɪljəns, ~sɪ] Glanz *m*; durchdringender Verstand; **~·liant** [~t] **1.** □ glänzend; hervorragend, brillant; **2.** Brillant *m*.
brim [brɪm] **1.** Rand *m*; Krempe *f*; **2.** (*-mm-*) bis zum Rande füllen *od.* voll sein; **~·ful(l)** [ˈbrɪmˈfʊl] randvoll.
brine [braɪn] Salzwasser *n*; Sole *f*.
bring [brɪŋ] (*brought*) (mit-, her-) bringen; ⚠ *nicht fort-, wegbringen*; *j-n* veranlassen; *Klage* erheben; *Grund etc.* vorbringen; ~ *about* zustande bringen; bewirken; ~ *back* zurückbringen; ~ *forth* hervorbringen; ~ *home to j-n* überzeugen; ~ *in* (her)einbringen; ⚖ *Spruch* fällen; ~ *off et.* fertigbringen, schaffen; ~ *on* verursachen; ~ *out* herausbringen; ~ *round* wieder zu sich bringen; *Kranken* durchbringen; ~ *up* auf-, großziehen; erziehen; zur Sprache bringen; *bsd. Brt. et.* (er)brechen.
brink [brɪŋk] Rand *m* (*a. fig.*).
brisk □ [brɪsk] lebhaft, munter; frisch; flink; belebend.
bris|tle [ˈbrɪsl] **1.** Borste *f*; **2.** (sich) sträuben; hochfahren, zornig werden; ~ *with fig.* starren von; **~·tly** [~ɪ] (*-ier, -iest*) stopp(e)lig, Stoppel...
Brit·ish [ˈbrɪtɪʃ] britisch; *the* ~ *pl.* die Briten *pl.*
brit·tle [ˈbrɪtl] zerbrechlich, spröde.
broach [brəʊtʃ] *Thema* anschneiden.
broad □ [brɔːd] breit; weit; hell (*Tag*); deutlich (*Wink etc.*); derb (*Witz*); allgemein; weitherzig; liberal; **~·cast** [ˈbrɔːdkɑːst] **1.** (*-cast od. -casted*) *fig. Nachricht* verbreiten; im Rundfunk *od.* Fernsehen bringen, ausstrahlen, übertragen; senden; im Rundfunk *od.* Fernsehen sprechen *od.* auftreten; **2.** Rundfunk-, Fernsehsendung *f*; **~·cast·er** [~ə] Rundfunk-, Fernsehsprecher(in); **~·en** [~dn] verbreitern, erweitern; ~ **jump** *Am. Sport*: Weitsprung *m*; **~·mind·ed** liberal.
bro·cade [brəˈkeɪd] Brokat *m*.
bro·chure [ˈbrəʊʃə] Broschüre *f*, Prospekt *m*.
brogue [brəʊg] derber Straßenschuh.
broil *bsd. Am.* [brɔɪl] = *grill 1.*
broke [brəʊk] **1.** *pret. von break 2*; **2.** F pleite, abgebrannt; **bro·ken** [ˈbrəʊkən] **1.** *p.p. von break 2*; **2.** ~ *health* zerrüttete Gesundheit; ~-*hearted* verzweifelt, untröstlich.
bro·ker *econ.* [ˈbrəʊkə] Makler *m*.
bron·co *Am.* [ˈbrɒŋkəʊ] (*pl. -cos*) (halb)wildes Pferd.
bronze [brɒnz] **1.** Bronze *f*; **2.** bronzen, Bronze...; **3.** bronzieren.
brooch [brəʊtʃ] Brosche *f*, Spange *f*.
brood [bruːd] **1.** Brut *f*; *attr.* Brut...; **2.** brüten (*a. fig.*); **~·er** [ˈbruːdə] Brutkasten *m*.
brook [brʊk] Bach *m*.
broom [brʊm] Besen *m*; **~·stick** [ˈbrʊmstɪk] Besenstiel *m*.
broth [brɒθ] Fleischbrühe *f*.
broth·el [ˈbrɒθl] Bordell *n*.
broth·er [ˈbrʌðə] Bruder *m*; ~(*s*) *and sister*(*s*) Geschwister *pl.*; **~·hood** [~hʊd] Bruderschaft *f*; Brüderlichkeit *f*; **~-in-law** [~rɪnlɔː] (*pl. -s-in-law*) Schwager *m*; **~·ly** [~lɪ] brüderlich.
brought [brɔːt] *pret. u. p.p. von bring.*
brow [braʊ] (Augen)Braue *f*; Stirn *f*; Rand *m* (*e-s Steilhanges*); **~·beat** [ˈbraʊbiːt] (*-beat, -beaten*) einschüchtern; tyrannisieren.
brown [braʊn] **1.** braun; **2.** Braun *n*; **3.** bräunen; braun werden.
browse [braʊz] **1.** Grasen *n*; *fig.* Schmökern *n*; **2.** grasen, weiden; *fig.* schmökern.
bruise [bruːz] **1.** ⚕ Quetschung *f*, Prellung *f*, Bluterguß *m*; **2.** (zer-)quetschen; *j-n* grün u. blau schlagen.
brunch F [brʌntʃ] Brunch *m* (*spätes reichliches Frühstück, das das Mittagessen ersetzt*).
brunt [brʌnt]: *bear the* ~ *of* die Hauptlast von *et.* tragen.
brush [brʌʃ] **1.** Bürste *f*; Pinsel *m*; (*Fuchs*)Rute *f*; Scharmützel *n*; Unterholz *n*; **2.** bürsten; fegen; streifen; ~ *against s.o.* j-n streifen; ~ *away*, ~ *off* wegbürsten, abwischen; ~ *aside*, ~ *away fig. et.* abtun; ~ *up Kenntnisse* aufpolieren, -frischen; **~-up** [ˈbrʌʃʌp]: *give one's English a* ~ s-e Englischkenntnisse aufpolieren; **~·wood** Gestrüpp *n*, Unterholz *n*.
brusque □ [brʊsk] brüsk, barsch.
Brus·sels sprouts ⚘ [ˈbrʌslˈspraʊts] *pl.* Rosenkohl *m*.
bru·tal □ [ˈbruːtl] viehisch; brutal, roh; **~·i·ty** [bruːˈtælətɪ] Brutalität *f*,

Roheit *f*; **brute** [bru:t] **1.** tierisch; unvernünftig; brutal, roh; **2.** Vieh *n*; F Untier *n*, Scheusal *n*.
bub·ble [ˈbʌbl] **1.** Blase *f*; *fig.* Schwindel *m*; **2.** sprudeln.
buc·ca·neer [bʌkəˈnɪə] Seeräuber *m*.
buck [bʌk] **1.** *zo.* Bock *m*; *Am. sl.* Dollar *m*; **2.** *v/i.* bocken; ~ *up!* Kopf hoch!; *v/t.* ~ *off Reiter* (durch Bocken) abwerfen.
buck·et [ˈbʌkɪt] Eimer *m*, Kübel *m*.
buck·le [ˈbʌkl] **1.** Schnalle *f*, Spange *f*; ⚠ *nicht Buckel*; **2.** *v/t. a.* ~ *up* zu-, festschnallen; ~ *on* anschnallen; *v/i.* ⊕ sich (ver)biegen; ~ *down to a task* F sich hinter e-e Aufgabe klemmen.
buck|shot *hunt.* [ˈbʌkʃɒt] Rehposten *m*; **~·skin** Wildleder *n*.
bud [bʌd] **1.** ⚘ Knospe *f*; *fig.* Keim *m*; **2.** (*-dd-*) *v/i.* knospen, keimen; *a ~ding lawyer* ein angehender Jurist.
bud·dy *Am.* F [ˈbʌdɪ] Kamerad *m*.
budge [bʌdʒ] (sich) bewegen.
bud·ger·i·gar *zo.* [ˈbʌdʒərɪgɑ:] Wellensittich *m*.
bud·get [ˈbʌdʒɪt] Vorrat *m*; Staatshaushalt *m*; Etat *m*, Finanzen *pl*.
bud·gie *zo.* F [ˈbʌdʒɪ] = *budgerigar*.
buff[1] [bʌf] **1.** Ochsenleder *n*; Lederfarbe *f*; **2.** lederfarben.
buff[2] F [~] *Film- etc.* Fan *m*.
buf·fa·lo *zo.* [ˈbʌfələʊ] (*pl. -loes, -los*) Büffel *m*.
buff·er [ˈbʌfə] ⊕ Puffer *m*; Prellbock *m* (*a. fig.*).
buf·fet[1] [ˈbʌfɪt] **1.** (Faust)Schlag *m*; **2.** schlagen; ~ *about* durchrütteln, -schütteln.
buf·fet[2] [~] Büfett *n*, Anrichte *f*.
buf·fet[3] [ˈbʊfeɪ] Büfett *n*, Theke *f*; *Tisch mit Speisen u. Getränken*.
buf·foon [bəˈfu:n] Possenreißer *m*.
bug [bʌg] **1.** *zo.* Wanze *f*; *Am. zo.* Insekt *n*; F Bazillus *m*; F Abhörvorrichtung *f*, Wanze *f*; *Computer*: Fehler *m* im Programm (*in Soft- od. Hardware*); **2.** (*-gg-*) F *Gespräch* abhören; F Wanzen anbringen in (*dat.*); *Am.* F ärgern, wütend machen.
bug·gy [ˈbʌgɪ] *mot.* Buggy *m* (*Freizeitauto*); *Am.* Kinderwagen *m*.
bu·gle [ˈbju:gl] Wald-, Signalhorn *n*.
build [bɪld] **1.** (*built*) (er)bauen, errichten; ⚠ *nicht bilden*; **2.** Körperbau *m*, Figur *f*; **~·er** [ˈbɪldə] Erbauer *m*, Baumeister *m*; Bauunternehmer *m*; **~·ing** [~ɪŋ] (Er)Bauen *n*; Bau *m*, Gebäude *n*; *attr.* Bau...
built [bɪlt] *pret. u. p.p. von build 1.*
bulb [bʌlb] ⚘ Zwiebel *f*, Knolle *f*; ⚡ (Glüh)Birne *f*.
bulge [bʌldʒ] **1.** (Aus)Bauchung *f*; Anschwellung *f*; **2.** sich (aus)bauchen; hervorquellen.
bulk [bʌlk] Umfang *m*; Masse *f*; Hauptteil *m*; ⚓ Ladung *f*; *in ~ econ.* lose; in großer Menge; **~·y** [ˈbʌlkɪ] (*-ier, -iest*) umfangreich; unhandlich, sperrig.
bull[1] *zo.* [bʊl] Bulle *m*, Stier *m*.
bull[2] [~] *päpstliche* Bulle.
bull·dog *zo.* [ˈbʊldɒg] Bulldogge *f*.
bull|doze F [ˈbʊldəʊz] terrorisieren; **~·doz·er** ⊕ [~ə] Bulldozer *m*, Planierraupe *f*.
bul·let [ˈbʊlɪt] Kugel *f*; *~-proof* kugelsicher.
bul·le·tin [ˈbʊlɪtɪn] Bulletin *n*, Tagesbericht *m*; ~ *board Am.* Schwarzes Brett.
bul·lion [ˈbʊljən] Gold-, Silberbarren *m*; Gold-, Silberlitze *f*.
bul·ly [ˈbʊlɪ] **1.** Maulheld *m*; Tyrann *m*; **2.** einschüchtern, tyrannisieren.
bul·wark [ˈbʊlwək] Bollwerk *n* (*a. fig.*).
bum *Am.* F [bʌm] **1.** Nichtstuer *m*, Herumtreiber *m*, Gammler *m*; **2.** *v/t.* (*-mm-*) schnorren; ~ *around* herumgammeln.
bum·ble-bee *zo.* [ˈbʌmblbi:] Hummel *f*.
bump [bʌmp] **1.** heftiger Schlag *od.* Stoß; Beule *f*; **2.** stoßen; zusammenstoßen (mit), rammen; ~ *into fig. j-n* zufällig treffen; ~ *off* F *j-n* umlegen, umbringen.
bum·per[1] [ˈbʌmpə] **1.** volles Glas (*Wein*); **2.** riesig; ~ *crop* Rekordernte *f*.
bum·per[2] *mot.* [~] Stoßstange *f*; *~-to-~* Stoßstange an Stoßstange.
bump·y [ˈbʌmpɪ] (*-ier, -iest*) holp(e)rig.
bun [bʌn] süßes Brötchen; (Haar-) Knoten *m*.
bunch [bʌntʃ] **1.** Bund *n*, Büschel *n*; Haufen *m*; ~ *of grapes* Weintraube *f*; **2.** *a.* ~ *up* bündeln.
bun·dle [ˈbʌndl] **1.** Bündel *n* (*a. fig.*), Bund *n*; **2.** *v/t. a.* ~ *up* bündeln.
bung [bʌŋ] Spund *m*.
bun·ga·low [ˈbʌŋgələʊ] Bungalow *m*.
bun·gle [ˈbʌŋgl] **1.** Stümperei *f*,

Pfusch(arbeit *f*) *m*; **2.** (ver)pfuschen.
bun·ion ⚕ [ˈbʌnjən] entzündeter Fußballen.
bunk [bʌŋk] Schlafkoje *f*.
bun·ny [ˈbʌnɪ] Häschen *n*.
buoy ⚓ [bɔɪ] **1.** Boje *f*; **2.** *~ed up fig.* von neuem Mut erfüllt; **~·ant** □ [ˈbɔɪənt] schwimmfähig; tragend (*Wasser etc.*); *fig.* heiter.
bur·den [ˈbɜːdn] **1.** Last *f*; Bürde *f*; ⚓ Tragfähigkeit *f*; **2.** belasten; **~·some** [~səm] lästig, drückend.
bu·reau [ˈbjʊərəʊ] (*pl. -reaux, -reaus*) Büro *n*, Geschäftszimmer *n*; *Brt.* Schreibtisch *m*, -pult *n*; *Am.* (*bsd.* Spiegel)Kommode *f*; **~c·ra·cy** [bjʊəˈrɒkrəsɪ] Bürokratie *f*.
bur|glar [ˈbɜːglə] Einbrecher *m*; **~·glar·ize** *Am.* [~raɪz] = *burgle*; **~·glar·y** [~rɪ] Einbruch(sdiebstahl) *m*; **~·gle** [~gl] einbrechen (in *acc.*).
bur·i·al [ˈberɪəl] Begräbnis *n*.
bur·ly [ˈbɜːlɪ] (*-ier, -iest*) stämmig, kräftig.
burn [bɜːn] **1.** ⚕ Brandwunde *f*; verbrannte Stelle; **2.** (*burnt od. burned*) (ver-, an)brennen; *~ down* ab-, niederbrennen; *~ out* ausbrennen; *~ up* auflodern; verbrennen; verglühen (*Rakete etc.*); **~·ing** [ˈbɜːnɪŋ] brennend (*a. fig.*).
bur·nish [ˈbɜːnɪʃ] polieren.
burnt [bɜːnt] *pret. u. p.p. von burn 2.*
burp F [bɜːp] rülpsen, aufstoßen; ein Bäuerchen machen (lassen) (*Baby*).
bur·row [ˈbʌrəʊ] **1.** Höhle *f*, Bau *m*; **2.** (sich ein-, ver)graben.
burst [bɜːst] **1.** Bersten *n*; Riß *m*; *fig.* Ausbruch *m*; **2.** (*burst*) *v/i.* bersten, platzen; zerspringen; explodieren; *~ from* sich losreißen von; *~ in on od. upon* hereinplatzen bei *j-m*; *~ into tears* in Tränen ausbrechen; *~ out* herausplatzen; *v/t.* (auf)sprengen.
bur·y [ˈberɪ] be-, vergraben; beerdigen.
bus [bʌs] (*pl. -es, -ses*) (Omni)Bus *m*.
bush [bʊʃ] Busch *m*; Gebüsch *n*.
bush·el [ˈbʊʃl] Scheffel *m* (= *Brt. 36,37 l, Am. 35,24 l*).
bush·y [ˈbʊʃɪ] (*-ier, -iest*) buschig.
busi·ness [ˈbɪznɪs] Geschäft *n*; Beschäftigung *f*; Beruf *m*; Angelegenheit *f*; Aufgabe *f*; *econ.* Handel *m*; *~ of the day* Tagesordnung *f*; *on ~* geschäftlich; *you have no ~ doing* (*od. to do*) *that* Sie haben kein Recht, das zu tun; *this is none of your ~* das geht Sie nichts an; *s. mind 2*; **~ hours** *pl.* Geschäftszeit *f*; **~-like** geschäftsmäßig, sachlich; **~·man** (*pl. -men*) Geschäftsmann *m*; **~ trip** Geschäftsreise *f*; **~·wom·an** (*pl. -women*) Geschäftsfrau *f*.
bust¹ [bʌst] Büste *f*.
bust² *Am.* F [~] Pleite *f*.
bus·tle [ˈbʌsl] **1.** Geschäftigkeit *f*; geschäftiges Treiben; **2.** *~ about* geschäftig hin u. her eilen.
bus·y □ [ˈbɪzɪ] **1.** (*-ier, -iest*) beschäftigt; geschäftig; fleißig (*at* bei, an *dat.*); lebhaft; *Am. teleph.* besetzt; **2.** (*mst ~ o.s.* sich) beschäftigen (*with* mit); **~·bod·y** aufdringlicher Mensch, Gschaftlhuber *m*.
but [bʌt, bət] **1.** *cj.* aber, jedoch, sondern; außer, als; ohne daß; dennoch; *a. ~ that* daß nicht; *he could not ~ laugh* er mußte einfach lachen; **2.** *prp.* außer; *all ~ him* alle außer ihm; *the last ~ one* der vorletzte; *the next ~ one* der übernächste; *nothing ~* nichts als; *~ for* wenn nicht ... gewesen wäre, ohne; **3.** *nach Negation*: der (die *od.* das) nicht; *there is no one ~ knows* es gibt niemand, der es nicht weiß; **4.** *adv.* nur; erst, gerade; *all ~* fast, beinahe.
butch·er [ˈbʊtʃə] **1.** Fleischer *m*, Metzger *m*; **2.** (*fig.* ab-, hin)schlachten; **~·y** [~rɪ] Schlachthaus *n*; *fig.* Gemetzel *n*.
but·ler [ˈbʌtlə] Butler *m*.
butt¹ [bʌt] **1.** Stoß *m*; (dickes) Ende (*e-s Baumes etc.*); Stummel *m*, Kippe *f*; (Gewehr)Kolben *m*; Schießstand *m*; *fig.* Zielscheibe *f*; **2.** (mit dem Kopf) stoßen; *~ in* F sich einmischen (*on* in *acc.*).
butt² [~] Wein-, Bierfaß *n*; Regentonne *f*.
but·ter [ˈbʌtə] **1.** Butter *f*; F Schmeichelei *f*; **2.** mit Butter bestreichen; **~cup** ⚘ Butterblume *f*; **~·fly** *zo.* Schmetterling *m*; **~·y** [~rɪ] butter(-artig), Butter...
but·tocks [ˈbʌtəks] *pl.* Gesäß *n*, F *od. zo.* Hinterteil *n*.
but·ton [ˈbʌtn] **1.** Knopf *m*; ⚘ Knospe *f*; **2.** *mst ~ up* zuknöpfen; **~·hole** Knopfloch *n*.
but·tress [ˈbʌtrɪs] **1.** Strebepfeiler *m*; *fig.* Stütze *f*; **2.** (unter)stützen.
bux·om [ˈbʌksəm] drall, stramm.

buy [baɪ] **1.** F Kauf *m*; **2.** (*bought*) *v/t.* (an-, ein)kaufen (*of, from* von; *at* bei); ~ *out j-n* abfinden, auszahlen; *Firma* aufkaufen; ~ *up* aufkaufen; **~·er** [ˈbaɪə] (Ein)Käufer(in).
buzz [bʌz] **1.** Summen *n*, Surren *n*; Stimmengewirr *n*; **2.** *v/i.* summen, surren; ~ *about* herumschwirren; ~ *off! Brt.* F schwirr ab!, hau ab!
buz·zard *zo.* [ˈbʌzəd] Bussard *m*.
buzz·er ⚡ [ˈbʌzə] Summer *m*.
by [baɪ] **1.** *prp. räumlich*: bei; an, neben; *Richtung*: durch, über; an (*dat.*) entlang *od.* vorbei; *zeitlich*: an, bei; spätestens bis, bis zu; *Urheber, Ursache*: von, durch (*bsd. beim Passiv*); *Mittel, Werkzeug*: durch, mit; *Art u. Weise*: bei; *Schwur*: bei; *Maß*: um, bei; *Richtschnur*: gemäß, bei; ~ *the dozen* dutzendweise; ~ *o.s.* allein; ~ *land* zu Lande; ~ *rail* per Bahn; *day* ~ *day* Tag für Tag; ~ *twos* zu zweien; **2.** *adv.* dabei; vorbei; beiseite; ~ *and* ~ bald; nach u. nach; ~ *the* ~ nebenbei bemerkt; ~ *and large* im großen u. ganzen.
by- [baɪ] Neben...; Seiten...
bye *int.* F [baɪ], *a.* **bye-bye** [~ˈbaɪ] Wiedersehen!, Tschüs!
by|-e·lec·tion [ˈbaɪɪlekʃn] Nachwahl *f*; **~·gone 1.** vergangen; **2.** *let ~s be ~s* laß(t) das Vergangene ruhen; **~·pass 1.** Umgehungsstraße *f*; ⚕ Bypass *m*; **2.** umgehen; vermeiden; **~·path** Seitenstraße *f*; **~-prod·uct** Nebenprodukt *n*; **~-road** Seitenstraße *f*; **~·stand·er** Zuschauer(in); **~-street** Neben-, Seitenstraße *f*.
byte [baɪt] *Computer*: Byte *n*.
by|way [ˈbaɪweɪ] Seitenstraße *f*; **~·word** Sprichwort *n*; Inbegriff *m*; *be a ~ for* gleichbedeutend sein mit.

C

cab [kæb] Droschke *f*, Taxi *n*; Führerstand *m* (*Lokomotive*); Fahrerhaus *n* (*Lastwagen*), Führerhaus *n* (*a. Kran*).
cab·bage ⚘ [ˈkæbɪdʒ] Kohl *m*.
cab·in [ˈkæbɪn] Hütte *f*; ⚓ Kabine *f* (*a. Seilbahn*), Kajüte *f*; ✈ Kanzel *f*; **~-boy** ⚓ junger Kabinensteward; ~ **cruis·er** ⚓ Kabinenkreuzer *m*.
cab·i·net [ˈkæbɪnɪt] *pol.* Kabinett *n*; Schrank *m*, Vitrine *f*; (Radio)Gehäuse *n*; ~ *meeting* Kabinettssitzung *f*; **~-mak·er** Kunsttischler *m*.
ca·ble [ˈkeɪbl] **1.** Kabel *n*; ⚓ Ankertau *n*; **2.** telegrafieren; *j-m Geld* telegrafisch anweisen; **~-car** *Seilbahn*: Kabine *f*, Wagen *m*; **~·gram** [~græm] (Übersee)Telegramm *n*; ~ **tel·e·vi·sion** Kabelfernsehen *n*.
cab|-rank [ˈkæbræŋk], **~·stand** Taxi-, Droschkenstand *m*.
ca·ca·o ⚘ [kəˈkɑːəʊ] (*pl.* -*os*) Kakaobaum *m*, -bohne *f*.
cack·le [ˈkækl] **1.** Gegacker *n*, Geschnatter *n*; **2.** gackern, schnattern.
cad [kæd] Schuft *m*, Schurke *m*.
ca·dav·er ⚕ [kəˈdeɪvə] Leichnam *m*; ⚠ *nicht Kadaver*.
ca·dence [ˈkeɪdəns] ♪ Kadenz *f*; Tonfall *m*; Rhythmus *m*.
ca·det ⚔ [kəˈdet] Kadett *m*.
caf·é, caf·e [ˈkæfeɪ] Café *n*.
caf·e·te·ri·a [kæfɪˈtɪərɪə] Selbstbedienungsrestaurant *n*.
cage [keɪdʒ] **1.** Käfig *m*; ⚒ Förderkorb *m*; **2.** einsperren.
cag·ey □ F [ˈkeɪdʒɪ] (-*gier*, -*giest*) verschlossen; vorsichtig; *Am.* schlau, gerissen.
ca·jole [kəˈdʒəʊl] *j-m* schmeicheln; *j-n* beschwatzen.
cake [keɪk] **1.** Kuchen *m*, Torte *f*; Tafel *f* (*Schokolade*), Riegel *m* (*Seife*); **2.** *~d with mud* schmutzverkrustet.
ca·lam·i|tous □ [kəˈlæmɪtəs] katastrophal; **~·ty** [~tɪ] großes Unglück, Katastrophe *f*.
cal·cu|late [ˈkælkjʊleɪt] *v/t.* kalkulieren; be-, aus-, errechnen; *Am.* F vermuten; *v/i.* rechnen (*on, upon* mit, auf *acc.*); **~·la·tion** [kælkjʊˈleɪʃn] Berechnung *f* (*a. fig.*), Ausrechnung *f*; *econ.* Kalkulation *f*; Überlegung *f*; **~·la·tor** [ˈkælkjʊleɪtə] Rechner *m* (*Gerät*).

C

cal·dron ['kɔːldrən] = *cauldron*.
cal·en·dar ['kælɪndə] **1.** Kalender *m*; Liste *f*; **2.** registrieren.
calf[1] [kɑːf] (*pl. calves* [~vz]) Wade *f*.
calf[2] [~] (*pl. calves*) Kalb *n*; **~·skin** Kalb(s)fell *n*.
cal·i·bre, *Am.* **-ber** ['kælɪbə] Kaliber *n*.
cal·i·co ['kælɪkəʊ] (*pl. -coes, -cos*) Kaliko *m*.
call [kɔːl] **1.** Ruf *m*; *teleph.* Anruf *m*, Gespräch *n*; Ruf *m*, Berufung *f* (*to* in *ein Amt*; auf *e-n Lehrstuhl*); Aufruf *m*, Aufforderung *f*; Signal *n*; (kurzer) Besuch; Kündigung *f* (*von Geldern*); *on* ~ auf Abruf; *make a* ~ telefonieren; **2.** *v/t.* (herbei)rufen; (ein)berufen; *teleph. j-n* anrufen; berufen, ernennen (*to* zu); nennen; *Aufmerksamkeit* lenken (*to* auf *acc.*); *be ~ed* heißen; ~ *s.o. names* j-n beschimpfen, beleidigen; ~ *up teleph.* anrufen; *v/i.* rufen; *teleph.* anrufen; e-n (kurzen) Besuch machen (*on s.o., at s.o.'s* [*house*] bei j-m); ~ *at a port* e-n Hafen anlaufen; ~ *for* rufen nach; *et.* anfordern; *et.* abholen; *to be ~ed for* postlagernd; ~ *on s.o.* j-n besuchen; ~ *on*, ~ *upon* sich an *j-n* wenden (*for* wegen); appellieren an (*acc.*) (*to do* zu tun); **~-box** ['kɔːlbɒks] *Am.* Fernsprechzelle *f*; **~·er** ['kɔːlə] *teleph.* Anrufer(in); Besucher(in); **~girl** Callgirl *n*; **~·ing** [~ɪŋ] Rufen *n*; Berufung *f*; Beruf *m*.
cal·lous □ ['kæləs] schwielig; *fig.* dickfellig, herzlos.
cal·low ['kæləʊ] nackt (*ungefiedert*); *fig.* unerfahren.
calm [kɑːm] **1.** □ still, ruhig; **2.** (Wind)Stille *f*, Ruhe *f*; **3.** *oft ~ down* besänftigen, (sich) beruhigen.
cal·o·rie *phys.* ['kælərɪ] Kalorie *f*; **~-con·scious** kalorienbewußt.
ca·lum·ni·ate [kə'lʌmnɪeɪt] verleumden; **cal·um·ny** ['kæləmnɪ] Verleumdung *f*.
calve [kɑːv] kalben.
calves [kɑːvz] *pl. von calf*[1,2].
cam·bric ['keɪmbrɪk] Kambrik *m* (*feines Gewebe*).
came [keɪm] *pret. von come*.
cam·el *zo.*, ⚓ ['kæml] Kamel *n*.
cam·e·ra ['kæmərə] Kamera *f*, Fotoapparat *m*; *in* ~ ⚖ unter Ausschluß der Öffentlichkeit.
cam·o·mile ⚘ ['kæməmaɪl] Kamille *f*.
cam·ou·flage ⚔ ['kæmʊflɑːʒ] **1.** Tarnung *f*; **2.** tarnen.
camp [kæmp] **1.** Lager *n*; ⚔ Feldlager *n*; ~ *bed* Feldbett *n*; **2.** lagern; ~ *out* zelten, campen.
cam·paign [kæm'peɪn] **1.** ⚔ Feldzug *m*; *fig.* Kampagne *f*, Feldzug *m*, Aktion *f*; *pol.* Wahlkampf *m*; **2.** ⚔ an e-m Feldzug teilnehmen; *fig.* kämpfen, zu Felde ziehen; *pol.* sich am Wahlkampf beteiligen, Wahlkampf machen; *Am.* kandidieren (*for* für).
camp|ground ['kæmpgraʊnd], **~site** Lagerplatz *m*; Zelt-, Campingplatz *m*.
cam·pus ['kæmpəs] Campus *m*, Universitätsgelände *n*.
can[1] *v/aux.* [kæn, kən] (*pret. could*; *verneint: cannot, can't*) *ich, du etc.* kann(st) *etc.*; dürfen, können.
can[2] [~] **1.** Kanne *f*; (Blech-, Konserven)Dose *f*, (-)Büchse *f*; **2.** (*-nn-*) (in Büchsen) einmachen, eindosen.
Ca·na·di·an [kə'neɪdjən] **1.** kanadisch; **2.** Kanadier(in).
ca·nal [kə'næl] Kanal *m* (*a. anat.*).
ca·nard [kæ'nɑːd] (Zeitungs)Ente *f*.
ca·nar·y *zo.* [kə'neərɪ] Kanarienvogel *m*.
can·cel ['kænsl] (*bsd. Brt. -ll-, Am. -l-*) (durch-, aus)streichen; entwerten; rückgängig machen; absagen; *be ~(l)ed* ausfallen.
can·cer *ast.*, ⚕ ['kænsə] Krebs *m*; **~·ous** [~rəs] krebsartig; krebsbefallen.
can·did □ ['kændɪd] aufrichtig, offen.
can·di·date ['kændɪdət] Kandidat(in) (*for* für), Bewerber(in) (*for* um).
can·died ['kændɪd] kandiert.
can·dle ['kændl] Kerze *f*; Licht *n*; *burn the ~ at both ends* mit s-r Gesundheit Raubbau treiben; **~·stick** Kerzenleuchter *m*.
can·do(u)r ['kændə] Aufrichtigkeit *f*, Offenheit *f*.
can·dy ['kændɪ] **1.** Kandis(zucker) *m*; *Am.* Süßigkeiten *pl.*; **2.** *v/t.* kandieren.
cane [keɪn] **1.** ⚘ Rohr *n*; (Rohr)Stock *m*; **2.** (mit dem Stock) züchtigen.
ca·nine ['keɪnaɪn] Hunde...
canned *Am.* [kænd] Dosen..., Büchsen...
can·ne·ry *Am.* ['kænərɪ] Konservenfabrik *f*.

can·ni·bal [ˈkænɪbl] Kannibale *m*.
can·non [ˈkænən] Kanone *f*.
can·not [ˈkænɒt] *s.* *can*[1].
can·ny □ [ˈkænɪ] (*-ier*, *-iest*) gerissen, schlau.
ca·noe [kəˈnuː] **1.** Kanu *n*, Paddelboot *n*; **2.** Kanu fahren, paddeln.
can·on [ˈkænən] Kanon *m*; Regel *f*, Richtschnur *f*; **~·ize** [~aɪz] heiligsprechen.
can·o·py [ˈkænəpɪ] Baldachin *m*; *arch.* Vordach *n*.
cant [kænt] Fachsprache *f*; Gewäsch *n*; frömmlerisches Gerede.
can't [kɑːnt] = *cannot*.
can·tan·ker·ous F □ [kænˈtæŋkərəs] zänkisch, mürrisch.
can·teen [kænˈtiːn] ⚔ Feldflasche *f*; Kantine *f*; ⚔ Kochgeschirr *n*; Besteck(kasten *m*) *n*.
can·ter [ˈkæntə] **1.** Kanter *m* (*kurzer, leichter Galopp*); **2.** kantern.
can·vas [ˈkænvəs] Segeltuch *n*; Zelt-, Packleinwand *f*; Segel *pl.*; *paint.* Leinwand *f*; Gemälde *n*.
can·vass [~] **1.** *pol.* Wahlfeldzug *m*; *econ.* Werbefeldzug *m*; **2.** *v/t.* eingehend untersuchen *od.* erörtern *od.* prüfen; *pol.* werben um (*Stimmen*); *v/i. pol.* e-n Wahlfeldzug veranstalten.
can·yon [ˈkænjən] Cañon *m*.
cap [kæp] **1.** Kappe *f*; Mütze *f*; Haube *f*; *arch.* Aufsatz *m*; Zündkapsel *f*; ⚕ Pessar *n*; **2.** (*-pp-*) (mit e-r Kappe *etc.*) bedecken; *fig.* krönen; übertreffen.
ca·pa|bil·i·ty [keɪpəˈbɪlətɪ] Fähigkeit *f*; **~·ble** □ [ˈkeɪpəbl] fähig (*of* zu).
ca·pa·cious □ [kəˈpeɪʃəs] geräumig;
ca·pac·i·ty [kəˈpæsətɪ] (Raum)Inhalt *m*; Fassungsvermögen *n*; Kapazität *f*; Aufnahmefähigkeit *f*; *geistige* (*od.* ⊕ Leistungs)Fähigkeit *f* (*for ger.* zu *inf.*); *in my ~ as* in meiner Eigenschaft als.
cape[1] [keɪp] Kap *n*, Vorgebirge *n*.
cape[2] [~] Cape *n*, Umhang *m*.
ca·per [ˈkeɪpə] **1.** Kapriole *f*, Luftsprung *m*; *cut ~s* = **2.** Freuden- *od.* Luftsprünge machen.
ca·pil·la·ry *anat.* [kəˈpɪlərɪ] Haar-, Kapillargefäß *n*.
cap·i·tal [ˈkæpɪtl] **1.** □ Kapital...; Tod(es)...; Haupt...; großartig, prima; *~ crime* Kapitalverbrechen *n*; *~ punishment* Todesstrafe *f*; **2.** Hauptstadt *f*; Kapital *n*; *mst ~ letter* Großbuchstabe *m*; **~·is·m** [~ɪzəm] Kapitalismus *m*; **~·ist** [~ɪst] Kapitalist *m*; **~·ize** [~əlaɪz] kapitalisieren; groß schreiben.
ca·pit·u·late [kəˈpɪtjʊleɪt] kapitulieren (*to* vor *dat.*).
ca·price [kəˈpriːs] Laune *f*; **ca·pri·cious** □ [~ɪʃəs] kapriziös, launisch.
Cap·ri·corn *ast.* [ˈkæprɪkɔːn] Steinbock *m*.
cap·size [kæpˈsaɪz] *v/i.* kentern; *v/t.* zum Kentern bringen.
cap·sule [ˈkæpsjuːl] Kapsel *f*; (Raum)Kapsel *f*.
cap·tain [ˈkæptɪn] (An)Führer *m*; Kapitän *m*; ⚔ Hauptmann *m*.
cap·tion [ˈkæpʃn] Überschrift *f*, Titel *m*; Bildunterschrift *f*; *Film*: Untertitel *m*.
cap|ti·vate *fig.* [ˈkæptɪveɪt] gefangennehmen, fesseln; **~·tive** [ˈkæptɪv] **1.** gefangen; gefesselt; *hold ~* gefangenhalten; *take ~* gefangennehmen; **2.** Gefangene(r *m*) *f*; **~·tiv·i·ty** [kæpˈtɪvətɪ] Gefangenschaft *f*.
cap·ture [ˈkæptʃə] **1.** Eroberung *f*; Gefangennahme *f*; **2.** fangen; erobern; erbeuten; ⚓ kapern.
car [kɑː] Auto *n*, Wagen *m*; (Eisenbahn-, Straßenbahn)Wagen *m*; Gondel *f* (*e-s Ballons etc.*); Kabine *f* (*e-s Aufzugs*); *by ~* mit dem Auto, im Auto.
car·a·mel [ˈkærəmel] Karamel *m*; Karamelle *f*.
car·a·van [ˈkærəvæn] Karawane *f*; *Brt.* Wohnwagen *m*, -anhänger *m*; *~ site* Campingplatz *m* für Wohnwagen.
car·a·way ⚘ [ˈkærəweɪ] Kümmel *m*.
car·bine ⚔ [ˈkɑːbaɪn] Karabiner *m*.
car·bo·hy·drate ⚗ [ˈkɑːbəʊˈhaɪdreɪt] Kohle(n)hydrat *n*.
car·bon [ˈkɑːbən] ⚗ Kohlenstoff *m*; *a. ~ copy* Durchschlag *m*; *a. ~ paper* Kohlepapier *n*.
car·bu·ret·tor, *a.* **-ret·ter** *bsd. Brt.*, *Am.* **-ret·or,** *a.* **-ret·er** ⊕ [kɑːbjʊˈretə] Vergaser *m*.
car·case, car·cass [ˈkɑːkəs] Kadaver *m*, Aas *n*; *Fleischerei*: Rumpf *m*.
card [kɑːd] Karte *f*; *have a ~ up one's sleeve fig.* (noch) e-n Trumpf in der Hand haben; **~·board** [ˈkɑːdbɔːd] Pappe *f*; *~ box* Pappkarton *m*.
car·di·ac ⚕ [ˈkɑːdɪæk] Herz...
car·di·gan [ˈkɑːdɪgən] Strickjacke *f*.
car·di·nal [ˈkɑːdɪnl] **1.** □ Grund...,

Haupt..., Kardinal...; scharlachrot; *~ number* Grundzahl *f*; **2.** *eccl.* Kardinal *m.*

card-in·dex [ˈkɑːdɪndeks] Kartei *f.*

card-sharp·er [ˈkɑːdʃɑːpə] Falschspieler *m.*

care [keə] **1.** Sorge *f*; Sorgfalt *f*; Vorsicht *f*; Obhut *f*, Pflege *f*; *medical ~* ärztliche Behandlung; *~ of* (*abbr. c/o*) ... per Adresse, bei ...; *take ~ of* aufpassen auf (*acc.*); *with ~!* Vorsicht!; **2.** Lust haben (*to inf.* zu); *~ for* sorgen für, sich kümmern um; sich etwas machen aus; *I don't ~!* F meinetwegen!; *I couldn't ~ less* F es ist mir völlig egal; *well ~d-for* gepflegt.

ca·reer [kəˈrɪə] **1.** Karriere *f*, Laufbahn *f*; **2.** Berufs...; Karriere...; **3.** rasen.

care·free [ˈkeəfriː] sorgenfrei, sorglos.

care·ful □ [ˈkeəfl] vorsichtig; sorgsam bedacht (*of* auf *acc.*); sorgfältig; *be ~!* gib acht!; **~·ness** [~nɪs] Vorsicht *f*; Sorgfalt *f.*

care·less □ [ˈkeəlɪs] sorglos; nachlässig; unachtsam; leichtsinnig; **~·ness** [~nɪs] Sorglosigkeit *f*; Nachlässigkeit *f*; Fahrlässigkeit *f.*

ca·ress [kəˈres] **1.** Liebkosung *f*; **2.** liebkosen, streicheln.

care·tak·er [ˈkeəteɪkə] Hausmeister *m*; (Haus- *etc.*)Verwalter *m.*

care·worn [ˈkeəwɔːn] abgehärmt.

car·go [ˈkɑːgəʊ] (*pl. -goes, Am. a. -gos*) Ladung *f.*

car·i·ca|ture [ˈkærɪkətjʊə] **1.** Karikatur *f*; **2.** karikieren; **~·tur·ist** [~rɪst] Karikaturist *m.*

car·mine [ˈkɑːmaɪn] Karmin(rot) *n.*

car·nal □ [ˈkɑːnl] fleischlich; sinnlich.

car·na·tion [kɑːˈneɪʃn] ⚘ (Garten-)Nelke *f*; Blaßrot *n.*

car·ni·val [ˈkɑːnɪvl] Karneval *m.*

car·niv·o·rous ⚘ *zo.* [kɑːˈnɪvərəs] fleischfressend.

car·ol [ˈkærəl] Weihnachtslied *n.*

carp *zo.* [kɑːp] Karpfen *m.*

car-park *Brt.* [ˈkɑːpɑːk] Parkplatz *m*; Parkhaus *n.*

car·pen|ter [ˈkɑːpɪntə] Zimmermann *m*; **~·try** [~rɪ] Zimmerhandwerk *n*; Zimmermannsarbeit *f.*

car·pet [ˈkɑːpɪt] **1.** Teppich *m*; *bring on the ~* aufs Tapet bringen; **2.** mit e-m Teppich belegen.

car|pool [ˈkɑːpuːl] Fahrgemeinschaft *f*; **~·port** überdachter Abstellplatz (*für Autos*).

car·riage [ˈkærɪdʒ] Beförderung *f*, Transport *m*; Fracht(gebühr) *f*; Kutsche *f*; *Brt.* 🚃 (Personen)Wagen *m*; ⊕ Fahrgestell *n* (*a.* ✈); (Körper-)Haltung *f*; **~·way** Fahrbahn *f.*

car·ri·er [ˈkærɪə] Spediteur *m*; Träger *m*; Gepäckträger *m*; **~-bag** Trag(e)tasche *f*, -tüte *f*; **~ pi·geon** Brieftaube *f.*

car·ri·on [ˈkærɪən] Aas *n*; *attr.* Aas...

car·rot ⚘ [ˈkærət] Karotte *f*, Möhre, Mohrrübe *f.*

car·ry [ˈkærɪ] *v/t. wohin* bringen, führen, tragen (*a. v/i.*), fahren, befördern; (bei sich) haben *od.* tragen; *Ansicht* durchsetzen; *Gewinn*, *Preis* davontragen; *Ernte*, *Zinsen* tragen; (weiter)führen, *Mauer* ziehen; *Antrag* durchbringen; *be carried* angenommen werden (*Antrag*); *~ the day* den Sieg davontragen; *~ s.th. too far* et. übertreiben, et. zu weit treiben; *get carried away fig.* die Kontrolle über sich verlieren; *~ forward, ~ over econ.* übertragen; *~ on* fortsetzen, weiterführen; *Geschäft etc.* betreiben; *~ out, ~ through* durch-, ausführen; **~·cot** *Brt.* [ˈkærɪkɒt] (Baby)Trag(e)tasche *f.*

cart [kɑːt] **1.** Karren *m*; Wagen *m*; *put the ~ before the horse fig.* das Pferd beim Schwanz aufzäumen; **2.** karren, fahren.

car·ti·lage *anat.* [ˈkɑːtɪlɪdʒ] Knorpel *m.*

car·ton [ˈkɑːtən] Karton *m*; *a ~ of cigarettes* e-e Stange Zigaretten.

car·toon [kɑːˈtuːn] Cartoon *m, n*; Karikatur *f*; Zeichentrickfilm *m*; **~·ist** [~ɪst] Karikaturist *m.*

car·tridge [ˈkɑːtrɪdʒ] Patrone *f*; *phot.* (Film)Patrone *f* (*e-r Kleinbildkamera*), (Film)Kassette *f* (*e-r Film- od. Kassettenkamera*); **~pen** Patronenfüllhalter *m.*

cart-wheel [ˈkɑːtwiːl] Wagenrad *n*; *turn ~s* radschlagen.

carve [kɑːv] *Fleisch* vorschneiden, zerlegen; schnitzen; meißeln; **carv·er** [ˈkɑːvə] (Holz)Schnitzer *m*; Bildhauer *m*; Tranchierer *m*; Tranchiermesser *n*; **carv·ing** [~ɪŋ] Schnitzerei *f.*

car wash [ˈkɑːwɒʃ] Autowäsche *f*; Waschanlage *f*, -straße *f.*

cas·cade [kæ'skeɪd] Wasserfall *m*.
case[1] [keɪs] **1.** Behälter *m*; Kiste *f*, Kasten *m*; Etui *n*; Gehäuse *n*; Schachtel *f*; (*Glas*)Schrank *m*; (*Kissen*)Bezug *m*; ⊕ Verkleidung *f*; **2.** in ein Gehäuse *od.* Etui stecken; ⊕ verkleiden.
case[2] [~] Fall *m* (*a.* ⚖); *gr.* Kasus *m*, Fall *m*; ⚕ (Krankheits)Fall *m*, Patient(in); F komischer Kauz; Sache *f*, Angelegenheit *f*.
case·ment ['keɪsmənt] Fensterflügel *m*; *a.* ~ *window* Flügelfenster *n*.
cash [kæʃ] **1.** Bargeld *n*; Barzahlung *f*; ~ *down* gegen bar; ~ *on delivery* Lieferung *f* gegen bar; (per) Nachnahme *f*; **2.** *Scheck etc.* einlösen; **~book** ['kæʃbʊk] Kassenbuch *n*; **~ desk** Kasse *f* (*im Warenhaus etc.*); **~ di·spens·er** Geldautomat *m*, Bankomat *m*; **~ier** [kæ'ʃɪə] Kassierer(in); *~'s desk od. office* Kasse *f*; **~·less** [~lɪs] bargeldlos; **~·o·mat** [kæʃəʊ'mæt] = ~ *dispenser*; **~ re·gis·ter** Registrierkasse *f*.
cas·ing ['keɪsɪŋ] (Schutz)Hülle *f*; Verschalung *f*, -kleidung *f*, Gehäuse *n*.
cask [kɑːsk] Faß *n*.
cas·ket ['kɑːskɪt] Kästchen *n*; *Am.* Sarg *m*.
cas·se·role ['kæsərəʊl] Kasserolle *f*.
cas·sette [kə'set] (Film-, Band- *etc.*)Kassette *f*; ⚠ *nicht Geld- etc. Kassette*; **~ deck** Kassettendeck *n*; **~ ra·di·o** Radiorecorder *m*; **~ re·cord·er** Kassettenrecorder *m*.
cas·sock *eccl.* ['kæsək] Soutane *f*.
cast [kɑːst] **1.** Wurf *m*; ⊕ Guß(form *f*) *m*; Abguß *m*, Abdruck *m*; Schattierung *f*, Anflug *m*; Form *f*, Art *f*; Auswerfen *n* (*der Angel etc.*); *thea.* Besetzung *f*; **2.** (*cast*) *v/t.* (ab-, aus-, hin-, um-, weg)werfen; *zo. Haut etc.* abwerfen; *Zähne etc.* verlieren; verwerfen; gestalten; ⊕ gießen; *a.* ~ *up* ausrechnen, zusammenzählen; *thea. Stück* besetzen; *Rollen* verteilen (*to* an *acc.*); *be ~ in a lawsuit* ⚖ e-n Prozeß verlieren; ~ *lots* losen (*for* um); ~ *in one's lot with s.o.* j-s Los teilen; ~ *aside Gewohnheit etc.* ablegen; *Freund etc.* fallenlassen; ~ *away* wegwerfen; *be ~ away* ⚓ verschlagen werden; *be ~ down* niedergeschlagen sein; ~ *off Kleidung* ausrangieren; *Freund etc.* fallenlassen; *Stricken etc.: Maschen* abnehmen; *v/i.* ⊕ sich gießen lassen; sich (ver-) werfen (*Holz*); ~ *about for*, ~ *around for* suchen (nach), *fig. a.* sich umsehen nach.
cas·ta·net [kæstə'net] Kastagnette *f*.
cast·a·way ['kɑːstəweɪ] **1.** ausgestoßen; ausrangiert, abgelegt (*Kleidung etc.*); ⚓ schiffbrüchig; **2.** Ausgestoßene(r *m*) *f*; ⚓ Schiffbrüchige(r *m*) *f*.
caste [kɑːst] Kaste *f* (*a. fig.*).
cast·er ['kɑːstə] = *castor*[2].
cast·i·gate ['kæstɪgeɪt] züchtigen; *fig.* geißeln.
cast i·ron ['kɑːst'aɪən] Gußeisen *n*; **cast-i·ron** gußeisern.
cas·tle ['kɑːsl] Burg *f*, Schloß *n*; *Schach*: Turm *m*.
cast·or[1] ['kɑːstə]: ~ *oil* Rizinusöl *n*.
cast·or[2] [~] Laufrolle *f* (*unter Möbeln*); (Salz-, Zucker- *etc.*)Streuer *m*.
cas·trate [kæ'streɪt] kastrieren.
cas·u·al □ ['kæʒjʊəl] zufällig; gelegentlich; flüchtig; lässig; ~ *wear* Freizeitkleidung *f*; **~·ty** [~tɪ] Unfall *m*; Verunglückte(r *m*) *f*, Opfer *n*; ⚔ Verwundete(r) *m*, Gefallene(r) *m*; *casualties pl.* Opfer *pl.*, ⚔ *mst* Verluste *pl.*; ~ *ward*, ~ *department* Unfallstation *f*.
cat *zo.* [kæt] Katze *f*.
cat·a·logue, *Am.* **-log** ['kætəlɒg] **1.** Katalog *m*; *Am. univ.* Vorlesungsverzeichnis *n*; **2.** katalogisieren.
cat·a·pult ['kætəpʌlt] *Brt.* Schleuder *f*; Katapult *n*, *m*.
cat·a·ract ['kætərækt] Wasserfall *m*; Stromschnelle *f*; ⚕ grauer Star.
ca·tarrh ⚕ [kə'tɑː] Katarrh *m*; Schnupfen *m*.
ca·tas·tro·phe [kə'tæstrəfɪ] Katastrophe *f*.
catch [kætʃ] **1.** Fangen *n*; Fang *m*, Beute *f*; Stocken *n* (*des Atems*); Halt *m*, Griff *m*; ⊕ Haken *m*; (Tür)Klinke *f*; Verschluß *m*; *fig.* Haken *m*; **2.** (*caught*) *v/t.* (auf-, ein)fangen; packen, fassen, ergreifen; überraschen, ertappen; *Blick etc.* auffangen; *Zug etc.* (noch) kriegen, erwischen; erfassen, verstehen; einfangen (*Atmosphäre*); sich *e-e Krankheit* holen; ~ *(a) cold* sich erkälten; ~ *the eye* ins Auge fallen; ~ *s.o.'s eye* j-s Aufmerksamkeit auf sich lenken; ~ *s.o. up* j-n einholen; *be caught up in* verwickelt sein in (*acc.*); **3.** *v/i.* sich verfangen, hängenbleiben; fassen, greifen; ineinandergreifen (*Räder*);

C

klemmen; einschnappen (*Schloß etc.*); ~ *on* F einschlagen, Anklang finden; F kapieren; ~ *up with* einholen; **~·er** [ˈkætʃə] Fänger *m*; **~·ing** [~ɪŋ] packend; ☣ ansteckend; **~·word** Schlagwort *n*; Stichwort *n*; **~·y** ☐ [~ɪ] (*-ier, -iest*) eingängig (*Melodie*).

cat·e·chis·m [ˈkætɪkɪzəm] Katechismus *m*.

ca·te|gor·i·cal ☐ [kætɪˈgɒrɪkl] kategorisch; **~·go·ry** [ˈkætɪgərɪ] Kategorie *f*.

ca·ter [ˈkeɪtə]: ~ *for* Speisen u. Getränke liefern für; *fig.* sorgen für.

cat·er·pil·lar [ˈkætəpɪlə] *zo.* Raupe *f*; *TM* Raupenfahrzeug *n*; ~ *tractor TM* Raupenschlepper *m*.

cat·gut [ˈkætgʌt] Darmsaite *f*.

ca·the·dral [kəˈθiːdrəl] Dom *m*, Kathedrale *f*.

Cath·o·lic [ˈkæθəlɪk] **1.** katholisch; **2.** Katholik(in).

cat·kin ⚘ [ˈkætkɪn] Kätzchen *n*.

cat|tle [ˈkætl] Vieh *n*.

cat·ty F [ˈkætɪ] (*-ier, iest*) boshaft, gehässig.

caught [kɔːt] *pret. u. p.p. von catch* 2.

caul·dron [ˈkɔːldrən] großer Kessel.

cau·li·flow·er ⚘ [ˈkɒlɪflaʊə] Blumenkohl *m*.

caus·al ☐ [ˈkɔːzl] ursächlich.

cause [kɔːz] **1.** Ursache *f*; Grund *m*; ⚖ Klagegrund *m*; ⚖ Fall *m*, Sache *f*; Angelegenheit *f*, Sache *f*; **2.** verursachen; veranlassen; **~·less** ☐ [ˈkɔːzlɪs] grundlos.

cause·way [ˈkɔːzweɪ] Damm *m*.

caus|tic [ˈkɔːstɪk] (*~ally*) ätzend; *fig.* beißend, scharf.

cau|tion [ˈkɔːʃn] **1.** Vorsicht *f*; Warnung *f*; Verwarnung *f*; ⚠ *nicht Kaution*; **2.** warnen; verwarnen; ⚖ belehren.

cau·tious ☐ [ˈkɔːʃəs] behutsam, vorsichtig; **~·ness** [~nɪs] Behutsamkeit *f*, Vorsicht *f*.

cav·al·ry *bsd. hist.* ⚔ [ˈkævlrɪ] Kavallerie *f*.

cave [keɪv] **1.** Höhle *f*; **2.** *v/i.* ~ *in* einstürzen; klein beigeben.

cav·ern [ˈkævən] (große) Höhle; **~·ous** *fig.* [~əs] hohl.

cav·i·ty [ˈkævətɪ] Höhle *f*; Loch *n*.

caw [kɔː] **1.** krächzen; **2.** Krächzen *n*.

cease [siːs] *v/i.* aufhören, zu Ende gehen; *v/t.* aufhören (*to do, doing* zu tun); **~-fire** ⚔ [ˈsiːsfaɪə] Feuereinstellung *f*; Waffenruhe *f*; **~·less** ☐ [~lɪs] unaufhörlich.

cede [siːd] abtreten, überlassen.

cei·ling [ˈsiːlɪŋ] (Zimmer-)Decke *f*; *fig.* Höchstgrenze *f*; ~ *price* Höchstpreis *m*.

cel·e|brate [ˈselɪbreɪt] feiern; **~·brat·ed** gefeiert, berühmt (*for* für, wegen); **~·bra·tion** [selɪˈbreɪʃn] Feier *f*.

ce·leb·ri·ty [sɪˈlebrətɪ] Berühmtheit *f*.

ce·ler·i·ty [sɪˈlerətɪ] Geschwindigkeit *f*.

cel·e·ry ⚘ [ˈselərɪ] Sellerie *m, f*.

ce·les·ti·al ☐ [sɪˈlestjəl] himmlisch.

cel·i·ba·cy [ˈselɪbəsɪ] Ehelosigkeit *f*.

cell [sel] Zelle *f*; ⚡ *a.* Element *n*.

cel·lar [ˈselar] Keller *m*.

cel|list ♪ [ˈtʃelɪst] Cellist(in); **~·lo** ♪ [~əʊ] (*pl. -los*) (Violon)Cello *n*.

cel·lo·phane *TM* [ˈseləʊfeɪn] Zellophan *n*.

cel·lu·lar [ˈseljʊlə] Zell(en)...

Cel·tic [ˈkeltɪk] keltisch.

ce·ment [sɪˈment] **1.** Zement *m*; Kitt *m*; **2.** zementieren; (ver)kitten.

cem·e·tery [ˈsemɪtrɪ] Friedhof *m*.

cen·sor [ˈsensə] **1.** Zensor *m*; **2.** zensieren; **~·ship** [~ʃɪp] Zensur *f*.

cen·sure [ˈsenʃə] **1.** Tadel *m*, Verweis *m*; ⚠ *nicht Zensur*; **2.** tadeln.

cen·sus [ˈsensəs] Volkszählung *f*.

cent [sent] Hundert *n*; *Am.* Cent *m* (= $^{1}/_{100}$ *Dollar*); *per* ~ Prozent *n*.

cen·te·na·ry [senˈtiːnərɪ] Hundertjahrfeier *f*, hundertjähriges Jubiläum.

cen·ten·ni·al [senˈtenjəl] **1.** hundertjährig; **2.** *Am.* = *centenary*.

cen·ter *Am.* [ˈsentə] = *centre*.

cen·ti|grade [ˈsentɪgreɪd]: *10 degrees* ~ 10 Grad Celsius; **~·me·tre,** *Am.* **~·me·ter** Zentimeter *m, n*; **~·pede** *zo.* [~piːd] Tausendfüß(l)er *m*.

cen·tral ☐ [ˈsentrəl] zentral; Haupt..., Zentral...; Mittel...; ~ *heating* Zentralheizung *f*; **~·ize** [~aɪz] zentralisieren.

cen·tre, *Am.* **-ter** [ˈsentə] **1.** Zentrum *n*, Mittelpunkt *m*; ~ *of gravity phys.* Schwerpunkt *m*; **2.** (sich) konzentrieren; zentrieren.

cen·tu·ry [ˈsentʃʊrɪ] Jahrhundert *n*.

ce·ram·ics [sɪˈræmɪks] *pl.* Keramik *f*, keramische Erzeugnisse *pl*.

ce·re·al [ˈsɪərɪəl] **1.** Getreide...; **2.** Getreide(pflanze *f*) *n*; Getreideflok-

ken(gericht *n*) *pl.*, Frühstückskost *f* (*aus Getreide*).
cer·e·bral *anat.* ['serɪbrəl] Gehirn...
cer·e·mo|ni·al [serɪ'məʊnjəl] **1.** □ zeremoniell; **2.** Zeremoniell *n*; **~·nious** □ [~jəs] zeremoniell; förmlich; **~·ny** ['serɪmənɪ] Zeremonie *f*; Feier(lichkeit) *f*; Förmlichkeit(en *pl.*) *f*.
cer·tain □ ['sɜːtn] sicher, gewiß; zuverlässig; bestimmt; gewisse(r, -s); **~·ly** [~lɪ] sicher, gewiß; *in Antworten*: sicherlich, bestimmt, natürlich; **~·ty** [~tɪ] Sicherheit *f*, Bestimmtheit *f*, Gewißheit *f*.
cer|tif·i·cate 1. [sə'tɪfɪkət] Zeugnis *n*; Bescheinigung *f*; ~ *of birth* Geburtsurkunde *f*; *General* ♀ *of Education advanced level* (*A level*) *Brt. Schule*: *etwa* Abitur(zeugnis) *n*; *General* ♀ *of Education ordinary level* (*O level*) *Schule*: *etwa* mittlere Reife; *medical* ~ ärztliches Attest; **2.** [~keɪt] bescheinigen; **~·ti·fy** ['sɜːtɪfaɪ] *et.* bescheinigen; beglaubigen.
cer·ti·tude ['sɜːtɪtjuːd] Sicherheit *f*, Bestimmtheit *f*, Gewißheit *f*.
ces·sa·tion [se'seɪʃn] Aufhören *n*.
chafe [tʃeɪf] *v/t.* (auf)scheuern, wund scheuern; ärgern; *v/i.* sich aufscheuern *od.* wund scheuern; scheuern; sich ärgern.
chaff [tʃɑːf] **1.** Spreu *f*; Häcksel *n*; F Neckerei *f*; **2.** F necken.
chaf·finch *zo.* ['tʃæfɪntʃ] Buchfink *m*.
chag·rin ['ʃægrɪn] **1.** Ärger *m*; **2.** ärgern.
chain [tʃeɪn] **1.** Kette *f*; *fig.* Fessel *f*; ~ *reaction* Kettenreaktion *f*; *~-smoke* Kette rauchen; *~-smoker* Kettenraucher *m*; ~ *store* Kettenladen *m*; **2.** (an)ketten; fesseln.
chair [tʃeə] Stuhl *m*; Lehrstuhl *m*; Vorsitz *m*; *be in the* ~ den Vorsitz führen; ~ **lift** ['tʃeəlɪft] Sessellift *m*; **~·man** (*pl. -men*) Vorsitzende(r) *m*, Präsident *m*; **~·man·ship** [~ʃɪp] Vorsitz *m*; **~·wom·an** (*pl. -women*) Vorsitzende *f*.
chal·ice ['tʃælɪs] Kelch *m*.
chalk [tʃɔːk] **1.** Kreide *f*; **2.** mit Kreide schreiben *od.* zeichnen; ~ *up Sieg* verbuchen.
chal·lenge ['tʃælɪndʒ] **1.** Herausforderung *f*; ⚔ Anruf *m*; *bsd.* ⚖ Ablehnung *f*; **2.** herausfordern; anrufen; ablehnen; anzweifeln.
cham·ber ['tʃeɪmbə] *parl.*, *zo.*, ⚘, ⊕, Kammer *f*; ~*s pl.* Geschäftsräume *pl.*; **~·maid** Zimmermädchen *n*.
cham·ois ['ʃæmwɑː] Gemse *f*; *a.* ~ *leather* [*mst* 'ʃæmɪleðə] Wildleder *n*.
champ F [tʃæmp] = *champion* (*Sport*).
cham·pagne [ʃæm'peɪn] Champagner *m*.
cham·pi·on ['tʃæmpjən] **1.** Verfechter *m*, Fürsprecher *m*; *Sport*: Sieger *m*; Meister *m*; **2.** verfechten, eintreten für, verteidigen; **3.** Meister...; **~·ship** *Sport*: Meisterschaft *f*.
chance [tʃɑːns] **1.** Zufall *m*; Schicksal *n*; Risiko *n*; Chance *f*, (günstige) Gelegenheit; Aussicht *f* (*of* auf *acc.*); Möglichkeit *f*; *by* ~ zufällig; *take a* ~ es darauf ankommen lassen; *take no* ~*s* nichts riskieren (wollen); **2.** zufällig; **3.** *v/i.* (unerwartet) eintreten *od.* geschehen; *I* ~*d to meet her* zufällig traf ich sie; *v/t.* riskieren.
chan·cel·lor ['tʃɑːnsələ] Kanzler *m*.
chan·de·lier [ʃændə'lɪə] Kronleuchter *m*.
change [tʃeɪndʒ] **1.** Veränderung *f*, Wechsel *m*; Abwechslung *f*; Wechselgeld *n*; Kleingeld *n*; *for a* ~ zur Abwechslung; ~ *for the better* (*worse*) Besserung *f* (Verschlechterung *f*); **2.** *v/t.* (ver)ändern, umändern; (aus)wechseln; (aus-, ver)tauschen (*for* gegen); *mot.* ⊕ schalten; ~ *over* umschalten; umstellen; ~ *trains* umsteigen; *v/i.* sich (ver)ändern, wechseln; sich umziehen; **~·a·ble** □ ['tʃeɪndʒəbl] veränderlich; **~·less** □ [~lɪs] unveränderlich; **~·o·ver** Umstellung *f*.
chan·nel ['tʃænl] **1.** Kanal *m*; Flußbett *n*; Rinne *f*; (*Fernseh- etc.*)Kanal *m*, (-)Programm *n*; *fig.* Kanal *m*, Weg *m*; **2.** (*bsd. Brt. -ll-*; *Am. -l-*) furchen; aushöhlen; *fig.* lenken.
chant [tʃɑːnt] **1.** (Kirchen)Gesang *m*; Singsang *m*; **2.** singen; in Sprechchören rufen; Sprechchöre anstimmen.
cha·os ['keɪɒs] Chaos *n*.
chap[1] [tʃæp] **1.** Riß *m*, Sprung *m*; **2.** (*-pp-*) rissig machen *od.* werden.
chap[2] [~] Bursche *m*, Kerl *m*, Junge *m*.
chap[3] [~] Kinnbacke(n *m*) *f*; Maul *n*.
chap·el ['tʃæpl] Kapelle *f*; Gottesdienst *m*.
chap·lain ['tʃæplɪn] Kaplan *m*.
chap·ter ['tʃæptə] Kapitel *n*.

C

char [tʃɑː] (*-rr-*) verkohlen.
char·ac·ter [ˈkærəktə] Charakter *m*; Eigenschaft *f*; Schrift(zeichen *n*) *f*; Persönlichkeit *f*; *Roman etc.*: Figur *f*, Gestalt *f*; *thea.* Rolle *f*; (*bsd.* guter) Ruf; Zeugnis *n*; **~·is·tic** [kærəktəˈrɪstɪk] **1.** (*~ally*) charakteristisch (*of* für); **2.** Kennzeichen *n*; **~·ize** [ˈkærəktəraɪz] charakterisieren.
char·coal [ˈtʃɑːkəʊl] Holzkohle *f*.
charge [tʃɑːdʒ] **1.** Ladung *f*; (Spreng)Ladung *f*; *bsd. fig.* Last *f*; Verantwortung *f*; Aufsicht *f*, Leitung *f*; Obhut *f*; Schützling *m*; ⚔ Angriff *m*; Beschuldigung *f*, ⚖ *a.* (Punkt *m* der) Anklage *f*; Preis *m*, Kosten *pl.*; Gebühr *f*; *free of ~* kostenlos; *be in ~ of* verantwortlich sein für; *have ~ of* in Obhut *od.* Verwahrung haben, betreuen; *take ~* die Leitung *etc.* übernehmen, die Sache in die Hand nehmen; **2.** *v/t.* laden; beladen, belasten; beauftragen; belehren; ⚖ beschuldigen, anklagen (*with gen.*); in Rechnung stellen; berechnen, (als Preis) fordern; ⚔ angreifen; *v/i.* stürmen; *~ at s.o.* auf j-n losgehen.
char·i·ot *poet. od. hist.* [ˈtʃærɪət] Streit-, Triumphwagen *m*.
char·i·ta·ble □ [ˈtʃærɪtəbl] mild(-tätig), wohltätig.
char·i·ty [ˈtʃærətɪ] Nächstenliebe *f*; Wohltätigkeit *f*; Güte *f*; Nachsicht *f*; milde Gabe.
char·la·tan [ˈʃɑːlətən] Scharlatan *m*; Quacksalber *m*, Kurpfuscher *m*.
charm [tʃɑːm] **1.** Zauber *m*; Charme *m*, Reiz *m*; Talisman *m*, Amulett *n*; **2.** bezaubern, entzücken; **~·ing** □ [ˈtʃɑːmɪŋ] charmant, bezaubernd.
chart [tʃɑːt] **1.** ⚓ Seekarte *f*; Tabelle *f*; *~s pl.* Charts *pl.*, Hitliste(n *pl.*) *f*; **2.** auf e-r Karte einzeichnen.
char·ter [ˈtʃɑːtə] **1.** Urkunde *f*, Freibrief *m*; Chartern *n*; **2.** konzessionieren; ⚓, ✈ chartern, mieten; **~ flight** Charterflug *m*.
char·wom·an [ˈtʃɑːwʊmən] (*pl.* *-women*) Putzfrau *f*, Raumpflegerin *f*.
chase [tʃeɪs] **1.** Jagd *f*; Verfolgung *f*; gejagtes Wild; **2.** jagen, hetzen; Jagd machen auf (*acc.*); rasen, rennen.
chas·m [ˈkæzəm] Kluft *f*, Abgrund *m* (*a. fig.*); Riß *m*, Spalte *f*.
chaste □ [tʃeɪst] rein, keusch, unschuldig; schlicht (*Stil*).
chas·tise [tʃæˈstaɪz] züchtigen.
chas·ti·ty [ˈtʃæstətɪ] Keuschheit *f*.
chat [tʃæt] **1.** Geplauder *n*, Schwätzchen *n*, Plauderei *f*; **2.** plaudern.
chat·tels [ˈtʃætlz] *pl. mst goods and ~* bewegliches Eigentum.
chat·ter [ˈtʃætə] **1.** plappern; schnattern; klappern; **2.** Geplapper *n*; Klappern *n*; **~·box** F Plappermaul *n*; **~·er** [~rə] Schwätzer(in).
chat·ty [ˈtʃætɪ] (*-ier, -iest*) gesprächig.
chauf·feur [ˈʃəʊfə] Chauffeur *m*.
chau|vi F [ˈʃəʊvɪ] Chauvi *m*; **~·vin·ist** [~nɪst] Chauvinist *m*.
cheap □ [tʃiːp] billig; *fig.* schäbig, gemein; **~·en** [ˈtʃiːpən] (sich) verbilligen; *fig.* herabsetzen.
cheat [tʃiːt] **1.** Betrug *m*, Schwindel *m*; Betrüger(in); **2.** betrügen.
check [tʃek] **1.** Schach(stellung *f*) *n*; Hemmnis *n*, Hindernis *n* (*on* für); Einhalt *m*; Kontrolle *f* (*on gen.*); Kontrollabschnitt *m*, -schein *m*; *Am.* Gepäckschein *m*; *Am.* Garderobenmarke *f*; *Am. econ.* = *cheque*; *Am.* Rechnung *f* (*im Restaurant od. Kaufhaus*); karierter Stoff; **2.** *v/i.* an-, innehalten; *Am.* e-n Scheck ausstellen; *~ in* sich (*in e-m Hotel*) anmelden; einstempeln; ✈ einchecken; *~ out* (*aus e-m Hotel*) abreisen; ausstempeln; *~ up* (*on*) F (*e-e Sache*) nachprüfen, (*e-e Sache, j-n*) überprüfen; *v/t.* hemmen, hindern, aufhalten; zurückhalten; kontrollieren, über-, nachprüfen; *Am. auf e-r Liste* abhaken; *Am. Kleider* in der Garderobe abgeben; *Am. Gepäck* aufgeben; **~ card** *Am. econ.* [ˈtʃekkɑːd] Scheckkarte *f*; **~ed** [~t] kariert; **~·ers** *Am.* [~əz] *sg.* Damespiel *n*; **~-in** Anmeldung *f* (*in e-m Hotel*); Einstempeln *n*; ✈ Einchecken *n*; *~ counter od. desk* ✈ Abfertigungsschalter *m*; **~·ing ac·count** *Am. econ.* Girokonto *n*; **~·list** Check-, Kontroll-, Vergleichsliste *f*; **~·mate 1.** (Schach)Matt *n*; **2.** (schach)matt setzen; **~-out** Abreise *f* (*aus e-m Hotel*); Ausstempeln *n*; *a. ~ counter* Kasse *f* (*bsd. im Supermarkt*); **~·point** Kontrollpunkt *m*; **~·room** *Am.* Garderobe *f*; Gepäckaufbewahrung *f*; **~-up** Überprüfung *f*, Kontrolle *f*; ⚕ Check-up *m*, (umfangreiche) Vorsorgeuntersuchung *f*.
cheek [tʃiːk] Backe *f*, Wange *f*; F

Unverschämtheit *f*; **~·y** □ F [ˈtʃiːkɪ] (*-ier, -iest*) frech.
cheer [tʃɪə] **1.** Stimmung *f*, Fröhlichkeit *f*; Hoch(ruf *m*) *n*, Beifall(sruf) *m*; *~s!* prost!; *three ~s!* dreimal hoch!; **2.** *v/t.* mit Beifall begrüßen; *a. ~ on* anspornen; *a. ~ up* aufheitern; *v/i.* hoch rufen, jubeln; *a. ~ up* Mut fassen; *~ up!* Kopf hoch!; **~·ful** □ [ˈtʃɪəfl] vergnügt; **~·i·o** *int.* F [~rɪˈəʊ] mach's gut!, tschüs!; **~·less** □ [~lɪs] freudlos; **~·y** □ [~rɪ] (*-ier, -iest*) vergnügt.
cheese [tʃiːz] Käse *m*.
chee·tah *zo.* [ˈtʃiːtə] Gepard *m*.
chef [ʃef] Küchenchef *m*; Koch *m*; ⚠ *nicht Chef.*
chem·i·cal [ˈkemɪkl] **1.** □ chemisch; **2.** Chemikalie *f*.
che·mise [ʃəˈmiːz] (Damen)Hemd *n*.
chem|ist [ˈkemɪst] Chemiker(in); Apotheker(in); Drogist(in); *~'s shop* Apotheke *f*; Drogerie *f*; **~·is·try** [~rɪ] Chemie *f*.
cheque *Brt. econ.* [tʃek] (*Am. check*) Scheck *m*; *crossed ~* Verrechnungsscheck *m*; **~ ac·count** *Brt. econ.* Girokonto *n*; **~ card** *Brt. econ.* Scheckkarte *f*.
chequ·er *Brt.* [ˈtʃekə] Karomuster *n*.
cher·ish [ˈtʃerɪʃ] *Andenken an j-n etc.* hochhalten; hegen, pflegen.
cher·ry ⚘ [ˈtʃerɪ] Kirsche *f*.
chess [tʃes] Schach(spiel) *n*; *a game of ~* e-e Partie Schach; **~·board** [ˈtʃesbɔːd] Schachbrett *n*; **~·man** (*pl. -men*), **~ piece** Schachfigur *f*.
chest [tʃest] Kiste *f*, Kasten *m*, Truhe *f*; *anat.* Brustkasten *m*; *get s.th. off one's ~* F sich et. von der Seele reden; *~ of drawers* Kommode *f*.
chest·nut [ˈtʃesnʌt] **1.** ⚘ Kastanie *f*; **2.** kastanienbraun.
chew [tʃuː] kauen; nachsinnen, grübeln (*on, over* über *acc.*); **~·ing-gum** [ˈtʃuːɪŋgʌm] Kaugummi *m*.
chick [tʃɪk] Küken *n*, junger Vogel; F Biene *f*, Puppe *f* (*Mädchen*).
chick·en [ˈtʃɪkɪn] Huhn *n*; Küken *n*; (*Brat*)Hähnchen *n*, (-)Hühnchen *n*; **~-heart·ed** furchtsam, feige; **~-pox** ⚕ [~pɒks] Windpocken *pl*.
chic·o·ry ⚘ [ˈtʃɪkərɪ] Chicorée *f*, *m*.
chief [tʃiːf] **1.** □ oberste(r, -s), Ober..., Haupt...; wichtigste(r, -s); *~ clerk* Bürovorsteher *m*; **2.** Oberhaupt *n*, Chef *m*; Häuptling *m*; *...-in-chief* Ober...; **~·ly** [ˈtʃiːflɪ] hauptsächlich; **~·tain** [~tən] Häuptling *m*.
chil·blain [ˈtʃɪlbleɪn] Frostbeule *f*.
child [tʃaɪld] (*pl. children*) Kind *n*; *from a ~* von Kindheit an; *with ~* schwanger; **~ a·buse** ⚖ Kindesmißhandlung *f*; **~·birth** [ˈtʃaɪldbɜːθ] Geburt *f*, Niederkunft *f*; **~·hood** [~hʊd] Kindheit *f*; **~·ish** □ [~ɪʃ] kindlich; kindisch; **~·like** kindlich; **~-minder** *Brt.* [~maɪndə] Tagesmutter *f*;
chil·dren [ˈtʃɪldrən] *pl. v. child.*
chill [tʃɪl] **1.** eisig, frostig; **2.** Frost *m*, Kälte *f*; ⚕ Fieberschauer *m*; Erkältung *f*; **3.** abkühlen; *j-n* frösteln lassen; *~ed* gekühlt; **~·y** [ˈtʃɪlɪ] (*-ier, -iest*) kalt, frostig.
chime [tʃaɪm] **1.** Glockenspiel *n*; Geläut *n*; *fig.* Einklang *m*; **2.** läuten; *~ in* sich (ins Gespräch) einmischen.
chim·ney [ˈtʃɪmnɪ] Schornstein *m*; Rauchfang *m*; (Lampen)Zylinder *m*; **~-sweep** Schornsteinfeger *m*.
chimp *zo.* [tʃɪmp], **chim·pan·zee** *zo.* [~ənˈziː] Schimpanse *m*.
chin [tʃɪn] **1.** Kinn *n*; (*keep your*) *~ up!* Kopf hoch!, halt die Ohren steif!
chi·na [ˈtʃaɪnə] Porzellan *n*.
Chi·nese [tʃaɪˈniːz] **1.** chinesisch; **2.** Chinese *m*, -in *f*; *ling.* Chinesisch *n*; *the ~ pl.* die Chinesen *pl.*
chink [tʃɪŋk] Ritz *m*, Spalt *m*.
chip [tʃɪp] **1.** Splitter *m*, Span *m*, Schnitzel *n*, *m*; dünne Scheibe; Spielmarke *f*; *Computer*: Chip *m*; *have a ~ on one's shoulder* F sich ständig angegriffen fühlen; e-n Komplex haben (*about* wegen); *~s pl. Brt.* Pommes frites *pl.*; *Am.* (Kartoffel)Chips *pl.*; **2.** (*-pp-*) *v/t.* schnitzeln; an-, abschlagen; *v/i.* abbröckeln; **~·munk** *zo.* [ˈtʃɪpmʌŋk] nordamerikanisches gestreiftes Eichhörnchen.
chirp [tʃɜːp] **1.** zirpen, zwitschern, piepsen; **2.** Gezirp *n*, Zwitschern *n*, Piepsen *n*.
chis·el [ˈtʃɪzl] **1.** Meißel *m*; **2.** (*bsd. Brt. -ll-, Am. -l-*) meißeln.
chit-chat [ˈtʃɪttʃæt] Plauderei *f*.
chiv·al|rous □ [ˈʃɪvlrəs] ritterlich; **~·ry** [~ɪ] *hist.* Rittertum *n*; Ritterlichkeit *f*.
chive(s *pl.*) ⚘ [tʃaɪv(z)] Schnittlauch *m*.
chlo|ri·nate [ˈklɔːrɪneɪt] *Wasser etc.* chloren; **~·rine** ⚗ [~riːn] Chlor *n*; **chlor·o·form** [ˈklɒrəfɔːm]

C

1. ⚗, ⚕ Chloroform *n*; **2.** chloroformieren.
choc·o·late [ˈtʃɒkələt] Schokolade *f*; Praline *f*; ~s *pl.* Pralinen *pl.*, Konfekt *n*.
choice [tʃɔɪs] **1.** Wahl *f*; Auswahl *f*; **2.** □ auserlesen, ausgesucht, vorzüglich.
choir [ˈkwaɪə] Chor *m*.
choke [tʃəʊk] **1.** *v/t.* (er)würgen, (*a. v/i.*) ersticken; ~ *back Ärger etc.* unterdrücken, *Tränen* zurückhalten; ~ *down* hinunterwürgen; *a.* ~ *up* verstopfen; **2.** *mot.* Choke *m*, Luftklappe *f*.
choose [tʃuːz] (*chose, chosen*) (aus-) wählen, aussuchen; ~ *to do* vorziehen zu tun.
chop [tʃɒp] **1.** Hieb *m*, Schlag *m*; Kotelett *n*; **2.** (*-pp-*) *v/t.* hauen, hacken, zerhacken; ~ *down* fällen; *v/i.* hacken; **~·per** [ˈtʃɒpə] Hackmesser *n*, -beil *n*; F Hubschrauber *m*; *Am. sl.* Maschinengewehr *n*; **~·py** [~ɪ] (*-ier, -iest*) unruhig (*See*); **~·stick** Eßstäbchen *n*.
cho·ral □ [ˈkɔːrəl] Chor...; **~(e)** ♪ [kɒˈrɑːl] Choral *m*.
chord ♪ [kɔːd] Saite *f*; Akkord *m*.
chore *Am.* [tʃɔː] schwierige *od.* unangenehme Aufgabe; *mst* ~s *pl.* Hausarbeit *f*.
cho·rus [ˈkɔːrəs] Chor *m*; Kehrreim *m*, Refrain *m*; Tanzgruppe *f* (*e-r Revue*).
chose [tʃəʊz] *pret. von choose*; **chosen** [ˈtʃəʊzn] *p.p. von choose*.
Christ [kraɪst] Christus *m*; ⚠ *nicht der Christ*.
chris·ten [ˈkrɪsn] taufen; **~·ing** [~ɪŋ] Taufe *f*; *attr.* Tauf...
Chris|tian [ˈkrɪstjən] **1.** christlich; ~ *name* Vorname *m*; **2.** Christ(in); **~·ti·an·i·ty** [krɪstɪˈænətɪ] Christentum *n*.
Christ·mas [ˈkrɪsməs] Weihnachten *n u. pl.*; *at* ~ zu Weihnachten; ~ **Day** der erste Weihnachtsfeiertag; ~ **Eve** Heiliger Abend.
chrome [krəʊm] Chrom *n*; **chro·mi·um** ⚗ [ˈkrəʊmjəm] Chrom *n*; ~*-plated* verchromt.
chron|ic [ˈkrɒnɪk] (~*ally*) chronisch (*mst* ⚕); dauernd; **~·i·cle** [~l] **1.** Chronik *f*; **2.** aufzeichnen.
chron·o·log·i·cal □ [krɒnəˈlɒdʒɪkl] chronologisch; **chro·nol·o·gy** [krəˈnɒlədʒɪ] Zeitrechnung *f*; Zeitfolge *f*.
chub·by F [ˈtʃʌbɪ] (*-ier, -iest*) rundlich; pausbäckig.
chuck F [tʃʌk] werfen, schmeißen; ~ *out j-n* rausschmeißen; *et.* wegschmeißen; ~ *up Job etc.* hinschmeißen.
chuck·le [ˈtʃʌkl] **1.** ~ (*to o.s.*) (still-vergnügt) in sich hineinlachen; **2.** leises Lachen.
chum F [tʃʌm] Kamerad *m*, Kumpel *m*; **~·my** F [ˈtʃʌmɪ] (*-ier, -iest*) dick befreundet.
chump [tʃʌmp] Holzklotz *m*; F Trottel *m*.
chunk [tʃʌnk] Klotz *m*, Klumpen *m*.
church [tʃɜːtʃ] Kirche *f*; *attr.* Kirch(en)...; ~ *service* Gottesdienst *m*; **~·war·den** [ˈtʃɜːtʃˈwɔːdn] Kirchenvorsteher *m*; **~·yard** Kirchhof *m*.
churl·ish □ [ˈtʃɜːlɪʃ] grob, flegelhaft.
churn [tʃɜːn] **1.** Butterfaß *n*; **2.** buttern; aufwühlen.
chute [ʃuːt] Stromschnelle *f*; Rutsche *f*, Rutschbahn *f*; F Fallschirm *m*.
ci·der [ˈsaɪdə] (*Am. hard* ~) Apfelwein *m*; (*sweet*) ~ *Am.* Apfelmost *m*, -saft *m*.
ci·gar [sɪˈgɑː] Zigarre *f*.
cig·a·rette, *Am. a.* **-ret** [sɪgəˈret] Zigarette *f*.
cinch F [sɪntʃ] todsichere Sache.
cin·der [ˈsɪndə] Schlacke *f*; ~s *pl.* Asche *f*; **Cin·de·rel·la** [sɪndəˈrelə] Aschenbrödel *n*, -puttel *n*; **~-path, ~-track** *Sport*: Aschenbahn *f*.
cin·e|cam·e·ra [ˈsɪnɪkæmərə] (Schmal)Filmkamera *f*; **~-film** Schmalfilm *m*.
cin·e·ma *Brt.* [ˈsɪnəmə] Kino *n*; Film *m*.
cin·na·mon [ˈsɪnəmən] Zimt *m*.
ci·pher [ˈsaɪfə] Ziffer *f*; Null *f* (*a. fig.*); Geheimschrift *f*, Chiffre *f*.
cir·cle [ˈsɜːkl] **1.** Kreis *m*; *Bekannten- etc.* Kreis *m*; *fig.* Kreislauf *m*; *thea.* Rang *m*; Ring *m*; **2.** (um)kreisen.
cir|cuit [ˈsɜːkɪt] Kreislauf *m*; ⚡ Stromkreis *m*; Rundreise *f*; *Sport*: Zirkus *m*; *short* ~ ⚡ Kurzschluß *m*; **~·cu·i·tous** □ [səˈkjuːɪtəs] weitschweifig; ~ *route* Umweg *m*.
cir·cu·lar [ˈsɜːkjʊlə] **1.** □ kreisförmig; Kreis...; ~ *letter* Rundschreiben *n*; **2.** Rundschreiben *n*, Umlauf *m*.
cir·cu|late [ˈsɜːkjʊleɪt] *v/i.* umlaufen, zirkulieren; *v/t.* in Umlauf setzen;

~·lat·ing [~ɪŋ]: ~ *library* Leihbücherei *f*; **~·la·tion** [sɜːkjʊˈleɪʃn] Zirkulation *f*, Kreislauf *m*; (Blut)Kreislauf *m*; *fig.* Umlauf *m*; Verbreitung *f*; Auflage(nhöhe) *f* (*e-r Zeitung, e-s Buches etc.*).
cir·cum-... [ˈsɜːkəm] (her)um; **~·fer·ence** [səˈkʌmfərəns] (Kreis)Umfang *m*, Peripherie *f*; **~·nav·i·gate** [sɜːkəmˈnævɪgeɪt] umschiffen; **~scribe** [ˈsɜːkəmskraɪb] ⩚ umschreiben; *fig.* begrenzen; **~spect** □ [~spekt] um-, vorsichtig; **~·stance** [~stəns] Umstand *m*, Einzelheit *f*; **~s** *pl. a.* Verhältnisse *pl.*; *in od. under no* ~*s* unter keinen Umständen, auf keinen Fall; *in od. under the* ~*s* unter diesen Umständen; **~·stan·tial** □ [sɜːkəmˈstænʃl] umständlich; ~ *evidence* ⚖ Indizien(beweis *m*) *pl.*; **~·vent** [~ˈvent] überlisten; vereiteln.
cir·cus [ˈsɜːkəs] Zirkus *m*; (runder) Platz.
cis·tern [ˈsɪstən] Wasserbehälter *m*; Spülkasten *m* (*in der Toilette*).
ci·ta·tion [saɪˈteɪʃn] ⚖ Vorladung *f*; Anführung *f*, Zitat *n*; **cite** [saɪt] ⚖ vorladen; anführen; zitieren.
cit·i·zen [ˈsɪtɪzn] (Staats)Bürger(in); Städter(in); **~·ship** [~ʃɪp] Bürgerrecht *n*; Staatsbürgerschaft *f*.
cit·y [ˈsɪtɪ] **1.** (Groß)Stadt *f*; *the* ⁀ die (Londoner) City; **2.** städtisch, Stadt...; ~ *centre Brt.* Innenstadt *f*, City *f*; ~ *council(l)or* Stadtrat(smitglied *n*) *m*; ~ *editor Am.* Lokalredakteur *m*; *Brt.* Wirtschaftsredakteur *m*; ~ *hall* Rathaus *n*; *bsd. Am.* Stadtverwaltung *f*.
civ·ic [ˈsɪvɪk] (staats)bürgerlich; städtisch; **~s** *sg.* Staatsbürgerkunde *f*.
civ·il [ˈsɪvl] staatlich, Staats...; (staats)bürgerlich, Bürger...; Zivil...; ⚖ zivilrechtlich; höflich; ~ *rights pl.* (Staats)Bürgerrechte *pl.*; ~ *rights activist* Bürgerrechtler(in); ~ *rights movement* Bürgerrechtsbewegung *f*; ~ *servant* Staatsbeamte(r) *m*; ~ *service* Staatsdienst *m*, öffentlicher Dienst *m*; Beamtenschaft *f*; ~ *war* Bürgerkrieg *m*.
ci·vil·i|an [sɪˈvɪljən] Zivilist *m*; **~·ty** [~lətɪ] Höflichkeit *f*.
civ·i·li|za·tion [sɪvɪlaɪˈzeɪʃn] Zivilisation *f*, Kultur *f*; **~ze** [ˈsɪvɪlaɪz] zivilisieren.

clad [klæd] **1.** *pret. u. p.p. von clothe*; **2.** *adj.* gekleidet.
claim [kleɪm] **1.** Anspruch *m*; Anrecht *n* (*to* auf *acc.*); Forderung *f*; *Am.* Stück *n* Staatsland; *Am.* Claim *m*; **2.** beanspruchen; fordern; behaupten; **clai·mant** [ˈkleɪmənt] Anspruchерhebende(r *m*) *f*.
clair·voy·ant [kleəˈvɔɪənt] Hellseher(in).
clam·ber [ˈklæmbə] klettern.
clam·my □ [ˈklæmɪ] (*-ier, -iest*) feuchtkalt, klamm.
clam·o(u)r [ˈklæmə] **1.** Geschrei *n*, Lärm *m*; **2.** schreien (*for* nach).
clamp ⊕ [klæmp] **1.** Klammer *f*; **2.** mit Klammer(n) befestigen.
clan [klæn] Clan *m*, Sippe *f* (*a. fig.*).
clan·des·tine □ [klænˈdestɪn] heimlich, Geheim...
clang [klæŋ] **1.** Klang *m*, Geklirr *n*; **2.** schallen; klirren (lassen).
clank [klæŋk] **1.** Gerassel *n*, Geklirr *n*; **2.** rasseln *od.* klirren (mit).
clap [klæp] **1.** Klatschen *n*; Schlag *m*, Klaps *m*; **2.** (*-pp-*) schlagen *od.* klatschen (mit).
clar·et [ˈklærət] roter Bordeaux; Rotwein *m*; Weinrot *n*; *sl.* Blut *n*.
clar·i·fy [ˈklærɪfaɪ] *v/t.* (auf)klären, erhellen, klarstellen; *v/i.* sich (auf-) klären, klar werden.
clar·i·net ♪ [klærɪˈnet] Klarinette *f*.
clar·i·ty [ˈklærətɪ] Klarheit *f*.
clash [klæʃ] **1.** Geklirr *n*; Zusammenstoß *m*; Widerstreit *m*, Konflikt *m*; **2.** klirren (mit); zusammenstoßen; nicht zusammenpassen *od.* harmonieren.
clasp [klɑːsp] **1.** Haken *m*, Klammer *f*; Schnalle *f*, Spange *f*; *fig.* Umklammerung *f*, Umarmung *f*; **2.** ein-, zuhaken; *fig.* umklammern, umfassen; **~-knife** [ˈklɑːspnaɪf] Taschenmesser *n*.
class [klɑːs] **1.** Klasse *f*; (Bevölkerungs)Schicht *f*; (Schul)Klasse *f*; (Unterrichts)Stunde *f*; Kurs *m*; *Am. univ.* Studenten *pl. e-s Jahrgangs*; ~*mate* Mitschüler(in); ~*room* Klassenzimmer *n*; **2.** (in Klassen) einteilen, einordnen.
clas|sic [ˈklæsɪk] **1.** Klassiker *m*; **2.** *adj.* (~*ally*) erstklassig; klassisch; **~·si·cal** □ [~kl] klassisch.
clas·si|fi·ca·tion [klæsɪfɪˈkeɪʃn] Klassifizierung *f*, Einteilung *f*; **~·fy** [ˈklæsɪfaɪ] klassifizieren, einstufen.

C

clat·ter ['klætə] **1.** Geklapper *n*; **2.** klappern (mit).
clause [klɔːz] ⚖ Klausel *f*, Bestimmung *f*; *gr.* Satz(teil) *m*.
claw [klɔː] **1.** Klaue *f*, Kralle *f*, Pfote *f*; (*Krebs*)Schere *f*; **2.** (zer)kratzen; umkrallen, packen.
clay [kleɪ] Ton *m*; Erde *f*.
clean [kliːn] **1.** *adj.* □ rein; sauber, glatt, eben; *sl.* clean (*nicht mehr drogenabhängig*); **2.** *adv.* völlig, ganz u. gar; **3.** reinigen, säubern, putzen; ~ *out* reinigen; ~ *up* gründlich reinigen; aufräumen; **~·er** ['kliːnə] Reiniger *m*; Rein(e)machefrau *f*; *mst* ~*s pl.*, ~'*s* (chemische) Reinigung (*Geschäft*); **~·ing** [~ɪŋ] Reinigung *f*, Putzen *n*; *do the* ~ saubermachen, putzen; *spring-cleaning* Frühjahrsputz *m*; **~·li·ness** ['klenlɪnɪs] Reinlichkeit *f*; **~·ly 1.** *adv.* ['kliːnlɪ] rein; sauber; **2.** *adj.* ['klenlɪ] (*-ier*, *-iest*) reinlich.
cleanse [klenz] reinigen, säubern; **cleans·er** ['klenzə] Reinigungsmittel *n*.
clear [klɪə] **1.** □ klar; hell; rein; frei (*of* von); ganz, voll; *econ.* rein, netto; **2.** *v/t.* reinigen (*of*, *from* von); *Wald* lichten, roden; wegräumen (*a.* ~ *away*); *Tisch* abräumen; räumen, leeren; *Hindernis* nehmen; *econ.* verzollen; ⚖ freisprechen; ~ *out* säubern; ausräumen u. wegtun; ~ *up* aufräumen; aufklären; *v/i.* aufklaren (*Wetter*); ~ *out* F abhauen; ~ *up* aufräumen; sich aufhellen, aufklaren (*Wetter*); **~·ance** ['klɪərəns] Räumung *f*; Rodung *f*; ⊕ lichter Abstand; *econ.* Zollabfertigung *f*; Freigabe *f*; ⚓ Auslaufgenehmigung *f*; **~·ing** [~rɪŋ] Aufklärung *f*; Lichtung *f*, Rodung *f*.
cleave [kliːv] (*cleaved od. cleft od. clove*, *cleaved od. cleft od. cloven*) spalten.
cleav·er ['kliːvə] Hackmesser *n*.
clef ♪ [klef] Schlüssel *m*.
cleft [kleft] **1.** Spalt *m*, Spalte *f*; **2.** *pret. u. p.p. von cleave*.
clem·en|cy ['klemənsɪ] Milde *f*, Gnade *f*; **~t** □ [~t] mild.
clench [klentʃ] *Lippen etc.* (fest) zusammenpressen; *Zähne* zusammenbeißen; *Faust* ballen.
cler·gy ['klɜːdʒɪ] Geistlichkeit *f*; **~·man** (*pl. -men*) Geistliche(r) *m*.
cler·i·cal □ ['klerɪkl] geistlich; Schreib(er)...
clerk [klɑːk] Schriftführer(in), Sekretär(in); kaufmännische(r) Angestellte(r), (Büro- *etc.*)Angestellte(r *m*) *f*, (Bank-, Post)Beamt|e(r) *m*, -in *f*; *Am.* Verkäufer(in).
clev·er □ ['klevə] klug, gescheit; geschickt.
click [klɪk] **1.** Klicken *n*, Knacken *n*; ⊕ Sperrhaken *m*, -klinke *f*; **2.** klicken, knacken; zu-, einschnappen; *mit der Zunge* schnalzen.
cli·ent ['klaɪənt] ⚖ Klient(in), Mandant(in); Kund|e *m*, -in *f*.
cliff [klɪf] Klippe *f*, Felsen *m*.
cli·mate ['klaɪmɪt] Klima *n*.
cli·max ['klaɪmæks] **1.** *rhet.* Steigerung *f*; Gipfel *m*, Höhepunkt *m*, *physiol. a.* Orgasmus *m*; **2.** (sich) steigern.
climb [klaɪm] klettern; (er-, be)steigen; **~·er** ['klaɪmə] Kletterer *m*, Bergsteiger(in); *fig.* Aufsteiger *m*; ⚘ Kletterpflanze *f*; **~·ing** [~ɪŋ] Klettern *n*; *attr.* Kletter...
clinch [klɪntʃ] **1.** ⊕ Vernietung *f*; *Boxen*: Clinch *m*; F Umarmung *f*; **2.** *v/t.* ⊕ vernieten; festmachen; (vollends) entscheiden; *v/i. Boxen*: clinchen.
cling [klɪŋ] (*clung*) (*to*) festhalten (an *dat.*), sich klammern (an *acc.*); sich (an)schmiegen (an *acc.*).
clin|ic ['klɪnɪk] Klinik *f*; **~·i·cal** □ [~l] klinisch.
clink [klɪŋk] **1.** Klirren *n*, Klingen *n*; **2.** klingen *od.* klirren (lassen); klimpern mit.
clip[1] [klɪp] **1.** Schneiden *n*; Schur *f*; F (Faust)Schlag *m*; **2.** (*-pp-*) (be-)schneiden; ab-, ausschneiden; *Schafe etc.* scheren.
clip[2] [~] **1.** Klipp *m*, Klammer *f*, Spange *f*; **2.** (*-pp-*) *a.* ~ *on* befestigen, anklammern.
clip|per ['klɪpə]: (*a pair of*) ~*s pl.* (e-e) Haarschneide-, Schermaschine *f*, (*Nagel- etc.*) Schere *f*; ⚓ Klipper *m*; ✈ Clipper *m*; **~·pings** [~ɪŋz] *pl.* Abfälle *pl.*, Schnitzel *pl.*; *bsd. Am.* (*Zeitungs- etc.*) Ausschnitte *pl.*
clit·o·ris *anat.* ['klɪtərɪs] Klitoris *f*.
cloak [kləʊk] **1.** Mantel *m*; **2.** *fig.* verhüllen; **~·room** ['kləʊkrʊm] Garderobe *f*; *Brt.* Toilette *f*.
clock [klɒk] **1.** (Wand-, Stand-, Turm)Uhr *f*; **2.** die Zeit (*e-s Läufers*) stoppen; ~ *in*, ~ *on* einstempeln; ~ *out*, ~ *off* ausstempeln; **~·wise**

[ˈklɒkwaɪz] im Uhrzeigersinn; ~·**work** Uhrwerk *n*; *like* ~ wie am Schnürchen.
clod [klɒd] (Erd)Klumpen *m*.
clog [klɒg] **1.** Klotz *m*; Holzschuh *m*, Pantine *f*; **2.** (*-gg-*) (be)hindern, hemmen; (sich) verstopfen; klumpig werden.
clois·ter [ˈklɔɪstə] Kreuzgang *m*; Kloster *n*.
close 1. *adj.* □ [kləʊs] knapp, kurz, geschlossen, *nur pred.*: zu; verborgen; verschwiegen; knapp; nah; eng; knapp, kurz, bündig; dicht; genau (*Übersetzung*); schwül; geizig, knaus(e)rig; *keep a* ~ *watch on* scharf im Auge behalten (*acc.*); ~ *fight* Handgemenge *n*; ~ *season hunt.* Schonzeit *f*; **2.** *adv.* eng, nahe, dicht; ~ *by*, ~ *to* ganz in der Nähe, nahe *od.* dicht bei; **3.** [kləʊz] Schluß *m*; (Ab)Schluß *m*; *come od. draw to a* ~ sich dem Ende nähern; [kləʊs] Einfriedung *f*; Hof *m*; **4.** [kləʊz] *v/t.* (ab-, ver-, zu)schließen; *Straße* (ab)sperren; *v/i.* (sich) schließen; handgemein werden; *mit Adverbien*: ~ *down* schließen; stillegen; stillgelegt werden; *Rundfunk, TV*: das Programm beenden, Sendeschluß haben; ~ *in* bedrohlich nahekommen; hereinbrechen (*Nacht*); kürzer werden (*Tage*); ~ *up* (ab-, ver-, zu-)schließen; blockieren; aufschließen, -rücken; ~**d** geschlossen, *pred.* zu.
clos·et [ˈklɒzɪt] **1.** (Wand)Schrank *m*; ⚠ *nicht Klosett*; **2.** *be* ~*ed with* mit *j-m* geheime Besprechungen führen.
close-up [ˈkləʊsʌp] *phot.*, *Film*: Großaufnahme *f*.
clos·ing-time [ˈkləʊzɪŋtaɪm] Laden-, Geschäftsschluß *m*; Polizeistunde *f* (*e-s Pubs*).
clot [klɒt] **1.** Klumpen *m*, Klümpchen *n*; *Brt.* F Trottel *m*; **2.** (*-tt-*) gerinnen; Klumpen bilden.
cloth [klɒθ] (*pl. cloths* [~θs, ~ðz]) Stoff *m*, Tuch *n*; Tischtuch *n*; *the* ~ der geistliche Stand; *lay the* ~ den Tisch decken; ~*-bound* in Leinen gebunden.
clothe [kləʊð] (*clothed od. clad*) (an-, be)kleiden; einkleiden.
clothes [kləʊðz] *pl.* Kleider *pl.*, Kleidung *f*; Wäsche *f*; ~**-bas·ket** [ˈkləʊðzbɑːskɪt] Wäschekorb *m*; ~**-horse** Wäscheständer *m*; ~**-line** Wäscheleine *f*; ~·**peg** *Brt.*, *Am.* ~·**pin** Wäscheklammer *f*.
cloth·ing [ˈkləʊðɪŋ] (Be)Kleidung *f*.
cloud [klaʊd] **1.** Wolke *f* (*a. fig.*); Trübung *f*, Schatten *m*; **2.** (sich) bewölken (*a. fig.*); (sich) trüben; ~·**burst** [ˈklaʊdbɜːst] Wolkenbruch *m*; ~·**less** □ [~lɪs] wolkenlos; ~·**y** □ [~ɪ] (*-ier, -iest*) wolkig, bewölkt; Wolken...; trüb; unklar.
clout F [klaʊt] Schlag *m*; *bsd. Am.* Macht *f*, Einfluß *m*.
clove[1] [kləʊv] (Gewürz)Nelke *f*; ~ *of garlic* Knoblauchzehe *f*.
clove[2] [~] *pret. von cleave*[1]; **clo·ven** [ˈkləʊvn] **1.** *p.p. von cleave*[1]; **2.** ~ *hoof zo.* Huf *m* der Paarzeher.
clo·ver ⚘ [ˈkləʊvə] Klee *m*.
clown [klaʊn] Clown *m*, Hanswurst *m*; Bauer *m*, ungehobelter Kerl; ~·**ish** □ [ˈklaʊnɪʃ] clownisch.
club [klʌb] **1.** Keule *f*; (Gummi-)Knüppel *m*; (Golf)Schläger *m*; Klub *m*; ~*s pl. Karten*: Kreuz *n*; **2.** (*-bb-*) *v/t.* einknüppeln auf (*acc.*), (nieder-)knüppeln; *v/i.*: ~ *together* sich zusammentun; ~**-foot** (*pl. -feet*) [ˈklʌbˈfʊt] Klumpfuß *m*.
cluck [klʌk] **1.** gackern; glucken; **2.** Gackern *n*; Glucken *n*.
clue [kluː] Anhaltspunkt *m*, Fingerzeig *m*, Spur *f*.
clump [klʌmp] **1.** Klumpen *m*; (*Baum- etc.*)Gruppe *f*; **2.** trampeln.
clum·sy □ [ˈklʌmzɪ] (*-ier, -iest*) unbeholfen, ungeschickt, plump.
clung [klʌŋ] *pret. u. p.p. von cling*.
clus·ter [ˈklʌstə] **1.** Traube *f*; Büschel *n*; Haufen *m*; **2.** büschelartig wachsen; sich drängen.
clutch [klʌtʃ] **1.** Griff *m*; ⊕ Kupplung *f*; Klaue *f*; **2.** (er)greifen.
clut·ter [ˈklʌtə] **1.** Wirrwarr *m*; Unordnung *f*; **2.** *a.* ~ *up* zu voll machen *od.* stellen, überladen.
coach [kəʊtʃ] **1.** Kutsche *f*; *Brt.* 🚃 (Personen)Wagen *m*; Omnibus, *bsd.* Reisebus *m*; Einpauker *m*; *Sport*: Trainer *m*; **2.** einpauken; *Sport*: trainieren; ~·**man** [ˈkəʊtʃmən] (*pl. -men*) Kutscher *m*.
co·ag·u·late [kəʊˈægjʊleɪt] gerinnen (lassen).
coal [kəʊl] (Stein)Kohle *f*; *carry* ~*s to Newcastle* Eulen nach Athen tragen.
co·a·lesce [kəʊəˈles] verschmelzen, zusammenwachsen; sich vereinigen *od.* verbinden.

C

co·a·li·tion [kəʊəˈlɪʃn] **1.** *pol.* Koalition *f*; Bündnis *n*, Zusammenschluß *m*; **2.** *pol.* Koalitions...
coal|-mine [ˈkəʊlmaɪn], **~-pit** Kohlengrube *f*.
coarse □ [kɔːs] (*~r*, *~st*) grob; ungeschliffen.
coast [kəʊst] **1.** Küste *f*; *Am.* Rodelbahn *f*; **2.** die Küste entlangfahren; im Leerlauf (*Auto*) *od.* im Freilauf (*Fahrrad*) fahren; *Am.* rodeln; **~·er** [ˈkəʊstə] *Am.* Rodelschlitten; ⚓ Küstenfahrer *m*; **~ guard** Küstenwache *f*; **~·guard** Angehörige(r) *m* der Küstenwache; **~·line** Küstenlinie *f*, -strich *m*.
coat [kəʊt] **1.** Jackett *n*, Jacke *f*, Rock *m*; Mantel *m*; *zo.* Pelz *m*, Fell *n*, Haut *f*, Gefieder *n*; Überzug *m*, Anstrich *m*, Schicht *f*; **~** *of arms* Wappen (-schild *m*, *n*) *n*; **2.** überziehen, beschichten; (an)streichen; **~-hang·er** [ˈkəʊthæŋə] Kleiderbügel *m*; **~·ing** [ˈkəʊtɪŋ] Überzug *m*, Anstrich *m*, Schicht *f*; Mantelstoff *m*.
coax [kəʊks] überreden, beschwatzen.
cob [kɒb] kleines starkes Pferd; Schwan *m*; Maiskolben *m*.
cob|bled [ˈkɒbld]: **~** *street* Straße *f* mit Kopfsteinpflaster; **~·bler** [~ə] (Flick)Schuster *m*; Stümper *m*.
cob·web [ˈkɒbweb] Spinn(en)gewebe *n*.
co·caine [kəʊˈkeɪn] Kokain *n*.
cock [kɒk] **1.** *zo. etc.* Hahn *m*; (An-) Führer *m*; Heuhaufen *m*; **2.** *a.* **~** *up* aufrichten; *Gewehrhahn* spannen.
cock·a·too *zo.* [kɒkəˈtuː] Kakadu *m*.
cock·chaf·er [ˈkɒktʃeɪfə] Maikäfer *m*.
cock-eyed F [ˈkɒkaɪd] schielend; (krumm u.) schief.
cock·ney [ˈkɒknɪ] *mst* ♀ Cockney *m*, waschechter Londoner.
cock·pit [ˈkɒkpɪt] ✈, ⚓ Cockpit *n* (*a. e-s Rennwagens*); Hahnenkampfplatz *m*.
cock·roach *zo.* [ˈkɒkrəʊtʃ] Schabe *f*.
cock|sure F [ˈkɒkˈʃʊə] absolut sicher; anmaßend; **~·tail** Cocktail *m*; **~·y** □ F [ˈkɒkɪ] (*-ier*, *-iest*) großspurig, anmaßend.
co·co ♀ [ˈkəʊkəʊ] (*pl. -cos*) Kokospalme *f*.
co·coa [ˈkəʊkəʊ] Kakao *m*.
co·co·nut [ˈkəʊkənʌt] Kokosnuß *f*.
co·coon [kəˈkuːn] (*Seiden*)Kokon *m*.
cod *zo.* [kɒd] Kabeljau *m*, Dorsch *m*.
cod·dle [ˈkɒdl] verhätscheln.
code [kəʊd] **1.** Gesetzbuch *n*; Kodex *m*; (*Telegramm-*)Schlüssel *m*; Code *m*, Chiffre *f*; **2.** verschlüsseln, kodieren, chiffrieren.
cod|fish *zo.* [ˈkɒdfɪʃ] = *cod*; **~-liv·er oil** Lebertran *m*.
co·ed F [ˈkəʊˈed] Schülerin *f od.* Studentin *f* e-r gemischten Schule; **~·u·ca·tion** [kəʊedjuːˈkeɪʃn] Koedukation *f*, Gemeinschaftserziehung *f*.
co·erce [kəʊˈɜːs] (er)zwingen.
co·ex·ist [ˈkəʊɪgˈzɪst] gleichzeitig *od.* nebeneinander bestehen *od.* leben; **~·ence** [~əns] Koexistenz *f*.
cof·fee [ˈkɒfɪ] Kaffee *m*; **~ bean** Kaffeebohne *f*; **~-pot** Kaffeekanne *f*; **~-set** Kaffeeservice *n*; **~-ta·ble** Couchtisch *m*.
cof·fer [ˈkɒfə] (Geld- *etc.*)Kasten *m*.
cof·fin [ˈkɒfɪn] Sarg *m*.
cog ⊕ [kɒg] (Rad)Zahn *m*.
co·gent □ [ˈkəʊdʒənt] zwingend.
cog·i·tate [ˈkɒdʒɪteɪt] (nach)denken.
cog·wheel ⊕ [ˈkɒgwiːl] Zahnrad *n*.
co·her|ence [kəʊˈhɪərəns] Zusammenhang *m*; **~·ent** □ [~t] zusammenhängend.
co·he|sion [kəʊˈhiːʒn] Zusammenhalt *m*; **~·sive** [~sɪv] (fest) zusammenhaltend.
coif·fure [kwɑːˈfjʊə] Frisur *f*.
coil [kɔɪl] **1.** *a.* **~** *up* aufwickeln; (sich) zusammenrollen; **2.** Rolle *f*; Spirale *f*; Wicklung *f*; Spule *f*; Windung *f*; ⊕ (Rohr)Schlange *f*.
coin [kɔɪn] **1.** Münze *f*; **2.** prägen (*a. fig.*); münzen.
co·in|cide [kəʊɪnˈsaɪd] zusammentreffen; übereinstimmen; **~·ci·dence** [kəʊˈɪnsɪdəns] Zusammentreffen *n*; Zufall *m*; *fig.* Übereinstimmung *f*.
coke[1] [kəʊk] Koks *m* (*a. sl.* = *Kokain*).
Coke[2] *TM* F [~] Coke *n*, Cola *n*, *f*, Coca *n*, *f* (*Coca-Cola*).
cold [kəʊld] **1.** □ kalt; **2.** Kälte *f*, Frost *m*; Erkältung *f*; **~-blood·ed** [~ˈblʌdɪd] kaltblütig; **~-heart·ed** kalt-, hartherzig; **~·ness** [ˈkəʊldnɪs] Kälte *f*; **~ war** *pol.* kalter Krieg.
cole·slaw [ˈkəʊlslɔː] Krautsalat *m*.
col·ic ⚕ [ˈkɒlɪk] Kolik *f*.
col·lab·o|rate [kəˈlæbəreɪt] zusammenarbeiten; **~·ra·tion** [kəlæbəˈreɪʃn] Zusammenarbeit *f*; *in* **~** *with* gemeinsam mit.

col|lapse [kəˈlæps] **1.** zusammen-, einfallen; zusammenbrechen; **2.** Zusammenbruch *m*; **~·lap·si·ble** [~əbl] zusammenklappbar.

col·lar [ˈkɒlə] **1.** Kragen *m*; Halsband *n*; Kummet *n*; **2.** beim Kragen packen; *j-n* festnehmen, F schnappen; **~-bone** *anat.* Schlüsselbein *n*.

col·league [ˈkɒli:g] Kolleg|e *m*, -in *f*, Mitarbeiter(in).

col|lect 1. *eccl.* [ˈkɒlekt] Kollekte *f*; **2.** *v/t.* [kəˈlekt] (ein)sammeln; *Gedanken etc.* sammeln; einkassieren; abholen; *v/i.* sich (ver)sammeln; **~·lect·ed** ☐ *fig.* gefaßt; **~·lec·tion** [~kʃn] Sammlung *f*; *econ.* Eintreibung *f*; *eccl.* Kollekte *f*; **~·lec·tive** ☐ [~tɪv] gesammelt; Sammel...; ~ *bargaining econ.* Tarifverhandlungen *pl.*; **~·lec·tive·ly** [~lɪ] insgesamt; zusammen; **~·lec·tor** [~ə] Sammler(in); Steuereinnehmer *m*; 🚂 Fahrkartenabnehmer *m*; ⚡ Stromabnehmer *m*.

col·lege [ˈkɒlɪdʒ] College *n* (*Teil e-r Universität*); Hochschule *f*; höhere Lehranstalt.

col·lide [kəˈlaɪd] zusammenstoßen.

col|li·er [ˈkɒlɪə] Bergmann *m*; ⚓ Kohlenschiff *n*; **~·lie·ry** [~jərɪ] Kohlengrube *f*.

col·li·sion [kəˈlɪʒn] Zusammenstoß *m*, -prall *m*, Kollision *f*.

col·lo·qui·al ☐ [kəˈləʊkwɪəl] umgangssprachlich, familiär.

col·lo·quy [ˈkɒləkwɪ] Gespräch *n*.

co·lon [ˈkəʊlən] Doppelpunkt *m*.

colo·nel ⚔ [ˈkɜ:nl] Oberst *m*.

co·lo·ni·al ☐ [kəˈləʊnjəl] Kolonial...; **~·is·m** *pol.* [~lɪzəm] Kolonialismus *m*.

col·o|nize [ˈkɒlənaɪz] kolonisieren, besiedeln; sich ansiedeln; **~·ny** [~nɪ] Kolonie *f*; Siedlung *f*.

co·los·sal ☐ [kəˈlɒsl] kolossal, riesig.

col·o(u)r [ˈkʌlə] **1.** Farbe *f*; *fig.* Anschein *m*; Vorwand *m*; ~*s pl.* Fahne *f*, Flagge *f*; *what ~ is ...?* welche Farbe hat ...?; **2.** *v/t.* färben; an-, bemalen, anstreichen; *fig.* beschönigen; *v/i.* sich (ver)färben; erröten; **~ bar** Rassenschranke *f*; **~-blind** farbenblind; **~ed 1.** bunt; farbig; ~ *man* Farbige(r) *m*; **2.** *oft contp.* Farbige(r *m*) *f*; **~-fast** farbecht; **~ film** *phot.* Farbfilm *m*; **~·ful** [~fl] farbenreich, -freudig; lebhaft; **~·ing** [~rɪŋ] Färbemittel *n*; Gesichtsfarbe *f*; *fig.* Beschönigung *f*; **~·less** ☐ [~lɪs] farblos; **~ line** Rassenschranke *f*; **~ set** Farbfernseher *m*; **~ tel·e·vi·sion** Farbfernsehen *n*.

colt [kəʊlt] Hengstfüllen *n*, -fohlen *n*.

col·umn [ˈkɒləm] Säule *f*; *print.* Spalte *f*; ⚔ Kolonne *f*; **~·ist** [~nɪst] Kolumnist(in).

comb [kəʊm] **1.** Kamm *m*; (Flachs-)Hechel *f*; **2.** *v/t.* kämmen; striegeln; *Flachs* hecheln.

com|bat [ˈkɒmbæt] **1.** Kampf *m*; *single ~* Zweikampf *m*; **2.** (*-tt-*, *Am. a. -t-*) kämpfen gegen, bekämpfen; **~·ba·tant** [~ənt] Kämpfer *m*.

com|bi·na·tion [kɒmbɪˈneɪʃn] Verbindung *f*; *mst ~s pl.* Hemdhose *f* mit langem Bein; **~·bine** [kəmˈbaɪn] (sich) verbinden *od.* vereinigen.

com·bus|ti·ble [kəmˈbʌstəbl] **1.** brennbar; **2.** Brennstoff *m*, -material *n*; **~·tion** [~tʃən] Verbrennung *f*.

come [kʌm] (*came, come*) kommen; *to ~* künftig, kommend; *~ about* geschehen, passieren; *~ across* auf *j-n od. et.* stoßen; F ankommen (*Rede etc.*); *~ along* mitkommen; *~ apart* auseinanderfallen; *~ at* auf *j-n od. et.* losgehen; *~ back* zurückkommen; *~ by* zu *et.* kommen; *~ down* herunterkommen (*a. fig.*); einstürzen; sinken (*Preis*); überliefert werden; *~ down with* F erkranken an (*dat.*); *~ for* abholen kommen, kommen wegen; *~ loose* sich ablösen, abgehen; *~ off* ab-, losgehen, sich lösen; stattfinden; *~ on!* los!, vorwärts!, komm!; *~ over* vorbeikommen (*Besucher*); *~ round* vorbeikommen (*Besucher*); wiederkehren; F wieder zu sich kommen; anders überlegen; *~ through* durchkommen; *Krankheit etc.* überstehen, -leben; *~ to* sich belaufen auf; wieder zu sich kommen; *what's the world coming to?* wohin ist die Welt geraten?; *~ to see* besuchen; *~ up to* entsprechen (*dat.*), heranreichen an (*acc.*); **~·back** [ˈkʌmbæk] Comeback *n*.

co·me·di·an [kəˈmi:djən] Komödienschauspieler(in); Komiker(in); Lustspieldichter *m*.

com·e·dy [ˈkɒmədɪ] Komödie *f*, Lustspiel *n*.

come·ly [ˈkʌmlɪ] (*-ier, -iest*) attraktiv, gutaussehend.

com·fort [ˈkʌmfət] **1.** Behaglichkeit *f*; Trost *m*; Wohltat *f*, Erquickung *f*;

C

a. ~*s pl.* Komfort *m*; **2.** trösten; **com·for·ta·ble** □ [~əbl] komfortabel, behaglich, bequem; tröstlich; ~**er** [~ə] Tröster *m*; Wollschal *m*; *bsd. Brt.* Schnuller *m*; *Am.* Steppdecke *f*; ~**less** □ [~lɪs] unbequem; trostlos; ~ **sta·tion** *Am.* Bedürfnisanstalt *f*.

com·ic [ˈkɒmɪk] (~*ally*) komisch; Komödien..., Lustspiel...

com·i·cal □ [ˈkɒmɪkl] komisch, spaßig.

com·ics [ˈkɒmɪks] *pl.* Comics *pl.*, Comic-Hefte *pl.*

com·ing [ˈkʌmɪŋ] **1.** kommend; künftig; **2.** Kommen *n*.

com·ma [ˈkɒmə] Komma *n*.

com·mand [kəˈmɑːnd] **1.** Herrschaft *f*, Beherrschung *f* (*a. fig.*); Befehl *m*; ⚔ Kommando *n*; *be* (*have*) *at* ~ zur Verfügung stehen (haben); **2.** befehlen; ⚔ kommandieren; verfügen über (*acc.*); beherrschen; ~**er** [~ə] ⚔ Kommandeur *m*, Befehlshaber *m*; ⚓ Fregattenkapitän *m*; ~**er-in-chief** ⚔ [~ərɪnˈtʃiːf] (*pl. commanders-in-chief*) Oberbefehlshaber *m*; ~**ing** □ [kəˈmɑːndɪŋ] kommandierend, befehlshabend; gebieterisch; ~**ment** [~mənt] Gebot *n*; ~ **mod·ule** *Raumfahrt*: Kommandokapsel *f*.

com·man·do ⚔ [kəˈmɑːndəʊ] (*pl. -dos, -does*) Kommando *n*.

com·mem·o|rate [kəˈmeməreɪt] gedenken (*gen.*), *j-s* Gedächtnis feiern; ~**ra·tion** [kəmeməˈreɪʃn]: *in* ~ *of* zum Gedenken *od.* Gedächtnis an (*acc.*); ~**ra·tive** □ [kəˈmemərətɪv] Gedenk..., Erinnerungs...

com·mence [kəˈmens] anfangen, beginnen; ~**ment** [~mənt] Anfang *m*, Beginn *m*.

com·mend [kəˈmend] empfehlen; anvertrauen.

com|ment [ˈkɒment] **1.** Kommentar *m*; Erläuterung *f*; Bemerkung *f*; Stellungnahme *f*; *no* ~*!* kein Kommentar!; **2.** (*on, upon*) erläutern (*acc.*); sich (kritisch) äußern (über *acc.*); ~**men·ta·ry** [ˈkɒməntərɪ] Kommentar *m*; ~**men·tate** [~eɪt]: ~ *on Rundfunk, TV*: kommentieren (*acc.*); ~**men·ta·tor** [~ə] Kommentator *m*, *Rundfunk, TV*: *a.* Reporter *m*.

com·merce [ˈkɒmɜːs] Handel *m*; Verkehr *m*.

com·mer·cial □ [kəˈmɜːʃl] **1.** kaufmännisch, Handels..., Geschäfts...; handelsüblich; ~ *travel(l)er* Handlungsreisende(r) *m*; **2.** *Rundfunk, TV*: Werbespot *m*, -sendung *f*; ~**ize** [~ʃəlaɪz] kommerzialisieren, vermarkten.

com·mis·e|rate [kəˈmɪzəreɪt]: ~ *with* Mitleid empfinden mit; ~**ra·tion** [kəmɪzəˈreɪʃn] Mitleid *n* (*for* mit).

com·mis·sa·ry [ˈkɒmɪsərɪ] Kommissar *m*.

com·mis·sion [kəˈmɪʃn] **1.** Auftrag *m*; Übertragung *f* (*von Macht etc.*); Begehung *f* (*e-s Verbrechens*); Provision *f*; Kommission *f*; ⚔ (Offiziers-) Patent *n*; **2.** beauftragen, bevollmächtigen; *et.* in Auftrag geben; *j-n* zum Offizier ernennen; *Schiff* in Dienst stellen; ~**er** [~ə] Bevollmächtigte(r *m*) *f*; (Regierungs)Kommissar *m*.

com·mit [kəˈmɪt] (*-tt-*) anvertrauen, übergeben; ⚖ *j-n* einweisen; ⚖ *j-n* übergeben; *Verbrechen* begehen; bloßstellen; ~ (*o.s.* sich) verpflichten; ~**ment** [~mənt] Verpflichtung *f*; ~**tal** ⚖ [~l] Einweisung *f*; ~**tee** [~ɪ] Ausschuß *m*, Komitee *n*.

com·mod·i·ty [kəˈmɒdətɪ] Ware *f*, Gebrauchsartikel *m*.

com·mon [ˈkɒmən] **1.** □ allgemein; gewöhnlich; gemein(sam), gemeinschaftlich; öffentlich; gewöhnlich, minderwertig; F ordinär; ♀ *Council* Gemeinderat *m*; **2.** Gemeindeland *n*; *in* ~ gemeinsam; *in* ~ *with* genau wie; ~**er** [~ə] Bürgerliche(r *m*) *f*; ~ **law** (ungeschriebenes englisches) Gewohnheitsrecht; ♀ **Mar·ket** *econ. pol.* Gemeinsamer Markt; ~**·place 1.** Gemeinplatz *m*; **2.** alltäglich; abgedroschen; ~**s** *pl. das* gemeine Volk; *House of* ♀ *parl.* Unterhaus *n*; ~ **sense** gesunder Menschenverstand; ~**·wealth** [~welθ] Gemeinwesen *n*, Staat *m*; Republik *f*; *the* ♀ (*of Nations*) das Commonwealth.

com·mo·tion [kəˈməʊʃn] Aufruhr *m*, Erregung *f*.

com·mu·nal □ [ˈkɒmjʊnl] Gemeinde...; Gemeinschafts...

com·mune 1. [kəˈmjuːn] sich vertraulich besprechen; **2.** [ˈkɒmjuːn] Kommune *f*; Gemeinde *f*.

com·mu·ni|cate [kəˈmjuːnɪkeɪt] *v/t.* mitteilen; *v/i.* sich besprechen; sich in Verbindung setzen (*with* s.o. mit j-m); (durch e-e Tür) verbunden

sein; **~·ca·tion** [kəmjuːnɪˈkeɪʃn] Mitteilung *f*; Verständigung *f*; Verbindung *f*; *~s pl.* Verbindung *f*, Verkehrswege *pl.*; *~s satellite* Nachrichtensatellit *m*; **~·ca·tive** □ [kəˈmjuːnɪkətɪv] mitteilsam, gesprächig.
com·mu·nion [kəˈmjuːnjən] Gemeinschaft *f*; ♀ *eccl.* Kommunion *f*, Abendmahl *n*.
com·mu·nis|m [ˈkɒmjʊnɪzəm] Kommunismus *m*; **~t** [~ɪst] **1.** Kommunist(in); **2.** kommunistisch.
com·mu·ni·ty [kəˈmjuːnətɪ] Gemeinschaft *f*; Gemeinde *f*; Staat *m*.
com|mute [kəˈmjuːt] ⚖ Strafe *mildernd* umwandeln; 🚂 *etc.* pendeln; **~·mut·er** [~ə] Pendler(in); *~ train* Pendler-, Vorort-, Nahverkehrszug *m*.
com·pact 1. [ˈkɒmpækt] Vertrag *m*; Puderdose *f*; *Am. mot.* Kompaktauto *n*; **2.** [kəmˈpækt] *adj.* dicht, fest; knapp, bündig; *~ disc* Compact Disc *f* (*Schallplatte*); **3.** *v/t.* fest verbinden.
com·pan|ion [kəmˈpænjən] Begleiter(in); Gefährt|e *m*, -in *f*; Gesellschafter(in); Handbuch *n*, Leitfaden *m*; **~·io·na·ble** □ [~əbl] gesellig; **~·ion·ship** [~ʃɪp] Gesellschaft *f*.
com·pa·ny [ˈkʌmpənɪ] Gesellschaft *f*; Begleitung *f*; ⚔ Kompanie *f*; *econ.* (Handels)Gesellschaft *f*; ⚓ Mannschaft *f*; *thea.* Truppe *f*; *have ~* Gäste haben; *keep ~ with* verkehren mit.
com|pa·ra·ble □ [ˈkɒmpərəbl] vergleichbar; **~·par·a·tive** [kəmˈpærətɪv] **1.** □ vergleichend; verhältnismäßig; **2.** *a. ~ degree gr.* Komparativ *m*; **~·pare** [~ˈpeə] **1.** *beyond ~, without ~, past ~* unvergleichlich; **2.** *v/t.* vergleichen; (*as*) *~d with* im Vergleich zu; *v/i.* sich vergleichen (lassen); **~·pa·ri·son** [~ˈpærɪsn] Vergleich *m*.
com·part·ment [kəmˈpɑːtmənt] Abteilung *f*, Fach *n*; 🚂 Abteil *n*.
com·pass [ˈkʌmpəs] Bereich *m*; ♪ Umfang *m*; Kompaß *m*; *pair of ~es pl.* Zirkel *m*.
com·pas·sion [kəmˈpæʃn] Mitleid *n*; **~·ate** □ [~ət] mitleidig.
com·pat·i·ble □ [kəmˈpætəbl] vereinbar; ⚕ verträglich; passend.
com·pat·ri·ot [kəmˈpætrɪət] Landsmann *m*, -männin *f*.
com·pel [kəmˈpel] (*-ll-*) (er)zwingen; **~·ling** □ [~ɪŋ] zwingend.
com·pen|sate [ˈkɒmpenseɪt] *j-n* entschädigen; *et.* ersetzen; ausgleichen; **~·sa·tion** [kɒmpenˈseɪʃn] Ersatz *m*; Ausgleich *m*; (Schaden)Ersatz *m*, Entschädigung *f*; *Am.* Bezahlung *f*, Gehalt *n*.
com|père, ~·pere *Brt.* [ˈkɒmpeə] **1.** Conférencier *m*; **2.** konferieren, ansagen.
com·pete [kəmˈpiːt] sich (mit-)bewerben (*for* um); konkurrieren.
com·pe|tence [ˈkɒmpɪtəns] Können *n*, Fähigkeit *f*; ⚖ Zuständigkeit *f*; **~·tent** □ [~t] hinreichend; (leistungs)fähig, tüchtig; sachkundig.
com·pe·ti·tion [kɒmpɪˈtɪʃn] Wettbewerb *m*; Konkurrenz *f*.
com·pet·i|tive □ [kəmˈpetətɪv] konkurrierend; **~·tor** [~ə] Mitbewerber(in); Konkurrent(in); *Sport*: (Wettbewerbs)Teilnehmer(in).
com·pile [kəmˈpaɪl] zusammentragen, zusammenstellen, sammeln.
com·pla|cence, ~·cen·cy [kəmˈpleɪsns, ~sɪ] Selbstzufriedenheit *f*, -gefälligkeit *f*; **~·cent** □ [~nt] selbstzufrieden, -gefällig.
com·plain [kəmˈpleɪn] sich beklagen *od.* beschweren; klagen (*of* über *acc.*); **~t** [~t] Klage *f*; Beschwerde *f*, ⚕ *a.* Leiden *n*.
com·plai·sant □ [kəmˈpleɪzənt] gefällig, entgegenkommend.
com·ple|ment 1. [ˈkɒmplɪmənt] Ergänzung *f*; *a. full ~* volle Anzahl; **2.** [~ment] ergänzen; **~·men·ta·ry** [kɒmplɪˈmentərɪ] (sich gegenseitig) ergänzend.
com|plete [kəmˈpliːt] **1.** □ vollständig, ganz, vollkommen; vollzählig; **2.** vervollständigen; vervollkommnen; abschließen; **~·ple·tion** [~iːʃn] Vervollständigung *f*; Abschluß *m*; Erfüllung *f*.
com·plex [ˈkɒmpleks] **1.** □ zusammengesetzt; komplex, vielschichtig; kompliziert; **2.** Gesamtheit *f*; Komplex *m* (*a. psych.*); **~·ion** [kəmˈplekʃn] Aussehen *n*, Charakter *m*; Gesichtsfarbe *f*, Teint *m*; **~·i·ty** [~sətɪ] Vielschichtigkeit *f*.
com·pli|ance [kəmˈplaɪəns] Einwilligung *f*; Einverständnis *n*; *in ~ with* gemäß; **~·ant** □ [~t] willfährig, unterwürfig.
com·pli|cate [ˈkɒmplɪkeɪt] kompli-

C

zieren; **~·cat·ed** kompliziert; **~·ca·tion** [kɒmplɪˈkeɪʃn] Komplikation *f* (*a.* ⚕); Kompliziertheit *f*.
com·plic·i·ty [kəmˈplɪsətɪ] Mitschuld *f* (*in* an *dat.*).
com·pli|ment 1. [ˈkɒmplɪmənt] Kompliment *n*; Empfehlung *f*; Gruß *m*; **2.** [~ment] *v/t.* (*on*) beglückwünschen (zu); *j-m* ein Kompliment machen (wegen); **~·men·ta·ry** [kɒmplɪˈmentərɪ] höflich.
com·ply[kəmˈplaɪ] sich fügen; nachkommen, entsprechen (*with dat.*).
com·po·nent [kəmˈpəʊnənt] Bestandteil *m*; ⊕, ⚡ Bauelement *n*.
com|pose [kəmˈpəʊz] zusammensetzen *od.* -stellen; ♪ komponieren; verfassen; ordnen; *print.* (ab)setzen; ~ *o.s.* sich beruhigen; **~·posed** □ ruhig, gesetzt; **~·pos·er** [~ə] Komponist(in); Verfasser(in); **~·pos·ite** [ˈkɒmpəzɪt] zusammengesetzt, gemischt; **~·po·si·tion** [kɒmpəˈzɪʃn] Zusammensetzung *f*; Abfassung *f*; Komposition *f*; Schriftstück *n*, Dichtung *f*; Aufsatz *m*; **~·po·sure** [kəmˈpəʊʒə] Fassung *f*, (Gemüts-) Ruhe *f*.
com·pound[1] [ˈkɒmpaʊnd] Lager *n*; Gefängnishof *m*; (Tier)Gehege *n*.
com·pound[2] **1.** [~] zusammengesetzt; ~ *interest* Zinseszinsen *pl.*; **2.** Zusammensetzung *f*; Verbindung *f*; *gr.* zusammengesetztes Wort; **3.** [kəmˈpaʊnd] *v/t.* zusammensetzen; steigern, *bsd.* verschlimmern.
com·pre·hend [kɒmprɪˈhend] umfassen; begreifen, verstehen.
com·pre·hen|si·ble □ [kɒmprɪˈhensəbl] verständlich; **~·sion** [~ʃn] Begreifen *n*, Verständnis *n*; Fassungskraft *f*, Begriffsvermögen *n*, Verstand *m*, Einsicht *f*; *past* ~ unfaßbar, unfaßlich; **~·sive** [~sɪv] **1.** □ umfassend; **2.** *a.* ~ *school Brt.* Gesamtschule *f*.
com|press [kəmˈpres] zusammendrücken; *~ed air* Druckluft *f*; **~·pres·sion** [~ʃn] *phys.* Verdichtung *f*; ⊕ Druck *m*.
com·prise [kəmˈpraɪz] einschließen, umfassen, enthalten.
com·pro·mise [ˈkɒmprəmaɪz] **1.** Kompromiß *m*, *n*; **2.** *v/t.* (*o.s.* sich) bloßstellen; *v/i.* e-n Kompromiß schließen.
com·pul|sion [kəmˈpʌlʃn] Zwang *m*; **~·sive** □ [~sɪv] zwingend, Zwangs...; *psych.* zwanghaft; **~·so·ry** □ [~sərɪ] obligatorisch; Zwangs...; Pflicht...
com·punc·tion [kəmˈpʌŋkʃn] Gewissensbisse *pl.*; Reue *f*; Bedenken *pl.*
com·pute [kəmˈpjuːt] (be-, er)rechnen; schätzen.
com·put·er [kəmˈpjuːtə] Computer *m*, Rechner *m*; **~-con·trolled** computergesteuert; **~·ize** [~raɪz] mit Computern ausstatten, auf Computer umstellen; *Information* in e-m Computer speichern.
com·rade [ˈkɒmreɪd] Kamerad *m*; (Partei)Genosse *m*.
con[1] *abbr.* [kɒn] = *contra*.
con[2] F [~] (*-nn-*) reinlegen, betrügen.
con·ceal [kənˈsiːl] verbergen; verheimlichen.
con·cede [kənˈsiːd] zugestehen, einräumen; gewähren; nachgeben.
con·ceit [kənˈsiːt] Einbildung *f*, Dünkel *m*; gesuchte Metapher; **~ed** □ eingebildet (*of* auf *acc.*).
con·cei|va·ble □ [kənˈsiːvəbl] denkbar, begreiflich; **~ve** [kənˈsiːv] *v/i.* schwanger werden; *v/t. Kind* empfangen; sich denken; planen, ausdenken.
con·cen·trate [ˈkɒnsəntreɪt] **1.** (sich) zusammenziehen, vereinigen; (sich) konzentrieren; **2.** Konzentrat *n*.
con·cept [ˈkɒnsept] Begriff *m*; Gedanke *m*; ⚠ *nicht Konzept*.
con·cep·tion [kənˈsepʃn] Begreifen *n*; Vorstellung *f*, Begriff *m*, Idee *f*; *biol.* Empfängnis *f*.
con|cern [kənˈsɜːn] **1.** Angelegenheit *f*; Interesse *n*; Sorge *f*; Beziehung *f* (*with* zu); Geschäft *n*, (industrielles) Unternehmen; ⚠ *nicht Konzern*; **2.** betreffen, angehen, interessieren; beunruhigen; interessieren, beschäftigen; **~ed** □ interessiert, beteiligt (*in* an *dat.*); besorgt; **~·ing** *prp.* [~ɪŋ] betreffend, über, wegen, hinsichtlich.
con·cert **1.** [ˈkɒnsət] Konzert *n*; **2.** [~sɜːt] Einverständnis *n*; **~·ed** □ [kənˈsɜːtɪd] gemeinsam; ♪ mehrstimmig.
con·ces·sion [kənˈseʃn] Zugeständnis *n*; Konzession *f*.
con·cil·i|ate [kənˈsɪlɪeɪt] aus-, versöhnen; **~·a·to·ry** [~ɪətərɪ] versöhnlich, vermittelnd.
con·cise □ [kənˈsaɪs] kurz, bündig, knapp; **~·ness** [~nɪs] Kürze *f*.

con·clude [kən'kluːd] schließen, beschließen, beenden; abschließen; folgern, schließen (*from* aus); sich entscheiden; *to be ~d* Schluß folgt.
con·clu·sion [kən'kluːʒn] Schluß *m*, Ende *n*; Abschluß *m*; Schluß *m*, (Schluß)Folgerung *f*; Beschluß *m*; *s. jump*; **~·sive** □ [~sɪv] überzeugend; endgültig.
con|coct [kən'kɒkt] zusammenbrauen; *fig.* aushecken, sich ausdenken; **~·coc·tion** [~kʃn] Gebräu *n*; *fig.* Erfindung *f*.
con·cord ['kɒŋkɔːd] Eintracht *f*; Übereinstimmung *f* (*a. gr.*); ♪ Harmonie *f*.
con·course ['kɒŋkɔːs] Zusammen-, Auflauf *m*; Menge *f*; freier Platz.
con·crete ['kɒnkriːt] **1.** □ fest; konkret; Beton...; **2.** Beton *m*; **3.** betonieren.
con·cur [kən'kɜː] (*-rr-*) übereinstimmen; **~·rence** [~'kʌrəns] Zusammentreffen *n*; Übereinstimmung *f*; ⚠ *nicht Konkurrenz.*
con·cus·sion [kən'kʌʃn]: *~ of the brain* ⚕ Gehirnerschütterung *f*.
con|demn [kən'dem] verdammen; ⚖ *u. fig.* verurteilen (*to death* zum Tode); für unbrauchbar *od.* unbewohnbar *etc.* erklären; **~·dem·na·tion** [kɒndem'neɪʃn] ⚖ *u. fig.* Verurteilung *f*; Verdammung *f*, Mißbilligung *f*.
con|den·sa·tion [kɒnden'seɪʃn] Verdichtung *f*; **~·dense** [kən'dens] (sich) verdichten; ⊕ kondensieren; zusammenfassen, kürzen; **~·dens·er** ⊕ [~ə] Kondensator *m*.
con·de|scend [kɒndɪ'send] sich herablassen, geruhen; **~·scen·sion** [~ʃn] Herablassung *f*.
con·di·ment ['kɒndɪmənt] Würze *f*.
con·di·tion [kən'dɪʃn] **1.** Zustand *m*; (körperlicher *od.* Gesundheits)Zustand *m*; *Sport*: Kondition *f*, Form *f*; Bedingung *f*; *~s pl.* Verhältnisse *pl.*, Umstände *pl.*; *on ~ that* unter der Bedingung, daß; *out of ~* in schlechter Verfassung, in schlechtem Zustand; **2.** bedingen; in e-n bestimmten Zustand bringen; **~·al** [~l] **1.** □ bedingt (*on, upon* durch); Bedingungs...; **2.** *a. ~ clause gr.* Bedingungs-, Konditionalsatz *m*; *a. ~ mood gr.* Konditional *m*.
con|dole [kən'dəʊl] kondolieren (*with dat.*); **~·do·lence** [~əns] Beileid *n*.
con·done [kən'dəʊn] verzeihen, vergeben.
con·du·cive [kən'djuːsɪv] dienlich, förderlich (*to dat.*).
con|duct **1.** ['kɒndʌkt] Führung *f*; Verhalten *n*, Betragen *n*; **2.** [kən'dʌkt] führen; ♪ dirigieren; *~ed tour* (*of*) Führung *f* (durch); Gesellschaftsreise (durch); **~·duc·tion** [~kʃn] Leitung *f*; **~·duc·tor** [~tə] Führer *m*; Leiter *m*; Schaffner *m*; *Am.* 🚂 Zugbegleiter *m*; ♪ (Orchester)Dirigent *m*, (Chor)Leiter *m*; ⚡ Blitzableiter *m*.
cone [kəʊn] Kegel *m*; Eistüte *f*; ⚘ Zapfen *m*.
con·fec·tion [kən'fekʃn] Konfekt *n*; ⚠ *nicht Konfektion*; **~·er** [~nə] Konditor *m*; **~·e·ry** [~ərɪ] Süßigkeiten *pl.*, Süß-, Konditoreiwaren *pl.*; Konfekt *n*; Konditorei *f*; Süßwarengeschäft *n*.
con·fed·e|ra·cy [kən'fedərəsɪ] Bündnis *n*; *the* ♀ *Am. hist.* die Konföderation; **~·rate** **1.** [~rət] verbündet; **2.** [~] Bundesgenosse *m*; **3.** [~reɪt] (sich) verbünden; **~·ra·tion** [kənfedə'reɪʃn] Bund *m*, Bündnis *n*; Staatenbund *m*.
con·fer [kən'fɜː] (*-rr-*) *v/t.* übertragen, verleihen; *v/i.* sich besprechen.
con·fe·rence ['kɒnfərəns] Konferenz *f*.
con|fess [kən'fes] bekennen, gestehen; beichten; **~·fes·sion** [~ʃən] Geständnis *n*; Bekenntnis *n*; Beichte *f*; **~·fes·sion·al** [~nl] Beichtstuhl *m*; **~·fes·sor** [~esə] Bekenner *m*; Beichtvater *m*.
con·fide [kən'faɪd] *v/t.* anvertrauen; *v/i.*: *~ in s.o.* j-m vertrauen.
con·fi·dence ['kɒnfɪdəns] Vertrauen *n*; Zuversicht *f*; *~* **man** (*pl. -men*) Betrüger *m*; *~* **trick** aufgelegter Schwindel.
con·fi|dent □ ['kɒnfɪdənt] zuversichtlich; **~·den·tial** □ [kɒnfɪ'denʃl] vertraulich.
con·fid·ing □ [kən'faɪdɪŋ] vertrauensvoll.
con·fine [kən'faɪn] begrenzen; beschränken; einsperren; *be ~d of* entbunden werden von; *be ~d to bed* das Bett hüten müssen; **~·ment** [~mənt] Haft *f*; Beschränkung *f*; Entbindung *f*.
con|firm [kən'fɜːm] (be)kräftigen; bestätigen; *eccl.* konfirmieren; *eccl.*

C

firmen; **~·fir·ma·tion** [kɒnfəˈmeɪʃn] Bestätigung *f*; *eccl.* Konfirmation *f*; *eccl.* Firmung *f*.

con·fis|cate [ˈkɒnfɪskeɪt] beschlagnahmen; **~·ca·tion** [kɒnfɪˈskeɪʃn] Beschlagnahme *f*.

con·fla·gra·tion [kɒnfləˈgreɪʃn] (*bsd.* Groß)Brand.

con·flict 1. [ˈkɒnflɪkt] Konflikt *m*; **2.** [kənˈflɪkt] in Konflikt stehen; **~·ing** [~ɪŋ] widersprüchlich.

con·form [kənˈfɔːm] (sich) anpassen (*to dat.*, an *acc.*).

con·found [kənˈfaʊnd] *j-n* verwirren, -blüffen; ~ *it!* F verdammt!; **~·ed** □ F verdammt.

con|front [kənˈfrʌnt] gegenübertreten, -stehen (*dat.*); sich stellen (*dat.*); konfrontieren; **~·fron·ta·tion** [kɒnfrʌnˈteɪʃn] Konfrontation *f*.

con|fuse [kənˈfjuːz] verwechseln; verwirren; **~·fused** □ verwirrt; verlegen; verworren; **~·fu·sion** [~uːʒn] Verwirrung *f*; Verlegenheit *f*; Verwechslung *f*.

con·geal [kənˈdʒiːl] erstarren (lassen); gerinnen (lassen).

con|gest·ed [kənˈdʒestɪd] überfüllt; verstopft; **~·ges·tion** [~tʃən] Blutandrang *m*; *a. traffic* ~ Verkehrsstockung *f*, -stauung *f*.

con·glom·e·ra·tion [kənglɒməˈreɪʃn] Anhäufung *f*; Konglomerat *n*.

con·grat·u|late [kənˈgrætjuleɪt] beglückwünschen, *j-m* gratulieren; **~·la·tion** [kəngrætjʊˈleɪʃn] Glückwunsch *m*; ~*s!* ich gratuliere!, herzlichen Glückwunsch!

con·gre|gate [ˈkɒŋgrɪgeɪt] (sich) (ver)sammeln; **~·ga·tion** [kɒŋgrɪˈgeɪʃn] Versammlung *f*; *eccl.* Gemeinde *f*.

con·gress [ˈkɒŋgres] Kongreß *m*; 2 *Am. parl.* der Kongreß; **2·man** (*pl.* *-men*) *Am. parl.* Kongreßabgeordnete(r) *m*; **2·wom·an** (*pl. -women*) *Am. pl.* Kongreßabgeordnete *f*.

con|ic *bsd.* ⊕ [ˈkɒnɪk], **~·i·cal** □ [~kl] konisch, kegelförmig.

co·ni·fer ⚘ [ˈkɒnɪfə] Nadelbaum *m*.

con·jec·ture [kənˈdʒektʃə] **1.** Mutmaßung *f*; **2.** mutmaßen.

con·ju·gal □ [ˈkɒndʒʊgl] ehelich.

con·ju|gate *gr.* [ˈkɒndʒʊgeɪt] konjugieren, beugen; **~·ga·tion** *gr.* [kɒndʒʊˈgeɪʃn] Konjugation *f*, Beugung *f*.

con·junc·tion [kənˈdʒʌŋkʃn] Verbindung *f*; *gr.* Konjunktion *f*.

con·junc·ti·vi·tis ⚕ [kəndʒʌŋktɪˈvaɪtɪs] Bindehautentzündung *f*.

con|jure [ˈkʌndʒə] *Teufel etc.* beschwören; zaubern; **~·jur·er** [~rə] Zauber|er *m*, -in *f*, Zauberkünstler(in); **~·jur·ing trick** [~rɪŋ trɪk] Zauberkunststück *n*; **~·jur·or** [~rə] = *conjurer*.

con|nect [kəˈnekt] verbinden; ⚡ anschließen, (zu)schalten; 🚂, ✈ *etc.* Anschluß haben (*with* an *acc.*); **~·nect·ed** □ verbunden; (logisch) zusammenhängend (*Rede etc.*); *be well* ~ gute Beziehungen haben; **~·nec·tion,** *Brt. a.* **~·nex·ion** [~kʃn] Verbindung *f*; ⚡ Schaltung *f*; Anschluß *m*; Zusammenhang *m*; Verwandtschaft *f*.

con·quer [ˈkɒŋkə] erobern; (be)siegen; **~·or** [~rə] Eroberer *m*.

con·quest [ˈkɒŋkwest] Eroberung *f* (*a. fig.*); erobertes Gebiet; Besiegung *f*; Bezwingung *f*.

con·science [ˈkɒnʃəns] Gewissen *n*.

con·sci·en·tious □ [kɒnʃɪˈenʃəs] gewissenhaft; Gewissens...; ~ *objector* Wehrdienstverweigerer *m* (*aus Überzeugung*); **~·ness** [~nɪs] Gewissenhaftigkeit *f*.

con·scious □ [ˈkɒnʃəs] bei Bewußtsein; bewußt; *be* ~ *of* sich bewußt sein (*gen.*); **~·ness** [~nɪs] Bewußtsein *n*.

con|script ⚔ **1.** [kənˈskrɪpt] einziehen, -berufen; **2.** [ˈkɒnskrɪpt] Wehrpflichtige(r) *m*; **~·scrip·tion** ⚔ [kənˈskrɪpʃn] Einberufung *f*, Einziehung *f*.

con·se|crate [ˈkɒnsɪkreɪt] weihen, einsegnen; widmen; **~·cra·tion** [kɒnsɪˈkreɪʃn] Weihe *f*; Einsegnung *f*.

con·sec·u·tive □ [kənˈsekjʊtɪv] aufeinanderfolgend; fortlaufend.

con·sent [kənˈsent] **1.** Zustimmung *f*; **2.** einwilligen, zustimmen.

con·se|quence [ˈkɒnsɪkwəns] Folge *f*, Konsequenz *f*; Einfluß *m*; Bedeutung *f*; **~·quent·ly** [~tlɪ] folglich, daher.

con·ser·va|tion [kɒnsəˈveɪʃn] Erhaltung *f*; Naturschutz *m*; Umweltschutz *m*; **~·tion·ist** [~ʃnɪst] Naturschützer(in); Umweltschützer(in); **~·tive** □ [kənˈsɜːvətɪv] **1.** erhaltend; konservativ; vorsichtig; **2.** 2 *pol.*

Konservative(r *m*) *f*; **~·to·ry** [kɒnˈsɜːvətrɪ] Treib-, Gewächshaus *n*; ♪ Konservatorium *n*; **con·serve** [kənˈsɜːv] erhalten.

con·sid|er [kənˈsɪdə] *v/t.* betrachten; sich überlegen, erwägen; in Betracht ziehen, berücksichtigen; meinen; *v/i.* nachdenken, überlegen; **~·e·ra·ble** □ [~rəbl] ansehnlich, beträchtlich; **~·e·ra·bly** [~lɪ] bedeutend, ziemlich, (sehr) viel; **~·er·ate** □ [~rət] rücksichtsvoll; **~·e·ra·tion** [kənsɪdəˈreɪʃn] Betrachtung *f*, Erwägung *f*, Überlegung *f*; Rücksicht *f*; Gesichtspunkt *m*; *take into ~* in Erwägung *od.* in Betracht ziehen, berücksichtigen; **~·er·ing** □ [kənˈsɪdərɪŋ] **1.** *prp.* in Anbetracht (*gen.*); **2.** *adv.* F den Umständen entsprechend.

con·sign [kənˈsaɪn] übergeben; anvertrauen; *econ. Waren* zusenden; **~·ment** *econ.* [~mənt] Über-, Zusendung *f*; (Waren)Sendung *f*.

con·sist [kənˈsɪst]: *~ in* bestehen in (*dat.*); *~ of* bestehen *od.* sich zusammensetzen aus.

con·sis|tence, ~·ten·cy [kənˈsɪstəns, ~sɪ] Konsistenz *f*, Beschaffenheit *f*; Übereinstimmung *f*; Konsequenz *f*; **~·tent** □ [~ənt] übereinstimmend, vereinbar (*with* mit); konsequent; *Sport etc.*: beständig (*Leistung*).

con|so·la·tion [kɒnsəˈleɪʃn] Trost *m*; **~·sole** [kənˈsəʊl] trösten.

con·sol·i·date [kənˈsɒlɪdeɪt] festigen; *fig.* zusammenschließen, -legen.

con·so·nant [ˈkɒnsənənt] **1.** □ übereinstimmend; **2.** *gr.* Konsonant *m*, Mitlaut *m*.

con·spic·u·ous □ [kənˈspɪkjʊəs] sichtbar; auffallend; hervorragend; *make o.s. ~* sich auffällig benehmen.

con|spi·ra·cy [kənˈspɪrəsɪ] Verschwörung *f*; **~·spi·ra·tor** [~tə] Verschwörer *m*; **~·spire** [~ˈspaɪə] sich verschwören.

con|sta·ble *Brt.* [ˈkʌnstəbl] Polizist *m* (auf Streife), Wachtmeister *m*; **~·stab·u·la·ry** [kənˈstæbjʊlərɪ] Polizei(truppe) *f*.

con|stan·cy [ˈkɒnstənsɪ] Standhaftigkeit *f*; Beständigkeit *f*; **~·stant** □ [~t] beständig, unveränderlich; treu.

con·ster·na·tion [kɒnstəˈneɪʃn] Bestürzung *f*.

con·sti|pat·ed ⚕ [ˈkɒnstɪpeɪtɪd] verstopft; **~·pa·tion** ⚕ [kɒnstɪˈpeɪʃn] Verstopfung *f*.

con·sti·tu|en·cy [kənˈstɪtjʊənsɪ] Wählerschaft *f*; Wahlkreis *m*; **~·ent** [~t] **1.** e-n (Bestand)Teil bildend; *pol.* konstituierend; **2.** (wesentlicher) Bestandteil; *pol.* Wähler(in).

con·sti·tute [ˈkɒnstɪtjuːt] ein-, errichten; ernennen; bilden, ausmachen.

con·sti·tu·tion [kɒnstɪˈtjuːʃn] *pol.* Verfassung *f*; Konstitution *f*, körperliche Verfassung; Zusammensetzung *f*; **~·al** [~nl] **1.** □ konstitutionell; *pol.* verfassungsmäßig; **2.** (Verdauungs)Spaziergang *m*.

con·strain [kənˈstreɪn] zwingen; **~ed** gezwungen, unnatürlich; **~t** [~t] Zwang *m*.

con|strict [kənˈstrɪkt] zusammenziehen; **~·stric·tion** [~kʃn] Zusammenziehung *f*.

con|struct [kənˈstrʌkt] bauen, errichten, konstruieren; *fig.* bilden; **~·struc·tion** [~kʃn] Konstruktion *f*; Bau *m*; *fig.* Auslegung *f*; *~ site* Baustelle *f*; **~·struc·tive** □ [~tɪv] aufbauend, schöpferisch, konstruktiv, positiv; **~·struc·tor** [~ə] Erbauer *m*, Konstrukteur *m*.

con·strue [kənˈstruː] *gr.* konstruieren; auslegen, auffassen.

con|sul [ˈkɒnsəl] Konsul *m*; *~-general* Generalkonsul *m*; **~·su·late** [~sjʊlət] Konsulat *n* (*a. Gebäude*).

con·sult [kənˈsʌlt] *v/t.* konsultieren, um Rat fragen; in *e-m Buch* nachschlagen; *v/i.* sich beraten.

con·sul|tant [kənˈsʌltənt] (fachmännische[r]) Berater(in); *Brt.* Facharzt *m* (*an e-m Krankenhaus*); **~·ta·tion** [kɒnslˈteɪʃn] Konsultation *f*, Beratung *f*, Rücksprache *f*; *~ hour* Sprechstunde *f*; **~·ta·tive** [kənˈsʌltətɪv] beratend.

con|sume [kənˈsjuːm] *v/t.* essen, trinken; verbrauchen; zerstören, vernichten (*durch Feuer*); *fig.* verzehren (*durch Haß etc.*); **~·sum·er** [~ə] *econ.* Verbraucher(in).

con·sum·mate **1.** □ [kənˈsʌmɪt] vollendet; **2.** [ˈkɒnsəmeɪt] vollenden.

con·sump|tion [kənˈsʌmpʃn] Verbrauch *m*; *veraltet* ⚕ Schwindsucht *f*; **~·tive** □ [~tɪv] verzehrend; *veraltet* ⚕ schwindsüchtig.

con·tact [ˈkɒntækt] **1.** Berührung *f*; Kontakt *m*; *make ~s* Verbindungen

C

anknüpfen *od.* herstellen; ~ *lenses pl.* Haft-, Kontaktschalen *pl.*; **2.** sich in Verbindung setzen mit, Kontakt aufnehmen mit.

con·ta·gious □ ⚕ [kənˈteɪdʒəs] ansteckend (*a. fig.*).

con·tain [kənˈteɪn] enthalten, (um-) fassen; ~ *o.s.* an sich halten, sich beherrschen; **~·er** [~ə] Behälter *m*; *econ.* Container *m*; **~·er·ize** *econ.* [~əraɪz] auf Containerbetrieb umstellen; in Containern transportieren.

con·tam·i|nate [kənˈtæmɪneɪt] verunreinigen; infizieren, vergiften; (*a.* radioaktiv) verseuchen; **~·na·tion** [kəntæmɪˈneɪʃn] Verunreinigung *f*; Vergiftung *f*; (*a.* radioaktive) Verseuchung.

con·tem|plate [ˈkɒntempleɪt] betrachten; beabsichtigen, vorhaben; **~·pla·tion** [kɒntemˈpleɪʃn] Betrachtung *f*; Nachdenken *n*; **~·pla·tive** □ [ˈkɒntempleɪtɪv] nachdenklich; [kənˈtemplətɪv] beschaulich.

con·tem·po·ra|ne·ous □ [kəntempəˈreɪnjəs] gleichzeitig; **~·ry** [kənˈtempərərɪ] **1.** zeitgenössisch; **2.** Zeitgenoss|e *m*, -in *f*.

con|tempt [kənˈtempt] Verachtung *f*; **~·temp·ti·ble** □ [~əbl] verachtenswert; **~·temp·tu·ous** □ [~jʊəs] geringschätzig, verächtlich.

con·tend [kənˈtend] *v/i.* kämpfen, ringen (*for* um); *v/t.* behaupten; **~·er** [~ə] *bsd. Sport*: Wettkämpfer(in).

con·tent [kənˈtent] **1.** zufrieden; **2.** befriedigen; ~ *o.s.* sich begnügen; **3.** Zufriedenheit *f*; *to one's heart's* ~ nach Herzenslust; [ˈkɒntent] Gehalt *m*; ~*s pl.* (*stofflicher*) Inhalt; **~·ed** □ [kənˈtentɪd] zufrieden.

con·ten·tion [kənˈtenʃn] Streit *m*; Argument *n*, Behauptung *f*.

con·tent·ment [kənˈtentmənt] Zufriedenheit *f*.

con|test 1. [ˈkɒntest] Streit *m*; Wettkampf *m*; **2.** [kənˈtest] sich bewerben um, kandidieren für; (be)streiten; anfechten; um *et.* streiten; **~·tes·tant** [~ənt] Wettkämpfer(in), (Wettkampf)Teilnehmer(in).

con·text [ˈkɒntekst] Zusammenhang *m*.

con·ti|nent [ˈkɒntɪnənt] **1.** □ enthaltsam, mäßig; **2.** Kontinent *m*, Erdteil *m*; *the* ♀ *Brt.* das (europäische) Festland; **~·nen·tal** [kɒntɪˈnentl] **1.** □ kontinental, Kontinental...; **2.** Kontinentaleuropäer(in).

con·tin·gen|cy [kənˈtɪndʒənsɪ] Zufälligkeit *f*; Möglichkeit *f*, Eventualität *f*; **~t** [~t] **1.** □: *be* ~ *on od. upon* abhängen von; **2.** Kontingent *n*.

con·tin|u·al □ [kənˈtɪnjʊəl] fortwährend, unaufhörlich; **~·u·a·tion** [kəntɪnjʊˈeɪʃn] Fortsetzung *f*; Fortdauer *f*; ~ *school* Fortbildungsschule *f*; ~ *training* berufliche Fortbildung; **~·ue** [kənˈtɪnjuː] *v/t.* fortsetzen, -fahren mit; beibehalten; *to be* ~*d* Fortsetzung folgt; *v/i.* fortdauern; andauern, anhalten; fortfahren, weitermachen; **con·ti·nu·i·ty** [kɒntɪˈnjuːətɪ] Kontinuität *f*; **~·u·ous** □ [kənˈtɪnjʊəs] ununterbrochen; ~ *form gr.* Verlaufsform *f*.

con|tort [kənˈtɔːt] verdrehen; verzerren; **~·tor·tion** [~ɔːʃn] Verdrehung *f*; Verzerrung *f*.

con·tour [ˈkɒntʊə] Umriß *m*.

con·tra [ˈkɒntrə] wider, gegen.

con·tra·band *econ.* [ˈkɒntrəbænd] unter Ein- *od.* Ausfuhrverbot stehende Ware.

con·tra·cep|tion ⚕ [kɒntrəˈsepʃn] Empfängnisverhütung *f*; **~·tive** ⚕ [~tɪv] empfängnisverhütend(es Mittel).

con|tract 1. [kənˈtrækt] *v/t.* zusammenziehen; sich *e-e Krankheit* zuziehen; *Schulden* machen; *e-e Ehe etc.* schließen; *v/i.* sich zusammenziehen, schrumpfen; ⚖ e-n Vertrag schließen; sich vertraglich verpflichten; **2.** [ˈkɒntrækt] Kontrakt *m*, Vertrag *m*; **~·trac·tion** [kənˈtrækʃn] Zusammenziehung *f*; *gr.* Kurzform *f*; **~·trac·tor** [~tə]: *a. building* ~ Bauunternehmer *m*.

con·tra|dict [kɒntrəˈdɪkt] widersprechen (*dat.*); **~·dic·tion** [~kʃn] Widerspruch *m*; **~·dic·to·ry** □ [~tərɪ] (sich) widersprechend.

con·tra·ry [ˈkɒntrərɪ] **1.** □ entgegengesetzt; widrig; ~ *to* im Gegensatz zu; ~ *to expectations* wider Erwarten; **2.** Gegenteil *n*; *on the* ~ im Gegenteil.

con·trast 1. [ˈkɒntrɑːst] Gegensatz *m*; Kontrast *m*; **2.** [kənˈtrɑːst] *v/t.* gegenüberstellen, vergleichen; *v/i.* sich unterscheiden, abstechen (*with* von).

con|trib·ute [kənˈtrɪbjuːt] beitragen, -steuern; spenden (*to* für); **~·tri-**

bu·tion [kɒntrɪˈbjuːʃn] Beitrag *m*; Spende *f*; **~·trib·u·tor** [kənˈtrɪbjʊtə] Beitragende(r *m*) *f*; Mitarbeiter(in) (*an e-r Zeitung*); **~·trib·u·to·ry** [~ərɪ] beitragend.

con|trite □ [ˈkɒntraɪt] zerknirscht; **~·tri·tion** [kənˈtrɪʃn] Zerknirschung *f*.

con·trive [kənˈtraɪv] ersinnen, (sich) ausdenken, planen; zustande bringen; es fertigbringen (*to inf.* zu *inf.*); **~d** gekünstelt (*Freundlichkeit etc.*).

con·trol [kənˈtrəʊl] **1.** Kontrolle *f*, Herrschaft *f*, Macht *f*, Gewalt *f*, Beherrschung *f*; Aufsicht *f*; ⊕ Steuerung *f*; *mst* ~*s pl.* ⊕ Steuervorrichtung *f*; ⚠ *nicht Kontrolle* (*Überprüfung*); *lose* ~ die Herrschaft *od.* Gewalt *od.* Kontrolle verlieren; **2.** (*-ll-*) beherrschen, die Kontrolle haben über (*acc.*); *e-r Sache* Herr werden, (erfolgreich) bekämpfen; kontrollieren, überwachen; *econ.* (staatlich) lenken, *Preise* binden; ⚡, ⊕ steuern, regeln, regulieren; ⚠ *nicht kontrollieren* (*überprüfen*); ~ **desk** ⚡ Schalt-, Steuerpult *n*; ~ **pan·el** ⚡ Schalttafel *f*; Bedienungsfeld *n*; ~ **tow·er** ✈ Kontrollturm *m*, Tower *m*.

con·tro·ver|sial □ [kɒntrəˈvɜːʃl] umstritten; **~·sy** [ˈkɒntrəvɜːsɪ] Kontroverse *f*, Streit *m*.

con·tuse ⚕ [kənˈtjuːz] quetschen.

con·va|lesce [kɒnvəˈles] gesund werden, genesen; **~·les·cence** [~ns] Rekonvaleszenz *f*, Genesung *f*; **~·les·cent** [~t] **1.** □ genesend; **2.** Rekonvaleszent(in), Genesende(r *m*) *f*.

con·vene [kənˈviːn] (sich) versammeln; zusammentreten (*Parlament etc.*); einberufen.

con·ve·ni|ence [kənˈviːnjəns] Bequemlichkeit *f*; Angemessenheit *f*; Vorteil *m*; *Brt.* Toilette *f*; *all* (*modern*) ~*s pl.* aller Komfort; *at your earliest* ~ möglichst bald; **~·ent** □ [~t] bequem; günstig.

con·vent [ˈkɒnvənt] (Nonnen)Kloster *n*.

con·ven·tion [kənˈvenʃn] Versammlung *f*; Konvention *f*, Übereinkommen *n*, Abkommen *n*; Sitte *f*; **~·al** □ [~nl] herkömmlich, konventionell.

con·verge [kənˈvɜːdʒ] konvergieren; zusammenlaufen, -strömen.

con·ver·sant [kənˈvɜːsənt] vertraut.

con·ver·sa·tion [kɒnvəˈseɪʃn] Gespräch *n*, Unterhaltung *f*; **~·al** □ [~nl] Unterhaltungs...; umgangssprachlich.

con·verse 1. □ [ˈkɒnvɜːs] umgekehrt; **2.** [kənˈvɜːs] sich unterhalten.

con·ver·sion [kənˈvɜːʃn] Um-, Verwandlung *f*; *econ.* ⊕ Umstellung *f*; ⊕ Umbau *m*; ⚡ Umformung *f*; *eccl.* Konversion *f*; *pol.* Übertritt *m*; *econ.* Konvertierung *f*; Umstellung *f* (*e-r Währung etc.*).

con|vert 1. [ˈkɒnvɜːt] Bekehrte(r *m*) *f*, *eccl. a.* Konvertit(in); **2.** [kənˈvɜːt] (sich) um- *od.* verwandeln; *econ.* ⊕ umstellen (*to* auf *acc.*); ⊕ umbauen (*into* zu); ⚡ umformen; *eccl.* bekehren; *econ.* konvertieren, umwandeln; *Währung etc.* umstellen; **~·vert·er** ⚡ [~ə] Umformer *m*; **~·ver·ti·ble 1.** □ [~əbl] um-, verwandelbar; *econ.* konvertierbar; **2.** *mot.* Kabrio(lett) *n*.

con·vey [kənˈveɪ] befördern, transportieren, bringen; überbringen, -mitteln; übertragen; mitteilen; **~·ance** [~əns] Beförderung *f*, Transport *m*; Übermittlung *f*; Verkehrsmittel *n*; ⚖ Übertragung *f*; **~·er, ~·or** ⊕ [~ɪə] = **~·er belt** Förderband *n*.

con|vict 1. [ˈkɒnvɪkt] Strafgefangene(r) *m*, Sträfling *m*; **2.** ⚖ [kənˈvɪkt] *j-n* überführen; **~·vic·tion** [~kʃn] ⚖ Verurteilung *f*; Überzeugung *f*.

con·vince [kənˈvɪns] überzeugen.

con·viv·i·al □ [kənˈvɪvɪəl] gesellig.

con·voy [ˈkɒnvɔɪ] **1.** ⚓ Geleitzug *m*, Konvoi *m*; (Wagen)Kolonne *f*; (Geleit)Schutz *m*; **2.** Geleitschutz geben (*dat.*), eskortieren.

con·vul|sion ⚕ [kənˈvʌlʃn] Zuckung *f*, Krampf *m*; **~·sive** □ [~sɪv] krampfhaft, -artig, konvulsiv.

coo [kuː] gurren.

cook [kʊk] **1.** Koch *m*; Köchin *f*; **2.** kochen; F *Bericht etc.* frisieren; ~ *up* F sich ausdenken, erfinden; **~·book** *Am.* [ˈkʊkbʊk] Kochbuch *n*; **~·er** *Brt.* [~ə] Ofen *m*, Herd *m*; **~·e·ry** [~ərɪ] Kochen *n*; Kochkunst *f*; ~ *book Brt.* Kochbuch *n*; **~·ie** *Am.* [~ɪ] (süßer) Keks, Plätzchen *n*; **~·ing** [~ɪŋ] Küche *f* (*Kochweise*); **~·y** *Am.* [~ɪ] = *cookie*.

cool [kuːl] **1.** □ kühl; *fig.* kaltblütig, gelassen; unverfroren; *bsd. Am.* F klasse, prima, cool; **2.** Kühle *f*; F

C

(Selbst)Beherrschung *f*; **3.** (sich) abkühlen; ~ *down*, ~ *off* sich beruhigen.

coon *zo.* F [kuːn] Waschbär *m*.

coop [kuːp] **1.** Hühnerstall *m*; **2.** ~ *up*, ~ *in* einsperren, -pferchen.

co-op F [ˈkəʊɒp] Co-op *m* (*Genossenschaft u. Laden*).

co(-)op·e|rate [kəʊˈɒpəreɪt] mitwirken; zusammenarbeiten; **~·ra·tion** [kəʊɒpəˈreɪʃn] Mitwirkung *f*; Zusammenarbeit *f*; **~·ra·tive** [kəʊˈɒpərətɪv] **1.** □ zusammenarbeitend; mitarbeitend; **2.** *a.* ~ *society* Genossenschaft *f*; Co-op *m*, Konsumverein *m*; *a.* ~ *store* Co-op *m*, Konsumladen *m*; **~·ra·tor** [~reɪtə] Mitarbeiter(in).

co(-)or·di|nate **1.** □ [kəʊˈɔːdɪnət] koordiniert, gleichgeordnet; **2.** [~neɪt] koordinieren, aufeinander abstimmen; **~·na·tion** [kəʊɔːdɪˈneɪʃn] Koordination *f*; harmonisches Zusammenspiel.

cop F [kɒp] Bulle *m* (*Polizist*).

cope [kəʊp]: ~ *with* gewachsen sein, fertig werden mit.

cop·i·er [ˈkɒpɪə] Kopiergerät *n*, Kopierer *m*; = *copyist*.

co·pi·ous □ [ˈkəʊpjəs] reich(lich); weitschweifig.

cop·per[1] [ˈkɒpə] **1.** *min.* Kupfer *n*; Kupfermünze *f*; **2.** kupfern, Kupfer...

cop·per[2] F [~] Bulle *m* (*Polizist*).

cop·pice, copse [ˈkɒpɪs, kɒps] Unterholz *n*, Dickicht *n*.

cop·y [ˈkɒpɪ] **1.** Kopie *f*; Abschrift *f*; Nachbildung *f*; Durchschlag *m*; Muster *n*; Exemplar *n* (*e-s Buches*); (*Zeitungs*)Nummer *f*; druckfertiges Manuskript; *fair od. clean* ~ Reinschrift *f*; **2.** kopieren; abschreiben; *Computer*: *Daten* übertragen; nachbilden; nachahmen; **~-book** Schreibheft *n*; **~·ing** [~ɪŋ] Kopier...; **~·ist** [~ɪst] Abschreiber *m*, Kopist *m*; **~·right** Urheberrecht *n*, Copyright *n*.

cor·al *zo.* [ˈkɒrəl] Koralle *f*.

cord [kɔːd] **1.** Schnur *f*, Strick *m*; *anat.* Band *n*, Schnur *f*, Strang *m*; **2.** (zu)schnüren, binden.

cor·di·al [ˈkɔːdjəl] **1.** □ herzlich; ⚕ stärkend; **2.** belebendes Mittel, Stärkungsmittel *n*; Fruchtsaftkonzentrat *n*; Likör *m*; **~·i·ty** [kɔːdɪˈælətɪ] Herzlichkeit *f*.

cor·don [ˈkɔːdn] **1.** Kordon *m*, Postenkette *f*; **2.** ~ *off* abriegeln, absperren.

cor·du·roy [ˈkɔːdərɔɪ] Kord(samt) *m*; (*a pair of*) ~*s pl.* (e-e) Kordhose.

core [kɔː] **1.** Kerngehäuse *n*; *fig.* Herz *n*, Mark *n*, Kern *m*; **2.** entkernen.

cork [kɔːk] **1.** Kork *m*; **2.** *a.* ~ *up* zu-, verkorken; **~·screw** [ˈkɔːkskruː] Korkenzieher *m*.

corn [kɔːn] **1.** (Samen-, Getreide-) Korn *n*; Getreide *n*; *a. Indian* ~ *Am.* Mais *m*; ⚕ Hühnerauge *n*; **2.** (ein-) pökeln.

cor·ner [ˈkɔːnə] **1.** Ecke *f*; Winkel *m*; Kurve *f*; *Fußball etc.*: Eckball *m*, Ecke *f*; *fig.* schwierige Lage, Klemme *f*, Enge *f*; **2.** Eck...; ~-*kick Fußball*: Eckstoß *m*; **3.** in die Ecke (*fig.* Enge) treiben; *econ.* aufkaufen; **~ed** ...eckig.

cor·net [ˈkɔːnɪt] ♪ Kornett *n*; *Brt.* Eistüte *f*.

corn·flakes [ˈkɔːnfleɪks] *pl.* Cornflakes *pl.*

cor·nice *arch.* [ˈkɔːnɪs] Gesims *n*, Sims *m*.

cor·o·na·ry *anat.* [ˈkɒrənərɪ] koronar; ~ *artery* Koronar-, Kranzarterie *f*.

cor·o·na·tion [kɒrəˈneɪʃn] Krönung *f*.

cor·o·ner ⚖ [ˈkɒrənə] Coroner *m* (*richterlicher Beamter zur Untersuchung der Todesursache in Fällen gewaltsamen od. unnatürlichen Todes*); ~*'s inquest gerichtliches Verfahren zur Untersuchung der Todesursache.*

cor·o·net [ˈkɒrənɪt] Adelskrone *f*.

cor·po|ral [ˈkɔːpərəl] **1.** □ körperlich; **2.** ⚔ Unteroffizier *m*; **~·ra·tion** [kɔːpəˈreɪʃn] Körperschaft *f*; Stadtverwaltung *f*; Vereinigung *f*, Gesellschaft *f*; *Am.* Aktiengesellschaft *f*.

corpse [kɔːps] Leichnam *m*, Leiche *f*.

cor·pu|lence, ~·len·cy [ˈkɔːpjʊləns, ~sɪ] Beleibtheit *f*; **~·lent** [~t] beleibt.

cor·ral *Am.* [kəˈrɑːl, *Am.* kəˈræl] **1.** Korral *m*, Hürde *f*, Pferch *m*; **2.** (*-ll-*) *Vieh* in e-n Pferch treiben.

cor|rect [kəˈrekt] **1.** *adj.* □ korrekt, richtig; **2.** *v/t.* korrigieren; zurechtweisen; strafen; **~·rec·tion** [~kʃn] Berichtigung *f*; Korrektur *f*; Verweis *m*; Strafe *f*; *house of* ~ (Jugend-) Strafanstalt *f*, (-)Gefängnis *n*.

cor·re|spond [kɒrɪˈspɒnd] entsprechen (*with, to dat.*); korrespondieren; **~·spon·dence** [~əns] Übereinstimmung *f*; Korrespondenz *f*, Briefwechsel *m*; ~ *course* Fernkurs *m*; **~·spon·dent** [~t] **1.** □ entsprechend; **2.** Briefpartner(in); Korrespondent(in); **~·spon·ding** □ [~ɪŋ] entsprechend.

cor·ri·dor [ˈkɒrɪdɔː] Korridor *m*, Gang *m*; ~ *train* D-Zug *m*.

cor·rob·o·rate [kəˈrɒbəreɪt] bekräftigen, bestätigen.

cor|rode [kəˈrəʊd] zerfressen; ⊕ korrodieren; **~·ro·sion** [~ʒn] Zerfressen *n*; ⊕ Korrosion *f*; Rost *m*; **~·ro·sive** [~sɪv] **1.** □ zerfressend, ätzend; **2.** Korrosions-, Ätzmittel *n*.

cor·ru·gate [ˈkɒrʊgeɪt] runzeln; ⊕ wellen, riefen; ~*d iron* Wellblech *n*.

cor|rupt [kəˈrʌpt] **1.** □ verdorben; korrupt, bestechlich, käuflich; **2.** *v/t.* verderben; bestechen; *v/i.* verderben; **~·rupt·i·ble** □ [~əbl] verderblich; korrupt, bestechlich, käuflich; **~·rup·tion** [~pʃn] Verdorbenheit, Verworfenheit *f*; Fäulnis *f*; Korruption *f*, Bestechlichkeit *f*; Verfälschung *f*.

cor·set [ˈkɔːsɪt] Korsett *n*.

cos|met·ic [kɒzˈmetɪk] **1.** (~*ally*) kosmetisch, Schönheits...; **2.** kosmetisches Mittel, Schönheitsmittel *n*; **~·me·ti·cian** [kɒzməˈtɪʃn] Kosmetiker(in).

cos·mo·naut [ˈkɒzmənɔːt] Kosmonaut *m*, (sowjetischer) (Welt)Raumfahrer.

cos·mo·pol·i·tan [kɒzməˈpɒlɪtən] **1.** kosmopolitisch; **2.** Weltbürger(in).

cost [kɒst] **1.** Preis *m*; Kosten *pl.*; Schaden *m*; ⚠ *nicht Kost* (*Essen*); ~ *of living* Lebenshaltungskosten *pl.*; **2.** (*cost*) kosten; **~·ly** [ˈkɒstlɪ] (-*ier*, -*iest*) kostspielig; teuer erkauft.

cos·tume [ˈkɒstjuːm] Kostüm *n*, Kleidung *f*, Tracht *f*.

co·sy [ˈkəʊzɪ] **1.** □ (-*ier*, -*iest*) behaglich, gemütlich; **2.** = *egg-cosy*, *tea-cosy*.

cot [kɒt] Feldbett *n*; *Brt.* Kinderbett *n*.

cot|tage [ˈkɒtɪdʒ] Cottage *n*, (kleines) Landhaus; *Am.* Ferienhaus *n*, -häuschen *n*; ~ *cheese* Hüttenkäse *m*; **~·tag·er** [~ə] Cottagebewohner(in); *Am.* Urlauber(in) in e-m Ferienhaus.

cot·ton [ˈkɒtn] **1.** Baumwolle *f*; Baumwollstoff *m*; (Baumwoll)Garn *n*, (-)Zwirn *m*; **2.** baumwollen, Baumwoll...; **3.** ~ *on to et.* kapieren, verstehen; **~·wood** ⚘ *e-e* amer. Pappel; ~ **wool** *Brt.* (Verband)Watte *f*.

couch [kaʊtʃ] **1.** Couch *f*, Sofa *n*; Liege *f*; **2.** (ab)fassen, formulieren.

cou·chette 🚂 [kuːˈʃet] Liegewagenplatz *m*; *a.* ~ *coach* Liegewagen *m*.

cou·gar *zo.* [ˈkuːgə] Puma *m*.

cough [kɒf] **1.** Husten *m*; **2.** husten.

could [kʊd] *pret. von can*[1].

coun|cil [ˈkaʊnsl] Rat(sversammlung *f*) *m*; ~ *house Brt.* gemeindeeigenes Wohnhaus (*mit niedrigen Mieten*); **~·ci(l)·lor** [~sələ] Ratsmitglied *n*, Stadtrat *m*, Stadträtin *f*.

coun|sel [ˈkaʊnsl] **1.** Beratung *f*; Rat(schlag) *m*; *Brt.* ⚖ (Rechts)Anwalt *m*; ~ *for the defence* (*Am. defense*) Verteidiger *m*; ~ *for the prosecution* Anklagevertreter *m*; **2.** (*bsd. Brt.* -*ll*-, *Am.* -*l*-) *j-n* beraten; *j-m* raten; **~·se(l)·lor** [~sələ] Berater *m*; *a.* ~-*at-law Am.* ⚖ (Rechts)Anwalt *m*.

count[1] [kaʊnt] Graf *m* (*nicht britisch*).

count[2] [~] **1.** Rechnung *f*, Zählung *f*; ⚖ Anklagepunkt *m*; **2.** *v/t.* zählen; aus-, berechnen; *fig.* halten für; ~ *down Geld* hinzählen; (*a. v/i.*) den Countdown durchführen (für *e-e Rakete etc.*), letzte (Start)Vorbereitungen treffen (für); *v/i.* zählen; rechnen; (*on, upon*) zählen, sich verlassen (auf *acc.*); gelten (*for little* wenig); **~·down** [ˈkaʊntdaʊn] Countdown *m*, *n* (*beim Raketenstart etc.*), letzte (Start)Vorbereitungen *pl.*

coun·te·nance [ˈkaʊntɪnəns] Gesichtsausdruck *m*; Fassung *f*.

count·er[1] [ˈkaʊntə] Zähler *m*; Zählgerät *n*; *Brt.* Spielmarke *f*.

coun·ter[2] [~] Ladentisch *m*; Theke *f*; (Bank-, Post)Schalter *m*.

coun·ter[3] [~] **1.** (ent)gegen, Gegen...; **2.** entgegentreten (*dat.*), entgegnen (*dat.*), bekämpfen; abwehren.

coun·ter·act [kaʊntəˈrækt] entgegenwirken (*dat.*); neutralisieren; bekämpfen.

coun·ter·bal·ance **1.** [ˈkaʊntəbæləns] Gegengewicht *n*; **2.** [kaʊntəˈbæləns] aufwiegen, ausgleichen.

coun·ter·clock·wise *Am.* [kaʊntəˈklɒkwaɪz] = *anticlockwise*.

coun·ter-es·pi·o·nage [ˈkaʊntərˈespɪənɑːʒ] Spionageabwehr *f*.

coun·ter·feit [ˈkaʊntəfɪt] **1.** □ nach-

C

gemacht, falsch, unecht; **2.** Fälschung *f*; Falschgeld *n*; **3.** *Geld, Unterschrift etc.* fälschen.
coun·ter·foil [ˈkaʊntəfɔɪl] Kontrollabschnitt *m*.
coun·ter·mand [kaʊntəˈmɑːnd] widerrufen; *Ware* abbestellen.
coun·ter·pane [ˈkaʊntəpeɪn] = *bedspread*.
coun·ter·part [ˈkaʊntəpɑːt] Gegenstück *n*; genaue Entsprechung.
coun·ter·sign [ˈkaʊntəsaɪn] gegenzeichnen, mit unterschreiben.
coun·tess [ˈkaʊntɪs] Gräfin *f*.
count·less [ˈkaʊntlɪs] zahllos.
coun·try [ˈkʌntrɪ] **1.** Land *n*; Gegend *f*; Heimatland *n*; **2.** Land..., ländlich; **~·man** (*pl. -men*) Landbewohner *m*; Bauer *m*; *a. fellow* ~ Landsmann *m*; ~ **road** Landstraße *f*; **~·side** (ländliche) Gegend; Landschaft *f*; **~·wom·an** (*pl. -women*) Landbewohnerin *f*; Bäuerin *f*; *a. fellow* ~ Landsmännin *f*.
coun·ty [ˈkaʊntɪ] *Brt.* Grafschaft *f*; *Am.* (Land)Kreis *m* (*einzelstaatlicher Verwaltungsbezirk*); ~ **seat** *Am.* Kreis(haupt)stadt *f*; ~ **town** *Brt.* Grafschaftshauptstadt *f*.
coup [kuː] Coup *m*; Putsch *m*.
cou·ple [ˈkʌpl] **1.** Paar *n*; *a* ~ *of* F ein paar; **2.** (zusammen)koppeln; ⊕ kuppeln; *zo.* (sich) paaren.
coup·ling ⊕ [ˈkʌplɪŋ] Kupplung *f*.
cou·pon [ˈkuːpɒn] Gutschein *m*; Kupon *m*, Bestellzettel *m*.
cour·age [ˈkʌrɪdʒ] Mut *m*; **cou·ra·geous** □ [kəˈreɪdʒəs] mutig, beherzt.
cou·ri·er [ˈkʊrɪə] Kurier *m*, Eilbote *m*; Reiseleiter *m*.
course [kɔːs] **1.** Lauf *m*, Gang *m*; Weg *m*; ⚓, ✈, *fig.* Kurs *m*; *Sport*: (Renn-) Bahn *f*, (-)Strecke *f*, (*Golf*)Platz *m*; Gang *m* (*Speisen*); Reihe *f*; Folge *f*; Kurs *m*; ⚕ Kur *f*; *of* ~ natürlich, selbstverständlich; **2.** hetzen, jagen; strömen (*Tränen etc.*).
court [kɔːt] **1.** Hof *m* (*a. e-s Fürsten*); kleiner Platz; *Sport*: Platz *m*, (Spiel)Feld *n*; ⚖ Gericht(shof *m*) *n*; Gerichtssaal *m*; **2.** *j-m* den Hof machen; werben um.
cour·te|ous □ [ˈkɜːtjəs] höflich; **~·sy** [~ɪsɪ] Höflichkeit *f*; Gefälligkeit *f*.
court|-house [ˈkɔːtˈhaʊs] Gerichtsgebäude *n*; **~·ier** [~jə] Höfling *m*; **~·ly** [~lɪ] höfisch; höflich; ~ **mar·tial** (*pl.* ~*s martial*, ~ *martials*) Kriegsgericht *n*; **~-mar·tial** [~ˈmɑːʃl] (*bsd. Brt. -ll-, Am. -l-*) vor ein Kriegsgericht stellen; **~·room** Gerichtssaal *m*; **~·ship** [ˈkɔːtʃɪp] Werben *n*; **~·yard** Hof *m*.
cous·in [ˈkʌzn] Cousin *m*, Vetter *m*; Cousine *f*, Kusine *f*.
cove [kəʊv] kleine Bucht.
cov·er [ˈkʌvə] **1.** Decke *f*; Deckel *m*; (Buch)Deckel *m*, Einband *m*; Umschlag *m*; Hülle *f*; Schutzhaube *f*, -platte *f*; Abdeckhaube *f*; Briefumschlag *m*; Deckung *f*; Schutz *m*; Dickicht *n*; Decke *f*, Mantel *m* (*Bereifung*); *fig.* Deckmantel *m*; *take* ~ in Deckung gehen; *under plain* ~ in neutralem Umschlag; *under separate* ~ mit getrennter Post; **2.** (bezu)decken; einschlagen, -wickeln; verbergen, -decken; schützen; *Weg* zurücklegen; *econ.* decken; *mit e-r Schußwaffe* zielen auf (*acc.*); ⚔ *Gelände* bestreichen; umfassen; *fig.* erfassen; *Presse, Rundfunk, TV*: berichten über (*acc.*); ~ *up* ab-, zudecken; *fig.* verbergen, -heimlichen; ~ *up for s.o.* j-n decken; **~·age** [~rɪdʒ] Berichterstattung *f* (*of* über *acc.*); ~ **girl** Covergirl *n*, Titelblattmädchen *n*; **~·ing** [~rɪŋ] Decke *f*; Überzug *m*; (*Fußboden*)Belag *m*; ~ **sto·ry** Titelgeschichte *f*.
cov·ert □ [ˈkʌvət] heimlich, versteckt.
cov·et [ˈkʌvɪt] begehren; **~·ous** □ [~əs] (be)gierig; habsüchtig.
cow[1] *zo.* [kaʊ] Kuh *f*.
cow[2] [~] einschüchtern, ducken.
cow·ard [ˈkaʊəd] **1.** □ feig(e); **2.** Feigling *m*; **~·ice** [~ɪs] Feigheit *f*; **~·ly** [~lɪ] feig(e).
cow·boy [ˈkaʊbɔɪ] Cowboy *m*.
cow·er [ˈkaʊə] kauern; sich ducken.
cow|herd [ˈkaʊhɜːd] Kuhhirt *m*; **~·hide** Rind(s)leder *n*; **~·house** Kuhstall *m*.
cowl [kaʊl] Mönchskutte *f* (*mit Kapuze*); Kapuze *f*; Schornsteinkappe *f*.
cow|shed [ˈkaʊʃed] Kuhstall *m*; **~·slip** ⚘ Schlüsselblume *f*; *Am.* Sumpfdotterblume *f*.
cox [kɒks] = *coxswain*.
cox·comb [ˈkɒkskəʊm] Geck *m*.
cox·swain [ˈkɒksweɪn, ⚓ *mst* ˈkɒksn] Bootsführer *m*; *Rudern*: Steuermann *m*.
coy □ [kɔɪ] schüchtern; spröde.

coy·ote *zo.* [ˈkɔɪəʊt] Kojote *m*, Präriewolf *m*.
co·zy *Am.* □ [ˈkəʊzɪ] (*-ier, -iest*) = *cosy*.
crab [kræb] Krabbe *f*, Taschenkrebs *m*; F Nörgler(in).
crack [kræk] **1.** Krach *m*, Knall *m*; Spalte *f*, Spalt *m*, Schlitz *m*; F derber Schlag; F Versuch *m*; Witz *m*; **2.** erstklassig; **3.** *v/t.* knallen mit, knacken lassen; zerbrechen, (zer-)sprengen; schlagen, hauen; (auf-)knacken; ~ *a joke* e-n Witz reißen; *v/i.* krachen, knallen, knacken; (zer-)springen, (-)platzen; überschlagen (*Stimme*); *a.* ~ *up fig.* zusammenbrechen; *get ~ing* F loslegen; **~·er** [ˈkrækə] Cracker *m*, Kräcker *m* (*ungesüßtes, keksartiges Kleingebäck*); Schwärmer *m*, Frosch *m* (*Feuerwerkskörper*); **~·le** [~kl] knattern, knistern, krachen.
cra·dle [ˈkreɪdl] **1.** Wiege *f*; *fig.* Kindheit *f*; **2.** wiegen; betten.
craft[1] [krɑːft] ⚓ Boot(e *pl.*) *n*, Schiff(e *pl.*) *n*; ✈ Flugzeug(e *pl.*) *n*; (Welt)Raumfahrzeug(e *pl.*) *n*.
craft[2] [~] Handwerk *n*, Gewerbe *n*; Schlauheit *f*, List *f*; ⚠ *nicht Kraft*; **~s·man** [ˈkrɑːftsmən] (*pl. -men*) (Kunst)Handwerker *m*; **~·y** □ [~ɪ] (*-ier, -iest*) gerissen, listig, schlau.
crag [kræg] Klippe *f*, Felsenspitze *f*.
cram [kræm] (*-mm-*) (voll)stopfen; nudeln, mästen; mit *j-m* pauken; *für e-e Prüfung* pauken.
cramp [kræmp] **1.** Krampf *m*; ⊕ Klammer *f*; *fig.* Fessel *f*; **2.** einengen, hemmen.
cran·ber·ry ♀ [ˈkrænbərɪ] Preiselbeere *f*.
crane [kreɪn] **1.** *zo.* Kranich *m*; ⊕ Kran *m*; **2.** den Hals recken; ~ *one's neck* sich den Hals verrenken (*for* nach).
crank [kræŋk] **1.** ⊕ Kurbel *f*; ⊕ Schwengel *m*; F Spinner *m*, komischer Kauz; **2.** (an)kurbeln; **~·shaft** ⊕ [ˈkræŋkʃɑːft] Kurbelwelle *f*; **~·y** [~ɪ] (*-ier, -iest*) wacklig; verschroben; *Am.* schlechtgelaunt.
cran·ny [ˈkrænɪ] Riß *m*, Ritze *f*.
crape [kreɪp] Krepp *m*, Flor *m*.
craps *Am.* [kræps] *sg. ein Würfelspiel.*
crash [kræʃ] **1.** Krach(en *n*) *m*; Unfall *m*, Zusammenstoß *m*; ✈ Absturz *m*; *bsd. econ.* Zusammenbruch *m*, (Börsen)Krach *m*; **2.** *v/t.* zertrümmern; e-n Unfall haben mit; ✈ abstürzen mit; *v/i.* (krachend) zerbersten, -brechen; krachend einstürzen, zusammenkrachen; *bsd. econ.* zusammenbrechen; krachen (*against, into* gegen); *mot.* zusammenstoßen, verunglücken; ✈ abstürzen; **3.** Schnell..., Sofort...; ~ **bar·ri·er** [ˈkræʃbærɪə] Leitplanke *f*; ~ **course** Schnell-, Intensivkurs *m*; ~ **di·et** radikale Schlankheitskur; **~-hel·met** Sturzhelm *m*; **~-land** ✈ e-e Bruchlandung machen (mit); ~ **land·ing** ✈ Bruchlandung *f*.
crate [kreɪt] (Latten)Kiste *f*.
cra·ter [ˈkreɪtə] Krater *m*; Trichter *m*.
crave [kreɪv] *v/t.* dringend bitten *od.* flehen um; *v/i.* sich sehnen (*for* nach); **crav·ing** [ˈkreɪvɪŋ] heftiges Verlangen.
craw·fish *zo.* [ˈkrɔːfɪʃ] Flußkrebs *m*.
crawl [krɔːl] **1.** Kriechen *n*; **2.** kriechen; schleichen; wimmeln; kribbeln; *Schwimmen*: kraulen; *it makes one's flesh* ~ man bekommt e-e Gänsehaut davon.
cray·fish *zo.* [ˈkreɪfɪʃ] Flußkrebs *m*.
cray·on [ˈkreɪən] Zeichenstift *m*, Pastellstift *m*.
craze [kreɪz] Verrücktheit *f*, F Fimmel *m*; *be the* ~ Mode sein; **cra·zy** □ [ˈkreɪzɪ] (*-ier, -iest*) verrückt (*about* nach).
creak [kriːk] knarren, quietschen.
cream [kriːm] **1.** Rahm *m*, Sahne *f*; Creme *f*; Auslese *f*, *das* Beste; **2.** *a.* ~ *off* den Rahm abschöpfen von, absahnen (*a. fig.*); **~·e·ry** [ˈkriːmərɪ] Molkerei *f*; Milchgeschäft *n*; **~·y** [~ɪ] (*-ier, -iest*) sahnig; weich.
crease [kriːs] **1.** (Bügel)Falte *f*; **2.** (zer)knittern.
cre|ate [kriːˈeɪt] (er)schaffen; hervorrufen; verursachen; kreieren; **~·a·tion** [~ˈeɪʃn] (Er)Schaffung *f*; Erzeugung *f*; Schöpfung *f*; **~·a·tive** □ [~ˈeɪtɪv] schöpferisch; **~·a·tor** [~ə] Schöpfer *m*; (Er)Schaffer *m*; **crea·ture** [ˈkriːtʃə] Geschöpf *n*; Kreatur *f*.
crèche [kreɪʃ] (Kinder)Krippe *f*.
cre|dence [ˈkriːdns] Glaube *m*; **~·den·tials** [krɪˈdenʃlz] *pl.* Beglaubigungsschreiben *n*; Referenzen *pl.*; Zeugnisse *pl.*; (Ausweis)Papiere *pl.*
cred·i·ble □ [ˈkredəbl] glaubwürdig; glaubhaft.

C

cred|it ['kredɪt] **1.** Glaube(n) *m*; Ruf *m*, Ansehen *n*; Verdienst *n*; *econ.* Guthaben *n*; *econ.* Kredit *m*; ~ *card econ.* Kreditkarte *f*; **2.** *j-m* glauben; *j-m* trauen; *econ.* gutschreiben; ~ *s.o. with s.th.* j-m et. zutrauen; j-m et. zuschreiben; **~i·ta·ble** □ [~əbl] achtbar, ehrenvoll (*to* für); **~i·tor** [~ə] Gläubiger *m*; **~u·lous** □ [~jʊləs] leichtgläubig.
creed [kri:d] Glaubensbekenntnis *n*.
creek [kri:k] *Brt.* kleine Bucht; *Am.* Bach *m*.
creel [kri:l] Fischkorb *m*.
creep [kri:p] (*crept*) kriechen; schleichen (*a. fig.*); ~ *in* (sich) hinein- *od.* hereinschleichen; sich einschleichen (*Fehler etc.*); *it makes my flesh* ~ ich bekomme e-e Gänsehaut davon; **~er** ⚘ ['kri:pə] Kriech-, Kletterpflanze *f*; **~s** *pl.* F: *the sight gave me the* ~ bei dem Anblick bekam ich e-e Gänsehaut.
crept [krept] *pret. u. p.p. von creep*.
cres·cent ['kresnt] **1.** zunehmend; halbmondförmig; **2.** Halbmond *m*.
cress ⚘ [kres] Kresse *f*.
crest [krest] (Hahnen-, Berg- *etc.*) Kamm *m*; Mähne *f*; Federbusch *m*; *family* ~ *Heraldik*: Familienwappen *n*; **~·fal·len** ['krestfɔ:lən] niedergeschlagen.
cre·vasse [krɪ'væs] (Gletscher)Spalte *f*; *Am.* Deichbruch *m*.
crev·ice ['krevɪs] Riß *m*, Spalte *f*.
crew[1] [kru:] ⚓, ✈ Besatzung *f*, ⚓ *a.* Mannschaft *f*; (*Arbeits*)Gruppe *f*; Belegschaft *f*.
crew[2] [~] *pret. von crow* 2.
crib [krɪb] **1.** Krippe *f*; *Am.* Kinderbett *n*; F *Schule*: Klatsche *f*, Spickzettel *m*; **2.** (*-bb-*) F abschreiben, spicken.
crick [krɪk]: *a* ~ *in one's back* (*neck*) ein steifer Rücken (Hals).
crick|et ['krɪkɪt] *zo.* Grille *f*; *Sport*: Kricket *n*; *not* ~ F nicht fair.
crime [kraɪm] ⚖ Verbrechen *n*; *coll.* Verbrechen *pl.*; ~ *novel* Kriminalroman *m*.
crim·i·nal ['krɪmɪnl] **1.** □ verbrecherisch; Kriminal..., Straf...; **2.** Verbrecher(in), Kriminelle(r *m*) *f*.
crimp [krɪmp] kräuseln.
crim·son ['krɪmzn] karmesinrot; puterrot.
cringe [krɪndʒ] sich ducken.
crin|kle ['krɪŋkl] **1.** Falte *f*, *im Gesicht*: Fältchen *n*; **2.** (sich) kräuseln; knittern.
crip·ple ['krɪpl] **1.** Krüppel *m*; **2.** zum Krüppel machen; *fig.* lähmen.
cri·sis ['kraɪsɪs] (*pl. -ses* [-si:z]) Krisis *f*, Krise *f*; Wende-, Höhepunkt *m*.
crisp [krɪsp] **1.** □ kraus; knusp(e)rig, mürbe (*Gebäck*); frisch; klar; steif; **2.** (sich) kräuseln; knusp(e)rig machen *od.* werden; **3.** ~*s pl.*, *a. potato* ~*s pl. Brt.* (Kartoffel)Chips *pl.*; **~·bread** ['krɪspbred] Knäckebrot *n*.
criss-cross ['krɪskrɒs] **1.** Netz *n* sich schneidender Linien; **2.** (durch-) kreuzen.
cri·te·ri·on [kraɪ'tɪərɪən] (*pl. -ria* [-rɪə], *-rions*) Kriterium *n*.
crit|ic ['krɪtɪk] Kritiker(in); ⚠ *nicht Kritik*; **~i·cal** □ [~kl] kritisch; bedenklich; **~i·cis·m** [~ɪsɪzəm] Kritik *f* (*of* an *dat.*); **~i·cize** [~saɪz] kritisieren; kritisch beurteilen; tadeln.
cri·tique [krɪ'ti:k] kritischer Essay, Kritik *f*.
croak [krəʊk] krächzen; quaken.
cro·chet ['krəʊʃeɪ] **1.** Häkelei *f*; Häkelarbeit *f*; **2.** häkeln.
crock·e·ry ['krɒkərɪ] Geschirr *n*.
croc·o·dile *zo.* ['krɒkədaɪl] Krokodil *n*.
crone F [krəʊn] altes Weib.
cro·ny F ['krəʊnɪ] alter Freund.
crook [krʊk] **1.** Krümmung *f*; Haken *m*; Hirtenstab *m*; F Gauner *m*; **2.** (sich) krümmen *od.* (ver)biegen; **~·ed** ['krʊkɪd] krumm; bucklig; F unehrlich; [krʊkt] Krück...
croon [kru:n] schmalzig singen; summen; **~·er** ['kru:nə] Schnulzensänger(in).
crop [krɒp] **1.** *zo.* Kropf *m*; Peitschenstiel *m*; Reitpeitsche *f*; (Feld-) Frucht *f*, *bsd.* Getreide *n*; Ernte *f*; kurzer Haarschnitt; **2.** (*-pp-*) abfressen, abweiden; *Haar* kurz schneiden; ~ *up fig.* plötzlich auftauchen.
cross [krɒs] **1.** Kreuz *n* (*a. fig. Leiden*); Kreuzung *f*; **2.** □ sich kreuzend, quer (liegend, laufend *etc.*); ärgerlich, böse; entgegengesetzt; Kreuz..., Quer...; **3.** *v/t.* kreuzen; überqueren; *fig.* durchkreuzen; *j-m* in die Quere kommen; ~ *off*, ~ *out* aus-, durchstreichen; ~ *o.s.* sich bekreuzigen; *keep one's fingers* ~*ed* den Daumen halten; *v/i.* sich kreuzen; **~·bar** ['krɒsbɑ:] *Fußball*: Torlatte *f*; **~-breed** (Rassen)Kreuzung

f; **~-coun·try** Querfeldein..., Gelände...; ~ *skiing* Skilanglauf *m*; **~-ex·am·i·na·tion** Kreuzverhör *n*; **~-ex·am·ine** ins Kreuzverhör nehmen; **~-eyed** schielend; *be* ~ schielen; **~·ing** [~ɪŋ] Kreuzung *f*; Übergang *m*; ⚓ Überfahrt *f*; **~·road** Querstraße *f*; **~·roads** *pl. od. sg.* Straßenkreuzung *f*; *fig.* Scheideweg *m*; **~-sec·tion** Querschnitt *m*; **~·walk** *Am.* Fußgängerüberweg *m*; **~·wise** kreuzweise; **~·word (puz·zle)** Kreuzworträtsel *n*.

crotch [krɒtʃ] Schritt *m* (*des Körpers, der Hose*).

crotch·et [ˈkrɒtʃɪt] Haken *m*; *bsd. Br.* ♩ Viertelnote *f*.

crouch [kraʊtʃ] **1.** sich ducken; **2.** Hockstellung *f*.

crow [krəʊ] **1.** *zo.* Krähe *f*; Krähen *n*; **2.** (*crowed od. crew, crowed*) krähen; (*crowed*) F prahlen (*about* mit).

crow·bar [ˈkrəʊbɑː] Brecheisen *n*.

crowd [kraʊd] **1.** Masse *f*, Menge *f*, Gedränge *n*; F Bande *f*; **2.** sich drängen; *Straßen etc.* bevölkern; vollstopfen; **~·ed** [ˈkraʊdɪd] überfüllt, voll.

crown [kraʊn] **1.** Krone *f*; Kranz *m*; Gipfel *m*; Scheitel *m*; **2.** krönen; *Zahn* überkronen; *to* ~ *it all* zu allem Überfluß.

cru·cial □ [ˈkruːʃl] entscheidend, kritisch.

cru·ci|fix [ˈkruːsɪfɪks] Kruzifix *n*; **~·fix·ion** [kruːsɪˈfɪkʃn] Kreuzigung *f*; **~·fy** [ˈkruːsɪfaɪ] kreuzigen.

crude □ [kruːd] roh; unfertig; unreif; unfein; grob; Roh...; grell.

cru·el □ [krʊəl] (*-ll-*) grausam; roh, gefühllos; **~·ty** [ˈkrʊəltɪ] Grausamkeit *f*; ~ *to animals* Tierquälerei *f*; ~ *to children* Kindesmißhandlung *f*.

cru·et [ˈkruːɪt] Essig-, Ölfläschchen *n*.

cruise ⚓ [kruːz] **1.** Kreuzfahrt *f*, Seereise *f*; ~ *missile* ✈ ⚔ Marschflugkörper *m*; **2.** kreuzen, e-e Kreuzfahrt machen; mit Reisegeschwindigkeit fliegen *od.* fahren; **cruis·er** [ˈkruːzə] ⚓ ⚔ Kreuzer *m*; Jacht *f*; Kreuzfahrtschiff *n*; *Am.* (Funk-)Streifenwagen *m*.

crumb [krʌm] **1.** Krume *f*; Brocken *m*; **2.** panieren; zerkrümeln; **crum·ble** [ˈkrʌmbl] (zer)bröckeln; *fig.* zugrunde gehen.

crum·ple [ˈkrʌmpl] *v/t.* zerknittern; *v/i.* knittern; zusammengedrückt werden.

crunch [krʌntʃ] (zer)kauen; zermalmen; knirschen.

cru|sade [kruːˈseɪd] Kreuzzug *m* (*a. fig.*); **~·sad·er** *hist.* [~ə] Kreuzfahrer *m*.

crush [krʌʃ] **1.** Druck *m*; Gedränge *n*; (Frucht)Saft *m*; F Schwärmerei *f*; *have a* ~ *on s.o.* in j-n verliebt *od.* verknallt sein; **2.** *v/t.* (zer-, aus)quetschen; zermalmen; *fig.* vernichten; *v/i.* sich drängen; **~-bar·ri·er** [ˈkrʌʃbærɪə] Barriere *f*, Absperrung *f*.

crust [krʌst] **1.** Kruste *f*; Rinde *f*; **2.** verkrusten; verharschen.

crus·ta·cean *zo.* [krʌˈsteɪʃn] Krebs-, Krusten-, Schalentier *n*.

crust·y □ [ˈkrʌstɪ] (*-ier, -iest*) krustig; *fig.* mürrisch, barsch.

crutch [krʌtʃ] Krücke *f*.

cry [kraɪ] **1.** Schrei *m*; Geschrei *n*; Ruf *m*; Weinen *n*; Gebell *n*; **2.** schreien; (aus)rufen; weinen; ~ *for* verlangen nach.

crypt [krɪpt] Gruft *f*; **cryp·tic** [ˈkrɪptɪk] (*~ally*) verborgen, geheim; rätselhaft.

crys·tal [ˈkrɪstl] Kristall *m*; *Am.* Uhrglas *n*; **~·line** [~təlaɪn] kristallen; **~·lize** [~aɪz] kristallisieren.

cub [kʌb] **1.** Junge(s) *n*; Flegel *m*; Anfänger *m*; **2.** (Junge) werfen.

cube [kjuːb] Würfel *m* (*a.* ✎); *phot.* Blitzwürfel *m*; ✎ Kubikzahl *f*; ~ *root* ✎ Kubikwurzel *f*; **cu·bic** [ˈkjuːbɪk] (*~ally*), **cu·bi·cal** □ [~kl] würfelförmig, kubisch; Kubik...

cu·bi·cle [ˈkjuːbɪkl] Kabine *f*.

cuck·oo *zo.* [ˈkʊkuː] (*pl. -oos*) Kuckuck *m*.

cu·cum·ber [ˈkjuːkʌmbə] Gurke *f*; *as cool as a* ~ *fig.* eiskalt, gelassen.

cud [kʌd] wiedergekäutes Futter; *chew the* ~ wiederkäuen; *fig.* überlegen.

cud·dle [ˈkʌdl] *v/t.* an sich drücken; schmusen (mit).

cud·gel [ˈkʌdʒəl] **1.** Knüppel *m*; **2.** (*bsd. Brt. -ll-, Am. -l-*) prügeln.

cue [kjuː] *Billard*: Queue *n*; *thea. etc., a. fig.* Stichwort *n*; Wink *m*.

cuff [kʌf] **1.** Manschette *f*; Handschelle *f*; (Ärmel-, *Am. a.* Hosen-) Aufschlag *m*; Schlag *m* (mit der offenen Hand); Klaps *m*; **2.** (mit der flachen Hand) schlagen.

cui·sine [kwiːˈziːn] Küche *f* (*Kochkunst*).
cul·mi·nate [ˈkʌlmɪneɪt] gipfeln (*in* in *dat.*).
cu·lottes [kjuːˈlɒts] *pl.* (*a pair of* ein) Hosenrock *m.*
cul·pa·ble □ [ˈkʌlpəbl] strafbar.
cul·prit [ˈkʌlprɪt] Angeklagte(r *m*) *f*; Schuldige(r *m*) *f*, Täter(in).
cul·ti|vate [ˈkʌltɪveɪt] ✓ kultivieren, bestellen, an-, bebauen; *Freundschaft etc.* pflegen; **~·vat·ed** ✓ bebaut; *fig.* gebildet, kultiviert; **~·va·tion** [kʌltɪˈveɪʃn] ✓ Kultivierung *f*, (An-, Acker)Bau *m*; *fig.* Pflege *f*.
cul·tu·ral □ [ˈkʌltʃərəl] kulturell; Kultur...
cul·ture [ˈkʌltʃə] Kultur *f*; Zucht *f*; **~d** kultiviert (*a. fig.*); Zucht...
cum·ber·some [ˈkʌmbəsəm] lästig, hinderlich; klobig.
cu·mu·la·tive □ [ˈkjuːmjʊlətɪv] sich (an-, auf)häufend, anwachsend; Zusatz...
cun·ning [ˈkʌnɪŋ] **1.** □ schlau, listig, gerissen; geschickt; *Am.* niedlich; **2.** List *f*, Schlauheit *f*, Gerissenheit *f*; Geschicklichkeit *f*.
cup [kʌp] **1.** Tasse *f*; Becher *m*; Schale *f*; Kelch *m*; *Sport*: Cup *m*, Pokal *m*; ~ *final* Pokalendspiel *n*; ~ *winner* Pokalsieger *m*; **2.** (*-pp-*) *die Hand* hohl machen; *she ~ped her chin in her hand* sie stützte das Kinn in die Hand; **~·board** [ˈkʌbəd] (Geschirr-, Speise-, *Brt. a.* Wäsche-, Kleider-) Schrank *m*; ~ *bed* Schrankbett *n.*
cu·pid·i·ty [kjuːˈpɪdətɪ] Habgier *f*.
cu·po·la [ˈkjuːpələ] Kuppel *f*.
cur [kɜː] Köter *m*; Schurke *m.*
cu·ra·ble [ˈkjʊərəbl] heilbar.
cu·rate [ˈkjʊərət] Hilfsgeistliche(r) *m.*
curb [kɜːb] **1.** Kandare *f* (*a. fig.*); *bsd. Am.* = *kerb*(*stone*); **2.** an die Kandare legen (*a. fig.*); *fig.* zügeln.
curd [kɜːd] **1.** Quark *m*; **2.** *mst* **cur·dle** [ˈkɜːdl] gerinnen (lassen); *the sight made my blood ~* bei dem Anblick erstarrte mir das Blut in den Adern.
cure [kjʊə] **1.** Kur *f*; Heilmittel *n*; Heilung *f*; Seelsorge *f*; Pfarre *f*; **2.** heilen; pökeln; räuchern; trocknen.
cur·few ⚔ [ˈkɜːfjuː] Ausgangsverbot *n*, -sperre *f*.
cu·ri|o [ˈkjʊərɪəʊ] (*pl. -os*) Rarität *f*; **~·os·i·ty** [kjʊərɪˈɒsətɪ] Neugier *f*; Rarität *f*; **~·ous** □ [ˈkjʊərɪəs] neugierig; wißbegierig; seltsam, merkwürdig.
curl [kɜːl] **1.** Locke *f*; **2.** (sich) kräuseln *od.* locken; **~·er** [ˈkɜːlə] Lockenwickler *m*; **~·y** [~ɪ] (*-ier, -iest*) gekräuselt; gelockt, lockig.
cur·rant [ˈkʌrənt] ⚘ Johannisbeere *f*; Korinthe *f*.
cur|ren·cy [ˈkʌrənsɪ] Umlauf *m*; *econ.* Laufzeit *f*; *econ.* Währung *f*; *foreign ~* Devisen *pl.*; **~·rent** [~t] **1.** □ umlaufend; *econ.* gültig (*Geld*); allgemein (bekannt); geläufig; laufend (*Jahr etc.*); gegenwärtig, aktuell; **2.** Strom *m* (*a.* ⚡); Strömung *f* (*a. fig.*); (*Luft*)Zug *m*; **~·rent account** *econ.* Girokonto *n.*
cur·ric·u·lum [kəˈrɪkjʊləm] (*pl. -la* [-lə], *-lums*) Lehr-, Stundenplan *m*; ~ **vi·tae** [~ˈvaɪtiː] Lebenslauf *m.*
cur·ry[1] [ˈkʌrɪ] Curry *m, n.*
cur·ry[2] [~] *Pferd* striegeln.
curse [kɜːs] **1.** Fluch *m*; ⚠ *nicht Kurs*; **2.** (ver)fluchen; strafen; **curs·ed** □ [ˈkɜːsɪd] verflucht.
cur·sor [ˈkɜːsə] ⚙ Läufer *m*, Schieber *m* (*am Rechenschieber*); *Computer*: Positionsanzeiger *m* (*auf dem Bildschirm*).
cur·so·ry □ [ˈkɜːsrɪ] flüchtig, oberflächlich.
curt □ [kɜːt] kurz, knapp; barsch.
cur·tail [kɜːˈteɪl] beschneiden; *fig.* beschränken; kürzen (*of* um).
cur·tain [ˈkɜːtn] **1.** Vorhang *m*, Gardine *f*; *draw the ~s* den Vorhang *od.* die Vorhänge zuziehen *od.* aufziehen; **2.** ~ *off* mit Vorhängen abteilen.
curt·s(e)y [ˈkɜːtsɪ] **1.** Knicks *m*; **2.** knicksen (*to* vor *dat.*).
cur·va·ture [ˈkɜːvətʃə] Krümmung *f*.
curve [kɜːv] **1.** Kurve *f*; Krümmung *f*; **2.** (sich) krümmen *od.* biegen.
cush·ion [ˈkʊʃn] **1.** Kissen *n*, Polster *n*; *Billardtisch*: Bande *f*; **2.** polstern.
cuss F [kʌs] **1.** Fluch *m*; **2.** (ver)fluchen.
cus·tard [ˈkʌstəd] Eiercreme *f*.
cus·to·dy [ˈkʌstədɪ] Haft *f*; Gewahrsam *m*; Obhut *f*.
cus·tom [ˈkʌstəm] Gewohnheit *f*, Brauch *m*, Sitte *f*; *econ.* Kundschaft *f*; **~·a·ry** □ [~ərɪ] gewöhnlich, üblich; **~-built** nach Kundenangaben gefertigt; **~·er** [~ə] Kund|e *m*, -in *f*; F Bursche *m*; **~-house** Zollamt *n*; **~-made** maßgefertigt, Maß...
cus·toms [ˈkʌstəmz] *pl.* Zoll *m*; ~

clear·ance Zollabfertigung *f*; ~ **of·fi·cer,** ~ **of·fi·cial** Zollbeamte(r) *m*.

cut [kʌt] **1.** Schnitt *m*; Hieb *m*; Stich *m*; (Schnitt)Wunde *f*; Einschnitt *m*; Graben *m*; Kürzung *f*; Ausschnitt *m*; Wegabkürzung *f* (*mst short-*~); (*Holz*)Schnitt *m*; (*Kupfer*)Stich *m*; Schliff *m*; Schnitte *f*, Scheibe *f*; *Karten*: Abheben *n*; *cold* ~*s pl*. *Küche*: Aufschnitt *m*; *give s.o. the* ~ *direct* F j-n ostentativ schneiden; **2.** (*-tt-*; *cut*) schneiden; schnitzen; gravieren; ab-, an-, auf-, aus-, be-, durch-, zer-, zuschneiden; kürzen; *Edelstein etc.* schleifen; *Karten* abheben; *j-n beim Begegnen* schneiden; ~ *teeth* zahnen; ~ *short j-n* unterbrechen; ~ *across* quer durch... gehen (*um abzukürzen*); ~ *back Pflanze* beschneiden, stutzen; kürzen; einschränken; herabsetzen; ~ *down Bäume* fällen; verringern, einschränken, reduzieren; ~ *in* F sich einschalten; ~ *in on s.o. mot*. j-n schneiden; ~ *off* abschneiden; *teleph. Teilnehmer* trennen; *j-n* enterben; ~ *out* ausschneiden; *Am. Vieh* aussondern (*aus der Herde*); *fig. j-n* ausstechen; *be* ~ *out for* das Zeug zu *et*. haben; ~ *up* zerschneiden; *be* ~ *up* F tief betrübt sein; **~-back** [ˈkʌtbæk] Kürzung *f*; Herabsetzung *f*, Verringerung *f*.

cute □ F [kjuːt] (~*r*, ~*st*) schlau; *Am.* niedlich, süß.

cu·ti·cle [ˈkjuːtɪkl] Nagelhaut *f*.

cut·le·ry [ˈkʌtlərɪ] (Tisch-, Eß)Besteck *n*.

cut·let [ˈkʌtlɪt] Schnitzel *n*; Hacksteak *n*.

cut|-price *econ.* [ˈkʌtpraɪs], **~-rate** ermäßigt, herabgesetzt; Billig...; **~·ter** [~ə] (Blech-, Holz)Schneider *m*; Schnitzer *m*; Zuschneider(in); (Glas- *etc.*)Schleifer *m*; *Film*: Cutter(in); ⊕ Schneidewerkzeug *n*, -maschine *f*; ⚓ Kutter *m*; *Am.* leichter Schlitten; **~·throat** Mörder *m*; Killer *m*; **~·ting** [~ɪŋ] **1.** □ schneidend; scharf; ⊕ Schneid..., Fräs...; **2.** Schneiden *n*; 🚂 *etc.* Einschnitt *m*; ⚘ Steckling *m*; *bsd. Brt.* (*Zeitungs-*) Ausschnitt *m*; ~*s pl*. Schnipsel *pl*.; ⊕ Späne *pl*.

cy·cle[1] [ˈsaɪkl] Zyklus *m*; Kreis(lauf) *m*; Periode *f*.

cy·cle[2] [~] **1.** Fahrrad *n*; **2.** radfahren; **cy·clist** [~lɪst] Radfahrer(in); Motorradfahrer(in).

cy·clone [ˈsaɪkləʊn] Wirbelsturm *m*.

cyl·in·der [ˈsɪlɪndə] Zylinder *m*, Walze *f*; ⊕ Trommel *f*.

cym·bal ♪ [ˈsɪmbl] Becken *n*.

cyn|ic [ˈsɪnɪk] Zyniker *m*; **~·i·cal** □ [~kl] zynisch.

cy·press ⚘ [ˈsaɪprɪs] Zypresse *f*.

cyst ⚕ [sɪst] Zyste *f*.

czar *hist.* [zɑː] = *tsar*.

Czech [tʃek] **1.** tschechisch; **2.** Tschech|e *m*, -in *f*; *ling*. Tschechisch *n*.

Czech·o·slo·vak [ˈtʃekəʊˈsləʊvæk] **1.** Tschechoslowak|e *m*, -in *f*; **2.** tschechoslowakisch.

D

dab [dæb] **1.** Klaps *m*; Tupfen *m*, Klecks *m*; **2.** (*-bb-*) leicht schlagen *od.* klopfen; be-, abtupfen.

dab·ble [ˈdæbl] bespritzen; betupfen; plätschern; sich oberflächlich *od.* (*contp.*) in dilettantischer Weise befassen (*at*, *in* mit).

dachs·hund *zo.* [ˈdækshʊnd] Dackel *m*.

dad F [dæd], **~·dy** F [ˈdædɪ] Papa *m*, Vati *m*.

dad·dy-long·legs *zo.* [ˈdædɪˈlɒŋlegz] Schnake *f*; *Am.* Weberknecht *m*.

daf·fo·dil ⚘ [ˈdæfədɪl] gelbe Narzisse.

daft F [dɑːft] blöde, doof.

dag·ger [ˈdægə] Dolch *m*; *be at* ~*s drawn fig.* auf Kriegsfuß stehen.

dai·ly [ˈdeɪlɪ] **1.** täglich; **2.** Tageszeitung *f*; Putzfrau *f*.

dain·ty [ˈdeɪntɪ] **1.** □ (*-ier*, *-iest*) lecker; zart; zierlich, niedlich, reizend; wählerisch; **2.** Leckerbissen *m*.

dair·y [ˈdeərɪ] Molkerei *f*; Milchwirtschaft *f*; Milchgeschäft *n*; **~ cattle** Milchvieh *n*; **~·man** (*pl. -men*) Melker *m*; Milchmann *m*.

D

dai·sy ⚘ [ˈdeɪzɪ] Gänseblümchen *n*.

dale *dial. od. poet.* [deɪl] Tal *n*.

dal·ly [ˈdælɪ] (ver)trödeln; schäkern.

dam[1] *zo.* [dæm] Mutter(tier *n*) *f*.

dam[2] [~] **1.** Deich *m*, (Stau)Damm *m*; **2.** (*-mm-*) *a.* ~ *up* stauen, (ab-, ein-)dämmen (*a. fig.*).

dam·age [ˈdæmɪdʒ] **1.** Schaden *m*, (Be)Schädigung *f*; ~*s pl.* ⚖ Schadenersatz *m*; **2.** (be)schädigen.

dam·ask [ˈdæməsk] Damast *m*.

dame *Am.* F [deɪm] Weib *n*; ⚠ *nicht Dame*.

damn [dæm] **1.** verdammen; verurteilen; ~ (*it*)! F verflucht!, verdammt!; **2.** *adj. u. adv.* F = *damned*; **3.** *I don't care a* ~ F das ist mir völlig gleich(gültig) *od.* egal; **dam·na·tion** [dæmˈneɪʃn] Verdammung *f*; Verurteilung *f*; **~ed** F [dæmd] verdammt; **~·ing** [ˈdæmɪŋ] vernichtend, belastend.

damp [dæmp] **1.** □ feucht, klamm; **2.** Feuchtigkeit *f*; **3.** *a.* **~·en** [ˈdæmpən] an-, befeuchten; dämpfen; **~·ness** [~nɪs] Feuchtigkeit *f*.

dance [dɑːns] **1.** Tanz *m*; Tanz(veranstaltung *f*) *m*; **2.** tanzen (lassen); **danc·er** [ˈdɑːnsə] Tänzer(in); **danc·ing** [~ɪŋ] Tanzen *n*; *attr.* Tanz...

dan·de·li·on ⚘ [ˈdændɪlaɪən] Löwenzahn *m*.

dan·dle [ˈdændl] wiegen, schaukeln.

dan·druff [ˈdændrʌf] (Kopf)Schuppen *pl*.

Dane [deɪn] Dän|e *m*, -in *f*.

dan·ger [ˈdeɪndʒə] **1.** Gefahr *f*; *be in ~ of doing s.th.* Gefahr laufen et. zu tun; *be out of* ~ ⚕ über den Berg sein; **2.** Gefahren...; ~ *area*, ~ *zone* Gefahrenzone *f*, -bereich *m*; **~·ous** □ [~rəs] gefährlich.

dan·gle [ˈdæŋgl] baumeln (lassen).

Da·nish [ˈdeɪnɪʃ] **1.** dänisch; **2.** *ling.* Dänisch *n*.

dank [dæŋk] feucht, naß(kalt).

dap·per [ˈdæpə] adrett; flink.

dap·pled [ˈdæpld] scheckig.

dare [deə] *v/i.* es wagen; *I ~ say, I ~say* ich glaube wohl; allerdings; *v/t. et.* wagen; *j-n* herausfordern; trotzen (*dat.*); **~·dev·il** [ˈdeədevl] Draufgänger *m*, Teufelskerl *m*; **dar·ing** □ [~rɪŋ] **1.** kühn; waghalsig; **2.** Mut *m*, Kühnheit *f*.

dark [dɑːk] **1.** □ dunkel; brünett; geheim(nisvoll); trüb(selig); **2.** Dunkel(heit *f*) *n*; *before* (*at*, *after*) ~ vor (bei, nach) Einbruch der Dunkelheit; *keep s.o. in the ~ about s.th.* j-n über et. im ungewissen lassen; ♀ **Ag·es** *pl. das* frühe Mittelalter; **~·en** [ˈdɑːkən] (sich) verdunkeln *od.* verfinstern; **~·ness** [~nɪs] Dunkelheit *f*, Finsternis *f*.

dar·ling [ˈdɑːlɪŋ] **1.** Liebling *m*; **2.** Lieblings...; geliebt.

darn [dɑːn] stopfen, ausbessern.

dart [dɑːt] **1.** Wurfspieß *m*; Wurfpfeil *m*; Sprung *m*, Satz *m*; ~*s sg.* Darts *n* (*Wurfpfeilspiel*); ~*board* Dartsscheibe *f*; **2.** *v/t.* werfen, schleudern; *v/i.* schießen, stürzen.

dash [dæʃ] **1.** Schlag *m*; Klatschen *n*; Schwung *m*; Ansturm *m*; *fig.* Anflug *m*; Prise *f*; Schuß *m* (*Rum etc.*); (Feder)Strich *m*; Gedankenstrich *m*; *Sport*: Sprint *m*; **2.** *v/t.* schlagen, werfen, schleudern, schmettern; *Hoffnung* zunichte machen; *v/i.* stürzen, stürmen, jagen, rasen; schlagen; **~·board** *mot.* [ˈdæʃbɔːd] Armaturenbrett *n*; **~·ing** □ [~ɪŋ] schneidig, forsch; flott, F fesch.

da·ta [ˈdeɪtə] *pl.*, *a. sg.* Daten *pl.*, Einzelheiten *pl.*, Angaben *pl.*, Unterlagen *pl.*; *Computer*: Daten *pl.*; **~ bank** Datenbank *f*; **~ in·put** Dateneingabe *f*; **~ out·put** Datenausgabe *f*; **~ pro·cess·ing** Datenverarbeitung *f*; **~ pro·tec·tion** Datenschutz *m*; **~ typ·ist** Datentypist(in).

date[1] ⚘ [deɪt] Dattel *f*.

date[2] [~] Datum *n*; Zeit(punkt *m*) *f*; Termin *m*; Verabredung *f*; *Am.* F (Verabredungs)Partner(in); *out of* ~ veraltet, unmodern; *up to* ~ zeitgemäß, modern, auf dem laufenden; **2.** datieren; *Am.* F sich verabreden mit, ausgehen mit, (*regelmäßig*) gehen mit; **dat·ed** [ˈdeɪtɪd] veraltet, überholt.

da·tive *gr.* [ˈdeɪtɪv] *a.* ~ *case* Dativ *m*, dritter Fall.

daub [dɔːb] (be)schmieren; (be)klecksen.

daugh·ter [ˈdɔːtə] Tochter *f*; **~-in-law** [~ərɪnlɔː] (*pl. daughters-in-law*) Schwiegertochter *f*.

daunt [dɔːnt] entmutigen; **~·less** [ˈdɔːntlɪs] furchtlos, unerschrocken.

daw *zo.* [dɔː] Dohle *f.*
daw·dle F [ˈdɔːdl] (ver)trödeln.
dawn [dɔːn] **1.** (Morgen)Dämmerung *f*, Tagesanbruch *m*; **2.** dämmern, tagen; *it ~ed on od. upon him fig.* es wurde ihm langsam klar.
day [deɪ] Tag *m*; *oft ~s pl.* (Lebens-) Zeit *f*; *~ off* (dienst)freier Tag; *carry od. win the ~* den Sieg davontragen; *any ~* jederzeit; *these ~s* heutzutage; *the other ~* neulich; *this ~ week* heute in e-r Woche; heute vor e-r Woche; *let's call it a ~!* machen wir Schluß für heute!, Feierabend!; **~·break** [ˈdeɪbreɪk] Tagesanbruch *m*; **~·light** Tageslicht *n*; *in broad ~* am hellichten Tag; **~·time:** *in the ~* am Tag, bei Tage.
daze [deɪz] **1.** blenden; betäuben; **2.** *in a ~* benommen, betäubt.
dead [ded] **1.** tot; unempfindlich (*to* für); matt (*Farbe etc.*); blind (*Fenster etc.*); erloschen (*Feuer*); schal (*Getränk*); tief (*Schlaf*); *econ.* still, ruhig, flau; *econ.* tot (*Kapital etc.*); völlig, absolut, total; *~ bargain* Spottpreis *m*; *~ letter* unzustellbarer Brief; *~ loss* Totalverlust *m*; *a ~ shot* ein Meisterschütze; **2.** *adv.* gänzlich, völlig, total; plötzlich, abrupt; genau, (haar)scharf; *~ tired* todmüde; *~ against* ganz u. gar gegen; **3.** *the ~* der, die, das Tote; die Toten *pl.*; *in the ~ of winter* im tiefsten Winter; *in the ~ of night* mitten in der Nacht; **~ cen·tre,** *Am.* **~ cen·ter** genaue Mitte; **~·en** [ˈdedn] abstumpfen; dämpfen; (ab)schwächen; **~ end** Sackgasse *f* (*a. fig.*); **~ heat** *Sport*: totes Rennen; **~·line** *Am.* Sperrlinie *f*, Todesstreifen *m* (*im Gefängnis*); letzter (Ablieferungs)Termin; Stichtag *m*; **~·lock** *fig.* toter Punkt; **~·locked** *fig.* festgefahren (*Verhandlungen*); **~·ly** [~lɪ] (*-ier, -iest*) tödlich.
deaf [def] **1.** □ taub; *~ and dumb* taubstumm; **2.** *the ~ pl.* die Tauben *pl.*; **~·en** [ˈdefn] taub machen; betäuben.
deal [diːl] **1.** Teil *m*; Menge *f*; *Karten*: Geben *n*; F Geschäft *n*; Abmachung *f*; *a good ~* ziemlich viel; *a great ~* sehr viel; **2.** (*dealt*) *v/t.* (aus-, ver-, zu)teilen; *Karten* geben; *e-n Schlag* versetzen; *v/i.* handeln (*in* mit *e-r Ware*); *sl.* dealen (*mit Rauschgift handeln*); *Karten*: geben; *~ with* sich befassen mit, behandeln; *econ.* Handel treiben mit, in Geschäftsverbindung stehen mit; **~·er** [ˈdiːlə] *econ.* Händler(in); *Karten*: Geber(in); *sl.* Dealer *m* (*Rauschgifthändler*); **~·ing** [~ɪŋ] Verhalten *n*, Handlungsweise *f*; *econ.* Geschäftsgebaren *n*; *~s pl.* Umgang *m*, (Geschäfts)Beziehungen *pl.*; **~t** [delt] *pret. u. p.p. von deal* 2.
dean [diːn] Dekan *m.*
dear [dɪə] **1.** □ teuer; lieb; **2.** Liebste(r *m*) *f*, Schatz *m*; *my ~* m-e Liebe, mein Lieber; **3.** *int.* (*oh*) *~!, ~ ~!, ~ me!* F du liebe Zeit!, ach herrje!; **~·ly** [ˈdɪəlɪ] innig, von ganzem Herzen; teuer (*im Preis*).
death [deθ] Tod *m*; Todesfall *m*; **~·bed** [ˈdeθbed] Sterbebett *n*; **~·less** [~lɪs] unsterblich; **~·ly** [~lɪ] (*-ier, -iest*) tödlich; **~-war·rant** ⚖ Hinrichtungsbefehl *m*; *fig.* Todesurteil *n.*
de·bar [dɪˈbɑː] (*-rr-*): *~ from doing s.th. j-n* hindern et. zu tun.
de·base [dɪˈbeɪs] erniedrigen.
de·ba·ta·ble □ [dɪˈbeɪtəbl] strittig; umstritten; **de·bate** [dɪˈbeɪt] **1.** Debatte *f*; **2.** debattieren; erörtern; sich *et.* überlegen.
de·bil·i·tate [dɪˈbɪlɪteɪt] schwächen.
deb·it *econ.* [ˈdebɪt] **1.** Debet *n*, Soll *n*; (Konto)Belastung *f*; *~ and credit* Soll *n* u. Haben *n*; **2.** *j-n, ein Konto* belasten.
deb·ris [ˈdebriː] Trümmer *pl.*
debt [det] Schuld *f*; *be in ~* verschuldet sein; *be out of ~* schuldenfrei sein; **~·or** [ˈdetə] Schuldner(in).
de·bug ⊕ [diːˈbʌg] (*-gg-*) Fehler beseitigen (*a. Computer*).
de·bunk [ˈdiːˈbʌŋk] den Nimbus nehmen (*dat.*).
dé·but, *bsd. Am.* **de·but** [ˈdeɪbuː] Debüt *n.*
dec·ade [ˈdekeɪd] Jahrzehnt *n.*
dec·a|dence [ˈdekədəns] Dekadenz *f*, Verfall *m*; **~·dent** □ [~t] dekadent.
de·caf·fein·at·ed [ˈdiːˈkæfɪneɪtɪd] koffeinfrei.
de·camp [dɪˈkæmp] *bsd.* ⚔ das Lager abbrechen; F verschwinden.
de·cant [dɪˈkænt] abgießen; umfüllen; **~·er** [~ə] Karaffe *f.*
de·cath|lete [dɪˈkæθliːt] *Sport*: Zehnkämpfer *m*; **~·lon** [~lɒn] *Sport*: Zehnkampf *m.*
de·cay [dɪˈkeɪ] **1.** Verfall *m*; Zerfall *m*; Fäule *f*; **2.** verfallen; (ver)faulen.

D

de·cease *bsd.* ⚖ [dɪˈsiːs] **1.** Tod *m*, Ableben *n*; **2.** sterben; **~d** *bsd.* ⚖ **1.** *the ~* der *od.* die Verstorbene; die Verstorbenen *pl.*; **2.** ver-, gestorben.
de·ceit [dɪˈsiːt] Täuschung *f*; Betrug *m*; **~·ful** □ [~fl] falsch; betrügerisch.
de·ceive [dɪˈsiːv] betrügen; täuschen; **de·ceiv·er** [~ə] Betrüger(in).
De·cem·ber [dɪˈsembə] Dezember *m*.
de·cen|cy [ˈdiːsnsɪ] Anstand *m*; **~t** □ [~t] anständig; F annehmbar, (ganz) anständig; F nett; ⚠ *nicht dezent*.
de·cep|tion [dɪˈsepʃn] Täuschung *f*; **~·tive** □ [~tɪv]: *be ~* täuschen, trügen (*Sache*).
de·cide [dɪˈsaɪd] (sich) entscheiden; bestimmen; sich entschließen; **de·cid·ed** □ entschieden; bestimmt; entschlossen.
dec·i·mal [ˈdesɪml] *a. ~ fraction* Dezimalbruch *m*; *attr.* Dezimal...
de·ci·pher [dɪˈsaɪfə] entziffern.
de·ci|sion [dɪˈsɪʒn] Entscheidung *f*; Entschluß *m*; Entschlossenheit *f*; *make a ~* e-e Entscheidung treffen; *reach od. come to a ~* zu e-m Entschluß kommen; **~·sive** □ [dɪˈsaɪsɪv] entscheidend; ausschlaggebend; entschieden.
deck [dek] **1.** ⚓ Deck *n* (*a. e-s Busses*); *Am.* Pack *m* Spielkarten; Laufwerk *n* (*e-s Plattenspielers*); *tape ~* Tapedeck *n*; **2.** *~ out* schmücken; **~-chair** [ˈdektʃeə] Liegestuhl *m*.
de·claim [dɪˈkleɪm] deklamieren, vortragen.
de·clar·a·ble [dɪˈkleərəbl] zollpflichtig.
dec·la·ra·tion [dekləˈreɪʃn] Erklärung *f*; Zollerklärung *f*.
de·clare [dɪˈkleə] (sich) erklären, bekanntgeben; behaupten; deklarieren, verzollen.
de·clen·sion *gr.* [dɪˈklenʃn] Deklination *f*.
dec·li·na·tion [deklɪˈneɪʃn] Neigung *f*; Abweichung *f*; **de·cline** [dɪˈklaɪn] **1.** Abnahme *f*; Niedergang *m*, Verfall *m*; **2.** *v/t.* neigen; (höflich) ablehnen; *gr.* deklinieren; *v/i.* sich neigen; abnehmen; verfallen.
de·cliv·i·ty [dɪˈklɪvətɪ] Abhang *m*.
de·clutch *mot.* [ˈdiːˈklʌtʃ] auskuppeln.
de·code [ˈdiːˈkəʊd] entschlüsseln.
de·com·pose [diːkəmˈpəʊz] zerlegen; (sich) zersetzen; verwesen.
dec·o|rate [ˈdekəreɪt] verzieren, schmücken; tapezieren; (an)streichen; dekorieren; **~·ra·tion** [dekəˈreɪʃn] Verzierung *f*, Schmuck *m*, Dekoration *f*; Orden *m*; **~·ra·tive** □ [ˈdekərətɪv] dekorativ; Zier...; **~·ra·tor** [~reɪtə] Dekorateur *m*; Maler *m* u. Tapezierer *m*.
dec·o·rous □ [ˈdekərəs] anständig; **de·co·rum** [dɪˈkɔːrəm] Anstand *m*.
de·coy **1.** [ˈdiːkɔɪ] Lockvogel *m* (*a. fig.*); Köder *m* (*a. fig.*); **2.** [dɪˈkɔɪ] ködern; locken (*into* in *acc.*); verleiten (*into* zu).
de·crease **1.** [ˈdiːkriːs] Abnahme *f*; **2.** [diːˈkriːs] (sich) vermindern.
de·cree [dɪˈkriː] **1.** Dekret *n*, Verordnung *f*, Erlaß *m*; ⚖ Entscheid *m*; **2.** ⚖ entscheiden; verordnen, verfügen.
ded·i|cate [ˈdedɪkeɪt] widmen; **~·cat·ed** engagiert; **~·ca·tion** [dedɪˈkeɪʃn] Widmung *f*; Hingabe *f*.
de·duce [dɪˈdjuːs] ableiten; folgern.
de·duct [dɪˈdʌkt] abziehen; einbehalten; **de·duc·tion** [~kʃn] Abzug *m*; *econ. a.* Rabatt *m*; Schlußfolgerung *f*, Schluß *m*.
deed [diːd] **1.** Tat *f*; Heldentat *f*; ⚖ (Vertrags-, *bsd.* Übertragungs)Urkunde *f*; **2.** *Am.* ⚖ urkundlich übertragen (*to dat.*, auf *acc.*).
deem [diːm] *v/t.* halten für; *v/i.* denken, urteilen (*of* über *acc.*).
deep [diːp] **1.** □ tief; gründlich; schlau; vertieft; dunkel (*a. fig.*); verborgen; **2.** Tiefe *f*; *poet.* Meer *n*; **~·en** [ˈdiːpən] (sich) vertiefen; (sich) verstärken; **~-freeze** **1.** (*-froze, -frozen*) tiefkühlen, einfrieren; **2.** Tiefkühl-, Gefriergerät *n*; **3.** Tiefkühl..., Gefrier...; *~ cabinet* Tiefkühl-, Gefriertruhe *f*; **~-fro·zen** tiefgefroren; *~ food* Tiefkühlkost *f*; **~-fry** fritieren; **~·ness** [~nɪs] Tiefe *f*.
deer *zo.* [dɪə] Rotwild *n*; Hirsch *m*.
de·face [dɪˈfeɪs] entstellen; unkenntlich machen; ausstreichen.
def·a·ma·tion [defəˈmeɪʃn] Verleumdung *f*; **de·fame** [dɪˈfeɪm] verleumden.
de·fault [dɪˈfɔːlt] **1.** Nichterscheinen *n* vor Gericht; *Sport*: Nichtantreten *n*; *econ.* Verzug *m*; **2.** s-n *etc.* Verbindlichkeiten nicht nachkommen; im Verzug sein; nicht (vor Gericht) erscheinen; *Sport*: nicht antreten.
de·feat [dɪˈfiːt] **1.** Niederlage *f*; Be-

siegung *f*; Vereitelung *f*; **2.** besiegen; vereiteln, zunichte machen.
de·fect [dɪˈfekt] Defekt *m*, Fehler *m*; Mangel *m*; **de·fec·tive** □ [~ɪv] mangelhaft; schadhaft, defekt.
de·fence, *Am.* **de·fense** [dɪˈfens] Verteidigung *f*; Schutz *m*; *witness for the* ~ Entlastungszeuge *m*; **~·less** [~lɪs] schutzlos, wehrlos.
de·fend [dɪˈfend] (*from, against*) verteidigen (gegen), schützen (vor *dat.*, gegen); **de·fen·dant** [~ənt] Angeklagte(r *m*) *f*; Beklagte(r *m*) *f*; **de·fend·er** [~ə] Verteidiger(in).
de·fen·sive [dɪˈfensɪv] **1.** Defensive *f*, Verteidigung *f*, Abwehr *f*; **2.** □ defensiv; Verteidigungs..., Abwehr...
de·fer [dɪˈfɜː] (*-rr-*) auf-, verschieben; *Am.* ⚔ (vom Wehrdienst) zurückstellen; sich fügen, nachgeben.
def·er|ence [ˈdefərəns] Ehrerbietung *f*; Nachgiebigkeit *f*; **~·en·tial** □ [defəˈrenʃl] ehrerbietig.
de·fi|ance [dɪˈfaɪəns] Herausforderung *f*; Trotz *m*; **~·ant** □ [~t] herausfordernd; trotzig.
de·fi·cien|cy [dɪˈfɪʃnsɪ] Unzulänglichkeit *f*; Mangel *m*; = *deficit*; **~t** □ [~t] mangelhaft, unzureichend.
def·i·cit *econ.* [ˈdefɪsɪt] Fehlbetrag *m*.
de·file 1. [ˈdiːfaɪl] Engpaß *m*; **2.** [dɪˈfaɪl] beschmutzen.
de·fine [dɪˈfaɪn] definieren; erklären, genau bestimmen; **def·i·nite** □ [ˈdefɪnɪt] bestimmt; deutlich, genau; **def·i·ni·tion** [defɪˈnɪʃn] Definition *f*, (Begriffs)Bestimmung *f*, Erklärung *f*; **de·fin·i·tive** □ [dɪˈfɪnɪtɪv] endgültig; maßgeblich.
de·flect [dɪˈflekt] ablenken; abweichen.
de·form [dɪˈfɔːm] entstellen, verunstalten; **~ed** deformiert, verunstaltet; verwachsen; **de·for·mi·ty** [~ətɪ] Entstelltheit *f*; Mißbildung *f*.
de·fraud [dɪˈfrɔːd] betrügen (*of* um).
de·frost [diːˈfrɒst] *v/t. Windschutzscheibe* entfrosten; *Kühlschrank etc.* abtauen, *Tiefkühlkost* auftauen; *v/i.* ab-, auftauen.
deft □ [deft] gewandt, flink.
de·fy [dɪˈfaɪ] herausfordern; trotzen (*dat.*).
de·gen·e·rate 1. [dɪˈdʒenəreɪt] entarten; **2.** □ [~rət] entartet.
deg·ra·da·tion [degrəˈdeɪʃn] Erniedrigung *f*; **de·grade** [dɪˈgreɪd] *v/t.* erniedrigen, demütigen.
de·gree [dɪˈgriː] Grad *m*; Stufe *f*, Schritt *m*; Rang *m*, Stand *m*; *by ~s* allmählich; *take one's* ~ e-n akademischen Grad erwerben, promovieren.
de·hy·drat·ed [ˈdiːˈhaɪdreɪtɪd] Trokken...
de·i·fy [ˈdiːɪfaɪ] vergöttern; vergöttlichen.
deign [deɪn] sich herablassen.
de·i·ty [ˈdiːɪtɪ] Gottheit *f*.
de·jec|ted □ [dɪˈdʒektɪd] niedergeschlagen, mutlos, deprimiert; **~·tion** [~kʃn] Niedergeschlagenheit *f*.
de·lay [dɪˈleɪ] **1.** Aufschub *m*; Verzögerung *f*; **2.** *v/t.* ver-, aufschieben; verzögern; aufhalten; *v/i.* ~ *in doing s.th.* es verschieben, et. zu tun.
del·e|gate 1. [ˈdelɪgeɪt] abordnen; übertragen; **2.** [~gət] (*Am. parl.* Kongreß)Abgeordnete(r *m*) *f*; **~·ga·tion** [delɪˈgeɪʃn] Abordnung *f*; *Am. parl.* Kongreßabgeordnete *pl.*
de·lete [dɪˈliːt] tilgen, (aus)streichen, (aus)radieren.
de·lib·e|rate 1. [dɪˈlɪbəreɪt] *v/t.* überlegen, erwägen; *v/i.* nachdenken; beraten; **2.** □ [~rət] bedachtsam; wohlüberlegt; vorsätzlich; **~·ra·tion** [dɪlɪbəˈreɪʃn] Überlegung *f*; Beratung *f*; Bedächtigkeit *f*.
del·i|ca·cy [ˈdelɪkəsɪ] Delikatesse *f*, Leckerbissen *m*; Zartheit *f*; Schwächlichkeit *f*; Feingefühl *n*; **~·cate** □ [~kət] schmackhaft, lecker; zart; fein; schwach; heikel; empfindlich; feinfühlig; wählerisch; **~·ca·tes·sen** [delɪkəˈtesn] Delikatessen *pl.*, Feinkost *f*; Delikatessen-, Feinkostgeschäft *f*.
de·li·cious □ [dɪˈlɪʃəs] köstlich.
de·light [dɪˈlaɪt] **1.** Lust *f*, Freude *f*, Wonne *f*; **2.** entzücken; (sich) erfreuen; ~ *in* (große) Freude haben an (*dat.*); **~·ful** □ [~fl] entzückend.
de·lin·e·ate [dɪˈlɪnɪeɪt] entwerfen; schildern.
de·lin·quen|cy [dɪˈlɪŋkwənsɪ] Kriminalität *f*; Straftat *f*; **~t** [~t] **1.** straffällig; **2.** Straffällige(r *m*) *f*; *s. juvenile 1.*
de·lir·i|ous □ [dɪˈlɪrɪəs] ⚕ phantasierend; wahnsinnig; **~·um** [~əm] Delirium *n*.
de·liv·er [dɪˈlɪvə] befreien; über-, aus-, abliefern; *bsd. econ.* liefern; *Botschaft* ausrichten; äußern; *Rede etc.* halten; *Schlag* austeilen; werfen;

⚕ entbinden; *be ~ed of a child* entbunden werden, entbinden; **~ance** [~rəns] Befreiung *f*; (Meinungs)Äußerung *f*; **~er** [~rə] Befreier(in); Überbringer(in); **~y** [~rɪ] (Ab-, Aus)Lieferung *f*; ✉ Zustellung *f*; Übergabe *f*; Halten *n* (*e-r Rede etc.*); ⚕ Entbindung *f*; **~y van** *Brt.* Lieferwagen *m.*

D

dell [del] kleines Tal.

de·lude [dɪ'lu:d] täuschen; verleiten.

del·uge ['delju:dʒ] **1.** Überschwemmung *f*; **2.** überschwemmen.

de·lu|sion [dɪ'lu:ʒn] Täuschung *f*, Verblendung *f*, Wahn *m*; **~sive** □ [~sɪv] trügerisch, täuschend.

de·mand [dɪ'mɑ:nd] **1.** Verlangen *n*; Forderung *f*; Anforderung (*on* an *acc.*), Inanspruchnahme *f* (*on gen.*); *econ.* Nachfrage *f*, Bedarf *m*; ⚖ Rechtsanspruch *m*; **2.** verlangen, fordern; erfordern; **~ing** □ [~ɪŋ] fordernd; anspruchsvoll; schwierig.

de·mean [dɪ'mi:n]: *~ o.s.* sich benehmen; sich erniedrigen; **de·mea·no(u)r** [~ə] Benehmen *n.*

de·men·ted □ [dɪ'mentɪd] wahnsinnig.

dem·i- ['demɪ] Halb...

dem·i·john ['demɪdʒɒn] große Korbflasche, Glasballon *m.*

de·mil·i·ta·rize ['di:'mɪlɪtəraɪz] entmilitarisieren.

de·mo·bi·lize [di:'məʊbɪlaɪz] demobilisieren.

de·moc·ra·cy [dɪ'mɒkrəsɪ] Demokratie *f.*

dem·o·crat ['deməkræt] Demokrat(in); **~ic** [demə'krætɪk] (*~ally*) demokratisch.

de·mol·ish [dɪ'mɒlɪʃ] demolieren; ab-, ein-, niederreißen; zerstören; **dem·o·li·tion** [demə'lɪʃn] Demolierung *f*; Niederreißen *n*, Abbruch *m.*

de·mon ['di:mən] Dämon *m*; Teufel *m.*

dem·on|strate ['demənstreɪt] anschaulich darstellen; beweisen; demonstrieren; **~stra·tion** [demən'streɪʃn] Demonstration *f*, Kundgebung *f*; Demonstration *f*, Vorführung *f*; anschauliche Darstellung; Beweis *m*; (Gefühls)Äußerung *f*; **de·mon·stra·tive** □ [dɪ'mɒnstrətɪv] überzeugend; demonstrativ; *be ~* s-e Gefühle (offen) zeigen; **~stra·tor** ['demənstreɪtə] Demonstrant(in); Vorführer(in).

de·mote [di:'məʊt] degradieren.

de·mur [dɪ'mɜ:] (*-rr-*) Einwendungen machen.

de·mure □ [dɪ'mjʊə] ernst; prüde.

den [den] Höhle *f*, Bau *m*; Bude *f*; Arbeitszimmer *n.*

de·ni·al [dɪ'naɪəl] Leugnen *n*; Verneinung *f*; abschlägige Antwort.

den·ims ['denɪmz] *pl.* Overall *m od.* Jeans *pl.* aus Köper

de·nom·i·na·tion [dɪnɒmɪ'neɪʃn] *eccl.* Sekte *f*; *eccl.* Konfession *f*; *econ.* Nennwert *m* (*von Banknoten etc.*).

de·note [dɪ'nəʊt] bezeichnen; bedeuten.

de·nounce [dɪ'naʊns] anzeigen; brandmarken; *Vertrag* kündigen.

dense □ [dens] (*~r, ~st*) dicht, dick (*Nebel*); beschränkt; **den·si·ty** ['densətɪ] Dichte *f.*

dent [dent] **1.** Beule *f*, Delle *f*; Kerbe *f*; **2.** ver-, einbeulen.

den|tal ['dentl] Zahn...; *~ plaque* Zahnbelag *m*; *~ plate* Zahnprothese *f*; *~ surgeon* Zahnarzt *m*; **~·tist** [~ɪst] Zahnarzt *m*, -ärztin *f*; **~·tures** [~ʃəz] *pl.* (künstliches) Gebiß.

de·nun·ci·a|tion [dɪnʌnsɪ'eɪʃn] Anzeige *f*, Denunziation *f*; **~tor** [dɪ'nʌnsɪeɪtə] Denunziant(in).

de·ny [dɪ'naɪ] ab-, bestreiten, (ab-)leugnen; verweigern, abschlagen; *j-n* abweisen.

de·part [dɪ'pɑ:t] abreisen; abfahren, abfliegen; abweichen.

de·part·ment [dɪ'pɑ:tmənt] Abteilung *f*; Bezirk *m*; *econ.* Branche *f*; *pol.* Ministerium *n*; ♀ *of Defense Am.* Verteidigungsministerium *n*; ♀ *of the Environment Brt.* Umweltschutzministerium *n*; ♀ *of the Interior Am.* Innenministerium; ♀ *of State Am.*, *State* ♀ *Am.* Außenministerium *n*; *~ store* Warenhaus *n.*

de·par·ture [dɪ'pɑ:tʃə] Abreise *f*, 🚂 *etc.* Abfahrt *f*, ✈ Abflug *m*; Abweichung *f*; *~* **gate** ✈ Flugsteig *m*; *~* **lounge** ✈ Abflughalle *f.*

de·pend [dɪ'pend]: *~ on*, *~ upon* abhängen von; angewiesen sein auf (*acc.*); sich verlassen auf (*acc.*); *it ~s* F es kommt (ganz) darauf an.

de·pen|da·ble [dɪ'pendəbl] zuverlässig; **~dant** [~ənt] Abhängige(r *m*) *f*, *bsd.* (Familien)Angehörige(r *m*) *f*; **~dence** [~əns] Abhängigkeit *f*; Vertrauen *n*; **~den·cy** [~ənsɪ] *pol.*

Schutzgebiet *n*; **~·dent** [~ənt] **1.** □ (*on*) abhängig (von); angewiesen (auf *acc.*); **2.** *Am.* = *dependant.*

de·pict [dɪˈpɪkt] darstellen; schildern.

de·plor|a·ble □ [dɪˈplɔːrəbl] bedauerlich, beklagenswert; **~e** [dɪˈplɔː] beklagen, bedauern.

de·pop·u·late [diːˈpɒpjʊleɪt] (sich) entvölkern.

de·port [dɪˈpɔːt] *Ausländer* abschieben; ~ *o.s.* sich *gut etc.* benehmen; **~·ment** [~mənt] Benehmen *n.*

de·pose [dɪˈpəʊz] absetzen; ⚖ unter Eid aussagen.

de·pos|it [dɪˈpɒzɪt] **1.** Ablagerung *f*; Lager *n*; (*Bank*)Einlage *f*; Hinterlegung *f*; Anzahlung *f*; *make a* ~ e-e Anzahlung leisten; ~ *account Brt.* Termineinlagekonto *n*; **2.** (nieder-, ab-, hin)legen; *Geld* einzahlen; *Betrag* anzahlen; hinterlegen; (sich) ablagern; **dep·o·si·tion** [depəˈzɪʃn] Absetzung *f*; (zu Protokoll gegebene) eidliche Aussage; **~·i·tor** [dɪˈpɒzɪtə] Hinterleger(in); Einzahler(in); Kontoinhaber(in).

dep·ot [ˈdepəʊ] Depot *n*; Lagerhaus *n*; *Am.* [ˈdiːpəʊ] Bahnhof *m.*

de·prave [dɪˈpreɪv] moralisch verderben.

de·pre·ci·ate [dɪˈpriːʃɪeɪt] *Wert* mindern.

de·press [dɪˈpres] (nieder)drücken; *Preise etc.* senken, drücken; deprimieren, bedrücken; **~ed** deprimiert, niedergeschlagen; **de·pres·sion** [~eʃn] Vertiefung *f*, Senke *f*; Depression *f*, Niedergeschlagenheit *f*; *econ.* Depression *f*, Flaute *f*, Wirtschaftskrise *f*; ⚕ Schwäche *f.*

de·prive [dɪˈpraɪv]: ~ *s.o. of s.th.* j-m et. entziehen *od.* nehmen; **~d** benachteiligt, unterprivilegiert.

depth [depθ] Tiefe *f*; *attr.* Tiefen...

dep·u|ta·tion [depjʊˈteɪʃn] Abordnung *f*; **~·tize** [ˈdepjʊtaɪz]: ~ *for s.o.* j-n vertreten; **~·ty** [~ɪ] *parl.* Abgeordnete(r *m*) *f*; Stellvertreter(in), Beauftragte(r *m*) *f*, Bevollmächtigte(r *m*) *f*; *a.* ~ *sheriff Am.* Hilfssheriff *m.*

de·rail 🚂 [dɪˈreɪl] *v/i.* entgleisen; *v/t.* zum Entgleisen bringen.

de·range [dɪˈreɪndʒ] in Unordnung bringen; stören; verrückt *od.* wahnsinnig machen; **~d** geistesgestört.

der·e·lict [ˈderəlɪkt] verlassen; nachlässig.

de·ride [dɪˈraɪd] verlachen, -spotten; **de·ri·sion** [dɪˈrɪʒn] Hohn *m*, Spott *m*; **de·ri·sive** □ [dɪˈraɪsɪv] spöttisch, höhnisch.

de·rive [dɪˈraɪv] herleiten; *et.* gewinnen (*from* aus); *Nutzen etc.* ziehen (*from* aus).

de·rog·a·to·ry □ [dɪˈrɒgətərɪ] abfällig, geringschätzig.

der·rick [ˈderɪk] ⊕ Derrickkran *m*; ⚓ Ladebaum *m*; Bohrturm *m.*

de·scend [dɪˈsend] (her-, hin)absteigen, herunter-, hinuntersteigen, herabkommen; ✈ niedergehen; (ab)stammen; ~ *on*, ~ *upon* herfallen über (*acc.*); einfallen in (*acc.*); **descen·dant** [~ənt] Nachkomme *m.*

de·scent [dɪˈsent] Herab-, Hinuntersteigen *n*, Abstieg *m*; ✈ Niedergehen *n*; Abhang *m*, Gefälle *n*; Abstammung *f*; *fig.* Niedergang *m*, Abstieg *m.*

de·scribe [dɪˈskraɪb] beschreiben.

de·scrip|tion [dɪˈskrɪpʃn] Beschreibung *f*, Schilderung *f*; Art *f*; **~·tive** □ [~tɪv] beschreibend; anschaulich.

des·e·crate [ˈdesɪkreɪt] entweihen.

de·seg·re·gate [ˈdiːˈsegrɪgeɪt] die Rassentrennung aufheben in (*dat.*).

des·ert[1] [ˈdezət] **1.** Wüste *f*; **2.** Wüsten...

de·sert[2] [dɪˈzɜːt] *v/t.* verlassen; *v/i.* desertieren; **~·er** ⚔ [~ə] Deserteur *m*, Fahnenflüchtige(r) *m*; **de·ser·tion** [~ʃn] (⚖ *a.* böswilliges) Verlassen; ⚔ Fahnenflucht *f.*

de·serve [dɪˈzɜːv] verdienen; **de·serv·ed·ly** [~ɪdlɪ] mit Recht; **de·serv·ing** [~ɪŋ] würdig (*of gen.*); verdienstvoll, verdient.

de·sign [dɪˈzaɪn] **1.** Plan *m*; Entwurf *m*, Zeichnung *f*; Muster *n*; Vorhaben *n*, Absicht *f*; *have* ~*s on od. against* et. (Böses) im Schilde führen gegen; **2.** entwerfen, ⊕ konstruieren; gestalten; planen; bestimmen.

des·ig|nate [ˈdezɪgneɪt] bezeichnen; ernennen, bestimmen; **~·na·tion** [dezɪgˈneɪʃn] Bezeichnung *f*; Bestimmung *f*, Ernennung *f.*

de·sign·er [dɪˈzaɪnə] (Muster)Zeichner(in); Designer(in); ⊕ Konstrukteur *m*; (Mode)Schöpfer(in).

de·sir|a·ble □ [dɪˈzaɪərəbl] wünschenswert; angenehm; **~e** [dɪˈzaɪə]

D

1. Wunsch *m*, Verlangen *n*; Begierde *f*; 2. verlangen, wünschen; begehren; **~·ous** □ [~rəs] begierig.
de·sist [dɪˈzɪst] ablassen (*from* von).
desk [desk] Pult *n*; Schreibtisch *m*.
des·o·late □ [ˈdesələt] einsam; verlassen; öde.
de·spair [dɪˈspeə] 1. Verzweiflung *f*; 2. verzweifeln (*of* an *dat.*); **~·ing** □ [~rɪŋ] verzweifelt.
de·spatch [dɪˈspætʃ] = *dispatch*.
des·per|ate □ [ˈdespərət] verzweifelt; hoffnungslos; F schrecklich; **~a·tion** [despəˈreɪʃn] Verzweiflung *f*.
des·pic·a·ble □ [ˈdespɪkəbl] verachtenswert, verabscheuungswürdig.
de·spise [dɪˈspaɪz] verachten.
de·spite [dɪˈspaɪt] 1. Verachtung *f*; *in ~ of* zum Trotz, trotz; 2. *prp. a. ~ of* trotz.
de·spon·dent □ [dɪˈspɒndənt] mutlos, verzagt.
des·pot [ˈdespɒt] Despot *m*, Tyrann *m*; **~·is·m** [~pətɪzəm] Despotismus *m*.
des·sert [dɪˈzɜːt] Nachtisch *m*, Dessert *n*; *attr.* Dessert...
des|ti·na·tion [destɪˈneɪʃn] Bestimmung(sort *m*) *f*; **~·tined** [ˈdestɪnd] bestimmt; **~·ti·ny** [~ɪ] Schicksal *n*.
des·ti·tute □ [ˈdestɪtjuːt] mittellos, notleidend; *~ of* bar (*gen.*), ohne.
de·stroy [dɪˈstrɔɪ] zerstören, vernichten; töten, *Tier a.* einschläfern; **~·er** [~ə] Zerstörer(in); ⚓⚔ Zerstörer *m*.
de·struc|tion [dɪˈstrʌkʃn] Zerstörung *f*, Vernichtung *f*; Tötung *f*, *e-s Tiers a.* Einschläferung *f*; **~·tive** □ [~tɪv] zerstörend, vernichtend; zerstörerisch.
des·ul·to·ry □ [ˈdesəltərɪ] unstet; planlos; oberflächlich.
de·tach [dɪˈtætʃ] losmachen, (ab)lösen; absondern; ⚔ abkommandieren; **~ed** einzeln (stehend); unvoreingenommen; distanziert; **~·ment** [~mənt] Loslösung *f*; (Ab)Trennung *f*; ⚔ (Sonder)Kommando *n*.
de·tail [ˈdiːteɪl] 1. Detail *n*, Einzelheit *f*; eingehende Darstellung; ⚔ (Sonder)Kommando *n*; *in ~* ausführlich; 2. genau schildern; ⚔ abkommandieren; **~ed** detailliert, ausführlich.
de·tain [dɪˈteɪn] aufhalten; *j-n* in (Untersuchungs)Haft (be)halten.
de·tect [dɪˈtekt] entdecken; (auf)finden; **de·tec·tion** [~kʃn] Entdeckung *f*; **de·tec·tive** [~tɪv] Kriminalbeamte(r) *m*, Detektiv *m*; *~ novel*, *~ story* Kriminalroman *m*.
de·ten·tion [dɪˈtenʃn] Vorenthaltung *f*; Aufhaltung *f*; Haft *f*.
de·ter [dɪˈtɜː] (*-rr-*) abschrecken (*from* von).
de·ter·gent [dɪˈtɜːdʒənt] Reinigungsmittel *n*; Waschmittel *n*; Geschirrspülmittel *n*.
de·te·ri·o·rate [dɪˈtɪərɪəreɪt] (sich) verschlechtern; verderben; entarten.
de·ter|mi·na·tion [dɪtɜːmɪˈneɪʃn] Entschlossenheit *f*; Entscheidung *f*, Entschluß *m*; **~·mine** [dɪˈtɜːmɪn] bestimmen; (sich) entscheiden; sich entschließen; **~·mined** entschlossen.
de·ter|rence [dɪˈterəns] Abschreckung *f*; **~·rent** [~t] 1. abschreckend; 2. Abschreckungsmittel *n*.
de·test [dɪˈtest] verabscheuen; **~·a·ble** □ [~əbl] abscheulich.
de·throne [dɪˈθrəʊn] entthronen.
de·to·nate [ˈdetəneɪt] explodieren (lassen).
de·tour [ˈdiːtʊə] Umweg *m*; Umleitung *f*.
de·tract [dɪˈtrækt]: *~ from s.th.* et. beeinträchtigen, et. schmälern.
de·tri·ment [ˈdetrɪmənt] Schaden *m*.
deuce [djuːs] Zwei *f* (*im Spiel*); *Tennis*: Einstand *m*; F Teufel *m*; *how the ~* wie zum Teufel.
de·val·u|a·tion [ˈdiːvæljuˈeɪʃn] Abwertung *f*; **~e** [ˈdiːˈvæljuː] abwerten.
dev·a|state [ˈdevəsteɪt] verwüsten; **~·stat·ing** □ [~ɪŋ] verheerend, -nichtend; F umwerfend; **~·sta·tion** [devəˈsteɪʃn] Verwüstung *f*.
de·vel·op [dɪˈveləp] (sich) entwickeln; (sich) entfalten; *Gelände* erschließen; *Altstadt etc.* sanieren; ausbauen; (sich) zeigen; **~·er** [~ə] *phot.* Entwickler *m*; (Stadt)Planer *m*; **~·ing** [~ɪŋ] Entwicklungs...; *~ country econ.* Entwicklungsland *n*; **~·ment** [~mənt] Entwicklung *f*; Entfaltung *f*; Erschließung *f*; Ausbau *m*; *~ aid econ.* Entwicklungshilfe *f*.
de·vi|ate [ˈdiːvɪeɪt] abweichen; **~·a·tion** [diːvɪˈeɪʃn] Abweichung *f*.
de·vice [dɪˈvaɪs] Vor-, Einrichtung *f*, Gerät *n*; Erfindung *f*; Plan *m*; Kunstgriff *m*, Kniff *m*; Devise *f*, Motto *n*; *leave s.o. to his own ~s* j-n sich selbst überlassen.

dev·il ['devl] Teufel *m* (*a. fig.*); **~·ish** □ [~ɪʃ] teuflisch.
de·vi·ous □ ['diːvjəs] abwegig; gewunden; unaufrichtig; *take a ~ route* e-n Umweg machen.
de·vise □ [dɪ'vaɪz] ausdenken, ersinnen; ⚖ vermachen.
de·void [dɪ'vɔɪd]: *~ of* bar (*gen.*), ohne.
de·vote [dɪ'vəʊt] widmen, *et.* hingeben, opfern (*to dat.*); ⚠ *nicht devot*; **de·vot·ed** □ ergeben; eifrig, begeistert; zärtlich; **dev·o·tee** [devəʊ'tiː] begeisterter Anhänger; **de·vo·tion** [dɪ'vəʊʃn] Ergebenheit *f*; Hingabe *f*; Frömmigkeit *f*, Andacht *f*.
de·vour [dɪ'vaʊə] verschlingen.
de·vout □ [dɪ'vaʊt] andächtig; fromm; sehnlichst.
dew [djuː] Tau *m*; **~·y** ['djuːɪ] (*-ier, -iest*) (tau)feucht.
dex|ter·i·ty [dek'sterətɪ] Gewandtheit *f*; **~·ter·ous, ~·trous** □ ['dekstrəs] gewandt.
di·ag·|nose ['daɪəgnəʊz] diagnostizieren; **~·no·sis** [daɪəg'nəʊsɪs] (*pl. -ses* [-siːz]) Diagnose *f*.
di·a·gram ['daɪəgræm] graphische Darstellung, Schema *n*, Plan *m*.
di·al ['daɪəl] **1.** Zifferblatt *n*; *teleph.* Wählscheibe *f*; ⊕ Skala *f*; **2.** (*bsd. Brt. -ll-, Am. -l-*) *teleph.* wählen; *~ direct* durchwählen (*to* nach); *direct ~(l)ing* Durchwahl *f*.
di·a·lect ['daɪəlekt] Dialekt *m*; Mundart *f*.
di·a·logue, *Am.* **-log** ['daɪəlɒg] Dialog *m*, Gespräch *n*.
di·am·e·ter [daɪ'æmɪtə] Durchmesser *m*; *in ~* im Durchmesser.
di·a·mond ['daɪəmənd] Diamant *m*; Rhombus *m*; *Baseball*: Spielfeld *n*; *Karten*: Karo *n*.
di·a·per *Am.* ['daɪəpə] Windel *f*.
di·a·phragm ['daɪəfræm] *anat.* Zwerchfell *n*; *opt.* Blende *f*; *teleph.* Membran(e) *f*.
di·ar·rh(o)e·a ⚕ [daɪə'rɪə] Durchfall *m*.
di·a·ry ['daɪərɪ] Tagebuch *n*.
dice [daɪs] **1.** *pl. von die²*; **2.** würfeln; **~-box** ['daɪsbɒks], **~-cup** Würfelbecher *m*.
dick *Am. sl.* [dɪk] Schnüffler *m* (*Detektiv*).
dick·(e)y(-bird) ['dɪkɪ(bɜːd)] Piepvögelchen *n*.
dic|tate [dɪk'teɪt] diktieren; *fig.* vorschreiben; **~·ta·tion** [~ʃn] Diktat *n*.
dic·ta·tor [dɪk'teɪtə] Diktator *m*; **~·ship** [~ʃɪp] Diktatur *f*.
dic·tion ['dɪkʃn] Ausdruck(sweise *f*) *m*, Stil *m*.
dic·tion·a·ry ['dɪkʃnrɪ] Wörterbuch *n*.
did [dɪd] *pret. von do*.
die¹ [daɪ] sterben; umkommen; untergehen; absterben; *~ away* sich legen (*Wind*); verklingen (*Ton*); verlöschen (*Licht*); *~ down* nachlassen; herunterbrennen; schwächer werden; *~ off* wegsterben; *~ out* aussterben (*a. fig.*).
die² [~] (*pl. dice* [daɪs]) Würfel *m*; (*pl. dies* [daɪz]) Prägestock *m*, -stempel *m*.
die-hard ['daɪhɑːd] Reaktionär *m*.
di·et ['daɪət] **1.** Diät *f*; Nahrung *f*, Kost *f*; *be on a ~* diät leben; **2.** diät leben.
dif·fer ['dɪfə] sich unterscheiden; anderer Meinung sein (*with, from* als); abweichen.
dif·fe|rence ['dɪfrəns] Unterschied *m*; Differenz *f*; Meinungsverschiedenheit *f*; **~·rent** □ [~t] verschieden; andere(r, -s); anders (*from* als); **~·ren·ti·ate** [dɪfə'renʃɪeɪt] (sich) unterscheiden.
dif·fi|cult ['dɪfɪkəlt] schwierig; **~·cul·ty** [~ɪ] Schwierigkeit *f*.
dif·fi|dence ['dɪfɪdəns] Schüchternheit *f*; **~·dent** □ [~t] schüchtern.
dif|fuse 1. *fig.* [dɪ'fjuːz] verbreiten; **2.** □ [~s] weitverbreitet, zerstreut (*bsd. Licht*); weitschweifig; **~·fu·sion** [~ʒn] Verbreitung *f*.
dig [dɪg] **1.** (*-gg-; dug*) graben (in *dat.*); *oft ~ up* umgraben; *oft ~ up, ~ out* ausgraben (*a. fig.*); **2.** F Ausgrabung(sstätte) *f*; F Puff *m*, Stoß *m*; *~s pl. Brt.* F Bude *f*, (Studenten)Zimmer *n*.
di·gest 1. [dɪ'dʒest] *v/t.* verdauen (*a. fig.*); ordnen; *v/i.* verdauen; verdaulich sein; **2.** ['daɪdʒest] Abriß *m*; Auslese *f*, Auswahl *f*; **~·i·ble** [dɪ'dʒestəbl] verdaulich; **di·ges·tion** [~tʃən] Verdauung *f*; **di·ges·tive** □ [~tɪv] verdauungsfördernd.
dig·ger ['dɪgə] (*bsd.* Gold)Gräber *m*.
di·git ['dɪdʒɪt] Ziffer *f*; *three-~ number* dreistellige Zahl; **di·gi·tal** □ [~tl] digital, Digital...; *~ clock, ~ watch* Digitaluhr *f*.

D

dig·ni·fied [ˈdɪgnɪfaɪd] würdevoll, würdig.
dig·ni·ta·ry [ˈdɪgnɪtərɪ] Würdenträger(in).
dig·ni·ty [ˈdɪgnɪtɪ] Würde *f*.
di·gress [daɪˈgres] abschweifen.
dike[1] [daɪk] **1.** Deich *m*, Damm *m*; Graben *m*; **2.** eindeichen, -dämmen.
dike[2] *sl.* [~] Lesbe *f* (*Lesbierin*).
di·lap·i·dat·ed [dɪˈlæpɪdeɪtɪd] verfallen, baufällig, klapp(e)rig.
di·late [daɪˈleɪt] (sich) ausdehnen; *Augen* weit öffnen; **dil·a·to·ry** □ [ˈdɪlətərɪ] verzögernd, hinhaltend; aufschiebend; langsam.
dil·i|gence [ˈdɪlɪdʒəns] Fleiß *m*; **~gent** □ [~nt] fleißig, emsig.
di·lute [daɪˈljuːt] **1.** verdünnen; verwässern; **2.** verdünnt.
dim [dɪm] **1.** □ (*-mm-*) trüb(e); dunkel; matt; **2.** (*-mm-*) (sich) verdunkeln; abblenden; (sich) trüben; matt werden.
dime *Am.* [daɪm] Zehncentstück *n*.
di·men·sion [dɪˈmenʃn] Dimension *f*, Abmessung *f*; **~s** *pl. a.* Ausmaß *n*; **~al** [~ʃnl] dimensional; *three-~* dreidimensional.
di·min·ish [dɪˈmɪnɪʃ] (sich) vermindern; abnehmen.
di·min·u·tive □ [dɪˈmɪnjʊtɪv] klein, winzig.
dim·ple [ˈdɪmpl] Grübchen *n*.
din [dɪn] Getöse *n*, Lärm *m*.
dine [daɪn] essen, speisen; bewirten; *~ in od. out* zu Hause *od.* auswärts essen; **din·er** [ˈdaɪnə] Speisende(r *m*) *f*; Gast *m* (*im Restaurant*); *bsd. Am.* 🚂 Speisewagen *m*; *Am.* Speiselokal *n*.
din·gy □ [ˈdɪndʒɪ] (*-ier, -iest*) schmutzig.
din·ing| car 🚂 [ˈdaɪnɪŋkɑː] Speisewagen *m*; **~ room** Eß-, Speisezimmer *n*.
din·ner [ˈdɪnə] (Mittag-, Abend)Essen *n*; Festessen *n*; **~-jack·et** Smoking *m*; **~-par·ty** Tischgesellschaft *f*; **~-ser·vice, ~-set** Speiseservice *n*, Tafelgeschirr *n*.
dint [dɪnt] **1.** Beule *f*; *by ~ of* kraft, vermöge (*gen.*); **2.** ver-, einbeulen.
dip [dɪp] **1.** (*-pp-*) *v/t.* (ein)tauchen; senken; schöpfen; *~ the headlights bsd. Brt. mot.* abblenden; *v/i.* (unter)tauchen; sinken; sich neigen, sich senken; **2.** (Ein-, Unter)Tauchen *n*; F kurzes Bad; Senkung *f*, Neigung *f*, Gefälle *n*; Dip *m* (*Soße*).
diph·ther·i·a ⚕ [dɪfˈθɪərɪə] Diphtherie *f*.
di·plo·ma [dɪˈpləʊmə] Diplom *n*.
di·plo·ma·cy [dɪˈpləʊməsɪ] Diplomatie *f*.
dip·lo·mat [ˈdɪpləmæt] Diplomat *m*; **~·ic** [dɪpləˈmætɪk] (*~ally*) diplomatisch.
di·plo·ma·tist *fig.* [dɪˈpləʊmətɪst] Diplomat(in).
dip·per [ˈdɪpə] Schöpfkelle *f*.
dire [ˈdaɪə] (*~r, ~st*) gräßlich, schrecklich.
di·rect [dɪˈrekt] **1.** *adj.* □ direkt; gerade; unmittelbar; offen, aufrichtig; *~ current* ⚡ Gleichstrom *m*; *~ train* durchgehender Zug; **2.** *adv.* direkt, unmittelbar; **3.** richten; lenken, steuern; leiten; anordnen; *j-n* anweisen; *j-m* den Weg zeigen; *Brief* adressieren; Regie führen bei.
di·rec·tion [dɪˈrekʃn] Richtung *f*; Leitung *f*, Führung *f*; Adresse *f* (*e-s Briefes etc.*); *Film etc.*: Regie *f*; *mst* **~s** *pl.* Anweisung *f*, Anleitung *f*; *~s for use* Gebrauchsanweisung *f*; ⚠ *nicht Direktion*; **~-find·er** [~faɪndə] (Funk)Peiler *m*, Peilempfänger *m*; **~-in·di·ca·tor** *mot.* Fahrtrichtungsanzeiger *m*, Blinker *m*; ✈ Kursweiser *m*.
di·rec·tive [dɪˈrektɪv] richtungweisend, leitend.
di·rect·ly [dɪˈrektlɪ] **1.** *adv.* sofort; **2.** *cj.* sobald, sowie.
di·rec·tor [dɪˈrektə] Direktor *m*; *Film etc.*: Regisseur *m*; *board of ~s* Aufsichtsrat *m*.
di·rec·to·ry [dɪˈrektərɪ] Adreßbuch *n*; *telephone ~* Telefonbuch *n*.
dirge [dɜːdʒ] Klagelied *n*.
dir·i·gi·ble [ˈdɪrɪdʒəbl] **1.** lenkbar; **2.** lenkbares Luftschiff.
dirt [dɜːt] Schmutz *m*; (lockere) Erde; **~-cheap** F [ˈdɜːtˈtʃiːp] spottbillig; **~·y** [~ɪ] **1.** □ (*-ier, -iest*) schmutzig (*a. fig.*); **2.** beschmutzen; schmutzig werden.
dis·a·bil·i·ty [dɪsəˈbɪlətɪ] Unfähigkeit *f*.
dis·a·ble [dɪsˈeɪbl] (⚔ kampf)unfähig machen; ⚔ dienstuntauglich machen; **~d** **1.** arbeits-, erwerbsunfähig, invalid(e); ⚔ dienstuntauglich; ⚔ kriegsversehrt; *körperlich od. geistig* behindert; **2.** *the ~ pl.* die Behinderten *pl*.

dis·ad·van|tage [dɪsəd'vɑ:ntɪdʒ] Nachteil *m*; Schaden *m*; **~·ta·geous** □ [dɪsædvɑ:n'teɪdʒəs] nachteilig, ungünstig.
dis·a·gree [dɪsə'gri:] nicht übereinstimmen; uneinig sein; nicht bekommen (*with s.o.* j-m); **~·a·ble** □ [~ɪəbl] unangenehm; **~·ment** [~i:mənt] Verschiedenheit *f*, Unstimmigkeit *f*; Meinungsverschiedenheit *f*.
dis·ap·pear [dɪsə'pɪə] verschwinden; **~·ance** [~rəns] Verschwinden *n*.
dis·ap·point [dɪsə'pɔɪnt] *j-n* enttäuschen; *Hoffnungen etc.* zunichte machen; **~·ment** [~mənt] Enttäuschung *f*.
dis·ap·prov|al [dɪsə'pru:vl] Mißbilligung *f*; **~e** ['dɪsə'pru:v] mißbilligen; dagegen sein.
dis|arm [dɪs'ɑ:m] *v/t*. entwaffnen (*a. fig.*); *v/i*. ⚔ *pol.* abrüsten; **~·ar·ma·ment** [~əmənt] Entwaffnung *f*; ⚔ *pol.* Abrüstung *f*.
dis·ar·range ['dɪsə'reɪndʒ] in Unordnung bringen.
dis·ar·ray ['dɪsə'reɪ] Unordnung *f*.
di·sas|ter [dɪ'zɑ:stə] Unglück(sfall *m*) *n*, Katastrophe *f*; **~·trous** □ [~trəs] katastrophal, verheerend.
dis·band [dɪs'bænd] (sich) auflösen.
dis·be|lief [dɪsbɪ'li:f] Unglaube *m*; Zweifel *m* (*in* an *dat.*); **~·lieve** [~i:v] *et.* bezweifeln, nicht glauben.
disc [dɪsk] Scheibe *f* (*a. anat., zo.,* ⊕); (Schall)Platte *f*; Parkscheibe *f*; ⚠ *nicht Diskus*; *slipped* ~ ⚕ Bandscheibenvorfall *m*.
dis·card [dɪ'skɑ:d] *Karten, Kleid etc.* ablegen; *Freund etc.* fallenlassen.
di·scern [dɪ'sɜ:n] wahrnehmen, erkennen; **~·ing** □ [~ɪŋ] kritisch, scharfsichtig; **~·ment** [~mənt] Einsicht *f*; Scharfblick *m*; Wahrnehmen *n*.
dis·charge [dɪs'tʃɑ:dʒ] **1.** *v/t*. ent-, ausladen; *j-n* befreien, entbinden; *j-n* entlassen; *Gewehr etc.* abfeuern; von sich geben, ausströmen, -senden; ⚕ absondern; *Pflicht etc.* erfüllen; *Zorn etc.* auslassen (*on* an *dat.*); *Schuld* bezahlen; *Wechsel* einlösen; *v/i*. ⚡ sich entladen; sich ergießen, münden (*Fluß*); ⚕ eitern; **2.** Entladung *f* (*e-s Schiffes etc.*); Abfeuern *n* (*e-s Gewehrs etc.*); Ausströmen *n*; ⚕ Absonderung *f*; ⚕ Ausfluß *m*; Ausstoßen *n*; ⚡ Entladung *f*; Entlassung *f*; Entlastung *f*; Erfüllung *f* (*e-r Pflicht*).
di·sci·ple [dɪ'saɪpl] Schüler *m*; Jünger *m*.
dis·ci·pline ['dɪsɪplɪn] **1.** Disziplin *f*; Bestrafung *f*; **2.** disziplinieren; bestrafen; *well* ~*d* diszipliniert; *badly* ~*d* disziplinlos, undiszipliniert.
disc jock·ey ['dɪskdʒɒkɪ] Disk-, Discjockey *m*.
dis·claim [dɪs'kleɪm] ab-, bestreiten; *Verantwortung* ablehnen; ⚖ verzichten auf (*acc.*).
dis|close [dɪs'kləʊz] bekanntgeben, -machen; enthüllen, aufdecken; **~·clo·sure** [~əʊʒə] Enthüllung *f*.
dis·co F ['dɪskəʊ] **1.** (*pl. -cos*) Disko *f* (*Diskothek*); **2.** Disko...; ~ *sound* Diskosound *m*.
dis·col·o(u)r [dɪs'kʌlə] (sich) verfärben.
dis·com·fort [dɪs'kʌmfət] **1.** Unbehagen *n*; Beschwerden *pl.*; **2.** *j-m* Unbehagen verursachen.
dis·con·cert [dɪskən'sɜ:t] aus der Fassung bringen.
dis·con·nect ['dɪskə'nekt] trennen (*a.* ⚡); ⊕ auskuppeln; ⚡ *Gerät* abschalten; *Gas, Strom, Telefon* abstellen; *teleph. Gespräch* unterbrechen; **~·ed** □ zusammenhang(s)los.
dis·con·so·late □ [dɪs'kɒnsələt] untröstlich, tieftraurig.
dis·con·tent ['dɪskən'tent] Unzufriedenheit *f*; **~·ed** □ unzufrieden.
dis·con·tin·ue ['dɪskən'tɪnju:] aufgeben, aufhören mit; unterbrechen.
dis·cord ['dɪskɔ:d], **~·ance** [dɪs'kɔ:dəns] Uneinigkeit *f*; ♪ Mißklang *m*; **~·ant** □ [~t] nicht übereinstimmend; ♪ unharmonisch, mißtönend.
dis·co·theque ['dɪskətek] Diskothek *f*.
dis·count ['dɪskaʊnt] **1.** *econ.* Diskont *m*; Abzug *m*, Rabatt *m*; **2.** *econ.* diskontieren; abziehen, abrechnen; *Nachricht* mit Vorsicht aufnehmen.
dis·cour·age [dɪ'skʌrɪdʒ] entmutigen; abschrecken; **~·ment** [~mənt] Entmutigung *f*; Hindernis *n*, Schwierigkeit *f*.
dis·course **1.** ['dɪskɔ:s] Rede *f*; Abhandlung *f*; Predigt *f*; **2.** [dɪ'skɔ:s] e-n Vortrag halten (*on, upon* über *acc.*).
dis·cour·te|ous □ [dɪs'kɜ:tjəs] unhöflich; **~·sy** [~təsɪ] Unhöflichkeit *f*.
dis·cov|er [dɪ'skʌvə] entdecken; aus-

findig machen; feststellen; **~·e·ry** [~ərɪ] Entdeckung *f.*
dis·cred·it [dɪsˈkredɪt] **1.** Zweifel *m*; Mißkredit *m*, schlechter Ruf; **2.** nicht glauben; in Mißkredit bringen.
di·screet □ [dɪˈskriːt] besonnen, vorsichtig; diskret, verschwiegen.
di·screp·an·cy [dɪˈskrepənsɪ] Widerspruch *m*, Unstimmigkeit *f.*
di·scre·tion [dɪˈskreʃn] Besonnenheit *f*, Klugheit *f*; Takt *m*; Verschwiegenheit *f*; Belieben *n.*
di·scrim·i|nate [dɪˈskrɪmɪneɪt] unterscheiden; ~ *against* benachteiligen; **~·nat·ing** □ [~ɪŋ] unterscheidend; kritisch, urteilsfähig; **~·na·tion** [dɪskrɪmɪˈneɪʃn] Unterscheidung *f*; unterschiedliche (*bsd.* nachteilige) Behandlung; Urteilskraft *f.*
dis·cus [ˈdɪskəs] *Sport*: Diskus *m*; ~ *throw* Diskuswerfen *n*; ~ *thrower* Diskuswerfer(in).
di·scuss [dɪˈskʌs] diskutieren, erörtern, besprechen; **di·scus·sion** [~ʌʃn] Diskussion *f*, Besprechung *f.*
dis·dain [dɪsˈdeɪn] **1.** Verachtung *f*; **2.** geringschätzen, verachten; verschmähen.
dis·ease [dɪˈziːz] Krankheit *f*; **~d** krank.
dis·em·bark [ˈdɪsɪmˈbɑːk] *v/t.* ausschiffen; *v/i.* von Bord gehen.
dis·en·chant·ed [dɪsɪnˈtʃɑːntɪd]: *be ~ with* sich keinen Illusionen mehr hingeben über (*acc.*).
dis·en·gage [ˈdɪsɪnˈgeɪdʒ] (sich) freimachen *od.* lösen; ⊕ loskuppeln.
dis·en·tan·gle [ˈdɪsɪnˈtæŋgl] entwirren; herauslösen (*from* aus).
dis·fa·vo(u)r [ˈdɪsˈfeɪvə] Mißfallen *n*; Ungnade *f.*
dis·fig·ure [dɪsˈfɪgə] entstellen.
dis·grace [dɪsˈgreɪs] **1.** Ungnade *f*; Schande *f*; **2.** Schande bringen über (*acc.*), *j-m* Schande bereiten; *be ~d* in Ungnade fallen; **~·ful** □ [~fl] schändlich; skandalös.
dis·guise [dɪsˈgaɪz] **1.** verkleiden (*as* als); verstellen; verschleiern, -bergen; **2.** Verkleidung *f*; Verstellung *f*; Verschleierung *f*; *thea. u. fig.* Maske *f*; *in ~* maskiert, verkleidet; *fig.* verkappt; *in the ~ of* verkleidet als.
dis·gust [dɪsˈgʌst] **1.** Ekel *m*, Abscheu *m*; **2.** (an)ekeln; empören, entrüsten; **~·ing** □ [~ɪŋ] ekelhaft.
dish [dɪʃ] **1.** flache Schüssel; (Servier)Platte *f*; Gericht *n*, Speise *f*; *the ~es pl.* das Geschirr; **2.** *mst ~ up* anrichten; auftischen, -tragen; *~ out* F austeilen; **~·cloth** [ˈdɪʃklɒθ] Geschirrspültuch *n.*
dis·heart·en [dɪsˈhɑːtn] entmutigen.
di·shev·el(l)ed [dɪˈʃevld] zerzaust.
dis·hon·est □ [dɪsˈɒnɪst] unehrlich, unredlich; **~·y** [~ɪ] Unredlichkeit *f.*
dis·hon|o(u)r [dɪsˈɒnə] **1.** Unehre *f*, Schande *f*; **2.** entehren; schänden; *econ. Wechsel* nicht honorieren *od.* einlösen; **~·o(u)·ra·ble** □ [~rəbl] schändlich, unehrenhaft.
dish|rag [ˈdɪʃræg] = *dishcloth*; **~·wash·er** Spüler(in); Geschirrspülmaschine *f*, -spüler *m*; **~·wa·ter** Spülwasser *n.*
dis·il·lu·sion [dɪsɪˈluːʒn] **1.** Ernüchterung *f*, Desillusion *f*; **2.** ernüchtern, desillusionieren; *be ~ed with* sich keinen Illusionen mehr hingeben über (*acc.*).
dis·in·clined [ˈdɪsɪnˈklaɪnd] abgeneigt.
dis·in|fect [ˈdɪsɪnˈfekt] desinfizieren; **~·fec·tant** [~ənt] Desinfektionsmittel *n.*
dis·in·her·it [dɪsɪnˈherɪt] enterben.
dis·in·te·grate [dɪsˈɪntɪgreɪt] (sich) auflösen; ver-, zerfallen.
dis·in·terest·ed □ [dɪsˈɪntrəstɪd] uneigennützig, selbstlos; objektiv, unvoreingenommen; ⚠ *mst nicht desinteressiert.*
disk [dɪsk] *bsd. Am.* = *Brt. disc*; *Computer*: Diskette *f*; ~ *drive* Diskettenlaufwerk *n*, F Floppy *f.*
disk·ette [ˈdɪsket, dɪˈsket] *Computer*: Diskette *f.*
dis·like [dɪsˈlaɪk] **1.** Abneigung *f*, Widerwille *m* (*of, for* gegen); *take a ~ to s.o.* gegen j-n e-e Abneigung fassen; **2.** nicht mögen.
dis·lo·cate [ˈdɪsləkeɪt] ⚕ verrenken; verlagern.
dis·lodge [dɪsˈlɒdʒ] vertreiben, verjagen; entfernen; *Stein etc.* lösen.
dis·loy·al □ [ˈdɪsˈlɔɪəl] treulos.
dis·mal □ [ˈdɪzməl] trüb(e), trostlos, elend.
dis·man·tle [dɪsˈmæntl] abbrechen, niederreißen; ⚓ abtakeln; ⚓ abwracken; ⊕ demontieren.
dis·may [dɪsˈmeɪ] **1.** Schrecken *m*, Bestürzung *f*; *in ~, with ~* bestürzt; *to one's ~* zu s-m Entsetzen; **2.** *v/t.* erschrecken, bestürzen.

dis·miss [dɪsˈmɪs] *v/t.* entlassen; wegschicken; ablehnen; *Thema etc.* fallenlassen; ⚖ abweisen; **~·al** [~l] Entlassung *f*; Aufgabe *f*; ⚖ Abweisung *f*.

dis·mount [ˈdɪsˈmaʊnt] *v/t.* aus dem Sattel heben; *Reiter* abwerfen; demontieren; ⊕ auseinandernehmen; *v/i.* absteigen, absitzen (*from* von *Fahrrad, Pferd etc.*).

dis·o·be·di|ence [dɪsəˈbiːdjəns] Ungehorsam *m*; **~·ent** □ [~t] ungehorsam.

dis·o·bey [ˈdɪsəˈbeɪ] nicht gehorchen, ungehorsam sein (gegen).

dis·or·der [dɪsˈɔːdə] **1.** Unordnung *f*; Aufruhr *m*; ⚕ Störung *f*; **2.** in Unordnung bringen; ⚕ angreifen; **~·ly** [~lɪ] unordentlich; ordnungswidrig; unruhig; aufrührerisch.

dis·or·gan·ize [dɪsˈɔːgənaɪz] durcheinanderbringen; desorganisieren.

dis·own [dɪsˈəʊn] nicht anerkennen; *Kind* verstoßen; ablehnen.

di·spar·age [dɪˈspærɪdʒ] verächtlich machen, herabsetzen; geringschätzen.

di·spar·i·ty [dɪˈspærətɪ] Ungleichheit *f*; ~ *of od. in age* Altersunterschied *m*.

dis·pas·sion·ate □ [dɪˈspæʃnət] leidenschaftslos; objektiv.

di·spatch [dɪˈspætʃ] **1.** schnelle Erledigung; (Ab)Sendung *f*; Abfertigung *f*; Eile *f*; (Eil)Botschaft *f*; Bericht *m* (*e-s Korrespondenten*); **2.** schnell erledigen; absenden, abschicken, *Telegramm* aufgeben, abfertigen.

di·spel [dɪˈspel] (*-ll-*) *Menge etc.* zerstreuen (*a. fig.*), *Nebel* zerteilen.

di·spen·sa|ble [dɪˈspensəbl] entbehrlich; **~·ry** [~rɪ] Werks-, Krankenhaus-, Schul-, ⚔ Lazarettapotheke *f*.

dis·pen·sa·tion [dɪspenˈseɪʃn] Austeilung *f*; Befreiung *f* (*with* von); Dispens *m*; *göttliche* Fügung.

di·spense [dɪˈspens] austeilen; *Recht* sprechen; *Arzneien* zubereiten u. abgeben; ~ *with* auskommen ohne; überflüssig machen; **di·spens·er** [~ə] Spender *m*, *für Klebestreifen a.* Abroller *m*, (*Briefmarken- etc.*)Automat m.

di·sperse [dɪˈspɜːs] verstreuen; (sich) zerstreuen.

di·spir·it·ed [dɪˈspɪrɪtɪd] entmutigt.

dis·place [dɪsˈpleɪs] verschieben; ablösen, entlassen; verschleppen; ersetzen; verdrängen.

di·splay [dɪˈspleɪ] **1.** Entfaltung *f*; (Her)Zeigen *n*; (protzige) Zurschaustellung; Sichtanzeige *f*; *econ.* Display *n*, Auslage *f*; *be on* ~ ausgestellt sein; **2.** entfalten; zur Schau stellen; zeigen.

dis|please [dɪsˈpliːz] *j-m* mißfallen; **~·pleased** ungehalten; **~·plea·sure** [~pleʒə] Mißfallen *n*.

dis|po·sa·ble [dɪˈspəʊzəbl] Einweg...; Wegwerf...; **~·pos·al** [~zl] Beseitigung *f* (*von Müll etc.*), Entsorgung *f*; Verfügung(srecht *n*) *f*; *be (put) at s.o.'s* ~ j-m zur Verfügung stehen (stellen); **~·pose** [~əʊz] *v/t.* (an)ordnen, einrichten; geneigt machen, veranlassen; *v/i.* ~ *of* verfügen über (*acc.*); erledigen; loswerden; beseitigen; **~·posed** geneigt; ...gesinnt; **~·po·si·tion** [dɪspəˈzɪʃn] Disposition *f*; Anordnung *f*; Neigung *f*; Veranlagung *f*, Art *f*.

dis·pos·sess [ˈdɪspəˈzes] enteignen, vertreiben; berauben (*of gen.*).

dis·pro·por·tion·ate □ [ˈdɪsprəˈpɔːʃnət] unverhältnismäßig.

dis·prove [ˈdɪsˈpruːv] widerlegen.

di·spute [dɪˈspjuːt] **1.** Disput *m*, Kontroverse *f*; Streit *m*; Auseinandersetzung *f*; **2.** streiten (über *acc.*); bezweifeln.

dis·qual·i·fy [dɪsˈkwɒlɪfaɪ] unfähig *od.* untauglich machen; für untauglich erklären; *Sport*: disqualifizieren.

dis·qui·et [dɪsˈkwaɪət] beunruhigen.

dis·re·gard [ˈdɪsrɪˈgɑːd] **1.** Nichtbeachtung *f*; Mißachtung *f*; **2.** nicht beachten.

dis|rep·u·ta·ble □ [dɪsˈrepjʊtəbl] übel; verrufen; **~·re·pute** [ˈdɪsrɪˈpjuːt] schlechter Ruf.

dis·re·spect [ˈdɪsrɪˈspekt] Respektlosigkeit *f*; Unhöflichkeit *f*; **~·ful** □ [~fl] respektlos; unhöflich.

dis·rupt [dɪsˈrʌpt] unterbrechen.

dis·sat·is|fac·tion [ˈdɪssætɪsˈfækʃn] Unzufriedenheit *f*; **~·fy** [ˈdɪsˈsætɪsfaɪ] nicht befriedigen; *j-m* mißfallen.

dis·sect [dɪˈsekt] zerlegen, -gliedern.

dis·sem·ble [dɪˈsembl] *v/t.* verbergen; *v/i.* sich verstellen, heucheln.

dis·sen|sion [dɪˈsenʃn] Meinungsverschiedenheit(en *pl.*) *f*, Differenz(en *pl.*) *f*; Uneinigkeit *f*; **~t** [~t]

1. abweichende Meinung; **2.** anderer Meinung sein (*from* als); **~t·er** [~ə] Andersdenkende(r *m*) *f*.
dis·si·dent [ˈdɪsɪdənt] **1.** andersdenkend; **2.** Andersdenkende(r *m*) *f*; *pol.* Dissident(in), Regime-, Systemkritiker(in).
dis·sim·i·lar □ [ˈdɪˈsɪmɪlə] (*to*) unähnlich (*dat.*); verschieden (von).
dis·sim·u·la·tion [dɪsɪmjʊˈleɪʃn] Verstellung *f*.
dis·si|pate [ˈdɪsɪpeɪt] (sich) zerstreuen; verschwenden; **~·pat·ed** ausschweifend, zügellos.
dis·so·ci·ate [dɪˈsəʊʃɪeɪt] trennen; **~** *o.s.* sich distanzieren, abrücken.
dis·so|lute □ [ˈdɪsəluːt] ausschweifend, zügellos; **~·lu·tion** [dɪsəˈluːʃn] Auflösung *f*; Zerstörung *f*; ⚖ Aufhebung *f*, Annullierung *f*.
dis·solve [dɪˈzɒlv] *v/t.* (auf)lösen; schmelzen; *v/i.* sich auflösen.
dis·so·nant □ [ˈdɪsənənt] ♪ dissonant, mißtönend; *fig.* unstimmig.
dis·suade [dɪˈsweɪd] *j-m* abraten (*from* von).
dis|tance [ˈdɪstəns] **1.** Abstand *m*; Entfernung *f*; Ferne *f*; Strecke *f*; *fig.* Distanz *f*, Zurückhaltung *f*; *at a* **~** von weitem; in einiger Entfernung; *keep s.o. at a* **~** j-m gegenüber reserviert sein; **~** *race Sport*: Langstreckenlauf *m*; **~** *runner Sport*: Langstreckenläufer(in); **2.** hinter sich lassen; **~·tant** □ [~t] entfernt; fern; zurückhaltend; Fern...; **~** *control* Fernsteuerung *f*.
dis·taste [dɪsˈteɪst] Widerwille *m*, Abneigung *f*; **~·ful** □ [~fl]: *be* **~** *to s.o.* j-m zuwider sein.
dis·tem·per [dɪˈstempə] Krankheit *f* (*bsd. von Tieren*); (Hunde)Staupe *f*.
dis·tend [dɪˈstend] (sich) (aus)dehnen; (auf)blähen; sich weiten.
dis·til(l) [dɪˈstɪl] (*-ll-*) herabtropfen (lassen); ⚗ destillieren; **dis·til·le·ry** [~lərɪ] (Branntwein)Brennerei *f*.
dis|tinct □ [dɪˈstɪŋkt] verschieden; getrennt; deutlich, klar, bestimmt; **~·tinc·tion** [~kʃn] Unterscheidung *f*; Unterschied *m*; Auszeichnung *f*; Rang *m*; **~·tinc·tive** □ [~tɪv] unterscheidend; kennzeichnend, bezeichnend.
dis·tin·guish [dɪˈstɪŋgwɪʃ] unterscheiden; auszeichnen; **~** *o.s.* sich auszeichnen; **~ed** berühmt; ausgezeichnet; vornehm.
dis·tort [dɪˈstɔːt] verdrehen; verzerren.
dis·tract [dɪˈstrækt] ablenken; zerstreuen; beunruhigen; verwirren; verrückt machen; **~·ed** □ beunruhigt, besorgt; (*by, with*) außer sich (vor *dat.*); wahnsinnig (vor *Schmerzen etc.*); **dis·trac·tion** [~kʃn] Ablenkung *f*; Zerstreutheit *f*; Verwirrung *f*; Zerstreuung *f*; Raserei *f*.
dis·traught [dɪˈstrɔːt] = *distracted*.
dis·tress [dɪˈstres] **1.** Qual *f*; Kummer *m*, Sorge *f*; Elend *n*, Not *f*; **2.** in Not bringen; quälen; beunruhigen; betrüben; *j-n* erschöpfen; **~ed** beunruhigt, besorgt; betrübt; notleidend; **~** *area Brt.* Notstandsgebiet *n*.
dis|trib·ute [dɪˈstrɪbjuːt] ver-, aus-, zuteilen; einteilen; verbreiten; **~·tri·bu·tion** [dɪstrɪˈbjuːʃn] Ver-, Austeilung *f*; Verleih *m* (*von Filmen*); Verbreitung *f*; Einteilung *f*.
dis·trict [ˈdɪstrɪkt] Bezirk *m*; Gegend *f*.
dis·trust [dɪsˈtrʌst] **1.** Mißtrauen *n*; **2.** mißtrauen (*dat.*); **~·ful** □ [~fl] mißtrauisch.
dis·turb [dɪˈstɜːb] stören; beunruhigen; **~·ance** [~əns] Störung *f*; Unruhe *f*; **~** *of the peace* ⚖ Störung *f* der öffentlichen Sicherheit u. Ordnung; *cause a* **~** für Unruhe sorgen; ruhestörenden Lärm machen; **~ed** geistig gestört; verhaltensgestört.
dis·used [ˈdɪsˈjuːzd] nicht mehr benutzt (*Maschine etc.*), stillgelegt (*Bergwerk etc.*).
ditch [dɪtʃ] Graben *m*.
di·van [dɪˈvæn, *Am.* ˈdaɪvæn] Diwan *m*; **~** *bed* Bettcouch *f*.
dive [daɪv] **1.** (*dived od. Am. a. dove, dived*) (unter)tauchen; *vom Sprungbrett* springen; e-n Hecht- *od.* Kopfsprung machen; hechten (*for* nach); e-n Sturzflug machen; **2.** *Schwimmen*: Springen *n*; Kopf-, Hechtsprung *m*; Sturzflug *m*; F Spelunke *f*; **div·er** [ˈdaɪvə] Taucher(in); *Sport*: Wasserspringer(in).
di·verge [daɪˈvɜːdʒ] auseinanderlaufen; abweichen; **di·ver·gence** [~əns] Abweichung *f*; **di·ver·gent** □ [~t] abweichend.
di·vers [ˈdaɪvɜːz] mehrere.
di·verse □ [daɪˈvɜːs] verschieden; mannigfaltig; **di·ver·si·fy** [~sɪfaɪ] verschieden(artig) *od.* abwechslungsreich gestalten; **di·ver·sion**

[~ɜːʃn] Ablenkung *f*; Zeitvertreib *m*; **di·ver·si·ty** [~ɜːsətɪ] Verschiedenheit *f*; Mannigfaltigkeit *f*.
di·vert [daɪˈvɜːt] ablenken; *j-n* zerstreuen, unterhalten; *Verkehr* umleiten.
di·vide [dɪˈvaɪd] **1.** *v/t.* teilen; ver-, aus-, aufteilen; trennen; einteilen; ⅍ dividieren (*by* durch); *v/i.* sich teilen; zerfallen; ⅍ sich dividieren lassen; sich trennen *od.* auflösen; **2.** *geogr.* Wasserscheide *f*; **di·vid·ed** geteilt; ~ *highway Am.* Schnellstraße *f*; ~ *skirt* Hosenrock *m*.
div·i·dend *econ.* [ˈdɪvɪdend] Dividende *f*.
di·vid·ers [dɪˈvaɪdəz] *pl.* (*a pair of* ~ ein) Stechzirkel *m*.
di·vine [dɪˈvaɪn] **1.** □ (~*r*, ~*st*) göttlich; ~ *service* Gottesdienst *m*; **2.** Geistliche(r) *m*; **3.** weissagen; ahnen.
div·ing [ˈdaɪvɪŋ] Tauchen *n*; *Sport*: Wasserspringen *n*; *attr.* Tauch..., Taucher...; ✈ Sturzflug...; ~*-board* Sprungbrett *n*; ~*-suit* Taucheranzug *m*.
di·vin·i·ty [dɪˈvɪnətɪ] Gottheit *f*; Göttlichkeit *f*; Theologie *f*.
di·vis·i·ble □ [dɪˈvɪzəbl] teilbar; **di·vi·sion** [~ɪʒn] Teilung *f*; Trennung *f*; Abteilung *f*; ⚔, ⅍ Division *f*.
di·vorce [dɪˈvɔːs] **1.** (Ehe)Scheidung *f*; *get a* ~ geschieden werden (*from* von); **2.** *Ehe* scheiden; sich scheiden lassen von; *they have been* ~*d* sie haben sich scheiden lassen; **di·vor·cee** [dɪvɔːˈsiː] Geschiedene(r *m*) *f*.
diz·zy □ [ˈdɪzɪ] (*-ier, -iest*) schwind(e)lig.
do [duː] (*did, done*) *v/t.* tun, machen; (zu)bereiten; *Zimmer* aufräumen; *Geschirr* abwaschen; *Rolle* spielen; *Wegstrecke* zurücklegen, schaffen; ~ *you know him? – no, I don't* kennst du ihn? – nein; *what can I* ~ *for you?* was kann ich für Sie tun?, womit kann ich (Ihnen) dienen?; ~ *London* F London besichtigen; *have one's hair done* sich die Haare machen *od.* frisieren lassen; *have done reading* fertig sein mit Lesen; *v/i.* tun, handeln; sich befinden; genügen; *that will* ~ das genügt; *how* ~ *you* ~? guten Tag! (*bei der Vorstellung*); ~ *be quick* beeile dich doch; ~ *you like London? – I* ~ gefällt Ihnen London? – ja; ~ *well* s-e Sache gut machen; gute Geschäfte machen; *mit Adverbien u. Präpositionen*: ~ *away with* beseitigen, weg-, abschaffen; *I'm done in* F ich bin geschafft; ~ *up Kleid etc.* zumachen; *Haus etc.* instand setzen; *Päckchen* zurechtmachen; ~ *o.s. up* sich zurechtmachen; *I'm done up* F ich bin geschafft; *I could* ~ *with ...* ich könnte ... brauchen *od.* vertragen; ~ *without* auskommen *od.* sich behelfen ohne.
do·cile □ [ˈdəʊsaɪl] gelehrig; fügsam.
dock[1] [dɒk] stutzen, kupieren; *fig.* kürzen.
dock[2] [~] **1.** ⚓ Dock *n*; Kai *m*, Pier *m*; ⚖ Anklagebank *f*; **2.** *v/t. Schiff* (ein-)docken; *Raumschiff* koppeln; *v/i.* ⚓ anlegen; andocken, ankoppeln (*Raumschiff*); **~·ing** [ˈdɒkɪŋ] Docking *n*, Ankopp(e)lung *f* (*von Raumschiffen*); **~·yard** ⚓ (*bsd. Brt.* Marine)Werft *f*.
doc·tor [ˈdɒktə] **1.** Doktor *m*; Arzt *m*; **2.** F verarzten; F (ver)fälschen.
doc·trine [ˈdɒktrɪn] Doktrin *f*, Lehre *f*.
doc·u·ment 1. [ˈdɒkjʊmənt] Urkunde *f*; **2.** [~ment] (urkundlich) belegen.
doc·u·men·ta·ry [dɒkjʊˈmentrɪ] **1.** urkundlich; *Film etc.*: Dokumentar...; **2.** Dokumentarfilm *m*.
dodge [dɒdʒ] **1.** Sprung *m* zur Seite; Kniff *m*, Trick *m*; **2.** (rasch) zur Seite springen, ausweichen; F sich drücken (vor *dat.*).
doe *zo.* [dəʊ] Hirschkuh *f*; Rehgeiß *f*, Ricke *f*; Häsin *f*.
dog [dɒg] **1.** *zo.* Hund *m*; **2.** (*-gg-*) *j-n* beharrlich verfolgen; **~-eared** [ˈdɒgɪəd] mit Eselsohren (*Buch*); **~·ged** □ verbissen, hartnäckig.
dog·ma [ˈdɒgmə] Dogma *n*; Glaubenssatz *m*; **~t·ic** [dɒgˈmætɪk] (~*ally*) dogmatisch.
dog-tired F [ˈdɒgˈtaɪəd] hundemüde.
do·ings [ˈduːɪŋz] *pl.* Handlungen *pl.*, Taten *pl.*, Tätigkeit *f*; Begebenheiten *pl.*; Treiben *n*, Betragen *n*.
do-it-your·self [duːɪtjɔːˈself] **1.** Heimwerken *n*; **2.** Heimwerker...
dole [dəʊl] **1.** milde Gabe; *Brt.* F Stempelgeld *n*; *be od. go on the* ~ *Brt.* F stempeln gehen; **2.** ~ *out* sparsam ver- *od.* austeilen.
dole·ful □ [ˈdəʊlfl] trübselig.
doll [dɒl] Puppe *f*.

D

dol·lar ['dɒlə] Dollar *m.*
dol·phin *zo.* ['dɒlfɪn] Delphin *m.*
do·main [dəʊ'meɪn] Domäne *f*; *fig.* Gebiet *n*, Bereich *m.*
dome [dəʊm] Kuppel *f*; ⚠ *nicht Dom*; **~d** gewölbt.
D
Domes·day Book ['du:mzdeɪbʊk] *Reichsgrundbuch Englands (1086).*
do·mes|tic [də'mestɪk] **1.** (*~ally*) häuslich; inländisch, einheimisch; zahm; ~ *animal* Haustier *n*; ~ *flight* ✈ Inlandsflug *m*; ~ *trade* Binnenhandel *m*; **2.** Hausangestellte(r *m*) *f*; **~·ti·cate** [~eɪt] zähmen.
dom·i·cile ['dɒmɪsaɪl] Wohnsitz *m.*
dom·i|nant □ ['dɒmɪnənt] (vor-) herrschend; **~·nate** [~eɪt] (be)herrschen; **~·na·tion** [dɒmɪ'neɪʃn] Herrschaft *f*; **~·neer·ing** □ [~ɪərɪŋ] herrisch, tyrannisch; überheblich.
do·min·ion [də'mɪnjən] Herrschaft *f*; (Herrschafts)Gebiet *n*; ♀ Dominion *n* (*im Brit. Commonwealth*).
don [dɒn] anziehen; *Hut* aufsetzen.
do·nate [dəʊ'neɪt] schenken, stiften; **do·na·tion** [~eɪʃn] Schenkung *f.*
done [dʌn] **1.** *p.p. von do*; **2.** *adj.* getan; erledigt; fertig; gar *gekocht.*
don·key ['dɒŋkɪ] *zo.* Esel *m*; *attr.* Hilfs...
do·nor ['dəʊnə] (⚕ *bsd.* Blut-, Organ)Spender(in).
doom [du:m] **1.** Schicksal *n*, Verhängnis *n*; **2.** verurteilen, -dammen; **~s·day** ['du:mzdeɪ]: *till* ~ F bis zum Jüngsten Tag.
door [dɔ:] Tür *f*; Tor *n*; *next* ~ nebenan; **~-han·dle** ['dɔ:hændl] Türklinke *f*; **~-keep·er** Pförtner *m*; **~-man** (*pl.* -*men*) (livrierter) Portier; **~·step** Türstufe *f*; **~·way** Türöffnung *f*, (Tür)Eingang *m.*
dope [dəʊp] **1.** Schmiere *f*; *bsd.* ✈ Lack *m*; F Stoff *m*, Rauschgift *n*; F Betäubungsmittel *n*; *Sport*: Dopingmittel *n*; *Am.* F Rauschgiftsüchtige(r *m*) *f*; *sl.* Trottel *m*; *sl.* (vertrauliche) Informationen *pl.*, Geheimtip *m*; **2.** ✈ lackieren; F *j-m* Stoff geben; *Sport*: dopen; ~ **ad·dict,** ~ **fiend** F Rauschgift-, Drogensüchtige(r *m*) *f*; ~ **test** Dopingkontrolle *f.*
dorm F [dɔ:m] = *dormitory.*
dor·mant *mst fig.* ['dɔ:mənt] schlafend, ruhend; untätig.
dor·mer (win·dow) ['dɔ:mə('wɪndəʊ)] stehendes Dachfenster.
dor·mi·to·ry ['dɔ:mɪtrɪ] Schlafsaal *m*; *bsd. Am.* Studentenwohnheim *n.*
dose [dəʊs] **1.** Dosis *f*; ⚠ *nicht Dose*; **2.** *j-m* e-e Medizin geben.
dot [dɒt] **1.** Punkt *m*; Fleck *m*; *on the* ~ F auf die Sekunde pünktlich; **2.** (-*tt*-) punktieren; tüpfeln; *fig.* sprenkeln; *~ted line* punktierte Linie.
dote [dəʊt]: ~ *on*, ~ *upon* vernarrt sein in (*acc.*), abgöttisch lieben (*acc.*); **dot·ing** □ ['dəʊtɪŋ] vernarrt.
doub·le □ ['dʌbl] **1.** doppelt; zu zweien; gekrümmt; zweideutig; **2.** Doppelte(s) *n*; Doppelgänger(in); *Film, TV*: Double *n*; *mst* ~*s sg., pl. Tennis*: Doppel *n*; *men's od. women's* ~*s sg., pl.* Herren- *od.* Damendoppel *n*; **3.** (sich) verdoppeln; *Film, TV*: *j-n* doubeln; *a.* ~ *up* falten; *Decke* zusammenlegen; ~ *back* kehrtmachen; ~ *up* zusammenkrümmen; sich krümmen (*with* vor *dat.*); **~-breast·ed** zweireihig (*Jakkett*); **~-check** genau nachprüfen; ~ **chin** Doppelkinn *n*; **~-cross** ein doppeltes *od.* falsches Spiel treiben mit; **~-deal·ing 1.** betrügerisch; **2.** Betrug *m*; **~-deck·er** [~ə] Doppeldecker *m*; **~-edged** zweischneidig; zweideutig; **~-en·try** *econ.* doppelte Buchführung; ~ **fea·ture** *Film*: Doppelprogramm *n*; ~ **head·er** *Am.* [~ə] Doppelveranstaltung *f*; **~-park** *mot.* in zweiter Reihe parken; **~-quick** F im Eiltempo, fix.
doubt [daʊt] **1.** *v/i.* zweifeln; *v/t.* bezweifeln; mißtrauen (*dat.*); **2.** Zweifel *m*; *be in* ~ *about* Zweifel haben an (*dat.*); *no* ~ ohne Zweifel; **~·ful** □ ['daʊtfl] zweifelhaft; **~·less** [~lɪs] ohne Zweifel.
douche [du:ʃ] **1.** Spülung *f* (*a.* ⚕); Spülapparat *m*; ⚠ *nicht Dusche*; **2.** spülen (*a.* ⚕); ⚠ *nicht duschen.*
dough [dəʊ] Teig *m*; **~·nut** ['dəʊnʌt] Krapfen *m*, Berliner (Pfannkuchen) *m*, Schmalzkringel *m.*
dove[1] *zo.* [dʌv] Taube *f.*
dove[2] *Am.* [dəʊv] *pret. von dive 1.*
dow·el ⊕ ['daʊəl] Dübel *m.*
down[1] [daʊn] Daunen *pl.*; Flaum *m*; Düne *f*; ~*s pl.* Hügelland *n.*
down[2] [~] **1.** *adv.* nach unten, her-, hinunter, her-, hinab, abwärts; unten; **2.** *prp.* her-, hinab, her-, hinunter; ~ *the river* flußabwärts; **3.** *adj.* nach unten gerichtet; deprimiert, niedergeschlagen; ~ *platform* Abfahrtsbahnsteig *m* (*in London*); ~

train Zug *m* (von London fort); **4.** *v/t.* niederschlagen; *Flugzeug* abschießen; F *Getränk* runterkippen; ~ *tools* die Arbeit niederlegen, in den Streik treten; **~·cast** ['daʊnkɑ:st] niedergeschlagen; **~·fall** Platzregen *m*; *fig.* Sturz *m*; **~-heart·ed** □ niedergeschlagen; **~·hill 1.** *adv.* bergab; **2.** *adj.* abschüssig; *Skisport*: Abfahrts...; **3.** Abhang *m*; *Skisport*: Abfahrt *f*; **~ pay·ment** *econ.* Anzahlung *f*; **~·pour** Regenguß *m*, Platzregen *m*; **~·right 1.** *adv.* völlig, ganz u. gar, ausgesprochen; **2.** *adj.* glatt (*Lüge etc.*); ausgesprochen; **~·stairs** die Treppe her- *od.* hinunter; (nach) unten; **~·stream** stromabwärts; **~-to-earth** realistisch; **~·town** *Am.* **1.** *adv.* im *od.* ins Geschäftsviertel; **2.** *adj.* im Geschäftsviertel (gelegen *od.* tätig); **3.** Geschäftsviertel *n*, Innenstadt *f*, City *f*; **~·ward(s)** [~wəd(z)] abwärts, nach unten.

down·y ['daʊnɪ] (*-ier, -iest*) flaumig.

dow·ry ['daʊərɪ] Mitgift *f*.

doze [dəʊz] **1.** dösen, ein Nickerchen machen; **2.** Nickerchen *n*.

doz·en ['dʌzn] Dutzend *n*.

drab [dræb] trist; düster; eintönig.

draft [drɑ:ft] **1.** Entwurf *m*; *econ.* Tratte *f*; Abhebung *f* (*von Geld*); ⚔ (Sonder)Kommando *n*; *Am.* ⚔ Einberufung *f*; *bsd. Brit.* = *draught*; **2.** entwerfen; aufsetzen; ⚔ abkommandieren; *Am.* ⚔ einziehen, -berufen; **~·ee** *Am.* ⚔ [drɑ:f'ti:] Wehrdienstpflichtige(r) *m*; **~s·man** *bsd. Am.* ['drɑ:ftsmən] (*pl. -men*) *s. draughtsman*; **~·y** *Am.* [~ɪ] (*-ier, -iest*) = *draughty*.

drag [dræg] **1.** Schleppen *n*, Zerren *n*; ⚓ Schleppnetz *n*; Egge *f*; Schlepp-, Zugseil *n*; *fig.* Hemmschuh *m*; F *et.* Langweiliges; **2.** (*-gg-*) (sich) schleppen, zerren, ziehen, schleifen; *a.* ~ *behind* zurückbleiben, nachhinken; ~ *on* weiterschleppen; *fig.* sich dahinschleppen; *fig.* sich in die Länge ziehen; **~·lift** ['dræglɪft] Schlepplift *m*.

drag·on ['drægən] Drache *m*; **~-fly** *zo.* Libelle *f*.

drain [dreɪn] **1.** Abfluß(kanal *m*, -rohr *n*) *m*; Entwässerungsgraben *m*; *fig.* Belastung *f*; **2.** *v/t.* abfließen lassen; entwässern; austrinken, leeren; *fig.* aufbrauchen, -zehren; *v/i.* ~ *off*, ~ *away* abfließen, ablaufen; **~·age** ['dreɪnɪdʒ] Abfließen *n*, Ablaufen *n*; Entwässerung(sanlage *f*, -ssystem *n*) *f*; Abwasser *n*; **~-pipe** Abflußrohr *n*.

drake *zo.* [dreɪk] Enterich *m*, Erpel *m*; ⚠ *nicht Drache.*

dram F [dræm] Schluck *m*.

dra|ma ['drɑ:mə] Drama *n*; **~·mat·ic** [drə'mætɪk] (*~ally*) dramatisch; **~m·a·tist** ['dræmətɪst] Dramatiker *m*; **~m·a·tize** [~taɪz] dramatisieren.

drank [dræŋk] *pret. von drink 2.*

drape [dreɪp] **1.** drapieren; in Falten legen; **2.** *mst* ~*s pl. Am.* Gardinen *pl.*; **drap·er·y** ['dreɪpərɪ] Textilhandel *m*; Stoffe *pl.*; Faltenwurf *m*.

dras·tic ['dræstɪk] (*~ally*) drastisch.

draught [drɑ:ft] (Luft)Zug *m*; Zug *m*, Schluck *m*; Fischzug *m*; ⚓ Tiefgang *m*; ~*s sg. Brt.* Dame(spiel *n*); ~ *beer* Faßbier *n*; **~·horse** ['drɑ:fthɔ:s] Zugpferd *n*; **~s·man** [~smən] (*pl. -men*) *Brt.* Damestein *m*; ⊕ (Konstruktions-, Muster)Zeichner *m*; **~·y** [~ɪ] (*-ier, -iest*) zugig.

draw [drɔ:] **1.** (*drew, drawn*) ziehen; an-, auf-, ein-, zuziehen; ⚕ *Blut* abnehmen; *econ. Geld* abheben; *Tränen* hervorlocken; *Kunden etc.* anziehen, anlocken; *j-s Aufmerksamkeit* lenken (*to* auf *acc.*); *Bier* abzapfen; ausfischen; *Tier* ausnehmen, -weiden; *Luft* schöpfen; ziehen (lassen) (*Tee*); (in Worten) schildern; *Schriftstück* ab-, verfassen; *fig.* entlocken; zeichnen, malen; ziehen, Zug haben (*Kamin*); sich zusammenziehen; sich nähern (*to dat.*); *Sport*: unentschieden spielen; ~ *near* sich nähern; ~ *on*, ~ *upon* in Anspruch nehmen; ~ *out* in die Länge ziehen; ~ *up Schriftstück* aufsetzen; halten; vorfahren; **2.** Zug *m* (*Ziehen*); *Lotterie*: Ziehung *f*; *Sport*: Unentschieden *n*; Attraktion *f*, (Kassen)Schlager *m*; **~·back** ['drɔ:bæk] Nachteil *m*, Hindernis *n*; **~·er** ['drɔ:ə] Zeichner *m*; *econ.* Aussteller *m*, Trassant *m* (*e-s Wechsels*); [drɔ:] Schubfach *n*, -lade *f*; (*a pair of*) ~*s pl.* (eine) Unterhose; (ein) (Damen-)Schlüpfer *m*; *mst chest of* ~*s* Kommode *f*.

draw·ing ['drɔ:ɪŋ] Ziehen *n*; Zeichnen *n*; Zeichnung *f*; **~ account** *econ.* Girokonto *n*; **~-board** Reißbrett *n*; **~-pin** *Brt.* Reißzwecke *f*, -nagel *m*, Heftzwecke *f*; **~-room** = *living room*; Salon *m*.

drawl [drɔːl] **1.** gedehnt sprechen; **2.** gedehntes Sprechen.

drawn [drɔːn] **1.** *p.p. von draw 1*; **2.** *adj. Sport*: unentschieden; abgespannt.

D

dread [dred] **1.** (große) Angst, Furcht *f*; **2.** (sich) fürchten; **~·ful** □ ['dredfl] schrecklich, furchtbar.

dream [driːm] **1.** Traum *m*; **2.** (*dreamed od. dreamt*) träumen; **~·er** ['driːmə] Träumer(in); **~t** [dremt] *pret. u. p.p. von dream 2*; **~·y** □ ['driːmɪ] (*-ier*, *-iest*) träumerisch, verträumt.

drear·y □ ['drɪərɪ] (*-ier*, *-iest*) trübselig; trüb(e); langweilig.

dredge [dredʒ] **1.** Schleppnetz *n*; Bagger(maschine *f*) *m*; **2.** (aus)baggern.

dregs [dregz] *pl.* Bodensatz *m*; *fig.* Abschaum *m*.

drench [drentʃ] durchnässen.

dress [dres] **1.** Anzug *m*; Kleidung *f*; Kleid *n*; **2.** (sich) ankleiden *od.* anziehen; schmücken, dekorieren; zurechtmachen; *Speisen* zubereiten; *Salat* anmachen; Abendkleidung anziehen; ⚕ verbinden; frisieren; **~** *down j-m* e-e Standpauke halten; **~** *up* (sich) fein machen; sich kostümieren *od.* verkleiden (*bsd. Kinder*); **~ cir·cle** *thea.* ['dres'sɜːkl] erster Rang; **~ de·sign·er** Modezeichner(in); **~·er** [~ə] Anrichte *f*; Toilettentisch *m*.

dress·ing ['dresɪŋ] An-, Zurichten *n*; Ankleiden *n*; ⚕ Verband *m*; Appretur *f*; Dressing *n* (*Salatsoße*); Füllung *f*; **~-down** Standpauke *f*; **~-gown** Morgenrock *m*, -mantel *m*; *Sport*: Bademantel *m*; **~-ta·ble** Toilettentisch *m*.

dress·mak·er ['dresmeɪkə] (Damen-)Schneider(in).

drew [druː] *pret. von draw 1*.

drib·ble ['drɪbl] tröpfeln (lassen); sabbern, geifern; *Fußball*: dribbeln.

dried [draɪd] getrocknet, Dörr...

dri·er ['draɪə] = *dryer*.

drift [drɪft] **1.** (Dahin)Treiben *n*; (Schnee)Verwehung *f*; (Schnee-, Sand)Wehe *f*; *fig.* Tendenz *f*; **2.** (dahin)treiben; wehen; aufhäufen.

drill [drɪl] **1.** Drillbohrer *m*; Furche *f*; ✐ Drill-, Sämaschine *f*; ⚔ Drill *m* (*a. fig.*); ⚔ Exerzieren *n*; **2.** bohren; ⚔, *fig.* drillen, einexerzieren.

drink [drɪŋk] **1.** Getränk *n*; **2.** (*drank, drunk*) trinken; **~** *to s.o.* j-m zuprosten *od.* zutrinken; **~·er** ['drɪŋkə] Trinker(in).

drip [drɪp] **1.** Tröpfeln *n*; ⚕ Tropf *m*; **2.** (*-pp-*) tropfen *od.* tröpfeln (lassen); triefen; **~-dry shirt** [drɪp'draɪ ʃɜːt] bügelfreies Hemd; **~·ping** ['drɪpɪŋ] Bratenfett *n*.

drive [draɪv] **1.** (Spazier)Fahrt *f*; Auffahrt *f*; Fahrweg *m*; ⊕ Antrieb *m*; *mot.* (*Links- etc.*)Steuerung *f*; *psych.* Trieb *m*; *fig.* Kampagne *f*; *fig.* Schwung *m*, Elan *m*, Dynamik *f*; **2.** (*drove, driven*) *v/t.* (an-, ein)treiben; *Auto etc.* fahren, lenken, steuern; (im Auto *etc.*) fahren; ⊕ (an)treiben; zwingen; *a.* **~** *off* vertreiben; *v/i.* treiben; (Auto) fahren; **~** *off* wegfahren; *what are you driving at?* F worauf wollen Sie hinaus?

drive-in ['draɪvɪn] **1.** Auto...; **~** *cinema, Am.* **~** *motion-picture theater* Autokino *n*; **2.** Autokino *n*; Drive-in-Restaurant *n*; Autoschalter *m*, Drive-in-Schalter *m* (*e-r Bank*).

driv·el ['drɪvl] **1.** (*bsd. Brt. -ll-, Am. -l-*) faseln; **2.** Geschwätz *n*, Gefasel *n*.

driv·en ['drɪvn] *p.p. von drive 2*.

driv·er ['draɪvə] *mot.* Fahrer(in); (*Lokomotiv*)Führer *m*; **~'s li·cense** *Am.* Führerschein *m*.

driv·ing ['draɪvɪŋ] (an)treibend; ⊕ Antriebs..., Treib..., Trieb...; *mot.* Fahr...; **~ li·cence** Führerschein *m*.

driz·zle ['drɪzl] **1.** Sprühregen *m*; **2.** sprühen, nieseln.

drone [drəʊn] **1.** *zo.* Drohne *f* (*a. fig.*); **2.** summen; dröhnen.

droop [druːp] (schlaff) herabhängen; den Kopf hängenlassen; schwinden.

drop [drɒp] **1.** Tropfen *m*; Fallen *n*, Fall *m*; *fig.* Fall *m*, Sturz *m*; Bonbon *m, n*; *fruit* **~***s pl.* Drops *m, n od. pl.*; **2.** (*-pp-*) *v/t.* tropfen (lassen); fallen lassen; *Bemerkung, Thema etc.* fallenlassen; *Brief* einwerfen; *Fahrgast* absetzen; senken; **~** *s.o. a few lines pl.* j-m ein paar Zeilen schreiben; *v/i.* tropfen; (herab-, herunter)fallen; umsinken, fallen; **~** *in* (kurz) hereinschauen; **~** *off* abfallen; zurückgehen, nachlassen; F einnicken;

~ *out* herausfallen; aussteigen (*of* aus); *a.* ~ *out of school* (*university*) die Schule (das Studium) abbrechen; **~-out** [ˈdrɒpaʊt] Drop-out *m*, Aussteiger *m* (*aus der Gesellschaft*); (Schul-, Studien)Abbrecher *m*.
drought [draʊt] Trockenheit *f*, Dürre *f*.
drove [drəʊv] **1.** Herde *f* (*Vieh*); Schar *f* (*Menschen*); **2.** *pret. von drive 2.*
drown [draʊn] *v/t.* ertränken; überschwemmen; *fig.* übertönen; *v/i.* ertrinken.
drowse [draʊz] dösen; ~ *off* eindösen; **drow·sy** [ˈdraʊzɪ] (*-ier, -iest*) schläfrig; einschläfernd.
drudge [drʌdʒ] sich (ab)placken, schuften; **drudg·e·ry** [ˈdrʌdʒərɪ] (stumpfsinnige) Plackerei *od.* Schinderei.
drug [drʌg] **1.** Arzneimittel *n*, Medikament *n*; Droge *f*, Rauschgift *n*; *be on* (*off*) ~*s* rauschgift- *od.* drogensüchtig (clean) sein; **2.** (*-gg-*) *j-m* Medikamente geben; *j-n* unter Drogen setzen; ein Betäubungsmittel beimischen (*dat.*); betäuben (*a. fig.*); ~ **a·buse** Drogenmißbrauch *m*; Medikamentenmißbrauch *m*; ~ **ad·dict** Drogen-, Rauschgiftsüchtige(r *m*) *f*; **~·gist** *Am.* [ˈdrʌgɪst] Apotheker(in); Inhaber(in) e-s Drugstores; **~·store** *Am.* Apotheke *f*; Drugstore *m*.
drum [drʌm] **1.** ♪ Trommel *f*; *anat.* Trommelfell *n*; ~*s pl.* ♪ Schlagzeug *n*; **2.** (*-mm-*) trommeln; **~·mer** ♪ [ˈdrʌmə] Trommler *m*; Schlagzeuger *m*.
drunk [drʌŋk] **1.** *p.p. von drink 2*; **2.** *adj.* betrunken; *get* ~ sich betrinken; **3.** Betrunkene(r *m*) *f*; = **~·ard** [ˈdrʌŋkəd] Trinker(in), Säufer(in); **~·en** *adj.* [~ən] betrunken; ~ *driving* Trunkenheit *f* am Steuer.
dry [draɪ] **1.** □ (*-ier, -iest*) trocken; trocken, herb (*Wein*); F durstig; F trocken (*ohne Alkohol*); ~ *goods pl.* Textilien *pl.*; **2.** trocknen; dörren; ~ *up* austrocknen; versiegen; **~-clean** [ˈdraɪˈkliːn] chemisch reinigen; **~-clean·er's** chemische Reinigung; **~·er** [~ə] *a. drier* Trockenapparat *m*, Trockner *m*.
du·al □ [ˈdjuːəl] doppelt, Doppel...; ~ *carriageway Brt.* Schnellstraße *f* (*mit Mittelstreifen*).
dub [dʌb] (*-bb-*) *Film* synchronisieren.
du·bi·ous □ [ˈdjuːbjəs] zweifelhaft.
duch·ess [ˈdʌtʃɪs] Herzogin *f*.
duck [dʌk] **1.** *zo.* Ente *f*; Ducken *n*; F Schatz *m* (*Anrede, oft unübersetzt*); **2.** (unter)tauchen; (sich) ducken; **~·ling** *zo.* [ˈdʌklɪŋ] Entchen *n*.
due [djuː] **1.** zustehend; gebührend; gehörig, angemessen; fällig; *zeitlich* fällig, erwartet; *in* ~ *time* zur rechten Zeit; ~ *to* wegen (*gen.*); *be* ~ *to j-m* gebühren, zustehen; kommen von, zurückzuführen sein auf; **2.** *adv.* direkt, genau; **3.** Recht *n*, Anspruch *m*; ~*s pl.* Gebühr(en *pl.*) *f*; Beitrag *m*.
du·el [ˈdjuːəl] **1.** Duell *n*; **2.** (*bsd. Brt. -ll-, Am. -l-*) sich duellieren.
dug [dʌg] *pret. u. p.p. von dig 1.*
duke [djuːk] Herzog *m*.
dull [dʌl] **1.** □ dumm; träge, schwerfällig; stumpf; matt (*Auge etc.*); schwach (*Gehör*); langweilig; abgestumpft, teilnahmslos; dumpf; trüb(e); *econ.* flau; **2.** stumpf machen *od.* werden; (sich) trüben; mildern, dämpfen; *Schmerz* betäuben; *fig.* abstumpfen.
du·ly *adv.* [ˈdjuːlɪ] ordnungsgemäß; gebührend; rechtzeitig.
dumb □ [dʌm] stumm; sprachlos; *bsd. Am.* F doof, dumm, blöd; **dum(b)·found·ed** [ˈdʌmˈfaʊndɪd] verblüfft, sprachlos.
dum·my [ˈdʌmɪ] Attrappe *f*; Kleider-, Schaufensterpuppe *f*; Dummy *m*, Puppe *f* (*für Unfalltests*); *Brt.* Schnuller *m*; *attr.* Schein...
dump [dʌmp] **1.** *v/t.* (hin)plumpsen *od.* (hin)fallen lassen; auskippen; *Schutt etc.* abladen; *econ. Waren* zu Dumpingpreisen verkaufen; **2.** Plumps *m*; (Schutt-, Müll)Abladeplatz *m*; ⚔ Depot *n*, Lager(platz *m*) *n*; **~·ing** *econ.* [ˈdʌmpɪŋ] Dumping *n*, Ausfuhr *f* zu Schleuderpreisen.
dune [djuːn] Düne *f*.
dung [dʌŋ] **1.** Dung *m*; **2.** düngen.
dun·ga·rees [dʌŋgəˈriːz] *pl.* (*a pair of* ~ e-e) Arbeitshose.
dun·geon [ˈdʌndʒən] (Burg)Verlies *n*.
dunk F [dʌŋk] (ein)tunken.
dupe [djuːp] anführen, täuschen.
du·plex [ˈdjuːpleks] doppelt, Doppel...; ~ (*apartment*) *Am.* Maison(n)ette(wohnung) *f*; ~ (*house*) *Am.* Doppel-, Zweifamilienhaus *n*.
du·pli·cate **1.** [ˈdjuːplɪkət] doppelt; ~ *key* Zweit-, Nachschlüssel *m*; **2.** [~]

Duplikat *n*; Zweit-, Nachschlüssel *m*; **3.** [~kɪt] doppelt ausfertigen; kopieren, vervielfältigen.
du·plic·i·ty [dju:ˈplɪsətɪ] Doppelzüngigkeit *f*.
dur·a·ble □ [ˈdjʊərəbl] haltbar; dauerhaft; **du·ra·tion** [djʊəˈreɪʃn] Dauer *f*.
du·ress [djʊəˈres] Zwang *m*.
dur·ing *prp*. [ˈdjʊərɪŋ] während.
dusk [dʌsk] (Abend)Dämmerung *f*; **~·y** □ [ˈdʌskɪ] (*-ier, -iest*) dämmerig, düster (*a. fig.*); schwärzlich.
dust [dʌst] **1.** Staub *m*; **2.** *v/t*. abstauben; (be)streuen; *v/i*. Staub wischen, abstauben; **~·bin** *Brt*. [ˈdʌstbɪn] Abfall-, Mülleimer *m*; Abfall-, Mülltonne *f*; **~-cart** *Brt*. Müllwagen *m*; **~·er** [~ə] Staublappen *m*, -wedel *m*; *Schule*: Tafelschwamm *m*, -tuch *n*; **~-cov·er, ~-jack·et** Schutzumschlag *m* (*e-s Buches*); **~·man** (*pl. -men*) *Brt*. Müllmann *m*; **~·y** □ [~ɪ] (*-ier, -iest*) staubig.
Dutch [dʌtʃ] **1.** *adj*. holländisch; **2.** *adv*.: *go* ~ getrennte Kasse machen; **3.** *ling*. Holländisch *n*; *the* ~ die Holländer *pl*.
du·ty [ˈdju:tɪ] Pflicht *f*; Ehrerbietung *f*; *econ*. Abgabe *f*; Zoll *m*; Dienst *m*; *be on* ~ Dienst haben; *be off* ~ dienstfrei haben; **~-free** zollfrei.
dwarf [dwɔ:f] **1.** (*pl. dwarfs* [~fs], *dwarves* [~vz]) Zwerg(in); **2.** verkleinern, klein erscheinen lassen.
dwell [dwel] (*dwelt od. dwelled*) wohnen; verweilen (*on, upon* bei); **~·ing** [ˈdwelɪŋ] Wohnung *f*.
dwelt [dwelt] *pret. u. p.p. von dwell*.
dwin·dle [ˈdwɪndl] (dahin)schwinden, abnehmen.
dye [daɪ] **1.** Farbe *f*; *of the deepest* ~ *fig*. von der übelsten Sorte; **2.** färben.
dy·ing [ˈdaɪɪŋ] **1.** sterbend; Sterbe...; **2.** Sterben *n*.
dyke [daɪk] = *dike*[1, 2].
dy·nam·ic [daɪˈnæmɪk] dynamisch, kraftgeladen; **~s** *mst sg*. Dynamik *f*.
dy·na·mite [ˈdaɪnəmaɪt] **1.** Dynamit *n*; **2.** (mit Dynamit) sprengen.
dys·en·te·ry ⚕ [ˈdɪsntrɪ] Ruhr *f*.
dys·pep·si·a ⚕ [dɪsˈpepsɪə] Verdauungsstörung *f*.

E

each [i:tʃ] jede(r, -s); ~ *other* einander, sich; je, pro Person, pro Stück.
ea·ger □ [ˈi:gə] begierig; eifrig; **~·ness** [ˈi:gənɪs] Begierde *f*; Eifer *m*.
ea·gle [ˈi:gl] *zo*. Adler *m*; *Am. hist*. Zehndollarstück *n*; **~-eyed** scharfsichtig.
ear [ɪə] Ähre *f*; *anat*. Ohr *n*; Öhr *n*; Henkel *m*; *keep an* ~ *to the ground* die Ohren offenhalten; **~-drum** *anat*. [ˈɪədrʌm] Trommelfell *n*; **~ed** mit (...) Ohren, ...ohrig.
earl [ɜ:l] *englischer* Graf.
ear·lobe [ˈɪələʊb] Ohrläppchen *n*.
ear·ly [ˈɜ:lɪ] früh; Früh...; Anfangs..., erste(r, -s); bald(ig); *as* ~ *as May* schon im Mai; *as* ~ *as possible* so bald wie möglich; ~ *bird* Frühaufsteher(in); ~ *warning system* ⚔ Frühwarnsystem *n*.
ear·mark [ˈɪəmɑ:k] **1.** Kennzeichen *n*; Merkmal *n*; **2.** kennzeichnen; zurücklegen (*for* für).
earn [ɜ:n] verdienen; einbringen.
ear·nest [ˈɜ:nɪst] **1.** □ ernst(lich, -haft); ernstgemeint; **2.** Ernst *m*; *in* ~ im Ernst; ernsthaft.
earn·ings [ˈɜ:nɪŋz] *pl*. Einkommen *n*.
ear|phones [ˈɪəfəʊnz] *pl*. Ohrhörer *pl*.; Kopfhörer *pl*.; **~-piece** *teleph*. Hörmuschel *f*; **~-ring** Ohrring *m*; **~·shot:** *within* (*out of*) ~ in (außer) Hörweite.
earth [ɜ:θ] **1.** Erde *f*; Land *n*; **2.** *v/t*. ⚡ erden; **~·en** [ˈɜ:θn] irden; **~·en·ware** [~nweə] **1.** Töpferware *f*; Steingut *n*; **2.** irden; **~·ly** [ˈɜ:θlɪ] irdisch; F denkbar; **~·quake** Erdbeben *n*; **~·worm** *zo*. Regenwurm *m*.
ease [i:z] **1.** Bequemlichkeit *f*, Behagen *n*; Ruhe *f*; Ungezwungenheit *f*;

Leichtigkeit *f*; *at* ~ bequem, behaglich; *ill at* ~ unruhig; befangen; **2.** *v/t.* erleichtern; lindern; beruhigen; bequem(er) machen; *v/i. mst* ~ *off*, ~ *up* nachlassen, sich entspannen (*Lage*); (bei der Arbeit) kürzertreten.

ea·sel [ˈiːzl] Staffelei *f.*

east [iːst] **1.** Ost(en *m*); *the* ☉ der Osten, die Oststaaten *pl.* (*der USA*); *pol.* der Osten; der Orient; **2.** Ost..., östlich; **3.** ostwärts, nach Osten.

Eas·ter [ˈiːstə] Ostern *n*; *attr.* Oster...

eas·ter·ly [ˈiːstəlɪ] östlich, Ost...; nach Osten; **east·ern** [~n] östlich, Ost...; **east·ward(s)** [~wəd(z)] östlich, nach Osten.

eas·y [ˈiːzɪ] □ (*-ier, -iest*) leicht, einfach; bequem; frei von Schmerzen; gemächlich, gemütlich; ruhig; ungezwungen; *in* ~ *circumstances* wohlhabend; *on* ~ *street Am.* in guten Verhältnissen; *go* ~, *take it* ~ sich Zeit lassen, langsam tun; sich nicht aufregen; *take it* ~*!* immer mit der Ruhe!; ~ **chair** Sessel *m*; ~**·going** gelassen.

eat [iːt] **1.** (*ate, eaten*) essen; (zer-)fressen; ~ *out* auswärts essen; **2.** ~*s pl.* F Fressalien *pl.*; **ea·ta·ble** [ˈiːtəbl] **1.** eß-, genießbar; **2.** ~*s pl.* Eßwaren *pl.*; ~**·en** [ˈiːtn] *p.p. von eat 1*; ~**·er** [~ə] Esser(in).

eaves [iːvz] *pl.* Dachrinne *f*, Traufe *f*; ~**·drop** [ˈiːvzdrɒp] (*-pp-*) (heimlich) lauschen *od.* horchen.

ebb [eb] **1.** Ebbe *f*; *fig.* Tiefstand *m*; *fig.* Abnahme *f*; **2.** verebben; *fig.* abnehmen, sinken; ~ **tide** [ˈebˈtaɪd] Ebbe *f.*

eb·o·ny [ˈebənɪ] Ebenholz *n.*

ec·cen·tric [ɪkˈsentrɪk] **1.** (~*ally*) exzentrisch; überspannt; **2.** Exzentriker *m*, Sonderling *m.*

ec·cle·si·as|tic [ɪkliːzɪˈæstɪk] (~*ally*), ~**·ti·cal** □ [~kl] geistlich, kirchlich.

ech·o [ˈekəʊ] **1.** (*pl. -oes*) Echo *n*; **2.** widerhallen; *fig.* echoen, nachsprechen.

e·clipse [ɪˈklɪps] **1.** *ast.* Finsternis *f*; **2.** verfinstern; *be* ~*d by fig.* verblassen neben (*dat.*).

e·co·cide [ˈiːkəsaɪd] Umweltzerstörung *f.*

e·co|lo·gi·cal □ [iːkəˈlɒdʒɪkl] ökologisch; ~**l·o·gist** [iːˈkɒlədʒɪst] Ökologe *m*; ~**l·o·gy** [~ɪ] Ökologie *f.*

ec·o·nom|ic [iːkəˈnɒmɪk] (~*ally*) wirtschaftlich, Wirtschafts...; ~ *aid* Wirtschaftshilfe *f*; ~ *growth* Wirtschaftswachstum *n*; ~**·i·cal** □ [~kl] wirtschaftlich, sparsam; ~**·ics** *sg.* Volkswirtschaft(slehre) *f.*

e·con·o|mist [ɪˈkɒnəmɪst] Volkswirt *m*; ~**·mize** [~aɪz] sparsam wirtschaften (mit); ~**·my** [~ɪ] **1.** Wirtschaft *f*; Wirtschaftlichkeit *f*, Sparsamkeit *f*; Einsparung *f*; **2.** Spar...; ~ *class* ✈ Economyklasse *f.*

e·co·sys·tem [ˈiːkəʊsɪstəm] Ökosystem *n.*

ec·sta|sy [ˈekstəsɪ] Ekstase *f*, Verzückung *f*; ~**t·ic** [ɪkˈstætɪk] (~*ally*) verzückt.

ed·dy [ˈedɪ] **1.** Wirbel *m*; **2.** wirbeln.

edge [edʒ] **1.** Schneide *f*; Rand *m*; Kante *f*; Schärfe *f*; ⚠ *nicht* (*Straßen-, Haus*)*Ecke*; *be on* ~ nervös *od.* gereizt sein; **2.** schärfen; (um)säumen; (sich) drängen; ~**·ways**, ~**·wise** [ˈedʒweɪz, ~waɪz] seitlich, von der Seite.

edg·ing [ˈedʒɪŋ] Einfassung *f*; Rand *m.*

edg·y [ˈedʒɪ] (*-ier, -iest*) scharf(kantig); F nervös; F gereizt.

ed·i·ble [ˈedɪbl] eßbar.

e·dict [ˈiːdɪkt] Edikt *n.*

ed·i·fice [ˈedɪfɪs] Gebäude *n.*

ed·i·fy·ing □ [ˈedɪfaɪɪŋ] erbaulich.

ed·it [ˈedɪt] *Text* herausgeben, redigieren; *Zeitung* als Herausgeber leiten; **e·di·tion** [ɪˈdɪʃn] (*Buch*)Ausgabe *f*; Auflage *f*; **ed·i·tor** [ˈedɪtə] Herausgeber(in); Redakteur(in); **ed·i·to·ri·al** [edɪˈtɔːrɪəl] **1.** Leitartikel *m*; **2.** □ Redaktions...

ed·u|cate [ˈedjuːkeɪt] erziehen; unterrichten; ~**·cat·ed** gebildet; ~**·ca·tion** [edjuːˈkeɪʃn] Erziehung *f*; (Aus)Bildung *f*; Bildungs-, Schulwesen *n*; *Ministry of* ☉ Unterrichtsministerium *n*; ~**·ca·tion·al** □ [~nl] erzieherisch, Erziehungs...; Bildungs...; ~**·ca·tor** [ˈedjuːkeɪtə] Erzieher(in).

eel *zo.* [iːl] Aal *m.*

ef·fect [ɪˈfekt] **1.** Wirkung *f*; Erfolg *m*, Ergebnis *n*; Auswirkung(en *pl.*) *f*; Effekt *m*, Eindruck *m*; ⊕ Leistung *f*; ~*s pl. econ.* Effekten *pl.*; persönliche Habe; *be of* ~ Wirkung haben; *take* ~ in Kraft treten; *in* ~ tatsächlich, praktisch; *to the* ~ des Inhalts; **2.** bewirken; ausführen; **ef·fec·tive** □ [~ɪv] wirksam; eindrucksvoll; tatsächlich, wirklich; ⊕ nutz-

bar; ~ *date* Tag *m* des Inkrafttretens.
ef·fem·i·nate □ [ɪˈfemɪnət] verweichlicht; weibisch.
ef·fer|vesce [efəˈves] brausen, sprudeln; **~·ves·cent** [~nt] sprudelnd, schäumend.
ef·fi·cien|cy [ɪˈfɪʃənsɪ] Leistung(sfähigkeit) *f*; ~ *engineer*, ~ *expert econ.* Rationalisierungsfachmann *m*; **~t** □ [~t] wirksam; leistungsfähig, tüchtig.
ef·flu·ent [ˈeflʊənt] Abwasser *n*, Abwässer *pl.*
ef·fort [ˈefət] Anstrengung *f*, Bemühung *f* (*at* um); Mühe *f*; *without* ~ = **~·less** □ [~lɪs] mühelos, ohne Anstrengung.
ef·fron·te·ry [ɪˈfrʌntərɪ] Frechheit *f*.
ef·fu·sive □ [ɪˈfjuːsɪv] überschwenglich.
egg¹ [eg]: ~ *on* anstacheln.
egg² [~] Ei *n*; *put all one's ~s in one basket* alles auf eine Karte setzen; *as sure as ~s is ~s* F todsicher; **~-co·sy** [ˈegkəʊzɪ] Eierwärmer *m*; **~-cup** Eierbecher *m*; **~·head** F Eierkopf *m* (*Intellektueller*).
e·go·is|m [ˈegəʊɪzəm] Egoismus *m*, Selbstsucht *f*; **~t** [~ɪst] Egoist(in), selbstsüchtiger Mensch.
eg·o·tis|m [ˈegəʊtɪzəm] Egotismus *m*, Selbstgefälligkeit *f*; **~t** [~ɪst] Egotist(in), selbstgefälliger *od.* geltungsbedürftiger Mensch.
E·gyp·tian [ɪˈdʒɪpʃn] **1.** ägyptisch; **2.** Ägypter(in).
ei·der·down [ˈaɪdədaʊn] Eiderdaunen *pl.*; Daunendecke *f*.
eight [eɪt] **1.** acht; **2.** Acht *f*; **eigh·teen** [ˈeɪˈtiːn] **1.** achtzehn; **2.** Achtzehn *f*; **eigh·teenth** [~θ] achtzehnte(r, -s); **~·fold** [ˈeɪtfəʊld] achtfach; **~h** [eɪtθ] **1.** achte(r, -s); **2.** Achtel *n*; **~h·ly** [ˈeɪtθlɪ] achtens; **eigh·ti·eth** [ˈeɪtɪɪθ] achtzigste(r, -s); **eigh·ty** [ˈeɪtɪ] **1.** achtzig; **2.** Achtzig *f*.
ei·ther [ˈaɪðə; *Am.* ˈiːðə] jede(r, -s) (*von zweien*); eine(r, -s) (*von zweien*); beides; ~ ... *or* entweder ... oder; *not* ~ auch nicht.
e·jac·u·late [ɪˈdʒækjʊleɪt] *v/t. Worte etc.* aus-, hervorstoßen; *physiol. Samen* ausstoßen; *v/i. physiol.* ejakulieren, e-n Samenerguß haben.
e·ject [ɪˈdʒekt] vertreiben; hinauswerfen; entlassen, -fernen (*from* aus *e-m Amt*).
eke [iːk]: ~ *out Vorräte etc.* strecken; *Einkommen* aufbessern; ~ *out a living* sich (mühsam) durchschlagen.
e·lab·o·rate 1. □ [ɪˈlæbərət] sorgfältig (aus)gearbeitet; kompliziert; **2.** [~reɪt] sorgfältig ausarbeiten.
e·lapse [ɪˈlæps] verfließen, -streichen.
e·las|tic [ɪˈlæstɪk] **1.** (~*ally*) elastisch, dehnbar; ~ *band Brt.* = **2.** Gummiring *m*, -band *n*; **~·ti·ci·ty** [elæˈstɪsətɪ] Elastizität *f*.
e·lat·ed [ɪˈleɪtɪd] begeistert, stolz.
el·bow [ˈelbəʊ] **1.** Ellbogen *m*; Biegung *f*; ⊕ Knie *n*; *at one's* ~ bei der Hand; *out at ~s fig.* heruntergekommen; **2.** mit dem Ellbogen (weg)stoßen; ~ *one's way through* sich (mit den Ellbogen) e-n Weg bahnen durch.
el·der¹ ⚘ [ˈeldə] Holunder *m*.
el·der² [~] **1.** ältere(r, -s); **2.** der, die Ältere; (Kirchen)Älteste(r) *m*; **~·ly** [~lɪ] ältlich, ältere(r, -s).
el·dest [ˈeldɪst] älteste(r, -s).
e·lect [ɪˈlekt] **1.** gewählt; **2.** (aus-, er)wählen.
e·lec|tion [ɪˈlekʃn] **1.** Wahl *f*; **2.** *pol.* Wahl...; **~·tor** [~tə] Wähler(in); *Am. pol.* Wahlmann *m*; *hist.* Kurfürst *m*; **~·to·ral** [~ərəl] Wahl..., Wähler...; ~ *college Am. pol.* Wahlmänner *pl.*; **~·to·rate** *pol.* [~ərət] Wähler(schaft *f*) *pl.*
e·lec|tric [ɪˈlektrɪk] (~*ally*) elektrisch, Elektro...; *fig.* elektrisierend; **~·tri·cal** □ [~kl] elektrisch; Elektro...; ~ *engineer* Elektroingenieur *m*, -techniker *m*; **~·tric chair** elektrischer Stuhl; **~·tri·cian** [ɪlekˈtrɪʃn] Elektriker *m*; **~·tri·ci·ty** [~ɪsətɪ] Elektrizität *f*.
e·lec·tri·fy [ɪˈlektrɪfaɪ] elektrifizieren; elektrisieren (*a. fig.*).
e·lec·tro- [ɪˈlektrəʊ] Elektro...
e·lec·tro·cute [ɪˈlektrəkjuːt] auf dem elektrischen Stuhl hinrichten; durch elektrischen Strom töten.
e·lec·tron [ɪˈlektrɒn] Elektron *n*.
el·ec·tron·ic [ɪlekˈtrɒnɪk] **1.** (~*ally*) elektronisch, Elektronen...; ~ *data processing* elektronische Datenverarbeitung; **2.** ~*s sg.* Elektronik *f*; *pl.* Elektronik *f* (*e-s Geräts*).
el·e|gance [ˈelɪgəns] Eleganz *f*; **~·gant** □ [~t] elegant; geschmackvoll; erstklassig.
el·e|ment [ˈelɪmənt] Element *n*; Ur-

stoff *m*; (Grund)Bestandteil *m*; **~s** *pl.* Anfangsgründe *pl.*, Grundlage(n *pl.*) *f*; Elemente *pl.*, Naturkräfte *pl.*; **~·men·tal** □ [elɪˈmentl] elementar; wesentlich.

el·e·men·ta·ry □ [elɪˈmentərɪ] elementar; Anfangs..; ~ *school Am.* Grundschule *f*.

el·e·phant *zo.* [ˈelɪfənt] Elefant *m*.

el·e|vate [ˈelɪveɪt] erhöhen; *fig.* erheben; **~·vat·ed** erhöht; *fig.* gehoben, erhaben; ~ (*railroad*) *Am.* Hochbahn *f*; **~·va·tion** [elɪˈveɪʃn] Erhebung *f*; Erhöhung *f*; Höhe *f*; Erhabenheit *f*; **~·va·tor** ⊕ [ˈelɪveɪtə] *Am.* Lift *m*, Fahrstuhl *m*, Aufzug *m*; ✈ Höhenruder *n*.

e·lev·en [ɪˈlevn] **1.** elf; **2.** Elf *f*; **~th** [~θ] **1.** elfte(r, -s); **2.** Elftel *n*.

elf [elf] (*pl. elves*) Elf(e *f*) *m*; Kobold *m*.

e·li·cit [ɪˈlɪsɪt] *et.* entlocken (*from dat.*); ans (Tages)Licht bringen.

el·i·gi·ble □ [ˈelɪdʒəbl] geeignet, annehmbar, akzeptabel; berechtigt.

e·lim·i|nate [ɪˈlɪmɪneɪt] entfernen, beseitigen; ausscheiden; **~·na·tion** [ɪlɪmɪˈneɪʃn] Entfernung *f*, Beseitigung *f*; Ausscheidung *f*.

é·lite [eɪˈliːt] Elite *f*; Auslese *f*.

elk *zo.* [elk] Elch *m*.

el·lipse ⩓ [ɪˈlɪps] Ellipse *f*.

elm ⚘ [elm] Ulme *f*, Rüster *f*.

el·o·cu·tion [eləˈkjuːʃn] Vortrag(skunst *f*, -sweise *f*) *m*; Sprechtechnik *f*.

e·lon·gate [ˈiːlɔŋgeɪt] verlängern.

e·lope [ɪˈləʊp] (mit s-m *od.* s-r Geliebten) ausreißen *od.* durchbrennen.

e·lo|quence [ˈeləkwəns] Beredsamkeit *f*; **~·quent** □ [~t] beredt.

else [els] sonst, weiter; andere(r, -s); **~·where** [ˈelsˈweə] anderswo(hin).

e·lu·ci·date [ɪˈluːsɪdeɪt] erklären.

e·lude [ɪˈluːd] geschickt entgehen, ausweichen, sich entziehen (*alle dat.*); *fig.* nicht einfallen (*dat.*).

e·lu·sive □ [ɪˈluːsɪv] schwerfaßbar.

elves [elvz] *pl. von elf*.

e·ma·ci·at·ed [ɪˈmeɪʃɪeɪtɪd] abgezehrt, ausgemergelt.

em·a|nate [ˈeməneɪt] ausströmen; ausgehen (*from* von); **~·na·tion** [eməˈneɪʃn] Ausströmen *n*; *fig.* Ausstrahlung *f*.

e·man·ci|pate [ɪˈmænsɪpeɪt] emanzipieren; befreien; **~·pa·tion** [ɪmænsɪˈpeɪʃn] Emanzipation *f*; Befreiung *f*.

em·balm [ɪmˈbɑːm] (ein)balsamieren.

em·bank·ment [ɪmˈbæŋkmənt] Eindämmung *f*; (Erd)Damm *m*; (Bahn-, Straßen)Damm *m*; Uferstraße *f*.

em·bar·go [emˈbɑːgəʊ] (*pl. -goes*) Embargo *n*, (Hafen-, Handels)Sperre *f*.

em·bark [ɪmˈbɑːk] ⚓, ✈ an Bord nehmen *od.* gehen, ⚓ *a.* (sich) einschiffen; *Waren* verladen; ~ *on*, ~ *upon et.* anfangen *od.* beginnen.

em·bar·rass [ɪmˈbærəs] in Verlegenheit bringen, verlegen machen, in e-e peinliche Lage versetzen; **~·ing** □ [~ɪŋ] unangenehm, peinlich; **~·ment** [~mənt] Verlegenheit *f*.

em·bas·sy [ˈembəsɪ] Botschaft *f*.

em·bed [ɪmˈbed] (*-dd-*) (ein)betten, (ein)lagern.

em·bel·lish [ɪmˈbelɪʃ] verschönern; *fig.* ausschmücken, beschönigen.

em·bers [ˈembəz] *pl.* Glut *f*.

em·bez·zle [ɪmˈbezl] unterschlagen; **~·ment** [~mənt] Unterschlagung *f*.

em·bit·ter [ɪmˈbɪtə] verbittern.

em·blem [ˈembləm] Sinnbild *n*; Wahrzeichen *n*.

em·bod·y [ɪmˈbɒdɪ] verkörpern; enthalten.

em·bo·lis·m ⚕ [ˈembəlɪzəm] Embolie *f*.

em·brace [ɪmˈbreɪs] **1.** (sich) umarmen; einschließen; **2.** Umarmung *f*.

em·broi·der [ɪmˈbrɔɪdə] (be)sticken; *fig.* ausschmücken; **~·y** [~ərɪ] Stickerei *f*; *fig.* Ausschmückung *f*.

em·broil [ɪmˈbrɔɪl] (in Streit) verwickeln; verwirren.

e·men·da·tion [iːmənˈdeɪʃn] Verbesserung *f*, Berichtigung *f*.

em·e·rald [ˈemərəld] **1.** Smaragd *m*; **2.** smaragdgrün.

e·merge [ɪˈmɜːdʒ] auftauchen; hervorgehen; *fig.* sich erheben; sich zeigen.

e·mer|gen·cy [ɪˈmɜːdʒənsɪ] Not(-lage) *f*, -fall *m*, -stand *m*; *attr.* Not...; ~ *brake* Notbremse *f*; ~ *call* Notruf *m*; ~ *exit* Notausgang *m*; ~ *landing* ✈ Notlandung *f*; ~ *number* Notruf(nummer *f*) *m*; ~ *ward* ⚕ Notaufnahme *f*; **~·gent** [~t] auftauchend; *fig.* (jung u.) aufstrebend (*Nationen*).

em·i|grant [ˈemɪgrənt] Auswanderer *m*, *bsd. pol.* Emigrant(in); **~·grate** [~reɪt] auswandern, *bsd. pol.* emigrieren; **~·gra·tion** [emɪ'greɪʃn] Auswanderung *f*, *bsd. pol.* Emigration *f*.

em·i|nence ['emɪnəns] (An)Höhe *f*; hohe Stellung; Ruhm *m*, Bedeutung *f*; ♀ Eminenz *f* (*Titel*); **~·nent** □ [~t] *fig.* ausgezeichnet, hervorragend; **~·nent·ly** [~lɪ] ganz besonders, äußerst.

E

e·mit [ɪ'mɪt] (*-tt-*) aussenden, -stoßen, -strahlen, -strömen; von sich geben.

e·mo·tion [ɪ'məʊʃn] (Gemüts)Bewegung *f*, Gefühl(sregung *f*) *n*; Rührung *f*; **~·al** □ [~l] emotional; gefühlsmäßig; gefühlsbetont; **~·al·ly** [~lɪ] emotional, gefühlsmäßig; *~ disturbed* seelisch gestört; *~ ill* gemütskrank; **~·less** [~lɪs] gefühllos; unbewegt.

em·pe·ror ['empərə] Kaiser *m*.

em·pha|sis ['emfəsɪs] (*pl. -ses* [-siːz]) Gewicht *n*; Nachdruck *m*; **~·size** [~saɪz] nachdrücklich betonen; **~t·ic** [ɪm'fætɪk] (*~ally*) nachdrücklich; deutlich; bestimmt.

em·pire ['empaɪə] (Kaiser)Reich *n*; Herrschaft *f*; *the British* ♀ das britische Weltreich.

em·pir·i·cal □ [em'pɪrɪkl] erfahrungsgemäß.

em·ploy [ɪm'plɔɪ] **1.** beschäftigen, anstellen; an-, verwenden, gebrauchen; **2.** Beschäftigung *f*; *in the ~ of* angestellt bei; **~·ee** [emplɔɪ'iː] Angestellte(r *m*) *f*, Arbeitnehmer(in); **~·er** [ɪm'plɔɪə] Arbeitgeber(in); **~·ment** [~mənt] Beschäftigung *f*, Arbeit *f*; *~ agency*, *~ bureau* Stellenvermittlung(sbüro *n*) *f*; *~ market* Arbeits-, Stellenmarkt *m*; *~ service agency Brt.* Arbeitsamt *n*.

em·pow·er [ɪm'paʊə] ermächtigen; befähigen.

em·press ['emprɪs] Kaiserin *f*.

emp|ti·ness ['emptɪnɪs] Leere *f* (*a. fig.*); **~·ty** □ ['emptɪ] **1.** (*-ier*, *-iest*) leer (*a. fig.*); *~ of* ohne; **2.** (aus-, ent)leeren; sich leeren.

em·u·late ['emjʊleɪt] wetteifern mit; nacheifern (*dat.*); es gleichtun (*dat.*).

e·mul·sion [ɪ'mʌlʃn] Emulsion *f*.

en·a·ble [ɪ'neɪbl] befähigen, es *j-m* ermöglichen; ermächtigen.

en·act [ɪ'nækt] verfügen, -ordnen; *Gesetz* erlassen; *thea.* aufführen.

e·nam·el [ɪ'næml] **1.** Email(le *f*) *n*; *anat.* (Zahn)Schmelz *m*; Glasur *f*, Lack *m*; Nagellack *m*; **2.** (*bsd. Brt. -ll-*, *Am. -l-*) emaillieren; glasieren; lackieren.

en·am·o(u)red [ɪ'næməd]: *~ of* verliebt in.

en·camp·ment *bsd.* ⚔ [ɪn'kæmpmənt] (Feld)Lager *n*.

en·cased [ɪn'keɪst]: *~ in* gehüllt in (*acc.*).

en·chant [ɪn'tʃɑːnt] bezaubern; **~·ing** □ [~ɪŋ] bezaubernd; **~·ment** [~mənt] Bezauberung *f*; Zauber *m*.

en·cir·cle [ɪn'sɜːkl] einkreisen, umzingeln; umfassen, umschlingen.

en·close [ɪn'kləʊz] einzäunen; einschließen; beifügen; **en·clo·sure** [~əʊʒə] Einzäunung *f*; eingezäuntes Grundstück; Anlage *f* (*zu e-m Brief*).

en·com·pass [ɪn'kʌmpəs] umgeben.

en·coun·ter [ɪn'kaʊntə] **1.** Begegnung *f*; Gefecht *n*; **2.** begegnen (*dat.*); auf *Schwierigkeiten etc.* stoßen; mit *j-m feindlich* zusammenstoßen.

en·cour·age [ɪn'kʌrɪdʒ] ermutigen; fördern; **~·ment** [~mənt] Ermutigung *f*; Anfeuerung *f*; Unterstützung *f*.

en·croach [ɪn'krəʊtʃ] (*on*, *upon*) eingreifen (in *j-s Recht etc.*), eindringen (in *acc.*); über Gebühr in Anspruch nehmen (*acc.*); **~·ment** [~mənt] Ein-, Übergriff *m*.

en·cum|ber [ɪn'kʌmbə] belasten; (be)hindern; **~·brance** [~brəns] Last *f*, Belastung *f*, Hindernis *n*, Behinderung *f*; *without ~* ohne (Familien-) Anhang.

en·cy·clo·p(a)e·di·a [ensaɪklə'piːdjə] Enzyklopädie *f*.

end [end] **1.** Ende *n*; Ziel *n*, Zweck *m*; *no ~ of* unendlich viel(e), unzählige; *in the ~* am Ende, schließlich; *on ~* aufrecht; *stand on ~* zu Berge stehen (*Haare*); *to no ~* vergebens; *go off the deep ~ fig.* in die Luft gehen; *make both ~s meet* gerade auskommen; **2.** enden; beend(ig)en.

en·dan·ger [ɪn'deɪndʒə] gefährden.

en·dear [ɪn'dɪə] beliebt machen (*to s.o.* bei j-m); **~·ing** □ [~rɪŋ] gewinnend; liebenswert; **~·ment** [~mənt] Liebkosung *f*; *term of ~* Kosewort *n*.

en·deav·o(u)r [ɪn'devə] **1.** Bestreben *n*, Bemühung *f*; **2.** sich bemühen.

end·ing ['endɪŋ] Ende *n*; Schluß *m*; *gr.* Endung *f*.

endive ⚘ ['endɪv] Endivie *f*.

end·less ['endlɪs] endlos, unendlich; ⊕ ohne Ende.
en·dorse [ɪn'dɔːs] *econ. Scheck etc.* indossieren; *et.* vermerken (*on* auf der Rückseite *e-r Urkunde*); gutheißen; **~·ment** [~mənt] Aufschrift *f*, Vermerk *m*; *econ.* Indossament *n*.
en·dow [ɪn'daʊ] *fig.* ausstatten; ~ *s.o. with s.th.* j-m et. stiften; **~·ment** [~mənt] Stiftung *f*; *mst* ~*s pl.* Begabung *f*, Talent *n*.
en·dur|ance [ɪn'djʊərəns] Ausdauer *f*; Ertragen *n*; *beyond* ~, *past* ~ unerträglich; **~e** [ɪn'djʊə] ertragen.
en·e·my ['enəmɪ] **1.** Feind *m*; *the* ♀ der Teufel; **2.** feindlich.
en·er|get·ic [enə'dʒetɪk] (~*ally*) energisch; **~·gy** ['enədʒɪ] Energie *f*; ~ *crisis* Energiekrise *f*.
en·fold [ɪn'fəʊld] umfassen.
en·force [ɪn'fɔːs] (mit Nachdruck, *a.* gerichtlich) geltend machen; erzwingen; aufzwingen (*upon dat.*); durchführen; **~·ment** [~mənt] Erzwingung *f*; Geltendmachung *f*; Durchführung *f*.
en·fran·chise [ɪn'fræntʃaɪz] *j-m* das Wahlrecht verleihen; *j-m* die Bürgerrechte verleihen.
en·gage [ɪn'geɪdʒ] *v/t.* anstellen; verpflichten; *Künstler etc.* engagieren; in Anspruch nehmen; ⚔ angreifen; *be* ~*d* verlobt sein (*to* mit); beschäftigt sein (*in* mit); besetzt sein; ~ *the clutch mot.* e-n Gang einlegen; *v/i.* sich verpflichten (*to do* zu tun); garantieren (*for* für); sich beschäftigen (*in* mit); ⚔ angreifen; ⊕ greifen (*Zahnräder*); **~·ment** [~mənt] Verpflichtung *f*; Verlobung *f*; Verabredung *f*; Beschäftigung *f*; ⚔ Gefecht *n*; ⊕ Ineinandergreifen *n*.
en·gag·ing □ [ɪn'geɪdʒɪŋ] einnehmend; gewinnend (*Lächeln etc.*).
en·gine ['endʒɪn] Maschine *f*; Motor *m*; 🚂 Lokomotive *f*; **~-driv·er** *Brt.* 🚂 Lokomotivführer *m*.
en·gi·neer [endʒɪ'nɪə] **1.** Ingenieur *m*; Techniker *m*; Mechaniker *m*; *Am.* 🚂 Lokomotivführer *m*; ⚔ Pionier *m*; **2.** als Ingenieur tätig sein; bauen; **~·ing** [~rɪŋ] **1.** Maschinen- u. Gerätebau *m*; Ingenieurwesen *n*; **2.** technisch; Ingenieur...
En·glish ['ɪŋglɪʃ] **1.** englisch; **2.** *ling.* Englisch *n*; *the* ~ *pl.* die Engländer *pl.*; *in plain* ~ *fig.* unverblümt; **~·man** (*pl.* *-men*) Engländer *m*; **~·wom·an** (*pl.* *-women*) Engländerin *f*.
en·grave [ɪn'greɪv] (ein)gravieren, (-)meißeln, (-)schnitzen; *fig.* einprägen; **en·grav·er** [~ə] Graveur *m*; **en·grav·ing** [~ɪŋ] (Kupfer-, Stahl-) Stich *m*; Holzschnitt *m*.
en·grossed [ɪn'grəʊst] (*in*) (voll) in Anspruch genommen (von), vertieft, -sunken (in *acc.*).
en·gulf [ɪn'gʌlf] verschlingen (*a. fig.*).
en·hance [ɪn'hɑːns] erhöhen.
e·nig·ma [ɪ'nɪgmə] Rätsel *n*; **en·ig·mat·ic** [enɪg'mætɪk] (~*ally*) rätselhaft.
en·joy [ɪn'dʒɔɪ] sich erfreuen an (*dat.*); genießen; *did you* ~ *it?* hat es Ihnen gefallen?; ~ *o.s.* sich amüsieren, sich gut unterhalten; ~ *yourself!* viel Spaß!; *I* ~ *my dinner* es schmeckt mir; **~·a·ble** □ [~əbl] angenehm, erfreulich; **~·ment** [~mənt] Genuß *m*, Freude *f*.
en·large [ɪn'lɑːdʒ] (sich) vergrößern *od.* erweitern, ausdehnen; *phot.* vergrößern, sich vergrößern lassen; sich verbreiten *od.* auslassen (*on, upon* über *acc.*); **~·ment** [~mənt] Erweiterung *f*; Vergrößerung *f* (*a. phot.*).
en·light·en [ɪn'laɪtn] *fig.* erleuchten; *j-n* aufklären; **~·ment** [~mənt] Aufklärung *f*.
en·list [ɪn'lɪst] *v/t.* ⚔ anwerben; *j-n* gewinnen; ~*ed men pl. Am.* ⚔ Unteroffiziere *pl.* und Mannschaften *pl.*; *v/i.* sich freiwillig melden.
en·liv·en [ɪn'laɪvn] beleben.
en·mi·ty ['enmətɪ] Feindschaft *f*.
en·no·ble [ɪ'nəʊbl] adeln; veredeln.
e·nor|mi·ty [ɪ'nɔːmətɪ] Ungeheuerlichkeit *f*; **~·mous** □ [~əs] ungeheuer.
e·nough [ɪ'nʌf] genug.
en·quire, en·qui·ry [ɪn'kwaɪə, ~rɪ] = *inquire, inquiry*.
en·rage [ɪn'reɪdʒ] wütend machen; **~d** wütend (*at* über *acc.*).
en·rap·ture [ɪn'ræptʃə] entzücken, hinreißen; **~d** entzückt, hingerissen.
en·rich [ɪn'rɪtʃ] be-, anreichern.
en·rol(l) [ɪn'rəʊl] (*-ll-*) *v/t. j-n in e-e Liste* eintragen, *univ. j-n* immatrikulieren; ⚔ anwerben; aufnehmen; *v/i.* sich einschreiben (lassen), *univ.* sich immatrikulieren; **~·ment** [~mənt] Eintragung *f*, -schreibung *f*, *univ.* Immatrikulation *f*; *bsd.* ⚔ An-

werbung *f*; Einstellung *f*; Aufnahme *f*; Schüler-, Studenten-, Teilnehmerzahl *f*.

en·sign [ˈensaɪn] Fahne *f*; Flagge *f*; Abzeichen *n*; *Am.* ⚓ [ˈensn] Leutnant *m* zur See.

en·sue [ɪnˈsjuː] (darauf, nach)folgen.

en·sure [ɪnˈʃʊə] sichern.

en·tail [ɪnˈteɪl] ⚖ als Erbgut vererben; *fig.* mit sich bringen.

en·tan·gle [ɪnˈtæŋgl] verwickeln; **~·ment** [~mənt] Verwicklung *f*; ⚔ Drahtverhau *m*.

en·ter [ˈentə] *v/t.* (hinein)gehen, (-)kommen in (*acc.*), (ein)treten in (*acc.*), betreten; einsteigen *od.* einfahren *etc.* in (*acc.*); eindringen in (*acc.*); *econ.* eintragen, (ver)buchen; *Protest* erheben; *Namen* eintragen, -schreiben, *j-n* aufnehmen; *Sport*: melden, nennen; ~ *s.o. at school* j-n zur Schule anmelden; *v/i.* eintreten, herein-, hineinkommen, -gehen; *in ein Land* einreisen; *Sport*: sich melden (*for* für); ~ *into fig.* eingehen auf (*acc.*); ~ *on od. upon an inheritance* e-e Erbschaft antreten.

en·ter|prise [ˈentəpraɪz] Unternehmen *n* (*a. econ.*); *econ.* Unternehmertum *n*; Unternehmungsgeist *m*; **~·pris·ing** □ [~ɪŋ] unternehmungslustig; wagemutig; kühn.

en·ter·tain [entəˈteɪn] unterhalten; bewirten; in Erwägung ziehen; *Zweifel etc.* hegen; **~·er** [~ə] Entertainer(in), Unterhaltungskünstler(in); **~·ment** [~mənt] Unterhaltung *f*; Entertainment *n*; Bewirtung *f*.

en·thral(l) *fig.* [ɪnˈθrɔːl] (*-ll-*) fesseln, bezaubern.

en·throne [ɪnˈθrəʊn] inthronisieren.

en·thu·si·as|m [ɪnˈθjuːzɪæzəm] Begeisterung *f*; **~t** [~st] Enthusiast(in); **~·tic** [ɪnθjuːzɪˈæstɪk] (*~ally*) begeistert.

en·tice [ɪnˈtaɪs] (ver)locken; **~·ment** [~mənt] Verlockung *f*, Reiz *m*.

en·tire □ [ɪnˈtaɪə] ganz, vollständig; ungeteilt; **~·ly** [~lɪ] völlig; ausschließlich.

en·ti·tle [ɪnˈtaɪtl] betiteln; berechtigen (*to* zu).

en·ti·ty [ˈentətɪ] Wesen *n*; Dasein *n*.

en·trails [ˈentreɪlz] *pl.* Eingeweide *pl.*; *fig. das* Innere.

en·trance [ˈentrəns] Eintritt *m*; Einfahrt *f*; Eingang *m*; Einlaß *m*.

en·treat [ɪnˈtriːt] inständig bitten, anflehen; **en·trea·ty** [~ɪ] dringende *od.* inständige Bitte.

en·trench ⚔ [ɪnˈtrentʃ] verschanzen (*a. fig.*).

en·trust [ɪnˈtrʌst] anvertrauen (*s.th. to s.o.* j-m et.); betrauen.

en·try [ˈentrɪ] Einreise *f*; Einlaß *m*, Zutritt *m*; Eingang *m*; Einfahrt *f*; Beitritt *m* (*into* zu); Eintragung *f*; *Sport*: Meldung *f*, Nennung *f*; ~ *permit* Einreisegenehmigung *f*; ~ *visa* Einreisevisum *n*; *book-keeping by double* (*single*) ~ *econ.* doppelte (einfache) Buchführung; *no ~!* Zutritt verboten!, *mot.* keine Einfahrt!

en·twine [ɪnˈtwaɪn] ineinanderschlingen.

e·nu·me·rate [ɪˈnjuːməreɪt] aufzählen.

en·vel·op [ɪnˈveləp] (ein)hüllen, einwickeln.

en·ve·lope [ˈenvələʊp] Briefumschlag *m*.

en·vi|a·ble □ [ˈenvɪəbl] beneidenswert; **~·ous** □ [~əs] neidisch.

en·vi·ron|ment [ɪnˈvaɪərənmənt] Umgebung *f*, *sociol. a.* Milieu *n*; Umwelt *f* (*a. sociol.*); **~·men·tal** □ [ɪnvaɪərənˈmentl] *sociol.* Milieu...; Umwelt...; ~ *law* Umweltschutzgesetz *n*; ~ *pollution* Umweltverschmutzung *f*; **~·men·tal·ist** [~əlɪst] Umweltschützer(in); **~s** [ˈenvɪrənz] *pl.* Umgebung *f* (*e-r Stadt*).

en·vis·age [ɪnˈvɪzɪdʒ] sich *et.* vorstellen.

en·voy [ˈenvɔɪ] Gesandte(r) *m*.

en·vy [ˈenvɪ] **1.** Neid *m*; **2.** beneiden.

ep·ic [ˈepɪk] **1.** episch; **2.** Epos *n*.

ep·i·dem·ic [epɪˈdemɪk] **1.** (*~ally*) seuchenartig; ~ *disease* = **2.** Epidemie *f*, Seuche *f*.

ep·i·der·mis [epɪˈdɜːmɪs] Oberhaut *f*.

ep·i·lep·sy ⚕ [ˈepɪlepsɪ] Epilepsie *f*.

ep·i·logue, *Am. a.* **-log** [ˈepɪlɒg] Nachwort *n*.

e·pis·co·pal □ *eccl.* [ɪˈpɪskəpl] bischöflich.

ep·i·sode [ˈepɪsəʊd] Episode *f*.

ep·i·taph [ˈepɪtɑːf] Grabinschrift *f*; Gedenktafel *f*.

e·pit·o·me [ɪˈpɪtəmɪ] Verkörperung *f*, Inbegriff *m*.

e·poch [ˈiːpɒk] Epoche *f*, Zeitalter *n*.

eq·ua·ble □ [ˈekwəbl] ausgeglichen (*a. Klima*).

e·qual [ˈiːkwəl] **1.** □ gleich; gleichmäßig; ~ *to fig.* gewachsen (*dat.*); ~ *opportunities pl.* Chancengleichheit *f*; ~ *rights pl. for women* Gleichberechtigung *f* der Frau; **2.** Gleiche(r *m*) *f*; **3.** (*bsd. Brt.* -*ll*-, *Am.* -*l*-) gleichen (*dat.*); **~i·ty** [iːˈkwɒlətɪ] Gleichheit *f*; **~i·za·tion** [iːkwəlaɪˈzeɪʃn] Gleichstellung *f*; Ausgleich *m*; **~ize** [ˈiːkwəlaɪz] gleichmachen, -stellen, angleichen; *Sport*: ausgleichen.

eq·ua·nim·i·ty [iːkwəˈnɪmətɪ] Gleichmut *m*.

e·qua·tion [ɪˈkweɪʒn] Ausgleich *m*; ⚗ Gleichung *f*.

e·qua·tor [ɪˈkweɪtə] Äquator *m*.

e·qui·lib·ri·um [iːkwɪˈlɪbrɪəm] Gleichgewicht *n*.

e·quip [ɪˈkwɪp] (-*pp*-) ausrüsten; **~ment** [~mənt] Ausrüstung *f*; Einrichtung *f*.

eq·ui·ty [ˈekwətɪ] Gerechtigkeit *f*, Billigkeit *f*.

e·quiv·a·lent [ɪˈkwɪvələnt] **1.** □ gleichwertig; gleichbedeutend (*to* mit); **2.** Äquivalent *n*, Gegenwert *m*.

e·quiv·o·cal □ [ɪˈkwɪvəkl] zweideutig; zweifelhaft.

e·ra [ˈɪərə] Zeitrechnung *f*; Zeitalter *n*.

e·rad·i·cate [ɪˈrædɪkeɪt] ausrotten.

e·rase [ɪˈreɪz] ausradieren, -streichen, löschen (*a. Tonband*); *fig.* auslöschen; **e·ras·er** [~ə] Radiergummi *m*.

ere [eə] **1.** *cj.* ehe, bevor; **2.** *prp.* vor (*dat.*).

e·rect [ɪˈrekt] **1.** □ aufrecht; **2.** aufrichten; *Denkmal etc.* errichten; aufstellen; **e·rec·tion** [~kʃn] Errichtung *f*; *physiol.* Erektion *f*.

er·mine *zo.* [ˈɜːmɪn] Hermelin *n*.

e·ro·sion [ɪˈrəʊʒn] Zerfressen *n*; *geol.* Erosion *f*, Auswaschung *f*.

e·rot|ic [ɪˈrɒtɪk] (~*ally*) erotisch; **~i·cis·m** [~ɪsɪzəm] Erotik *f*.

err [ɜː] (sich) irren.

er·rand [ˈerənd] Botengang *m*, Auftrag *m*, Besorgung *f*; *go on od. run an* ~ e-e Besorgung machen; **~-boy** Laufbursche *m*.

er·rat·ic [ɪˈrætɪk] (~*ally*) sprunghaft, unstet, unberechenbar.

er·ro·ne·ous □ [ɪˈrəʊnjəs] irrig.

er·ror [ˈerə] Irrtum *m*, Fehler *m*; ~*s excepted* Irrtümer vorbehalten.

e·rupt [ɪˈrʌpt] ausbrechen (*Vulkan etc.*); durchbrechen (*Zähne*); **e·rup·tion** [~pʃn] (*Vulkan*)Ausbruch *m*; ⚕ Ausbruch *m* e-s Ausschlags; ⚕ Ausschlag *m*.

es·ca|late [ˈeskəleɪt] eskalieren (*Krieg etc.*); steigen, in die Höhe gehen (*Preise*); **~la·tion** [eskəˈleɪʃn] Eskalation *f*.

es·ca·la·tor [ˈeskəleɪtə] Rolltreppe *f*.

es·ca·lope [ˈeskələʊp] (*bsd.* Wiener) Schnitzel *n*.

es·cape [ɪˈskeɪp] **1.** entgehen; entkommen, -rinnen; entweichen; *j-m* entfallen; **2.** Entrinnen *n*; Entweichen *n*; Flucht *f*; *have a narrow* ~ mit knapper Not davonkommen; ~ *chute* ✈ Notrutsche *f*.

es·cort **1.** [ˈeskɔːt] ⚔ Eskorte *f*; Geleit(schutz *m*) *n*; **2.** [ɪˈskɔːt] ⚔ eskortieren; ✈, ⚓ Geleit(schutz) geben; geleiten.

es·cutch·eon [ɪˈskʌtʃən] Wappenschild *m*, *n*.

es·pe·cial [ɪˈspeʃl] besondere(r, -s); vorzüglich; **~ly** [~lɪ] besonders.

es·pi·o·nage [espɪəˈnɑːʒ] Spionage *f*.

es·pla·nade [espləˈneɪd] (*bsd.* Strand)Promenade *f*.

es·pres·so [eˈspresəʊ] (*pl.* -*sos*) Espresso *m* (*Kaffee*).

Es·quire [ɪˈskwaɪə] (*abbr. Esq.*) *auf Briefen*: *John Smith Esq.* Herrn John Smith.

es·say **1.** [eˈseɪ] versuchen; probieren; **2.** [ˈeseɪ] Versuch *m*; Aufsatz *m*, kurze Abhandlung, Essay *m*, *n*.

es·sence [ˈesns] Wesen *n* (*e-r Sache*); Essenz *f*; Extrakt *m*.

es·sen·tial [ɪˈsenʃl] **1.** □ (*to* für) wesentlich; wichtig; **2.** *mst* ~*s pl. das* Wesentliche; **~ly** [~lɪ] im wesentlichen, in der Hauptsache.

es·tab·lish [ɪˈstæblɪʃ] festsetzen; errichten, gründen; einrichten; *j-n* einsetzen; ~ *o.s.* sich niederlassen; *℘ed Church* Staatskirche *f*; **~ment** [~mənt] Er-, Einrichtung *f*; Gründung *f*; *the* ℘ das Establishment, die etablierte Macht, die herrschende Schicht.

es·tate [ɪˈsteɪt] (großes) Grundstück, Landsitz *m*, Gut *n*; ⚖ Besitz *m*, (Erb)Masse *f*, Nachlaß *m*; *housing* ~ (Wohn)Siedlung *f*; *industrial* ~ Industriegebiet *n*; *real* ~ Liegenschaften *pl.*; (*Am.* **real)** ~ **a·gent** Grundstücks-, Immobilienmakler *m*; ~ **car** *Brt. mot.* Kombiwagen *m*.

es·teem [ɪˈstiːm] **1.** Achtung *f*, Ansehen *n* (*with* bei); **2.** achten, (hoch-) schätzen; ansehen *od.* betrachten als.

es·thet·ic(s) *Am.* [es'θetɪk(s)] = *aesthetic(s).*

es·ti·ma·ble ['estɪməbl] schätzenswert.

es·ti|mate 1. ['estɪmeɪt] (ab-, ein-) schätzen; veranschlagen; **2.** [~mɪt] Schätzung *f*; (Kosten)Voranschlag *m*; **~·ma·tion** [estɪ'meɪʃn] Schätzung *f*; Meinung *f*; Achtung *f*.

es·trange [ɪ'streɪndʒ] entfremden.

es·tu·a·ry ['estjʊərɪ] *den Gezeiten ausgesetzte* weite Flußmündung.

etch [etʃ] ätzen; radieren; **~·ing** ['etʃɪŋ] Radierung *f*; Kupferstich *m*.

e·ter|nal □ [ɪ'tɜ:nl] immerwährend, ewig; **~·ni·ty** [~ətɪ] Ewigkeit *f*.

e·ther ['i:θə] Äther *m*; **e·the·re·al** □ [i:'θɪərɪəl] ätherisch (*a. fig.*).

eth|i·cal □ ['eθɪkl] sittlich, ethisch; **~·ics** [~s] *sg.* Sittenlehre *f*, Ethik *f*.

Eu·ro- ['jʊərəʊ] europäisch, Euro...

Eu·ro·pe·an [jʊərə'pɪən] **1.** europäisch; ~ (*Economic*) *Community* Europäische (Wirtschafts)Gemeinschaft; **2.** Europäer(in).

e·vac·u·ate [ɪ'vækjʊeɪt] entleeren; evakuieren; *Haus etc.* räumen.

e·vade [ɪ'veɪd] (geschickt) ausweichen (*dat.*); umgehen.

e·val·u·ate [ɪ'væljʊeɪt] schätzen; abschätzen, bewerten, beurteilen.

ev·a·nes·cent [i:və'nesnt] vergänglich.

e·van·gel·i·cal □ [i:væn'dʒelɪkl] evangelisch.

e·vap·o|rate [ɪ'væpəreɪt] verdunsten, -dampfen (lassen); *~d milk* Kondensmilch *f*; **~·ra·tion** [ɪvæpə'reɪʃn] Verdunstung *f*, -dampfung *f*.

e·va|sion [ɪ'veɪʒn] Entkommen *n*; Umgehung *f*, Vermeidung *f*; Ausflucht *f*; **~·sive** □ [~sɪv] ausweichend; *be* ~ ausweichen.

eve [i:v] Vorabend *m*; Vortag *m*; *on the* ~ *of* unmittelbar vor (*dat.*), am Vorabend (*gen.*).

e·ven ['i:vn] **1.** *adj.* □ eben, gleich; gleichmäßig; ausgeglichen; glatt; gerade (*Zahl*); unparteiisch; *get* ~ *with s.o. fig.* mit j-m abrechnen; **2.** *adv.* selbst, sogar, auch; *not* ~ nicht einmal; ~ *though*, ~ *if* wenn auch; **3.** ebnen, glätten; ~ *out* sich einpendeln.

eve·ning ['i:vnɪŋ] Abend *m*; ~ *classes pl.* Abendkurs *m*; ~ *dress* Gesellschaftsanzug *m*; Frack *m*, Smoking *m*; Abendkleid *n*.

e·ven·song ['i:vnsɒŋ] Abendgottesdienst *m*.

e·vent [ɪ'vent] Ereignis *n*, Vorfall *m*; sportliche Veranstaltung; *Sport*: Disziplin *f*; *Sport*: Wettbewerb *m*; *at all ~s* auf alle Fälle; *in the* ~ *of* im Falle (*gen.*); **~·ful** [~fl] ereignisreich.

e·ven·tu·al □ [ɪ'ventʃʊəl] schließlich; ⚠ *nicht eventuell*; *~ly* schließlich, endlich.

ev·er ['evə] je, jemals; immer; ~ *so* noch so (sehr); *as soon as* ~ *I can* sobald ich nur irgend kann; ~ *after*, ~ *since* von der Zeit an, seitdem; ~ *and again* dann u. wann, hin u. wieder; *for* ~ für immer, auf ewig; *Yours* ~, ... Viele Grüße, Dein(e) *od.* Ihr(e), ... (*Briefschluß*); **~·glade** *Am.* sumpfiges Flußgebiet; **~·green 1.** immergrün; unverwüstlich, *bsd.* immer wieder gern gehört; ~ *song* Evergreen *m*; **2.** immergrüne Pflanze; **~·last·ing** □ ewig; dauerhaft; **~·more** [~'mɔ:] immerfort.

ev·ery ['evrɪ] jede(r, -s); alle(r, -s); ~ *now and then* dann u. wann; ~ *one of them* jeder von ihnen; ~ *other day* jeden zweiten Tag, alle zwei Tage; **~·bod·y** jeder(mann); **~·day** Alltags...; **~·one** jeder(mann); **~·thing** alles; **~·where** überall; überallhin.

e·vict [ɪ'vɪkt] ⚖ zur Räumung zwingen; *j-n* gewaltsam vertreiben.

ev·i|dence ['evɪdəns] **1.** Beweis(material *n*) *m*, Beweise *pl.*; (Zeugen-) Aussage *f*; *give* ~ (als Zeuge) aussagen; *in* ~ als Beweis; deutlich sichtbar; **2.** be-, nachweisen, zeugen von; **~·dent** □ [~t] augenscheinlich, offenbar, klar.

e·vil ['i:vl] **1.** □ (*bsd. Brt.* -*ll*-, *Am.* -*l*-) übel, schlimm, böse; *the* ♀ *One* der Böse (*Teufel*); **2.** Übel *n*; *das* Böse; **~-mind·ed** [~'maɪndɪd] bösartig.

e·vince [ɪ'vɪns] zeigen, bekunden.

e·voke [ɪ'vəʊk] (herauf)beschwören; *Erinnerungen* wachrufen.

ev·o·lu·tion [i:və'lu:ʃn] Evolution *f*, Entwicklung *f*.

e·volve [ɪ'vɒlv] (sich) entwickeln.

ewe *zo.* [ju:] Mutterschaf *n*.

ex [eks] *prp. econ.* ab *Fabrik etc.*; *Börse*: ohne.

ex- [~] ehemalig, früher.

ex·act [ɪg'zækt] **1.** □ genau; **2.** *Zah-*

lung eintreiben; *Gehorsam* fordern; **~·ing** [~ɪŋ] streng, genau; **~·i·tude** [~ɪtju:d] = *exactness*; **~·ly** [~lɪ] exakt, genau; *als Antwort*: ganz recht, genau; **~·ness** [~nɪs] Genauigkeit *f*.
ex·ag·ge|rate [ɪgˈzædʒəreɪt] übertreiben; **~·ra·tion** [ɪgzædʒəˈreɪʃn] Übertreibung *f*.
ex·alt [ɪgˈzɔ:lt] erhöhen, erheben; preisen; **ex·al·ta·tion** [egzɔ:lˈteɪʃn] Begeisterung *f*.
ex·am F [ɪgˈzæm] Examen *n*.
ex·am|i·na·tion [ɪgzæmɪˈneɪʃn] Examen *n*, Prüfung *f*; Untersuchung *f*; Vernehmung *f*; **~·ine** [ɪgˈzæmɪn] untersuchen; ⚖ vernehmen, -hören; *Schule etc.*: prüfen (*in* in *dat.*; *on* über *acc.*).
ex·am·ple [ɪgˈzɑ:mpl] Beispiel *n*; Vorbild *n*, Muster *n*; *for* ~ zum Beispiel.
ex·as·pe|rate [ɪgˈzæspəreɪt] wütend machen; **~·rat·ing** ☐ [~ɪŋ] ärgerlich.
ex·ca·vate [ˈekskəveɪt] ausgraben, -heben, -schachten.
ex·ceed [ɪkˈsi:d] überschreiten; übertreffen; **~ing** ☐ [~ɪŋ] übermäßig; **~·ing·ly** [~lɪ] außerordentlich, überaus.
ex·cel [ɪkˈsel] (*-ll-*) *v/t.* übertreffen; *v/i.* sich auszeichnen; **~·lence** [ˈeksələns] ausgezeichnete Qualität; hervorragende Leistung; **Ex·cel·len·cy** [~ənsɪ] Exzellenz *f*; **~·lent** ☐ [~ənt] ausgezeichnet, hervorragend.
ex·cept [ɪkˈsept] **1.** ausnehmen, -schließen; **2.** *prp.* ausgenommen, außer; ~ *for* abgesehen von; **~·ing** *prp.* [~ɪŋ] ausgenommen.
ex·cep·tion [ɪkˈsepʃn] Ausnahme *f*; Einwendung *f*, Einwand *m* (*to* gegen); *by way of* ~ ausnahmsweise; *make an* ~ e-e Ausnahme machen; *take* ~ *to* Anstoß nehmen an (*dat.*); **~·al** ☐ [~nl] außergewöhnlich; **~·al·ly** [~ʃnəlɪ] un-, außergewöhnlich.
ex·cerpt [ˈeksɜ:pt] Auszug *m*.
ex·cess [ɪkˈses] Übermaß *n*; Überschuß *m*; Ausschweifung *f*; *attr.* Mehr...; ~ *fare* (Fahrpreis)Zuschlag *m*; ~ *baggage bsd. Am.*, ~ *luggage bsd. Brt.* ✈ Übergepäck *n*; ~ *postage* Nachgebühr *f*; **ex·ces·sive** ☐ [~ɪv] übermäßig, übertrieben.
ex·change [ɪksˈtʃeɪndʒ] **1.** (aus-, ein-, um)tauschen (*for* gegen); wechseln; **2.** (Aus-, Um)Tausch *m*; (*bsd.* Geld-) Wechsel *m*; *a. bill of* ~ Wechsel *m*; Börse *f*; Wechselstube *f*; Fernsprechamt *n*; *foreign* ~(*s pl.*) Devisen *pl.*; *rate of* ~, ~ *rate* Wechselkurs *m*; ~ *office* Wechselstube *f*; ~ *student* Austauschstudent(in), -schüler(in).
ex·cheq·uer [ɪksˈtʃekə] Staatskasse *f*; *Chancellor of the* ≈ *Brt.* Schatzkanzler *m*, Finanzminister *m*.
ex·cise[1] [ekˈsaɪz] Verbrauchssteuer *f*.
ex·cise[2] ⚕ [~] herausschneiden.
ex·ci·ta·ble [ɪkˈsaɪtəbl] reizbar, (leicht) erregbar.
ex·cite [ɪkˈsaɪt] er-, anregen; reizen; **ex·cit·ed** ☐ erregt, aufgeregt; **ex·cite·ment** [~mənt] Auf-, Erregung *f*; Reizung *f*; **ex·cit·ing** ☐ [~ɪŋ] erregend, aufregend, spannend.
ex·claim [ɪkˈskleɪm] (aus)rufen.
ex·cla·ma·tion [ekskləˈmeɪʃn] Ausruf *m*, (Auf)Schrei *m*; ~ *mark*, *Am. a.* ~ *point* Ausrufe-, Ausrufungszeichen *n*.
ex·clude [ɪkˈsklu:d] ausschließen.
ex·clu|sion [ɪkˈsklu:ʒn] Ausschließung *f*, Ausschluß *m*; **~·sive** ☐ [~sɪv] ausschließlich; exklusiv; Exklusiv...; ~ *of* abgesehen von, ohne.
ex·com·mu·ni|cate [ekskəˈmju:nɪkeɪt] exkommunizieren; **~·ca·tion** [ˈekskəmju:nɪˈkeɪʃn] Exkommunikation *f*.
ex·cre·ment [ˈekskrɪmənt] Kot *m*.
ex·crete [ekˈskri:t] ausscheiden.
ex·cru·ci·at·ing ☐ [ɪkˈskru:ʃɪeɪtɪŋ] entsetzlich, scheußlich.
ex·cur·sion [ɪkˈskɜ:ʃn] Ausflug *m*.
ex·cu·sa·ble ☐ [ɪkˈskju:zəbl] entschuldbar; **ex·cuse 1.** [ɪkˈskju:z] entschuldigen; ~ *me* entschuldige(n Sie); **2.** [~u:s] Entschuldigung *f*.
ex·e|cute [ˈeksɪkju:t] ausführen; vollziehen; ♪ vortragen; hinrichten; *Testament* vollstrecken; **~·cu·tion** [eksɪˈkju:ʃn] Ausführung *f*; Vollziehung *f*; (Zwangs)Vollstreckung *f*; Hinrichtung *f*; ♪ Vortrag *m*; *put od. carry a plan into* ~ e-n Plan ausführen *od.* verwirklichen; **~·cu·tion·er** [~ʃnə] Henker *m*, Scharfrichter *m*; **~c·u·tive** [ɪgˈzekjʊtɪv] **1.** ☐ vollziehend, ausübend, *pol.* Exekutiv...; *econ.* leitend; ~ *board* Vorstand *m*; ~ *committee* Exekutivausschuß *m*; **2.** *pol.* Exekutive *f*, vollziehende Gewalt; *econ.* leitender Angestellter; **~c·u·tor** [~ə] Erbschaftsverwalter *m*, Testamentsvollstrecker *m*.

E

ex·em·pla·ry □ [ɪɡˈzemplərɪ] vorbildlich.
ex·em·pli·fy [ɪɡˈzemplɪfaɪ] veranschaulichen.
ex·empt [ɪɡˈzempt] **1.** befreit, frei; **2.** ausnehmen, befreien.
ex·er·cise [ˈeksəsaɪz] **1.** Übung *f*; Ausübung *f*; *Schule*: Übung(sarbeit) *f*, Schulaufgabe *f*; ⚔ Manöver *n*; (körperliche) Bewegung; *do one's ~s* Gymnastik machen; *take ~* sich Bewegung machen; *Am.* *~s pl.* Feierlichkeiten *pl.*; *~ book* Schul-, Schreibheft *n*; **2.** üben; ausüben; (sich) bewegen; sich Bewegung machen; ⚔ exerzieren.
ex·ert [ɪɡˈzɜːt] *Einfluß etc.* ausüben; *~ o.s.* sich anstrengen *od.* bemühen; **ex·er·tion** [~ɜːʃn] Ausübung *f*; Anstrengung *f*, Strapaze *f*.
ex·hale [eksˈheɪl] ausatmen; *Gas, Geruch etc.* verströmen; *Rauch* ausstoßen.
ex·haust [ɪɡˈzɔːst] **1.** erschöpfen; entleeren; auspumpen; **2.** ⊕ Abgas *n*, Auspuffgase *pl.*; Auspuff *m*; *~ fumes pl.* Abgase *pl.*; *~ pipe* Auspuffrohr *n*; **~ed** erschöpft (*a. fig.*); vergriffen (*Auflage*); **ex·haus·tion** [~tʃən] Erschöpfung *f*; **ex·haus·tive** □ [~tɪv] erschöpfend.
ex·hib·it [ɪɡˈzɪbɪt] **1.** ausstellen; ⚖ vorzeigen, *Beweise* beibringen; *fig.* zeigen; **2.** Ausstellungsstück *n*; Beweisstück *n*; **ex·hi·bi·tion** [eksɪˈbɪʃn] Ausstellung *f*; Zurschaustellung *f*; *Brt.* Stipendium *n*.
ex·hil·a·rate [ɪɡˈzɪləreɪt] auf-, erheitern.
ex·hort [ɪɡˈzɔːt] ermahnen.
ex·ile [ˈeksaɪl] **1.** Verbannung *f*; Exil *n*; Verbannte(r *m*) *f*; im Exil Lebende(r *m*) *f*; **2.** in die Verbannung *od.* ins Exil schicken.
ex·ist [ɪɡˈzɪst] existieren; vorhanden sein; leben; bestehen; **~·ence** [~əns] Existenz *f*; Vorhandensein *n*, Vorkommen *n*; Leben *n*, Dasein *n*; ⚠ *nicht Existenz* (*Lebensunterhalt*); **~·ent** [~t] vorhanden.
ex·it [ˈeksɪt] **1.** Abgang *m*; Ausgang *m*; (Autobahn)Ausfahrt *f*; Ausreise *f*; **2.** *thea.* (geht) ab.
ex·o·dus [ˈeksədəs] Auszug *m*; Abwanderung *f*; *general ~* allgemeiner Aufbruch.
ex·on·e·rate [ɪɡˈzɒnəreɪt] entlasten, entbinden, befreien.
ex·or·bi·tant □ [ɪɡˈzɔːbɪtənt] übertrieben, maßlos; unverschämt (*Preis etc.*).
ex·or·cize [ˈeksɔːsaɪz] *böse Geister* beschwören, austreiben (*from* aus); befreien (*of* von).
ex·ot·ic [ɪɡˈzɒtɪk] (*~ally*) exotisch; fremdländisch; fremd(artig).
ex·pand [ɪkˈspænd] (sich) ausbreiten; (sich) ausdehnen *od.* erweitern; *~ on* sich auslassen über (*acc.*); **ex·panse** [~ns] Ausdehnung *f*, Weite *f*; **ex·pan·sion** [~ʃn] Ausbreitung *f*; *phys.* Ausdehnen *n*; *fig.* Erweiterung *f*, Ausweitung *f*; **ex·pan·sive** □ [~sɪv] ausdehnungsfähig; ausgedehnt, weit; *fig.* mitteilsam.
ex·pat·ri·ate [eksˈpætrɪeɪt] *j-n* ausbürgern, *j-m* die Staatsangehörigkeit aberkennen.
ex·pect [ɪkˈspekt] erwarten; F annehmen; *be ~ing* in anderen Umständen sein; **ex·pec·tant** □ [~ənt] erwartend (*of acc.*); *~ mother* werdende Mutter; **ex·pec·ta·tion** [ekspekˈteɪʃn] Erwartung *f*; Hoffnung *f*, Aussicht *f*.
ex·pe·dient [ɪkˈspiːdjənt] **1.** □ zweckmäßig; ratsam; **2.** (Hilfs-) Mittel *n*, (Not)Behelf *m*.
ex·pe·di|tion [ekspɪˈdɪʃn] Eile *f*; ⚔ Feldzug *m*; (Forschungs)Reise *f*, Expedition *f*; **~·tious** □ [~ʃəs] schnell.
ex·pel [ɪkˈspel] (*-ll-*) ausstoßen; vertreiben, -jagen; hinauswerfen, ausschließen.
ex·pend [ɪkˈspend] *Geld* ausgeben; aufwenden; verbrauchen; **ex·pen·di·ture** [~dɪtʃə] Ausgabe *f*; Aufwand *m*; **ex·pense** [ɪkˈspens] Ausgabe *f*; Kosten *pl.*; *~s pl.* Unkosten *pl.*, Spesen *pl.*, Auslagen *pl.*; *at the ~ of* auf Kosten (*gen.*); *at any ~* um jeden Preis; **ex·pen·sive** □ [~sɪv] kostspielig, teuer.
ex·pe·ri·ence [ɪkˈspɪərɪəns] **1.** Erfahrung *f*; (Lebens)Praxis *f*; Erlebnis *n*; **2.** erfahren, erleben; **~d** erfahren.
ex·per·i|ment 1. [ɪkˈsperɪmənt] Versuch *m*; **2.** [~ment] experimentieren; **~·men·tal** □ [eksperɪˈmentl] Versuchs...
ex·pert [ˈekspɜːt] **1.** □ [*pred.* eksˈpɜːt] erfahren, geschickt; fachmännisch; **2.** Fachmann *m*; Sachverständige(r *m*) *f*.
ex·pi·ra·tion [ekspɪˈreɪʃn] Ausat-

mung *f*; Ablauf *m*, Ende *n*; **ex·pire** [ɪkˈspaɪə] ausatmen; sein Leben *od.* s-n Geist aushauchen; ablaufen, verfallen, erlöschen.
ex·plain [ɪkˈspleɪn] erklären, erläutern; *Gründe* auseinandersetzen.
ex·pla·na·tion [ekspləˈneɪʃn] Erklärung *f*; Erläuterung *f*; **ex·plan·a·to·ry** □ [ɪkˈsplænətərɪ] erklärend.
ex·pli·ca·ble □ [ˈeksplɪkəbl] erklärlich.
ex·pli·cit □ [ɪkˈsplɪsɪt] deutlich.
ex·plode [ɪkˈspləʊd] explodieren (lassen); *fig.* ausbrechen (*with* in *acc.*), platzen (*with* vor); *fig.* sprunghaft ansteigen.
ex·ploit 1. [ˈeksplɔɪt] Heldentat *f*; **2.** [ɪkˈsplɔɪt] ausbeuten; *fig.* ausnutzen; **ex·ploi·ta·tion** [eksplɔɪˈteɪʃn] Ausbeutung *f*, Auswertung *f*, Verwertung *f*, Abbau; *fig.* Ausnutzung *f*.
ex·plo·ra·tion [ekspləˈreɪʃn] Erforschung *f*; **ex·plore** [ɪkˈsplɔː] erforschen; **ex·plor·er** [~rə] Forscher(in); Forschungsreisende(r *m*) *f*.
ex·plo|sion [ɪkˈspləʊʒn] Explosion *f*; *fig.* Ausbruch *m*; *fig.* sprunghafter Anstieg; **~·sive** [~əʊsɪv] **1.** □ explosiv; *fig.* aufbrausend; *fig.* sprunghaft ansteigend; **2.** Sprengstoff *m*.
ex·po·nent [ekˈspəʊnənt] Exponent *m*; Vertreter *m*.
ex·port 1. [ekˈspɔːt] exportieren, ausführen; **2.** [ˈekspɔːt] Export(artikel) *m*, Ausfuhr(artikel *m*) *f*; **ex·por·ta·tion** [ekspɔːˈteɪʃn] Ausfuhr *f*.
ex·pose [ɪkˈspəʊz] aussetzen; *phot.* belichten; ausstellen; *fig.* entlarven, bloßstellen, *et.* aufdecken; **ex·po·si·tion** [ekspəˈzɪʃn] Ausstellung *f*.
ex·po·sure [ɪkˈspəʊʒə] Aussetzen *n*; Ausgesetztsein *n*; *fig.* Bloßstellung *f*; Aufdeckung *f*; Enthüllung *f*, Entlarvung *f*; *phot.* Belichtung *f*; *phot.* Aufnahme *f*; ~ *meter* Belichtungsmesser *m*.
ex·pound [ɪkˈspaʊnd] erklären, auslegen.
ex·press [ɪkˈspres] **1.** □ ausdrücklich, deutlich; Expreß..., Eil...; ~ *company Am.* (Schnell)Transportunternehmen *n*; ~ *train* Schnellzug *m*; **2.** Eilbote *m*; Schnellzug *m*; *by* ~ = **3.** *adv.* durch Eilboten; als Eilgut; **4.** äußern, ausdrücken; auspressen; **ex·pres·sion** [~eʃn] Ausdruck *m*; **ex·pres·sion·less** □ [~lɪs] ausdruckslos; **ex·pres·sive** □ [~sɪv] ausdrückend (*of acc.*); ausdrucksvoll; **~·ly** [~lɪ] ausdrücklich, eigens; **~·way** *bsd. Am.* Schnellstraße *f*.
ex·pro·pri·ate [eksˈprəʊprɪeɪt] enteignen.
ex·pul·sion [ɪkˈspʌlʃn] Vertreibung *f*; Ausweisung *f*.
ex·pur·gate [ˈekspɜːgeɪt] reinigen.
ex·qui·site □ [ˈekskwɪzɪt] auserlesen, vorzüglich; fein; heftig.
ex·tant [ekˈstænt] (noch) vorhanden.
ex·tend [ɪkˈstend] *v/t.* ausdehnen; ausstrecken; erweitern; verlängern; *Hilfe etc.* gewähren; ⚔ ausschwärmen lassen; *v/i.* sich erstrecken.
ex·ten|sion [ɪkˈstenʃn] Ausdehnung *f*; Erweiterung *f*; Verlängerung *f*; Aus-, Anbau *m*; *teleph.* Nebenanschluß *m*, Apparat *m*; ~ *cord* ⚡ Verlängerungsschnur *f*; **~·sive** [~sɪv] ausgedehnt, umfassend.
ex·tent [ɪkˈstent] Ausdehnung *f*, Weite *f*, Größe *f*, Umfang *m*; Grad *m*; *to the* ~ *of* bis zum Betrag von; *to some od. a certain* ~ bis zu e-m gewissen Grade, einigermaßen.
ex·ten·u·ate [ekˈstenjʊeɪt] abschwächen, mildern; beschönigen; *extenuating circumstances pl.* ⚖ mildernde Umstände *pl*.
ex·te·ri·or [ekˈstɪərɪə] **1.** äußerlich, äußere(r, -s), Außen...; **2.** *das* Äußere; *Film*: Außenaufnahme *f*.
ex·ter·mi·nate [ekˈstɜːmɪneɪt] ausrotten (*a. fig.*), vernichten, *Ungeziefer, Unkraut a.* vertilgen.
ex·ter·nal □ [ekˈstɜːnl] äußere(r, -s), äußerlich, Außen...
ex·tinct [ɪkˈstɪŋkt] erloschen; ausgestorben; **ex·tinc·tion** [~kʃn] Erlöschen *n*; Aussterben *n*, Untergang *m*; (Aus)Löschen *n*; Vernichtung *f*, Zerstörung *f*.
ex·tin·guish [ɪkˈstɪŋgwɪʃ] (aus)löschen; vernichten; **~·er** [~ə] (Feuer-)Löschgerät *n*.
ex·tort [ɪkˈstɔːt] erpressen (*from* von); **ex·tor·tion** [~ʃn] Erpressung *f*.
ex·tra [ˈekstrə] **1.** *adj.* Extra..., außer..., Außer...; Neben..., Sonder...; ~ *pay* Zulage *f*; ~ *time Sport*: (Spiel-)Verlängerung *f*; **2.** *adv.* besonders; **3.** *et.* Zusätzliches, Extra *n*; Zuschlag *m*; Extrablatt *n*; *thea., Film*: Statist(in).
ex·tract 1. [ˈekstrækt] Auszug *m*; **2.** [ɪkˈstrækt] (heraus)ziehen; heraus-

E

locken; ab-, herleiten; **ex·trac·tion** [~kʃn] (Heraus)Ziehen *n*; Herkunft *f*.
ex·tra|dite [ˈekstrədaɪt] ausliefern; *j-s* Auslieferung erwirken; **~·di·tion** [ekstrəˈdɪʃn] Auslieferung *f*.
extra·or·di·na·ry □ [ɪkˈstrɔːdnrɪ] außerordentlich; ungewöhnlich; außerordentlich, Sonder...
ex·tra·ter·res·tri·al □ [ˈekstrətɪˈrestrɪəl] außerirdisch.
ex·trav·a|gence [ɪkˈstrævəgəns] Übertriebenheit *f*; Verschwendung *f*; Extravaganz *f*; **~·gant** □ [~t] übertrieben, überspannt; verschwenderisch; extravagant.
ex·treme [ɪkˈstriːm] **1.** □ äußerste(r, -s), größte(r, -s), höchste(r, -s); außergewöhnlich; **2.** *das* Äußerste; Extrem *n*; höchster Grad; **~·ly** [~lɪ] äußerst, höchst.
ex·trem|is·m *bsd. pol.* [ɪkˈstriːmɪzm] Extremismus *m*; **~·ist** [~ɪst] Extremist(in).
ex·trem·i·ty [ɪkˈstremətɪ] *das* Äußerste; höchste Not; äußerste Maßnahme; *extremities pl.* Gliedmaßen *pl.*, Extremitäten *pl.*

ex·tri·cate [ˈekstrɪkeɪt] herauswinden, -ziehen, befreien.
ex·tro·vert [ˈekstrəʊvɜːt] Extrovertierte(r *m*) *f*.
ex·u·be|rance [ɪgˈzjuːbərəns] Fülle *f*; Überschwang *m*; **~·rant** □ [~t] reichlich, üppig; überschwenglich; ausgelassen.
ex·ult [ɪgˈzʌlt] frohlocken, jubeln.
eye [aɪ] **1.** Auge *n*; Blick *m*; Öhr *n*; Öse *f*; *see ~ to ~ with s.o.* mit j-m völlig übereinstimmen; *be up to the ~s in work* bis über die Ohren in Arbeit stecken; *with an ~ to s.th.* im Hinblick auf et.; **2.** ansehen; mustern; **~·ball** [ˈaɪbɔːl] Augapfel *m*; **~·brow** Augenbraue *f*; **~-catch·ing** [~ɪŋ] ins Auge fallend, auffallend; **~d** ...äugig; **~·glass** Augenglas *n*; (*a pair of*) *~es pl.* (e-e) Brille; **~·lash** Augenwimper *f*; **~·lid** Augenlid *n*; **~·lin·er** Eyeliner *m*; **~-o·pen·er:** *that was an ~ to me* das hat mir die Augen geöffnet; **~·shad·ow** Lidschatten *m*; **~·sight** Augen(licht *n*) *pl.*, Sehkraft *f*; **~·strain** Ermüdung *f od.* Überanstrengung *f* der Augen; **~·wit·ness** Augenzeug|e *m*, -in *f*.

F

fa·ble [ˈfeɪbl] Fabel *f*; Sage *f*; Lüge *f*.
fab|ric [ˈfæbrɪk] Gewebe *n*, Stoff *m*; Bau *m*; Gebäude *n*; Struktur *f*; ⚠ *nicht Fabrik*; **~·ri·cate** [~eɪt] fabrizieren (*mst fig. = erdichten, fälschen*).
fab·u·lous □ [ˈfæbjʊləs] sagenhaft, der Sage angehörend; sagen-, fabelhaft.
fa·çade *arch.* [fəˈsɑːd] Fassade *f*.
face [feɪs] **1.** Gesicht *n*; Gesicht(sausdruck *m*) *n*, Miene *f*; (Ober)Fläche *f*; Vorderseite *f*; Zifferblatt *n*; *~ to ~ with* Auge in Auge mit; *save od. lose one's ~* das Gesicht wahren *od.* verlieren; *on the ~ of it* auf den ersten Blick; *pull a long ~* ein langes Gesicht machen; *have the ~ to do s.th.* die Stirn haben, et. zu tun; **2.** *v/t.* ansehen; gegenüberstehen (*dat.*); (hinaus)gehen auf (*acc.*); die Stirn bieten (*dat.*); einfassen; *arch.* bekleiden; *v/i. ~ about* sich umdrehen; **~-cloth** [ˈfeɪsklɒθ] Waschlappen *m*; **~d** *in Zssgn*: mit (e-m) ... Gesicht; **~-flan·nel** *Brt. = face-cloth*; **~-lift·ing** [~ɪŋ] Facelifting *n*, Gesichtsstraffung *f*; *fig.* Renovierung *f*, Verschönerung *f*.
fa·ce·tious □ [fəˈsiːʃəs] witzig.
fa·cial [ˈfeɪʃl] **1.** □ Gesichts...; **2.** *Kosmetik*: Gesichtsbehandlung *f*.
fa·cile [ˈfæsaɪl] leicht; oberflächlich;
fa·cil·i·tate [fəˈsɪlɪteɪt] erleichtern;
fa·cil·i·ty [~ətɪ] Leichtigkeit *f*; Oberflächlichkeit *f*; *mst facilities pl.* Erleichterung(en *pl.*) *f*; Einrichtung(en *pl.*) *f*, Anlage(n *pl.*) *f*.
fac·ing [ˈfeɪsɪŋ] ⊕ Verkleidung *f*; *~s pl. Schneiderei*: Besatz *m*.
fact [fækt] Tatsache *f*, Wirklichkeit *f*, Wahrheit *f*; Tat *f*; *in ~* in der Tat, tatsächlich.

fac·tion *bsd. pol.* ['fækʃn] Splittergruppe *f*; Zwietracht *f*.
fac·ti·tious □ [fæk'tɪʃəs] künstlich.
fac·tor ['fæktə] *fig.* Umstand *m*, Moment *n*, Faktor *m*; Agent *m*; *Schott.* Verwalter *m*.
fac·to·ry ['fæktrɪ] Fabrik *f*.
fac·ul·ty ['fækəltɪ] Fähigkeit *f*; Kraft *f*; *fig.* Gabe *f*; *univ.* Fakultät *f*.
fad [fæd] Mode(erscheinung, -torheit) *f*; (vorübergehende) Laune.
fade [feɪd] (ver)welken (lassen), verblassen; schwinden; immer schwächer werden (*Person*); ⚠ *nicht fade*; *Film*, *Rundfunk*, *TV*: ~ *in* auf- *od.* eingeblendet werden; auf- *od.* einblenden; ~ *out* aus- *od.* abgeblendet werden; aus- *od.* abblenden.
fag[1] [fæg] F Plackerei *f*, Schinderei *f*; *Brt. Schule*: *Schüler, der für e-n älteren Dienste verrichtet.*
fag[2] *sl.* [~] *Brt.* Glimmstengel *m* (*Zigarette*); *Am.* Schwule(r) *m* (*Homosexueller*).
fail [feɪl] **1.** *v/i.* versagen; mißlingen, fehlschlagen; versiegen; nachlassen; Bankrott machen; durchfallen (*Kandidat*); *v/t.* im Stich lassen, verlassen; *j-n in e-r Prüfung* durchfallen lassen; *he ~ed to come* er kam nicht; *he cannot ~ to* er muß (einfach); **2.** *without ~* mit Sicherheit, ganz bestimmt; **~·ing** ['feɪlɪŋ] **1.** Fehler *m*, Schwäche *f*; **2.** in Ermang(e)lung (*gen.*); **~·ure** [~jə] Fehlen *n*; Ausbleiben *n*; Versagen *n*; Fehlschlag *m*, Mißerfolg *m*; Verfall *m*; Versäumnis *n*; Bankrott *m*; Versager *m*.
faint [feɪnt] **1.** □ schwach, matt; **2.** ohnmächtig werden, in Ohnmacht fallen (*with* vor); **3.** Ohnmacht *f*; **~-heart·ed** □ ['feɪnt'hɑːtɪd] verzagt.
fair[1] [feə] **1.** *adj.* □ gerecht, ehrlich, anständig, fair; ordentlich; schön (*Wetter*), günstig (*Wind*); reichlich; hell (*Haut*, *Haar*, *Teint*), blond (*Haar*); freundlich; sauber, in Reinschrift; schön, hübsch, nett; **2.** *adv.* gerecht, ehrlich, anständig, fair; in Reinschrift; direkt.
fair[2] [~] (Jahr)Markt *m*; Volksfest *n*; Ausstellung *f*, Messe *f*.
fair|ly ['feəlɪ] ziemlich; völlig; **~·ness** [~nɪs] Schönheit *f*; Blondheit *f*; Anständigkeit *f*, *bsd. Sport*: Fairneß *f*; Ehrlichkeit *f*; Gerechtigkeit *f*.
fai·ry ['feərɪ] Fee *f*; Zauberin *f*; Elf(e *f*) *m*; **~·land** Feen-, Märchenland *n*; **~-tale** Märchen *n* (*a. fig.*).
faith [feɪθ] Glaube *m*; Vertrauen *n*; Treue *f*; **~·ful** □ ['feɪθfl] treu; ehrlich; *Yours ~ly* Mit freundlichen Grüßen (*Briefschluß*); **~·less** □ [~lɪs] treulos; ungläubig.
fake [feɪk] **1.** Schwindel *m*; Fälschung *f*; Schwindler *m*; **2.** fälschen; imitieren, nachmachen; vortäuschen, simulieren; **3.** gefälscht.
fal·con *zo.* ['fɔːlkən] Falke *m*.
fall [fɔːl] **1.** Fall(en *n*) *m*; Sturz *m*; Verfall *m*; Einsturz *m*; *Am.* Herbst *m*; Sinken *n* (*der Preise etc.*); Gefälle *n*; *mst ~s pl.* Wasserfall *m*; ⚠ *nicht gr.*, ⚔, ⚖ *Fall*; **2.** (*fell, fallen*) fallen, stürzen; ab-, einfallen; sinken; sich legen (*Wind*); *in e-n Zustand* verfallen; *~ ill od. sick* krank werden; *~ in love with* sich verlieben in (*acc.*); *~ short of den Erwartungen etc.* nicht entsprechen; *~ back* zurückweichen; *~ back on fig.* zurückgreifen auf (*acc.*); *~ for* hereinfallen auf (*j-n, et.*); F sich in *j-n* verknallen; *~ off* zurückgehen (*Geschäfte, Zuschauerzahlen etc.*), nachlassen; *~ on* herfallen über (*acc.*); *~ out* sich streiten (*with* mit); *~ through* durchfallen (*a. fig.*); *~ to* reinhauen, tüchtig zugreifen (*beim Essen*).
fal·la·cious □ [fə'leɪʃəs] trügerisch.
fal·la·cy ['fæləsɪ] Trugschluß *m*.
fall·en ['fɔːlən] *p.p. von fall 2.*
fall guy *Am.* F ['fɔːlgaɪ] *der* Lackierte, *der* Dumme.
fal·li·ble □ ['fæləbl] fehlbar.
fal·ling star *ast.* ['fɔːlɪŋstɑː] Sternschnuppe *f*.
fall-out ['fɔːlaʊt] Fallout *m*, radioaktiver Niederschlag.
fal·low ['fæləʊ] *zo.* falb; ✓ brach(liegend).
false □ [fɔːls] falsch; **~·hood** ['fɔːlshʊd], **~·ness** [~nɪs] Falschheit *f*; Unwahrheit *f*.
fal·si|fi·ca·tion [fɔːlsɪfɪ'keɪʃn] (Ver-)Fälschung *f*; **~·fy** ['fɔːlsɪfaɪ] (ver)fälschen; **~·ty** [~tɪ] Falschheit *f*, Unwahrheit *f*.
fal·ter ['fɔːltə] schwanken; stocken (*Stimme*); stammeln; *fig.* zaudern.
fame [feɪm] Ruf *m*, Ruhm *m*; **~d** berühmt (*for* wegen).
fa·mil·i·ar [fə'mɪljə] **1.** □ vertraut; gewohnt; familiär; **2.** Vertraute(r *m*) *f*; **~·i·ty** [fəmɪlɪ'ærətɪ] Vertrautheit

F

f; (plumpe) Vertraulichkeit; **~·ize** [fəˈmɪljəraɪz] vertraut machen.
fam·i·ly [ˈfæməlɪ] **1.** Familie *f*; **2.** Familien..., Haus...; *be in the ~ way* F in anderen Umständen sein; *~ allowance* Kindergeld *n*; *~ planning* Familienplanung *f*; *~ tree* Stammbaum *m*.
fam|ine [ˈfæmɪn] Hungersnot *f*; Knappheit *f* (*of* an *dat.*); **~·ished** [~ʃt] verhungert; *be ~* F am Verhungern sein. [*nicht famos.*]
fa·mous □ [ˈfeɪməs] berühmt; ⚠
F
fan[1] [fæn] **1.** Fächer *m*; Ventilator *m*; *~ belt* ⊕ Keilriemen *m*; **2.** (*-nn-*) (zu)fächeln; an-, *fig.* entfachen.
fan[2] [~] (*Sport- etc.*)Fan *m*; *~ club* Fanklub *m*; *~ mail* Verehrerpost *f*.
fa·nat|ic [fəˈnætɪk] **1.** (*~ally*), *a.* **~·i·cal** □ [~kl] fanatisch; **2.** Fanatiker(in).
fan·ci·er [ˈfænsɪə] (*Tier-, Pflanzen-*) Liebhaber(in), (-)Züchter(in).
fan·ci·ful □ [ˈfænsɪfl] phantastisch.
fan·cy [ˈfænsɪ] **1.** Phantasie *f*; Einbildung(skraft) *f*; Schrulle *f*; Vorliebe *f*; Liebhaberei *f*; **2.** Phantasie...; Mode...; *~ ball* Kostümfest *n*, Maskenball *m*; *~ dress* (Masken)Kostüm *n*; *~ goods pl.* Modeartikel *pl.*, -waren *pl.*; **3.** sich einbilden; Gefallen finden an (*dat.*); *just ~!* denken Sie nur!; **~-free** frei u. ungebunden; **~-work** feine Handarbeit, Stickerei *f*.
fang [fæŋ] Reiß-, Fangzahn *m*; Hauer *m*; Giftzahn *m*.
fan|tas·tic [fænˈtæstɪk] (*~ally*) phantastisch; **~·ta·sy** [ˈfæntəsɪ] Phantasie *f*.
far [fɑː] (*farther, further; farthest, furthest*) **1.** *adj.* fern, entfernt, weit; **2.** *adv.* fern; weit; (sehr) viel; *as ~ as* bis; *in so ~ as* insofern als; **~·a·way** [ˈfɑːrəweɪ] weit entfernt.
fare [feə] **1.** Fahrgeld *n*; Fahrgast *m*; Verpflegung *f*, Kost *f*; **2.** *gut* leben; *he ~d well* es (er)ging ihm gut; **~·well** [ˈfeəˈwel] **1.** *int.* lebe(n Sie) wohl!; **2.** Abschied *m*, Lebewohl *n*.
far-fetched *fig.* [ˈfɑːˈfetʃt] weithergeholt, gesucht.
farm [fɑːm] **1.** Bauernhof *m*, Gut *n*, Gehöft *n*, Farm *f*; Züchterei *f*; *chicken ~* Hühnerfarm *f*; **2.** (ver-)pachten; *Land, Hof* bewirtschaften; *Geflügel etc.* züchten; **~·er** [ˈfɑːmə] Bauer *m*, Landwirt *m*, Farmer *m*; (*Geflügel- etc.*)Züchter *m*; Pächter *m*; **~·hand** Landarbeiter(in); **~·house** Bauernhaus *n*; **~·ing** [~ɪŋ] **1.** Acker..., landwirtschaftlich; **2.** Landwirtschaft *f*; **~·stead** Bauernhof *m*, Gehöft *n*; **~·yard** Wirtschaftshof *m* (*e-s Bauernhofs*).
far|-off [ˈfɑːrˈɒf] entfernt, fern; **~·sight·ed** *bsd. Am.* weitsichtig; *fig.* weitblickend.
far|ther [ˈfɑːðə] *comp. von far*; **~·thest** [ˈfɑːðɪst] *sup. von far.*
fas·ci|nate [ˈfæsɪneɪt] faszinieren; **~·nat·ing** □ [~ɪŋ] faszinierend; **~·na·tion** [fæsɪˈneɪʃn] Zauber *m*, Reiz *m*, Faszination *f*.
fas·cis|m *pol.* [ˈfæʃɪzəm] Faschismus *m*; **~t** *pol.* [~ɪst] **1.** Faschist *m*; **2.** faschistisch.
fash·ion [ˈfæʃn] **1.** Mode *f*; Art *f*; feine Lebensart; Form *f*; Schnitt *m*; *in (out of) ~* (un)modern; *~ parade, ~ show* Mode(n)schau *f*; **2.** gestalten; *Kleid* machen; **~·a·ble** □ [~nəbl] modern, elegant.
fast[1] [fɑːst] **1.** Fasten *n*; **2.** fasten.
fast[2] [~] schnell; fest; treu; echt, beständig (*Farbe*); flott; ⚠ *nicht fast*; *be ~* vorgehen (*Uhr*); **~·back** *mot.* [ˈfɑːstbæk] (Wagen *m* mit) Fließheck *n*; **~ breed·er, ~-breed·er re·ac·tor** *phys.* schneller Brüter.
fas·ten [ˈfɑːsn] *v/t.* befestigen; anheften; fest zumachen; zubinden; *Augen etc.* heften (*on, upon* auf *acc.*); *v/i.* schließen (*Tür*); ⚠ *nicht fasten*; *~ on, ~ upon* sich klammern an (*acc.*); *fig.* sich stürzen auf (*acc.*); **~·er** [~ə] Verschluß *m*, Halter *m*; **~·ing** [~ɪŋ] Verschluß *m*, Halterung *f*.
fast| food Schnellgericht(e *pl.*) *n*; **~-food res·tau·rant** Schnellimbiß *m*, -gaststätte *f*.
fas·tid·i·ous □ [fəˈstɪdɪəs] anspruchsvoll, heikel, wählerisch, verwöhnt.
fast lane *mot.* Überholspur *f*.
fat [fæt] **1.** □ (*-tt-*) fett; dick; fettig; **2.** Fett *n*; **3.** (*-tt-*) fett machen *od.* werden; mästen.
fa·tal □ [ˈfeɪtl] verhängnisvoll, fatal (*to* für); Schicksals...; tödlich; **~·i·ty** [fəˈtælətɪ] Verhängnis *n*; Unglücks-, Todesfall *m*; Todesopfer *n*.
fate [feɪt] Schicksal *n*; Verhängnis *n*.
fa·ther [ˈfɑːðə] Vater *m*; **≈ Christmas** *bsd. Brt.* der Weihnachtsmann, der Nikolaus; **~·hood** [~hʊd] Vaterschaft *f*; **~-in-law** [~rɪnlɔː] (*pl.*

fathers-in-law) Schwiegervater *m*; **~·less** [~lɪs] vaterlos; **~·ly** [~lɪ] väterlich.

fath·om [ˈfæðəm] **1.** ⚓ Faden *m* (*Tiefenmaß*); **2.** ⚓ loten; *fig.* ergründen; **~·less** [~lɪs] unergründlich.

fa·tigue [fəˈtiːg] **1.** Ermüdung *f*; Strapaze *f*; **2.** ermüden.

fat|ten [ˈfætn] fett machen *od.* werden; mästen; *Boden* düngen; **~·ty** [~tɪ] (*-ier, -iest*) fett(ig).

fat·u·ous □ [ˈfætjʊəs] albern.

fau·cet *Am.* [ˈfɔːsɪt] (Wasser)Hahn *m*.

fault [fɔːlt] Fehler *m*; Defekt *m*; Schuld *f*; *find ~ with* et. auszusetzen haben an (*dat.*); *be at ~* schuld sein; **~·less** □ [~lɪs] fehlerfrei, -los; **~·y** □ [~ɪ] (*-ier, -iest*) fehlerhaft, ⊕ *a.* defekt.

fa·vo(u)r [ˈfeɪvə] **1.** Gunst *f*; Gefallen *m*; Begünstigung *f*; *in ~ of* zugunsten von *od. gen.*; *do s.o. a ~* j-m e-n Gefallen tun; **2.** begünstigen; bevorzugen, vorziehen; wohlwollend gegenüberstehen; *Sport*: favorisieren; beehren; **fa·vo(u)·ra·ble** □ [~rəbl] günstig; **fa·vo(u)·rite** [~rɪt] **1.** Liebling *m*; *Sport*: Favorit *m*; **2.** Lieblings...

fawn¹ [fɔːn] **1.** *zo.* (Reh)Kitz *n*; Rehbraun *n*; **2.** rehbraun.

fawn² [~] (mit dem Schwanz) wedeln (*Hund*); *fig.* katzbuckeln (*on, upon* vor *dat.*).

fear [fɪə] **1.** Furcht *f* (*of* vor *dat.*); Befürchtung *f*; Angst *f*; **2.** (be)fürchten; sich fürchten vor (*dat.*); **~·ful** □ [ˈfɪəfl] furchtsam; furchtbar; **~·less** □ [~lɪs] furchtlos.

fea·si·ble □ [ˈfiːzəbl] durchführbar.

feast [fiːst] **1.** *eccl.* Fest *n*, Feiertag *m*; Festessen *n*; *fig.* Fest *n*, (Hoch)Genuß *m*; **2.** *v/t.* festlich bewirten; *v/i.* sich gütlich tun (*on* an *dat.*).

feat [fiːt] (Helden)Tat *f*; Kunststück *n*.

fea·ther [ˈfeðə] **1.** Feder *f*; *a.* **~s** Gefieder *n*; *birds of a ~* Leute vom gleichen Schlag; *in high ~* (bei) bester Laune; in Hochform; **2.** mit Federn schmücken; **~ bed** Matratze *f* mit Feder- *od.* Daunenfüllung; ⚠ *nicht Federbett*; **~-bed** (*-dd-*) verwöhnen; **~-brained, ~-head·ed** unbesonnen; albern; **~ed** be-, gefiedert; **~·weight** *Sport*: Federgewicht(ler *m*) *n*; Leichtgewicht *n* (*Person*); *fig.* unbedeutende Person; *et.* Belangloses; **~·y** [~rɪ] be-, gefiedert; feder(art)ig.

fea·ture [ˈfiːtʃə] **1.** (Gesichts-, Grund-, Haupt-, Charakter)Zug *m*; (charakteristisches) Merkmal; *Rundfunk, TV*: Feature *n*; *a. ~ article, ~ story Zeitung*: Feature *n*; *a. ~ film* Haupt-, Spielfilm *m*; **~s** *pl.* Gesicht *n*; **2.** kennzeichnen; sich auszeichnen durch; groß herausbringen *od.* -stellen; *Film*: in der Hauptrolle zeigen.

Feb·ru·a·ry [ˈfebrʊərɪ] Februar *m*.

fed [fed] *pret. u. p.p. von feed 2.*

fed·e|ral □ [ˈfedərəl] Bundes...; *USA*: Zentral..., Unions..., National...; ♀ *Bureau of Investigation* (*abbr. FBI*) amer. Bundeskriminalpolizei; *~ government* Bundesregierung *f*; **~·rate** [~eɪt] (sich) zu e-m (Staaten)Bund zusammenschließen; **~·ra·tion** [fedəˈreɪʃn] Föderation *f* (*a. econ., pol.*); (politischer) Zusammenschluß; *econ.* (Dach)Verband *m*; *pol.* Staatenbund *m*.

fee [fiː] Gebühr *f*; Honorar *n*; (Mitglieds)Beitrag *m*; Eintrittsgeld *n*.

fee·ble □ [ˈfiːbl] (*~r, ~st*) schwach.

feed [fiːd] **1.** Futter *n*; Nahrung *f*; Fütterung *f*; ⊕ Zuführung *f*, Speisung *f*; **2.** (*fed*) *v/t.* füttern; ernähren; ⊕ (ein)speisen; weiden lassen; *be fed up with et. od. j-n* satt haben; *well fed* wohlgenährt; *v/i.* (fr)essen; sich ernähren; weiden; **~·back** [ˈfiːdbæk] ⚡, *Kybernetik*: Feedback *n*, Rückkoppelung *f*; *Rundfunk, TV*: Feedback *n* (*mögliche Einflußnahme des Publikums auf den Verlauf e-r Sendung*); Zurückleitung *f* (*von Informationen*) (*to* an *acc.*); **~·er** [~ə] Fütterer *m*; *Am.* Viehmäster *m*; Esser(in); **~·er road** Zubringer (-straße *f*) *m*; **~·ing-bot·tle** [~ɪŋbɒtl] (Säuglings-, Saug)Flasche *f*.

feel [fiːl] **1.** (*felt*) (sich) fühlen; befühlen; empfinden; sich anfühlen; *I ~ like doing* ich möchte am liebsten tun; **2.** Gefühl *n*; Empfindung *f*; **~·er** *zo.* [ˈfiːlə] Fühler *m*; **~·ing** [~ɪŋ] Gefühl *n*.

feet [fiːt] *pl. von foot 1.*

feign [feɪn] *Interesse etc.* vortäuschen, *Krankheit a.* simulieren.

feint [feɪnt] Finte *f*; ⚔ Täuschungsmanöver *n*.

fell [fel] **1.** *pret. von fall 2*; **2.** niederschlagen; fällen.

fel·low [ˈfeləʊ] **1.** Gefährt|e *m*, -in *f*, Kamerad(in); Gleiche(r, -s); Gegenstück *n*; *univ.* Fellow *m*, Mitglied *n* e-s College; Kerl *m*, Bursche *m*, Mensch *m*; *old* ~ F alter Junge; *the ~ of a glove* der andere Handschuh; **2.** Mit...; *~ being* Mitmensch *m*; *~ countryman* Landsmann *m*; *~ travel(l)er* Mitreisende(r) *m*, Reisegefährte *m*; **~·ship** [~ʃɪp] Gemeinschaft *f*; Kameradschaft *f*.
fel·o·ny ⚖ [ˈfelənɪ] (schweres) Verbrechen, Kapitalverbrechen *n*.
felt¹ [felt] *pret. u. p.p. von feel 1.*
felt² [~] Filz *m*; *~ tip, ~-tip(ped) pen* Filzschreiber *m*, -stift *m*.
fe·male [ˈfiːmeɪl] **1.** weiblich; **2.** Weib *n*; *zo.* Weibchen *n*.
fem·i|nine □ [ˈfemɪnɪn] weiblich, Frauen...; weibisch; **~·nis·m** [~ɪzəm] Feminismus *m*; **~·nist** [~ɪst] **1.** Feminist(in); **2.** feministisch.
fen [fen] Fenn *n*, Moor *n*; Marsch *f*.
fence [fens] **1.** Zaun *m*; F Hehler *m*; **2.** *v/t.* *~ in* ein-, umzäunen; einsperren; *~ off* abzäunen; *v/i. Sport*: fechten; *sl.* Hehlerei treiben; **fenc·er** [ˈfensə] *Sport*: Fechter *m*; **fenc·ing** [~ɪŋ] Einfriedung *f*; *Sport*: Fechten *n*; *attr.* Fecht...
fend [fend]: *~ off* abwehren; *~ for o.s.* für sich selbst sorgen; **~·er** [ˈfendə] Schutzvorrichtung *f*; Schutzblech *n*; *Am. mot.* Kotflügel *m*; Kamingitter *n*, -vorsetzer *m*.
fen·nel ⚘ [ˈfenl] Fenchel *m*.
fer|ment 1. [ˈfɜːment] Ferment *n*; Gärung *f*; **2.** [fəˈment] gären (lassen); **~·men·ta·tion** [fɜːmenˈteɪʃn] Gärung *f*.
fern ⚘ [fɜːn] Farn(kraut *n*) *m*.
fe·ro|cious □ [fəˈrəʊʃəs] wild; grausam; **~·ci·ty** [fəˈrɒsətɪ] Wildheit *f*.
fer·ret [ˈferɪt] **1.** *zo.* Frettchen *n*; *fig.* Spürhund *m*; **2.** herumstöbern; *~ out* aufspüren, -stöbern.
fer·ry [ˈferɪ] **1.** Fähre *f*; **2.** übersetzen; **~·boat** Fährboot *n*, Fähre *f*; **~·man** (*pl. -men*) Fährmann *m*.
fer|tile □ [ˈfɜːtaɪl] fruchtbar; reich (*of, in* an *dat.*); **~·til·i·ty** [fəˈtɪlətɪ] Fruchtbarkeit *f* (*a. fig.*); **~·ti·lize** [ˈfɜːtɪlaɪz] fruchtbar machen; befruchten; düngen; **~·ti·liz·er** [~ə] (*bsd.* Kunst)Dünger *m*, Düngemittel *n*.
fer·vent □ [ˈfɜːvənt] heiß; inbrünstig, glühend; leidenschaftlich.
fer·vo(u)r [ˈfɜːvə] Glut *f*; Inbrunst *f*.
fes·ter [ˈfestə] eitern; verfaulen.
fes|ti·val [ˈfestəvl] Fest *n*; Feier *f*; Festspiele *pl.*; **~·tive** □ [~tɪv] festlich; **~·tiv·i·ty** [feˈstɪvətɪ] Festlichkeit *f*.
fes·toon [feˈstuːn] Girlande *f*.
fetch [fetʃ] holen; *Preis* erzielen; *Seufzer* ausstoßen; **~·ing** □ F [ˈfetʃɪŋ] reizend.
fet·id □ [ˈfetɪd] stinkend.
fet·ter [ˈfetə] **1.** Fessel *f*; **2.** fesseln.
feud [fjuːd] Fehde *f*; Lehen *n*; **~·al** □ [ˈfjuːdl] feudal, Lehns...; **feu·dal·is·m** [~əlɪzəm] Feudalismus *m*, Feudalsystem *n*.
fe·ver [ˈfiːvə] Fieber *n*; **~·ish** □ [~rɪʃ] fieb(e)rig; *fig.* fieberhaft.
few [fjuː] wenige; *a ~* ein paar, einige; *no ~er than* nicht weniger als; *quite a ~, a good ~* e-e ganze Menge.
fi·an·cé [fɪˈɑ̃ːnseɪ] Verlobte(r) *m*; **~e** [~] Verlobte *f*.
fib F [fɪb] **1.** Flunkerei *f*, Schwindelei *f*; **2.** (*-bb-*) schwindeln, flunkern.
fi·bre, *Am.* **-ber** [ˈfaɪbə] Faser *f*; Charakter *m*; **fi·brous** □ [ˈfaɪbrəs] faserig.
fick·le [ˈfɪkl] wankelmütig; unbeständig; **~·ness** [~nɪs] Wankelmut *m*.
fic·tion [ˈfɪkʃn] Erfindung *f*; Prosaliteratur *f*, Belletristik *f*; Romane *pl.*; **~·al** □ [~l] erdichtet; Roman...
fic·ti·tious □ [fɪkˈtɪʃəs] erfunden.
fid·dle [ˈfɪdl] **1.** Fiedel *f*, Geige *f*; *play first (second) ~ bsd. fig.* die erste (zweite) Geige spielen; (*as*) *fit as a ~* kerngesund; **2.** ♪ fiedeln; *a. ~ about od. around (with)* herumfingern (an *dat.*), spielen (mit); **~r** [~ə] Geiger(in); **~·sticks** *int.* dummes Zeug!
fi·del·i·ty [fɪˈdelətɪ] Treue *f*; Genauigkeit *f*.
fid·get F [ˈfɪdʒɪt] **1.** nervöse Unruhe; **2.** nervös machen *od.* sein; **~·y** [~ɪ] zapp(e)lig, nervös.
field [fiːld] Feld *n*; (Spiel)Platz *m*; Arbeitsfeld *n*; Gebiet *n*; Bereich *m*; *hold the ~* das Feld behaupten; **~ e·vents** *pl. Sport*: Sprung- u. Wurfdisziplinen *pl.*; **~-glass·es** *pl.* (*a pair of ~* ein) Feldstecher *m od.* Fernglas *n*; **~ mar·shal** ⚔ Feldmarschall *m*; **~ of·fi·cer** ⚔ Stabsoffizier *m*; **~ sports** *pl.* Sport *m* im Freien (*bsd. Jagen, Schießen, Fischen*); **~·work** praktische (wissenschaftliche) Arbeit, *Archäologie etc.*: *a.* Arbeit *f* im Ge-

lände; *Markt-*, *Meinungsforschung*: Feldarbeit *f*.
fiend [fiːnd] Satan *m*, Teufel *m*; *in Zssgn*: Süchtige(r *m*) *f*; Fanatiker(in); ⚠ *nicht Feind*; **~·ish** □ [ˈfiːndɪʃ] teuflisch, boshaft.
fierce □ [fɪəs] (*~r*, *~st*) wild; scharf; heftig; **~·ness** [ˈfɪəsnɪs] Wildheit *f*, Schärfe *f*; Heftigkeit *f*.
fi·er·y □ [ˈfaɪərɪ] (*-ier*, *-iest*) feurig; hitzig.
fif|teen [ˈfɪfˈtiːn] **1.** fünfzehn; **2.** Fünfzehn *f*; **~·teenth** [~ˈtiːnθ] fünfzehnte(r, -s); **~th** [fɪfθ] **1.** fünfte(r, -s); **2.** Fünftel *n*; **~th·ly** [ˈfɪfθlɪ] fünftens; **~·ti·eth** [ˈfɪftɪɪθ] fünfzigste(r, -s); **~·ty** [~tɪ] **1.** fünfzig; **2.** Fünfzig *f*; **~·ty-fif·ty** F halbe-halbe.
fig ⚘ [fɪg] Feige(nbaum *m*) *f*.
fight [faɪt] **1.** Kampf *m*; ⚔ Gefecht *n*; Schlägerei *f*; *Boxen*: Kampf *m*, Fight *m*; Kampflust *f*; **2.** (*fought*) *v/t*. bekämpfen; kämpfen gegen *od*. mit, *Sport*: *a*. boxen gegen; *v/i*. kämpfen, sich schlagen; *Sport*: boxen; **~·er** [ˈfaɪtə] Kämpfer *m*; *Sport*: Boxer *m*, Fighter *m*; *a*. *~ plane* ⚔ Jagdflugzeug *n*; **~·ing** [~ɪŋ] Kampf *m*.
fig·u·ra·tive □ [ˈfɪgjʊrətɪv] bildlich.
fig·ure [ˈfɪgə] **1.** Figur *f*; Gestalt *f*; Zahl *f*, Ziffer *f*; Preis *m*; *be good at ~s* ein guter Rechner sein; **2.** *v/t*. abbilden, darstellen; *Am*. F meinen, glauben; sich *et*. vorstellen; *~ out* rauskriegen, *Problem* lösen; verstehen; *~ up* zusammenzählen; *v/i*. erscheinen, vorkommen; *~ on bsd. Am*. rechnen mit; **~ skat·er** *Sport*: Eiskunstläufer(in); **~ skat·ing** *Sport*: Eiskunstlauf *m*.
fil·a·ment [ˈfɪləmənt] Faden *m*, Faser *f*; ⚘ Staubfaden *m*; ⚡ Glüh-, Heizfaden *m*.
fil·bert ⚘ [ˈfɪlbət] Haselnuß *f*.
filch F [fɪltʃ] klauen, stibitzen.
file[1] [faɪl] **1.** Ordner *m*, Karteikasten *m*; Akte *f*; Akten *pl*., Ablage *f*; *Computer*: Datei *f*; Reihe *f*; ⚔ Rotte *f*; *on ~* bei den Akten; **2.** *v/t*. *Briefe etc*. einordnen, ablegen, zu den Akten nehmen; *Antrag* einreichen, *Berufung* einlegen; *v/i*. hintereinander marschieren.
file[2] [~] **1.** Feile *f*; **2.** feilen.
fi·li·al □ [ˈfɪljəl] kindlich, Kindes...
fil·ing [ˈfaɪlɪŋ] Ablegen *n* (*von Briefen etc*.); *~ cabinet* Aktenschrank *m*.
fill [fɪl] **1.** (sich) füllen; an-, aus-, erfüllen; *Auftrag* ausführen; *~ in* einsetzen; *Am*. *a*. *~ out Formular* ausfüllen; *~ up* vollfüllen; sich füllen; *~ her up!* F volltanken, bitte!; **2.** Füllung *f*; *eat one's ~* sich satt essen.
fil·let, *Am*. *a*. **fil·et** [ˈfɪlɪt] Filet *n*.
fill·ing [ˈfɪlɪŋ] Füllung *f*; ⚕ (Zahn-)Plombe *f*, (-)Füllung *f*; *~ station* Tankstelle *f*.
fil·ly [ˈfɪlɪ] Stutenfohlen *n*; *fig*. wilde Hummel (*Mädchen*).
film [fɪlm] **1.** Häutchen *n*; Membran(e) *f*; Film *m* (*a. phot. u. bsd. Brt. Kinofilm*); Trübung *f* (*des Auges*); Nebelschleier *m*; *take od. shoot a ~* e-n Film drehen; **2.** (ver)filmen; sich verfilmen lassen.
fil·ter [ˈfɪltə] **1.** Filter *m*; **2.** filtern; **~-tip** Filter *m*; Filterzigarette *f*; **~-tipped:** *~ cigarette* Filterzigarette *f*.
filth [fɪlθ] Schmutz *m*; **~·y** □ [ˈfɪlθɪ] (*-ier*, *-iest*) schmutzig; *fig*. unflätig.
fin [fɪn] *zo*. Flosse *f* (*a. sl.* = *Hand*).
fi·nal [ˈfaɪnl] **1.** □ letzte(r, -s); End..., Schluß...; endgültig; *~ storage* Endlagerung *f* (*von Atommüll etc*.); **2.** *Sport*: Finale *n*, Endkampf, -lauf *m*, -runde *f*, -spiel *n*; *mst ~s pl*. Schlußexamen, -prüfung *f*; **~·ist** [~nəlɪst] *Sport*: Finalist(in), Endkampfteilnehmer(in); **~·ly** [~lɪ] endlich, schließlich; endgültig.
fi·nance [faɪˈnæns] **1.** Finanzwesen *n*; *~s pl*. Finanzen *pl*.; **2.** *v/t*. finanzieren; *v/i*. Geldgeschäfte machen; **fi·nan·cial** □ [~nʃl] finanziell; **fi·nan·cier** [~nsɪə] Finanzier *m*.
finch *zo*. [fɪntʃ] Fink *m*.
find [faɪnd] **1.** (*found*) finden; (an-)treffen; auf-, herausfinden; ⚖ *j-n* für (*nicht*) *schuldig* erklären; beschaffen; versorgen; **2.** Fund *m*, Entdeckung *f*; **~·ings** [ˈfaɪndɪŋz] *pl*. Befund *m*; ⚖ Feststellung *f*, Spruch *m*.
fine[1] □ [faɪn] **1.** *adj*. (*~r*, *~st*) schön; fein; verfeinert; rein; spitz, dünn, scharf; geziert; vornehm; *I'm ~* mir geht es gut; **2.** *adv*. gut, bestens.
fine[2] [~] **1.** Geldstrafe *f*, Bußgeld *n*; **2.** zu e-r Geldstrafe verurteilen.
fi·ne·ry [ˈfaɪnərɪ] Glanz *m*; Putz *m*, Staat *m*.
fin·ger [ˈfɪŋgə] **1.** Finger *m*; *s. cross* 2; **2.** betasten, (herum)fingern an (*dat*.); **~·nail** Fingernagel *m*; **~·print** Fingerabdruck *m*; **~-tip** Fingerspitze *f*.
fin·i·cky [ˈfɪnɪkɪ] wählerisch.

F

fin·ish [ˈfɪnɪʃ] **1.** *v/t.* beenden, vollenden; fertigstellen; abschließen; vervollkommnen; erledigen; *v/i.* enden, aufhören; ~ *with* mit *j-m, et.* Schluß machen; *have* ~*ed with j-n, et.* nicht mehr brauchen; **2.** Vollendung *f*, letzter Schliff; *Sport*: Endspurt *m*, Finish *n*; Ziel *n*; **~·ing line** [~ɪŋlaɪn] *Sport*: Ziellinie *f*.

Finn [fɪn] Finn|e *m*, -in *f*; **~·ish** [ˈfɪnɪʃ] **1.** finnisch; **2.** *ling.* Finnisch *n*.

fir ⚘ [fɜː] *a.* ~*-tree* Tanne *f*; **~-cone** [ˈfɜːkəʊn] Tannenzapfen *m*.

F

fire [ˈfaɪə] **1.** Feuer *n*; *be on* ~ in Flammen stehen, brennen; *catch* ~ Feuer fangen, in Brand geraten; *set on* ~, *set* ~ *to* anzünden; **2.** *v/t.* an-, entzünden; *fig.* anfeuern; abfeuern; *Ziegel etc.* brennen; F rausschmeißen (*entlassen*); heizen; *v/i.* Feuer fangen (*a. fig.*); feuern; **~-a·larm** [~rəlɑːm] Feuermelder *m*; **~·arms** *pl.* Feuer-, Schußwaffen *pl.*; **~ bri·gade** Feuerwehr *f*; **~-bug** F Feuerteufel *m*; **~·crack·er** Frosch *m* (*Feuerwerkskörper*); **~ de·part·ment** *Am.* Feuerwehr *f*; **~-en·gine** [~rendʒɪn] Löschfahrzeug *n*; **~-es·cape** [~rɪskeɪp] Feuerleiter *f*, -treppe *f*; **~-ex·tin·guish·er** [~rɪkstɪŋgwɪʃə] Feuerlöscher *m*; **~-guard** Kamingitter *n*; **~·man** (*pl. -men*) Feuerwehrmann *m*; **~·place** (offener) Kamin; **~-plug** Hydrant *m*; **~·proof** feuerfest; **~-rais·ing** *Brt.* [~ɪŋ] Brandstiftung *f*; **~·side** Herd *m*; Kamin *m*; **~ sta·tion** Feuerwache *f*; **~·wood** Brennholz *n*; **~·works** *pl.* Feuerwerk *n*.

fir·ing squad ⚔ [ˈfaɪərɪŋskwɒd] Exekutionskommando *n*.

firm¹ [fɜːm] fest; derb; standhaft; ⚠ *nicht firm*.

firm² [~] Firma *f*, Betrieb *m*, Unternehmen *n*.

first [fɜːst] **1.** *adj.* □ erste(r, -s); beste(r, -s); **2.** *adv.* erstens; zuerst; ~ *of all* an erster Stelle; zu allererst; **3.** Erste(r, -s); *at* ~ zuerst, anfangs; *from the* ~ von Anfang an; **~ aid** Erste Hilfe; **~-aid** [ˈfɜːsteɪd] Erste-Hilfe-...; ~ *kit* Verband(s)kasten *m*, -zeug *n*; **~-born** erstgeborene(r, -s), älteste(r, -s); **~ class** 1. Klasse (*e-s Verkehrsmittels*); **~-class** erstklassig; **~·hand** aus erster Hand; **~·ly** [~lɪ] erstens; **~ name** Vorname *m*; Beiname *m*; **~-rate** erstklassig.

firth [fɜːθ] Förde *f*, Meeresarm *m*.

fish [fɪʃ] **1.** Fisch(e *pl.*) *m*; *a queer* ~ F ein komischer Kauz; **2.** fischen, angeln; ~ *around* kramen (*for* nach); **~-bone** [ˈfɪʃbəʊn] Gräte *f*.

fish|er·man [ˈfɪʃəmən] (*pl. -men*) Fischer *m*; **~·e·ry** [~rɪ] Fischerei *f*.

fish·ing [ˈfɪʃɪŋ] Fischen *n*, Angeln *n*; **~-line** Angelschnur *f*; **~-rod** Angelrute *f*; **~-tack·le** Angelgerät *n*.

fish|mon·ger *bsd. Brt.* [ˈfɪʃmʌŋgə] Fischhändler *m*; **~·y** □ [~ɪ] (*-ier, -iest*) Fisch...; F verdächtig, faul.

fis|sile ⊕ [ˈfɪsaɪl] spaltbar; **~·sion** [ˈfɪʃn] Spaltung *f*; **~·sure** [ˈfɪʃə] Spalt *m*, Riß *m*.

fist [fɪst] Faust *f*.

fit¹ [fɪt] **1.** □ (*-tt-*) geeignet, passend; tauglich; *Sport*: fit, in (guter) Form; **2.** (*-tt-*; *fitted, Am. a. fit*) *v/t.* passen für *od. dat.*; anpassen, passend machen; befähigen; geeignet machen (*for, to* für, zu); ~ *in j-m* e-n Termin geben, *j-n, et.* einschieben; *a.* ~ *on* anprobieren; *a.* ~ *out* ausrüsten, -statten, einrichten, versehen (*with* mit); *a.* ~ *up* ausrüsten, -statten, einrichten; montieren; *v/i.* passen; sitzen (*Kleid*); **3.** Sitz *m* (*Kleid*).

fit² [~] Anfall *m*; ⚕ Ausbruch *m*; Anwandlung *f*; *by* ~*s and starts* ruckweise; *give s.o. a* ~ F j-n auf die Palme bringen; j-m e-n Schock versetzen.

fit|ful □ [ˈfɪtfl] ruckartig; *fig.* unstet; **~·ness** [~nɪs] Tauglichkeit *f*; *bsd. Sport*: Fitneß *f*, (gute) Form; **~·ted** zugeschnitten, nach Maß (gearbeitet); Einbau...; ~ *carpet* Spannteppich *m*, Teppichboden *m*; ~ *kitchen* Einbauküche *f*; **~·ter** [~ə] Monteur *m*; Installateur *m*; **~·ting** [~ɪŋ] **1.** passend; **2.** Montage *f*; Anprobe *f*; ~*s pl.* Einrichtung *f*; Armaturen *pl.*

five [faɪv] **1.** fünf; **2.** Fünf *f*.

fix [fɪks] **1.** *v/t.* befestigen, anheften; fixieren; *Blick etc.* heften, richten (*on* auf *acc.*); fesseln; aufstellen; bestimmen, festsetzen; reparieren, instand setzen; *bsd. Am. et.* zurechtmachen, *ein Essen* zubereiten; ⚠ *nicht fix*; ~ *up* in Ordnung bringen, regeln; *j-n* unterbringen; *v/i.* fest werden; ~ *on* sich entschließen für *od.* zu; **2.** F Klemme *f*; *sl.* Schuß *m* (*Heroin etc.*); **~ed** □ fest; bestimmt; starr; **~·ing** [ˈfɪksɪŋ] Befestigen *n*;

Instandsetzen *n*; Fixieren *n*; Aufstellen *n*, Montieren *n*; Besatz *m*, Versteifung *f*; *Am.* ~s *pl.* Zubehör *n*, Ausrüstung *f*; **~·ture** [~stʃə] fest angebrachtes Zubehörteil, feste Anlage; Inventarstück *n*; *lighting* ~ Beleuchtungskörper *m*.
fizz [fɪz] **1.** zischen, sprudeln; **2.** Zischen *n*; F Schampus *m* (*Sekt*).
flab·ber·gast F [ˈflæbəgɑːst] verblüffen; *be* ~*ed* platt sein.
flab·by □ [ˈflæbɪ] (*-ier*, *-iest*) schlaff.
flac·cid □ [ˈflæksɪd] schlaff, schlapp.
flag [flæg] **1.** Flagge *f*; Fahne *f*; Fliese *f*; ⚘ Schwertlilie *f*; **2.** (*-gg-*) beflaggen; durch Flaggen signalisieren; mit Fliesen belegen; ermatten; mutlos werden; **~·pole** [ˈflægpəʊl] = *flagstaff*.
fla·grant □ [ˈfleɪgrənt] abscheulich; berüchtigt; offenkundig.
flag|staff [ˈflægstɑːf] Fahnenstange *f*, -mast *m*; **~·stone** Fliese *f*.
flair [fleə] Talent *n*; Gespür *n*, (feine) Nase.
flake [fleɪk] **1.** Flocke *f*; Schicht *f*; **2.** (sich) flocken; abblättern; **flak·y** [ˈfleɪkɪ] (*-ier*, *-iest*) flockig; blätt(e)rig; ~ *pastry* Blätterteig *m*.
flame [fleɪm] **1.** Flamme *f* (*a. fig.*); *be in* ~*s* in Flammen stehen; **2.** flammen, lodern.
flam·ma·ble *Am. u.* ⊕ [ˈflæməbl] = *inflammable*.
flan [flæn] Obst-, Käsekuchen *m*.
flank [flæŋk] **1.** Flanke *f*; **2.** flankieren.
flan·nel [ˈflænl] Flanell *m*; Waschlappen *m*; ~*s pl.* Flanellhose *f*.
flap [flæp] **1.** (Ohr)Läppchen *n*; Rockschoß *m*; (*Hut*)Krempe *f*; Klappe *f*; Klaps *m*; (Flügel)Schlag *m*; **2.** *v/t.* (*-pp-*) klatschen(d schlagen); *v/i.* lose herabhängen; flattern.
flare [fleə] **1.** flackern; sich nach außen erweitern, sich bauschen; ~ *up* aufflammen; *fig.* aufbrausen; **2.** flackerndes Licht; Lichtsignal *n*.
flash [flæʃ] **1.** Aufblitzen *n*, -leuchten *n*, Blitz *m*; *Rundfunk etc.*: Kurzmeldung *f*; *phot.* F Blitz *m* (*Blitzlicht*); *bsd. Am.* F Taschenlampe *f*; *like a* ~ wie der Blitz; *in a* ~ im Nu; ~ *of lightning* Blitzstrahl *m*; **2.** (auf)blitzen; auflodern (lassen); *Blick etc.* werfen; flitzen; funken; telegrafieren; *it* ~*ed on me* mir kam plötzlich der Gedanke; **~·back** [ˈflæʃbæk] *Film, Roman*: Rückblende *f*; **~·light** *phot.* Blitzlicht *n*; ⚓ Leuchtfeuer; *bsd. Am.* Taschenlampe *f*; **~·y** □ [~ɪ] (*-ier*, *-iest*) auffallend, -fällig.
flask [flɑːsk] Taschenflasche *f*; Thermosflasche *f*.
flat [flæt] **1.** □ (*-tt-*) flach, platt; schal; *econ.* flau; klar; glatt; *mot.* platt (*Reifen*); ♪ erniedrigt (*Note*); ~ *price* Einheitspreis *m*; **2.** *adv.* glatt; völlig; *fall* ~ danebengehen; *sing* ~ zu tief singen; **3.** Fläche *f*, Ebene *f*; Flachland *n*; Untiefe *f*; (Miet)Wohnung *f*; ♪ B *n*; F Simpel *m*; *bsd. Am. mot.* Reifenpanne *f*, Plattfuß *m*; **~·foot** [ˈflætfʊt] (*pl.* *-feet*) *sl.* Bulle *m* (*Polizist*); **~-foot·ed** plattfüßig; **~-i·ron** Plätteisen *n*; **~·ten** [~tn] (sich) ab-, verflachen.
flat·ter [ˈflætə] schmeicheln (*dat.*); ⚠ *nicht flattern*; **~·er** [~rə] Schmeichler(in); **~·y** [~rɪ] Schmeichelei *f*.
fla·vo(u)r [ˈfleɪvə] **1.** Geschmack *m*; Aroma *n*; Blume *f* (*Wein*); *fig.* Beigeschmack *m*; Würze *f*; **2.** würzen; **~·ing** [~ərɪŋ] Würze *f*, Aroma *n*; **~·less** [~lɪs] geschmacklos, fad.
flaw [flɔː] **1.** Sprung *m*, Riß *m*; Fehler *m*; ⚓ Bö *f*; **2.** zerbrechen; beschädigen; **~·less** □ [ˈflɔːlɪs] fehlerlos.
flax ⚘ [flæks] Flachs *m*, Lein *m*.
flea *zo.* [fliː] Floh *m*.
fleck [flek] Fleck(en) *m*; Tupfen *m*.
fled [fled] *pret. u. p.p. von flee*.
fledged [fledʒd] flügge; **fledg(e)·ling** [ˈfledʒlɪŋ] Jungvogel *m*; *fig.* Grünschnabel *m*.
flee [fliː] (*fled*) fliehen; meiden.
fleece [fliːs] **1.** Vlies *n*; **2.** scheren; **fleec·y** [ˈfliːsɪ] (*-ier*, *-iest*) wollig; flockig.
fleet [fliːt] **1.** □ schnell; **2.** ⚓ Flotte *f*; ♀ *Street das Londoner Presseviertel*; *die* (*Londoner*) *Presse*.
flesh [fleʃ] *lebendiges* Fleisch; **~·y** [ˈfleʃɪ] (*-ier*, *-iest*) fleischig; dick.
flew [fluː] *pret. von fly* 2.
flex[1] *bsd. anat.* [fleks] biegen.
flex[2] *bsd. Brit.* ⚡ [~] (Anschluß-, Verlängerungs)Kabel *n*, (-)Schnur *f*.
flex·i·ble □ [ˈfleksəbl] flexibel, biegsam; *fig.* anpassungsfähig.
flick [flɪk] schnippen; schnellen.
flick·er [ˈflɪkə] **1.** flackern; flattern; flimmern; **2.** Flackern *n*, Flimmern *n*; Flattern *n*; *Am.* Buntspecht *m*.
fli·er [ˈflaɪə] = *flyer*.
flight [flaɪt] Flucht *f*; Flug *m* (*a. fig.*);

F

Schwarm *m* (*Vögel etc.*; *a.* ✈,⚔); *a.* ~ *of stairs* Treppe *f*; *put to* ~ in die Flucht schlagen; *take* (*to*) ~ die Flucht ergreifen; **~·less** *zo.* [~lɪs] flugunfähig; **~·y** □ [ˈflaɪtɪ] (*-ier*, *-iest*) launisch.

flim·sy [ˈflɪmzɪ] (*-ier*, *-iest*) dünn; zart; *fig.* fadenscheinig.

flinch [flɪntʃ] zurückweichen; zucken.

fling [flɪŋ] **1.** Wurf *m*; Schlag *m*; *have one's od. a* ~ sich austoben; **2.** (*flung*) *v/i.* eilen; ausschlagen (*Pferd*); *fig.* toben; *v/t.* werfen, schleudern; ~ *o.s.* sich stürzen; ~ *open* aufreißen.

flint [flɪnt] Feuerstein *m*.

flip [flɪp] **1.** Klaps *m*; Ruck *m*; **2.** (*-pp-*) schnippen, schnipsen.

flip·pant □ [ˈflɪpənt] respektlos, schnodd(e)rig.

flip·per [ˈflɪpə] *zo.* Flosse *f*; *Sport*: (Schwimm)Flosse *f*.

flirt [flɜːt] **1.** flirten; = *flip 2*; **2.** *be a* ~ gern flirten; **flir·ta·tion** [flɜːˈteɪʃn] Flirt *m*.

flit [flɪt] (*-tt-*) flitzen, huschen.

float [fləʊt] **1.** Schwimmer *m*; Floß *n*; Plattformwagen *m*; **2.** *v/t.* überfluten; flößen; tragen (*Wasser*); ⚓ flott machen; *fig.* in Gang bringen; *econ. Gesellschaft* gründen; *econ. Wertpapiere etc.* in Umlauf bringen; verbreiten; *v/i.* schwimmen, treiben; schweben; umlaufen, in Umlauf sein; **~·ing** [ˈfləʊtɪŋ] **1.** schwimmend, treibend, Schwimm...; *econ.* umlaufend (*Geld etc.*); flexibel (*Wechselkurs*); frei konvertierbar (*Währung*); ~ *voter pol.* Wechselwähler *m*; **2.** *econ.* Floating *n*.

flock [flɒk] **1.** Herde *f* (*bsd. Schafe od. Ziegen*) (*a. fig.*); Schar *f*; ⚠ *nicht Flocke*; **2.** sich scharen; zs.-strömen.

floe [fləʊ] (treibende) Eisscholle.

flog [flɒg] (*-gg-*) peitschen; prügeln; **~·ging** [ˈflɒgɪŋ] Tracht *f* Prügel.

flood [flʌd] **1.** *a.* ~*-tide* Flut *f*; Überschwemmung *f*; **2.** überfluten, überschwemmen; **~·gate** [ˈflʌdgeɪt] Schleusentor *n*; **~·light** ⚡ Flutlicht *n*.

floor [flɔː] **1.** (Fuß)Boden *m*; Stock (-werk *n*) *m*; Tanzfläche *f*; ⚒ Tenne *f*; *first* ~ *Brt.* erster Stock, *Am.* Erdgeschoß *n*; *second* ~ *Brt.* zweiter Stock, *Am.* erster Stock; ~ *leader Am. parl.* Fraktionsvorsitzende(r) *m*; ~ *show* Nachtklubvorstellung *f*; *take the* ~ das Wort ergreifen; **2.** dielen; zu Boden schlagen; verblüffen; **~·board** [ˈflɔːbɔːd] (Fußboden)Diele *f*; **~-cloth** Putzlappen *m*; **~·ing** [~rɪŋ] Dielung *f*; Fußboden *m*; **~ lamp** Stehlampe *f*; **~·walk·er** *Am.* = *shopwalker*.

flop [flɒp] **1.** (*-pp-*) schlagen; flattern; (hin)plumpsen; sich fallen lassen; F durchfallen, danebengehen, ein Reinfall sein; **2.** Plumps *m*; F Flop *m*, Mißerfolg *m*, Reinfall *m*, Pleite *f*; Versager *m*.

flor·id □ [ˈflɒrɪd] rot, gerötet.

flor·ist [ˈflɒrɪst] Blumenhändler *m*.

flounce[1] [flaʊns] Volant *m*.

flounce[2] [~]: ~ *off* davonstürzen.

floun·der[1] *zo.* [ˈflaʊndə] Flunder *f*.

floun·der[2] [~] zappeln; strampeln; *fig.* sich verhaspeln.

flour [ˈflaʊə] (feines) Mehl.

flour·ish [ˈflʌrɪʃ] **1.** Schnörkel *m*; schwungvolle Bewegung; ♪ Tusch *m*; **2.** *v/i.* blühen, gedeihen; *v/t.* schwenken.

flout [flaʊt] (ver)spotten.

flow [fləʊ] **1.** Fließen *n*, Strömen *n* (*beide a. fig.*), Rinnen *n*; Fluß *m*, Strom *m* (*beide a. fig.*); ⚓ Flut *f*; **2.** fließen, strömen, rinnen; wallen (*Haar*).

flow·er [ˈflaʊə] **1.** Blume *f*; Blüte *f* (*a. fig.*); Zierde *f*; **2.** blühen; **~-bed** Blumenbeet *n*; **~·pot** Blumentopf *m*; **~·y** [~rɪ] (*-ier*, *-iest*) Blumen...; *fig.* blumig (*Stil*).

flown [fləʊn] *p.p. von fly 2.*

fluc·tu|ate [ˈflʌktjʊeɪt] schwanken; **~·a·tion** [flʌktjʊˈeɪʃn] Schwankung *f*.

flu F [fluː] Grippe *f*.

flue [fluː] Rauchfang *m*, Esse *f*.

flu·en|cy *fig.* [ˈfluːənsɪ] Fluß *m*; **~t** □ [~t] fließend; flüssig; gewandt (*Redner*).

fluff [flʌf] **1.** Flaum *m*; Flocke *f*; *fig.* Schnitzer *m*; **2.** *Kissen* aufschütteln; *Federn* aufplustern (*Vogel*); **~·y** [ˈflʌfɪ] (*-ier*, *-iest*) flaumig; flockig.

flu·id [ˈfluːɪd] **1.** flüssig; **2.** Flüssigkeit *f*.

flung [flʌŋ] *pret. u. p.p. von fling 2.*

flunk *Am. fig.* F [flʌŋk] durchfallen (lassen).

flu·o·res·cent [flʊəˈresnt] fluoreszierend.

flur·ry [ˈflʌrɪ] Nervosität *f*; Bö *f*;

Am. a. (Regen)Schauer *m*; Schneegestöber *n*.
flush [flʌʃ] **1.** ⊕ in gleicher Ebene; reichlich; (über)voll; **2.** Erröten *n*; Erregung *f*; Spülung *f*; (Wasser-) Spülung *f* (*in der Toilette*); **3.** *v/t. a.* ~ *out* (aus)spülen; ~ *down* hinunterspülen; ~ *the toilet* spülen; *v/i.* erröten, rot werden; spülen (*Toilette od. Toilettenbenutzer*).
flus·ter [ˈflʌstə] **1.** Aufregung *f*; **2.** nervös machen, durcheinanderbringen.
flute [fluːt] **1.** ♪ Flöte *f*; Falte *f*; **2.** (auf der) Flöte spielen; riefeln; fälteln.
flut·ter [ˈflʌtə] **1.** Geflatter *n*; Erregung *f*; F Spekulation *f*; **2.** *v/t.* aufregen; *v/i.* flattern.
flux *fig.* [flʌks] Fluß *m*.
fly [flaɪ] **1.** *zo.* Fliege *f*; Flug *m*; Hosenschlitz *m*; Zeltklappe *f*; **2.** (*flew, flown*) fliegen (lassen); stürmen, stürzen; flattern, wehen; verfliegen (*Zeit*); *Drachen* steigen lassen; ✈ überfliegen; ~ *at s.o.* auf j-n losgehen; ~ *into a passion od. rage* in Wut geraten; **~·er** [ˈflaɪə] Flieger *m*; *Am.* Flugblatt *n*, Reklamezettel *m*; **~·ing** [~ɪŋ] fliegend; Flug...; ~ *saucer* fliegende Untertasse; ~ *squad* Überfallkommando *n* (*der Polizei*); **~·o·ver** *Brt.* (Straßen-, Eisenbahn)Überführung *f*; **~·weight** *Boxen*: Fliegengewicht(ler *m*) *n*; **~·wheel** Schwungrad *n*.
foal *zo.* [fəʊl] Fohlen *n*.
foam [fəʊm] **1.** Schaum *m*; ~ *rubber* Schaumgummi *m*; **2.** schäumen; **~·y** [ˈfəʊmɪ] (*-ier, -iest*) schaumig.
fo·cus [ˈfəʊkəs] **1.** (*pl. -cuses, -ci* [-saɪ]) Brenn-, *fig. a.* Mittelpunkt *m*; *phot.* Scharfeinstellung *f*; **2.** *opt.* einstellen; (sich) konzentrieren.
fod·der [ˈfɒdə] (Trocken)Futter *n*.
foe *poet.* [fəʊ] Feind *m*, Gegner *m*.
fog [fɒg] **1.** (dichter) Nebel; *fig.* Umnebelung *f*; *phot.* Schleier *m*; **2.** (*-gg-*) *mst fig.* umnebeln; *phot.* verschleiern; **~·gy** □ [ˈfɒgɪ] (*-ier, -iest*) neb(e)lig; nebelhaft.
foi·ble *fig.* [ˈfɔɪbl] (kleine) Schwäche.
foil[1] [fɔɪl] Folie *f*; *fig.* Hintergrund *m*.
foil[2] [~] vereiteln.
foil[3] [~] *Fechten*: Florett *n*.
fold[1] [fəʊld] **1.** Schafhürde *f*; *fig.* Herde *f*; **2.** einpferchen.
fold[2] [~] **1.** Falte *f*; Falz *m*; **2.** ...fach, ...fältig; **3.** *v/t.* falten; falzen; *Arme* kreuzen; ~ (*up*) einwickeln; *v/i.* sich falten; *Am.* F eingehen; **~·er** [ˈfəʊldə] Mappe *f*, Schnellhefter *m*; Faltprospekt *m*.
fold·ing [ˈfəʊldɪŋ] zusammenlegbar; Klapp...; ~ **bed** Klappbett *n*; ~ **bi·cy·cle** Klapprad *n*; ~ **boat** Faltboot *n*; ~ **chair** Klappstuhl *m*; ~ **door(s** *pl.*) Falttür *f*.
fo·li·age [ˈfəʊlɪɪdʒ] Laub(werk) *n*.
folk [fəʊk] *pl.* Leute *pl.*; *~s pl.* F *m-e etc.* Leute *pl.* (*Angehörige*); ⚠ *nicht Volk*; **~·lore** [ˈfəʊklɔː] Volkskunde *f*; Volkssagen *pl.*; **~·song** Volkslied *n*; Folksong *m*.
fol·low [ˈfɒləʊ] folgen (*dat.*); folgen auf (*acc.*); be-, verfolgen; *s-m Beruf etc.* nachgehen; ~ *through Plan etc.* bis zum Ende durchführen; ~ *up e-r Sache* nachgehen; *e-e Sache* weiterverfolgen; **~·er** [~ə] Nachfolger(in); Verfolger(in); Anhänger(in); **~·ing** [~ɪŋ] **1.** Anhängerschaft *f*, Anhänger *pl.*; Gefolge *n*; *the* ~ das Folgende; die Folgenden *pl.*; **2.** folgende(r, -s); **3.** im Anschluß an (*acc.*).
fol·ly [ˈfɒlɪ] Torheit *f*; Narrheit *f*.
fond □ [fɒnd] zärtlich; vernarrt (*of* in *acc.*); *be* ~ *of* gern haben, lieben;
fon·dle [ˈfɒndl] liebkosen; streicheln; (ver)hätscheln; **~·ness** [~nɪs] Liebe *f*, Zuneigung *f*; Vorliebe *f*.
font [fɒnt] Taufstein *m*; *Am.* Quelle *f*.
food [fuːd] Speise *f*, Nahrung *f*; Essen *n*; Futter *n*; Lebensmittel *pl.*
fool [fuːl] **1.** Narr *m*, Närrin *f*, Dummkopf *m*; *make a* ~ *of s.o.* j-n zum Narren halten; *make a* ~ *of o.s.* sich lächerlich machen; **2.** *Am.* F närrisch, dumm; **3.** *v/t.* narren; betrügen (*out of* um *et.*); ~ *away* F vertrödeln; *v/i.* herumalbern; (herum)spielen; ~ (*a*)*round bsd. Am.* Zeit vertrödeln.
fool|e·ry [ˈfuːlərɪ] Torheit *f*; **~·har·dy** □ [~hɑːdɪ] tollkühn; **~·ish** □ [~ɪʃ] dumm, töricht; unklug; **~·ish·ness** [~ɪʃnɪs] Dummheit *f*; **~·proof** kinderleicht; todsicher.
foot [fʊt] **1.** (*pl. feet*) Fuß *m* (*a. Maß* = *0,3048 m*); Fußende *n*; ⚔ Infanterie *f*; *on* ~ zu Fuß; im Gange, in Gang; **2.** *mst* ~ *up* addieren; ~ *it* zu Fuß gehen; **~·ball** [ˈfʊtbɔːl] *Brt.* Fußball(spiel *n*) *m*; *Am.* Football (-spiel *n*) *m*; *Brt.* Fußball *m*; *Am.* Football-Ball *m*; **~·board** Trittbrett

n; **~·bridge** Fußgängerbrücke *f*; **~·fall** Tritt *m*, Schritt *m* (*Geräusch*); **~·gear** Schuhwerk *n*; **~·hold** fester Stand; *fig*. Halt *m*.

foot·ing [ˈfʊtɪŋ] Halt *m*, Stand *m*; Grundlage *f*, Basis *f*; Stellung *f*; fester Fuß; Verhältnis *n*; ⚔ Zustand *m*; Endsumme *f*; *be on a friendly ~ with s.o.* ein gutes Verhältnis zu j-m haben; *lose one's ~* ausgleiten.

foot|lights *thea*. [ˈfʊtlaɪts] *pl*. Rampenlicht(er *pl*.) *n*; Bühne *f*; **~·loose** frei, unbeschwert; *~ and fancy-free* frei u. ungebunden; **~·path** (Fuß-) Pfad *m*; **~·print** Fußabdruck *m*; *~s pl. a.* Fußspur(en *pl*.) *f*; **~·sore** wund an den Füßen; **~·step** Tritt *m*, Schritt *m*; Fußstapfe *f*; **~·wear** = *footgear*.

fop [fɒp] Geck *m*, Fatzke *m*.

for [fɔː, fə] **1.** *prp. mst* für; *Zweck, Ziel, Richtung*: zu; nach; *warten, hoffen etc.* auf (*acc*.); *sich sehnen etc.* nach; *Grund, Anlaß*: aus, vor (*dat*.), wegen; *Zeitdauer*: *~ three days* drei Tage (lang); seit drei Tagen; *Entfernung*: *I walked ~ a mile* ich ging eine Meile (weit); *Austausch*: (an)statt; *in der Eigenschaft* als; *I ~ one* ich zum Beispiel; *~ sure* sicher!, gewiß!; **2.** *cj*. denn.

for·age [ˈfɒrɪdʒ] *a. ~ about* (herum-) stöbern, (-)wühlen (*in* in *dat*.; *for* nach).

for·ay [ˈfɒreɪ] räuberischer Einfall.

for·bear[1] [fɔːˈbeə] (*-bore, -borne*) *v/t*. unterlassen; *v/i*. sich enthalten (*from gen*.); Geduld haben.

for·bear[2] [ˈfɔːbeə] Vorfahr *m*.

for·bid [fəˈbɪd] (*-dd-*; *-bade od. -bad* [-bæd], *-bidden od. -bid*) verbieten; hindern; **~·ding** □ [~ɪŋ] abstoßend.

force [fɔːs] **1.** Stärke *f*, Kraft *f*, Gewalt *f*; Nachdruck *m*; Zwang *m*; Heer *n*; Streitmacht *f*; *in ~* in großer Zahl *od*. Menge; *the (police) ~* die Polizei; *armed ~s pl*. (Gesamt)Streitkräfte *pl*.; *come (put) in(to) ~* in Kraft treten (setzen); **2.** zwingen, nötigen; erzwingen; aufzwingen; Gewalt antun (*dat*.); beschleunigen; aufbrechen; künstlich reif machen; *~ open* aufbrechen; **~d:** *~ landing* Notlandung *f*; *~ march bsd.* ⚔ Gewaltmarsch *m*; **~·ful** □ [ˈfɔːsfl] energisch, kraftvoll (*Person*); eindrucksvoll, überzeugend.

for·ceps ⚕ [ˈfɔːseps] Zange *f*.

for·ci·ble □ [ˈfɔːsəbl] gewaltsam; Zwangs...; eindringlich; wirksam.

ford [fɔːd] **1.** Furt *f*; **2.** durchwaten.

fore [fɔː] **1.** *adv*. vorn; **2.** Vorderteil *m*, *n*; *come to the ~* sich hervortun; **3.** *adj*. vorder; Vorder...; **~·arm** [ˈfɔːrɑːm] Unterarm *m*; **~·bear** [ˈfɔːbeə] = *forbear*[2]; **~·bod·ing** [fɔːˈbəʊdɪŋ] (böses) Vorzeichen; Ahnung *f*; **~·cast** [ˈfɔːkɑːst] **1.** Vorhersage *f*; **2.** (*-cast od. -casted*) vorhersehen; voraussagen; **~·fa·ther** Vorfahr *m*; **~·fin·ger** Zeigefinger *m*; **~·foot** (*pl. -feet*) *zo*. Vorderfuß *m*; **~·gone** [ˈfɔːgɒn] von vornherein feststehend; *~ conclusion* ausgemachte Sache, Selbstverständlichkeit *f*; **~·ground** [ˈfɔːgraʊnd] Vordergrund *m*; **~·hand 1.** *Sport*: Vorhand(schlag *m*) *f*; **2.** *Sport*: Vorhand...; **~·head** [ˈfɒrɪd] Stirn *f*.

for·eign [ˈfɒrən] fremd, ausländisch, -wärtig, Auslands..., Außen...; *~ affairs* Außenpolitik *f*; *~ language* Fremdsprache *f*; *~ minister pol.* Außenminister *m*; *♀ Office Brt. pol.* Außenministerium *n*; *~ policy* Außenpolitik *f*; *♀ Secretary Brt. pol.* Außenminister *m*; *~ trade econ.* Außenhandel *m*; *~ worker* Gastarbeiter *m*; **~·er** [~ə] Ausländer(in), Fremde(r *m*) *f*.

fore|knowl·edge [ˈfɔːˈnɒlɪdʒ] Vorherwissen *n*; **~·leg** *zo*. [ˈfɔːleg] Vorderbein *n*; **~·man** (*pl. -men*) ⚖ Obmann *m*; Vorarbeiter *m*, (Werk-) Meister *m*, Polier *m*, ⚒ Steiger *m*; **~·most** vorderste(r, -s), erste(r, -s); **~·name** Vorname *m*; **~·run·ner** Vorläufer(in); **~·see** [fɔːˈsiː] (*-saw, -seen*) vorhersehen; **~·shad·ow** ahnen lassen, andeuten; **~·sight** [ˈfɔːsaɪt] *fig*. Weitblick *m*, (weise) Voraussicht.

for·est [ˈfɒrɪst] **1.** Wald *m* (*a. fig*.), Forst *m*; *~ ranger Am.* Förster *m*; **2.** aufforsten.

fore·stall [fɔːˈstɔːl] *et*. vereiteln; *j-m* zuvorkommen.

for·est|er [ˈfɒrɪstə] Förster *m*; Waldarbeiter *m*; **~·ry** [~rɪ] Forstwirtschaft *f*; Waldgebiet *n*.

fore|taste [ˈfɔːteɪst] Vorgeschmack *m*; **~·tell** [fɔːˈtel] (*-told*) vorhersagen; **~·thought** [ˈfɔːθɔːt] Vorsorge *f*, -bedacht *m*.

for·ev·er, for ev·er [fəˈrevə] für immer.

fore|wom·an (*pl. -women*) Aufseherin *f*; Vorarbeiterin *f*; **~·word** Vorwort *n*.
for·feit [ˈfɔːfɪt] **1.** Verwirkung *f*; Strafe *f*; Pfand *n*; **2.** verwirken; einbüßen.
forge[1] [fɔːdʒ] *mst* ~ *ahead* sich vor(wärts)arbeiten.
forge[2] [~] **1.** Schmiede *f*; **2.** schmieden (*fig. sich ausdenken*); fälschen; **forg·er** [ˈfɔːdʒə] Fälscher; **for·ge·ry** [~ərɪ] Fälschen *n*; Fälschung *f*.
for·get [fəˈget] (*-got, -gotten*) vergessen; **~·ful** □ [~fl] vergeßlich; **~-me-not** ⚘ Vergißmeinnicht *n*.
for·give [fəˈgɪv] (*-gave, -given*) vergeben, -zeihen; *Schuld* erlassen; **~·ness** [~nɪs] Verzeihung *f*; **for·giv·ing** □ [~ɪŋ] versöhnlich; nachsichtig.
for·go [fɔːˈgəʊ] (*-went, -gone*) verzichten auf (*acc.*).
fork [fɔːk] **1.** (Eß-, Heu-, Mist- *etc.*)Gabel *f*; **2.** (sich) gabeln; **~ed** gegabelt, gespalten; **~-lift** [ˈfɔːklɪft], *a.* ~ **truck** Gabelstapler *m*.
for·lorn [fəˈlɔːn] verloren, -lassen.
form [fɔːm] **1.** Form *f*; Gestalt *f*; Formalität *f*; Formular *n*; (Schul-)Bank *f*; (Schul)Klasse *f*; Kondition *f*; geistige Verfassung; **2.** (sich) formen, (sich) bilden, gestalten; ⚔ (sich) aufstellen.
form·al □ [ˈfɔːml] förmlich; formell; äußerlich; **for·mal·i·ty** [fɔːˈmælətɪ] Förmlichkeit *f*; Formalität *f*.
for·ma|tion [fɔːˈmeɪʃn] Bildung *f*; **~·tive** [ˈfɔːmətɪv] bildend; gestaltend; ~ *years pl.* Entwicklungsjahre *pl.*
for·mer [ˈfɔːmə] vorig, früher; ehemalig, vergangen; erstere(r, -s); jene(r, -s); **~·ly** [~lɪ] ehemals, früher.
for·mi·da·ble □ [ˈfɔːmɪdəbl] furchtbar, schrecklich; ungeheuer.
for·mu|la [ˈfɔːmjʊlə] (*pl. -las, -lae* [-liː]) Formel *f*; Rezept *n* (*zur Zubereitung*); ⚠ *nicht Formular*; **~·late** [~leɪt] formulieren.
for|sake [fəˈseɪk] (*-sook, -saken*) aufgeben; verlassen; **~·sak·en** [~ən] *p.p. von forsake*; **~·sook** [fəˈsʊk] *pret. von forsake*; **~·swear** [fɔːˈsweə] (*-swore, -sworn*) abschwören, entsagen.
fort ⚔ [fɔːt] Fort *n*, Festung *f*.
forth [fɔːθ] vor(wärts), voran; heraus, hinaus, hervor; weiter, fort; **~·com·ing** [ˈfɔːθˈkʌmɪŋ] erscheinend; bereit; bevorstehend; F entgegenkommend; **~·with** [~ˈwɪθ] sogleich.
for·ti·eth [ˈfɔːtɪɪθ] vierzigste(r, -s).
for·ti|fi·ca·tion [fɔːtɪfɪˈkeɪʃn] Befestigung *f*; **~·fy** [ˈfɔːtɪfaɪ] ⚔ befestigen; *fig.* (ver)stärken; **~·tude** [~tjuːd] Seelenstärke *f*; Tapferkeit *f*.
fort·night [ˈfɔːtnaɪt] vierzehn Tage.
for·tress [ˈfɔːtrɪs] Festung *f*.
for·tu·i·tous □ [fɔːˈtjuːɪtəs] zufällig.
for·tu·nate [ˈfɔːtʃnət] glücklich; *be* ~ Glück haben; **~·ly** [~lɪ] glücklicherweise.
for·tune [ˈfɔːtʃn] Glück *n*; Schicksal *n*; Zufall *m*; Vermögen *n*; **~-tell·er** Wahrsager(in).
for·ty [ˈfɔːtɪ] **1.** vierzig; ~*-niner Am. kalifornischer* Goldsucher *von 1849*; ~ *winks pl.* F Nickerchen *n*; **2.** Vierzig *f*.
for·ward [ˈfɔːwəd] **1.** *adj.* vorder; bereit(willig); fortschrittlich; vorwitzig, keck; **2.** *adv. a.* ~*s* vor(wärts); **3.** *Fußball*: Stürmer *m*; **4.** befördern, (ver)senden, schicken; *Brief etc.* nachsenden; **~·ing a·gent** [~ɪŋeɪdʒənt] Spediteur *m*.
fos·ter|-child [ˈfɒstətʃaɪld] (*pl. -children*) Pflegekind *n*; **~-par·ents** *pl.* Pflegeeltern *pl.*
fought [fɔːt] *pret. u. p.p. von fight 2.*
foul [faʊl] **1.** □ stinkend, widerlich, schlecht, übel(riechend); schlecht, stürmisch (*Wetter*); widrig (*Wind*); *Sport*: regelwidrig, unfair; *fig.* widerlich, ekelhaft; *fig.* abscheulich, gemein; ⚠ *nicht faul*; **2.** *Sport*: Foul *n*, Regelverstoß *m*; **3.** *a.* ~ *up* be-, verschmutzen, verunreinigen; *Sport*: foulen.
found [faʊnd] **1.** *pret. u. p.p. von find 1*; **2.** (be)gründen; stiften; ⊕ gießen.
foun·da·tion [faʊnˈdeɪʃn] *arch.* Grundmauer *f*, Fundament *n*; *fig.* Gründung *f*, Errichtung *f*; (gemeinnützige) Stiftung; *fig.* Grund(lage *f*) *m*, Basis *f*.
found·er[1] [ˈfaʊndə] Gründer(in), Stifter(in).
foun·der[2] [~] ⚓ sinken; *fig.* scheitern.
found·ling [ˈfaʊndlɪŋ] Findling *m*.
foun·dry ⊕ [ˈfaʊndrɪ] Gießerei *f*.
foun·tain [ˈfaʊntɪn] Quelle *f*; Springbrunnen *m*; ~ **pen** Füllfederhalter *m*.

F

four [fɔː] **1.** vier; **2.** Vier *f*; *Rudern*: Vierer *m*; *on all ~s* auf allen vieren; **~-square** [fɔːˈskweə] viereckig; *fig.* unerschütterlich; **~-stroke** [ˈfɔːstrəʊk] *mot.* Viertakt...; **~·teen** [ˈfɔːˈtiːn] **1.** vierzehn; **2.** Vierzehn *f*; **~·teenth** [~ˈtiːnθ] vierzehnte(r, -s); **~th** [fɔːθ] **1.** vierte(r, -s); **2.** Viertel *n*; **~th·ly** [ˈfɔːθlɪ] viertens.

fowl [faʊl] Geflügel *n*; Huhn *n*; Vogel *m*; **~·ing piece** [ˈfaʊlɪŋpiːs] Vogelflinte *f*.

fox [fɒks] **1.** Fuchs *m*; **2.** überlisten; **~·glove** ⚘ [ˈfɒksglʌv] Fingerhut *m*; **~·y** [~sɪ] (*-ier, -iest*) fuchsartig; schlau, gerissen.

frac·tion [ˈfrækʃn] Bruch(teil) *m*; ⚠ *nicht parl. Fraktion.*

frac·ture [ˈfræktʃə] **1.** (*bsd.* Knochen)Bruch *m*; **2.** brechen.

fra·gile [ˈfrædʒaɪl] zerbrechlich.

frag·ment [ˈfrægmənt] Bruchstück *n*.

fra|grance [ˈfreɪgrəns] Wohlgeruch *m*, Duft *m*; **~·grant** □ [~t] wohlriechend.

frail □ [freɪl] ge-, zerbrechlich; zart, schwach; **~·ty** [ˈfreɪltɪ] Zartheit *f*; Zerbrechlichkeit *f*; Schwäche *f*.

frame [freɪm] **1.** Rahmen *m*; Gerippe *n*; Gerüst *n*; (Brillen)Gestell *n*; Körper *m*; (An)Ordnung *f*; *phot.* (Einzel)Bild *n*; ⚘ Frühbeetkasten *m*; *~ of mind* Gemütsverfassung *f*, Stimmung *f*; **2.** bilden, formen, bauen; entwerfen; (ein)rahmen; sich entwickeln; **~-up** *bsd. Am.* F [ˈfreɪmʌp] abgekartetes Spiel; **~·work** ⊕ Gerippe *n*; Rahmen *m*; *fig.* Struktur *f*, System *n*.

fran·chise ⚖ [ˈfræntʃaɪz] Wahlrecht *n*; Bürgerrecht *n*; *bsd. Am.* Konzession *f*.

frank [fræŋk] **1.** □ frei(mütig), offen; **2.** *Brief* maschinell frankieren.

frank·fur·ter [ˈfræŋkfɜːtə] Frankfurter Würstchen *n*.

frank·ness [ˈfræŋknɪs] Offenheit *f*.

fran·tic [ˈfræntɪk] (*~ally*) wahnsinnig.

fra·ter|nal □ [frəˈtɜːnl] brüderlich; **~·ni·ty** [~nətɪ] Brüderlichkeit *f*; Bruderschaft *f*; *Am. univ.* Verbindung *f*.

fraud [frɔːd] Betrug *m*; F Schwindel *m*; **~·u·lent** □ [ˈfrɔːdjʊlənt] betrügerisch.

fray [freɪ] (sich) abnutzen; (sich) durchscheuern, (sich) ausfransen.

freak [friːk] **1.** Mißbildung *f*, Mißgeburt *f*, Monstrosität *f*; außergewöhnlicher Umstand; Grille *f*, Laune *f*; *mst in Zssgn*: Süchtige(r *m*) *f*; Freak *m*, Narr *m*, Fanatiker *m*; *~ of nature* Laune *f* der Natur; *film ~* Kinonarr *m*, -fan *m*; **2.** *~ out sl.* ausflippen.

freck·le [ˈfrekl] Sommersprosse *f*; **~d** sommersprossig.

free [friː] **1.** □ (*~r, ~st*) frei; freigebig (*of* mit); freiwillig; *he is ~ to inf.* es steht ihm frei, zu *inf.*; *~ and easy* zwanglos; sorglos; *make ~* sich Freiheiten erlauben; *set ~* freilassen; **2.** (*freed*) befreien; freilassen, *et.* freimachen; **~·dom** [ˈfriːdəm] Freiheit *f*; freie Benutzung; Offenheit *f*; Zwanglosigkeit *f*; (plumpe) Vertraulichkeit; *~ of a city* (Ehren)Bürgerrecht *n*; **~·hold·er** Grundeigentümer *m*; **~·lance** frei(beruflich tätig), freischaffend; **♀·ma·son** Freimaurer *m*; **~·way** *Am.* Schnellstraße *f*; **~-wheel** ⊕ [friːˈwiːl] **1.** Freilauf *m*; **2.** im Freilauf fahren.

freeze [friːz] **1.** (*froze, frozen*) *v/i.* (ge)frieren; erstarren; *v/t.* gefrieren lassen; *Fleisch etc.* einfrieren, tiefkühlen; *econ. Preise etc.* einfrieren; **2.** Frost *m*, Kälte *f*; *econ. pol.* Einfrieren *n*; *wage ~, ~ on wages* Lohnstopp *m*; **~-dry** [friːzˈdraɪ] gefriertrocknen;

freez·er [ˈfriːzə] *a. deep freeze* Gefriertruhe *f*, Tiefkühlgerät *n*; Gefrierfach *n*; **freez·ing** □ [~ɪŋ] eisig; ⊕ Gefrier...; *~ compartment* Gefrier-, Tiefkühlfach *n*; *~ point* Gefrierpunkt *m*.

freight [freɪt] **1.** Fracht(geld *n*) *f*; *attr. Am.* Güter...; **2.** be-, verfrachten; **~ car** *Am.* 🚃 [ˈfreɪtkɑː] Güterwagen *m*; **~·er** [~ə] Frachter *m*, Frachtschiff *n*; Fracht-, Transportflugzeug *n*; **~ train** *Am.* Güterzug *m*.

French [frentʃ] **1.** französisch; *take ~ leave* heimlich weggehen; *~ doors pl. Am.* = *French window(s)*; *~ fries pl. bsd. Am.* Pommes frites *pl.*; *~ window(s pl.)* Terrassen-, Balkontür *f*; **2.** *ling.* Französisch *n*; *the ~ pl.* die Franzosen *pl.*; **~·man** [ˈfrentʃmən] (*pl. -men*) Franzose *m*.

fren|zied [ˈfrenzɪd] wahnsinnig; **~·zy** [~ɪ] wilde Aufregung; Ekstase *f*; Raserei *f*.

fre·quen|cy [ˈfriːkwənsɪ] Häufigkeit *f*; ⚡ Frequenz *f*; **~t 1.** □ [~t] häufig; **2.** [frɪˈkwent] (oft) besuchen.

fresh □ [freʃ] frisch; neu; unerfahren; *Am.* F frech; **~·en** [ˈfreʃn] frisch machen *od.* werden; ~ *up* neuer *od.* schöner machen; ~ *(o.s.) up* sich frisch machen; **~·man** (*pl. -men*) *univ.* Student *m* im ersten Jahr; **~·ness** [~nɪs] Frische *f*; Neuheit *f*; Unerfahrenheit *f*; ~ **wa·ter** Süßwasser *n*; **~·wa·ter** Süßwasser...
fret [fret] **1.** Aufregung *f*; Ärger *m*; ♪ Bund *m*, Griffleiste *f*; **2.** (*-tt-*) zerfressen; (sich) ärgern; (sich) grämen; ~ *away*, ~ *out* aufreiben.
fret·ful □ [ˈfretfl] ärgerlich.
fret·saw [ˈfretsɔː] Laubsäge *f*.
fret·work [ˈfretwɜːk] (geschnitztes) Gitterwerk; Laubsägearbeit *f*.
fri·ar [ˈfraɪə] Mönch *m*.
fric·tion [ˈfrɪkʃn] Reibung *f* (*a. fig.*).
Fri·day [ˈfraɪdɪ] Freitag *m*.
fridge F [frɪdʒ] Kühlschrank *m*.
friend [frend] Freund(in); Bekannte(r *m*) *f*; *make ~s with* sich anfreunden mit, Freundschaft schließen mit; **~·ly** [ˈfrendlɪ] freund(schaft)-lich; **~·ship** [~ʃɪp] Freundschaft *f*.
frig·ate ⚓ [ˈfrɪgɪt] Fregatte *f*.
fright [fraɪt] Schreck(en) *m*; *fig.* Vogelscheuche *f*; **~·en** [ˈfraɪtn] erschrecken; *be ~ed of s.th.* vor et. Angst haben; **~·en·ing** □ [~ɪŋ] furchterregend; **~·ful** □ [~fl] schrecklich.
fri·gid □ [ˈfrɪdʒɪd] kalt, frostig; *psych.* frigid(e).
frill [frɪl] Krause *f*, Rüsche *f*.
fringe [frɪndʒ] **1.** Franse *f*; Rand *m*; Ponyfrisur *f*; ~ *benefits pl. econ.* Gehalts-, Lohnnebenleistungen *pl.*; ~ *event* Randveranstaltung *f*; ~ *group Soziologie*: Randgruppe *f*; **2.** mit Fransen besetzen.
Fri·si·an [ˈfrɪzɪən] friesisch.
frisk [frɪsk] **1.** Luftsprung *m*; **2.** herumtollen; F filzen; *j-n, et.* durchsuchen; **~·y** □ [ˈfrɪskɪ] (*-ier, -iest*) lebhaft, munter.
frit·ter [ˈfrɪtə] **1.** Pfannkuchen *m*, Krapfen *m*. **2.** ~ *away* vertun, -trödeln, -geuden.
fri·vol·i·ty [frɪˈvɒlətɪ] Frivolität *f*, Leichtfertigkeit *f*; **friv·o·lous** □ [ˈfrɪvələs] frivol, leichtfertig.
friz·zle [ˈfrɪzl] *Küche*: brutzeln.
frizz·y □ [ˈfrɪzɪ] (*-ier, -iest*) gekräuselt, kraus (*Haar*).
fro [frəʊ]: *to and* ~ hin und her.
frock [frɒk] Kutte *f*; (*Frauen*)Kleid *n*; Kittel *m*; Gehrock *m*.
frog *zo.* [frɒg] Frosch *m*; **~·man** [ˈfrɒgmən] (*pl. -men*) Froschmann *m*.
frol·ic [ˈfrɒlɪk] **1.** Herumtoben *n*, -tollen *n*; Ausgelassenheit *f*; Streich *m*, Jux *m*; **2.** (*-ck-*) herumtoben, -tollen; **~·some** □ [~səm] lustig, fröhlich.
from [frɒm, frəm] von; aus, von ... her; von ... (an); aus, vor, wegen; nach, gemäß; *defend* ~ schützen vor (*dat.*); ~ *amidst* mitten aus.
front [frʌnt] **1.** Stirn *f*; Vorderseite *f*; ⚔ Front *f*; Hemdbrust *f*; Strandpromenade *f*; Kühnheit *f*, Frechheit *f*; *at the* ~, *in* ~ vorn; *in* ~ *of räumlich* vor; **2.** Vorder...; ~ *door* Haustür *f*; ~ *entrance* Vordereingang *m*; **3.** *a.* ~ *on*, ~ *towards* die Front haben nach; gegenüberstehen, gegenübertreten (*dat.*); **~·age** [ˈfrʌntɪdʒ] (Vorder-) Front *f* (*e-s Hauses*); **~·al** □ [~tl] Stirn...; Front..., Vorder...
fron·tier [ˈfrʌntɪə] (Landes)Grenze *f*; *Am. hist.* Grenzland *n*, Grenze *f* (*zum Wilden Westen*); *attr.* Grenz...
front| page [ˈfrʌntpeɪdʒ] *Zeitung*: Titelseite *f*; **~-wheel drive** *mot.* Vorderradantrieb *m*.
frost [frɒst] **1.** Frost *m*; *a. hoar* ~, *white* ~ Reif *m*; **2.** (mit Zucker) bestreuen; glasieren, mattieren; *~ed glass* Milchglas *n*; **~·bite** [ˈfrɒstbaɪt] Erfrierung *f*; **~·bit·ten** erfroren; **~·y** □ [~ɪ] (*-ier, -iest*) eisig, frostig (*a. fig.*).
froth [frɒθ] **1.** Schaum *m*; **2.** schäumen; zu Schaum schlagen; **~·y** □ [ˈfrɒθɪ] (*-ier, -iest*) schäumend, schaumig; *fig.* seicht.
frown [fraʊn] **1.** Stirnrunzeln *n*; finsterer Blick; **2.** *v/i.* die Stirn runzeln; finster blicken; ~ *on od. upon s.th.* et. mißbilligen.
froze [frəʊz] *pret. von freeze 1*;
fro·zen [ˈfrəʊzn] **1.** *p.p. von freeze 1*; **2.** *adj.* (eis)kalt; (ein-, zu)gefroren; Gefrier...; ~ *food* Tiefkühlkost *f*.
fru·gal □ [ˈfruːgl] einfach; sparsam.
fruit [fruːt] **1.** Frucht *f*; Früchte *pl.*; Obst *n*; **2.** Frucht tragen; **~·er·er** [ˈfruːtərə] Obsthändler *m*; **~·ful** □ [~fl] fruchtbar; **~·less** □ [~lɪs] unfruchtbar; **~·y** [~ɪ] (*-ier, -iest*) frucht-, obstartig; fruchtig (*Wein*); klangvoll, sonor (*Stimme*).

F

frus|trate [frʌˈstreɪt] vereiteln; enttäuschen; frustrieren; **~·tra·tion** [~eɪʃn] Vereitelung *f*; Enttäuschung *f*; Frustration *f*.

fry [fraɪ] **1.** Gebratene(s) *n*; Fischbrut *f*; **2.** braten, backen; **~·ing-pan** [ˈfraɪɪŋpæn] Bratpfanne *f*.

fuch·sia ⚘ [ˈfjuːʃə] Fuchsie *f*.

fuck V [fʌk] **1.** ficken, vögeln; ~ *it!* Scheiße!; *get ~ed!* der Teufel soll dich holen!; **2.** *int.* Scheiße!; **~·ing** V [ˈfʌkɪŋ] Scheiß..., verflucht, -dammt (*oft nur verstärkend*); ~ *hell!* verdammte Scheiße!

fudge [fʌdʒ] **1.** F zurechtpfuschen; **2.** Unsinn *m*; *Art* Fondant *m*.

fu·el [fjʊəl] **1.** Brennmaterial *n*; Betriebs-, *mot.* Kraftstoff *m*; **2.** (*bsd. Brt.* -ll-, *Am.* -l-) *mot.*, ✈ (auf)tanken.

fu·gi·tive [ˈfjuːdʒɪtɪv] **1.** flüchtig (*a. fig.*); **2.** Flüchtling *m*.

ful·fil, *Am. a.* **-fill** [fʊlˈfɪl] (-ll-) erfüllen; vollziehen; **~·ment** [~mənt] Erfüllung *f*.

full [fʊl] **1.** □ voll; Voll...; vollständig, völlig; reichlich; ausführlich; *of ~ age* volljährig; **2.** *adv.* völlig, ganz; genau; **3.** *das* Ganze; Höhepunkt *m*; *in ~* völlig; ausführlich; *to the ~* vollständig; **~·blood·ed** [ˈfʊlblʌdɪd] vollblütig; kräftig; reinrassig; **~ dress** Gesellschaftsanzug *m*; **~-dress** formell, Gala...; **~-fledged** *Am.* = *fully-fledged*; **~-grown** ausgewachsen; **~-length** in voller Größe; bodenlang; abendfüllend (*Film etc.*); **~ moon** Vollmond *m*; **~ stop** *ling.* Punkt *m*; **~ time** *Sport*: Spielende *n*; **~-time** ganztägig, Ganztags...; *~ job* Ganztagsbeschäftigung *f*.

ful·ly [ˈfʊlɪ] voll, völlig, ganz; **~-fledged** flügge; *fig.* richtig; **~-grown** *Brt.* = *full-grown*.

fum·ble [ˈfʌmbl] tasten; fummeln.

fume [fjuːm] **1.** rauchen; aufgebracht sein; **2.** *~s pl.* Dämpfe *pl.*, Dünste *pl.*

fu·mi·gate [ˈfjuːmɪgeɪt] ausräuchern, desinfizieren.

fun [fʌn] Scherz *m*, Spaß *m*; *make ~ of* sich lustig machen über (*acc.*).

func·tion [ˈfʌŋkʃn] **1.** Funktion *f*; Beruf *m*; Tätigkeit *f*; Aufgabe *f*; Feierlichkeit *f*; **2.** funktionieren; **~·a·ry** [~ərɪ] Funktionär *m*.

fund [fʌnd] **1.** Fonds *m*; *~s pl.* Staatspapiere *pl.*; Geld(mittel *pl.*) *n*; *a ~ of fig.* ein Vorrat an (*dat.*); **2.** *Schuld* fundieren; *Geld* anlegen; das Kapital aufbringen für.

fun·da·men·tal □ [fʌndəˈmentl] **1.** grundlegend; Grund...; **2.** *~s pl.* Grundlage *f*, -züge *pl.*, -begriffe *pl.*

fu·ne|ral [ˈfjuːnərəl] Beerdigung *f*; *attr.* Trauer..., Begräbnis...; **~·re·al** □ [fjuːˈnɪərɪəl] traurig, düster.

fun-fair [ˈfʌnfeə] Rummelplatz *m*.

fu·nic·u·lar [fjuːˈnɪkjʊlə] *a. ~ railway* (Draht)Seilbahn *f*.

fun·nel [ˈfʌnl] Trichter *m*; Rauchfang *m*; ⚓, 🚂 Schornstein *m*.

fun·nies *Am.* [ˈfʌnɪz] *pl.* Comics *pl.*

fun·ny □ [ˈfʌnɪ] (*-ier, -iest*) lustig, spaßig, komisch.

fur [fɜː] **1.** Pelz *m*; Belag *m* (*auf der Zunge*); Kesselstein *m*; *~s pl.* Pelzwaren *pl.*; **2.** mit Pelz besetzen *od.* füttern.

fur·bish [ˈfɜːbɪʃ] putzen, polieren.

fu·ri·ous □ [ˈfjʊərɪəs] wütend; wild.

furl [fɜːl] *Fahne, Segel* auf-, einrollen; *Schirm* zusammenrollen.

fur·lough ⚔ [ˈfɜːləʊ] Urlaub *m*.

fur·nace [ˈfɜːnɪs] Schmelz-, Hochofen *m*; (Heiz)Kessel *m*.

fur·nish [ˈfɜːnɪʃ] versehen (*with* mit); *et.* liefern; möblieren; ausstatten.

fur·ni·ture [ˈfɜːnɪtʃə] Möbel *pl.*, Einrichtung *f*; Ausstattung *f*; *sectional ~* Anbaumöbel *pl.*

fur·ri·er [ˈfʌrɪə] Kürschner *m*.

fur·row [ˈfʌrəʊ] **1.** Furche *f*; **2.** furchen.

fur·ry [ˈfɜːrɪ] aus Pelz, pelzartig; belegt (*Zunge*).

fur·ther [ˈfɜːðə] **1.** *comp. von far*; **2.** fördern; **~·ance** [~rəns] Förderung *f*; **~·more** [~ˈmɔː] ferner, überdies; **~·most** [~məʊst] weiteste(r, -s), entfernteste(r, -s).

fur·thest [ˈfɜːðɪst] *sup. von far.*

fur·tive □ [ˈfɜːtɪv] verstohlen.

fu·ry [ˈfjʊərɪ] Raserei *f*, Wut *f*; Furie *f*.

fuse [fjuːz] **1.** schmelzen; ⚡ durchbrennen; **2.** ⚡ Sicherung *f*; Zünder *m*; Zündschnur *f*.

fu·se·lage ✈ [ˈfjuːzɪlɑːʒ] (Flugzeug-)Rumpf *m*.

fu·sion [ˈfjuːʒn] Verschmelzung *f*, Fusion *f*; *nuclear ~* Kernfusion *f*.

fuss F [fʌs] **1.** Lärm *m*; Wesen *n*, Getue *n*; **2.** viel Aufhebens machen (*about* um, von); (sich) aufregen; **~·y**

□ [ˈfʌsɪ] (*-ier, -iest*) aufgeregt, hektisch; kleinlich, pedantisch; heikel, wählerisch.
fus·ty [ˈfʌstɪ] (*-ier, -iest*) muffig; *fig.* verstaubt.
fu·tile □ [ˈfjuːtaɪl] nutz-, zwecklos.
fu·ture [ˈfjuːtʃə] **1.** (zu)künftig; **2.** Zukunft *f*; *gr.* Futur *n*, Zukunft *f*; *in* ~ in Zukunft, künftig.
fuzz[1] [fʌz] **1.** feiner Flaum; Fusseln *pl.*; **2.** fusseln, (zer)fasern.
fuzz[2] *sl.* [~] Bulle *m* (*Polizist*).

G

gab F [gæb] Geschwätz *n*; *have the gift of the* ~ ein gutes Mundwerk haben.
gab·ar·dine [ˈgæbədiːn] Gabardine *m* (*Wollstoff*).
gab·ble [ˈgæbl] **1.** Geschnatter *n*, Geschwätz *n*; **2.** schnattern, schwatzen.
gab·er·dine [ˈgæbədiːn] *hist.* Kaftan *m* (*der Juden*); = *gabardine*.
ga·ble *arch.* [ˈgeɪbl] Giebel *m*.
gad F [gæd] (*-dd-*): ~ *about*, ~ *around* (viel) unterwegs sein (in *dat.*).
gad·fly *zo.* [ˈgædflaɪ] Bremse *f*.
gad·get ⊕ [ˈgædʒɪt] Apparat *m*, Gerät *n*, Vorrichtung *f*; *oft contp.* technische Spielerei.
gag [gæg] **1.** Knebel *m* (*a. fig.*); F Gag *m*; **2.** (*-gg-*) knebeln; *fig.* mundtot machen.
gage *Am.* [geɪdʒ] = *gauge*; ⚠ *nicht Gage*.
gai·e·ty [ˈgeɪətɪ] Fröhlichkeit *f*.
gai·ly [ˈgeɪlɪ] *adv. von gay 1*.
gain [geɪn] **1.** Gewinn *m*; Vorteil *m*; **2.** gewinnen; erreichen; bekommen; zunehmen an (*dat.*); vorgehen (um) (*Uhr*); ~ *in* zunehmen an (*dat.*).
gait [geɪt] Gang(art *f*) *m*; Schritt *m*.
gai·ter [ˈgeɪtə] Gamasche *f*.
gal F [gæl] Mädel *n*.
gal·ax·y *ast.* [ˈgæləksɪ] Milchstraße *f*, Galaxis *f*.
gale [geɪl] Sturm *m*.
gall [gɔːl] **1.** *veraltet* Galle *f*; wundgeriebene Stelle; F Frechheit *f*; **2.** wund reiben; ärgern.
gal|lant [ˈgælənt] stattlich; tapfer; galant, höflich; **~·lan·try** [~rɪ] Tapferkeit *f*; Galanterie *f*.
gal·le·ry [ˈgælərɪ] Galerie *f*; Empore *f*.
gal|ley [ˈgælɪ] ⚓ Galeere *f*; ⚓ Kombüse *f*; *a.* ~ *proof print.* Fahne(nabzug *m*) *f*.
gal·lon [ˈgælən] Gallone *f* (*4,54 Liter, Am. 3,78 Liter*).
gal·lop [ˈgæləp] **1.** Galopp *m*; **2.** galoppieren (lassen).
gal·lows [ˈgæləʊz] *sg.* Galgen *m*.
ga·lore [gəˈlɔː] in rauhen Mengen.
gam·ble [ˈgæmbl] **1.** (um Geld) spielen; **2.** F Glücksspiel *n*; **~r** [~ə] Spieler(in).
gam·bol [ˈgæmbl] **1.** Luftsprung *m*; **2.** (*bsd. Brt. -ll-, Am. -l-*) (herum-) tanzen, (-)hüpfen.
game [geɪm] **1.** (Karten-, Ball- *etc.*)Spiel *n*; (einzelnes) Spiel (*a. fig.*); *hunt.* Wild *n*; Wildbret *n*; **~s** *pl.* Spiele *pl.*; *Schule*: Sport *m*; **2.** mutig; bereit (*for* zu; *to do* zu tun); **~·keep·er** [ˈgeɪmkiːpə] Wildhüter *m*.
gam·mon *bsd. Brt.* [ˈgæmən] schwachgepökelter *od.* -geräucherter Schinken.
gan·der *zo.* [ˈgændə] Gänserich *m*.
gang [gæŋ] **1.** (Arbeiter)Trupp *m*; Gang *f*, Bande *f*; Clique *f*; Horde *f*; ⚠ *nicht der Gang*; **2.** ~ *up* sich zusammentun, *contp.* sich zusammenrotten.
gang·ster [ˈgæŋstə] Gangster *m*.
gang·way [ˈgæŋweɪ] (Durch)Gang *m*; ⚓ Fallreep *n*; ⚓ Laufplanke *f*.
gaol [dʒeɪl], **~·bird** [ˈdʒeɪlbɜːd], **~·er** [~ə] *s. jail etc.*
gap [gæp] Lücke *f*; Kluft *f*; Spalte *f*.
gape [geɪp] gähnen; klaffen; gaffen.
gar·age [ˈgærɑːʒ] **1.** Garage *f*; (Reparatur)Werkstatt *f* (u. Tankstelle *f*); **2.** *Auto* in e-r Garage ab- *od.* unterstellen; *Auto* in die Garage fahren.
gar·bage *bsd. Am.* [ˈgɑːbɪdʒ] Abfall *m*, Müll *m*; ~ *can* Abfall-, Mülleimer

m; Abfall-, Mülltonne f; ~ *truck* Müllwagen m.
gar·den ['gɑ:dn] **1.** Garten m; **2.** im Garten arbeiten; Gartenbau treiben; **~·er** [~ə] Gärtner(in); **~·ing** [~ɪŋ] Gartenarbeit f.
gar·gle ['gɑ:gl] **1.** gurgeln; **2.** Gurgeln n; Gurgelwasser n.
gar·ish □ ['geərɪʃ] grell, auffallend.
gar·land ['gɑ:lənd] Girlande f.
gar·lic ⚘ ['gɑ:lɪk] Knoblauch m.
gar·ment ['gɑ:mənt] Gewand n.
gar·nish ['gɑ:nɪʃ] garnieren; zieren.
gar·ret ['gærət] Dachstube f.
gar·ri·son ⚔ ['gærɪsn] Garnison f.
gar·ru·lous □ ['gærələs] schwatzhaft.
gar·ter ['gɑ:tə] Strumpfband n; Am. Socken-, Strumpfhalter m.
gas [gæs] **1.** Gas n; Am. F Benzin n; **2.** (-*ss*-) v/t. vergasen; v/i. F faseln; a. ~ *up* Am. F mot. (auf)tanken; **~·e·ous** ['gæsjəs] gasförmig.
gash [gæʃ] **1.** klaffende Wunde; Hieb m; Riß m; **2.** tief (ein)schneiden in (acc.).
gas·ket ⊕ ['gæskɪt] Dichtung f.
gas|light ['gæslaɪt] Gasbeleuchtung f; ~ **me·ter** Gasuhr f; **~·o·lene, ~·o·line** Am. [~əli:n] Benzin n.
gasp [gɑ:sp] **1.** Keuchen n, schweres Atmen; **2.** keuchen; ~ *for breath* nach Luft schnappen, nach Atem ringen.
gas| sta·tion Am. ['gæssteɪʃn] Tankstelle f; ~ **stove** Gasofen m, -herd m; **~·works** sg. Gaswerk n.
gate [geɪt] Tor n; Pforte f; Schranke f, Sperre f; ✈ Flugsteig m; **~·crash** ['geɪtkræʃ] uneingeladen kommen od. (hin)gehen (zu); sich ohne zu bezahlen hinein- od. hereinschmuggeln; sich ohne zu bezahlen schmuggeln in (acc.); **~·post** Tor-, Türpfosten m; **~·way** Tor(weg m) n, Einfahrt f.
gath·er ['gæðə] **1.** v/t. (ein-, ver-) sammeln; ernten; pflücken; schließen (*from* aus); zusammenziehen, kräuseln; ~ *speed* schneller werden; v/i. sich (ver)sammeln; sich vergrößern; reifen (*Abszeß*); eitern (*Wunde*); **2.** Falte f; **~·ing** [~rɪŋ] Versammlung f; Zusammenkunft f.
gau·dy □ ['gɔ:dɪ] (-*ier*, -*iest*) auffällig, bunt, grell (*Farbe*); protzig.
gauge [geɪdʒ] **1.** (Normal)Maß n; ⊕ Lehre f; 🚂 Spurweite f; Meßgerät n; fig. Maßstab m; **2.** eichen; (aus)messen; fig. abschätzen.
gaunt □ [gɔ:nt] hager; ausgemergelt.
gaunt·let ['gɔ:ntlɪt] Schutzhandschuh m; fig. Fehdehandschuh m; *run the* ~ Spießruten laufen.
gauze [gɔ:z] Gaze f.
gave [geɪv] *pret. von give*.
gav·el ['gævl] Hammer m (*e-s Vorsitzenden od. Auktionators*).
gaw·ky ['gɔ:kɪ] (-*ier*, -*iest*) unbeholfen, linkisch.
gay [geɪ] **1.** □ lustig, fröhlich; bunt, (farben)prächtig; F schwul (*homosexuell*); **2.** F Schwule(r) m (*Homosexueller*).
gaze [geɪz] **1.** (starrer) Blick; ⚠ *nicht Gaze*; **2.** starren; ~ *at* starren auf (acc.), anstarren.
ga·zelle zo. [gə'zel] Gazelle f.
ga·zette [gə'zet] Amtsblatt n.
gear [gɪə] **1.** ⊕ Getriebe n; mot. Gang m; *mst in Zssgn*: Vorrichtung f, Gerät n; *in* ~ mit eingelegtem Gang; *out of* ~ im Leerlauf; *change* ~(*s*), Am. *shift* ~(*s*) mot. schalten; *landing* ~ ✈ Fahrgestell n; *steering* ~ ⚓ Ruderanlage f; mot. Lenkung f; **2.** einschalten; ⊕ greifen; **~·le·ver** ['gɪəli:və], Am. **~·shift** mot. Schalthebel m.
geese [gi:s] *pl. von goose*.
geld·ing zo. ['geldɪŋ] Wallach m.
gem [dʒem] Edelstein m; Gemme f; fig. Glanzstück n.
gen·der ['dʒendə] gr. Genus n, Geschlecht n; coll. F Geschlecht n.
gen·e·ral ['dʒenərəl] **1.** □ allgemein; allgemeingültig; ungefähr; Haupt..., General...; ♀ *Certificate of Education s. certificate 1*; ~ *education od. knowledge* Allgemeinbildung f; ~ *election Brt.* pol. allgemeine Wahlen pl.; ~ *practitioner* praktischer Arzt; **2.** ⚔ General m; Feldherr m; *in* ~ im allgemeinen; **~·i·ty** [dʒenə'rælətɪ] Allgemeinheit f; *die* große Masse; **~·ize** [~laɪz] verallgemeinern; **gen·er·al·ly** [~lɪ] im allgemeinen, überhaupt; gewöhnlich.
gen·e|rate ['dʒenəreɪt] erzeugen; **~·ra·tion** [dʒenə'reɪʃn] (Er)Zeugung f; Generation f; Menschenalter n; **~·ra·tor** ['dʒenəreɪtə] Erzeuger m; ⊕ Generator m; bsd. Am. mot. Lichtmaschine f.
gen·e|ros·i·ty [dʒenə'rɒsətɪ] Großmut f; Großzügigkeit f; **~·rous** □ ['dʒenərəs] großmütig, großzügig.

ge·ni·al □ [ˈdʒiːnjəl] freundlich; angenehm; wohltuend; ⚠ *nicht genial.*
gen·i·tive *gr.* [ˈdʒenɪtɪv] *a.* ~ *case* Genitiv *m,* zweiter Fall.
ge·ni·us [ˈdʒiːnjəs] Geist *m*; Genie *n.*
gent F [dʒent] Herr *m*; ~*s sg. Brt.* F Herrenklo *n.*
gen·teel □ [dʒenˈtiːl] vornehm; elegant.
gen·tile [ˈdʒentaɪl] **1.** heidnisch, nichtjüdisch; **2.** Heid|e *m,* -in *f.*
gen·tle □ [ˈdʒentl] (~*r*, ~*st*) sanft; mild; zahm; leise, sacht; vornehm; **~·man** (*pl. -men*) Herr *m*; Gentleman *m*; **~·man·ly** [~mənlɪ] gentlemanlike, vornehm; **~·ness** [~nɪs] Sanftheit *f*; Milde *f*, Güte *f*, Sanftmut *f.*
gen·try [ˈdʒentrɪ] niederer Adel; Oberschicht *f.*
gen·u·ine □ [ˈdʒenjʊɪn] echt; aufrichtig.
ge·og·ra·phy [dʒɪˈɒgrəfɪ] Geographie *f.*
ge·ol·o·gy [dʒɪˈɒlədʒɪ] Geologie *f.*
ge·om·e·try [dʒɪˈɒmətrɪ] Geometrie *f.*
germ *biol.*, ⚘ [dʒɜːm] Keim *m.*
Ger·man [ˈdʒɜːmən] **1.** deutsch; **2.** Deutsche(r *m*) *f*; *ling.* Deutsch *n.*
ger·mi·nate [ˈdʒɜːmɪneɪt] keimen (lassen).
ger·und *gr.* [ˈdʒerənd] Gerundium *n.*
ges·tic·u|late [dʒeˈstɪkjʊleɪt] gestikulieren; **~·la·tion** [dʒestɪkjʊˈleɪʃn] Gebärdenspiel *n.*
ges·ture [ˈdʒestʃə] Geste *f*, Gebärde *f.*
get [get] (*-tt-*; *got, got od. Am. gotten*) *v/t.* erhalten, bekommen, F kriegen; besorgen; holen; bringen; erwerben; verdienen; ergreifen, fassen, fangen; (veran)lassen; *mit adv. mst* bringen, machen; *have got* haben; *have got to* müssen; ~ *one's hair cut* sich die Haare schneiden lassen; ~ *by heart* auswendig lernen; *v/i.* gelangen, geraten, kommen; gehen; werden; ~ *ready* sich fertigmachen; ~ *about* auf den Beinen sein; herumkommen; sich verbreiten (*Gerücht*); ~ *ahead* vorankommen; ~ *ahead of* übertreffen (*acc.*); ~ *along* vorwärtskommen; auskommen (*with* mit); ~ *at* herankommen an (*acc.*); sagen wollen; ~ *away* loskommen; entkommen; ~ *in* einsteigen (in); ~ *off* aussteigen (aus); ~ *on* einsteigen (in); ~ *out* heraus-, hinausgehen; aussteigen (*of* aus); ~ *over s.th.* über et. hinwegkommen; ~ *to* kommen nach; ~ *together* zusammenkommen; ~ *up* aufstehen; **~·a·way** [ˈgetəweɪ] Flucht *f*; ~ *car* Fluchtauto *n*; **~-up** Aufmachung *f.*
ghast·ly [ˈgɑːstlɪ] (*-ier, -iest*) gräßlich; schrecklich; (toten)bleich; gespenstisch.
gher·kin [ˈgɜːkɪn] Gewürzgurke *f.*
ghost [gəʊst] Geist *m*, Gespenst *n*; *fig.* Spur *f*; **~·ly** [ˈgəʊstlɪ] (*-ier, -iest*) geisterhaft.
gi·ant [ˈdʒaɪənt] **1.** riesig; **2.** Riese *m.*
gib·ber [ˈdʒɪbə] kauderwelschen; **~·ish** [~rɪʃ] Kauderwelsch *n.*
gib·bet [ˈdʒɪbɪt] Galgen *m.*
gibe [dʒaɪb] **1.** spotten (*at* über *acc.*); **2.** höhnische Bemerkung.
gib·lets [ˈdʒɪblɪts] *pl.* Hühner-, Gänseklein *n.*
gid|di·ness [ˈgɪdɪnɪs] ⚕ Schwindel *m*; Unbeständigkeit *f*; Leichtsinn *m*; **~·dy** □ [ˈgɪdɪ] (*-ier, -iest*) schwind(e)lig; leichtfertig; unbeständig; albern.
gift [gɪft] Geschenk *n*; Talent *n*; ⚠ *nicht Gift*; **~·ed** [ˈgɪftɪd] begabt.
gi·gan·tic [dʒaɪˈgæntɪk] (~*ally*) gigantisch, riesenhaft, riesig, gewaltig.
gig·gle [ˈgɪgl] **1.** kichern; **2.** Gekicher *n.*
gild [gɪld] vergolden.
gill [gɪl] *zo.* Kieme *f*; ⚘ Lamelle *f.*
gilt [gɪlt] **1.** Vergoldung *f*; **2.** vergoldet; **~-edged:** ~ *securities pl.* mündelsichere Wertpapiere *pl.*
gim·mick F [ˈgɪmɪk] Trick *m.*
gin [dʒɪn] Gin *m* (*Wacholderschnaps*).
gin·ger [ˈdʒɪndʒə] **1.** Ingwer *m*; rötliches *od.* gelbliches Braun; **2.** rötlich- *od.* gelblichbraun; **~·bread** Pfefferkuchen *m*; **~·ly** [~lɪ] zimperlich; behutsam, vorsichtig.
gip·sy [ˈdʒɪpsɪ] Zigeuner(in).
gi·raffe *zo.* [dʒɪˈrɑːf] Giraffe *f.*
gir·der ⊕ [ˈgɜːdə] Tragbalken *m.*
gir·dle [ˈgɜːdl] Hüfthalter *m*, -gürtel *m*, Korselett *n*, Miederhose *f.*
girl [gɜːl] Mädchen *n*; **~·friend** [ˈgɜːlfrend] Freundin *f*; ~ **guide** [~gaɪd] Pfadfinderin *f* (*in Großbritannien*); **~·hood** [~hʊd] Mädchenzeit *f*, Mädchenjahre *pl.*, Jugend(zeit) *f*; **~·ish** □ [~ɪʃ] mädchenhaft; Mäd-

chen...; ~ **scout** Pfadfinderin *f* (*in den USA*).
gi·ro [ˈdʒaɪrəʊ] **1.** Postscheckdienst *m* (*in Großbritannien*); **2.** Postscheck...
girth [gɜːθ] (Sattel)Gurt *m*; (*a.* Körper)Umfang *m*.
gist [dʒɪst] *das* Wesentliche.
give [gɪv] (*gave, given*) geben; ab-, übergeben; her-, hingeben; überlassen; zum besten geben; schenken; gewähren; von sich geben; ergeben; ~ *birth to* zur Welt bringen; ~ *away* her-, weggeben, verschenken; *j-n, et.* verraten; ~ *back* zurückgeben; ~ *in Gesuch* einreichen, *Prüfungsarbeit* abgeben; nachgeben; aufgeben; ~ *off Geruch* verbreiten; ausstoßen, -strömen; ~ *out* aus-, verteilen; zu Ende gehen (*Kräfte, Vorräte*); ~ *up* (es) aufgeben; aufhören mit; *j-n* ausliefern; ~ *o.s. up* sich (freiwillig) stellen (*to the police* der Polizei); ~ **and take** [ˈgɪvənˈteɪk] (Meinungs)Austausch *m*; Kompromiß *m, n*; **giv·en** [ˈgɪvn] **1.** *p.p. von give*; **2.** *be* ~ *to* verfallen sein; neigen zu; **giv·en name** *Am.* Vorname *m*.
gla|cial □ [ˈgleɪsjəl] eisig; Eis...; Gletscher...; ~**ci·er** [ˈglæsjə] Gletscher *m*.
glad □ [glæd] (*-dd-*) froh, erfreut; freudig; ~**·den** [ˈglædn] erfreuen.
glade [gleɪd] Lichtung *f*; *Am.* sumpfige Niederung.
glad|ly [ˈglædlɪ] gern(e); ~**·ness** [~nɪs] Freude *f*.
glam|or·ous, -our·ous □ [ˈglæmərəs] bezaubernd; ~**·o(u)r** [ˈglæmə] **1.** Zauber *m*, Glanz *m*, Reiz *m*; **2.** bezaubern.
glance [glɑːns] **1.** (schneller *od.* flüchtiger) Blick (*at* auf *acc.*); ⚠ *nicht Glanz*; *at a* ~ mit e-m Blick; **2.** (auf)leuchten, (-)blitzen; *mst* ~ *off* abprallen; ~ *at* flüchtig ansehen; anspielen auf (*acc.*).
gland *anat.* [glænd] Drüse *f*.
glare [gleə] **1.** grelles Licht; wilder, starrer Blick; **2.** grell leuchten; wild blicken; (~ *at* an)starren.
glass [glɑːs] **1.** Glas *n*; Spiegel *m*; Opern-, Fernglas *n*; Barometer *n*; (*a pair of*) ~*es pl.* (e-e) Brille; **2.** gläsern; Glas...; **3.** verglasen; ~ **case** [ˈglɑːskeɪs] Vitrine *f*; Schaukasten *m*; ~**·ful** [~fʊl] *ein* Glas(voll); ~**·house** Treibhaus *n*; ⚔ F Bau *m*; ~**·ware** Glas(waren *pl.*) *n*; ~**·y** [~ɪ] (*-ier, -iest*) gläsern; glasig.
glaze [gleɪz] **1.** Glasur *f*; **2.** *v/t.* verglasen; glasieren; polieren; *v/i.* trüb(e) *od.* glasig werden (*Auge*); **gla·zi·er** [ˈgleɪzjə] Glaser *m*.
gleam [gliːm] **1.** Schimmer *m*, Schein *m*; **2.** schimmern.
glean [gliːn] *v/t.* sammeln; *v/i.* Ähren lesen.
glee [gliː] Fröhlichkeit *f*; ~**·ful** □ [ˈgliːfl] ausgelassen, fröhlich.
glen [glen] Bergschlucht *f*.
glib □ [glɪb] (*-bb-*) gewandt; schlagfertig.
glide [glaɪd] **1.** Gleiten *n*; ✈ Gleitflug *m*; **2.** (dahin)gleiten (lassen); e-n Gleitflug machen; **glid·er** ✈ [ˈglaɪdə] Segelflugzeug *n*; Segelflieger(in); **glid·ing** ✈ [~ɪŋ] *das* Segelfliegen.
glim·mer [ˈglɪmə] **1.** Schimmer *m*; *min.* Glimmer *m*; **2.** schimmern.
glimpse [glɪmps] **1.** flüchtiger Blick (*at* auf *acc.*); Schimmer *m*; flüchtiger Eindruck; **2.** flüchtig (er)blicken.
glint [glɪnt] **1.** blitzen, glitzern; **2.** Lichtschein *m*.
glis·ten [ˈglɪsn] glitzern, glänzen.
glit·ter [ˈglɪtə] **1.** glitzern, funkeln, glänzen; **2.** Glitzern *n*, Funkeln *n*, Glanz *m*.
gloat [gləʊt]: ~ *over* sich hämisch *od.* diebisch freuen über (*acc.*); ~**·ing** □ [ˈgləʊtɪŋ] hämisch, schadenfroh.
globe [gləʊb] (Erd)Kugel *f*; Globus *m*.
gloom [gluːm] Düsterkeit *f*; Dunkelheit *f*; gedrückte Stimmung, Schwermut *f*; ~**·y** □ [ˈgluːmɪ] (*-ier, -iest*) dunkel; düster; schwermütig, traurig.
glo|ri·fy [ˈglɔːrɪfaɪ] verherrlichen; ~**·ri·ous** □ [~ɪəs] herrlich; glorreich; ~**·ry** [~ɪ] **1.** Ruhm *m*; Herrlichkeit *f*, Pracht *f*; Glorienschein *m*; **2.** ~ *in* sich freuen über (*acc.*).
gloss [glɒs] **1.** Glosse *f*, Bemerkung *f*; Glanz *m*; **2.** Glossen machen (zu); Glanz geben (*dat.*); ~ *over* beschönigen.
glos·sa·ry [ˈglɒsərɪ] Glossar *n*, Wörterverzeichnis *n* (*mit Erklärungen*).
gloss·y □ [ˈglɒsɪ] (*-ier, -iest*) glänzend.
glove [glʌv] Handschuh *m*; ~ *compartment mot.* Handschuhfach *n*.

G

glow [gləʊ] **1.** Glühen *n*; Glut *f*; **2.** glühen.
glow·er [ˈglaʊə] finster blicken.
glow-worm *zo.* [ˈgləʊwɜːm] Glühwürmchen *n*.
glu·cose [ˈgluːkəʊs] Traubenzucker *m*.
glue [gluː] **1.** Leim *m*; **2.** kleben.
glum □ [glʌm] (*-mm-*) bedrückt, niedergeschlagen.
glut [glʌt] (*-tt-*) übersättigen, -schwemmen; ~ *o.s. with od. on* sich vollstopfen mit.
glu·ti·nous □ [ˈgluːtɪnəs] klebrig.
glut·ton [ˈglʌtn] Unersättliche(r *m*) *f*; Vielfraß *m*; **~·ous** □ [~əs] gefräßig; **~·y** [~ɪ] Gefräßigkeit *f*.
gnarled [nɑːld] knorrig; knotig (*Hände*).
gnash [næʃ] knirschen (mit).
gnat *zo.* [næt] (Stech)Mücke *f*.
gnaw [nɔː] (zer)nagen; (zer)fressen.
gnome [nəʊm] Gnom *m*; Gartenzwerg *m*.
go [gəʊ] **1.** (*went, gone*) gehen, fahren, fliegen; weggehen, aufbrechen, abfahren, abreisen; verkehren (*Fahrzeuge*); vergehen (*Zeit*); werden; führen (*to* nach); sich erstrekken, reichen (*to* bis zu); ausgehen, ablaufen, ausfallen; gehen, arbeiten, funktionieren; kaputtgehen; *let* ~ loslassen; ~ *shares* teilen; *I must be ~ing* ich muß weg *od.* fort; ~ *to bed* ins Bett gehen; ~ *to school* zur Schule gehen; ~ *to see* besuchen; ~ *ahead* vorangehen; vorausgehen, -fahren; ~ *ahead with s.th.* et. durchführen, et. machen; ~ *at* losgehen auf (*acc.*); ~ *between* vermitteln (zwischen); ~ *by* sich richten nach; ~ *for* holen; ~ *for a walk* e-n Spaziergang machen, spazierengehen; ~ *in* hineingehen, eintreten; ~ *in for an examination* e-e Prüfung machen; ~ *off* fortgehen; ~ *on* weitergehen, -fahren; *fig.* fortfahren (*doing* zu tun); *fig.* vor sich gehen, vorgehen; ~ *out* hinausgehen; ausgehen (*with* mit) (*a. Licht etc.*); ~ *through* durchgehen; durchmachen; ~ *up* steigen; hinaufgehen, -steigen; ~ *without* sich behelfen ohne, auskommen ohne; **2.** F Mode *f*; Schwung *m*, Schneid *m*; *on the* ~ auf den Beinen; im Gange; *it is no* ~ es geht nicht; *in one* ~ auf Anhieb; *have a* ~ *at* es versuchen mit.
goad [gəʊd] **1.** Stachelstock *m*; *fig.* Ansporn *m*; **2.** *fig.* anstacheln.
go-a·head F [ˈgəʊəhed] zielstrebig; unternehmungslustig.
goal [gəʊl] Mal *n*; Ziel *n*; *Fußball*: Tor *n*; **~·keep·er** [ˈgəʊlkiːpə] Torwart *m*.
goat *zo.* [gəʊt] Ziege *f*, Geiß *f*.
gob·ble [ˈgɒbl] **1.** kollern (*Truthahn*); schlingen; *mst* ~ *up* verschlingen; **2.** Kollern *n*; **~r** [~ə] Truthahn *m*; gieriger Esser.
go-be·tween [ˈgəʊbɪtwiːn] Vermittler(in), Mittelsmann *m*.
gob·let [ˈgɒblɪt] Kelchglas *n*; Pokal *m*, Becher *m*.
gob·lin [ˈgɒblɪn] Kobold *m*.
god [gɒd] *eccl.* ♀ Gott *m*; *fig.* Abgott *m*; **~·child** [ˈgɒdtʃaɪld] (*pl. -children*) Patenkind *n*; **~·dess** [ˈgɒdɪs] Göttin *f*; **~·fa·ther** Pate *m* (*a. fig.*), Taufpate *m*; **~·for·sak·en** *contp.* gottverlassen; **~·head** Gottheit *f*; **~·less** [~lɪs] gottlos; **~·like** gottähnlich; göttlich; **~·ly** [~lɪ] (*-ier, -iest*) gottesfürchtig; fromm; **~·moth·er** (Tauf)Patin *f*; **~·pa·rent** (Tauf)Pate *m*, (-)Patin *f*; **~·send** Geschenk *n* des Himmels.
go-get·ter F [ˈgəʊˈgetə] Draufgänger *m*.
gog·gle [ˈgɒgl] **1.** glotzen; **2.** ~*s pl.* Schutzbrille *f*; **~-box** *Brt.* F Glotze *f* (*Fernseher*).
go·ing [ˈgəʊɪŋ] **1.** gehend; im Gange (befindlich); *be* ~ *to inf.* im Begriff sein zu *inf.*, gleich *tun* wollen *od.* werden; **2.** Gehen *n*; Vorwärtskommen *n*; Straßenzustand *m*; Geschwindigkeit *f*, Leistung *f*; **~s-on** F [~zˈɒn] *pl.* Treiben *n*, Vorgänge *pl.*
gold [gəʊld] **1.** Gold *n*; **2.** golden; **~ dig·ger** *Am.* [ˈgəʊlddɪgə] Goldgräber *m*; **~·en** *mst fig.* [~ən] golden, goldgelb; **~·finch** *zo.* Stieglitz *m*; **~·fish** *zo.* Goldfisch *m*; **~·smith** Goldschmied *m*.
golf [gɒlf] **1.** Golf(spiel) *n*; **2.** Golf spielen; **~ club** [ˈgɒlfklʌb] Golfschläger *m*; Golfklub *m*; **~ course, ~ links** *pl. od. sg.* Golfplatz *m*.
gon·do·la [ˈgɒndələ] Gondel *f*.
gone [gɒn] **1.** *p.p. von go 1*; **2.** *adj.* fort; F futsch; vergangen; tot; F hoffnungslos.
good [gʊd] **1.** (*better, best*) gut; artig; gütig; gründlich; ~ *at* geschickt *od.* gut in (*dat.*); **2.** Nutzen *m*, Wert *m*,

Vorteil *m*; *das* Gute, Wohl *n*; ~s *pl.* *econ.* Waren *pl.*, Güter *pl.*; *that's no ~* das nützt nichts; *for ~* für immer; **~·by(e) 1.** [gʊd'baɪ]: *wish s.o. ~, say ~ to s.o.* j-m auf Wiedersehen sagen; **2.** *int.* ['gʊd'baɪ] (auf) Wiedersehen!; **ℒ Fri·day** Karfreitag *m*; **~-hu·mo(u)red** □ gutgelaunt; gutmütig; **~-look·ing** [~ɪŋ] gutaussehend; **~·ly** ['gʊdlɪ] anmutig, hübsch; *fig.* ansehnlich; **~-na·tured** □ gutmütig; **~·ness** [~nɪs] Güte *f*; *das* Beste; *thank ~!* Gott sei Dank!; *(my) ~!, ~ gracious!* du meine Güte!, du lieber Himmel!; *for ~' sake* um Himmels willen!; *~ knows* weiß der Himmel; **~·will** Wohlwollen *n*; *econ.* Kundschaft *f*; *econ.* Firmenwert *m*.

good·y F ['gʊdɪ] Bonbon *m*, *n*.

goose *zo.* [gu:s] (*pl. geese*) Gans *f* (*a. fig.*).

goose·ber·ry ⚘ ['gʊzbərɪ] Stachelbeere *f*.

goose|flesh ['gu:sfleʃ], **~ pim·ples** *pl.* Gänsehaut *f*.

go·pher *zo.* ['gəʊfə] Taschenratte *f*; *Am.* Ziesel *m*.

gore [gɔ:] durchbohren, aufspießen (*mit den Hörnern etc.*).

gorge [gɔ:dʒ] **1.** Kehle *f*, Schlund *m*; enge (Fels)Schlucht; **2.** (ver)schlingen; (sich) vollstopfen.

gor·geous □ ['gɔ:dʒəs] prächtig.

go·ril·la *zo.* [gə'rɪlə] Gorilla *m*.

gor·y □ ['gɔ:rɪ] (*-ier, -iest*) blutig; *fig.* blutrünstig.

gosh *int.* F [gɒʃ]: *by ~* Mensch!

gos·ling *zo.* ['gɒzlɪŋ] junge Gans.

go-slow *Brt. econ.* [gəʊ'sləʊ] Bummelstreik *m*.

Gos·pel *eccl.* ['gɒspəl] Evangelium *n*.

gos·sa·mer ['gɒsəmə] Altweibersommer *m*.

gos·sip ['gɒsɪp] **1.** Klatsch *m*, Tratsch *m*; Klatschbase *f*; **2.** klatschen, tratschen.

got [gɒt] *pret. u. p.p. von get.*

Goth·ic ['gɒθɪk] gotisch; Schauer...; *~ novel* Schauerroman *m*.

got·ten *Am.* ['gɒtn] *p.p. von get.*

gouge [gaʊdʒ] **1.** ⊕ Hohlmeißel *m*; **2.** *~ out* ⊕ ausmeißeln; *~ out s.o.'s eye* j-m ein Auge ausstechen.

gourd ⚘ [gʊəd] Kürbis *m*.

gout ⚕ [gaʊt] Gicht *f*.

gov·ern ['gʌvn] *v/t.* regieren, beherrschen; lenken, leiten; *v/i.* herrschen; **~·ess** [~ɪs] Erzieherin *f*; **~·ment** [~mənt] Regierung(sform) *f*; Herrschaft *f* (*of* über *acc.*); Ministerium *n*; *attr.* Staats...; **~·men·tal** [gʌvən'mentl] Regierungs...; **gov·er·nor** ['gʌvənə] Gouverneur *m*; Direktor *m*, Präsident *m*; F Alte(r) *m* (*Vater, Chef*).

gown [gaʊn] **1.** (Frauen)Kleid *n*; Robe *f*, Talar *m*; **2.** kleiden.

grab [græb] **1.** (*-bb-*) (hastig *od.* gierig) ergreifen, packen, fassen; **2.** (hastiger *od.* gieriger) Griff; ⊕ Greifer *m*.

grace [greɪs] **1.** Gnade *f*; Gunst *f*; (Gnaden)Frist *f*; Grazie *f*, Anmut *f*; Anstand *m*; Zier(de) *f*; Reiz *m*; Tischgebet *n*; *Your ℒ* Eure Hoheit (*Herzog[in]*); Eure Exzellenz (*Erzbischof*); **2.** zieren, schmücken; begünstigen, auszeichnen; **~·ful** □ ['greɪsfl] anmutig; **~·less** □ [~lɪs] ungraziös, linkisch; ungehobelt.

gra·cious □ ['greɪʃəs] gnädig.

gra·da·tion [grə'deɪʃn] Abstufung *f*.

grade [greɪd] **1.** Grad *m*, Rang *m*; Stufe *f*; Qualität *f*; *bsd. Am.* = *gradient*; *Am. Schule*: Klasse *f*; Note *f*; *make the ~* es schaffen, Erfolg haben; *~ crossing bsd. Am.* schienengleicher Bahnübergang; **2.** abstufen; einstufen; ⊕ planieren.

gra·di·ent 🚂 *etc.* ['greɪdjənt] Steigung *f*.

grad·u|al □ ['grædʒʊəl] stufenweise, allmählich; **~·al·ly** [~lɪ] nach u. nach; allmählich; **~·ate 1.** [~ʊeɪt] graduieren; (sich) abstufen; die Abschlußprüfung machen; promovieren; **2.** [~ʊət] *univ.* Hochschulabsolvent(in), Akademiker(in); Graduierte(r *m*) *f*; *Am.* Schulabgänger(in); **~·a·tion** [grædjʊ'eɪʃn] Gradeinteilung *f*; *univ.*, *Am. a. Schule*: (Ab-)Schlußfeier *f*; *univ.* Erteilung *f od.* Erlangung *f* e-s akademischen Grades.

graft [grɑ:ft] **1.** ↗ Pfropfreis *n*; *Am.* Schiebung *f*; *Am.* Schmiergelder *pl.*; **2.** ↗ pfropfen; ⚕ verpflanzen.

grain [greɪn] (Samen)Korn *n*; Getreide *n*; Gefüge *n*; *fig.* Natur *f*; Gran *n* (*Gewicht*).

gram [græm] Gramm *n*.

gram·mar ['græmə] Grammatik *f*; **~ school** *Brt. etwa* (humanistisches) Gymnasium; *Am. etwa* Grundschule *f*.

gram·mat·i·cal □ [grəˈmætɪkl] grammatisch.
gramme [græm] = *gram*.
gra·na·ry [ˈgrænərɪ] Kornspeicher *m*.
grand □ [grænd] **1.** *fig.* großartig; erhaben; groß; Groß..., Haupt...; ♀ *Old Party Am.* Republikanische Partei; **2.** (*pl. grand*) F Riese *m* (*1000 Dollar od. Pfund*); **~·child** [ˈgræntʃaɪld] (*pl. -children*) Enkel(in).
gran·deur [ˈgrændʒə] Größe *f*, Hoheit *f*; Erhabenheit *f*.
grand·fa·ther [ˈgrændfɑːðə] Großvater *m*.
gran·di·ose □ [ˈgrændɪəʊs] großartig.
grand|moth·er [ˈgrænmʌðə] Großmutter *f*; **~·par·ents** [~npeərənts] *pl.* Großeltern *pl.*; **~ pi·an·o** ♪ (*pl. -os*) (Konzert)Flügel *m*; **~·stand** *Sport*: Haupttribüne *f*.
grange [greɪndʒ] (kleiner) Gutshof.
gran·ny F [ˈgrænɪ] Oma *f*.
grant [grɑːnt] **1.** Gewährung *f*; Unterstützung *f*; Stipendium *n*; **2.** gewähren; bewilligen; verleihen; ⚖ übertragen; zugestehen; *~ed, but* zugegeben, aber; *take for ~ed* als selbstverständlich annehmen.
gran|u·lat·ed [ˈgrænjʊleɪtɪd] körnig, granuliert; *~ sugar* Kristallzucker *m*; **~·ule** [~juːl] Körnchen *n*.
grape [greɪp] Weinbeere *f*, -traube *f*; **~·fruit** ⚘ [ˈgreɪpfruːt] Grapefruit *f*, Pampelmuse *f*; **~·vine** ⚘ Weinstock *m*.
graph [græf] graphische Darstellung; **~·ic** [ˈgræfɪk] (*~ally*) graphisch; anschaulich; *~ arts pl.* Graphik *f*, graphische Kunst.
grap·ple [ˈgræpl] ringen, kämpfen; *~ with s.th. fig.* sich mit et. herumschlagen.
grasp [grɑːsp] **1.** Griff *m*; Bereich *m*; Beherrschung *f*; Fassungskraft *f*; **2.** (er)greifen, packen; begreifen.
grass [grɑːs] Gras *n*; Rasen *m*; Weide(land *n*) *f*; *sl.* Grass *n* (*Marihuana*); **~·hop·per** *zo.* [ˈgrɑːshɒpə] Heuschrecke *f*; **~ wid·ow** Strohwitwe *f*; *Am.* geschiedene Frau; *Am.* (von ihrem Mann) getrennt lebende Frau; **~ wid·ow·er** Strohwitwer *m*; *Am.* geschiedener Mann; *Am.* (von s-r Frau) getrennt lebender Mann; **gras·sy** [~ɪ] (*-ier, -iest*) grasbedeckt, Gras...

grate [greɪt] **1.** (Kamin)Gitter *n*; (Feuer)Rost *m*; **2.** reiben, raspeln; knirschen (mit); *~ on s.o.'s nerves* an j-s Nerven zerren.
grate·ful □ [ˈgreɪtfl] dankbar.
grat·er [ˈgreɪtə] Reibe *f*.
grat·i|fi·ca·tion [grætɪfɪˈkeɪʃn] Befriedigung *f*; Freude *f*; ⚠ *nicht Gratifikation*; **~·fy** [ˈgrætɪfaɪ] erfreuen; befriedigen.
grat·ing[1] □ [ˈgreɪtɪŋ] kratzend, knirschend, quietschend; schrill; unangenehm.
grat·ing[2] [~] Gitter(werk) *n*.
grat·i·tude [ˈgrætɪtjuːd] Dankbarkeit *f*.
gra·tu·i|tous □ [grəˈtjuːɪtəs] unentgeltlich; freiwillig; **~·ty** [~ˈtjuːətɪ] Abfindung *f*; Gratifikation *f*; Trinkgeld *n*.
grave[1] □ [greɪv] (*~r*, *~st*) ernst; (ge)wichtig; gemessen.
grave[2] [~] Grab *n*; **~·dig·ger** [ˈgreɪvdɪgə] Totengräber *m* (*a. zo.*).
grav·el [ˈgrævl] **1.** Kies *m*; Schotter *m*; ⚕ Harngrieß *m*; **2.** (*bsd. Brt. -ll-*, *Am. -l-*) mit Kies bestreuen.
grave|stone [ˈgreɪvstəʊn] Grabstein *m*; **~·yard** Friedhof *m*.
grav·i·ta·tion [grævɪˈteɪʃn] *phys.* Schwerkraft *f*; *fig.* Hang *m*, Neigung *f*.
grav·i·ty [ˈgrævətɪ] Schwere *f*, Ernst *m*; *phys.* Schwerkraft *f*.
gra·vy [ˈgreɪvɪ] Bratensaft *m*; Bratensoße *f*.
gray *bsd. Am.* [greɪ] grau.
graze[1] [greɪz] *Vieh* weiden (lassen); (ab)weiden; (ab)grasen.
graze[2] [~] **1.** streifen; schrammen; *Haut* (ab-, auf)schürfen, (auf-)schrammen; **2.** Abschürfung *f*, Schramme *f*.
grease 1. [griːs] Fett *n*; Schmiere *f*; **2.** [griːz] (be)schmieren.
greas·y □ [ˈgriːzɪ] (*-ier, -iest*) fett(ig), ölig; schmierig.
great □ [greɪt] groß, Groß...; F großartig; **~-grand·child** [greɪtˈgræntʃaɪld] (*pl. -children*) Urenkel(in); **~-grand·fa·ther** Urgroßvater *m*; **~-grand·moth·er** Urgroßmutter *f*; **~-grand·par·ents** *pl.* Urgroßeltern *pl.*; **~·ly** [ˈgreɪtlɪ] sehr; **~·ness** [~nɪs] Größe *f*; Stärke *f*.
greed [griːd] Gier *f*; **~·y** □ [ˈgriːdɪ] (*-ier, -iest*) gierig (*for* auf *acc.*, nach); habgierig; gefräßig.

Greek [gri:k] **1.** griechisch; **2.** Griech|e *m*, -in *f*; *ling*. Griechisch *n*.

green [gri:n] **1.** □ grün (*a. fig.*); frisch (*Fisch etc.*); neu; Grün...; **2.** Grün *n*; Grünfläche *f*, Rasen *m*; *~s pl.* grünes Gemüse, Blattgemüse *n*; **~·back** *Am.* F ['gri:nbæk] Dollarschein *m*; **~ belt** Grüngürtel *m* (*um e-e Stadt*); **~·gro·cer** *bsd. Brt.* Obst- u. Gemüsehändler(in); **~·gro·cer·y** *bsd. Brt.* Obst- u. Gemüsehandlung *f*; **~·horn** Greenhorn *n*, Grünschnabel *m*; **~·house** Gewächs-, Treibhaus *n*; **~·ish** [~ɪʃ] grünlich.

greet [gri:t] grüßen; **~·ing** ['gri:tɪŋ] Begrüßung *f*, Gruß *m*; *~s pl.* Grüße *pl.*

G

gre·nade ⚔ [grɪ'neɪd] Granate *f*.

grew [gru:] *pret. von grow*.

grey [greɪ] **1.** □ grau; **2.** Grau *n*; **3.** grau machen *od.* werden; **~·hound** *zo.* ['greɪhaʊnd] Windhund *m*.

grid [grɪd] **1.** Gitter *n*; ⚡ *etc.* Versorgungsnetz *n*; **2.** ⚡ Gitter...; *Am.* F Football...; **~·i·ron** ['grɪdaɪən] (Brat)Rost *m*.

grief [gri:f] Gram *m*, Kummer *m*; *come to ~* zu Schaden kommen.

griev|ance ['gri:vns] Beschwerde *f*; Mißstand *m*; **~e** [gri:v] *v/t.* betrüben, bekümmern, *j-m* Kummer bereiten; *v/i.* bekümmert sein; *~ for* trauern um; **~·ous** □ ['gri:vəs] kränkend, schmerzlich; schlimm.

grill [grɪl] **1.** grillen; **2.** Grill *m*; Bratrost *m*; Gegrillte(s) *n*; *a. ~-room* Grillroom *m*.

grim □ [grɪm] (*-mm-*) grimmig; schrecklich; erbittert; F schlimm.

gri·mace [grɪ'meɪs] **1.** Fratze *f*, Grimasse *f*; **2.** Grimassen schneiden.

grime [graɪm] Schmutz *m*; Ruß *m*; **grim·y** □ ['graɪmɪ] (*-ier, -iest*) schmutzig; rußig.

grin [grɪn] **1.** Grinsen *n*; **2.** (*-nn-*) grinsen.

grind [graɪnd] **1.** (*ground*) (zer)reiben; mahlen; schleifen; *Leierkasten etc.* drehen; *fig.* schinden; mit *den Zähnen* knirschen; **2.** Schinderei *f*, Schufterei *f*; ⚠ *nicht Grind*; **~·er** ['graɪndə] (Messer- *etc.*)Schleifer *m*; ⊕ Schleifmaschine *f*; ⊕ Mühle *f*; **~·stone** Schleifstein *m*.

grip [grɪp] **1.** (*-pp-*) packen, fassen (*a. fig.*); **2.** Griff *m* (*a. fig.*); *fig.* Gewalt *f*, Herrschaft *f*; *Am.* Reisetasche *f*.

gripes [graɪps] *pl.* Bauchschmerzen *pl.*, Kolik *f*.

grip·sack *Am.* ['grɪpsæk] Reisetasche *f*.

gris·ly ['grɪzlɪ] (*-ier, -iest*) gräßlich, schrecklich.

gris·tle ['grɪsl] Knorpel *m* (*im Fleisch*).

grit [grɪt] **1.** Kies *m*; Sand(stein) *m*; *fig.* Mut *m*; **2.** (*-tt-*): *~ one's teeth* die Zähne zusammenbeißen.

griz·zly (bear) ['grɪzlɪ(beə)] Grizzly (-bär) *m*, Graubär *m*.

groan [grəʊn] **1.** stöhnen, ächzen; **2.** Stöhnen *n*, Ächzen *n*.

gro·cer ['grəʊsə] Lebensmittelhändler *m*; **~·ies** [~rɪz] *pl.* Lebensmittel *pl.*; **~·y** [~ɪ] Lebensmittelgeschäft *n*.

grog·gy F ['grɒgɪ] (*-ier, -iest*) schwach *od.* wackelig (auf den Beinen).

groin *anat.* [grɔɪn] Leiste(ngegend) *f*.

groom [grʊm] **1.** Pferdepfleger *m*, Stallbursche *m*; = *bridegroom*; **2.** pflegen; *j-n* aufbauen, lancieren.

groove [gru:v] Rinne *f*, Furche *f*; Rille *f*, Nut *f*; **groov·y** *sl.* ['gru:vɪ] (*-ier, -iest*) klasse, toll.

grope [grəʊp] tasten; *sl. Mädchen* befummeln.

gross [grəʊs] **1.** □ dick, fett; grob, derb; *econ.* Brutto...; **2.** Gros *n* (*12 Dutzend*); *in the ~* im ganzen.

gro·tesque □ [grəʊ'tesk] grotesk.

ground[1] [graʊnd] **1.** *pret. u. p.p. von grind 1*; **2.** *~ glass* Mattglas *n*.

ground[2] [graʊnd] **1.** Grund *m*, Boden *m*; Gebiet *n*; (*Spiel- etc.*)Platz *m*; (*Beweg- etc.*)Grund *m*; ⚡ Erde *f*; *~s pl.* Grundstück *n*, Park(s *pl.*) *m*, Gärten *pl.*; (*Kaffee*)Satz *m*; *on the ~(s) of* auf Grund (*gen.*); *stand od. hold od. keep one's ~* sich behaupten; **2.** niederlegen; (be)gründen; *j-m* die Anfangsgründe beibringen; ⚡ erden; **~ crew** ✈ Bodenpersonal *n*; **~ floor** *bsd. Brt.* [graʊnd'flɔ:] Erdgeschoß *n*; **~ forc·es** *pl.* ⚔ Bodentruppen *pl.*, Landstreitkräfte *pl.*; **~·hog** *zo.* Amer. Waldmurmeltier *n*; **~·ing** [~ɪŋ] *Am.* ⚡ Erdung *f*; Grundlagen *pl.*, -kenntnisse *pl.*; **~·less** □ [~lɪs] grundlos; **~·nut** *Brt.* ⚘ Erdnuß *f*; **~ staff** *Brt.* ✈ Bodenpersonal *n*; **~ sta·tion** *Raumfahrt*: Bodenstation *f*; **~·work** Grundlage *f*.

group [gru:p] **1.** Gruppe *f*; **2.** (sich) gruppieren.

group·ie F [ˈgruːpɪ] Groupie *n* (*aufdringlicher weiblicher Fan*).
group·ing [ˈgruːpɪŋ] Gruppierung *f*.
grove [grəʊv] Wäldchen *n*, Gehölz *n*.
grov·el [ˈgrɒvl] (*bsd. Brt.* -ll-, *Am.* -l-) (am Boden) kriechen.
grow [grəʊ] (*grew, grown*) *v/i.* wachsen; werden; ~ *into* hineinwachsen in; werden zu, sich entwickeln zu; ~ *on j-m* lieb werden *od.* ans Herz wachsen; ~ *out of* herauswachsen aus; entstehen aus; ~ *up* aufwachsen, heranwachsen; sich entwickeln; *v/t.* ⚘ anpflanzen, anbauen, züchten; **~·er** [ˈgrəʊə] Züchter *m*, Erzeuger *m*, *in Zssgn* ...bauer *m*.
growl [graʊl] knurren, brummen.
grown [grəʊn] 1. *p.p. von grow*; 2. *adj.* erwachsen; bewachsen; **~-up** [ˈgrəʊnʌp] 1. erwachsen; 2. Erwachsene(r *m*) *f*; **growth** [grəʊθ] Wachstum *n*; (An)Wachsen *n*; Entwicklung *f*; Erzeugnis *n*; ⚕ Gewächs *n*, Wucherung *f*.
grub [grʌb] 1. *zo.* Raupe *f*, Larve *f*, Made *f*; F Futter *n* (*Essen*); 2. (-bb-) graben; sich abmühen; **~·by** [ˈgrʌbɪ] (-*ier*, -*iest*) schmutzig.
grudge [grʌdʒ] 1. Groll *m*; 2. mißgönnen; ungern geben *od.* tun *etc.*
gru·el [grʊəl] Haferschleim *m*.
gruff □ [grʌf] grob, schroff, barsch.
grum·ble [ˈgrʌmbl] 1. murren; 2. Murren *n*; **~r** *fig.* [~ə] Brummbär *m*.
grunt [grʌnt] 1. grunzen; brummen; stöhnen; 2. Grunzen *n*; Stöhnen *n*.
guar·an|tee [gærənˈtiː] 1. Garantie *f*; Bürgschaft *f*; Sicherheit *f*; Zusicherung *f*; 2. (sich ver)bürgen für; garantieren; **~·tor** [~ˈtɔː] Bürge *m*, Bürgin *f*; **~·ty** [ˈgærəntɪ] Garantie *f*; Bürgschaft *f*; Sicherheit *f*.
guard [gɑːd] 1. Wacht *f*; ⚔ Wache *f*; Wächter *m*, Wärter *m*; 🚂 Schaffner *m*; Schutz(vorrichtung *f*) *m*; **♀s** *pl.* Garde *f*; *be on* ~ Wache haben; *be on* (*off*) *one's* ~ (nicht) auf der Hut sein; 2. *v/t.* bewachen, (be)schützen (*from* vor *dat.*); *v/i.* sich hüten (*against* vor *dat.*); **~·ed** [ˈgɑːdɪd] vorsichtig, zurückhaltend; **~·i·an** [~jən] Hüter *m*, Wächter *m*; ⚖ Vormund *m*; *attr.* Schutz...; **~·i·an·ship** ⚖ [~ʃɪp] Vormundschaft *f*.
gue(r)·ril·la ⚔ [gəˈrɪlə] Guerilla *m*; ~ *warfare* Guerillakrieg *m*.
guess [ges] 1. Vermutung *f*; 2. vermuten; schätzen; raten; *Am.* glauben, denken; ~*ing game* Ratespiel *n*; **~·work** [ˈgeswɜːk] (reine) Vermutung(en *pl.*).
guest [gest] 1. Gast *m*; 2. Gast...; **~-house** [ˈgesthaʊs] (Hotel)Pension *f*, Fremdenheim *n*; **~-room** Gast-, Gäste-, Fremdenzimmer *n*.
guf·faw [gʌˈfɔː] 1. schallendes Gelächter; 2. schallend lachen.
guid·ance [ˈgaɪdns] Führung *f*; (An-)Leitung *f*.
guide [gaɪd] 1. (Reise-, Fremden-)Führer(in); ⊕ Führung *f*; *a.* ~*book* (Reise- *etc.*)Führer *m* (*Buch*); *a* ~ *to London* ein London-Führer; *s. girl guide*; 2. leiten; führen; lenken; **guid·ed mis·sile** ⚔ Lenkflugkörper *m*; **guid·ed tour** Führung *f*; **~-line** [ˈgaɪdlaɪn] Richtlinie *f*, -schnur *f* (*on gen.*).
guild *hist.* [gɪld] Gilde *f*, Zunft *f*; **♀·hall** [ˈgɪldˈhɔːl] Rathaus *n* (*von London*).
guile [gaɪl] Arglist *f*; **~·ful** □ [ˈgaɪlfl] arglistig; **~·less** □ [~lɪs] arglos.
guilt [gɪlt] Schuld *f*; Strafbarkeit *f*; **~·less** □ [ˈgɪltlɪs] schuldlos; unkundig; **~·y** □ [~ɪ] (-*ier*, -*iest*) schuldig (*of gen.*).
guin·ea [ˈgɪnɪ] Guinee *f* (*21 Schilling alter Währung*); **~-pig** *zo.* Meerschweinchen *n*.
guise [gaɪz] Erscheinung *f*, Gestalt *f*; *fig.* Maske *f*.
gui·tar ♪ [gɪˈtɑː] Gitarre *f*.
gulch *bsd. Am.* [gʌlʃ] tiefe Schlucht.
gulf [gʌlf] Meerbusen *m*, Golf *m*; Abgrund *m*; Strudel *m*.
gull *zo.* [gʌl] Möwe *f*.
gul·let *anat.* [ˈgʌlɪt] Schlund *m*, Speiseröhre *f*, Gurgel *f*.
gulp [gʌlp] 1. (großer) Schluck; 2. *oft* ~ *down Getränk* hinunterstürzen, *Speise* hinunterschlingen.
gum [gʌm] 1. Gummi *m*, *n*; Klebstoff *m*; ~, *Am.* ~*drop* Gummibonbon *m*, *n*; ~*s pl. anat.* Zahnfleisch *n*; *Am.* Gummischuhe *pl.*; 2. (-mm-) gummieren; kleben.
gun [gʌn] 1. Gewehr *n*; Flinte *f*; Geschütz *n*, Kanone *f*; *Am.* Revolver *m*; *big* ~ F *fig.* hohes Tier; 2. (-nn-): *mst* ~ *down* niederschießen; **~ bat·tle** Feuergefecht *n*, Schießerei *f*; **~·boat** [ˈgʌnbəʊt] Kanonenboot *n*; **~·fight** *Am.* = *gun battle*; **~·fire** Schüsse *pl.*; ⚔ Geschützfeuer *n*; **~·li·cence** Waffenschein *m*; **~·man**

(*pl. -men*) Bewaffnete(r) *m*; Revolverheld *m*; **~·ner** ⚔ [~ə] Kanonier *m*; **~·point:** *at ~* mit vorgehaltener Waffe, mit Waffengewalt; **~·powder** Schießpulver *n*; **~·run·ner** Waffenschmuggler *m*; **~·run·ning** Waffenschmuggel *m*; **~·shot** Schuß *m*; *within* (*out of*) *~* in (außer) Schußweite; **~·smith** Büchsenmacher *m*.

gur·gle [ˈgɜːgl] **1.** glucksen, gluckern, gurgeln; **2.** Glucksen *n*, Gurgeln *n*.

gush [gʌʃ] **1.** Schwall *m*, Strom *m* (*a. fig.*); **2.** sich ergießen, schießen (*from* aus); *fig.* schwärmen.

gust [gʌst] Windstoß *m*, Bö *f*.

gut [gʌt] *anat.* Darm *m*; ♪ Darmsaite *f*; *~s pl.* Eingeweide *pl.*; *das* Innere; *fig.* Schneid *m*, Mumm *m*.

gut·ter [ˈgʌtə] Dachrinne *f*; Gosse *f* (*a. fig.*), Rinnstein *m*.

guy F [gaɪ] Kerl *m*, Typ *m*.

guz·zle [ˈgʌzl] saufen; fressen.

gym F [dʒɪm] = *gymnasium*; *gymnastics*; **~·na·si·um** [dʒɪmˈneɪzjəm] Turn-, Sporthalle *f*; ⚠ *nicht Gymnasium*; **~·nas·tics** [~ˈnæstɪks] *sg.* Turnen *n*, Gymnastik *f*.

gy·n(a)e·col·o|gist [gaɪnɪˈkɒlədʒɪst] Gynäkolog|e *m*, -in *f*, Frauenarzt *m*, -ärztin *f*; **~·gy** [~dʒɪ] Gynäkologie *f*, Frauenheilkunde *f*.

gyp·sy *bsd. Am.* [ˈdʒɪpsɪ] = *gipsy*.

gy·rate [dʒaɪəˈreɪt] kreisen, sich (im Kreis) drehen, (herum)wirbeln.

H

hab·er·dash·er [ˈhæbədæʃə] *Brt.* Kurzwarenhändler *m*; *Am.* Herrenausstatter *m*; **~·y** [~rɪ] *Brt.* Kurzwaren(geschäft *n*) *pl.*; *Am.* Herrenbekleidungsartikel *pl.*; *Am.* Herrenmodengeschäft *n*.

hab|it [ˈhæbɪt] (An)Gewohnheit *f*; *bsd.* Ordenskleidung *f*; *~ of mind* Geistesverfassung *f*; *drink has become a ~ with him* er kommt vom Alkohol nicht mehr los; **~·i·ta·ble** □ [~əbl] bewohnbar.

ha·bit·u·al □ [həˈbɪtjʊəl] gewohnt, gewöhnlich; Gewohnheits...

hack[1] [hæk] (zer)hacken.

hack[2] [~] Reitpferd *n*; Mietpferd *n*; Klepper *m*; *a. ~ writer* Schreiberling *m*; **~·neyed** [ˈhæknɪd] abgedroschen.

had [hæd] *pret. u. p.p. von have.*

had·dock *zo.* [ˈhædək] Schellfisch *m*.

h(a)e·mor·rhage ⚕ [ˈhemərɪdʒ] Blutung *f*.

hag *fig.* [hæg] häßliches altes Weib, Hexe *f*.

hag·gard □ [ˈhægəd] verhärmt.

hag·gle [ˈhægl] feilschen, schachern.

hail [heɪl] **1.** Hagel *m*; (Zu)Ruf *m*; **2.** (nieder)hageln (lassen); rufen; (be-)grüßen; *~ from* stammen aus; **~·stone** [ˈheɪlstəʊn] Hagelkorn *n*; **~·storm** Hagelschauer *m*.

hair [heə] *einzelnes* Haar; *coll.* Haar *n*, Haare *pl.*; **~·breadth** [ˈheəbredθ]: *by a ~* um Haaresbreite; **~·brush** Haarbürste *f*; **~·cut** Haarschnitt *m*; **~·do** (*pl. -dos*) F Frisur *f*; **~·dress·er** Friseur *m*, Friseuse *f*; **~-dri·er, ~-dry·er** [~draɪə] Trockenhaube *f*; Haartrockner *m*; *TM* Fön *m*; **~-grip** *Brt.* Haarklammer *f*, -klemme *f*; **~·less** [~lɪs] ohne Haare, kahl; **~·pin** Haarnadel *f*; *~ bend* Haarnadelkurve *f*; **~-rais·ing** [~reɪzɪŋ] haarsträubend; **~'s breadth** = *hairbreadth*; **~-slide** *Brt.* Haarspange *f*; **~-split·ting** Haarspalterei *f*; **~ spray** Haarspray *m, n*; **~·style** Frisur *f*; **~ styl·ist** Hair-Stylist *m*, Haarstilist *m*, Damenfriseur *m*; **~·y** [~rɪ] (*-ier, -iest*) behaart; haarig.

hale [heɪl]: *~ and hearty* gesund u. munter.

half [hɑːf] **1.** (*pl. halves* [~vz]) Hälfte *f*; *by halves* nur halb; *go halves* halbe-halbe machen, teilen; **2.** halb; *~ an hour* e-e halbe Stunde; *~ a pound* ein halbes Pfund; *~ past ten* halb elf (Uhr); *~ way up* auf halber Höhe; **~-back** [ˈhɑːfˈbæk] *Fußball*: Läufer *m*; **~-breed** [~briːd] Halbblut *n*; **~ broth·er** Halbbruder *m*; **~-caste** Halbblut *n*; **~-heart·ed** □

[~ˈhɑːtɪd] lustlos, lau; **~-length:** ~ *portrait* Brustbild *n*; **~-mast:** *fly at* ~ auf halbmast wehen; **~·pen·ny** [ˈheɪpnɪ] (*pl. -pennies, -pence*) halber Penny; ~ **sis·ter** Halbschwester *f*; **~-term** *Brt. univ. kurze Ferien in der Mitte e-s Trimesters*; **~-time** [ˈhɑːfˈtaɪm] *Sport*: Halbzeit *f*; **~-way** halb; auf halbem Weg, in der Mitte; **~-wit·ted** schwachsinnig.

hal·i·but *zo.* [ˈhælɪbət] Heilbutt *m*.

hall [hɔːl] Halle *f*, Saal *m*; Flur *m*, Diele *f*; Herrenhaus *n*; *univ*. Speisesaal *m*; ~ *of residence* Studentenwohnheim *n*.

hal·lo *Brt.* [həˈləʊ] = *hello*.

hal·low [ˈhæləʊ] heiligen, weihen; **2-e'en** [hæləʊˈiːn] Abend *m* vor Allerheiligen.

hal·lu·ci·na·tion [həluːsɪˈneɪʃn] Halluzination *f*.

hall·way *bsd. Am.* [ˈhɔːlweɪ] Halle *f*, Diele *f*; Korridor *m*.

ha·lo [ˈheɪləʊ] (*pl. -loes, -los*) *ast.* Hof *m*; Heiligenschein *m*.

halt [hɔːlt] **1.** Halt(estelle *f*) *m*; Stillstand *m*; **2.** (an)halten.

hal·ter [ˈhɔːltə] Halfter *m*, *n*; Strick *m*.

halve [hɑːv] halbieren; **~s** [hɑːvz] *pl. von half 1*.

ham [hæm] Schinken *m*; ~ *and eggs* Schinken mit (Spiegel)Ei.

ham·burg·er [ˈhæmbɜːgə] *Am.* Rinderhack *n*; *a.* 2 *steak* Hamburger *m*, Frikadelle *f* (*aus Rinderhack*).

ham·let [ˈhæmlɪt] Weiler *m*.

ham·mer [ˈhæmə] **1.** Hammer *m*; **2.** hämmern.

ham·mock [ˈhæmək] Hängematte *f*.

ham·per[1] [ˈhæmpə] (Trag)Korb *m* (*mit Deckel*); Geschenk-, Freßkorb *m*.

ham·per[2] [~] (be)hindern; stören.

ham·ster *zo.* [ˈhæmstə] Hamster *m*.

hand [hænd] **1.** Hand *f* (*a. fig.*); Handschrift *f*; Handbreite *f*; (Uhr-)Zeiger *m*; Mann *m*, Arbeiter *m*; *Karten*: Blatt *n*; *at* ~ bei der Hand; nahe bevorstehend; *at first* ~ aus erster Hand; *a good* (*poor*) ~ *at* (un)geschickt in (*dat.*); ~ *and glove* ein Herz und eine Seele; *change* ~*s* den Besitzer wechseln; *lend a* ~ (mit) anfassen; *off* ~ aus dem Handgelenk *od.* Stegreif; *on* ~ *econ.* vorrätig, auf Lager; *bsd. Am.* zur Stelle, bereit; *on one's* ~*s* auf dem Hals; *on the one* ~ einerseits; *on the other* ~ andererseits; **2.** ein-, aushändigen, (über)geben, (-)reichen; ~ *around* herumreichen; ~ *down* herunterreichen; vererben; ~ *in et.* hinein-, hereinreichen; *Prüfungsarbeit etc.* abgeben; *Bericht, Gesuch* einreichen; ~ *on* weiterreichen, -geben; ~ *out* aus-, verteilen; ~ *over* übergeben; aushändigen; ~ *up* hinauf-, heraufreichen; **~·bag** [ˈhændbæg] Handtasche *f*; **~·bill** Handzettel *m*, Flugblatt *n*; **~·brake** ⊕ Handbremse *f*; **~·cuffs** *pl.* Handschellen *pl.*; **~·ful** [~fʊl] Handvoll *f*; F Plage *f*.

hand·i·cap [ˈhændɪkæp] **1.** Handikap *n*; *Sport*: Vorgabe *f*; Vorgaberennen *n*, -spiel *n*, -kampf *m*; *fig.* Behinderung *f*, Benachteiligung *f*, Nachteil *m*; *s. mental, physical*; **2.** (*-pp-*) (be)hindern, benachteiligen, belasten; *Sport*: mit Handikaps belegen; **~ped 1.** gehandikapt, behindert, benachteiligt; *s. mental, physical*; **2.** *the* ~ *pl.* ⚕ die Behinderten *pl.*

hand·ker·chief [ˈhæŋkətʃɪf] (*pl. -chiefs*) Taschentuch *n*.

han·dle [ˈhændl] **1.** Griff *m*; Stiel *m*; Henkel *m*; (*Pumpen- etc.*)Schwengel *m*; *fig.* Handhabe *f*; *fly off the* ~ F wütend werden; **2.** anfassen; handhaben; behandeln; ⚠ *nicht handeln*; **~·bar(s** *pl.*) Lenkstange *f*.

hand|**lug·gage** [ˈhændlʌgɪdʒ] Handgepäck *n*; **~·made** handgearbeitet; **~·rail** Geländer *n*; **~·shake** Händedruck *m*; **~·some** □ [ˈhænsəm] (*~r, ~st*) ansehnlich; hübsch; anständig; **~·work** Handarbeit *f*; **~·writ·ing** Handschrift *f*; **~·writ·ten** handgeschrieben; **~·y** □ [~ɪ] (*-ier, -iest*) geschickt; handlich; nützlich; zur Hand; *come in* ~ sich als nützlich erweisen; sehr gelegen kommen.

hang[1] [hæŋ] **1.** (*hung*) *v/t.* hängen; auf-, einhängen; verhängen; hängenlassen; *Tapete* ankleben; *v/i.* hängen; schweben; sich neigen; ~ *about*, ~ *around* herumlungern; ~ *back* zögern; ~ *on* sich klammern (*to* an *acc.*) (*a. fig.*); ~ *up teleph.* einhängen, auflegen; *she hung up on me* sie legte einfach auf; **2.** Fall *m*, Sitz *m* (*e-s Kleides etc.*); *get the* ~ *of s.th.* et. kapieren, den Dreh rauskriegen (bei et.).

H

hang[2] [~] (*hanged*) (auf)hängen; ~ *o.s.* sich erhängen.
han·gar [ˈhæŋə] Hangar *m*, Flugzeughalle *f*.
hang·dog [ˈhæŋdɒg] Armesünder...
hang·er [ˈhæŋə] Kleiderbügel *m*; **~-on** *fig.* [~ərˈɒn] (*pl. hangers-on*) Klette *f*.
hang|-glid·er [ˈhæŋglaɪdə] (Flug-)Drachen *m*; Drachenflieger(in); **~-glid·ing** [~ɪŋ] Drachenfliegen *n*.
hang·ing [ˈhæŋɪŋ] **1.** hängend; Hänge...; **2.** (Er)Hängen *n*; *~s* Tapete *f*, Wandbehang *m*, Vorhang *m*.
hang·man [ˈhæŋmən] (*pl. -men*) Henker *m*.
hang·nail ⚕ [ˈhæŋneɪl] Niednagel *m*.
hang·o·ver F [ˈhæŋəʊvə] Katzenjammer *m*, Kater *m*.
han·ker [ˈhæŋkə] sich sehnen (*after*, *for* nach).
hap·haz·ard [ˈhæpˈhæzəd] **1.** Zufall *m*; *at ~* aufs Geratewohl; **2.** □ willkürlich, plan-, wahllos.
hap·pen [ˈhæpən] sich ereignen, geschehen; *he ~ed to be at home* er war zufällig zu Hause; *~ on*, *~ upon* zufällig treffen auf (*acc.*); *~ in Am.* F hereinschneien; **~·ing** [ˈhæpnɪŋ] Ereignis *n*, Vorkommnis *n*; Happening *n*.
hap·pi|ly [ˈhæpɪlɪ] glücklich(erweise); **~·ness** [~nɪs] Glück(seligkeit *f*) *n*.
hap·py □ [ˈhæpɪ] (*-ier*, *-iest*) glücklich; beglückt; erfreut; erfreulich; geschickt; treffend; F beschwipst; **~-go-luck·y** unbekümmert.
ha·rangue [həˈræŋ] **1.** Strafpredigt *f*; **2.** *v/t. j-m* e-e Strafpredigt halten.
har·ass [ˈhærəs] belästigen, quälen.
har·bo(u)r [ˈhɑːbə] **1.** Hafen *m*; Zufluchtsort *m*; **2.** beherbergen; *Gedanken, Rache etc.* hegen.
hard [hɑːd] **1.** *adj.* □ hart; schwer; mühselig; streng; ausdauernd; fleißig; heftig; hart (*Droge*), *Getränk a.* stark; *~ of hearing* schwerhörig; **2.** *adv.* stark; tüchtig; mit Mühe; *~ by* nahe bei; *~ up* in Not; **~-boiled** [ˈhɑːdbɔɪld] hart(gekocht); *fig.* hart, unsentimental, nüchtern; **~ cash** Bargeld *n*; klingende Münze; **~ core** harter Kern (*e-r Bande etc.*); **~-core** zum harten Kern gehörend; hart (*Pornographie*); **~·cov·er** *print.* **1.** gebunden; **2.** Hard cover *n*, gebundene Ausgabe; **~·en** [~n] härten; hart machen *od.* werden; (sich) abhärten; *fig.* (sich) verhärten (*to* gegen); *econ.* sich festigen (*Preise*); **~ hat** Schutzhelm *m* (*für Bauarbeiter etc.*); **~·head·ed** nüchtern, praktisch; *bsd. Am.* starr-, dickköpfig; **~ la·bo(u)r** ⚖ Zwangsarbeit *f*; **~ line** *bsd. pol.* harter Kurs; **~-line** *bsd. pol.* hart, kompromißlos; **~·heart·ed** □ hart(-herzig); **~·ly** [~lɪ] kaum; streng; mit Mühe; **~·ness** [~nɪs] Härte *f*; Schwierigkeit *f*; Not *f*; **~·ship** [~ʃɪp] Bedrängnis *f*, Not *f*; Härte *f*; **~ shoul·der** *mot.* Standspur *f*; **~·ware** Eisenwaren *pl.*; Haushaltswaren *pl.*; *Computer*: Hardware *f* (*technisch-physikalische Teile*); *Sprachlabor*: Hardware *f*, technische Ausrüstung; **har·dy** □ [~ɪ] (*-ier*, *-iest*) kühn; widerstandsfähig, hart; abgehärtet; winterfest (*Pflanze*).
hare *zo.* [heə] Hase *m*; **~·bell** ⚘ [ˈheəbel] Glockenblume *f*; **~-brained** verrückt (*Person*, *Plan*); **~·lip** *anat.* [~ˈlɪp] Hasenscharte *f*.
hark [hɑːk]: *~ back* F zurückgreifen, -kommen, *a. zeitlich*: zurückgehen (*to* auf *acc.*).
harm [hɑːm] **1.** Schaden *m*; Unrecht *n*, Böse(s) *n*; **2.** beschädigen, verletzen; schaden, Leid zufügen (*dat.*); **~·ful** □ [ˈhɑːmfl] schädlich; **~·less** □ [~lɪs] harmlos; unschädlich.
har·mo|ni·ous □ [hɑːˈməʊnjəs] harmonisch; **~·nize** [ˈhɑːmənaɪz] *v/t.* in Einklang bringen; *v/i.* harmonieren; **~·ny** [~ɪ] Harmonie *f*.
har·ness [ˈhɑːnɪs] **1.** Harnisch *m*; (Pferde- *etc.*)Geschirr *n*; *die in ~ fig.* in den Sielen sterben; **2.** anschirren; *Naturkräfte etc.* nutzbar machen.
harp [hɑːp] **1.** ♪ Harfe *f*; **2.** ♪ Harfe spielen; *~ on fig.* herumreiten auf (*dat.*).
har·poon [hɑːˈpuːn] **1.** Harpune *f*; **2.** harpunieren.
har·row ✓ [ˈhærəʊ] **1.** Egge *f*; **2.** eggen.
har·row·ing □ [ˈhærəʊɪŋ] quälend, qualvoll, erschütternd.
harsh □ [hɑːʃ] rauh; herb; grell; streng; schroff; barsch.
hart *zo.* [hɑːt] Hirsch *m*.
har·vest [ˈhɑːvɪst] **1.** Ernte(zeit) *f*; (Ernte)Ertrag *m*; **2.** ernten; einbringen; **~·er** [~ə] *bsd.* Mähdrescher *m*.
has [hæz] *3. sg. pres. von have*.
hash[1] [hæʃ] **1.** Haschee *n*; *fig.* Durch-

einander *n*; *make a ~ of* verpfuschen; **2.** *Fleisch* zerhacken, -kleinern.
hash² F [~] Hasch *n* (*Haschisch*).
hash·ish [ˈhæʃiːʃ] Haschisch *n*.
hasp [hɑːsp] Schließband *n*, (Verschluß)Spange *f*.
haste [heɪst] Eile *f*; Hast *f*; *make ~* sich beeilen; **has·ten** [ˈheɪsn] *j-n* antreiben; (sich be)eilen; *et.* beschleunigen; **hast·y** □ [ˈheɪstɪ] (*-ier, -iest*) (vor)eilig; hastig; hitzig, heftig.
hat [hæt] Hut *m*.
hatch¹ [hætʃ] *a. ~ out* ausbrüten; ausschlüpfen.
hatch² [~] ⚓, ✈ Luke *f*; Durchreiche *f* (*für Speisen*); **~·back** *mot.* [ˈhætʃbæk] (Wagen *m* mit) Hecktür *f*.
hatch·et [ˈhætʃɪt] (Kriegs)Beil *n*.
hatch·way ⚓ [ˈhætʃweɪ] Luke *f*.
hate [heɪt] **1.** Haß *m*; **2.** hassen; **~·ful** □ [ˈheɪtfl] verhaßt; abscheulich; **ha·tred** [~rɪd] Haß *m*.
haugh|ti·ness [ˈhɔːtɪnɪs] Stolz *m*; Hochmut *m*; **~·ty** □ [~ɪ] stolz; hochmütig.
haul [hɔːl] **1.** Ziehen *n*; (Fisch)Zug *m*; Transport(weg) *m*; **2.** ziehen; schleppen; transportieren; ⚒ fördern; ⚓ abdrehen.
haunch [hɔːntʃ] Hüfte *f*; *zo.* Keule *f*; *Am. a. ~es pl.* Gesäß *n*; *zo.* Hinterbacken *pl*.
haunt [hɔːnt] **1.** Aufenthaltsort *m*; Schlupfwinkel *m*; **2.** oft besuchen; heimsuchen; verfolgen; spuken in (*dat.*); **~·ing** □ [ˈhɔːntɪŋ] quälend; unvergeßlich, eindringlich.
have [hæv] (*had*) *v/t.* haben; bekommen; *Mahlzeit* einnehmen; *~ to do* tun müssen; *I had my hair cut* ich ließ mir die Haare schneiden; *he will ~ it that* ... er behauptet, daß ...; *I had better go* es wäre besser, wenn ich ginge; *I had rather go* ich möchte lieber gehen; *~ about one* bei *od.* an sich haben; *~ on* anhaben; *~ it out with* sich auseinandersetzen mit; *v/aux.* haben; *bei v/i. oft* sein; *~ come* gekommen sein.
ha·ven [ˈheɪvn] Hafen *m* (*mst fig.*).
hav·oc [ˈhævək] Verwüstung *f*; *play ~ with* verwüsten, zerstören; verheerend wirken auf (*acc.*), übel mitspielen (*dat.*).
haw ⚘ [hɔː] Mehlbeere *f*.
Ha·wai·i·an [həˈwaɪɪən] **1.** hawaiisch; **2.** Hawaiianer(in); *ling.* Hawaiisch *n*.
hawk¹ *zo.* [hɔːk] Habicht *m*, Falke *m*.
hawk² [~] hausieren (gehen) mit; auf der Straße verkaufen.
haw·thorn ⚘ [ˈhɔːθɔːn] Weißdorn *m*.
hay [heɪ] **1.** Heu *n*; **2.** Heu machen; **~·cock** [ˈheɪkɒk] Heuhaufen *m*; **~ fe·ver** Heuschnupfen *m*; **~·loft** Heuboden *m*; **~·rick, ~·stack** Heumiete *f*.
haz·ard [ˈhæzəd] **1.** Zufall *m*; Gefahr *f*, Wagnis *n*; Hasard(spiel) *n*; **2.** wagen; **~·ous** □ [~əs] gewagt.
haze [heɪz] Dunst *m*, feiner Nebel.
ha·zel [ˈheɪzl] **1.** ⚘ Haselnuß *f*, Hasel(nuß)strauch *m*; **2.** (hasel)nußbraun; **~-nut** ⚘ Haselnuß *f*.
haz·y □ [ˈheɪzɪ] (*-ier, -iest*) dunstig, diesig; *fig.* unklar.
H-bomb ⚔ [ˈeɪtʃbɒm] H-Bombe *f*, Wasserstoffbombe *f*.
he [hiː] **1.** er; **2.** Er *m*; *zo.* Männchen *n*; **3.** *adj. in Zssgn, bsd. zo.*: männlich, ...männchen *n*; *~-goat* Ziegenbock *m*.
head [hed] **1.** Kopf *m* (*a. fig.*); Haupt *n* (*a. fig.*); *nach Zahlwort* (*pl. ~*): Kopf *m*, Person *f*, Stück *n* (*Vieh etc.*); Leiter(in); Chef *m*; Kopfende *n* (*e-s Bettes etc.*); Kopfseite *f* (*e-r Münze*); Gipfel *m*; Quelle *f*; Vorderteil *n*; ⚓ Bug *m*; Hauptpunkt *m*, Abschnitt *m*; Überschrift *f*; *come to a ~* eitern (*Geschwür*); *fig.* sich zuspitzen, zur Entscheidung kommen; *get it into one's ~ that* ... es sich in den Kopf setzen, daß; *lose one's ~* den Kopf *od.* die Nerven verlieren; *~ over heels* Hals über Kopf; **2.** Ober..., Haupt..., Chef..., oberste(r, -s), erste(r, -s); **3.** *v/t.* (an)führen; an der Spitze von *et.* stehen; vorausgehen (*dat.*); mit e-r Überschrift versehen; *~ off* ablenken; *v/i.* gehen, fahren; sich bewegen (*for* auf *acc.* ... zu), lossteuern, -gehen (*for* auf *acc.*); ⚓ zusteuern (*for* auf *acc.*); entspringen (*Fluß*); **~·ache** [ˈhedeɪk] Kopfweh *n*; **~·band** Stirnband *n*; **~·dress** Kopfschmuck *m*; **~·gear** Kopfbedeckung *f*; Zaumzeug *n*; **~·ing** [~ɪŋ] Brief-, Titelkopf *m*, Rubrik *f*; Überschrift *f*, Titel *m*; Kopfballspiel *n*; **~·land** [~lənd] Vorgebirge *n*, Kap *n*; **~·light** *mot.* Scheinwerfer(licht *n*) *m*; **~·line** Überschrift *f*; Schlagzeile *f*; *~s pl. Rundfunk, TV*: *das* Wichtigste

in Schlagzeilen; **~·long 1.** *adj.* ungestüm; **2.** *adv.* kopfüber; **~·mas·ter** *Schule*: Direktor *m*, Rektor *m*; **~·mis·tress** *Schule*: Direktorin *f*, Rektorin *f*; **~-on** frontal; ~ *collision* Frontalzusammenstoß *m*; **~·phones** *pl.* Kopfhörer *pl.*; **~·quar·ters** *pl.* ⚔ Hauptquartier *n*; Zentrale *f*; **~·rest, ~ re·straint** Kopfstütze *f*; **~·set** *bsd. Am.* Kopfhörer *pl.*; **~ start** *Sport*: Vorgabe *f*, -sprung (*a. fig.*); **~·strong** halsstarrig; **~·wa·ters** *pl.* Quellgebiet *n*; **~·way** *fig.* Fortschritt(e *pl.*) *m*; *make* ~ (gut) vorankommen; **~·word** Stichwort *n* (*in e-m Wörterbuch*); **~·y** □ [~ɪ] (*-ier, -iest*) ungestüm; voreilig; zu Kopfe steigend.

H

heal [hiːl] heilen; ~ *over*, ~ *up* (zu-)heilen.

health [helθ] Gesundheit *f*; ~ *club* Fitneßclub *m*; ~ *food* Reformkost *f*; ~ *food shop* (*bsd. Am. store*) Reformhaus *n*; ~ *insurance* Krankenversicherung *f*; ~ *resort* Kurort *m*; ~ *service* Gesundheitsdienst *m*; **~·ful** □ [ˈhelθfl] gesund; heilsam; **~·y** □ [~ɪ] (*-ier, -iest*) gesund.

heap [hiːp] **1.** Haufe(n) *m*; **2.** *a.* ~ *up* aufhäufen, *fig. a.* anhäufen.

hear [hɪə] (*heard*) hören; erfahren; anhören, *j-m* zuhören; erhören; *Zeugen* vernehmen; *Lektion* abhören; **~d** [hɜːd] *pret. u. p.p. von hear*; **~·er** [ˈhɪərə] (Zu)Hörer(in); **~·ing** [~rɪŋ] Gehör *n*; ⚖ Verhandlung *f*; ⚖ Vernehmung *f*; *bsd. pol.* Hearing *n*, Anhörung *f*; *within* (*out of*) ~ *in* (außer) Hörweite; **~·say** Gerede *n*; *by* ~ vom Hörensagen *n*.

hearse [hɜːs] Leichenwagen *m*.

heart [hɑːt] *anat.* Herz *n* (*a. fig.*); Innere(s) *n*; Kern *m*; *fig.* Liebling *m*, Schatz *m*; *by* ~ auswendig; *out of* ~ mutlos; *cross my* ~ Hand aufs Herz, auf Ehre u. Gewissen; *lay to* ~ sich zu Herzen nehmen; *lose* ~ den Mut verlieren; *take* ~ sich ein Herz fassen; **~·ache** [ˈhɑːteɪk] Kummer *m*; **~ at·tack** ⚕ Herzanfall *m*; ⚕ Herzinfarkt *m*; **~·beat** Herzschlag *m*; **~-break** Leid *n*, großer Kummer; **~-break·ing** □ [~ɪŋ] herzzerreißend; **~-brok·en** gebrochen, verzweifelt; **~·burn** ⚕ Sodbrennen *n*; **~en** [~n] ermutigen; **~ fail·ure** ⚕ Herzinsuffizienz *f*; ⚕ Herzversagen *n*; **~·felt** innig, tiefempfunden.

hearth [hɑːθ] Herd *m* (*a. fig.*).

heart|less □ [ˈhɑːtlɪs] herzlos; **~·rend·ing** □ [ˈhɑːtrendɪŋ] herzzerreißend; **~ trans·plant** ⚕ Herzverpflanzung *f*, -transplantation *f*; **~·y** □ [~ɪ] (*-ier, -iest*) herzlich; aufrichtig; gesund; herzhaft.

heat [hiːt] **1.** Hitze *f*; Wärme *f*; Eifer *m*; *Sport*: Vorlauf *m*; *zo.* Läufigkeit *f*; **2.** heizen; (sich) erhitzen (*a. fig.*); **~·ed** □ [ˈhiːtɪd] erhitzt; *fig.* erregt; **~·er** ⊕ [~ə] Heizgerät *n*, Ofen *m*.

heath [hiːθ] Heide *f*; ⚘ Heidekraut *n*.

hea·then [ˈhiːðn] **1.** Heid|e *m*, -in *f*; **2.** heidnisch.

heath·er ⚘ [ˈheðə] Heidekraut *n*.

heat|ing [ˈhiːtɪŋ] Heizung *f*; *attr.* Heiz...; **~·proof, ~-re·sis·tant, ~-re·sist·ing** hitzebeständig; **~ shield** *Raumfahrt*: Hitzeschild *m*; **~-stroke** ⚕ Hitzschlag *m*; **~ wave** Hitzewelle *f*.

heave [hiːv] **1.** Heben *n*; **2.** (*heaved*, *bsd.* ⚓ *hove*) *v/t.* heben; *Seufzer* ausstoßen; *Anker* lichten; *v/i.* sich heben u. senken, wogen.

heav·en [ˈhevn] Himmel *m*; **~·ly** [~lɪ] himmlisch.

heav·i·ness [ˈhevɪnɪs] Schwere *f*, Druck *m*; Schwerfälligkeit *f*; Schwermut *f*.

heav·y □ [ˈhevɪ] (*-ier, -iest*) schwer; schwermütig; schwerfällig; trüb; drückend; heftig (*Regen etc.*); unwegsam (*Straße*); Schwer...; **~ cur·rent** ⚡ Starkstrom *m*; **~-du·ty** ⊕ Hochleistungs...; strapazierfähig; **~·hand·ed** □ ungeschickt; **~-heart·ed** niedergeschlagen; **~·weight** *Boxen*: Schwergewicht(ler *m*) *n*.

He·brew [ˈhiːbruː] **1.** hebräisch; **2.** Hebräer(in), Jude *m*, Jüdin *f*; *ling.* Hebräisch *n*.

heck·le [ˈhekl] *j-m* zusetzen; *e-n Redner* durch Zwischenrufe *od.* -fragen aus der Fassung bringen *od.* in die Enge treiben.

hec·tic [ˈhektɪk] (*~ally*) hektisch.

hedge [hedʒ] **1.** Hecke *f*; **2.** *v/t.* mit e-r Hecke einfassen *od.* umgeben; *v/i.* ausweichen, sich nicht festlegen (wollen); **~·hog** *zo.* [ˈhedʒhɒg] Igel *m*; *Am.* Stachelschwein *n*; **~·row** Hecke *f*.

heed [hiːd] **1.** Beachtung *f*, Aufmerksamkeit *f*; *take* ~ *of*, *give od. pay* ~ *to* achtgeben auf (*acc.*), beachten; **2.** beachten, achten auf (*acc.*); **~·less** □

['hi:dlɪs] unachtsam; unbekümmert (*of* um).

heel [hi:l] **1.** Ferse *f*; Absatz *m*; *Am. sl.* Lump *m*; *head over* ~*s* Hals über Kopf; *down at* ~ mit schiefen Absätzen; *fig.* abgerissen; schlampig; **2.** Absätze machen auf.

hef·ty ['heftɪ] (*-ier, -iest*) kräftig, stämmig; mächtig (*Schlag etc.*), gewaltig.

heif·er *zo.* ['hefə] Färse *f*, junge Kuh.

height [haɪt] Höhe *f*; Höhepunkt *m*; ~**·en** ['haɪtn] erhöhen; vergrößern.

hei·nous □ ['heɪnəs] abscheulich.

heir [eə] Erbe *m*; ~ *apparent* rechtmäßiger Erbe; ~**·ess** ['eərɪs] Erbin *f*; ~**·loom** ['eəlu:m] Erbstück *n*.

held [held] *pret. u. p.p. von hold 2.*

hel·i|cop·ter ✈ ['helɪkɒptə] Hubschrauber *m*, Helikopter *m*; ~**·port** ✈ Hubschrauberlandeplatz *m*.

hell [hel] **1.** Hölle *f*; *attr.* Höllen...; *what the* ~ ...? F was zum Teufel ...?; *raise* ~ F e-n Mordskrach schlagen; **2.** *int.* F verdammt!, verflucht!; ~**-bent** ['helbent] ganz versessen, wie wild (*for, on* auf *acc.*); ~**·ish** □ [~ɪʃ] höllisch.

hel·lo *int.* [hə'ləʊ] hallo!

helm ⚓ [helm] Ruder *n*, Steuer *n*; ⚠ *nicht Helm.*

hel·met ['helmɪt] Helm *m*.

helms·man ⚓ ['helmzmən] (*pl. -men*) Steuermann *m*.

help [help] **1.** Hilfe *f*; (Hilfs)Mittel *n*; (Dienst)Mädchen *n*; **2.** helfen; ~ *o.s.* sich bedienen, zulangen; *I cannot* ~ *it* ich kann es nicht ändern; *I could not* ~ *laughing* ich mußte einfach lachen; ~**·er** ['helpə] Helfer(in); ~**·ful** □ [~fl] hilfreich; nützlich; ~**·ing** [~ɪŋ] Portion *f* (*Essen*); ~**·less** □ [~lɪs] hilflos; ~**·less·ness** [~nɪs] Hilflosigkeit *f*.

hel·ter-skel·ter ['heltə'skeltə] **1.** *adv.* holterdiepolter, Hals über Kopf; **2.** *adj.* hastig, überstürzt; **3.** *Brt.* Rutschbahn *f*.

helve [helv] Stiel *m*, Griff *m*.

Hel·ve·tian [hel'vi:ʃjən] Helvetier(in); *attr.* Schweizer...

hem [hem] **1.** Saum *m*; **2.** (*-mm-*) säumen; ~ *in* einschließen.

hem·i·sphere *geogr.* ['hemɪsfɪə] Halbkugel *f*, Hemisphäre *f*.

hem·line ['hemlaɪn] (Kleider)Saum *m*.

hem·lock ⚘ ['hemlɒk] Schierling *m*.

hemp ⚘ [hemp] Hanf *m*.

hem·stitch ['hemstɪtʃ] Hohlsaum *m*.

hen [hen] *zo.* Henne *f*, Huhn *n*; Weibchen *n* (*von Vögeln*).

hence [hens] hieraus; daher; *a week* ~ in *od.* nach e-r Woche; ~**·forth** ['hens'fɔ:θ], ~**·for·ward** [~'fɔ:wəd] von nun an.

hen|-house ['henhaʊs] Hühnerstall *m*; ~**·pecked** unter dem Pantoffel (stehend).

her [hɜ:, hə] sie; ihr; ihr(e); sich.

her·ald ['herəld] **1.** *hist.* Herold *m*; **2.** ankündigen; ~ *in* einführen; ~**·ry** [~rɪ] Wappenkunde *f*, Heraldik *f*.

herb ⚘ [hɜ:b] Kraut *n*; **her·ba·ceous** ⚘ [hɜ:'beɪʃəs] krautartig; ~ *border* (Stauden)Rabatte *f*; **herb·age** ['hɜ:bɪdʒ] Gras *n*; Weide *f*; **her·biv·o·rous** □ *zo.* [hɜ:'bɪvərəs] pflanzenfressend.

herd [hɜ:d] **1.** Herde *f* (*a. fig.*), *wildlebender Tiere a.* Rudel *n*; **2.** *v/t. Vieh* hüten; *v/i. a.* ~ *together* in e-r Herde leben; sich zusammendrängen; ~**s·man** ['hɜ:dzmən] (*pl. -men*) Hirt *m*.

here [hɪə] hier; hierher; ~ *you are* hier(, bitte); ~*'s to you!* auf dein Wohl!

here|a·bout(s) ['hɪərəbaʊt(s)] hier herum, in dieser Gegend; ~**·af·ter** [hɪər'ɑ:ftə] **1.** künftig; **2.** *das* Jenseits; ~**·by** ['hɪə'baɪ] hierdurch.

he·red·i|ta·ry [hɪ'redɪtərɪ] erblich; Erb...; ~**·ty** [~ɪ] Erblichkeit *f*; ererbte Anlagen *pl.*, Erbmasse *f*.

here|in ['hɪər'ɪn] hierin; ~**·of** [~'ɒv] hiervon.

her·e|sy ['herəsɪ] Häresie *f*, Ketzerei *f*; ~**·tic** [~tɪk] Häretiker(in), Ketzer(in).

here|up·on ['hɪərə'pɒn] hierauf; ~**·with** hiermit.

her·i·tage ['herɪtɪdʒ] Erbschaft *f*.

her·mit ['hɜ:mɪt] Einsiedler *m*.

he·ro ['hɪərəʊ] (*pl. -roes*) Held *m*; ~**·ic** [hɪ'rəʊɪk] (~*ally*) heroisch; heldenhaft; Helden...

her·o·in ['herəʊɪn] Heroin *n*.

her·o|ine ['herəʊɪn] Heldin *f*; ~**·is·m** [~ɪzəm] Heldenmut *m*, -tum *n*.

her·on *zo.* ['herən] Reiher *m*.

her·ring *zo.* ['herɪŋ] Hering *m*.

hers [hɜ:z] der, die, das ihr(ig)e; ihr.

her·self [hɜ:'self] sie selbst; ihr selbst; sich; *by* ~ von selbst, allein, ohne Hilfe.

hes·i|tant □ [ˈhezɪtənt] zögernd, zaudernd, unschlüssig; **~·tate** [~eɪt] zögern, zaudern, unschlüssig sein, Bedenken haben; **~·ta·tion** [heziˈteɪʃn] Zögern *n*, Zaudern *n*, Unschlüssigkeit *f*; *without* ~ ohne zu zögern, bedenkenlos.

hew [hju:] (*hewed, hewed od. hewn*) hauen, hacken; ~ *down* fällen, umhauen; **~n** [hju:n] *p.p. von hew*.

hey *int.* [heɪ] ei!, hei!; he!, heda!

hey·day [ˈheɪdeɪ] Höhepunkt *m*, Blüte *f*.

hi *int.* [haɪ] hallo!; he!, heda!

hi·ber·nate *zo.* [ˈhaɪbəneɪt] Winterschlaf halten.

hic|cup, ~·cough [ˈhɪkʌp] **1.** Schluckauf *m*; **2.** den Schluckauf haben.

hid [hɪd] *pret. von hide²*; **~·den** [ˈhɪdn] *p.p. von hide²*.

hide¹ [haɪd] Haut *f*, Fell *n*.

hide² [~] (*hid, hidden*) (sich) verbergen, -stecken; **~-and-seek** [ˈhaɪdnˈsi:k] Versteckspiel *n*; **~·a·way** F [~əweɪ] Versteck *n*; **~·bound** engstirnig.

hid·e·ous □ [ˈhɪdɪəs] scheußlich.

hide·out [ˈhaɪdaʊt] Versteck *n*.

hid·ing¹ F [ˈhaɪdɪŋ] Tracht *f* Prügel.

hid·ing² [~] Verstecken *n*, -bergen *n*, **~-place** Versteck *n*.

hi-fi [ˈhaɪˈfaɪ] **1.** (*pl. hi-fis*) Hi-Fi *n*; Hi-Fi-Anlage *f*; **2.** Hi-Fi-...

high [haɪ] **1.** *adj.* □ hoch; vornehm; gut, edel (*Charakter*); stolz; hochtrabend; angegangen (*Fleisch*); extrem; stark; üppig, flott (*Leben*); F blau (*betrunken*); F high (*im Drogenrausch; in euphorischer Stimmung*); Haupt..., Hoch..., Ober...; *with a* ~ *hand* arrogant, anmaßend; *in* ~ *spirits* guter Laune; ~ *society* High-Society *f*, gehobene Gesellschaftsschicht; 𝟤 *Tech* = 𝟤 *Technology* Hochtechnologie *f*; ~ *time* höchste Zeit; ~ *words* heftige Worte; **2.** *meteor.* Hoch *n*; **3.** *adv.* hoch; stark, heftig; **~·ball** *Am.* [ˈhaɪbɔ:l] Highball *m* (*Whisky-Cocktail*); **~·brow** F **1.** Intellektuelle(r *m*) *f*; **2.** betont intellektuell; **~-class** erstklassig; ~ **fi·del·i·ty** High-Fidelity *f*; **~-fi·del·i·ty** High-Fidelity-...; **~-grade** hochwertig; **~-hand·ed** □ anmaßend; ~ **jump** *Sport*: Hochsprung *m*; ~ **jump·er** *Sport*: Hochspringer(in); **~·land** [ˈhaɪlənd] *mst* ~*s pl.* Hochland *n*; **~·lights** *pl. fig.* Höhepunkte *pl.*; **~·ly** [~lɪ] hoch; sehr; *speak* ~ *of s.o.* j-n loben; **~-mind·ed** hochgesinnt; hoch (*Ideale*); **~·ness** [~nɪs] Höhe *f*; *fig.* Hoheit *f*; **~-pitched** schrill (*Ton*); steil (*Dach*); **~-pow·ered** ⊕ Hochleistungs..., Groß..., stark; dynamisch; **~-pres·sure** *meteor.*, ⊕ Hochdruck...; **~-rise** **1.** Hoch...; Hochhaus...; **2.** Hochhaus *n*; **~·road** Hauptstraße *f*; ~ **school** *bsd. Am.* High-School *f*; ~ **street** Hauptstraße *f*; **~-strung** reizbar, nervös; ~ **tea** *Brt.* (frühes) Abendessen; ~ **wa·ter** Hochwasser *n*; **~·way** *bsd. Am. od.* ⚖ Highway *m*, Haupt(verkehrs)straße *f*; 𝟤 *Code Brt.* Straßenverkehrsordnung *f*; **~·way·man** (*pl. -men*) Straßenräuber *m*.

hi·jack [ˈhaɪdʒæk] **1.** *Flugzeug* entführen; *j-n, Geldtransport etc.* überfallen; **2.** (Flugzeug)Entführung *f*; Überfall *m*; **~·er** [~ə] (Flugzeug)Entführer *m*, Luftpirat *m*; Räuber *m*.

hike F [haɪk] **1.** wandern; **2.** Wanderung *f*; *Am.* Erhöhung *f* (*Preis etc.*); **hik·er** [ˈhaɪkə] Wanderer *m*; **hik·ing** [~ɪŋ] Wandern *n*.

hi·lar·i|ous □ [hɪˈleərɪəs] ausgelassen; **~·ty** [hɪˈlærətɪ] Ausgelassenheit *f*.

hill [hɪl] Hügel *m*, Berg *m*; **~·bil·ly** *Am.* F [ˈhɪlbɪlɪ] Hinterwäldler *m*; ~ *music* Hillbilly-Musik *f*; **~·ock** [ˈhɪlək] kleiner Hügel; **~·side** [ˈhɪlˈsaɪd] Hang *m*; **~·top** Gipfel *m*; **~·y** [ˈhɪlɪ] (*-ier, -iest*) hügelig.

hilt [hɪlt] Griff *m* (*bsd. am Degen*).

him [hɪm] ihn; ihm; sich; **~·self** [hɪmˈself] sich; sich (selbst); (er, ihm, ihn) selbst; *by* ~ von selbst, allein, ohne Hilfe.

hind¹ *zo.* [haɪnd] Hirschkuh *f*.

hind² [~] Hinter...

hind·er¹ [ˈhaɪndə] hintere(r, -s); Hinter...

hin·der² [ˈhɪndə] hindern (*from* an *dat.*); hemmen.

hind·most [ˈhaɪndməʊst] hinterste(r, -s), letzte(r, -s).

hin·drance [ˈhɪndrəns] Hindernis *n*.

hinge [hɪndʒ] **1.** Türangel *f*; Scharnier *n*; *fig.* Angelpunkt *m*; **2.** ~ *on*, ~ *upon fig.* abhängen von.

hint [hɪnt] **1.** Wink *m*; Anspielung *f*; *take a* ~ e-n Wink verstehen; **2.** andeuten; anspielen (*at* auf *acc.*).

hin·ter·land ['hɪntəlænd] Hinterland *n.*
hip[1] *anat.* [hɪp] Hüfte *f.*
hip[2] ⚘ [~] Hagebutte *f.*
hip·pie, hip·py ['hɪpɪ] Hippie *m.*
hip·po *zo.* F ['hɪpəʊ] (*pl. -pos*) = **~·pot·a·mus** *zo.* [hɪpə'pɒtəməs] (*pl. -muses, -mi* [-maɪ]) Fluß-, Nilpferd *n.*
hire ['haɪə] **1.** Miete *f*; Entgelt *n*, Lohn *m*; *for* ~ zu vermieten; frei (*Taxi*); ~ *car* Leih-, Mietwagen *m*; ~ *charge* Leihgebühr *f*; ~ *purchase Brt. econ.* Kauf *m* auf Raten- *od.* Teilzahlung; **2.** mieten; *j-n* anstellen; ~ *out* vermieten.
his [hɪz] sein(e); seine(r, -s).
hiss [hɪs] **1.** zischen; zischeln; *a.* ~ *at* auszischen; **2.** Zischen *n.*
his|to·ri·an [hɪ'stɔːrɪən] Historiker *m*; **~·tor·ic** [hɪ'stɒrɪk] (*~ally*) historisch, geschichtlich; **~·tor·i·cal** □ [~kl] historisch, geschichtlich; Geschichts...; **~·to·ry** ['hɪstərɪ] Geschichte *f*; ~ *of civilization* Kulturgeschichte *f*; *contemporary* ~ Zeitgeschichte *f.*
hit [hɪt] **1.** Schlag *m*, Stoß *m*; *fig.* (Seiten)Hieb *m*; (Glücks)Treffer *m*; Hit *m* (*Buch, Schlager etc.*); **2.** (*-tt-*; *hit*) schlagen, stoßen; treffen; auf *et.* stoßen; ~ *it off with* F sich vertragen mit; ~ *on*, ~ *upon* (zufällig) stoßen auf (*acc.*), finden; **~-and-run** [hɪtənd'rʌn] **1.** *a.* ~ *accident* Unfall *m* mit Fahrerflucht; **2.** ~ *driver* unfallflüchtiger Fahrer.
hitch [hɪtʃ] **1.** Ruck *m*; ⚓ Knoten *m*; Schwierigkeit *f*, Problem *n*, Haken *m*; **2.** (ruckartig) ziehen, rücken; befestigen, festmachen, -haken, anbinden, ankoppeln; **~-hike** ['hɪtʃhaɪk] per Anhalter fahren, trampen; **~-hik·er** Anhalter(in), Tramper(in).
hith·er ['hɪðə]: ~ *and thither* hierhin u. dorthin; **~·to** bisher.
hive [haɪv] Bienenstock *m*; Bienenschwarm *m.*
hoard [hɔːd] **1.** Vorrat *m*, Schatz *m*; **2.** *a.* ~ *up* horten, hamstern.
hoard·ing ['hɔːdɪŋ] Bauzaun *m*; *Brt.* Reklametafel *f.*
hoar·frost ['hɔː'frɒst] (Rauh)Reif *m.*
hoarse □ [hɔːs] (*~r, ~st*) heiser, rauh.
hoar·y ['hɔːrɪ] (*-ier, -iest*) (alters-)grau.
hoax [həʊks] **1.** Falschmeldung *f*; (übler) Scherz; **2.** *j-n* hereinlegen.
hob·ble ['hɒbl] **1.** Hinken *n*, Humpeln *n*; **2.** *v/i.* humpeln, hinken (*a. fig.*); *v/t.* an den Füßen fesseln.
hob·by ['hɒbɪ] *fig.* Steckenpferd *n*, Hobby *n*; **~-horse** Steckenpferd *n*; Schaukelpferd *n.*
hob·gob·lin ['hɒbgɒblɪn] Kobold *m.*
ho·bo *Am.* ['həʊbəʊ] (*pl. -boes, -bos*) Wanderarbeiter *m*; Landstreicher *m.*
hock[1] [hɒk] Rheinwein *m.*
hock[2] *zo.* [~] Sprunggelenk *n.*
hock·ey ['hɒkɪ] *Brt., Am. field* ~ *Sport:* Hockey *n*; *Am.* Eishockey *n.*
hoe ✓ [həʊ] **1.** Hacke *f*; **2.** hacken.
hog [hɒg] (Mast)Schwein *n*; *Am.* Schwein *n*; **~·gish** □ ['hɒgɪʃ] schweinisch; gefräßig.
hoist [hɔɪst] **1.** (Lasten)Aufzug *m*, Winde *f*; **2.** hochziehen; hissen.
hold [həʊld] **1.** Halten *n*; Halt *m*; Griff *m*; Gewalt *f*, Macht *f*, Einfluß *m*; ⚓ Lade-, Frachtraum *m*; *catch* (*od. get, lay, take, seize*) ~ *of* erfassen, ergreifen; sich aneignen; *keep* ~ *of* festhalten; **2.** (*held*) halten; (fest)halten; (zurück-, einbe)halten; abhalten (*from* von); an-, aufhalten; *Wahlen, Versammlung etc.* abhalten; *Sport: Meisterschaft etc.* austragen; beibehalten; innehaben; besitzen; *Amt* bekleiden; *Platz* einnehmen; *Rekord* halten; fassen, enthalten; behaupten, *Ansicht* vertreten; fesseln, in Spannung halten; stand-, aushalten; (sich) festhalten; sich verhalten; anhalten, andauern (*Wetter*); ~ *one's ground*, ~ *one's own* sich behaupten; ~ *the line teleph.* am Apparat bleiben; *a.* ~ *good* (weiterhin) gelten; ~ *still* stillhalten; ~ *against j-m et.* vorhalten *od.* vorwerfen; *j-m et.* übelnehmen; ~ *back* (sich) zurückhalten; *fig.* zurückhalten mit; ~ *forth* sich auslassen *od.* verbreiten (*on* über *acc*); ~ *off* (sich) fernhalten; *et.* aufschieben; ausbleiben; ~ *on* (sich) festhalten (*to* an · *dat.*); aus-, durchhalten; andauern; *teleph.* am Apparat bleiben; ~ *on to et.* behalten; ~ *over* vertagen, -schieben; ~ *together* zusammenhalten; ~ *up* hochheben; hochhalten; hinstellen (*as* als *Beispiel etc.*); aufhalten, verzögern; *j-n, Bank etc.* überfallen; **~·all** ['həʊldɔːl] Reisetasche *f*; **~·er** [~ə] Pächter *m*; Halter *m* (*Gerät*); Inhaber(in) (*bsd. econ.*);

~·ing [~ɪŋ] Halten *n*; Halt *m*; Pachtgut *n*; Besitz *m*; ~ *company econ.* Holding-, Dachgesellschaft *f*; **~-up** Verzögerung *f*, (*a.* Verkehrs-) Stockung *f*; (bewaffneter) (Raub-) Überfall *m*.
hole [həʊl] **1.** Loch *n*; Höhle *f*; F *fig.* Klemme *f*; *pick ~s in* bekritteln; **2.** aushöhlen; durchlöchern.
hol·i·day ['hɒlədɪ] Feiertag *m*; freier Tag; *bsd. Brt. mst ~s pl.* Ferien *pl.*, Urlaub *m*; **~-mak·er** Urlauber(in).
hol·i·ness ['həʊlɪnɪs] Heiligkeit *f*; *His* ♀ Seine Heiligkeit (*der Papst*).
hol·ler *Am.* F ['hɒlə] schreien.
hol·low ['hɒləʊ] **1.** □ hohl; leer; falsch; **2.** Höhle *f*, (Aus)Höhlung *f*; (*Land*)Senke *f*; **3.** ~ *out* aushöhlen.
hol·ly ♀ ['hɒlɪ] Stechpalme *f*.
hol·o·caust ['hɒləkɔːst] Massenvernichtung *f*, -sterben *n*, (*bsd.* Brand-) Katastrophe *f*; *the* ♀ *hist.* der Holocaust.
hol·ster ['həʊlstə] (Pistolen)Halfter *m*, *n*.
ho·ly ['həʊlɪ] (*-ier, -iest*) heilig; ♀ *Thursday* Gründonnerstag *m*; ~ *water* Weihwasser *n*; ♀ *Week* Karwoche *f*.
home [həʊm] **1.** Heim *n*; Haus *n*, Wohnung *f*; Heimat *f*; *Sport:* Heimspiel *n*; Heimsieg *m*; *at ~* zu Hause; *make oneself at ~* es sich bequem machen; *at ~ and abroad* im In- u. Ausland; **2.** *adj.* (ein)heimisch, inländisch; wirkungsvoll (*Schlag etc.*); **3.** *adv.* heim, nach Hause; zu Hause, daheim; ins Ziel *od.* Schwarze; *strike ~* sitzen, treffen; ~ **com·put·er** Heimcomputer *m*; ♀ **Coun·ties** *pl. die an London angrenzenden Grafschaften*; ~ **e·co·nom·ics** *sg.* Hauswirtschaft(slehre) *f*; **~-felt** ['həʊmfelt] tief empfunden; **~·less** [~lɪs] heimatlos; **~·like** anheimelnd, gemütlich; **~·ly** [~lɪ] (*-ier, -iest*) freundlich (*with* zu); vertraut; einfach; *Am.* unscheinbar, reizlos; **~-made** selbstgemacht, Hausmacher...; ♀ **Of·fice** *Brt. pol.* Innenministerium *m*; ♀ **Sec·re·ta·ry** *Brt. pol.* Innenminister *m*; **~·sick:** *be ~* Heimweh haben; **~·sick·ness** Heimweh *n*; **~·stead** Gehöft *n*; ⚖ *in USA:* Heimstätte *f*; ~ **team** *Sport:* Gastgeber *pl.*; **~·ward** [~wəd] **1.** *adj.* Heim..., Rück...; **2.** *adv. Am.* heimwärts, nach Hause; **~·wards** [~wədz] *adv.* = *homeward* 2; **~·work** Hausaufgabe(n *pl.*) *f*, Schularbeiten *pl.*
hom·i·cide ⚖ ['hɒmɪsaɪd] Tötung *f*; Totschlag *m*; Mord *m*; Totschläger(in); Mörder(in); ~ *squad* Mordkommission *f*.
ho·mo F ['həʊməʊ] (*pl. -mos*) Homo *m* (*Homosexueller*).
ho·mo·ge·ne·ous □ [hɒmə'dʒiːnjəs] homogen, gleichartig.
ho·mo·sex·u·al [hɒməʊ'seksjʊəl] **1.** □ homosexuell; **2.** Homosexuelle(r *m*) *f*.
hone ⊕ [həʊn] feinschleifen.
hon|est □ ['ɒnɪst] ehrlich, rechtschaffen; aufrichtig; echt; **~·es·ty** [~ɪ] Ehrlichkeit *f*, Rechtschaffenheit *f*; Aufrichtigkeit *f*.
hon·ey ['hʌnɪ] Honig *m*; *fig.* Liebling *m*; **~·comb** [~kəʊm] (Honig)Wabe *f*; **~ed** [~ɪd] honigsüß; **~·moon 1.** Flitterwochen *pl.*; **2.** s-e Hochzeitsreise machen.
honk *mot.* [hɒŋk] hupen.
hon·ky-tonk *Am. sl.* ['hɒŋkɪtɒŋk] Spelunke *f*.
hon·or·ar·y ['ɒnərərɪ] Ehren...; ehrenamtlich.
hon·o(u)r ['ɒnə] **1.** Ehre *f*; *fig.* Zierde *f*; *~s pl.* besondere Auszeichnung(en *pl.*), Ehren *pl.*; *Your* ♀ Euer Ehren; **2.** (be)ehren; *econ.* honorieren; **~·a·ble** □ [~rəbl] ehrenvoll; redlich; ehrbar; ehrenwert.
hood [hʊd] Kapuze *f*; *mot.* Verdeck *n*; *Am.* (Motor)Haube *f*; ⊕ Kappe *f*.
hood·lum *Am.* F ['huːdləm] Rowdy *m*; Ganove *m*.
hood·wink ['hʊdwɪŋk] *j-n* reinlegen.
hoof [huːf] (*pl. hoofs* [~fs], *hooves* [~vz]) Huf *m*.
hook [hʊk] **1.** Haken *m*; Angelhaken *m*; Sichel *f*; *by ~ or by crook* so oder so; **2.** (sich) (zu-, fest)haken; angeln (*a. fig.*) **~ed** krumm, Haken...; F süchtig (*on* nach) (*a. fig.*); ~ *on heroin* (*television*) heroin- (fernseh)süchtig; **~·y** ['hʊkɪ]: *play ~ Am.* F (*bsd.* die Schule) schwänzen.
hoo·li·gan ['huːlɪgən] Rowdy *m*; **~·is·m** [~ɪzəm] Rowdytum *n*.
hoop [huːp] **1.** (*Faß- etc.*)Reif(en) *m*; ⊕ Ring *m*; **2.** *Fässer* binden.
hoot [huːt] **1.** Schrei *m* (*der Eule*); *höhnischer, johlender* Schrei; *mot.* Hupen *n*; **2.** *v/i.* heulen; johlen; *mot.* hupen; *v/t.* auspfeifen, auszischen.

Hoo·ver *TM* [ˈhuːvə] **1.** Staubsauger *m*; **2.** *mst* ♀ (staub)saugen, *Teppich etc. a.* absaugen.
hooves [huːvz] *pl. von hoof*.
hop[1] [hɒp] Sprung *m*; F Tanz *m*; **2.** (*-pp-*) hüpfen; springen (über *acc.*); *be ~ping mad* F e-e Stinkwut (im Bauch) haben.
hop[2] ⚘ [~] Hopfen *m*.
hope [həʊp] **1.** Hoffnung *f*; **2.** hoffen (*for* auf *acc.*); *~ in* vertrauen auf (*acc.*); **~·ful** □ [ˈhəʊpfl] hoffnungsvoll; **~·less** □ [~lɪs] hoffnungslos; verzweifelt.
horde [hɔːd] Horde *f*.
ho·ri·zon [həˈraɪzn] Horizont *m*.
hor·i·zon·tal □ [hɒrɪˈzɒntl] horizontal, waag(e)recht.
horn [hɔːn] Horn *n*; Schalltrichter *m*; *mot.* Hupe *f*; *~s pl.* Geweih *n*; *~ of plenty* Füllhorn *n*.
hor·net *zo.* [ˈhɔːnɪt] Hornisse *f*.
horn·y [ˈhɔːnɪ] (*-ier, -iest*) hornig, schwielig; V geil (*Mann*).
hor·o·scope [ˈhɒrəskəʊp] Horoskop *n*.
hor|ri·ble □ [ˈhɒrəbl] schrecklich, furchtbar, scheußlich; F gemein; **~·rid** □ [ˈhɒrɪd] gräßlich, abscheulich; schrecklich; **~·ri·fy** [~faɪ] erschrecken; entsetzen; **~·ror** [~ə] Entsetzen *n*, Schauder *m*; Schrecken *m*; Greuel *m*.
horse [hɔːs] *zo.* Pferd *n*; Bock *m*, Gestell *n*; *wild ~s will not drag me there* keine zehn Pferde bringen mich dort hin; **~·back** [ˈhɔːsbæk]: *on ~* zu Pferde, beritten; **~ chest·nut** ⚘ Roßkastanie *f*; **~·hair** Roßhaar *n*; **~·man** (*pl. -men*) (geübter) Reiter; **~·man·ship** [~mənʃɪp] Reitkunst *f*; **~ op·e·ra** F Western *m* (*Film*); **~·pow·er** *phys.* Pferdestärke *f*; **~·rac·ing** Pferderennen *n od. pl.*; **~·rad·ish** Meerrettich *m*; **~·shoe** Hufeisen *n*; **~·wom·an** (*pl. -women*) (geübte) Reiterin.
hor·ti·cul·ture [ˈhɔːtɪkʌltʃə] Gartenbau *m*.
hose[1] [həʊz] Schlauch *m*.
hose[2] [~] *pl.* Strümpfe *pl.*, Strumpfwaren *pl.*; ⚠ *nicht Hose.*
ho·sier·y [ˈhəʊzjərɪ] Strumpfwaren *pl.*
hos·pi·ta·ble □ [ˈhɒspɪtəbl] gastfrei.
hos·pi·tal [ˈhɒspɪtl] Krankenhaus *n*, Klinik *f*; ⚔ Lazarett *n*; *in* (*Am. in the*) *~* im Krankenhaus; **~·i·ty** [hɒspɪˈtælətɪ] Gastfreundschaft *f*, Gastlichkeit *f*; **~·ize** [ˈhɒspɪtəlaɪz] ins Krankenhaus einliefern *od.* -weisen.
host[1] [həʊst] Gastgeber *m*; (Gast-)Wirt *m*; *Rundfunk, TV*: Talkmaster *m*; Showmaster *m*; Moderator *m*; *your ~ was ...* durch die Sendung führte Sie ...
host[2] [~] Menge *f*, Masse *f*.
host[3] *eccl.* [~] *oft* ♀ Hostie *f*.
hos·tage [ˈhɒstɪdʒ] Geisel *m, f*; *take s.o. ~* j-n als Geisel nehmen.
hos·tel [ˈhɒstl] *bsd. Brt.* (*Studenten-, Arbeiter- etc.*) (Wohn)Heim *n*; *mst youth ~* Jugendherberge *f*.
host·ess [ˈhəʊstɪs] Gastgeberin *f*; (Gast)Wirtin *f*; Hostess *f*; ✈ Stewardeß *f*.
hos|tile [ˈhɒstaɪl] feindlich (gesinnt); *~ to foreigners* ausländerfeindlich; **~·til·i·ty** [hɒˈstɪlətɪ] Feindseligkeit *f* (*to* gegen).
hot [hɒt] (*-tt-*) heiß; scharf; beißend; hitzig, heftig; eifrig; warm (*Speise, Fährte*); F heiß, gestohlen; radioaktiv; **~·bed** [ˈhɒtbed] Mistbeet *n*; *fig.* Brutstätte *f*.
hotch·potch [ˈhɒtʃpɒtʃ] Mischmasch *m*; Gemüsesuppe *f*.
hot dog [hɒtˈdɒg] Hot dog *n, m*.
ho·tel [həʊˈtel] Hotel *n*.
hot|head [ˈhɒthed] Hitzkopf *m*; **~·house** Treibhaus *n*; **~ line** *pol.* heißer Draht; **~·pot** Eintopf *m*; **~ spot** *bsd. pol.* Unruhe-, Krisenherd *m*; **~·spur** Hitzkopf *m*; **~-wa·ter** Heißwasser...; *~ bottle* Wärmflasche *f*.
hound [haʊnd] **1.** Jagdhund *m*; *fig.* Hund *m*; **2.** jagen, hetzen.
hour [ˈaʊə] Stunde *f*; Zeit *f*, Uhr *f*; **~·ly** [~lɪ] stündlich.
house 1. [haʊs] Haus *n*; *the* ♀ das Unterhaus; die Börse; **2.** [haʊz] *v/t.* unterbringen; *v/i.* hausen; **~-a·gent** [ˈhaʊseɪdʒənt] Häusermakler *m*; **~·bound** *fig.* ans Haus gefesselt; **~·hold** Haushalt *m*; *attr.* Haushalts...; Haus...; **~·hold·er** Hausherr *m*; **~·hus·band** *bsd. Am.* Hausmann *m*; **~·keep·er** Haushälterin *f*; **~·keep·ing** Haushaltung *f*, Haushaltsführung *f*; **~·maid** Hausmädchen *n*; **~·man** (*pl. -men*) *Brt.* ⚕ Medizinalassistent *m*; ⚠ *nicht Hausmann*; **~-warm·ing (par·ty)** [~wɔːmɪŋ(pɑːtɪ)] Einzugsparty *f*;

~·wife [ˈhaʊswaɪf] (*pl. -wives*) Hausfrau *f*; [ˈhʌzɪf] Nähetui *n*; **~·work** Hausarbeit *f*; ⚠ *nicht Hausaufgabe(n)*.
hous·ing [ˈhaʊzɪŋ] Unterbringung *f*; Wohnung *f*; ~ *estate Brt.* Wohnsiedlung *f*.
hove [həʊv] *pret. u. p.p. von heave 2.*
hov·el [ˈhɒvl] Schuppen *m*; Hütte *f*.
hov·er [ˈhɒvə] schweben; lungern; *fig.* schwanken; **~·craft** (*pl. -craft[s]*) Hovercraft *n*, Luftkissenfahrzeug *n*.
how [haʊ] wie; ~ *do you do? bei der Vorstellung*: guten Tag!; ~ *about ...?* wie steht's mit ...?
how·dy *Am. int.* F [ˈhaʊdɪ] Tag!
how·ev·er [haʊˈevə] **1.** *adv.* wie auch (immer), wenn auch noch so ...; **2.** *cj.* (je)doch.
howl [haʊl] **1.** heulen; brüllen; **2.** Heulen *n*, Geheul *n*; **~·er** F [ˈhaʊlə] grober Schnitzer.
hub [hʌb] (Rad)Nabe *f*; *fig.* Mittel-, Angelpunkt *m*.
hub·bub [ˈhʌbʌb] Tumult *m*.
hub·by F [ˈhʌbɪ] (Ehe)Mann *m*.
huck·le·ber·ry ⚘ [ˈhʌklberɪ] amerikanische Heidelbeere.
huck·ster [ˈhʌkstə] Hausierer(in).
hud·dle [ˈhʌdl] **1.** *a.* ~ *together* (sich) zusammendrängen, zusammenpressen; ~ (*o.s.*) *up* sich zusammenkauern; **2.** (wirrer) Haufen, Wirrwarr *m*, Durcheinander *n*.
hue[1] [hjuː] Farbe *f*; (Farb)Ton *m*.
hue[2] [~]: ~ *and cry fig.* großes Geschrei.
huff [hʌf] Verärgerung *f*; Verstimmung *f*; *be in a* ~ verärgert *od.* -stimmt sein.
hug [hʌg] **1.** Umarmung *f*; **2.** (*-gg-*) an sich drücken, umarmen; *fig.* festhalten an (*dat.*); sich dicht am *Weg etc.* halten.
huge □ [hjuːdʒ] ungeheuer, riesig; **~·ness** [ˈhjuːdʒnɪs] ungeheure Größe.
hulk·ing [ˈhʌlkɪŋ] sperrig, klotzig; ungeschlacht, schwerfällig.
hull [hʌl] **1.** ⚘ Schale *f*, Hülse *f*; ⚓ Rumpf *m*; **2.** enthülsen; schälen.
hul·la·ba·loo [ˈhʌləbəˈluː] (*pl. -loos*) Lärm *m*.
hul·lo *int.* [həˈləʊ] hallo!
hum [hʌm] (*-mm-*) summen; brummen.
hu·man [ˈhjuːmən] **1.** □ menschlich, Menschen...; ⚠ *nicht human*; **~ly** *possible* menschenmöglich; ~ *being* Mensch *m*; ~ *rights pl.* Menschenrechte *pl.*; **2.** Mensch *m*; **~e** □ [hjuːˈmeɪn] human, menschenfreundlich; **~·i·tar·i·an** [hjuːmænɪˈteərɪən] **1.** Menschenfreund *m*; **2.** menschenfreundlich; **~·i·ty** [hjuːˈmænətɪ] die Menschheit, die Menschen *pl.*; Humanität *f*, Menschlichkeit *f*; *humanities pl.* Geisteswissenschaften *pl.*; Altphilologie *f*.
hum·ble [ˈhʌmbl] **1.** □ (*~r, ~st*) demütig; bescheiden; **2.** erniedrigen; demütigen.
hum·ble-bee *zo.* [ˈhʌmblbiː] Hummel *f*.
hum·ble·ness [ˈhʌmblnɪs] Demut *f*.
hum·drum [ˈhʌmdrʌm] eintönig.
hu·mid [ˈhjuːmɪd] feucht, naß; **~·i·ty** [hjuːˈmɪdətɪ] Feuchtigkeit *f*.
hu·mil·i|ate [hjuːˈmɪlɪeɪt] erniedrigen, demütigen; **~·a·tion** [hjuːmɪlɪˈeɪʃn] Erniedrigung *f*, Demütigung *f*; **~·ty** [hjuːˈmɪlətɪ] Demut *f*.
hum·ming·bird *zo.* [ˈhʌmɪŋbɜːd] Kolibri *m*.
hu·mor·ous □ [ˈhjuːmərəs] humoristisch, humorvoll; spaßig.
hu·mo(u)r [ˈhjuːmə] **1.** Laune *f*, Stimmung *f*; Humor *m*; *das* Spaßige; *out of* ~ schlecht gelaunt; **2.** *j-m* s-n Willen lassen; eingehen auf (*acc.*).
hump [hʌmp] **1.** Höcker *m* (*e-s Kamels*), Buckel *m*; **2.** krümmen; *Brt.* F auf den Rücken nehmen, tragen; ~ *o.s. Am. sl.* sich ranhalten; **~·back(ed)** [ˈhʌmpbæk(t)] = *hunchback(ed)*.
hunch [hʌntʃ] **1.** = *hump 1*; dickes Stück; Ahnung *f*, Gefühl *n*; **2.** *a.* ~ *up* krümmen; **~·back** [ˈhʌntʃbæk] Buckel *m*; Bucklige(r *m*) *f*; **~·backed** buck(e)lig.
hun·dred [ˈhʌndrəd] **1.** hundert; **2.** Hundert *n* (*Einheit*); Hundert *f* (*Zahl*); **~th** [~θ] **1.** hundertste(r, -s); **2.** Hundertstel *n*; **~·weight** *in GB: appr.* Zentner *m* (= *50,8 kg*).
hung [hʌŋ] **1.** *pret. u. p.p. von hang*[1]; **2.** *adj.* abgehangen (*Fleisch*).
Hun·gar·i·an [hʌŋˈgeərɪən] **1.** ungarisch; **2.** Ungar(in); *ling.* Ungarisch *n*.
hun·ger [ˈhʌŋgə] **1.** Hunger *m* (*a. fig.*: *for* nach); **2.** hungern (*for, after* nach); ~ **strike** Hungerstreik *m*.

hun·gry □ [ˈhʌŋgrɪ] (*-ier, -iest*) hungrig.
hunk [hʌŋk] dickes Stück.
hunt [hʌnt] **1.** Jagd *f* (*a. fig.*: *for* nach); Jagd(revier *n*) *f*; Jagd(gesellschaft) *f*; **2.** jagen; *Revier* bejagen; hetzen; ~ *out*, ~ *up* aufspüren; ~ *after*, ~ *for* Jagd machen auf (*acc.*); **~·er** [ˈhʌntə] Jäger *m*; Jagdpferd *n*; **~·ing** [~ɪŋ] Jagen *n*; *attr.* Jagd...; **~·ing-ground** Jagdrevier *n*.
hur·dle [ˈhɜːdl] *Sport:* Hürde *f* (*a. fig.*); **~r** [~ə] *Sport:* Hürdenläufer(in); **~ race** *Sport:* Hürdenrennen *n*.
hurl [hɜːl] **1.** Schleudern *n*; **2.** schleudern; *Worte* ausstoßen.
hur·ri·cane [ˈhʌrɪkən] Hurrikan *m*, Wirbelsturm *m*; Orkan *m*.
hur·ried □ [ˈhʌrɪd] eilig; übereilt.
hur·ry [ˈhʌrɪ] **1.** (große) Eile, Hast *f*; *be in a* (*no*) ~ es (nicht) eilig haben; *not ... in a* ~ F nicht so bald, nicht so leicht; **2.** *v/t.* (an)treiben; drängen; *et.* beschleunigen; eilig schicken *od.* bringen; *v/i.* eilen, hasten; ~ *up* sich beeilen.
hurt [hɜːt] **1.** Schmerz *m*; Verletzung *f*, Wunde *f*; Schaden *m*; **2.** (*hurt*) verletzen, -wunden (*a. fig.*); schmerzen, weh tun; schaden (*dat.*); **~·ful** □ [ˈhɜːtfl] verletzend.
hus·band [ˈhʌzbənd] **1.** (Ehe)Mann *m*; **2.** haushalten mit; verwalten; **~·ry** [~rɪ] ✓ Landwirtschaft *f*; *fig.* Haushalten *n*, sparsamer Umgang (*of* mit).
hush [hʌʃ] **1.** *int.* still!; **2.** Stille *f*; **3.** zum Schweigen bringen; besänftigen, beruhigen; ⚠ *nicht huschen*; ~ *up* vertuschen; **~ money** [ˈhʌʃmʌnɪ] Schweigegeld *n*.
husk [hʌsk] **1.** ⚘ Hülse *f*, Schote *f*, Schale *f* (*a. fig.*); **2.** enthülsen; **hus·ky** [ˈhʌskɪ] **1.** □ (*-ier, -iest*) hülsig; trocken; heiser; F stramm, stämmig; **2.** F stämmiger Kerl.
hus·sy [ˈhʌsɪ] Fratz *m*, Göre *f*; Flittchen *n*.
hus·tle [ˈhʌsl] **1.** *v/t.* (an)rempeln; stoßen; drängen; *v/i.* (sich) drängen; hasten, hetzen; sich beeilen; **2.** ~ *and bustle* Gedränge *n*; Gehetze *n*; Getriebe *n*.
hut [hʌt] Hütte *f*; ⚔ Baracke *f*.
hutch [hʌtʃ] (*bsd. Kaninchen*)Stall *m*.
hy·a·cinth ⚘ [ˈhaɪəsɪnθ] Hyazinthe *f*.
hy·ae·na *zo.* [haɪˈiːnə] Hyäne *f*.
hy·brid *biol.* [ˈhaɪbrɪd] Bastard *m*, Mischling *m*, Kreuzung *f*; *attr.* Bastard...; Zwitter...; **~·ize** [~aɪz] kreuzen.
hy·drant [ˈhaɪdrənt] Hydrant *m*.
hy·draul·ic [haɪˈdrɔːlɪk] (*~ally*) hydraulisch; **~s** *sg.* Hydraulik *f*.
hy·dro- [ˈhaɪdrəʊ] Wasser...; **~·carbon** Kohlenwasserstoff *m*; **~·chloric ac·id** [~rəˈklɒrɪkˈæsɪd] Salzsäure *f*; **~·foil** ⚓ [~fɔɪl] Tragflächen-, Tragflügelboot *n*; **~·gen** [~ədʒən] Wasserstoff *m*; **~·gen bomb** Wasserstoffbombe *f*; **~·plane** ✈ Wasserflugzeug *n*; ⚓ Gleitboot *n*.
hy·e·na *zo.* [haɪˈiːnə] Hyäne *f*.
hy·giene [ˈhaɪdʒiːn] Hygiene *f*; **hy·gien·ic** [haɪˈdʒiːnɪk] (*~ally*) hygienisch.
hymn [hɪm] **1.** Hymne *f*; Lobgesang *m*; Kirchenlied *n*; **2.** preisen.
hy·per- [ˈhaɪpə] hyper..., Hyper..., über..., höher, größer; **~·mar·ket** Groß-, Verbrauchermarkt *m*; **~·sen·si·tive** [haɪpəˈsensətɪv] überempfindlich (*to* gegen).
hy·phen [ˈhaɪfn] Bindestrich *m*; **~·ate** [~eɪt] mit Bindestrich schreiben.
hyp·no·tize [ˈhɪpnətaɪz] hypnotisieren.
hy·po·chon·dri·ac [ˈhaɪpəʊˈkɒndrɪæk] Hypochonder *m*.
hy·poc·ri·sy [hɪˈpɒkrəsɪ] Heuchelei *f*; **hyp·o·crite** [ˈhɪpəkrɪt] Heuchler(in); Scheinheilige(r *m*) *f*; **hyp·o·crit·i·cal** □ [hɪpəˈkrɪtɪkl] heuchlerisch, scheinheilig.
hy·poth·e·sis [haɪˈpɒθɪsɪs] (*pl. -ses* [-siːz]) Hypothese *f*.
hys|te·ri·a ⚕ [hɪˈstɪərɪə] Hysterie *f*; **~·ter·i·cal** □ [~ˈsterɪkl] hysterisch; **~·ter·ics** [~ɪks] *pl.* hysterischer Anfall; *go into* ~ hysterisch werden; F e-n Lachkrampf bekommen.

I

I [aɪ] ich; *it is* ~ ich bin es.
ice [aɪs] **1.** Eis *n*; **2.** gefrieren lassen; *a.* ~ *up* vereisen; *Kuchen* mit Zuckerguß überziehen; in Eis kühlen; **~age** [ˈaɪseɪdʒ] Eiszeit *f*; **~·berg** [~bɜːg] Eisberg *m* (*a. fig.*); **~-bound** eingefroren; **~·box** Eisfach *n*; *Am.* Kühlschrank *m*; ~ **cream** (Speise)Eis *n*; ~ **cube** Eiswürfel *m*; ~ **floe** Eisscholle *f*; ~ **lol·ly** *Brt.* Eis *n* am Stiel; ~ **rink** (Kunst)Eisbahn *f*; ~ **show** Eisrevue *f*.
i·ci·cle [ˈaɪsɪkl] Eiszapfen *m*.
ic·ing [ˈaɪsɪŋ] Zuckerguß *m*; Vereisung *f*.
i·cy □ [ˈaɪsɪ] (*-ier, -iest*) eisig (*a. fig.*); vereist.
i·dea [aɪˈdɪə] Idee *f*; Begriff *m*; Vorstellung *f*; Gedanke *m*; Meinung *f*; Ahnung *f*; Plan *m*; **~l** [~l] **1.** □ ideell; (nur) eingebildet; ideal; **2.** Ideal *n*; **~l·is·m** [~ɪzəm] Idealismus *m*; **~l·ize** [~aɪz] idealisieren.
i·den·ti|cal □ [aɪˈdentɪkl] identisch, gleich(bedeutend); **~·fi·ca·tion** [aɪdentɪfɪˈkeɪʃn] Identifizierung *f*; Ausweis *m*; **~·fy** [aɪˈdentɪfaɪ] identifizieren; ausweisen; erkennen; **~·ty** [~ətɪ] Identität *f*; Persönlichkeit *f*, Eigenart *f*; ~ *card* (Personal)Ausweis *m*, Kennkarte *f*; ~ *disk*, *Am.* ~ *tag* ⚔ Erkennungsmarke *f*.
i·de|o·log·i·cal □ [aɪdɪəˈlɒdʒɪkl] ideologisch; **~·ol·ogy** [aɪdɪˈɒlədʒɪ] Ideologie *f*.
id·i|om [ˈɪdɪəm] Idiom *n*; Redewendung *f*; **~·o·mat·ic** [ɪdɪəˈmætɪk] (*~ally*) idiomatisch.
id·i·ot [ˈɪdɪət] Idiot(in), Schwachsinnige(r *m*) *f*; **~·ic** [ɪdɪˈɒtɪk] (*~ally*) blödsinnig.
i·dle [ˈaɪdl] **1.** □ (*~r, ~st*) müßig, untätig; träge, faul; *econ.* unproduktiv, tot; ungenutzt; beiläufig; ~ *hours pl.* Mußestunden *pl.*; **2.** *v/t.* *mst* ~ *away* vertrödeln; *v/i.* faulenzen; ⊕ leer laufen; **~·ness** [~nɪs] Untätigkeit *f*, Müßiggang *m*; Faul-, Trägheit *f*; Muße *f*; Zwecklosigkeit *f*.
i·dol [ˈaɪdl] Idol *n* (*a. fig.*), Götzenbild *n*; **~·a·trous** □ [aɪˈdɒlətrəs] abgöttisch; **~·a·try** Götzenanbetung *f*; *fig.* abgöttische Verehrung *f*, Vergötterung *f*; **~·ize** [ˈaɪdəlaɪz] abgöttisch verehren, vergöttern.
i·dyl·lic [aɪˈdɪlɪk] (*~ally*) idyllisch.
if [ɪf] **1.** wenn, falls; ob; **2.** Wenn *n*.
ig·nite [ɪgˈnaɪt] anzünden, (sich) entzünden; *mot.* zünden; **ig·ni·tion** [ɪgˈnɪʃən] An-, Entzünden *n*; *mot.* Zündung *f*.
ig·no·ble □ [ɪgˈnəʊbl] gemein, unehrenhaft.
ig·no·min·i·ous □ [ɪgnəˈmɪnɪəs] schändlich, schimpflich.
ig·no·rance [ˈɪgnərəns] Unwissenheit *f*; **ig·no·rant** [~t] unwissend; ungebildet; F ungehobelt; **ig·nore** [ɪgˈnɔː] ignorieren, nicht beachten; ⚖ verwerfen.
ill [ɪl] **1.** (*worse, worst*) krank; schlimm, schlecht, übel; böse; *fall* ~, *be taken* ~ krank werden; **2.** *~s pl.* Übel *n*, Mißstand *m*; **~-ad·vised** □ [ˈɪlədˈvaɪzd] schlecht beraten; unbesonnen, unklug; **~-bred** schlechterzogen; ungezogen; ~ **breed·ing** schlechtes Benehmen.
il·le·gal □ [ɪˈliːgl] unerlaubt; ⚖ illegal, ungesetzlich; ~ *parking* Falschparken *n*.
il·le·gi·ble □ [ɪˈledʒəbl] unleserlich.
il·le·git·i·mate □ [ɪlɪˈdʒɪtɪmət] illegitim; unrechtmäßig; unehelich.
ill|-fat·ed [ˈɪlˈfeɪtɪd] unglücklich, Unglücks...; **~-fa·vo(u)red** häßlich; **~-hu·mo(u)red** schlechtgelaunt.
il·lib·e·ral □ [ɪˈlɪbərəl] engstirnig; intolerant; knaus(e)rig.
il·li·cit □ [ɪˈlɪsɪt] unerlaubt.
il·lit·e·rate [ɪˈlɪtərət] **1.** □ unwissend, ungebildet; **2.** Analphabet(in).
ill|-judged [ˈɪlˈdʒʌdʒd] unbesonnen, unklug; **~-man·nered** ungezogen, mit schlechten Umgangsformen; **~-na·tured** □ boshaft, bösartig.
ill·ness [ˈɪlnɪs] Krankheit *f*.
il·lo·gi·cal □ [ɪˈlɒdʒɪkl] unlogisch.
ill|-tem·pered [ˈɪlˈtempəd] schlechtgelaunt, übellaunig; **~-timed** ungelegen, unpassend, zur unrechten Zeit.
il·lu·mi|nate [ɪˈljuːmɪneɪt] be-, erleuchten (*a. fig.*); *fig.* erläutern, erklären; **~·nat·ing** [~ɪŋ] Leucht...; *fig.* aufschlußreich; **~·na·tion** [ɪljuːmɪˈneɪʃn] Er-, Beleuchtung *f*; *fig.* Erläuterung *f*, Erklärung *f*; *~s pl.* Illumination *f*, Festbeleuchtung *f*.
ill-use [ˈɪlˈjuːz] mißhandeln.

il·lu|sion [ɪˈluːʒn] Illusion *f*, Täuschung *f*; **~·sive** [~sɪv], **~·so·ry** □ [~ərɪ] illusorisch, trügerisch.
il·lus|trate [ˈɪləstreɪt] illustrieren, bebildern; erläutern; **~·tra·tion** [ˈɪləˈstreɪʃn] Erläuterung *f*; Illustration *f*; Bild *n*, Abbildung *f*, **~·tra·tive** □ [ˈɪləstrətɪv] erläuternd.
il·lus·tri·ous □ [ɪˈlʌstrɪəs] berühmt.
ill will [ˈɪlˈwɪl] Feindschaft *f*.
im·age [ˈɪmɪdʒ] Bild *n*; Statue *f*; Götzenbild *n*; Ebenbild *n*; Image *n*; **im·ag·e·ry** [~ərɪ] Bilder *pl.*; Bildersprache *f*, Metaphorik *f*.
i·ma·gi·na|ble □ [ɪˈmædʒɪnəbl] denkbar; **~ry** [~ərɪ] eingebildet, imaginär; **~·tion** [ɪmædʒɪˈneɪʃn] Einbildung(skraft) *f*; **~·tive** □ [ɪˈmædʒɪnətɪv] ideen-, einfallsreich;
i·ma·gine [ɪˈmædʒɪn] sich *et.* einbilden *od.* vorstellen *od.* denken.
im·bal·ance [ɪmˈbæləns] Unausgewogenheit *f*; *pol. etc.* Ungleichgewicht *n*.
im·be·cile □ [ˈɪmbɪsiːl] **1.** schwachsinnig; **2.** Schwachsinnige(r *m*) *f*; *contp.* Idiot *m*, Trottel *m*.
im·bibe [ɪmˈbaɪb] trinken; *fig.* sich zu eigen machen.
im·bue *fig.* [ɪmˈbjuː] durchdringen, erfüllen (*with* mit).
im·i|tate [ˈɪmɪteɪt] nachahmen, imitieren; **~·ta·tion** [ɪmɪˈteɪʃn] **1.** Nachahmung *f*; Imitation *f*; **2.** nachgemacht, unecht, künstlich, Kunst...
im·mac·u·late □ [ɪˈmækjʊlət] unbefleckt, rein; fehlerlos.
im·ma·te·ri·al □ [ɪməˈtɪərɪəl] unkörperlich; unwesentlich (*to* für).
im·ma·ture □ [ɪməˈtjʊə] unreif.
im·mea·su·ra·ble □ [ɪˈmeʒərəbl] unermeßlich.
im·me·di·ate □ [ɪˈmiːdjət] unmittelbar; unverzüglich, sofortig; **~·ly** [~lɪ] **1.** *adv.* sofort; **2.** *cj.* sobald; sofort, als.
im·mense □ [ɪˈmens] riesig; *fig. a.* enorm, immens; prima, großartig.
im·merse [ɪˈmɜːs] (ein-, unter)tauchen; *fig.* versenken *od.* vertiefen (*in* in *acc.*); **im·mer·sion** [~ʃn] Ein-, Untertauchen *n*; ~ *heater* Tauchsieder *m*.
im·mi|grant [ˈɪmɪgrənt] Einwander|er *m*, -in *f*, Immigrant(in); **~·grate** [~greɪt] *v/i.* einwandern; *v/t.* ansiedeln (*into* in *dat.*); **~·gra·tion** [ɪmɪˈgreɪʃn] Einwanderung *f*, Immigration *f*.
im·mi·nent □ [ˈɪmɪnənt] nahe bevorstehend; ~ *danger* drohende Gefahr.
im·mo·bile [ɪˈməʊbaɪl] unbeweglich.
im·mod·e·rate □ [ɪˈmɒdərət] maßlos.
im·mod·est □ [ɪˈmɒdɪst] unbescheiden; unanständig.
im·mor·al □ [ɪˈmɒrəl] unmoralisch.
im·mor·tal [ɪˈmɔːtl] **1.** □ unsterblich; **2.** Unsterbliche(r *m*) *f*; **~·i·ty** [ɪmɔːˈtælətɪ] Unsterblichkeit *f*.
im·mo·va·ble [ɪˈmuːvəbl] **1.** □ unbeweglich; unerschütterlich; unnachgiebig; **2.** **~s** *pl.* Immobilien *pl.*
im·mune [ɪˈmjuːn] (*against*, *from*, *to*) immun (gegen); geschützt (gegen), frei (von); **im·mu·ni·ty** [~ətɪ] Immunität *f*; Unempfindlichkeit *f*.
im·mu·ta·ble □ [ɪˈmjuːtəbl] unveränderlich.
imp [ɪmp] Teufelchen *n*; Racker *m*.
im·pact [ˈɪmpækt] (Zusammen)Stoß *m*; Anprall *m*; Einwirkung *f*.
im·pair [ɪmˈpeə] beeinträchtigen.
im·part [ɪmˈpɑːt] (*to dat.*) geben; mitteilen; vermitteln.
im·par|tial □ [ɪmˈpɑːʃl] unparteiisch; **~·ti·al·i·ty** [ˈɪmpɑːʃɪˈælətɪ] Unparteilichkeit *f*, Objektivität *f*.
im·pass·a·ble □ [ɪmˈpɑːsəbl] unpassierbar.
im·passe [æmˈpɑːs] Sackgasse *f* (*a. fig.*); *fig.* toter Punkt.
im·pas·sioned [ɪmˈpæʃnd] leidenschaftlich.
im·pas·sive □ [ɪmˈpæsɪv] teilnahmslos; unbewegt (*Gesicht*).
im·pa|tience [ɪmˈpeɪʃns] Ungeduld *f*; **~·tient** [□ [~t] ungeduldig.
im·peach [ɪmˈpiːtʃ] anklagen (*for*, *of*, *with gen.*); anfechten, anzweifeln.
im·pec·ca·ble □ [ɪmˈpekəbl] sünd(en)los; untadelig, einwandfrei.
im·pede [ɪmˈpiːd] (be)hindern.
im·ped·i·ment [ɪmˈpedɪmənt] Hindernis *n*.
im·pel [ɪmˈpel] (*-ll-*) (an)treiben.
im·pend·ing [ɪmˈpendɪŋ] nahe bevorstehend; ~ *danger* drohende Gefahr.
im·pen·e·tra·ble □ [ɪmˈpenɪtrəbl] undurchdringlich; *fig.* unergründlich; *fig.* unzugänglich (*to dat.*).

I
J

im·per·a·tive [ɪmˈperətɪv] **1.** □ notwendig, dringend, unbedingt erforderlich; befehlend; gebieterisch; *gr.* imperativisch; **2.** Befehl *m*; *a.* ~ *mood gr.* Imperativ *m*, Befehlsform *f*.
im·per·cep·ti·ble □ [ɪmpəˈseptəbl] unmerklich.
im·per·fect [ɪmˈpɜːfɪkt] **1.** □ unvollkommen; unvollendet; **2.** *a.* ~ *tense gr.* Imperfekt *n*.
im·pe·ri·al·is|m *pol.* [ɪmˈpɪərɪəlɪzəm] Imperialismus *m*; **~t** *pol.* [~ɪst] Imperialist *m*.
im·per·il [ɪmˈperəl] (*bsd. Brt.* *-ll-*, *Am.* *-l-*) gefährden.
im·pe·ri·ous □ [ɪmˈpɪərɪəs] herrisch, gebieterisch; dringend.
im·per·me·a·ble □ [ɪmˈpɜːmjəbl] undurchlässig.
im·per·son·al □ [ɪmˈpɜːsnl] unpersönlich.
im·per·so·nate [ɪmˈpɜːsəneɪt] *thea. etc.* verkörpern, darstellen.
im·per·ti|nence [ɪmˈpɜːtɪnəns] Unverschämtheit *f*, Ungehörigkeit *f*, Frechheit *f*; **~·nent** □ [~t] unverschämt, ungehörig, frech.
im·per·tur·ba·ble □ [ɪmpəˈtɜːbəbl] unerschütterlich, gelassen.
im·per·vi·ous □ [ɪmˈpɜːvjəs] unzugänglich (*to* für); undurchlässig.
im·pe·tu·ous □ [ɪmˈpetjʊəs] ungestüm, heftig; impulsiv.
im·pe·tus [ˈɪmpɪtəs] Antrieb *m*, Schwung *m*.
im·pi·e·ty [ɪmˈpaɪətɪ] Gottlosigkeit *f*; Respektlosigkeit *f*.
im·pinge [ɪmˈpɪndʒ]: ~ *on*, ~ *upon* sich auswirken auf (*acc.*), beeinflussen (*acc.*).
im·pi·ous □ [ˈɪmpɪəs] gottlos; pietätlos; respektlos.
im·plac·a·ble □ [ɪmˈplækəbl] unversöhnlich, unnachgiebig.
im·plant [ɪmˈplɑːnt] ⚕ einpflanzen; *fig.* einprägen.
im·ple·ment 1. [ˈɪmplɪmənt] Werkzeug *n*; Gerät *n*; **2.** [~ment] ausführen.
im·pli|cate [ˈɪmplɪkeɪt] verwickeln; zur Folge haben; **~·ca·tion** [ɪmplɪˈkeɪʃn] Verwick(e)lung *f*; Implikation *f*, Einbeziehung *f*; Folgerung *f*.
im·pli·cit □ [ɪmˈplɪsɪt] unausgesprochen; bedingungslos, blind (*Glaube etc.*).
im·plore [ɪmˈplɔː] inständig bitten, anflehen; (er)flehen.
im·ply [ɪmˈplaɪ] implizieren, (mit) einbegreifen; bedeuten; andeuten.
im·po·lite □ [ɪmpəˈlaɪt] unhöflich.
im·pol·i·tic □ [ɪmˈpɒlɪtɪk] unklug.
im·port 1. [ˈɪmpɔːt] *econ.* Import *m*, Einfuhr *f*; *econ.* Import-, Einfuhrartikel *m*; Bedeutung *f*; Wichtigkeit *f*; **~s** *pl. econ.* (Gesamt)Import *m*, (-)Einfuhr *f*; Importgüter *pl.*; **2.** [ɪmˈpɔːt] *econ.* importieren, einführen; bedeuten.
im·por|tance [ɪmˈpɔːtəns] Bedeutung *f*, Wichtigkeit *f*; **~·tant** □ [~t] bedeutend, wichtig; wichtigtuerisch.
im·por·ta·tion [ɪmpɔːˈteɪʃn] *s. import 1 econ.*
im·por|tu·nate □ [ɪmˈpɔːtjʊnət] lästig; zudringlich; **~·tune** [ɪmˈpɔːtjuːn] dringend bitten; belästigen.
im·pose [ɪmˈpəʊz] *v/t.* auferlegen, -bürden, -drängen, -zwingen (*on*, *upon dat.*); *v/i.* ~ *on*, ~ *upon j-m* imponieren, *j-n* beeindrucken; *j-n* ausnutzen; sich *j-m* aufdrängen; *j-m* zur Last fallen; **im·pos·ing** □ [~ɪŋ] imponierend, eindrucksvoll, imposant.
im·pos·si|bil·i·ty [ɪmpɒsəˈbɪlətɪ] Unmöglichkeit *f*; **~·ble** [ɪmˈpɒsəbl] unmöglich.
im·pos·tor [ɪmˈpɒstə] Betrüger *m*.
im·po|tence [ˈɪmpətəns] Unfähigkeit *f*; Hilflosigkeit *f*; Schwäche *f*; ⚕ Impotenz *f*; **~·tent** □ [~t] unfähig; hilflos; schwach; ⚕ impotent.
im·pov·e·rish [ɪmˈpɒvərɪʃ] arm machen; *Boden* auslaugen.
im·prac·ti·ca·ble □ [ɪmˈpræktɪkəbl] unbrauchbar; unpassierbar (*Straße*).
im·prac·ti·cal □ [ɪmˈpræktɪkl] unpraktisch; theoretisch; unbrauchbar.
im·preg|na·ble □ [ɪmˈpregnəbl] uneinnehmbar; **~·nate** [ˈɪmpregneɪt] *biol.* schwängern; ⚗ sättigen; ⊕ imprägnieren.
im·press [ɪmˈpres] (auf-, ein-) drücken; (deutlich) klarmachen; einschärfen; *j-n* beeindrucken; *j-n mit et.* erfüllen; **im·pres·sion** [~ʃn] Eindruck *m*; *print.* Abdruck *m*; Abzug *m*; Auflage *f*; *be under the* ~ *that* den Eindruck haben, daß; **im·pres·sive** □ [~sɪv] eindrucksvoll.

im·print 1. [ɪmˈprɪnt] aufdrücken, -prägen; *fig.* einprägen (*on, in dat.*); **2.** [ˈɪmprɪnt] Eindruck *m*; Stempel *m* (*a. fig.*); *print.* Impressum *n.*
im·pris·on ⚖ [ɪmˈprɪzn] inhaftieren; **~·ment** ⚖ [~mənt] Freiheitsstrafe *f*, Gefängnis(strafe *f*) *n*, Haft *f*.
im·prob·a·ble □ [ɪmˈprɒbəbl] unwahrscheinlich.
im·prop·er □ [ɪmˈprɒpə] ungeeignet, unpassend; unanständig, unschicklich (*Benehmen etc.*); ungenau.
im·pro·pri·e·ty [ɪmprəˈpraɪətɪ] Unschicklichkeit *f*.
im·prove [ɪmˈpruːv] *v/t.* verbessern; veredeln, -feinern; *v/i.* sich (ver)bessern; ~ *on*, ~ *upon* übertreffen; **~·ment** [~mənt] (Ver)Besserung *f*; Fortschritt *m* (*on, upon* gegenüber *dat.*).
im·pro·vise [ˈɪmprəvaɪz] improvisieren.
im·pru·dent □ [ɪmˈpruːdənt] unklug.
im·pu|dence [ˈɪmpjʊdəns] Unverschämtheit *f*, Frechheit *f*; **~·dent** □ [~t] unverschämt, frech.
im·pulse [ˈɪmpʌls] Impuls *m*, (An-)Stoß *m*; *fig.* (An)Trieb *m*; **im·pul·sive** □ [ɪmˈpʌlsɪv] (an)treibend; *fig.* impulsiv.
im·pu·ni·ty [ɪmˈpjuːnətɪ] Straflosigkeit *f*; *with* ~ ungestraft.
im·pure □ [ɪmˈpjʊə] unrein (*a. eccl.*), schmutzig; verfälscht; *fig.* schlecht, unmoralisch.
im·pute [ɪmˈpjuːt] zuschreiben (*to dat.*); ~ *s.th. to s.o.* j-n e-r Sache bezichtigen; j-m et. unterstellen.
in [ɪn] **1.** *prp.* in (*dat.*), innerhalb (*gen.*); an (*dat.*) (~ *the morning*, ~ *number*, ~ *itself*, *professor* ~ *the university*); auf (*dat.*) (~ *the street*, ~ *English*); auf (*acc.*) (~ *this manner*); aus (*coat* ~ *velvet*); bei (~ *Shakespeare*, ~ *crossing the road*); mit (*engaged* ~ *reading*, ~ *a word*); nach (~ *my opinion*); über (*acc.*) (*rejoice* ~ *s.th.*); unter (*dat.*) (~ *the circumstances*, ~ *the reign of*, *one* ~ *ten*); vor (*dat.*) (*cry out* ~ *alarm*); zu (*grouped* ~ *tens*, ~ *excuse*, ~ *honour of*); ~ *1989* 1989; ~ *that* ... insofern als, weil; **2.** *adv.* innen, drinnen; herein; hinein; in, in Mode; *be* ~ *for et.* zu erwarten haben; *e-e Prüfung etc.* vor sich haben; *be* ~ *with* gut mit *j-m* stehen; **3.** *adj.* hereinkommend; Innen...
in·a·bil·i·ty [ɪnəˈbɪlətɪ] Unfähigkeit *f*.
in·ac·ces·si·ble □ [ɪnækˈsesəbl] unzugänglich, unerreichbar (*to* für *od. dat.*).
in·ac·cu·rate □ [ɪnˈækjʊrət] ungenau; unrichtig.
in·ac|tive □ [ɪnˈæktɪv] untätig; *econ.* lustlos, flau; ⚗ unwirksam; **~·tiv·i·ty** [ɪnækˈtɪvətɪ] Untätigkeit *f*; *econ.* Lustlosigkeit *f*, Flauheit *f*; ⚗ Unwirksamkeit *f*.
in·ad·e·quate □ [ɪnˈædɪkwət] unangemessen; unzulänglich, ungenügend.
in·ad·mis·si·ble □ [ɪnədˈmɪsəbl] unzulässig, unerlaubt.
in·ad·ver·tent □ [ɪnədˈvɜːtənt] unachtsam; unbeabsichtigt, versehentlich.
in·a·li·e·na·ble □ [ɪnˈeɪljənəbl] unveräußerlich.
i·nane □ *fig.* [ɪˈneɪn] leer; albern.
in·an·i·mate □ [ɪnˈænɪmət] leblos; unbelebt (*Natur*); geistlos, langweilig.
in·ap·pro·pri·ate □ [ɪnəˈprəʊprɪət] unpassend, ungeeignet.
in·apt □ [ɪnˈæpt] ungeeignet, unpassend.
in·ar·tic·u·late □ [ɪnɑːˈtɪkjʊlət] unartikuliert, undeutlich (ausgesprochen), unverständlich; unfähig (, deutlich) zu sprechen.
in·as·much [ɪnəzˈmʌtʃ]: ~ *as* insofern als.
in·at·ten·tive □ [ɪnəˈtentɪv] unaufmerksam.
in·au·di·ble □ [ɪnˈɔːdəbl] unhörbar.
in·au·gu|ral [ɪˈnɔːgjʊrəl] Antrittsrede *f*; *attr.* Antritts...; **~·rate** [~reɪt] (feierlich) einführen; einweihen; einleiten; **~·ra·tion** [ɪnɔːgjʊˈreɪʃn] Amtseinführung *f*; Einweihung *f*; Beginn *m*; ♀ *Day Am.* Tag *m* der Amtseinführung des neugewählten Präsidenten der USA (*20. Januar*).
in·born [ˈɪnˈbɔːn] angeboren.
in-built [ˈɪnbɪlt] eingebaut, Einbau...
in·cal·cu·la·ble □ [ɪnˈkælkjʊləbl] unberechenbar.
in·can·des·cent □ [ɪnkænˈdesnt] (weiß)glühend.
in·ca·pa·ble □ [ɪnˈkeɪpəbl] unfähig, nicht imstande (*of doing* zu tun); hilflos.

I J

in·ca·pa·ci|tate [ɪnkəˈpæsɪteɪt] unfähig machen; **~·ty** [~sətɪ] Unfähigkeit *f*.
in·car·nate [ɪnˈkɑːnət] *eccl.* fleischgeworden; *fig.* verkörpert.
in·cau·tious □ [ɪnˈkɔːʃəs] unvorsichtig.
in·cen·di·a·ry [ɪnˈsendjərɪ] **1.** Brand...; *fig.* aufwiegelnd, -hetzend; **2.** Brandstifter *m*; Aufwiegler *m*.
in·cense[1] [ˈɪnsens] Weihrauch *m*.
in·cense[2] [ɪnˈsens] in Wut bringen.
in·cen·tive [ɪnˈsentɪv] Ansporn *m*, Antrieb *m*.
in·ces·sant □ [ɪnˈsesnt] unaufhörlich.
in·cest [ˈɪnsest] Inzest *m*, Blutschande *f*.
inch [ɪntʃ] **1.** Inch *m* (= *2,54 cm*), Zoll *m* (*a. fig.*); *by ~es* allmählich; *every ~* durch u. durch; **2.** (sich) zentimeterweise *od.* sehr langsam bewegen.
in·ci|dence [ˈɪnsɪdəns] Vorkommen *n*; **~·dent** [~t] Vorfall *m*, Ereignis *n*, Vorkommnis *n*; **~·den·tal** □ [ɪnsɪˈdentl] zufällig; gelegentlich; Neben...; beiläufig; *~ly* nebenbei.
in·cin·e|rate [ɪnˈsɪnəreɪt] verbrennen; **~·ra·tor** [~ə] Verbrennungsofen *m*; Verbrennungsanlage *f*.
in·cise [ɪnˈsaɪz] ein-, aufschneiden; einritzen, -schnitzen; **in·ci·sion** [ɪnˈsɪʒn] (Ein)Schnitt *m*; **in·ci·sive** □ [ɪnˈsaɪsɪv] (ein)schneidend; scharf; **in·ci·sor** [~aɪzə] *anat.* Schneidezahn *m*.
in·cite [ɪnˈsaɪt] anspornen, anregen; anstiften; **~·ment** [~mənt] Anregung *f*; Ansporn *m*; Anstiftung *f*.
in·clem·ent [ɪnˈklemənt] rauh (*Klima*).
in·cli·na·tion [ɪnklɪˈneɪʃn] Neigung *f* (*a. fig.*); **in·cline** [ɪnˈklaɪn] **1.** *v/i.* sich neigen, (schräg) abfallen; *~ to fig.* zu *et.* neigen; *v/t.* neigen; geneigt machen; **2.** Gefälle *n*; (Ab)Hang *m*.
in·close [ɪnˈkləʊz], **in·clos·ure** [~əʊʒə] *s. enclose, enclosure*.
in·clude [ɪnˈkluːd] einschließen; enthalten; **in·clu·ded** eingeschlossen; mit inbegriffen; *tax ~* inklusive Steuer; **in·clud·ing** einschließlich; **in·clu·sion** [~ʒn] Einschluß *m*, Einbeziehung *f*; **in·clu·sive** □ [~sɪv] einschließlich, inklusive (*of gen.*); *be ~ of* einschließen (*acc.*); *~ terms pl.* Pauschalpreis *m*.
in·co·her|ence [ɪnkəʊˈhɪərəns] Zusammenhang(s)losigkeit *f*; **~·ent** □ [~t] (logisch) unzusammenhängend, unklar, unverständlich.
in·come *econ.* [ˈɪnkʌm] Einkommen *n*, Einkünfte *pl.*; **~ tax** *econ.* Einkommensteuer *f*.
in·com·ing [ˈɪnkʌmɪŋ] hereinkommend; ankommend; nachfolgend, neu; *~ orders pl. econ.* Auftragseingänge *pl.*
in·com·mu·ni·ca·tive □ [ɪnkəˈmjuːnɪkətɪv] nicht mitteilsam, verschlossen.
in·com·pa·ra·ble □ [ɪnˈkɒmpərəbl] unvergleichlich.
in·com·pat·i·ble □ [ɪnkəmˈpætəbl] unvereinbar; unverträglich.
in·com·pe|tence [ɪnˈkɒmpɪtəns] Unfähigkeit *f*; Inkompetenz *f*; **~·tent** □ [~t] unfähig; nicht fach- *od.* sachkundig; unzuständig, inkompetent.
in·com·plete □ [ɪnkəmˈpliːt] unvollständig; unvollkommen.
in·com·pre·hen|si·ble □ [ɪnkɒmprɪˈhensəbl] unbegreiflich, unfaßbar; **~·sion** [~ʃn] Unverständnis *n*.
in·con·cei·va·ble □ [ɪnkənˈsiːvəbl] unbegreiflich, unfaßbar; undenkbar.
in·con·clu·sive □ [ɪnkənˈkluːsɪv] nicht überzeugend; ergebnis-, erfolglos.
in·con·gru·ous □ [ɪnˈkɒŋgrʊəs] nicht übereinstimmend; nicht passend.
in·con·se|quent □ [ɪnˈkɒnsɪkwənt] inkonsequent, folgewidrig; **~·quen·tial** □ [ɪnkɒnsɪˈkwenʃl] unbedeutend.
in·con·sid|e·ra·ble □ [ɪnkənˈsɪdərəbl] unbedeutend; **~·er·ate** □ [~rət] unüberlegt; rücksichtslos.
in·con·sis|ten·cy [ɪnkənˈsɪstənsɪ] Unvereinbarkeit *f*; Inkonsequenz *f*; **~·tent** □ [~t] unvereinbar; widersprüchlich; unbeständig; inkonsequent.
in·con·so·la·ble □ [ɪnkənˈsəʊləbl] untröstlich.
in·con·spic·u·ous □ [ɪnkənˈspɪkjʊəs] unauffällig.
in·con·stant □ [ɪnˈkɒnstənt] unbeständig, veränderlich.
in·con·ti·nent □ [ɪnˈkɒntɪnənt] zügellos; ⚕ inkontinent.
in·con·ve·ni|ence [ɪnkənˈviːnjəns] **1.** Unbequemlichkeit *f*; Unannehmlichkeit *f*; **2.** belästigen, stören;

~·ent □ [~t] unbequem; ungelegen, lästig.
in·cor·po|rate [ɪnˈkɔːpəreɪt] (sich) verbinden *od.* -vereinigen *od.* zusammenschließen; *Idee etc.* einverleiben; aufnehmen, eingliedern, inkorporieren; *econ.*, ⚖ als Gesellschaft eintragen (lassen); **~·rat·ed** *econ.*, ⚖ als (*Am.* Aktien)Gesellschaft eingetragen; **~·ra·tion** [ɪnkɔːpəˈreɪʃn] Vereinigung *f*, -bindung *f*, Zusammenschluß *m*; Eingliederung *f*; *econ.*, ⚖ Eintragung *f* als (*Am.* Aktien)Gesellschaft.
in·cor·rect □ [ɪnkəˈrekt] unrichtig, falsch; inkorrekt.
in·cor·ri·gi·ble □ [ɪnˈkɒrɪdʒəbl] unverbesserlich.
in·cor·rup·ti·ble □ [ɪnkəˈrʌptəbl] unbestechlich; unvergänglich.
in·crease 1. [ɪnˈkriːs] zunehmen, (an)wachsen, (an)steigen, (sich) vergrößern *od.* -mehren *od.* erhöhen *od.* steigern *od.* verstärken; 2. [ˈɪnkriːs] Zunahme *f*, Vergrößerung *f*; (An-) Wachsen *n*, Steigen *n*, Steigerung *f*; Zuwachs *m*; **in·creas·ing·ly** [ɪnˈkriːsɪŋlɪ] zunehmend, immer mehr; ~ *difficult* immer schwieriger.
in·cred·i·ble □ [ɪnˈkredəbl] unglaublich, unglaubhaft.
in·cre·du·li·ty [ɪnkrɪˈdjuːlətɪ] Ungläubigkeit *f*; **in·cred·u·lous** □ [ɪnˈkredjʊləs] ungläubig, skeptisch.
in·crim·i·nate [ɪnˈkrɪmɪneɪt] beschuldigen; *j-n* belasten.
in·cu|bate [ˈɪnkjʊbeɪt] ausbrüten; **~·ba·tor** [~ə] Brutapparat *m*; Brutkasten *m*.
in·cum·bent □ [ɪnˈkʌmbənt] obliegend; *it is ~ on her* es ist ihre Pflicht.
in·cur [ɪnˈkɜː] (*-rr-*) sich *et.* zuziehen, auf sich laden, geraten in (*acc.*); *Schulden* machen; *Verpflichtung* eingehen; *Verlust* erleiden.
in·cu·ra·ble □ [ɪnˈkjʊərəbl] unheilbar.
in·cu·ri·ous □ [ɪnˈkjʊərɪəs] nicht neugierig, gleichgültig, uninteressiert.
in·cur·sion [ɪnˈkɜːʃn] (feindlicher) Einfall; plötzlicher Angriff; Eindringen *n*.
in·debt·ed [ɪnˈdetɪd] *econ.* verschuldet; *fig.* (zu Dank) verpflichtet.
in·de·cent □ [ɪnˈdiːsnt] unanständig, anstößig; ⚖ unsittlich, unzüchtig; ~ *assault* ⚖ Sittlichkeitsverbrechen *n*.
in·de·ci|sion [ɪndɪˈsɪʒn] Unentschlossenheit *f*; **~·sive** □ [~ˈsaɪsɪv] unbestimmt, ungewiß; unentschlossen, unschlüssig.
in·deed [ɪnˈdiːd] 1. *adv.* in der Tat, tatsächlich, wirklich; allerdings; *thank you very much ~!* vielen herzlichen Dank!; 2. *int.* ach wirklich!
in·de·fat·i·ga·ble □ [ɪndɪˈfætɪgəbl] unermüdlich.
in·de·fen·si·ble □ [ɪndɪˈfensəbl] unhaltbar.
in·de·fi·na·ble □ [ɪndɪˈfaɪnəbl] undefinierbar, unbestimmbar.
in·def·i·nite □ [ɪnˈdefɪnət] unbestimmt; unbegrenzt; unklar.
in·del·i·ble □ [ɪnˈdelɪbl] unauslöschlich, untilgbar; *fig.* unvergeßlich; ~ *pencil* Kopier-, Tintenstift *m*.
in·del·i·cate [ɪnˈdelɪkət] unfein, derb; taktlos.
in·dem·ni|fy [ɪnˈdemnɪfaɪ] *j-n* entschädigen (*for* für); versichern; ⚖ *j-m* Straflosigkeit zusichern; **~·ty** [~ətɪ] Schadenersatz *m*, Entschädigung *f*, Abfindung *f*; Versicherung *f*; ⚖ Straflosigkeit *f*.
in·dent [ɪnˈdent] einkerben, auszacken; *print. Zeile* einrücken; ⚖ *Vertrag* mit Doppel ausfertigen; ~ *on s.o. for s.th. bsd. Brt. econ.* et. bei j-m bestellen.
in·den·tures *econ.*, ⚖ [ɪnˈdentʃəz] *pl.* Ausbildungs-, Lehrvertrag *m*.
in·de·pen|dence [ɪndɪˈpendəns] Unabhängigkeit *f*; Selbständigkeit *f*; Auskommen *n*; ♀ *Day Am.* Unabhängigkeitstag *m* (*4. Juli*); **~·dent** □ [~t] unabhängig; selbständig.
in·de·scri·ba·ble □ [ɪndɪˈskraɪbəbl] unbeschreiblich.
in·de·struc·ti·ble □ [ɪndɪˈstrʌktəbl] unzerstörbar; unverwüstlich.
in·de·ter·mi·nate □ [ɪndɪˈtɜːmɪnət] unbestimmt; unklar, vage.
in·dex [ˈɪndeks] 1. (*pl. -dexes, -dices* [-dɪsiːz]) (Inhalts-, Namens-, Sach-, Stichwort)Verzeichnis *n*, Register *n*, Index *m*; Index-, Meßziffer *f*; ⊕ Zeiger *m*; Anzeichen *n*; *cost of living* ~ Lebenshaltungskosten-Index *m*; 2. mit e-m Inhaltsverzeichnis versehen; in ein Verzeichnis aufnehmen; ~ **card** Karteikarte *f*; ~ **fin·ger** Zeigefinger *m*.
In·di·an [ˈɪndjən] 1. indisch; indianisch, Indianer...; 2. Inder(in); *a. American* ~, *Red* ~ Indianer(in);

~ **corn** ⚘ Mais *m*; ~ **file:** *in* ~ im Gänsemarsch; ~ **pud·ding** Maismehlpudding *m*; ~ **sum·mer** Altweiber-, Nachsommer *m*.

In·di·a rub·ber, in·di·a·rub·ber [ˈɪndjəˈrʌbə] Radiergummi *m*; *attr*. Gummi...

in·di|cate [ˈɪndɪkeɪt] (an)zeigen; hinweisen *od*. -deuten auf (*acc*.); andeuten; *mot*. blinken; **~·ca·tion** [ɪndɪˈkeɪʃn] (An)Zeichen *n*, Hinweis *m*, Andeutung *f*; **in·dic·a·tive** [ɪnˈdɪkətɪv] *a*. ~ *mood gr*. Indikativ *m*; **~·ca·tor** [ˈɪndɪkeɪtə] (An)Zeiger *m*; *mot*. Richtungsanzeiger *m*, Blinker *m*.

in·di·ces [ˈɪndɪsiːz] *pl. von index*.

in·dict ⚖ [ɪnˈdaɪt] anklagen (*for* wegen); **~·ment** ⚖ [~mənt] Anklage *f*.

in·dif·fer|ence [ɪnˈdɪfrəns] Gleichgültigkeit *f*, Interesselosigkeit *f*; **~ent** □ [~t] gleichgültig (*to* gegen), interesselos (*to* gegenüber); durchschnittlich, mittelmäßig.

in·di·gent [ˈɪndɪdʒənt] arm.

in·di·ges|ti·ble □ [ɪndɪˈdʒestəbl] unverdaulich; **~·tion** [~tʃən] Verdauungsstörung *f*, Magenverstimmung *f*.

in·dig|nant □ [ɪnˈdɪgnənt] entrüstet, empört, ungehalten (*at, over, about* über *acc*.); **~·na·tion** [ɪndɪgˈneɪʃn] Entrüstung *f*, Empörung *f* (*at, over, about* über *acc*.); **~·ni·ty** [ɪnˈdɪgnətɪ] Demütigung *f*, unwürdige Behandlung.

in·di·rect □ [ɪndɪˈrekt] indirekt (*a. gr*.); *by* ~ *means* auf Umwegen.

in·dis|creet □ [ɪndɪˈskriːt] unbesonnen; taktlos; indiskret; **~·cre·tion** [~reʃn] Unbesonnenheit *f*; Taktlosigkeit *f*; Indiskretion *f*.

in·dis·crim·i·nate □ [ɪndɪˈskrɪmɪnət] unterschieds-, wahllos; willkürlich.

in·di·spen·sa·ble □ [ɪndɪˈspensəbl] unentbehrlich, unerläßlich.

in·dis|posed [ɪndɪˈspəʊzd] indisponiert; unpäßlich; abgeneigt; **~·po·si·tion** [ɪndɪspəˈzɪʃn] Abneigung *f* (*to* gegen); Unpäßlichkeit *f*.

in·dis·pu·ta·ble □ [ɪndɪˈspjuːtəbl] unbestreitbar, unstreitig.

in·dis·tinct □ [ɪndɪˈstɪŋkt] undeutlich; unklar, verschwommen.

in·dis·tin·guish·a·ble □ [ɪndɪˈstɪŋgwɪʃəbl] nicht zu unterscheiden(d).

in·di·vid·u·al [ɪndɪˈvɪdjʊəl] **1.** □ persönlich; individuell; besondere(r, -s); einzeln, Einzel...; **2.** Individuum *n*, Einzelne(r *m*) *f*; **~·is·m** [~ɪzəm] Individualismus *m*; **~·ist** [~ɪst] Individualist(in); **~·i·ty** [ɪndɪvɪdjʊˈælətɪ] Individualität *f*, (persönliche) Note; **~·ly** [ɪndɪˈvɪdjʊəlɪ] einzeln, jede(r, -s) für sich.

in·di·vis·i·ble □ [ɪndɪˈvɪzəbl] unteilbar.

in·do·lent □ [ˈɪndələnt] träge, faul, arbeitsscheu; ⚕ schmerzlos.

in·dom·i·ta·ble □ [ɪnˈdɒmɪtəbl] unbezähmbar, nicht unterzukriegen(d).

in·door [ˈɪndɔː] zu *od*. im Hause (befindlich), Haus..., Zimmer..., Innen..., *Sport*: Hallen...; **~s** [ˈɪnˈdɔːz] zu *od*. im Hause; im *od*. ins Haus.

in·dorse [ɪnˈdɔːs] = *endorse etc*.

in·duce [ɪnˈdjuːs] veranlassen; hervorrufen, bewirken; **~·ment** [~mənt] Anlaß *m*; Anreiz *m*, Ansporn *m*.

in·duct [ɪnˈdʌkt] einführen, -setzen; **in·duc·tion** [~kʃn] Einführung *f*, Einsetzung *f* (*in Amt, Pfründe*); ⚡ Induktion *f*.

in·dulge [ɪnˈdʌldʒ] nachsichtig sein gegen, gewähren lassen, *j-m* nachgeben; ~ *in s.th.* sich et. gönnen *od*. leisten; **in·dul·gence** [~əns] Nachsicht *f*, Nachgiebigkeit *f*; Schwäche *f*, Leidenschaft *f*; **in·dul·gent** □ [~nt] nachsichtig, -giebig.

in·dus·tri·al □ [ɪnˈdʌstrɪəl] industriell, Industrie..., Gewerbe..., Betriebs...; ~ *area* Industriegebiet *n*; **~·ist** *econ*. [~əlɪst] Industrielle(r *m*) *f*; **~·ize** *econ*. [~əlaɪz] industrialisieren.

in·dus·tri·ous □ [ɪnˈdʌstrɪəs] fleißig; ⚠ *nicht Industrie...*

in·dus·try [ˈɪndəstrɪ] *econ*. Industrie (-zweig *m*) *f*; Gewerbe(zweig *m*) *n*; Fleiß *m*.

in·ed·i·ble □ [ɪnˈedɪbl] ungenießbar, nicht eßbar.

in·ef·fa·ble □ [ɪnˈefəbl] unaussprechlich, unbeschreiblich.

in·ef·fec|tive □ [ɪnɪˈfektɪv], **~·tu·al** □ [~tʃʊəl] unwirksam, wirkungslos; untauglich.

in·ef·fi·cient □ [ɪnɪˈfɪʃnt] unfähig, untauglich; leistungsschwach, unproduktiv.

in·el·e·gant □ [ɪnˈelɪgənt] unelegant; schwerfällig.

in·eli·gi·ble □ [ɪnˈelɪdʒəbl] nicht

wählbar; ungeeignet; nicht berechtigt; *bsd.* ⚔ untauglich.
in·ept □ [ɪˈnept] unpassend; ungeschickt; albern, töricht.
in·e·qual·i·ty [ɪnɪˈkwɒlətɪ] Ungleichheit *f.*
in·ert □ [ɪˈnɜːt] *phys.* träge (*a. fig.*); ⚗ inaktiv; **in·er·tia** [ɪˈnɜːʃjə] Trägheit *f* (*a. fig.*).
in·es·ca·pa·ble [ɪnɪˈskeɪpəbl] unvermeidlich.
in·es·sen·tial [ɪnɪˈsenʃl] unwesentlich, unwichtig (*to* für).
in·es·ti·ma·ble □ [ɪnˈestɪməbl] unschätzbar.
in·ev·i·ta·ble □ [ɪnˈevɪtəbl] unvermeidlich; zwangsläufig.
in·ex·act □ [ɪnɪgˈzækt] ungenau.
in·ex·cu·sa·ble □ [ɪnɪˈskjuːzəbl] unverzeihlich, unentschuldbar.
in·ex·haus·ti·ble □ [ɪnɪgˈzɔːstəbl] unerschöpflich; unermüdlich.
in·ex·o·ra·ble □ [ɪnˈeksərəbl] unerbittlich.
in·ex·pe·di·ent □ [ɪnɪkˈspiːdjənt] unzweckmäßig; nicht ratsam.
in·ex·pen·sive □ [ɪnɪkˈspensɪv] nicht teuer, billig, preiswert.
in·ex·pe·ri·ence [ɪnɪkˈspɪərɪəns] Unerfahrenheit *f*; **~d** unerfahren.
in·ex·pert □ [ɪnˈekspɜːt] unerfahren; ungeschickt.
in·ex·plic·a·ble □ [ɪnɪkˈsplɪkəbl] unerklärlich.
in·ex·pres·si|ble □ [ɪnɪkˈspresəbl] unaussprechlich, unbeschreiblich; **~ve** [~sɪv] ausdruckslos.
in·ex·tri·ca·ble □ [ɪnˈekstrɪkəbl] unentwirrbar.
in·fal·li·ble □ [ɪnˈfæləbl] unfehlbar.
in·fa|mous □ [ˈɪnfəməs] berüchtigt; schändlich, niederträchtig; **~·my** [~ɪ] Ehrlosigkeit *f*; Schande *f*; Niedertracht *f.*
in·fan|cy [ˈɪnfənsɪ] frühe Kindheit; ⚖ Minderjährigkeit *f*; *in its ~ fig.* in den Anfängen *od.* Kinderschuhen steckend; **~t** [~t] Säugling *m*; Kleinkind *n*; ⚖ Minderjährige(r *m*) *f.*
in·fan·tile [ˈɪnfəntaɪl] kindlich; Kindes..., Kinder...; infantil, kindisch.
in·fan·try ⚔ [ˈɪnfəntrɪ] Infanterie *f.*
in·fat·u·at·ed [ɪnˈfætjʊeɪtɪd] vernarrt (*with* in *acc.*).
in·fect [ɪnˈfekt] ⚕ *j-n, et.* infizieren, *j-n* anstecken (*a. fig.*); verseuchen, -unreinigen; **in·fec·tion** [~kʃn] ⚕ Infektion *f*, Ansteckung *f* (*a. fig.*);
in·fec·tious □ [~kʃəs] ⚕ infektiös, ansteckend (*a. fig.*).
in·fer [ɪnˈfɜː] (*-rr-*) folgern, schließen (*from* aus); **~·ence** [ˈɪnfərəns] (Schluß)Folgerung *f.*
in·fe·ri·or [ɪnˈfɪərɪə] **1.** (*to*) untergeordnet (*dat.*), (*im Rang*) tieferstehend, niedriger, geringer (als); minderwertig; *be ~ to s.o.* j-m untergeordnet sein; *j-m* unterlegen sein; **2.** Untergebene(r *m*) *f*; **~·i·ty** [ɪnfɪərɪˈɒrətɪ] Unterlegenheit *f*; geringerer Wert *od.* Stand, Minderwertigkeit *f*; *~ complex psych.* Minderwertigkeitskomplex *m.*
in·fer|nal □ [ɪnˈfɜːnl] höllisch, Höllen...; **~·no** [~əʊ] (*pl. -nos*) Inferno *n*, Hölle *f.*
in·fer·tile [ɪnˈfɜːtaɪl] unfruchtbar.
in·fest [ɪnˈfest] heimsuchen; verseuchen, befallen; *fig.* überschwemmen (*with* mit).
in·fi·del·i·ty [ɪnfɪˈdelətɪ] (*bsd.* eheliche) Untreue.
in·fil·trate [ˈɪnfɪltreɪt] *v/t.* eindringen in (*acc.*); einsickern in (*acc.*), durchdringen; *pol.* unterwandern; *pol.* einschleusen; *v/i.* eindringen (*into* in *acc.*); *pol.* unterwandern (*into acc.*), sich einschleusen (*into* in *acc.*).
in·fi·nite □ [ˈɪnfɪnət] unendlich.
in·fin·i·tive [ɪnˈfɪnətɪv] *a. ~ mood gr.* Infinitiv *m*, Nennform *f.*
in·fin·i·ty [ɪnˈfɪnətɪ] Unendlichkeit *f.*
in·firm □ [ɪnˈfɜːm] schwach; gebrechlich; **in·fir·ma·ry** [~ərɪ] Krankenhaus *n*; Krankenstube *f*, -zimmer *n* (*in Internaten etc.*); **in·fir·mi·ty** [~ətɪ] Schwäche *f* (*a. fig.*); Gebrechlichkeit *f.*
in·flame [ɪnˈfleɪm] entflammen (*mst fig.*); ⚕ (sich) entzünden; erregen; erzürnen.
in·flam·ma|ble [ɪnˈflæməbl] leicht entzündlich; feuergefährlich; **~·tion** ⚕ [ɪnfləˈmeɪʃn] Entzündung *f*; **~·to·ry** [ɪnˈflæmətərɪ] ⚕ entzündlich; *fig.* aufrührerisch, Hetz...
in·flate [ɪnˈfleɪt] aufpumpen, -blasen, -blähen (*a. fig.*); *econ. Preise etc.* in die Höhe treiben; **in·fla·tion** [~ʃn] Aufblähung *f*; *econ.* Inflation *f.*
in·flect *gr.* [ɪnˈflekt] flektieren, beugen; **in·flec·tion** [~kʃn] = *inflexion.*
in·flex|i·ble □ [ɪnˈfleksəbl] unbiegsam, starr (*a. fig.*); *fig.* unbeugsam;

I J

~·ion *bsd. Brt.* [~kʃn] *gr.* Flexion *f*, Beugung *f*; ♪ Modulation *f*.
in·flict [ɪnˈflɪkt] (*on, upon*) *Leid etc.* zufügen (*dat.*); *Wunde etc.* beibringen (*dat.*); *Schlag* versetzen (*dat.*); *Strafe* verhängen (über *acc.*); aufbürden, -drängen (*dat.*); **in·flic·tion** [~kʃn] Zufügung *f*; Verhängung *f* (*e-r Strafe*); Plage *f*.
in·flu|ence [ˈɪnflʊəns] **1.** Einfluß *m*; **2.** beeinflussen; **~·en·tial** □ [ɪnflʊˈenʃl] einflußreich.
in·flu·en·za ⚕ [ɪnflʊˈenzə] Grippe *f*.
in·flux [ˈɪnflʌks] Einströmen *n*; *econ.* (*Waren*)Zufuhr *f*; *fig.* (Zu)Strom *m*.
in·form [ɪnˈfɔːm] benachrichtigen, unterrichten (*of* von), informieren (*of* über *acc.*); *~ against od. on od. upon s.o.* j-n anzeigen; j-n denunzieren.
in·for·mal [ɪnˈfɔːml] formlos, zwanglos; **~·i·ty** [ɪnfɔːˈmælətɪ] Formlosigkeit *f*; Ungezwungenheit *f*.
in·for·ma|tion [ɪnfəˈmeɪʃn] Auskunft *f*; Nachricht *f*; Information *f*; *~ storage Computer*: Datenspeicherung *f*; **~·tive** [ɪnˈfɔːmətɪv] informativ; lehrreich; mitteilsam.
in·form·er [ɪnˈfɔːmə] Denunziant(in); Spitzel *m*.
in·fre·quent □ [ɪnˈfriːkwənt] selten.
in·fringe [ɪnˈfrɪndʒ]: *~ on, ~ upon Rechte, Vertrag etc.* verletzen.
in·fu·ri·ate [ɪnˈfjʊərɪeɪt] wütend machen.
in·fuse [ɪnˈfjuːz] *Tee* aufgießen; *fig.* einflößen; *fig.* erfüllen (*with* mit); **in·fu·sion** [~ʒn] Aufguß *m*, Tee *m*; Einflößen *n*; ⚕ Infusion *f*.
in·ge|ni·ous □ [ɪnˈdʒiːnjəs] genial; geist-, sinnreich; erfinderisch; raffiniert; **~·nu·i·ty** [ɪndʒɪˈnjuːətɪ] Genialität *f*; Einfallsreichtum *m*.
in·gen·u·ous □ [ɪnˈdʒenjʊəs] offen, aufrichtig; unbefangen; naiv.
in·got [ˈɪŋgət] (*Gold- etc.*)Barren *m*.
in·gra·ti·ate [ɪnˈgreɪʃɪeɪt]: *~ o.s. with s.o.* sich bei j-m beliebt machen.
in·grat·i·tude [ɪnˈgrætɪtjuːd] Undankbarkeit *f*.
in·gre·di·ent [ɪnˈgriːdjənt] Bestandteil *m*; *Küche*: Zutat *f*.
in·grow·ing [ˈɪngrəʊɪŋ] nach innen wachsend; eingewachsen.
in·hab|it [ɪnˈhæbɪt] bewohnen, leben in (*dat.*); **~·it·a·ble** [~əbl] bewohnbar; **~·i·tant** [~ənt] Bewohner(in); Einwohner(in).
in·hale [ɪnˈheɪl] einatmen, ⚕ *a.* inhalieren.
in·her·ent □ [ɪnˈhɪərənt] anhaftend; innewohnend, angeboren, eigen (*in dat.*).
in·her|it [ɪnˈherɪt] erben; **~·i·tance** [~əns] Erbe *n*, Erbschaft *f*; *biol.* Vererbung *f*.
in·hib·it [ɪnˈhɪbɪt] hemmen (*a. psych.*), hindern; **~·ed** *psych.* gehemmt; **in·hi·bi·tion** *psych.* [ɪnhɪˈbɪʃn] Hemmung *f*.
in·hos·pi·ta·ble □ [ɪnˈhɒspɪtəbl] ungastlich; unwirtlich (*Gegend etc.*).
in·hu·man □ [ɪnˈhjuːmən] unmenschlich; **~e** □ [ɪnhjuːˈmeɪn] inhuman; menschenunwürdig.
in·im·i·cal □ [ɪˈnɪmɪkl] feindselig (*to* gegen); nachteilig (*to* für).
in·im·i·ta·ble □ [ɪˈnɪmɪtəbl] unnachahmlich.
i·ni|tial [ɪˈnɪʃl] **1.** □ anfänglich, Anfangs...; **2.** Initiale *f*, (großer) Anfangsbuchstabe; **~·tial·ly** [~ʃəlɪ] am *od.* zu Anfang; **~·ti·ate 1.** [~ʃɪət] Eingeweihte(r *m*) *f*; **2.** [~ʃɪeɪt] beginnen, in die Wege leiten; einführen, einweihen; aufnehmen; **~·ti·a·tion** [ɪnɪʃɪˈeɪʃn] Einführung *f*; Aufnahme *f*; *~ fee bsd. Am.* Aufnahmegebühr *f* (*Vereinigung*); **~·tia·tive** [ɪˈnɪʃɪətɪv] Initiative *f*; erster Schritt; Entschlußkraft *f*, Unternehmungsgeist *m*; *take the ~* die Initiative ergreifen; *on one's own ~* aus eigenem Antrieb.
in·ject ⚕ [ɪnˈdʒekt] injizieren, einspritzen; **in·jec·tion** ⚕ [~kʃn] Injektion *f*, Spritze *f*.
in·ju·di·cious □ [ɪndʒuːˈdɪʃəs] unklug, unüberlegt.
in·junc·tion [ɪnˈdʒʌnkʃn] ⚖ gerichtliche Verfügung; ausdrücklicher Befehl.
in·jure [ˈɪndʒə] verletzen, -wunden; (be)schädigen; schaden (*dat.*); kränken; **in·ju·ri·ous** □ [ɪnˈdʒʊərɪəs] schädlich; beleidigend; *be ~ to* schaden (*dat.*); *~ to health* gesundheitsschädlich; **in·ju·ry** [ˈɪndʒərɪ] ⚕ Verletzung *f*; Unrecht *n*; Schaden *m*; Kränkung *f*.
in·jus·tice [ɪnˈdʒʌstɪs] Ungerechtigkeit *f*; Unrecht *n*; *do s.o. an ~* j-m unrecht tun.
ink [ɪŋk] Tinte *f*; *mst printer's ~*

Druckerschwärze *f*; *attr.* Tinten...
ink·ling [ˈɪŋklɪŋ] Andeutung *f*; dunkle *od.* leise Ahnung.
ink|pad [ˈɪŋkpæd] Stempelkissen *n*; **~·y** [~ɪ] (*-ier, -iest*) voll Tinte, Tinten...; tinten-, pechschwarz.
in·laid [ˈɪnleɪd] eingelegt, Einlege...; ~ *work* Einlegearbeit *f*.
in·land 1. *adj.* [ˈɪnlənd] inländisch, einheimisch; Binnen...; **2.** [~] *das* Landesinnere; Binnenland *n*. **3.** *adv.* [ɪnˈlænd] landeinwärts; **~ rev·e·nue** *Brt.* Steuereinnahmen *pl.*; **♀ Rev·e·nue** *Brt.* Finanzamt *n*.
in·lay [ˈɪnleɪ] Einlegearbeit *f*; (Zahn-) Füllung *f*, Plombe *f*.
in·let [ˈɪnlet] Meeresarm *m*; Flußarm *m*; ⊕ Einlaß *m*.
in·mate [ˈɪnmeɪt] Insass|e *m*, -in *f*; Mitbewohner(in).
in·most [ˈɪnməʊst] = *innermost*.
inn [ɪn] Gasthaus *n*, Wirtshaus *n*.
in·nate □ [ɪˈneɪt] angeboren.
in·ner [ˈɪnə] innere(r, -s); Innen...; verborgen; **~·most** innerste(r, -s) (*a. fig.*).
in·nings [ˈɪnɪŋz] (*pl. innings*) *Krikket, Baseball*: Spielzeit *f* (*e-s Spielers od. e-r Mannschaft*).
inn·keep·er [ˈɪnkiːpə] Gastwirt(in).
in·no|cence [ˈɪnəsns] Unschuld *f*; Harmlosigkeit *f*; Naivität *f*; **~·cent** [~t] **1.** □ unschuldig; harmlos; arglos, naiv; **2.** Unschuldige(r *m*) *f*; Einfältige(r *m*) *f*.
in·noc·u·ous □ [ɪˈnɒkjʊəs] harmlos.
in·no·va·tion [ɪnəʊˈveɪʃn] Neuerung *f*.
in·nu·en·do [ɪnjuːˈendəʊ] (*pl. -does, -dos*) (versteckte) Andeutung.
in·nu·me·ra·ble □ [ɪˈnjuːmərəbl] unzählig, zahllos.
i·noc·u|late ⚕ [ɪˈnɒkjʊleɪt] (ein)impfen; **~·la·tion** ⚕ [ɪnɒkjʊˈleɪʃn] Impfung *f*.
in·of·fen·sive □ [ɪnəˈfensɪv] harmlos.
in·op·e·ra·ble [ɪnˈɒpərəbl] ⚕ inoperabel, nicht operierbar; undurchführbar (*Plan etc.*).
in·op·por·tune □ [ɪnˈɒpətjuːn] inopportun, unangebracht, ungelegen.
in·or·di·nate □ [ɪˈnɔːdɪnət] unmäßig.
in-pa·tient ⚕ [ˈɪnpeɪʃnt] stationärer Patient, stationäre Patientin.
in·put [ˈɪnpʊt] Input *m*: *econ.* (*von außen bezogene*) Produktionsmittel *pl.*; Arbeitsaufwand *m*; Energiezufuhr *f*; ⚡ Eingang *m* (*an Geräten*); *Computer*: (Daten- *od.* Programm-) Eingabe *f*.
in·quest ⚖ [ˈɪnkwest] gerichtliche Untersuchung; *coroner's* ~ *s. coroner*.
in·quir|e [ɪnˈkwaɪə] fragen *od.* sich erkundigen (nach); ~ *into* untersuchen; **in·quir·ing** □ [~rɪŋ] forschend; wißbegierig; **in·quir·y** [~rɪ] Erkundigung *f*, Nachfrage *f*; Untersuchung *f*; Ermittlung *f*; *make inquiries* Erkundigungen einziehen.
in·qui·si·tion [ɪnkwɪˈzɪʃn] ⚖ Untersuchung *f*; Verhör *n*; *eccl. hist.* Inquisition *f*; **in·quis·i·tive** □ [ɪnˈkwɪzətɪv] neugierig; wißbegierig.
in·road *fig.* [ˈɪnrəʊd] (*into, on*) Eingriff *m* (in *acc.*); übermäßige Inanspruchnahme (*gen.*).
in·sane □ [ɪnˈseɪn] geisteskrank, wahnsinnig.
in·san·i·ta·ry [ɪnˈsænɪtərɪ] unhygienisch.
in·san·i·ty [ɪnˈsænətɪ] Geisteskrankheit *f*, Wahnsinn *m*.
in·sa·tia·ble □ [ɪnˈseɪʃjəbl] unersättlich.
in·scribe [ɪnˈskraɪb] (ein-, auf-) schreiben, einmeißeln, -ritzen; *Buch* mit e-r Widmung versehen.
in·scrip·tion [ɪnˈskrɪpʃn] In-, Aufschrift *f*; Widmung *f*.
in·scru·ta·ble □ [ɪnˈskruːtəbl] unerforschlich, unergründlich.
in·sect *zo.* [ˈɪnsekt] Insekt *n*, Kerbtier *n*; **in·sec·ti·cide** [ɪnˈsektɪsaɪd] Insektenvertilgungsmittel *n*, Insektizid *n*.
in·se·cure □ [ɪnsɪˈkjʊə] unsicher; nicht sicher *od.* fest.
in·sen·si|ble □ [ɪnˈsensəbl] unempfindlich (*to* gegen); bewußtlos; unmerklich; gefühllos, gleichgültig; **~·tive** [~sətɪv] unempfindlich, gefühllos (*to* gegen); unempfänglich.
in·sep·a·ra·ble □ [ɪnˈsepərəbl] untrennbar; unzertrennlich.
in·sert 1. [ɪnˈsɜːt] einfügen, -setzen, -führen, (hinein)stecken; *Münze* einwerfen; inserieren; **2.** [ˈɪnsɜːt] Bei-, Einlage *f*; **in·ser·tion** [ɪnˈsɜːʃn] Einfügen *n*, -setzen *n*, -führen *n*, Hineinstecken *n*; Einfügung *f*; Einwurf *m* (*e-r Münze*); Anzeige *f*, Inserat *n*.

in·shore [ˈɪnˈʃɔː] an *od.* nahe der Küste; Küsten...
in·side [ɪnˈsaɪd] **1.** Innenseite *f*; *das* Innere; *turn ~ out* umkrempeln; auf den Kopf stellen; **2.** *adj.* innere(r, -s), Innen...; Insider...; **3.** *adv.* im Innern, (dr)innen; *~ of a week* F innerhalb e-r Woche; **4.** *prp.* innen in; in ... (hinein); **in·sid·er** [~ə] Eingeweihte(r *m*) *f*, Insider *m*.
in·sid·i·ous □ [ɪnˈsɪdɪəs] heimtückisch.
in·sight [ˈɪnsaɪt] Einsicht *f*, Einblick *m*; Verständnis *n*.
in·sig·ni·a [ɪnˈsɪgnɪə] *pl.* Insignien *pl.*; Abzeichen *pl.*
in·sig·nif·i·cant [ɪnsɪgˈnɪfɪkənt] bedeutungslos; unbedeutend.
in·sin·cere □ [ɪnsɪnˈsɪə] unaufrichtig.
in·sin·u|ate [ɪnˈsɪnjʊeɪt] andeuten, anspielen auf (*acc.*); **~·a·tion** [ɪnsɪnjʊˈeɪʃn] Anspielung *f*, Andeutung *f*.
in·sip·id [ɪnˈsɪpɪd] geschmacklos, fad.
in·sist [ɪnˈsɪst] bestehen, beharren (*on, upon* auf *dat.*); **in·sis·tence** [~əns] Bestehen *n*, Beharren *n*; Beharrlichkeit *f*; **in·sis·tent** □ [~t] beharrlich, hartnäckig.
in·so·lent □ [ˈɪnsələnt] unverschämt.
in·sol·u·ble □ [ɪnˈsɒljʊbl] unlöslich; unlösbar (*Problem etc.*).
in·sol·vent [ɪnˈsɒlvənt] zahlungsunfähig, insolvent.
in·som·ni·a [ɪnˈsɒmnɪə] Schlaflosigkeit *f*.
in·spect [ɪnˈspekt] untersuchen, prüfen, nachsehen; besichtigen, inspizieren; **in·spec·tion** [~kʃn] Prüfung *f*, Untersuchung *f*, Kontrolle *f*; Inspektion *f*; **in·spec·tor** [~ktə] Aufsichtsbeamte(r) *m*, Inspektor *m*; (Polizei)Inspektor *m*, (-)Kommissar *m*.
in·spi·ra·tion [ɪnspəˈreɪʃn] Inspiration *f*, Eingebung *f*; **in·spire** [ɪnˈspaɪə] inspirieren; hervorrufen; *Hoffnung etc.* wecken; *Respekt etc.* einflößen.
in·stall [ɪnˈstɔːl] ⊕ installieren, einrichten, aufstellen, einbauen, *Leitung* legen; *in ein Amt etc.* einsetzen; **in·stal·la·tion** [ɪnstəˈleɪʃn] ⊕ Installation *f*, Einrichtung *f*, -bau *m*; ⊕ *fertige* Anlage; Einsetzung *f*, -führung *f* (*in ein Amt*).
in·stal·ment, *Am. a.* **-stall-** [ɪnˈstɔːlmənt] *econ.* Rate *f*; (Teil)Lieferung *f* (*e-s Buches etc.*); Fortsetzung *f* (*e-s Romans etc.*); *Rundfunk, TV*: (Sende)Folge *f*.
in·stance [ˈɪnstəns] Beispiel *n*; (besonderer) Fall; ⚖ Instanz *f*; *for ~* zum Beispiel; *at s.o.'s ~* auf j-s Veranlassung (hin).
in·stant □ [ˈɪnstənt] **1.** sofortig; unmittelbar; *econ.* Fertig...; *~ coffee* löslicher *od.* Pulverkaffee, Instantkaffee *m*; **2.** Augenblick *m*; **in·stan·ta·ne·ous** □ [ɪnstənˈteɪnjəs] sofortig, augenblicklich; Moment...; **~·ly** [ˈɪnstəntlɪ] sofort, unverzüglich.
in·stead [ɪnˈsted] statt dessen, dafür; *~ of* an Stelle von, (an)statt.
in·step *anat.* [ˈɪnstep] Spann *m*, Rist *m*.
in·sti|gate [ˈɪnstɪgeɪt] anstiften; aufhetzen; veranlassen; **~·ga·tor** [~ə] Anstifter(in); (Auf)Hetzer(in).
in·stil, *Am. a.* **-still** *fig.* [ɪnˈstɪl] (*-ll-*) beibringen, einflößen (*into dat.*).
in·stinct [ˈɪnstɪŋkt] Instinkt *m*; **in·stinc·tive** □ [ɪnˈstɪŋktɪv] instinktiv.
in·sti|tute [ˈɪnstɪtjuːt] **1.** Institut *n*; (*gelehrte etc.*) Gesellschaft; **2.** einrichten, gründen; einführen; einleiten; **~·tu·tion** [ɪnstɪˈtjuːʃn] Institut *n*, Anstalt *f*; Einführung *f*; Institution *f*, Einrichtung *f*.
in·struct [ɪnˈstrʌkt] unterrichten; belehren; *j-n* anweisen; **in·struc·tion** [~kʃn] Unterricht *m*; Anweisung *f*, Instruktion *f*; *Computer*: Befehl *m*; *~s for use* Gebrauchsanweisung *f*; *operating ~s* Bedienungsanleitung *f*; **in·struc·tive** □ [~ktɪv] instruktiv, lehrreich; **in·struc·tor** [~ə] Lehrer *m*; Ausbilder *m*; *Am. univ.* Dozent *m*.
in·stru·|ment [ˈɪnstrʊmənt] Instrument *n*; Werkzeug *n* (*a. fig.*); *~ panel* ⊕ Armaturenbrett *n*; **~·men·tal** □ [ɪnstrʊˈmentl] behilflich, dienlich; ♪ Instrumental...
in·sub·or·di|nate [ɪnsəˈbɔːdənət] aufsässig; **~·na·tion** [ˈɪnsəbɔːdɪˈneɪʃn] Auflehnung *f*.
in·suf·fe·ra·ble □ [ɪnˈsʌfərəbl] unerträglich, unausstehlich.
in·suf·fi·cient □ [ɪnsəˈfɪʃnt] unzulänglich, ungenügend.
in·su·lar □ [ˈɪnsjʊlə] Insel...; *fig.* engstirnig.

in·su|late [ˈɪnsjʊleɪt] isolieren; **~·la·tion** [ɪnsjʊˈleɪʃn] Isolierung *f*; Isoliermaterial *n*.
in·sult 1. [ˈɪnsʌlt] Beleidigung *f*; **2.** [ɪnˈsʌlt] beleidigen.
in·sur|ance [ɪnˈʃʊərəns] Versicherung *f*; Versicherungssumme *f*; *~ company* Versicherungsgesellschaft *f*; *~ policy* Versicherungspolice *f*; **~e** [ɪnˈʃʊə] versichern (*against* gegen).
in·sur·gent [ɪnˈsɜːdʒənt] **1.** aufständisch; **2.** Aufständische(r *m*) *f*.
in·sur·moun·ta·ble □ *fig.* [ɪnsəˈmaʊntəbl] unüberwindlich.
in·sur·rec·tion [ɪnsəˈrekʃn] Aufstand *m*.
in·tact [ɪnˈtækt] unberührt; unversehrt, intakt.
in·tan·gi·ble □ [ɪnˈtændʒəbl] nicht greifbar; unbestimmt.
in·te|gral □ [ˈɪntɪgrəl] ganz, vollständig; wesentlich; **~·grate** [~eɪt] *v/t.* integrieren, zu e-m Ganzen zusammenfassen; einbeziehen, -gliedern; *Am.* die Rassenschranken aufheben zwischen; *v/i.* sich integrieren; **~·grat·ed** einheitlich; ⊕ eingebaut; ohne Rassentrennung; **~·gra·tion** [ɪntɪˈgreɪʃn] Integration *f*.
in·teg·ri·ty [ɪnˈtegrətɪ] Integrität *f*, Rechtschaffenheit *f*; Vollständigkeit *f*.
in·tel|lect [ˈɪntəlekt] Intellekt *m*, Verstand *m*; **~·lec·tual** [ɪntəˈlektjʊəl] **1.** □ intellektuell, Verstandes..., geistig; **2.** Intellektuelle(r *m*) *f*.
in·tel·li|gence [ɪnˈtelɪdʒəns] Intelligenz *f*, Verstand *m*; Nachrichten *pl.*, Informationen *pl.*; *a. ~ department* Geheimdienst *m*; **~·gent** □ [~t] intelligent, klug.
in·tel·li·gi·ble □ [ɪnˈtelɪdʒəbl] verständlich (*to* für).
in·tem·per·ate □ [ɪnˈtempərət] unmäßig, maßlos; trunksüchtig.
in·tend [ɪnˈtend] beabsichtigen, vorhaben, planen; *~ed for* bestimmt für *od.* zu.
in·tense □ [ɪnˈtens] intensiv; stark, heftig; angespannt; ernsthaft.
in·ten|si·fy [ɪnˈtensɪfaɪ] intensivieren; (sich) verstärken; **~·si·ty** [~sətɪ] Intensität *f*; **~·sive** [~sɪv] intensiv; stark, heftig; *~ care unit* ⚕ Intensivstation *f*.
in·tent [ɪnˈtent] **1.** □ gespannt, aufmerksam; *~ on* fest entschlossen zu (*dat.*); konzentriert auf (*acc.*); **2.** Absicht *f*, Vorhaben *n*; *to all ~s and purposes* in jeder Hinsicht; **in·ten·tion** [~ʃn] Absicht *f*; ⚖ Vorsatz *m*; **in·ten·tion·al** □ [~nl] absichtlich, vorsätzlich.
in·ter [ɪnˈtɜː] (*-rr-*) bestatten.
in·ter- [ˈɪntə] zwischen, Zwischen...; gegenseitig, einander.
in·ter·act [ɪntərˈækt] aufeinander (ein)wirken, sich gegenseitig beeinflussen.
in·ter·cede [ɪntəˈsiːd] vermitteln, sich einsetzen (*with* bei; *for* für).
in·ter|cept [ɪntəˈsept] abfangen; aufhalten; **~·cep·tion** [~pʃn] Abfangen *n*; Aufhalten *n*.
in·ter·ces·sion [ɪntəˈseʃn] Fürbitte *f*, -sprache *f*.
in·ter·change 1. [ɪntəˈtʃeɪndʒ] austauschen; **2.** [ˈɪntəˈtʃeɪndʒ] Austausch *m*; kreuzungsfreier Verkehrsknotenpunkt.
in·ter·course [ˈɪntəkɔːs] Verkehr *m*; *a. sexual ~* (Geschlechts)Verkehr *m*.
in·ter|dict 1. [ɪntəˈdɪkt] untersagen, verbieten (*s.th. to s.o.* j-m et.; *s.o. from doing* j-m zu tun); **2.** [ˈɪntədɪkt], **~·dic·tion** [ɪntəˈdɪkʃn] Verbot *n*.
in·terest [ˈɪntrɪst] **1.** Interesse *n* (*in* an *dat.*, für), (An)Teilnahme *f*; Nutzen *m*; *econ.* Anteil *m*, Beteiligung *f*; *econ.* Zins(en *pl.*) *m*; Interessenten *pl.*, Interessengruppe(n *pl.*) *f*; *take an ~ in* sich interessieren für; **2.** interessieren (*in* für *et.*); **~·ing** □ [~ɪŋ] interessant.
in·ter·face [ˈɪntəfeɪs] *Computer*: Schnittstelle *f*.
in·ter|fere [ɪntəˈfɪə] sich einmischen (*with* in *acc.*); stören; **~·fer·ence** [~rəns] Einmischung *f*; Störung *f*.
in·te·ri·or [ɪnˈtɪərɪə] **1.** □ innere(r, -s), Innen...; Binnen...; Inlands...; *~ decorator* Innenarchtitekt(in); **2.** *das* Innere; Interieur *n*; *pol.* innere Angelegenheiten *pl.*; *Department of the* ♀ *Am.* Innenministerium *n*.
in·ter|ject [ɪntəˈdʒekt] *Bemerkung* einwerfen; **~·jec·tion** [~kʃn] Einwurf *m*; Ausruf *m*; *ling.* Interjektion *f*.
in·ter·lace [ɪntəˈleɪs] (sich) (ineinander) verflechten.
in·ter·lock [ɪntəˈlɒk] ineinandergreifen; (miteinander) verzahnen.
in·ter·lop·er [ˈɪntələʊpə] Eindringling *m*.

I J

in·ter·lude [ˈɪntəluːd] Zwischenspiel *n*; Pause *f*; *~s of bright weather* zeitweilig schön.
in·ter·me·di|a·ry [ɪntəˈmiːdjərɪ] Vermittler(in); **~·ate** □ [~ət] in der Mitte liegend, Mittel..., Zwischen...; *~-range missile* Mittelstreckenrakete *f*.
in·ter·ment [ɪnˈtɜːmənt] Beerdigung *f*, Bestattung *f*.
in·ter·mi·na·ble □ [ɪnˈtɜːmɪnəbl] endlos.
in·ter·mis·sion [ɪntəˈmɪʃn] Aussetzen *n*, Unterbrechung *f*; *bsd. Am. thea., Film etc.:* Pause *f*.
in·ter·mit·tent □ [ɪntəˈmɪtənt] (zeitweilig) aussetzend, periodisch (auftretend); *~ fever* ⚕ Wechselfieber *n*.
in·tern[1] [ɪnˈtɜːn] internieren.
in·tern[2] *Am.* ⚕ [ˈɪntɜːn] Medizinalassistent(in).
in·ter·nal □ [ɪnˈtɜːnl] innere(r, -s); einheimisch, Inlands...; *~-combustion engine* Verbrennungsmotor *m*.
in·ter·na·tion·al [ɪntəˈnæʃənl] **1.** □ international; *~ law* ⚖ Völkerrecht *n*; **2.** *Sport:* Internationale *m, f*, Nationalspieler(in); internationaler Wettkampf; Länderspiel *n*.
in·ter·po·late [ɪnˈtɜːpəleɪt] einfügen.
in·ter·pose [ɪntəˈpəʊz] *v/t. Veto* einlegen; *Wort* einwerfen; *v/i.* eingreifen.
in·ter|pret [ɪnˈtɜːprɪt] auslegen, erklären, deuten, interpretieren; dolmetschen; **~·pre·ta·tion** [ɪntɜːprɪˈteɪʃn] Auslegung *f*, Deutung *f*, Interpretation *f*; **~·pret·er** [ɪnˈtɜːprɪtə] Dolmetscher(in); Interpret(in).
in·ter·ro|gate [ɪnˈterəgeɪt] (be-, aus-) fragen; verhören; **~·ga·tion** [ɪnterəˈgeɪʃn] Befragung *f*; Verhör *m*; Frage *f*; *note od. mark od. point of ~ ling.* Fragezeichen *n*; **~g·a·tive** □ [ɪntəˈrɒgətɪv] fragend, Frage...; *gr.* Interrogativ..., Frage...
in·ter|rupt [ɪntəˈrʌpt] unterbrechen; **~·rup·tion** [~pʃn] Unterbrechung *f*.
in·ter|sect [ɪntəˈsekt] durchschneiden; sich schneiden *od.* kreuzen; **~·sec·tion** [~kʃn] Schnittpunkt *m*; (Straßen- *etc.*)Kreuzung *f*.
in·ter·sperse [ɪntəˈspɜːs] einstreuen, hier u. da einfügen.
in·ter·state *Am.* [ɪntəˈsteɪt] zwischen den einzelnen Bundesstaaten.
in·ter·twine [ɪntəˈtwaɪn] (sich ineinander) verschlingen.
in·ter·val [ˈɪntəvl] Intervall *n* (*a.* ♪), Abstand *m*; Pause *f*; *at ~s of* in Abständen von.
in·ter|vene [ɪntəˈviːn] einschreiten, intervenieren; dazwischenliegen; (unerwartet) dazwischenkommen; **~·ven·tion** [~ˈvenʃn] Eingreifen *n*, -griff *m*, Intervention *f*.
in·ter·view [ˈɪntəvjuː] **1.** *Presse, TV:* Interview *n*; Unterredung *f*; (Vorstellungs)Gespräch *n*; **2.** *j-n* interviewen, befragen; ein Vorstellungsgespräch führen mit; **~·er** [~ə] Interviewer(in); Leiter(in) e-s Vorstellungsgesprächs.
in·ter·weave [ɪntəˈwiːv] (*-wove, -woven*) (miteinander) verweben, -flechten, -schlingen.
in·tes·tate ⚖ [ɪnˈtesteɪt]: *die ~* ohne Testament sterben.
in·tes·tine *anat.* [ɪnˈtestɪn] Darm *m*; *~s pl.* Eingeweide *pl*.
in·ti·ma·cy [ˈɪntɪməsɪ] Intimität *f* (*a. sexuell*), Vertrautheit *f*; Vertraulichkeit *f*.
in·ti·mate[1] [ˈɪntɪmət] **1.** □ intim (*a. sexuell*), vertraut; vertraulich; **2.** Vertraute(r *m*) *f*.
in·ti|mate[2] [ˈɪntɪmeɪt] andeuten; **~·ma·tion** [ɪntɪˈmeɪʃn] Andeutung *f*.
in·tim·i|date [ɪnˈtɪmɪdeɪt] einschüchtern; **~·da·tion** [ɪntɪmɪˈdeɪʃn] Einschüchterung *f*.
in·to [ˈɪntʊ, ˈɪntə] in (*acc.*), in (*acc.*) ... hinein; gegen (*acc.*); ⅍ in (*acc.*); *4 ~ 20 goes five times* 4 geht fünfmal in 20.
in·tol·e·ra·ble □ [ɪnˈtɒlərəbl] unerträglich.
in·tol·e|rance [ɪnˈtɒlərəns] Intoleranz *f*, Unduldsamkeit (*of* gegen); **~·rant** [~t] intolerant, unduldsam (*of* gegen).
in·to·na·tion [ɪntəʊˈneɪʃn] *gr.* Intonation *f*, Tonfall *m*; ♪ Intonation *f*.
in·tox·i|cant [ɪnˈtɒksɪkənt] **1.** berauschend; **2.** *bsd.* berauschendes Getränk; **~·cate** [~eɪt] berauschen (*a. fig.*), betrunken machen; **~·ca·tion** [ɪntɒksɪˈkeɪʃn] Rausch *m* (*a. fig.*).
in·trac·ta·ble □ [ɪnˈtræktəbl] unlenksam, eigensinnig; schwer zu handhaben(d).
in·tran·si·tive □ *gr.* [ɪnˈtrænsətɪv] intransitiv.

in·tra·ve·nous ⚕ [ɪntrəˈviːnəs] intravenös.
in·trep·id □ [ɪnˈtrepɪd] unerschrokken.
in·tri·cate □ [ˈɪntrɪkət] verwickelt, kompliziert.
in·trigue [ɪnˈtriːg] **1.** Intrige *f*; Machenschaft *f*; **2.** faszinieren, interessieren; intrigieren.
in·trin·sic [ɪnˈtrɪnsɪk] (*~ally*) wirklich, wahr, inner(lich).
in·tro|duce [ɪntrəˈdjuːs] vorstellen (*to dat.*), *j-n* bekannt machen (*to* mit); einführen; einleiten; **~·duc·tion** [~ˈdʌkʃn] Vorstellung *f*; Einführung *f*; Einleitung *f*; *letter of ~* Empfehlungsschreiben *n*; **~·duc·to·ry** [~tərɪ] einleitend, Einführungs..., Einleitungs...
in·tro·spec|tion [ɪntrəʊˈspekʃn] Selbstbeobachtung *f*; **~·tive** [~tɪv] selbstbeobachtend.
in·tro·vert *psych.* [ˈɪntrəʊvɜːt] introvertierter Mensch; **~·ed** *psych.* introvertiert, in sich gekehrt.
in·trude [ɪnˈtruːd] sich einmischen; sich ein- *od.* aufdrängen; stören; *am I intruding?* störe ich?; **in·trud·er** [~də] Eindringling *m*; **in·tru·sion** [~ʒn] Aufdrängen *n*; Einmischung *f*; Auf-, Zudringlichkeit *f*; Störung *f*; Verletzung *f*; **in·tru·sive** □ [~sɪv] aufdringlich.
in·tu·i|tion [ɪntjuːˈɪʃn] Intuition *f*; Ahnung *f*; **~·tive** □ [ɪnˈtjuːɪtɪv] intuitiv.
in·un·date [ˈɪnʌndeɪt] überschwemmen, -fluten (*a. fig.*).
in·vade [ɪnˈveɪd] eindringen in, einfallen in, ⚔ *a.* einmarschieren in (*acc.*); *fig.* überlaufen, -schwemmen; **~r** [~ə] Eindringling *m*.
in·va·lid[1] [ˈɪnvəlɪd] **1.** dienstunfähig; kränklich, invalide; Kranken...; **2.** Invalide *m, f*.
in·val|id[2] □ [ɪnˈvælɪd] (rechts)ungültig; **~·i·date** [~eɪt] *Argument* entkräften; ⚖ ungültig machen.
in·val·u·a·ble □ [ɪnˈvæljʊəbl] unschätzbar.
in·var·i·a|ble □ [ɪnˈveərɪəbl] unveränderlich; **~·bly** [~lɪ] ausnahmslos.
in·va·sion [ɪnˈveɪʒn] Invasion *f*, Einfall *m*; *fig.* Eingriff *m*, Verletzung *f*.
in·vec·tive [ɪnˈvektɪv] Schmähung *f*, Beschimpfung *f*.
in·vent [ɪnˈvent] erfinden; **in·ven·tion** [~nʃn] Erfindung(sgabe) *f*; **in·ven·tive** □ [~tɪv] erfinderisch; **in·ven·tor** [~ə] Erfinder(in); **in·ven·tory** [ˈɪnvəntrɪ] Inventar *n*; Bestandsverzeichnis *n*; *Am.* Inventur *f*.
in·verse [ˈɪnˈvɜːs] **1.** □ umgekehrt; **2.** Umkehrung *f*, Gegenteil *n*; **in·version** [ɪnˈvɜːʃn] Umkehrung *f*; *gr.* Inversion *f*.
in·vert [ɪnˈvɜːt] umkehren; *gr. Satz etc.* umstellen; *~ed commas pl.* Anführungszeichen *pl.*
in·ver·te·brate *zo.* [ɪnˈvɜːtɪbrət] **1.** wirbellos; **2.** wirbelloses Tier.
in·vest [ɪnˈvest] investieren, anlegen.
in·ves·ti|gate [ɪnˈvestɪgeɪt] untersuchen; überprüfen; Untersuchungen *od.* Ermittlungen anstellen (*into* über *acc.*), nachforschen; **~·ga·tion** [ɪnvestɪˈgeɪʃn] Untersuchung *f*; Ermittlung *f*, Nachforschung *f*; **~·ga·tor** [ɪnˈvestɪgeɪtə] Untersuchungs-, Ermittlungsbeamte(r) *m*; *private ~* Privatdetektiv *m*.
in·vest·ment *econ.* [ɪnˈvestmənt] Investition *f*, (Kapital)Anlage *f*.
in·vet·e·rate □ [ɪnˈvetərət] unverbesserlich; unversöhnlich; hartnäckig.
in·vid·i·ous □ [ɪnˈvɪdɪəs] verhaßt; gehässig, boshaft, gemein; ungerecht.
in·vig·o·rate [ɪnˈvɪgəreɪt] kräftigen, stärken, beleben.
in·vin·ci·ble □ [ɪnˈvɪnsəbl] unbesiegbar; unüberwindlich.
in·vi·o·la|ble □ [ɪnˈvaɪələbl] unverletzlich, unantastbar; **~te** [~lət] unverletzt; unversehrt.
in·vis·i·ble [ɪnˈvɪzəbl] unsichtbar.
in·vi·ta·tion [ɪnvɪˈteɪʃn] Einladung *f*; Aufforderung *f*; **in·vite** [ɪnˈvaɪt] einladen; auffordern; *Gefahr etc.* herausfordern; *~ s.o. in* j-n hereinbitten; **in·vit·ing** □ [~ɪŋ] einladend, verlockend.
in·voice *econ.* [ˈɪnvɔɪs] **1.** (Waren-) Rechnung *f*; **2.** in Rechnung stellen, berechnen.
in·voke [ɪnˈvəʊk] anrufen; zu Hilfe rufen (*acc.*); appellieren an (*acc.*); *Geist* heraufbeschwören.
in·vol·un·ta·ry □ [ɪnˈvɒləntərɪ] unfreiwillig; unabsichtlich; unwillkürlich.
in·volve [ɪnˈvɒlv] verwickeln, hineinziehen (*in* in *acc.*); umfassen; zur Folge haben, mit sich bringen; be-

treffen; **~d** kompliziert; betroffen (*Person*); **~·ment** [~mənt] Verwicklung *f*; Beteiligung *f*; Engagement *n*; (Geld)Verlegenheit *f*.
in·vul·ne·ra·ble □ [ɪnˈvʌlnərəbl] unverwundbar; *fig.* unanfechtbar.
in·ward [ˈɪnwəd] **1.** *adj.* innere(r, -s), innerlich; **2.** *adv. mst* *~s* einwärts, nach innen.
i·o·dine ⚗ [ˈaɪədiːn] Jod *n*.
i·on *phys.* [ˈaɪən] Ion *n*.
IOU [ˈaɪəʊˈjuː] (= *I owe you*) Schuldschein *m*.
I·ra·ni·an [ɪˈreɪnjən] **1.** iranisch, persisch; **2.** Iraner(in), Perser(in); *ling.* Iranisch *n*, Persisch *n*.
I·ra·qi [ɪˈrɑːkɪ] **1.** irakisch; **2.** Iraker(in); *ling.* Irakisch *n*.
i·ras·ci·ble □ [ɪˈræsəbl] jähzornig.
i·rate □ [aɪˈreɪt] zornig, wütend.
ir·i·des·cent [ɪrɪˈdesnt] schillernd.
i·ris [ˈaɪərɪs] *anat.* Regenbogenhaut *f*, Iris *f*; ⚘ Schwertlilie *f*, Iris *f*.
I·rish [ˈaɪərɪʃ] **1.** irisch; **2.** *ling.* Irisch *n*; *the ~ pl.* die Iren *pl.*; **~·man** (*pl. -men*) Ire *m*; **~·wom·an** (*pl. -women*) Irin *f*.
irk·some [ˈɜːksəm] lästig, ärgerlich.
i·ron [ˈaɪən] **1.** Eisen *n*; *a. flat-~* Bügeleisen *n*; *~s pl.* Hand- u. Fußschellen *pl.*; *strike while the ~ is hot fig.* das Eisen schmieden, solange es heiß ist; **2.** eisern (*a. fig.*), Eisen..., aus Eisen; **3.** bügeln, plätten; *~ out fig. et.* ausbügeln, *Schwierigkeiten* beseitigen; ♀ **Cur·tain** *pol.* Eiserner Vorhang.
i·ron·ic [aɪˈrɒnɪk] (*~ally*), **i·ron·i·cal** □ [~kl] ironisch, spöttisch.
i·ron|ing [ˈaɪənɪŋ] Bügel-, Plättwäsche *f*; **~-board** Bügel-, Plättbrett *n*; **~ lung** ⚕ eiserne Lunge; **~·mon·ger** *Brt.* [~mʌŋgə] Eisenwarenhändler *m*; **~·mon·ger·y** *Brt.* [~ərɪ] Eisenwaren *pl.*; **~·works** *sg.* Eisenhütte *f*.
i·ron·y [ˈaɪərənɪ] Ironie *f*.
ir·ra·tion·al □ [ɪˈræʃənl] irrational; unvernünftig; vernunftlos (*Tier*).
ir·rec·on·ci·la·ble □ [ɪˈrekənsaɪləbl] unversöhnlich; unvereinbar.
ir·re·cov·e·ra·ble □ [ɪrɪˈkʌvərəbl] unersetzlich; unwiederbringlich.
ir·re·fu·ta·ble □ [ɪˈrefjʊtəbl] unwiderlegbar, nicht zu widerlegen(d).
ir·reg·u·lar □ [ɪˈregjʊlə] unregelmäßig; uneben; ungleichmäßig; regelwidrig; ungesetzlich; ungehörig.
ir·rel·e·vant □ [ɪˈreləvənt] irrelevant, nicht zur Sache gehörig; unerheblich, belanglos (*to* für).
ir·rep·a·ra·ble □ [ɪˈrepərəbl] irreparabel, nicht wiedergutzumachen(d).
ir·re·place·a·ble [ɪrɪˈpleɪsəbl] unersetzlich.
ir·re·pres·si·ble □ [ɪrɪˈpresəbl] nicht zu unterdrücken(d); unerschütterlich; un(be)zähmbar.
ir·re·proa·cha·ble □ [ɪrɪˈprəʊtʃəbl] einwandfrei, tadellos, untadelig.
ir·re·sis·ti·ble □ [ɪrɪˈzɪstəbl] unwiderstehlich.
ir·res·o·lute □ [ɪˈrezəluːt] unentschlossen.
ir·re·spec·tive □ [ɪrɪˈspektɪv]: *~ of* ungeachtet (*gen.*), ohne Rücksicht auf (*acc.*); unabhängig von.
ir·re·spon·si·ble □ [ɪrɪˈspɒnsəbl] unverantwortlich; verantwortungslos.
ir·re·trie·va·ble □ [ɪrɪˈtriːvəbl] unwiederbringlich, unersetzlich; nicht wiedergutzumachen(d).
ir·rev·e·rent □ [ɪˈrevərənt] respektlos.
ir·rev·o·ca·ble □ [ɪˈrevəkəbl] unwiderruflich, unabänderlich, endgültig.
ir·ri·gate [ˈɪrɪgeɪt] (künstlich) bewässern.
ir·ri·ta|ble □ [ˈɪrɪtəbl] reizbar; **~nt** [~ənt] Reizmittel *n*; **~te** [~teɪt] reizen; ärgern; **~t·ing** □ [~tɪŋ] aufreizend; ärgerlich (*Sache*); **~·tion** [ɪrɪˈteɪʃn] Reizung *f*; Gereiztheit *f*, Ärger *m*.
is [ɪz] *3. sg. pres. von* ***be***.
Is·lam [ˈɪzlɑːm] der Islam.
is·land [ˈaɪlənd] Insel *f*; *a. traffic ~* Verkehrsinsel *f*; **~·er** [~ə] Inselbewohner(in).
isle *poet.* [aɪl] Insel *f*.
is·let [ˈaɪlɪt] Inselchen *n*.
i·so|late [ˈaɪsəleɪt] absondern; isolieren; **~·lat·ed** einsam, abgeschieden; einzeln; ⚠ *nicht* ⚡ *isoliert*; **~·la·tion** [aɪsəˈleɪʃn] Isolierung *f*; Absonderung *f*; *~ ward* ⚕ Isolierstation *f*.
Is·rae·li [ɪzˈreɪlɪ] **1.** israelisch; **2.** Israeli *m*, Bewohner(in) des Staates Israel.
is·sue [ˈɪʃuː] **1.** Herauskommen *n*; Herausfließen *n*; Abfluß *m*; ⚖ Nachkommen(schaft *f*) *pl.*; *econ.* Ausgabe *f* (*von Banknoten etc.*); Erteilung *f* (*von Befehlen etc.*); *print.* Ausgabe *f*, Exemplar *n* (*e-s Buches*);

print. Ausgabe *f*, Nummer *f* (*e-r Zeitung*); *bsd.* ⚖ Streitfrage *f*; *fig.* Ausgang, Ergebnis *n*; *at* ~ zur Debatte stehend; *point at* ~ strittiger Punkt; **2.** *v/i.* herauskommen; ausfließen, -strömen; herkommen, -rühren (*from* von); *v/t. econ.*, *Material etc.* ausgeben; *Befehl* erteilen; *Buch*, *Zeitung* herausgeben, veröffentlichen.

isth·mus [ˈɪsməs] Landenge *f*.

it [ɪt] es; er, ihn, sie; *nach prp.*: *by* ~ dadurch; *for* ~ dafür.

I·tal·i·an [ɪˈtæljən] **1.** italienisch; **2.** Italiener(in); *ling.* Italienisch *n*.

i·tal·ics *print.* [ɪˈtælɪks] Kursivschrift *f*.

itch [ɪtʃ] **1.** ⚕ Krätze *f*; Jucken *n*; Verlangen *n*; **2.** jucken; *I* ~ *all over* es juckt mich überall; *be* ~*ing to inf.* darauf brennen, zu *inf.*

i·tem [ˈaɪtəm] Punkt *m*; Gegenstand *m*; Posten *m*, Artikel *m*; *a. news* ~ (Zeitungs)Notiz *f*, (kurzer) Artikel; *Rundfunk*, *TV:* (kurze) Meldung; ~**·ize** [~aɪz] einzeln angeben *od.* aufführen.

i·tin·e|rant □ [ɪˈtɪnərənt] reisend; umherziehend, Reise..., Wander...; ~**·ra·ry** [aɪˈtɪnərərɪ] Reiseroute *f*; Reisebeschreibung *f*.

its [ɪts] sein(e), ihr(e), dessen, deren.

it·self [ɪtˈself] sich; (sich) selbst; *by* ~ (für sich) allein; von selbst; *in* ~ an sich.

i·vo·ry [ˈaɪvərɪ] Elfenbein *n*.

i·vy ⚘ [ˈaɪvɪ] Efeu *m*.

J

jab [dʒæb] **1.** (*-bb-*) stechen; (zu)stoßen; **2.** Stich *m*, Stoß *m*; F ⚕ Spritze *f*.

jab·ber [ˈdʒæbə] (daher)plappern.

jack [dʒæk] **1.** ⊕ Hebevorrichtung *f*; ⊕ Wagenheber *m*; ⚡ Klinke *f*; ⚡ Steckdose *f*, Buchse *f*; ⚓ Gösch *f*, kleine Bugflagge; *Kartenspiel*: Bube *m*; **2.** ~ *up Auto* aufbocken.

jack·al *zo.* [ˈdʒækɔːl] Schakal *m*.

jack|ass [ˈdʒækæs] Esel *m* (*a. fig.*); ~**·boots** ⚔ Reitstiefel *pl.*; hohe Wasserstiefel *pl.*; ~**·daw** *zo.* Dohle *f*.

jack·et [ˈdʒækɪt] Jacke *f*, Jackett *n*; ⊕ Mantel *m*; Schutzumschlag *m* (*e-s Buches*); *Am.* (Schall)Plattenhülle *f*.

jack|-knife [ˈdʒæknaɪf] **1.** (*pl. -knives*) Klappmesser *n*; **2.** zusammenklappen, -knicken; ~ **of all trades** Alleskönner *m*, Hansdampf in allen Gassen; ~**·pot** Haupttreffer *m*, -gewinn *m*; *hit the* ~ F den Haupttreffer machen; *fig.* das große Los ziehen.

jade [dʒeɪd] Jade *m, f*; Jadegrün *n*.

jag [dʒæg] Zacken *m*; ~**·ged** □ [ˈdʒægɪd] gezackt; zackig.

jag·u·ar *zo.* [ˈdʒægjʊə] Jaguar *m*.

jail [dʒeɪl] **1.** Gefängnis *n*; **2.** einsperren; ~**·bird** F [ˈdʒeɪlbɜːd] Knastbruder *m*; ~**·er** [~ə] Gefängnisaufseher *m*; ~**·house** *Am.* Gefängnis *n*.

jam[1] [dʒæm] Konfitüre *f*, Marmelade *f*.

jam[2] [~] **1.** Gedränge *n*, Gewühl *n*; ⊕ Klemmen *n*, Blockierung *f*; Stauung *f*, Stockung *f*; *traffic* ~ Verkehrsstau *m*; *be in a* ~ F in der Klemme sein; **2.** (*-mm-*) ⊕ (sich) (ver)klemmen, blockieren; (hinein-)zwängen, (-)stopfen; einklemmen; pressen, quetschen; ~ *the brakes on*, ~ *on the brakes* auf die Bremse steigen.

jamb [dʒæm] (Tür-, Fenster)Pfosten *m*.

jam·bo·ree [dʒæmbəˈriː] Jamboree *n*, Pfadfindertreffen *n*.

jan·gle [ˈdʒæŋgl] klimpern *od.* klirren (mit); bimmeln (lassen).

jan·i·tor [ˈdʒænɪtə] Hausmeister *m*.

Jan·u·a·ry [ˈdʒænjʊərɪ] Januar *m*.

Jap·a·nese [dʒæpəˈniːz] **1.** japanisch; **2.** Japaner(in); *ling.* Japanisch *n*; *the* ~ *pl.* die Japaner *pl.*

jar[1] [dʒɑː] Krug *m*, Topf *m*; (Marmelade- *etc.*)Glas *n*.

jar[2] [~] **1.** (*-rr-*) knarren, kreischen, quietschen; sich nicht vertragen; erschüttern (*a. fig.*); **2.** Knarren *n*,

Kreischen *n*, Quietschen *n*; Erschütterung *f* (*a. fig.*); Schock *m*.

jar·gon [ˈdʒɑːɡən] Jargon *m*, Fachsprache *f*.

jaun·dice ⚕ [ˈdʒɔːndɪs] Gelbsucht *f*; **~d** ⚕ gelbsüchtig; *fig*. neidisch, eifersüchtig, voreingenommen.

jaunt [dʒɔːnt] **1.** Ausflug *m*, Spritztour *f*; **2.** e-n Ausflug machen; **jaun·ty** □ [ˈdʒɔːntɪ] (*-ier, -iest*) munter, unbeschwert; flott.

jav·e·lin [ˈdʒævlɪn] *Sport*: Speer *m*; ~ (*throw*[*ing*]), *throwing the* ~ Speerwerfen *n*; ~ *thrower* Speerwerfer(in).

jaw [dʒɔː] *anat*. Kinnbacken *m*, Kiefer *m*; **~s** *pl*. Rachen *m*; Maul *n*; Schlund *m*; ⊕ Backen *pl*.; **~-bone** *anat*. [ˈdʒɔːbəʊn] Kieferknochen *m*.

jay *zo*. [dʒeɪ] Eichelhäher *m*; **~·walk** [ˈdʒeɪwɔːk] unachtsam über die Straße gehen; **~·walk·er** unachtsamer Fußgänger.

jazz ♪ [dʒæz] Jazz *m*.

jeal·ous □ [ˈdʒeləs] eifersüchtig (*of* auf *acc*.); neidisch; **~·y** [~sɪ] Eifersucht *f*; Neid *m*; ⚠ *nicht Jalousie*.

jeans [dʒiːnz] *pl*. Jeans *pl*.

jeep *TM* [dʒiːp] Jeep *m*.

jeer [dʒɪə] **1.** Spott *m*; höhnische Bemerkung; **2.** spotten (*at* über *acc*.); verspotten, -höhnen.

jel·lied [ˈdʒelɪd] eingedickt (*Fruchtsaft*); in Gelee.

jel·ly [ˈdʒelɪ] **1.** Gallert(e *f*) *n*; Gelee *n*; **2.** gelieren; **~ ba·by** *Brt*. Gummibärchen *n*; **~ bean** Gummi-, Geleebonbon *m*, *n*; **~·fish** *zo*. Qualle *f*.

jeop·ar|dize [ˈdʒepədaɪz] gefährden; **~·dy** [~ɪ] Gefahr *f*.

jerk [dʒɜːk] **1.** (plötzlicher) Ruck; Sprung *m*, Satz *m*; ⚕ Zuckung *f*, Zucken *n*; **2.** (*plötzlich*) ziehen, zerren, reißen (an *dat*.); schleudern; schnellen; **~·y** □ [ˈdʒɜːkɪ] (*-ier, -iest*) ruckartig; holprig; abgehackt (*Sprache*).

jer·sey [ˈdʒɜːzɪ] Pullover *m*.

jest [dʒest] **1.** Spaß *m*; **2.** scherzen; **~·er** [ˈdʒestə] (Hof)Narr *m*.

jet [dʒet] **1.** (Wasser-, Gas- *etc.*)Strahl *m*; ⊕ Düse *f*; = ~ *engine*, ~ *plane*; **2.** (*-tt-*) hervorschießen, (her)ausströmen; ✈ jetten; **~ en·gine** ⊕ Düsen-, Strahltriebwerk *n*; **~ lag** körperliche Anpassungsschwierigkeiten *pl*. durch die Zeitverschiebung bei weiten Flugreisen; **~ plane** Düsenflugzeug *n*, Jet *m*; **~-pro·pelled** [ˈdʒetprəpeld] mit Düsenantrieb, Düsen...; **~ pro·pul·sion** ⊕ Düsen-, Strahlantrieb *m*; **~ set** Jet-set *m*; **~ set·ter** Angehörige(r *m*) *f* des Jet-set.

jet·ty ⚓ [ˈdʒetɪ] Mole *f*; Pier *m*.

Jew [dʒuː] Jude *m*, Jüdin *f*; *attr*. Juden...

jew·el [ˈdʒuːəl] Juwel *m*, *n*, Edelstein *m*; Schmuckstück *n*; **~·ler**, *Am*. **~·er** [~ə] Juwelier *m*; **~·lery**, *Am*. **~·ry** [~lrɪ] Juwelen *pl*.; Schmuck *m*.

Jew|ess [ˈdʒuːɪs] Jüdin *f*; **~·ish** [~ɪʃ] jüdisch.

jib ⚓ [dʒɪb] Klüver *m*.

jif·fy F [ˈdʒɪfɪ]: *in a* ~ im Nu, sofort.

jig·saw [ˈdʒɪɡsɔː] Laubsäge *f*; = ~ **puz·zle** Puzzle(spiel) *n*.

jilt [dʒɪlt] *Mädchen* sitzenlassen; *Liebhaber* den Laufpaß geben.

jin·gle [ˈdʒɪŋɡl] **1.** Geklingel *n*, Klimpern *n*; Spruch *m*, Vers *m*; *advertising* ~ Werbespruch *m*; **2.** klingeln; klimpern (mit); klinge(l)n lassen.

jit·ters F [ˈdʒɪtəz] *pl*.: *the* ~ Bammel *m*, das große Zittern.

job [dʒɒb] (ein Stück) Arbeit *f*; *econ*. Akkordarbeit *f*; Beruf *m*, Beschäftigung *f*, Stellung *f*, Stelle *f*, Arbeit *f*, Job *m*; Aufgabe *f*, Sache *f*; *by the* ~ im Akkord; *out of* ~ arbeitslos; **~·ber** *Brt*. [ˈdʒɒbə] Börsenspekulant *m*; **~-hop·ping** *Am*. [~hɒpɪŋ] häufiger Arbeitsplatzwechsel; **~ hunt·er** Arbeit(s)suchende(r *m*) *f*; **~ hunt·ing** *be* ~ auf Arbeitssuche sein; **~·less** [~lɪs] arbeitslos; **~ work** Akkordarbeit *f*.

jock·ey [ˈdʒɒkɪ] Jockei *m*.

joc·u·lar □ [ˈdʒɒkjʊlə] lustig; spaßig.

jog [dʒɒɡ] **1.** (leichter) Stoß, Schubs; *Sport*: Dauerlauf *m*; Trott *m*; **2.** (*-gg-*) *v/t*. (an)stoßen, (*fig*. auf)rütteln; *v/i*. *mst* ~ *along*, ~ *on* dahintrotten, -zuckeln; *Sport*: Dauerlauf machen, joggen; **~·ging** [ˈdʒɒɡɪŋ] *Sport*: Dauerlauf *m*, Jogging *n*, Joggen *n*.

join [dʒɔɪn] **1.** *v/t*. verbinden, zusammenfügen (*to* mit); vereinigen; sich anschließen (*dat*. *od*. an *acc*.), sich gesellen zu; eintreten in (*acc*.), beitreten; ~ *hands* sich die Hände reichen; *fig*. sich zusammentun; *v/i*. sich verbinden *od*. vereinigen; ~ *in* teilnehmen an (*dat*.), mitmachen bei, sich beteiligen an (*dat*.); ~ *up* Solda

werden; **2.** Verbindungsstelle *f*, Naht *f*.
join·er [ˈdʒɔɪnə] Tischler *m*, Schreiner *m*; **~·y** *bsd. Brt.* [~ərɪ] Tischlerhandwerk *n*; Tischlerarbeit *f*.
joint [dʒɔɪnt] **1.** Verbindung(sstelle) *f*; Naht(stelle) *f*; *anat.*, ⊕ Gelenk *n*; ♆ Knoten *m*; *Brt.* Braten *m*; *sl.* Spelunke *f*; *sl.* Joint *m* (*Marihuanazigarette*); *out of ~* ausgerenkt; *fig.* aus den Fugen; **2.** □ gemeinsam; Mit...; *~ heir* Miterbe *m*; *~ stock econ.* Aktienkapital *n*; **3.** verbinden, zusammenfügen; *Braten* zerlegen; **~·ed** [ˈdʒɔɪntɪd] gegliedert; Glieder...; **~-stock** *econ.* Aktien...; *~ company Brt.* Aktiengesellschaft *f*.
joke [dʒəʊk] **1.** Witz *m*; Scherz *m*, Spaß *m*; *practical ~* Streich *m*; **2.** scherzen, Witze machen; **jok·er** [ˈdʒəʊkə] Spaßvogel *m*; *Kartenspiel*: Joker *m*.
jol·ly [ˈdʒɒlɪ] **1.** *adj.* (*-ier*, *-iest*) lustig, fidel, vergnügt; **2.** *adv. Brt.* F mächtig, sehr; *~ good* prima.
jolt [dʒəʊlt] **1.** stoßen, rütteln, holpern; *fig.* aufrütteln; **2.** Ruck *m*, Stoß *m*; *fig.* Schock *m*.
jos·tle [ˈdʒɒsl] **1.** (an)rempeln; drängeln; **2.** Stoß *m*, Rempelei *f*; Zusammenstoß *m*.
jot [dʒɒt] **1.** *not a ~* keine Spur, kein bißchen; **2.** (*-tt-*): *~ down* schnell hinschreiben *od.* notieren.
jour·nal [ˈdʒɜːnl] Journal *n*; (Fach-) Zeitschrift *f*; (Tages)Zeitung *f*; Tagebuch *n*; **~·is·m** [ˈdʒɜːnəlɪzəm] Journalismus *m*; **~·ist** [~ɪst] Journalist(in).
jour·ney [ˈdʒɜːnɪ] **1.** Reise *f*; Fahrt *f*; **2.** reisen; **~·man** (*pl. -men*) Geselle *m*.
jo·vi·al □ [ˈdʒəʊvjəl] heiter, jovial.
joy [dʒɔɪ] Freude *f*; *for ~* vor Freude; **~·ful** □ [ˈdʒɔɪfʊl] freudig; erfreut; **~·less** □ [~lɪs] freudlos, traurig; **~·stick** ✈ Steuerknüppel *m* (F *a. für Computerspiele*).
jub·i·lant [ˈdʒuːbɪlənt] jubelnd, überglücklich.
ju·bi·lee [ˈdʒuːbɪliː] Jubiläum *n*.
judge [dʒʌdʒ] **1.** ⚖ Richter *m*; Schieds-, Preisrichter *m*; Kenner(in), Sachverständige(r *m*) *f*; **2.** *v/i.* urteilen; *v/t.* ⚖ *Fall* verhandeln, die Verhandlung führen über (*acc.*); ⚖ ein Urteil fällen über (*acc.*); richten; beurteilen; halten für.
judg(e)·ment [ˈdʒʌdʒmənt] ⚖ Urteil *n*; Urteilsvermögen *n*; Meinung *f*, Ansicht *f*, Urteil *n*; *göttliches* (Straf-) Gericht; *pass ~ on* ⚖ ein Urteil fällen über (*acc.*); *2 Day*, *Day of 2 eccl.* Tag *m* des Jüngsten Gerichts.
ju·di·cial □ [dʒuːˈdɪʃl] ⚖ gerichtlich, Gerichts...; kritisch; unparteiisch.
ju·di·cia·ry ⚖ [dʒuːˈdɪʃɪərɪ] Richter (-stand *m*) *pl.*
ju·di·cious □ [dʒuːˈdɪʃəs] klug, weise.
jug [dʒʌg] Krug *m*, Kanne *f*.
jug·gle [ˈdʒʌgl] jonglieren (mit); manipulieren, *Bücher etc.* frisieren; **~r** [~ə] Jongleur *m*; Schwindler(in).
juice [dʒuːs] Saft *m*; *sl. mot.* Sprit *m*; **juic·y** □ [ˈdʒuːsɪ] (*-ier*, *-iest*) saftig; F pikant, gepfeffert.
juke·box [ˈdʒuːkbɒks] Musikbox *f*, Musikautomat *m*.
Ju·ly [dʒuːˈlaɪ] Juli *m*.
jum·ble [ˈdʒʌmbl] **1.** Durcheinander *n*; **2.** *a. ~ together*, *~ up* durcheinanderbringen, -werfen; **~ sale** *Brt.* Wohltätigkeitsbasar *m*.
jum·bo [ˈdʒʌmbəʊ] *a. ~-sized* riesig.
jump [dʒʌmp] **1.** Sprung *m*; *the ~s pl.* große Nervosität; *high* (*long*) *~ Sport*: Hoch-(Weit)sprung *m*; *get the ~ on* F zuvorkommen; **2.** *v/i.* springen; zusammenzucken, -fahren, hochfahren; *~ at the chance* mit beiden Händen zugreifen; *~ to conclusions* übereilte Schlüsse ziehen; *v/t.* (hinweg)springen über (*acc.*); überspringen; springen lassen; *~ the queue Brt.* sich vordränge(l)n; *~ the lights* bei Rot über die Kreuzung fahren, F bei Rot drüberfahren; **~·er** [ˈdʒʌmpə] Springer(in); *Brt.* Pullover *m*; *Am.* Trägerkleid *n*; **~·ing jack** Hampelmann *m*; **~·y** [~ɪ] (*-ier*, *-iest*) nervös.
junc|tion [ˈdʒʌŋkʃn] Verbindung *f*; (Straßen)Kreuzung *f*; 🚂 Knotenpunkt *m*; **~·ture** [~ktʃə]: *at this ~* an dieser Stelle, in diesem Augenblick.
June [dʒuːn] Juni *m*.
jun·gle [ˈdʒʌŋgl] Dschungel *m*.
ju·ni·or [ˈdʒuːnjə] **1.** jüngere(r, -s); untergeordnet, rangniedriger; *Sport*: Junioren..., Jugend...; **2.** Jüngere(r *m*) *f*; F Junior *m*; *Am. univ.* Student (-in) im vorletzten Studienjahr.
junk[1] ⚓ [dʒʌŋk] Dschunke *f*.
junk[2] F [~] Plunder *m*, alter Kram; *sl.* Stoff *m* (*bsd. Heroin*); *~ food kalo-*

rienreiches aber minderwertiges Nahrungsmittel; **~·ie, ~·y** *sl.* ['dʒʌŋkɪ] Fixer(in), Junkie *m*; **~ yard** Schrottplatz *m*.
jur·is·dic·tion [ˈdʒʊərɪsˈdɪkʃn] Gerichtsbarkeit *f*; Zuständigkeit(sbereich *m*) *f*.
ju·ris·pru·dence [ˈdʒʊərɪsˈpruːdəns] Rechtswissenschaft *f*.
ju·ror ⚖ [ˈdʒʊərə] Geschworene(r *m*) *f*.
ju·ry [ˈdʒʊərɪ] ⚖ *die* Geschworenen *pl.*; Jury *f*, Preisrichter *pl.*; **~·man** (*pl. -men*) ⚖ Geschworene(r) *m*; **~·wom·an** (*pl. -women*) ⚖ Geschworene *f*.
just □ [dʒʌst] **1.** *adj.* gerecht; berechtigt; angemessen; **2.** *adv.* gerade, (so)eben; gerade, genau, eben; gerade (noch), ganz knapp; nur, bloß; F einfach, wirklich; ~ *now* gerade (jetzt); (so)eben.
jus·tice [ˈdʒʌstɪs] Gerechtigkeit *f*; Rechtmäßigkeit *f*; Berechtigung *f*, Recht *n*; Gerichtsbarkeit *f*, Justiz *f*; ⚖ Richter *m*; ♀ *of the Peace* Friedensrichter *m*; *court of* ~ Gericht(shof *m*) *n*.
jus·ti|fi·ca·tion [dʒʌstɪfɪˈkeɪʃn] Rechtfertigung *f*; **~·fy** [ˈdʒʌstɪfaɪ] rechtfertigen.
just·ly [ˈdʒʌstlɪ] mit *od.* zu Recht.
jut [dʒʌt] (*-tt-*): ~ *out* vorspringen, hervorragen, -stehen.
ju·ve·nile [ˈdʒuːvənaɪl] **1.** jung, jugendlich; Jugend..., für Jugendliche; ~ *court* Jugendgericht *n*; ~ *delinquency* Jugendkriminalität *f*; ~ *delinquent* jugendlicher Straftäter; **2.** Jugendliche(r *m*) *f*.

K

kan·ga·roo *zo.* [kæŋgəˈruː] (*pl. -roos*) Känguruh *n*.
keel ⚓ [kiːl] **1.** Kiel *m*; **2.** ~ *over* kieloben legen; umschlagen, kentern.
keen □ [kiːn] scharf (*a. fig.*); schneidend (*Kälte*); heftig; stark, groß (*Appetit etc.*); ~ *on* F scharf *od.* erpicht auf (*acc.*); *be* ~ *on hunting* ein leidenschaftlicher Jäger sein; **~·ness** [ˈkiːnnɪs] Schärfe *f*; Heftigkeit *f*; Scharfsinn *m*.
keep [kiːp] **1.** (Lebens)Unterhalt *m*; *for* ~*s* F für immer; **2.** (*kept*) *v/t.* (auf-, [bei]be-, er-, fest-, zurück-) halten; unterhalten, sorgen für; *Gesetze etc.* einhalten, befolgen; *Ware, Tagebuch* führen; *Geheimnis* für sich behalten; *Versprechen* halten, einlösen; (auf)bewahren; abhalten, hindern (*from* von); *Vieh* halten; *Bett* hüten; (be)schützen; ~ *s.o. company* j-m Gesellschaft leisten; ~ *company with* verkehren mit; ~ *one's head* die Ruhe bewahren; ~ *early hours* früh zu Bett gehen; ~ *one's temper* sich beherrschen; ~ *time* richtig gehen (*Uhr*); Takt, Schritt halten; ~ *s.o. waiting* j-n warten lassen; ~ *away* fernhalten; ~ *s.th. from s.o.* j-m et. vorenthalten *od.* verschweigen *od.* verheimlichen; ~ *in Schüler* nachsitzen lassen; ~ *on Kleid* anbehalten, *Hut* aufbehalten; ~ *up* aufrechterhalten; *Mut* bewahren; instand halten; fortfahren mit, weitermachen; nicht schlafen lassen; ~ *it up* so weitermachen; *v/i.* bleiben; sich halten; fortfahren, weitermachen; ~ *doing* immer wieder tun; ~ *going* weitergehen; ~ *away* sich fernhalten; ~ *from doing s.th.* et. nicht tun; ~ *off* weg-, fernbleiben; ~ *on* fortfahren (*doing* zu tun); ~ *on talking* weiterreden; ~ *to* sich halten an (*acc.*); ~ *up* stehen bleiben; andauern, anhalten; ~ *up with* Schritt halten mit; ~ *up with the Joneses* nicht hinter den Nachbarn zurückstehen (wollen).
keep|er [ˈkiːpə] Wärter(in), Wächter(in), Aufseher(in); Verwalter(in); Inhaber(in); **~·ing** [~ɪŋ] Verwahrung *f*; Obhut *f*; *be in* (*out of*) ~ *with* ... (nicht) übereinstimmen mit ...; **~·sake** [~seɪk] Andenken *n* (*Geschenk*).
keg [keg] Fäßchen *n*, kleines Faß.

ken·nel ['kenl] Hundehütte *f*; ~s *pl.* Hundezwinger *m*; Hundepension *f*.
kept [kept] *pret. u. p.p. von keep* 2.
kerb [kɜ:b], **~·stone** ['kɜ:bstəʊn] Bordstein *m*.
ker·chief ['kɜ:tʃɪf] (Hals-, Kopf-) Tuch *n*.
ker·nel ['kɜ:nl] Kern *m* (*a. fig.*).
ket·tle ['ketl] (Koch)Kessel *m*; **~·drum** ♪ (Kessel)Pauke *f*.
key [ki:] **1.** Schlüssel *m*; (*Schreibmaschinen-, Klavier- etc.*)Taste *f*; (Druck)Taste *f*; ♪ Tonart *f*; *fig.* Ton *m*; *fig.* Schlüssel *m*, Lösung *f*; *attr.* Schlüssel...; **2.** anpassen (*to* an *acc.*); *~ed up* nervös, aufgeregt, überdreht; **~·board** ['ki:bɔ:d] Klaviatur *f*; Tastatur *f*; **~·hole** Schlüsselloch *n*; **~ man** (*pl. -men*) Schlüsselfigur *f*; **~ mon·ey** *Brt.* Abstand(ssumme *f*) *m* (*für e-e Wohnung*); **~·note** ♪ Grundton *m*; *fig.* Grundgedanke *m*, Tenor *m*; **~ ring** Schlüsselring *m*; **~·stone** *arch.* Schlußstein *m*; *fig.* Grundpfeiler *m*; **~·word** Schlüssel-, Stichwort *n*.
kick [kɪk] **1.** (Fuß)Tritt *m*; Stoß *m*; F Kraft *f*, Feuer *n*; F Nervenkitzel *m*; *get a ~ out of s.th.* e-n Riesenspaß an et. haben; *for ~s* (nur) zum Spaß; **2.** *v/t.* (mit dem Fuß) stoßen *od.* treten; *Fußball:* schießen, treten, kicken; *~ off* von sich schleudern; *~ out* hinauswerfen; *~ up* hochschleudern; *~ up a fuss od. row* F Krach schlagen; *v/i.* (mit dem Fuß) treten *od.* stoßen; (hinten) ausschlagen; strampeln; *~ off Fußball:* anstoßen, den Anstoß ausführen; **~·er** ['kɪkə] Fußballspieler *m*; **~-off** *Fußball:* Anstoß *m*.
kid [kɪd] **1.** Zicklein *n*, Kitz *n*; Ziegenleder *n*; F Kind *n*; *~ brother* F kleiner Bruder; **2.** (*-dd-*) *v/t. j-n* aufziehen; *~ s.o.* j-m et. vormachen; *v/i.* Spaß machen; *he is only ~ding* er macht ja nur Spaß; *no ~ding!* im Ernst!; **~ glove** Glacéhandschuh *m* (*a. fig.*).
kid·nap ['kɪdnæp] (*-pp-*, *Am. a. -p-*) entführen, kidnappen; **~·per**, *Am. a.* **~·er** [~ə] Entführer(in), Kidnapper(in); **~·ping**, *Am. a.* **~·ing** [~ɪŋ] Entführung *f*, Kidnapping *n*.
kid·ney ['kɪdnɪ] *anat.* Niere *f* (*a. als Speise*); *~ bean* ⚘ Weiße Bohne; *~ machine* künstliche Niere.
kill [kɪl] **1.** töten (*a. fig.*); umbringen; vernichten; beseitigen; *Tiere* schlachten; *hunt.* erlegen, schießen; *be ~ed in an accident* tödlich verunglükken; *~ time* die Zeit totschlagen; **2.** Tötung *f*; *hunt.* Jagdbeute *f*; **~·er** ['kɪlə] Mörder(in), F Killer *m*; **~·ing** ☐ [~ɪŋ] mörderisch, tödlich.
kiln [kɪln] Brenn-, Darrofen *m*.
ki·lo F ['ki:ləʊ] (*pl. -los*) Kilo *n*.
kil·o|gram(me) ['kɪləgræm] Kilogramm *n*; **~·me·tre**, *Am.* **~·me·ter** Kilometer *m*.
kilt [kɪlt] Kilt *m*, Schottenrock *m*.
kin [kɪn] Verwandtschaft *f*, Verwandte *pl.*
kind [kaɪnd] **1.** ☐ gütig, freundlich, liebenswürdig, nett; **2.** Art *f*, Sorte *f*; Art *f*, Gattung *f*, Geschlecht *n*; ⚠ *nicht Kind*; *pay in ~* in Naturalien zahlen; *fig.* mit gleicher Münze heimzahlen.
kin·der·gar·ten ['kɪndəgɑ:tn] Kindergarten *m*.
kind-heart·ed ['kaɪnd'hɑ:tɪd] gütig.
kin·dle ['kɪndl] anzünden; (sich) entzünden (*a. fig.*).
kin·dling ['kɪndlɪŋ] Material *n* zum Anzünden, Anmachholz *n*.
kind|ly ['kaɪndlɪ] *adj.* (*-ier, -iest*) *u. adv.* freundlich, liebenswürdig, nett; gütig; **~·ness** [~nɪs] Güte *f*; Freundlichkeit *f*, Liebenswürdigkeit *f*; Gefälligkeit *f*.
kin·dred ['kɪndrɪd] **1.** verwandt; *fig.* gleichartig; *~ spirits pl.* Gleichgesinnte *pl.*; **2.** Verwandtschaft *f*.
king [kɪŋ] König *m* (*a. fig. u. Schach, Kartenspiel*); **~·dom** ['kɪŋdəm] Königreich *n*; *eccl.* Reich *n* Gottes; *animal* (*mineral, vegetable*) *~* Tier- (Mineral-, Pflanzen)reich *n*; **~·ly** ['kɪŋlɪ] (*-ier, -iest*) königlich; **~-size(d)** extrem groß.
kink [kɪŋk] Schleife *f*, Knoten *m*; *fig.* Schrulle *f*, Tick *m*, Spleen *m*; **~·y** ['kɪŋkɪ] (*-ier, -iest*) schrullig, spleenig.
ki·osk ['ki:ɒsk] Kiosk *m*; *Brt.* Telefonzelle *f*.
kip·per ['kɪpə] Räucherhering *m*.
kiss [kɪs] **1.** Kuß *m*; **2.** (sich) küssen.
kit [kɪt] Ausrüstung *f* (*a.* ⚔ *u. Sport*); Werkzeug(e *pl.*) *n*; Werkzeugtasche *f*, -kasten *m*; Bastelsatz *m*; *s. first-aid*; **~·bag** ['kɪtbæg] Seesack *m*.
kitch·en ['kɪtʃɪn] Küche *f*; *attr.* Küchen...; **~·ette** [kɪtʃɪ'net] Kleinküche *f*, Kochnische *f*; **~ gar·den** ['kɪtʃɪn'gɑ:dn] Küchen-, Gemüsegarten *m*.

K

kite [kaɪt] (Papier-, Stoff)Drachen *m*; *zo.* Milan *m*.
kit·ten [ˈkɪtn] Kätzchen *n*.
knack [næk] Kniff *m*, Trick *m*, Dreh *m*; Geschick *n*, Talent *n*.
knave [neɪv] Schurke *m*, Spitzbube *m*; *Kartenspiel:* Bube *m*, Unter *m*.
knead [ni:d] kneten; massieren.
knee [ni:] Knie *n*; ⊕ Kniestück *n*; **~·cap** *anat.* [ˈni:kæp] Kniescheibe *f*; **~-deep** knietief, bis an die Knie (reichend); **~-joint** *anat.* Kniegelenk *n* (*a.* ⊕); **~l** [ni:l] (*knelt*, *Am. a. kneeled*) knien (*to* vor *dat.*); **~-length** knielang (*Rock etc.*).
knell [nel] Totenglocke *f*.
knelt [nelt] *pret. u. p.p. von kneel.*
knew [nju:] *pret. von know.*
knick·er|bock·ers [ˈnɪkəbɒkəz] *pl.* Knickerbocker *pl.*, Kniehosen *pl.*; **~s** *Brt.* F [~z] *pl.* (Damen)Schlüpfer *m*.
knick-knack [ˈnɪknæk] Nippsache *f*.
knife [naɪf] **1.** (*pl. knives* [~vz]) Messer *n*; **2.** schneiden; mit e-m Messer verletzen; erstechen.
knight [naɪt] **1.** Ritter *m*; *Schach:* Springer *m*; **2.** zum Ritter schlagen; **~·hood** [ˈnaɪthʊd] Ritterwürde *f*, -stand *m*; Ritterschaft *f*.
knit [nɪt] (*-tt-*; *knit od. knitted*) *v/t.* stricken; *a.* ~ *together* zusammenfügen, verbinden; ~ *one's brows* die Stirn runzeln; *v/i.* stricken; zusammenwachsen (*Knochen*); **~·ting** [ˈnɪtɪŋ] Stricken *n*; Strickzeug *n*; *attr.* Strick...; **~·wear** Strickwaren *pl*.
knives [naɪvz] *pl. von knife 1.*
knob [nɒb] Knopf *m*, Knauf *m*; Buckel *m*; Brocken *m*.
knock [nɒk] **1.** Stoß *m*; Klopfen (*a. mot.*), Pochen *n*; *there is a* ~ es klopft; **2.** *v/i.* schlagen, pochen, klopfen; stoßen (*against*, *into* gegen); ~ *about*, ~ *around* F sich herumtreiben; F herumliegen; ~ *at the door* an die Tür klopfen; ~ *off* F Feierabend *od.* Schluß machen, aufhören; *v/t.* stoßen, schlagen; F schlechtmachen, verreißen; ~ *about*, ~ *around* herumstoßen, übel zurichten; ~ *down* niederschlagen, umwerfen; um-, überfahren; *Auktion: et.* zuschlagen (*to s.o.* j-m); *Preis* herabsetzen; ⊕ auseinandernehmen, zerlegen; *Haus* abreißen; *Baum* fällen; *be ~ed down* überfahren werden; ~ *off* herunterstoßen; abschlagen; F aufhören mit; F hinhauen (*schnell erledigen*); *vom Preis* abziehen, nachlassen; *Brt.* F ausrauben; ~ *out* (her)ausschlagen, (her)ausklopfen; k.o. schlagen; *fig.* F umwerfen, schocken; *be ~ed out of* ausscheiden aus (*e-m Wettbewerb*); ~ *over* umwerfen, umstoßen; um-, überfahren; *be ~ed over* überfahren werden; ~ *up* hochschlagen; *Brt.* F rasch auf die Beine stellen, improvisieren; **~·er** [ˈnɒkə] Türklopfer *m*; **~-kneed** [~ˈni:d] X-beinig; **~·out** [~kaʊt] *Boxen:* Knockout *m*, K.o. *m*.
knoll [nəʊl] kleiner runder Hügel; ⚠ *nicht Knolle.*
knot [nɒt] **1.** Knoten *m*; Astknorren *m*; ⚓ Knoten *m*, Seemeile *f*; Gruppe *f*, Knäuel *m*, *n* (*Menschen*); **2.** (*-tt-*) (ver)knoten, (-)knüpfen; **~·ty** [ˈnɒtɪ] (*-ier*, *-iest*) knotig; knorrig; *fig.* verzwickt.
know [nəʊ] (*knew*, *known*) wissen; kennen; erfahren; (wieder)erkennen, unterscheiden; (es) können *od.* verstehen; ~ *French* Französisch können; *come to* ~ erfahren; *get to* ~ kennenlernen; ~ *one's business*, ~ *the ropes*, ~ *a thing or two*, ~ *what's what* F sich auskennen, Erfahrung haben; *you* ~ wissen Sie; **~-how** [ˈnəʊhaʊ] Know-how *n*, praktische (Sach-, Spezial)Kenntnis(se *pl.*) *f*; **~·ing** □ [~ɪŋ] klug; schlau; verständnisvoll; wissend; **~·ing·ly** [~lɪ] wissend; absichtlich, bewußt; **~l·edge** [ˈnɒlɪdʒ] Kenntnis(se *pl.*) *f*; Wissen *n*; *to my* ~ meines Wissens; **~n** [nəʊn] *p.p. von know*; bekannt; *make* ~ bekanntmachen.
knuck·le [ˈnʌkl] **1.** (Finger)Knöchel *m*; **2.** ~ *down to work* sich an die Arbeit machen.
Krem·lin [ˈkremlɪn]: *the* ~ der Kreml.

K

L

lab F [læb] Labor *n*.
la·bel ['leɪbl] **1.** Etikett *n*, Aufkleber *m*, Schild(chen) *n*; Aufschrift *f*, Beschriftung *f*; (Schall)Plattenfirma *f*; **2.** (*bsd. Brt.* -*ll*-, *Am.* -*l*-) etikettieren, beschriften; *fig.* abstempeln als.
la·bor·a·to·ry [lə'bɒrətərɪ] Labor(atorium) *n*; ~ *assistant* Laborant(in).
la·bo·ri·ous □ [lə'bɔːrɪəs] mühsam; schwerfällig (*Stil*).
la·bo(u)r ['leɪbə] **1.** (schwere) Arbeit; Mühe *f*; ⚕ Wehen *pl*.; Arbeiter *pl*., Arbeitskräfte *pl*.; *Labour pol.* die Labour Party; *hard* ~ ⚖ Zwangsarbeit *f*; **2.** Arbeiter..., Arbeits...; **3.** *v/i.* (schwer) arbeiten; sich abmühen, sich quälen; ~ *under* leiden unter (*dat.*), zu kämpfen haben mit; *v/t.* ausführlich behandeln; **~ed** schwerfällig (*Stil*); mühsam (*Atem etc.*); **~·er** [~rə] *bsd. ungelernter* Arbeiter; **Labour Ex·change** *Brt.* F *od. hist.* Arbeitsamt *n*; **La·bour Par·ty** *pol.* Labour Party *f*; **la·bor u·ni·on** *Am. pol.* Gewerkschaft *f*.
lace [leɪs] **1.** Spitze *f*; Borte *f*; Schnürsenkel *m*; **2.** ~ *up* (zu-, zusammen-) schnüren; *Schuh* zubinden; ~*d with brandy* mit e-m Schuß Weinbrand.
la·ce·rate ['læsəreɪt] zerfleischen, -schneiden, -kratzen, aufreißen; *j-s Gefühle* verletzen.
lack [læk] **1.** (*of*) Fehlen *n* (von), Mangel *m* (an *dat.*); ⚠ *nicht Lack*; **2.** *v/t.* nicht haben; *he ~s money* es fehlt ihm an Geld; *v/i. be ~ing* fehlen; *he is ~ing in courage* ihm fehlt der Mut; **~-lus·tre**, *Am.* **~-lus·ter** ['læklʌstə] glanzlos, matt.
la·con·ic [lə'kɒnɪk] (~*ally*) lakonisch, wortkarg, kurz und prägnant.
lac·quer ['lækə] **1.** Lack *m*; Haarspray *m*, *n*; Nagellack *m*; **2.** lackieren.
lad [læd] Bursche *m*, Junge *m*.
lad·der ['lædə] Leiter *f*; *Brt.* Laufmasche *f*; **~·proof** (lauf)maschenfest (*Strumpf*).
la·den ['leɪdn] (schwer) beladen.
la·ding ['leɪdɪŋ] Ladung *f*, Fracht *f*.
la·dle ['leɪdl] **1.** (Schöpf-, Suppen-) Kelle *f*, Schöpflöffel *m*; **2.** ~ *out Suppe* austeilen.
la·dy ['leɪdɪ] Dame *f*; Lady *f* (*a. Titel*); ~ *doctor* Ärztin *f*; *Ladies*('), *Am. Ladies' room* Damentoilette *f*; **~·bird** *zo.* Marienkäfer *m*; **~·like** damenhaft; **~·ship** [~ʃɪp]: *her od. your* ~ Ihre Ladyschaft.
lag [læg] **1.** (-*gg*-) ~ *behind* zurückbleiben; sich verzögern; **2.** Verzögerung *f*; Zeitabstand *m*, -differenz *f*.
la·ger ['lɑːgə] Lagerbier *n*; ⚠ *nicht Lager*.
la·goon [lə'guːn] Lagune *f*.
laid [leɪd] *pret. u. p.p. von lay*³.
lain [leɪn] *p.p. von lie*² *2*.
lair [leə] Lager *n*, Höhle *f*, Bau *m* (*e-s wilden Tieres*).
la·i·ty ['leɪətɪ] Laien *pl*.
lake [leɪk] See *m*.
lamb [læm] **1.** Lamm *n*; **2.** lammen.
lame [leɪm] **1.** □ lahm (*a. fig.* = *unbefriedigend*); **2.** lähmen.
la·ment [lə'ment] **1.** Wehklage *f*; Klagelied *n*; **2.** (be)klagen; (be)trauern; **lam·en·ta·ble** □ ['læməntəbl] beklagenswert; kläglich; **lam·en·ta·tion** [læmən'teɪʃn] Wehklage *f*.
lamp [læmp] Lampe *f*; Laterne *f*.
lam·poon [læm'puːn] **1.** Schmähschrift *f*; **2.** verspotten, -unglimpfen.
lamp|post ['læmppəʊst] Laternenpfahl *m*; **~·shade** Lampenschirm *m*.
lance [lɑːns] Lanze *f*.
land [lænd] **1.** Land *n*; ⚓ Land *n*, Boden *m*; Land-, Grundbesitz *m*; Land *n*, Staat *m*, Nation *f*; *by* ~ auf dem Landweg; ~*s pl.* Ländereien *pl*.; **2.** landen; *Fracht* löschen; F *j-n od. et.* erwischen, kriegen; F *in Schwierigkeiten etc.* bringen; **~-a·gent** ['lændeɪdʒənt] Gutsverwalter *m*; **~·ed** Land..., Grund...; **~·hold·er** Grundbesitzer(in).
land·ing ['lændɪŋ] Landung *f*; Anlegen *n* (*Schiff*); Anlegestelle *f*; Treppenabsatz *m*; Flur *m*, Gang *m* (*am Ende e-r Treppe*); **~-field** ✈ Landebahn *f*; **~-gear** ✈ Fahrgestell *n*; **~-stage** Landungsbrücke *f*, -steg *m*.
land|la·dy ['lænleɪdɪ] Vermieterin *f*; Wirtin *f*; **~·lord** [~lɔːd] Vermieter *m*; Wirt *m*; Hauseigentümer *m*; Grundbesitzer *m*; **~·lub·ber** ⚓ *contp.* [~dlʌbə] Landratte *f*; **~·mark** Grenzstein *m*; Orientierungspunkt *m*; Wahrzeichen *n*; *fig.* Markstein *m*; **~·own·er** Grundbesitzer(in);

L

~·**scape** [ˈlænskeɪp] Landschaft *f* (*a. paint.*); ~·**slide** Erdrutsch *m* (*a. pol.*); *a ~ victory pol.* ein überwältigender Wahlsieg; ~·**slip** (kleiner) Erdrutsch.
lane [leɪn] Feldweg *m*; Gasse *f*, Sträßchen *n*; ⚓ (Fahrt)Route *f*; ✈ Flugschneise *f*; *mot.* Fahrbahn *f*, Spur *f*; *Sport:* (einzelne) Bahn.
lan·guage [ˈlæŋgwɪdʒ] Sprache *f*; *~ laboratory* Sprachlabor *n*.
lan·guid □ [ˈlæŋgwɪd] matt; träg(e).
lank □ [læŋk] dünn, dürr; strähnig (*Haar*); ~·**y** □ [ˈlæŋkɪ] (*-ier, -iest*) schlaksig.
lan·tern [ˈlæntən] Laterne *f*.
lap[1] [læp] Schoß *m*.
lap[2] [~] **1.** *Sport:* Runde *f*; **2.** (*-pp-*) *Sport: Gegner* überrunden; *Sport:* e-e Runde zurücklegen; wickeln; einhüllen.
lap[3] [~] (*-pp-*) *v/t.*: *~ up* auflecken, -schlecken; *v/i.* plätschern (*against* gegen).
la·pel [ləˈpel] Revers *n, m*.
lapse [læps] **1.** Verlauf *m* (*der Zeit*); (kleiner) Fehler *od.* Irrtum; ⚖ Verfall *m*; **2.** verfallen; ⚖ verfallen, erlöschen; abfallen (*vom Glauben*).
lar·ce·ny ⚖ [ˈlɑːsənɪ] Diebstahl *m*.
larch ⚘ [lɑːtʃ] Lärche *f*.
lard [lɑːd] **1.** Schweinefett *n*, -schmalz *n*; **2.** *Fleisch* spicken; **lar·der** [ˈlɑːdə] Speisekammer *f*; Speiseschrank *m*.
large □ [lɑːdʒ] (*~r, ~st*) groß; umfassend, weitgehend, ausgedehnt; *at ~* in Freiheit, auf freiem Fuß; ganz allgemein; in der Gesamtheit; (sehr) ausführlich; ~·**ly** [ˈlɑːdʒlɪ] zum großen Teil; im wesentlichen; ~-**mind·ed** tolerant; ~·**ness** [~nɪs] Größe *f*.
lar·i·at *bsd. Am.* [ˈlærɪət] Lasso *n, m*.
lark[1] *zo.* [lɑːk] Lerche *f*.
lark[2] F [~] Jux *m*, Spaß *m*.
lark·spur ⚘ [ˈlɑːkspɜː] Rittersporn *m*.
lar·va *zo.* [ˈlɑːvə] (*pl. -vae* [-viː]) Larve *f*.
lar·ynx *anat.* [ˈlærɪŋks] Kehlkopf *m*.
las·civ·i·ous □ [ləˈsɪvɪəs] lüstern.
la·ser *phys.* [ˈleɪzə] Laser *m*; ~ **beam** Laserstrahl *m*.
lash [læʃ] **1.** Peitschenschnur *f*; Peitschenhieb *m*; Wimper *f*; **2.** peitschen, schlagen; (fest)binden; *~ out* (wild) um sich schlagen; *fig.* heftig angreifen.
lass, ~·**ie** [læs, ˈlæsɪ] Mädchen *n*.
las·si·tude [ˈlæsɪtjuːd] Mattigkeit *f*.
las·so [læˈsuː] (*pl. -sos, -soes*) Lasso *n, m*.
last[1] [lɑːst] **1.** *adj.* letzte(r, -s); vorige(r, -s); äußerste(r, -s); neueste(r, -s); *~ but one* vorletzte(r, -s); *~ night* gestern abend; **2.** *der, die, das* Letzte; ⚠ *nicht Last*; *at ~* endlich; *to the ~* bis zum Schluß; **3.** *adv.* zuletzt; *~ but not least* nicht zuletzt.
last[2] [~] (an-, fort)dauern; (sich) halten (*Farbe etc.*); (aus)reichen.
last[3] [~] (Schuhmacher)Leisten *m*.
last·ing □ [ˈlɑːstɪŋ] dauerhaft; beständig.
last·ly [ˈlɑːstlɪ] schließlich, zum Schluß.
latch [lætʃ] **1.** Klinke *f*; Schnappschloß *n*; **2.** ein-, zuklinken; ~·**key** [ˈlætʃkiː] Hausschlüssel *m*.
late □ [leɪt] (*~r, ~st*) spät; jüngste(r, -s), letzte(r, -s); frühere(r, -s), ehemalig; verstorben; *be ~* zu spät kommen, sich verspäten; *at (the) ~st* spätestens; *as ~ as* noch, erst; *of ~* kürzlich; *~r on* später; ~·**ly** [ˈleɪtlɪ] kürzlich.
la·tent □ [ˈleɪtənt] verborgen, latent.
lat·e·ral □ [ˈlætərəl] seitlich, Seiten...
lath [lɑːθ] Latte *f*.
lathe ⊕ [leɪð] Drehbank *f*.
la·ther [ˈlɑːðə] **1.** (Seifen)Schaum *m*; **2.** *v/t.* einseifen; *v/i.* schäumen.
Lat·in [ˈlætɪn] **1.** *ling.* lateinisch; romanisch; südländisch; **2.** *ling.* Latein *n*; Roman|e *m*, -in *f*, Südländer(in).
lat·i·tude [ˈlætɪtjuːd] *geogr.* Breite *f*; *fig.* Spielraum *m*.
lat·ter [ˈlætə] letztere(r, -s) (*von zweien*); letzte(r, -s), spätere(r, -s); ~·**ly** [~lɪ] in letzter Zeit.
lat·tice [ˈlætɪs] Gitter *n*.
lau·da·ble □ [ˈlɔːdəbl] lobenswert.
laugh [lɑːf] **1.** Lachen *n*, Gelächter *n*; **2.** lachen; *~ at j-n* auslachen; *have the last ~* (am Ende) doch noch gewinnen; ~·**a·ble** □ [ˈlɑːfəbl] lächerlich; ~·**ter** [~tə] Lachen *n*, Gelächter *n*.
launch [lɔːntʃ] **1.** *Schiff* vom Stapel laufen lassen; *Boot* aussetzen; schleudern; *Rakete* starten, abschießen; *fig.* in Gang setzen; **2.** ⚓ Barkasse *f*; = ~·**ing** [ˈlɔːntʃɪŋ] ⚓ Stapellauf *m*; Abschuß *m* (*e-r Rakete*); *fig.*

Start(en *n*) *m*; ~ *pad* Abschußrampe *f*; ~ *site* Abschußbasis *f*.
laun|de·rette [lɔːndəˈret], *bsd. Am.* **~·dro·mat** [ˈlɔːndrəmæt] Waschsalon *m*, Münzwäscherei *f*; **~·dry** [~rɪ] Wäscherei *f*; *schmutzige od. gewaschene* Wäsche.
laur·el ♀ [ˈlɒrəl] Lorbeer *m* (*a. fig.*).
lav·a·to·ry [ˈlævətərɪ] Toilette *f*, Klosett *n*; *public* ~ Bedürfnisanstalt *f*.
lav·en·der ♀ [ˈlævəndə] Lavendel *m*.
lav·ish [ˈlævɪʃ] **1.** □ freigebig, verschwenderisch; **2.** ~ *s.th. on s.o.* j-n mit et. überhäufen *od.* überschütten.
law [lɔː] Gesetz *n*; Recht *n*; (Spiel-)Regel *f*; Rechtswissenschaft *f*, Jura *pl.*; F *die* Polizei; ~ *and order* Recht *od.* Ruhe u. Ordnung; **~-a·bid·ing** [ˈlɔːəbaɪdɪŋ] gesetzestreu; **~·court** Gericht(shof *m*) *n*; **~·ful** □ [~fl] gesetzlich; rechtmäßig, legitim; rechtsgültig; **~·less** □ [~lɪs] gesetzlos; gesetzwidrig; zügellos.
lawn [lɔːn] Rasen *m*.
law|suit [ˈlɔːsjuːt] Prozeß *m*; **~·yer** [~jə] (Rechts)Anwalt *m*, (-)Anwältin *f*.
lax □ [læks] locker, lax; schlaff; lasch; **~·a·tive** ⚕ [ˈlæksətɪv] **1.** abführend; **2.** Abführmittel *n*.
lay[1] [leɪ] *pret. von lie*[2] *2.*
lay[2] [~] *eccl.* weltlich; Laien...
lay[3] [~] (*laid*) *v/t.* legen; umlegen; *Plan* schmieden; *Tisch* decken; *Eier* legen; beruhigen, besänftigen; auferlegen; *Klage* vorbringen, *Anklage* erheben; *Wette* abschließen; *Summe* wetten; ~ *in* einlagern, sich eindecken mit; ~ *low* niederstrecken, -werfen; ~ *off econ. Arbeiter* vorübergehend entlassen, *Arbeit* einstellen; ~ *open* darlegen; ~ *out* ausbreiten; *Garten etc.* anlegen; entwerfen, planen; *print. Buch* gestalten; ~ *up Vorräte* hinlegen, sammeln; *be laid up* das Bett hüten müssen; *v/i.* (Eier) legen.
lay-by *Brt. mot.* [ˈleɪbaɪ] Parkbucht *f*, -streifen *m*; Park-, Rastplatz *m*.
lay·er [ˈleɪə] Lage *f*, Schicht *f*.
lay·man [ˈleɪmən] (*pl. -men*) Laie *m*.
lay|-off *econ.* [ˈleɪɒf] vorübergehende Arbeitseinstellung, Feierschicht(en *pl.*) *f*; **~·out** Anlage *f*; Plan *m*; *print.* Layout *n*, Gestaltung *f*.
la·zy □ [ˈleɪzɪ] (*-ier, -iest*) faul; träg(e), langsam; müde *od.* faul machend.
lead[1] [led] ⚗ Blei *n*; ⚓ Lot *n*.
lead[2] [liːd] **1.** Führung *f*; Leitung *f*; Spitzenposition *f*; Beispiel *n*; *thea.* Hauptrolle *f*; *thea.* Hauptdarsteller(in); *Sport u. fig.* Führung *f*, Vorsprung *m*; *Kartenspiel*: Vorhand *f*; ⚡ Leitung *f*; (Hunde)Leine *f*; Hinweis *m*, Tip *m*, Anhaltspunkt *m*; **2.** (*led*) *v/t.* führen; leiten; (an)führen; verleiten, bewegen (*to* zu); *Karte* ausspielen; ~ *on* F *j-n* anführen, auf den Arm nehmen; *v/i.* führen; vorangehen; *Sport*: in Führung liegen; ~ *off* den Anfang machen; ~ *up to* führen zu, überleiten zu.
lead·en [ˈledn] bleiern (*a. fig.*), Blei...
lead·er [ˈliːdə] (An)Führer(in), Leiter(in); Erste(r *m*) *f*; *Brt.* Leitartikel *m*; **~·ship** [~ʃɪp] Führung *f*, Leitung *f*.
lead-free [ˈledfriː] bleifrei.
lead·ing [ˈliːdɪŋ] leitend; führend; Haupt...
leaf [liːf] **1.** (*pl. leaves* [~vz]) Blatt *n*; (*Tür- etc.*)Flügel *m*; (*Tisch*)Klappe *f*; **2.** ~ *through* durchblättern; **~·let** [ˈliːflɪt] Prospekt *m*; Broschüre *f*, Informationsblatt *n*; Merkblatt *n*; **~·y** [~ɪ] (*-ier, -iest*) belaubt.
league [liːg] Liga *f* (*a. hist. u. Sport*); Bund *m*.
leak [liːk] **1.** Leck *n*, undichte Stelle (*a. fig.*); **2.** lecken, leck sein; tropfen; ~ *out* auslaufen, -strömen, entweichen; *fig.* durchsickern; **~·age** [ˈliːkɪdʒ] Lecken *n*, Auslaufen *n*, -strömen *n*; *fig.* Durchsickern; **~·y** [~ɪ] (*-ier, -iest*) leck, undicht.
lean[1] [liːn] (*bsd. Brt. leant od. bsd. Am. leaned*) (sich) lehnen; (sich) stützen; (sich) neigen; ~ *on*, ~ *upon* sich verlassen auf (*acc.*).
lean[2] [~] **1.** mager; **2.** das Magere (*von gekochtem Fleisch*).
leant *bsd. Brt.* [lent] *pret. u. p.p. von lean*[1].
leap [liːp] **1.** Sprung *m*, Satz *m*; **2.** (*leapt od. leaped*) (über)springen; ~ *at fig.* sich stürzen auf; **~t** [lept] *pret. u. p.p. von leap 2*; ~ **year** [ˈliːpjɜː] Schaltjahr *n*.
learn [lɜːn] (*learned od. learnt*) (er-)lernen; erfahren, hören; **~·ed** [ˈlɜːnɪd] gelehrt; **~·er** [~ə] Anfänger(in); Lernende(r *m*) *f*; ~ *driver mot.* Fahrschüler(in); **~·ing** [~ɪŋ] (Er)Lernen *n*; Gelehrsamkeit *f*; **~t** [lɜːnt] *pret. u. p.p. von learn.*

lease [liːs] **1.** Pacht *f*, Miete *f*; Pacht-, Mietvertrag *m*; **2.** (ver)pachten, (ver)mieten.
leash [liːʃ] (Hunde)Leine *f*.
least [liːst] **1.** *adj*. (*sup. von little 1*) kleinste(r, -s), geringste(r, -s), wenigste(r, -s); **2.** *adv*. (*sup. von little 2*) am wenigsten; *~ of all* am allerwenigsten; **3.** *das* Geringste, *das* Mindeste, *das* Wenigste; *at ~* wenigstens; *to say the ~* gelinde gesagt.
leath·er [ˈleðə] **1.** Leder *n*; **2.** ledern; Leder...
leave [liːv] **1.** Erlaubnis *f*; *a. ~ of absence* Urlaub *m*; Abschied *m*; *take (one's) ~* sich verabschieden; **2.** (*left*) *v/t.* (hinter-, über-, übrig-, ver-, zurück)lassen; stehen-, liegenlassen, vergessen; vermachen, -erben; *v/i.* (fort-, weg)gehen, abreisen, abfahren, abfliegen.
leav·en [ˈlevn] Sauerteig *m*; Hefe *f*.
leaves [liːvz] *pl. von leaf 1*; Laub *n*.
leav·ings [ˈliːvɪŋz] *pl.* Überreste *pl.*
lech·er·ous □ [ˈletʃərəs] lüstern.
lec|ture [ˈlektʃə] **1.** *univ.* Vorlesung *f*; Vortrag *m*; Strafpredigt *f*; ⚠ *nicht Lektüre*; **2.** *v/i. univ.* e-e Vorlesung halten; e-n Vortrag halten; *v/t.* tadeln, abkanzeln; **~·tur·er** [~rə] *univ.* Dozent(in); Redner(in).
led [led] *pret. u. p.p. von lead² 2.*
ledge [ledʒ] Leiste *f*; Sims *m, n*; Riff *n*; (Fels)Vorsprung *m*.
led·ger *econ.* [ˈledʒə] Hauptbuch *n*.
leech [liːtʃ] *zo.* Blutegel *m*; *fig.* Blutsauger *m*, Schmarotzer *m*.
leek ⚘ [liːk] Lauch *m*, Porree *m*.
leer [lɪə] **1.** anzüglicher (Seiten)Blick; **2.** anzüglich *od.* lüstern blicken; schielen (*at* nach).
lee|ward ⚓ [ˈliːwəd] leewärts; **~·way** ⚓ Abtrift *f*; *fig.* Rückstand *m*; *fig.* Spielraum *m*.
left¹ [left] *pret. u. p.p. von leave 2.*
left² [~] **1.** *adj.* linke(r, -s); **2.** *adv.* (nach) links; **3.** Linke *f* (*a. pol., Boxen*), linke Seite; *on od. to the ~* links; **~-hand** [ˈlefthænd] linke(r, -s); *~ drive mot.* Linkssteuerung *f*; **~-hand·ed** □ [ˈleftˈhændɪd] linkshändig; für Linkshänder.
left|-lug·gage of·fice *Brt.* 🚂 [ˈleftˈlʌgɪdʒɒfɪs] Gepäckaufbewahrung *f*; **~-o·vers** *pl.* (Speise)Reste *pl.*; **~-wing** *pol.* linke(r, -s), linksgerichtet.
leg [leg] Bein *n*; Keule *f*; (Stiefel-)Schaft *m*; ⩓ Schenkel *m*; *pull s.o.'s ~* j-n auf den Arm nehmen (*hänseln*); *stretch one's ~s* sich die Beine vertreten.
leg·a·cy [ˈlegəsɪ] Vermächtnis *n*.
le·gal □ [ˈliːgl] legal, gesetz-, rechtmäßig; gesetz-, rechtlich; juristisch, Rechts...; **~·ize** [~aɪz] legalisieren, rechtskräftig machen.
le·ga·tion [lɪˈgeɪʃn] Gesandtschaft *f*.
le·gend [ˈledʒənd] Legende *f*, Sage *f*; Bildunterschrift *f*; **le·gen·da·ry** [~ərɪ] legendär, sagenhaft.
leg·gings [ˈlegɪŋz] *pl.* Gamaschen *pl.*; Beinlinge *pl.*, -schutz *m*.
le·gi·ble □ [ˈledʒəbl] leserlich.
le·gion *fig.* [ˈliːdʒən] Legion *f*, Heer *n*.
le·gis·la|tion [ledʒɪsˈleɪʃn] Gesetzgebung *f*; **~·tive** *pol.* [ˈledʒɪslətɪv] **1.** □ gesetzgebend, legislativ; **2.** Legislative *f*, gesetzgebende Gewalt; **~·tor** [~eɪtə] Gesetzgeber *m*.
le·git·i·mate □ [lɪˈdʒɪtɪmət] legitim; gesetz-, rechtmäßig, berechtigt; ehelich.
lei·sure [ˈleʒə] Muße *f*, Freizeit *f*; *at ~* frei, unbeschäftigt; ohne Hast; **~·ly** [~lɪ] gemächlich.
lem·on ⚘ [ˈlemən] Zitrone *f*; **~·ade** [leməˈneɪd] Zitronenlimonade *f*; **~ squash** Zitronenwasser *n*.
lend [lend] (*lent*) *j-m et.* (ver-, aus)leihen, borgen; ⚠ *nicht sich et. leihen.*
length [leŋθ] Länge *f*; Strecke *f*; (Zeit)Dauer *f*; *at ~* endlich, schließlich; ausführlich; *go to any od. great od. considerable ~s* sehr weit gehen; **~·en** [ˈleŋθən] verlängern; länger werden; **~·ways** [~weɪz], **~·wise** [~waɪz] der Länge nach; **~·y** □ [~ɪ] (*-ier, -iest*) sehr lang.
le·ni·ent □ [ˈliːnjənt] mild(e), nachsichtig.
lens *opt.* [lenz] Linse *f*.
lent¹ [lent] *pret. u. p.p. von lend.*
Lent² [~] Fastenzeit *f*.
len·til ⚘ [ˈlentɪl] Linse *f*.
leop·ard *zo.* [ˈlepəd] Leopard *m*.
le·o·tard [ˈliːəʊtɑːd] (Tänzer)Trikot *n*; Gymnastikanzug *m*.
lep·ro·sy ⚕ [ˈleprəsɪ] Lepra *f*.
les·bi·an [ˈlezbɪən] **1.** lesbisch; **2.** Lesbierin *f*, F Lesbe *f*.
less [les] **1.** *adj. u. adv.* (*comp. von little 1, 2*) kleiner, geringer, weniger; **2.** *prp.* weniger, minus, abzüglich.
less·en [ˈlesn] (sich) vermindern *od.* -ringern; abnehmen; herabsetzen.

less·er [ˈlesə] kleiner, geringer.
les·son [ˈlesn] Lektion *f*; (Haus)Aufgabe *f*; (Unterrichts)Stunde *f*; *fig.* Lektion *f*, Lehre *f*; *~s pl.* Unterricht *m*.
lest [lest] damit nicht; daß.
let [let] (*let*) lassen; vermieten, -pachten; *~ alone* in Ruhe lassen; geschweige denn; *~ down* herab-, herunterlassen; *Kleider* verlängern; *j-n* im Stich lassen; *~ go* loslassen; *~ o.s. go* sich gehenlassen; *~ in* (her)einlassen; *~ o.s. in for s.th.* sich et. aufhalsen *od.* einbrocken; *~ s.o. in on s.th.* j-n in et. einweihen; *~ off* abschießen; *j-n* laufenlassen; aussteigen lassen; *~ out* hinauslassen; *Schrei* ausstoßen; ausplaudern; vermieten; *~ up* aufhören.
le·thal □ [ˈli:θl] tödlich; Todes...
leth·ar·gy [ˈleθədʒɪ] Lethargie *f*.
let·ter [ˈletə] **1.** Buchstabe *m*; *print.* Type *f*; Brief *m*, Schreiben *n*; *~s pl.* Literatur *f*; *attr.* Brief...; **2.** beschriften; **~-box** Briefkasten *m*; **~-card** Kartenbrief *m*; **~ car·ri·er** *Am.* Briefträger *m*; **~ed** (literarisch) gebildet; **~·ing** [~rɪŋ] Beschriftung *f*.
let·tuce ⚘ [ˈletɪs] (*bsd.* Kopf)Salat *m*.
leu·k(a)e·mia ⚕ [lju:ˈki:mɪə] Leukämie *f*.
lev·el [ˈlevl] **1.** waag(e)recht; eben; gleich; ausgeglichen; *my ~ best* F mein möglichstes; *~ crossing Brt.* schienengleicher Bahnübergang; **2.** Ebene *f*, ebene Fläche; (gleiche) Höhe, (*Wasser- etc.*)Spiegel *m*, (-)Stand *m*; Wasserwaage *f*; *fig.* Niveau *n*, Stand *m*, Stufe *f*; *sea ~* Meeresspiegel *m*; *on the ~* F ehrlich, aufrichtig; **3.** (*bsd. Brt. -ll-, Am. -l-*) ebnen, planieren; niederschlagen, fällen; *~ at Waffe* richten auf (*acc.*); *Anklage* erheben gegen (*acc.*); **~-head·ed** vernünftig, nüchtern.
le·ver [ˈli:və] Hebel *m*; **~·age** [~rɪdʒ] Hebelkraft *f*, -wirkung *f*.
lev·y [ˈlevɪ] **1.** Steuereinziehung *f*; Steuer *f*; ⚔ Aushebung *f*; **2.** *Steuern* einziehen, erheben; ⚔ ausheben.
lewd □ [lju:d] unanständig, obszön; schmutzig.
li·a·bil·i·ty [laɪəˈbɪlətɪ] ⚖ Haftung *f*, Haftpflicht *f*; *liabilities pl.* Verbindlichkeiten *pl.*; *econ.* Passiva *pl.*
li·a·ble [ˈlaɪəbl] ⚖ haftbar, -pflichtig; *be ~ for* haften für; *be ~ to* neigen zu; anfällig sein für.
li·ar [ˈlaɪə] Lügner(in).
lib F [lɪb] *abbr. für liberation.*
li·bel ⚖ [ˈlaɪbl] **1.** Verleumdung *f od.* Beleidigung *f* (durch Veröffentlichung); **2.** (*bsd. Brt. -ll-, Am. -l-*) (schriftlich) verleumden *od.* beleidigen.
lib·e·ral [ˈlɪbərəl] **1.** □ liberal (*a. pol.*), aufgeschlossen; großzügig; reichlich; **2.** Liberale(r *m*) *f* (*a. pol.*); **~·i·ty** [lɪbəˈrælətɪ] Großzügigkeit *f*; Aufgeschlossenheit *f*.
lib·e|rate [ˈlɪbəreɪt] befreien; **~·ra·tion** [lɪbəˈreɪʃn] Befreiung *f*; **~·ra·tor** [ˈlɪbəreɪtə] Befreier *m*.
lib·er·ty [ˈlɪbətɪ] Freiheit *f*; *take liberties* sich Freiheiten herausnehmen; *be at ~* frei sein.
li·brar·i·an [laɪˈbreərɪən] Bibliothekar(in); **li·bra·ry** [ˈlaɪbrərɪ] Bibliothek *f*; Bücherei *f*.
lice [laɪs] *pl. von louse.*
li·cence, *Am.* **-cense** [ˈlaɪsəns] Lizenz *f*, Konzession *f*; Freiheit *f*; Zügellosigkeit *f*; *license plate Am. mot.* Nummernschild *n*; *driving ~* Führerschein *m*.
li·cense, -cence [~] e-e Lizenz *od.* Konzession erteilen; (amtlich) genehmigen *od.* zulassen.
li·cen·tious □ [laɪˈsenʃəs] ausschweifend, zügellos.
li·chen ⚘, ⚕ [ˈlaɪkən] Flechte *f*.
lick [lɪk] **1.** Lecken *n*; Salzlecke *f*; **2.** *v/t.* (ab-, auf-, be)lecken; F verdreschen, -prügeln; F schlagen, besiegen; *v/i.* lecken; züngeln (*Flammen*).
lic·o·rice [ˈlɪkərɪs] = *liquorice.*
lid [lɪd] Deckel *m*; (Augen)Lid *n*.
lie[1] [laɪ] **1.** Lüge *f*; *give s.o. the ~* j-n Lügen strafen; **2.** lügen.
lie[2] [~] **1.** Lage *f*; **2.** (*lay, lain*) liegen; *~ behind fig.* dahinterstecken; *~ down* sich hinlegen; *let sleeping dogs ~ fig.* daran rühren wir lieber nicht; **~-down** F [laɪˈdaʊn] Nickerchen *n*; **~-in** [ˈlaɪɪn]: *have a ~ Brt.* F sich gründlich ausschlafen.
lieu [lju:]: *in ~* statt dessen; *in ~ of* an Stelle von (*od. gen.*), anstatt (*gen.*).
lieu·ten·ant [lefˈtenənt; ⚓ leˈtenənt; *Am.* lu:ˈtenənt] Leutnant *m*.
life [laɪf] (*pl. lives* [~vz]) Leben *n*; Menschenleben *n*; Lebensbeschreibung *f*, Biographie *f*; *for ~* fürs (ganze) Leben; *bsd.* ⚖ lebenslänglich; *~ imprisonment, ~ sentence*

L

lebenslängliche Freiheitsstrafe; ~ **as·sur·ance** Lebensversicherung *f*; **~·belt** [ˈlaɪfbelt] Rettungsgürtel *m*; **~·boat** Rettungsboot *n*; **~·guard** ⚔ Leibgarde *f*; Bademeister *m*; Rettungsschwimmer *m*; **~ in·sur·ance** Lebensversicherung *f*; **~·jack·et** Schwimmweste *f*; **~·less** □ [~lɪs] leblos; matt, schwung-, lustlos; **~·like** lebensecht; **~·long** lebenslang; **~ pre·serv·er** *Am.* [~prɪzɜːvə] Schwimmweste *f*; Rettungsgürtel *m*; **~·time** Lebenszeit *f*.

lift [lɪft] **1.** (Hoch-, Auf)Heben *n*; *phys.*, ✈ Auftrieb *m*; *bsd. Brt.* Lift *m*, Aufzug *m*, Fahrstuhl *m*; *give s.o. a ~* j-n aufmuntern; j-m Auftrieb geben; j-n (im Auto) mitnehmen; **2.** *v/t.* (hoch-, auf)heben; erheben; *Verbot* aufheben; *Gesichtshaut* straffen; F klauen, stehlen; *v/i.* sich heben (*Nebel*); *~ off* abheben (*Rakete etc.*); **~-off** [ˈlɪftɒf] Start *m*, Abheben *n* (*Rakete etc.*).

lig·a·ture [ˈlɪgətʃʊə] Binde *f*; ⚕ Verband *m*.

light[1] [laɪt] **1.** Licht *n* (*a. fig.*); Lampe *f*; Leuchten *n*, Glanz *m*; Aspekt *m*, Gesichtspunkt *m*; *Can you give me a ~, please?* Haben Sie Feuer?; *put a ~ to* anzünden; **2.** licht, hell; blond; **3.** (*lit od. lighted*) *v/t.* ~ (*up*) be-, erleuchten; anzünden; *v/i.* sich entzünden, brennen; *~ up* aufleuchten.

light[2] *adj.* □ *u. adv.* [~] leicht (*a. fig.*); *make ~ of et.* leichtnehmen.

light·en[1] [ˈlaɪtn] *v/t.* erhellen; aufhellen; aufheitern; *v/i.* hell(er) werden, sich aufhellen.

light·en[2] [~] leichter machen *od.* werden; erleichtern.

light·er [ˈlaɪtə] Anzünder *m*; Feuerzeug *n*; ⚓ Leichter *m*.

light|-head·ed [ˈlaɪthedɪd] benommen, benebelt; leichtfertig, töricht; **~-heart·ed** □ fröhlich, unbeschwert; **~·house** Leuchtturm *m*.

light·ing [ˈlaɪtɪŋ] Beleuchtung *f*; Anzünden *n*.

light|-mind·ed [ˈlaɪtˈmaɪndɪd] leichtfertig; **~·ness** [ˈlaɪtnɪs] Leichtheit *f*; Leichtigkeit *f*.

light·ning [ˈlaɪtnɪŋ] Blitz *m*; *attr.* blitzschnell, Blitz...; **~ con·duc·tor,** *Am.* **~ rod** ⚡ Blitzableiter *m*.

light·weight [ˈlaɪtweɪt] *Boxen*: Leichtgewicht(ler *m*) *n*.

like [laɪk] **1.** gleich; ähnlich; (so) wie; F als ob; *~ that* so; *feel ~* Lust haben auf *od.* zu; *what is he ~?* wie ist er?; *that is just ~ him!* das sieht ihm ähnlich!; **2.** *der*, *die*, *das* gleiche, *et.* Gleiches; *his ~* seinesgleichen; *the ~* dergleichen; *the ~s of you* Leute wie du; *my ~s and dislikes* was ich mag und was ich nicht mag; **3.** *v/t.* gern haben, (gern) mögen; gern tun *etc.*; *how do you ~ it?* wie gefällt es dir?, wie findest du es?; *I ~ that! iro.* das hab' ich gern!; *I should ~ to come* ich würde gern kommen; *v/i.* wollen; *as you ~* wie du willst; *if you ~* wenn Sie wollen; **~·li·hood** [ˈlaɪklɪhʊd] Wahrscheinlichkeit *f*; **~·ly** [~lɪ] **1.** *adj.* (*-ier, -iest*) wahrscheinlich; geeignet; **2.** *adv.* wahrscheinlich; *not ~!* F bestimmt nicht!

lik·en [ˈlaɪkən] vergleichen (*to* mit).

like|ness [ˈlaɪknɪs] Ähnlichkeit *f*; (Ab)Bild *n*; Gestalt *f*; **~·wise** [~waɪz] gleich-, ebenfalls; auch.

lik·ing [ˈlaɪkɪŋ] (*for*) Vorliebe *f* (für), Gefallen *n* (an *dat.*).

li·lac [ˈlaɪlək] **1.** lila; **2.** ⚘ Flieder *m*.

lil·y ⚘ [ˈlɪlɪ] Lilie *f*; *~ of the valley* Maiglöckchen *n*; **~-white** schneeweiß.

limb [lɪm] (*Körper*)Glied *n*; Ast *m*.

lim·ber [ˈlɪmbə]: *~ up Sport*: Lockerungsübungen machen.

lime[1] [laɪm] Kalk *m*; Vogelleim *m*; ⚠ *nicht Leim.*

lime[2] ⚘ [~] Linde *f*; Limone *f*.

lime·light *fig.* [ˈlaɪmlaɪt] Rampenlicht *n*.

lim·it [ˈlɪmɪt] **1.** *fig.* Grenze *f*; *within ~s* inGrenzen; *off ~s Am.* Zutritt verboten (*to* für); *that is the ~!* F das ist der Gipfel!, das ist (doch) die Höhe!; *go to the ~* bis zum Äußersten gehen; **2.** beschränken (*to* auf *acc.*).

lim·i·ta·tion [lɪmɪˈteɪʃn] Ein-, Beschränkung *f*; *fig.* Grenze *f*.

lim·it|ed [ˈlɪmɪtɪd] beschränkt, begrenzt; *~ (liability) company Brt.* Gesellschaft *f* mit beschränkter Haftung; **~·less** □ [~lɪs] grenzenlos.

limp [lɪmp] **1.** hinken, humpeln; **2.** Hinken *n*, Humpeln *n*; **3.** schlaff; schwach, müde; weich.

lim·pid □ [ˈlɪmpɪd] klar, durchsichtig.

line [laɪn] **1.** Linie *f*; Zeile *f*; Vers *m*; Strich *m*; Falte *f*, Runzel *f*, Furche *f*; Reihe *f*; (Menschen)Schlange *f*;

(*Ahnen- etc.*)Reihe *f*, Linie *f*; (Bahn-, Verkehrs- *etc.*)Linie *f*, Strecke *f*; (Eisenbahn-, Verkehrs- *etc.*)Gesellschaft *f*; *tel.*, *teleph.* Leitung *f*; Branche *f*, Fach *n*, Gebiet *n*; *Sport*: (*Ziel- etc.*)Linie *f*; Leine *f*; (Angel)Schnur *f*; Äquator *m*; Richtung *f*; *econ.* Posten *m* (*Ware*); *fig.* Grenze *f*; ~s *pl. thea.* Rolle *f*, Text *m*; *be in ~ for* gute Aussichten haben auf (*acc.*); *be in ~ with* übereinstimmen mit; *draw the ~* haltmachen, e-e Grenze ziehen (*at* bei); *hold the ~ teleph.* am Apparat bleiben; *stand in ~ Am.* Schlange stehen; **2.** lin(i)ieren; *Gesicht* furchen, zeichnen; *Weg etc.* säumen; *Kleid* füttern; ⊕ auskleiden; *~ up* (sich) in e-r Reihe aufstellen.

lin·e·a·ments [ˈlɪnɪəmənts] *pl.* Gesichtszüge *pl.*

lin·e·ar [ˈlɪnɪə] linear, geradlinig; Längen...

lin·en [ˈlɪnɪn] **1.** Leinen *n*; (*Bett-, Tisch- etc.*)Wäsche *f*; **2.** leinen, Leinen...; **~-clos·et, ~-cup·board** Wäscheschrank *m*.

lin·er [ˈlaɪnə] Linien-, Passagierschiff *n*; Verkehrsflugzeug *n*; = *eyeliner*.

lin·ger [ˈlɪŋgə] zögern; verweilen, sich aufhalten; dahinsiechen; *a. ~ on* sich hinziehen.

lin·ge·rie [ˈlɛ̃:nʒəri:] Damenunterwäsche *f*.

lin·i·ment *pharm.* [ˈlɪnɪmənt] Liniment *n*, Einreibemittel *n*.

lin·ing [ˈlaɪnɪŋ] Futter(stoff *m*) *n*; (*Brems*)Belag *m*; ⊕ Aus-, Verkleidung *f*.

link [lɪŋk] **1.** (Ketten)Glied *n*; Manschettenknopf *m*; *fig.* (Binde)Glied *n*, Verbindung *f*; **2.** (sich) verbinden; *~ up* miteinander verbinden; *Raumschiff* (an)koppeln.

links [lɪŋks] *pl.* Dünen *pl.*; *a. golf ~* Golfplatz *m*.

link-up [ˈlɪŋkʌp] Zusammenschluß *m*, Verbindung *f*; Kopplung(smanöver *n*) *f* (*Raumschiff*).

lin·seed [ˈlɪnsi:d] ⚘ Leinsamen *m*; *~ oil* Leinöl *n*.

li·on *zo.* [ˈlaɪən] Löwe *m*; **~·ess** *zo.* [~nɪs] Löwin *f*.

lip [lɪp] Lippe *f*; (*Tassen- etc.*)Rand *m*; *sl.* Unverschämtheit *f*; **~·stick** [ˈlɪpstɪk] Lippenstift *m*.

liq·ue·fy [ˈlɪkwɪfaɪ] (sich) verflüssigen.

liq·uid [ˈlɪkwɪd] **1.** flüssig; feucht (schimmernd) (*Augen*); **2.** Flüssigkeit *f*.

liq·ui·date [ˈlɪkwɪdeɪt] liquidieren (*a. econ.*); *Schuld*(*en*) tilgen.

liq·uid|ize [ˈlɪkwɪdaɪz] zerkleinern, pürieren (*im Mixer*); **~·iz·er** [~ə] Mixgerät *n*, Mixer *m*.

liq·uor [ˈlɪkə] *Brt.* alkoholisches Getränk; *Am.* Schnaps *m*; ⚠ *nicht Likör*.

liq·uo·rice [ˈlɪkərɪs] Lakritze *f*.

lisp [lɪsp] **1.** Lispeln *n*; **2.** lispeln.

list [lɪst] **1.** Liste *f*, Verzeichnis *n*; **2.** (in e-e Liste) eintragen; verzeichnen, auflisten.

lis·ten [ˈlɪsn] (*to*) lauschen, horchen (auf *acc.*); anhören (*acc.*), zuhören (*dat.*); hören (auf *acc.*); *~ in* (im Radio) hören (*to acc.*); *am Telefon* mithören; **~·er** [~ə] Zuhörer(in); (Rundfunk)Hörer(in).

list·less [ˈlɪstlɪs] teilnahms-, lustlos.

lit [lɪt] *pret. u. p.p. von light*[1] *3.*

lit·e·ral □ [ˈlɪtərəl] (wort)wörtlich; buchstäblich; prosaisch.

lit·e·ra|ry □ [ˈlɪtərərɪ] literarisch, Literatur...; **~·ture** [~rətʃə] Literatur *f*.

lithe □ [laɪð] geschmeidig, gelenkig.

lit·i·ga·tion ⚖ [lɪtɪˈgeɪʃn] Prozeß *m*.

li·tre, *Am.* **-ter** [ˈli:tə] Liter *m*, *n*.

lit·ter [ˈlɪtə] **1.** Sänfte *f*; Tragbahre *f*, Trage *f*; Streu *f*; *zo.* Wurf *m*; Abfall *m*, *bsd.* herumliegendes Papier; Durcheinander *n*, Unordnung *f*; **2.** *v/t. zo. Junge* werfen; verstreuen; *be ~ed with* übersät sein mit; *v/i. zo.* Junge werfen; **~ bas·ket, ~ bin** Abfallkorb *m*.

lit·tle [ˈlɪtl] **1.** *adj.* (*less, least*) klein; gering(fügig), unbedeutend; wenig; *~ one* Kleiner *m*, Kleine *f*, Kleines *n* (*Kind*); **2.** *adv.* (*less, least*) wenig, kaum; überhaupt nicht; **3.** Kleinigkeit *f*; *a ~* ein bißchen, etwas; *~ by ~* nach und nach; *not a ~* nicht wenig.

live[1] [lɪv] *v/i.* leben; wohnen; *~ to see* erleben; *~ off* von *s-m Kapital etc.* leben; auf *j-s* Kosten leben; *~ on* leben von; *~ through* durchmachen, -stehen; *~ up to s-m Ruf* gerecht werden, *s-n Grundsätzen* gemäß leben; *Versprechen* halten, *Erwartungen* erfüllen; *~ with* mit *j-m* zusammenleben; mit *et.* leben; *v/t. Leben* führen; *~ s.th. down* et. durch guten Lebenswandel vergessen lassen.

live[2] [laɪv] **1.** *adj.* lebend, lebendig;

L

wirklich, richtig; aktuell; glühend; scharf (*Munition*); ⚡ stromführend, geladen; *Rundfunk*, *TV*: direkt, Direkt..., live, Live..., Original...; **2.** *adv. Rundfunk*, *TV*: direkt, live, original.

live|li·hood ['laɪvlɪhʊd] (Lebens)Unterhalt *m*; **~·li·ness** [~nɪs] Lebhaftigkeit *f*; **~·ly** [~lɪ] (*-ier*, *-iest*) lebhaft, lebendig; aufregend; schnell; bewegt.

liv·er *anat.* ['lɪvə] Leber *f*.

liv·e·ry ['lɪvərɪ] Livree *f*; (Amts-)Tracht *f*.

lives [laɪvz] *pl. von life*.

live·stock ['laɪvstɒk] Vieh(bestand *m*) *n*.

liv·id □ ['lɪvɪd] bläulich; F fuchsteufelswild.

liv·ing ['lɪvɪŋ] **1.** □ lebend(ig); *the ~ image of* das genaue Ebenbild *gen.*; **2.** *das* Leben; Lebensweise *f*; Lebensunterhalt *m*; *eccl.* Pfründe *f*; *the ~ pl.* die Lebenden *pl.*; *standard of ~* Lebensstandard *m*; **~ room** Wohnzimmer *n*.

liz·ard *zo.* ['lɪzəd] Eidechse *f*.

load [ləʊd] **1.** Last *f* (*a. fig.*); Ladung *f*; Belastung *f*; **2.** (auf-, be)laden; *Schußwaffe* laden; *j-n* überhäufen (*with* mit); *~ a camera* e-n Film einlegen; **~·ing** ['ləʊdɪŋ] Laden *n*; Ladung *f*, Fracht *f*; *attr.* Lade...

loaf[1] [ləʊf] (*pl. loaves* [~vz]) Laib *m* (Brot); Brot *n*.

loaf[2] [~] herumlungern; **~·er** ['ləʊfə] Faulenzer(in).

loam [ləʊm] Lehm *m*; **~·y** ['ləʊmɪ] (*-ier*, *-iest*) lehmig.

loan [ləʊn] **1.** (Ver)Leihen *n*; Anleihe *f*; Darlehen *n*; Leihgabe *f*; *on ~* leihweise; **2.** *bsd. Am. an j-n* ausleihen.

loath □ [ləʊθ] abgeneigt; *be ~ to do s.th.* et. ungern tun; **~e** [ləʊð] sich ekeln vor (*dat.*); verabscheuen; **~·ing** ['ləʊðɪŋ] Ekel *m*; Abscheu *m*; **~·some** □ [~ðsəm] abscheulich, ekelhaft; verhaßt.

loaves [ləʊvz] *pl. von loaf*[1].

lob·by ['lɒbɪ] **1.** Vorhalle *f*; *thea.*, *Film*: Foyer *n*; *parl.* Wandelhalle *f*; *pol.* Lobby *f*, Interessengruppe *f*; **2.** *pol. Abgeordnete* beeinflussen.

lobe *anat.*, ⚘ [ləʊb] Lappen *m*; *a. ear~* Ohrläppchen *n*.

lob·ster *zo.* ['lɒbstə] Hummer *m*.

lo·cal □ ['ləʊkl] **1.** örtlich, Orts..., lokal, Lokal...; *~ government* Gemeindeverwaltung *f*; **2.** Einheimische(r *m*) *f*; *a. ~ train* Nahverkehrszug *m*; *the ~ Brt.* F *bsd.* die Stammkneipe; **~·i·ty** [ləʊ'kælətɪ] Örtlichkeit *f*; Lage *f*; **~·ize** ['ləʊkəlaɪz] lokalisieren.

lo·cate [ləʊ'keɪt] *v/t.* ausfindig machen; orten; *be ~d* liegen, sich befinden; **lo·ca·tion** [~eɪʃn] Lage *f*; Standort *m*; Platz (*for* für); *Film*: Gelände *n* für Außenaufnahmen; *on ~* auf Außenaufnahme.

loch *schott.* [lɒk] See *m*.

lock[1] [lɒk] **1.** (*Tür-*, *Gewehr- etc.*) Schloß *n*; Schleuse(nkammer) *f*; ⊕ Sperrvorrichtung *f*; **2.** (ab-, ver-, zu)schließen, zu-, versperren; umschließen, umfassen; sich schließen lassen; ⊕ blockieren; *~ away* wegschließen; *~ in* einschließen, -sperren; *~ out* aussperren; *~ up* abschließen; wegschließen; einsperren.

lock[2] [~] (Haar)Locke *f*.

lock|er ['lɒkə] Schrank *m*, Spind *m*; Schließfach *n*; *~ room* Umkleideraum *m*; **~·et** [~ɪt] Medaillon *n*; **~-out** *econ.* Aussperrung *f*; **~·smith** Schlosser *m*; **~-up** (Haft)Zelle *f*; F Gefängnis *n*.

lo·co *Am. sl.* ['ləʊkəʊ] bekloppt.

lo·co·mo|tion [ləʊkə'məʊʃn] Fortbewegung(sfähigkeit) *f*; **~·tive** ['ləʊkəməʊtɪv] **1.** (Fort)Bewegungs...; **2.** *a. ~ engine* Lokomotive *f*.

lo·cust *zo.* ['ləʊkəst] Heuschrecke *f*.

lodge [lɒdʒ] **1.** Häuschen *n*; Jagd-, Skihütte *f etc.*; Pförtnerhaus *n*, -loge *f*; (*Freimaurer*)Loge *f*; **2.** *v/i.* (*bsd.* vorübergehend *od.* in Untermiete) wohnen; stecken(bleiben) (*Kugel etc.*), (fest)sitzen; *v/t.* aufnehmen, beherbergen, unterbringen; *Kugel* jagen (*in* in *dat.*); *Schlag* versetzen; *Beschwerde* einlegen; *Klage* einreichen; **lodg·er** ['lɒdʒə] Untermieter(in); **lodg·ing** [~ɪŋ] Unterkunft *f*; *~s pl. bsd.* möbliertes Zimmer.

loft [lɒft] (Dach)Boden *m*; Heuboden *m*; Empore *f*; **~·y** □ ['lɒftɪ] (*-ier*, *-iest*) hoch; erhaben; stolz.

log [lɒg] (Holz)Klotz *m*, (*gefällter*) Baumstamm; ⚓ Log *n*; = **~-book** ['lɒgbʊk] ⚓, ✈ Logbuch *n*; *mot.* Fahrtenbuch *n*; *Brt. mot.* Kraftfahrzeugbrief *m*; **~ cab·in** Blockhaus *n*, -hütte *f*; **~·ger·head** [~əhed]: *be at ~s* sich in den Haaren liegen.

lo·gic ['lɒdʒɪk] Logik *f*; **~·al** □ [~kl] logisch.
loins [lɔɪnz] *pl. anat.* Lende *f*; *Kochkunst*: Lende(nstück *n*) *f*.
loi·ter ['lɔɪtə] trödeln, schlendern, bummeln; herumlungern.
loll [lɒl] (sich) rekeln *od.* lümmeln; ~ *out* heraushängen (*Zunge*).
lol|li·pop ['lɒlɪpɒp] Lutscher *m*; Eis *n* am Stiel; ~ *man*, ~ *woman Brt.* Schülerlotse *m*; **~·ly** F ['lɒlɪ] Lutscher *m*; *ice*(*d*) ~ Eis *n* am Stiel.
lone|li·ness ['ləʊnlɪnɪs] Einsamkeit *f*; **~·ly** [~lɪ] (*-ier*, *-iest*), **~·some** □ [~səm] einsam.
long[1] [lɒŋ] **1.** (e-e) lange Zeit; *before* ~ bald; *for* ~ lange; *take* ~ lange brauchen *od.* dauern; **2.** *adj.* lang; langfristig; *in the* ~ *run* schließlich; *be* ~ lange brauchen; **3.** *adv.* lang(e); *as od. so* ~ *as* solange, vorausgesetzt, daß; ~ *ago* vor langer Zeit; *no* ~*er* nicht mehr, nicht länger; *so* ~*!* F bis dann!, tschüs!
long[2] [~] sich sehnen (*for* nach).
long|-dis·tance ['lɒŋ'dɪstəns] Fern...; Langstrecken...; ~ *call teleph.* Ferngespräch *n*; ~ *runner Sport:* Langstreckenläufer *m*.
lon·gev·i·ty [lɒn'dʒevətɪ] Langlebigkeit *f*.
long·hand ['lɒŋhænd] Schreibschrift *f*.
long·ing ['lɒŋɪŋ] **1.** □ sehnsüchtig; **2.** Sehnsucht *f*, Verlangen *n*.
lon·gi·tude *geogr.* ['lɒndʒɪtju:d] Länge *f*.
long| jump ['lɒŋdʒʌmp] *Sport:* Weitsprung *m*; **~·shore·man** [~ʃɔ:mən] (*pl.* *-men*) Hafenarbeiter *m*; **~-sight·ed** □ [lɒŋ'saɪtɪd] weitsichtig; **~-stand·ing** seit langer Zeit bestehend; alt; **~-term** langfristig, auf lange Sicht; ~ **wave** ⚡ Langwelle *f*; **~-wind·ed** □ langatmig.
loo *Brt.* F [lu:] Klo *n*.
look [lʊk] **1.** Blick *m*; Miene *f*, (Gesichts)Ausdruck *m*; (*good*) ~*s pl.* gutes Aussehen; *have a* ~ *at s.th.* sich et. ansehen; *I don't like the* ~ *of it* es gefällt mir nicht; **2.** sehen, blikken, schauen (*at*, *on* auf *acc.*, nach); nachsehen; *krank etc.* aussehen; aufpassen, achten; nach *e-r Richtung* liegen, gehen (*Fenster etc.*); ~ *here!* schau mal (her); hör mal (zu)!; ~ *like* aussehen wie; *it* ~*s as if* es sieht (so) aus, als ob; ~ *after* aufpassen auf (*acc.*), sich kümmern um, sorgen für; ~ *ahead* nach vorne sehen; *fig.* vorausschauen; ~ *around* sich umsehen; ~ *at* ansehen; ~ *back* sich umsehen; *fig.* zurückblicken; ~ *down* herab-, heruntersehen (*a. fig.* *on s.o.* auf j-n); ~ *for* suchen; ~ *forward to* sich freuen auf (*acc.*); ~ *in* F hereinschauen (*on* bei) (*als Besucher*); F *TV* fernsehen; ~ *into* untersuchen, prüfen; ~ *on* zusehen, -schauen (*dat.*); ~ *on to* liegen zu, (hinaus)gehen auf (*acc.*) (*Fenster, etc.*); ~ *on*, ~ *upon* betrachten, ansehen (*as* als); ~ *out* hinaus-, heraussehen; aufpassen, sich vorsehen; Ausschau halten (*for* nach); ~ *over et.* durchsehen; *j-n* mustern; ~ *round* sich umsehen; ~ *through et.* durchsehen; ~ *up* aufblicken, -sehen; *et.* nachschlagen; *j-n* aufsuchen.
look·ing-glass ['lʊkɪŋglɑ:s] Spiegel *m*.
look-out ['lʊkaʊt] Ausguck *m*; Ausschau *f*; *fig.* F Aussicht(en *pl.*) *f*; *that is my* ~ F das ist meine Sache.
loom [lu:m] **1.** Webstuhl *m*; **2.** *a.* ~ *up* undeutlich sichtbar werden *od.* auftauchen.
loop [lu:p] **1.** Schlinge *f*, Schleife *f*; Schlaufe *f*; Öse *f*; ✈ Looping *m*, *n*; *Computer:* Programmschleife *f*; **2.** *v/t.* in Schleifen legen; schlingen; *v/i.* e-e Schleife machen; sich schlingen; **~·hole** ['lu:phəʊl] ⚔ Schießscharte *f*; *fig.* Hintertürchen *n*; *a* ~ *in the law* e-e Gesetzeslücke.
loose [lu:s] **1.** □ (~*r*, ~*st*) los(e); locker; weit; frei; ungenau; liederlich; *let* ~ loslassen; freilassen; **2.** *be on the* ~ frei herumlaufen; **loos·en** ['lu:sn] (sich) lösen, (sich) lockern; ~ *up Sport:* Lockerungsübungen machen.
loot [lu:t] **1.** plündern; **2.** Beute *f*.
lop [lɒp] (*-pp-*) *Baum* beschneiden, stutzen; ~ *off* abhauen, abhacken; **~·sid·ed** □ ['lɒp'saɪdɪd] schief; einseitig.
loq·ua·cious □ [ləʊ'kweɪʃəs] redselig, geschwätzig.
lord [lɔ:d] Herr *m*, Gebieter *m*; Lord *m*; *the* ♀ der Herr (*Gott*); *my* ~ [mɪ'lɔ:d] Mylord, Euer Gnaden, Euer Ehren (*Anrede*); ♀ *Mayor Brt.* Oberbürgermeister *m*; *the* ♀*'s Prayer* das Vaterunser; *the* ♀*'s Supper* das Abendmahl; **~·ly** ['lɔ:dlɪ]

(*-ier, -iest*) vornehm, edel; gebieterisch; hochmütig, arrogant; **~·ship** [~ʃɪp]: *his od. your ~* seine *od.* Euer Lordschaft.

lore [lɔ:] Kunde *f*; Überlieferungen *pl*.

lor·ry *Brt.* [ˈlɒrɪ] Last(kraft)wagen *m*, Lastauto *n*, Laster *m*; 🚂 Lore *f*.

lose [lu:z] (*lost*) *v/t*. verlieren; verpassen, -säumen; *et.* nicht mitbekommen; nachgehen (*Uhr*); *j-n s-e Stellung* kosten; *~ o.s.* sich verirren; sich verlieren; *v/i*. Verluste erleiden; verlieren; nachgehen (*Uhr*); **los·er** [ˈlu:zə] Verlierer(in).

loss [lɒs] Verlust *m*; Schaden *m*; *at a ~ econ.* mit Verlust; *be at a ~* nicht mehr weiterwissen.

lost [lɒst] **1.** *pret. u. p.p. von lose*; **2.** *adj.* verloren; verlorengegangen; verirrt; verschwunden; verloren, -geudet (*Zeit*); versäumt (*Gelegenheit*); *be ~ in thought* in Gedanken versunken *od.* -tieft sein; *~ property office* Fundbüro *n*.

lot [lɒt] Los *n*; *econ.* Partie *f*, Posten (*Ware*); *bsd. Am.* Bauplatz *m*; *bsd. Am.* Parkplatz *m*; *bsd. Am.* Filmgelände *n*; F Gruppe *f*, Gesellschaft *f*; Los *n*, Schicksal *n*; ⚠ *nicht Lot*; *the ~* F alles, das Ganze; *a ~ of* F, *~s of* F viel, e-e Menge; *~s and ~s of* F jede Menge; *a bad ~* F ein übler Kerl; *cast od. draw ~s* losen.

loth □ [ləʊθ] = *loath*.

lo·tion [ˈləʊʃn] Lotion *f*.

lot·te·ry [ˈlɒtərɪ] Lotterie *f*.

loud □ [laʊd] laut (*a. adv.*); *fig.* schreiend, grell (*Farben etc.*); **~·speak·er** [ˈlaʊdˈspi:kə] Lautsprecher *m*.

lounge [laʊndʒ] **1.** faulenzen; herumlungern; schlendern; **2.** Bummel *m*; Wohnzimmer *n*; Aufenthaltsraum *m*, Lounge *f* (*e-s Hotels*); Warteraum *m*, Lounge *f* (*e-s Flughafens*); **~ suit** Straßenanzug *m*.

louse *zo.* [laʊs] (*pl. lice* [laɪs]) Laus *f*; **lou·sy** [ˈlaʊzɪ] (*-ier, -iest*) verlaust; F miserabel, saumäßig.

lout [laʊt] Flegel *m*, Lümmel *m*.

lov·a·ble □ [ˈlʌvəbl] liebenswert; reizend.

love [lʌv] **1.** Liebe *f* (*of, for, to, towards* zu); Liebling *m*, Schatz *m*; *Brt.* m-e Liebe, mein Lieber, mein Liebes (*Anrede*); *Tennis:* null; *be in ~ with s.o.* in j-n verliebt sein; *fall in ~ with s.o.* sich in j-n verlieben; *make ~* sich lieben, miteinander schlafen; *give my ~ to her* grüße sie herzlich von mir; *send one's ~ to j-n* grüßen lassen; *~ from* herzliche Grüße von (*Briefschluß*); **2.** lieben; gern mögen; **~ af·fair** Liebesaffäre *f*; **~·ly** [ˈlʌvlɪ] (*-ier, -iest*) lieblich, wunderschön, entzückend, reizend; **lov·er** [~ə] Liebhaber *m*, Geliebte(r) *m*; Geliebte *f*; Liebhaber(in), (*Tier- etc.*)Freund(in).

lov·ing □ [ˈlʌvɪŋ] liebevoll, liebend.

low[1] [ləʊ] **1.** *adj.* nieder, niedrig (*a. fig.*); tief; gering(schätzig); knapp (*Vorrat*); gedämpft, schwach (*Licht*); schwach, matt; niedergeschlagen; *sozial* untere(r, -s), niedrig; gewöhnlich, niedrig (*denkend od. gesinnt*); gemein; tief (*Ton*); leise (*Ton, Stimme*); **2.** *adv.* niedrig; tief (*a. fig.*); leise; **3.** *meteor.* Tief(druckgebiet) *n*; Tiefstand *m*, -punkt *m*.

low[2] [~] brüllen, muhen (*Rind*).

low·brow F [ˈləʊbraʊ] **1.** geistig Anspruchslose(r *m*) *f*; **2.** geistig anspruchslos.

low·er [ˈləʊə] **1.** niedriger, tiefer; geringer; leiser; untere(r, -s), Unter...; **2.** *v/t.* herunterlassen; niedriger machen; *Augen, Stimme, Preis etc.* senken; (ab)schwächen; *Standard* herabsetzen; erniedrigen; *~ o.s.* sich herablassen; sich demütigen; *v/i.* fallen, sinken.

low|land [ˈləʊlənd] *mst ~s pl.* Tiefland *n*; **~·li·ness** [~lɪnɪs] Niedrigkeit *f*; Bescheidenheit *f*; **~·ly** [~lɪ] (*-ier, -iest*) niedrig; bescheiden; **~-necked** (tief) ausgeschnitten (*Kleid*); **~-pitched** ♪ tief; **~-pres·sure** *meteor.* Tiefdruck...; ⊕ Niederdruck...; **~-rise** *bsd. Am.* niedrig (gebaut); **~-spir·it·ed** niedergeschlagen.

loy·al □ [ˈlɔɪəl] loyal, treu; **~·ty** [~tɪ] Loyalität *f*, Treue *f*.

loz·enge [ˈlɒzɪndʒ] Raute *f*; Pastille *f*.

lu·bri|cant [ˈlu:brɪkənt] Schmiermittel *n*; **~·cate** [~keɪt] schmieren, ölen; **~·ca·tion** [lu:brɪˈkeɪʃn] Schmieren *n*, Ölen *n*.

lu·cid □ [ˈlu:sɪd] klar; deutlich.

luck [lʌk] Schicksal *n*; Glück *n*; *bad ~, hard ~* Unglück *n*, Pech *n*; *good ~* Glück *n*; *good ~!* viel Glück!; *be in (out of) ~* (kein) Glück haben; **~·i·ly** [ˈlʌkɪlɪ] glücklicherweise, zum Glück; **~·y** □ [~ɪ] (*-ier, -iest*) glücklich; Glücks...; *be* ~ Glück haben.

lu·cra·tive □ ['lu:krətɪv] einträglich, lukrativ.

lu·di·crous □ ['lu:dɪkrəs] lächerlich.

lug [lʌg] (*-gg-*) zerren, schleppen.

lug·gage *bsd. Brt.* ['lʌgɪdʒ] (Reise-) Gepäck *n*; ~ **car·ri·er** Gepäckträger *m* (*am Fahrrad*); ~ **rack** Gepäcknetz *n*, -ablage *f*; ~ **van** *bsd. Brt.* Gepäckwagen *m*.

luke·warm ['lu:kwɔ:m] lau(warm); *fig.* lau, mäßig.

lull [lʌl] **1.** beruhigen; sich legen *od.* beruhigen; *mst* ~ *to sleep* einlullen; **2.** Pause *f*; Flaute *f* (*a. econ.*), Windstille *f*.

lul·la·by ['lʌləbaɪ] Wiegenlied *n*.

lum·ba·go ⚕ [lʌm'beɪgəʊ] Hexenschuß *m*.

lum·ber ['lʌmbə] **1.** *bsd. Am.* Bau-, Nutzholz *n*; *bsd. Brt.* Gerümpel *n*; **2.** *v/t.* ~ *s.o. with s.th. Brt.* F j-m et. aufhalsen; *v/i.* rumpeln, poltern (*Wagen*); schwerfällig gehen, trampeln; ~**·jack**, ~**·man** (*pl. -men*) *bsd. Am.* Holzfäller *m*, -arbeiter *m*; ~ **mill** Sägewerk *n*; ~ **room** Rumpelkammer *f*; ~**·yard** Holzplatz *m*, -lager *n*.

lu·mi|na·ry ['lu:mɪnərɪ] Himmelskörper *m*; *fig.* Leuchte *f*, Koryphäe *f*; ~**·nous** □ [~əs] leuchtend, Leucht...

lump [lʌmp] **1.** Klumpen *m*; Beule *f*; Stück *n* (*Zucker etc.*); ⚠ *nicht Lump*; *in the* ~ in Bausch und Bogen; ~ *sugar* Würfelzucker *m*; ~ *sum* Pauschalsumme *f*; **2.** *v/t.* zusammentun, -stellen, -legen, -werfen, -fassen; *v/i.* Klumpen bilden; ~**·y** □ [~ɪ] (*-ier, -iest*) klumpig.

lu·na·cy ['lu:nəsɪ] Wahnsinn *m*.

lu·nar ['lu:nə] Mond...; ~ *module Raumfahrt:* Mond(lande)fähre *f*.

lu·na·tic ['lu:nətɪk] **1.** irr-, wahnsinnig; **2.** Irre(r *m*) *f*, Wahnsinnige(r *m*) *f*, Geisteskranke(r *m*) *f*.

lunch [lʌntʃ], *formell* **lun·cheon** ['lʌntʃən] **1.** Lunch *m*, Mittagessen *n*; **2.** zu Mittag essen; ~ **hour**, ~ **time** Mittagszeit *f*, -pause *f*.

lung *anat.* [lʌŋ] Lunge(nflügel *m*) *f*; *the* ~*s pl.* die Lunge.

lunge [lʌndʒ] **1.** *Fechten:* Ausfall *m*; **2.** *v/i. Fechten:* e-n Ausfall machen (*at* gegen); losstürzen (*at* auf *acc.*).

lurch [lɜ:tʃ] **1.** taumeln, torkeln; **2.** *leave in the* ~ im Stich lassen.

lure [ljʊə] **1.** Köder *m*; *fig.* Lockung *f*; **2.** ködern, (an)locken.

lu·rid □ ['ljʊərɪd] grell, schreiend (*Farben etc.*); schockierend, widerlich.

lurk [lɜ:k] lauern; ~ *about*, ~ *around* herumschleichen.

lus·cious □ ['lʌʃəs] köstlich, lecker; üppig; knackig (*Mädchen*).

lush [lʌʃ] saftig, üppig.

lust [lʌst] **1.** sinnliche Begierde, Lust *f*; Gier *f*; ⚠ *nicht Lust* (*Freude etc.*); **2.** ~ *after*, ~ *for* begehren; gierig sein nach.

lus|tre, *Am.* **-ter** ['lʌstə] Glanz *m*, Schimmer *m*; ~**·trous** □ [~rəs] glänzend, schimmernd.

lust·y □ ['lʌstɪ] (*-ier, -iest*) kräftig, stark u. gesund, vital; kraftvoll.

lute ♪ [lu:t] Laute *f*.

Lu·ther·an ['lu:θərən] lutherisch.

lux·ate ⚕ ['lʌkseɪt] verrenken.

lux·u|ri·ant □ [lʌg'zjʊərɪənt] üppig; ~**·ri·ate** [~ɪeɪt] schwelgen (*in* in *dat.*); ~**·ri·ous** □ [~ɪəs] luxuriös, üppig, Luxus...; ~**·ry** ['lʌkʃərɪ] Luxus *m*; Komfort *m*; Luxusartikel *m*; *attr.* Luxus...

lye [laɪ] Lauge *f*.

ly·ing ['laɪɪŋ] **1.** *p.pr. von lie*[1] *2 u. lie*[2] *2*; **2.** *adj.* lügnerisch, verlogen; ~**-in** [~'ɪn] Wochenbett *n*.

lymph ⚕ [lɪmf] Lymphe *f*.

lynch [lɪntʃ] lynchen; ~ **law** ['lɪntʃlɔ:] Lynchjustiz *f*.

lynx *zo.* [lɪŋks] Luchs *m*.

lyr|ic ['lɪrɪk] **1.** lyrisch; **2.** lyrisches Gedicht; ~*s pl.* Lyrik *f*; (Lied)Text *m*; ~**·i·cal** □ [~kl] lyrisch, gefühlvoll; schwärmerisch.

L

M

ma F [mɑː] Mama *f*, Mutti *f*.

ma'am [mæm] Majestät (*Anrede für die Königin*); (königliche) Hoheit (*Anrede für Prinzessinnen*); F [məm] gnä' Frau (*Anrede*).

mac *Brt.* F [mæk] = *mackintosh*.

ma·cad·am [mə'kædəm] Schotterdecke *f* (*Straßenbau*).

mac·a·ro·ni [mækə'rəʊnɪ] Makkaroni *pl*.

mac·a·roon [mækə'ruːn] Makrone *f*.

mach·i·na·tion [mækɪ'neɪʃn] (tückischer) Anschlag; ~*s pl*. Ränke *pl*.

ma·chine [mə'ʃiːn] **1.** Maschine *f*; Mechanismus *m*; **2.** maschinell herstellen *od*. drucken; mit der (Näh-) Maschine nähen; **~-made** maschinell hergestellt.

ma·chin|e·ry [mə'ʃiːnərɪ] Maschinen *pl*.; Maschinerie *f*; **~·ist** [~ɪst] Maschinenbauer *m*; Maschinist *m*; Maschinennäherin *f*.

mack *Brt.* F [mæk] = *mackintosh*.

mack·e·rel *zo.* ['mækrəl] Makrele *f*.

mack·in·tosh *bsd. Brt.* ['mækɪntɒʃ] Regenmantel *m*.

mac·ro- ['mækrəʊ] Makro..., (sehr) groß.

mad □ [mæd] wahnsinnig, verrückt; toll(wütig); F wütend; *fig*. wild; *go* ~, *Am. get* ~ verrückt *od*. wahnsinnig werden; *drive s.o.* ~ j-n verrückt *od*. wahnsinnig machen; *like* ~ wie toll, wie verrückt (*arbeiten etc.*).

mad·am ['mædəm] gnädige Frau, gnädiges Fräulein (*Anrede*).

mad|cap ['mædkæp] **1.** verrückt; **2.** verrückter Kerl; **~·den** [~n] verrückt *od*. rasend machen; **~·den·ing** □ [~ɪŋ] verrückt *od*. rasend machend.

made [meɪd] *pret. u. p.p. von make 1*; ~ *of gold* aus Gold.

mad|house ['mædhaʊs] Irrenhaus *n*; **~·ly** [~lɪ] wie verrückt, wie besessen; F irre, wahnsinnig; **~·man** (*pl. -men*) Wahnsinnige(r) *m*, Verrückte(r) *m*; **~·ness** [~nɪs] Wahnsinn *m*; (Toll)Wut *f*; **~·wom·an** (*pl. -women*) Wahnsinnige *f*, Verrückte *f*.

mag·a·zine [mægə'ziːn] Magazin *n*; (Munitions)Lager *n*; Zeitschrift *f*.

mag·got *zo.* ['mægət] Made *f*, Larve *f*.

Ma·gi ['meɪdʒaɪ] *pl*.: *the* (*three*) ~ die (drei) Weisen aus dem Morgenland, die Heiligen Drei Könige.

ma·gic ['mædʒɪk] **1.** (~*ally*) *a*. **~·al** □ [~l] magisch, Zauber...; **2.** Zauberei *f*; Zauber *m*; *fig*. Wunder *n*; **ma·gi·cian** [mə'dʒɪʃn] Zauberer *m*; Zauberkünstler *m*.

ma·gis|tra·cy ['mædʒɪstrəsɪ] Richteramt *n*; *die* Richter *pl*.; **~·trate** [~eɪt] (Polizei-, Friedens)Richter *m*; ⚠ *nicht Magistrat*.

mag|na·nim·i·ty [mægnə'nɪmətɪ] Großmut *m*; **~·nan·i·mous** □ [mæg'nænɪməs] großmütig, hochherzig.

mag·net ['mægnɪt] Magnet *m*; **~·ic** [mæg'netɪk] (~*ally*) magnetisch, Magnet...

mag·nif|i·cence [mæg'nɪfɪsns] Pracht *f*, Herrlichkeit *f*; **~·i·cent** [~t] prächtig, herrlich.

mag·ni|fy ['mægnɪfaɪ] vergrößern; ~*ing glass* Vergrößerungsglas *n*, Lupe *f*; **~·tude** [~tjuːd] Größe *f*; Wichtigkeit *f*.

mag·pie *zo.* ['mægpaɪ] Elster *f*.

ma·hog·a·ny [mə'hɒgənɪ] Mahagoni(holz) *n*.

maid [meɪd] *veraltet od. lit*. (junges) Mädchen, (junge) unverheiratete Frau; (Dienst)Mädchen *n*, Hausangestellte *f*; *old* ~ alte Jungfer; ~ *of all work* Mädchen *n* für alles; ~ *of honour* Ehren-, Hofdame *f*; *bsd. Am*. (erste) Brautjungfer.

maid·en ['meɪdn] **1.** = *maid*; **2.** jungfräulich; unverheiratet; *fig*. Jungfern..., Erstlings...; ~ *name* Mädchenname *m* (*e-r Frau*); **~·head** *veraltet* Jungfräulichkeit *f*; **~·hood** *lit*. [~hʊd] Jungmädchenzeit *f*; **~·ly** [~lɪ] jungfräulich; mädchenhaft.

mail¹ [meɪl] (Ketten)Panzer *m*.

mail² [~] **1.** Post(dienst *m*) *f*; Post(-sendung) *f*; *by* ~ mit der Post; **2.** *bsd. Am*. mit der Post schicken, aufgeben; **~·a·ble** *Am*. ['meɪləbl] postversandfähig; **~-bag** Postsack *m*; *Am*. Posttasche *f* (*e-s Briefträgers*); **~·box** *Am*. Briefkasten *m*; ~ **car·ri·er** *Am*., **~·man** (*pl. -men*) *Am*. Briefträger *m*, Postbote *m*; ~ **or·der** Bestellung *f* (*von Waren*) durch die Post; **~-or·der firm**, *bsd. Am*. **~-or·der house** Versandgeschäft *n*, -haus *n*.

maim [meɪm] verstümmeln, zum Krüppel machen.

main [meɪn] **1.** Haupt..., größte(r, -s), wichtigste(r, -s); hauptsächlich; *by ~ force* mit äußerster Kraft; *~ road* Haupt(verkehrs)straße *f*; **2.** *mst ~s pl.* Haupt(gas-, -wasser-, -strom-) leitung *f*; (Strom)Netz *n*; *in the ~* in der Hauptsache, im wesentlichen; **~·land** [~lənd] Festland *n*; **~·ly** [~lɪ] hauptsächlich; **~·spring** Hauptfeder *f* (*e-r Uhr*); *fig.* Triebfeder *f*; **~·stay** ⚓ Großstag *n*; *fig.* Hauptstütze *f*; ♀ **Street** *Am.* provinziell-materialistisch; ♀ **Street·er** *Am.* provinzieller Spießer.

main·tain [meɪnˈteɪn] (aufrecht)erhalten, beibehalten; instand halten, ⊕ *a.* warten; unterstützen; unterhalten; behaupten.

main·te·nance [ˈmeɪntənəns] Erhaltung *f*; Unterhalt *m*; Instandhaltung *f*, ⊕ *a.* Wartung *f*.

maize *bsd. Brt.* ⚘ [meɪz] Mais *m*.

ma·jes|tic [məˈdʒestɪk] (*~ally*) majestätisch; **~·ty** [ˈmædʒəstɪ] Majestät *f*; Würde *f*, Hoheit *f*.

ma·jor [ˈmeɪdʒə] **1.** größere(r, -s); *fig. a.* bedeutend, wichtig; ⚖ volljährig; *C ~* ♪ C-Dur *n*; *~ key* ♪ Dur(tonart *f*) *n*; *~ league Am. Baseball:* oberste Spielklasse; *~ road* Haupt(verkehrs)straße *f*; **2.** ⚔ Major *m*; ⚖ Volljährige(r *m*) *f*; *Am. univ.* Hauptfach *n*; ♪ Dur *n*; **~-gen·e·ral** ⚔ Generalmajor *m*; **~·i·ty** [məˈdʒɒrətɪ] Mehrheit *f*, Mehrzahl *f*; ⚖ Volljährigkeit *f*; ⚔ Majorsrang *m*.

make [meɪk] **1.** (*made*) *v/t.* machen; anfertigen, herstellen, erzeugen; (zu)bereiten; bilden; (er)schaffen; (aus)machen; (er)geben; machen zu; ernennen zu; *j-n* lassen, veranlassen zu, bringen zu, zwingen zu; verdienen; sich erweisen als, abgeben; schätzen auf (*acc.*); F *et.* erreichen, *et.* schaffen; *Fehler* machen; *Frieden etc.* schließen; *e-e Rede* halten; F *Strecke* zurücklegen; *Uhrzeit* feststellen; *~ s.th. do*, *~ do with s.th.* mit et. auskommen, sich mit et. behelfen; *do you ~ one of us?* machen Sie mit?; *what do you ~ of it?* was halten Sie davon?; *~ friends with* sich anfreunden mit; *~ good* wiedergutmachen; *Versprechen etc.* halten, erfüllen; *~ haste* sich beeilen; *~ way* Platz machen; vorwärtskommen; *v/i.* sich anschicken (*to do* zu tun); sich begeben; führen, gehen (*Weg etc.*); *mit Adverbien u. Präpositionen*: *~ away with* sich davonmachen mit (*Geld etc.*); beseitigen; *~ for* zugehen auf (*acc.*); sich aufmachen nach; *~ into* verarbeiten zu; *~ off* sich davonmachen, sich aus dem Staub machen; *~ out* ausfindig machen; erkennen; verstehen; entziffern; *Rechnung etc.* ausstellen; *~ over Eigentum* übertragen; *~ up* ergänzen, vervollständigen; zusammenstellen; bilden, ausmachen; sich *et.* ausdenken; *Streit* beilegen; (sich) zurechtmachen *od.* schminken; *~ up one's mind* sich entschließen; *be made up of* bestehen aus, sich zusammensetzen aus; *~ up (for)* nach-, aufholen; für *et.* entschädigen; **2.** Mach-, Bauart *f*; (Körper)Bau *m*; Form *f*; Fabrikat *n*, Erzeugnis *n*; **~-be·lieve** [ˈmeɪkbɪliːv] Schein *m*, Vorwand *m*, Verstellung *f*; **~r** [~ə] Hersteller *m*; ♀ Schöpfer *m* (*Gott*); **~·shift 1.** Notbehelf *m*; **2.** behelfsmäßig, Behelfs...; **~-up** *typ.* Umbruch *m*; Aufmachung *f*; Schminke *f*, Make-up *n*.

mak·ing [ˈmeɪkɪŋ] Machen *n*; Erzeugung *f*, Herstellung *f*; *this will be the ~ of him* damit ist er ein gemachter Mann; *he has the ~s of* er hat das Zeug *od.* die Anlagen zu.

mal- [mæl] *s. bad(ly)*.

mal·ad·just|ed [mæləˈdʒʌstɪd] schlecht angepaßt *od.* angeglichen; **~·ment** [~mənt] schlechte Anpassung.

mal·ad·min·i·stra·tion [ˈmælədmɪnɪsˈtreɪʃn] schlechte Verwaltung; *pol.* Mißwirtschaft *f*.

mal·a·dy [ˈmælədɪ] Krankheit *f*.

mal·con·tent [ˈmælkəntent] **1.** unzufrieden; **2.** Unzufriedene(r *m*) *f*.

male [meɪl] **1.** männlich; Männer...; **2.** Mann *m*; *zo.* Männchen *n*.

mal·e·dic·tion [mælɪˈdɪkʃn] Fluch *m*, Verwünschung *f*.

mal·e·fac·tor [ˈmælɪfæktə] Übeltäter *m*.

ma·lev·o|lence [məˈlevələns] Bosheit *f*; **~·lent** □ [~t] feindselig.

mal·for·ma·tion [mælfɔːˈmeɪʃn] Mißbildung *f*.

mal·ice [ˈmælɪs] Bosheit *f*; Groll *m*.

ma·li·cious □ [məˈlɪʃəs] boshaft; böswillig; **~·ness** [~nɪs] Bosheit *f*.

ma·lign [məˈlaɪn] **1.** □ schädlich; **2.**

M

ma·lign [məˈlaɪn] **1.** □ schädlich; **2.** verleumden; **ma·lig·nant** □ [məˈlɪgnənt] bösartig (*a.* ⚕); boshaft; **ma·lig·ni·ty** [~ətɪ] Bösartigkeit *f* (*a.* ⚕); Bosheit *f*.
mall *Am.* [mɔːl, mæl] Einkaufszentrum *n*.
mal·le·a·ble [ˈmælɪəbl] hämmerbar; *fig.* formbar, geschmeidig.
mal·let [ˈmælɪt] Holzhammer *m*; (Krocket-, Polo)Schläger *m*.
mal·nu·tri·tion [ˈmælnjuːˈtrɪʃn] Unterernährung *f*; Fehlernährung *f*.
mal·o·dor·ous □ [mælˈəʊdərəs] übelriechend.
mal·prac·tice ⚖ [ˈmælˈpræktɪs] ⚕ falsche Behandlung; Amtsvergehen *n*; Untreue *f* (*im Amt etc.*).
malt [mɔːlt] Malz *n*.
mal·treat [mælˈtriːt] schlecht behandeln; mißhandeln.
ma·ma, mam·ma [məˈmɑː] Mama *f*, Mutti *f*.
mam·mal *zo.* [ˈmæml] Säugetier *n*.
mam·moth [ˈmæməθ] **1.** Mammut *n*; **2.** riesig.
mam·my F [ˈmæmɪ] Mami *f*; *Am. contp.* farbiges Kindermädchen.
man 1. [mæn, *in nachgestellten Zssgn*: -mən] (*pl.* *men* [men]) Mann *m*; Mensch(en *pl.*) *m*; Menschheit *f*; Diener *m*; Angestellte(r) *m*; Arbeiter *m*; ⚔ Mann *m*, (einfacher) Soldat; F (Ehe)Mann *m*; F Freund *m*; F Geliebte(r) *m*; (Schach)Figur *f*; Damestein *m*; *the ~ in* (*Am. a. on*) *the street* der Mann auf der Straße, der Durchschnittsbürger; **2.** [mæn] männlich; **3.** [mæn] (*-nn-*) ⚔, ⚓ bemannen; *~ o.s.* sich ermannen.
man·age [ˈmænɪdʒ] *v/t.* handhaben; verwalten; *Betrieb etc.* leiten *od.* führen; *Gut etc.* bewirtschaften; *Künstler*, *Sportler* managen; mit *j-m* fertig werden; *et.* fertigbringen; F *Arbeit*, *Essen etc.* bewältigen, schaffen; *~ to inf.* es fertigbringen, zu *inf.*; *v/i.* die Aufsicht haben, das Geschäft führen; auskommen; F es schaffen; F es einrichten, es ermöglichen; **~·a·ble** □ [~əbl] handlich; lenksam; **~·ment** [~mənt] Verwaltung *f*; *econ.* Management *n*, Unternehmensführung *f*; *econ.* (Geschäfts)Leitung *f*, Direktion *f*; Bewirtschaftung *f*; Geschicklichkeit *f*, (kluge) Taktik; *~ studies* Betriebswirtschaft *f*; *labo(u)r and ~* Arbeitnehmer u. Arbeitgeber.
man·ag·er [ˈmænɪdʒə] Verwalter *m*; *econ.* Manager *m*; *econ.* Geschäftsführer *m*, Leiter *m*, Direktor *m*; *thea.* Intendant *m*; *thea.* Regisseur *m*; Manager *m* (*e-s Schauspielers etc.*); (Guts)Verwalter *m*; *Sport:* Cheftrainer *m*; *be a good ~* gut *od.* sparsam wirtschaften können; **~·ess** [mænɪdʒəˈres] Verwalterin *f*; *econ.* Managerin *f*; *econ.* Geschäftsführerin *f*, Leiterin *f*, Direktorin *f*; Managerin *f* (*e-s Schauspielers etc.*).
man·a·ge·ri·al *econ.* [mænəˈdʒɪərɪəl] geschäftsführend, leitend; *~ position* leitende Stellung; *~ staff* leitende Angestellte *pl*.
man·ag·ing *econ.* [ˈmænɪdʒɪŋ] geschäftsführend; Betriebs...
man|date [ˈmændeɪt] Mandat *n*; Befehl *m*; Auftrag *m*; Vollmacht *f*; **~·da·to·ry** [~ətərɪ] vorschreibend, befehlend; obligatorisch.
mane [meɪn] Mähne *f*.
ma·neu·ver [məˈnuːvə] = *manoeuvre*.
man·ful □ [ˈmænfl] mannhaft, beherzt.
mange *vet.* [meɪndʒ] Räude *f*.
manger [ˈmeɪndʒə] Krippe *f*.
man·gle [ˈmæŋgl] **1.** (Wäsche)Mangel *f*; **2.** mangeln; übel zurichten, zerfleischen; *fig.* verstümmeln.
mang·y □ [ˈmeɪndʒɪ] (*-ier, -iest*) *vet.* räudig; *fig.* schäbig.
man·hood [ˈmænhʊd] Mannesalter *n*; Männlichkeit *f*; die Männer *pl*.
ma·ni·a [ˈmeɪnjə] Wahn(sinn) *m*; *fig.* (*for*) Sucht *f* (nach), Leidenschaft (für), Manie *f* (für); **~c** [ˈmeɪnɪæk] Wahnsinnige(r *m*) *f*; *fig.* Fanatiker *m*.
man·i·cure [ˈmænɪkjʊə] **1.** Maniküre *f*; **2.** maniküren.
man·i|fest [ˈmænɪfest] **1.** □ offenbar, -kundig, deutlich (erkennbar); **2.** *v/t.* offenbaren, kundtun, deutlich zeigen; **3.** ⚓ Ladungsverzeichnis *n*; **~·fes·ta·tion** [mænɪfeˈsteɪʃn] Offenbarung *f*; Kundgebung *f*; ⚠ *nicht Manifest*; **~·fes·to** [mænɪˈfestəʊ] (*pl.* *-tos, -toes*) Manifest *n*; *pol.* Grundsatzerklärung *f*, Programm *n* (*e-r Partei*).
man·i·fold [ˈmænɪfəʊld] **1.** □ mannigfaltig; **2.** vervielfältigen.
ma·nip·u|late [məˈnɪpjʊleɪt] manipulieren; (geschickt) handhaben; **~·la·tion** [mənɪpjʊˈleɪʃn] Manipula-

tion *f*; Handhabung *f*, Behandlung *f*, Verfahren *n*; Kniff *m*.

man|jack [mænˈdʒæk]: *every* ~ jeder einzelne; **~·kind** [mænˈkaɪnd] die Menschheit, die Menschen *pl.*; [ˈmænkaɪnd] die Männer *pl.*; **~·ly** [ˈmænlɪ] (*-ier*, *-iest*) männlich; mannhaft.

man·ner [ˈmænə] Art *f*, Weise *f*, Art *f* u. Weise *f*; Stil(art *f*) *m*; Art *f* (*sich zu geben*); *~s pl.* Benehmen *n*, Manieren *pl.*; Sitten *pl.*; *in a* ~ gewissermaßen; **~ed** ...geartet; gekünstelt; **~·ly** [~lɪ] manierlich, gesittet, anständig.

ma·noeu·vre, *Am.* **ma·neu·ver** [məˈnuːvə] **1.** Manöver *n* (*a. fig.*); **2.** manövrieren (*a. fig.*).

man-of-war *veraltet* [ˈmænəvˈwɔː] (*pl. men-of-war*) Kriegsschiff *n*.

man·or *Brt.* [ˈmænə] *hist.* Rittergut *n*; (Land)Gut *n*; *sl.* Polizeibezirk *m*; *lord of the* ~ Gutsherr *m*; = **~-house** Herrenhaus *n*, -sitz *m*.

man·pow·er [ˈmænpaʊə] menschliche Arbeitskraft; Menschenpotential *n*; Arbeitskräfte *pl.*

man·ser·vant [ˈmænsɜːvənt] (*pl. menservants*) Diener *m*.

man·sion [ˈmænʃn] (herrschaftliches) Wohnhaus.

man·slaugh·ter ⚖ [ˈmænslɔːtə] Totschlag *m*, fahrlässige Tötung.

man·tel|piece [ˈmæntlpiːs], **~·shelf** (*pl. -shelves*) Kaminsims *m*.

man·tle [ˈmæntl] **1.** ⊕ Glühstrumpf *m*; *fig.* Hülle *f*; *a* ~ *of snow* e-e Schneedecke; ⚠ *nicht Mantel*; **2.** (sich) überziehen; einhüllen.

man·u·al [ˈmænjʊəl] **1.** □ Hand...; mit der Hand (gemacht); **2.** Handbuch *n*.

man·u·fac|ture [mænjʊˈfæktʃə] **1.** Herstellung *f*, Fabrikation *f*; Fabrikat *n*; **2.** (an-, ver)fertigen, erzeugen, herstellen, fabrizieren; verarbeiten; **~·tur·er** [~rə] Hersteller *m*, Erzeuger *m*; Fabrikant *m*; **~·tur·ing** [~ɪŋ] Herstellungs...; Fabrik...; Gewerbe...; Industrie...

ma·nure [məˈnjʊə] **1.** Dünger *m*, Mist *m*, Dung *m*; **2.** düngen.

man·u·script [ˈmænjʊskrɪpt] Manuskript *n*; Handschrift *f*.

man·y [ˈmenɪ] **1.** (*more*, *most*) viel(e); ~ (*a*) manche(r, -s), manch eine(r, -s); ~ *times* oft; *as* ~ ebensoviel(e); *be one too* ~ *for s.o.* j-m überlegen sein; **2.** viele; Menge *f*; *a good* ~ ziemlich viel(e); *a great* ~ sehr viele.

map [mæp] **1.** (Land- *etc.*)Karte *f*; (Stadt- *etc.*)Plan *m*; ⚠ *nicht Mappe*; **2.** (*-pp-*) e-e Karte machen von; auf e-r Karte eintragen; ~ *out fig.* planen; einteilen.

ma·ple ⚘ [ˈmeɪpl] Ahorn *m*.

mar [mɑː] (*-rr-*) schädigen; verderben.

ma·raud [məˈrɔːd] plündern.

mar·ble [ˈmɑːbl] **1.** Marmor *m*; Murmel *f*; **2.** marmorn.

March[1] [mɑːtʃ] März *m*.

march[2] [~] **1.** Marsch *m*; *fig.* Fortgang *m*; *the* ~ *of events* der Lauf der Dinge; **2.** marschieren (lassen); *fig.* fort-, vorwärtsschreiten.

mar·chio·ness [ˈmɑːʃənɪs] Marquise *f*.

mare [meə] *zo.* Stute *f*; ⚠ *nicht Mähre*; *~'s nest fig.* Schwindel *m*; (Zeitungs)Ente *f*.

mar·ga·rine [mɑːdʒəˈriːn], *Brt. F* **marge** [mɑːdʒ] Margarine *f*.

mar·gin [ˈmɑːdʒɪn] Rand *m* (*a. fig.*); Grenze *f* (*a. fig.*); Spielraum *m*; Verdienst-, Gewinn-, Handelsspanne *f*; *by a narrow* ~ *fig.* mit knapper Not; **~·al** □ [~l] am Rande (befindlich); Rand...; ~ *note* Randbemerkung *f*.

ma·ri·na [məˈriːnə] Boots-, Jachthafen *m*.

ma·rine [məˈriːn] Marine *f*; ⚠ *nicht (Kriegs)Marine*; ⚓, ⚔ Marineinfanterist *m*; *paint.* Seestück *n*; *attr.* See...; Meeres...; Marine...; Schiffs...; **mar·i·ner** [ˈmærɪnə] Seemann *m*.

mar·i·tal □ [ˈmærɪtl] ehelich, Ehe...; ~ *status* ⚖ Familienstand *m*.

mar·i·time [ˈmærɪtaɪm] an der See liegend *od.* lebend; See...; Küsten...; Schiffahrts...

mark[1] [mɑːk] (deutsche) Mark; ⚠ *nicht das Mark*.

mark[2] [~] **1.** Marke *f*, Markierung *f*, Bezeichnung *f*; Zeichen *n* (*a. fig.*); Merkmal *n*; (Körper)Mal *n*; Ziel *n* (*a. fig.*); (*Fuß-*, *Brems- etc.*)Spur *f* (*a. fig.*); (Fabrik-, Waren)Zeichen *n*, (Schutz-, Handels)Marke *f*; *econ.* Preisangabe *f*; (Schul)Note *f*, Zensur *f*, Punkt *m*; *Sport:* Startlinie *f*; *fig.* Norm *f*; *fig.* Bedeutung *f*, Rang *m*; *a man of* ~ e-e bedeutende Persönlichkeit; *be up to the* ~ *gesund-*

M

heitlich auf der Höhe sein; *be wide of the ~ fig.* sich gewaltig irren; den Kern der Sache nicht treffen; *hit the ~ fig.* (ins Schwarze) treffen; *miss the ~* danebenschießen; *fig.* sein Ziel verfehlen; **2.** *v/t.* (be)zeichnen; markieren; kennzeichnen; be(ob)achten, achtgeben auf (*acc.*); sich *et.* merken; Zeichen hinterlassen auf (*dat.*); *Schule:* benoten, zensieren; notieren, vermerken; *econ. Waren* auszeichnen; *econ. den Preis* festsetzen; *Sport: s-n Gegenspieler* decken; *~ my words* denke an m-e Worte; *to ~ the occasion* zur Feier des Tages; *~ time* auf der Stelle treten (*a. fig.*); *~ down* notieren, vermerken; *econ. im Preis* herabsetzen; *~ off* abgrenzen; *bsd. auf e-r Liste* abhaken; *~ out durch Striche etc.* markieren, bezeichnen; *~ up econ. im Preis* heraufsetzen; *v/i.* markieren; achtgeben, aufpassen; *Sport:* decken; **~ed** □ auffallend; merklich; ausgeprägt.

mar·ket [ˈmɑːkɪt] **1.** Markt(platz) *m*; *Am.* (Lebensmittel)Geschäft *n*, Laden *m*; *econ.* Absatz *m*; *econ.* (*for*) Nachfrage *f* (nach), Bedarf *m* (an); *in the ~* auf dem Markt; *be on the ~* (zum Verkauf) angeboten werden; *play the ~* (an der Börse) spekulieren; **2.** *v/t.* auf den Markt bringen; verkaufen; *v/i. bsd. Am. go ~ing* einkaufen gehen; **~·a·ble** □ [~əbl] marktfähig, -gängig; **~ gar·den** *Brt.* Handelsgärtnerei *f*; **~·ing** [~ɪŋ] *econ.* Marketing *n*, Absatzpolitik *f*; Marktbesuch *m*.

marks·man [ˈmɑːksmən] (*pl. -men*) guter Schütze.

mar·ma·lade [ˈmɑːməleɪd] *bsd.* Orangenmarmelade *f*.

mar·mot *zo.* [ˈmɑːmət] Murmeltier *n*.

ma·roon [məˈruːn] **1.** kastanienbraun; **2.** *auf e-r einsamen Insel* aussetzen; **3.** Leuchtrakete *f*.

mar·quee [mɑːˈkiː] Festzelt *n*.

mar·quis [ˈmɑːkwɪs] Marquis *m*.

mar·riage [ˈmærɪdʒ] Heirat *f*, Hochzeit *f*; Ehe(stand *m*) *f*; *civil ~* standesamtliche Trauung; **mar·ria·gea·ble** [~dʒəbl] heiratsfähig; **~ ar·ti·cles** *pl.* Ehevertrag *m*; **~ cer·tif·i·cate, ~ lines** *pl. bsd. Brt.* F Trauschein *m*; **~ por·tion** Mitgift *f*.

mar·ried [ˈmærɪd] verheiratet; ehelich, Ehe...; *~ couple* Ehepaar *n*; *~ life* Ehe(leben *n*) *f*.

mar·row [ˈmærəʊ] *anat.* (Knochen-)Mark *n*; *fig.* Kern *m*, *das* Wesentlichste; (*vegetable*) *~ Brt.* ♀ Kürbis *m*.

mar·ry [ˈmærɪ] *v/t.* (ver)heiraten; *eccl.* trauen; *get married to* sich verheiraten mit; *v/i.* (sich ver)heiraten.

marsh [mɑːʃ] Sumpf *m*; Morast *m*.

mar·shal [ˈmɑːʃl] **1.** ⚔ Marschall *m*; *hist.* Hofmarschall *m*; Zeremonienmeister *m*; *Am.* Branddirektor *m*; *Am.* Polizeidirektor *m*; *Am.* Bezirkspolizeichef *m*; *US ~ Am.* (Bundes-)Vollzugsbeamte(r) *m*; **2.** (*bsd. Brt. -ll-, Am. -l-*) ordnen, aufstellen; führen; 🚂 (Zug) zusammenstellen.

marsh·y [ˈmɑːʃɪ] (*-ier, -iest*) sumpfig, morastig.

mart [mɑːt] Markt *m*; Auktionsraum *m*.

mar·ten *zo.* [ˈmɑːtɪn] Marder *m*.

mar·tial □ [ˈmɑːʃl] kriegerisch; militärisch; Kriegs...; *~ law* ⚔ Kriegsrecht *n*; (*state of*) *~ law* ⚔ Ausnahmezustand *m*.

mar·tyr [ˈmɑːtə] **1.** Märtyrer(in) (*to gen.*); **2.** (zu Tode) martern.

mar·vel [ˈmɑːvl] **1.** Wunder *n*, *et.* Wunderbares; **2.** (*bsd. Brt. -ll-, Am. -l-*) sich wundern; **~·(l)ous** □ [ˈmɑːvələs] wunderbar; erstaunlich.

mar·zi·pan [mɑːzɪˈpæn] Marzipan *n*.

mas·ca·ra [mæˈskɑːrə] Wimperntusche *f*.

mas·cot [ˈmæskət] Maskottchen *n*.

mas·cu·line [ˈmæskjʊlɪn] männlich; Männer...

mash [mæʃ] **1.** Gemisch *n*; Maische *f*; Mengfutter *n*; **2.** zerdrücken; (ein)maischen; *~ed potatoes pl.* Kartoffelbrei *m*.

mask [mɑːsk] **1.** Maske *f*; **2.** maskieren; *fig.* verbergen; tarnen; **~ed** maskiert; *~ ball* Maskenball *m*.

ma·son [ˈmeɪsn] Steinmetz *m*; *Am.* Maurer *m*; *mst* ♀ Freimaurer *m*; **~·ry** [~rɪ] Mauerwerk *n*.

masque *thea. hist.* [mɑːsk] Maskenspiel *n*; ⚠ *nicht Maske.*

mas·que·rade [mæskəˈreɪd] **1.** Maskenball *m*; *fig.* Maske, *f*, Verkleidung *f*; **2.** *fig.* sich maskieren.

mass [mæs] **1.** *eccl. a.* ♀ Messe *f*; Masse *f*; Menge *f*; *the ~es pl.* die

M

(breite) Masse; ~ *media pl.* Massenmedien *pl.*; ~ *meeting* Massenversammlung *f*; **2.** (sich) (an)sammeln.

mas·sa·cre ['mæsəkə] **1.** Blutbad *n*; **2.** niedermetzeln.

mas·sage ['mæsɑ:ʒ] **1.** Massage *f*; **2.** massieren.

mas·sif ['mæsi:f] (Gebirgs)Massiv *n*.

mas·sive ['mæsɪv] massiv; groß u. schwer; *fig.* gewaltig.

mast ⚓ [mɑ:st] Mast *m*.

mas·ter ['mɑ:stə] **1.** Meister *m*; Herr *m* (*a. fig.*); Gebieter *m*; *bsd. Brt.* Lehrer *m*; Kapitän *m* (*e-s Handelsschiffs*); (junger) Herr (*Anrede*); *univ.* Rektor *m* (*e-s College*); ♀ *of Arts* (*abbr. MA*) Magister *m* Artium; ~ *of ceremonies bsd. Am.* Conférencier *m*; **2.** Meister...; Haupt..., hauptsächlich; *fig.* führend; **3.** Herr sein *od.* herrschen über (*acc.*); *Sprache etc.* meistern, beherrschen; **~-builder** Baumeister *m*; **~·ful** □ [~fl] herrisch; meisterhaft; **~-key** Hauptschlüssel *m*; **~·ly** [~lɪ] meisterhaft, virtuos; **~·piece** Meisterstück *n*; **~·ship** [~ʃɪp] Meisterschaft *f*; Herrschaft *f*; *bsd. Brt.* Lehramt *n*; **~·y** [~rɪ] Herrschaft *f*; Überlegenheit *f*, Oberhand *f*; Meisterschaft *f*; Beherrschung *f*.

mas·ti·cate ['mæstɪkeɪt] (zer)kauen.

mas·tur·bate ['mæstəbeɪt] masturbieren.

mat [mæt] **1.** Matte *f*; Deckchen *n*; Unterlage *f*, -setzer *m*; **2.** (*-tt-*) (sich) verflechten *od.* -filzen; *fig.* bedecken; **3.** mattiert, matt.

match[1] [mætʃ] Zünd-, Streichholz *n*.

match[2] [~] **1.** *der, die, das* gleiche; Partie *f*, Wettspiel *n*, -kampf *m*, Treffen *n*, Match *n, m*; Heirat *f*; *be a ~ for j-m* gewachsen sein; *find od. meet one's ~* s-n Meister finden; **2.** *v/t.* passend machen, anpassen; passen zu; et. Passendes finden *od.* geben zu; es aufnehmen mit; passend verheiraten; *be well ~ed* gut zusammenpassen; *v/i.* zusammenpassen; *gloves to ~* dazu passende Handschuhe.

match·box ['mætʃbɒks] Zünd-, Streichholzschachtel *f*; ~ *car TM* Matchbox-Auto *n*.

match|less □ ['mætʃlɪs] unvergleichlich, einzigartig; **~·mak·er** Ehestifter(in).

mate[1] [meɪt] *s. checkmate.*

mate[2] [~] **1.** Gefährt|e *m*, -in *f*; (Arbeits)Kamerad(in); Gatt|e *m*, -in *f*; Männchen *n*, Weibchen *n* (*von Tieren*); Gehilf|e *m*, -in *f*; ⚓ Maat *m*; **2.** (sich) verheiraten; (sich) paaren.

ma·te·ri·al □ [mə'tɪərɪəl] **1.** materiell; körperlich; materialistisch; wesentlich; **2.** Material *n*; Stoff *m*; Werkstoff *m*; *writing ~s pl.* Schreibmaterial(ien *pl.*) *n*.

ma·ter|nal □ [mə'tɜ:nl] mütterlich, Mutter...; mütterlicherseits; **~·ni·ty** [~ətɪ] **1.** Mutterschaft *f*; **2.** Schwangerschafts..., Umstands...; ~ *hospital* Entbindungsklinik *f*; ~ *ward* Entbindungsstation *f*.

math *Am.* F [mæθ] Mathe *f* (*Mathematik*).

math·e|ma·ti·cian [mæθəmə'tɪʃn] Mathematiker *m*; **~·mat·ics** [~'mætɪks] *mst sg.* Mathematik *f*.

maths *Brt.* F [mæθs] Mathe *f* (*Mathematik*).

mat·i·née *thea.*, ♪ ['mætɪneɪ] Nachmittagsvorstellung *f*, Frühvorstellung *f*; ⚠ *nicht Matinee.*

ma·tric·u·late [mə'trɪkjʊleɪt] (sich) immatrikulieren (lassen).

mat·ri·mo|ni·al □ [mætrɪ'məʊnjəl] ehelich, Ehe...; **~·ny** ['mætrɪmənɪ] Ehe(stand *m*) *f*.

ma·trix ⊕ ['meɪtrɪks] (*pl. -trices* [-trɪsi:z], *-trixes*) Matrize *f*.

ma·tron ['meɪtrən] Matrone *f*; Hausmutter *f*; *Brt.* Oberschwester *f*.

mat·ter ['mætə] **1.** Materie *f*, Material *n*, Substanz *f*, Stoff *m*; ⚕ Eiter *m*; Gegenstand *m*; Sache *f*; Angelegenheit *f*; Anlaß *m*, Veranlassung *f* (*for* zu); *printed ~* ✉ Drucksache *f*; *what's the ~ (with you)?* was ist los (mit Ihnen)?; *no ~* es hat nichts zu sagen; *no ~ who* gleichgültig, wer; *a ~ of course* e-e Selbstverständlichkeit; *for that ~, for the ~ of that* was das betrifft; *a ~ of fact* e-e Tatsache; **2.** von Bedeutung sein; *it doesn't ~* es macht nichts; **~-of-fact** sachlich, nüchtern.

mat·tress ['mætrɪs] Matratze *f*.

ma·ture [mə'tjʊə] **1.** □ (*~r, ~st*) reif (*a. fig.*); *econ.* fällig; *fig.* reiflich erwogen; **2.** *v/t.* zur Reife bringen; *v/i.* reifen; *econ.* fällig werden; **ma·tu·ri·ty** [~rətɪ] Reife *f*; *econ.* Fälligkeit *f*.

maud·lin □ ['mɔ:dlɪn] rührselig.

maul [mɔ:l] übel zurichten, roh umgehen mit; *fig.* verreißen.

M

Maun·dy Thurs·day *eccl.* [ˈmɔːndɪ ˈθɜːzdɪ] Gründonnerstag *m.*
mauve [məʊv] **1.** Malvenfarbe *f*; **2.** hellviolett.
maw *zo.* [mɔː] (Tier)Magen *m, bsd.* Labmagen *m*; Rachen *m*; Kropf *m.*
mawk·ish □ [ˈmɔːkɪʃ] rührselig, sentimental.
max·i [ˈmæksɪ] **1.** Maximode *f*; Maximantel *m*, -kleid *n*, -rock *m*; **2.** Maxi...
max·i- [ˈmæksɪ] Maxi..., riesig, Riesen...
max·im [ˈmæksɪm] Grundsatz *m.*
max·i·mum [ˈmæksɪməm] **1.** (*pl.* *-ma* [-mə], *-mums*) Maximum *n*, Höchstmaß *n*, -stand *m*, -betrag *m*; **2.** höchste(r, -s), maximal, Höchst...
May[1] [meɪ] Mai *m.*
may[2] *v/aux.* [~] (*pret. might*) mögen, können, dürfen.
may·be [ˈmeɪbiː] vielleicht.
may|-bee·tle *zo.* [ˈmeɪbiːtl], **~-bug** *zo.* Maikäfer *m.*
May Day [ˈmeɪdeɪ] der 1. Mai.
mayor [meə] Bürgermeister *m*; ⚠ *nicht Major.*
may·pole [ˈmeɪpəʊl] Maibaum *m.*
maze [meɪz] Irrgarten *m*, Labyrinth *n*; *fig.* Verwirrung *f*; *in a ~* = **~d** [meɪzd] verwirrt.
me [miː, mɪ] mich; mir; F ich.
mead[1] [miːd] Met *m.*
mead[2] *poet.* [~] = *meadow.*
mead·ow [ˈmedəʊ] Wiese *f.*
mea·gre, *Am.* **-ger** □ [ˈmiːgə] mager (*a. fig.*), dürr; dürftig.
meal [miːl] Mahl(zeit *f*) *n*; Essen *n*; Mehl *n.*
mean[1] □ [miːn] gemein, niedrig, gering; armselig; knauserig; schäbig; *Am.* boshaft, ekelhaft.
mean[2] [~] **1.** mittel, mittlere(r, -s); Mittel..., Durchschnitts...; **2.** Mitte *f*; *~s pl.* (Geld)Mittel *pl.*; (*a. sg.*) Mittel *n*; *by all ~s* auf alle Fälle, unbedingt; *by no ~s* keineswegs; *by ~s of* mittels (*gen.*).
mean[3] [~] (*meant*) meinen; beabsichtigen; bestimmen; bedeuten; *~ well* (*ill*) es gut (schlecht) meinen.
mean·ing [ˈmiːnɪŋ] **1.** □ bedeutsam; **2.** Sinn *m*, Bedeutung *f*; ⚠ *nicht Meinung*; **~·ful** □ [~fl] bedeutungsvoll; sinnvoll; **~·less** [~lɪs] bedeutungslos; sinnlos.
meant [ment] *pret. u. p.p. von mean*[3].
mean|time [ˈmiːntaɪm] **1.** mittlerweile, inzwischen; **2.** *in the ~* inzwischen; **~·while** = *meantime 1.*
mea·sles ⚕ [ˈmiːzlz] *sg.* Masern *pl.*
mea·su·ra·ble □ [ˈmeʒərəbl] meßbar.
mea·sure [ˈmeʒə] **1.** Maß *n*; Maß *n*, Meßgerät *n*; ♪ Takt *m*; Maßnahme *f*; *fig.* Maßstab *m*; *~ of capacity* Hohlmaß *n*; *beyond ~* über alle Maßen; *in a great ~* großenteils; *made to ~* nach Maß gemacht; *take ~s* Maßnahmen treffen *od.* ergreifen; **2.** (ab-, aus-, ver)messen; *j-m* Maß nehmen; *~ up to* den Ansprüchen (*gen.*) genügen; **~d** gemessen; wohlüberlegt; maßvoll; **~·less** □ [~lɪs] unermeßlich; **~·ment** [~mənt] Messung *f*; Maß *n.*
meat [miːt] Fleisch *n*; *fig.* Gehalt *m*; *cold ~* kalte Platte; **~·y** [ˈmiːtɪ] (*-ier*, *-iest*) fleischig; *fig.* gehaltvoll.
me·chan|ic [mɪˈkænɪk] Handwerker *m*; Mechaniker *m*; **~·i·cal** □ [~kl] mechanisch; Maschinen...; **~·ics** *phys. mst sg.* Mechanik *f.*
mech·a|nis·m [ˈmekənɪzəm] Mechanismus *m*; **~·nize** [~aɪz] mechanisieren; *~d* ⚔ motorisiert, Panzer...
med·al [ˈmedl] Medaille *f*; Orden *m*; **~·(l)ist** [~ɪst] *Sport*: Medaillengewinner(in).
med·dle [ˈmedl] sich einmischen (*with, in* in *acc.*); **~·some** [~səm] zu-, aufdringlich.
me·di·a [ˈmiːdjə] *pl. die* Medien *pl.* (*Zeitung, Fernsehen, Rundfunk*).
med·i·ae·val □ [medɪˈiːvl] = *medieval.*
me·di·al □ [ˈmiːdjəl] Mittel...
me·di·an [ˈmiːdjn] die Mitte bildend *od.* einnehmend, Mittel...
me·di|ate [ˈmiːdɪeɪt] vermitteln; **~·a·tion** [miːdɪˈeɪʃn] Vermittlung *f*; **~·a·tor** [ˈmiːdɪeɪtə] Vermittler *m.*
med·i·cal □ [ˈmedɪkl] medizinisch, ärztlich; *~ certificate* ärztliches Attest; *~ man* F Doktor *m* (*Arzt*).
med·i·cate [ˈmedɪkeɪt] medizinisch behandeln; mit Arzneistoff(en) versetzen; *~d bath* medizinisches Bad.
me·di·ci·nal □ [meˈdɪsɪnl] medizinisch; heilend, Heil...; *fig.* heilsam.
medi·cine [ˈmedsɪn] Medizin *f* (*Heilkunde, Arznei*).
med·i·e·val □ [medɪˈiːvl] mittelalterlich.
me·di·o·cre [miːdɪˈəʊkə] mittelmäßig, zweitklassig.

med·i|tate [ˈmedɪteɪt] *v/i.* nachdenken, überlegen; meditieren; *v/t.* im Sinn haben, planen, erwägen; **~·ta·tion** [medɪˈteɪʃn] Nachdenken *n*; Meditation *f*; **~·ta·tive** □ [ˈmedɪtətɪv] nachdenklich, meditativ.
Med·i·ter·ra·ne·an [medɪtəˈreɪnjən] Mittelmeer...
me·di·um [ˈmiːdjəm] **1.** (*pl. -dia* [-djə], *-diums*) Mitte *f*; Mittel *n*; Vermittlung *f*; Medium *n*; (*Lebens-*) Element *n*; **2.** mittlere(r, -s), Mittel..., Durchschnitts...
med·ley [ˈmedlɪ] Gemisch *n*; ♪ Medley *n*, Potpourri *n*.
meek □ [miːk] sanft-, demütig, bescheiden; **~·ness** [ˈmiːknɪs] Sanft-, Demut *f*.
meer·schaum [ˈmɪəʃəm] Meerschaum(pfeife *f*) *m*.
meet [miːt] (*met*) *v/t.* treffen (auf *acc.*); begegnen (*dat.*); abholen; stoßen auf (*den Gegner*); *e-m Wunsch, e-r Verpflichtung etc.* nachkommen; *j-n* kennenlernen; *Am. j-m* vorgestellt werden; *fig. j-m* entgegenkommen; *v/i.* sich treffen; zusammenstoßen; sich versammeln; sich kennenlernen; *Sport*: sich begegnen; *~ with* stoßen auf (*acc.*); erleiden; **~·ing** [ˈmiːtɪŋ] Begegnung *f*; (Zusammen)Treffen *n*; Versammlung *f*; Tagung *f*.
mel·an·chol·y [ˈmelənkəlɪ] **1.** Melancholie *f*, Schwermut *f*; **2.** melancholisch, traurig.
me·li·o·rate [ˈmiːljəreɪt] (sich) (ver-) bessern.
mel·low [ˈmeləʊ] **1.** □ mürbe; reif; weich; mild; **2.** reifen (lassen); weich machen *od.* werden; (sich) mildern.
me·lo·di·ous □ [mɪˈləʊdjəs] melodisch.
mel·o|dra·mat·ic [meləʊdrəˈmætɪk] melodramatisch; **~·dy** [ˈmelədɪ] Melodie *f*; Lied *n*.
mel·on ⚘ [ˈmelən] Melone *f*.
melt [melt] (zer)schmelzen; *fig.* zerfließen; *Gefühl* erweichen.
mem·ber [ˈmembə] (Mit)Glied *n*; Angehörige(r *m*) *f*; ⁀ *of Parliament parl.* Mitglied *n* des Unterhauses; **~·ship** [~ʃɪp] Mitgliedschaft *f*; Mitgliederzahl *f*; *~ card* Mitgliedsausweis *m*.
mem·brane [ˈmembreɪn] Membran(e) *f*, Häutchen *n*.
me·men·to [mɪˈmentəʊ] (*pl. -toes, -tos*) Mahnzeichen *n*; Andenken *n*.
mem·o [ˈmeməʊ] (*pl. -os*) = *memorandum*.
mem·oir [ˈmemwɑː] Denkschrift *f*; *~s pl.* Memoiren *pl.*
mem·o·ra·ble □ [ˈmemərəbl] denkwürdig.
mem·o·ran·dum [meməˈrændəm] (*pl. -da* [-də], *-dums*) Notiz *f*; *pol.* Note *f*; ⚖ Schriftsatz *m*.
me·mo·ri·al [mɪˈmɔːrɪəl] Denkmal *n* (*to* für); Gedenkfeier *f*; Denkschrift *f*, Eingabe *f*; *attr.* Gedächtnis..., Gedenk...
mem·o·rize [ˈmeməraɪz] auswendig lernen, memorieren.
mem·o·ry [ˈmemərɪ] Gedächtnis *n*; Erinnerung *f*; Andenken *n*; *Computer*: Speicher *m*; *commit to ~* auswendig lernen; *in ~ of* zum Andenken an (*acc.*).
men [men] *pl. von man 1*; Mannschaft *f*.
men·ace [ˈmenəs] **1.** (be)drohen; **2.** (Be)Drohung *f*; drohende Gefahr.
mend [mend] **1.** *v/t.* (ver)bessern; ausbessern, flicken; besser machen; *~ one's ways* sich bessern; *v/i.* sich bessern; **2.** ausgebesserte Stelle; *on the ~* auf dem Wege der Besserung.
men·da·cious □ [menˈdeɪʃəs] lügnerisch, verlogen; unwahr.
men·di·cant [ˈmendɪkənt] **1.** bettelnd, Bettel...; **2.** Bettler(in); Bettelmönch *m*.
me·ni·al [ˈmiːnjəl] **1.** □ knechtisch; niedrig; **2.** *contp.* Diener(in), Knecht *m*.
men·in·gi·tis ⚕ [menɪnˈdʒaɪtɪs] Meningitis *f*, Hirnhautentzündung *f*.
men·stru·ate *physiol.* [ˈmenstrʊeɪt] menstruieren, die Regel *od.* Periode haben.
men·tal □ [ˈmentl] geistig, Geistes...; *bsd. Brt.* F geisteskrank, -gestört; *~ arithmetic* Kopfrechnen *n*; *~ handicap* geistige Behinderung; *~ home, ~ hospital* Nervenklinik *f*; *~ly handicapped* geistig behindert; **~·i·ty** [menˈtælətɪ] Mentalität *f*.
men·tion [ˈmenʃn] **1.** Erwähnung *f*; **2.** erwähnen; *don't ~ it!* bitte (sehr)!
men·u [ˈmenjuː] Speise(n)karte *f*; Speisenfolge *f*; ⚠ *nicht Menü.*
mer·can·tile [ˈmɜːkəntaɪl] kaufmännisch, Handels...
mer·ce·na·ry [ˈmɜːsɪnərɪ] **1.** feil,

M

käuflich; gedungen; gewinnsüchtig; 2. ⚔ Söldner *m.*

mer·cer ['mɜːsə] Seiden-, Stoffhändler *m.*

mer·chan·dise ['mɜːtʃəndaɪz] Ware(n *pl.*) *f.*

mer·chant ['mɜːtʃənt] **1.** Kaufmann *m*; *bsd. Am.* Ladenbesitzer *m*, Krämer *m*; **2.** Handels..., Kaufmanns...; **~·man** (*pl. -men*) Handelsschiff *n.*

mer·ci|ful □ ['mɜːsɪfl] barmherzig; **~·less** □ [~lɪs] unbarmherzig.

mer·cu·ry ['mɜːkjʊrɪ] Quecksilber *n.*

mer·cy ['mɜːsɪ] Barmherzigkeit *f*; Gnade *f*; *be at the ~ of s.o.* j-m auf Gedeih u. Verderb ausgeliefert sein.

mere □ [mɪə] (*~r, ~st*) rein; bloß; **~·ly** ['mɪəlɪ] bloß, nur, lediglich.

mer·e·tri·cious □ [merɪ'trɪʃəs] protzig; bombastisch (*Stil*).

merge [mɜːdʒ] verschmelzen (*in* mit); *econ.* fusionieren; **merg·er** ['mɜːdʒə] Verschmelzung *f*; *econ.* Fusion *f.*

me·rid·i·an [mə'rɪdɪən] *geogr.* Meridian *m*; *fig.* Gipfel *m.*

mer|it ['merɪt] **1.** Verdienst *n*; Wert *m*; Vorzug *m*; *~s pl.* ⚖ Hauptpunkte *pl.*, Wesen *n* (*e-r Sache*); **2.** verdienen; **~·i·to·ri·ous** □ [merɪ'tɔːrɪəs] verdienstvoll.

mer·maid ['mɜːmeɪd] Nixe *f.*

mer·ri·ment ['merɪmənt] Lustigkeit *f*; Belustigung *f.*

mer·ry □ ['merɪ] (*-ier, -iest*) lustig, fröhlich; *make ~* lustig sein, feiern; *~* **an·drew** Hanswurst *m*; **~-go-round** Karussell *n*; **~-mak·ing** [~meɪkɪŋ] Feiern *n.*

mesh [meʃ] **1.** Masche *f*; *fig. oft ~es pl.* Netz *n*; *be in ~* ⊕ (ineinander-) greifen; **2.** in e-m Netz fangen.

mess[1] [mes] **1.** Unordnung *f*; Schmutz *m*, F Schweinerei *f*; F Patsche *f*; ⚠ *nicht eccl. Messe*; *make a ~ of* verpfuschen; **2.** *v/t.* in Unordnung bringen; verpfuschen; *v/i. ~ about, ~ around* F herummurksen; sich herumtreiben.

mess[2] [~] Kasino *n*, Messe *f*; ⚠ *nicht eccl. Messe.*

mes·sage ['mesɪdʒ] Botschaft *f* (*to* an *acc.*); Mitteilung *f*, Bescheid *m.*

mes·sen·ger ['mesɪndʒə] Bote *m.*

mess·y □ ['mesɪ] (*-ier, -iest*) unordentlich; unsauber, schmutzig.

met [met] *pret. u. p.p. von meet.*

met·al ['metl] **1.** Metall *n*; *Brt.* Schotter *m*; **2.** (*bsd. Brt. -ll-, Am. -l-*) beschottern; **me·tal·lic** [mɪ'tælɪk] (*~ally*) metallisch, Metall...; **~·lur·gy** [me'tælədʒɪ] Hüttenkunde *f.*

met·a·mor·phose [metə'mɔːfəʊz] verwandeln, umgestalten.

met·a·phor ['metəfə] Metapher *f.*

me·te·or ['miːtjə] Meteor *m.*

me·te·o·rol·o·gy [miːtjə'rɒlədʒɪ] Meteorologie *f*, Wetterkunde *f.*

me·ter ⊕ ['miːtə] Messer *m*, Meßgerät *n*, Zähler; ⚠ *Brt. nicht Meter.*

meth·od ['meθəd] Methode *f*; Art *f* u. Weise *f*; Verfahren *n*; Ordnung *f*, System *n*; **me·thod·ic** [mɪ'θɒdɪk] (*~ally*), **me·thod·i·cal** □ [~kl] methodisch, planmäßig; überlegt.

me·tic·u·lous □ [mɪ'tɪkjʊləs] peinlich genau, übergenau.

me·tre, *Am.* **-ter** ['miːtə] Meter *m, n*; Versmaß *n.*

met·ric ['metrɪk] (*~ally*) metrisch; Maß...; Meter...; *~ system* metrisches (Maß- u. Gewichts)System.

me·trop·o·lis [mɪ'trɒpəlɪs] Metropole *f*, Hauptstadt *f*; **met·ro·pol·i·tan** [metrə'pɒlɪtən] hauptstädtisch.

met·tle ['metl] Eifer *m*, Mut *m*, Feuer *n*; *be on one's ~* sein Bestes tun.

mews *Brt.* [mjuːz] *sg. veraltet* Stallungen *pl.*; *daraus entstandene* Garagen *pl. od.* Wohnungen *pl.*

Mex·i·can ['meksɪkən] **1.** mexikanisch; **2.** Mexikaner(in).

mi·aow [miː'aʊ] miauen.

mice [maɪs] *pl. von mouse.*

Mich·ael·mas ['mɪklməs] Michaelstag *m*, Michaeli(s) *n* (*29. September*).

mi·cro- ['maɪkrəʊ] Mikro..., (sehr) klein.

mi·cro|phone ['maɪkrəfəʊn] Mikrophon *n*; **~·pro·ces·sor** Mikroprozessor *m*; **~·scope** Mikroskop *n.*

mid [mɪd] mittlere(r, -s), Mitt(el)...; *in ~-air* (mitten) in der Luft; **~·day** ['mɪddeɪ] **1.** Mittag *m*; **2.** mittägig; Mittag(s)...

mid·dle ['mɪdl] **1.** Mitte *f*; Mitte *f* (*des Leibes*), Taille *f*; ⚠ *nicht Mittel*; **2.** mittlere(r, -s), Mittel...; **~-aged** mittleren Alters; ♀ **Ag·es** *pl.* Mittelalter *n*; **~-class** Mittelstands...; *~* **class(·es** *pl.*) Mittelstand *m*; **~·man** (*pl. -men*) Mittelsmann *m*; *~* **name** zweiter Vorname *m*; **~-sized** mittelgroß; *~* **weight** *Boxen*: Mittelgewicht(ler *m*) *n.*

M

mid·dling ['mɪdlɪŋ] mittelmäßig, Mittel...; leidlich.
midge *zo.* [mɪdʒ] kleine Mücke; **midg·et** ['mɪdʒɪt] Zwerg *m*, Knirps *m*.
mid|land ['mɪdlənd] binnenländisch; **~·most** mittelste(r, -s); innerste(r, -s); **~·night** Mitternacht *f*; **~·riff** *anat.* ['mɪdrɪf] Zwerchfell *n*; **~·ship·man** (*pl. -men*) Midshipman *m*: *Brt. unterster Marineoffiziersrang*; *Am.* Seeoffiziersanwärter *m*; **~st** [mɪdst] Mitte *f*; *in the ~ of* mitten in (*dat.*); **~·sum·mer** *ast.* Sommersonnenwende *f*; Hochsommer *m*; **~·way 1.** *adj.* in der Mitte befindlich, mittlere(r, -s); **2.** *adv.* auf halbem Wege; **~·wife** (*pl. -wives*) Hebamme *f*; **~·wif·e·ry** [~wɪfərɪ] Geburtshilfe *f*; **~·win·ter** *ast.* Wintersonnenwende *f*; Mitte *f* des Winters; *in ~* mitten im Winter.
mien *lit.* [mi:n] Miene *f*.
might [maɪt] **1.** Macht *f*, Gewalt *f*; Kraft *f*; *with ~ and main* mit aller Kraft *od.* Gewalt; **2.** *pret. von may*[2]; **~·y** □ ['maɪtɪ] (*-ier, -iest*) mächtig, gewaltig.
mi·grate [maɪ'greɪt] (aus)wandern, (fort)ziehen (*a. zo.*); **mi·gra·tion** [~ʃn] Wanderung *f*; **mi·gra·to·ry** ['maɪgrətərɪ] wandernd; *zo.* Zug...
mike F [maɪk] Mikro *n* (*Mikrophon*).
mil·age ['maɪlɪdʒ] = *mileage*.
mild □ [maɪld] mild; sanft; gelind; leicht.
mil·dew ⚘ ['mɪldju:] Mehltau *m*.
mild·ness ['maɪldnɪs] Milde *f*.
mile [maɪl] Meile *f* (*1,609 km*).
mile·age ['maɪlɪdʒ] zurückgelegte Meilenzahl *od.* Fahrtstrecke, Meilenstand *m*; *a. ~ allowance* Meilen-, *appr.* Kilometergeld *n*.
mile·stone ['maɪlstəʊn] Meilenstein *m* (*a. fig.*).
mil·i|tant □ ['mɪlɪtənt] militant; streitend; streitbar, kriegerisch; **~·ta·ry** [~ərɪ] **1.** □ militärisch, Militär...; Heeres..., Kriegs...; ♀ *Government* Militärregierung *f*; **2.** *das* Militär, Soldaten *pl.*, Truppen *pl*.
mi·li·tia [mɪ'lɪʃə] Miliz *f*, Bürgerwehr *f*.
milk [mɪlk] **1.** Milch *f*; *it's no use crying over spilt ~* geschehen ist geschehen; **2.** *v/t.* melken; *v/i.* melken; Milch geben; **~·maid** ['mɪlkmeɪd] Melkerin *f*; Milchmädchen *n*; **~·man** (*pl. -men*) Milchmann *m*; **~ pow·der** Milchpulver *n*; **~ shake** Milchmixgetränk *n*; **~·sop** Weichling *m*, Muttersöhnchen *n*; **~·y** [~kɪ] (*-ier, -iest*) milchig; Milch...; ♀ *Way* *ast.* Milchstraße *f*.
mill[1] [mɪl] **1.** Mühle *f*; Fabrik *f*, Spinnerei *f*; **2.** *Korn etc.* mahlen; ⊕ fräsen; *Münze* rändeln.
mill[2] *Am.* [~] $^1/_{1000}$ Dollar *m*.
mil·le·pede *zo.* ['mɪlɪpi:d] Tausendfüß(l)er *m*.
mill·er ['mɪlə] Müller *m*.
mil·let ['mɪlɪt] Hirse *f*.
mil·li|ner ['mɪlɪnə] Hut-, Putzmacherin *f*, Modistin *f*; **~·ne·ry** [~rɪ] Putz-, Modewaren(geschäft *n*) *pl*.
mil·lion ['mɪljən] Million *f*; **~·aire** [mɪljə'neə] Millionär(in); **~th** ['mɪljənθ] **1.** millionste(r, -s); **2.** Millionstel *n*.
mil·li·pede *zo.* ['mɪlɪpi:d] = *millepede*.
mill|-pond ['mɪlpɒnd] Mühlteich *m*; **~·stone** Mühlstein *m*.
milt [mɪlt] Milch *f* (*der Fische*).
mim·ic ['mɪmɪk] **1.** mimisch; Schein...; **2.** Imitator *m*; **3.** (*-ck-*) nachahmen; nachäffen; **~·ry** [~rɪ] Nachahmung *f*; *zo.* Mimikry *f*.
mince [mɪns] **1.** *v/t.* zerhacken, -stückeln; *he does not ~ matters* er nimmt kein Blatt vor den Mund; *v/i.* sich zieren; **2.** *a. ~d meat* Hackfleisch *n*; **~·meat** ['mɪnsmi:t] *e-e süße* Pastetenfüllung; **~ pie** *mit mincemeat gefüllte Pastete*; **minc·er** [~ə] Fleischwolf *m*.
mind [maɪnd] **1.** Sinn *m*, Gemüt *n*, Herz *n*; Geist *m* (*a. phls.*); Verstand *m*; Meinung *f*, Ansicht *f*; Absicht *f*; Neigung *f*, Lust *f*; Gedächtnis *n*; *to my ~* meiner Ansicht nach; *out of one's ~, not in one's right ~* von Sinnen; *change one's ~* sich anders besinnen; *bear od. keep s.th. in ~* (immer) an et. denken; *have (half) a ~ to* (beinahe) Lust haben zu; *have s.th. on one's ~* et. auf dem Herzen haben; *make up one's ~* sich entschließen; *s. presence*; **2.** merken *od.* achten auf (*acc.*); sich kümmern um; etwas (einzuwenden) haben gegen; *~!* gib acht!; *never ~!* macht nichts!; *~ the step!* Achtung, Stufe!; *I don't ~ (it)* ich habe nichts dagegen; *do you ~ if I smoke?* stört es Sie, wenn ich rauche?; *would you ~ tak-*

M

ing off your hat? würden Sie bitte den Hut abnehmen?; ~ *your own business!* kümmern Sie sich um Ihre Angelegenheiten!; **~·ful** □ [ˈmaɪndfl] (*of*) eingedenk (*gen.*); achtsam (auf *acc.*); **~·less** □ [~lɪs] (*of*) unbekümmert (um), ohne Rücksicht (auf *acc.*).

mine[1] [maɪn] der, die, das meinige *od.* meine.

mine[2] [~] **1.** Bergwerk *n*, Mine *f*, Zeche *f*, Grube *f*; ⚔ Mine *f*; *fig.* Fundgrube *f*; ⚠ *nicht (Kugelschreiber- etc.)Mine*; **2.** *v/i.* graben; minieren; *v/t.* graben in (*dat.*); ⚒ fördern; ⚔ verminen; **min·er** [ˈmaɪnə] Bergmann *m*.

min·e·ral [ˈmɪnərəl] **1.** Mineral *n*; ~*s pl. Brt.* Mineralwasser *n*; **2.** mineralisch, Mineral...

min·gle [ˈmɪŋgl] *v/t.* (ver)mischen; *v/i.* sich mischen *od.* mengen (*with* unter).

min·i [ˈmɪnɪ] **1.** Minimode *f*; Minimantel *m*, -kleid *n*, -rock *m*; **2.** Mini...

min·i- [ˈmɪnɪ] Mini..., Klein(st)...

min·i·a·ture [ˈmɪnjətʃə] **1.** Miniatur(gemälde *n*) *f*; **2.** in Miniatur; Miniatur...; Klein...; ~ *camera* Kleinbildkamera *f*.

min·i|mize [ˈmɪnɪmaɪz] auf ein Mindestmaß herabsetzen; als geringfügig hinstellen, bagatellisieren; **~·mum** [~əm] **1.** (*pl.* *-ma* [-mə], *-mums*) Minimum *n*, Mindestmaß *n*, -betrag *m*; **2.** niedrigste(r, -s), minimal, Mindest...

min·ing [ˈmaɪnɪŋ] Bergbau *m*; *attr.* Berg(bau)..., Bergwerks...; Gruben...

min·i·on *contp.* [ˈmɪnjən] Lakai *m*, Kriecher *m*.

min·i·skirt [ˈmɪnɪskɜːt] Minirock *m*.

min·is·ter [ˈmɪnɪstə] **1.** Geistliche(r) *m*; Minister *m*; Gesandte(r) *m*; **2.** ~ *to* helfen (*dat.*), unterstützen (*acc.*).

min·is·try [ˈmɪnɪstrɪ] geistliches Amt; Ministerium *n*; Regierung *f*.

mink *zo.* [mɪŋk] Nerz *m*.

mi·nor [ˈmaɪnə] **1.** kleinere(r, -s), geringere(r, -s); *fig. a.* unbedeutend, geringfügig; ⚖ minderjährig; *A* ~ ♪ a-Moll *n*; ~ *key* ♪ Moll(tonart *f*) *n*; ~ *league Am. Baseball*: untere Spielklasse; **2.** ⚖ Minderjährige(r *m*) *f*; *Am. univ.* Nebenfach *n*; ♪ Moll *n*; **~·i·ty** [maɪˈnɒrətɪ] Minderheit *f*; ⚖ Minderjährigkeit *f*.

min·ster [ˈmɪnstə] Münster *n*.

min·strel [ˈmɪnstrəl] Minnesänger *m*; *Varietékünstler, der als Neger geschminkt auftritt.*

mint[1] [mɪnt] **1.** Münze *f*, Münzamt *n*; *a* ~ *of money* e-e Menge Geld; **2.** münzen, prägen.

mint[2] ⚘ [~] Minze *f*.

min·u·et ♪ [mɪnjʊˈet] Menuett *n*.

mi·nus [ˈmaɪnəs] **1.** *prp.* minus, weniger; F ohne; **2.** *adj.* negativ.

min·ute[1] [ˈmɪnɪt] Minute *f*; Augenblick *m*; *in a* ~ sofort; *just a* ~ Moment mal!; ~*s pl.* Protokoll *n*.

mi·nute[2] □ [maɪˈnjuːt] sehr klein, winzig; unbedeutend; sehr genau; **~·ness** [~nɪs] Kleinheit *f*; Genauigkeit *f*.

mir·a·cle [ˈmɪrəkl] Wunder *n* (*übernatürliches Ereignis*); **mi·rac·u·lous** □ [mɪˈrækjʊləs] wunderbar.

mi·rage [ˈmɪrɑːʒ] Luftspiegelung *f*.

mire [ˈmaɪə] **1.** Sumpf *m*; Schlamm *m*; Kot *m*; **2.** mit Schlamm *od.* Schmutz bedecken.

mir·ror [ˈmɪrə] **1.** Spiegel *m*; **2.** (wider)spiegeln (*a. fig.*).

mirth [mɜːθ] Fröhlichkeit *f*, Heiterkeit *f*; **~·ful** □ [ˈmɜːθfl] fröhlich, heiter; **~·less** □ [~lɪs] freudlos.

mir·y [ˈmaɪərɪ] (*-ier*, *-iest*) sumpfig, schlammig.

mis- [mɪs] miß..., falsch, schlecht.

mis·ad·ven·ture [ˈmɪsədˈventʃə] Mißgeschick *n*; Unglück(sfall *m*) *n*.

mis·an|thrope [ˈmɪzənθrəʊp], **~·thro·pist** [mɪˈzænθrəpɪst] Menschenfeind *m*.

mis·ap·ply [ˈmɪsəˈplaɪ] falsch anwenden.

mis·ap·pre·hend [ˈmɪsæprɪˈhend] mißverstehen.

mis·ap·pro·pri·ate [ˈmɪsəˈprəʊprɪeɪt] unterschlagen, veruntreuen.

mis·be·have [ˈmɪsbɪˈheɪv] sich schlecht benehmen.

mis·cal·cu·late [mɪsˈkælkjʊleɪt] falsch berechnen; sich verrechnen.

mis·car|riage [mɪsˈkærɪdʒ] Mißlingen *n*; Verlust *m*, Fehlleitung *f* (*von Briefen etc.*); ⚕ Fehlgeburt *f*; ~ *of justice* Fehlspruch *m*, -urteil *n*; **~·ry** [~ɪ] mißlingen, scheitern; verlorengehen (*Brief*); ⚕ e-e Fehlgeburt haben.

mis·cel·la|ne·ous □ [mɪsɪˈleɪnjəs]

ge-, vermischt; verschiedenartig; **~·ny** [mɪˈselənɪ] Gemisch *n*; Sammelband *m*.
mis·chief [ˈmɪstʃɪf] Schaden *m*; Unfug *m*; Mutwille *m*, Übermut *m*; **~-mak·er** Unheil-, Unruhestifter(in).
mis·chie·vous □ [ˈmɪstʃɪvəs] schädlich; boshaft, mutwillig; schelmisch.
mis·con·ceive [ˈmɪskənˈsiːv] falsch auffassen, mißverstehen.
mis·con·duct 1. [mɪsˈkɒndʌkt] schlechtes Benehmen; Eheverfehlung *f*; schlechte Verwaltung; **2.** [ˈmɪskənˈdʌkt] schlecht verwalten; ~ *o.s.* sich schlecht benehmen; e-n Fehltritt begehen.
mis·con·strue [ˈmɪskənˈstruː] falsch auslegen, mißdeuten.
mis·deed [ˈmɪsdiːd] Missetat *f*, Vergehen *n*; Verbrechen *n*.
mis·de·mea·no(u)r ⚖ [ˈmɪsdɪˈmiːnə] Vergehen *n*.
mis·di·rect [ˈmɪsdɪˈrekt] fehl-, irreleiten; *e-n Brief etc.* falsch adressieren.
mis·do·ing [ˈmɪsduːɪŋ] *mst* ~*s pl.* = *misdeed*.
mise en scène *thea.* [ˈmiːzɑ̃ːnˈseɪn] Inszenierung *f*.
mi·ser [ˈmaɪzə] Geizhals *m*.
mis·e·ra·ble □ [ˈmɪzərəbl] elend; unglücklich; erbärmlich.
mi·ser·ly [ˈmaɪzəlɪ] geizig, F knick(e)rig.
mis·e·ry [ˈmɪzərɪ] Elend *n*, Not *f*.
mis·fire [ˈmɪsˈfaɪə] versagen (*Waffe*); *mot.* fehlzünden, aussetzen.
mis·fit [ˈmɪsfɪt] schlechtsitzendes Kleidungsstück; Außenseiter *m*, Einzelgänger *m*.
mis·for·tune [mɪsˈfɔːtʃən] Unglück(sfall *m*) *n*; Mißgeschick *n*.
mis·giv·ing [ˈmɪsˈgɪvɪŋ] böse Ahnung, Befürchtung *f*.
mis·guide [ˈmɪsˈgaɪd] fehl-, irreleiten.
mis·hap [ˈmɪshæp] Unglück *n*; Unfall *m*; Mißgeschick *n*; Panne *f*.
mis·in·form [ˈmɪsɪnˈfɔːm] falsch unterrichten.
mis·in·ter·pret [ˈmɪsɪnˈtɜːprɪt] mißdeuten, falsch auffassen.
mis·lay [mɪsˈleɪ] (*-laid*) *et.* verlegen.
mis·lead [mɪsˈliːd] (*-led*) irreführen; verleiten.
mis·man·age [ˈmɪsˈmænɪdʒ] schlecht verwalten *od.* führen *od.* handhaben.
mis·place [ˈmɪsˈpleɪs] an e-e falsche Stelle legen *od.* setzen; *et.* verlegen; falsch anbringen.
mis·print 1. [mɪsˈprɪnt] verdrucken; **2.** [ˈmɪsprɪnt] Druckfehler *m*.
mis·read [ˈmɪsˈriːd] (*-read* [-red]) falsch lesen *od.* deuten.
mis·rep·re·sent [ˈmɪsreprɪˈzent] falsch darstellen, verdrehen.
miss[1] [mɪs] (*mit nachfolgendem Namen* ♀) Fräulein *n*.
miss[2] [~] **1.** Fehlschlag *m*, -schuß *m*, -stoß *m*, -wurf *m*; Versäumen *n*, Entrinnen *n*; **2.** *v/t.* (ver)missen; verfehlen, -passen, -säumen; auslassen, übergehen; übersehen; überhören; *he ~ed* ... ihm entging ...; *v/i.* nicht treffen; mißglücken.
mis·shap·en [ˈmɪsˈʃeɪpən] mißgebildet.
mis·sile [ˈmɪsaɪl, *Am.* ˈmɪsəl] **1.** (Wurf)Geschoß *n*; ⚔ Rakete *f*; **2.** ⚔ Raketen...
miss·ing [ˈmɪsɪŋ] fehlend, weg, nicht da; ⚔ vermißt; *be* ~ fehlen, weg sein (*Sache*); vermißt sein *od.* werden.
mis·sion [ˈmɪʃn] *pol.* Auftrag *m*; (innere) Berufung, Sendung *f*, Lebensziel *n*; *pol.* Gesandtschaft *f*; *eccl.*, *pol.* Mission *f*; ⚔ Einsatz *m*, (Kampf-) Auftrag *m*; **~·a·ry** [ˈmɪʃənrɪ] **1.** Missionar *m*; **2.** Missions...
mis·sive [ˈmɪsɪv] Sendschreiben *n*.
mis·spell [ˈmɪsˈspel] (*-spelt od. -spelled*) falsch buchstabieren *od.* schreiben.
mis·spend [ˈmɪsˈspend] (*-spent*) falsch verwenden; vergeuden.
mist [mɪst] **1.** (feiner *od.* leichter) Nebel; ⚠ *nicht Mist*; **2.** (um)nebeln; sich trüben; beschlagen.
mis|take [mɪˈsteɪk] **1.** (*-took*, *-taken*) sich irren; verkennen; mißverstehen; verwechseln (*for* mit); **2.** Mißverständnis *n*; Irrtum *m*; Versehen *n*; Fehler *m*; **~·tak·en** □ [~ən] irrig, falsch (verstanden); *be* ~ sich irren.
mis·ter [ˈmɪstə] (*mit nachfolgendem Namen* ♀) Herr *m* (*abbr.* **Mr**).
mis·tle·toe ⚘ [ˈmɪsltəʊ] Mistel *f*.
mis·tress [ˈmɪstrɪs] Herrin *f*; Frau *f* des Hauses; *bsd. Brt.* Lehrerin *f*; Geliebte *f*; Meisterin *f*.
mis·trust [ˈmɪsˈtrʌst] **1.** mißtrauen (*dat.*); **2.** Mißtrauen *n*; **~·ful** □ [~fl] mißtrauisch.
mist·y □ [ˈmɪstɪ] (*-ier*, *-iest*) neb(e)lig; unklar.

mis·un·der·stand [ˈmɪsʌndəˈstænd] (-*stood*) mißverstehen; *j-n* nicht verstehen; **~ing** [~ɪŋ] Mißverständnis *n*.
mis|us·age [mɪsˈju:zɪdʒ] Mißbrauch *m*; Mißhandlung *f*; **~·use** **1.** [ˈmɪsˈju:z] mißbrauchen, -handeln; **2.** [~s] Mißbrauch *m*.
mite [maɪt] *zo.* Milbe *f*; Würmchen *n* (*Kind*); Heller *m*; *fig.* Scherflein *n*.
mit·i·gate [ˈmɪtɪgeɪt] mildern, lindern.
mi·tre, *Am.* **-ter** [ˈmaɪtə] Mitra *f*, Bischofsmütze *f*.
mitt [mɪt] *Baseball*: (Fang)Handschuh *m*; *sl.* Boxhandschuh *m*; = *mitten*.
mit·ten [ˈmɪtn] Fausthandschuh *m*; Halbhandschuh *m* (*ohne Finger*).
mix [mɪks] (sich) (ver)mischen; mixen; verkehren (*with* mit); *~ed* gemischt; *fig.* zweifelhaft; *~ed school bsd. Brt.* Koedukationsschule *f*; *~ up* durcheinanderbringen; *be ~ed up with* in *e-e Sache* verwickelt sein; **~·ture** [ˈmɪkstʃə] Mischung *f*.
moan [məʊn] **1.** Stöhnen *n*; **2.** stöhnen.
moat [məʊt] Burg-, Stadtgraben *m*.
mob [mɒb] **1.** Mob *m*, Pöbel *m*; **2.** (-*bb*-) (lärmend) bedrängen; (in e-r Rotte) herfallen über (*acc.*) *od.* angreifen.
mo·bile [ˈməʊbaɪl] beweglich; ⚔ mobil, motorisiert; lebhaft (*Gesichtszüge*); *~ home bsd. Am.* Wohnwagen *m*.
mo·bil·i|za·tion ⚔ [məʊbɪlaɪˈzeɪʃn] Mobilmachung *f*; **~ze** ⚔ [ˈməʊbɪlaɪz] mobil machen.
moc·ca·sin [ˈmɒkəsɪn] weiches Leder; Mokassin *m* (*Schuh*).
mock [mɒk] **1.** Spott *m*; **2.** Schein...; falsch, nachgemacht; **3.** *v/t.* verspotten; nachmachen; täuschen; spotten (*gen.*); *v/i.* spotten (*at* über *acc.*); **~·e·ry** [ˈmɒkərɪ] Spott *m*, Hohn *m*, Spötterei *f*; Gespött *n*; Nachäfferei *f*; **~·ing-bird** *zo.* [~ɪŋbɜ:d] Spottdrossel *f*.
mode [məʊd] (Art *f* u.) Weise *f*; (Erscheinungs)Form *f*; Mode *f*, Brauch *m*; ⚠ *nicht* (*Damen- etc.*) *Mode*.
mod·el [ˈmɒdl] **1.** Modell *n*; Muster *n*; Vorbild *n*; Mannequin *n*, (Foto-) Modell *n*; *male ~* Dressman *m*; **2.** Muster...; **3.** *v/t. bsd. Brt.* (-*ll*-, *Am.* -*l*-) modellieren; (ab)formen; *Kleider etc.* vorführen; *fig.* formen, bilden; *v/i.* (*e-m Künstler*) Modell stehen; als Mannequin *od.* (Foto)Modell arbeiten.
mod·e|rate **1.** □ [ˈmɒdərət] (mittel-) mäßig; gemäßigt; vernünftig, angemessen; **2.** [~reɪt] (sich) mäßigen; **~·ra·tion** [mɒdəˈreɪʃn] Mäßigung *f*; Mäßigkeit *f*.
mod·ern [ˈmɒdən] modern, neu; **~·ize** [~aɪz] modernisieren.
mod|est □ [ˈmɒdɪst] bescheiden; anständig, sittsam; **~·es·ty** [~ɪ] Bescheidenheit *f*.
mod·i|fi·ca·tion [mɒdɪfɪˈkeɪʃn] Ab-, Veränderung *f*; Einschränkung *f*; **~·fy** [ˈmɒdɪfaɪ] (ab)ändern; mildern.
mods *Brt.* [mɒdz] *pl. betont dandyhaft gekleidete* Halbstarke *pl*.
mod·u·late [ˈmɒdjʊleɪt] modulieren.
mod·ule [ˈmɒdju:l] Verhältniszahl *f*; ⊕ Baueinheit *f*; ⊕ Modul *n* (*austauschbare Funktionseinheit*), ⚡ *a.* Baustein *m*; *Raumfahrt*: (*Kommando- etc.*)Kapsel *f*.
moi·e·ty [ˈmɔɪətɪ] Hälfte *f*; Teil *m*.
moist [mɔɪst] feucht; **~·en** [ˈmɔɪsn] *v/t.* be-, anfeuchten; *v/i.* feucht werden; **mois·ture** [~stʃə] Feuchtigkeit *f*.
mo·lar [ˈməʊlə] Backenzahn *m*.
mo·las·ses [məˈlæsɪz] *sg.* Melasse *f*; *Am.* Sirup *m*.
mole[1] *zo.* [məʊl] Maulwurf *m*.
mole[2] [~] Muttermal *n*.
mole[3] [~] Mole *f*, Hafendamm *m*.
mol·e·cule [ˈmɒlɪkju:l] Molekül *n*.
mole·hill [ˈməʊlhɪl] Maulwurfshügel *m*; *make a mountain out of a ~* aus e-r Mücke e-n Elefanten machen.
mo·lest [məʊˈlest] belästigen.
mol·li·fy [ˈmɒlɪfaɪ] besänftigen, beruhigen.
mol·ly·cod·dle [ˈmɒlɪkɒdl] **1.** Weichling *m*, Muttersöhnchen *n*; **2.** verweichlichen, -zärteln.
mol·ten [ˈməʊltən] geschmolzen.
mom *Am.* F [mɒm] Mami *f*, Mutti *f*.
mo·ment [ˈməʊmənt] Moment *m*, Augenblick *m*; Bedeutung *f*; = *momentum*; **mo·men·ta·ry** □ [~ərɪ] momentan, augenblicklich; vorübergehend; **mo·men·tous** □ [məˈmentəs] bedeutend, folgenschwer; ⚠ *nicht momentan*; **mo·men·tum** *phys.* [~əm] (*pl.* -*ta* [-tə], -*tums*) Moment *n*; Triebkraft *f*.

M

mon|arch [ˈmɒnək] Monarch(in); **~ar·chy** [~ɪ] Monarchie *f.*
mon·as·tery [ˈmɒnəstrɪ] (Mönchs-)Kloster *n.*
Mon·day [ˈmʌndɪ] Montag *m.*
mon·e·ta·ry *econ.* [ˈmʌnɪtərɪ] Währungs...; Geld...
mon·ey [ˈmʌnɪ] Geld *n*; *ready ~* Bargeld *n*; **~-box** Sparbüchse *f*; **~-chang·er** [~tʃeɪndʒə] (Geld)Wechsler *m* (*Person*); *Am.* Wechselautomat *m*; **~ or·der** Postanweisung *f.*
mon·ger [ˈmʌŋgə] *mst in Zusammensetzungen*: Händler *m*, Krämer *m.*
mon·grel [ˈmʌŋgrəl] Mischling *m*, Bastard *m*; *attr.* Bastard...
mon·i·tor [ˈmɒnɪtə] ⊕, *TV*: Monitor *m*; *Schule*: (Klassen)Ordner *m.*
monk [mʌŋk] Mönch *m.*
mon·key [ˈmʌŋkɪ] **1.** *zo.* Affe *m*; ⊕ Rammblock *m*; *put s.o.'s ~ up* F j-n auf die Palme bringen; *~ business* F fauler Zauber; **2.** *~ about, ~ around* F (herum)albern; *~ (about od. around) with* F herummurksen an (*dat.*); **~-wrench** ⊕ Engländer *m* (*Schraubenschlüssel*); *throw a ~ into s.th. Am.* et. über den Haufen werfen.
monk·ish [ˈmʌŋkɪʃ] mönchisch.
mon·o F [ˈmɒnəʊ] (*pl. -os*) *Radio etc.*: Mono *n*; Monogerät *n*; *attr.* Mono...
mon·o- [ˈmɒnəʊ] ein(fach), einzeln.
mon·o·cle [ˈmɒnəkl] Monokel *n.*
mo·nog·a·my [mɒˈnɒgəmɪ] Einehe *f.*
mon·o|logue, *Am. a.* **~log** [ˈmɒnəlɒg] Monolog *m.*
mo·nop·o|list [məˈnɒpəlɪst] Monopolist *m*; **~lize** [~aɪz] monopolisieren; *fig.* an sich reißen; **~ly** [~ɪ] Monopol *n* (*of* auf *acc.*).
mo·not·o|nous □ [məˈnɒtənəs] monoton, eintönig; **~ny** [~ɪ] Monotonie *f.*
mon·soon [mɒnˈsuːn] Monsun *m.*
mon·ster [ˈmɒnstə] Ungeheuer *n* (*a. fig.*); Monstrum *n*; *attr.* Riesen...
mon|stros·i·ty [mɒnˈstrɒsətɪ] Ungeheuer(lichkeit *f*) *n*; **~strous** □ [ˈmɒnstrəs] ungeheuer(lich), gräßlich.
month [mʌnθ] Monat *m*; *this day ~* heute in e-m Monat; **~ly** [ˈmʌnθlɪ] **1.** monatlich; Monats...; **2.** Monatsschrift *f.*
mon·u·ment [ˈmɒnjʊmənt] Denkmal *n*; **~al** □ [mɒnjʊˈmentl] monumental; großartig; Gedenk...
moo [muː] muhen.
mood [muːd] Stimmung *f*, Laune *f*; *~s pl.* schlechte Laune; **~y** □ [ˈmuːdɪ] (*-ier, -iest*) launisch; übellaunig; niedergeschlagen.
moon [muːn] **1.** Mond *m*; *once in a blue ~* F alle Jubeljahre (einmal); **2.** *~ about, ~ around* F herumirren; träumen, dösen; **~light** [ˈmuːnlaɪt] Mondlicht *n*, -schein *m*; **~lit** mondhell; **~struck** mondsüchtig; **~ walk** Mondspaziergang *m.*
Moor [1] [mʊə] Maure *m*, Mohr *m.*
moor[2] [~] Moor *n*; Ödland *n*, Heideland *n.*
moor[3] ⚓ [~] vertäuen; **~ings** ⚓ [ˈmʊərɪŋz] *pl.* Vertäuung *f*; Liegeplatz *m.*
moose *zo.* [muːs] *nordamerikanischer* Elch.
mop [mɒp] **1.** Mop *m*; (Haar)Wust *m*; **2.** (*-pp-*) auf-, abwischen.
mope [məʊp] den Kopf hängen lassen.
mo·ped *Brt. mot.* [ˈməʊped] Moped *n.*
mor·al [ˈmɒrəl] **1.** □ moralisch; Moral..., Sitten...; **2.** Moral *f*; Lehre *f*; *~s pl.* Sitten *pl.*; **mo·rale** [mɒˈrɑːl] *bsd.* ⚔ Moral *f*, Stimmung *f*, Haltung *f*; **mo·ral·i·ty** [məˈrælətɪ] Moralität *f*; Sittlichkeit *f*, Moral *f*; **mor·al·ize** [ˈmɒrəlaɪz] moralisieren.
mo·rass [məˈræs] Morast *m*, Sumpf *m.*
mor·bid □ [ˈmɔːbɪd] krankhaft.
more [mɔː] mehr; noch (mehr); *no ~* nicht mehr; *no ~ than* ebensowenig wie; *once ~* noch einmal, wieder; (*all*) *the ~ so* (nur) um so mehr; *so much the ~ as* um so mehr als.
mo·rel ⚘ [mɒˈrel] Morchel *f.*
more·o·ver [mɔːˈrəʊvə] außerdem, überdies, weiter, ferner.
morgue [mɔːg] *Am.* Leichenschauhaus *n*; F (Zeitungs)Archiv *n.*
morn·ing [ˈmɔːnɪŋ] Morgen *m*; Vormittag *m*; *good ~!* guten Morgen!; *in the ~* morgens; morgen früh; *tomorrow ~* morgen früh; **~ dress** Anzug *m* (*für offizielle Anlässe*).
mo·ron [ˈmɔːrən] Schwachsinnige(r *m*) *f*; *contp.* Idiot *m.*
mo·rose □ [məˈrəʊs] mürrisch.
mor|phi·a [ˈmɔːfjə], **~phine** [ˈmɔːfiːn] Morphium *n.*
mor·sel [ˈmɔːsl] Bissen *m*; Stückchen *n*, *das* bißchen.

M

mor·tal [ˈmɔːrtl] **1.** □ sterblich; tödlich; Tod(es)...; **2.** Sterbliche(r *m*) *f*; **~i·ty** [mɔːˈtælətɪ] Sterblichkeit *f*.
mor·tar [ˈmɔːtə] Mörser *m*; Mörtel *m*.
mort|gage [ˈmɔːgɪdʒ] **1.** Hypothek *f*; **2.** verpfänden; **~·gag·ee** [mɔːgəˈdʒiː] Hypothekengläubiger *m*; **~·gag·er** [ˈmɔːgɪdʒə], **~·ga·gor** [mɔːgəˈdʒɔː] Hypothekenschuldner *m*.
mor·tice ⊕ [ˈmɔːtɪs] = *mortise*.
mor·ti·cian *Am.* [mɔːˈtɪʃn] Leichenbestatter *m*.
mor·ti|fi·ca·tion [mɔːtɪfɪˈkeɪʃn] Kränkung *f*; Ärger *m*; **~·fy** [ˈmɔːtɪfaɪ] kränken; ärgern.
mor·tise ⊕ [ˈmɔːtɪs] Zapfenloch *n*.
mor·tu·a·ry [ˈmɔːtjʊərɪ] Leichenhalle *f*.
mo·sa·ic [məˈzeɪɪk] Mosaik *n*.
mosque [mɒsk] Moschee *f*.
mos·qui·to *zo.* [məˈskiːtəʊ] (*pl.* *-toes*) Moskito *m*; Stechmücke *f*.
moss ⚘ [mɒs] Moos *n*; **~·y** ⚘ [ˈmɒsɪ] (*-ier*, *-iest*) moosig, bemoost.
most [məʊst] **1.** *adj.* □ meiste(r, -s); die meisten; **~** *people pl.* die meisten Leute *pl.*; **2.** *adv.* am meisten; *vor adj.*: höchst, äußerst; *zur Bildung des Superlativs*: *the ~ important point* der wichtigste Punkt; **3.** *das* meiste, *das* Höchste; das meiste; die meisten *pl.*; *at (the) ~* höchstens; *make the ~ of* möglichst ausnutzen; ⚠ *nicht Most*; **~·ly** [ˈməʊstlɪ] hauptsächlich, meistens.
mo·tel [məʊˈtel] Motel *n*.
moth *zo.* [mɒθ] Motte *f*; **~-eat·en** [ˈmɒθiːtn] mottenzerfressen.
moth·er [ˈmʌðə] **1.** Mutter *f*; **2.** bemuttern; **~ coun·try** Vater-, Heimatland *n*; Mutterland *n*; **~·hood** [~hʊd] Mutterschaft *f*; **~-in-law** [~rɪnlɔː] (*pl.* *mothers-in-law*) Schwiegermutter *f*; **~·ly** [~lɪ] mütterlich; **~-of-pearl** [~rəvˈpɜːl] Perlmutter *f*, Perlmutt *n*; **~ tongue** Muttersprache *f*.
mo·tif [məʊˈtiːf] (Leit)Motiv *n*.
mo·tion [ˈməʊʃn] **1.** Bewegung *f*; Gang *m* (*a.* ⊕); *parl.* Antrag *m*; ⚕ Stuhlgang *m*, *oft ~s pl.* Stuhl *m*; **2.** *v/t.* *j-m* (zu)winken, *j-m* ein Zeichen geben; *v/i.* winken; **~·less** [~lɪs] bewegungslos; **~ pic·ture** Film *m*.
mo·ti|vate [ˈməʊtɪveɪt] motivieren, begründen; **~·va·tion** [məʊtɪˈveɪʃn] Motivierung *f*, Begründung *f*; Motivation *f*.
mo·tive [ˈməʊtɪv] **1.** Motiv *n*, Beweggrund *m*; **2.** bewegend, treibend (*a. fig.*); **3.** veranlassen.
mot·ley [ˈmɒtlɪ] bunt, scheckig.
mo·tor [ˈməʊtə] **1.** Motor *m*; Kraftwagen *m*, Auto(mobil) *n*; *anat.* Muskel *m*; *fig.* treibende Kraft; **2.** motorisch; bewegend; Motor...; Kraft...; Auto...; **3.** (*in e-m Kraftfahrzeug*) fahren; **~ bi·cy·cle** Motorrad *n*; *Am.* Moped *n*; *Am.* Mofa *n*; **~·bike** F Motorrad *n*; *Am.* Moped *n*; *Am.* Mofa *n*; **~·boat** Motorboot *n*; **~ bus** Autobus *m*; **~·cade** [~keɪd] Autokolonne *f*; **~ car** (Kraft)Wagen *m*, Kraftfahrzeug *n*, Auto(mobil) *n*; **~ coach** Reisebus *m*; **~ cy·cle** Motorrad *n*; **~-cy·clist** Motorradfahrer(in); **~·ing** [~rɪŋ] Autofahren *n*; *school of ~* Fahrschule *f*; **~·ist** [~rɪst] Kraft-, Autofahrer(in); **~·ize** [~raɪz] motorisieren; **~ launch** Motorbarkasse *f*; **~·way** *Brt.* Autobahn *f*.
mot·tled [ˈmɒtld] gefleckt.
mo(u)ld [məʊld] ✓ Gartenerde *f*; Humus(boden) *m*; Schimmel *m*, Moder *m*; ⊕ (Guß)Form *f* (*a. fig.*); *geol.* Abdruck *m*; Art *f*; **2.** formen, gießen (*on, upon* nach).
mo(u)l·der [ˈməʊldə] zerfallen.
mo(u)ld·ing *arch.* [ˈməʊldɪŋ] Fries *m*.
mo(u)ld·y [ˈməʊldɪ] (*-ier*, *-iest*) schimm(e)lig, dumpfig, mod(e)rig.
mo(u)lt [məʊlt] (sich) mausern; *Haare* verlieren.
mound [maʊnd] Erdhügel *m*, -wall *m*.
mount [maʊnt] **1.** Berg *m*; Reitpferd *n*; **2.** *v/i.* (auf-, hoch)steigen; aufsitzen, aufs Pferd steigen; *v/t.* be-, ersteigen; montieren; aufziehen, -kleben; *Edelstein* fassen; *~ed police* berittene Polizei.
moun·tain [ˈmaʊntɪn] **1.** Berg *m*; *~s pl.* Gebirge *n*; **2.** Berg..., Gebirgs...; **~·eer** [maʊntɪˈnɪə] Bergbewohner(in); Bergsteiger(in); **~·eer·ing** [~rɪŋ] Bergsteigen *n*; **~·ous** [ˈmaʊntɪnəs] bergig, gebirgig.
moun·te·bank [ˈmaʊntɪbæŋk] Marktschreier *m*, Scharlatan *m*.
mourn [mɔːn] (be)trauern; trauern um; **~·er** [ˈmɔːnə] Trauernde(r *m*) *f*; **~·ful** □ [~fl] traurig; Trauer...; **~·ing** [~ɪŋ] Trauer *f*; *attr.* Trauer...
mouse [maʊs] (*pl. mice* [maɪs]) Maus *f*.

mous·tache [mə'stɑ:ʃ], *Am.* **mus·tache** ['mʌstæʃ] Schnurrbart *m.*
mouth [maʊθ] (*pl. mouths* [maʊðz]) Mund *m*; Maul *n*; Mündung *f*; Öffnung *f*; **~·ful** ['maʊθful] Mundvoll *m*; **~-or·gan** Mundharmonika *f*; **~·piece** Mundstück *n*; *fig.* Sprachrohr *n.*
mo·va·ble □ ['mu:vəbl] beweglich.
move [mu:v] **1.** *v/t.* (fort)bewegen; in Bewegung setzen; (weg)rücken; (an)treiben; *Schach:* e-n Zug machen mit; *et.* beantragen; *j-n* er-, aufregen; *fig.* bewegen, rühren, ergreifen; ~ *down Schüler* zurückstufen; ~ *up Schüler* versetzen; ~ *house Brt.* umziehen; ~ *heaven and earth* Himmel und Hölle in Bewegung setzen; *v/i.* sich (fort)bewegen; sich rühren; *Schach:* ziehen; (um)ziehen (*to* nach) (*Mieter*); ⚕ sich entleeren (*Darm*); *fig.* voran-, fortschreiten; ~ *away* weg-, fortziehen; ~ *for s.th.* et. beantragen; ~ *in* einziehen; anrücken (*Polizei etc.*); vorgehen (*on* gegen *Demonstranten etc.*); ~ *on* weitergehen; ~ *out* ausziehen; **2.** (Fort-)Bewegung *f*, Aufbruch *m*; Umzug *m*; *Schach:* Zug *m*; *fig.* Schritt *m*; *on the* ~ in Bewegung; auf den Beinen; *get a* ~ *on!* Tempo!, mach(t) schon!, los!; *make a* ~ aufbrechen; *fig.* handeln; **~·a·ble** ['mu:vəbl] = *movable*; **~·ment** [~mənt] Bewegung *f*; Bestrebung *f*, Tendenz *f*, Richtung *f*; ♪ Tempo *n*; ♪ Satz *m*; ⊕ (Geh-)Werk *n*; ⚕ Stuhl(gang) *m.*
mov·ie *bsd. Am.* F ['mu:vɪ] Film *m*; ~*s pl.* Kino *n.*
mov·ing □ ['mu:vɪŋ] bewegend (*a. fig.*); sich bewegend, beweglich; ~ *staircase* Rolltreppe *f.*
mow [məʊ] (~*ed*, ~*n od.* ~*ed*) mähen; **~·er** ['məʊə] Mäher(in); Mähmaschine *f*, *bsd.* Rasenmäher *m*; **~·ing-ma·chine** [~ɪŋməʃi:n] Mähmaschine *f*; **~n** [məʊn] *p.p. von mow.*
much [mʌtʃ] **1.** *adj.* (*more, most*) viel; **2.** *adv.* sehr; *in Zssgn:* viel...; *vor comp.:* viel; *vor sup.:* bei weitem; fast; ~ *as I would like* so gern ich möchte; *I thought as* ~ das dachte ich mir; **3.** Menge *f*, große Sache, Besondere(s) *n*; *make* ~ *of* viel Wesens machen von; *I am not* ~ *of a dancer* F ich bin kein großer Tänzer.
muck [mʌk] Mist *m* (F *a. fig.*); **~·rake** ['mʌkreɪk] **1.** Mistgabel *f*; **2.** Skandale aufdecken; *contp.* im Schmutz wühlen.
mu·cus ['mju:kəs] (Nasen)Schleim *m.*
mud [mʌd] Schlamm *m*; Kot *m*, Schmutz *m* (*a. fig.*).
mud·dle ['mʌdl] **1.** *v/t.* verwirren; *a.* ~ *up*, ~ *together* durcheinanderbringen; F benebeln; *v/i.* pfuschen, stümpern; ~ *through* F sich durchwursteln; **2.** Durcheinander *n*; Verwirrung *f.*
mud|dy □ ['mʌdɪ] (*-ier, -iest*) schlammig; trüb; **~·guard** Kotflügel *m*; Schutzblech *n.*
muff [mʌf] Muff *m.*
muf·fin ['mʌfɪn] Muffin *n* (*rundes heißes Teegebäck, mst mit Butter gegessen*).
muf·fle ['mʌfl] *oft* ~ *up* ein-, umhüllen, umwickeln; *Stimme etc.* dämpfen; **~r** [~ə] (dicker) Schal; *Am. mot.* Auspufftopf *m.*
mug[1] [mʌg] Krug *m*; Becher *m.*
mug[2] F [~] (*-gg-*) überfallen u. ausrauben; **~·ger** F ['mʌgə] Straßenräuber *m*; **~·ging** F [~ɪŋ] Raubüberfall *m* (*auf der Straße*).
mug·gy ['mʌgɪ] schwül.
mug·wump *Am. iro.* ['mʌgwʌmp] hohes Tier (*Person*); *pol.* Unabhängige(r) *m.*
mu·lat·to [mju:'lætəʊ] (*pl. -tos, Am. -toes*) Mulatt|e *m*, -in *f.*
mul·ber·ry ⚘ ['mʌlbərɪ] Maulbeerbaum *m*; Maulbeere *f.*
mule [mju:l] *zo.* Maultier *n*, -esel *m*; störrischer Mensch; **mu·le·teer** [mju:lɪ'tɪə] Maultiertreiber *m.*
mull[1] [mʌl] Mull *m.*
mull[2] [~]: ~ *over* überdenken.
mulled [mʌld]: ~ *claret*, ~ *wine* Glühwein *m.*
mul·li·gan *Am.* F ['mʌlɪgən] Eintopfgericht *n.*
mul·li·on *arch.* ['mʌljən] Mittelpfosten *m* (*am Fenster*).
mul·ti- ['mʌltɪ] viel..., mehr..., ...reich, Mehrfach..., Multi...
mul·ti|far·i·ous □ [mʌltɪ'feərɪəs] mannigfaltig; **~·form** ['mʌltɪfɔ:m] vielförmig, -gestaltig; **~·lat·e·ral** [mʌltɪ'lætərəl] vielseitig; *pol.* multilateral, mehrseitig; **~·ple** ['mʌltɪpl] **1.** vielfach; **2.** Ɑ Vielfache(s) *n*; **~·pli·ca·tion** [mʌltɪplɪ'keɪʃn] Vervielfachung *f*; Vermehrung *f*; Ɑ Multiplikation *f*; ~ *table* Einmaleins

n; **~·pli·ci·ty** [~ˈplɪsətɪ] Vielfalt *f*; **~·ply** [ˈmʌltɪplaɪ] (sich) vermehren (*a. biol.*); vervielfältigen; ♃ multiplizieren, malnehmen (*by* mit); **~·tude** [~tjuːd] Vielheit *f*; Menge *f*; **~·tu·di·nous** [mʌltɪˈtjuːdɪnəs] zahlreich.

mum¹ [mʌm] **1.** still; **2.** pst!

mum² *Brt.* F [~] Mami *f*, Mutti *f*.

mum·ble [ˈmʌmbl] murmeln, nuscheln; mümmeln (*mühsam essen*).

mum·mer·y *contp.* [ˈmʌmərɪ] Mummenschanz *m*.

mum·mi·fy [ˈmʌmɪfaɪ] mumifizieren.

mum·my¹ [ˈmʌmɪ] Mumie *f*.

mum·my² *Brt.* F [~] Mami *f*, Mutti *f*.

mumps ⚕ [mʌmps] *sg.* Ziegenpeter *m*, Mumps *m*.

munch [mʌntʃ] geräuschvoll *od.* schmatzend kauen, mampfen.

mun·dane □ [mʌnˈdeɪn] weltlich.

mu·ni·ci·pal □ [mjuːˈnɪsɪpl] städtisch, Stadt..., kommunal, Gemeinde...; **~·i·ty** [mjuːnɪsɪˈpælətɪ] Stadt *f* mit Selbstverwaltung; Stadtverwaltung *f*.

mu·nif·i|cence [mjuːˈnɪfɪsns] Freigebigkeit *f*; **~·cent** [~t] freigebig.

mu·ni·tions ⚔ [mjuːˈnɪʃnz] *pl.* Munition *f*.

mu·ral [ˈmjʊərəl] **1.** Wandgemälde *n*; **2.** Mauer..., Wand...

M

mur·der [ˈmɜːdə] **1.** Mord *m*; **2.** (er)morden; *fig.* F verhunzen; **~·er** [~rə] Mörder *m*; **~·ess** [~rɪs] Mörderin *f*; **~·ous** □ [~rəs] mörderisch; Mord...

murk·y □ [ˈmɜːkɪ] (*-ier, -iest*) dunkel, finster.

murmur [ˈmɜːmə] **1.** Murmeln *n*; Gemurmel *n*; Murren *n*; **2.** murmeln; murren.

mur·rain [ˈmʌrɪn] Viehseuche *f*.

mus|cle [ˈmʌsl] Muskel *m*; **~·cle-bound:** *be ~ bei Gewichthebern etc.*: e-e starke, aber erstarrte Muskulatur haben; **~·cu·lar** [ˈmʌskjʊlə] Muskel...; muskulös.

Muse¹ [mjuːz] Muse *f*.

muse² [~] (nach)sinnen, (-)grübeln.

mu·se·um [mjuːˈzɪəm] Museum *n*.

mush [mʌʃ] Brei *m*, Mus *n*; *Am.* Maisbrei *m*.

mush·room [ˈmʌʃrʊm] **1.** ♆ Pilz *m*, *bsd.* Champignon *m*; **2.** rasch wachsen; *~ up* (wie Pilze) aus dem Boden schießen.

mu·sic [ˈmjuːzɪk] Musik *f*; Musikstück *n*; Noten *pl.*; *set to ~* vertonen; **~·al** [~əl] **1.** Musical *n*; **2.** □ musikalisch; Musik...; wohlklingend; *~ box bsd. Brt.* Spieldose *f*; **~ box** *bsd. Am.* Spieldose *f*; **~-hall** *Brt.* Varieté (-theater) *n*; **mu·si·cian** [mjuːˈzɪʃn] Musiker(in); **~-stand** Notenständer *m*; **~-stool** Klavierstuhl *m*.

musk [mʌsk] Moschus *m*, Bisam *m*; **~-deer** *zo.* [ˈmʌskˈdɪə] Moschustier *n*.

mus·ket ⚔ *hist.* [ˈmʌskɪt] Muskete *f*.

musk-rat [ˈmʌskræt] *zo.* Bisamratte *f*; Bisampelz *m*.

mus·lin [ˈmʌzlɪn] Musselin *m*.

mus·quash [ˈmʌskwɒʃ] *zo.* Bisamratte *f*; Bisampelz *m*.

muss *Am.* F [mʌs] Durcheinander *n*.

mus·sel [ˈmʌsl] (Mies)Muschel *f*.

must¹ [mʌst] **1.** *v/aux. ich, du etc.* muß(t) *etc.*, darf(st) *etc.*, *pret.* muß-te(st) *etc.*, durfte(st) *etc.*; *I ~ not* (F *mustn't*) ich darf nicht; **2.** Muß *n*.

must² [~] Schimmel *m*, Moder *m*.

must³ [~] Most *m*.

mus·tache *Am.* [ˈmʌstæʃ] = *moustache*.

mus·ta·chi·o [məˈstɑːʃɪəʊ] (*pl. -os*) *mst ~s pl.* Schnauzbart *m*.

mus·tard [ˈmʌstəd] Senf *m*.

mus·ter [ˈmʌstə] **1.** ⚔ Musterung *f*; *pass ~ fig.* Zustimmung finden (*with* bei); ⚠ *nicht (Stoff- etc.)Muster*; **2.** ⚔ mustern; *a. ~ up Mut etc.* aufbieten, zusammennehmen; ⚠ *nicht Stoff etc. mustern*.

must·y [ˈmʌstɪ] (*-ier, -iest*) mod(e)rig, muffig.

mu·ta|ble □ [ˈmjuːtəbl] veränderlich; *fig.* wankelmütig; **~·tion** [mjuːˈteɪʃn] Veränderung *f*; *biol.* Mutation *f*.

mute [mjuːt] **1.** □ stumm; **2.** Stumme(r *m*) *f*; Statist(in); **3.** dämpfen.

mu·ti·late [ˈmjuːtɪleɪt] verstümmeln.

mu·ti|neer [mjuːtɪˈnɪə] Meuterer *m*; **~·nous** □ [ˈmjuːtɪnəs] meuterisch; rebellisch; **~·ny** [~ɪ] **1.** Meuterei *f*; **2.** meutern.

mut·ter [ˈmʌtə] **1.** Gemurmel *n*; Murren *n*; **2.** murmeln; murren.

mut·ton [ˈmʌtn] Hammel-, Schaffleisch *n*; *leg of ~* Hammelkeule *f*; **~ chop** Hammelkotelett *n*.

mu·tu·al □ [ˈmjuːtʃʊəl] gegenseitig; gemeinsam.

muz·zle ['mʌzl] **1.** *zo.* Maul *n*, Schnauze *f*; Mündung *f* (*e-r Feuerwaffe*); Maulkorb *m*; **2.** e-n Maulkorb anlegen (*dat.*); *fig.* den Mund stopfen (*dat.*).
my [maɪ] mein(e).
myrrh ⚘ [mɜː] Myrrhe *f*.
myr·tle ⚘ ['mɜːtl] Myrte *f*.
my·self [maɪ'self] (ich) selbst; mir; mich; *by* ~ allein.
mys·te|ri·ous □ [mɪ'stɪərɪəs] geheimnisvoll, mysteriös; **~·ry** ['mɪstərɪ] Mysterium *n*; Geheimnis *n*; Rätsel *n*.
mys|tic ['mɪstɪk] **1.** *a.* **~·tic·al** □ [~kl] mystisch; geheimnisvoll; **2.** Mystiker(in); **~·ti·fy** [~faɪ] täuschen; verwirren; in Dunkel hüllen.
myth [mɪθ] Mythe *f*, Mythos *m*, Sage *f*.

N

nab F [næb] (*-bb-*) schnappen, erwischen.
na·cre ['neɪkə] Perlmutt(er *f*) *n*.
na·dir ['neɪdɪə] *ast.* Nadir *m* (*Fußpunkt*); *fig.* Tiefpunkt *m*.
nag [næg] **1.** F Gaul *m*, Klepper *m*; **2.** (*-gg-*) *v/i.* nörgeln; ~ *at* herumnörgeln an; *v/t.* bekritteln; ⚠ *nicht nagen*.
nail [neɪl] **1.** (Finger-, Zehen)Nagel *m*; ⊕ Nagel *m*; *zo.* Kralle *f*, Klaue *f*; **2.** (an-, fest)nageln; *Augen etc.* heften (*to* auf *acc.*); ~ **e·nam·el,** ~ **pol·ish** *Am.* Nagellack *m*; ~ **scis·sors** *pl.* Nagelschere *f*; ~ **var·nish** *Brt.* Nagellack *m*.
na·ïve □ [nɑː'iːv], **na·ive** □ [neɪv] naiv; ungekünstelt.
na·ked □ ['neɪkɪd] nackt, bloß; kahl; *fig.* ungeschminkt; schutz-, wehrlos; **~·ness** [~nɪs] Nacktheit *f*, Blöße *f*; Kahlheit *f*; Schutz-, Wehrlosigkeit *f*; *fig.* Ungeschminktheit *f*.
name [neɪm] **1.** Name *m*; Ruf *m*; *by the* ~ *of* ... namens ...; *what's your* ~? wie heißen Sie?; *call s.o.* ~*s* j-n beschimpfen; **2.** (be)nennen; erwähnen; ernennen zu; **~·less** □ ['neɪmlɪs] namenlos; unbekannt; **~·ly** [~lɪ] nämlich; **~·plate** Namens-, Tür-, Firmenschild *n*; **~·sake** [~seɪk] Namensvetter *m*.
nan·ny ['nænɪ] Kindermädchen *n*; **~-goat** *zo.* Ziege *f*.
nap[1] [næp] (*Tuch*)Noppe *f*.
nap[2] [~] **1.** Schläfchen *n*; *have od. take a* ~ = 2; **2.** (*-pp-*) ein Nickerchen machen.
nape [neɪp] *mst* ~ *of the neck* Genick *n*, Nacken *m*.
nap|kin ['næpkɪn] Serviette *f*; *Brt.* Windel *f*; **~·py** *Brt.* F [~ɪ] Windel *f*.
nar·co·sis ⚕ [nɑː'kəʊsɪs] (*pl.* *-ses* [-siːz]) Narkose *f*.
nar·cot·ic [nɑː'kɒtɪk] **1.** (~*ally*) narkotisch, betäubend, einschläfernd; Rauschgift...; ~ *addiction* Rauschgiftsucht *f*; ~ *drug* Rauschgift *n*; **2.** Betäubungsmittel *n*; Rauschgift *n*; ~*s squad* Rauschgiftdezernat *n*.
nar|rate [nə'reɪt] erzählen; **~·ra·tion** [~ʃn] Erzählung *f*; **~·ra·tive** ['nærətɪv] **1.** □ erzählend; **2.** Erzählung *f*; **~·ra·tor** [nə'reɪtə] Erzähler(in).
nar·row ['nærəʊ] **1.** eng, schmal; beschränkt; knapp (*Mehrheit, Entkommen*); engherzig; **2.** ~*s pl.* Engpaß *m*; Meerenge *f*; **3.** (sich) verengen; beschränken; einengen; *Maschen* abnehmen; **~-chest·ed** schmalbrüstig; **~-mind·ed** □ engherzig, -stirnig, beschränkt; **~·ness** [~nɪs] Enge *f*; Beschränktheit *f* (*a. fig.*); Engherzigkeit *f*.
na·sal □ [neɪzl] nasal; Nasen...
nas·ty □ ['nɑːstɪ] (*-ier*, *-iest*) schmutzig; garstig; eklig, widerlich; böse; häßlich; abstoßend, unangenehm.
na·tal ['neɪtl] Geburts...
na·tion ['neɪʃn] Nation *f*, Volk *n*.
na·tion·al ['næʃənl] **1.** □ national, National..., Landes..., Volks..., Staats...; **2.** Staatsangehörige(r *m*) *f*; **~·i·ty** [næʃə'nælətɪ] Nationalität *f*, Staatsangehörigkeit *f*; **~·ize**

[ˈnæʃnəlaɪz] naturalisieren, einbürgern; verstaatlichen.
na·tion-wide [ˈneɪʃnwaɪd] die ganze Nation umfassend, landesweit.
na·tive [ˈneɪtɪv] **1.** □ angeboren; heimatlich, Heimat...; eingeboren; einheimisch; ~ *language* Muttersprache *f*; **2.** Eingeborene(r *m*) *f*; **~-born** gebürtig.
Na·tiv·i·ty *eccl.* [nəˈtɪvətɪ] Geburt *f* (Christi).
nat·u·ral □ [ˈnætʃrəl] natürlich; angeboren; ungezwungen; unehelich (*Kind*); ~ *sience* Naturwissenschaft *f*; **~·ist** [~ɪst] Naturwissenschaftler(in), *bsd.* Biologe *m*; *phls.* Naturalist(in); **~·ize** [~aɪz] einbürgern; **~·ness** [~nɪs] Natürlichkeit *f*.
na·ture [ˈneɪtʃə] Natur *f*; ~ *reserve* Naturschutzgebiet *n*; ~ *trail* Naturlehrpfad *m*.
-na·tured [ˈneɪtʃəd] *in Zssgn*: ...artig, ...mütig.
naught [nɔːt] Null *f*; *set at* ~ *et.* ignorieren, in den Wind schlagen.
naugh·ty □ [ˈnɔːtɪ] (*-ier, -iest*) unartig, frech, ungezogen.
nau·se|a [ˈnɔːsjə] Übelkeit *f*; Ekel *m*; **~·ate** [ˈnɔːsɪeɪt] ~ *s.o.* (bei) j-m Übelkeit verursachen; *be ~d* sich ekeln; **~·at·ing** [~ɪŋ] ekelerregend; **~·ous** □ [ˈnɔːsjəs] ekelhaft.
nau·ti·cal [ˈnɔːtɪkl] nautisch, See...
na·val ⚔ [ˈneɪvl] See...; Marine...; ~ *base* Flottenstützpunkt *m*.
nave[1] *arch.* [neɪv] (Kirchen)Schiff *n*.
nave[2] [~] (Rad)Nabe *f*.
na·vel [ˈneɪvl] *anat.* Nabel *m*; *fig.* Mittelpunkt *m*.
nav·i|ga·ble □ [ˈnævɪgəbl] schiffbar; fahrbar; lenkbar; **~·gate** [~eɪt] *v/i.* fahren, segeln; steuern; *v/t. See etc.* befahren; steuern; **~·ga·tion** [nævɪˈgeɪʃən] Schiffahrt *f*; Navigation *f*; **~·ga·tor** [ˈnævɪgeɪtə] ⚓ Seefahrer *m*; ⚓ Steuermann *m*; ✈ Navigator *m*.
na·vy [ˈneɪvɪ] Kriegsmarine *f*.
nay Nein *n*; *parl.* Neinstimme *f*; *the ~s have it* der Antrag ist abgelehnt.
near [nɪə] **1.** *adj. u. adv.* nahe; kurz (*Weg*); nahe (verwandt); eng (befreundet *od.* vertraut); knapp; genau, wörtlich; sparsam, geizig; ~ *at hand* dicht dabei; **2.** *prp.* nahe, in der Nähe (von), nahe an (*dat.*) *od.* bei; **3.** sich nähern (*dat.*); **~·by** [ˈnɪəbaɪ] in der Nähe (gelegen); nahe; **~·ly** [~lɪ] nahe; fast, beinahe; annähernd; genau; **~·ness** [~nɪs] Nähe *f*; **~·side** *mot.* Beifahrerseite *f*; ~ *door* Beifahrertür *f*; **~-sight·ed** kurzsichtig.
neat □ [niːt] ordentlich; sauber; gepflegt; hübsch, adrett; geschickt; rein; *bsd. Brt.* pur (*Whisky etc.*); **~·ness** [ˈniːtnɪs] Sauberkeit *f*; Gefälligkeit *f*; Gewandtheit *f*; Reinheit *f*.
neb·u·lous □ [ˈnebjʊləs] neb(e)lig.
ne·ces|sa·ry □ [ˈnesəsərɪ] **1.** notwendig; unvermeidlich; **2.** *mst necessaries pl.* Bedürfnisse *pl.*; **~·si·tate** [nɪˈsesɪteɪt] *et.* erfordern, verlangen; **~·si·ty** [~ətɪ] Notwendigkeit *f*; Bedürfnis *n*; Not *f*.
neck [nek] **1.** (*a. Flaschen*)Hals *m*; Nacken *m*, Genick *n*; Ausschnitt *m* (*Kleid*); ~ *and* ~ Kopf an Kopf; ~ *or nothing* auf Biegen od. Brechen; **2.** F (ab)knutschen, knutschen *od.* schmusen (mit); ⚠ *nicht necken*; **~·band** [ˈnekbænd] Halsbund *m*; **~·er·chief** [ˈnekətʃɪf] Halstuch *n*; **~·ing** F [~ɪŋ] Geschmuse *n*, Geknutsche *n*; **~·lace** [ˈneklɪs], **~·let** [~lɪt] Halskette *f*; **~·line** (*Kleid*)Ausschnitt *m*; **~·tie** *Am.* Krawatte *f*, Schlips *m*.
nec·ro·man·cy [ˈnekrəʊmænsɪ] Zauberei *f*.
née, *Am. a.* **nee** [neɪ] *vor dem Mädchennamen*: geborene.
need [niːd] **1.** Not *f*; Notwendigkeit *f*; Bedürfnis *n*; Mangel *m*, Bedarf *m*; *be od. stand in ~ of* dringend brauchen; **2.** nötig haben, brauchen, bedürfen (*gen.*); müssen, brauchen; **~·ful** [ˈniːdfl] notwendig.
nee·dle [ˈniːdl] **1.** Nadel *f*; Zeiger *m*; **2.** nähen; *fig.* F aufziehen, reizen; *fig.* anstacheln.
need·less □ [ˈniːdlɪs] unnötig.
nee·dle|wom·an [ˈniːdlwʊmən] (*pl. -women*) Näherin *f*; **~·work** Handarbeit *f*.
need·y □ [ˈniːdɪ] (*-ier, -iest*) bedürftig, arm.
ne·far·i·ous □ [nɪˈfeərɪəs] schändlich.
ne·gate [nɪˈgeɪt] verneinen; **ne·ga·tion** [~ʃn] Verneinung *f*; Nichts *n*;
neg·a·tive [ˈnegətɪv] **1.** □ negativ; verneinend; **2.** Verneinung *f*; *phot.* Negativ *n*; *answer in the* ~ verneinen; **3.** verneinen; ablehnen.
ne·glect [nɪˈglekt] **1.** Vernachlässigung *f*; Nachlässigkeit *f*; **2.** vernachlässigen; **~·ful** □ [~fl] nachlässig.

neg·li|gence [ˈneglɪdʒəns] Nachlässigkeit *f*; **~·gent** □ [~t] nachlässig.

neg·li·gi·ble [ˈneglɪdʒəbl] nebensächlich; unbedeutend.

ne·go·ti|ate [nɪˈgəʊʃɪeɪt] verhandeln (über *acc.*); zustande bringen; bewältigen; *Wechsel* begeben; **~·a·tion** [nɪgəʊʃɪˈeɪʃn] Begebung *f* (*e-s Wechsels etc.*); Ver-, Unterhandlung *f*; Bewältigung *f*; **~·a·tor** [nɪˈgəʊʃɪeɪtə] Unterhändler *m*.

Ne·gress [ˈni:grɪs] Negerin *f*; **Ne·gro** [~əʊ] (*pl. -groes*) Neger *m*.

neigh [neɪ] **1.** Wiehern *n*; **2.** wiehern.

neigh·bo(u)r [ˈneɪbə] Nachbar(in); Nächste(r *m*) *f*; **~·hood** [~hʊd] Nachbarschaft *f*, Umgebung *f*, Nähe *f*; **~·ing** [~rɪŋ] benachbart; **~·ly** [~lɪ] nachbarlich, freundlich; **~·ship** [~ʃɪp] Nachbarschaft *f*.

nei·ther [ˈnaɪðə, *Am.* ˈni:ðə] **1.** keine(r, -s) (von beiden); **2.** noch, auch nicht; ~ ... *nor* ... weder ... noch ...

ne·on ⚗ [ˈni:ən] Neon *n*; ~ *lamp* Neonlampe *f*; ~ *sign* Leuchtreklame *f*.

neph·ew [ˈnevju:] Neffe *m*.

nerve [nɜ:v] **1.** Nerv *m*; Sehne *f*; (*Blatt*)Rippe *f*; Kraft *f*, Mut *m*; Dreistigkeit *f*; *lose one's* ~ den Mut verlieren; *get on s.o.'s* ~*s* j-m auf die Nerven gehen; *you've got a* ~! F Sie haben Nerven!; **2.** kräftigen; ermutigen; ⚠ *nicht nerven*; **~·less** □ [ˈnɜ:vlɪs] kraftlos.

ner·vous □ [ˈnɜ:vəs] Nerven...; nervös; nervig, kräftig; **~·ness** [~nɪs] Nervigkeit *f*; Nervosität *f*.

nest [nest] **1.** Nest *n* (*a. fig.*); **2.** nisten.

nes·tle [ˈnesl] (sich) (an)schmiegen *od.* kuscheln (*to, against* an *acc.*); *a.* ~ *down* sich behaglich niederlassen.

net[1] [net] **1.** Netz *n*; **2.** (*-tt-*) mit e-m Netz fangen *od.* umgeben.

net[2] [~] **1.** netto; Rein...; **2.** (*-tt-*) netto einbringen.

neth·er [ˈneðə] niedere(r, -s); Unter...

net·tle [ˈnetl] **1.** ⚘ Nessel *f*; **2.** ärgern.

net·work [ˈnetwɜ:k] (Straßen-, Kanal- *etc.*)Netz *n*; *Rundfunk*: Sendernetz *n*, -gruppe *f*.

neu·ro·sis ⚕ [njʊəˈrəʊsɪs] (*pl. -ses* [-si:z]) Neurose *f*.

neu·ter [ˈnju:tə] **1.** geschlechtslos; *gr.* sächlich; **2.** kastriertes Tier; *gr.* Neutrum *n*.

neu·tral [ˈnju:trəl] **1.** neutral; unparteiisch; ~ *gear mot.* Leerlauf(gang) *m*; **2.** Neutrale(r *m*) *f*; Null(punkt *m*) *f*; *mot.* Leerlauf(stellung *f*) *m*; **~·i·ty** [nju:ˈtrælətɪ] Neutralität *f*; **~·ize** [ˈnju:trəlaɪz] neutralisieren.

neu·tron *phys.* [ˈnju:trɒn] Neutron *n*; ~ **bomb** ⚔ Neutronenbombe *f*.

nev·er [ˈnevə] nie(mals); gar nicht; **~·more** [~ˈmɔ:] nie wieder; **~·the·less** [nevəðəˈles] nichtsdestoweniger, dennoch.

new [nju:] neu; frisch; unerfahren; **~-born** [ˈnju:bɔ:n] neugeboren; **~·com·er** [~kʌmə] Neuankömmling *m*; Neuling *m*; **~·ly** [ˈnju:lɪ] neulich; neu.

news [nju:z] *mst sg.* Neuigkeit(en *pl.*) *f*, Nachricht(en *pl.*) *f*; **~·a·gent** [ˈnju:zeɪdʒənt] Zeitungshändler *m*; **~-boy** Zeitungsjunge *m*, -austräger *m*; **~·cast** *Rundfunk, TV*: Nachrichtensendung *f*; **~·cast·er** *Rundfunk, TV*: Nachrichtensprecher(in); **~-deal·er** *Am.* Zeitungshändler *m*; **~·mon·ger** Klatschmaul *n*; **~·pa·per** [~speɪpə] Zeitung *f*; *attr.* Zeitungs...; **~·print** [~zprɪnt] Zeitungspapier *n*; **~·reel** *Film*: Wochenschau *f*; **~·room** Nachrichtenredaktion *f*; **~·stand** Zeitungskiosk *m*.

new year [ˈnju:ˈjɜ:] Neujahr *n*, *das* neue Jahr; *New Year's Day* Neujahrstag *m*; *New Year's Eve* Silvester *m, n*.

next [nekst] **1.** *adj.* nächste(r, -s); (*the*) ~ *day* am nächsten Tag; ~ *to* gleich neben *od.* nach; *fig.* fast; ~ *but one* übernächste(r, -s); ~ *door to fig.* beinahe, fast; **2.** *adv.* als nächste(r, -s), gleich darauf; das nächste Mal; **3.** *der, die, das* Nächste; **~-door** benachbart, nebenan; ~ **of kin** *der, die* nächste Verwandte, *die* nächsten Angehörigen *pl.*

nib·ble [ˈnɪbl] *v/t.* knabbern an (*dat.*); *v/i.* ~ *at* nagen *od.* knabbern an (*dat.*); *fig.* (herum)kritteln an (*dat.*).

nice □ [naɪs] (~*r*, ~*st*) fein; wählerisch; (peinlich) genau; heikel; nett; sympathisch; schön; hübsch; **~·ly** [ˈnaɪslɪ] (sehr) gut; **ni·ce·ty** [~ətɪ] Feinheit *f*; Genauigkeit *f*; Spitzfindigkeit *f*.

niche [nɪtʃ] Nische *f*.

nick [nɪk] **1.** Kerbe *f*; *in the* ~ *of time* im richtigen Augenblick; im letzten

Moment; **2.** (ein)kerben; *Brt. sl. j-n* schnappen.
nick·el ['nɪkl] **1.** *min.* Nickel *n*; *Am.* Fünfcentstück *n*; **2.** vernickeln.
nick-nack ['nɪknæk] = *knick-knack.*
nick·name ['nɪkneɪm] **1.** Spitzname *m*; **2.** *j-m* den Spitznamen ... geben.
niece [niːs] Nichte *f.*
nif·ty F ['nɪftɪ] (*-ier, -iest*) hübsch, schick, fesch; stinkend.
nig·gard ['nɪgəd] Geizhals *m*; **~·ly** [~lɪ] geizig, knaus(e)rig; karg.
night [naɪt] Nacht *f*; Abend *m*; *at ~, by ~, in the ~* nachts; **~·cap** ['naɪtkæp] Nachtmütze *f*; Schlaftrunk *m*; **~·club** Nachtklub *m*, -lokal *n*; **~-dress** (Damen-, Kinder)Nachthemd *n*; **~·fall** Einbruch *m* der Nacht; **~·gown** *bsd. Am.*, **~·ie** F [~ɪ] = *nightdress*; **nigh·tin·gale** *zo.* [~ɪŋgeɪl] Nachtigall *f*; **~·ly** [~lɪ] nächtlich; jede Nacht *od.* jeden Abend (stattfindend); **~·mare** Alptraum *m*; **~ school** Abendschule *f*; **~·shirt** (Herren)Nachthemd *n*; **~·y** F [~ɪ] = *nightie.*
nil [nɪl] *bsd. Sport*: Nichts *n*, Null *f.*
nim·ble □ ['nɪmbl] (*~r, ~st*) flink, behend(e).
nine [naɪn] **1.** neun; *~ to five* normale Dienststunden; *a ~-to-five job* e-e (An)Stellung mit geregelter Arbeitszeit; **2.** Neun *f*; **~·pin** ['naɪnpɪn] Kegel *m*; *~s sg.* Kegeln *n*; **~·teen** ['naɪn'tiːn] **1.** neunzehn; **2.** Neunzehn *f*; **~·teenth** [~θ] neunzehnte(r, -s); **~·ti·eth** ['naɪntɪɪθ] neunzigste(r, -s); **~·ty** ['naɪntɪ] **1.** neunzig; **2.** Neunzig *f.*
nin·ny F ['nɪnɪ] Dummkopf *m.*
ninth [naɪnθ] **1.** neunte(r, -s); **2.** Neuntel *n*; **~·ly** ['naɪnθlɪ] neuntens.
nip [nɪp] **1.** Kneifen *n*; ⊕ Knick *m*; scharfer Frost; Schlückchen *n*; **2.** (*-pp-*) kneifen, klemmen; schneiden (*Kälte*); *sl.* flitzen; nippen (an *dat.*); *~ in the bud* im Keim ersticken.
nip·per ['nɪpə] *zo.* (*Krebs*)Schere *f*; (*a pair of*) *~s pl.* (e-e) (Kneif)Zange.
nip·ple ['nɪpl] Brustwarze *f.*
ni·tre, *Am.* **-ter** ⚗ ['naɪtə] Salpeter *m.*
ni·tro·gen ⚗ ['naɪtrədʒən] Stickstoff *m.*
no [nəʊ] **1.** *adj.* kein(e); *at ~ time* nie; *in ~ time* im Nu; *~ one* keiner; **2.** *adv.* nein; nicht; **3.** (*pl. noes*) Nein *n.*
no·bil·i·ty [nəʊ'bɪlətɪ] Adel *m* (*a. fig.*).
no·ble ['nəʊbl] **1.** □ (*~r, ~st*) adlig; edel; vornehm; vortrefflich; ⚠ *nicht nobel*; **2.** Adlige(r *m*) *f*; **~·man** (*pl. -men*) Adlige(r) *m*; **~-mind·ed** edelmütig.
no·bod·y ['nəʊbədɪ] niemand, keiner.
noc·tur·nal [nɒk'tɜːnl] Nacht...
nod [nɒd] **1.** (*-dd-*) nicken (mit); (*im Sitzen*) schlafen; sich neigen; *~ off* einnicken; *~ding acquaintance* oberflächliche Bekanntschaft; **2.** Nicken *n*, Wink *m.*
node [nəʊd] Knoten *m* (*a.* ♀, ⅌, *ast.*); ⚕ Überbein *n*, (*Gicht*)Knoten *m.*
noise [nɔɪz] **1.** Lärm *m*; Geräusch *n*; Geschrei *n*; *big ~ contp.* großes Tier (*Person*); **2.** *~ abroad* (*about, around*) verbreiten; **~·less** □ ['nɔɪzlɪs] geräuschlos.
noi·some ['nɔɪsəm] schädlich; unangenehm; widerlich (*Geruch*).
nois·y □ ['nɔɪzɪ] (*-ier, -iest*) geräuschvoll; laut; lärmend; grell, aufdringlich (*Farbe*).
nom·i|nal □ ['nɒmɪnl] nominell; (nur) dem Namen nach (vorhanden); namentlich; *~ value econ.* Nennwert *m*; **~·nate** [~eɪt] ernennen; nominieren, (zur Wahl) vorschlagen; **~·na·tion** [nɒmɪ'neɪʃn] Ernennung *f*; Nominierung *f*, Aufstellung *f* (*e-s Kandidaten*); **~·nee** [~'niː] Kandidat(in).
nom·i·na·tive *gr.* ['nɒmɪnətɪv] *a. ~ case* Nominativ *m*, erster Fall.
non- [nɒn] *in Zssgn*: nicht..., Nicht..., un...
no·nage ['nəʊnɪdʒ] Minderjährigkeit *f.*
non-al·co·hol·ic ['nɒnælkə'hɒlɪk] alkoholfrei.
non·a·ligned *pol.* [nɒnə'laɪnd] blockfrei.
nonce [nɒns]: *for the ~* nur für diesen Fall.
non-com·mis·sioned ['nɒnkə'mɪʃnd] nicht bevollmächtigt; *~ officer* ⚔ Unteroffizier *m.*
non-com·mit·tal ['nɒnkə'mɪtl] unverbindlich.
non-con·duc·tor *bsd.* ⚡ ['nɒnkəndʌktə] Nichtleiter *m.*
non·con·form·ist ['nɒnkən'fɔːmɪst] Nonkonformist(in); ♀ *Brt. eccl.* Dissident(in).
non·de·script ['nɒndɪskrɪpt] nichtssagend; schwer zu beschreiben(d).

N O

none [nʌn] **1.** keine(r, -s); nichts; **2.** keineswegs, gar nicht; ~ *the less* nichtsdestoweniger.
non·en·ti·ty [nɒˈnentətɪ] Nichtsein *n*; Unding *n*, Nichts *n*; *fig.* Null *f*.
non-ex·ist·ence [ˈnɒnɪgˈzɪstəns] Nicht(vorhanden)sein *n*; Fehlen *n*.
non-fic·tion [ˈnɒnˈfɪkʃn] Sachbücher *pl*.
non-par·ty [ˈnɒnˈpɑːtɪ] parteilos.
non-per·form·ance ⚖ [ˈnɒnpəˈfɔːməns] Nichterfüllung *f*.
non·plus [ˈnɒnˈplʌs] **1.** Verlegenheit *f*; **2.** (-ss-) *j-n* (völlig) verwirren.
non-pol·lut·ing [ˈnɒnpəˈluːtɪŋ] umweltfreundlich, ungiftig.
non-res·i·dent [ˈnɒnˈrezɪdənt] nicht im Haus *od.* am Ort wohnend.
non|sense [ˈnɒnsəns] Unsinn *m*; **~·sen·si·cal** □ [nɒnˈsensɪkl] unsinnig.
non-skid [ˈnɒnˈskɪd] rutschfest.
non-smoker [ˈnɒnˈsməʊkə] Nichtraucher(in); 🚂 Nichtraucher(abteil *n*) *m*.
non-stop [ˈnɒnˈstɒp] Nonstop..., ohne Halt, durchgehend (*Zug*), ohne Zwischenlandung (*Flugzeug*).
non-u·ni·on [ˈnɒnˈjuːnjən] nicht (gewerkschaftlich) organisiert.
non-vi·o·lence [ˈnɒnˈvaɪələns] (Politik *f* der) Gewaltlosigkeit *f*.
noo·dle [ˈnuːdl] Nudel *f*.
nook [nʊk] Ecke *f*, Winkel *m*.
noon [nuːn] Mittag *m*; *at* (*high*) ~ um 12 Uhr mittags; **~·day** [ˈnuːndeɪ], **~·tide, ~·time** *Am.* = *noon*.
noose [nuːs] **1.** Schlinge *f*; **2.** mit der Schlinge fangen; schlingen.
nope F [nəʊp] ne(e), nein.
nor [nɔː] noch; auch nicht.
norm [nɔːm] Norm *f*, Regel *f*; Muster *n*; Maßstab *m*; **nor·mal** □ [ˈnɔːml] normal; **nor·mal·ize** [~əlaɪz] normalisieren; normen.
north [nɔːθ] **1.** Nord(en *m*); **2.** nördlich, Nord...; **~-east** [ˈnɔːθˈiːst] **1.** Nordost(en *m*); **2.** *a.* **~-east·ern** [~ən] nordöstlich; **nor·ther·ly** [ˈnɔːðəlɪ], **nor·thern** [~ən] nördlich, Nord...; **~·ward(s)** [ˈnɔːθwəd(z)] *adv.* nördlich, nordwärts; **~-west** [ˈnɔːθˈwest] **1.** Nordwest(en *m*); **2.** *a.* **~-west·ern** [~ən] nordwestlich.
Nor·we·gian [nɔːˈwiːdʒən] **1.** norwegisch; **2.** Norweger(in); *ling.* Norwegisch *n*.
nose [nəʊz] **1.** Nase *f*; Spitze *f*; Schnauze *f*; **2.** *v/t.* riechen; ~ *one's way* vorsichtig fahren; *v/i.* schnüffeln; **~·bleed** [ˈnəʊzbliːd] Nasenbluten *n*; *have a* ~ Nasenbluten haben; **~·cone** Raketenspitze *f*; **~·dive** ✈ Sturzflug *m*; **~·gay** [~geɪ] Sträußchen *n*.
nos·ey [ˈnəʊzɪ] = *nosy*.
nos·tal·gia [nɒˈstældʒɪə] Nostalgie *f*, Sehnsucht *f*.
nos·tril [ˈnɒstrəl] Nasenloch *n*, *bsd. zo.* Nüster *f*.
nos·y F [ˈnəʊzɪ] (*-ier, -iest*) neugierig.
not [nɒt] nicht; ~ *a* kein(e).
no·ta·ble [ˈnəʊtəbl] **1.** □ bemerkenswert; **2.** angesehene Person.
no·ta·ry [ˈnəʊtərɪ] *mst* ~ *public* Notar *m*.
no·ta·tion [nəʊˈteɪʃn] Bezeichnung *f*.
notch [nɒtʃ] **1.** Kerbe *f*, Einschnitt *m*; Scharte *f*; *Am. geol.* Engpaß *m*; **2.** (ein)kerben.
note [nəʊt] **1.** Zeichen *n*; Notiz *f*; *print.* Anmerkung *f*; Briefchen *n*, Zettel *m*; *bsd. Brt.* Banknote *f*; (*bsd.* Schuld)Schein *m*; *Diplomatie*, ♪: Note *f*; ⚠ *nicht* (*Schul*)*Note*; ♪ Ton *m* (*a. fig.*); *fig.* Ruf *m*; Beachtung *f*; *take* ~*s* sich Notizen machen; **2.** bemerken; (besonders) beachten *od.* achten auf (*acc.*); besonders erwähnen; *a.* ~ *down* niederschreiben, notieren; **~·book** [ˈnəʊtbʊk] Notizbuch *n*; **not·ed** bekannt, berühmt (*for* wegen); **~·pa·per** Briefpapier *n*; **~·wor·thy** bemerkenswert.
noth·ing [ˈnʌθɪŋ] **1.** nichts; **2.** Nichts *n*; Null *f*; ~ *but* nichts als, nur; *for* ~ umsonst; *good for* ~ zu nichts zu gebrauchen; *come to* ~ zunichte werden; *to say* ~ *of* ganz zu schweigen von; *there is* ~ *like* es geht nichts über (*acc.*).
no·tice [ˈnəʊtɪs] **1.** Nachricht *f*, Bekanntmachung *f*; Anzeige *f*, Ankündigung *f*; Kündigung *f*; Be(ob)achtung *f*; ⚠ *nicht Notiz*; *at short* ~ kurzfristig; *give* ~ *that* bekanntgeben, daß; *give* (*a week's*) ~ (acht Tage vorher) kündigen; *take* ~ *of* Notiz nehmen von; *without* ~ fristlos; **2.** bemerken; (besonders) beachten *od.* achten auf (*acc.*); ⚠ *nicht notieren*; **~·a·ble** □ [~əbl] wahrnehmbar; bemerkenswert; **~ board** *Brt.* Schwarzes Brett.
no·ti|fi·ca·tion [nəʊtɪfɪˈkeɪʃn] Anzei-

ge *f*, Meldung *f*; Bekanntmachung *f*; **~·fy** [ˈnəʊtɪfaɪ] *et.* anzeigen, melden; *j-n* benachrichtigen.

no·tion [ˈnəʊʃn] Begriff *m*, Vorstellung *f*; Absicht *f*; *~s pl. Am.* Kurzwaren *pl.*

no·to·ri·ous □ [nəʊˈtɔːrɪəs] notorisch; all-, weltbekannt; berüchtigt.

not·with·stand·ing *prp.* [ˈnɒtwɪθˈstændɪŋ] ungeachtet, trotz (*gen.*).

nought [nɔːt] Null *f*; *poet. od. veraltet* Nichts *n*.

noun *gr.* [naʊn] Substantiv *n*, Hauptwort *n*.

nour·ish [ˈnʌrɪʃ] (er)nähren; *fig.* hegen; **~·ing** [~ɪŋ] nahrhaft; **~·ment** [~mənt] Ernährung *f*; Nahrung(smittel *n*) *f*.

nov·el [ˈnɒvl] **1.** neu; ungewöhnlich; **2.** Roman *m*; ⚠ *nicht Novelle*; **~·ist** [~ɪst] Romanschriftsteller(in); **no·vel·la** [nəʊˈvelə] (*pl. -las, -le* [-liː]) Novelle *f*; **~·ty** [ˈnɒvltɪ] Neuheit *f*.

No·vem·ber [nəʊˈvembə] November *m*.

nov·ice [ˈnɒvɪs] Neuling *m*, Anfänger(in) (*at* auf *e-m Gebiet*); *eccl.* Novize *m, f*.

now [naʊ] **1.** nun, jetzt; eben; *just ~* gerade eben; *~ and again od. then* dann u. wann; **2.** *cj. a. ~ that* nun da.

now·a·days [ˈnaʊədeɪz] heutzutage.

no·where [ˈnəʊweə] nirgends.

nox·ious □ [ˈnɒkʃəs] schädlich.

noz·zle ⊕ [ˈnɒzl] Düse *f*; Tülle *f*.

nu·ance [njuːˈɑ̃ːns] Nuance *f*, Schattierung *f*.

nub [nʌb] Knötchen *n*; kleiner Klumpen; *the ~ fig.* der springende Punkt (*of* bei *e-r Sache*).

nu·cle·ar [ˈnjuːklɪə] nuklear, Nuklear..., atomar, Atom..., Kern...; **~-free** atomwaffenfrei; **~-pow·ered** atomgetrieben; **~ pow·er sta·tion** Kernkraftwerk *n*; **~ re·ac·tor** Kernreaktor *m*; **~ war·head** ⚔ Atomsprengkopf *m*; **~ waste** Atommüll *m*; **~ weap·ons** *pl.* Kernwaffen *pl.*

nu·cle·us [ˈnjuːklɪəs] (*pl. -clei* [-klɪaɪ]) Kern *m*.

nude [njuːd] **1.** nackt; **2.** *paint.* Akt *m*.

nudge [nʌdʒ] **1.** *j-n* anstoßen, (an-)stupsen; **2.** Stups(er) *m*.

nug·get [ˈnʌgɪt] (*bsd.* Gold)Klumpen *m*.

nui·sance [ˈnjuːsns] Ärgernis *n*, Unfug *m*, Plage *f*; lästiger Mensch, Nervensäge *f*; *what a ~!* wie ärgerlich!; *be a ~ to s.o.* j-m lästig fallen; *make a ~ of o.s.* den Leuten auf die Nerven gehen *od.* fallen.

nuke *Am. sl.* [njuːk] Kernwaffe *f*.

null [nʌl] **1.** nichtssagend; *~ and void* null u. nichtig; **2.** ⊕, ⩓ Null *f*; **nul·li·fy** [ˈnʌlɪfaɪ] zunichte machen; aufheben, ungültig machen; **nul·li·ty** [~ətɪ] Nichtigkeit *f*, Ungültigkeit *f*.

numb [nʌm] **1.** starr (*with* vor); taub (*empfindungslos*); **2.** starr *od.* taub machen; *~ed* erstarrt.

num·ber [ˈnʌmbə] **1.** ⩓ Zahl *f*; (*Auto-, Haus- etc.*) Nummer *f*; (An)Zahl *f*; Heft *n*, Ausgabe *f*, Nummer *f* (*e-r Zeitschrift etc.*); (*Autobus- etc.*)Linie *f*; *without ~* zahllos; *in ~* an der Zahl; **2.** zählen; numerieren; **~·less** [~lɪs] zahllos; **~·plate** *bsd. Brt. mot.* Nummernschild *n*.

nu·me|ral [ˈnjuːmərəl] **1.** Zahl(en)...; **2.** ⩓ Ziffer *f*; *ling.* Numerale *n*, Zahlwort *n*; **~·rous** □ [~əs] zahlreich.

nun [nʌn] Nonne *f*; **~·ne·ry** [ˈnʌnərɪ] Nonnenkloster *n*.

nup·tial [ˈnʌpʃl] **1.** Hochzeits..., Ehe...; **2.** *~s pl.* Hochzeit *f*.

nurse [nɜːs] **1.** Kindermädchen *n*; *a. dry-~* Säuglingsschwester *f*; *a. wet-~* Amme *f*; (Kranken)Pflegerin *f*, (Kranken)Schwester *f*; *at ~* in Pflege; *put out to ~* in Pflege geben; **2.** stillen, nähren; großziehen; pflegen; hätscheln; **~·ling** [ˈnɜːslɪŋ] Säugling *m*; Pflegling *m*; **~·maid** Kindermädchen *n*; **nur·se·ry** [~sərɪ] Kinderzimmer *n*; ✓ Baum-, Pflanzschule *f*; *~ rhymes pl.* Kinderlieder *pl.*, -reime *pl.*; *~ school* Kindergarten *m*; *~ slope Ski*: Idiotenhügel *m*.

nurs·ing [ˈnɜːsɪŋ] Stillen *n*; (Kranken)Pflege *f*; **~ bot·tle** (Säuglings-, Saug)Flasche *f*; **~ home** *Brt.* Privatklinik *f*.

nurs·ling [ˈnɜːslɪŋ] = *nurseling.*

nur·ture [ˈnɜːtʃə] **1.** Pflege *f*; Erziehung *f*; **2.** aufziehen; (er)nähren.

nut [nʌt] ⚘ Nuß *f*; ⊕ (Schrauben-)Mutter *f*; *sl.* verrückter Kerl; *be ~s sl.* verrückt sein; **~·crack·er** [ˈnʌtkrækə] *mst ~s pl.* Nußknacker *m*; **~·meg** ⚘ [ˈnʌtmeg] Muskatnuß *f*.

nu·tri·ment [ˈnjuːtrɪmənt] Nahrung *f*.

nu·tri|tion [nju:ˈtrɪʃn] Ernährung *f*; Nahrung *f*; **~·tious** □ [~ʃəs], **~·tive** □ [ˈnju:trɪtɪv] nahrhaft.
nut|shell [ˈnʌtʃel] Nußschale *f*; *in a ~* in aller Kürze; **~·ty** [ˈnʌtɪ] (*-ier, -iest*) voller Nüsse; nußartig; *sl.* verrückt.
ny·lon [ˈnaɪlɒn] Nylon *n*; *~s pl.* Nylonstrümpfe *pl.*
nymph [nɪmf] Nymphe *f*.

O

o [əʊ] **1.** oh!; ach!; **2.** *in Telefonnummern*: Null *f*.
oaf [əʊf] Dummkopf *m*; Tölpel *m*.
oak ⚘ [əʊk] Eiche *f*.
oar [ɔ:] **1.** Ruder *n*; **2.** rudern; **~s·man** [ˈɔ:zmən] (*pl. -men*) Ruderer *m*.
o·a·sis [əʊˈeɪsɪs] (*pl. -ses* [-si:z]) Oase *f* (*a. fig.*).
oat [əʊt] *mst ~s pl.* ⚘ Hafer *m*; *feel one's ~s* F groß in Form sein; *Am.* sich wichtig vorkommen; *sow one's wild ~s* sich die Hörner abstoßen.
oath [əʊθ] (*pl. oaths* [əʊðz]) Eid *m*, Schwur *m*; Fluch *m*; *be on ~* unter Eid stehen; *take* (*make, swear*) *an ~* e-n Eid leisten, schwören.
oat·meal [ˈəʊtmi:l] Hafermehl *n*.
ob·du·rate □ [ˈɒbdjʊrət] verstockt.
o·be·di|ence [əˈbi:djəns] Gehorsam *m*; **~·ent** □ [~t] gehorsam.
o·bei·sance [əʊˈbeɪsəns] Ehrerbietung *f*; Verbeugung *f*; *do* (*make, pay*) *~ to s.o.* j-m huldigen.
o·bese [əʊˈbi:s] fett(leibig); **o·bes·i·ty** [~ətɪ] Fettleibigkeit *f*.
o·bey [əˈbeɪ] gehorchen (*dat.*); *Befehl etc.* befolgen, Folge leisten (*dat.*).
o·bit·u·a·ry [əˈbɪtjʊərɪ] Todesanzeige *f*; Nachruf *m*; *attr.* Todes..., Toten...
ob·ject 1. [ˈɒbdʒɪkt] Gegenstand *m*; Ziel *n*, Zweck *m*, Absicht *f*; Objekt *n* (*a. gr.*); **2.** [əbˈdʒekt] *v/t.* einwenden (*to* gegen); *v/i.* et. dagegen haben (*to ger.* daß).
ob·jec|tion [əbˈdʒekʃn] Einwand *m*, -spruch *m*; **~·tio·na·ble** □ [~əbl] nicht einwandfrei; unangenehm.
ob·jec·tive [əbˈdʒektɪv] **1.** □ objektiv, sachlich; **2.** Ziel *n*; *opt.* Objektiv *n*.
ob·li·ga·tion [ɒblɪˈgeɪʃn] Verpflichtung *f*; *econ.* Schuldverschreibung *f*; *be under an ~ to s.o.* j-m (zu Dank) verpflichtet sein; *be under ~ to inf.* die Verpflichtung haben, zu *inf.*;
ob·lig·a·to·ry □ [əˈblɪgətərɪ] verpflichtend, (rechts)verbindlich.
o·blige [əˈblaɪdʒ] (zu Dank) verpflichten; nötigen, zwingen; *~ s.o.* j-m e-n Gefallen tun; *much ~d* sehr verbunden, danke bestens; **o·blig·ing** □ [~ɪŋ] verbindlich, zuvor-, entgegenkommend, gefällig.
o·blique □ [əˈbli:k] schief, schräg.
o·blit·er·ate [əˈblɪtəreɪt] auslöschen, tilgen (*a. fig.*); *Schrift* ausstreichen; *Briefmarken* entwerten.
o·bliv·i|on [əˈblɪvɪən] Vergessen(heit *f*) *n*; **~·ous** □ [~əs]: *be ~ of s.th.* et. vergessen haben; *be ~ to s.th.* blind sein gegen et., et. nicht beachten.
ob·long [ˈɒblɒŋ] länglich; rechteckig.
ob·nox·ious □ [əbˈnɒkʃəs] anstößig; widerwärtig, verhaßt.
ob·scene □ [əbˈsi:n] unanständig.
ob·scure [əbˈskjʊə] **1.** □ dunkel; *fig.* dunkel, unklar; unbekannt; **2.** verdunkeln; **ob·scu·ri·ty** [~rətɪ] Dunkelheit *f* (*a. fig.*); Unbekanntheit *f*; Niedrigkeit *f* (*der Herkunft*).
ob·se·quies [ˈɒbsɪkwɪz] *pl.* Trauerfeier(lichkeiten *pl.*) *f*.
ob·se·qui·ous □ [əbˈsi:kwɪəs] unterwürfig (*to* gegen).
ob·ser|va·ble □ [əbˈzɜ:vəbl] bemerkbar; bemerkenswert; **~·vance** [~ns] Befolgung *f*; Brauch *m*; **~·vant** □ [~t] beachtend; aufmerksam; **~·va·tion** [ɒbzəˈveɪʃn] Beobachtung *f*; Bemerkung *f*; *attr.* Beobachtungs...; Aussichts...; **~·va·to·ry** [əbˈzɜ:vətrɪ] Observatorium *n*, Stern-, Wetterwarte *f*.
ob·serve [əbˈzɜ:v] *v/t.* be(ob)achten; sehen; *Brauch etc.* (ein)halten; *Gesetz etc.* befolgen; bemerken, äußern; *v/i.* sich äußern.

N O

ob·sess [əbˈses] heimsuchen, quälen; *~ed by od. with* besessen von; **ob·ses·sion** [~eʃn] Besessenheit *f*; **ob·ses·sive** □ *psych.* [~sɪv] zwanghaft, Zwangs...
ob·so·lete [ˈɒbsəliːt] veraltet.
ob·sta·cle [ˈɒbstəkl] Hindernis *n*.
ob·sti|na·cy [ˈɒbstɪnəsɪ] Hartnäckigkeit *f*; Eigensinn *m*; **~·nate** □ [~t] halsstarrig; eigensinnig; hartnäckig.
ob·struct [əbˈstrʌkt] verstopfen, -sperren; blockieren; (be)hindern; **ob·struc·tion** [~kʃn] Verstopfung *f*; Blockierung *f*; Behinderung *f*; Hindernis *n*; **ob·struc·tive** □ [~ktɪv] blockierend; hinderlich.
ob·tain [əbˈteɪn] erlangen, erhalten, erreichen, bekommen; **ob·tai·na·ble** *econ.* [~əbl] erhältlich.
ob·trude [əbˈtruːd] (sich) aufdrängen (*on dat.*); **ob·tru·sive** □ [~sɪv] aufdringlich.
ob·tuse □ [əbˈtjuːs] stumpf; dumpf; begriffsstutzig.
ob·vi·ate [ˈɒbvɪeɪt] beseitigen; vorbeugen (*dat.*).
ob·vi·ous □ [ˈɒbvɪəs] offensichtlich, augenfällig, klar, einleuchtend.
oc·ca·sion [əˈkeɪʒn] **1.** Gelegenheit *f*; Anlaß *m*; Veranlassung *f*; (festliches) Ereignis; *on the ~ of* anläßlich (*gen.*); **2.** veranlassen; **~·al** □ [~l] gelegentlich, Gelegenheits...
Oc·ci|dent [ˈɒksɪdənt] Westen *m*; Okzident *m*, Abendland *n*; **♀·den·tal** □ [ɒksɪˈdentl] abendländisch, westlich.
oc·cu|pant [ˈɒkjʊpənt] *bsd.* ⚖ Besitzergreifer(in); Besitzer(in); Bewohner(in); Insass|e *m*, -in *f*; **~·pa·tion** [ɒkjʊˈpeɪʃn] Besitz(nahme *f*) *m*; ⚔ Besetzung *f*, Besatzung *f*, Okkupation *f*; Beruf *m*; Beschäftigung *f*; **~·py** [ˈɒkjʊpaɪ] einnehmen; in Besitz nehmen; ⚔ besetzen; besitzen; innehaben; bewohnen; in Anspruch nehmen; beschäftigen.
oc·cur [əˈkɜː] (*-rr-*) vorkommen; sich ereignen; *it ~red to me* mir fiel ein; **~·rence** [əˈkʌrəns] Vorkommen *n*; Vorfall *m*, Ereignis *n*.
o·cean [ˈəʊʃn] Ozean *m*, Meer *n*.
o'clock [əˈklɒk] Uhr (*bei Zeitangaben*); (*at*) *five ~* (um) fünf Uhr.
Oc·to·ber [ɒkˈtəʊbə] Oktober *m*.
oc·u|lar □ [ˈɒkjʊlə] Augen...; **~·list** [~ɪst] Augenarzt *m*.
odd □ [ɒd] ungerade (*Zahl*); einzeln; *nach Zahlen*: und einige *od.* etwas darüber; überzählig; gelegentlich; sonderbar, merkwürdig; **~·i·ty** [ˈɒdətɪ] Seltsamkeit *f*; **~s** [ɒdz] *oft sg.* (Gewinn)Chancen *pl.*; Vorteil *m*; Vorgabe *f* (*im Spiel*); Verschiedenheit *f*; Unterschied *m*; Uneinigkeit *f*; *be at ~ with s.o.* mit j-m im Streit sein, uneins sein mit j-m; *the ~ are that* es ist sehr wahrscheinlich, daß; *~ and ends* Reste *pl.*; Krimskrams *m*.
ode [əʊd] Ode *f* (*Gedicht*).
o·di·ous □ [ˈəʊdjəs] verhaßt; ekelhaft.
o·do(u)r [ˈəʊdə] Geruch *m*; Duft *m*.
of *prp.* [ɒv, əv] von; *Ort*: bei (*the battle ~ Quebec*); um (*cheat s.o. ~ s.th.*); von, an (*dat.*) (*die ~*); aus (*~ charity*); vor (*dat.*) (*afraid ~*); auf (*acc.*) (*proud ~*); über (*acc.*) (*ashamed ~*); nach (*smell ~ roses*; *desirous ~*); von, über (*acc.*) (*speak ~ s.th.*); an (*acc.*) (*think ~ s.th.*); *Herkunft*: von, aus; *Material*: aus, von; *nimble ~ foot* leichtfüßig; *the city ~ London* die Stadt London; *the works ~ Dickens* Dickens' Werke; *your letter ~ ...* Ihr Schreiben vom ...; *five minutes ~ twelve Am.* fünf Minuten vor zwölf.
off [ɒf] **1.** *adv.* fort, weg; ab, herunter(...), los(...); entfernt; *Zeit*: bis hin (*3 months ~*); aus(-), ab(geschaltet) (*Licht etc.*), zu (*Hahn etc.*); ab(-), los(gegangen) (*Knopf etc.*); frei (*von Arbeit*); ganz, zu Ende; *econ.* flau; verdorben (*Fleisch etc.*); *fig.* aus, vorbei; *be ~* fort *od.* weg sein; (weg-) gehen; *~ and on* ab u. an; ab u. zu; *well* (*badly*) *~* gut (schlecht) daran; **2.** *prp.* fort von, weg von; von (... ab, weg, herunter); abseits von, entfernt von; frei von (*Arbeit*); ⚓ auf der Höhe von; *be ~ duty* dienstfrei haben; *be ~ smoking* nicht mehr rauchen; **3.** *adj.* (weiter) entfernt; Seiten..., Neben...; (arbeits-, dienst-) frei; *econ.* flau, still, tot; *int.* fort!, weg!, raus!
of|fal [ˈɒfl] Abfall *m*; *~s pl. bsd. Brt. Fleischerei*: Innereien *pl*.
of·fence, *Am.* **-fense** [əˈfens] Angriff *m*; Beleidigung *f*, Kränkung *f*, Ärgernis *n*, Anstoß *m*; Vergehen *n*, Verstoß *m*; ⚖ Straftat *f*.
of·fend [əˈfend] beleidigen, verletzen, kränken; verstoßen (*against*

gegen); **~·er** [~ə] Übel-, Missetäter(in); ⚖ Straffällige(r *m*) *f*; *first* ~ ⚖ nicht Vorbestrafte(r *m*) *f*, Ersttäter(in).
of·fen·sive [əˈfensɪv] **1.** □ beleidigend; anstößig; ekelhaft; Offensiv..., Angriffs...; **2.** Offensive *f*.
of·fer [ˈɒfə] **1.** Angebot *n*; Anerbieten *n*; ~ *of marriage* Heiratsantrag *m*; **2.** *v/t.* anbieten (*a. econ.*); *Preis, Möglichkeit etc.* bieten; *Preis, Belohnung* aussetzen; *Gebet, Opfer* darbringen; sich bereit erklären zu; *Widerstand* leisten; *v/i.* sich bieten; **~·ing** [~rɪŋ] *eccl.* Opfer(n) *n*; Anerbieten *n*, Angebot *n*.
off·hand [ˈɒfˈhænd] aus dem Stegreif, auf Anhieb; Stegreif..., unvorbereitet; ungezwungen, frei.
of·fice [ˈɒfɪs] Büro *n*; Geschäftsstelle *f*; Amt *n*; Pflicht *f*; Dienst *m*, Gefälligkeit *f*; *eccl.* Gottesdienst *m*; ♀ Ministerium *n*; ~ *hours pl.* Dienststunden *pl.*, Geschäftszeit *f*; **of·fi·cer** [~ə] Beamt|e(r) *m*, -in *f*; Polizist *m*, Polizeibeamte(r) *m*; ⚔ Offizier *m*.
of·fi·cial [əˈfɪʃl] **1.** □ offiziell, amtlich; Amts...; **2.** Beamt|e(r) *m*, -in *f*.
of·fi·ci·ate [əˈfɪʃɪeɪt] amtieren.
of·fi·cious □ [əˈfɪʃəs] aufdringlich, übereifrig; offiziös, halbamtlich.
off|-licence *Brt.* [ˈɒflaɪsəns] Schankkonzession *f* über die Straße; **~·print** Sonderdruck *m*; **~·set** ausgleichen; **~·shoot** ⚘ Sproß *m*, Ableger *m*; **~·side** [ˈɒfˈsaɪd] **1.** *Sport:* Abseits(stellung *f*, -position *f*) *n*; *mot.* Fahrerseite *f*; ~ *door* Fahrertür *f*; **2.** *Sport:* abseits; **~·spring** [ˈɒfsprɪŋ] Nachkomme(nschaft *f*) *m*; *fig.* Ergebnis *n*.
of·ten [ˈɒfn] oft(mals), häufig.
o·gle [ˈəʊgl]: ~ (*at*) liebäugeln mit, schöne Augen machen (*dat.*).
o·gre [ˈəʊgə] (menschenfressender) Riese.
oh [əʊ] oh!; ach!
oil [ɔɪl] **1.** Öl *n*; **2.** ölen; schmieren (*a. fig.*); **~·cloth** [ˈɔɪlklɒθ] Wachstuch *n*; **~ rig** (Öl)Bohrinsel *f*; **~·skin** Ölleinwand *f*; ~*s pl.* Ölzeug *n*; **~·y** □ [ˈɔɪlɪ] (*-ier, -iest*) ölig (*a. fig.*); fettig; schmierig (*a. fig.*).
oint·ment [ˈɔɪntmənt] Salbe *f*.
O.K., o·kay F [ˈəʊˈkeɪ] **1.** richtig, gut, in Ordnung; **2.** *int.* einverstanden!; gut!, in Ordnung!; **3.** genehmigen, zustimmen (*dat.*).
old [əʊld] (*~er, ~est, a. elder, eldest*) alt; altbekannt; erfahren; ~ *age* (das) Alter; ~ *people's home* Alters-, Altenheim *n*; **~-age** [ˈəʊldˈeɪdʒ] Alters...; **~-fash·ioned** [ˈəʊldˈfæʃnd] altmodisch; ♀ **Glo·ry** Sternenbanner *n* (*Flagge der U.S.A.*); **~·ish** [ˈəʊldɪʃ] ältlich.
ol·fac·to·ry *anat.* [ɒlˈfæktərɪ] Geruchs...
ol·ive [ˈɒlɪv] ⚘ Olive *f*; Olivgrün *n*.
O·lym·pic Games [əˈlɪmpɪkˈgeɪmz] *pl.* Olympische Spiele *pl.*; *Summer* (*Winter*) ~ *pl.* Olympische Sommer- (Winter)spiele *pl.*
om·i·nous □ [ˈɒmɪnəs] unheilvoll.
o·mis·sion [əʊˈmɪʃn] Unterlassung *f*; Auslassung *f*.
o·mit [əˈmɪt] (*-tt-*) unterlassen; auslassen.
om·nip·o|tence [ɒmˈnɪpətəns] Allmacht *f*; **~·tent** □ [~t] allmächtig.
om·nis·ci·ent □ [ɒmˈnɪsɪənt] allwissend.
on [ɒn] **1.** *prp. mst* auf (*dat., acc.*); an (*dat.*) (~ *the wall*, ~ *the Thames*); *Richtung, Ziel*: auf (*acc.*) ... (hin), an (*acc.*), nach (*dat.*) ... (hin) (*march* ~ *London*); *fig.* auf (*acc.*) ... (hin) (~ *his authority*); *Zeitpunkt*: an (*dat.*) (~ *Sunday*, ~ *the 1st of April*); (gleich) nach, bei (~ *his arrival*); *gehörig* zu, *beschäftigt* bei (~ *a committee*, ~ *the "Daily Mail"*); *Zustand*: in (*dat.*), auf (*dat.*), zu (~ *duty*, ~ *fire*, ~ *leave*); *Thema*: über (*acc.*) (*talk* ~ *a subject*); nach (*dat.*) (~ *this model*); von (*dat.*) (*live* ~ *s.th.*); ~ *the street Am.* auf der Straße; *get* ~ *a train bsd. Am.* in e-n Zug einsteigen; ~ *hearing it* als ich *etc.* es hörte; **2.** an(geschaltet) (*Licht etc.*), eingeschaltet, laufend, auf (*Hahn etc.*); (dar)auf(*legen, -schrauben etc.*); *Kleidung*: an(*haben, -ziehen*) (*have a coat* ~); auf(*behalten*) (*keep one's hat* ~); weiter(*gehen, -sprechen etc.*); *and so* ~ und so weiter; ~ *and* ~ immer weiter; ~ *to* ... auf (hinauf *od.* hinaus); *be* ~ im Gange sein, los sein; *thea.* gespielt werden; laufen (*Film*).
once [wʌns] **1.** *adv.* einmal; je(mals); einst; *at* ~ (so)gleich, sofort; zugleich; *all at* ~ plötzlich; *for* ~ diesmal, ausnahmsweise; ~ (*and*) *for all* ein für allemal; ~ *again*, ~ *more* noch einmal; ~ *in a while* dann und wann; **2.** *cj. a.* ~ *that* sobald.

N O

one [wʌn] ein(e); einzig; eine(r, -s); man; eins; ~'s sein(e); ~ *day* eines Tages; ~ *Smith* ein gewisser Smith; ~ *another* einander; ~ *by* ~, ~ *after another*, ~ *after the other* e-r nach dem andern; *be at* ~ *with s.o.* mit j-m einig sein; *I for* ~ ich für meinen Teil; *the little* ~*s pl.* die Kleinen *pl.*
o·ner·ous □ [ˈɒnərəs] schwer(wiegend).
one|self [wʌnˈself] sich (selbst); (sich) selbst; **~-sid·ed** □ [ˈwʌnˈsaɪdɪd] einseitig; **~-way** [ˈwʌnweɪ]: ~ *street* Einbahnstraße *f*; ~ *ticket Am.* einfache Fahrkarte; ✈ einfaches Ticket.
on·ion ⚘ [ˈʌnjən] Zwiebel *f*.
on·look·er [ˈɒnlʊkə] Zuschauer(in).
on·ly [ˈəʊnlɪ] **1.** *adj.* einzige(r, -s); **2.** *adv.* nur, bloß; erst; ~ *yesterday* erst gestern; **3.** *cj.* ~ (*that*) nur daß.
on·rush [ˈɒnrʌʃ] Ansturm *m*.
on·set [ˈɒnset], **on·slaught** [ˈɒnslɔːt] Angriff *m*; Anfang *m*; ⚕ Ausbruch *m* (*e-r Krankheit*).
on·ward [ˈɒnwəd] **1.** *adj.* fortschreitend; **2.** *a.* ~*s adv.* vorwärts, weiter.
ooze [uːz] **1.** Schlamm *m*; **2.** *v/i.* sickern; ~ *away fig.* schwinden; *v/t.* ausströmen, -schwitzen.
o·paque □ [əʊˈpeɪk] (~*r*, ~*st*) undurchsichtig.
o·pen [ˈəʊpən] **1.** □ offen; geöffnet, auf; frei (*Feld etc.*); öffentlich; offen, unentschieden; offen, freimütig; freigebig; *fig.* zugänglich (*to dat.*), aufgeschlossen (*to* für); **2.** *in the* ~ (*air*) im Freien; *come out into the* ~ *fig.* an die Öffentlichkeit treten; **3.** *v/t.* öffnen; eröffnen (*a. fig.*); *v/i.* sich öffnen, aufgehen; *fig.* öffnen, aufmachen; anfangen; ~ *into* führen nach (*Tür etc.*); ~ *on to* hinausgehen auf (*acc.*) (*Fenster etc.*); ~ *out* sich ausbreiten; **~-air** [ˈəʊpənˈeə] im Freien (stattfindend), Freilicht..., Freiluft...; **~-armed** [ˈəʊpənˈɑːmd] herzlich, warm; **~·er** [ˈəʊpnə] (*Büchsen- etc.*)Öffner *m*; **~-eyed** [ˈəʊpənˈaɪd] staunend; wach; mit offenen Augen; **~-hand·ed** [ˈəʊpənˈhændɪd] freigebig, großzügig; **~-heart·ed** [ˈəʊpənhɑːtɪd] offen(herzig), aufrichtig; **~·ing** [ˈəʊpnɪŋ] (Er)Öffnung *f*; freie Stelle; Gelegenheit *f*; *attr.* Eröffnungs...; **~-mind·ed** *fig.* [ˈəʊpənˈmaɪndɪd] aufgeschlossen.
op·e·ra [ˈɒpərə] Oper *f*; **~-glass(·es** *pl.*) Opernglas *n*.
op·e|rate [ˈɒpəreɪt] *v/t.* bewirken, (mit sich) bringen; ⊕ *Maschine* bedienen, *et.* betätigen; *Unternehmen* betreiben; *v/i.* ⊕ arbeiten, funktionieren, laufen; wirksam werden *od.* sein; ⚔ operieren; ⚕ operieren (*on od. upon s.o.* j-n); *operating room Am.*, *operating-theatre Brt.* Operationssaal *m*; **~·ra·tion** [ɒpəˈreɪʃn] Wirkung *f* (*on* auf *acc.*); ⊕ Betrieb *m*, Tätigkeit *f*; ⚕, ⚔ Operation *f*; *be in* ~ in Betrieb sein; *come into* ~ ⚖ in Kraft treten; **~·ra·tive** [ˈɒpərətɪv] **1.** □ wirksam, tätig; praktisch; ⚕ operativ; **2.** Arbeiter *m*; **~·ra·tor** [~eɪtə] ⊕ Bedienungsperson *f*; Telephonist(in).
o·pin·ion [əˈpɪnjən] Meinung *f*; Ansicht *f*; Stellungnahme *f*; Gutachten *n*; *in my* ~ meines Erachtens.
op·po·nent [əˈpəʊnənt] Gegner *m*.
op·por|tune □ [ˈɒpətjuːn] passend; rechtzeitig; günstig; **~·tu·ni·ty** [ɒpəˈtjuːnətɪ] (günstige) Gelegenheit.
op·pose [əˈpəʊz] entgegen-, gegenüberstellen; sich widersetzen, bekämpfen; **op·posed** entgegengesetzt; *be* ~ *to* gegen ... sein; **op·po·site** [ˈɒpəzɪt] **1.** □ gegenüberliegend; entgegengesetzt; **2.** *prp. u. adv.* gegenüber; **3.** Gegenteil *n*, -satz *m*; **op·po·si·tion** [ɒpəˈzɪʃn] *das* Gegenüberstehen; Widerstand *m*; Gegensatz *m*; Widerspruch *m*; Opposition *f* (*a. pol.*).
op·press [əˈpres] be-, unterdrücken; **op·pres·sion** [~ʃn] Unterdrückung *f*; Druck *m*, Bedrängnis *f*; Bedrücktheit *f*; **op·pres·sive** □ [~sɪv] (be-)drückend; hart, grausam; schwül (*Wetter*).
op·tic [ˈɒptɪk] Augen..., Seh...; = **op·ti·cal** □ [~l] optisch; **op·ti·cian** [ɒpˈtɪʃn] Optiker *m*.
op·ti·mis·m [ˈɒptɪmɪzəm] Optimismus *m*.
op·tion [ˈɒpʃn] Wahl(freiheit) *f*; Alternative *f*; *econ.* Vorkaufsrecht *n*, Option *f*; **~·al** □ [~l] freigestellt, wahlfrei.
op·u·lence [ˈɒpjʊləns] (großer) Reichtum *m*, Überfluß *m*.
or [ɔː] oder; ~ *else* sonst.
o·rac·u·lar □ [ɒˈrækjʊlə] orakelhaft.
o·ral □ [ˈɔːrəl] mündlich; Mund...
or·ange [ˈɒrɪndʒ] **1.** Orange *n* (*Farbe*); ⚘ Orange *f*, Apfelsine *f*; **2.**

NO

orange(farben); **~·ade** [ˈɒrɪndʒˈeɪd] Orangenlimonade *f*.
o·ra·tion [ɔːˈreɪʃn] Rede *f*; **or·a·tor** [ˈɒrətə] Redner *m*; **or·a·to·ry** [~rɪ] Redekunst *f*, Rhetorik *f*; *eccl.* Kapelle *f*.
orb [ɔːb] Ball *m*; Himmelskörper *m*; *poet.* Augapfel *m*, Auge *n*.
or·bit [ˈɔːbɪt] **1.** Kreis-, Umlaufbahn *f*; get *od.* put into ~ in e-e Umlaufbahn gelangen *od.* bringen; **2.** *v/t. die Erde etc.* umkreisen; *Satelliten etc.* auf e-e Umlaufbahn bringen; *v/i.* die Erde *etc.* umkreisen, sich auf e-r Umlaufbahn bewegen.
or·chard [ˈɔːtʃəd] Obstgarten *m*.
or·ches·tra [ˈɔːkɪstrə] ♪ Orchester *n*; *Am. thea.* Parkett *n*.
or·chid ⚘ [ˈɔːkɪd] Orchidee *f*.
or·dain [ɔːˈdeɪn] anordnen, verfügen; *zum Priester* weihen.
or·deal *fig.* [ɔːˈdiːl] schwere Prüfung; Qual *f*, Tortur *f*.
or·der [ˈɔːdə] **1.** Ordnung *f*; Anordnung *f*, Reihenfolge *f*; Befehl *m*; *econ.* Bestellung *f*, Auftrag *m*; *econ.* Zahlungsauftrag *m*; *parl. etc.* (Geschäfts)Ordnung *f*; Klasse *f*, Rang *m*; Orden *m* (*a. eccl.*); *take (holy) ~s* in den geistlichen Stand treten; *in ~ to inf.* um zu *inf.*; *in ~ that* damit; *out of ~* nicht in Ordnung; defekt; nicht in Betrieb; *make to ~* auf Bestellung anfertigen; **2.** (an-, ver)ordnen; befehlen; *econ.* bestellen; *j-n* schicken; **~·ly** [ˈɔːdəlɪ] **1.** ordentlich; *fig.* ruhig; **2.** ⚔ (Offiziers)Bursche *m*; ⚔ Sanitätssoldat *m*; Krankenpfleger *m*.
or·di·nal [ˈɔːdɪnl] **1.** Ordnungs...; **2.** *a. ~ number* ⚡ Ordnungszahl *f*.
or·di·nance [ˈɔːdɪnəns] Verordnung *f*.
or·di·nary □ [ˈɔːdnrɪ] üblich, gewöhnlich, normal; ⚠ *nicht ordinär*.
ord·nance ⚔ [ˈɔːdnəns] Artillerie *f*, Geschütze *pl.*; Feldzeugwesen *n*.
ore [ɔː] Erz *n*.
or·gan [ˈɔːgən] ♪ Orgel *f*; Organ *n*; **~-grind·er** [~graɪndə] Leierkastenmann *m*; **~·ic** [ɔːˈgænɪk] (*~ally*) organisch; **~·is·m** [ˈɔːgənɪzəm] Organismus *m*; **~·i·za·tion** [ɔːgənaɪˈzeɪʃn] Organisation *f*; **~·ize** [ˈɔːgənaɪz] organisieren; **~·iz·er** [~ə] Organisator(in).
o·ri|ent [ˈɔːrɪənt] **1.** ♀ Osten *m*; Orient *m*, Morgenland *n*; **2.** orientieren; **~·en·tal** [ɔːrɪˈentl] **1.** □ orientalisch, östlich; **2.** ♀ Oriental|e *m*, -in *f*; **~·en·tate** [ˈɔːrɪənteɪt] orientieren.
or·i·fice [ˈɒrɪfɪs] Mündung *f*; Öffnung *f*.
or·i·gin [ˈɒrɪdʒɪn] Ursprung *m*; Anfang *m*; Herkunft *f*.
o·rig·i·nal [əˈrɪdʒənl] **1.** □ ursprünglich; originell; Original...; **2.** Original *n*; **~·i·ty** [ərɪdʒəˈnælətɪ] Orginalität *f*; **~·ly** [əˈrɪdʒnəlɪ] originell; ursprünglich, zuerst.
o·rig·i|nate [əˈrɪdʒneɪt] *v/t.* hervorbringen, schaffen; *v/i.* entstehen; **~·na·tor** [~ə] Urheber(in).
or·na|ment **1.** [ˈɔːnəmənt] Verzierung *f*; *fig.* Zierde *f*; **2.** [~ment] verzieren, schmücken; **~·men·tal** □ [ɔːnəˈmentl] schmückend, Zier...
or·nate □ [ɔːˈneɪt] reichverziert, reichgeschmückt; überladen.
or·phan [ˈɔːfn] **1.** Waise *f*; **2.** *a. ~ed* verwaist; **~·age** [~ɪdʒ] Waisenhaus *n*.
or·tho·dox □ [ˈɔːθədɒks] orthodox; strenggläubig; üblich, anerkannt.
os·cil·late [ˈɒsɪleɪt] schwingen; *fig.* schwanken.
o·si·er ⚘ [ˈəʊʒə] Korbweide *f*.
os·prey *zo.* [ˈɒsprɪ] Fischadler *m*.
os·ten·si·ble □ [ɒˈstensəbl] angeblich.
os·ten·ta|tion [ɒstənˈteɪʃn] Zurschaustellung *f*; Protzerei *f*; **~·tious** □ [~ʃəs] großtuerisch, prahlerisch.
os·tra·cize [ˈɒstrəsaɪz] verbannen; ächten.
os·trich *zo.* [ˈɒstrɪtʃ] Strauß *m*.
oth·er [ˈʌðə] andere(r, -s); *the ~ day* neulich; *the ~ morning* neulich morgens; *every ~ day* jeden zweiten Tag; **~·wise** [~waɪz] anders; sonst.
ot·ter [ˈɒtə] *zo.* Otter *m*; Otterfell *n*.
ought *v/aux.* [ɔːt] (*verneint: ~ not, oughtn't*) *ich, du etc.* sollte(st) *etc.*; *you ~ to have done it* Sie hätten es tun sollen.
ounce [aʊns] Unze *f* (= *28,35 g*).
our [ˈaʊə] unser; **~s** [ˈaʊəz] der, die, das uns(e)re; unser; **~·selves** [aʊəˈselvz] uns (selbst); *wir* selbst.
oust [aʊst] verdrängen, -treiben, hinauswerfen; *e-s Amtes* entheben.
out [aʊt] **1.** aus; hinaus(*gehen, -werfen etc.*); heraus(*kommen etc.*); aus(*brechen etc.*); außen, draußen; nicht zu Hause; *Sport*: aus, draußen; aus der Mode; vorbei; erloschen; aus(gegangen); verbraucht; (bis) zu Ende;

~ *and about* (wieder) auf den Beinen; *way* ~ Ausgang *m*; ~ *of* aus (... heraus); hinaus; außerhalb; außer *Atem etc.*; (hergestellt) aus; aus *Furcht etc.*; von (*in nine cases* ~ *of ten*); *be* ~ *of s.th.* et. nicht mehr haben; **2.** Ausweg *m*; *the* ~*s pl. parl.* die Opposition; **3.** *econ.* übernormal, Über... (*Größe*); **4.** *int.* hinaus!, raus!

out|bal·ance [ˈaʊtˈbæləns] überwiegen, -treffen; **~·bid** [aʊtˈbɪd] (*-dd-*; *-bid*) überbieten; **~·board** [ˈaʊtbɔːd] Außenbord...; **~·break** [ˈaʊtbreɪk] Ausbruch *m*; **~·build·ing** [ˈaʊtbɪldɪŋ] Nebengebäude *n*; **~·burst** [ˈaʊtbɜːst] Ausbruch *m* (*a. fig.*); **~·cast** [ˈaʊtkɑːst] **1.** ausgestoßen; **2.** Ausgestoßene(r *m*) *f*; **~·come** [ˈaʊtkʌm] Ergebnis *n*; ⚠ *nicht das Auskommen*; **~·cry** [ˈaʊtkraɪ] Aufschrei *m*, Schrei *m* der Entrüstung; **~·dat·ed** [ˈaʊtˈdeɪtɪd] überholt, veraltet; **~·dis·tance** [aʊtˈdɪstəns] (weit) überholen; **~·do** [aʊtˈduː] (*-did*, *-done*) übertreffen; **~·door** [ˈaʊtdɔː] Außen..., außerhalb des Hauses, im Freien, draußen; **~·doors** [aʊtˈdɔːz] draußen, im Freien.

out·er [ˈaʊtə] äußere(r, -s); Außen...; **~·most** [~məʊst] äußerst.

out|fit [ˈaʊtfɪt] Ausrüstung *f*, Ausstattung *f*; F Haufen *m*, Trupp *m*, (Arbeits)Gruppe *f*; *Am.* ⚔ Einheit *f*; **~·fit·ter** *Brt.* [~ə] Herrenausstatter *m*; **~·go·ing** [ˈaʊtgəʊɪŋ] **1.** weg-, abgehend; **2.** Ausgehen *n*; ~*s pl.* (Geld)Ausgaben *pl.*; **~·grow** [aʊtˈgrəʊ] (*-grew*, *-grown*) herauswachsen aus (*Kleidern*); größer werden als, hinauswachsen über (*acc.*); **~·house** [ˈaʊthaʊs] Nebengebäude *n*; *Am.* Außenabort *m*.

out·ing [ˈaʊtɪŋ] Ausflug *m*.

out|last [ˈaʊtˈlɑːst] überdauern, -leben; **~·law** [ˈaʊtlɔː] Geächtete(r *m*) *f*; **~·lay** [ˈaʊtleɪ] (Geld)Auslage(n *pl.*) *f*, Ausgabe(n *pl.*) *f*; **~·let** [ˈaʊtlet] Auslaß *m*, Abfluß *m*, Austritt *m*, Abzug *m*; *econ.* Absatzmarkt *m*; *Am.* ⚡ Anschluß *m*, Steckdose *f*; *fig.* Ventil *n*; **~·line** [ˈaʊtlaɪn] **1.** Umriß *m*; Überblick *m*; Skizze *f*; **2.** umreißen; skizzieren; **~·live** [aʊtˈlɪv] überleben; **~·look** [ˈaʊtlʊk] Ausblick *m* (*a. fig.*); Auffassung *f*; **~·ly·ing** [ˈaʊtlaɪɪŋ] entlegen; **~·match** [ˈaʊtˈmætʃ] weit übertreffen; **~·num·ber** [aʊtˈnʌmbə] an Zahl übertreffen; **~-pa·tient** [ˈaʊtpeɪʃnt] ambulanter Patient, ambulante Patientin; **~·post** [ˈaʊtpəʊst] Vorposten *m*; **~·pour·ing** [ˈaʊtpɔːrɪŋ] (*bsd.* Gefühls)Erguß *m*; **~·put** [ˈaʊtpʊt] Output *m*: *econ. u.* ⊕ Arbeitsertrag *m*, -leistung *f*; *econ.* Produktion *f*, Ausstoß *m*, Ertrag *m*; ⚡ Ausgangsleistung *f*; ⚡ Ausgang *m* (*an Geräten*); *Computer*: (Daten-)Ausgabe *f*; **~·rage** [ˈaʊtreɪdʒ] **1.** Ausschreitung *f*; Gewalttat *f*; **2.** gröblich verletzen *od.* beleidigen; Gewalt antun (*dat.*); **~·ra·geous** □ [aʊtˈreɪdʒəs] abscheulich; empörend, unerhört; **~·reach** [ˈaʊtˈriːtʃ] weiter reichen als; **~·right** [*adj.* ˈaʊtraɪt, *adv.* aʊtˈraɪt] gerade heraus; völlig; direkt; **~·run** [aʊtˈrʌn] (*-nn-*; *-ran*, *-run*) schneller laufen als; *fig.* übertreffen, hinausgehen über (*acc.*); **~·set** [ˈaʊtset] Anfang *m*; Aufbruch *m*; **~·shine** [ˈaʊtˈʃaɪn] (*-shone*) überstrahlen; *fig. a.* in den Schatten stellen; **~·side** [aʊtˈsaɪd] **1.** Außenseite *f*; *das* Äußere; *Sport*: Außenstürmer *m*; *at the* (*very*) ~ (aller-)höchstens; *attr.*: ~ *left* (*right*) *Sport*: Links-(Rechts-)Außen *m*; **2.** *adj.* äußere(r, -s), Außen...; außerhalb, draußen; äußerste(r, -s) (*Preis*); **3.** *adv.* draußen, außerhalb; heraus, hinaus; **4.** *prp.* außerhalb; **~·sid·er** [~ə] Außenseiter(in), -stehende(r *m*) *f*; **~·size** [ˈaʊtsaɪz] Übergröße *f*; **~·skirts** [ˈaʊtskɜːts] *pl.* Außenbezirke *pl.*, (Stadt)Rand *m*; **~·smart** F [ˈaʊtˈsmɑːt] überlisten; **~·spo·ken** [aʊtˈspəʊkən] offen, freimütig; ⚠ *nicht ausgesprochen*; **~·spread** [ˈaʊtˈspred] ausgestreckt, -breitet; **~·stand·ing** [ˈaʊtˈstændɪŋ] hervorragend (*a. fig.*); ausstehend (*Schuld*); ungeklärt (*Frage*); unerledigt (*Arbeit*); **~·stretched** [ˈaʊtstretʃt] = *outspread*; **~·strip** [ˈaʊtˈstrɪp] (*-pp-*) überholen (*a. fig.*).

out·ward [ˈaʊtwəd] **1.** äußere(r, -s); äußerlich; nach (dr)außen gerichtet; **2.** *adv. mst* ~*s* (nach) auswärts, nach (dr)außen; **~·ly** [~lɪ] äußerlich; an der Oberfläche.

out|weigh [ˈaʊtˈweɪ] schwerer sein als; *fig.* überwiegen; **~·wit** [aʊtˈwɪt] (*-tt-*) überlisten; **~·worn** [ˈaʊtwɔːn] erschöpft; *fig.* abgegriffen; überholt.

N O

o·val ['əʊvl] **1.** □ oval; **2.** Oval *n.*
ov·en ['ʌvn] Backofen *m.*
o·ver ['əʊvə] **1.** über; hinüber; darüber; herüber; drüben; über (*acc.*) ...darüber(...); *et.* über(*geben etc.*); über(*kochen etc.*); um(*fallen, -werfen etc.*); herum(*drehen etc.*); von Anfang bis Ende, durch(*lesen etc.*), ganz, über u. über; (gründlich) über(*legen etc.*); nochmals, wieder; übermäßig, über...; darüber, mehr; übrig; zu Ende, vorüber, vorbei, aus; (*all*) ~ *again* noch einmal, (ganz) von vorn; ~ *against* gegenüber (*dat.*); *all* ~ ganz vorbei; ~ *and* ~ *again* immer wieder; **2.** *prp.* über; über (*acc.*) ...hin(weg); ~ *and above* neben, zusätzlich zu.
o·ver|act ['əʊvər'ækt] *e-e Rolle* übertreiben; **~·all** ['əʊvərɔ:l] **1.** *Brt.* (Arbeits)Kittel *m*; ~*s pl.* Arbeitsanzug *m*, Overall *m*; **2.** gesamt, Gesamt...; **~·awe** ['əʊvər'ɔ:] einschüchtern; **~·bal·ance** [əʊvə'bæləns] **1.** Übergewicht *n*; **2.** das Gleichgewicht verlieren; umkippen; aus dem Gleichgewicht bringen; überwiegen (*a. fig.*); **~·bear·ing** □ [əʊvə'beərɪŋ] anmaßend; **~·board** ⚓ ['əʊvəbɔ:d] über Bord; **~·cast** ['əʊvəkɑ:st] bewölkt; **~·charge** [əʊvə'tʃɑ:dʒ] **1.** ⚡, ⊕ überladen; *e-n Betrag* zuviel verlangen (*for* für); **2.** Überpreis *m*; Aufschlag *m*; **~·coat** ['əʊvəkəʊt] Mantel *m*; **~·come** ['əʊvə'kʌm] (*-came, -come*) überwinden, -wältigen; **~·crowd** [əʊvə'kraʊd] überfüllen; **~·do** [əʊvə'du:] (*-did, -done*) zu viel tun; übertreiben; zu sehr kochen *od.* braten; überanstrengen; **~·draw** ['əʊvə'drɔ:] (*-drew, -drawn*) *econ. Konto* überziehen; *fig.* übertreiben; **~·dress** [əʊvə'dres] (sich) übertrieben anziehen; **~·due** [əʊvə'dju:] (über)fällig; **~·eat** [əʊvər'i:t] (*-ate, -eaten*): *a.* ~ *o.s.* sich überessen; **~·flow 1.** [əʊvə'fləʊ] *v/t.* überfluten, -schwemmen; *v/i.* überfließen, -laufen; **2.** ['əʊvəfləʊ] Überschwemmung *f*; Überschuß *m*; ⊕ Überlauf *m*; **~·grow** [əʊvə'grəʊ] (*-grew, -grown*) *v/t.* überwuchern; *v/i.* zu groß werden; **~·grown** [~n] überwuchert; übergroß; **~·hang 1.** [əʊvə'hæŋ] (*-hung*) *v/t* über (*dat.*) hängen; *v/i.* überhängen; **2.** ['əʊvəhæŋ] Überhang *m*; **~·haul** ['əʊvə'hɔ:l] *Maschine* überholen; **~·head 1.** *adv.* [əʊvə'hed] (dr)oben; **2.** *adj.* ['əʊvəhed] Hoch..., Ober...; *econ.* allgemein (*Unkosten*); **3.** *mst Brt.* ~*s pl. econ.* allgemeine Unkosten *pl.*; **~·hear** [əʊvə'hɪə] (*-heard*) (zufällig) belauschen, (mit an)hören; ⚠ *nicht überhören*; **~·joyed** [əʊvə'dʒɔɪd] überglücklich (*at* über *acc.*); **~·kill** ['əʊvəkɪl] ⚔ Overkill *m*; *fig.* Übermaß *n*, Zuviel *n* (*of* an *dat.*); **~·lap** [əʊvə'læp] (*-pp-*) übergreifen auf (*acc.*); sich überschneiden (mit); ⊕ überlappen; **~·lay** [əʊvə'leɪ] (*-laid*) belegen, überziehen; **~·leaf** ['əʊvə'li:f] umseitig; **~·load** [əʊvə'ləʊd] überladen; **~·look** [əʊvə'lʊk] übersehen (*a. fig.*); ~*ing the sea* mit Blick auf das Meer; **~·much** ['əʊvə'mʌtʃ] zu viel; **~·night** [əʊvə'naɪt] **1.** über Nacht; *stay* ~ übernachten; **2.** Nacht..., Übernachtungs...; **~·pass** *bsd. Am.* ['əʊvəpɑ:s] (Straßen-, Eisenbahn)Überführung *f*; **~·pay** [əʊvə'peɪ] (*-paid*) zu viel bezahlen; **~·peo·pled** ['əʊvə'pi:pld] übervölkert; **~·plus** ['əʊvəplʌs] Überschuß *m* (*of* an *dat.*); **~·pow·er** ['əʊvə'paʊə] überwältigen; **~·rate** ['əʊvə'reɪt] überschätzen; **~·reach** ['əʊvə'ri:tʃ] übervorteilen; ~ *o.s.* sich übernehmen; **~·ride** *fig.* [əʊvə'raɪd] (*-rode, -ridden*) sich hinwegsetzen über (*acc.*); umstoßen; **~·rule** [əʊvə'ru:l] überstimmen; ⚖ *Urteil* aufheben; **~·run** [əʊvə'rʌn] (*-nn-*; *-ran, -run*) *Land* überfluten; ⚔ herfallen über (*acc.*); überwuchern; *Signal* überfahren; *Zeit* überziehen; *be* ~ *with* wimmeln von; **~·sea(s)** ['əʊvə'si:(z)] **1.** überseeisch, Übersee...; **2.** in *od.* nach Übersee; **~·see** [əʊvə'si:] (*-saw, -seen*) beaufsichtigen; **~·seer** ['əʊvəsɪə] Aufseher *m*; Vorarbeiter *m*; **~·shad·ow** ['əʊvə'ʃædəʊ] überschatten (*a. fig.*); *fig.* in den Schatten stellen; **~·sight** ['əʊvəsaɪt] Versehen *n*; **~·sleep** [əʊvə'sli:p] (*-slept*) verschlafen; **~·state** [əʊvə'steɪt] übertreiben; **~·state·ment** [~mənt] Übertreibung *f*; **~·strain 1.** [əʊvə'streɪn] überanstrengen; ~ *o.s.* sich übernehmen; **2.** ['əʊvəstreɪn] Überanstrengung *f*.
o·vert □ ['əʊvɜ:t] offen(kundig).
o·ver|take ['əʊvə'teɪk] (*-took, -taken*) einholen; *j-n* überraschen; überholen; **~·tax** ['əʊvə'tæks] zu hoch be-

steuern; *fig.* überschätzen; überfordern; **~·throw 1.** [ˈəʊvəˈθrəʊ] (*-threw, -thrown*) (um)stürzen (*a. fig.*); besiegen; **2.** [ˈəʊvəθrəʊ] (Um-)Sturz *m*; Niederlage *f*; **~·time** *econ.* [ˈəʊvətaɪm] Überstunden *pl.*; *be on ~, do ~* Überstunden machen.
o·ver·ture [ˈəʊvətjʊə] ♪ Ouvertüre *f*; ♪ Vorspiel *n*; *mst ~s pl.* Vorschlag *m*, Antrag *m*.
o·ver|turn [ˈəʊvəˈtɜːn] (um)stürzen (*a. fig.*); **~·weight** [ˈəʊvəweɪt] Übergewicht *n*; **~·whelm** [ˈəʊvəˈwelm] überschütten (*a. fig.*); überwältigen (*a. fig.*); **~·work** [ˈəʊvəˈwɜːk] **1.** Überarbeitung *f*; **2.** sich überarbeiten; überanstrengen; **~·wrought** [ˈəʊvəˈrɔːt] überarbeitet; überreizt.
owe [əʊ] *Geld, Dank etc.* schulden, schuldig sein; verdanken.
ow·ing [ˈəʊɪŋ]: *be ~* zu zahlen sein; *~ to* infolge (*gen.*); wegen (*gen.*); dank (*dat.*).
owl *zo.* [aʊl] Eule *f*.
own [əʊn] **1.** eigen; selbst; einzig, (innig) geliebt; **2.** *my ~* mein Eigentum; *a house of one's ~* ein eigenes Haus; *hold one' s ~* standhalten; **3.** besitzen; zugeben; anerkennen; sich bekennen (*to* zu).
own·er [ˈəʊnə] Eigentümer(in); **~·ship** [ˈəʊnəʃɪp] Eigentum(srecht) *n*.
ox *zo.* [ɒks] (*pl. oxen* [ˈɒksn]) Ochse *m*; Rind *n*.
ox·i·da·tion ⚗ [ɒksɪˈdeɪʃn] Oxydation *f*, Oxydierung *f*; **ox·ide** ⚗ [ˈɒksaɪd] Oxyd *n*; **ox·i·dize** ⚗ [ˈɒksɪdaɪz] oxydieren.
ox·y·gen ⚗ [ˈɒksɪdʒən] Sauerstoff *m*.
oy·ster *zo.* [ˈɔɪstə] Auster *f*.
o·zone ⚗ [ˈəʊzəʊn] Ozon *n*.

P

pace [peɪs] **1.** Schritt *m*; Gang *m*; Tempo *n*; **2.** *v/t.* abschreiten; durchschreiten; *v/i.* (einher)schreiten; *~ up and down* auf u. ab gehen.
pa·cif·ic [pəˈsɪfɪk] (*~ally*) friedlich.
pac·i|fi·ca·tion [pæsɪfɪˈkeɪʃn] Beruhigung *f*, Besänftigung *f*; **~·fi·er** *Am.* [ˈpæsɪfaɪə] Schnuller *m*; **~·fy** [~aɪ] beruhigen, besänftigen.
pack [pæk] **1.** Pack(en) *m*, Paket *n*, Ballen *m*, Bündel *n*; *Am.* Packung *f* (*Zigaretten*); Meute *f* (*Hunde*); Rudel *n* (*Wölfe*); Pack *n*, Bande *f*; ⚕, *Kosmetik*: Packung *f*; *a. ~ of cards* Spiel *n* Karten; *a. ~ of films phot.* Filmpack *n*; *a ~ of lies* ein Haufen Lügen; **2.** *v/t.* (voll)packen; bepacken; vollstopfen; zusammenpferchen; *econ.* eindosen; ⊕ (ab-) dichten; *Am.* F *Revolver etc.* (bei sich) tragen; *oft ~ up* zusammen-, ver-, ein-, abpacken; *mst ~ off* (rasch) fortschicken, -jagen; *v/i.* sich *gut etc.* verpacken *od.* konservieren lassen; *oft ~ up* (zusammen)packen; *send s.o. ~ing* j-n fortjagen; **~·age** [ˈpækɪdʒ] Pack *m*, Ballen *m*; Paket *n*; Packung *f*; Frachtstück *n*; *~ tour* Pauschalreise *f*; **~·er** [~ə] Packer(in); *Am.* Konservenhersteller *m*; **~·et** [~ɪt] Päckchen *n*; Packung *f* (*Zigaretten*); *a. ~-boat* ⚓ Postschiff *n*; **~·ing** [~ɪŋ] Packen *n*; Verpackung *f*; **~·thread** Bindfaden *m*.
pact [pækt] Vertrag *m*, Pakt *m*.
pad [pæd] **1.** Polster *n*; *Sport*: Beinschutz *m*; Schreib-, Zeichenblock *m*; Abschußrampe *f* (*für Raketen*); *a. ink-~* Stempelkissen *n*; **2.** (*-dd-*) (aus)polstern, wattieren; **~·ding** [ˈpædɪŋ] Polsterung *f*, Wattierung *f*.
pad·dle [ˈpædl] **1.** Paddel *n*; ⚓ (Rad-) Schaufel *f*; **2.** paddeln; planschen; **~-wheel** ⚓ Schaufelrad *n*.
pad·dock [ˈpædək] (Pferde)Koppel *f*; *Pferderennsport*: Sattelplatz *m*; *Motorsport*: Fahrerlager *n*.
pad·lock [ˈpædlɒk] Vorhängeschloß *n*.
pa·gan [ˈpeɪgən] **1.** heidnisch; **2.** Heid|e *m*, -in *f*.
page[1] [peɪdʒ] **1.** Seite *f* (*e-s Buches, e-r Zeitung etc.*); **2.** paginieren.
page[2] [~] **1.** (Hotel)Page *m*; **2.** *j-n* ausrufen lassen.

N O

pag·eant ['pædʒənt] historisches Festspiel; Festzug *m*.
paid [peɪd] *pret. u. p.p. von pay 2.*
pail [peɪl] Eimer *m*.
pain [peɪn] **1.** Schmerz(en *pl.*) *m*; Kummer *m*; *~s pl.* Mühe *f*; *on od. under ~ of death* bei Todesstrafe; *be in (great) ~* (große) Schmerzen haben; *take ~s* sich Mühe geben; **2.** *j-n* schmerzen, *j-m* weh tun; **~·ful** □ ['peɪnfl] schmerzhaft; schmerzlich; peinlich; mühsam; **~·less** □ [~lɪs] schmerzlos; **~s·tak·ing** □ [~zteɪkɪŋ] sorgfältig, gewissenhaft.
paint [peɪnt] **1.** Farbe *f*; Schminke *f*; Anstrich *m*; **2.** (an-, be)malen; (an-) streichen; (sich) schminken; **~·box** ['peɪntbɒks] Malkasten *m*; **~·brush** (Maler)Pinsel *m*; **~·er** [~ə] Maler(in); **~·ing** [~ɪŋ] Malen *n*; Malerei *f*; Gemälde *n*, Bild *n*.
pair [peə] **1.** Paar *n*; *a ~ of ...* ein Paar ..., ein(e) ...; *a ~ of scissors* e-e Schere; **2.** *zo.* sich paaren; zusammenpassen; *~ off* Paare bilden; paarweise weggehen.
pa·ja·ma(s) *Am.* [pə'dʒɑːmə(z)] = *pyjama(s)*.
pal [pæl] Kumpel *m*, Kamerad *m*.
pal·ace ['pælɪs] Palast *m*, Schloß *n*.
pal·a·ta·ble □ ['pælətəbl] wohlschmeckend, schmackhaft (*a. fig.*).
pal·ate ['pælɪt] *anat.* Gaumen *m*; *fig.* Geschmack *m*.
pale[1] [peɪl] Pfahl *m*; *fig.* Grenzen *pl.*
pale[2] [~] **1.** □ (*~r*, *~st*) blaß, bleich, fahl; *~ ale* helles Bier; **2.** blaß *od.* bleich werden; erbleichen lassen; **~·ness** ['peɪlnɪs] Blässe *f*.
pal·ings ['peɪlɪŋz] *pl.* Pfahlzaun *m*.
pal·i·sade [pælɪ'seɪd] Palisade *f*; *~s pl. Am.* Steilufer *n*.
pal·let ['pælɪt] Strohsack *m*, -lager *n*.
pal·li|ate ['pælɪeɪt] ⚕ lindern; *fig.* bemänteln; **~·a·tive** ⚕ [~ətɪv] Linderungsmittel *n*.
pal|lid □ ['pælɪd] blaß; **~·lid·ness** [~nɪs], **~·lor** [~ə] Blässe *f*.
palm [pɑːm] **1.** Handfläche *f*; ⚘ Palme *f*; **2.** in der Hand verbergen; *~ s.th. off on od. upon s.o.* j-m et. andrehen; **~-tree** ⚘ ['pɑːmtriː] Palme *f*.
pal·pa·ble □ ['pælpəbl] fühlbar; *fig.* handgreiflich, klar, eindeutig.
pal·pi|tate ⚕ ['pælpɪteɪt] klopfen (*Herz*); **~·ta·tion** ⚕ [pælpɪ'teɪʃn] Herzklopfen *n*.
pal·sy ['pɔːlzɪ] **1.** ⚕ Lähmung *f*; *fig.* Ohnmacht *f*; **2.** *fig.* lähmen.
pal·ter ['pɔːltə] sein Spiel treiben (*with s.o.* mit j-m).
pal·try □ ['pɔːltrɪ] (*-ier*, *-iest*) armselig; wertlos.
pam·per ['pæmpə] verzärteln.
pam·phlet ['pæmflɪt] Broschüre *f*; (kurze, kritische) Abhandlung; ⚠ *nicht Pamphlet.*
pan [pæn] Pfanne *f*; Tiegel *m*.
pan- [~] all..., ganz..., gesamt..., pan..., Pan...
pan·a·ce·a [pænə'sɪə] Allheilmittel *n*.
pan·cake ['pænkeɪk] Pfann-, Eierkuchen *m*.
pan·da *zo.* ['pændə] Panda *m*; **~ car** *Brt.* (Funk)Streifenwagen *m*; **~ cross·ing** *Brt.* Fußgängerübergang *m* mit Druckampel.
pan·de·mo·ni·um *fig.* [pændɪ'məʊnjəm] Hölle(nlärm *m*) *f*.
pan·der ['pændə] **1.** Vorschub leisten (*to dat.*); *veraltet* sich als Kuppler betätigen; **2.** *veraltet* Kuppler *m*.
pane [peɪn] (Fenster)Scheibe *f*.
pan·e·gyr·ic [pænɪ'dʒɪrɪk] Lobrede *f*.
pan·el ['pænl] **1.** *arch.* Fach *n*, (*Tür-*)Füllung *f*, (*Wand*)Täfelung *f*; ⚡, ⊕ Instrumentenbrett *n*, Schalttafel *f*; ⚖ Geschworenenliste *f*; ⚖ *die* Geschworenen *pl.*; *die* Diskussionsteilnehmer *pl.*; **2.** (*bsd. Brt. -ll-, Am. -l-*) täfeln.
pang [pæŋ] plötzlicher Schmerz; *fig.* Angst *f*, Qual *f*.
pan·han·dle ['pænhændl] **1.** Pfannenstiel *m*; *Am.* schmaler Fortsatz (*e-s Staatsgebiets*); **2.** *Am.* F betteln.
pan·ic ['pænɪk] **1.** panisch; **2.** Panik *f*; **3.** (*-ck-*) in Panik geraten.
pan·sy ⚘ ['pænzɪ] Stiefmütterchen *n*.
pant [pænt] *nach Luft* schnappen, keuchen, schnaufen.
pan·ther *zo.* ['pænθə] Panther *m*; *Am.* Puma *m*.
pan·ties ['pæntɪz] *pl.* (Damen-) Schlüpfer *m*; Kinderhöschen *n*.
pan·ti·hose *bsd. Am.* ['pæntɪhəʊz] Strumpfhose *f*.
pan·try ['pæntrɪ] Speisekammer *f*.
pants [pænts] *pl. bsd. Am.* Hose *f*; *bsd. Brt.* Unterhose; *bsd. Brt.* Schlüpfer *m*.
pap [pæp] Brei *m*; ⚠ *nicht Papp, Pappe.*
pa·pa [pə'pɑː] Papa *m*.

P

pa·pal □ [ˈpeɪpl] päpstlich.
pa·per [ˈpeɪpə] **1.** Papier *n*; Zeitung *f*; schriftliche Prüfung; Prüfungsarbeit *f*; Vortrag *m*, Aufsatz *m*; ~*s pl.* (Ausweis)Papiere *pl.*; **2.** tapezieren; **~·back** Taschenbuch *n*, Paperback *n*; **~-bag** (Papier)Tüte *f*; **~-clip** Büroklammer *f*; **~-hang·er** Tapezierer *m*; **~-mill** Papierfabrik *f*; **~·weight** Briefbeschwerer *m*.
pap·py [ˈpæpɪ] (*-ier*, *-iest*) breiig.
par [pɑː] *econ.* Nennwert *m*, Pari *n*; *at* ~ zum Nennwert; *be on a* ~ *with* gleich *od.* ebenbürtig sein (*dat.*).
par·a·ble [ˈpærəbl] Gleichnis *n*.
par·a|chute [ˈpærəʃuːt] Fallschirm *m*; **~·chut·ist** [~ɪst] Fallschirmspringer(in).
pa·rade [pəˈreɪd] **1.** ⚔ (Truppen-)Parade *f*; Zurschaustellung *f*, Vorführung *f*; (Strand)Promenade *f*; (Um)Zug *m*; *make a* ~ *of fig.* zur Schau stellen; **2.** ⚔ antreten (lassen); ⚔ vorbeimarschieren (lassen); zur Schau stellen; **~-ground** ⚔ Exerzier-, Paradeplatz *m*.
par·a·dise [ˈpærədaɪs] Paradies *n*.
par·a·gon [ˈpærəgən] Vorbild *n*, Muster *n*.
par·a·graph [ˈpærəgrɑːf] *print.* Absatz *m*, Abschnitt *m*; kurze Zeitungsnotiz; ⚠ *nicht* ⚖ *Paragraph*.
par·al·lel [ˈpærəlel] **1.** parallel; **2.** ⩘ Parallele *f* (*a. fig.*); Gegenstück *n*; Vergleich *m*; *without* (*a*) ~ ohnegleichen; **3.** (*-l-*, *Brt. a. -ll-*) vergleichen; entsprechen; gleichen; parallel (ver)laufen zu.
par·a·lyse, *Am.* **-lyze** [ˈpærəlaɪz] ⚕ lähmen (*a. fig.*); *fig.* zunichte machen; **pa·ral·y·sis** ⚕ [pəˈrælɪsɪs] (*pl. -ses* [-siːz]) Paralyse *f*, Lähmung *f*.
par·a·mount [ˈpærəmaʊnt] höher stehend (*to* als), übergeordnet, oberste(r, -s); höchste(r, -s); *fig.* größte(r, -s).
par·a·pet [ˈpærəpɪt] ⚔ Brustwehr *f*; Brüstung *f*; Geländer *n*.
par·a·pher·na·li·a [pærəfəˈneɪljə] *pl.* Ausrüstung *f*; Zubehör *n*, *m*.
par·a·site [ˈpærəsaɪt] Schmarotzer *m*.
par·a·sol [ˈpærəsɒl] Sonnenschirm *m*.
par·a·troop|er ⚔ [ˈpærətruːpə] Fallschirmjäger *m*; **~s** ⚔ [~s] *pl.* Fallschirmtruppen *pl.*
par·boil [ˈpɑːbɔɪl] ankochen.
par·cel [ˈpɑːsl] **1.** Paket *n*, Päckchen *n*; Bündel *n*; Parzelle *f*; **2.** (*bsd. Brt. -ll-*, *Am. -l-*) ~ *out* aus-, aufteilen.
parch [pɑːtʃ] rösten, (aus)dörren.
parch·ment [ˈpɑːtʃmənt] Pergament *n*.
pard *Am. sl.* [pɑːd] Partner *m*.
par·don [ˈpɑːdn] **1.** Verzeihung *f*; ⚖ Begnadigung *f*; **2.** verzeihen; ⚖ begnadigen; ~? wie bitte?; ~ *me!* Entschuldigung!; **~·a·ble** □ [~əbl] verzeihlich.
pare [peə] (be)schneiden (*a. fig.*); schälen.
par·ent [ˈpeərənt] Elternteil *m*, Vater *m*, Mutter *f*; *fig.* Ursache *f*; ~*s pl.* Eltern *pl.*; ~*-teacher meeting Schule*: Elternabend *m*; **~·age** [~ɪdʒ] Abstammung *f*; **pa·ren·tal** [pəˈrentl] elterlich.
pa·ren·the·sis [pəˈrenθɪsɪs] (*pl. -ses* [-siːz]) Einschaltung *f*; *print.* (runde) Klammer.
par·ing [ˈpeərɪŋ] Schälen *n*; (Be-)schneiden *n*; ~*s pl.* Schalen *pl.*; Schnipsel *pl.*
par·ish [ˈpærɪʃ] **1.** Kirchspiel *n*, Gemeinde *f*; **2.** Pfarr..., Kirchen...; *pol.* Gemeinde...; ~ *council* Gemeinderat *m*; **pa·rish·io·ner** [pəˈrɪʃənə] Gemeindemitglied *n*.
par·i·ty [ˈpærətɪ] Gleichheit *f*.
park [pɑːk] **1.** Park *m*, Anlagen *pl.*; Naturschutzgebiet *n*, Park *m*; *Am.* (Sport)Platz *m*; *the* ~ *Brt.* F der Fußballplatz; *mst car-*~ Parkplatz *m*; **2.** *mot.* parken.
par·ka [ˈpɑːkə] Parka *f*, *m*.
park·ing *mot.* [ˈpɑːkɪŋ] Parken *n*; *no* ~ Parkverbot, Parken verboten; **~ disc** Parkscheibe *f*; **~ fee** Parkgebühr *f*; **~ lot** *Am.* Parkplatz *m*; **~ me·ter** Parkuhr *f*; **~ or·bit** *Raumfahrt*: Parkbahn *f*; **~ tick·et** Strafzettel *m* (*wegen falschen Parkens*).
par·lance [ˈpɑːləns] Ausdrucksweise *f*, Sprache *f*.
par·ley [ˈpɑːlɪ] **1.** *bsd.* ⚔ Verhandlung *f*; **2.** *bsd.* ⚔ verhandeln; sich besprechen.
par·lia|ment [ˈpɑːləmənt] Parlament *n*; **~·men·tar·i·an** [pɑːləmenˈteərɪən] Parlamentarier(in); **~·men·ta·ry** □ [pɑːləˈmentərɪ] parlamentarisch, Parlaments...
par·lo(u)r [ˈpɑːlə] *veraltet* Wohnzimmer *n*; Empfangs-, Sprechzimmer *n*; *beauty* ~ *Am.* Schönheits-

P

salon *m*; ~ *car Am.* 🚃 Salonwagen *m*; ~**·maid** Stuben-, Hausmädchen *n*.

pa·ro·chi·al □ [pəˈrəʊkjəl] Pfarr..., Kirchen..., Gemeinde...; *fig.* engstirnig, beschränkt.

pa·role [pəˈrəʊl] **1.** ⚔ Parole *f*; ⚖ bedingte Haftentlassung; ⚖ Hafturlaub *m*; *he is out on* ~ ⚖ er wurde bedingt entlassen; er hat Hafturlaub; **2.** ~ *s.o.* ⚖ j-n bedingt entlassen; j-m Hafturlaub gewähren.

par·quet [ˈpɑːkeɪ] Parkett(fußboden *m*) *n*; *Am. thea.* Parkett *n*.

par·rot [ˈpærət] **1.** *zo.* Papagei *m* (*a. fig.*); **2.** nachplappern.

par·ry [ˈpærɪ] abwehren, parieren.

par·si·mo·ni·ous □ [pɑːsɪˈməʊnjəs] sparsam, geizig, knaus(e)rig.

pars·ley ⚘ [ˈpɑːslɪ] Petersilie *f*.

par·son [ˈpɑːsn] Pfarrer *m*; ~**·age** [~ɪdʒ] Pfarrei *f*, Pfarrhaus *n*.

part [pɑːt] **1.** Teil *m*; Anteil *m*; Seite *f*, Partei *f*; *thea., fig.* Rolle *f*; Stimme *f*; Gegend *f*; *Am.* (*Haar*)Scheitel *m*; *a man of* (*many*) ~*s* ein fähiger Mensch; *take* ~ *in s.th.* an e-r Sache teilnehmen; *take s.th. in bad* (*good*) ~ et. (nicht) übelnehmen; *for my* ~ ich für mein(en) Teil; *for the most* ~ meistens; *in* ~ teilweise, zum Teil; *on the* ~ *of* von seiten, seitens (*gen.*); *on my* ~ meinerseits; **2.** *adj.* Teil...; **3.** *adv.* teils; **4.** *v/t.* (ab-, ein-, zer)teilen; trennen; *Haar* scheiteln; ~ *company* sich trennen (*with* von); *v/i.* sich trennen (*with* von).

par·take [pɑːˈteɪk] (*-took, -taken*) teilnehmen, -haben; ~ *of Mahlzeit* einnehmen.

par|tial □ [ˈpɑːʃl] Teil..., teilweise, partiell; parteiisch, eingenommen (*to* für); ~**·ti·al·i·ty** [pɑːʃɪˈælətɪ] Parteilichkeit *f*; Vorliebe *f* (*for* für).

par·tic·i|pant [pɑːˈtɪsɪpənt] Teilnehmer(in); ~**·pate** [~eɪt] teilnehmen, sich beteiligen (*in* an *dat.*); ~**·pa·tion** [pɑːtɪsɪˈpeɪʃn] Teilnahme *f*, Beteiligung *f*.

par·ti·ci·ple *gr.* [ˈpɑːtɪsɪpl] Partizip *n*, Mittelwort *n*.

par·ti·cle [ˈpɑːtɪkl] Teilchen *n*.

par·tic·u·lar [pəˈtɪkjʊlə] **1.** □ besondere(r, -s), einzeln, Sonder...; genau, eigen; wählerisch; **2.** Einzelheit *f*; ~*s pl.* nähere Umstände *pl. od.* Angaben *pl.*; Personalien *pl.*; *in* ~ insbesondere; ~**·i·ty** [pətɪkjʊˈlærətɪ] Besonderheit *f*; Ausführlichkeit *f*; Eigenheit *f*; ~**·ly** [pəˈtɪkjʊləlɪ] besonders.

part·ing [ˈpɑːtɪŋ] **1.** Trennung *f*, Abschied *m*; (*Haar*)Scheitel *m*; ~ *of the ways bsd. fig.* Scheideweg *m*; **2.** Abschieds...

par·ti·san [pɑːtɪˈzæn] Parteigänger(in); ⚔ Partisan *m*; *attr.* Partei...

par·ti·tion [pɑːˈtɪʃn] **1.** Teilung *f*; Scheidewand *f*; Verschlag *m*; Fach *n*; **2.** ~ *off* abteilen, abtrennen.

part·ly [ˈpɑːtlɪ] teilweise, zum Teil.

part·ner [ˈpɑːtnə] **1.** Partner(in); **2.** zusammenbringen; sich zusammentun mit (*j-m*); ~**·ship** [~ʃɪp] Teilhaber-, Partnerschaft *f*; *econ.* Handelsgesellschaft *f*.

part-own·er [ˈpɑːtəʊnə] Miteigentümer(in).

par·tridge *zo.* [ˈpɑːtrɪdʒ] Rebhuhn *n*.

part-time [ˈpɑːtˈtaɪm] **1.** *adj.* Teilzeit..., Halbtags...; **2.** *adv.* halbtags.

par·ty [ˈpɑːtɪ] Partei *f*; ⚔ Abteilung *f*; (Arbeits-, Reise)Gruppe *f*; (*Rettungs- etc.*)Mannschaft *f*; Party *f*, Gesellschaft *f*; Beteiligte(r *m*) *f*; *co.* Type *f*, Individuum *n*; ⚠ *nicht Partie*; ~ **line** *pol.* Parteilinie *f*; ~ **pol·i·tics** *sg. od. pl.* Parteipolitik *f*.

pass [pɑːs] **1.** Passier-, Erlaubnisschein *m*; ⚠ *nicht* (*Reise*)*Pass*; ⚔ Urlaubsschein *m*; Bestehen *n* (*e-s Examens*); *Brt. univ.* einfacher Grad; kritische Lage; *Sport*: Paß *m*, (Ball)Abgabe *f*, Vorlage *f*, Zuspiel *n*; (Gebirgs)Paß *m*; Durch-, Zugang *m*; *Karten*: Passen *n*; Handbewegung *f*, (Zauber)Trick *m*; F Annäherungsversuch *m*; *free* ~ Freikarte *f*; **2.** *v/i.* (vorbei)gehen, (-)fahren, (-)kommen, (-)ziehen *etc.*; *in andere Hände* übergehen, übertragen werden (*to* auf *acc.*); *von e-m Zustand* übergehen; herumgereicht werden, von Hand zu Hand gehen; *Sport*: (den Ball) abspielen *od.* abgeben *od.* passen (*to* zu); vergehen, vorübergehen (*Zeit, Schmerz etc.*); angenommen werden, gelten; durchkommen; (die Prüfung) bestehen; *parl.* Rechtskraft erlangen; *Karten*: passen; *bsd. biblisch*: sich zutragen, passieren, geschehen (*it came to* ~ *that* es begab sich *od.* es geschah, daß); ⚠ *nicht passen* = *fit*; ~ *away* sterben; ~ *by* vorüber- *od.* vorbeigehen an (*dat.*), passieren; ~ *for od. as* gelten für *od.*

als, gehalten werden für; ~ *off* vonstatten gehen; ~ *out* F ohnmächtig werden; *v/t.* vorbei-, vorübergehen, -fahren, -fließen, -kommen, -ziehen *etc.* an (*dat.*); *et.* passieren; vorbeifahren an (*dat.*), überholen (*a. mot.*); durch-, überschreiten, durchqueren, passieren; vorbeilassen; reichen, geben; streichen (*mit der Hand*); *Sport*: *Ball* abspielen, abgeben, passen (*to* zu); *Examen* bestehen; *Prüfling* bestehen *od.* durchkommen lassen; *et.* durchgehen lassen; *Zeit* ver-, zubringen; *Geld* in Umlauf bringen; *Gesetz* verabschieden; *Vorschlag etc.* durchbringen, annehmen; *Urteil* abgeben; *Meinung* äußern; *Bemerkung* machen; *fig.* (hinaus)gehen über (*acc.*), übersteigen; **~·a·ble** □ [ˈpɑːsəbl] passierbar; gangbar; gültig (*Geld*); leidlich.

pas·sage [ˈpæsɪdʒ] Durchgang *m*; Durchfahrt *f*; Durchreise *f*; Korridor *m*, Gang *m*; Reise *f*, (Über)Fahrt *f*, Flug *m*; *parl.* Annahme *f* (*e-s Gesetzes*); ♪ Passage *f*; (Text)Stelle *f*; *bird of* ~ Zugvogel *m*.

pass·book *econ.* [ˈpɑːsbʊk] Bankbuch *n*; Sparbuch *n*.

pas·sen·ger [ˈpæsɪndʒə] Passagier *m*, Fahr-, Fluggast *m*, Reisende(r *m*) *f*, (*Auto- etc.*)Insasse *m*.

pass·er-by [ˈpɑːsəˈbaɪ] (*pl. passers-by*) Vorbei-, Vorübergehende(r *m*) *f*, Passant(in).

pas·sion [ˈpæʃn] Leidenschaft *f*; (Gefühls)Ausbruch *m*; Wut *f*, Zorn *m*; ♀ *eccl.* Passion *f*; ♀ *Week eccl.* Karwoche *f*; **~·ate** □ [~ət] leidenschaftlich.

pas·sive □ [ˈpæsɪv] passiv (*a. gr.*); teilnahmslos; untätig.

pass·port [ˈpɑːspɔːt] (Reise)Paß *m*.

pass·word [ˈpɑːswɜːd] Kennwort *n*.

past [pɑːst] **1.** vergangen, *pred.* vorüber; *gr.* Vergangenheits...; frühere(r, -s); *for some time* ~ seit einiger Zeit; ~ *tense gr.* Vergangenheit *f*, Präteritum *n*; **2.** *adv.* vorbei; **3.** *prp. Zeit*: nach, über (*acc.*); über ... (*acc.*) hinaus; an ... (*dat.*) vorbei; *half* ~ *two* halb drei; ~ *endurance* unerträglich; ~ *hope* hoffnungslos; **4.** Vergangenheit *f* (*a. gr.*).

paste [peɪst] **1.** Teig *m*; Kleister *m*; Paste *f*; **2.** (be)kleben; **~·board** [ˈpeɪstbɔːd] Pappe *f*; *attr.* Papp...

pas·tel [pæˈstel] Pastell(zeichnung *f*) *n*.

pas·teur·ize [ˈpæstəraɪz] pasteurisieren, keimfrei machen.

pas·time [ˈpɑːstaɪm] Zeitvertreib *m*, Freizeitbeschäftigung *f*.

pas·tor [ˈpɑːstə] Pastor *m*, Seelsorger *m*; **~·al** □ [~rəl] Hirten...; idyllisch; *eccl.* pastoral.

pas·try [ˈpeɪstrɪ] Kuchen *m*, Torte *f*; Konditorwaren *pl.*, Feingebäck *n*; **~-cook** Konditor *m*.

pas·ture [ˈpɑːstʃə] **1.** Weide(land *n*) *f*; Grasfutter *n*; **2.** (ab)weiden.

pat [pæt] **1.** Klaps *m*; Portion *f* (*Butter*); **2.** (*-tt-*) tätscheln; klopfen; **3.** gerade recht; parat, bereit.

patch [pætʃ] **1.** Fleck *m*; Flicken *m*; Stück *n* Land; ⚕ Pflaster *n*; *in* ~*es* stellenweise; **2.** flicken; **~·work** [ˈpætʃwɜːk] Patchwork *n*; *contp.* Flickwerk *n*.

pate F [peɪt]: *bald* ~ Platte *f* (*Glatze*).

pa·tent [ˈpeɪtənt, *Am.* ˈpætənt] **1.** offen(kundig); patentiert; Patent...; ~ *agent*, *Am.* ~ *attorney* Patentanwalt *m*; *letters* ~ [ˈpætənt] *pl.* Patenturkunde *f*; ~ *leather* Lackleder *n*; **2.** Patent *n*; Privileg *n*, Freibrief *m*; Patenturkunde *f*; **3.** patentieren (lassen); **~·ee** [peɪtənˈtiː] Patentinhaber(in).

pa·ter|nal □ [pəˈtɜːnl] väterlich(erseits); **~·ni·ty** [~ətɪ] Vaterschaft *f*.

path [pɑːθ] (*pl. paths* [pɑːðz]) Pfad *m*; Weg *m*.

pa·thet·ic [pəˈθetɪk] (*~ally*) kläglich, bemitleidenswert, mitleiderregend; ⚠ *nicht pathetisch*.

pa·thos [ˈpeɪθɒs] Mitleid *n*; *das* Mitleiderregende; ⚠ *nicht Pathos*.

pa·tience [ˈpeɪʃns] Geduld *f*; Ausdauer *f*; *Brt.* Patience *f* (*Kartenspiel*); **pa·tient** [~t] **1.** □ geduldig; **2.** Patient(in).

pat·i·o [ˈpætɪəʊ] (*pl. -os*) Terrasse *f*; Innenhof *m*, Patio *m*.

pat·ri·mo·ny [ˈpætrɪmənɪ] väterliches Erbteil.

pat·ri·ot [ˈpætrɪət] Patriot(in); **~·ic** [pætrɪˈɒtɪk] (*~ally*) patriotisch.

pa·trol [pəˈtrəʊl] **1.** ⚔ Patrouille *f*; (Polizei)Streife *f*; *on* ~ auf Patrouille, auf Streife; **2.** (*-ll-*) (ab)patrouillieren, auf Streife sein (in *dat.*), s-e Runde machen (in *dat.*); ~ **car** (Funk)Streifenwagen *m*; **~·man** [~mæn] (*pl. -men*) *Am.* Polizist *m*

P

(auf Streife); *Brt.* motorisierter Pannenhelfer (*e-s Automobilclubs*).
pa·tron [ˈpeɪtrən] Schirmherr *m*; Gönner *m*; (Stamm)Kunde *m*; Stammgast *m*; ~ *saint eccl.* Schutzheilige(r) *m*; ⚠ *nicht Patrone*; **pat·ron·age** [ˈpætrənɪdʒ] Schirmherrschaft *f*; Gönnerschaft *f*; Kundschaft *f*; Schutz *m*; **pat·ron·ize** [~aɪz] fördern, unterstützen; (Stamm)Kunde *od.* Stammgast sein bei; gönnerhaft *od.* herablassend behandeln.
pat·ter [ˈpætə] plappern; prasseln (*Regen*); trappeln (*Füße*).
pat·tern [ˈpætən] **1.** Muster *n* (*a. fig.*); Modell *n*; **2.** (nach)bilden, formen (*after, on* nach).
paunch [ˈpɔːnʃ] (dicker) Bauch.
pau·per [ˈpɔːpə] Arme(r *m*) *f*.
pause [pɔːz] **1.** Pause *f*; ⚠ *nicht thea., Schule: Pause*; **2.** e-e Pause machen.
pave [peɪv] pflastern; ~ *the way for fig.* den Weg ebnen für; **~·ment** [ˈpeɪvmənt] *Brt.* Bürgersteig *m*; Pflaster *n*; *Am.* Fahrbahn *f*.
paw [pɔː] **1.** Pfote *f*, Tatze *f*; **2.** F betatschen; F derb *od.* ungeschickt anfassen; ~ (*the ground*) (mit den Hufen *etc.*) scharren.
pawn [pɔːn] **1.** *Schach*: Bauer *m*; Pfand *n*; *in od. at* ~ verpfändet; **2.** verpfänden; **~·bro·ker** [ˈpɔːnbrəʊkə] Pfandleiher *m*; **~·shop** Leihhaus *n*.
pay [peɪ] **1.** (Be)Zahlung *f*; Sold *m*; Lohn *m*; **2.** (*paid*) *v/t.* (be)zahlen; (be)lohnen; sich lohnen für; *Aufmerksamkeit* schenken; *Besuch* abstatten; *Ehre* erweisen; *Kompliment* machen; ~ *attention od. heed to* achtgeben auf (*acc.*); ~ *down*, ~ *cash* bar bezahlen; ~ *in* einzahlen; ~ *into* einzahlen auf (*ein Konto*); ~ *off et.* ab(be)zahlen; *j-n* bezahlen u. entlassen; *j-n* voll auszahlen; *v/i.* zahlen; sich lohnen; ~ *for* (*fig.* für) *et.* bezahlen; **~·a·ble** [ˈpeɪəbl] zahlbar, fällig; **~-day** Zahltag *m*; **~·ee** [peɪˈiː] Zahlungsempfänger(in); ~ **en·ve·lope** *Am.* Lohntüte *f*; **~·ing** [ˈpeɪɪŋ] lohnend; **~·mas·ter** Zahlmeister *m*; **~·ment** [~mənt] (Be-, Ein-, Aus-) Zahlung *f*; Lohn *m*, Sold *m*; ~ **pack·et** *Brt.* Lohntüte *f*; ~ **phone** *Brt.* Münzfernsprecher *m*; **~·roll** Lohnliste *f*; ~ **slip** Lohn-, Gehaltsstreifen *m*; ~ **sta·tion** *Am.*, ~ **tel·e·phone** Münzfernsprecher *m*.
pea ⚘ [piː] Erbse *f*.
peace [piːs] Frieden *m*; Ruhe *f*; *at* ~ in Frieden; **~·a·ble** □ [ˈpiːsəbl] friedliebend, friedlich; **~·ful** □ [~fl] friedlich; **~·mak·er** Friedensstifter(in).
peach ⚘ [piːtʃ] Pfirsich(baum) *m*.
pea|cock *zo.* [ˈpiːkɒk] Pfau(hahn) *m*; **~·hen** *zo.* Pfauhenne *f*.
peak [piːk] Spitze *f*; Gipfel *m*; Mützenschild *n*, -schirm *m*; *attr.* Spitzen..., Höchst..., Haupt...; ~ *hours pl.* Hauptverkehrs-, Stoßzeit *f*; **~ed** [~t] spitz.
peal [piːl] **1.** (Glocken)Läuten *n*; Glockenspiel *n*; Dröhnen *n*; ~*s of laughter* schallendes Gelächter; **2.** erschallen (lassen); dröhnen.
pea·nut ⚘ [ˈpiːnʌt] Erdnuß *f*.
pear ⚘ [peə] Birne *f*; Birnbaum *m*.
pearl [pɜːl] **1.** Perle *f* (*a. fig.*); *attr.* Perl(en)...; **2.** tropfen, perlen; **~·y** [ˈpɜːlɪ] (*-ier, -iest*) perlenartig, Perl(en)...
peas·ant [ˈpeznt] **1.** Kleinbauer *m*; **2.** kleinbäuerlich, Kleinbauern...; **~·ry** [~rɪ] Kleinbauernstand *m*; *die* Kleinbauern *pl.*
peat [piːt] Torf *m*.
peb·ble [ˈpebl] Kiesel(stein) *m*.
peck [pek] **1.** Viertelscheffel *m* (= *9,087 Liter*); *fig.* Menge *f*; **2.** picken, hacken (*at* nach); *Körner etc.* aufpicken.
pe·cu·li·ar □ [pɪˈkjuːljə] eigen(tümlich); besondere(r, -s); seltsam; **~·i·ty** [pɪkjuːlɪˈærətɪ] Eigenheit *f*; Eigentümlichkeit *f*.
pe·cu·ni·a·ry [pɪˈkjuːnjərɪ] Geld...
ped·a|gog·ics [pedəˈgɒdʒɪks] *mst sg.* Pädagogik *f*; **~·gogue,** *Am. a.* **~·gog** [ˈpedəgɒg] Pädagoge *m*; F Pedant *m*, Schulmeister *m*.
ped·al [ˈpedl] **1.** Pedal *n*; *attr.* Fuß...; **3.** (*bsd. Brt. -ll-, Am. -l-*) das Pedal treten; radfahren; *Rad* fahren, treten.
pe·dan·tic [pɪˈdæntɪk] (*~ally*) pedantisch.
ped·dle [ˈpedl] hausieren gehen (mit); ~ *drugs* mit Drogen handeln; **~r** [~lə] *Am.* = *pedlar*; Drogenhändler *m*.
ped·es·tal [ˈpedɪstl] Sockel *m* (*a. fig.*).
pe·des·tri·an [pɪˈdestrɪən] **1.** zu Fuß; *fig.* prosaisch, trocken; **2.** Fußgän-

ger(in); ~ **cross·ing** Fußgängerübergang *m*; ~ **pre·cinct** Fußgängerzone *f*.

ped·i·gree [ˈpedɪgriː] Stammbaum *m*.

ped·lar [ˈpedlə] Hausierer *m*; Drogen-, Rauschgifthändler *m*.

peek [piːk] **1.** spähen, gucken, lugen; **2.** flüchtiger *od.* heimlicher Blick.

peel [piːl] **1.** Schale *f*, Rinde *f*, Haut *f*; **2.** *v/t.* schälen; *a.* ~ *off* abschälen, *Folie etc.* abziehen; *Kleid* abstreifen; *v/i. a.* ~ *off* sich (ab)schälen, abblättern.

peep [piːp] **1.** neugieriger *od.* verstohlener Blick; Piep(s)en *n*; **2.** gucken, neugierig *od.* verstohlen blicken; *a.* ~ *out* hervorschauen; *fig.* sich zeigen; piep(s)en; **~-hole** [ˈpiːphəʊl] Guckloch *n*.

peer [pɪə] **1.** spähen, lugen; ~ *at* (sich) genau ansehen, anstarren; **2.** Gleiche(r *m*) *f*; *Brt.* Peer *m*; **~·less** □ [ˈpɪəlɪs] unvergleichlich.

peev·ish □ [ˈpiːvɪʃ] verdrießlich, gereizt.

peg [peg] **1.** (Holz)Stift *m*, Zapfen *m*, Dübel *m*, Pflock *m*; (*Kleider*)Haken *m*; *Brt.* (*Wäsche*)Klammer *f*; (*Zelt-*)Hering *m*; ♪ Wirbel *m*; *fig.* Aufhänger *m*; *take s.o. down a* ~ (*or two*) F j-m e-n Dämpfer aufsetzen; **2.** (*-gg-*) festpflocken; *mst* ~ *out Grenze* abstecken; ~ *away*, ~ *along* F dranbleiben (*at* an *e-r Arbeit*); **~·top** [ˈpegtɒp] Kreisel *m*.

pel·i·can *zo.* [ˈpelɪkən] Pelikan *m*.

pel·let [ˈpelɪt] Kügelchen *n*; Pille *f*; Schrotkorn *n*.

pell-mell [ˈpelˈmel] durcheinander.

pelt [pelt] **1.** Fell *n*, (rohe) Haut, (Tier)Pelz *m*; **2.** *v/t.* bewerfen; *v/i. a.* ~ *down* (nieder)prasseln (*Regen etc.*).

pel·vis *anat.* [ˈpelvɪs] (*pl.* *-vises*, *-ves* [-viːz]) Becken *n*.

pen [pen] **1.** (Schreib)Feder *f*; Federhalter *m*; Füller *m*; Kugelschreiber *m*; Pferch *m*, (Schaf)Hürde *f*; **2.** (*-nn-*) schreiben; ~ *in*, ~ *up* einpferchen, -sperren.

pe·nal □ [ˈpiːnl] Straf...; strafbar; ~ *code* Strafgesetzbuch *n*; ~ *servitude* Zwangsarbeit *f*; **~·ize** [~əlaɪz] bestrafen; **pen·al·ty** [ˈpenltɪ] Strafe *f*; *Sport*: *a.* Strafpunkt *m*; *Fußball*: Elfmeter *m*; ~ *area Fußball*: Strafraum *m*; ~ *goal Fußball*: Elfmetertor *n*; ~ *kick Fußball*: Frei-, Strafstoß *m*.

pen·ance [ˈpenəns] Buße *f*.

pence [pens] *pl. von penny*.

pen·cil [ˈpensl] **1.** (Blei-, Zeichen-, Farb)Stift *m*; **2.** (*bsd. Brt.* *-ll-*, *Am.* *-l-*) zeichnen; (mit Bleistift) aufschreiben *od.* anzeichnen *od.* anstreichen; *Augenbrauen* nachziehen; **~-sharp·en·er** Bleistiftspitzer *m*.

pen|dant, ~·dent [ˈpendənt] (Schmuck)Anhänger *m*.

pend·ing [ˈpendɪŋ] **1.** ⚖ schwebend; **2.** *prp.* während; bis zu.

pen·du·lum [ˈpendjʊləm] Pendel *n*.

pen·e|tra·ble □ [ˈpenɪtrəbl] durchdringbar; **~·trate** [~eɪt] durchdringen; *fig.* ergründen; eindringen (in *acc.*); vordringen (*to* bis zu); **~·trat·ing** □ [~ɪŋ] durchdringend, scharf (*Verstand*); scharfsinnig; **~·tra·tion** [penɪˈtreɪʃn] Durch-, Eindringen *n*; Scharfsinn *m*; **~·tra·tive** □ [ˈpenɪtrətɪv] *s. penetrating*.

pen-friend [ˈpenfrend] Brieffreund (-in).

pen·guin *zo.* [ˈpeŋgwɪn] Pinguin *m*.

pen·hold·er [ˈpenhəʊldə] Federhalter *m*.

pe·nin·su·la [pəˈnɪnsjʊlə] Halbinsel *f*.

pe·nis *anat.* [ˈpiːnɪs] Penis *m*.

pen·i|tence [ˈpenɪtəns] Buße *f*, Reue *f*; **~·tent** [~t] **1.** □ reuig, bußfertig; **2.** Büßer(in); **~·ten·tia·ry** *Am.* [penɪˈtenʃərɪ] (Staats)Gefängnis *n*.

pen|knife [ˈpennaɪf] (*pl.* *-knives*) Taschenmesser *n*; **~-name** Schriftstellername *m*, Pseudonym *n*.

pen·nant ⚓ [ˈpenənt] Wimpel *m*.

pen·ni·less □ [ˈpenɪlɪs] ohne e-n Pfennig (Geld), mittellos.

pen·ny [ˈpenɪ] (*pl.* *-nies*, *coll.* *pence* [pens]) *a. new* ~ *Brt.* Penny *m* (= *1 p* = *£ 0.01*); *Am.* Cent(stück *n*) *m*; *fig.* Pfennig *m*; **~-weight** *englisches* Pennygewicht (= *1,5 g*).

pen·sion [ˈpenʃn] **1.** Rente *f*, Pension *f*, Ruhegeld *n*; ⚠ *nicht Pension* (*Fremdenheim*); **2.** *oft* ~ *off* pensionieren; **~·er** [~ə] Pensionär(in).

pen·sive □ [ˈpensɪv] nachdenklich.

pen·tath|lete [penˈtæθliːt] *Sport*: Fünfkämpfer(in); **~·lon** [~ɒn] *Sport*: Fünfkampf *m*.

Pen·te·cost [ˈpentɪkɒst] Pfingsten *n*.

pent·house [ˈpenthaʊs] Penthouse *n*, -haus *n*, Dachterrassenwohnung *f*; Vor-, Schutzdach *n*.

P

pent-up [ˈpentˈʌp] an-, aufgestaut (*Ärger etc.*).
pe·nu·ri·ous □ [pɪˈnjʊərɪəs] arm; geizig; **pen·u·ry** [ˈpenjʊrɪ] Armut *f*, Not *f*; Mangel *m*.
peo·ple [ˈpiːpl] **1.** Volk *n*, Nation *f*; Leute *pl.*; Angehörige *pl.*; *coll.* die Leute *pl.*; man; **2.** besiedeln, bevölkern.
pep F [pep] **1.** Elan *m*, Schwung *m*, Pep *m*; ~ *pill* Aufputschpille *f*; **2.** (-*pp*-) *mst* ~ *up j-n od. et.* in Schwung bringen.
pep·per [ˈpepə] **1.** Pfeffer *m*; **2.** pfeffern; **~·mint** ⚘ Pfefferminze *f*; Pfefferminzbonbon *m*, *n*; **~·y** [~rɪ] pfefferig; *fig.* hitzig.
per [pɜː] per, durch; pro, für, je.
per·am·bu·la·tor *bsd. Brt.* [ˈpræmbjʊleɪtə] = *pram*.
per·ceive [pəˈsiːv] (be)merken, wahrnehmen, empfinden; erkennen.
per cent, *Am.* **per·cent** [pəˈsent] Prozent *n*.
per·cen·tage [pəˈsentɪdʒ] Prozentsatz *m*; Prozente *pl.*; (An)Teil *m*.
per·cep|ti·ble □ [pəˈseptəbl] wahrnehmbar, merklich; **~·tion** [~pʃn] Wahrnehmung(svermögen *n*) *f*; Erkenntnis *f*; Auffassung(sgabe) *f*.
perch [pɜːtʃ] **1.** *zo.* Barsch *m*; Rute *f* (= *5,029 m*); (Sitz)Stange *f* (*für Vögel*); **2.** sich setzen *od.* niederlassen, sitzen (*Vögel*); *auf et. Hohes* setzen.
per·co|late [ˈpɜːkəleɪt] *Kaffee etc.* filtern, durchsickern lassen; durchsickern (*a. fig.*); gefiltert werden; **~·la·tor** [~ə] Kaffeemaschine *f*, -automat *m*.
per·cus·sion [pəˈkʌʃn] Schlag *m*, Erschütterung *f*; ⚕ Abklopfen *n*; ♪ *coll.* Schlagzeug *n*; ~ *instrument* ♪ Schlaginstrument *n*.
per·e·gri·na·tion [perɪgrɪˈneɪʃn] Wanderschaft *f*; Wanderung *f*.
pe·remp·to·ry □ [pəˈremptərɪ] bestimmt; zwingend; herrisch.
pe·ren·ni·al □ [pəˈrenjəl] immer wiederkehrend, beständig; immerwährend; ⚘ perennierend.
per|fect 1. [ˈpɜːfɪkt] □ vollkommen; vollendet; virtuos; gänzlich, völlig; **2.** [~] *a.* ~ *tense gr.* Perfekt *n*; **3.** [pəˈfekt] vervollkommnen; vollenden; **~·fec·tion** [~kʃn] Vollendung *f*; Vollkommenheit *f*; *fig.* Gipfel *m*.
per|fid·i·ous □ [pəˈfɪdɪəs] treulos (*to* gegen), verräterisch; **~·fi·dy** [ˈpɜːfɪdɪ] Treulosigkeit *f*, Verrat *m*.
per·fo·rate [ˈpɜːfəreɪt] durchlöchern.
per·force [pəˈfɔːs] notgedrungen.
per·form [pəˈfɔːm] verrichten, ausführen, tun; *Pflicht etc.* erfüllen; *thea.*, ♪ aufführen, spielen, vortragen (*a. v/i.*); **~·ance** [~əns] Verrichtung *f*, Ausführung *f*; Leistung *f*; *thea.*, ♪ Aufführung *f*, Vorstellung *f*, Vortrag *m*; **~·er** [~ə] Künstler(in).
per·fume 1. [ˈpɜːfjuːm] Duft *m*, Wohlgeruch *m*; Parfüm *n*; **2.** [pəˈfjuːm] mit Duft erfüllen, parfümieren.
per·func·to·ry □ [pəˈfʌŋktərɪ] mechanisch; oberflächlich.
per·haps [pəˈhæps, præps] vielleicht.
per·il [ˈperəl] **1.** Gefahr *f*; **2.** gefährden; **~·ous** □ [~əs] gefährlich.
pe·rim·e·ter [pəˈrɪmɪtə] ⚖ Umkreis *m*; Umgrenzungslinie *f*, Grenze *f*.
pe·ri·od [ˈpɪərɪəd] Periode *f*; Zeitraum *m*; *gr. bsd. Am.* Punkt *m*; *gr.* Gliedsatz *m*, Satzgefüge *n*; (Unterrichts)Stunde *f*; *physiol.* Periode *f* (*der Frau*); **~·ic** [pɪərɪˈɒdɪk] periodisch; **~·i·cal** [~ɪkl] **1.** □ periodisch; **2.** Zeitschrift *f*.
per·ish [ˈperɪʃ] umkommen, zugrunde gehen; **~·a·ble** □ [~əbl] leicht verderblich; **~·ing** □ [~ɪŋ] *bsd. Brt.* F sehr kalt; F verdammt, -flixt.
per|jure [ˈpɜːdʒə]: ~ *o.s.* e-n Meineid leisten; **~·ju·ry** [~rɪ] Meineid *m*; *commit* ~ e-n Meineid leisten.
perk [pɜːk]: ~ *up v/i.* sich wieder erholen, munter werden (*Person*); *v/t. Kopf* heben, *Ohren* spitzen; schmücken, verschönern; *j-n* aufmöbeln, munter machen.
perk·y □ [ˈpɜːkɪ] (-*ier*, -*iest*) munter; keck, dreist, flott.
perm F [pɜːm] **1.** Dauerwelle *f*; **2.** *j-m* e-e Dauerwelle machen.
per·ma|nence [ˈpɜːmənəns] Dauer *f*; **~·nent** □ [~t] dauernd, ständig; dauerhaft; Dauer...; ~ *wave* Dauerwelle *f*.
per·me|a·ble □ [ˈpɜːmjəbl] durchlässig; **~·ate** [~ɪeɪt] durchdringen; dringen (*into* in *acc.*, *through* durch).
per·mis|si·ble □ [pəˈmɪsəbl] zulässig; **~·sion** [~ʃn] Erlaubnis *f*; **~·sive** □ [~sɪv] zulässig, erlaubt; tolerant; (sexuell) freizügig; ~ *society* tabufreie Gesellschaft.

P

per·mit 1. [pəˈmɪt] (*-tt-*) erlauben, gestatten; **2.** [ˈpɜːmɪt] Erlaubnis *f*, Genehmigung *f*; Passierschein *m*.
per·ni·cious □ [pəˈnɪʃəs] verderblich, schädlich; ⚕ bösartig.
per·pen·dic·u·lar □ [pɜːpənˈdɪkjʊlə] senkrecht; aufrecht; steil.
per·pe·trate [ˈpɜːpɪtreɪt] verüben.
per·pet·u|al □ [pəˈpetʃʊəl] fortwährend, ständig, ewig; **~·ate** [~eɪt] bewahren; verewigen.
per·plex [pəˈpleks] verwirren; **~·i·ty** [~ətɪ] Verwirrung *f*.
per·se|cute [ˈpɜːsɪkjuːt] verfolgen; **~·cu·tion** [pɜːsɪˈkjuːʃn] Verfolgung *f*; **~·cu·tor** [ˈpɜːsɪkjuːtə] Verfolger (-in).
per·se·ver|ance [pɜːsɪˈvɪərəns] Beharrlichkeit *f*, Ausdauer *f*; **~e** [pɜːsɪˈvɪə] beharren; aushalten.
per|sist [pəˈsɪst] beharren, bestehen (*in* auf *dat.*); fortdauern, anhalten; **~·sis·tence, ~·sis·ten·cy** [~əns, ~sɪ] Beharrlichkeit *f*; Hartnäckigkeit *f*, Ausdauer *f*; **~·sis·tent** □ [~ənt] beharrlich, ausdauernd; anhaltend.
per·son [ˈpɜːsn] Person *f* (*a. gr.*, ⚖); **~·age** [~ɪdʒ] (hohe *od.* bedeutende) Persönlichkeit; **~·al** □ [~l] persönlich (*a. gr.*); *attr.* Personal...; Privat...; ~ *data pl.* Personalien *pl.*; **~·al·i·ty** [pɜːsəˈnælətɪ] Persönlichkeit *f*; *personalities pl.* anzügliche *od.* persönliche Bemerkungen *pl.*; **~·i·fy** [pɜːˈsɒnɪfaɪ] verkörpern; **~·nel** [pɜːsəˈnel] Personal *n*, Belegschaft *f*; ⚔ Mannschaften *pl.*; ⚓, ✈ Besatzung *f*; ~ *department* Personalabteilung *f*; ~ *manager*, ~ *officer* Personalchef *m*.
per·spec·tive [pəˈspektɪv] Perspektive *f*; Ausblick *m*, Fernsicht *f*.
per·spic·u·ous □ [pəˈspɪkjʊəs] klar.
per|spi·ra·tion [pɜːspəˈreɪʃn] Schwitzen *n*; Schweiß *m*; **~·spire** [pəˈspaɪə] (aus)schwitzen.
per|suade [pəˈsweɪd] überreden; überzeugen; **~·sua·sion** [~ʒn] Überredung *f*; Überzeugung *f*, (feste) Meinung; Glaube *m*; **~·sua·sive** □ [~sɪv] überredend; überzeugend.
pert □ [pɜːt] keck (*a. fig. Hut*), vorlaut, frech, naseweis.
per·tain [pɜːˈteɪn] (*to*) gehören (*dat. od.* zu); betreffen (*acc.*).
per·ti·na·cious □ [pɜːtɪˈneɪʃəs] hartnäckig, zäh.
per·ti·nent □ [ˈpɜːtɪnənt] sachdienlich, relevant, zur Sache gehörig.
per·turb [pəˈtɜːb] beunruhigen.
pe·rus|al [pəˈruːzl] sorgfältige Durchsicht; **~e** [~z] (sorgfältig) durchlesen; prüfen.
per·vade [pəˈveɪd] durchdringen.
per|verse □ [pəˈvɜːs] *psych.* pervers; eigensinnig, verstockt; vertrackt (*Sache*); **~·ver·sion** [~ʃn] Verdrehung *f*; Abkehr *f*; *psych.* Perversion *f*; **~·ver·si·ty** [~ətɪ] *psych.* Perversität *f*; Eigensinn *m*, Verstocktheit *f*.
per·vert 1. [pəˈvɜːt] verdrehen; verführen; **2.** *psych.* [ˈpɜːvɜːt] perverser Mensch.
pes·si·mis·m [ˈpesɪmɪzəm] Pessimismus *m*.
pest [pest] lästiger Mensch, Nervensäge *f*; lästige Sache, Plage *f*; *zo.* Schädling *m*; ⚠ *nicht Pest* (*Seuche*).
pes·ter [ˈpestə] belästigen.
pes·ti|lent □ [ˈpestɪlənt], **~·len·tial** □ [pestɪˈlenʃl] *bsd. veraltet* schädlich; *mst co.* ekelhaft, abscheulich.
pet[1] [pet] **1.** (zahmes) (Haus)Tier; Liebling *m*; **2.** Lieblings...; Tier...; ~ *dog* Schoßhund *m*; ~ *name* Kosename *m*; ~ *shop* Tierhandlung *f*, Zoogeschäft *n*; **3.** (*-tt-*) (ver)hätscheln; streicheln, liebkosen; F Petting machen.
pet[2] [~]: *in a* ~ verärgert.
pet·al ⚘ [ˈpetl] Blütenblatt *n*.
pe·ti·tion [pɪˈtɪʃn] **1.** Bittschrift *f*, Eingabe *f*, Gesuch *n*; **2.** bitten, ersuchen; ein Gesuch einreichen (*for* um), e-n Antrag stellen (*for* auf *acc.*).
pet·ri·fy [ˈpetrɪfaɪ] versteinern.
pet·rol [ˈpetrəl] Benzin *n*; ⚠ *nicht Petroleum*; (~) *pump* Zapfsäule *f*; ~ *station* Tankstelle *f*.
pe·tro·le·um ⛏ [pɪˈtrəʊljəm] Petroleum *n*, Erd-, Mineralöl *n*; ~ *refinery* Erdölraffinerie *f*.
pet·ti·coat [ˈpetɪkəʊt] Unterrock *m*.
pet·ting F [ˈpetɪŋ] Petting *n*.
pet·tish □ [ˈpetɪʃ] launisch, reizbar.
pet·ty □ [ˈpetɪ] (*-ier, -iest*) klein, geringfügig, Bagatell...; ~ *cash* Portokasse *f*; ~ *larceny* ⚖ einfacher Diebstahl.
pet·u·lant □ [ˈpetjʊlənt] gereizt.
pew [pjuː] Kirchenbank *f*.
pew·ter [ˈpjuːtə] Zinn *n*; Zinngeschirr *n*; Zinnkrug *m*.
phan·tom [ˈfæntəm] Phantom *n*, Trugbild *n*; Gespenst *n*.

P

phar·ma·cy [ˈfɑːməsɪ] Pharmazie *f*; Apotheke *f*.
phase [feɪz] Phase *f*.
pheas|ant *zo.* [ˈfeznt] Fasan *m*.
phe·nom·e·non [fɪˈnɒmɪnən] (*pl. -na* [-ə]) Phänomen *n*, Erscheinung *f*.
phi·al [ˈfaɪəl] Phiole *f*, Fläschchen *n*.
phi·lan·thro·pist [fɪˈlænθrəpɪst] Philanthrop *m*, Menschenfreund *m*.
phi·lol·o|gist [fɪˈlɒlədʒɪst] Philolog|e *m*, -in *f*; **~gy** [~ɪ] Philologie *f*.
phi·los·o|pher [fɪˈlɒsəfə] Philosoph *m*; **~phize** [~aɪz] philosophieren; **~phy** [~ɪ] Philosophie *f*.
phlegm [flem] Schleim *m*; Phlegma *n*.
phone F [fəʊn] = *telephone*.
pho·net·ics [fəˈnetɪks] *sg*. Phonetik *f*, Lautlehre *f*.
pho·n(e)y *sl*. [ˈfəʊnɪ] **1.** Fälschung *f*; Schwindler(in); **2.** (*-ier*, *-iest*) falsch, unecht.
phos·pho·rus ⚗ [ˈfɒsfərəs] Phosphor *m*.
pho·to F [ˈfəʊtəʊ] (*pl. -tos*) Foto *n*, Bild *n*.
pho·to- [~] Licht..., Photo..., Foto...; **~cop·i·er** Fotokopiergerät *n*; **~cop·y** **1.** Fotokopie *f*; **2.** fotokopieren.
pho|to·graph [ˈfəʊtəgrɑːf] **1.** Fotografie *f* (*Bild*); ⚠ *nicht Fotograf*; **2.** fotografieren; **~tog·ra·pher** [fəˈtɒgrəfə] Fotograf(in); **~tog·ra·phy** [~ɪ] Fotografie *f*; ⚠ *nicht Fotografie* (*Bild*).
phras·al [ˈfreɪzl]: ~ *verb* Verb *n* mit Adverb (und Präposition); **phrase** [freɪz] **1.** (Rede)Wendung *f*, Redensart *f*, (idiomatischer) Ausdruck; ⚠ *nicht Phrase* (*leere Redensart*); ~ *book* Sprachführer *m*; **2.** ausdrücken.
phys|i·cal □ [ˈfɪzɪkl] physisch; körperlich; physikalisch; ~ *education*, ~ *training* Leibeserziehung *f*; ~ *handicap* Körperbehinderung *f*; *~ly handicapped* körperbehindert; **phy·si·cian** [fɪˈzɪʃn] Arzt *m*; ⚠ *nicht Physiker*; **~i·cist** [ˈfɪzɪsɪst] Physiker *m*; **~ics** [~ɪks] *sg*. Physik *f*.
phy·sique [fɪˈziːk] Körper(bau) *m*, Statur *f*; ⚠ *nicht Physik*.
pi·an·o [ˈpjænəʊ] (*pl. -os*) Klavier *n*.
pi·az·za [pɪˈætsə] Piazza *f*, (Markt-) Platz *m*; *Am*. (große) Veranda.
pick [pɪk] **1.** = *pickaxe*; (Aus)Wahl *f*; *take your* ~ suchen Sie sich etwas aus; **2.** (auf)hacken; (auf)picken (*Vogel*); entfernen; pflücken; *Knochen* abnagen; bohren *od.* stochern in (*dat.*); *Schloß* mit e-m Dietrich öffnen, F knacken; *Streit* vom Zaun brechen; (sorgfältig) (aus)wählen; *Am.* ♪ *Saiten* zupfen, *Banjo* spielen; ~ *one's nose* in der Nase bohren; ~ *one's teeth* in den Zähnen (herum-) stochern; ~ *s.o.'s pocket* j-n bestehlen; *have a bone to* ~ *with s.o.* mit j-m ein Hühnchen zu rupfen haben; ~ *out et.* auswählen; heraussuchen; ~ *up* aufhacken; aufheben, -lesen, -nehmen; aufpicken (*Vogel*); *Spur* aufnehmen; *Täter* aufgreifen; F *et.* aufschnappen; sich *e-e Fremdsprache* aneignen; (*im Auto*) mitnehmen *od.* abholen; F *j-n* zufällig kennenlernen, auflesen; sich erholen; *a.* ~ *up speed mot.* schneller werden; **~-a-back** [ˈpɪkəbæk] huckepack; **~axe**, *Am.* **~ax** Spitzhacke *f*.
pick·et [ˈpɪkɪt] **1.** Pfahl *m*; ⚔ Feldwache *f*; Streikposten *m*; ~ *line* Streikpostenkette *f*; **2.** mit Streikposten besetzen, Streikposten aufstellen vor (*dat.*); Streikposten stehen.
pick·ings [ˈpɪkɪŋz] *pl*. Überbleibsel *pl*., Reste *pl*.; Ausbeute *f*; Profit *m*, (unehrlicher) Gewinn.
pick·le [ˈpɪkl] **1.** (Salz)Lake *f*; *mst* *~s pl.* Eingepökelte(s) *n*, Pickles *pl.*; F mißliche Lage; **2.** einlegen, (-)pökeln; *~d herring* Salzhering *m*.
pick|lock [ˈpɪklɒk] Einbrecher *m*; Dietrich *m*; **~pock·et** Taschendieb *m*; **~-up** Ansteigen *n*; Tonabnehmer *m*; Kleinlieferwagen *m*; F Staßenbekanntschaft *f*.
pic·nic [ˈpɪknɪk] **1.** Picknick *n*; **2.** (*-ck-*) ein Picknick machen, picknicken.
pic·to·ri·al [pɪkˈtɔːrɪəl] **1.** □ malerisch; illustriert; **2.** Illustrierte *f*.
pic·ture [ˈpɪktʃə] **1.** Bild *n*; Gemälde *n*; bildschöne Sache *od.* Person; Film *m*; *attr.* Bilder...; *~s pl. bsd. Brt.* Kino *n*; *put s.o. in the* ~ j-n ins Bild setzen, j-n informieren; **2.** abbilden; *fig.* schildern, beschreiben; *fig.* sich *et.* vorstellen; **~ post·card** Ansichtskarte *f*; **pic·tur·esque** [pɪktʃəˈresk] malerisch.
pie [paɪ] Pastete *f*; gedeckter Obstkuchen.
pie·bald [ˈpaɪbɔːld] (bunt)scheckig.
piece [piːs] **1.** Stück *n*; Teil *m*, *n* (*e-r*

P

Maschine etc., *e-s Services*); *Schach*: Figur *f*; *Brettspiel*: Stein *m*; *by the* ~ stückweise; im Akkord; *a* ~ *of advice* ein Rat; *a* ~ *of news* e-e Neuigkeit; *of a* ~ einheitlich; *give s.o. a* ~ *of one's mind* j-m gründlich die Meinung sagen; *take to* ~*s* zerlegen; **2.** ~ *together* zusammensetzen, -stükkeln, -flicken; **~·meal** [ˈpiːsmiːl] stückweise; **~-work** Akkordarbeit *f*; *do* ~ im Akkord arbeiten.

pier [pɪə] Pfeiler *m*; Pier *m*, Hafendamm *m*, Mole *f*, Landungsbrücke *f*.

pierce [pɪəs] durchbohren, -stechen, -stoßen; durchdringen; eindringen (in *acc.*).

pi·e·ty [ˈpaɪətɪ] Frömmigkeit *f*; Pietät *f*.

pig [pɪg] *zo.* Schwein *n* (*a. fig.* F); *bsd. Am.* Ferkel *n*; *sl. contp.* Bulle *m* (*Polizist*).

pi·geon [ˈpɪdʒɪn] Taube *f*; **~-hole 1.** Fach *n*; **2.** in Fächer einordnen.

pig|head·ed [ˈpɪgˈhedɪd] dickköpfig; **~-i·ron** [ˈpɪgaɪən] Roheisen *n*; **~·skin** Schweinsleder *n*; **~·sty** Schweinestall *m*; **~·tail** (Haar)Zopf *m*.

pike [paɪk] ⚔ *hist.* Pike *f*, Spieß *m*; *zo.* Hecht *m*; Schlagbaum *m*; Mautstraße *f*; Maut *f*.

pile [paɪl] **1.** Haufen *m*; Stapel *m*, Stoß *m*; F Haufen *m*, Masse *f*; ⚡ Batterie *f*; Pfahl *m*; Flor *m* (*Stoff, Teppich*); ~*s pl.* ⚕ Hämorrhoiden *pl.*; (*atomic*) ~ Atommeiler *m*, (Kern)Reaktor *m*; **2.** *oft* ~ *up*, ~ *on* (an-, auf)häufen, (auf)stapeln, aufschichten.

P

pil·fer [ˈpɪlfə] stehlen, F stibitzen.

pil·grim [ˈpɪlgrɪm] Pilger(in); **~·age** [~ɪdʒ] Pilger-, Wallfahrt *f*.

pill [pɪl] Pille *f* (*a. fig.*); *the* ~ die (Antibaby)Pille.

pil·lage [ˈpɪlɪdʒ] **1.** Plünderung *f*; **2.** plündern.

pil·lar [ˈpɪlə] Pfeiler *m*, Ständer *m*; Säule *f*; **~-box** *Brt.* Briefkasten *m*.

pil·li·on *mot.* [ˈpɪljən] Soziussitz *m*.

pil·lo·ry [ˈpɪlərɪ] **1.** Pranger *m*; **2.** an den Pranger stellen; *fig.* anprangern.

pil·low [ˈpɪləʊ] (Kopf)Kissen *n*; **~·case, ~·slip** (Kopf)Kissenbezug *m*.

pi·lot [ˈpaɪlət] **1.** ✈ Pilot *m*; ⚓ Lotse *m*; *fig.* Führer *m*; **2.** Versuchs..., Probe..., Pilot...; ~ *film TV* Pilotfilm *m*; ~ *scheme* Versuchsprojekt *n*; **3.** lotsen; steuern.

pimp [pɪmp] **1.** Kuppler *m*; Zuhälter *m*; **2.** sich als Kuppler betätigen; Zuhälter sein.

pim·ple [ˈpɪmpl] Pickel *m*, Pustel *f*.

pin [pɪn] **1.** (Steck-, Krawatten-, Hut- *etc.*)Nadel *f*; ⊕ Pflock *m*, Bolzen *m*, Stift *m*, Dorn *m*; ♪ Wirbel *m*; *Kegeln*: Kegel *m*; *Bowling*: Pin *m*; (*clothes*) ~ *bsd. Am.* Wäscheklammer *f*; (*drawing-*) ~ *Brt.* Reißzwecke *f*; **2.** (*-nn-*) (an)heften, anstecken (*to* an *acc.*), befestigen (*to* an *dat.*); pressen, drücken (*against, to* gegen, an *acc.*).

pin·a·fore [ˈpɪnəfɔː] Schürze *f*.

pin·cers [ˈpɪnsəz] *pl.* (*a pair of* ~ e-e) (Kneif)Zange.

pinch [pɪnʃ] **1.** Kneifen *n*; Prise *f* (*Salz, Tabak etc.*); *fig.* Druck *m*, Not *f*; **2.** *v/t.* kneifen, zwicken, (ein-)klemmen; drücken (*Schuh etc.*); F klauen; *v/i.* drücken (*Schuh, Not etc.*); *a.* ~ *and scrape* sich einschränken, knausern.

pin·cush·ion [ˈpɪnkʊʃn] Nadelkissen *n*.

pine [paɪn] **1.** ⚘ Kiefer *f*, Föhre *f*; **2.** sich abhärmen; sich sehnen (*for* nach); **~·ap·ple** ⚘ [ˈpaɪnæpl] Ananas *f*; **~-cone** ⚘ Kiefernzapfen *m*.

pin·ion [ˈpɪnjən] **1.** *zo.* Flügelspitze *f*; *zo.* Schwungfeder *f*; ⊕ Ritzel *n* (*Antriebsrad*); **2.** die Flügel stutzen (*dat.*); fesseln (*to* an *acc.*).

pink [pɪŋk] **1.** ⚘ Nelke *f*; Rosa *n*; *be in the* ~ (*of condition od. health*) in Top- *od.* Hochform sein; **2.** rosa(farben).

pin-mon·ey [ˈpɪnmʌnɪ] (selbstverdientes) Taschengeld (der Hausfrau).

pin·na·cle [ˈpɪnəkl] *arch.* Spitztürmchen *n*; (Berg)Spitze *f*; *fig.* Gipfel *m*, Höhepunkt *m*.

pint [paɪnt] Pint *n* (= *0,57 od. Am. 0,47 Liter*); *Brt.* F Halbe *f* (*Bier*).

pi·o·neer [paɪəˈnɪə] **1.** Pionier *m* (*a.* ⚔); **2.** den Weg bahnen (für).

pi·ous □ [ˈpaɪəs] fromm, religiös.

pip [pɪp] *vet.* Pips *m*; F miese Laune; (Obst)Kern *m*; Auge *n* (*auf Würfeln etc.*); ⚔ *Brt.* F Stern *m* (*Rangabzeichen*); *kurzer, hoher* Ton.

pipe [paɪp] **1.** Rohr *n*, Röhre *f*; Pfeife *f* (*a.* ♪); ⚠ *nicht* (*Triller*)*Pfeife*; ♪ Flöte *f*; Pfeifen *n*, Lied *n* (*e-s Vogels*); Luftröhre *f*; Pipe *f* (*Weinfaß* = *477, 3 Liter*); **2.** (durch Rohre) leiten;

pfeifen; flöten; piep(s)en (*Vogel etc.*); ~·**line** [ˈpaɪplaɪn] Rohrleitung *f*; *Erdöl, Erdgas etc.*: Pipeline *f*; ~**r** [~ə] Pfeifer *m*.
pip·ing [ˈpaɪpɪŋ] **1.** pfeifend, schrill; ~ *hot* siedend heiß; **2.** Rohrleitung *f*, -netz *n*; *Schneiderei*: Paspel *f*, Biese *f*; Pfeifen *n*, Piep(s)en *n*.
pi·quant □ [ˈpiːkənt] pikant.
pique [piːk] **1.** Groll *m*; **2.** kränken, reizen; ~ *o.s. on* sich brüsten mit.
pi·ra·cy [ˈpaɪərəsɪ] Piraterie *f*, Seeräuberei *f*; **pi·rate** [~ət] **1.** Pirat *m*, Seeräuber *m*; Piratenschiff *n*; ~ *radio station* Piratensender *m*.
piss V [pɪs] pissen; ~ *off!* verpiß dich!, hau ab!
pis·tol [ˈpɪstl] Pistole *f*.
pis·ton ⊕ [ˈpɪstən] Kolben *m*; ~**-rod** Kolben-, Pleuelstange *f*; ~**-stroke** Kolbenhub *m*.
pit [pɪt] **1.** Grube *f* (*a.* ⚒, *anat.*); ✓ Miete *f*; Fallgrube *f*, Falle *f*; *Motorsport*: Box *f*; *Sport*: Sprunggrube *f*; *thea. Brt.* Parterre *n*; *a. orchestra* ~ *thea.* Orchestergraben *m*; *Am.* (Obst)Stein *m*, Kern *m*; Pockennarbe *f*; **2.** (-*tt*-) ✓ einmieten; mit Narben bedecken; *Am.* entsteinen, -kernen.
pitch [pɪtʃ] **1.** *min.* Pech *n*; *Brt.* Stand(platz) *m* (*Straßenhändler etc.*); ♪ Tonhöhe *f*; Grad *m*, Stufe *f*, Höhe *f*; Gefälle *n*, Neigung *f*; Wurf *m* (*a. Sport*); *bsd. Brt. Sport*: Spielfeld *n*, Platz *m*; ⚓ Stampfen *n* (*Schiff*); **2.** *v/t.* werfen; schleudern; *Zelt, Lager* aufschlagen, -stellen; ♪ (an)stimmen; ~ *too high fig. Erwartungen* zu hoch stecken; *v/i.* ⚔ (sich) lagern; hinschlagen; ⚓ stampfen (*Schiff*); ~ *into* F herfallen über (*acc.*); ~**-black** [ˈpɪtʃˈblæk], ~**-dark** pechschwarz; stockdunkel.
pitch·er [ˈpɪtʃə] Krug *m*; *Baseball*: Werfer *m*.
pitch·fork [ˈpɪtʃfɔːk] Heu-, Mistgabel *f*.
pit·e·ous □ [ˈpɪtɪəs] kläglich.
pit·fall [ˈpɪtfɔːl] Fallgrube *f*; *fig.* Falle *f*.
pith [pɪθ] Mark *n*; *fig.* Kern *m*; *fig.* Kraft *f*; ~·**y** □ [ˈpɪθɪ] (-*ier*, -*iest*) markig, kernig.
pit·i|a·ble □ [ˈpɪtɪəbl] bemitleidenswert; erbärmlich; ~·**ful** □ [~fl] bemitleidenswert; erbärmlich, jämmerlich (*a. contp.*); ~·**less** □ [~lɪs] unbarmherzig.
pit·tance [ˈpɪtəns] Hungerlohn *m*.
pit·y [ˈpɪtɪ] **1.** Mitleid *n* (*on* mit); *it is a* ~ es ist schade; **2.** bemitleiden.
piv·ot [ˈpɪvət] **1.** ⊕ (Dreh)Zapfen *m*; *fig.* Dreh-, Angelpunkt *m*; **2.** sich drehen (*on, upon* um).
piz·za [ˈpiːtsə] Pizza *f*.
pla·ca·ble □ [ˈplækəbl] versöhnlich.
plac·ard [ˈplækɑːd] **1.** Plakat *n*; Transparent *n*; **2.** anschlagen; mit e-m Plakat bekleben.
place [pleɪs] **1.** Platz *m*; Ort *m*; Stelle *f*; Stätte *f*; (Arbeits)Stelle *f*, (An-)Stellung *f*; Wohnsitz *m*, Haus *n*, Wohnung *f*; Wohnort *m*; *soziale* Stellung; ~ *of delivery econ.* Erfüllungsort *m*; *give* ~ *to j-m* Platz machen; *in* ~ *of* an Stelle (*gen.*); *out of* ~ fehl am Platz; **2.** stellen, legen, setzen; *j-n* ein-, anstellen; *Auftrag* erteilen (*with s.o.* j-m); *be* ~*d Sport*: sich placieren; *I can't* ~ *him fig.* ich weiß nicht, wo ich ihn hintun soll (*identifizieren*); ~**-name** [ˈpleɪsneɪm] Ortsname *m*.
plac·id □ [ˈplæsɪd] sanft; ruhig.
pla·gia|rism [ˈpleɪdʒjərɪzəm] Plagiat *n*; ~·**rize** [~raɪz] plagiieren.
plague [pleɪg] **1.** Seuche *f*; Pest *f*; Plage *f*; **2.** plagen, quälen.
plaice *zo.* [pleɪs] Scholle *f*.
plaid [plæd] Plaid *n*.
plain [pleɪn] **1.** □ klar; deutlich; einfach, schlicht; unscheinbar, wenig anziehend; häßlich (*Frau*); offen (u. ehrlich); einfarbig; rein (*Wahrheit, Unsinn etc.*); **2.** *adv.* klar, deutlich; **3.** Ebene *f*, Flachland *n*; *the Great* ˜*s pl. Am.* die Prärien *pl.* (*im Westen der USA*); ~ **choc·olate** (zart)bittere Schokolade; ~**-clothes man** [ˈpleɪnˈkləʊðzmən] (*pl.* -*men*) Polizist *m od.* Kriminalbeamte(r) *m* in Zivil; ~ **deal·ing** Redlichkeit *f*; ~**s·man** (*pl.* -*men*) *Am.* Präriebewohner *m*.
plain|tiff ⚖ [ˈpleɪntɪf] Kläger(in); ~·**tive** □ [~v] traurig, klagend.
plait [plæt, *Am.* pleɪt] **1.** (Haar- *etc.*)Flechte *f*; Zopf *m*; **2.** flechten.
plan [plæn] **1.** Plan *m*; **2.** (-*nn*-) planen; entwerfen; ausarbeiten.
plane [pleɪn] **1.** flach, eben; **2.** Ebene *f*, (ebene) Fläche; ✈ Tragfläche *f*; Flugzeug *n*; ⊕ Hobel *m*; *fig.* Stufe *f*, Niveau *n*; *by* ~ mit dem Flugzeug,

P

auf dem Luftweg; **3.** (ein)ebnen; ⊕ hobeln; ✈ fliegen.
plan·et *ast.* [ˈplænɪt] Planet *m.*
plank [plæŋk] **1.** Planke *f*, Bohle *f*, Diele *f*; *pol.* Programmpunkt *m*; **2.** dielen; verschalen; ~ *down* F *et.* hinknallen; *Geld* auf den Tisch legen, blechen.
plant [plɑːnt] **1.** ⚘ Pflanze *f*; ⊕ Anlage *f*; Fabrik *m*; **2.** (an-, ein)pflanzen (*a. fig.*); bepflanzen; besiedeln; anlegen; (auf)stellen; *Schlag* verpassen; **plan·ta·tion** [plænˈteɪʃn] Pflanzung *f*, Plantage *f*; Besied(e)lung *f*; **~·er** [ˈplɑːntə] Pflanzer *m*; Plantagenbesitzer *m*; ⚒ Pflanzmaschine *f*; Übertopf *m.*
plaque [plɑːk] (Schmuck)Platte *f*; Gedenktafel *f*; ⚕ Zahnbelag *m.*
plash [plæʃ] platschen.
plas·ter [ˈplɑːstə] **1.** ⚕ Pflaster *n*; *arch.* (Ver)Putz *m*; *a.* ~ *of Paris* Gips *m* (*a.* ⚕); Stuck *m*; **2.** verputzen; bekleben; ⚕ ein Pflaster legen auf (*acc.*); ~ **cast** Gipsabdruck *m*, -abguß *m*; ⚕ Gipsverband *m.*
plas·tic [ˈplæstɪk] **1.** (~*ally*) plastisch; Plastik...; **2.** *oft* ~*s sg.* Plastik(material) *n*, Kunststoff *m.*
plate [pleɪt] **1.** Platte *f*; Teller *m*; (Bild)Tafel *f*; Schild *n*; (Kupfer-, Stahl)Stich *m*; (Tafel)Besteck *n*; *Baseball*: Heimbase *n*; ⊕ Grobblech *n*; **2.** plattieren; panzern.
plat·form [ˈplætfɔːm] Plattform *f*; *geol.* Hochebene *f*; 🚂 Bahnsteig *m*; *Brt.* Plattform *f* (*bsd. am Busende*, *Am.* 🚂 *bsd. am Wagenende*); (Redner)Tribüne *f*, Podium *n*; ⊕ Rampe *f*, Bühne *f*; *pol.* Parteiprogramm *n*; *bsd. Am. pol.* Aktionsprogramm *n* (*im Wahlkampf*).
plat·i·num *min.* [ˈplætɪnəm] Platin *n.*
plat·i·tude *fig.* [ˈplætɪtjuːd] Plattheit *f.*
pla·toon ⚔ [pləˈtuːn] Zug *m.*
plat·ter *Am. od. veraltet* [ˈplætə] (Servier)Platte *f.*
plau·dit [ˈplɔːdɪt] Beifall *m.*
plau·si·ble □ [ˈplɔːzəbl] glaubhaft.
play [pleɪ] **1.** Spiel *n*; Schauspiel *n*, (Theater)Stück *n*; ⊕ Spiel *n*; *fig.* Spielraum *m*; **2.** spielen; ⊕ Spiel (-raum) haben; ⊕ sich bewegen (*Kolben etc.*); ~ *back Ball* zurückspielen (*to* zu); *Tonband* abspielen; ~ *off fig.* ausspielen (*against* gegen); ~ *on*, ~ *upon fig. j-s Schwächen* ausnutzen; ~*ed out fig.* erledigt, erschöpft; **~-back** [ˈpleɪbæk] Playback *n*, Wiedergabe *f*, Abspielen *n*; **~·bill** Theaterplakat *n*; *Am.* Programm (-heft) *n*; **~·boy** Playboy *m*; **~·er** [~ə] (Schau)Spieler(in); Plattenspieler *m*; **~·fel·low** Spielgefährt|e *m*, -in *f*; **~·ful** □ [~fl] verspielt; spielerisch, scherzhaft; **~·girl** Playgirl *n*; **~·go·er** [~gəʊə] (*bsd.* häufige[r]) Theaterbesucher(in); **~·ground** Spielplatz *m*; Schulhof *m*; **~·house** *thea.* Schauspielhaus *n*; Spielhaus *n* (*für Kinder*); **~·mate** = *playfellow*; Gespiel|e *m*, -in *f*; **~·thing** Spielzeug *n*; **~·wright** Dramatiker *m.*
plea [pliː] ⚖ Einspruch *m*; Ausrede *f*; Gesuch *n*; *on the* ~ *of od. that* unter dem Vorwand (*gen.*) *od.* daß.
plead [pliːd] (~*ed*, *bsd. schott.*, *Am. pled*) *v/i.* ⚖ plädieren; ~ *for* für *j-n* sprechen; sich einsetzen für; ~ (*not*) *guilty* sich (nicht) schuldig bekennen; *v/t.* sich berufen auf (*acc.*), *et.* vorschützen; *Sache* vertreten; ⚖ (als Beweis) anführen; **~·ing** ⚖ [ˈpliːdɪŋ] Plädoyer *n.*
pleas·ant □ [ˈpleznt] angenehm, erfreulich; freundlich; sympathisch; **~·ry** [~rɪ] Scherz *m*, Spaß *m.*
please [pliːz] (*j-m*) gefallen, angenehm sein; befriedigen; belieben; ~ bitte; (*yes*,) ~ (ja,) bitte; (oh ja,) gerne; ~ *come in!* bitte, treten Sie ein!; ~ *yourself* (ganz) wie Sie wünschen; ~**d** erfreut, zufrieden; *be* ~ *at* erfreut sein über (*acc.*); *be* ~ *to do et.* gerne tun; ~ *to meet you!* angenehm!; *be* ~ *with* befriedigt sein von; Vergnügen haben an (*dat.*).
pleas·ing □ [ˈpliːzɪŋ] angenehm, gefällig.
plea·sure [ˈpleʒə] Vergnügen *n*, Freude *f*; Belieben *n*; *attr.* Vergnügungs...; *at* ~ nach Belieben; **~-boat** Vergnügungs-, Ausflugsdampfer *m*; **~-ground** (Park)Anlage(n *pl.*) *f*; Vergnügungspark *m.*
pleat [pliːt] **1.** (Plissee)Falte *f*; **2.** fälteln, plissieren.
pled [pled] *pret. u. p.p. von plead.*
pledge [pledʒ] **1.** Pfand *n*; Zutrinken *n*, Toast *m*; Versprechen *n*, Gelöbnis *n*; **2.** verpfänden; *j-m* zutrinken; *he* ~*d himself* er gelobte.
ple·na·ry [ˈpliːnərɪ] Voll..., Plenar...
plen·i·po·ten·tia·ry [plenɪpəˈtenʃərɪ] (General)Bevollmächtigte(r *m*) *f.*

plen·ti·ful □ [ˈplentɪfl] reichlich.
plen·ty [ˈplentɪ] **1.** Fülle *f*, Überfluß *m*; ~ *of* reichlich; **2.** F reichlich.
pli·a·ble □ [ˈplaɪəbl] biegsam; *fig.* geschmeidig, nachgiebig.
pli·ers [ˈplaɪəz] *pl.* (*a pair of* ~ e-e) (Draht-, Kombi)Zange.
plight [plaɪt] (schlechter) Zustand, schwierige Lage, Notlage *f*.
plim·soll *Brt.* [ˈplɪmsəl] Turnschuh *m*.
plod [plɒd] (*-dd-*) *a.* ~ *along*, ~ *on* sich dahinschleppen; ~ *away* sich abplagen (*at* mit), schuften.
plop [plɒp] (*-pp-*) plumpsen *od.* (*bsd. ins Wasser*) platschen (lassen).
plot [plɒt] **1.** Stück *n* Land, Parzelle *f*, Grundstück *n*; (geheimer) Plan, Komplott *n*, Anschlag *m*, Intrige *f*; Handlung *f* (*e-s Dramas etc.*); **2.** (*-tt-*) *v/t.* auf-, einzeichnen; planen, anzetteln; *v/i.* sich verschwören (*against* gegen).
plough, *Am.* **plow** [plaʊ] **1.** Pflug *m*; **2.** (um)pflügen; **~·share** [ˈplaʊʃeə] Pflugschar *f*.
pluck [plʌk] **1.** Rupfen *n*, Zupfen *n*, Zerren *n*, Reißen *n*; Zug *m*, Ruck *m*; Innereien *pl.*; *fig.* Mut *m*, Schneid *m*; **2.** pflücken; *Vogel* rupfen (*a. fig.*); zupfen, ziehen, zerren, reißen (*at* an *dat.*); ♪ *Saiten* zupfen; ~ *up courage* Mut fassen; **~·y** F □ [ˈplʌkɪ] (*-ier, -iest*) mutig.
plug [plʌg] **1.** Pflock *m*, Dübel *m*, Stöpsel *m*; ⚡ Stecker *m*; ⚡ F Steckdose *f*; Hydrant *m*; *mot.* (Zünd-) Kerze *f*; (Zahn)Plombe *f*; Priem *m* (*Kautabak*); *Rundfunk*, *TV*: F Empfehlung *f*, Tip *m*, Werbung *f*; **2.** *v/t.* (*-gg-*) *Zahn* plombieren; F *im Rundfunk etc.* (ständig) Reklame machen für; *a.* ~ *up* zu-, verstopfen, zustöpseln; ~ *in* ⚡ *Gerät* einstecken.
plum [plʌm] ⚘ Pflaume(nbaum *m*) *f*; Rosine *f* (*a. fig.*).
plum·age [ˈpluːmɪdʒ] Gefieder *n*.
plumb [plʌm] **1.** lot-, senkrecht; **2.** (Blei)Lot *n*; **3.** *v/t.* lotrecht machen; loten; sondieren (*a. fig.*); Wasser- *od.* Gasleitungen legen in; *v/i.* als Rohrleger arbeiten; **~·er** [ˈplʌmə] Klempner *m*, Installateur *m*; **~·ing** [~ɪŋ] Klempnerarbeit *f*; Rohrleitungen *pl.*; sanitäre Installation.
plume [pluːm] **1.** Feder *f*; Federbusch *m*; **2.** mit Federn schmücken; *das Gefieder* putzen; ~ *o.s. on* sich brüsten mit.
plum·met [ˈplʌmɪt] Senkblei *n*.
plump [plʌmp] **1.** *adj.* drall, prall, mollig; □ F glatt (*Absage etc.*); ⚠ *nicht plump*; **2.** *a.* ~ *down* (hin-) plumpsen (lassen); **3.** Plumps *m*; **4.** *adv.* F unverblümt, geradeheraus.
plum pud·ding [ˈplʌmˈpʊdɪŋ] Plumpudding *m*.
plun·der [ˈplʌndə] **1.** Plünderung *f*; Raub *m*, Beute *f*; ⚠ *nicht Plunder*; **2.** plündern.
plunge [plʌndʒ] **1.** (Ein-, Unter-) Tauchen *n*; (Kopf)Sprung *m*; Sturz *m*; *take the* ~ *fig.* den entscheidenden Schritt wagen; **2.** (ein-, unter-) tauchen; (sich) stürzen (*into* in *acc.*); *e-e Waffe ins Herz etc.* stoßen; ⚓ stampfen (*Schiff*).
plu·per·fect *gr.* [ˈpluːˈpɜːfɪkt] *a.* ~ *tense* Plusquamperfekt *n*, Vorvergangenheit *f*.
plu·ral *gr.* [ˈplʊərəl] Plural *m*, Mehrzahl *f*; **~·i·ty** [plʊəˈrælətɪ] Mehrheit *f*, Mehrzahl *f*; Vielzahl *f*.
plus [plʌs] **1.** *prp.* plus; **2.** *adj.* positiv; Plus...; **3.** Plus *n*; Mehr *n*.
plush [plʌʃ] Plüsch *m*.
ply [plaɪ] **1.** Lage *f*, Schicht *f* (*Stoff, Sperrholz etc.*); Strähne *f* (*Garn etc.*); *fig.* Neigung *f*; *three-*~ dreifach (*Garn etc.*); dreifach gewebt (*Teppich*); **2.** *v/t.* handhaben, umgehen mit; *fig. j-m* zusetzen, *j-n* überhäufen (*with* mit); *v/i. regelmäßig* fahren (*between* zwischen); **~·wood** [ˈplaɪwʊd] Sperrholz *n*.
pneu·mat·ic [njuːˈmætɪk] (*~ally*) Luft...; pneumatisch; ~ (*tyre*) ⊕ Luftreifen *m*.
pneu·mo·ni·a ⚕ [njuːˈməʊnjə] Lungenentzündung *f*.
poach[1] [pəʊtʃ] wildern.
poach[2] [~] pochieren; *~ed eggs pl.* verlorene Eier *pl*.
poach·er [ˈpəʊtʃə] Wilddieb *m*, Wilderer *m*.
pock ⚕ [pɒk] Pocke *f*, Blatter *f*.
pock·et [ˈpɒkɪt] **1.** (Hosen- *etc.*)Tasche *f*; ✈ = *air pocket*; **2.** einstecken (*a. fig.*); *Am. pol. Gesetzesvorlage* nicht unterschreiben; *Gefühl* unterdrücken; **3.** Taschen...; **~-book** Notizbuch *n*; Brieftasche *f*; *Am.* Geldbeutel *m*; *Am.* Handtasche *f*; Taschenbuch *n*; ~ **cal·cu·la·tor**

P

Taschenrechner *m*; **~-knife** (*pl.* *-knives*) Taschenmesser *n*.

pod ⚘ [pɒd] Hülse *f*, Schale *f*, Schote *f*.

po·em [ˈpəʊɪm] Gedicht *n*.

po·et [ˈpəʊɪt] Dichter *m*; **~ess** [~ɪs] Dichterin *f*; **~ic** [pəʊˈetɪk] (*~ally*), **~i·cal** □ [~kl] dichterisch; **~ics** [~ks] *sg.* Poetik *f*; **~ry** [ˈpəʊɪtrɪ] Dichtkunst *f*; Dichtung *f*; *coll.* Dichtungen *pl.*, Gedichte *pl.*

poi·gnan|cy [ˈpɔɪnənsɪ] Schärfe *f*; **~t** [~t] scharf; *fig.* bitter; *fig.* ergreifend.

point [pɔɪnt] **1.** Spitze *f*; *geogr.* Landspitze *f*; *gr.*, ✗, *phys. etc.* Punkt *m*; ✗ (Dezimal)Punkt *m*, Komma *n*; *phys.* Grad *m* (*e-r Skala*); ⚓ Kompaßstrich *m*; Auge *n* (*auf Spielkarten etc.*); Punkt *m*, Stelle *f*, Ort *m*; springender Punkt; Zweck *m*, Ziel *n*; Pointe *f*; *fig.* hervorstechende Eigenschaft; *~s pl. Brt.* 🚂 Weiche *f*; *~ of view* Stand-, Gesichtspunkt *m*; *the ~ is that* ... die Sache ist die, daß ...; *make a ~ of s.th.* auf e-r Sache bestehen; *there is no ~ in doing* es hat keinen Zweck, zu tun; *in ~ of* hinsichtlich (*gen.*); *to the ~* zur Sache (gehörig); *off od. beside the ~* nicht zur Sache (gehörig); *on the ~ of ger.* im Begriff zu *inf.*; *beat s.o. on ~s* j-n nach Punkten schlagen; *win od. lose on ~s* nach Punkten gewinnen *od.* verlieren; *winner on ~s* Punktsieger *m*; **2.** *v/t.* (zu)spitzen; *~ at Waffe etc.* richten auf (*acc.*); (*mit dem Finger*) zeigen auf (*acc.*); *~ out* zeigen; *fig.* hinweisen auf (*acc.*); *v/i. ~ at* deuten, weisen auf (*acc.*); *~ to* nach *e-r Richtung* weisen; hinweisen auf (*acc.*); **~ed** □ [ˈpɔɪntɪd] spitz(ig); Spitz...; *fig.* scharf; **~er** [~ə] Zeiger *m*; Zeigestock *m*; *zo.* Vorstehhund *m*; **~less** [~lɪs] stumpf; witzlos; zwecklos.

poise [pɔɪz] **1.** Gleichgewicht *n*; (Körper-, Kopf)Haltung *f*; **2.** *v/t.* im Gleichgewicht halten; *Kopf etc.* tragen, halten; *v/i.* schweben.

poi·son [ˈpɔɪzn] **1.** Gift *n*; **2.** vergiften; **~ous** □ [~əs] giftig (*a. fig.*).

poke [pəʊk] **1.** Stoß *m*, Puff *m*; F Faustschlag *m*; **2.** *v/t.* stoßen, puffen; *Feuer* schüren; *~ fun at* sich über *j-n* lustig machen; *~ one's nose into everything* F s-e Nase überall hineinstecken; *v/i.* stoßen; stochern.

pok·er [ˈpəʊkə] Feuerhaken *m*.

pok·y [ˈpəʊkɪ] (*-ier*, *-iest*) eng; schäbig.

po·lar [ˈpəʊlə] polar; *~ bear zo.* Eisbär *m*.

Pole[1] [pəʊl] Pole *m*, Polin *f*.

pole[2] [~] Pol *m*; Stange *f*; Mast *m*; Deichsel *f*; *Sport*: (Sprung)Stab *m*.

pole·cat *zo.* [ˈpəʊlkæt] Iltis *m*; *Am.* Skunk *m*, Stinktier *n*.

po·lem|ic [pəˈlemɪk], *a.* **~i·cal** □ [~kl] polemisch.

pole-star [ˈpəʊlstɑː] *ast.* Polarstern *m*; *fig.* Leitstern *m*.

pole-vault [ˈpəʊlvɔːlt] **1.** Stabhochsprung *m*; **2.** stabhochspringen; **~er** [~ə] Stabhochspringer *m*; **~ing** [~ɪŋ] Stabhochspringen *n*, -sprung *m*.

po·lice [pəˈliːs] **1.** Polizei *f*; ⚠ *nicht Police*; **2.** überwachen; **~man** (*pl.* *-men*) Polizist *m*; **~-of·fi·cer** Polizeibeamte(r) *m*, Polizist *m*; **~ sta·tion** Polizeiwache *f*, -revier *n*; **~wom·an** (*pl. -women*) Polizistin *f*.

pol·i·cy [ˈpɒləsɪ] Politik *f*; Taktik *f*; Klugheit *f*; (Versicherungs)Police *f*; *Am.* Zahlenlotto *n*.

po·li·o ⚕ [ˈpəʊlɪəʊ] Polio *f*, Kinderlähmung *f*.

Pol·ish[1] [ˈpəʊlɪʃ] **1.** polnisch; **2.** *ling.* Polnisch *n*.

pol·ish[2] [ˈpɒlɪʃ] **1.** Politur *f*; Schuhcreme *f*; *fig.* Schliff *m*; **2.** polieren; *Schuhe* putzen; *fig.* verfeinern.

po·lite □ [pəˈlaɪt] (*~r*, *~st*) artig, höflich; **~ness** [~nɪs] Höflichkeit *f*.

pol·i|tic □ [ˈpɒlɪtɪk] diplomatisch; klug; **po·lit·i·cal** □ [pəˈlɪtɪkl] politisch; staatlich, Staats...; **~ti·cian** [pɒlɪˈtɪʃn] Politiker *m*; **~tics** [ˈpɒlɪtɪks] *oft sg.* Politik *f*.

pol·ka [ˈpɒlkə] Polka *f*; **~ dot** Punktmuster *n* (*auf Stoff*).

poll [pəʊl] **1.** Wählerliste *f*; Stimmenzählung *f*; Wahl *f*; Stimmenzahl *f*; (Ergebnis *n* e-r) (Meinungs)Umfrage *f*; **2.** *v/t. Wahlstimmen* erhalten; *v/i.* wählen.

pol·len ⚘ [ˈpɒlən] Blütenstaub *m*.

poll·ing [ˈpəʊlɪŋ] Wählen *n*, Wahl *f*; *~ booth* Wahlkabine *f*, -zelle *f*; *~ district* Wahlbezirk *m*; *~ place Am.*, *~ station bsd. Brt.* Wahllokal *n*.

poll-tax [ˈpəʊltæks] Kopfsteuer *f*.

pol|lut·ant [pəˈluːtənt] Schadstoff *m*; **~lute** [~t] be-, verschmutzen; verunreinigen; *eccl.* entweihen; **~lu·tion** [~ʃn] Verunreinigung *f*; (Luft-, Wasser-, Umwelt)Verschmutzung *f*.

P

po·lo [ˈpəʊləʊ] *Sport*: Polo *n*; **~-neck** Rollkragen(pullover) *m*.

pol|yp *zo.*, ⚕ [ˈpɒlɪp], **~·y·pus** ⚕ [~əs] (*pl.* *-pi* [-paɪ], *-puses*) Polyp *m*.

pom·mel [ˈpʌml] **1.** (Degen-, Sattel)Knopf *m*; **2.** (*bsd. Brt.* *-ll-*, *Am.* *-l-*) = *pummel*.

pomp [pɒmp] Pomp *m*, Prunk *m*.

pom·pous □ [ˈpɒmpəs] pompös, prunkvoll; aufgeblasen; schwülstig.

pond [pɒnd] Teich *m*, Weiher *m*.

pon·der [ˈpɒndə] *v/t.* erwägen; *v/i.* nachdenken; **~·a·ble** [~rəbl] wägbar; **~·ous** □ [~rəs] schwer(fällig).

pon·tiff [ˈpɒntɪf] Hohepriester *m*; Papst *m*.

pon·toon [pɒnˈtuːn] Ponton *m*; **~-bridge** Pontonbrücke *f*.

po·ny *zo.* [ˈpəʊnɪ] Pony *n*, kleines Pferd; *Am.* Mustang *m*, (halb)wildes Pferd.

poo·dle *zo.* [ˈpuːdl] Pudel *m*.

pool [puːl] **1.** Teich *m*; Pfütze *f*, Lache *f*; (Schwimm)Becken *n*; Pool *m*; *Karten*: Gesamteinsatz *m*; *econ.* Ring *m*, Kartell *n*; *mst* *~s pl.* (Fußball- *etc.*)Toto *n*, *m*; *~room* *Am.* Billardspielhalle *f*; Wettannahmestelle *f*; **2.** *econ.* ein Kartell bilden; *Geld*, *Unternehmen etc.* zusammenlegen.

poop ⚓ [puːp] Heck *n*; *a.* *~ deck* (erhöhtes) Achterdeck.

poor □ [pʊə] arm(selig); dürftig; schlecht; **~·ly** [ˈpʊəlɪ] **1.** *adj.* kränklich, unpäßlich; **2.** *adv.* arm(selig), dürftig; **~·ness** [~nɪs] Armut *f*.

pop¹ [pɒp] **1.** Knall *m*; F Limo *f* (*Limonade*); **2.** (*-pp-*) *v/t.* knallen lassen; *Am.* *Mais* rösten; schnell *wohin* tun *od.* stecken; *v/i.* knallen; *mit adv.* huschen; *~ in* hereinplatzen (*Besuch*).

pop² [~] **1.** *a.* *~ music* Schlagermusik *f*; Pop(musik *f*) *m*; **2.** volkstümlich, beliebt; Schlager...; Pop...; *~ concert* Popkonzert *n*; *~ singer* Schlagersänger(in); *~ song* Schlager *m*.

pop³ *Am.* F [~] Paps *m*, Papa *m*; Opa *m* (*alter Herr*).

pop·corn [ˈpɒpkɔːn] Popcorn *n*, Puffmais *m*.

pope [pəʊp] *mst* ♀ Papst *m*.

pop-eyed F [ˈpɒpaɪd] glotzäugig.

pop·lar ⚘ [ˈpɒplə] Pappel *f*.

pop·py ⚘ [ˈpɒpɪ] Mohn *m*; **~·cock** F Quatsch *m*, dummes Zeug.

pop·u|lace [ˈpɒpjʊləs] *die* breite Masse, *das* Volk; *contp.* Pöbel *m*; **~·lar** □ [~ə] Volks...; volkstümlich, populär, beliebt; **~·lar·i·ty** [pɒpjʊˈlærətɪ] Popularität *f*, Beliebtheit *f*.

pop·u|late [ˈpɒpjʊleɪt] bevölkern, besiedeln; *mst pass.* bewohnen; **~·la·tion** [pɒpjʊˈleɪʃn] Bevölkerung *f*; **~·lous** □ [ˈpɒpjʊləs] dichtbesiedelt, -bevölkert.

porce·lain [ˈpɔːslɪn] Porzellan *n*.

porch [pɔːtʃ] Vorhalle *f*, Portal *n*, Vorbau *m*; *Am.* Veranda *f*.

por·cu·pine *zo.* [ˈpɔːkjʊpaɪn] Stachelschwein *n*.

pore [pɔː] **1.** Pore *f*; **2.** *~ over et.* eifrig studieren.

pork [pɔːk] Schweinefleisch *n*; **~·y** F [ˈpɔːkɪ] **1.** (*-ier*, *-iest*) fett; dick; **2.** *Am.* = *porcupine*.

porn F [pɔːn] = *porno*.

por|no F [ˈpɔːnəʊ] **1.** (*pl.* *-nos*) Porno (-film) *m*; **2.** Porno...; **~·nog·ra·phy** [pɔːˈnɒgrəfɪ] Pornographie *f*.

po·rous □ [ˈpɔːrəs] porös.

por·poise *zo.* [ˈpɔːpəs] Tümmler *m*.

por·ridge [ˈpɒrɪdʒ] Haferbrei *m*.

port¹ [pɔːt] Hafen(stadt *f*) *m*.

port² [~] ⚓ (Lade)Luke *f*; ⚓, ✈ Bullauge *n*.

port³ ⚓, ✈ [~] Backbord *n*.

port⁴ [~] Portwein *m*.

por·ta·ble [ˈpɔːtəbl] tragbar.

por·tal [ˈpɔːtl] Portal *n*, Tor *n*.

por|tent [ˈpɔːtent] (Vor)Zeichen *n*, Omen *n*; Wunder *n*; **~·ten·tous** □ [pɔːˈtentəs] unheilvoll; wunderbar.

por·ter [ˈpɔːtə] (Gepäck)Träger *m*; *bsd. Brt.* Pförtner *m*, Portier *m*; *Am.* 🚂 Schlafwagenschaffner *m*; Porter (-bier *n*) *m*, *n*.

port·hole ⚓, ✈ [ˈpɔːthəʊl] Bullauge *n*.

por·tion [ˈpɔːʃn] **1.** (An)Teil *m*; Portion *f* (*Essen*); Erbteil *n*; Aussteuer *f*; *fig.* Los *n*; **2.** *~ out* aus-, verteilen (*among* unter *acc.*).

port·ly [ˈpɔːtlɪ] (*-ier*, *-iest*) korpulent.

por·trait [ˈpɔːtrɪt] Porträt *n*, Bild *n*.

por·tray [pɔːˈtreɪ] (ab)malen, porträtieren; schildern; **~·al** [~əl] Porträtieren *n*; Schilderung *f*.

pose [pəʊz] **1.** Pose *f*; Haltung *f*; **2.** aufstellen; *Problem*, *Frage* stellen, aufwerfen; posieren; Modell sitzen *od.* stehen; *~ as* sich ausgeben als *od.* für.

posh F [pɒʃ] schick, piekfein.
po·si·tion [pəˈzɪʃn] Position *f*, Lage *f*, Stellung *f* (*a. fig.*); Stand *m*; *fig.* Standpunkt *m*.
pos·i·tive [ˈpɒzətɪv] **1.** □ bestimmt, ausdrücklich; feststehend, sicher; unbedingt; positiv; bejahend; überzeugt; rechthaberisch; **2.** *phot.* Positiv *n*.
pos|sess [pəˈzes] besitzen, haben; beherrschen; *fig.* erfüllen; ~ *o.s. of et.* in Besitz nehmen; **~·sessed** besessen; **~·ses·sion** [~ʃn] Besitz *m*; *fig.* Besessenheit *f*; **~·ses·sive** *gr.* [~sɪv] **1.** □ possessiv, besitzanzeigend; ~ *case* Genitiv *m*; **2.** Possessivpronomen *n*, besitzanzeigendes Fürwort; Genitiv *m*; **~·ses·sor** [~sə] Besitzer(in).
pos·si|bil·i·ty [pɒsəˈbɪlətɪ] Möglichkeit *f*; **~·ble** [ˈpɒsəbl] möglich; **~·bly** [~lɪ] möglicherweise, vielleicht; *if I ~ can* wenn ich irgend kann.
post [pəʊst] **1.** Pfosten *m*; Posten *m*; Stelle *f*, Amt *n*; *bsd. Brt.* Post *f*; ~ *exchange Am.* Einkaufsstelle *f*; **2.** *Plakat etc.* anschlagen; aufstellen, postieren; eintragen; *bsd. Brt. Brief etc.* einstecken, abschicken, aufgeben; ~ *up j-n* informieren.
post- [pəʊst] nach..., Nach...
post·age [ˈpəʊstɪdʒ] Porto *n*; ~ **stamp** Briefmarke *f*.
post·al □ [ˈpəʊstl] **1.** postalisch, Post...; ~ *order Brt.* Postanweisung *f*; **2.** *a.* ~ **card** *Am.* Postkarte *f*.
post|-bag *bsd. Brt.* [ˈpəʊstbæg] Postsack *m*, -beutel *m*; **~-box** *bsd. Brt.* Briefkasten *m*; **~·card** Postkarte *f*; *a. picture* ~ Ansichtskarte *f*; **~·code** *Brt.* Postleitzahl *f*.
post·er [ˈpəʊstə] Plakat *n*; Poster *n*, *m*.
pos·te·ri·or [pɒˈstɪərɪə] **1.** □ später (*to* als); hinter; **2.** *oft* ~*s pl.* Hinterteil *n*.
pos·ter·i·ty [pɒˈsterətɪ] Nachwelt *f*; Nachkommen(schaft *f*) *pl*.
post-free *bsd. Brt.* [ˈpəʊstˈfriː] portofrei.
post-grad·u·ate [ˈpəʊstˈgrædjʊət] **1.** nach dem ersten akademischen Grad; **2.** j., der nach dem ersten akademischen Grad weiterstudiert.
post-haste [ˈpəʊstˈheɪst] schnellstens.
post·hu·mous □ [ˈpɒstjʊməs] nachgeboren; post(h)um.
post|man *bsd. Brt.* [ˈpəʊstmən] (*pl. -men*) Briefträger *m*; **~·mark 1.** Poststempel *m*; **2.** (ab)stempeln; **~·mas·ter** Postamtsvorsteher *m*; **~ of·fice** Post(amt *n*) *f*; **~-of·fice box** Post(schließ)fach *n*; **~-paid** portofrei.
post·pone [pəʊstˈpəʊn] ver-, aufschieben; **~·ment** [~mənt] Verschiebung *f*, Aufschub *m*.
post·script [ˈpəʊsskrɪpt] Postskriptum *n*.
pos·ture [ˈpɒstʃə] **1.** (Körper)Haltung *f*, Stellung *f*; **2.** posieren, sich in Positur werfen.
post-war [ˈpəʊstˈwɔː] Nachkriegs...
po·sy [ˈpəʊzɪ] Sträußchen *n*.
pot [pɒt] **1.** Topf *m*; Kanne *f*; Tiegel *m*; F *Sport*: Pokal *m*; *sl.* Hasch *n* (*Haschisch*); *sl.* Grass *n* (*Marihuana*); **2.** (-*tt*-) in e-n Topf tun; einlegen.
po·ta·to [pəˈteɪtəʊ] (*pl. -toes*) Kartoffel *f*; *s. chip 1, crisp 3.*
pot-bel·ly [ˈpɒtbelɪ] Schmerbauch *m*.
po·ten|cy [ˈpəʊtənsɪ] Macht *f*; Stärke *f*; *physiol.* Potenz *f*; **~t** [~t] mächtig; stark; *physiol.* potent; **~·tial** [pəˈtenʃl] **1.** potentiell; möglich; **2.** Potential *n*; Leistungsfähigkeit *f*.
poth·er [ˈpɒðə] Aufregung *f*.
pot-herb [ˈpɒthɜːb] Küchenkraut *n*.
po·tion [ˈpəʊʃn] (Arznei-, Gift-, Zauber)Trank *m*.
pot·ter[1] [ˈpɒtə]: ~ *about* herumwerkeln.
pot·ter[2] [~] Töpfer(in); **~·y** [~rɪ] Töpferei *f*; Töpferware(n *pl.*) *f*.
pouch [paʊtʃ] Tasche *f*; Beutel *m* (*a. zo.*); *anat.* Tränensack *m*.
poul·ter·er [ˈpəʊltərə] Geflügelhändler *m*.
poul·tice ⚕ [ˈpəʊltɪs] Packung *f*.
poul·try [ˈpəʊltrɪ] Geflügel *n*.
pounce [paʊns] **1.** Satz *m*, Sprung *m*; Herabstoßen *n* (*e-s Raubvogels*); **2.** sich stürzen, *Raubvogel*: herabstoßen (*on, upon* auf *acc.*).
pound[1] [paʊnd] Pfund *n* (*Gewicht*); ~ (*sterling*) Pfund *n* (Sterling) (*abbr.* £ = *100 pence*).
pound[2] [~] Tierheim *n*; Abstellplatz *m* (für polizeilich abgeschleppte Fahrzeuge).
pound[3] [~] (zer)stoßen; stampfen; hämmern, trommeln, schlagen.
-pound·er [ˈpaʊndə] ...pfünder *m*.
pour [pɔː] *v/t.* gießen, schütten; ~ *out*

P

Getränk eingießen; *v/i.* strömen, rinnen.
pout [paʊt] **1.** Schmollen *n*; **2.** *v/t. Lippen* aufwerfen; *v/i.* schmollen.
pov·er·ty [ˈpɒvətɪ] Armut *f*; Mangel *m*.
pow·der [ˈpaʊdə] **1.** Pulver *n*; Puder *m*; **2.** pulverisieren; (sich) pudern; bestreuen; **~-box** Puderdose *f*; **~-room** Damentoilette *f*.
pow·er [ˈpaʊə] **1.** Kraft *f*; Macht *f*; Gewalt *f*; ⚖ Vollmacht *f*; ⅍ Potenz *f*; *in* ~ an der Macht, im Amt; **2.** ⊕ antreiben; *rocket-~ed* raketengetrieben; **~-cur·rent** ⚡ Starkstrom *m*; ~ **cut** ⚡ Stromsperre *f*; Strom-, Netzausfall *m*; **~·ful** □ [~fl] mächtig; kräftig; wirksam; **~·less** □ [~lɪs] macht-, kraftlos; **~-plant** = *power-station*; ~ **pol·i·tics** *oft sg.* Machtpolitik *f*; **~-sta·tion** Elektrizitäts-, Kraftwerk *n*.
pow·wow *Am.* F [ˈpaʊwaʊ] Versammlung *f*.
prac·ti|ca·ble □ [ˈpræktɪkəbl] durchführbar; begeh-, befahrbar (*Weg*); brauchbar; **~·cal** □ [~l] praktisch; tatsächlich; sachlich; ~ *joke* Streich *m*; **~·cal·ly** [~lɪ] so gut wie.
prac·tice, *Am. a.* **-tise** [ˈpræktɪs] **1.** Praxis *f*; Übung *f*; Gewohnheit *f*; Brauch *m*; Praktik *f*; *it is common* ~ es ist allgemein üblich; *put into* ~ in die Praxis umsetzen; **2.** *Am.* = *practise*.
prac·tise, *Am. a.* **-tice** [~] *v/t.* in die Praxis umsetzen; ausüben; betreiben; üben; *v/i.* (sich) üben; praktizieren; ~ *on*, ~ *upon j-s Schwäche* ausnutzen; **~d** geübt (*in* in *dat.*) (*Person*).
prac·ti·tion·er [prækˈtɪʃnə]: *general* ~ praktischer Arzt; *legal* ~ Rechtsanwalt *m*.
prai·rie [ˈpreərɪ] Grasebene *f*; Prärie *f* (*in Nordamerika*); ~ **schoo·ner** *Am.* Planwagen *m*.
praise [preɪz] **1.** Lob *n*; **2.** loben, preisen; **~·wor·thy** [ˈpreɪzwɜːðɪ] lobenswert.
pram *bsd. Brt.* F [præm] Kinderwagen *m*.
prance [prɑːns] sich bäumen, steigen; tänzeln (*Pferd*); (einher)stolzieren.
prank [præŋk] Streich *m*.
prate [preɪt] **1.** Gefasel *n*, Geschwafel *n*; **2.** faseln, schwafeln.
prat·tle [ˈprætl] **1.** Geplapper *n*; **2.** (*et.* daher)plappern.
prawn *zo.* [prɔːn] Garnele *f*.
pray [preɪ] beten; inständig (er)bitten; bitte!
prayer [preə] Gebet *n*; inständige Bitte; *oft* ~*s pl.* Andacht *f*; *the Lord's* ♀ das Vaterunser; **~-book** [ˈpreəbʊk] Gebetbuch *n*.
pre- [priː; prɪ] *zeitlich*: vor, vorher, früher als; *räumlich*: vor, davor.
preach [priːtʃ] predigen; **~·er** [ˈpriːtʃə] Prediger(in).
pre·am·ble [priːˈæmbl] Einleitung *f*.
pre·car·i·ous □ [prɪˈkeərɪəs] unsicher, bedenklich; gefährlich.
pre·cau·tion [prɪˈkɔːʃn] Vorkehrung *f*, Vorsicht(smaßregel, -smaßnahme) *f*; **~·a·ry** [~ʃnərɪ] vorbeugend.
pre|cede [priːˈsiːd] voraus-, vorangehen (*dat.*); **~·ce·dence, ~·ce·den·cy** [~əns, ~sɪ] Vorrang *m*; **~·ce·dent** [ˈpresɪdənt] Präzedenzfall *m*.
pre·cept [ˈpriːsept] Grundsatz *m*.
pre·cinct [ˈpriːsɪŋkt] Bezirk *m*; *Am.* Wahlbezirk *m*, -kreis *m*; *Am.* (Polizei)Revier *n*; ~*s pl.* Umgebung *f*; Bereich *m*; Grenzen *pl.*; *pedestrian* ~ Fußgängerzone *f*.
pre·cious [ˈpreʃəs] **1.** □ kostbar; edel (*Steine etc.*); F schön, nett, fein; **2.** *adv.* F reichlich, herzlich.
pre·ci·pice [ˈpresɪpɪs] Abgrund *m*.
pre·cip·i|tate **1.** [prɪˈsɪpɪteɪt] *v/t.* (hinab)stürzen; ⚗ (aus)fällen; *fig.* beschleunigen; *v/i.* ⚗, *meteor.* sich niederschlagen; **2.** □ [~tət] überstürzt, hastig; **3.** ⚗ [~] Niederschlag *m*; **~·ta·tion** [prɪsɪpɪˈteɪʃn] Sturz *m*; ⚗ Niederschlagen *n*; *meteor.* Niederschlag *m*; *fig.* Überstürzung *f*, Hast *f*; **~·tous** □ [prɪˈsɪpɪtəs] steil (abfallend), jäh.
pré·cis [ˈpreɪsiː] (*pl.* *-cis* [-siːz]) (gedrängte) Übersicht, Zusammenfassung *f*.
pre|cise □ [prɪˈsaɪs] genau; **~·ci·sion** [~ˈsɪʒn] Genauigkeit *f*; Präzision *f*.
pre·clude [prɪˈkluːd] ausschließen; *e-r Sache* vorbeugen; *j-n* hindern.
pre·co·cious □ [prɪˈkəʊʃəs] frühreif; altklug.
pre·con|ceived [ˈpriːkənˈsiːvd] vorgefaßt (*Meinung*); **~·cep·tion** [~ˈsepʃn] vorgefaßte Meinung.
pre·cur·sor [priːˈkɜːsə] Vorläufer(in).
pred·a·to·ry [ˈpredətərɪ] Raub...

P

pre·de·ces·sor ['pri:dɪsesə] Vorgänger(in).
pre·des|ti·nate [pri:'destɪneɪt] vorherbestimmen; **~·tined** auserwählt, vorherbestimmt.
pre·de·ter·mine ['pri:dɪ'tɜ:mɪn] vorher festsetzen; vorherbestimmen.
pre·dic·a·ment [prɪ'dɪkəmənt] mißliche Lage, Zwangslage *f.*
pred·i·cate 1. ['predɪkeɪt] behaupten; gründen, basieren (*on* auf *dat.*); **2.** *gr.* [~kət] Prädikat *n*, Satzaussage *f.*
pre|dict [prɪ'dɪkt] vorhersagen; **~·dic·tion** [~kʃn] Prophezeiung *f.*
pre·di·lec·tion [pri:dɪ'lekʃn] Vorliebe *f.*
pre·dis|pose ['pri:dɪ'spəʊz] *j-n* (im voraus) geneigt *od.* empfänglich machen (*to* für); **~·po·si·tion** [~pə'zɪʃn]: ~ *to* Neigung *f* zu; *bsd.* ⚕ Anfälligkeit *f* für.
pre·dom·i|nance [prɪ'dɒmɪnəns] Vorherrschaft *f*; Vormacht(stellung) *f*; *fig.* Übergewicht *n*; **~·nant** □ [~t] vorherrschend; **~·nate** [~eɪt] die Oberhand haben; vorherrschen.
pre-em·i·nent □ [pri:'emɪnənt] hervorragend.
pre-emp|tion [pri:'empʃn] Vorkauf(srecht *n*) *m*; **~·tive** [~tɪv] Vorkaufs...; ⚔ Präventiv...
pre-ex·ist ['pri:ɪg'zɪst] vorher dasein.
pre·fab F ['pri:fæb] Fertighaus *n.*
pre·fab·ri·cate ['pri:'fæbrɪkeɪt] vorfabrizieren.
pref·ace ['prefɪs] **1.** Vorrede *f*, Vorwort *n*, Einleitung *f*; **2.** einleiten.
pre·fect ['pri:fekt] Präfekt *m*; *Schule*: *Brt.* Aufsichts-, Vertrauensschüler(in).
pre·fer [prɪ'fɜ:] (*-rr-*) vorziehen, bevorzugen, lieber haben *od.* mögen *od.* tun; ⚖ *Klage* einreichen; befördern.
pref·e|ra·ble □ ['prefərəbl] (*to*) vorzuziehen(d) (*dat.*), besser (als); **~·ra·bly** [~lɪ] vorzugsweise, besser; **~·rence** [~əns] Vorliebe *f*; Vorzug *m*; **~·ren·tial** □ [prefə'renʃl] bevorzugt; Vorzugs...
pre·fer·ment [prɪ'fɜ:mənt] Beförderung *f.*
pre·fix ['pri:fɪks] Präfix *n*, Vorsilbe *f.*
preg·nan|cy ['pregnənsɪ] Schwangerschaft *f*; Trächtigkeit *f* (*Tier*); *fig.* Bedeutung(sgehalt *m*) *f*, Tragweite *f*; **~t** □ [~t] schwanger; trächtig (*Tier*); *fig.* ideenreich; *fig.* bedeutungsvoll; ⚠ *nicht prägnant.*
pre·judge ['pri:'dʒʌdʒ] im voraus *od.* vorschnell be- *od.* verurteilen.
prej·u|dice ['predʒʊdɪs] **1.** Voreingenommenheit *f*, Vorurteil *n*; Nachteil *m*, Schaden *m*; **2.** *j-n* (günstig *od.* ungünstig) beeinflussen, einnehmen (*in favour of* für; *against* gegen), benachteiligen; *e-r Sache* Abbruch tun; ~*d* (vor)eingenommen; **~·di·cial** □ [predʒʊ'dɪʃl] nachteilig.
pre·lim·i·na·ry [prɪ'lɪmɪnərɪ] **1.** □ vorläufig; einleitend; Vor...; **2.** Einleitung *f*; Vorbereitung *f.*
prel·ude ['prelju:d] Vorspiel *n.*
pre·ma·ture □ [premə'tjʊə] vorzeitig, verfrüht; *fig.* vorschnell.
pre·med·i|tate [pri:'medɪteɪt] vorher überlegen; ~*d* vorsätzlich; **~·ta·tion** [pri:medɪ'teɪʃn] Vorbedacht *m.*
prem·i·er ['premjə] **1.** erste(r, -s); **2.** Premierminister *m.*
prem·is·es ['premɪsɪz] *pl.* Grundstück *n*, Gebäude *n od. pl.*, Anwesen *n*; Lokal *n.*
pre·mi·um ['pri:mjəm] Prämie *f*; *econ.* Agio *n*; Versicherungsprämie *f*; *at a* ~ über pari; *fig.* sehr gefragt.
pre·mo·ni·tion [pri:mə'nɪʃn] (Vor-)Warnung *f*; (Vor)Ahnung *f.*
pre·oc·cu|pied [pri:'ɒkjʊpaɪd] gedankenverloren; **~·py** [~aɪ] ausschließlich beschäftigen; *j-n* (völlig) in Anspruch nehmen.
prep F [prep] = *preparation*, *preparatory school.*
prep·a·ra·tion [prepə'reɪʃn] Vorbereitung *f*; Zubereitung *f*; **pre·par·a·to·ry** □ [prɪ'pærətərɪ] vorbereitend; ~ (*school*) Vor(bereitungs)schule *f.*
pre·pare [prɪ'peə] *v/t.* vorbereiten; zurechtmachen; (zu)bereiten; (aus-)rüsten; *v/i.* sich vorbereiten, sich anschicken; **~d** □ bereit.
pre·pay ['pri:'peɪ] (*-paid*) vorausbezahlen; frankieren.
pre·pon·de|rance [prɪ'pɒndərəns] Übergewicht *n*; **~·rant** [~t] überwiegend; **~·rate** [~reɪt] überwiegen.
prep·o·si·tion *gr.* [prepə'zɪʃn] Präposition *f*, Verhältniswort *n.*
pre·pos·sess [pri:pə'zes] einnehmen; **~·ing** □ [~ɪŋ] einnehmend, anziehend.

pre·pos·ter·ous [prɪˈpɒstərəs] absurd; lächerlich, grotesk.

pre·req·ui·site [ˈpriːˈrekwɪzɪt] Vorbedingung *f*, (Grund)Voraussetzung *f*.

pre·rog·a·tive [prɪˈrɒgətɪv] Vorrecht *n*.

pres·age [ˈpresɪdʒ] **1.** (böses) Vorzeichen; (Vor)Ahnung *f*; **2.** (vorher) ankündigen; prophezeien.

pre·scribe [prɪˈskraɪb] vorschreiben; ⚕ verschreiben.

pre·scrip·tion [prɪˈskrɪpʃn] Vorschrift *f*, Verordnung *f*; ⚕ Rezept *n*.

pres·ence [ˈprezns] Gegenwart *f*, Anwesenheit *f*; ~ *of mind* Geistesgegenwart *f*.

pres·ent[1] [ˈpreznt] **1.** □ gegenwärtig; anwesend, vorhanden; jetzig; laufend (*Jahr etc.*); vorliegend (*Fall etc.*); ~ *tense gr*. Präsens *n*, Gegenwart *f*; **2.** Gegenwart *f*, *gr. a.* Präsens *n*; Geschenk *n*; *at* ~ jetzt; *for the* ~ vorläufig.

pre·sent[2] [prɪˈzent] (dar)bieten; *thea.*, *Film*: bringen, zeigen; *Rundfunk*, *TV*: bringen, moderieren; vorlegen, (-)zeigen; *j-n* vorstellen; (über)reichen; (be)schenken.

pre·sen·ta·tion [prezənˈteɪʃn] Schenkung *f*; Überreichung *f*; Geschenk *n*; Vorstellung *f* (*Person*); Schilderung *f*; *thea.*, *Film*: Darbietung *f*; *Rundfunk*, *TV*: Moderation *f*; Einreichung (*Gesuch*); Vorlage *f*.

pres·ent-day [prezntˈdeɪ] heutig, gegenwärtig, modern.

pre·sen·ti·ment [prɪˈzentɪmənt] Vorgefühl *n*, (*mst* böse Vor)Ahnung *f*.

pres·ent·ly [ˈprezntlɪ] bald (darauf); *Am.* zur Zeit, jetzt.

pres·er·va·tion [prezəˈveɪʃn] Bewahrung *f*, Schutz *m*, Erhaltung *f* (*a. fig.*); Konservierung *f*; Einmachen *n*, -kochen *n*; **pre·ser·va·tive** [prɪˈzɜːvətɪv] **1.** bewahrend; konservierend; **2.** Konservierungsmittel *n*.

pre·serve [prɪˈzɜːv] **1.** bewahren, behüten; erhalten; einmachen; *Wild* hegen; **2.** *hunt*. (Jagd)Revier *n*, (Jagd-, Fisch)Gehege *n*; *fig*. Reich *n*; *mst* ~*s pl. das* Eingemachte.

pre·side [prɪˈzaɪd] den Vorsitz führen (*at*, *over* bei).

pres·i|den·cy [ˈprezɪdənsɪ] Vorsitz *m*; Präsidentschaft *f*; ~**dent** [~t] Präsident(in); Vorsitzende(r *m*) *f*; Rektor *m*; *Am. econ.* Direktor *m*.

press [pres] **1.** Druck *m* (*a. fig.*); (Wein- *etc.*)Presse *f*; Druckerei *f*; Verlag *m*; Druck(en *n*) *m*; *a. printing-*~ Druckerpresse *f*; *die* Presse (*Zeitungswesen*); *bsd.* (Wäsche-)Schrank *m*; Bügeln *n*; Andrang *m*, (Menschen)Menge *f*; **2.** *v/t*. (aus-)pressen; (zusammen)drücken; drücken auf (*acc.*); *Kleider* plätten, bügeln; (be)drängen; bestehen auf (*dat.*); aufdrängen (*on dat.*); *be* ~*ed for time* es eilig haben; *v/i*. pressen, drücken; plätten, bügeln; (sich) drängen; ~ *for* dringen *od.* drängen auf (*acc.*), fordern; ~ *on* (zügig) weitermachen; ~ **a·gen·cy** Nachrichtenbüro *n*, Presseagentur *f*; ~ **a·gent** Presseagent *m*; ~**-but·ton** ⚡ [ˈpresbʌtn] Druckknopf *m*; ~**·ing** □ [~ɪŋ] dringend; ~**-stud** *Brt.* Druckknopf *m*; **pres·sure** [~ʃə] Druck *m* (*a. fig.*); Bedrängnis *f*, Belastung *f*.

pres·tige [preˈstiːʒ] Prestige *n*.

pre·su|ma·ble □ [prɪˈzjuːməbl] vermutlich; ~**me** [~ˈzjuːm] *v/t*. annehmen, vermuten, voraussetzen; sich *et.* herausnehmen; *v/i*. sich erdreisten; anmaßend sein; ~ *on*, ~ *upon* ausnutzen *od.* mißbrauchen (*acc.*).

pre·sump|tion [prɪˈzʌmpʃn] Vermutung *f*; Wahrscheinlichkeit *f*; Anmaßung *f*; ~**·tive** □ [~tɪv] mutmaßlich; ~**·tu·ous** □ [~tjʊəs] überheblich; vermessen.

pre·sup|pose [ˈpriːsəˈpəʊz] voraussetzen; ~**·po·si·tion** [ˈpriːsʌpəˈzɪʃn] Voraussetzung *f*.

pre·tence, *Am.* **-tense** [prɪˈtens] Vortäuschung *f*; Vorwand *m*; Schein *m*, Verstellung *f*.

pre·tend [prɪˈtend] vorgeben; vortäuschen; heucheln; Anspruch erheben (*to* auf *acc.*); ~**·ed** □ angeblich.

pre·ten·sion [prɪˈtenʃn] Anspruch *m* (*to* auf *acc.*); Anmaßung *f*.

pre·ter·it(e) *gr.* [ˈpretərɪt] Präteritum *n*, erste Vergangenheit.

pre·text [ˈpriːtekst] Vorwand *m*.

pret·ty [ˈprɪtɪ] **1.** □ (*-ier*, *-iest*) hübsch, niedlich; nett; **2.** *adv.* ziemlich.

pre·vail [prɪˈveɪl] die Oberhand haben *od.* gewinnen; (vor)herrschen; maßgebend *od.* ausschlaggebend sein; ~ *on od. upon s.o. to do s.th.* j-n dazu bewegen, et. zu tun; ~**·ing** □ [~ɪŋ] (vor)herrschend.

prev·a·lent □ [ˈprevələnt] (vor)herrschend, weitverbreitet.
pre·var·i·cate [prɪˈværɪkeɪt] Ausflüchte machen.
pre|vent [prɪˈvent] verhindern, -hüten, *e-r Sache* vorbeugen; *j-n* hindern; **~·ven·tion** [~ʃn] Verhinderung *f*, Verhütung *f*; **~·ven·tive** □ [~tɪv] *bsd.* ⚕ vorbeugend.
pre·view [ˈpriːvjuː] Vorschau *f*; Vorbesichtigung *f*.
pre·vi·ous □ [ˈpriːvjəs] vorher-, vorausgehend, Vor...; voreilig; *~ to* bevor, vor (*dat.*); *~ knowledge* Vorkenntnisse *pl.*; **~·ly** [~lɪ] vorher, früher.
pre-war [ˈpriːˈwɔː] Vorkriegs...
prey [preɪ] **1.** Raub *m*, Beute *f*; *beast of ~* Raubtier *n*; *bird of ~* Raubvogel *m*; *be od. fall a ~ to* die Beute (*gen.*) werden; *fig.* geplagt werden von; **2.** *~ on, ~ upon zo.* Jagd machen auf (*acc.*), fressen (*acc.*); *fig.* berauben (*acc.*), ausplündern (*acc*); *fig.* ausbeuten (*acc.*); *fig.* nagen *od.* zehren an (*dat.*).
price [praɪs] **1.** Preis *m*; Lohn *m*; **2.** *Waren* auszeichnen; den Preis festsetzen für; *fig.* bewerten, schätzen; **~·less** [ˈpraɪslɪs] von unschätzbarem Wert, unbezahlbar.
prick [prɪk] **1.** Stich *m*; ∨ Schwanz *m* (*Penis*); *~s of conscience* Gewissensbisse *pl.*; **2.** *v/t.* (durch)stechen; *fig.* peinigen; *a. ~ out Muster* ausstechen; *~ up one's ears* die Ohren spitzen; *v/i.* stechen; **~·le** [ˈprɪkl] Stachel *m*, Dorn *m*; **~·ly** [~lɪ] (*-ier, -iest*) stach(e)lig.
pride [praɪd] **1.** Stolz *m*; Hochmut *m*; *take (a) ~ in* stolz sein auf (*acc.*); **2.** *~ o.s. on od. upon* stolz sein auf (*acc.*).
priest [priːst] Priester *m*.
prig [prɪg] Tugendbold *m*, selbstgefälliger Mensch; Pedant *m*.
prim □ [prɪm] (*-mm-*) steif; prüde.
pri·ma|cy [ˈpraɪməsɪ] Vorrang *m*; **~·ri·ly** [~rəlɪ] in erster Linie; **~·ry** □ [~rɪ] **1.** ursprünglich; hauptsächlich; primär; elementar; höchst; Erst..., Ur..., Anfangs...; Haupt...; **2.** *a. ~ election Am. pol.* Vorwahl *f*; **~·ry school** *Brt.* Grundschule *f*.
prime [praɪm] **1.** □ erste(r, -s), wichtigste(r, -s), Haupt...; erstklassig, vorzüglich; *~ cost econ.* Selbstkosten *pl.*; *~ minister* Premierminister *m*, Ministerpräsident *m*; *~ number* ⅍ Primzahl *f*; *~ time TV* Hauptsendezeit *f*, beste Sendezeit; **2.** *fig* Blüte(zeit) *f*; *das* Beste, höchste Vollkommenheit; **3.** *v/t.* vorbereiten; *Pumpe* anlassen; instruieren *paint.* grundieren.
prim·er [ˈpraɪmə] Fibel *f*, Elementarbuch *n*.
pri·m(a)e·val [praɪˈmiːvl] uranfänglich, Ur...
prim·i·tive □ [ˈprɪmɪtɪv] erste(r, -s), ursprünglich, Ur...; primitiv.
prim·rose ⚘ [ˈprɪmrəʊz] Primel *f*.
prince [prɪns] Fürst *m*; Prinz *m*;
prin·cess [prɪnˈses, *attr.* ˈprɪnses] Fürstin *f*; Prinzessin *f*.
prin·ci·pal [ˈprɪnsəpl] **1.** □ erste(r, -s), hauptsächlich, Haupt...; ⚠ *nicht prinzipiell*; **2.** Hauptperson *f*; Vorsteher *m*; (Schul)Direktor *m*, Rektor *m*; Chef(in); ⚖ Haupttäter(in); *econ.* (Grund)Kapital *n*; **~·i·ty** [prɪnsɪˈpælətɪ] Fürstentum *n*.
prin·ci·ple [ˈprɪnsəpl] Prinzip *n*, Grundsatz *m*; *on ~* grundsätzlich, aus Prinzip.
print [prɪnt] **1.** *print.* Druck *m* (*a. Schriftart*); Druckbuchstaben *pl.*; (Finger- *etc.*)Abdruck *m*; bedruckter Kattun, Druckstoff *m*; (Stahl-, Kupfer)Stich *m*; *phot.* Abzug *m*; Drucksache *f*, *bsd. Am.* Zeitung *f*; *in ~* gedruckt; *out of ~* vergriffen; **2.** (ab-, auf-, be)drucken; in Druckbuchstaben schreiben; *fig.* einprägen (*on dat.*); *~ (off od. out) phot.* abziehen, kopieren; *~ out Computer*: ausdrucken; *~-out Computer*: Ausdruck *m*; *~ed matter* ✉ Drucksache *f*; **~·er** [ˈprɪntə] (Buch- *etc.*)Drucker *m*.
print·ing [ˈprɪntɪŋ] Druck *m*; Drucken *n*; *phot.* Abziehen *n*, Kopieren *n*; **~-ink** Druckerschwärze *f*; **~-of·fice** (Buch)Druckerei *f*; **~-press** Druckerpresse *f*.
pri·or [ˈpraɪə] **1.** früher, älter (*to* als); **2.** *adv. ~ to* vor (*dat.*); **3.** *eccl.* Prior *m*; **~·i·ty** [praɪˈɒrɪtɪ] Priorität *f*; Vorrang *m*; *mot.* Vorfahrt(srecht *n*) *f*.
prise *bsd. Brt.* [praɪz] = *prize*².
pris·m [ˈprɪzəm] Prisma *n*.
pris·on [ˈprɪzn] Gefängnis *n*; **~·er** [~ə] Gefangene(r *m*) *f*, Häftling *m*; *take s.o. ~* j-n gefangennehmen.
priv·a·cy [ˈprɪvəsɪ] Zurückgezogenheit *f*; Privatleben *n*; Intim-, Privatsphäre *f*; Geheimhaltung *f*.

P

pri·vate [ˈpraɪvɪt] **1.** □ privat, Privat...; persönlich; vertraulich; geheim; ~ *parts pl.* Geschlechtsteile *pl.*; **2.** ⚔ gemeiner Soldat; *in* ~ privat, im Privatleben; unter vier Augen.
pri·va·tion [praɪˈveɪʃn] Not *f*, Entbehrung *f*.
priv·i·lege [ˈprɪvɪlɪdʒ] Privileg *n*; Vorrecht *n*; **~d** privilegiert.
priv·y □ [ˈprɪvɪ] (*-ier, -iest*): ~ *to* eingeweiht in (*acc.*); ♀ *Council* Staatsrat *m*; ♀ *Councillor* Geheimer Rat (*Person*); ♀ *Seal* Geheimsiegel *n*.
prize[1] [praɪz] **1.** (Sieges)Preis *m*, Prämie *f*, Auszeichnung *f*; (Lotterie-) Gewinn *m*; **2.** preisgekrönt; Preis...; *~-winner* Preisträger(in); **3.** (hoch-) schätzen.
prize[2], *bsd. Brt.* **prise** [praɪz] (auf-) stemmen; ~ *open* aufbrechen.
pro[1] [prəʊ] für; ⚠ *nicht pro = per.*
pro[2] F [~] *Sport*: Profi *m*.
pro- [prəʊ] (eintretend) für, pro..., ...freundlich.
prob·a|bil·i·ty [prɒbəˈbɪlətɪ] Wahrscheinlichkeit *f*; **~·ble** □ [ˈprɒbəbl] wahrscheinlich.
pro·ba·tion [prəˈbeɪʃn] Probe *f*, Probezeit *f*; ⚖ Bewährung(sfrist) *f*; ~ *officer* Bewährungshelfer(in).
probe [prəʊb] **1.** ⚕, ⊕ Sonde *f*; *fig.* Sondierung *f*; ⚠ *nicht Probe*; *lunar* ~ Mondsonde *f*; **2.** sondieren; untersuchen; ⚠ *nicht proben, probieren.*
prob·lem [ˈprɒbləm] Problem *n*; ⩕ Aufgabe *f*; **~·at·ic** [prɒbləˈmætɪk] (*~ally*), **~·at·i·cal** □ [~kl] problematisch, zweifelhaft.
pro·ce·dure [prəˈsiːdʒə] Verfahren *n*; Handlungsweise *f*.
pro·ceed [prəˈsiːd] weitergehen (*a. fig.*); sich begeben (*to* nach); fortfahren; vor sich gehen; vorgehen; *Brt. univ.* promovieren; ~ *from* kommen *od.* ausgehen *od.* herrühren von; ~ *to* schreiten *od.* übergehen zu, sich machen an (*acc.*); **~·ing** [~ɪŋ] Vorgehen *n*; Handlung *f*; *~s pl.* ⚖ Verfahren *n*, (Gerichts)Verhandlung(en *pl.*) *f*; (Tätigkeits)Bericht *m*; **~s** [ˈprəʊsiːdz] *pl.* Erlös *m*, Ertrag *m*, Gewinn *m*.
pro|cess [ˈprəʊses] **1.** Fortschreiten *n*, Fortgang *m*; Vorgang *m*; Verlauf *m* (*der Zeit*); Prozeß *m*, Verfahren *n*; ⚠ *nicht* ⚖ *Prozeß*; *in* ~ im Gange; *in* ~ *of construction* im Bau (befindlich); **2.** ⊕ bearbeiten; ⚖ gerichtlich belangen; ⚠ *nicht prozessieren*; **~·ces·sion** [prəˈseʃn] Prozession *f*; **~·ces·sor** [ˈprəʊsesə] Prozessor *m*.
pro·claim [prəˈkleɪm] proklamieren, erklären, ausrufen.
proc·la·ma·tion [prɒkləˈmeɪʃn] Proklamation *f*, Bekanntmachung *f*; Erklärung *f*.
pro·cliv·i·ty *fig.* [prəˈklɪvətɪ] Neigung *f*.
pro·cras·ti·nate [prəʊˈkræstɪneɪt] zaudern.
pro·cre·ate [ˈprəʊkrɪeɪt] (er)zeugen.
pro·cu·ra·tor ⚖ [ˈprɒkjʊəreɪtə] Bevollmächtigte(r) *m*.
pro·cure [prəˈkjʊə] *v/t.* be-, verschaffen; *v/i.* Kuppelei betreiben.
prod [prɒd] **1.** Stich *m*, Stoß *m*; *fig.* Ansporn *m*; **2.** (*-dd-*) stechen, stoßen; *fig.* anstacheln, anspornen.
prod·i·gal [ˈprɒdɪgl] **1.** □ verschwenderisch; *the* ~ *son* der verlorene Sohn; **2.** Verschwender(in).
pro·di·gious □ [prəˈdɪdʒəs] erstaunlich, ungeheuer; **prod·i·gy** [ˈprɒdɪdʒɪ] Wunder *n* (*Sache od. Person*); *child od. infant* ~ Wunderkind *n*.
prod·uce[1] [ˈprɒdjuːs] (Natur)Erzeugnis(se *pl.*) *n*, (Landes)Produkte *pl.*; Ertrag *m*; ⊕ Leistung *f*, Ausstoß *m*.
pro|duce[2] [prəˈdjuːs] produzieren; erzeugen, herstellen; hervorbringen; *Zinsen etc.* (ein)bringen; heraus-, hervorziehen; (vor)zeigen; *Beweis etc.* beibringen; *Gründe* vorbringen; ⩕ *Linie* verlängern; *Film* produzieren; *fig.* hervorrufen, erzielen; **~·duc·er** [~ə] Erzeuger(in), Hersteller(in); *Film, TV*: Produzent(in); *thea., Rundfunk*: *Brt.* Regisseur(in).
prod·uct [ˈprɒdʌkt] Produkt *n*, Erzeugnis *n*.
pro·duc|tion [prəˈdʌkʃn] Produktion *f*; Erzeugung *f*, Herstellung *f*; Erzeugnis *n*; Hervorbringen *n*; Vorlegung *f*, Beibringung *f*; *thea. etc.* Inszenierung *f*; **~·tive** □ [~tɪv] produktiv; ertragreich, fruchtbar; schöpferisch; **~·tive·ness** [~nɪs], **~·tiv·i·ty** [prɒdʌkˈtɪvətɪ] Produktivität *f*.
prof F [prɒf] Professor *m*.
pro|fa·na·tion [prɒfəˈneɪʃn] Entweihung *f*; **~·fane** [prəˈfeɪn] **1.** □ profan, weltlich; gottlos, lästerlich; **2.** entweihen; **~·fan·i·ty** [~ˈfænətɪ] Gottlosigkeit *f*; Fluchen *n*.

P

pro|fess [prəˈfes] (sich) bekennen (zu); erklären; beteuern; *Reue etc.* bekunden; *Beruf* ausüben; lehren; **~·fessed** □ erklärt; angeblich; Berufs...; **~·fes·sion** [~ʃn] Bekenntnis *n*; Erklärung *f*; Beruf *m*; **~·fes·sion·al** [~nl] **1.** □ Berufs...; Amts...; professionell; beruflich; fachmännisch; freiberuflich; ~ *man* Akademiker *m*; **2.** Fachmann *m*; *Sport*: Berufsspieler(in), -sportler(in), Profi *m*; Berufskünstler(in); **~·fes·sor** [~sə] Professor(in); *Am.* Dozent(in).

prof·fer [ˈprɒfə] **1.** anbieten; **2.** Anerbieten *n*.

pro·fi·cien|cy [prəˈfɪʃənsɪ] Tüchtigkeit *f*; **~t** [~t] □ tüchtig; bewandert.

pro·file [ˈprəʊfaɪl] Profil *n*.

prof|it [ˈprɒfɪt] **1.** Gewinn *m*, Profit *m*; Vorteil *m*, Nutzen *m*; **2.** *v/t. j-m* nützen; *v/i.* ~ *from od. by* Nutzen ziehen aus; **~·i·ta·ble** □ [~əbl] nützlich, vorteilhaft; gewinnbringend, einträglich; **~·i·teer** [prɒfɪˈtɪə] **1.** Schiebergeschäfte machen; **2.** Profitmacher *m*, Schieber *m*; **~·it-shar·ing** [ˈprɒfɪtʃeərɪŋ] Gewinnbeteiligung *f*.

prof·li·gate [ˈprɒflɪgət] lasterhaft; verschwenderisch.

pro·found □ [prəˈfaʊnd] tief; tiefgründig, gründlich, profund.

pro|fuse □ [prəˈfjuːs] verschwenderisch; (über)reich; **~·fu·sion** *fig.* [~ʒn] Überfluß *m*, (Über)Fülle *f*.

pro·gen·i·tor [prəʊˈdʒenɪtə] Vorfahr *m*, Ahn *m*; **prog·e·ny** [ˈprɒdʒənɪ] Nachkommen(schaft *f*) *pl.*; *zo.* Brut *f*.

prog·no·sis ⚕ [prɒgˈnəʊsɪs] (*pl.* -*ses* [~siːz]) Prognose *f*.

prog·nos·ti·ca·tion [prəgnɒstɪˈkeɪʃn] Vorhersage *f*.

pro·gram [ˈprəʊgræm] **1.** *Computer*: Programm *n*; *Am.* = *Brt. programme 1*; **2.** (-*mm*-) *Computer*: programmieren; *Am.* = *Brt. programme 2*; **~·er** [~ə] = *programmer*.

pro|gramme, *Am.* **-gram** [ˈprəʊgræm] **1.** Programm *n*; *Rundfunk*, *TV*: *a.* Sendung *f*; **2.** (vor)programmieren; planen; **~·gram·mer** [~ə] *Computer*: Programmierer(in).

pro|gress 1. [ˈprəʊgres] Fortschritt(e *pl.*) *m*; Vorrücken *n* (*a.* ⚔); Fortgang *m*; *in* ~ im Gang; **2.** [prəˈgres] fortschreiten; **~·gres·sion** [~ʃn] Fortschreiten *n*; Weiterentwicklung *f*; ♣ Reihe *f*; **~·gres·sive** [~sɪv] **1.** □ fortschreitend; fortschrittlich; **2.** *pol.* Progressive(r *m*) *f*.

pro|hib·it [prəˈhɪbɪt] verbieten; verhindern; **~·hi·bi·tion** [prəʊɪˈbɪʃn] Verbot *n*; Prohibition *f*; **~·hi·bi·tion·ist** [~ʃənɪst] Prohibitionist *m*; **~·hib·i·tive** □ [prəˈhɪbɪtɪv] verbietend; Schutz...; unerschwinglich (*Preis*).

proj·ect¹ [ˈprɒdʒekt] Projekt *n*; Vorhaben *n*, Plan *m*.

pro|ject² [prəˈdʒekt] *v/t.* planen, entwerfen; werfen, schleudern; projizieren; *v/i.* vorspringen, -ragen; **~·jec·tile** [~aɪl] Projektil *n*, Geschoß *n*; **~·jec·tion** [~kʃn] Werfen *n*; Entwurf *m*; Vorsprung *m*, vorspringender Teil; ♣, *phot.* Projektion *f*; **~·jec·tor** *opt.* [~tə] Projektor *m*.

pro·le·tar·i·an [prəʊlɪˈteərɪən] **1.** proletarisch; **2.** Proletarier(in).

pro·lif·ic [prəˈlɪfɪk] (~*ally*) fruchtbar.

pro·logue, *Am. a.* **-log** [ˈprəʊlɒg] Prolog *m*.

pro·long [prəˈlɒŋ] verlängern.

prom·e·nade [prɒməˈnɑːd] **1.** (Strand)Promenade *f*; **2.** promenieren.

prom·i·nent □ [ˈprɒmɪnənt] vorstehend, hervorragend (*a. fig.*); *fig.* prominent.

pro·mis·cu·ous □ [prəˈmɪskjʊəs] unordentlich, verworren; sexuell freizügig.

prom|ise [ˈprɒmɪs] **1.** Versprechen *n*; *fig.* Aussicht *f*; **2.** versprechen; **~·is·ing** □ [~ɪŋ] vielversprechend; **~·is·so·ry** [~ərɪ] versprechend; ~ *note econ.* Eigenwechsel *m*.

prom·on·to·ry [ˈprɒməntrɪ] Vorgebirge *n*.

pro|mote [prəˈməʊt] *et.* fördern; *j-n* befördern; *Am. Schule*: versetzen; *parl.* unterstützen; *econ.* gründen; *Verkauf durch Werbung* steigern; *econ.* werben für; *Boxkampf etc.* veranstalten; **~·mot·er** [~ə] Förderer *m*, Befürworter *m*; *Sport:* Veranstalter *m*; **~·mo·tion** [~əʊʃn] Förderung *f*; Beförderung *f*; *econ.* Gründung *f*; *econ.* Verkaufsförderung *f*, Werbung *f*; ⚠ *nicht Promotion*.

prompt [prɒmpt] **1.** □ umgehend, unverzüglich, sofortig; bereit(willig); pünktlich; **2.** *j-n* veranlassen; *Gedanken* eingeben; *j-m* vorsagen,

soufflieren; **~er** [ˈprɒmptə] Souffleu|r *m*, -se *f*; **~ness** [~nɪs] Schnelligkeit *f*; Bereitschaft *f*.
prom·ul·gate [ˈprɒməlgeɪt] verkünden; verbreiten.
prone □ [prəʊn] (*~r*, *~st*) mit dem Gesicht nach unten (liegend); hingestreckt; *be ~ to fig.* neigen zu.
prong [prɒŋ] Zinke *f*; Spitze *f*.
pro·noun *gr.* [ˈprəʊnaʊn] Pronomen *n*, Fürwort *n*.
pro·nounce [prəˈnaʊns] aussprechen; verkünden; erklären für.
pron·to F [ˈprɒntəʊ] fix, schnell.
pro·nun·ci·a·tion [prənʌnsɪˈeɪʃn] Aussprache *f*.
proof [pru:f] **1.** Beweis *m*; Probe *f*; *print.* Korrekturfahne *f*, -bogen *m*; *print.*, *phot.* Probeabzug *m*; **2.** fest; *in Zssgn*: ...fest, ...beständig, ...dicht, ...sicher; **~-read** [ˈpru:fri:d] (*-read* [-red]) Korrektur lesen; **~-read·er** Korrektor *m*.
prop [prɒp] **1.** Stütze *f* (*a. fig.*); **2.** (*-pp-*) *a. ~ up* stützen; *sich*, *et.* lehnen (*against* gegen).
prop·a|gate [ˈprɒpəgeɪt] (sich) fortpflanzen; verbreiten; **~·ga·tion** [prɒpəˈgeɪʃn] Fortpflanzung *f*; Verbreitung *f*.
pro·pel [prəˈpel] (*-ll-*) (vorwärts-, an)treiben; **~·ler** [~ə] Propeller *m*, (Schiffs-, Luft)Schraube *f*; **~·ling pen·cil** [~ɪŋˈpensl] Drehbleistift *m*.
pro·pen·si·ty *fig.* [prəˈpensətɪ] Neigung *f*.
prop·er □ [ˈprɒpə] eigen(tümlich); passend; richtig; anständig, korrekt; zuständig; *bsd. Brt.* F ordentlich, tüchtig, gehörig; Eigen...; *~ name* Eigenname *m*; **~·ty** [~tɪ] Eigentum *n*, Besitz *m*; Vermögen *n*; Eigenschaft *f*.
proph·e|cy [ˈprɒfɪsɪ] Prophezeiung *f*; **~·sy** [~aɪ] prophezeien, weissagen.
proph·et [ˈprɒfɪt] Prophet *m*.
pro·pi|ti·ate [prəˈpɪʃɪeɪt] günstig stimmen, versöhnen; **~·tious** □ [~ʃəs] gnädig; günstig.
pro·por·tion [prəˈpɔ:ʃn] **1.** Verhältnis *n*; Gleichmaß *n*; (An)Teil *m*; *~s pl.* (Aus)Maße *pl.*; **2.** in das richtige Verhältnis bringen; **~·al** □ [~l] proportional; = **~·ate** □ [~nət] im richtigen Verhältnis (*to* zu), angemessen.
pro·pos|al [prəˈpəʊzl] Vorschlag *m*, (*a.* Heirats)Antrag *m*; Angebot *n*; **~e** [~z] *v/t.* vorschlagen; beabsichtigen, vorhaben; e-n Toast ausbringen auf (*acc.*); *~ s.o.'s health* auf j-s Gesundheit trinken; *v/i.* e-n Heiratsantrag machen (*to dat*); **prop·o·si·tion** [prɒpəˈzɪʃn] Vorschlag *m*, Antrag *m*; *econ.* Angebot *n*; Behauptung *f*.
pro·pound [prəˈpaʊnd] *Frage etc.* vorlegen; vorschlagen.
pro·pri·e|ta·ry [prəˈpraɪətərɪ] Eigentümer..., Besitzer...; Eigentums...; *econ.* gesetzlich geschützt (*Arznei*, *Ware*); **~·tor** [~ə] Eigentümer *m*, Geschäftsinhaber *m*; **~·ty** [~ɪ] Richtigkeit *f*; Schicklichkeit *f*, Anstand *m*; *the proprieties pl.* die Anstandsformen *pl.*
pro·pul·sion ⊕ [prəˈpʌlʃn] Antrieb *m*.
pro·rate *Am.* [prəʊˈreɪt] anteilmäßig auf- *od.* verteilen.
pro·sa·ic *fig.* [prəʊˈzeɪɪk] (*~ally*) prosaisch, nüchtern, trocken.
prose [prəʊz] Prosa *f*.
pros·e|cute [ˈprɒsɪkju:t] (*a.* strafrechtlich) verfolgen; *Gewerbe etc.* betreiben; ⚖ anklagen (*for* wegen); **~·cu·tion** [prɒsɪˈkju:ʃn] Durchführung *f* (*e-s Plans etc.*); Betreiben *n* (*e-s Gewerbes etc.*); ⚖ Strafverfolgung *f*, Anklage *f*; **~·cu·tor** ⚖ [ˈprɒsɪkju:tə] Ankläger *m*; *public ~* Staatsanwalt *m*.
pros·pect 1. [ˈprɒspekt] Aussicht *f* (*a. fig.*); *econ.* Interessent *m*; ⚠ *nicht Prospekt*; **2.** [prəˈspekt]: *~ for* ⚒ schürfen nach; bohren nach (*Öl*).
pro·spec·tive □ [prəˈspektɪv] (zu-)künftig, voraussichtlich.
pro·spec·tus [prəˈspektəs] (*pl. -tuses*) (Werbe)Prospekt *m*.
pros·per [ˈprɒspə] *v/i.* Erfolg haben; gedeihen, blühen; *v/t.* begünstigen; segnen; **~·i·ty** [prɒˈsperətɪ] Gedeihen *n*, Wohlstand *m*, Glück *n*; *econ.* Wohlstand *m*, Konjunktur *f*, Blüte (-zeit) *f*; **~·ous** □ [ˈprɒspərəs] erfolgreich, blühend; wohlhabend; günstig.
pros·ti·tute [ˈprɒstɪtju:t] Prostituierte *f*, Dirne *f*; *male ~* Strichjunge *m*.
pros|trate 1. [ˈprɒstreɪt] hingestreckt; erschöpft; daniederliegend; demütig; gebrochen; **2.** [prɒˈstreɪt] niederwerfen; erschöpfen; *fig.* niederschmettern; **~·tra·tion** [~ʃn] Niederwerfen *n*, Fußfall *m*; Erschöpfung *f*.

P

pros·y *fig.* [ˈprəʊzɪ] (*-ier, -iest*) prosaisch; langweilig.
pro·tag·o·nist [prəʊˈtægənɪst] *thea.* Hauptfigur *f*; *fig.* Vorkämpfer(in).
pro|tect [prəˈtekt] (be)schützen; **~·tec·tion** [~kʃn] Schutz *m*; ⚖ (Rechts)Schutz *m*; *econ.* Schutzzoll *m*; ⚠ *nicht Protektion*; **~·tec·tive** [~tɪv] (be)schützend; Schutz...; ~ *duty* Schutzzoll *m*; **~·tec·tor** [~ə] (Be)Schützer *m*; Schutz-, Schirmherr *m*; **~·tec·tor·ate** [~ərət] Protektorat *n*.
pro·test 1. [ˈprəʊtest] Protest *m*; Einspruch *m*; **2.** [prəˈtest] *v/i.* protestieren (*against* gegen); *v/t. Am.* protestieren gegen; beteuern.
Prot·es·tant [ˈprɒtɪstənt] **1.** protestantisch; **2.** Protestant(in).
prot·es·ta·tion [prɒteˈsteɪʃn] Beteuerung *f*; Protest *m* (*against* gegen).
pro·to·col [ˈprəʊtəkɒl] **1.** Protokoll *n*; **2.** (*-ll-*) protokollieren.
pro·to·type [ˈprəʊtətaɪp] Prototyp *m*, Urbild *n*.
pro·tract [prəˈtrækt] in die Länge ziehen, hinziehen.
pro|trude [prəˈtru:d] heraus-, (her-)vorstehen, -ragen, -treten; herausstrecken; **~·tru·sion** [~ʒn] Herausragen *n*, (Her)Vorstehen *n*, Hervortreten *n*.
pro·tu·ber·ance [prəˈtju:bərəns] Auswuchs *m*, Beule *f*.
proud □ [praʊd] stolz (*of* auf *acc.*).
prove [pru:v] (*proved, proved od. bsd. Am. proven*) *v/t.* be-, er-, nachweisen; prüfen; *v/i.* sich herausstellen *od.* erweisen (als); ausfallen; **prov·en** [ˈpru:vən] **1.** *Am. p.p. von prove*; **2.** be-, erwiesen; bewährt.
prov·e·nance [ˈprɒvənəns] Herkunft *f*.
prov·erb [ˈprɒvɜ:b] Sprichwort *n*.
pro·vide [prəˈvaɪd] *v/t.* besorgen, beschaffen, liefern; bereitstellen; versorgen, ausstatten; ⚖ vorsehen, festsetzen; *v/i.* (vor)sorgen; ~*d* (*that*) vorausgesetzt, daß; sofern.
prov·i|dence [ˈprɒvɪdəns] Vorsehung *f*; Voraussicht *f*, Vorsorge *f*; **~·dent** □ [~t] vorausblickend, vorsorglich; haushälterisch; **~·den·tial** □ [prɒvɪˈdenʃl] durch die (göttliche) Vorsehung bewirkt; glücklich, günstig.
pro·vid·er [prəˈvaɪdə] Ernährer *m* (*der Familie*); *econ.* Lieferant *m*.
prov·ince [ˈprɒvɪns] Provinz *f*; *fig.* Gebiet *n*; *fig.* Fach *n*, Aufgabenbereich *m*; **pro·vin·cial** [prəˈvɪnʃl] **1.** □ Provinz..., provinziell; kleinstädtisch; **2.** Provinzbewohner(in).
pro·vi·sion [prəˈvɪʒn] Beschaffung *f*; Vorsorge *f*; ⚖ Bestimmung *f*; Vorkehrung *f*, Maßnahme *f*; ~*s pl.* (Lebensmittel)Vorrat *m*, Proviant *m*, Lebensmittel *pl.*; ⚠ *nicht Provision*; **~·al** □ [~l] provisorisch.
pro·vi·so [prəˈvaɪzəʊ] (*pl. -sos, Am. a. -soes*) Bedingung *f*, Vorbehalt *m*.
prov·o·ca·tion [prɒvəˈkeɪʃn] Herausforderung *f*; **pro·voc·a·tive** [prəˈvɒkətɪv] herausfordernd; aufreizend.
pro·voke [prəˈvəʊk] reizen; herausfordern; provozieren.
prov·ost [ˈprɒvəst] Rektor *m* (*gewisser Colleges*); *schott.* Bürgermeister *m*; ⚔ [prəˈvəʊ]: ~ *marshal* Kommandeur *m* der Militärpolizei.
prow ⚓ [praʊ] Bug *m*.
prow·ess [ˈpraʊɪs] Tapferkeit *f*.
prowl [praʊl] **1.** *v/i. a.* ~ *about*, ~ *around* herumstreichen; *v/t.* durchstreifen; **2.** Herumstreifen *n*; ~ **car** *Am.* [ˈpraʊlkɑ:] (Funk)Streifenwagen *m*.
prox·im·i·ty [prɒkˈsɪmətɪ] Nähe *f*.
prox·y [ˈprɒksɪ] (Stell)Vertreter(in); (Stell)Vertretung *f*, Vollmacht *f*; *by* ~ in Vertretung.
prude [pru:d] prüder Mensch; *be a* ~ prüde sein.
pru|dence [ˈpru:dns] Klugheit *f*, Vernunft *f*; Vorsicht *f*; **~·dent** □ [~t] klug, vernünftig; vorsichtig.
prud|er·y [ˈpru:dərɪ] Prüderie *f*; **~·ish** □ [~ɪʃ] prüde, spröde.
prune [pru:n] **1.** Backpflaume *f*; **2.** ✓ beschneiden (*a. fig.*); *a.* ~ *away*, ~ *off* wegschneiden.
pru·ri·ent □ [ˈprʊərɪənt] geil, lüstern.
pry[1] [praɪ] neugierig gucken *od.* sein; ~ *about* herumschnüffeln; ~ *into* s-e Nase stecken in (*acc.*).
pry[2] [~] = *prize*[2].
psalm [sɑ:m] Psalm *m*.
pseu·do- [ˈpsju:dəʊ] Pseudo..., falsch.
pseu·do·nym [ˈpsju:dənɪm] Pseudonym *n*, Deckname *m*.
psy·chi·a|trist [saɪˈkaɪətrɪst] Psychiater *m*; **~·try** [~ɪ] Psychiatrie *f*.

P

psy|chic [ˈsaɪkɪk] (*~ally*), **~·chi·cal** □ [~kl] psychisch, seelisch.
psy|cho·log·i·cal □ [saɪkəˈlɒdʒɪkl] psychologisch; **~·chol·o·gist** [saɪˈkɒlədʒɪst] Psycholog|e *m*, -in *f*; **~·chol·o·gy** [~ɪ] Psychologie *f*.
pub *Brt.* F [pʌb] Pub *n*, Kneipe *f*.
pu·ber·ty [ˈpju:bətɪ] Pubertät *f*.
pu·bic *anat.* [ˈpju:bɪk] Scham...; *~ bone* Schambein *n*; *~ hair* Schamhaare *pl*.
pub·lic [ˈpʌblɪk] **1.** □ öffentlich; staatlich, Staats...; allgemein bekannt; *~ spirit* Gemein-, Bürgersinn *m*; **2.** Öffentlichkeit *f*; *die* Öffentlichkeit, *das* Publikum, *die* Leute; ⚠ *nicht Publikum = audience*.
pub·li·can *bsd. Brt.* [ˈpʌblɪkən] Gastwirt *m*.
pub·li·ca·tion [pʌblɪˈkeɪʃn] Bekanntmachung *f*; Veröffentlichung *f*; Verlagswerk *n*; *monthly ~* Monatsschrift *f*.
pub·lic| con·ve·ni·ence *Brt.* [ˈpʌblɪk kənˈvi:njəns] öffentliche Bedürfnisanstalt; **~ health** öffentliches Gesundheitswesen; **~ hol·i·day** gesetzlicher Feiertag; **~ house** *Brt. s. pub*.
pub·lic·i·ty [pʌbˈlɪsətɪ] Öffentlichkeit *f*; Reklame *f*, Werbung *f*.
pub·lic| li·bra·ry [ˈpʌblɪk ˈlaɪbrərɪ] Leihbücherei *f*; **~ re·la·tions** *pl*. Public Relations *pl*., Öffentlichkeitsarbeit *f*; **~ school** *Brt.* Public School *f* (*exklusives Internat*); *Am.* staatliche Schule.
pub·lish [ˈpʌblɪʃ] bekanntmachen; veröffentlichen; *Buch etc.* herausgeben, verlegen; *~ing house* Verlag *m*; **~·er** [~ə] Herausgeber *m*, Verleger *m*; *~s pl.* Verlag(sanstalt *f*) *m*.
puck·er [ˈpʌkə] **1.** kleine Falte; **2.** *a. ~ up Lippen, Mund*: (sich) verziehen *od.* spitzen; *Stirn*: (sich) runzeln; Falten bilden in (*dat.*) *od.* werfen.
pud·ding [ˈpʊdɪŋ] Pudding *m*; (*feste*) Süßspeise, Nachspeise *f*, -tisch *m*; (*Art*) Fleischpastete *f*; *black ~* Blutwurst *f*; *white ~* Preßsack *m*.
pud·dle [ˈpʌdl] Pfütze *f*.
pu·er·ile [ˈpjʊəraɪl] kindisch.
puff [pʌf] **1.** kurzer Atemzug, Schnaufer *m*; leichter Windstoß, Hauch *m*; Zug *m* (*beim Rauchen*); (Dampf-, Rauch)Wölkchen *n*; (Puder)Quaste *f*; **2.** (auf)blasen; pusten; paffen; schnauben, schnaufen, keuchen; *~ out*, *~ up* sich (auf)blähen; *~ed eyes* geschwollene Augen; *~ed sleeve* Puffärmel *m*; **~ pas·try** [ˈpʌf ˈpeɪstrɪ] Blätterteiggebäck *n*; **~·y** [~ɪ] (*-ier, -iest*) böig; kurzatmig; geschwollen; aufgedunsen; bauschig.
pug *zo.* [pʌg] *a. ~-dog* Mops *m*.
pug·na·cious □ [pʌgˈneɪʃəs] kampflustig; streitsüchtig.
pug-nose [ˈpʌgnəʊz] Stupsnase *f*.
puke *sl.* [pju:k] (aus)kotzen.
pull [pʊl] **1.** Ziehen *n*, Zerren *n*; Zug *m*; Ruck *m*; *print.* Fahne *f*, (Probe-) Abzug *m*; Ruderpartie *f*; Griff *m*; Zug *m* (*at* an *e-r Zigarette etc.*); Schluck *m* (*at* aus *e-r Flasche*); *fig.* Einfluß *m*, Beziehungen *pl.*, Vorteil *m*; **2.** ziehen; zerren; reißen; zupfen; pflücken; rudern; *~ about* herumzerren; *~ ahead of* vorbeiziehen an (*dat.*), überholen (*acc.*) (*Auto etc.*); *~ away* anfahren (*Bus etc.*); sich losreißen (*from* von); *~ down* niederreißen; *~ in* einfahren (*Zug*); anhalten (*Fahrzeug, Boot*); *~ off* F zustande bringen, schaffen; *~ out* herausfahren (*of* aus), abfahren (*Zug etc.*); ausscheren (*Fahrzeug*); *fig.* sich zurückziehen, aussteigen; *~ over* (s-n Wagen) an die *od.* zur Seite fahren; *~ round Kranken* durchbringen; durchkommen (*Kranker*); *~ through j-n* durchbringen; *~ o.s. together* sich zusammennehmen, sich zusammenreißen; *~ up Fahrzeug, Pferd* anhalten; (an)halten; *~ up with*, *~ up to j-n* einholen.
pul·ley ⊕ [ˈpʊlɪ] Rolle *f*; Flaschenzug *m*; Riemenscheibe *f*.
pull|-in *Brt.* [ˈpʊlɪn] Raststätte (*bsd. a. für Fernfahrer*); **~·o·ver** Pullover *m*; **~-up** *Brt.* = *pull-in*.
pulp [pʌlp] Brei *m*; Fruchtfleisch *n*; ⊕ Papierbrei *m*; *~ magazine* Schundblatt *n*.
pul·pit [ˈpʊlpɪt] Kanzel *f*.
pulp·y □ [ˈpʌlpɪ] (*-ier, -iest*) breiig; fleischig.
pul·sate [pʌlˈseɪt] pulsieren, schlagen; **pulse** [pʌls] Puls(schlag) *m*.
pul·ver·ize [ˈpʌlvəraɪz] *v/t.* pulverisieren; *v/i.* zu Staub werden.
pum·mel [ˈpʌml] (*bsd. Brt. -ll-, Am. -l-*) mit den Fäusten bearbeiten, verprügeln.
pump [pʌmp] **1.** Pumpe *f*; Pumps *m*; **2.** pumpen; F *j-n* aushorchen, -fragen; *~ up Reifen etc.* aufpumpen; **~ at·tend·ant** Tankwart *m*.

P

pump·kin ⚘ [ˈpʌmpkɪn] Kürbis *m.*
pun [pʌn] **1.** Wortspiel *n*; **2.** (*-nn-*) ein Wortspiel machen.
Punch[1] [pʌntʃ] Kasperle *n, m*; *~-and-Judy show* Kasperletheater *n.*
punch[2] [~] **1.** Locheisen *n*; Locher *m*; Lochzange *f*; (Faust)Schlag *m*; Punsch *m*; **2.** (aus)stanzen; lochen; aufnehmen (*auf Lochkarten*); *bsd. Am. Kontrolluhr* stechen, *Karte* stempeln; schlagen (*mit der Faust*), boxen; (ein)hämmern auf (*acc.*); *Am. Rinder* treiben; *~(ed) card* Lochkarte *f*; *~(ed) tape* Lochstreifen *m.*
punc·til·i·ous □ [pʌŋkˈtɪlɪəs] peinlich genau; (übertrieben) förmlich.
punc·tu·al □ [ˈpʌŋktjʊəl] pünktlich; **~·i·ty** [pʌŋktjʊˈælətɪ] Pünktlichkeit *f.*
punc·tu|ate *gr.* [ˈpʌŋktjʊeɪt] interpunktieren; **~·a·tion** *gr.* [pʌŋktjʊˈeɪʃn] Interpunktion *f*, Zeichensetzung *f*; *~ mark* Satzzeichen *n.*
punc·ture [ˈpʌŋktʃə] **1.** (Ein)Stich *m*, Loch *n*; Reifenpanne *f*; **2.** durchstechen; ein Loch machen in (*dat. od. acc.*); platzen (*Ballon*); *mot.* e-n Platten haben.
pun·gen|cy [ˈpʌndʒənsɪ] Schärfe *f*; **~t** [~t] stechend, beißend, scharf.
pun·ish [ˈpʌnɪʃ] (be)strafen; **~·a·ble** □ [~əbl] strafbar; **~·ment** [~mənt] Strafe *f*; Bestrafung *f.*
punk [pʌŋk] *sl.* kleiner *od.* junger Ganove; Punk *m* (*a.* ♪), Punker *m*; *~ rock(er)* ♪ Punkrock(er) *m.*
pu|ny □ [ˈpjuːnɪ] (*-ier, -iest*) winzig; schwächlich.
pup *zo.* [pʌp] Welpe *m*, junger Hund.
pu·pa *zo.* [ˈpjuːpə] (*pl. -pae* [-piː], *-pas*) Puppe *f.*
pu·pil [ˈpjuːpl] *anat.* Pupille *f*; Schüler(in); Mündel *m, n.*
pup·pet [ˈpʌpɪt] Marionette *f* (*a. fig.*); ⚠ *nicht Puppe = doll*; **~-show** Puppenspiel *n.*
pup·py [ˈpʌpɪ] *zo.* Welpe *m*, junger Hund; *fig.* Schnösel *m.*
pur|chase [ˈpɜːtʃəs] **1.** (An-, Ein-) Kauf *m*; ⚖ Erwerb(ung *f*) *m*; Anschaffung *f*; ⊕ Hebevorrichtung *f*; Halt *m*; *make ~s* Einkäufe machen; **2.** (er)kaufen; ⚖ erwerben; ⊕ hochwinden; **~·chas·er** [~ə] Käufer(in).
pure □ [pjʊə] (*~r, ~st*) rein; pur; **~-bred** [ˈpjʊəbred] reinrassig.
pur·ga|tive ⚕ [ˈpɜːgətɪv] **1.** abführend; **2.** Abführmittel *n*; **~·to·ry** [~ərɪ] Fegefeuer *n.*
purge [pɜːdʒ] **1.** ⚕ Abführmittel *n*; *pol.* Säuberung *f*; **2.** *mst fig.* reinigen; *pol.* säubern; ⚕ abführen.
pu·ri·fy [ˈpjʊərɪfaɪ] reinigen; läutern.
pu·ri·tan [ˈpjʊərɪtən] (*hist.* ♀) **1.** Puritaner(in); **2.** puritanisch.
pu·ri·ty [ˈpjʊərətɪ] Reinheit *f* (*a. fig.*).
purl [pɜːl] murmeln (*Bach*).
pur·lieus [ˈpɜːljuːz] *pl.* Umgebung *f.*
pur·loin [pɜːˈlɔɪn] entwenden.
pur·ple [ˈpɜːpl] **1.** purpurn, purpurrot; **2.** Purpur *m*; **3.** (sich) purpurn färben.
pur·port [ˈpɜːpət] **1.** Sinn *m*, Inhalt *m*; **2.** behaupten, vorgeben.
pur·pose [ˈpɜːpəs] **1.** Absicht *f*, Vorhaben *n*; Zweck *m*; Entschlußkraft *f*; *for the ~ of ger.* um zu *inf.*; *on ~* absichtlich; *to the ~* zweckdienlich; *to no ~* vergebens; **2.** beabsichtigen, vorhaben; **~·ful** □ [~fl] zweckmäßig; absichtlich; zielbewußt; **~·less** □ [~lɪs] zwecklos; ziellos; **~·ly** [~lɪ] absichtlich.
purr [pɜː] schnurren (*Katze*); summen (*Motor*).
purse [pɜːs] **1.** Geldbeutel *m*, -börse *f*; *Am.* (Damen)Handtasche *f*; Geldgeschenk *n*; Siegprämie *f*; *Boxen*: Börse *f*; *~ snatcher Am.* Handtaschenräuber *m*; **2.** *~ (up) one's lips* die Lippen schürzen.
pur·su|ance [pəˈsjuːəns]: *in (the) ~ of* bei der Ausführung *od.* Ausübung (*gen.*); **~ant** □ [~t]: *~ to* gemäß *od.* entsprechend (*dat.*).
pur|sue [pəˈsjuː] verfolgen (*a. fig.*); streben nach; *Beruf* nachgehen; *Studium* betreiben; fortsetzen, -fahren in (*dat.*); **~·su·er** [~ə] Verfolger (-in); **~·suit** [~t] Verfolgung *f*; *mst ~s pl.* Beschäftigung *f.*
pur·vey [pəˈveɪ] *Lebensmittel* liefern; **~·or** [~ə] Lieferant *m.*
pus [pʌs] Eiter *m.*
push [pʊʃ] **1.** (An-, Vor)Stoß *m*; Schub *m*; Druck *m*; Notfall *m*; Anstrengung *f*, Bemühung *f*; F Schwung *m*, Energie *f*, Tatkraft *f*; **2.** stoßen; schieben; drängen; *Knopf* drücken; (an)treiben; *a. ~ through* durchführen; *Anspruch etc.* durchsetzen; F verkaufen, *Rauschgift* pushen; *~ s.th. on s.o.* j-m et. aufdrängen; *~ one's way* sich durch- *od.* vordrängen; *~ along, ~ on, ~ forward*

weitermachen, -gehen, -fahren *etc.*; **~-but·ton** ⊕ [ˈpʊʃbʌtn] Druckknopf *m*, -taste *f*; **~-chair** *Brt.* (Falt)Sportwagen *m* (*für Kinder*); **~·er** F [~ə] Pusher *m* (*Rauschgifthändler*); **~-o·ver** Kinderspiel *n*, Kleinigkeit *f*; *be a ~ for* auf *j-n od. et.* hereinfallen.

pu·sil·lan·i·mous □ [pju:sɪˈlænɪməs] kleinmütig.

puss [pʊs] Mieze *f*, Kätzchen *n*, Katze *f* (*alle a. fig. = Mädchen*); **pus·sy** [ˈpʊsɪ], *a. ~-cat* Mieze *f*, Kätzchen *n*; **pus·sy·foot** F leisetreten, sich nicht festlegen.

put [pʊt] (*-tt-; put*) *v/t.* setzen, legen, stellen, stecken, tun; bringen (*ins Bett*); verwenden; *Frage* stellen, vorlegen; *Sport*: *Kugel* stoßen; werfen; ausdrücken, sagen; *~ to school* zur Schule schicken; *~ s.o. to work* j-n an die Arbeit setzen; *~ about Gerüchte* verbreiten; ⚓ den Kurs (*e-s Schiffes*) ändern; *~ across Idee etc.* an den Mann bringen, verkaufen; *~ back* zurückstellen (*a. Uhr*), -tun; *fig.* aufhalten; *~ by Geld* zurücklegen; *~ down v/t.* hin-, niederlegen, -setzen, -stellen; *j-n* absetzen, aussteigen lassen; (auf-, nieder-) schreiben; eintragen; zuschreiben (*to dat.*); *Aufstand* niederschlagen; *Mißstand* unterdrücken; (*a. v/i.*) ✈ landen, aufsetzen; *~ forth Kräfte* aufbieten; *Knospen etc.* treiben; *~ forward Uhr* vorstellen; *Meinung etc.* vorbringen; *~ o.s. forward* sich bemerkbar machen; *~ in v/t.* herein-, hineinlegen, -setzen, -stellen, -stekken; hineintun; *Anspruch* erheben; *Gesuch* einreichen; *Urkunde* vorlegen; *Antrag* stellen; *j-n* einstellen; *Bemerkung* einwerfen; *v/i.* einkehren (*at* in *dat.*); ⚓ einlaufen (*at* in *dat.*); *~ off v/t. Kleider* ablegen (*a. fig.*); auf-, verschieben; vertrösten; *j-n* abbringen; hindern; *Passagiere* aussteigen lassen; *v/i.* ⚓ auslaufen; *~ on Kleider* anziehen, *Hut, Brille* aufsetzen; *Uhr* vorstellen; *Tempo* beschleunigen; an-, einschalten; vortäuschen, -spielen; *~ on airs* sich aufspielen; *~ on weight* zunehmen; *~ out v/t.* ausmachen, (-)löschen; verrenken; (her-) ausstrecken; verwirren; ärgern; *j-m* Ungelegenheiten bereiten; *Kraft* aufbieten; *Geld* ausleihen; *v/i.* ⚓ auslaufen; *~ right* in Ordnung bringen; *~ through teleph.* verbinden (*to* mit); *~ together* zusammensetzen; zusammenstellen; *~ up v/t.* hinauflegen, -stellen; hochheben, -schieben, -ziehen; *Bild etc.* aufhängen; *Haar* hochstecken; *Schirm* aufspannen; *Zelt etc.* aufstellen; errichten, bauen; *Ware* anbieten; *Preis* erhöhen; *Widerstand* leisten; *Kampf* liefern; *Gäste* unterbringen, (bei sich) aufnehmen; *Bekanntmachung* anschlagen; *v/i. ~ up at* einkehren *od.* absteigen in (*dat.*); *~ up for* kandidieren für, sich bewerben um; *~ up with* sich gefallen lassen, sich abfinden mit.

pu·tre·fy [ˈpju:trɪfaɪ] verwesen.

pu·trid □ [ˈpju:trɪd] faul, verfault, -west; *sl.* scheußlich, saumäßig; **~·i·ty** [pju:ˈtrɪdətɪ] Fäulnis *f*.

put·ty [ˈpʌtɪ] **1.** Kitt *m*; **2.** kitten.

put-you-up *Brt.* F [ˈpʊtju:ʌp] Schlafcouch *f*, -sessel *m*.

puz·zle [ˈpʌzl] **1.** Rätsel *n*; schwierige Aufgabe; Verwirrung *f*; Geduld(s)-spiel *n*; **2.** *v/t.* verwirren; *j-m* Kopfzerbrechen machen; *~ out* austüfteln; *v/i.* verwirrt sein; sich den Kopf zerbrechen; **~-head·ed** konfus.

pyg·my [ˈpɪgmɪ] Pygmäe *m*; Zwerg *m*; *attr.* zwergenhaft.

py·ja·ma *Brt.* [pəˈdʒɑ:mə] Schlafanzugs..., Pyjama...; **~s** *Brt.* [~əz] *pl.* Schlafanzug *m*, Pyjama *m*.

py·lon [ˈpaɪlən] (Leitungs)Mast *m*.

pyr·a·mid [ˈpɪrəmɪd] Pyramide *f*.

pyre [ˈpaɪə] Scheiterhaufen *m*.

Py·thag·o·re·an [paɪθægəˈrɪən] **1.** pythagoreisch; **2.** Pythagoreer *m*.

py·thon *zo.* [ˈpaɪθn] Pythonschlange *f*.

pyx *eccl.* [pɪks] Hostienbehälter *m*.

P

Q

quack[1] [kwæk] **1.** Quaken *n*; **2.** quaken.
quack[2] [~] **1.** Scharlatan *m*; *a.* ~ *doctor* Quacksalber *m*, Kurpfuscher *m*; **2.** quacksalberisch; **3.** quacksalbern (an *dat.*); **~·er·y** ['kwækərɪ] Quacksalberei *f*.
quad·ran|gle ['kwɒdræŋgl] Viereck *n*; viereckiger Innenhof (*e-s College*); **~·gu·lar** □ [kwɒ'dræŋgjʊlə] viereckig.
quad·ren·nial □ [kwɒ'drenɪəl] vierjährig; vierjährlich (wiederkehrend).
quad·ru|ped ['kwɒdrʊped] Vierfüß(l)er *m*; **~·ple** [~pl] **1.** □ vierfach; Vierer...; **2.** (sich) vervierfachen; **~·plets** [~plɪts] *pl.* Vierlinge *pl.*
quag·mire ['kwægmaɪə] Sumpf(land *n*) *m*, Moor *n*; Morast *m*.
quail[1] *zo.* [kweɪl] Wachtel *f*.
quail[2] [~] verzagen; (vor Angst) zittern (*before* vor *dat.*; *at* bei).
quaint □ [kweɪnt] anheimelnd, malerisch; wunderlich, drollig.
quake [kweɪk] **1.** zittern, beben (*with, for* vor *dat.*); **2.** F Erdbeben *n*.
Quak·er ['kweɪkə] Quäker *m*.
qual·i|fi·ca·tion [kwɒlɪfɪ'keɪʃn] Qualifikation *f*, Eignung *f*, Befähigung *f*; Einschränkung *f*; *gr.* nähere Bestimmung; **~·fy** ['kwɒlɪfaɪ] (sich) qualifizieren; befähigen; bezeichnen; *gr.* näher bestimmen; einschränken; abschwächen, mildern; **~·ty** [~ətɪ] Eigenschaft *f*; Beschaffenheit *f*; *econ.* Qualität *f*.
qualm [kwɑːm] Übelkeit *f*; *oft* ~*s pl.* Skrupel *m*, Bedenken *n*; ⚠ *nicht Qualm*.
quan·da·ry ['kwɒndərɪ] verzwickte Lage, Verlegenheit *f*.
quan·ti·ty ['kwɒntətɪ] Quantität *f*, Menge *f*; große Menge.
quan·tum ['kwɒntəm] (*pl.* -*ta* [-tə]) Quantum *n*, Menge *f*; *phys.* Quant *n*.
quar·an·tine ['kwɒrəntiːn] **1.** Quarantäne *f*; **2.** unter Quarantäne stellen.
quar|rel ['kwɒrəl] **1.** Streit *m*; **2.** (*bsd. Brt.* -*ll*-, *Am.* -*l*-) (sich) streiten; **~·some** □ [~səm] zänkisch, streitsüchtig.
quar·ry ['kwɒrɪ] **1.** Steinbruch *m*; *hunt.* (Jagd)Beute *f*; *fig.* Fundgrube *f*; **2.** *Steine* brechen.
quart [kwɔːt] Quart *n* (= *1,136 l*).
quar·ter ['kwɔːtə] **1.** Viertel *n*, vierter Teil; Viertel(stunde *f*) *n*; Vierteljahr *n*, Quartal *n*; Viertelpfund *n*; Vierteljzentner *m*; *Am.* Vierteldollar *m* (= *25 Cents*); *Sport*: (Spiel)Viertel *n*; (*bsd.* Hinter)Viertel *n* (*e-s Schlachttiers*); (Stadt)Viertel *n*; (Himmels-, Wind)Richtung *f*; Gegend *f*, Richtung *f*; ⚔ Gnade *f*, Pardon *m*; ~*s pl.* Quartier *n* (*a.* ⚔), Unterkunft *f*; *a* ~ (*of an hour*) e-e Viertelstunde; *a* ~ *to* (*Am. of*) *od. a* ~ *past* (*Am. after*) *Uhrzeit*: (ein) Viertel vor *od.* nach; *at close* ~*s* in *od.* aus nächster Nähe; *from official* ~*s* von amtlicher Seite; **2.** vierteln, in vier Teile teilen; beherbergen; ⚔ einquartieren; **~·back** *American Football*: wichtigster Spieler der Angriffsformation; **~-day** Quartalstag *m*; **~-deck** ⚓ Achterdeck *n*; **~-fi·nal** *Sport:* Viertelfinalspiel *n*; ~*s pl.* Viertelfinale *n*; **~·ly** [~lɪ] **1.** vierteljährlich; **2.** Vierteljahresschrift *f*; **~·mas·ter** ⚔ Quartiermeister *m*.
quar·tet(te) ♪ [kwɔː'tet] Quartett *n*.
quar·to ['kwɔːtəʊ] (*pl.* -*tos*) Quart (-format) *n*.
quartz *min.* [kwɔːts] Quarz *m*; ~ *clock* Quarzuhr *f*; ~ *watch* Quarzarmbanduhr *f*.
qua·si ['kweɪzaɪ] gleichsam, sozusagen; Quasi..., Schein...
qua·ver ['kweɪvə] **1.** Zittern *n*; ♪ Triller *m*; **2.** mit zitternder Stimme sprechen *od.* singen; ♪ trillern.
quay [kiː] Kai *m*.
quea·sy □ ['kwiːzɪ] (-*ier*, -*iest*) empfindlich (*Magen, Gewissen*); *I feel* ~ mir ist übel *od.* schlecht.
queen [kwiːn] Königin *f* (*a. zo.*); *Karten, Schach*: Dame *f*; *sl.* Schwule(r) *m*, Homo *m*; ~ *bee* Bienenkönigin *f*; **~·like** ['kwiːnlaɪk], **~·ly** [~lɪ] wie e-e Königin, königlich.
queer [kwɪə] sonderbar, seltsam; wunderlich; komisch; F schwul (*homosexuell*).
quench [kwentʃ] *Flammen, Feuer* (aus)löschen; *Durst etc.* löschen, stillen; *Hoffnung* zunichte machen.
quer·u·lous □ ['kwerʊləs] quengelig, mürrisch, verdrossen.
que·ry ['kwɪərɪ] **1.** Frage(zeichen *n*) *f*;

Zweifel *m*; **2.** (be)fragen; (be-, an-) zweifeln.
quest [kwest] **1.** Suche *f*; **2.** suchen (*for* nach).
ques·tion [ˈkwestʃən] **1.** Frage *f*; Problem *n*, (Streit)Frage *f*, (Streit-) Punkt *m*; Zweifel *m*; Sache *f*, Angelegenheit *f*; *beyond* (*all*) ~ ohne Frage; *in* ~ fraglich; *call in* ~ *et.* an-, bezweifeln; *that is out of the* ~ das kommt nicht in Frage; **2.** (be)fragen; ⚖ vernehmen, -hören; *et.* an-, bezweifeln; **~·a·ble** □ [~əbl] fraglich; fragwürdig; **~·er** [~ə] Fragesteller (-in); **~ mark** Fragezeichen *n*; **~-mas·ter** *Brt.* Quizmaster *m*; **~-naire** [kwestɪəˈneə] Fragebogen *m*.
queue [kjuː] **1.** Reihe *f* (*von Personen etc.*), Schlange *f*; **2.** *mst* ~ *up* Schlange stehen; anstehen; sich anstellen.
quib·ble [ˈkwɪbl] **1.** Spitzfindigkeit *f*, Haarspalterei *f*; **2.** spitzfindig sein; ~ *with s.o. about od. over s.th.* sich mit j-m über et. herumstreiten.
quick [kwɪk] **1.** schnell, rasch; prompt; aufgeweckt, wach (*Verstand*); scharf (*Auge, Gehör*); lebhaft; hitzig, aufbrausend; *be* ~! mach schnell!; **2.** lebendes Fleisch; *cut s.o. to the* ~ j-n tief verletzen; **~·en** [ˈkwɪkən] anregen, beleben; (sich) beschleunigen; **~-freeze** (*-froze, -frozen*) einfrieren, tiefkühlen; **~·ie** F [~ɪ] auf die schnelle gemachte Sache; kurze Sache; **~·ly** [~lɪ] schnell, rasch; **~·ness** [~nɪs] Schnelligkeit *f*; rasche Auffassungsgabe; Schärfe *f* (*des Auges etc.*); Lebhaftigkeit *f*; Hitzigkeit *f*; **~·sand** Treibsand *m*; **~·set hedge** *bsd. Brt.* lebende Hecke; Weißdornhecke *f*; **~·sil·ver** Quecksilber *n*; **~-wit·ted** geistesgegenwärtig; schlagfertig.
quid[1] [kwɪd] Priem *m* (*Kautabak*).
quid[2] *Brt. sl.* [~] (*pl.* ~) Pfund *n* (Sterling).
qui·es|cence [kwaɪˈesns] Ruhe *f*, Stille *f*; **~·cent** □ [~t] ruhend; *fig.* ruhig, still.
qui·et [ˈkwaɪət] **1.** □ ruhig, still; *be* ~! sei still!; **2.** Ruhe *f*; *on the* ~ heimlich (, still u. leise); **3.** *bsd. Am.* = **~·en** *bsd. Brt.* [~tn] *v/t.* beruhigen; *v/i. mst* ~ *down* sich beruhigen; **~·ness** [~nɪs], **qui·e·tude** [ˈkwaɪɪtjuːd] Ruhe *f*, Stille *f*.
quill [kwɪl] *a.* ~*-feather zo.* (Schwung-, Schwanz)Feder *f*; *a.* ~*-pen* Federkiel *m*; *zo.* Stachel *m* (*des Stachelschweins*).
quilt [kwɪlt] **1.** Steppdecke *f*; **2.** steppen; wattieren.
quince ⚘ [kwɪns] Quitte *f*.
quin·ine [kwɪˈniːn, *Am.* ˈkwaɪnaɪn] Chinin *n*.
quin·quen·ni·al □ [kwɪŋˈkwenɪəl] fünfjährig; fünfjährlich.
quin·sy ⚕ [ˈkwɪnzɪ] Mandelentzündung *f*.
quin·tal [ˈkwɪntl] Doppelzentner *m*.
quin·tes·sence [kwɪnˈtesns] Quintessenz *f*; Inbegriff *m*.
quin·tu|ple [ˈkwɪntjʊpl] **1.** □ fünffach; **2.** (sich) verfünffachen; **~·plets** [~lɪts] *pl.* Fünflinge *pl.*
quip [kwɪp] **1.** geistreiche Bemerkung; Stichelei *f*; **2.** (*-pp-*) witzeln, spötteln.
quirk [kwɜːk] Eigenart *f*, seltsame Angewohnheit; Laune *f* (*des Schicksals etc.*); *arch.* Hohlkehle *f*.
quit [kwɪt] **1.** (*-tt-*; *Brt.* ~*ted od.* ~, *Am. mst* ~) *v/t.* verlassen; *Stellung* aufgeben; aufhören mit; *v/i.* aufhören; weggehen; ausziehen (*Mieter*); *give notice to* ~ *j-m* kündigen; **2.** *pred. adj.* frei, los.
quite [kwaɪt] ganz, völlig, vollständig; ziemlich, recht; ganz, sehr, durchaus; ~ *nice* ganz *od.* recht nett; ~ (*so*)! ganz recht; ~ *the thing* F ganz große Mode; *she's* ~ *a beauty* sie ist e-e wirkliche Schönheit.
quits *pred. adj.* [kwɪts]: *be* ~ *with s.o.* mit j-m quitt sein.
quit·ter F [ˈkwɪtə] Drückeberger *m*.
quiv·er[1] [ˈkwɪvə] zittern, beben.
quiv·er[2] [~] Köcher *m*.
quiz [kwɪz] **1.** (*pl. quizzes*) Prüfung *f*, Test *m*; Quiz *n*; **2.** (*-zz-*) ausfragen; *j-n* prüfen; **~·mas·ter** *bsd. Am.* [ˈkwɪzmɑːstə] Quizmaster *m*; **~·zi·cal** □ [~ɪkl] spöttisch; komisch.
quoit [kɔɪt] Wurfring *m*; ~*s sg.* Wurfringspiel *n*.
quo·rum [ˈkwɔːrəm] beschlußfähige Anzahl *od.* Mitgliederzahl.
quo·ta [ˈkwəʊtə] Quote *f*, Anteil *m*, Kontingent *n*.
quo·ta·tion [kwəʊˈteɪʃn] Anführung *f*, Zitat *n*; Beleg(stelle *f*) *m*; *econ.*: (Börsen-, Kurs)Notierung *f*; Preis (-angabe *f*) *m*; Kostenvoranschlag *m*; **~ marks** *pl.* Anführungszeichen *pl.*
quote [kwəʊt] anführen, zitieren;

econ. Preis nennen, berechnen; *Börse*: notieren (*at* mit).
quoth *veraltet* [kwəʊθ]: ~ *I* sagte ich.

quo·tid·i·an [kwɒˈtɪdɪən] täglich.
quo·tient ⩓ [ˈkwəʊʃnt] Quotient *m*.

R

rab·bi [ˈræbaɪ] Rabbiner *m*.
rab·bit [ˈræbɪt] Kaninchen *n*.
rab·ble [ˈræbl] Pöbel *m*, Mob *m*; **~-rous·er** [~ə] Aufrührer *m*, Demagoge *m*; **~-rous·ing** □ [~ɪŋ] aufwieglerisch, demagogisch.
rab·id □ [ˈræbɪd] tollwütig (*Tier*); *fig*. wild, wütend.
ra·bies *vet*. [ˈreɪbiːz] Tollwut *f*.
rac·coon *zo*. [rəˈkuːn] Waschbär *m*.
race¹ [reɪs] Rasse *f*; Geschlecht *n*, Stamm *m*; Volk *n*, Nation *f*; (Menschen)Schlag *m*.
race² [~] **1.** Lauf *m* (*a. fig*.); (Wett-) Rennen *n*; Strömung *f*; ~*s pl*. Pferderennen *n*; **2.** rennen; rasen; um die Wette laufen *od*. fahren (mit); ⊕ durchdrehen; **~·course** [ˈreɪskɔːs] Rennbahn *f*, -strecke *f*; **~·horse** Rennpferd *n*; **rac·er** [ˈreɪsə] Läufer (-in); Rennpferd *n*; Rennboot *n*; Rennwagen *m*; Rennrad *n*.
ra·cial □ [ˈreɪʃl] rassisch; Rassen...
rac·ing [ˈreɪsɪŋ] (Wett)Rennen *n*; (Pferde)Rennsport *m*; *attr*. Renn...
rack [ræk] **1.** Gestell *n*; Kleiderständer *m*; Gepäcknetz *n*; Raufe *f*, Futtergestell *n*; Folter(bank) *f*; *go to ~ and ruin* verfallen (*Gebäude, Person*); dem Ruin entgegentreiben (*Land, Wirtschaft*); **2.** strecken; foltern, quälen (*a. fig*.); ~ *one's brains* sich den Kopf zermartern.
rack·et [ˈrækɪt] **1.** (*Tennis*)Schläger *m*; Lärm *m*; Trubel *m*; F Schwindel (-geschäft *n*) *m*, Gaunerei *f*; Strapaze *f*; **2.** lärmen; sich amüsieren.
rack·e·teer [rækəˈtɪə] Gauner *m*, Erpresser *m*; **~·ing** [~ərɪŋ] Gaunereien *pl*, Beutelschneiderei *f*.
ra·coon *Brt. zo*. [rəˈkuːn] = *raccoon*.
rac·y [□ [ˈreɪsɪ] (*-ier, -iest*) kraftvoll, lebendig; stark; würzig; urwüchsig; gewagt.
ra·dar [ˈreɪdə] Radar(gerät) *n*.
ra·di|ance [ˈreɪdjəns] Strahlen *n*, strahlender Glanz (*a. fig*.); **~ant** □ [~t] strahlend, leuchtend (*a. fig. with* vor *dat*.).
ra·di|ate [ˈreɪdɪeɪt] (aus)strahlen; strahlenförmig ausgehen; **~·a·tion** [reɪdɪˈeɪʃn] (Aus)Strahlung *f*; **~·a·tor** [ˈreɪdɪeɪtə] Heizkörper *m*; *mot*. Kühler *m*.
rad·i·cal [ˈrædɪkl] **1.** □ ⚘, ⩓ Wurzel...; Grund...; radikal, drastisch; eingewurzelt; *pol*. radikal; **2.** *pol*. Radikale(r *m*) *f*; ⩓ Wurzel *f*; ⚗ Radikal *n*.
ra·di·o [ˈreɪdɪəʊ] (*pl. -os*) **1.** Radio (-apparat *m*) *n*; Funk(spruch) *m*; Funk...; ~ *play* Hörspiel *n*; ~ *set* Radiogerät *n*; *by* ~ über Funk; *on the* ~ im Radio; **2.** funken; **~·ac·tive** radioaktiv; ~ *waste* Atommüll *m*; **~·ac·tiv·i·ty** Radioaktivität *f*; **~-ther·a·py** Strahlen-, Röntgentherapie *f*.
rad·ish ⚘ [ˈrædɪʃ] Rettich *m*; (*red*) ~ Radieschen *n*.
ra·di·us [ˈreɪdjəs] (*pl. -dii* [-dɪaɪ], *-uses*) Radius *m*.
raf·fle [ˈræfl] **1.** Tombola *f*, Verlosung *f*; **2.** verlosen.
raft [rɑːft] **1.** Floß *n*; **2.** flößen; **~·er** ⊕ [ˈrɑːftə] (Dach)Sparren *m*; **~s·man** (*pl. -men*) Flößer *m*.
rag¹ [ræg] Lumpen *m*; Fetzen *m*; Lappen *m*; *in ~s* zerlumpt; *~-and-bone man bsd. Brt*. Lumpensammler *m*.
rag² *sl*. [~] **1.** Unfug *m*; Radau *m*; Schabernack *m*; **2.** (*-gg-*) *j-n* aufziehen; *j-n* anschnauzen; *j-m* e-n Schabernack spielen; herumtollen, Radau machen.
rag·a·muf·fin [ˈrægəmʌfɪn] zerlumpter Kerl; Gassenjunge *m*.
rage [reɪdʒ] **1.** Wut(anfall *m*) *f*, Zorn *m*, Raserei *f*; Wüten *n*, Toben *n* (*der Elemente etc*.); Sucht *f*, Gier *f* (*for* nach); Manie *f*; Ekstase *f*; *it is* (*all*)

the ~ es ist jetzt die große Mode; **2.** wüten, rasen (*a. fig.*).
rag·ged □ [ˈrægɪd] rauh; zottig; zackig; zerlumpt; ausgefranst.
raid [reɪd] **1.** (feindlicher) Überfall, Streifzug *m*; (Luft)Angriff *m*; Razzia *f*; **2.** einbrechen in (*acc.*); überfallen; plündern.
rail[1] [reɪl] schimpfen.
rail[2] [~] **1.** Geländer *n*; Stange *f*; ⚓ Reling *f*; 🚂 Schiene *f*; (Eisen)Bahn *f*; *by* ~ mit der Bahn; *off the* ~*s fig.* aus dem Geleise, durcheinander; verrückt; *run off* (*leave, jump*) *the* ~*s* entgleisen; **2.** *a.* ~ *in* mit e-m Geländer umgeben; *a.* ~ *off* durch ein Geländer (ab)trennen.
rail·ing [ˈreɪlɪŋ], *a.* ~*s pl.* Geländer *n*.
rail·ler·y [ˈreɪlərɪ] Neckerei *f*, Stichelei *f*.
rail·road *Am.* [ˈreɪlrəʊd] Eisenbahn *f*.
rail·way *bsd. Brt.* [ˈreɪlweɪ] Eisenbahn *f*; **~·man** (*pl. -men*) Eisenbahner *m*.
rain [reɪn] **1.** Regen *m*; ~*s pl.* Regenfälle *pl.*; *the* ~*s pl.* die Regenzeit (*in den Tropen*); ~ *or shine* bei jedem Wetter; **2.** regnen; *it never* ~*s but it pours* es kommt immer gleich knüppeldick; ein Unglück kommt selten allein; **~·bow** [ˈreɪnbəʊ] Regenbogen *m*; **~·coat** Regenmantel *m*; **~·fall** Regenmenge *f*; **~-proof 1.** regen-, wasserundurchlässig; imprägniert (*Stoff*); **2.** Regenmantel *m*; **~·y** □ [ˈreɪnɪ] (*-ier, -iest*) regnerisch; Regen...; *a* ~ *day fig.* Notzeiten *pl.*
raise [reɪz] *oft* ~ *up* (auf-, hoch-) heben; (*oft fig.*) erheben; errichten; erhöhen (*a. fig.*); *Geld etc.* aufbringen; *Anleihe* aufnehmen; *Familie* gründen; *Kinder* aufziehen; (auf)erwecken; anstiften; züchten, ziehen; *Belagerung etc.* aufheben.
rai·sin [ˈreɪzn] Rosine *f*.
rake [reɪk] **1.** Rechen *m*, Harke *f*; Wüstling *m*; Lebemann *m*; **2.** *v/t.* (glatt)harken, (-)rechen; *fig.* durchstöbern; *v/i.* ~ *about* (herum)stöbern; **~-off** F [ˈreɪkɒf] (Gewinn)Anteil *m*.
rak·ish □ [ˈreɪkɪʃ] schnittig; liederlich, ausschweifend; verwegen, keck.
ral·ly [ˈrælɪ] **1.** Sammeln *n*; Treffen *n*; (Massen)Versammlung *f*; Kundgebung *f*; Erholung *f*; *mot.* Rallye *f*; **2.** (sich ver)sammeln; sich erholen.
ram [ræm] **1.** *zo.* Widder *m*, Schafbock *m*; ♈ *ast.* Widder *m*; ⊕, ⚓ Ramme *f*; **2.** (*-mm-*) (fest)rammen; ⚓ rammen; ~ *s.th. down s.o.'s throat fig.* j-m et. eintrichtern.
ram|ble [ˈræmbl] **1.** Streifzug *m*; Wanderung *f*; **2.** umherstreifen; abschweifen; **~·bler** [~ə] Wanderer *m*; *a.* ~ *rose* ⚘ Kletterrose *f*; **~·bling** [~ɪŋ] abschweifend; weitschweifend; weitläufig.
ram·i·fy [ˈræmɪfaɪ] (sich) verzweigen.
ramp [ræmp] Rampe *f*.
ram·pant □ [ˈræmpənt] wuchernd; *fig.* zügellos.
ram·part [ˈræmpɑːt] Wall *m*.
ram·shack·le [ˈræmʃækl] baufällig; wack(e)lig; klapp(e)rig.
ran [ræn] *pret. von run 1.*
ranch [rɑːntʃ, *Am.* ræntʃ] Ranch *f*, Viehfarm *f*; **~·er** [ˈrɑːntʃə, *Am.* ˈræntʃə] Rancher *m*, Viehzüchter *m*; Farmer *m*.
ran·cid □ [ˈrænsɪd] ranzig.
ran·co(u)r [ˈræŋkə] Groll *m*, Haß *m*.
ran·dom [ˈrændəm] **1.** *at* ~ aufs Geratewohl, blindlings; **2.** ziel-, wahllos; zufällig; willkürlich.
rang [ræŋ] *pret. von ring*[1] *2.*
range [reɪndʒ] **1.** Reihe *f*; (Berg-) Kette *f*; *econ.* Kollektion *f*, Sortiment *n*; Herd *m*; Raum *m*; Umfang *m*, Bereich *m*; Reichweite *f*; Schußweite *f*; Entfernung *f*; (ausgedehnte) Fläche; Schießstand *m*; offenes Weidegebiet; *at close* ~ aus nächster Nähe; *within* ~ *of vision* in Sichtweite; *a wide* ~ *of ...* eine große Auswahl an ...; **2.** *v/t.* (ein)reihen, ordnen; *Gebiet etc.* durchstreifen; *v/i.* in e-r Reihe *od.* Linie stehen; (umher)streifen; sich erstrecken, reichen; zählen, gehören (*among, with* zu); ~ *from ... to ...*, ~ *between ... and ...* sich zwischen ... und ... bewegen (*von Preisen etc*); **rang·er** [ˈreɪndʒə] Förster *m*; Aufseher *m* e-s Forsts *od.* Parks; Angehörige(r) *m* e-r berittenen Schutztruppe.
rank [ræŋk] **1.** Reihe *f*, Linie *f*; ⚔ Glied *n*; Klasse *f*; Rang *m*, Stand *m*; ~*s pl.*, *the* ~ *and file* die Mannschaften *pl.*; *fig.* die große Masse; **2.** *v/t.* einreihen, (ein)ordnen; einstufen; *v/i.* sich reihen, sich ordnen; gehören (*among, with* zu); e-n Rang *od.* e-e Stelle einnehmen (*above* über

dat.); ~ *as* gelten als; **3.** üppig; ranzig; stinkend; scharf; kraß; ⚠ *nicht rank* (= *slim, slender*).
ran·kle *fig.* [ˈræŋkl] nagen, weh tun.
ran·sack [ˈrænsæk] durchwühlen, -stöbern, -suchen; ausrauben.
ran·som [ˈrænsəm] **1.** Lösegeld *n*; Auslösung *f*; **2.** loskaufen, auslösen.
rant [rænt] **1.** Schwulst *m*; **2.** Phrasen dreschen; mit Pathos vortragen.
rap[1] [ræp] **1.** Klaps *m*; Klopfen *n*; **2.** (*-pp-*) schlagen; pochen, klopfen.
rap[2] *fig.* [~] Heller *m*, Deut *m*.
ra·pa|cious □ [rəˈpeɪʃəs] habgierig; (raub)gierig; **~·ci·ty** [rəˈpæsətɪ] Habgier *f*; (Raub)Gier *f*.
rape[1] [reɪp] **1.** Notzucht *f*, Vergewaltigung *f* (*a. fig.*); **2.** rauben; vergewaltigen.
rape[2] ⚘ [~] Raps *m*.
rap·id [ˈræpɪd] **1.** □ schnell, rasch, rapid(e); steil; **2. ~s** *pl.* Stromschnelle(n *pl.*) *f*; **ra·pid·i·ty** [rəˈpɪdətɪ] Schnelligkeit *f*.
rap·proche·ment *pol.* [ræˈprɒʃmɑ̃:ŋ] Wiederannäherung *f*.
rapt □ [ræpt] entzückt; versunken; **rap·ture** [ˈræptʃə] Entzücken *n*; *go into* ~*s* in Entzücken geraten.
rare □ [reə] (~*r*, ~*st*) selten; *phys.* dünn (*Luft*); halbgar, nicht durchgebraten (*Fleisch*); F ausgezeichnet, köstlich.
rare·bit [ˈreəbɪt]: *Welsh* ~ überbackener Käsetoast.
rar·e·fy [ˈreərɪfaɪ] (sich) verdünnen.
rar·i·ty [ˈreərətɪ] Seltenheit *f*; Rarität *f*.
ras·cal [ˈrɑːskəl] Schuft *m*; *co.* Gauner *m*, Schlingel *m*; **~·ly** [~ɪ] schuftig; erbärmlich.
rash[1] □ [ræʃ] hastig, vorschnell; übereilt; unbesonnen; waghalsig; ⚠ *nicht rasch*.
rash[2] ⚕ [~] (Haut)Ausschlag *m*.
rash·er [ˈræʃə] Speckscheibe *f*.
rasp [rɑːsp] **1.** Raspel *f*; **2.** raspeln; kratzen; krächzen.
rasp·ber·ry ⚘ [ˈrɑːzbərɪ] Himbeere *f*.
rat [ræt] *zo.* Ratte *f*; *pol.* Überläufer *m*; *smell a* ~ Lunte *od.* den Braten riechen; ~*s! sl.* Quatsch!
rate [reɪt] **1.** (Verhältnis)Ziffer *f*; Rate *f*; Verhältnis *n*; (Aus)Maß *n*; Satz *m*; Preis *m*, Gebühr *f*; Taxe *f*; (Gemeinde)Abgabe *f*, (Kommunal-)Steuer *f*; Grad *m*, Rang *m*, Klasse *f*; Geschwindigkeit *f*; *at any* ~ auf jeden Fall; ~ *of exchange* (Umrechnungs-, Wechsel)Kurs *m*; ~ *of interest* Zinssatz *m*, -fuß *m*; **2.** (ein-)schätzen; besteuern; ⚠ *nicht raten*; ~ *among* rechnen, zählen zu (*dat.*).
ra·ther [ˈrɑːðə] eher, lieber; vielmehr; besser gesagt; ziemlich, fast; ~! F und ob!, allerdings!; *I had od. would* ~ (*not*) *go* ich möchte lieber (nicht) gehen.
rat·i·fy *pol.* [ˈrætɪfaɪ] ratifizieren.
rat·ing [ˈreɪtɪŋ] Schätzung *f*; Steuersatz *m*; ⚓ Dienstgrad *m*; ⚓ (Segel-)Klasse *f*; Matrose *m*; *TV* Einschaltquote *f*.
ra·ti·o ⚹ [ˈreɪʃɪəʊ] (*pl.* *-os*) Verhältnis *n*.
ra·tion [ˈræʃn] **1.** Ration *f*, Zuteilung *f*; **2.** rationieren.
ra·tion·al □ [ˈræʃənl] vernunftgemäß; vernünftig; (*a.* ⚹) rational; ⚠ *nicht rationell*; **~·i·ty** [ræʃəˈnælətɪ] Vernunft *f*; **~·ize** *econ.* [ˈræʃnəlaɪz] rationalisieren.
rat race [ˈrætreɪs] harter (Konkurrenz)Kampf.
rat·tle [ˈrætl] **1.** Gerassel *n*; Geklapper *n*; Geplapper *n*; Klapper *f*; Röcheln *n*; **2.** rasseln (mit); klappern; rütteln; rattern; plappern; röcheln; ~ *off* herunterrasseln; **~-brain, ~-pate** Hohl-, Wirrkopf *m*; Schwätzer(in); **~·snake** *zo.* Klapperschlange *f*; **~·trap** *fig.* Klapperkasten *m* (*Fahrzeug*).
rat·tling [ˈrætlɪŋ] **1.** *adj.* rasselnd; F schnell, flott; **2.** F *adv.* sehr, äußerst; ~ *good* prima.
rau·cous □ [ˈrɔːkəs] heiser, rauh.
rav·age [ˈrævɪdʒ] **1.** Verwüstung *f*; **2.** verwüsten; plündern.
rave [reɪv] rasen, toben; schwärmen (*about, of* von).
rav·el [ˈrævl] (*bsd. Brt.* *-ll-*, *Am.* *-l-*) *v/t.* verwickeln; ~ (*out*) auftrennen; *fig.* entwirren; *v/i. a.* ~ *out* ausfasern, aufgehen.
ra·ven *zo.* [ˈreɪvn] Rabe *m*.
rav·e|nous □ [ˈrævənəs] gefräßig; heißhungrig; gierig; raubgierig.
ra·vine [rəˈviːn] Hohlweg *m*; Schlucht *f*; Klamm *f*.
rav·ings [ˈreɪvɪŋz] *pl.* irres Gerede; Delirien *pl.*
rav·ish [ˈrævɪʃ] entzücken; hinreißen; **~·ing** □ [~ɪŋ] hinreißend, entzückend; **~·ment** [~mənt] Entzükken *n*.

Q R

raw □ [rɔː] roh; Roh...; wund; rauh (*Wetter*); ungeübt, unerfahren; **~-boned** [ˈrɔːbəʊnd] knochig, hager; **~ hide** Rohleder *n*.
ray [reɪ] Strahl *m*; *fig*. Schimmer *m*.
ray·on [ˈreɪɒn] Kunstseide *f*.
raze [reɪz] *Haus etc*. abreißen; *Festung* schleifen; *fig*. ausmerzen, tilgen; ~ *s.th. to the ground* et. dem Erdboden gleichmachen.
ra·zor [ˈreɪzə] Rasiermesser *n*; Rasierapparat *m*; **~-blade** Rasierklinge *f*; **~-edge** *fig*. kritische Lage; *be on a* ~ auf des Messers Schneide stehen.
re- [riː] wieder, noch einmal, neu; zurück, wider.
reach [riːtʃ] **1.** Griff *m*; Reichweite *f*; Fassungskraft *f*; *beyond* ~, *out of* ~ unerreichbar; *within easy* ~ leicht erreichbar; **2.** *v/i*. reichen; langen, greifen; sich erstrecken; ⚠ *nicht (aus)reichen*; *v/t*. (hin-, her)reichen, (hin-, her)langen; erreichen, erzielen; *a*. ~ *out* ausstrecken.
re·act [rɪˈækt] reagieren (*to* auf *acc*.); (ein)wirken (*on, upon* auf *acc*.).
re·ac·tion [rɪˈækʃn] Reaktion *f* (*a*. ⚗, *pol*.); Rückwirkung *f*; **~·a·ry** [~nərɪ] **1.** reaktionär; **2.** Reaktionär(in).
re·ac·tor *phys*. [rɪˈæktə] (Kern-) Reaktor *m*.
read 1. [riːd] (*read* [red]) lesen; deuten; (an)zeigen (*Thermometer*); studieren; sich *gut etc*. lesen (lassen); lauten; ~ *to s.o*. j-m vorlesen; ~ *medicine* Medizin studieren; **2.** [red] *pret. u. p.p. von 1*; **rea·da·ble** □ [ˈriːdəbl] lesbar; leserlich; lesenswert; **read·er** [~ə] (Vor)Leser(in); *typ*. Korrektor *m*; Lektor *m*; *univ*. Dozent *m*; Lesebuch *n*.
read·i|ly [ˈredɪlɪ] *adv*. gleich; leicht; bereitwillig, gern; **~·ness** [~nɪs] Bereitschaft *f*; Bereitwilligkeit *f*; Schnelligkeit *f*.
read·ing [ˈriːdɪŋ] Lesen *n*; Lesung *f* (*a. parl*.); Stand *m* (*des Thermometers*); Belesenheit *f*; Lektüre *f*; Lesart *f*; Auslegung *f*; Auffassung *f*; *attr*. Lese...
re·ad·just [ˈriːəˈdʒʌst] wieder in Ordnung bringen; wieder anpassen; ⊕ nachstellen; **~·ment** [~mənt] Wiederanpassung *f*; Neuordnung *f*; ⊕ Korrektur.
read·y □ [ˈredɪ] (*-ier, -iest*) bereit, fertig; bereitwillig; im Begriff (*to do* zu tun); schnell; schlagfertig, gewandt; leicht; *econ*. bar; ~ *for use* gebrauchsfertig; *get* ~ (sich) fertig machen; ~ *cash*, ~ *money* Bargeld *n*; **~-made** fertig, Konfektions...
re·a·gent ⚗ [riːˈeɪdʒənt] Reagens *n*.
real □ [rɪəl] wirklich, tatsächlich, real, wahr, eigentlich; echt; ⚠ *nicht reell*; **~ estate** Grundbesitz *m*, Immobilien *pl*.
re·a·lis|m [ˈrɪəlɪzəm] Realismus *m*; **~t** [~ɪst] Realist *m*; **~·tic** [rɪəˈlɪstɪk] (*~ally*) realistisch; sachlich; wirklichkeitsnah.
re·al·i·ty [rɪˈælətɪ] Wirklichkeit *f*.
re·a·li|za·tion [rɪəlaɪˈzeɪʃn] Realisierung *f* (*a. econ*.); Verwirklichung *f*; Erkenntnis *f*; **~ze** [ˈrɪəlaɪz] sich klarmachen; erkennen, begreifen, einsehen; verwirklichen; realisieren (*a. econ*.); zu Geld machen.
real·ly [ˈrɪəlɪ] wirklich, tatsächlich; ~*!* ich muß schon sagen!
realm [relm] Königreich *n*; Reich *n*; Bereich *m*.
real|tor *Am*. [ˈrɪəltə] Grundstücksmakler *m*; **~·ty** ⚖ [~ɪ] Grundeigentum *n*, -besitz *m*.
reap [riːp] *Korn* schneiden; *Feld* mähen; *fig*. ernten; **~·er** [ˈriːpə] Schnitter(in); Mähmaschine *f*.
re·ap·pear [ˈriːəˈpɪə] wieder erscheinen.
rear [rɪə] **1.** *v/t*. auf-, großziehen; züchten; (er)heben; *v/i*. *Pferd*: sich aufbäumen; **2.** Rück-, Hinterseite *f*; Hintergrund *m*; *mot*., ⚓ Heck *n*; ⚔ Nachhut *f*; *at* (*Am. in*) *the* ~ *of* hinter (*dat*.); **3.** Hinter..., Rück...; ~ *wheel drive* Hinterradantrieb *m*; **~-ad·mi·ral** ⚓ [ˈrɪəˈædmərəl] Konteradmiral *m*; **~·guard** ⚔ Nachhut *f*; **~-lamp, ~-light** *mot*. Rücklicht *n*.
re·arm ⚔ [ˈriːˈɑːm] (wieder)aufrüsten; **re·ar·ma·ment** ⚔ [~məmənt] (Wieder)Aufrüstung *f*.
rear|most [ˈrɪəməʊst] hinterste(r, -s); **~-view mir·ror** *mot*. Rückspiegel *m*; **~·ward** [~wəd] **1.** *adj*. rückwärtig; **2.** *adv*. *a*. ~*s* rückwärts.
rea·son [ˈriːzn] **1.** Vernunft *f*; Verstand *m*; Recht *n*, Billigkeit *f*; Ursache *f*, Grund *m*; *by* ~ *of* wegen; *for this* ~ aus diesem Grund; *listen to* ~ Vernunft annehmen; *it stands to* ~ *that* es leuchtet ein, daß; **2.** *v/i*. vernünftig *od*. logisch denken; argumentieren; *v/t*. folgern, schließen (*from* aus); *a*. ~ *out* (logisch) durch-

QR

denken; ~ *away* wegdiskutieren; ~ *s.o. into* (*out of*) *s.th.* j-m et. ein-(aus)reden; **rea·so·na·ble** □ [~əbl] vernünftig; angemessen; berechtigt.
re·as·sure [ˈriːəˈʃʊə] (nochmals) versichern; beteuern; beruhigen.
re·bate [ˈriːbeɪt] *econ.* Rabatt *m*, Abzug *m*; Rückzahlung *f*.
reb·el[1] [ˈrebl] **1.** Rebell *m*; Aufrührer *m*; Aufständische(r) *m*; **2.** rebellisch, aufrührerisch.
re·bel[2] [rɪˈbel] rebellieren, sich auflehnen; **~·lion** [~ljən] Empörung *f*; **~·lious** [~ljəs] = *rebel*[1] 2.
re·birth [ˈriːˈbɜːθ] Wiedergeburt *f*.
re·bound [rɪˈbaʊnd] **1.** zurückprallen; **2.** [*mst* ˈriːbaʊnd] Rückprall *m*; *Sport*: Abpraller *m*.
re·buff [rɪˈbʌf] **1.** schroffe Abweisung, Abfuhr *f*; **2.** abblitzen lassen, abweisen.
re·build [ˈriːˈbɪld] (*-built*) wieder aufbauen.
re·buke [rɪˈbjuːk] **1.** Tadel *m*; **2.** tadeln.
re·but [rɪˈbʌt] (*-tt-*) widerlegen, entkräften.
re·call [rɪˈkɔːl] **1.** Zurückrufung *f*; Abberufung *f*; Widerruf *m*; *beyond* ~, *past* ~ unwiderruflich; **2.** zurückrufen; ab(be)rufen; sich erinnern an (*acc.*); *j-n* erinnern (*to* an *acc.*); widerrufen; *econ. Kapital* kündigen.
re·ca·pit·u·late [riːkəˈpɪtjʊleɪt] kurz wiederholen, zusammenfassen.
re·cap·ture [ˈriːˈkæptʃə] wieder ergreifen; ⚔ zurückerobern; *fig.* wiedereinfangen.
re·cast [ˈriːˈkɑːst] (*-cast*) ⊕ umgießen; umarbeiten, neu gestalten; *thea. Rolle* umbesetzen.
re·cede [rɪˈsiːd] zurücktreten; *receding* fliehend (*Kinn, Stirn*).
re·ceipt [rɪˈsiːt] **1.** Empfang *m*; Eingang *m* (*von Waren*); Quittung *f*; ⚠ *nicht* ⚕, *Koch-Rezept*; ~*s pl.* Einnahmen *pl.*; **2.** quittieren.
re·cei·va·ble [rɪˈsiːvəbl] annehmbar; *econ.* ausstehend; **re·ceive** [~v] empfangen; erhalten, bekommen; aufnehmen; annehmen; anerkennen; **re·ceived** (allgemein) anerkannt; **re·ceiv·er** [~ə] Empfänger *m*; *teleph.* Hörer *m*; Hehler *m*; (*Steuer- etc.*) Einnehmer *m*; *official* ~ ⚖ Konkursverwalter *m*.
re·cent □ [ˈriːsnt] neu; frisch; modern; ~ *events pl. die* jüngsten Ereignisse *pl.*; **~·ly** [~lɪ] kürzlich, vor kurzem, neulich.
re·cep·ta·cle [rɪˈseptəkl] Behälter *m*.
re·cep·tion [rɪˈsepʃn] Aufnahme *f* (*a. fig.*); Empfang *m* (*a. Rundfunk, TV*); Annahme *f*; ~ **desk** Rezeption *f* (*im Hotel*); **~·ist** [~ɪst] Empfangsdame *f*, -chef *m*; Sprechstundenhilfe *f*; ~ **room** Empfangszimmer *n*.
re·cep·tive □ [rɪˈseptɪv] empfänglich, aufnahmefähig (*of, to* für).
re·cess [rɪˈses] Unterbrechung *f*, (*Am. a.* Schul)Pause *f*; *bsd. parl.* Ferien *pl.*; (entlegener) Winkel; Nische *f*; ~*es pl. fig. das* Innere, Tiefe(n *pl.*) *f*; **re·ces·sion** [~ʃn] Zurückziehen *n*, Zurücktreten *n*; *econ.* Rezession *f*, Konjunkturrückgang *m*.
re·ci·pe [ˈresɪpɪ] (Koch)Rezept *n*.
re·cip·i·ent [rɪˈsɪpɪənt] Empfänger (-in).
re·cip·ro|cal [rɪˈsɪprəkl] wechsel-, gegenseitig; **~·cate** [~eɪt] *v/i.* sich erkenntlich zeigen; ⊕ sich hin- und herbewegen; *v/t. Glückwünsche etc.* erwidern; **~·ci·ty** [resɪˈprɒsətɪ] Gegenseitigkeit *f*.
re·cit·al [rɪˈsaɪtl] Bericht *m*; Erzählung *f*; ♪ (Solo)Vortrag *m*, Konzert *n*; **re·ci·ta·tion** [resɪˈteɪʃn] Hersagen *n*; Vortrag *m*; **re·cite** [rɪˈsaɪt] vortragen; aufsagen; berichten.
reck·less □ [ˈreklɪs] unbekümmert; rücksichtslos; leichtsinnig.
reck·on [ˈrekən] *v/t.* (er-, be)rechnen; *a.* ~ *for*, ~ *as* schätzen als, halten für; ~ *up* zusammenzählen; *v/i.* rechnen; denken, vermuten; ~ *on*, ~ *upon* sich verlassen auf (*acc.*); **~·ing** [ˈreknɪŋ] Rechnen *n*; (Ab-, Be-) Rechnung *f*; *be out in one's* ~ sich verrechnet haben.
re·claim [rɪˈkleɪm] zurückfordern; *j-n* bekehren, bessern; zivilisieren; urbar machen; ⊕ (zurück)gewinnen.
re·cline [rɪˈklaɪn] (sich) (zurück)lehnen; liegen, ruhen; ~*d* liegend.
re·cluse [rɪˈkluːs] Einsiedler(in).
rec·og·ni|tion [rekəgˈnɪʃn] Anerkennung *f*; (Wieder)Erkennen *n*; **~ze** [ˈrekəgnaɪz] anerkennen; (wieder-) erkennen; zugeben, einsehen.
re·coil **1.** [rɪˈkɔɪl] zurückprallen; zurückschrecken; **2.** [ˈriːkɔɪl] Rückstoß *m*, -lauf *m*.

rec·ol·lect[1] [rekəˈlekt] sich erinnern an (*acc.*).
re–col·lect[2] [ˈriːkəˈlekt] wieder sammeln; ~ *o.s.* sich fassen.
rec·ol·lec·tion [rekəˈlekʃn] Erinnerung *f* (*of* an *acc.*); Gedächtnis *n.*
rec·om|mend [rekəˈmend] empfehlen; **~·men·da·tion** [rekəmenˈdeɪʃn] Empfehlung *f*; Vorschlag *m.*
rec·om·pense [ˈrekəmpens] **1.** Belohnung *f*, Vergeltung *f*; Entschädigung *f*; Ersatz *m*; **2.** belohnen, vergelten; entschädigen; ersetzen.
rec·on|cile [ˈrekənsaɪl] aus-, versöhnen; in Einklang bringen; schlichten; **~·cil·i·a·tion** [rekənsɪlɪˈeɪʃn] Ver-, Aussöhnung *f.*
re·con·di·tion [ˈriːkənˈdɪʃn] wieder herrichten; ⊕ überholen.
re·con|nais·sance [rɪˈkɒnɪsəns] ⚔ Aufklärung *f*, Erkundung *f*; *fig.* Übersicht *f*; **~·noi·tre,** *Am.* **~·noi·ter** [rekəˈnɔɪtə] erkunden, auskundschaften.
re·con·sid·er [ˈriːkənˈsɪdə] wieder erwägen; nochmals überlegen.
re·con·sti·tute [ˈriːˈkɒnstɪtjuːt] wiederherstellen.
re·con|struct [ˈriːkənˈstrʌkt] wiederaufbauen; **~·struc·tion** [~kʃn] Wiederaufbau *m*, Wiederherstellung *f.*
re·con·vert [ˈriːkənˈvɜːt] umstellen.
rec·ord[1] [ˈrekɔːd] Aufzeichnung *f*; ⚖ Protokoll *n*; (Gerichts)Akte *f*; Urkunde *f*; Register *n*, Verzeichnis *n*; (schriftlicher) Bericht; Ruf *m*, Leumund *m*; Schallplatte *f*; *Sport*: Rekord *m*; *place on* ~ schriftlich niederlegen; ~ *office* Archiv *n*; *off the* ~ inoffiziell.
re·cord[2] [rɪˈkɔːd] aufzeichnen, schriftlich niederlegen; *auf Schallplatte etc.* aufnehmen; **~·er** [~ə] Aufnahmegerät *n*, *bsd. Tonband*-Gerät *n*, *Kassetten*-Recorder *m*; ♪ Blockflöte *f*; **~·ing** [~ɪŋ] *Rundfunk*, *TV*: Aufzeichnung *f*, -nahme *f*; ~ **player** [ˈrekɔːd-] Plattenspieler *m.*
re·count [rɪˈkaʊnt] erzählen.
re·coup [rɪˈkuːp] *j-n* entschädigen (*for* für); *et.* wiedereinbringen.
re·course [rɪˈkɔːs] Zuflucht *f*; *have* ~ *to* (s-e) Zuflucht nehmen zu.
re·cov·er [rɪˈkʌvə] *v/t.* wiedererlangen, -bekommen, -finden; *Verluste* wiedereinbringen, wiedergutmachen; *Schulden etc.* eintreiben; *Fahrzeug, Schiff etc.* bergen; *be* ~*ed* wiederhergestellt sein; *v/i.* sich erholen; genesen; **~·y** [~rɪ] Wiedererlangung *f*; Bergung *f*; Genesung *f*; Erholung *f*; *past* ~ unheilbar krank.
re·cre|ate [ˈrekrɪeɪt] *v/t.* erfrischen; *v/i. a.* ~ *o.s.* ausspannen, sich erholen; **~·a·tion** [rekrɪˈeɪʃn] Erholung *f.*
re·crim·i·na·tion [rɪkrɪmɪˈneɪʃn] Gegenbeschuldigung *f.*
re·cruit [rɪˈkruːt] **1.** Rekrut *m*; *fig.* Neuling *m*; **2.** ergänzen; *Truppe* rekrutieren; ⚔ Rekruten ausheben.
rec·tan·gle ⩓ [ˈrektæŋgl] Rechteck *n.*
rec·ti|fy [ˈrektɪfaɪ] berichtigen; verbessern; ⚡ gleichrichten; **~·tude** [~tjuːd] Geradheit *f*, Redlichkeit *f.*
rec|tor [ˈrektə] Pfarrer *m*; Rektor *m*; **~·to·ry** [~rɪ] Pfarre(i) *f*; Pfarrhaus *n.*
re·cum·bent □ [rɪˈkʌmbənt] liegend.
re·cu·pe·rate [rɪˈkjuːpəreɪt] sich erholen; *Gesundheit* wiedererlangen.
re·cur [rɪˈkɜː] (*-rr-*) wiederkehren (*to* zu), sich wiederholen; zurückkommen (*to* auf *acc.*); **~·rence** [rɪˈkʌrəns] Rückkehr *f*, Wiederauftreten *n*; **~·rent** □ [~nt] wiederkehrend.
re·cy|cle [riːˈsaɪkl] *Abfälle* wiederverwerten; **~·cling** [~ɪŋ] Wiederverwertung *f.*
red [red] **1.** rot; ~ *heat* Rotglut *f*; ~ *tape* Bürokratismus *m*; **2.** Rot *n*; *bsd. pol.* Rote(r *m*) *f*; *be in the* ~ in den roten Zahlen sein.
red| breast *zo.* [ˈredbrest] *a. robin* ~ Rotkehlchen *n*; **~·cap** Militärpolizist *m*; *Am.* Gepäckträger *m*; **~·den** [ˈredn] (sich) röten; erröten; **~·dish** [~ɪʃ] rötlich.
re·dec·o·rate [ˈriːˈdekəreɪt] *Zimmer* neu streichen *od.* tapezieren.
re·deem [rɪˈdiːm] zurück-, loskaufen; ablösen; *Versprechen* einlösen; büßen; entschädigen für; erlösen; **♀·er** *eccl.* [~ə] Erlöser *m*, Heiland *m.*
re·demp·tion [rɪˈdempʃn] Rückkauf *m*; Auslösung *f*; Erlösung *f.*
re·de·vel·op [riːdɪˈveləp] *Gebäude, Stadtteil* sanieren.
red|-hand·ed [ˈredˈhændɪd]: *catch s.o.* ~ *j-n* auf frischer Tat ertappen; **~·head** Rotschopf *m*; **~-head·ed** rothaarig; **~-hot** rotglühend; *fig.* hitzig; **♀ In·di·an** Indianer(in); **~-letter day** Festtag *m*; *fig.* Freuden-, Glückstag *m*; denkwürdiger Tag; **~·ness** [~nɪs] Röte *f*; **~-nosed** rotnasig.
red·o·lent [ˈredələnt] duftend.

Q R

re·dou·ble [ˈriːˈdʌbl] (sich) verdoppeln.
re·dress [rɪˈdres] **1.** Abhilfe *f*; Wiedergutmachung *f*; ⚖ Entschädigung *f*; **2.** abhelfen (*dat.*); abschaffen, beseitigen; wiedergutmachen.
red-tap·ism [ˈredˈteɪpɪzəm] Bürokratismus *m*.
re·duce [rɪˈdjuːs] verringern, -mindern; einschränken; *Preise* herabsetzen; zurückführen, bringen (*to* auf, in *acc.*, zu); verwandeln (*to* in *acc.*), machen zu; ⚗, ♁ reduzieren; ⚕ einrenken; ~ *to writing* schriftlich niederlegen; **re·duc·tion** [rɪˈdʌkʃn] Herabsetzung *f*, (Preis)Nachlaß *m*, Rabatt *m*; Verminderung *f*; Verkleinerung *f*; Reduktion *f*; Verwandlung *f*; ⚕ Einrenkung *f*.
re·dun·dant □ [rɪˈdʌndənt] überflüssig; übermäßig; weitschweifig.
reed [riːd] ⚘ Schilfrohr *n*; Rohrflöte *f*.
re-ed·u·ca·tion [ˈriːedjʊˈkeɪʃn] Umschulung *f*, Umerziehung *f*.
reef [riːf] (Felsen)Riff *n*; ⚓ Reff *n*.
ree·fer [ˈriːfə] Seemannsjacke *f*; *sl.* Marihuanazigarette *f*.
reek [riːk] **1.** Gestank *m*, unangenehmer Geruch; **2.** stinken, *unangenehm* riechen (*of* nach).
reel [riːl] **1.** Haspel *f*; (Garn-, Film-) Rolle *f*, Spule *f*; **2.** *v/t*. ~ (*up*) (auf-) wickeln, (-)spulen; *v/i*. wirbeln; schwanken; taumeln.
re-e·lect [ˈriːɪˈlekt] wiederwählen.
re-en·ter [riːˈentə] wieder eintreten (in *acc.*).
re-es·tab·lish [ˈriːɪˈstæblɪʃ] wiederherstellen.
ref F [ref] = *referee*.
re·fer [rɪˈfɜː]: ~ *to* ver- *od.* überweisen an (*acc.*); sich beziehen auf (*acc.*); erwähnen (*acc.*); zuordnen (*dat.*); befragen (*acc.*), nachschlagen in (*dat.*); zurückführen auf (*acc.*), zuschreiben (*dat.*).
ref·er·ee [refəˈriː] Schiedsrichter *m*; *Boxen*: Ringrichter *m*.
ref·er·ence [ˈrefrəns] Referenz *f*, Empfehlung *f*, Zeugnis *n*; Verweis(ung *f*) *m*, Hinweis *m*; Erwähnung *f*, Anspielung *f*; Bezugnahme *f*; Beziehung *f*; Nachschlagen *n*, Befragen *n*; *in od. with* ~ *to* was ... betrifft, bezüglich (*gen.*); ~ *book* Nachschlagewerk *n*; ~ *library* Handbibliothek *f*; ~ *number* Aktenzeichen *n*; *make* ~ *to et.* erwähnen.
ref·e·ren·dum [refəˈrendəm] Volksentscheid *m*.
re·fill 1. [ˈriːfɪl] Nachfüllung *f*; Ersatzpackung *f*; Ersatzmine *f* (*Kugelschreiber etc.*); **2.** [ˈriːˈfɪl] (sich) wieder füllen, auffüllen.
re·fine [rɪˈfaɪn] ⊕ raffinieren, veredeln; verfeinern, kultivieren; (sich) läutern; ~ *on*, ~ *upon et.* verfeinern, -bessern; **~d** fein, vornehm; **~·ment** [~mənt] Vered(e)lung *f*; Verfeinerung *f*; Läuterung *f*; Feinheit *f*, Vornehmheit *f*; **re·fin·e·ry** [~ərɪ] ⊕ Raffinerie *f*; *metall.* (Eisen)Hütte *f*.
re·fit ⚓ [ˈriːˈfɪt] (*-tt-*) *v/t*. ausbessern; neu ausrüsten; *v/i*. ausgebessert werden; neu ausgerüstet werden.
re·flect [rɪˈflekt] *v/t*. zurückwerfen, reflektieren; widerspiegeln (*a. fig.*); zum Ausdruck bringen; *v/i*. ~ *on*, ~ *upon* nachdenken über (*acc.*); sich abfällig äußern über (*acc.*); ein schlechtes Licht werfen auf (*acc.*); **re·flec·tion** [~kʃn] Reflexion *f*, Zurückstrahlung *f*; Widerspiegelung *f* (*a. fig.*); Reflex *m*; Spiegelbild *n*; Überlegung *f*; Gedanke *m*; abfällige Bemerkung; **re·flec·tive** □ [~tɪv] reflektierend, zurückstrahlend; nachdenklich.
re·flex [ˈriːfleks] **1.** Reflex...; **2.** Widerschein *m*, Reflex *m* (*a. physiol.*).
re·flex·ive □ *gr.* [rɪˈfleksɪv] reflexiv, rückbezüglich.
re·for·est [ˈriːˈfɒrɪst] aufforsten.
re·form[1] [rɪˈfɔːm] **1.** Verbesserung *f*, Reform *f*; **2.** verbessern, reformieren; (sich) bessern.
re-form[2] [ˈriːfɔːm] (sich) neu bilden; ⚔ (sich) neu formieren.
ref·or·ma·tion [refəˈmeɪʃn] Reformierung *f*; Besserung *f*; *eccl.* ♀ Reformation *f*; **re·for·ma·to·ry** [rɪˈfɔːmətərɪ] **1.** Besserungs..., Reform...; **2.** *Brt. veraltet*, *Am.* Besserungsanstalt *f*; **re·form·er** [~ə] *eccl.* Reformator *m*; *bsd. pol.* Reformer *m*.
re·fract [rɪˈfrækt] *Strahlen etc.* brechen; **re·frac·tion** [~kʃn] (*Strahlen-*) Brechung *f*; **re·frac·to·ry** □ [~ktərɪ] widerspenstig; ⚕ hartnäckig; ⊕ feuerfest.
re·frain [rɪˈfreɪn] **1.** sich enthalten (*from gen.*), unterlassen (*from acc.*); **2.** Kehrreim *m*, Refrain *m*.
re·fresh [rɪˈfreʃ] (*o.s.* sich) erfrischen, stärken; *Gedächtnis etc.* auf-

Q R

frischen; **~·ment** [~mənt] Erfrischung *f* (*a. Getränk etc.*).
re·fri·ge|rate [rɪˈfrɪdʒəreɪt] kühlen; **~·ra·tor** [~ə] Kühlschrank *m*, -raum *m*; ~ *van*, *Am.* ~ *car* 🚃 Kühlwagen *m*.
re·fu·el [ˈriːˈfjʊəl] (auf)tanken.
ref|uge [ˈrefjuːdʒ] Zuflucht(sstätte) *f*; Verkehrsinsel *f*; **~·u·gee** [refjʊˈdʒiː] Flüchtling *m*; ~ *camp* Flüchtlingslager *n*.
re·fund 1. [riːˈfʌnd] zurückzahlen; ersetzen; **2.** [ˈriːfʌnd] Rückzahlung *f*; Erstattung *f*.
re·fur·bish [ˈriːˈfɜːbɪʃ] aufpolieren (*a. fig.*).
re·fus·al [rɪˈfjuːzl] abschlägige Antwort; (Ver)Weigerung *f*; Vorkaufsrecht *n* (*of* auf *acc.*).
re·fuse[1] [rɪˈfjuːz] *v/t.* verweigern; abweisen, ablehnen; ~ *to do s.th.* sich weigern, etwas zu tun; *v/i.* sich weigern; verweigern (*Pferd*).
ref·use[2] [ˈrefjuːs] Ausschuß *m*; Abfall *m*, Müll *m*.
re·fute [rɪˈfjuːt] widerlegen.
re·gain [rɪˈgeɪn] wiedergewinnen.
re·gal □ [ˈriːgl] königlich, Königs...
re·gale [rɪˈgeɪl] fürstlich bewirten; ~ *o.s. on* sich gütlich tun an (*dat.*), schwelgen in (*dat.*).
re·gard [rɪˈgɑːd] **1.** (Hoch)Achtung *f*; Rücksicht *f*; Hinblick *m*, -sicht *f*; *with* ~ *to* hinsichtlich (*gen.*); ~*s pl.* Grüße *pl.* (*bsd. in Briefen*); *kind* ~*s* herzliche Grüße; **2.** ansehen; betrachten; (be)achten; betreffen; ~ *s.o. as* j-n halten für; *as* ~*s* was ... betrifft; **~·ing** [~ɪŋ] hinsichtlich (*gen.*); **~·less** □ [~lɪs]: ~ *of* ohne Rücksicht auf (*acc.*), ungeachtet (*gen.*).
re·gen·e·rate [rɪˈdʒenəreɪt] (sich) erneuern; (sich) regenerieren; (sich) neu bilden.
re·gent [ˈriːdʒənt] Regent(in); *Prince* ♀ Prinzregent.
re·gi·ment ⚔ [ˈredʒɪmənt] **1.** Regiment *n*; **2.** [~ment] organisieren; reglementieren; **~·als** ⚔ [redʒɪˈmentlz] *pl.* Uniform *f*.
re·gion [ˈriːdʒən] Gegend *f*, Gebiet *n*; *fig.* Bereich *m*; **~·al** □ [~l] regional; örtlich; Regional..., Orts...
re·gis·ter [ˈredʒɪstə] **1.** Register *n*, Verzeichnis *n*; ⊕ Schieber *m*, Ventil *n*; ♪ Register *n*; Zählwerk *n*; *cash* ~ Registrierkasse *f*; **2.** registrieren; (sich) eintragen *od.* -schreiben (lassen); (sich) anmelden; (an)zeigen, auf-, verzeichnen; *Postsache* einschreiben (lassen); *Brt. Gepäck* aufgeben; sich *polizeilich* melden; ~*ed letter* Einschreibebrief *m*.
re·gis|trar [redʒɪˈstrɑː] Standesbeamte(r) *m*; **~·tra·tion** [~eɪʃn] Eintragung *f*; Anmeldung *f*; *mot.* Zulassung *f*; ~ *fee* Anmeldegebühr *f*; **~·try** [ˈredʒɪstrɪ] Eintragung *f*; Registratur *f*; Register *n*; ~ *office* Standesamt *n*.
re·gress [ˈriːgres], **re·gres·sion** [rɪˈgreʃn] Rückwärtsbewegung *f*; rückläufige Entwicklung.
re·gret [rɪˈgret] **1.** Bedauern *n*; Schmerz *m*; **2.** (*-tt-*) bedauern; *Verlust* beklagen; **~·ful** □ [~fl] bedauernd; **~·ta·ble** □ [~əbl] bedauerlich.
reg·u·lar □ [ˈregjʊlə] regelmäßig; regulär, normal, gewohnt; geregelt, geordnet; genau, pünktlich; richtig, recht, ordentlich; F richtig(gehend); ⚔ regulär; **~·i·ty** [regjʊˈlærətɪ] Regelmäßigkeit *f*; Richtigkeit *f*, Ordnung *f*.
reg·u|late [ˈregjʊleɪt] regeln, ordnen; regulieren; **~·la·tion** [regjʊˈleɪʃn] **1.** Regulierung *f*; ~*s pl.* Vorschrift *f*, Bestimmung *f*; **2.** vorschriftsmäßig.
re·hash *fig.* [ˈriːˈhæʃ] **1.** wiederaufwärmen; **2.** Aufguß *m*.
re·hears|al [rɪˈhɜːsl] *thea.*, ♪ Probe *f*; Wiederholung *f*; **~e** [rɪˈhɜːs] *thea.* proben; wiederholen; aufsagen.
reign [reɪn] **1.** Regierung *f*; *a. fig.* Herrschaft *f*; **2.** herrschen, regieren.
re·im·burse [ˈriːɪmˈbɜːs] *j-n* entschädigen; *Kosten* erstatten.
rein [reɪn] **1.** Zügel *m*; **2.** zügeln.
rein·deer *zo.* [ˈreɪndɪə] Ren(tier) *n*.
re·in·force [ˈriːɪnˈfɔːs] verstärken; **~·ment** [~mənt] Verstärkung *f*.
re·in·state [ˈriːɪnˈsteɪt] wiedereinsetzen; wieder instand setzen.
re·in·sure [ˈriːɪnˈʃʊə] rückversichern.
re·it·e·rate [riːˈɪtəreɪt] (dauernd) wiederholen.
re·ject [rɪˈdʒekt] ab-, zurückweisen; abschlagen; verwerfen; ablehnen; **re·jec·tion** [~kʃn] Verwerfung *f*; Ablehnung *f*; Zurückweisung *f*.
re·joice [rɪˈdʒɔɪs] *v/t.* erfreuen; *v/i.* sich freuen (*at*, *over* über *acc.*); **re·joic·ing** [~ɪŋ] **1.** □ freudig; **2.** Freude *f*; ~*s pl.* Freudenfest *n*.
re·join [ˈriːˈdʒɔɪn] sich wieder ver-

einigen; wieder zurückkehren zu; [rɪˈdʒɔɪn] erwidern.

re·ju·ve·nate [rɪˈdʒuːvɪneɪt] verjüngen.

re·kin·dle [ˈriːˈkɪndl] (sich) wieder entzünden.

re·lapse [rɪˈlæps] **1.** Rückfall *m*; **2.** zurückfallen, rückfällig werden; e-n Rückfall haben.

re·late [rɪˈleɪt] *v/t.* erzählen; in Beziehung bringen; *v/i.* sich beziehen (*to* auf *acc.*); **re·lat·ed** verwandt (*to* mit).

re·la·tion [rɪˈleɪʃn] Bericht *m*, Erzählung *f*; Verhältnis *n*; Verwandtschaft *f*; Verwandte(r *m*) *f*; ~*s pl.* Beziehungen *pl.*; *in ~ to* in bezug auf (*acc.*); **~·ship** [~ʃɪp] Verwandtschaft *f*; Beziehung *f*.

rel·a·tive [ˈrelətɪv] **1.** □ relativ, verhältnismäßig; bezüglich (*to gen.*); *gr.* Relativ..., bezüglich; entsprechend; **2.** *gr.* Relativpronomen *n*, bezügliches Fürwort; Verwandte(r *m*) *f*.

re·lax [rɪˈlæks] (sich) lockern; nachlassen (in *dat.*); (sich) entspannen, ausspannen; **~·a·tion** [riːlækˈseɪʃn] Lockerung *f*; Nachlassen *n*; Entspannung *f*, Erholung *f*.

re·lay[1] **1.** [ˈriːleɪ] Ablösung *f*; ⚡ Relais *n*; *Rundfunk*: Übertragung *f*; *Sport*: Staffel *f*; **2.** [riːˈleɪ] *Rundfunk*: übertragen.

re-lay[2] [ˈriːˈleɪ] *Kabel etc.* neu verlegen.

re·lay race [ˈriːleɪreɪs] *Sport*: Staffellauf *m*.

re·lease [rɪˈliːs] **1.** Freilassung *f*; Befreiung *f*; Freigabe *f*; *Film*: *oft first ~* Uraufführung *f*; ⊕, *phot.* Auslöser *m*; **2.** freilassen; erlösen; freigeben; *Recht* aufgeben, übertragen; *Film* uraufführen; ⊕ auslösen.

rel·e·gate [ˈrelɪgeɪt] verbannen; verweisen (*to* an *acc.*).

re·lent [rɪˈlent] sich erweichen lassen; **~·less** □ [~lɪs] unbarmherzig.

rel·e·vant □ [ˈreləvənt] sachdienlich; zutreffend; relevant, erheblich.

re·li·a|bil·i·ty [rɪlaɪəˈbɪlətɪ] Zuverlässigkeit *f*; **~·ble** □ [rɪˈlaɪəbl] zuverlässig.

re·li·ance [rɪˈlaɪəns] Vertrauen *n*; Verlaß *m*.

rel·ic [ˈrelɪk] (Über)Rest *m*; Reliquie *f*.

re·lief [rɪˈliːf] Erleichterung *f*; (angenehme) Unterbrechung; Unterstützung *f*; ⚔ Ablösung *f*; ⚔ Entsatz *m*; Hilfe *f*; *arch. etc.* Relief *n*.

re·lieve [rɪˈliːv] erleichtern; mildern, lindern; *Arme etc.* unterstützen; ⚔ ablösen; ⚔ entsetzen; (ab)helfen (*dat.*); entlasten, befreien; (angenehm) unterbrechen, beleben; *to ~ o.s. od. nature* seine Notdurft verrichten.

re·li|gion [rɪˈlɪdʒən] Religion *f*; **~gious** □ [~əs] Religions...; religiös; gewissenhaft.

re·lin·quish [rɪˈlɪŋkwɪʃ] aufgeben; verzichten auf (*acc.*); loslassen.

rel·ish [ˈrelɪʃ] **1.** (Wohl)Geschmack *m*; Würze *f*; Genuß *m*; *fig.* Reiz *m*; *with great ~* mit großem Appetit; *fig.* mit großem Vergnügen, *bsd. iro.* mit Wonne; **2.** genießen; gern essen; Geschmack *od.* Gefallen finden an (*dat.*).

re·luc|tance [rɪˈlʌktəns] Widerstreben *n*; *bsd. phys.* Widerstand *m*; **~·tant** □ [~t] widerstrebend, widerwillig.

re·ly [rɪˈlaɪ]: *~ on, ~ upon* sich verlassen auf (*acc.*), bauen auf (*acc.*).

re·main [rɪˈmeɪn] **1.** (ver)bleiben; übrigbleiben; **2.** ~*s pl.* Überbleibsel *pl.*, (Über)Reste *pl.*; *a. mortal ~s die* sterblichen Überreste *pl.*; **~·der** [~də] Rest *m*.

re·mand ⚖ [rɪˈmɑːnd] **1.** *~ s.o.* (*in custody*) j-n in die Untersuchungshaft zurückschicken; **2.** *a. ~ in custody* Zurücksendung *f* in die Untersuchungshaft; *prisoner on ~* Untersuchungsgefangene(r *m*) *f*; *~ home centre Brt.* Untersuchungsgefängnis *n* für Jugendliche.

re·mark [rɪˈmɑːk] **1.** Bemerkung *f*; Äußerung *f*; **2.** *v/t.* bemerken; äußern; *v/i.* sich äußern (*on, upon* über *acc.*, zu); **re·mar·ka·ble** □ [~əbl] bemerkenswert; außergewöhnlich.

rem·e·dy [ˈremədɪ] **1.** (Heil-, Hilfs-, Gegen-, Rechts)Mittel *n*; (Ab)Hilfe *f*; **2.** heilen; abhelfen (*dat.*).

re·mem|ber [rɪˈmembə] sich erinnern an (*acc.*); denken an (*acc.*); beherzigen; *~ me to her* grüße sie von mir; **~·brance** [~rəns] Erinnerung *f*; Gedächtnis *n*; Andenken *n*; ~*s pl.* Empfehlungen *pl.*, Grüße *pl.*

re·mind [rɪˈmaɪnd] erinnern (*of* an *acc.*); **~·er** [~ə] Mahnung *f*.

rem·i·nis|cence [remɪˈnɪsns] Erin-

nerung *f*; **~·cent** □ [~t] (sich) erinnernd.
re·miss □ [rɪˈmɪs] (nach)lässig; **re·mis·sion** [~ɪʃn] Vergebung *f* (der Sünden); Erlaß *m* (*von Strafe etc.*); Nachlassen *n*.
re·mit [rɪˈmɪt] (*-tt-*) *Sünden* vergeben; *Schuld etc.* erlassen; nachlassen in (*dat.*); überweisen; **~·tance** *econ.* [~əns] (Geld)Sendung *f*, Überweisung *f*, Rimesse *f*.
rem·nant [ˈremnənt] (Über)Rest *m*.
re·mod·el [ˈriːˈmɒdl] umbilden.
re·mon·strance [rɪˈmɒnstrəns] Einspruch *m*; Protest *m*; **rem·on·strate** [ˈremənstreɪt] Vorhaltungen machen (*about* wegen; *with s.o.* j-m); protestieren.
re·morse [rɪˈmɔːs] Gewissensbisse *pl.*; Reue *f*; *without* ~ unbarmherzig; **~·less** □ [~lɪs] unbarmherzig.
re·mote □ [rɪˈməʊt] (~*r*, ~*st*) entfernt, entlegen; ~ *control* ⊕ Fernlenkung *f*, -steuerung *f*; Fernbedienung *f*; **~·ness** [~nɪs] Entfernung *f*.
re·mov|al [rɪˈmuːvl] Entfernen *n*; Beseitigung *f*; Umzug *m*; Entlassung *f*; ~ *van* Möbelwagen *m*; **~e** [~uːv] **1.** *v/t.* entfernen; wegräumen, wegschaffen; beseitigen; entlassen; *v/i.* (aus-, um-, ver)ziehen; **2.** Entfernung *f*; *fig.* Schritt *m*, Stufe *f*; (Verwandtschafts)Grad *m*; **~·er** [~ə] (Möbel)Spediteur *m*.
re·mu·ne|rate [rɪˈmjuːnəreɪt] entlohnen; belohnen; entschädigen; vergüten; **~·ra·tive** □ [~rətɪv] lohnend.
Re·nais·sance [rəˈneɪsəns] *die* Renaissance.
re·nas|cence [rɪˈnæsns] Wiedergeburt *f*; Erneuerung *f*; Renaissance *f*; **~·cent** [~nt] wiederauflebend, -erwachend.
ren·der [ˈrendə] *berühmt*, *schwierig*, *möglich etc.* machen; wiedergeben; *Dienst etc.* leisten; *Ehre etc.* erweisen; *Dank* abstatten; übersetzen; ♪ vortragen; *thea.* gestalten, interpretieren; *Grund* angeben; *econ. Rechnung* vorlegen; übergeben; machen zu; *Fett* auslassen; **~·ing** [~ərɪŋ] Wiedergabe *f*; Vortrag *m*; Interpretation *f*; Übersetzung *f*, Übertragung *f*; *arch.* Rohbewurf *m*.
ren·di·tion [renˈdɪʃn] Wiedergabe *f*; Interpretation *f*; Vortrag *m*.
ren·e·gade [ˈrenɪgeɪd] Abtrünnige(r *m*) *f*.
re·new [rɪˈnjuː] erneuern; *Gespräch etc.* wiederaufnehmen; *Kraft etc.* wiedererlangen; *Vertrag*, *Paß* verlängern; **~·al** [~əl] Erneuerung *f*; Verlängerung *f*.
re·nounce [rɪˈnaʊns] entsagen (*dat.*); verzichten auf (*acc.*); verleugnen.
ren·o·vate [ˈrenəʊveɪt] renovieren; erneuern.
re·nown [rɪˈnaʊn] Ruhm *m*, Ansehen *n*; **re·nowned** berühmt, namhaft.
rent[1] [rent] Riß *m*; Spalte *f*.
rent[2] [~] **1.** Miete *f*; Pacht *f*; ⚠ *nicht Rente*; *for* ~ zu vermieten; **2.** (ver-) mieten, (-)pachten; *Auto etc.* leihen; **~·al** [ˈrentl] Miete *f*; Pacht *f*; Leihgebühr *f*.
re·nun·ci·a·tion [rɪnʌnsɪˈeɪʃn] Entsagung *f*; Verzicht *m* (*of* auf *acc.*).
re·pair [rɪˈpeə] **1.** Ausbesserung *f*, Reparatur *f*; ~*s pl.* Instandsetzungsarbeiten *pl.*; ~ *shop* Reparaturwerkstatt *f*; *in good* ~ in gutem Zustand, gut erhalten; *out of* ~ baufällig; **2.** reparieren, ausbessern; wiedergutmachen.
rep·a·ra·tion [repəˈreɪʃn] Wiedergutmachung *f*; Entschädigung *f*; ~*s pl. pol.* Reparationen *pl.*
rep·ar·tee [repɑːˈtiː] schlagfertige Antwort; Schlagfertigkeit *f*.
re·past *lit.* [rɪˈpɑːst] Mahl(zeit *f*) *n*.
re·pay [riːˈpeɪ] (*-paid*) *et.* zurückzahlen; *Besuch* erwidern; *et.* vergelten; *j-n* entschädigen; **~·ment** [~mənt] Rückzahlung *f*.
re·peal [rɪˈpiːl] **1.** Aufhebung *f* (*von Gesetzen*); **2.** aufheben; widerrufen.
re·peat [rɪˈpiːt] **1.** (sich) wiederholen; nachsprechen; aufsagen; nachliefern; aufstoßen (*on dat.*) (*Essen*); **2.** Wiederholung *f*; ♪ Wiederholungszeichen *n*; *oft* ~ *order econ.* Nachbestellung *f*.
re·pel [rɪˈpel] (*-ll-*) *Feind* zurückschlagen; *fig.* zurückweisen; *j-n* abstoßen; **~·lent** [~ənt] abstoßend (*a. fig.*).
re·pent [rɪˈpent] bereuen; **re·pent·ance** [~əns] Reue *f*; **re·pen·tant** [~t] reuig, reumütig.
re·per·cus·sion [riːpəˈkʌʃn] Rückprall *m*; *mst pl* ~*s* Auswirkungen *pl.*
rep·er·to·ry [ˈrepətərɪ] *thea.* Repertoire *n*; *fig.* Fundgrube *f*.
rep·e·ti·tion [repɪˈtɪʃn] Wiederholung *f*; Aufsagen *n*; Nachbildung *f*.
re·place [rɪˈpleɪs] wieder hinstellen

od. -legen; ersetzen; an *j-s* Stelle treten; ablösen; **~·ment** [~mənt] Ersatz *m.*

re·plant [ˈriːˈplɑːnt] umpflanzen.

re·plen·ish [rɪˈplenɪʃ] (wieder) auffüllen; ergänzen; **~·ment** [~mənt] Auffüllung *f*; Ergänzung *f.*

re·plete [rɪˈpliːt] reich ausgestattet, voll(gepfropft) (*with* mit).

rep·li·ca [ˈreplɪkə] *Kunst*: Originalkopie *f*; Nachbildung *f.*

re·ply [rɪˈplaɪ] **1.** antworten, erwidern (*to* auf *acc.*); **2.** Antwort *f*, Erwiderung *f*; *in ~ to your letter* in Beantwortung Ihres Schreibens; *~-paid envelope* Freiumschlag *m.*

re·port [rɪˈpɔːt] **1.** Bericht *m*; Meldung *f*, Nachricht *f*; Gerücht *n*; Ruf *m*; Knall *m*; (*school*) ~ (Schul)Zeugnis *n*; **2.** berichten (über *acc.*); (sich) melden; anzeigen; *it is ~ed that* es heißt (daß); *~ed speech gr.* indirekte Rede; **~·er** [~ə] Reporter(in), Berichterstatter(in).

re·pose [rɪˈpəʊz] **1.** Ruhe *f*; **2.** *v/t.* (*o.s.* sich) ausruhen; (aus)ruhen lassen; *~ trust, etc. in* Vertrauen *etc.* setzen auf *od.* in (*acc.*); *v/i.* (sich) ausruhen; ruhen; beruhen (*on* auf *dat.*).

re·pos·i·to·ry [rɪˈpɒzɪtərɪ] (Waren-) Lager *n*; *fig.* Fundgrube *f*, Quelle *f.*

rep·re·hend [reprɪˈhend] tadeln.

rep·re|sent [reprɪˈzent] darstellen; verkörpern; *thea. Rolle* darstellen, *Stück* aufführen; (fälschlich) hinstellen, darstellen (*as, to be* als); vertreten; **~·sen·ta·tion** [reprɪzenˈteɪʃn] Darstellung *f*; *thea.* Aufführung *f*; Vertretung *f*; **~·sen·ta·tive** □ [reprɪˈzentətɪv] **1.** darstellend (*of acc.*); (stell)vertretend; *a. parl.* repräsentativ; typisch; **2.** Vertreter (-in); Bevollmächtigte(r *m*) *f*; Repräsentant(in); *parl.* Abgeordnete(r *m*) *f*; *House of* 2*s Am. parl.* Repräsentantenhaus *n.*

re·press [rɪˈpres] unterdrücken; *psych.* verdrängen; **re·pres·sion** [~ʃn] Unterdrückung *f*; *psych.* Verdrängung *f.*

re·prieve [rɪˈpriːv] **1.** Begnadigung *f*; (Straf)Aufschub *m*; *fig.* Gnadenfrist *f*; **2.** begnadigen; *j-m* Strafaufschub *od. fig.* e-e Gnadenfrist gewähren.

rep·ri·mand [ˈreprɪmɑːnd] **1.** Verweis *m*; **2.** *j-m* e-n Verweis erteilen.

re·print 1. [riːˈprɪnt] neu auflegen *od.* drucken, nachdrucken; **2.** [ˈriːprɪnt] Neuauflage *f*, Nachdruck *m.*

re·pri·sal [rɪˈpraɪzl] Repressalie *f*, Vergeltungsmaßnahme *f.*

re·proach [rɪˈprəʊtʃ] **1.** Vorwurf *m*; Schande *f*; **2.** vorwerfen (*s.o. with s.th.* j-m et.); Vorwürfe machen; **~·ful** □ [~fl] vorwurfsvoll.

rep·ro·bate [ˈreprəbeɪt] **1.** verkommen, verderbt; **2.** verkommenes Subjekt; **3.** mißbilligen; verdammen.

re·pro·cess [riːˈprəʊses] *Kernbrennstoffe* wiederaufbereiten; **~·ing plant** Wiederaufbereitungsanlage *f.*

re·pro|duce [riːprəˈdjuːs] (wieder-) erzeugen; (sich) fortpflanzen; wiedergeben, reproduzieren; **~·duc·tion** [~ˈdʌkʃn] Wiedererzeugung *f*; Fortpflanzung *f*; Reproduktion *f*; **~·duc·tive** [~tɪv] Fortpflanzungs...

re·proof [rɪˈpruːf] Tadel *m*, Rüge *f.*

re·prove [rɪˈpruːv] tadeln, rügen.

rep·tile *zo.* [ˈreptaɪl] Reptil *n.*

re·pub|lic [rɪˈpʌblɪk] Republik *f*; **~·li·can** [~ən] **1.** republikanisch; **2.** Republikaner(in).

re·pu·di·ate [rɪˈpjuːdɪeɪt] nicht anerkennen; ab-, zurückweisen; *j-n* verstoßen.

re·pug|nance [rɪˈpʌgnəns] Abneigung *f*, Widerwille *m*; **~·nant** □ [~t] abstoßend; widerlich.

re·pulse [rɪˈpʌls] **1.** ⚔ Abwehr *f*; Zurück-, Abweisung *f*; **2.** ⚔ zurückschlagen, abwehren; zurück-, abweisen; **re·pul·sion** Abscheu *m*, Widerwille *m*; *phys.* Abstoßung *f*; **re·pul·sive** □ [~ɪv] abstoßend (*a. phys.*), widerwärtig.

rep·u·ta|ble □ [ˈrepjʊtəbl] angesehen, achtbar; ehrbar, anständig; **~·tion** [repjʊˈteɪʃn] Ruf *m*, Ansehen *n*; **re·pute** [rɪˈpjuːt] **1.** Ruf *m*; **2.** halten für; *be ~d (to be)* gelten als; **re·put·ed** vermeintlich; angeblich.

re·quest [rɪˈkwest] **1.** Bitte *f*, Gesuch *n*; Ersuchen *n*; *econ.* Nachfrage *f*; *by ~, on ~* auf Wunsch; *in (great) ~* (sehr) gesucht *od.* begehrt; *~ stop* Bedarfshaltestelle *f*; **2.** um *et.* bitten *od.* ersuchen; *j-n* (höflich) bitten *od.* ersuchen.

re·quire [rɪˈkwaɪə] verlangen, fordern; brauchen, erfordern; *if ~d* falls notwendig; **~d** erforderlich; **~·ment** [~mənt] (An)Forderung *f*; Erfordernis *n*; *~s pl.* Bedarf *m.*

req·ui|site [ˈrekwɪzɪt] **1.** erforderlich; **2.** Erfordernis *n*; (Bedarfs-, Gebrauchs)Artikel *m*; *toilet ~s pl.* Toilettenartikel *pl.*; ⚠ *nicht (Bühnen-) Requisit*; **~·si·tion** [rekwɪˈzɪʃn] **1.** Anforderung *f*; ⚔ Requisition *f*; **2.** anfordern; ⚔ requirieren.

re·quite [rɪˈkwaɪt] *j-m et.* vergelten.

re·sale [ˈriːseɪl] Wieder-, Weiterverkauf *m*; *~ price* Wiederverkaufspreis *m*.

re·scind [rɪˈsɪnd] *Urteil* aufheben; *Vertrag* annullieren; **re·scis·sion** [rɪˈsɪʒn] Aufhebung *f*; Annullierung *f*.

res·cue [ˈreskjuː] **1.** Rettung *f*; Hilfe *f*; Befreiung *f*; **2.** retten; befreien.

re·search [rɪˈsɜːtʃ] **1.** Forschung *f*; Untersuchung *f*; Nachforschung *f*; **2.** forschen, Forschungen anstellen; *et.* untersuchen, erforschen; **~·er** [~ə] Forscher(in).

re·sem|blance [rɪˈzembləns] Ähnlichkeit *f* (*to* mit); **~·ble** [rɪˈzembl] gleichen, ähnlich sein (*dat.*).

re·sent [rɪˈzent] übelnehmen; sich ärgern über (*acc.*); **~·ful** □ [~fl] übelnehmerisch; ärgerlich; **~·ment** [~mənt] Ärger *m*; Groll *m*; ⚠ *nicht Ressentiment.*

res·er·va·tion [rezəˈveɪʃn] Reservierung *f*, Vorbestellung *f* (*von Zimmern etc.*); Vorbehalt *m*; Reservat(ion *f*) *n*; *central ~ Brt.* Mittelstreifen *m* (*der Autobahn*).

re·serve [rɪˈzɜːv] **1.** Reserve *f* (*a.* ⚔); Vorrat *m*; *econ.* Rücklage *f*; Zurückhaltung *f*; Vorbehalt *m*; *Sport*: Ersatzmann *m*; **2.** aufbewahren, aufsparen; (sich) vorbehalten; (sich) zurückhalten mit; *Platz etc.* reservieren (lassen), belegen, vorbestellen; **~d** □ *fig.* zurückhaltend, reserviert.

res·er·voir [ˈrezəvwɑː] Behälter *m* (*für Wasser etc.*); Sammel-, Staubecken *n*; *fig.* Reservoir *n*.

re·side [rɪˈzaɪd] wohnen, ansässig sein, s-n Wohnsitz haben; *~ in fig.* innewohnen (*dat.*).

res·i|dence [ˈrezɪdəns] Wohnsitz *m*, -ort *m*; Aufenthalt *m*; (Amts)Sitz *m*; (herrschaftliches) Wohnhaus; Residenz *f*; *~ permit* Aufenthaltsgenehmigung *f*; **~·dent** [~t] **1.** wohnhaft; ortsansässig; **2.** Ortsansässige(r *m*) *f*, Einwohner(in); Bewohner(in); Hotelgast *m*; *mot.* Anlieger *m*; **~·den·tial** [rezɪˈdenʃl] Wohn...; *~ area* Wohngegend *f*.

re·sid·u·al [rɪˈzɪdjʊəl] übrig(geblieben); zurückbleibend; restlich; **res·i·due** [ˈrezɪdjuː] Rest *m*; Rückstand *m*.

re·sign [rɪˈzaɪn] *v/t.* aufgeben; *Amt* niederlegen; überlassen; verzichten auf (*acc.*); *~ o.s. to* sich ergeben in (*acc.*); sich abfinden mit; *v/i.* zurücktreten; **res·ig·na·tion** [rezɪgˈneɪʃn] Rücktritt(sgesuch *n*) *m*; Resignation *f*; **~ed** □ ergeben, resigniert.

re·sil·i|ence [rɪˈzɪlɪəns] Elastizität *f*; *fig.* Unverwüstlichkeit *f*; **~ent** [~t] elastisch; *fig.* unverwüstlich.

res·in [ˈrezɪn] **1.** Harz *n*; **2.** harzen.

re·sist [rɪˈzɪst] widerstehen (*dat.*); Widerstand leisten; sich widersetzen (*dat.*); **~·ance** [~əns] Widerstand *m* (*a.* ⚡, *phys.*); *med.* Widerstandsfähigkeit *f*; *line of least ~* Weg *m* des geringsten Widerstands; **re·sis·tant** [~nt] widerstandsfähig.

res·o|lute □ [ˈrezəluːt] entschlossen, energisch; **~·lu·tion** [rezəˈluːʃn] Entschlossenheit *f*; Bestimmtheit *f*; Beschluß *m*; *pol.* Resolution *f*; Lösung *f*.

re·solve [rɪˈzɒlv] **1.** *v/t.* auflösen; *fig.* lösen; *Zweifel etc.* zerstreuen; beschließen, entscheiden; *v/i. a. ~ o.s.* sich auflösen; beschließen; *~ on, ~ upon* sich entschließen zu; **2.** Entschluß *m*; Beschluß *m*; **~d** □ entschlossen.

res·o|nance [ˈrezənəns] Resonanz *f*; **~nant** □ [~t] nach-, widerhallend.

re·sort [rɪˈzɔːt] **1.** Zuflucht *f*; Ausweg *m*; Aufenthalt(sort) *m*; Erholungsort *m*; *health ~* Kurort *m*; *seaside ~* Seebad *n*; *summer ~* Sommerfrische *f*; **2.** *~ to* oft besuchen; seine Zuflucht nehmen zu.

re·sound [rɪˈzaʊnd] widerhallen (lassen).

re·source [rɪˈsɔːs] Hilfsquelle *f*, -mittel *n*; Zuflucht *f*; Findigkeit *f*; *~s pl.* (*natürliche*) Reichtümer *pl.*, Mittel *pl.*, Bodenschätze *pl.*; **~·ful** □ [~fl] einfallsreich, findig.

re·spect [rɪˈspekt] **1.** Beziehung *f*, Hinsicht *f*; Achtung *f*, Respekt *m*; Rücksicht *f*; *with ~ to* ... was ... (an)betrifft; *in this ~* in dieser Hinsicht; *~s pl.* Empfehlungen *pl.*, Grüße *pl.*; *give my ~s to* ... grüßen Sie ...

von mir; **2.** *v/t.* achten, schätzen; respektieren; betreffen; *as ~s* ... was ... (an)betrifft; **re·spec·ta·ble** □ [~əbl] ehrbar; anständig; angesehen, geachtet (*Mensch*); ansehnlich, beachtlich (*Summe*); **~·ful** □ [~fl] ehrerbietig; *yours ~ly* hochachtungsvoll; **~·ing** [~ɪŋ] hinsichtlich (*gen.*).

re·spect·ive □ [rɪˈspektɪv] jeweilig; *we went to our ~ places* wir gingen jeder an seinen Platz; **~·ly** [~lɪ] beziehungsweise.

res·pi·ra|tion [respəˈreɪʃn] Atmung *f*; **~·tor** ⚕ [ˈrespəreɪtə] Atemgerät *n*.

re·spire [rɪˈspaɪə] atmen.

re·spite [ˈrespaɪt] Frist *f*; Aufschub *m*; Stundung *f*; Ruhepause *f* (*from* von); *without (a) ~* ohne Unterbrechung.

re·splen·dent □ [rɪˈsplendənt] glänzend, strahlend.

re·spond [rɪˈspɒnd] antworten, erwidern; *~ to* reagieren *od.* ansprechen auf (*acc.*).

re·sponse [rɪˈspɒns] Antwort *f*, Erwiderung *f*; *fig.* Reaktion *f*; *meet with little ~* wenig Anklang finden.

re·spon·si|bil·i·ty [rɪspɒnsəˈbɪlətɪ] Verantwortung *f*; *on one's own ~* auf eigene Verantwortung; *sense of ~* Verantwortungsgefühl *n*; *take (accept, assume) the ~ for* die Verantwortung übernehmen für; **~·ble** □ [rɪˈspɒnsəbl] verantwortlich; verantwortungsvoll.

rest¹ [rest] **1.** Ruhe *f*; Rast *f*; Pause *f*, Unterbrechung *f*; Erholung *f*; ⊕ Stütze *f*; (*Telefon*)Gabel *f*; *have od. take a ~* sich ausruhen; *be at ~* ruhig sein; **2.** *v/i.* ruhen; rasten; schlafen; (sich) lehnen, sich stützen (*on* auf *acc.*); *~ on, ~ upon* ruhen auf (*Blick, Last*); *fig.* beruhen auf (*dat.*); *~ with fig.* liegen bei (*Fehler, Verantwortung*); *v/t.* (aus)ruhen lassen; stützen (*on* auf); lehnen (*against* gegen).

rest² [~]: *the ~* der Rest; *and all the ~ of it* und so weiter und so fort; *for the ~* im übrigen.

res·tau·rant [ˈrestərɔ̃ːŋ, ~rɒnt] Restaurant *n*, Gaststätte *f*.

rest·ful [ˈrestfl] ruhig, erholsam.

rest·ing-place [ˈrestɪŋpleɪs] Ruheplatz *m*; (letzte) Ruhestätte.

res·ti·tu·tion [restɪˈtjuːʃn] Wiederherstellung *f*; Rückerstattung *f*.

res·tive □ [ˈrestɪv] widerspenstig.

rest·less □ [ˈrestlɪs] ruhelos; rastlos; unruhig; **~·ness** [~nɪs] Ruhelosigkeit *f*; Rastlosigkeit *f*; Unruhe *f*.

res·to·ra|tion [restəˈreɪʃn] Wiederherstellung *f*; Wiedereinsetzung *f*; Restaurierung *f*; Rekonstruktion *f*, Nachbildung *f*; (Rück)Erstattung *f*; **~·tive** [rɪˈstɒrətɪv] **1.** stärkend; **2.** Stärkungsmittel *n*.

re·store [rɪˈstɔː] wiederherstellen; wiedereinsetzen (*to* in *acc.*); restaurieren; (rück)erstatten, zurückgeben; zurücklegen; *~ s.o. (to health)* j-n wiederherstellen.

re·strain [rɪˈstreɪn] zurückhalten (*from* von); in Schranken halten; bändigen, zügeln; *Gefühle* unterdrücken; **~t** [~t] Zurückhaltung *f*; Beschränkung *f*, Zwang *m*.

re·strict [rɪˈstrɪkt] be-, einschränken; **re·stric·tion** [~kʃn] Be-, Einschränkung *f*; *without ~s* uneingeschränkt.

rest room *Am.* [ˈrestruːm] Toilette *f* (*e-s Hotels etc.*).

re·sult [rɪˈzʌlt] **1.** Ergebnis *n*, Resultat *n*; Folge *f*; **2.** folgen, sich ergeben (*from* aus); *~ in* hinauslaufen auf (*acc.*), zur Folge haben.

re·sume [rɪˈzjuːm] wiederaufnehmen; fortsetzen; *Sitz* wieder einnehmen; **re·sump·tion** [rɪˈzʌmpʃn] Wiederaufnahme *f*; Fortsetzung *f*.

re·sur·rec·tion [rezəˈrekʃn] Wiederaufleben *n*; ♀ *eccl.* Auferstehung *f*.

re·sus·ci·tate [rɪˈsʌsɪteɪt] wiederbeleben; *fig.* wieder aufleben lassen.

re·tail 1. [ˈriːteɪl] Einzelhandel *m*; *by ~, adv. ~* im Einzelhandel; **2.** [~] Einzelhandels...; **3.** [riːˈteɪl] im Einzelhandel verkaufen; **~·er** [~ə] Einzelhändler(in).

re·tain [rɪˈteɪn] behalten; zurück(be)halten; beibehalten.

re·tal·i|ate [rɪˈtælɪeɪt] *v/t. Unrecht* vergelten; *v/i.* sich rächen; **~·a·tion** [rɪtælɪˈeɪʃn] Vergeltung *f*.

re·tard [rɪˈtɑːd] verzögern, aufhalten, hemmen; *(mentally) ~ed psych.* (geistig) zurückgeblieben.

retch [retʃ] würgen (*beim Erbrechen*).

re·tell [riːˈtel] (*-told*) nacherzählen; wiederholen.

re·ten·tion [rɪˈtenʃn] Zurückhalten *n*; Beibehaltung *f*; Bewahrung *f*.

re·think [riːˈθɪŋk] (*-thought*) *et.* nochmals überdenken.

re·ti·cent [ˈretɪsənt] verschwiegen; schweigsam; zurückhaltend.

ret·i·nue [ˈretɪnjuː] Gefolge *n*.

re·tire [rɪˈtaɪə] *v/t.* zurückziehen; pensionieren; *v/i.* sich zurückziehen; zurück-, abtreten; sich zur Ruhe setzen; in Pension *od.* Rente gehen, sich pensionieren lassen; **~d** □ zurückgezogen; pensioniert, im Ruhestand (lebend); ~ *pay* Ruhegeld *n*; **~·ment** [~mənt] Sichzurückziehen *n*; Ausscheiden *n*, Aus-, Rücktritt *m*; Ruhestand *m*; Zurückgezogenheit *f*; **re·tir·ing** [~rɪŋ] zurückhaltend; ~ *pension* Ruhegeld *n*.

re·tort [rɪˈtɔːt] **1.** (scharfe *od.* treffende) Erwiderung; **2.** (scharf *od.* treffend) erwidern.

re·touch [ˈriːˈtʌtʃ] *et.* überarbeiten; *phot.* retuschieren.

re·trace [rɪˈtreɪs] zurückverfolgen; ~ *one's steps* zurückgehen.

re·tract [rɪˈtrækt] *v/t. Angebot* zurückziehen; *Behauptung* zurücknehmen; *Krallen*, ✈ *Fahrgestell* einziehen; *v/i.* eingezogen werden (*Krallen*, ✈ *Fahrgestell*).

re·train [riːˈtreɪn] umschulen.

re·tread **1.** [riːˈtred] *Reifen* runderneuern; **2.** [ˈriːtred] runderneuerter Reifen.

re·treat [rɪˈtriːt] **1.** Rückzug *m*; Zuflucht(sort *m*) *f*; Schlupfwinkel *m*; *sound the* ~ ⚔ zum Rückzug blasen; **2.** sich zurückziehen.

ret·ri·bu·tion [retrɪˈbjuːʃn] Vergeltung *f*.

re·trieve [rɪˈtriːv] wiederfinden, -bekommen; wiedergewinnen, -erlangen; wiedergutmachen; *hunt.* apportieren.

ret·ro- [ˈretrəʊ] (zu)rück...; **~·ac·tive** □ ⚖ [retrəʊˈæktɪv] rückwirkend; **~·grade** [ˈretrəʊgreɪd] rückläufig; rückschrittlich; **~·spect** [~spekt] Rückblick *m*; **~·spec·tive** □ [retrəʊˈspektɪv] (zu)rückblickend; ⚖ rückwirkend.

re·try ⚖ [ˈriːˈtraɪ] wiederaufnehmen, neu verhandeln.

re·turn [rɪˈtɜːn] **1.** Rück-, Wiederkehr *f*; Wiederauftreten *n*; *Brt.* Rückfahrkarte *f*, ✈ Rückflugticket *n*; *econ.* Rückzahlung *f*; Rückgabe *f*; Entgelt *n*, Gegenleistung *f*; (amtlicher) Bericht; (*Steuer*)Erklärung *f*; *parl.* Wahl *f* (*e-s Abgeordneten*); *Sport*: Rückspiel *n*; *Tennis etc.* Rückschlag *m*, Return *m*; Erwiderung *f*; *attr.* Rück...; ~*s pl. econ.* Umsatz *m*; Ertrag *m*, Gewinn *m*; *many happy* ~*s of the day* herzliche Glückwünsche zum Geburtstag; *in* ~ *for* (als Gegenleistung) für; *by* ~ (*of post*), *by* ~ *mail Am.* postwendend; ~ *match Sport*: Rückspiel *n*; ~ *ticket Brt.* Rückfahrkarte *f*, ✈ Rückflugticket *n*; **2.** *v/i.* zurückkehren, -kommen; wiederkommen; *v/t.* zurückgeben; *Geld* zurückzahlen; zurückschicken, -senden; zurückstellen, -bringen, -tun; *Gewinn* abwerfen; (zur Steuerveranlagung) angeben; *parl. Abgeordneten* wählen; *Tennis etc.*: *Ball* zurückschlagen, -geben; erwidern; vergelten; ~ *a verdict of guilty* ⚖ *j-n* schuldig sprechen.

re·u·ni·fi·ca·tion *pol.* [ˈriːjuːnɪfɪˈkeɪʃn] Wiedervereinigung *f*.

re·u·nion [ˈriːˈjuːnjən] Wiedervereinigung *f*; Treffen *n*, Zusammenkunft *f*.

re·val·ue *econ.* [riːˈvæljuː] *Währung* aufwerten.

re·veal [rɪˈviːl] enthüllen; offenbaren; **~·ing** [~ɪŋ] aufschlußreich.

rev·el [ˈrevl] (*bsd. Brt.* -*ll*-, *Am.* -*l*-) ausgelassen sein; ~ *in* schwelgen in (*dat.*); sich weiden an (*dat.*).

rev·e·la·tion [revəˈleɪʃn] Enthüllung *f*; Offenbarung *f*.

rev·el·ry [ˈrevlrɪ] lärmende Festlichkeit.

re·venge [rɪˈvendʒ] **1.** Rache *f*; *bsd. Sport*, *Spiel*: Revanche *f*; *in* ~ *for* als Rache für; **2.** rächen; **~·ful** □ [~fl] rachsüchtig; **re·veng·er** [~ə] Rächer(in).

rev·e·nue *econ.* [ˈrevənjuː] Staatseinkünfte *pl.*, -einnahmen *pl.*

re·ver·be·rate *phys.* [rɪˈvɜːbəreɪt] zurückwerfen; zurückstrahlen; widerhallen.

re·vere [rɪˈvɪə] (ver)ehren.

rev·e|rence [ˈrevərəns] **1.** Verehrung *f*; Ehrfurcht *f*; **2.** (ver)ehren; **~·rend** [~d] **1.** ehrwürdig; **2.** Geistliche(r) *m*.

rev·e|rent □ [ˈrevərənt], **~·ren·tial** □ [revəˈrenʃl] ehrerbietig, ehrfurchtsvoll.

rev·er·ie [ˈrevərɪ] (Tag)Träumerei *f*.

re·vers|al [rɪˈvɜːsl] Umkehrung *f*, Umschwung *m*; **~e** [~ɜːs] **1.** Gegenteil *n*; Rück-, Kehrseite *f*; *mot.* Rückwärtsgang *m*; Rückschlag *m*; **2.** □ umgekehrt; Rück(wärts)...; *in* ~ *order* in umgekehrter Reihenfolge; ~ *gear mot.* Rückwärtsgang *m*; ~ *side* linke (*Stoff*)Seite; **3.** umkehren; *Ur-*

QR

teil umstoßen; **~·i·ble** □ [~əbl] doppelseitig (tragbar).
re·vert [rɪˈvɜːt] (*to*) zurückkehren (zu *dat.*); zurückkommen (auf *acc.*); wieder zurückfallen (in *acc.*); ⚖ zurückfallen (an *j-n*).
re·view [rɪˈvjuː] **1.** Nachprüfung *f*, (Über)Prüfung *f*, Revision *f*; ⚔ Parade *f*; Rückblick *m*; (Buch)Besprechung *f*, Kritik *f*, Rezension *f*; *pass s.th. in ~* et. Revue passieren lassen; **2.** (über-, nach)prüfen; ⚔ besichtigen; *Buch etc.* besprechen, rezensieren; *fig.* überblicken, -schauen; **~·er** [~ə] Rezensent(in).
re·vise [rɪˈvaɪz] überarbeiten, durchsehen, revidieren; *Brt.* (den Stoff) wiederholen (*für e-e Prüfung*); **re·vi·sion** [rɪˈvɪʒn] Revision *f*; Überarbeitung *f*; *Brt.* Wiederholung *f* (des Stoffs) (*für e-e Prüfung*).
re·viv·al [rɪˈvaɪvl] Wiederbelebung *f*; Wiederaufleben *n*, -blühen *n*; Erneuerung *f*; *fig.* Erweckung *f*; **re·vive** [~aɪv] wiederbeleben; wiederaufleben (lassen); wiederherstellen; sich erholen.
re·voke [rɪˈvəʊk] widerrufen, zurücknehmen, rückgängig machen.
re·volt [rɪˈvəʊlt] **1.** Revolte *f*, Aufstand *m*, -ruhr *m*; **2.** *v/i.* sich auflehnen, revoltieren (*against* gegen); *v/t. fig.* abstoßen; **~·ing** □ [~ɪŋ] abstoßend; ekelhaft; scheußlich.
rev·o·lu·tion [revəˈluːʃn] ⊕ Umdrehung *f*; *fig.* Revolution *f* (*a. pol.*), Umwälzung *f*, Umschwung *m*; **~·ar·y** [~ərɪ] **1.** revolutionär; Revolutions...; **2.** *pol. u. fig.* Revolutionär(in); **~·ize** *fig.* [~ʃnaɪz] revolutionieren.
re·volve [rɪˈvɒlv] *v/i.* sich drehen (*about, round* um); *~ around fig.* sich um *j-n od. et.* drehen; *v/t.* drehen; **re·volv·ing** [~ɪŋ] sich drehend, Dreh...
re·vue *thea.* [rɪˈvjuː] Revue *f*; Kabarett *n*.
re·vul·sion *fig.* [rɪˈvʌlʃn] Abscheu *m*.
re·ward [rɪˈwɔːd] **1.** Belohnung *f*; Entgelt *n*; **2.** belohnen; **~·ing** □ [~ɪŋ] lohnend; dankbar (*Aufgabe*).
re·write [ˈriːˈraɪt] (*-wrote, -written*) neu (*od.* um)schreiben.
rhap·so·dy [ˈræpsədɪ] ♪ Rhapsodie *f*; *fig.* Schwärmerei *f*, Wortschwall *m*.
rhe·to·ric [ˈretərɪk] Rhetorik *f*; *fig. contp.* leere Phrasen *pl.*
rheu·ma·tism ⚕ [ˈruːmətɪzəm] Rheumatismus *m*.
rhu·barb ⚘ [ˈruːbɑːb] Rhabarber *m*.
rhyme [raɪm] **1.** Reim *m*; Vers *m*; *without ~ or reason* ohne Sinn u. Verstand; **2.** (sich) reimen.
rhyth|m [ˈrɪðəm] Rhythmus *m*; **~·mic** [~mɪk] (*~ally*), **~·mi·cal** □ [~mɪkl] rhythmisch.
rib [rɪb] **1.** *anat.* Rippe *f*; **2.** (*-bb-*) F hänseln, aufziehen.
rib·ald [ˈrɪbəld] lästerlich, zotig.
rib·bon [ˈrɪbən] Band *n*; Ordensband *n*; Farbband *n*; Streifen *m*; *~s pl.* Fetzen *pl.*
rib cage *anat.* [ˈrɪbkeɪdʒ] Brustkorb *m*.
rice ⚘ [raɪs] Reis *m*.
rich [rɪtʃ] **1.** □ reich (*in* an *dat.*); prächtig, kostbar; fruchtbar, fett (*Erde*); voll (*Ton*); schwer, nahrhaft (*Speise*); schwer (*Wein, Duft*); satt (*Farbe*); **2.** *the ~ pl.* die Reichen *pl.*; **~·es** [ˈrɪtʃɪz] *pl.* Reichtum *m*, Reichtümer *pl.*
rick ⸙ [rɪk] (Stroh-, Heu)Schober *m*.
rick·ets ⚕ [ˈrɪkɪts] *sg. od. pl.* Rachitis *f*; **rick·et·y** [~ɪ] ⚕ rachitisch; wack(e)lig (*Möbel*).
rid [rɪd] (*-dd-; rid*) befreien, frei machen (*of* von); *get ~ of* loswerden.
rid·dance F [ˈrɪdəns]: *Good ~!* Den (die, das) wären wir (Gott sei Dank) los!
rid·den [ˈrɪdn] **1.** *p.p. von ride 2*; **2.** *in Zssgn*: geplagt von ...
rid·dle[1] [ˈrɪdl] Rätsel *n*.
rid·dle[2] [~] **1.** grobes (Draht)Sieb; **2.** durchsieben; durchlöchern.
ride [raɪd] **1.** Ritt *m*; Fahrt *f*; Reitweg *m*; **2.** (*rode, ridden*) *v/i.* reiten; fahren (*on a bicycle* auf e-m Fahrrad; *in, Am. on a bus* im Bus); *v/t. Pferd etc.* reiten; *Fahr-, Motorrad* fahren, fahren auf (*dat.*); **rid·er** [ˈraɪdə] Reiter(in).
ridge [rɪdʒ] (Gebirgs)Kamm *m*, Grat *m*; *arch.* First *m*; ⸙ Rain *m*.
rid·i·cule [ˈrɪdɪkjuːl] **1.** Spott *m*; **2.** lächerlich machen, verspotten; **ri·dic·u·lous** □ [rɪˈdɪkjʊləs] lächerlich.
rid·ing [ˈraɪdɪŋ] Reiten *n*; *attr.* Reit...
riff-raff [ˈrɪfræf] Gesindel *n*.
ri·fle[1] [ˈraɪfl] Gewehr *n*; Büchse *f*.
ri·fle[2] [~] (aus)plündern; durchwühlen.
rift [rɪft] Riß *m*, Sprung *m*; Spalte *f*.

rig[1] [rɪg] (*-gg-*) manipulieren.
rig[2] [~] **1.** ⚓ Takelage *f*; ⊕ Bohranlage *f*, -turm *m*, Förderturm *m*; F Aufmachung *f*; **2.** (*-gg-*) *Schiff* auftakeln; ~ *up* F (behelfsmäßig) herrichten, zusammenbauen; **~·ging** ⚓ [ˈrɪgɪŋ] Takelage *f*.
right [raɪt] **1.** □ recht; richtig; rechte(r, -s), Rechts...; *all ~!* in Ordnung!, gut!; *that's all ~!* das macht nichts!, schon gut!, bitte!; *I am perfectly all ~* mir geht es ausgezeichnet; *that's ~!* richtig!, ganz recht!, stimmt!; *be ~* recht haben; *put ~, set ~* in Ordnung bringen; berichtigen, korrigieren; **2.** *adv.* rechts; recht, richtig; gerade(wegs), direkt; ganz (und gar); genau, gerade; ~ *away* sofort; ~ *on* geradeaus; *turn ~* (sich) nach rechts wenden, rechts abbiegen; **3.** Recht *n*; Rechte *f* (*a. pol., Boxen*), rechte Seite *od.* Hand; *by ~ of* auf Grund (*gen.*); *on od. to the ~* rechts; **4.** aufrichten; *et.* wiedergutmachen; in Ordnung bringen; **~-down** [ˈraɪtdaʊn] regelrecht; **~·eous** □ [ˈraɪtʃəs] rechtschaffen; selbstgerecht; gerecht(fertigt), berechtigt; **~·ful** □ [~l] rechtmäßig; gerecht; **~-hand** rechte(r, -s); ~ *drive* Rechtssteuerung *f*; **~-hand·ed** rechtshändig; **~·ly** [~lɪ] richtig; mit Recht; **~ of way** Durchgangsrecht *n*; *mot.* Vorfahrt(srecht *n*) *f*; **~-wing** *pol.* rechte(r, -s), rechtsgerichtet.
rig·id □ [ˈrɪdʒɪd] starr, steif; *fig.* streng, hart; **~·i·ty** [rɪˈdʒɪdətɪ] Starrheit *f*; Strenge *f*, Härte *f*.
rig·ma·role [ˈrɪgmərəʊl] Geschwätz *n*.
rig·or·ous □ [ˈrɪgərəs] streng, rigoros; (peinlich) genau.
rig·o(u)r [ˈrɪgə] Strenge *f*, Härte *f*.
rile F [raɪl] ärgern, reizen.
rim [rɪm] Rand *m*; Krempe *f*; Felge *f*; Radkranz *m*; **~·less** [ˈrɪmlɪs] randlos (*Brille*); **~med** mit (e-m) Rand.
rime *lit.* [raɪm] Rauhreif *m*.
rind [raɪnd] Rinde *f*, Schale *f*; (Speck)Schwarte *f*.
ring[1] [rɪŋ] **1.** Klang *m*; Geläut(e) *n*; Klingeln *n*, Läuten *n*; (Telefon)Anruf *m*; *give s.o. a ~* j-n anrufen; **2.** (*rang, rung*) läuten; klingeln; klingen; erschallen; *bsd. Brt. teleph.* anrufen; ~ *the bell* läuten, klingeln; *bsd. Brt. teleph.*: ~ *back* zurückrufen; ~ *off* (den Hörer) auflegen, Schluß machen; ~ *s.o. up* j-n *od.* bei j-m anrufen.
ring[2] [~] **1.** Ring *m*; Kreis *m*; Manege *f*; (Box)Ring *m*; (Verbrecher-, Spionage- *etc.*)Ring *m*; **2.** umringen; beringen; **~ bind·er** [ˈrɪŋbaɪndə] Ringbuch *n*; **~·lead·er** Rädelsführer *m*; **~·let** [~lɪt] (Ringel)Locke *f*; **~·mas·ter** Zirkusdirektor *m*; **~ road** *Brt.* Umgehungsstraße *f*; Ringstraße *f*; **~·side**: *at the ~ Boxen*: am Ring; ~ *seat* Ringplatz *m*; Manegenplatz *m*.
rink [rɪŋk] (*bsd.* Kunst)Eisbahn *f*; Rollschuhbahn *f*.
rinse [rɪns] *oft ~ out* (ab-, aus)spülen.
ri·ot [ˈraɪət] **1.** Aufruhr *m*; Tumult *m*, Krawall *m*; *run ~* randalieren; **2.** Krawall machen, randalieren; e-n Aufstand machen; **~·er** [~ə] Aufrührer(in); Randalierer *m*; **~·ous** □ [~əs] aufrührerisch; lärmend; ausgelassen, wild.
rip [rɪp] **1.** Riß *m*; **2.** (*-pp-*) (auf-, zer)reißen, (-)schlitzen; F sausen, rasen.
ripe □ [raɪp] reif; **rip·en** [ˈraɪpən] reifen (lassen), reif werden; **~·ness** [~nɪs] Reife *f*.
rip·ple [ˈrɪpl] **1.** kleine Welle; Kräuselung *f*; Rieseln *n*; **2.** (sich) kräuseln; rieseln.
rise [raɪz] **1.** (An-, Auf)Steigen *n*; (Preis-, Gehalts-, Lohn)Erhöhung *f*; Steigung *f*; Anhöhe *f*; Ursprung *m*; *fig.* Aufstieg *m*; *give ~ to* verursachen, führen zu; **2.** (*rose, risen*) sich erheben, aufstehen; die Sitzung schließen; auf-, hoch-, emporsteigen; (an)steigen; sich erheben, emporragen; aufkommen (*Sturm etc.*); *eccl.* auferstehen; aufgehen (*Sonne, Samen*); entspringen (*Fluß*); (an-) wachsen, sich steigern; sich erheben, revoltieren; *beruflich etc.* aufsteigen; ~ *to the occasion* sich der Lage gewachsen zeigen; **ris·en** [ˈrɪzn] *p.p. von rise 2*; **ris·er** [ˈraɪzə]: *early ~* Frühaufsteher(in).
ris·ing [ˈraɪzɪŋ] (An-, Auf)Steigen *n*; *ast.* Aufgehen *n*, -gang *m*; Aufstand *m*.
risk [rɪsk] **1.** Gefahr *f*, Wagnis *n*, Risiko *n* (*a. econ.*); *be at ~* in Gefahr sein; *run the ~ of doing s.th.* Gefahr laufen, et. zu tun; *run od. take a ~* ein Risiko eingehen; **2.** wagen, riskieren; **~·y** □ [ˈrɪskɪ]

(*-ier, -iest*) riskant, gefährlich, gewagt.

rite [raɪt] Ritus *m*; Zeremonie *f*; **rit·u·al** [ˈrɪtʃʊəl] **1.** □ rituell; Ritual...; **2.** Ritual *n*.

ri·val [ˈraɪvl] **1.** Rival|e *m*, -in *f*, Konkurrent(in); **2.** rivalisierend, Konkurrenz...; **3.** (*bsd. Brt. -ll-, Am. -l-*) rivalisieren *od.* konkurrieren mit; **~·ry** [~rɪ] Rivalität *f*; Konkurrenz (-kampf *m*) *f*.

riv·er [ˈrɪvə] Fluß *m*, Strom *m* (*a. fig.*); **~·side 1.** Flußufer *n*; **2.** am Ufer (gelegen).

riv·et [ˈrɪvɪt] **1.** ⊕ Niet(e *f*) *m*, *n*; **2.** ⊕ (ver)nieten; *fig. Blick etc.* heften; *fig.* fesseln.

riv·u·let [ˈrɪvjʊlɪt] Flüßchen *n*.

road [rəʊd] (Auto-, Land)Straße *f*; *fig.* Weg *m*; *on the ~* unterwegs; *thea.* auf Tournee; **~ ac·ci·dent** Verkehrsunfall *m*; **~·block** [ˈrəʊdblɒk] Straßensperre *f*; **~ map** Straßenkarte *f*; **~ safe·ty** Verkehrssicherheit *f*; **~·side 1.** Straßen-, Wegrand *m*; **2.** an der Landstraße (gelegen); **~·way** Fahrbahn *f*; **~ works** *pl.* Straßenbauarbeiten *pl.*; **~·wor·thy** *mot.* verkehrssicher.

roam [rəʊm] *v/i.* (umher)streifen, (-)wandern; *v/t.* durchstreifen.

roar [rɔː] **1.** brüllen; brausen, tosen, donnern; **2.** Brüllen *n*, Gebrüll *n*; Brausen *n*; Krachen *n*, Getöse *n*; schallendes Gelächter.

roast [rəʊst] **1.** Braten *m*; **2.** braten; rösten; **3.** gebraten; *~ beef* Rost- *od.* Rinderbraten *m*.

rob [rɒb] (*-bb-*) (be)rauben; **~·ber** [ˈrɒbə] Räuber *m*; **~·ber·y** [~rɪ] Raub *m*; *~ with violence* ⚖ schwerer Raub.

robe [rəʊb] (Amts)Robe *f*, Talar *m*; Bade-, Hausmantel *m*, Morgenrock *m*.

rob·in *zo.* [ˈrɒbɪn] Rotkehlchen *n*.

ro·bot [ˈrəʊbɒt] Roboter *m*.

ro·bust □ [rəˈbʌst] robust, kräftig.

rock [rɒk] **1.** Fels(en) *m*; Klippe *f*; Gestein *n*; *Brt.* Zuckerstange *f*; ⚠ *nicht Rock*; *on the ~s* mit Eiswürfeln (*Whisky etc.*); kaputt, in die Brüche gegangen (*Ehe*); *~ crystal* Bergkristall *m*; **2.** schaukeln, wiegen; erschüttern (*a. fig.*).

rock·er [ˈrɒkə] Kufe *f*; *Am.* Schaukelstuhl *m*; *Brt.* Rocker *m*; *off one's ~ sl.* übergeschnappt.

rock·et [ˈrɒkɪt] Rakete *f*; *attr.* Raketen...; **~-pro·pelled** mit Raketenantrieb; **~·ry** [~rɪ] Raketentechnik *f*.

rock·ing|-chair [ˈrɒkɪŋtʃeə] Schaukelstuhl *m*; **~-horse** Schaukelpferd *n*.

rock·y [ˈrɒkɪ] (*-ier, -iest*) felsig, Felsen...

rod [rɒd] Rute *f*; Stab *m*; ⊕ Stange *f*.

rode [rəʊd] *pret. von ride 2.*

ro·dent *zo.* [ˈrəʊdənt] Nagetier *n*.

ro·de·o [rəʊˈdeɪəʊ] (*pl. -os*) Rodeo *m*, *n*.

roe[1] *zo.* [rəʊ] Reh *n*.

roe[2] *zo.* [~] *a. hard ~* Rogen *m*; *a. soft ~* Milch *f*.

rogue [rəʊg] Schurke *m*, Gauner *m*; Schlingel *m*, Spitzbube *m*; **ro·guish** □ [ˈrəʊgɪʃ] spitzbübisch.

role, rôle *thea.* [rəʊl] Rolle *f* (*a. fig.*).

roll [rəʊl] **1.** Rolle *f*; Brötchen *n*, Semmel *f*; (*bsd.* Namens-, Anwesenheits)Liste *f*; Brausen *n*; (*Donner-*) Rollen *n*; (*Trommel*)Wirbel *m*; ⚓ Schlingern *n*; **2.** *v/t.* rollen; wälzen; walzen; *Zigarette* drehen; *~ up Ärmel* hochkrempeln; *mot. Fenster* hochkurbeln; *v/i.* rollen; fahren; sich wälzen; (g)rollen (*Donner*); dröhnen; brausen; wirbeln (*Trommel*); ⚓ schlingern; **~-call** [ˈrəʊlkɔːl] Namensaufruf *m*; ⚔ Appell *m*.

roll·er [ˈrəʊlə] Rolle *f*, Walze *f*; (Locken)Wickler *m*; ⚓ Sturzwelle *f*, Brecher *m*; ⚠ *nicht Roller*; **~ coast·er** Achterbahn *f*; **~ skate** Rollschuh *m*; **~-skate** Rollschuh laufen; **~-skat·ing** Rollschuhlaufen *n*; **~ tow·el** Rollhandtuch *n*.

rol·lick·ing [ˈrɒlɪkɪŋ] übermütig.

roll·ing [ˈrəʊlɪŋ] rollend *etc.*; Roll..., Walz...; *~ mill* ⊕ Walzwerk *n*; *~ pin* Nudelholz *n*.

roll-neck [ˈrəʊlnek] **1.** Rollkragen (-pullover) *m*; **2.** Rollkragen...; **~ed** [~t] Rollkragen...

Ro·man [ˈrəʊmən] **1.** römisch; **2.** Römer(in).

ro·mance[1] [rəʊˈmæns] (Ritter-, Vers)Roman *m*; Abenteuer-, Liebesroman *m*; Romanze *f* (*a. fig.*); Romantik *f*, Zauber *m*.

Ro·mance[2] *ling.* [~] *a. ~ languages* die romanischen Sprachen *pl.*

Ro·ma·ni·an [ruːˈmeɪnjən] **1.** rumänisch; **2.** Rumän|e *m*, -in *f*; *ling.* Rumänisch *n*.

ro·man|tic [rəˈmæntɪk] **1.** (*~ally*)

romantisch (veranlagt); **2.** Romantiker(in); Schwärmer(in); **~ti·cis·m** [~sɪzəm] Romantik *f*.

romp [rɒmp] **1.** Tollen *n*, Toben *n*; Range *f*, Wildfang *m*; **2.** *a*. ~ *about*, ~ *around* herumtollen, -toben; **~·ers** [ˈrɒmpəz] *pl*. einteiliger Spielanzug.

roof [ruːf] **1.** Dach *n* (*a. fig.*); ~ *of the mouth anat.* Gaumen *m*; **2.** mit e-m Dach versehen; ~ *in*, ~ *over* überdachen; **~·ing** [ˈruːfɪŋ] **1.** Material *n* zum Dachdecken; **2.** Dach...; ~ *felt* Dachpappe *f*; ~ **rack** *bsd. Brt. mot.* Dachgepäckträger *m*.

rook [rʊk] **1.** *Schach*: Turm *m*; *zo.* Saatkrähe *f*; **2.** betrügen (*of* um).

room [ruːm] **1.** Raum *m*; Platz *m*; Zimmer *n*; *fig.* Spielraum *m*; ~*s pl.* (Miet)Wohnung *f*; **2.** *Am.* wohnen; **~·er** [ˈruːmə] *bsd. Am.* Untermieter(in); **~·ing-house** [~ɪŋhaʊs] Fremdenheim *n*, Pension *f*; **~·mate** Zimmergenoss|e *m*, -in *f*; **~·y** □ [~ɪ] (*-ier, -iest*) geräumig.

roost [ruːst] **1.** Schlafplatz *m* (*von Vögeln*); Hühnerstange *f*; **2.** sich zum Schlaf niederhocken (*Vögel*); **~·er** *bsd. Am. zo.* [ˈruːstə] (Haus-) Hahn *m*.

root [ruːt] **1.** Wurzel *f*; **2.** *v/i.* Wurzeln schlagen; wühlen (*for* nach); ~ *about*, ~ *around* herumwühlen (*among* in *dat.*); *v/t.* tief einpflanzen; ~ *out* ausrotten; ~ *up* ausgraben; **~·ed** [ˈruːtɪd] eingewurzelt; *deeply* ~ *fig.* tief verwurzelt; *stand* ~ *to the spot* wie angewurzelt stehen(bleiben).

rope [rəʊp] **1.** Tau *n*; Seil *n*; Strick *m*; Schnur *f* (*Perlen etc.*); *be at the end of one's* ~ mit s-m Latein am Ende sein; *know the* ~*s* sich auskennen; **2.** verschnüren; festbinden; ~ *off* (durch ein Seil) absperren *od.* abgrenzen; ~ **lad·der** Strickleiter *f*; ~ **tow** Schlepplift *m*; **~·way** [ˈrəʊpweɪ] (Seil)Schwebebahn *f*.

ro·sa·ry *eccl.* [ˈrəʊzərɪ] Rosenkranz *m*.

rose[1] [rəʊz] ⚘ Rose *f*; (Gießkannen-) Brause *f*; Rosa-, Rosenrot *n*.

rose[2] [~] *pret. von rise 2.*

ros·trum [ˈrɒstrəm] (*pl. -tra* [-trə], *-trums*) Rednertribüne *f*, -pult *n*.

ros·y □ [ˈrəʊzɪ] (*-ier, -iest*) rosig.

rot [rɒt] **1.** Fäulnis *f*; *Brt.* F Quatsch *m*; **2.** (*-tt-*) *v/t.* (ver)faulen lassen; *v/i.* (ver)faulen, (-)modern, verrotten.

ro·ta·ry [ˈrəʊtərɪ] rotierend, sich drehend; Rotations...; **ro·tate** [rəʊˈteɪt] rotieren *od.* kreisen (lassen), (sich) drehen; ✓ *die Frucht* wechseln; **ro·ta·tion** [~ʃn] Rotation *f*, (Um)Drehung *f*, Umlauf *m*; Wechsel *m*, Abwechslung *f*.

ro·tor *bsd.* ✈ [ˈrəʊtə] Rotor *m*.

rot·ten □ [ˈrɒtn] verfault, faul(ig); morsch; mies; gemein; *feel* ~ *sl.* sich beschissen fühlen.

ro·tund □ [rəʊˈtʌnd] rundlich.

rough [rʌf] **1.** *adj.* □ rauh; roh; grob; barsch; hart; holp(e)rig, uneben; grob, ungefähr (*Schätzung*); unfertig, Roh...; ~ *copy* erster Entwurf, Konzept *n*; ~ *draft* Rohfassung *f*; **2.** *adv.* roh, rauh, hart; **3.** Rauhe *n*, Grobe *n*; holp(e)riger Boden; *Golf*: Rough *n*; **4.** an-, aufrauhen; ~ *it* F primitiv *od.* anspruchslos leben; **~·age** [ˈrʌfɪdʒ] Ballaststoffe *pl.*; **~·cast 1.** ⊕ Rohputz *m*; **2.** unfertig; **3.** (*-cast*) ⊕ roh verputzen; roh entwerfen; **~·en** [~n] rauh werden; an-, aufrauhen; **~·neck** *Am.* F Grobian *m*; Ölbohrarbeiter *m*; **~·ness** [~nɪs] Rauheit *f*; rauhe Stelle; Roheit *f*; Grobheit *f*; **~·shod:** *ride* ~ *over j-n* rücksichtslos behandeln; rücksichtslos über *et.* hinweggehen.

round [raʊnd] **1.** *adj.* □ rund; voll (*Stimme etc.*); abgerundet (*Stil*); unverblümt; *a* ~ *dozen* ein rundes Dutzend; *in* ~ *figures* auf- *od.* abgerundet (*Zahlen*); **2.** *adv.* rund-, rings(her)um; überall, auf *od.* von *od.* nach allen Seiten; *ask s.o.* ~ j-n zu sich einladen; ~ *about* ungefähr; *all the year* ~ das ganze Jahr hindurch; *the other way* ~ umgekehrt; **3.** *prp.* (rund)um; um (... herum); in *od.* auf (*dat.*) ... herum; **4.** Rund *n*, Kreis *m*; Runde *f*; (Leiter)Sprosse *f*; *Brt.* Scheibe *f* (*Brot etc.*); (Dienst-) Runde *f*, Rundgang *m*; ⚕ Visite *f* (*in e-r Klinik*); ♪ Kanon *m*; (*Lach- etc.*)Salve *f*; *100* ~*s* ⚔ 100 Schuß (*Munition*); **5.** rund machen *od.* werden; (herum)gehen *od.* (-)fahren um, biegen um; ~ *off* abrunden; *fig.* krönen, beschließen; ~ *up Zahl etc.* aufrunden (*to* auf *acc.*); *Vieh* zusammentreiben; *Leute etc.* zusammentrommeln, auftreiben; **~·a·bout** [ˈraʊndəbaʊt] **1.** ~ *way od. route* Umweg *m*; *in a* ~ *way fig.* auf Umwegen; **2.** *Brt.* Karussell *n*; *Brt.* Kreisverkehr *m*; **~·ish** [~ɪʃ] rundlich;

~ **trip** Rundreise *f*; *Am.* Hin- u. Rückfahrt *f*, ✈ Hin- u. Rückflug *m*; **~-trip:** ~ *ticket Am.* Rückfahrkarte, ✈ Rückflugticket *n*; **~-up** Zusammentreiben *n* (*von Vieh*).
rouse [raʊz] *v/t.* wecken; *Wild* aufjagen; *j-n* aufrütteln; *j-n* reizen, erzürnen; *Zorn* erregen; ~ *o.s.* sich aufraffen; *v/i.* aufwachen.
route [ruːt, ⚔ *a.* raʊt] (Reise-, Fahrt)Route *f*, (-)Weg *m*; (Bahn-, Bus-, Flug)Strecke *f*; ⚔ Marschroute *f*.
rou·tine [ruːˈtiːn] **1.** Routine *f*; **2.** üblich, routinemäßig, Routine...
rove [rəʊv] umherstreifen, -wandern; durchstreifen, -wandern.
row[1] [rəʊ] Reihe *f*.
row[2] F [raʊ] **1.** Krach *m*, Lärm *m*; (lauter) Streit, Krach *m*; **2.** (sich) streiten.
row[3] [rəʊ] **1.** Rudern *n*; Ruderpartie *f*; **2.** rudern; **~·boat** *Am.* [ˈrəʊbəʊt] Ruderboot *n*; **~·er** [~ə] Ruder|er *m*, -in *f*; **~·ing boat** *Brt.* [~ɪŋbəʊt] Ruderboot *n*.
roy·al □ [ˈrɔɪəl] königlich; **~·ty** [~tɪ] Königtum *n*; Königswürde *f*; *coll.* das Königshaus, die königliche Familie; Tantieme *f*.
rub [rʌb] **1.** *give s.th. a good* ~ et. (ab)reiben; et. polieren; **2.** (*-bb-*) *v/t.* reiben; polieren; (wund) scheuern; ~ *down* abschmirgeln, abschleifen; trockenreiben, (ab)frottieren; ~ *in* einreiben; ~ *it in fig.* F darauf herumreiten; ~ *off* ab-, wegreiben, abwegwischen; ~ *out Brt.* ausradieren; ~ *up* aufpolieren; ~ *s.o. up the wrong way* j-n verstimmen; *v/i.* reiben (*against*, *on* an *dat.*, gegen).
rub·ber [ˈrʌbə] Gummi *n*, *m*; (Radier)Gummi *m*; Wischtuch *n*; ~*s pl. Am.* (Gummi)Überschuhe *pl.*; *Brt.* Turnschuhe *pl.*; ~ **band** Gummiband *n*; ~ **cheque,** *Am.* ~ **check** geplatzter Scheck; **~·neck** *Am.* F **1.** Gaffer(in); **2.** gaffen; **~·y** [~rɪ] gummiartig; zäh, wie Gummi (*Fleisch*).
rub·bish [ˈrʌbɪʃ] Schutt *m*; Abfall *m*, Müll *m*, Kehricht *m*; *fig.* Schund *m*; Quatsch *m*, Blödsinn *m*; ~ **bin** *Brt.* Mülleimer *m*; ~ **chute** Müllschlucker *m*.
rub·ble [ˈrʌbl] Schutt *m*.
ru·by [ˈruːbɪ] Rubin(rot *n*) *m*.
ruck·sack [ˈrʌksæk] Rucksack *m*.
rud·der [ˈrʌdə] ⚓ (Steuer)Ruder *n*; ✈ Seitenruder *n*.
rud·dy □ [ˈrʌdɪ] (*-ier*, *-iest*) rot, rötlich; frisch, gesund.
rude □ [ruːd] (~*r*, ~*st*) unhöflich, grob; unanständig; heftig, wild; ungebildet; einfach, kunstlos.
ru·di|men·ta·ry [ruːdɪˈmentərɪ] elementar, Anfangs...; **~·ments** [ˈruːdɪmənts] *pl.* Anfangsgründe *pl.*
rue·ful □ [ˈruːfl] reuig.
ruff [rʌf] Halskrause *f*.
ruf·fi·an [ˈrʌfjən] Rüpel *m*, Grobian *m*; Raufbold *m*, Schläger *m*.
ruf·fle [ˈrʌfl] **1.** Krause *f*, Rüsche *f*; Kräuseln *n*; **2.** kräuseln; *Haare*, *Federn* sträuben; zerknüllen; *fig.* aus der Ruhe bringen; (ver)ärgern.
rug [rʌg] (Reise-, Woll)Decke *f*; Vorleger *m*, Brücke *f*, (kleiner) Teppich.
rug·ged □ [ˈrʌgɪd] rauh (*a. fig.*); wild, zerklüftet, schroff.
ru·in [ˈrʊɪn] **1.** Ruin *m*, Verderben *n*, Untergang *m*; *mst* ~*s pl.* Ruine(n *pl.*) *f*, Trümmer *pl.*; **2.** ruinieren, zugrunde richten, zerstören, zunichte machen, zerrütten; **~·ous** □ [~əs] verfallen; ruinös.
rule [ruːl] **1.** Regel *f*; Spielregel *f*; Vorschrift *f*; Satzung *f*; Herrschaft *f*, Regierung *f*; Lineal *n*; *as a* ~ in der Regel; *work to* ~ Dienst nach Vorschrift tun; ~*s pl.* (Geschäfts-, Gerichts- *etc.*)Ordnung *f*; ~*(s) of the road* Straßenverkehrsordnung *f*; **2.** *v/t.* beherrschen, herrschen über (*acc.*); lenken, leiten; anordnen, verfügen; liniieren; ~ *out* ausschließen; *v/i.* herrschen; **rul·er** [ˈruːlə] Herrscher(in); Lineal *n*.
rum [rʌm] Rum *m*; *Am.* Alkohol *m*.
rum·ble [ˈrʌmbl] rumpeln, poltern, (g)rollen (*Donner*), knurren (*Magen*).
ru·mi|nant *zo.* [ˈruːmɪnənt] **1.** wiederkäuend; **2.** Wiederkäuer *m*; **~·nate** [~eɪt] *zo.* wiederkäuen; *fig.* grübeln (*about*, *over* über *acc.*).
rum·mage [ˈrʌmɪdʒ] **1.** gründliche Durchsuchung; Ramsch *m*; ~ *sale Am.* Ramschverkauf *m*; Wohltätigkeitsbasar *m*; **2.** *a.* ~ *about* herumstöbern, -wühlen (*among*, *in* in *dat.*).
ru·mo(u)r [ˈruːmə] **1.** Gerücht *n*; **2.** ⚠ *nicht rumoren*; *it is* ~*ed* man sagt *od.* munkelt, es geht das Gerücht.
rump [rʌmp] Steiß *m*, Hinterteil *n*, -keulen *pl.*

QR

rum·ple [ˈrʌmpl] zerknittern, -knüllen, -wühlen; ⚠ *nicht rumpeln.*

run [rʌn] **1.** (*-nn-; ran, run*) *v/i.* laufen, rennen, eilen; fahren; verkehren, fahren, gehen (*Zug, Bus*); fließen, strömen; verlaufen (*Straße*), führen (*Weg*); ⊕ laufen; in Betrieb *od.* Gang sein; gehen (*Uhr etc.*); schmelzen (*Butter etc.*); zer-, auslaufen (*Farbe*); lauten (*Text*); gehen (*Melodie*); laufen (*Theaterstück, Film*), gegeben werden; ⚖ gelten, laufen; *econ.* stehen auf (*dat.*) (*Preis etc.*); *bsd. Am. pol.* kandidieren (*for* für); ~ *across s.o.* j-n zufällig treffen, auf j-n stoßen; ~ *after* hinterher-, nachlaufen; ~ *along!* F ab mit dir!; ~ *away* davonlaufen; ~ *away with* durchbrennen mit; durchgehen mit (*Temperament etc.*); ~ *down* ablaufen (*Uhr etc.*); *fig.* herunterkommen; ~ *dry* austrocknen; ~ *into* (hinein)laufen *od.* (-)rennen in (*acc.*); fahren gegen; *j-n* zufällig treffen; geraten in (*Schulden etc.*); sich belaufen auf (*acc.*); ~ *low* knapp werden; ~ *off with* = ~ *away with*; ~ *out* ablaufen (*Zeit*); ausgehen, knapp werden; ~ *out of petrol* kein Benzin mehr haben; ~ *over* überlaufen, -fließen; überfliegen, durchgehen, -lesen; ~ *short* knapp werden; ~ *short of petrol* kein Benzin mehr haben; ~ *through* überfliegen, durchgehen, -lesen; ~ *up to* sich belaufen auf (*acc.*); *v/t. Strecke* durchlaufen, *Weg* einschlagen; fahren; laufen lassen; *Zug, Bus* fahren *od.* verkehren lassen; *Hand etc.* gleiten lassen; *Geschäft* betreiben; *Betrieb* führen, leiten; fließen lassen; *Temperatur, Fieber* haben; ~ *down* an-, überfahren; *fig.* schlechtmachen; herunterwirtschaften; ~ *errands* Besorgungen *od.* Botengänge machen; ~ *s.o. home* F j-n nach Hause bringen *od.* fahren; ~ *in Auto* einfahren; F *Verbrecher* einbuchten; ~ *over* überfahren; ~ *s.o. through* j-n durchbohren; ~ *up Preis etc.* in die Höhe treiben; *Rechnung etc.* auflaufen lassen; **2.** Laufen *n*, Rennen *n*, Lauf *m*; Verlauf *m*; Fahrt *f*; Spazierfahrt *f*; Reihe *f*, Folge *f*, Serie *f*; *econ.* Ansturm *m*, Run *m*, stürmische Nachfrage; *Am.* Bach *m*; *Am.* Laufmasche *f*; Gehege *n*; Auslauf *m*, (Hühner)Hof *m*; *Sport*: Bob-, Rodelbahn *f*; (Ski)Abfahrt(sstrecke) *f*; freie Benutzung; *thea., Film*: Laufzeit *f*; *have a ~ of 20 nights thea.* 20mal nacheinander gegeben werden; *in the long ~* auf die Dauer; *in the short ~* fürs nächste; *on the ~* auf der Flucht.

run|a·bout F *mot.* [ˈrʌnəbaʊt] kleiner leichter Wagen; **~·a·way** Ausreißer *m.*

rung[1] [rʌŋ] *p.p. von ring*[1] 2.

rung[2] [~] (Leiter)Sprosse *f* (*a. fig.*).

run|let [ˈrʌnlɪt] Rinnsal *n*; **~·nel** [~l] Rinnsal *n*; Rinnstein *m.*

run·ner [ˈrʌnə] Läufer(in); Bote *m*; (Schlitten-, Schlittschuh)Kufe *f*; Schieber *m* (*am Schirm*); Läufer *m*; Tischläufer *m*; *Am.* Laufmasche *f*; ⚘ Ausläufer *m*; **~ bean** *Brt.* ⚘ Stangenbohne; **~-up** [~rˈʌp] (*pl. runners-up*) *Sport*: Zweite(r *m*) *f.*

run·ning [ˈrʌnɪŋ] **1.** laufend; fließend; *two days ~* zwei Tage hintereinander; **2.** Laufen *n*; Rennen *n*; **~-board** Trittbrett *n.*

run·way ✈ [ˈrʌnweɪ] Start-, Lande-, Rollbahn *f.*

rup·ture [ˈrʌptʃə] **1.** Bruch *m*, Riß *m*; (Zer)Platzen *n*; **2.** brechen; bersten, (zer)platzen.

ru·ral □ [ˈrʊərəl] ländlich, Land...

ruse [ru:z] List *f*, Kniff *m*, Trick *m.*

rush[1] ⚘ [rʌʃ] Binse *f.*

rush[2] [~] **1.** Jagen *n*, Hetzen *n*, Stürmen *n*; Eile *f*; (An)Sturm *m*; Andrang *m*; *econ.* stürmische Nachfrage; Hetze *f*, Hochbetrieb *m*; **2.** *v/i.* stürzen, jagen, hetzen, stürmen; ~ *at* sich stürzen auf (*acc.*); ~ *in* hereinstürzen, -stürmen; *v/t.* jagen, hetzen, drängen, (an)treiben; losstürmen auf (*acc.*), angreifen; schnell (*wohin*) bringen; **~ hour** [ˈrʌʃaʊə] Hauptverkehrszeit *f*, Stoßzeit *f*; **~-hour traf·fic** Stoßverkehr *m.*

Rus·sian [ˈrʌʃn] **1.** russisch; **2.** Russ|e *m*, -in *f*; *ling.* Russisch *n.*

rust [rʌst] **1.** Rost *m*; Rostbraun *n*; **2.** (ver-, ein)rosten (lassen).

rus·tic [ˈrʌstɪk] **1.** (*~ally*) ländlich, rustikal; bäurisch; **2.** Bauer *m.*

rus·tle [ˈrʌsl] **1.** rascheln (mit *od.* in *dat.*); rauschen; *Am. Vieh* stehlen; **2.** Rascheln *n.*

rust|less [ˈrʌstlɪs] rostfrei; **~·y** □ [~ɪ] (*-ier, -iest*) rostig; *fig.* eingerostet.

rut[1] [rʌt] Wagenspur *f*; *bsd. fig.* ausgefahrenes Geleise.

rut² *zo.* [~] Brunst *f*, Brunft *f*.
ruth·less □ [ˈru:θlɪs] umbarmherzig; rücksichts-, skrupellos.
rut|ted [ˈrʌtɪd], **~·ty** [~ɪ] (*-ier, -iest*) ausgefahren (*Weg*).
rye ⚘ [raɪ] Roggen *m*.

S

sa·ble [ˈseɪbl] *zo.* Zobel *m*; Zobelpelz *m*; ⚠ *nicht Säbel.*
sab·o·tage [ˈsæbətɑ:ʒ] **1.** Sabotage *f*; **2.** sabotieren.
sa·bre, *Am. mst* **-ber** [ˈseɪbə] Säbel *m*.
sack [sæk] **1.** Plünderung *f*; Sack *m*; *Am.* (Einkaufs)Tüte *f*; Sackkleid *n*; *get the ~* F entlassen werden; F den Laufpaß bekommen; *give s.o. the ~* F j-n entlassen; F j-m den Laufpaß geben; **2.** plündern; einsacken; F rausschmeißen, entlassen; F *j-m* den Laufpaß geben; **~·cloth** [ˈsækklɒθ], **~·ing** [~ɪŋ] Sackleinen *n*, -leinwand *f*.
sac·ra·ment *eccl.* [ˈsækrəmənt] Sakrament *n*.
sa·cred □ [ˈseɪkrɪd] heilig; geistlich.
sac·ri·fice [ˈsækrɪfaɪs] **1.** Opfer *n*; *at a ~ econ.* mit Verlust; **2.** opfern; *econ.* mit Verlust verkaufen.
sac·ri|lege [ˈsækrɪlɪdʒ] Sakrileg *n*; Entweihung *f*; Frevel *m*; **~·le·gious** □ [sækrɪˈlɪdʒəs] frevelhaft.
sad □ [sæd] traurig; jämmerlich, elend; schlimm; dunkel, matt.
sad·den [ˈsædn] traurig machen *od.* werden.
sad·dle [ˈsædl] **1.** Sattel *m*; **2.** satteln; *fig.* belasten; **~r** [~ə] Sattler *m*.
sa·dis·m [ˈseɪdɪzəm] Sadismus *m*.
sad·ness [ˈsædnɪs] Traurigkeit *f*.
safe [seɪf] **1.** □ (*~r, ~st*) sicher; unversehrt; zuverlässig; **2.** Safe *m*, *n*, Geldschrank *m*; Fliegenschrank *m*; **~ con·duct** freies Geleit; Geleitbrief *m*; **~·guard** [ˈseɪfgɑ:d] **1.** Schutz *m* (*against* gegen, vor *dat.*); **2.** sichern, schützen (*against* gegen, vor *dat.*).
safe·ty [ˈseɪftɪ] Sicherheit *f*; Sicherheits...; **~-belt** Sicherheitsgurt *m*; **~ is·land** *Am.* Verkehrsinsel *f*; **~-lock** Sicherheitsschloß *n*; **~-pin** Sicherheitsnadel *f*; **~ ra·zor** Rasierapparat *m*.
saf·fron [ˈsæfrən] Safran(gelb *n*) *m*.
sag [sæg] (*-gg-*) durchsacken; ⊕ durchhängen; abfallen, (herab)hängen; sinken, fallen, absacken.
sa·ga|cious □ [səˈgeɪʃəs] scharfsinnig; **~·ci·ty** [səˈgæsətɪ] Scharfsinn *m*.
sage¹ [seɪdʒ] **1.** □ (*~r, ~st*) klug, weise; **2.** Weise(r) *m*.
sage² ⚘ [~] Salbei *m*, *f*.
said [sed] *pret. u. p.p. von say 1.*
sail [seɪl] **1.** Segel *n od. pl.*; (Segel-) Fahrt *f*; Windmühlenflügel *m*; (Segel)Schiff(*e pl.*) *n*; *set ~* auslaufen (*for* nach); **2.** *v/i.* segeln, fahren; auslaufen (*Schiff*); absegeln; *fig.* schweben; *v/t.* ⚓ befahren; *Schiff* steuern; *Segelboot* segeln; **~·boat** *Am.* [ˈseɪlbəʊt] Segelboot *n*; **~·er** [~ə] Segler *m* (*Schiff*); **~·ing-boat** *Brt.* [~ɪŋbəʊt] Segelboot *n*; **~·ing-ship** [~ɪŋʃɪp], **~·ing-ves·sel** [~ɪŋvesl] Segelschiff *n*; **~·or** [~ə] Seemann *m*, Matrose *m*; *be a good (bad) ~* (nicht) seefest sein; **~·plane** Segelflugzeug *n*.
saint [seɪnt] **1.** Heilige(*r m*) *f*; [*vor npr.* snt] Sankt ...; **2.** heiligsprechen; **~·ly** [ˈseɪntlɪ] heilig, fromm.
saith *veraltet od. poet.* [seθ] *3. sg. pres. von say 1.*
sake [seɪk]: *for the ~ of* um ... (*gen.*) willen; *for my ~* meinetwegen; *for God's ~* um Gottes willen.
sa·la·ble [ˈseɪləbl] = *saleable.*
sal·ad [ˈsæləd] Salat *m*.
sal·a·ried [ˈsælərɪd] (fest)angestellt, (-)bezahlt; *~ employee* Angestellte(*r m*) *f*, Gehaltsempfänger(in).
sal·a·ry [ˈsælərɪ] Gehalt *n*; **~ earn·er** [~ɜ:nə] Angestellte(*r m*) *f*, Gehaltsempfänger(in).
sale [seɪl] Verkauf *m*; Ab-, Umsatz *m*; (Saison)Schlußverkauf *m*; Auktion *f*; *for ~* zu verkaufen; *be on ~* verkauft werden, erhältlich sein.
sale·a·ble *bsd. Brt.* [ˈseɪləbl] verkäuflich.

sales|clerk *Am.* [ˈseɪlzklɑːk] (Laden)Verkäufer(in); **~·man** [~mən] (*pl. -men*) Verkäufer *m*; (Handels-) Vertreter *m*; **~·wom·an** (*pl. -women*) Verkäuferin *f*; (Handels)Vertreterin *f*.

sa·li·ent □ [ˈseɪljənt] vorspringend; *fig.* ins Auge springend, hervorstechend.

sa·line [ˈseɪlaɪn] salzig, Salz...

sa·li·va [səˈlaɪvə] Speichel *m*.

sal·low [ˈsæləʊ] blaß, gelblich, fahl.

sal·ly [ˈsælɪ]: ~ *forth*, ~ *out* sich aufmachen.

salm·on *zo.* [ˈsæmən] Lachs *m*, Salm *m*.

sa·loon [səˈluːn] Salon *m*; (Gesellschafts)Saal *m*; erste Klasse (*auf Schiffen*); *Am.* Kneipe *f*, Wirtschaft *f*, Saloon *m*; ~(*car*) *Brt. mot.* Limousine.

salt [sɔːlt] **1.** Salz *n*; *fig.* Würze *f*; **2.** salzig; gesalzen, gepökelt; Salz...; Pökel...; **3.** (ein)salzen; pökeln; **~-cel·lar** [ˈsɔːltselə] Salzfäßchen *n*, -streuer *m*; **~·pe·tre,** *Am.* **~·pe·ter** ⚗ [~piːtə] Salpeter *m*; **~-wa·ter** Salzwasser...; **~·y** [~ɪ] (*-ier, -iest*) salzig.

sa·lu·bri·ous □ [səˈluːbrɪəs], **sal·u·ta·ry** □ [ˈsæljʊtərɪ] heilsam, gesund.

sal·u·ta·tion [sæljuːˈteɪʃn] Gruß *m*, Begrüßung *f*; Anrede *f* (*im Brief*).

sa·lute [səˈluːt] **1.** Gruß *m*; ⚔ Salut *m*; **2.** (be)grüßen; ⚔ salutieren.

sal·vage [ˈsælvɪdʒ] **1.** Bergung(sgut *n*) *f*; Bergegeld *n*; **2.** bergen; retten.

sal·va·tion [sælˈveɪʃn] Erlösung *f*; (Seelen)Heil *n*; Rettung *f*; ♀ *Army* Heilsarmee *f*.

salve[1] [sælv] retten, bergen.

salve[2] [~] **1.** Salbe *f*; *fig.* Balsam *m*, Trost *m*; ⚠ *nicht Salve*; **2.** *fig.* beschwichtigen, beruhigen.

same [seɪm]: *the* ~ der-, die-, dasselbe; *all the* ~ trotzdem; *it is all the* ~ *to me* es ist mir (ganz) gleich.

sam·ple [ˈsɑːmpl] **1.** Probe *f*, Muster *n*; **2.** probieren; kosten.

san·a·to·ri·um [sænəˈtɔːrɪəm] (*pl. -ums, -a* [-ə]) Sanatorium *n*.

sanc|ti·fy [ˈsæŋktɪfaɪ] heiligen; weihen; **~·ti·mo·ni·ous** □ [sæŋktɪˈməʊnjəs] scheinheilig; **~·tion** [ˈsæŋkʃn] **1.** Sanktion *f*; Billigung *f*, Zustimmung *f*; **2.** billigen; **~·ti·ty** [~tətɪ] Heiligkeit *f*; **~·tu·a·ry** [~jʊərɪ] Heiligtum *n*; *das* Allerheiligste; Asyl *n*; Schutzgebiet *n* (*für Tiere*); *seek* ~ *with* Zuflucht suchen bei.

sand [sænd] **1.** Sand *m*; ~*s pl.* Sand(-fläche *f*) *m*; Sandbank *f*; **2.** mit Sand bestreuen; schmirgeln.

san·dal [ˈsændl] Sandale *f*.

sand|-glass [ˈsændglɑːs] Sanduhr *f*, Stundenglass *n*; **~-hill** Sanddüne *f*; **~·pip·er** *zo.* Strandläufer *m*; *common* ~ Flußuferläufer *m*.

sand·wich [ˈsænwɪdʒ] **1.** Sandwich *n*; **2.** einklemmen, -zwängen; *a.* ~ *in fig.* ein-, dazwischenschieben.

sand·y [ˈsændɪ] (*-ier, -iest*) sandig; rotblond.

sane [seɪn] (~*r*, ~*st*) geistig gesund; ⚖ zurechnungsfähig; vernünftig.

sang [sæŋ] *pret. von sing*.

san|gui·na·ry □ [ˈsæŋgwɪnərɪ] blutdürstig; blutig; **~·guine** □ [~wɪn] leichtblütig; zuversichtlich; rot, frisch, blühend (*Gesichtsfarbe*).

san·i·tar·i·um *Am.* [sænɪˈteərɪəm] (*pl. -ums, -a* [-ə]) = *sanatorium*.

san·i·ta·ry □ [ˈsænɪtərɪ] Gesundheits..., gesundheitlich, sanitär... (*a.* ⊕); ~ *napkin Am.*, ~ *towel* Damenbinde *f*.

san·i·ta·tion [sænɪˈteɪʃn] Hygiene *f*; sanitäre Einrichtungen *pl*.

san·i·ty [ˈsænətɪ] geistige Gesundheit; ⚖ Zurechnungsfähigkeit *f*; gesunder Verstand.

sank [sæŋk] *pret. von sink 1*.

San·ta Claus [ˈsæntəˈklɔːz] der Weihnachtsmann, der Nikolaus.

sap [sæp] **1.** Saft *m* (*in Pflanzen*); *fig.* Lebenskraft *f*; **2.** (*-pp-*) untergraben (*a. fig.*); **~·less** [ˈsæplɪs] saft-, kraftlos; **~·ling** [~lɪŋ] junger Baum.

sap·phire [ˈsæfaɪə] Saphir *m*.

sap·py [ˈsæpɪ] (*-ier, -iest*) saftig; *fig.* kraftvoll.

sar·cas·m [ˈsɑːkæzəm] Sarkasmus *m*.

sar·dine *zo.* [sɑːˈdiːn] Sardine *f*.

sash [sæʃ] Schärpe *f*; (schiebbarer) Fensterrahmen; **~-win·dow** [ˈsæʃwɪndəʊ] Schiebefenster *n*.

sat [sæt] *pret. u. p.p. von sit*.

Sa·tan [ˈseɪtən] Satan *m*.

satch·el [ˈsætʃəl] Schulmappe *f*, -tasche *f*, -ranzen *m*.

sate [seɪt] übersättigen.

sa·teen [sæˈtiːn] (Baum)Wollsatin *m*.

sat·el·lite [ˈsætəlaɪt] Satellit *m*; *a.* ~ *state* Satellit(enstaat) *m*.

sa·ti·ate [ˈseɪʃɪeɪt] übersättigen.

sat·in [ˈsætɪn] (Seiden)Satin *m*.

sat|ire ['sætaɪə] Satire *f*; **~·ir·ist** [~ərɪst] Satiriker(in); **~·ir·ize** [~raɪz] verspotten.
sat·is·fac|tion [sætɪs'fækʃn] Befriedigung *f*; Genugtuung *f*; Zufriedenheit *f*; *eccl.* Sühne *f*; Gewißheit *f*; **~·to·ry** □ [~'fæktərɪ] befriedigend, zufriedenstellend.
sat·is·fy ['sætɪsfaɪ] befriedigen, zufriedenstellen; überzeugen; *be satisfied with* zufrieden sein mit.
sat·u·rate ⚗ *u. fig.* ['sætʃəreɪt] sättigen.
Sat·ur·day ['sætədɪ] Sonnabend *m*, Samstag *m*.
sat·ur·nine □ ['sætənaɪn] düster, finster.
sauce [sɔːs] **1.** Soße *f*; ⚠ *nicht Bratensoße*; *Am.* Kompott *n*; *fig.* Würze *f*, Reiz *m*; F Frechheit *f*; *none of your ~!* werd bloß nicht frech!; **2.** F frech sein zu *j-m*; **~-boat** ['sɔːsbəʊt] Soßenschüssel *f*; **~·pan** Kochtopf *m*; Kasserolle *f*.
sau·cer ['sɔːsə] Untertasse *f*.
sauc·y □ ['sɔːsɪ] (*-ier, -iest*) frech; F flott, keß.
saun·ter ['sɔːntə] **1.** Schlendern *n*, Bummel *m*; **2.** schlendern, bummeln.
saus·age ['sɒsɪdʒ] Wurst *f*; *a. small ~* Würstchen *n*.
sav|age ['sævɪdʒ] **1.** □ wild; roh, grausam; **2.** Wilde(r *m*) *f*; Rohling *m*, Barbar(in); **~·ag·e·ry** [~ərɪ] Wildheit *f*; Roheit *f*, Grausamkeit *f*.
sav·ant ['sævənt] Gelehrte(r) *m*.
save [seɪv] **1.** retten; *eccl.* erlösen; bewahren; (auf-, er)sparen; schonen; **2.** *rhet. prp. u. cj.* außer (*dat.*); *~ for* bis auf (*acc.*); *~ that* nur daß.
sav·er ['seɪvə] Retter(in); Sparer(in); *it is a time-~* es spart Zeit.
sav·ing ['seɪvɪŋ] **1.** □ ...sparend; rettend, befreiend; **2.** Rettung *f*; *~s pl.* Ersparnisse *pl*.
sav·ings| ac·count ['seɪvɪŋzə'kaʊnt] Sparkonto *n*; *~* **bank** Sparkasse *f*; *~* **de·pos·it** Spareinlage *f*.
sa·vio(u)r ['seɪvjə] Retter *m*; *the* ♀ *eccl.* der Erlöser, der Heiland.
sa·vo(u)r ['seɪvə] **1.** (Wohl)Geschmack *m*; *fig.* Beigeschmack *m*; *fig.* Würze *f*, Reiz *m*; **2.** *fig.* genießen; *fig.* schmecken, riechen (*of* nach); **~·y** □ [~rɪ] schmackhaft; appetitlich; pikant.
saw[1] [sɔː] *pret. von see*[1].
saw[2] [~] Sprichwort *n*.
saw[3] [~] **1.** (*~ed, ~n od. ~ed*) sägen; **2.** Säge *f*; **~·dust** ['sɔːdʌst] Sägemehl *n*, -späne *pl.*; **~·mill** Sägewerk *n*; **~n** [sɔːn] *p.p. von saw*[3] *1.*
Sax·on ['sæksn] **1.** sächsisch; *ling. oft* germanisch; **2.** Sachse *m*, Sächsin *f*.
say [seɪ] **1.** (*said*) sagen; auf-, hersagen; berichten; *~ grace* das Tischgebet sprechen; *what do you ~ to ...?*, *oft what ~ you to ...?* was hältst du von ...?, wie wäre es mit ...?; *it ~s* es lautet (*Schreiben etc.*); *it ~s here* hier heißt es; *that is to ~* das heißt; (*and*) *that's ~ing s.th.* (und) das will was heißen; *you don't ~ (so)!* was Sie nicht sagen!; *I ~* sag(en Sie) mal!; ich muß schon sagen!; *he is said to be ...* er soll ... sein; *no sooner said than done* gesagt, getan; **2.** Rede *f*, Wort *n*; Mitspracherecht *n*; *let him have his ~* laß(t) ihn (doch auch mal) reden *od.* s-e Meinung äußern; *have a od. some (no) ~ in s.th.* et. (nichts) zu sagen haben bei et.; **~·ing** ['seɪɪŋ] Reden *n*; Sprichwort *n*, Redensart *f*; Ausspruch *m*; *it goes without ~* es versteht sich von selbst; *as the ~ goes* wie es so schön heißt.
scab [skæb] ⚕, ♣ Schorf *m*; *vet.* Räude *f*; *sl.* Streikbrecher *m*.
scab·bard ['skæbəd] (Schwert-) Scheide *f*.
scaf·fold ['skæfəld] (Bau)Gerüst *n*; Schafott *n*; **~·ing** [~ɪŋ] (Bau)Gerüst *n*.
scald [skɔːld] **1.** Verbrühung *f*; **2.** verbrühen; *Milch* abkochen; *~ing hot* kochendheiß; glühendheiß (*Tag etc.*).
scale[1] [skeɪl] **1.** Schuppe *f*; Kesselstein *m*; ⚕ Zahnstein *m*; **2.** (sich) (ab)schuppen, ablösen; ⊕ *Kesselstein* abklopfen; ⚕ *Zähne* vom Zahnstein reinigen.
scale[2] [~] **1.** Waagschale *f*; (*a pair of*) *~s pl.* (e-e) Waage; **2.** wiegen.
scale[3] [~] **1.** Stufenleiter *f*; ♪ Tonleiter *f*; Skala *f*; Maßstab *m*; *fig.* Ausmaß *n*; **2.** ersteigen; *~ up (down)* maßstab(s)getreu vergrößern (verkleinern).
scal·lop ['skɒləp] **1.** *zo.* Kammmuschel *f*; *Näherei*: Langette *f*; **2.** ausbogen.
scalp [skælp] **1.** Kopfhaut *f*; Skalp *m*; **2.** skalpieren.
scal·y ['skeɪlɪ] (*-ier, -iest*) schuppig.

scamp [skæmp] **1.** Taugenichts *m*; **2.** pfuschen bei.

scam·per [ˈskæmpə] **1.** *a.* ~ *about*, ~ *around* (herum)tollen, herumhüpfen; hasten; **2.** (Herum)Tollen *n*, Herumhüpfen *n*.

scan [skæn] (*-nn-*) *Verse* skandieren; genau prüfen; forschend ansehen; *Horizont etc.* absuchen; *Computer, Radar, TV*: abtasten; *Überschriften etc.* überfliegen.

scan·dal [ˈskændl] Skandal *m*; Ärgernis *n*; Klatsch *m*; **~·ize** [~dəlaɪz]: *be ~d at s.th.* über et. empört *od.* entrüstet sein; **~·ous** □ [~əs] skandalös, anstößig.

Scan·di·na·vi·an [skændɪˈneɪvjən] **1.** skandinavisch; **2.** Skandinavier(in); *ling.* Skandinavisch *n*.

scant □ [skænt] knapp, gering; **~·y** □ [ˈskæntɪ] (*-ier, -iest*) knapp, spärlich, kärglich, dürftig.

-scape [skeɪp] *in Zssgn*: ...landschaft, Bild.

scape|goat [ˈskeɪpgəʊt] Sündenbock *m*; **~·grace** [~greɪs] Taugenichts *m*.

scar [skɑː] **1.** Narbe *f*; *fig.* (Schand-)Fleck *m*, Makel *m*; Klippe *f*; **2.** (*-rr-*) e-e Narbe *od.* Narben hinterlassen (auf *dat.*); ~ *over* vernarben.

scarce [skeəs] (~*r*, ~*st*) knapp; rar, selten; **~·ly** [ˈskeəslɪ] kaum; **scar·ci·ty** [~ətɪ] Mangel *m*, Knappheit *f* (*of* an *dat.*).

scare [skeə] **1.** erschrecken; ~ *away*, ~ *off* verscheuchen; *be ~d* (*of s.th.*) (vor et.) Angst haben; **2.** Schreck(en) *m*, Panik *f*; **~·crow** [ˈskeəkrəʊ] Vogelscheuche *f* (*a. fig.*).

scarf [skɑːf] (*pl. scarfs* [~fs], *scarves* [~vz]) Schal *m*, Hals-, Kopf-, Schultertuch *n*.

scar·let [ˈskɑːlət] **1.** Scharlach(rot *n*) *m*; **2.** scharlachrot; ~ *fever* ⚕ Scharlach *m*; ~ *runner* ⚘ Feuerbohne *f*.

scarred [skɑːd] narbig.

scarves [skɑːvz] *pl. von scarf.*

scath·ing *fig.* [ˈskeɪðɪŋ] vernichtend.

scat·ter [ˈskætə] (sich) zerstreuen; aus-, verstreuen; auseinanderstieben (*Vögel etc.*); **~·brain** F Schussel *m*; **~ed** verstreut; vereinzelt.

sce·na·ri·o [sɪˈnɑːrɪəʊ] (*pl. -os*) *Film*: Drehbuch *n*.

scene [siːn] Szene *f*; Schauplatz *m*; ~*s pl.* Kulissen *pl.*; **sce·ne·ry** [ˈsiːnərɪ] Szenerie *f*; Bühnenbild *n*, Kulissen *pl.*, Dekoration *f*; Landschaft *f*.

scent [sent] **1.** (*bsd.* Wohl)Geruch *m*, Duft *m*; *bsd. Brt.* Parfüm *n*; *hunt.* Witterung *f*; *gute etc.* Nase; Fährte *f* (*a. fig.*); **2.** wittern; *bsd. Brt.* parfümieren; **~·less** [ˈsentlɪs] geruchlos.

scep|tic, *Am.* **skep-** [ˈskeptɪk] Skeptiker(in); **~·ti·cal,** *Am.* **skep-** □ [~l] skeptisch.

scep·tre, *Am.* **-ter** [ˈseptə] Zepter *n*.

sched·ule [ˈʃedjuːl, *Am.* ˈskedʒuːl] **1.** Verzeichnis *n*, Tabelle *f*; Plan *m*; *bsd. Am.* Fahr-, Flugplan *m*; *be ahead of* ~ dem Zeitplan voraus sein; *be behind* ~ Verspätung haben; im Rückstand sein; *be on* ~ (fahr)planmäßig *od.* pünktlich ankommen; **2.** (in e-e Liste *etc.*) eintragen; festlegen, -setzen, planen; **~d** planmäßig (*Abfahrt etc.*); ~ *flight* ✈ Linienflug *m*.

scheme [skiːm] **1.** Schema *n*; Plan *m*, Projekt *n*, Programm *n*; Intrige *f*; **2.** *v/t.* planen; *v/i.* Pläne machen; intrigieren, Ränke schmieden.

schol·ar [ˈskɒlə] Gelehrte(r *m*) *f*; Gebildete(r *m*) *f*; *univ.* Stipendiat(in); *veraltet*: Schüler(in); **~·ly** *adj.* [~lɪ] gelehrt; **~·ship** [~ʃɪp] Gelehrsamkeit *f*; *univ.* Stipendium *n*.

school [skuːl] **1.** *zo.* Schwarm *m*; Schule *f* (*a. fig.*); *univ.* Fakultät *f*; *Am.* Hochschule *f*; *at* ~ auf *od.* in der Schule; **2.** schulen, ausbilden; *Tier* dressieren; **~·boy** [ˈskuːlbɔɪ] Schüler *m*; **~·chil·dren** *pl.* Schulkinder *pl.*, Schüler *pl.*; **~·fel·low** Mitschüler(in); **~·girl** Schülerin *f*; **~·ing** [~ɪŋ] (Schul)Ausbildung *f*; **~·mas·ter** Lehrer *m*; **~·mate** Mitschüler(in); **~·mis·tress** Lehrerin *f*; **~·teach·er** Lehrer(in).

schoo·ner [ˈskuːnə] ⚓ Schoner *m*; *Am.* großes Bierglas; *Brt.* großes Sherryglas; *Am.* = *prairie schooner*.

sci·ence [ˈsaɪəns] Wissenschaft *f*; *a. natural* ~ *die* Naturwissenschaft(en *pl.*); Kunst(fertigkeit) *f*, Technik *f*; ~ **fic·tion** Science-fiction *f*.

sci·en·tif·ic [saɪənˈtɪfɪk] (~*ally*) (natur)wissenschaftlich; exakt, systematisch; kunstgerecht.

sci·en·tist [ˈsaɪəntɪst] (Natur)Wissenschaftler(in).

scin·til·late [ˈsɪntɪleɪt] funkeln.

sci·on [ˈsaɪən] Sproß *m*, Sprößling *m*.

scis·sors [ˈsɪzəz] *pl.* (*a pair of* ~ e-e) Schere.

scoff [skɒf] **1.** Spott *m*; **2.** spotten.

S

scold [skəʊld] **1.** zänkisches Weib; **2.** (aus)schelten; schimpfen.
scol·lop [ˈskɒləp] = *scallop.*
scone [skɒn] weiches Teegebäck.
scoop [skuːp] **1.** Schaufel *f*, Schippe *f*; Schöpfkelle *f*; F Coup *m*, gutes Geschäft; *Zeitung*: F Exklusivmeldung *f*, Knüller *m*; **2.** schöpfen, schaufeln; ~ *up* (auf)schaufeln; hochheben, -nehmen; zusammenraffen.
scoot·er [ˈskuːtə] (Kinder)Roller *m*; (Motor)Roller *m*.
scope [skəʊp] Bereich *m*; Gesichtskreis *m*, (geistiger) Horizont; Spielraum *m*.
scorch [skɔːtʃ] *v/t.* versengen, -brennen; *v/i.* F (dahin)rasen.
score [skɔː] **1.** Kerbe *f*; Zeche *f*, Rechnung *f*; 20 Stück; *Sport*: (Spiel)Stand *m*, Punkt-, Trefferzahl *f*, (Spiel)Ergebnis *n*; große (An-) Zahl, Menge *f*; ♪ Partitur *f*; ~*s of* viele; *four* ~ achtzig; *run up a* ~ Schulden machen; *on the* ~ *of* wegen (*gen.*); **2.** einkerben; die Punkte anschreiben; *Sport*: *Punkte*, *Treffer* erzielen, *Tore* schießen; ♪ instrumentieren; *Am.* F scharf kritisieren.
scorn [skɔːn] **1.** Verachtung *f*; Spott *m*; **2.** verachten; verschmähen; **~·ful** □ [ˈskɔːnfl] verächtlich.
Scot [skɒt] Schott|e *m*, -in *f*.
Scotch [skɒtʃ] **1.** schottisch; **2.** *ling.* Schottisch *n*; schottischer Whisky; *the* ~ die Schotten *pl.*; **~·man** [ˈskɒtʃmən], **~·wom·an** = *Scotsman, Scotswoman.*
scot-free [ˈskɒtˈfriː] ungestraft.
Scots [skɒts] = *Scotch*; *the* ~ *pl.* die Schotten *pl.*; **~·man** [ˈskɒtsmən] (*pl.* *-men*) Schotte *m*; **~·wom·an** (*pl.* *-women*) Schottin *f*.
Scot·tish [ˈskɒtɪʃ] schottisch.
scoun·drel [ˈskaʊndrəl] Schurke *m*.
scour[1] [ˈskaʊə] scheuern; reinigen.
scour[2] [~] durchsuchen, -stöbern.
scourge [skɜːdʒ] **1.** Geißel *f* (*a. fig.*); *fig.* Plage *f*; **2.** geißeln.
scout [skaʊt] **1.** *bsd.* ⚔ Späher *m*, Kundschafter *m*; *Sport*: Spion *m*, Beobachter *m*; ⚓ Aufklärungskreuzer *m*; ✈ Aufklärer *m*; *Brt. mot.* motorisierter Pannenhelfer; (*boy*) ~ Pfadfinder *m*; (*girl*) ~ *Am.* Pfadfinderin *f*; *talent* ~ Talentsucher *m*; **2.** auskundschaften; *bsd.* ⚔ auf Erkundung sein; ~ *about*, ~ *around* sich umsehen (*for* nach).
scowl [skaʊl] **1.** finsteres Gesicht; **2.** finster blicken.
scrab·ble [ˈskræbl] (be)kritzeln; scharren; krabbeln.
scrag *fig.* [skræg] Gerippe *n* (*dürrer Mensch etc.*).
scram·ble [ˈskræmbl] **1.** klettern; sich balgen (*for* um); ~*d eggs pl.* Rührei *n*; **2.** Kletterei *f*; Balgerei *f*; *fig.* Gerangel *n*.
scrap [skræp] **1.** Stückchen *n*, Fetzen *m*; (Zeitungs)Ausschnitt *m*, Bild *n* (*zum Einkleben*); Altmaterial *n*; Schrott *m*; ~*s pl.* Abfall *m*, (*bsd.* Speise)Reste *pl.*; **2.** (*-pp-*) ausrangieren; verschrotten; **~-book** [ˈskræpbʊk] Sammelalbum *n*.
scrape [skreɪp] **1.** Kratzen *n*, Scharren *n*; Kratzfuß *m*; Kratzer *m*, Schramme *f*; *fig.* Klemme *f*; **2.** schaben; kratzen; scharren; (entlang-) streifen.
scrap|-heap [ˈskræphiːp] Abfall-, Schrotthaufen *m*; **~-i·ron, ~-met·al** Alteisen *n*, Schrott *m*; **~-pa·per** Schmierpapier *n*; Altpapier *n*.
scratch [skrætʃ] **1.** Kratzer *m*, Schramme *f*; Kratzen *n*; *Sport*: Startlinie *f*; **2.** zusammengewürfelt; improvisiert; *Sport*: ohne Vorgabe; **3.** (zer)kratzen; (zer)schrammen; (sich) kratzen, *Tier* kraulen; ~ *out*, ~ *through*, ~ *off* aus-, durchstreichen; ~ **pad** *Am.* Notizblock *m*; ~ **pa·per** *Am.* Schmierpapier *n*.
scrawl [skrɔːl] **1.** kritzeln; **2.** Gekritzel *n*.
scraw·ny [ˈskrɔːnɪ] (*-ier, -iest*) dürr.
scream [skriːm] **1.** Schrei *m*; Gekreisch *n*; *he is a* ~ F er ist zum Schreien komisch; **2.** schreien, kreischen.
screech [skriːtʃ] = *scream*; **~-owl** *zo.* [ˈskriːtʃaʊl] Schleiereule *f*.
screen [skriːn] **1.** Wand-, Ofen-, Schutzschirm *m*; (Film)Leinwand *f*; *der* Film, *das* Kino; *Radar*, *TV*, *Computer*: Bildschirm *m*; Sandsieb *n*; Fliegengitter *n*; *fig.* Schutz *m*, Tarnung *f*; **2.** abschirmen (*a.* ~ *off*) (*from* gegen); (be)schützen (*from* vor *dat.*); ⚔ tarnen; *Sand etc.* (durch)sieben; *Bild* projizieren; *TV* senden; *Film* vorführen, zeigen; verfilmen; *fig. j-n* decken; *fig. Personen* überprüfen; **~-play** [ˈskriːnpleɪ] Drehbuch *n*.

S

screw [skru:] **1.** Schraube *f*; (Flugzeug-, Schiffs)Schraube *f*; Propeller *m*; **2.** schrauben; V bumsen, vögeln; ~ *up* zuschrauben; ~ *up one's courage* sich ein Herz fassen; **~·ball** *Am. sl.* ['skru:bɔ:l] komischer Kauz, Spinner *m*; **~·driv·er** Schraubenzieher *m*; **~-jack** Wagenheber *m*.
scrib·ble ['skrɪbl] **1.** Gekritzel *n*; **2.** kritzeln.
scrimp [skrɪmp], **~·y** ['skrɪmpɪ] (*-ier, -iest*) = *skimp(y)*.
script [skrɪpt] Schrift *f*; Handschrift *f*; *print.* Schreibschrift *f*; Manuskript *n*; *Film, TV*: Drehbuch *n*.
Scrip·ture ['skrɪptʃə]: *(Holy)* ~, *The (Holy)* ~*s pl.* die Heilige Schrift.
scroll [skrəʊl] Schriftrolle *f*; *arch.* Volute *f*; Schnecke *f* (*am Geigenhals*); Schnörkel *m*.
scro·tum *anat.* ['skrəʊtəm] (*pl. -ta* [-tə], *-tums*) Hodensack *m*.
scrub[1] [skrʌb] Gestrüpp *n*, Buschwerk *n*; Knirps *m*; *contp.* Null *f* (*Person*); *Am. Sport*: zweite (Spieler)Garnitur.
scrub[2] [~] **1.** Schrubben *n*, Scheuern *n*; **2.** (*-bb-*) schrubben, scheuern.
scru|ple ['skru:pl] **1.** Skrupel *m*, Zweifel *m*, Bedenken *n*; **2.** Bedenken haben; **~·pu·lous** □ [~jʊləs] voller Skrupel; gewissenhaft; ängstlich.
scru·ti|nize ['skru:tɪnaɪz] (genau) prüfen; **~·ny** [~ɪ] forschender Blick; genaue (*bsd.* Wahl)Prüfung.
scud [skʌd] **1.** (Dahin)Jagen *n*; (dahintreibende) Wolkenfetzen *pl.*; Bö *f*; **2.** (*-dd-*) eilen, jagen.
scuff [skʌf] schlurfen.
scuf·fle ['skʌfl] **1.** Balgerei *f*, Rauferei *f*; **2.** sich balgen, raufen.
scull [skʌl] **1.** Skull *n* (*kurzes Ruder*); Skullboot *n*; **2.** rudern, skullen.
scul·le·ry ['skʌlərɪ] Spülküche *f*.
sculp|tor ['skʌlptə] Bildhauer *m*; **~·tress** [~trɪs] Bildhauerin *f*; **~·ture** [~tʃə] **1.** Bildhauerei *f*; Skulptur *f*, Plastik *f*; **2.** (heraus)meißeln, formen.
scum [skʌm] (Ab)Schaum *m*; *the* ~ *of the earth fig.* der Abschaum der Menschheit.
scurf [skɜ:f] (Haut-, *bsd.* Kopf-) Schuppen *pl.*
scur·ri·lous □ ['skʌrɪləs] gemein, unflätig; ⚠ *nicht skurril.*
scur·ry ['skʌrɪ] hasten, huschen.
scur·vy[1] ⚕ ['skɜ:vɪ] Skorbut *m*.
scur·vy[2] □ [~] (*-ier, -iest*) (hunds-) gemein.
scut·tle ['skʌtl] **1.** Kohleneimer *m*; **2.** = *scurry*; sich hastig zurückziehen.
scythe ⸔ [saɪð] Sense *f*.
sea [si:] See *f*, Meer *n* (*a. fig.*); hohe Welle; *at* ~ auf See; *(all) at* ~ *fig.* (völlig) ratlos; *by* ~ auf dem Seeweg, mit dem Schiff; **~·board** ['si:bɔ:d] Küste(ngebiet *n*) *f*; **~·coast** Meeresküste *f*; **~·far·ing** ['si:feərɪŋ] seefahrend; **~·food** Meeresfrüchte *pl.*; **~·go·ing** ⚓ (hoch)seetüchtig; (Hoch)See...; **~-gull** *zo.* (See)Möwe *f*.
seal[1] [si:l] **1.** Siegel *n*; Stempel *m*; ⊕ Dichtung *f*; *fig.* Bestätigung *f*; **2.** versiegeln; *fig.* besiegeln; ~ *off fig.* abriegeln; ~ *up* (fest) verschließen *od.* abdichten.
seal[2] *zo.* [~] Robbe *f*, Seehund *m*.
sea-lev·el ['si:levl] Meeresspiegel *m*, -höhe *f*.
seal·ing-wax ['si:lɪŋwæks] Siegellack *m*.
seam [si:m] **1.** Naht *f*; ⚓ Fuge *f*; *geol.* Flöz *n*; Narbe *f*; ⚠ *nicht Saum*; **2.** ~ *together* zusammennähen; ~*ed with Gesicht*: zerfurcht von.
sea·man ['si:mən] (*pl. -men*) Seemann *m*, Matrose *m*.
seam·stress ['semstrɪs] Näherin *f*.
sea|plane ['si:pleɪn] Wasserflugzeug *n*; **~·port** Seehafen *m*; Hafenstadt *f*; ~ **pow·er** Seemacht *f*.
sear [sɪə] versengen, -brennen; ⚕ ausbrennen; verdorren (lassen); *fig.* verhärten.
search [sɜ:tʃ] **1.** Suche *f*, Suchen *n*, Forschen *n*; ⚖ Fahndung *f* (*for* nach); Unter-, Durchsuchung *f*; *in* ~ *of* auf der Suche nach; **2.** *v/t.* durch-, untersuchen; ⚕ sondieren; *Gewissen* erforschen, prüfen; ~ *me!* F keine Ahnung!; *v/i.* suchen, forschen (*for* nach); ~ *into* untersuchen, ergründen; **~·ing** □ ['sɜ:tʃɪŋ] forschend, prüfend; eingehend (*Prüfung etc.*); **~·light** (Such)Scheinwerfer *m*; **~-par·ty** Suchmannschaft *f*; **~-war·rant** ⚖ Haussuchungs-, Durchsuchungsbefehl *m*.
sea|-shore ['si:ʃɔ:] See-, Meeresküste *f*; **~·sick** seekrank; **~·side:** *at the* ~ am Meer; *go to the* ~ ans Meer fahren; ~ *place*, ~ *resort* Seebad *n*.
sea·son ['si:zn] **1.** Jahreszeit *f*; (rechte) Zeit; Saison *f*; *Brt.* F = *season-*

S

ticket; *cherries are now in* ~ jetzt ist Kirschenzeit; *out of* ~ nicht (auf dem Markt) zu haben; *fig.* zur Unzeit; *with the compliments of the* ~ mit den besten Wünschen zum Fest; **2.** (aus)reifen (lassen); würzen; *Holz*: ablagern; abhärten (*to* gegen); **sea·so·na·ble** □ [~əbl] zeitgemäß; rechtzeitig; **~·al** □ [~ənl] saisonbedingt, Saison...; **~·ing** [~ɪŋ] Würze *f* (*a. fig.*); Gewürz *n*; **~-tick·et** 🚂 Zeitkarte *f*; *thea.* Abonnement *n*.

seat [siːt] **1.** Sitz *m*; Sessel *m*, Stuhl *m*, Bank *f*; (Sitz)Platz *m*; Platz *m*, Sitz *m* (*im Theater etc.*); Landsitz *m*; Gesäß *n*; Hosenboden *m*; *fig.* Sitz *m* (*Mitgliedschaft*), *pol. a.* Mandat *m*; *fig.* Stätte *f*, Ort *m*, Schauplatz *m*; *s. take 1*; **2.** (hin)setzen; e-n (neuen) Hosenboden einsetzen in (*acc.*); fassen, Sitzplätze haben für; *~ed* sitzend; ...sitzig; *be ~ed* sitzen; *be ~ed!* nehmen Sie Platz!; *remain ~ed* sitzen bleiben; **~-belt** ✈, *mot.* [ˈsiːtbelt] Sicherheitsgurt *m*.

sea|-ur·chin *zo.* [ˈsiːɜːtʃɪn] Seeigel *m*; **~·ward** [ˈsiːwəd] **1.** *adj.* seewärts gerichtet; **2.** *adv. a.* *~s* seewärts; **~·weed** ⚘ (See)Tang *m*; **~·wor·thy** seetüchtig.

se·cede [sɪˈsiːd] sich trennen, abfallen (*from* von).

se·ces·sion [sɪˈseʃn] Abfall *m*, Abspaltung *f*, Sezession *f*; **~·ist** [~ɪst] Abtrünnige(r *m*) *f*.

se·clude [sɪˈkluːd] abschließen, absondern; **se·clud·ed** einsam; zurückgezogen; abgelegen; **se·clu·sion** [~ʒn] Zurückgezogen-, Abgeschiedenheit *f*.

sec·ond [ˈsekənd] **1.** □ zweite(r, -s); ~ *to none* unübertroffen; *on* ~ *thought* nach reiflicher Überlegung; **2.** als zweite(r, -s), an zweiter Stelle; **3.** *der, die, das* Zweite; Sekundant *m*; Beistand *m*; Sekunde *f*; *~s pl.* Ware(n *pl.*) *f* zweiter Wahl, zweite Wahl; **4.** sekundieren (*dat.*); unterstützen; **~·a·ry** □ [~ərɪ] sekundär, untergeordnet; Neben...; Hilfs...; Sekundär..; ~ *education* höhere Schulbildung; ~ *modern* (*school*) *Brt.* (*etwa*) Kombination *f* aus Real- u. Hauptschule; ~ *school* höhere Schule; **~-hand** aus zweiter Hand; gebraucht; antiquarisch; **~·ly** [~lɪ] zweitens; **~-rate** zweitklassig.

se·cre|cy [ˈsiːkrɪsɪ] Heimlichkeit *f*; Verschwiegenheit *f*; **~t** [~t] **1.** □ geheim; Geheim...; verschwiegen; verborgen; **2.** Geheimnis *n*; *in* ~ heimlich, insgeheim; *be in the* ~ eingeweiht sein; *keep s.th. a* ~ *from s.o.* j-m et. verheimlichen.

sec·re·ta·ry [ˈsekrətrɪ] Schriftführer *m*; Sekretär(in); ♀ *of State Brt.* Staatssekretär *m*; *Brt.* Minister *m*; *Am.* Außenminister *m*.

se·crete [sɪˈkriːt] verbergen; *biol.* absondern; **se·cre·tion** [~ʃn] Verbergen *n*; *biol.*, ⚕ Absonderung *f*; **se·cre·tive** [~tɪv] verschlossen, geheimnistuerisch.

se·cret·ly [ˈsiːkrɪtlɪ] heimlich.

sec·tion [ˈsekʃn] ⚕ Sektion *f*; Schnitt *m*; Teil *m*; Abschnitt *m*; ⚖ Paragraph *m*; *print.* Absatz *m*; Abteilung *f*; Gruppe *f*.

sec·u·lar □ [ˈsekjʊlə] weltlich.

se·cure [sɪˈkjʊə] **1.** □ sicher; fest; gesichert; **2.** (sich *et.*) sichern; schützen; garantieren; befestigen; (fest) (ver)schließen; **se·cu·ri·ty** [~rətɪ] Sicherheit *f*; Sicherheitsmaßnahmen *pl.*; Sorglosigkeit *f*; Garantie *f*; Bürge *m*; Kaution *f*; *securities pl.* Wertpapiere *pl.*; ~ *check* Sicherheitskontrolle *f*.

se·dan [sɪˈdæn] *Am. mot.* Limousine *f*; ~(*-chair*) Sänfte *f*.

se·date □ [sɪˈdeɪt] gesetzt; ruhig.

sed·a·tive *mst* ⚕ [ˈsedətɪv] **1.** beruhigend; **2.** Beruhigungsmittel *n*.

sed·en·ta·ry □ [ˈsedntrɪ] sitzend; seßhaft.

sed·i·ment [ˈsedɪmənt] Sediment *n*; (Boden)Satz *m*; *geol.* Ablagerung *f*.

se·di|tion [sɪˈdɪʃn] Aufruhr *m*; **~·tious** □ [~əs] aufrührerisch.

se·duce [sɪˈdjuːs] verführen; **se·duc·er** [~ə] Verführer *m*; **se·duc·tion** [sɪˈdʌkʃn] Verführung *f*; **se·duc·tive** □ [~tɪv] verführerisch.

sed·u·lous □ [ˈsedjʊləs] emsig.

see[1] [siː] (*saw, seen*) *v/i.* sehen; nachsehen; einsehen; sich überlegen; *I* ~*!* ich verstehe; ach so!; ~ *about* sich kümmern um; *I'll* ~ *about it* ich will es mir überlegen; ~ *into* untersuchen, nachgehen; ~ *through j-n od. et.* durchschauen; ~ *to* sich kümmern um; *v/t.* sehen; besuchen; dafür sorgen (, daß); *j-n* aufsuchen *od.* konsultieren; einsehen; ~ *s.o. home* j-n nach Hause bringen *od.* begleiten; ~ *you!* bis dann!, auf bald!; ~ *off j-n*

S

verabschieden (*at* am *Bahnhof etc.*); ~ *out j-n* hinausbegleiten; *et.* zu Ende sehen *od.* erleben; ~ *through et.* durchhalten; *j-m* durchhelfen; *live to* ~ erleben.

see² [~] (erz)bischöflicher Stuhl.

seed [si:d] **1.** Same(n) *m*, Saat(gut *n*) *f*; (Obst)Kern *m*; *coll.* Samen *pl.*; *mst* ~*s pl. fig.* Saat *f*, Keim *m*; *go od. run to* ~ schießen (*Salat etc.*); *fig.* herunterkommen; **2.** *v/t.* (be)säen; entkernen; *v/i.* in Samen schießen; **~·less** [ˈsi:dlɪs] kernlos (*Obst*); **~·ling** ⸙ [~ɪŋ] Sämling *m*; **~·y** □ F [~ɪ] (*-ier, -iest*) schäbig; elend.

seek [si:k] (*sought*) suchen; begehren; trachten nach.

seem [si:m] (er)scheinen; **~·ing** □ [ˈsi:mɪŋ] scheinbar; **~·ly** [~lɪ] (*-ier, -iest*) schicklich.

seen [si:n] *p.p. von see¹*.

seep [si:p] (durch)sickern.

seer [ˈsi:ə] Seher(in), Prophet(in).

see-saw [ˈsi:sɔ:] **1.** Wippen *n*; Wippe *f*, Wippschaukel *f*; **2.** wippen; *fig.* schwanken.

seethe [si:ð] sieden; schäumen (*a. fig.*); *fig.* kochen.

seg·ment [ˈsegmənt] Abschnitt *m*; Segment *n*.

seg·re|gate [ˈsegrɪgeɪt] absondern, (*a. nach Rassen, Geschlechtern etc.*); trennen; **~·ga·tion** [segrɪˈgeɪʃn] Absonderung *f*; Rassentrennung *f*.

seize [si:z] ergreifen, packen, fassen; an sich reißen; ⚖ beschlagnahmen; *j-n* ergreifen, festnehmen; (ein)nehmen, erobern; *fig.* erfassen.

sei·zure [ˈsi:ʒə] Ergreifung *f*; ⚖ Beschlagnahme *f*; ⚕ Anfall *m*.

sel·dom *adv.* [ˈseldəm] selten.

se·lect [sɪˈlekt] **1.** auswählen, -lesen, -suchen; **2.** ausgewählt; erlesen; exklusiv; **se·lec·tion** [~kʃn] Auswahl *f*; Auslese *f*; **~·man** (*pl. -men*) Stadtrat *m* (*in den Neuenglandstaaten*).

self [self] **1.** (*pl. selves* [selvz]) Selbst *n*, Ich *n*; **2.** *pron.* selbst; *econ. od.* F = *myself, etc.*; **~-as·sured** [ˈselfəˈʃʊəd] selbstbewußt, -sicher; **~-cen·t(e)red** egozentrisch; **~-col·o(u)red** einheitlich in der Farbe; *bsd.* ⚘ einfarbig; **~-com·mand** Selbstbeherrschung *f*; **~-con·ceit** Eigendünkel *m*; **~-con·ceit·ed** eingebildet, überheblich; **~-con·fi·dence** Selbstvertrauen *n*, -bewußtsein *n*; **~-con·fi·dent** □ selbstsicher, -bewußt; **~-con·scious** □ befangen, gehemmt, unsicher; ⚠ *nicht selbstbewußt*; **~-con·tained** (in sich) geschlossen, selbständig; *fig.* verschlossen; ~ *flat Brt.* abgeschlossene Wohnung; **~-con·trol** Selbstbeherrschung *f*; **~-de·fence,** *Am.* **~-de·fense** Selbstverteidigung *f*; *in* ~ in Notwehr; **~-de·ni·al** Selbstverleugnung *f*; **~-de·ter·min·a·tion** *bsd. pol.* Selbstbestimmung *f*; **~-em·ployed** selbständig (*Handwerker etc.*); **~-ev·i·dent** selbstverständlich; **~-gov·ern·ment** *pol.* Selbstverwaltung *f*, Autonomie *f*; **~-help** Selbsthilfe *f*; **~-in·dul·gent** nachgiebig gegen sich selbst; zügellos; **~-in·struc·tion** Selbstunterricht *m*; **~-in·terest** Eigennutz *m*, eigenes Interesse; **~·ish** □ [~ɪʃ] selbstsüchtig; **~-made** selbstgemacht; ~ *man* Selfmademan *m*; **~-pit·y** Selbstmitleid *n*; **~-pos·ses·sion** Selbstbeherrschung *f*; **~-re·li·ant** [~rɪˈlaɪənt] selbstsicher, -bewußt; **~-re·spect** Selbstachtung *f*; **~-right·eous** □ selbstgerecht; **~-serv·ice 1.** mit Selbstbedienung, Selbstbedienungs...; **2.** Selbstbedienung *f*; **~-willed** eigenwillig, -sinnig.

sell [sel] (*sold*) *v/t.* verkaufen (*a. fig.*); *j-m et.* aufschwatzen; *v/i.* sich verkaufen (lassen), gehen (*Ware*); verkauft werden (*at, for* für); ~ *off*, ~ *out econ.* ausverkaufen; **~·er** [ˈselə] Verkäufer(in); *good* ~ *econ.* gutgehender Artikel.

selves [selvz] *pl. von self 1.*

sem·blance [ˈsembləns] Anschein *m*; Gestalt *f*.

se·men *biol.* [ˈsi:men] Samen *m*, Sperma *n*.

sem·i- [ˈsemɪ] halb..., Halb...; **~·co·lon** Semikolon *n*, Strichpunkt *m*; **~-de·tached (house)** Doppelhaushälfte *f*; **~·fi·nal** *Sport*: Halb-, Semifinalspiel *n*; ~*s pl.* Halb-, Semifinale *n*, Vorschlußrunde *f*.

sem·i·nar·y [ˈsemɪnərɪ] (Priester)Seminar *n*; *fig.* Schule *f*.

semp·stress [ˈsempstrɪs] Näherin *f*.

sen·ate [ˈsenɪt] Senat *m*.

sen·a·tor [ˈsenətə] Senator *m*.

send [send] (*sent*) senden, schicken; ⚡ senden; (*mit adj. od. p.pr.*) machen; ~ *s.o. mad* j-n wahnsinnig machen; ~ *for* nach *j-m* schicken, *j-n* kommen lassen, *j-n* holen *od.* rufen

S

(lassen); ~ *forth* aussenden, -strahlen; hervorbringen; veröffentlichen; ~ *in* einsenden, -schicken, -reichen; ~ *up fig. Preise etc.* steigen lassen, in die Höhe treiben; ~ *word to s.o.* j-m Nachricht geben; **~·er** [ˈsendə] Absender(in).

se·nile [ˈsiːnaɪl] greisenhaft, senil; **se·nil·i·ty** [sɪˈnɪlətɪ] Senilität *f*.

se·nior [ˈsiːnjə] **1.** *nachgestellt*: senior; älter; rang-, dienstälter; Ober...; ~ *citizens pl.* ältere Mitbürger *pl.*, Senioren *pl.*; ~ *partner econ.* Seniorpartner *m*; **2.** Ältere(r *m*) *f*; Rang-, Dienstältere(r *m*) *f*; Senior(in); *he is my ~ by a year* er ist ein Jahr älter als ich; **~·i·ty** [siːnɪˈɒrətɪ] höheres Alter *od.* Dienstalter.

sen·sa·tion [senˈseɪʃn] (Sinnes)Empfindung *f*; Gefühl *n*; Eindruck *m*; Sensation *f*; **~·al** □ [~l] sensationell; aufsehenerregend.

sense [sens] **1.** Sinn *m* (*of* für); Empfindung *f*, Gefühl *n*; Verstand *m*; Bedeutung *f*; Ansicht *f*; *in* (*out of*) *one's ~s* bei (von) Sinnen; *bring s.o. to his od. her ~s* j-n zur Vernunft bringen; *make ~* Sinn haben; *talk ~* vernünftig reden; **2.** spüren, fühlen.

sense·less □ [ˈsenslɪs] bewußtlos; unvernünftig, dumm; sinnlos; **~·ness** [~nɪs] Bewußtlosigkeit *f*; Unvernunft *f*; Sinnlosigkeit *f*.

sen·si·bil·i·ty [sensɪˈbɪlətɪ] Sensibilität *f*, Empfindungsvermögen *n*; *phys. etc.* Empfindlichkeit *f*; *sensibilities pl.* Empfindsamkeit *f*, Zartgefühl *n*.

sen·si·ble □ [ˈsensəbl] vernünftig; spür-, fühlbar; ⚠ *nicht sensibel*; *be ~ of s.th.* sich e-r Sache bewußt sein; et. empfinden.

sen·si|tive □ [ˈsensɪtɪv] empfindlich (*to* gegen); Empfindungs...; sensibel, empfindsam, feinfühlig; **~·tive·ness** [~nɪs], **~·tiv·i·ty** [sensɪˈtɪvətɪ] Sensibilität *f*; Empfindlichkeit *f*.

S

sen·sor ⊕ [ˈsensə] Sensor *m*.

sen·su·al □ [ˈsensjʊəl] sinnlich.

sen·su·ous □ [ˈsensjʊəs] sinnlich; Sinnes...; sinnenfroh.

sent [sent] *pret. u. p.p. von send.*

sen·tence [ˈsentəns] **1.** ⚖ (Straf)Urteil *n*; *gr.* Satz *m*; *serve one's ~* s-e Strafe absitzen; **2.** verurteilen.

sen·ten·tious □ [senˈtenʃəs] aufgeblasen, salbungsvoll.

sen·tient □ [ˈsenʃnt] empfindungsfähig.

sen·ti|ment [ˈsentɪmənt] (seelische) Empfindung, Gefühl *n*; Meinung *f*; = *sentimentality*; **~·ment·al** □ [sentɪˈmentl] empfindsam; sentimental; **~·men·tal·i·ty** [sentɪmenˈtælətɪ] Sentimentalität *f*.

sen|ti·nel ⚔ [ˈsentɪnl], **~·try** ⚔ [~rɪ] Wache *f*, (Wach[t])Posten *m*.

sep·a|ra·ble □ [ˈsepərəbl] trennbar; **~·rate 1.** □ [ˈseprət] (ab)getrennt, gesondert, separat; einzeln; **2.** [ˈsepəreɪt] (sich) trennen; (sich) absondern; (sich) scheiden; aufteilen (*into* in *acc.*); **~·ra·tion** [sepəˈreɪʃn] Trennung *f*; Scheidung *f*.

sep·sis ⚕ [ˈsepsɪs] (*pl.* *-ses* [-siːz]) Sepsis *f* (*Blutvergiftung*).

Sep·tem·ber [sepˈtembə] September *m*.

sep·tic ⚕ [ˈseptɪk] (*~ally*) septisch.

se·pul·chral □ [sɪˈpʌlkrəl] Grab...; *fig.* düster, Grabes...

sep·ul·chre, *Am.* **-cher** [ˈsepəlkə] Grab(stätte *f*, -mal *n*) *n*.

se·quel [ˈsiːkwəl] Folge *f*; Nachspiel *n*; (Roman- *etc.*)Fortsetzung *f*; *a four-~ program(me) TV* ein Vierteiler *m*, e-e vierteilige Serie.

se·quence [ˈsiːkwəns] (Aufeinander-, Reihen)Folge *f*; *Film*: Szene *f*; ~ *of tenses gr.* Zeitenfolge *f*; **se·quent** [~t] (aufeinander)folgend.

se·ques·trate ⚖ [sɪˈkwestreɪt] *Eigentum* einziehen; beschlagnahmen.

ser·e·nade ♪ [serəˈneɪd] **1.** Serenade *f*, Ständchen *n*; **2.** *j-m* ein Ständchen bringen.

se·rene □ [sɪˈriːn] klar; heiter; ruhig; **se·ren·i·ty** [sɪˈrenətɪ] Heiterkeit *f*; Ruhe *f*.

ser·geant [ˈsɑːdʒənt] ⚔ Feldwebel *m*; (Polizei)Wachtmeister *m*.

se·ri·al □ [ˈsɪərɪəl] **1.** serienmäßig, Reihen..., Serien..., Fortsetzungs...; **2.** Fortsetzungsroman *m*; (Hörspiel-, Fernseh)Folge *f*, Serie *f*.

se·ries [ˈsɪəriːz] (*pl.* *-ries*) Reihe *f*; Serie *f*; Folge *f*.

se·ri·ous □ [ˈsɪərɪəs] ernst; ernsthaft, ernstlich; ⚠ *nicht seriös*; *be ~* es ernst meinen (*about* mit); **~·ness** [~nɪs] Ernst(haftigkeit *f*) *m*.

ser·mon [ˈsɜːmən] *eccl.* Predigt *f*; *iro.* (Moral-, Straf)Predigt *f*.

ser|pent *zo.* [ˈsɜːpənt] Schlange *f*; **~·pen·tine** [~aɪn] schlangenförmig;

gewunden, kurvenreich, Serpentinen...

se·rum ['sɪərəm] (*pl.* -rums, -ra [-rə]) Serum *n.*

ser·vant ['sɜːvənt] *a. domestic* ~ Diener(in), Hausangestellte(r *m*) *f*, Dienstbote *m*, -mädchen *n*, Bedienstete(r *m*) *f*; *civil* ~ *s. civil*; *public* ~ Staatsbeamt|er, -in; Angestellte(r *m*) *f* im öffentlichen Dienst.

serve [sɜːv] **1.** *v/t.* dienen (*dat.*); *Dienstzeit* (*a.* ⚔) ableisten; *Lehre* machen; ⚖ *Strafe* verbüßen; genügen (*dat.*); *j-n*, *Kunden* bedienen; *Essen* servieren, auftragen, reichen; *Getränk* servieren, einschenken; versorgen (*with* mit); *j-n schändlich* behandeln; nützen, dienlich sein (*dat.*); *Zweck* erfüllen; *Tennis etc.*: *Ball* aufschlagen; *Volleyball*: *Ball* aufgeben; (*it*) ~*s him right* (das) geschieht ihm ganz recht; ~ *out et.* aus-, verteilen; *v/i.* dienen (*a.* ⚔; *as*, *for* als); *econ.* bedienen; nützen; genügen; *Tennis etc.*: aufschlagen; *Volleyball*: aufgeben; ~ *at table* (bei Tisch) servieren, bedienen; **2.** *Tennis etc.*: Aufschlag *m.*

ser·vice ['sɜːvɪs] **1.** Dienst *m*; *econ. etc.* Bedienung *f*; Gefälligkeit *f*; Gottesdienst *m*; Versorgung(sdienst *m*, -sbetrieb *m*) *f*; ⚔ (Wehr-, Militär-) Dienst *m*; ⊕ Wartung *f*, *mot. a.* Inspektion *f*; Service *m*, Kundendienst *m*; (Zug- *etc.*)Verkehr *m*; Service *n*; *Tennis etc.*: Aufschlag *m*; *Volleyball*: Aufgabe *f*; *be at s.o.'s* ~ j-m zur Verfügung stehen; **2.** ⊕ warten, pflegen; **~a·ble** □ [~əbl] brauchbar, nützlich; praktisch; strapazierfähig; **~ ar·e·a** *Brt.* (Autobahn)Raststätte *f*; **~ charge** Bedienungszuschlag *m*; Bearbeitungsgebühr *f*; **~ sta·tion** Tankstelle *f*; (Reparatur)Werkstatt *f.*

ser|vile □ ['sɜːvaɪl] sklavisch (*a. fig.*); unterwürfig, kriecherisch; **~·vil·i·ty** [sɜː'vɪlətɪ] Unterwürfigkeit *f*, Kriecherei *f.*

serv·ing ['sɜːvɪŋ] Portion *f.*

ser·vi·tude ['sɜːvɪtjuːd] Knechtschaft *f*; Sklaverei *f.*

ses·sion ['seʃn] Sitzung(speriode) *f*; *be in* ~ ⚖ *parl.* tagen.

set [set] **1.** (*-tt-*; *set*) *v/t.* setzen; stellen; legen; *in e-n Zustand* (ver-) setzen, bringen; veranlassen zu; ein-, herrichten, ordnen; ⊕ (ein-) stellen; *Uhr*, *Wecker* stellen; *Edelstein* fassen; besetzen (*with* mit *Edelsteinen*); *Flüssigkeit* erstarren lassen; *Haar* legen; ⚕ *Bruch*, *Knochen* einrenken, -richten; ♪ vertonen; *print.* absetzen; *Aufgabe* stellen; *Zeitpunkt*, *Preis* festsetzen; *Rekord* aufstellen; ~ *s.o. laughing* j-n zum Lachen bringen; ~ *an example* ein Beispiel geben; ~ *one's hopes on* s-e Hoffnung setzen auf (*acc.*); ~ *the table* den Tisch decken; ~ *one's teeth* die Zähne zusammenbeißen; ~ *at ease* beruhigen; ~ *s.o.'s mind at rest* j-n beruhigen; ~ *great* (*little*) *store by* großen (geringen) Wert legen auf (*acc.*); ~ *aside* beiseite legen, weglegen; ⚖ aufheben; verwerfen; ~ *forth* darlegen; ~ *off* hervorheben; ~ *up* errichten; aufstellen; einrichten, gründen; *Regierung* bilden; *j-n* etablieren; *v/i.* untergehen (*Sonne etc.*); gerinnen, fest werden; erstarren (*a. Gesicht*, *Muskel*); ⚕ sich einrenken; *hunt.* vorstehen (*Hund*); ~ *about doing s.th.* sich daranmachen, et. zu tun; ~ *about s.o.* F über j-n herfallen; ~ *forth* aufbrechen; ~ *in* einsetzen (*beginnen*); ~ *off* aufbrechen; ~ *on* angreifen; ~ *out* aufbrechen; ~ *to* sich daran machen (*to do* zu tun); ~ *up* sich niederlassen; ~ *up as* sich ausgeben für; **2.** fest; starr; festgesetzt, bestimmt; bereit, entschlossen; vorgeschrieben; ~ *fair Barometer*: beständig; ~ *phrase* feststehender Ausdruck; ~ *speech* wohlüberlegte Rede; **3.** Satz *m*, Garnitur *f*; Service *n*; Set *n*, *m* (*Platzdeckchen*); gesammelte Ausgabe (*e-s Autors*); (Schriften)Reihe *f*, (Artikel)Serie *f*; *Radio*, *TV*: Gerät *n*, Apparat *m*; *thea.* Bühnenausstattung *f*; *Film*: Szenenaufbau *m*; *Tennis*: Satz *m*; *hunt.* Vorstehen *n* (*Hund*); ✓ Setzling *m*; (Personen-) Kreis *m*, *contp.* Clique *f*; Sitz *m*, Schnitt *m* (*Kleidung*); *poet.* Untergang *m* (*Sonne*); *fig.* Richtung *f*, Tendenz *f*; *have a shampoo and* ~ sich die Haare waschen und legen lassen; **~-back** *fig.* ['setbæk] Rückschlag *m.*

set·tee [se'tiː] *kleines* Sofa.

set the·o·ry ⩓ ['set 'θɪərɪ] Mengenlehre *f.*

set·ting ['setɪŋ] Setzen *n*; Einrichten *n*; Fassung *f* (*Edelstein*); Gedeck *n*; ⊕ Einstellung *f*; *thea.* Bühnenbild *n*;

S

Film: Ausstattung *f*; ♪ Vertonung *f*; (*Sonnen- etc.*)Untergang *m*; Umgebung *f*; Schauplatz *m*; *fig.* Rahmen *m*.

set·tle [ˈsetl] **1.** Sitzbank *f*; **2.** *v/t.* vereinbaren, abmachen, festsetzen; erledigen, in Ordnung bringen, regeln; *Frage etc.* klären, entscheiden; *Geschäft* abschließen; *Rechnung* begleichen; *econ. Konto* ausgleichen; *Streit* beilegen; *a.* ~ *down* beruhigen; *Kind* versorgen; *j-n beruflich, häuslich* unterbringen; vermachen (*on dat.*); *Rente* aussetzen (*on dat.*); ansiedeln; *Land* besiedeln; ~ *o.s.* sich niederlassen; ~ *one's affairs* s-e Angelegenheiten (*vor dem Tode*) in Ordnung bringen; *that* ~*s it* F damit ist der Fall erledigt; *that's* ~*d then* das ist also klar; *v/i.* sich niederlassen *od.* setzen; *a.* ~ *down* sich ansiedeln *od.* niederlassen; sich (häuslich) niederlassen; sich senken (*Grundmauern etc.*); beständig werden (*Wetter*); *a.* ~ *down fig.* sich beruhigen, sich legen; sich setzen (*Trübstoffe*); sich klären (*Flüssigkeit*); sich legen (*Staub*); ~ *back* sich (gemütlich) zurücklehnen; ~ *down to* sich widmen (*dat.*); ~ *in* sich einrichten; sich einleben *od.* eingewöhnen; ~ *on*, ~ *upon* sich entschließen zu; ~**d** fest; geregelt (*Leben*); beständig (*Wetter*); ~**·ment** [~mənt] (Be)Siedlung *f*; Klärung *f*, Erledigung *f*; Übereinkunft *f*, Abmachung *f*; Bezahlung *f*; Schlichtung *f*, Beilegung *f*; ⚖ (Eigentums)Übertragung *f*; ~**r** [~ə] Siedler *m*.

sev·en [ˈsevn] **1.** sieben; **2.** Sieben *f*; ~**·teen** [~ˈtiːn] **1.** siebzehn; **2.** Siebzehn *f*; ~**·teenth** [~θ] siebzehnte(r, -s); ~**th** [ˈsevnθ] **1.** □ sieb(en)te(r, -s); **2.** Sieb(en)tel *n*; ~**th·ly** [~lɪ] sieb(en)tens; ~**·ti·eth** [~tɪɪθ] siebzigste(r, -s); ~**·ty** [~tɪ] **1.** siebzig; **2.** Siebzig *f*.

sev·er [ˈsevə] (sich) trennen; zerreißen; *fig.* (auf)lösen.

sev·e·ral □ [ˈsevrəl] mehrere; verschieden; einige; einzeln; eigen; getrennt; ~**·ly** [~ɪ] einzeln, gesondert, getrennt.

sev·er·ance [ˈsevərəns] (Ab)Trennung *f*; *fig.* (Auf)Lösung *f*, Abbruch *m*.

se·vere □ [sɪˈvɪə] (~*r*, ~*st*) streng; scharf; hart; rauh (*Wetter*); hart (*Winter*); ernst, finster (*Ausdruck etc.*); heftig (*Schmerz etc.*); schlimm, schwer (*Krankheit etc.*); **se·ver·i·ty** [sɪˈverətɪ] Strenge *f*, Härte *f*; Heftigkeit *f*, Stärke *f*; Ernst *m*.

sew [səʊ] (*sewed, sewn od. sewed*) nähen; heften.

sew·age [ˈsjuːɪdʒ] Abwasser *n*.

sew·er[1] [ˈsəʊə] Näherin *f*.

sew·er[2] [sjʊə] Abwasserkanal *m*; ~**·age** [ˈsjʊərɪdʒ] Kanalisation *f*.

sew|ing [ˈsəʊɪŋ] Nähen *n*; Näharbeit *f*; *attr.* Näh...; ~**n** [səʊn] *p.p. von sew.*

sex [seks] Geschlecht *n*; Sexualität *f*; Sex *m*.

sex·ton [ˈsekstən] Küster *m* (u. Totengräber *m*).

sex|u·al □ [ˈseksjʊəl] geschlechtlich, Geschlechts..., sexuell, Sexual...; ~ *intercourse* Geschlechtsverkehr *m*; ~**·y** F [~ɪ] (*-ier, -iest*) sexy, aufreizend.

shab·by □ [ˈʃæbɪ] (*-ier, -iest*) schäbig; gemein.

shack [ʃæk] Hütte *f*, Bude *f*.

shack·le [ˈʃækl] **1.** Fessel *f* (*fig. mst pl.*); **2.** fesseln.

shade [ʃeɪd] **1.** Schatten *m* (*a. fig.*); (*Lampen- etc.*)Schirm *m*; Schattierung *f*; *Am.* Rouleau *n*; *fig.* Nuance *f*; *fig.* F Spur *f*; **2.** beschatten; verdunkeln (*a. fig.*); abschirmen; schützen; schattieren; ~ *off* allmählich übergehen (lassen) (*into* in *acc.*).

shad·ow [ˈʃædəʊ] **1.** Schatten *m* (*a. fig.*); Phantom *n*; *fig.* Spur *f*; **2.** e-n Schatten werfen auf (*acc.*); *fig. j-n* beschatten, überwachen; ~**·y** [~ɪ] (*-ier, -iest*) schattig, dunkel; unbestimmt, vage.

shad·y □ [ˈʃeɪdɪ] (*-ier, -iest*) schattenspendend; schattig, dunkel; F zweifelhaft.

shaft [ʃɑːft] Schaft *m*; Stiel *m*; *poet.* Pfeil *m* (*a. fig.*); *poet.* Strahl *m*; ⊕ Welle *f*; Deichsel *f*; ⚒ Schacht *m*.

shag·gy [ˈʃægɪ] (*-ier, -iest*) zottig.

shake [ʃeɪk] **1.** (*shook, shaken*) *v/t.* schütteln; rütteln an (*dat.*); erschüttern; ~ *down* herunterschütteln; ~ *hands* sich die Hand geben *od.* schütteln; ~ *off* abschütteln (*a. fig.*); ~ *up Bett* aufschütteln; *fig.* aufrütteln; *v/i.* zittern, beben, wackeln, (sch)wanken (*with* vor *dat.*); ♪ trillern; ~ *down* kampieren; **2.** Schütteln *n*; Erschütterung *f*; Beben *n*; ♪

S

Triller *m*; (*Milch- etc.*)Shake *m*; **~·down** [ˈʃeɪkdaʊn] **1.** (Behelfs-)Lager *n*; *Am.* F Erpressung *f*; *Am.* F Durchsuchung *f*; **2.** *adj.*: ~ *flight* ✈ Testflug *m*; ~ *voyage* ⚓ Testfahrt *f*;
shak·en [~ən] **1.** *p.p. von shake 1*; **2.** *adj.* erschüttert.
shak·y □ [ˈʃeɪkɪ] (*-ier, -iest*) wack(e)lig (*a. fig.*); (sch)wankend; zitternd; zitt(e)rig.
shall *v/aux.* [ʃæl] (*pret. should*; *verneint*: ~ *not, shan't*) *ich, du etc.* soll(st) *etc.*; *ich* werde, *wir* werden.
shal·low [ˈʃæləʊ] **1.** □ seicht; flach; *fig.* oberflächlich; **2.** seichte Stelle, Untiefe *f*; **3.** (sich) verflachen.
sham [ʃæm] **1.** falsch; Schein...; **2.** (Vor)Täuschung *f*, Heuchelei *f*; Fälschung *f*; Schwindler(in); ⚠ *nicht Scham*; **3.** (*-mm-*) *v/t.* vortäuschen; *v/i.* sich verstellen; simulieren; ~ *ill(ness)* sich krank stellen.
sham·ble [ˈʃæmbl] watscheln; **~s** *sg.* Schlachtfeld *n*, wüstes Durcheinander, Chaos *n*.
shame [ʃeɪm] **1.** Scham *f*; Schande *f*; *for ~!, ~ on you!* pfui!, schäm dich!; *put to ~* beschämen; **2.** beschämen; *j-m* Schande machen; **~·faced** □ [ˈʃeɪmfeɪst] schamhaft, schüchtern; **~·ful** □ [~fl] schändlich, beschämend; **~·less** □ [~lɪs] schamlos.
sham·poo [ʃæmˈpuː] **1.** Shampoo *n*, Schampon *n*, Schampun *n*; Kopf-, Haarwäsche *f*; *s. set 3*; **2.** *Kopf, Haare* waschen; *j-m* den Kopf *od.* die Haare waschen.
sham·rock ⚘ [ˈʃæmrɒk] Kleeblatt *n*.
shank [ʃæŋk] (Unter)Schenkel *m*, Schienbein *n*; ⚠ *nicht (Ober)Schenkel*; ⚘ Stiel *m*; (⚓ Anker)Schaft *m*.
shan·ty [ˈʃæntɪ] Hütte *f*, Bude *f*; Seemannslied *n*.
shape [ʃeɪp] **1.** Gestalt *f*, Form *f* (*a. fig.*); *körperliche od. geistige* Verfassung; **2.** *v/t.* gestalten, formen, bilden; anpassen (*to dat.*); *v/i. a. ~ up* sich entwickeln; **~d** [~t] ...förmig; **~·less** [ˈʃeɪplɪs] formlos; **~·ly** [~lɪ] (*-ier, -iest*) wohlgeformt.
share [ʃeə] **1.** (An)Teil *m*; Beitrag *m*; *econ.* Aktie *f*; ⚒ Kux *m*; ↗ Pflugschar *f*; *have a ~ in* Anteil haben an (*dat.*); *go ~s* teilen; **2.** *v/t.* teilen; *v/i.* teilhaben (*in* an *dat.*); **~·crop·per** [ˈʃeəkrɒpə] *kleiner* Farmpächter (*in den USA*); **~·hold·er** *econ.* Aktionär(in).
shark [ʃɑːk] *zo.* Hai(fisch) *m*; Gauner *m*, Betrüger *m*; (*Kredit- etc.*)Hai *m*; *Am. sl.* Kanone *f* (*Könner*).
sharp [ʃɑːp] **1.** □ scharf (*a. fig.*); spitz; steil, jäh; schneidend; stechend; heftig; hitzig; beißend, scharf; durchdringend, schrill; schnell; pfiffig, schlau, gerissen; ♪ (*um e-n Halbton*) erhöht; *C* ~ ♪ Cis *n*; **2.** *adv.* scharf; jäh, plötzlich; ♪ zu hoch; pünktlich, genau; *at eight o'clock ~* Punkt 8 (Uhr); *look ~!* F paß auf!, gib acht!; F mach fix *od.* schnell!; **3.** ♪ Kreuz *n*; ♪ durch ein Kreuz erhöhte Note; F Gauner *m*; **~·en** [ˈʃɑːpən] (ver)schärfen; spitzen; verstärken; **~·en·er** [~nə] (*Messer*)Schärfer *m*; (*Bleistift*)Spitzer *m*; **~·er** [~ə] Gauner *m*, Schwindler *m*; Falschspieler *m*; **~-eyed** [~ˈaɪd] scharfsichtig; *fig. a.* scharfsinnig; **~·ness** [~nɪs] Schärfe *f* (*a. fig.*); **~·shoot·er** Scharfschütze *m*; **~-sight·ed** [~ˈsaɪtɪd] scharfsichtig; *fig. a.* scharfsinnig; **~-wit·ted** [~ˈwɪtɪd] scharfsinnig.
shat·ter [ˈʃætə] zerschmettern, -schlagen; *Gesundheit, Nerven* zerstören, -rütten.
shave [ʃeɪv] **1.** (*shaved, shaved od. als adj. shaven*) (sich) rasieren; (ab-)schaben; (glatt)hobeln; streifen; *a.* knapp vorbeikommen an (*dat.*); **2.** Rasieren *n*, Rasur *f*; *have (od. get) a ~* sich rasieren (lassen); *have a close od. narrow ~* mit knapper Not davonkommen *od.* entkommen; *that was a close ~* das ist gerade noch einmal gutgegangen!; **shav·en** [ˈʃeɪvn] *p.p. von shave 1*; **shav·ing** [~ɪŋ] **1.** Rasieren *n*; **~s** *pl.* (*bsd.* Hobel)Späne *pl.*; **2.** Rasier...
shawl [ʃɔːl] Umhängetuch *n*; Kopftuch *n*.
she [ʃiː] **1.** sie; **2.** Sie *f*; *zo.* Weibchen *n*; **3.** *adj. in Zssgn, bsd. zo.*: weiblich, ...weibchen *n*; *~-dog* Hündin *f*; *~-goat* Geiß *f*.
sheaf [ʃiːf] (*pl. sheaves*) ↗ Garbe *f*; Bündel *n*.
shear [ʃɪə] **1.** (*sheared, shorn od. sheared*) scheren; **2.** (*a pair of*) *~s pl.* (e-e) große Schere.
sheath [ʃiːθ] (*pl. sheaths* [~ðz]) Scheide *f*; Futteral *n*, Hülle *f*; **~e** [ʃiːð] in die Scheide *od.* in ein Futteral stecken; *bsd.* ⊕ umhüllen.
sheaves [ʃiːvz] *pl. von sheaf.*

she·bang *bsd. Am. sl.* [ʃəˈbæŋ]: *the whole* ~ der ganze Kram.
shed[1] [ʃed] (*-dd-; shed*) aus-, vergießen; verbreiten; *Blätter etc.* abwerfen.
shed[2] [~] Schuppen *m*; Stall *m*.
sheen [ʃiːn] Glanz *m* (*bsd. Stoff*).
sheep [ʃiːp] (*pl. sheep*) *zo.* Schaf *n*; Schafleder *n*; **~-dog** *zo.* [ˈʃiːpdɒg] Schäferhund *m*; **~-fold** Schafhürde *f*; **~·ish** □ [~ɪʃ] einfältig; verlegen; **~·man** (*pl. -men*) *Am.*, **~-mas·ter** *Brt.* Schafzüchter *m*; **~·skin** Schaffell *n*; Schafleder *n*; *Am.* F Diplom *n*.
sheer [ʃɪə] rein; bloß; glatt; hauchdünn; steil; senkrecht; direkt.
sheet [ʃiːt] Bett-, Leintuch *n*, Laken *n*; (*Glas- etc.*)Platte *f*; ⊕ ...blech *n*; Blatt *n*, Bogen *m* (*Papier*); weite Fläche (*Wasser etc.*); ⚓ Schot(e) *f*, Segelleine *f*; *the rain came down in* ~*s* es regnete in Strömen; **~ i·ron** ⊕ Eisenblech *n*; **~ light·ning** Wetterleuchten *n*.
shelf [ʃelf] (*pl. shelves*) (Bücher-, Wand- *etc.*)Brett *n*, Regal *n*, Fach *n*; Riff *n*; *on the* ~ *fig.* ausrangiert.
shell [ʃel] **1.** Schale *f*; ⚘ Hülse *f*, Schote *f*; Muschel *f*; Schneckenhaus *n*; *zo.* Panzer *m*; Gerüst *n*, Gerippe *n*, *arch. a.* Rohbau *m*; ⚔ Granate *f*; (Geschoß-, Patronen)Hülse *f*; *Am.* Patrone *f*; **2.** schälen; enthülsen; ⚔ (mit Granaten) beschießen; **~-fire** [ˈʃelfaɪə] Granatfeuer *n*; **~·fish** *zo.* Schal(en)tier *n*; ~ *pl.* Meeresfrüchte *pl.*; ⚠ *nicht Schellfisch*; **~-proof** bombensicher.
shel·ter [ˈʃeltə] **1.** Schutzhütte *f*, -raum *m*, -dach *n*; Zufluchtsort *m*; Obdach *n*; Schutz *m*, Zuflucht *f*; *take* ~ Schutz suchen; *bus* ~ Wartehäuschen *n*; **2.** *v/t.* (be)schützen; beschirmen; *j-m* Schutz *od.* Zuflucht gewähren; *v/i.* Schutz *od.* Zuflucht suchen.
shelve [ʃelv] *v/t.* in ein Regal stellen; *fig. et.* auf die lange Bank schieben; *fig. et.* zurückstellen; *v/i.* sanft abfallen (*Land*).
shelves [ʃelvz] *pl. von shelf*.
she·nan·i·gans F [ʃɪˈnænɪgənz] *pl.* Blödsinn *m*, Mumpitz *m*; übler Trick.
shep·herd [ˈʃepəd] **1.** Schäfer *m*, Hirt *m*; **2.** hüten; führen, leiten.
sher·iff *Am.* [ˈʃerɪf] Sheriff *m*.
shield [ʃiːld] **1.** (Schutz)Schild *m*; Wappenschild *m, n*; *fig.* Schutz *m*; 2. (be)schützen (*from* vor *dat.*); *j-* decken.
shift [ʃɪft] **1.** Veränderung *f*, Verschiebung *f*, Wechsel *m*; Notbehel[f] *m*; List *f*, Kniff *m*, Ausflucht *f*; (Arbeits)Schicht *f*; *work in* ~ Schicht arbeiten; *make* ~ es fertig bringen (*to do* zu tun); sich behelfen; sich durchschlagen; **2.** *v/t.* (um-, aus)wechseln, verändern; *fig.* verlagern, -schieben, -legen; *Schuld etc.* (ab)schieben (*onto* au[f] *acc.*); ~ *gear(s)* *bsd. Am. mot.* schalten; *v/i.* wechseln; sich verlagern *od.* -schieben; *bsd. Am. mot.* schalte[n] (*into, to* in *acc.*); ~ *from one foot t[o] the other* von e-m Fuß auf de[n] anderen treten; ~ *in one's chair* au[f] s-m Stuhl *ungeduldig etc.* hin u. he[r] rutschen; ~ *for o.s.* sich selbst (weiter)helfen; **~·less** □ [ˈʃɪftlɪs] hilflos; faul; **~·y** □ [~ɪ] (*-ier, -iest*) *fig.* gerissen; verschlagen; unzuverlässig.
shil·ling [ˈʃɪlɪŋ] *altes englisches Währungssystem*: Schilling *m*.
shin [ʃɪn] **1.** *a.* ~*-bone* Schienbein *n*; **2.** (*-nn-*) ~ *up* hinaufklettern.
shine [ʃaɪn] **1.** Schein *m*; Glanz *m*; 2. *v/i.* (*shone*) scheinen; leuchten; *fig.* glänzen, strahlen; *v/t.* (*shined*) polieren, putzen.
shin·gle [ˈʃɪŋgl] Schindel *f*; *Am.* (Firmen)Schild *n*; grober Strandkies; ~*s sg.* ⚕ Gürtelrose *f*.
shin·y [ˈʃaɪnɪ] (*-ier, -iest*) blank, glänzend.
ship [ʃɪp] **1.** Schiff *n*; F Flugzeug *n*; Raumschiff *n*; **2.** (*-pp-*) ⚓ an Bord nehmen *od.* bringen; ⚓ verschiffen; *econ.* transportieren, versenden; ⚓ (an)heuern; ⚓ sich anheuern lassen; **~·board** ⚓ [ˈʃɪpbɔːd]: *on* ~ an Bord; **~·ment** [~mənt] Verschiffung *f*, Versand *m*; Schiffsladung *f*; **~·own·er** Reeder *m*; **~·ping** [~ɪŋ] Verschiffung *f*; Versand *m*; *coll.* Schiffe *pl.*, Flotte *f*; *attr.* Schiffs... Versand...; **~·wreck** Schiffbruch *m*; **~·wrecked** **1.** *be* ~ schiffbrüchig werden *od.* sein; **2.** schiffbrüchig; *fig. a.* gescheitert; **~·yard** (Schiffs-) Werft *f*.
shire [ˈʃaɪə, *in Zssgn*: ...ʃə] Grafschaft *f*.
shirk [ʃɜːk] sich drücken (vor *dat.*); **~·er** [ˈʃɜːkə] Drückeberger(in).

S

shirt [ʃɜːt] (Herren-, Ober)Hemd *n*; *a.* ~ *blouse* Hemdbluse *f*; **~-sleeve** [ˈʃɜːtsliːv] **1.** Hemdsärmel *m*; **2.** hemdsärmelig; leger, ungezwungen; **~·waist** *Am.* Hemdbluse *f*.

shit V [ʃɪt] **1.** Scheiße *f* (*a. fig.*); Scheißen *n*; **2.** (*-tt-*; *shit*) scheißen.

shiv·er [ˈʃɪvə] **1.** Splitter *m*; Schauer *m*, Zittern *n*, Frösteln *n*; **2.** zersplittern; zittern, (er)schauern, frösteln; **~·y** [~rɪ] fröstelnd.

shoal [ʃəʊl] **1.** Schwarm *m* (*bsd. von Fischen*); Masse *f*; Untiefe *f*, seichte Stelle; Sandbank *f*; **2.** flach(er) werden.

shock [ʃɒk] **1.** Garbenhaufen *m*; (Haar)Schopf *m*; (heftiger) Stoß; (*a. seelische*) Erschütterung; Schock *m*; Schreck *m*, (plötzlicher) Schlag (*to* für); ⚕ (Nerven)Schock *m*; **2.** erschüttern; *fig.* schockieren, empören; **~ ab·sorb·er** ⊕ Stoßdämpfer *m*; **~·ing** □ [ˈʃɒkɪŋ] schockierend, empörend, anstößig; haarsträubend; F scheußlich.

shod [ʃɒd] *pret. u. p.p. von shoe 2.*

shod·dy [ˈʃɒdɪ] **1.** Reißwolle *f*; *fig.* Schund *m*; **2.** (*-ier, -iest*) falsch; minderwertig, schäbig.

shoe [ʃuː] **1.** Schuh *m*; Hufeisen *n*; **2.** (*shod*) beschuhen; beschlagen; **~·black** [ˈʃuːblæk] Schuhputzer *m*; **~·horn** Schuhanzieher *m*; **~-lace** Schnürsenkel *m*; **~·mak·er** Schuhmacher *m*; **~·shine** *bsd. Am.* Schuhputzen *n*; ~ *boy Am.* Schuhputzer *m*; **~-string** Schnürsenkel *m*.

shone [ʃɒn, *Am.* ʃəʊn] *pret. u. p.p. von shine 2.*

shook [ʃʊk] *pret. von shake 1.*

shoot [ʃuːt] **1.** Jagd *f*; Jagd(revier *n*) *f*; Jagdgesellschaft *f*; ⚘ Schößling *m*, (Seiten)Trieb *m*; **2.** (*shot*) *v/t.* (ab)schießen; erschießen; werfen, stoßen; fotografieren, aufnehmen, *Film* drehen; unter *e-r Brücke etc.* hindurchschießen, über *et.* hinwegschießen; ⚘ treiben; ⚕ (ein)spritzen; ~ *up sl. Heroin etc.* drücken; *v/i.* schießen; jagen; stechen (*Schmerz*); (dahin-, vorbei- *etc.*)schießen, (-)jagen, (-)rasen; ⚘ sprießen, keimen; fotografieren; filmen; ~ *ahead of* überholen (*acc.*); **~·er** [ˈʃuːtə] Schütz|e, -in; F Schießeisen *n* (*Schußwaffe*).

shoot·ing [ˈʃuːtɪŋ] **1.** Schießen *n*; Schießerei *f*; Erschießung *f*; Jagd *f*; *Film*: Dreharbeiten *pl.*; **2.** stechend (*Schmerz*); **~-gal·le·ry** Schießstand *m*, -bude *f*; **~-range** Schießplatz *m*; ~ **star** Sternschnuppe *f*.

shop [ʃɒp] **1.** Laden *m*, Geschäft *n*; Werkstatt *f*; Betrieb *m*; *talk* ~ fachsimpeln; **2.** (*-pp-*) *mst go ~ping* einkaufen gehen; ~ **as·sis·tant** *Brt.* [ˈʃɒpəsɪstənt] Verkäufer(in); **~·keep·er** Ladenbesitzer(in); **~-lift·er** [~lɪftə] Ladendieb(in); **~-lift·ing** [~ɪŋ] Ladendiebstahl *m*; **~·per** [~ə] Käufer(in); **~·ping** [~ɪŋ] **1.** Einkauf *m*, Einkaufen *n*; Einkäufe *pl.* (*Ware*); *do one's* ~ (s-e) Einkäufe machen; **2.** Laden..., Einkaufs...; ~ *bag Am.* Trag(e)tasche *f*; ~ *centre* (*Am. center*) Einkaufszentrum *n*; ~ *street* Geschäfts-, Ladenstraße *f*; **~-stew·ard** [~ˈstjʊəd] gewerkschaftlicher Vertrauensmann; **~·walk·er** *Brt.* [~wɔːkə] Aufsicht(sperson) *f* (*im Kaufhaus*); **~-win·dow** Schaufenster *n*.

shore [ʃɔː] **1.** Küste *f*, Ufer *n*, Strand *m*; Strebebalken *m*, Stütze *f*; *on* ~ an Land; **2.** ~ *up* abstützen.

shorn [ʃɔːn] *p.p. von shear 1.*

short □ [ʃɔːt] **1.** *adj.* kurz; klein; knapp; kurz angebunden, barsch (*with* gegen); mürbe (*Gebäck*); stark, unverdünnt (*alkoholisches Getränk*); *in* ~ kurz(um); ~ *of* knapp an (*dat.*); **2.** *adv.* plötzlich, jäh, abrupt; ~ *of* abgesehen von, außer (*dat.*); *come od. fall* ~ *of et.* nicht erreichen; *cut* ~ plötzlich unterbrechen; *stop* ~ plötzlich innehalten, stutzen; *stop* ~ *of* zurückschrecken vor (*dat.*); *s. run 1*; **~·age** [ˈʃɔːtɪdʒ] Fehlbetrag *m*; Knappheit *f*, Mangel *m* (*of* an *dat.*); **~·com·ing** [~ˈkʌmɪŋ] Unzulänglichkeit *f*; Fehler *m*, Mangel *m*; ~ **cut** Abkürzung(sweg *m*) *f*; *take a* ~ (den Weg) abkürzen; **~-dat·ed** *econ.* kurzfristig; **~-dis·tance** Nah...; **~·en** [ˈʃɔːtn] *v/t.* (ab-, ver)kürzen; *v/i.* kürzer werden; **~·en·ing** [~ɪŋ] Backfett *n*; **~·hand** [ˈʃɔːthænd] Kurzschrift *f*; ~ *typist* Stenotypistin *f*; **~·ly** [~lɪ] *adv.* kurz; bald; **~·ness** [~nɪs] Kürze *f*; Mangel *m*; Schroffheit *f*; **~s** *pl.* (*a pair of ~s*) Shorts *pl.*; *bsd. Am.* (e-e) (Herren)Unterhose; **~-sight·ed** □ [ˈʃɔːtˈsaɪtɪd] kurzsichtig (*a. fig.*); **~-term** *econ.* [ˈʃɔːttɜːm] kurzfristig; ~ **wave** ⚡ Kurzwelle *f*; **~-wind·ed** □ [ˈʃɔːtˈwɪndɪd] kurzatmig.

S

shot [ʃɒt] **1.** *pret. u. p.p. von shoot 2*; **2.** Schuß *m*; Abschuß *m*; Geschoß *n*, Kugel *f*; *a. small* ~ Schrot(kugeln *pl.*) *m*, *n*; Schußweite *f*; *guter etc.* Schütze; *Fußball etc.*: Schuß *m*, *Basketball etc.*: Wurf *m*, *Tennis*, *Golf*: Schlag *m*; *phot.*, *Film*: Aufnahme *f*; ⚕ F Spritze *f*, Injektion *f*; F Schuß *m* (*Drogeninjektion*); *fig.* Versuch *m*; *fig.* Vermutung *f*; *have a* ~ *at et.* versuchen; *not by a long* ~ F noch lange nicht; *big* ~ F großes Tier; ~**·gun** [ˈʃɒtɡʌn] Schrotflinte *f*; ~ *marriage od. wedding* F Mußheirat *f*; ~ **put** *Sport*: Kugelstoßen *n*; Stoß *m* (*mit der Kugel*); ~**-put·ter** [~pʊtə] *Sport*: Kugelstoßer(in).
should [ʃʊd, ʃəd] *pret. von shall.*
shoul·der [ˈʃəʊldə] **1.** Schulter *f* (*a. v. Tieren*; *fig. Vorsprung*); Achsel *f*; *Am.* Bankett *n* (*Straßenrand*); **2.** auf die Schulter *od. fig.* auf sich nehmen; ⚔ schultern; drängen; ~**-blade** *anat.* Schulterblatt *n*; ~**-strap** Träger *m* (*am Kleid etc.*); ⚔ Schulter-, Achselstück *n*.
shout [ʃaʊt] **1.** (lauter) Schrei *od.* Ruf; Geschrei *n*; **2.** (laut) rufen; schreien.
shove [ʃʌv] **1.** Schubs *m*, Stoß *m*; **2.** schieben, stoßen.
shov·el [ˈʃʌvl] **1.** Schaufel *f*; **2.** (*bsd. Brt. -ll-, Am. -l-*) schaufeln.
show [ʃəʊ] **1.** (*showed, shown od. showed*) *v/t.* zeigen; ausstellen; erweisen; beweisen; ~ *in* herein-, hineinführen; ~ *off* zur Geltung bringen; ~ *out* heraus-, hinausführen, -bringen; ~ *round* herumführen; ~ *up* herauf-, hinaufführen; *j-n* bloßstellen; *et.* aufdecken; *v/i. a.* ~ *up* sichtbar werden *od.* sein; sich zeigen; zu sehen sein; ~ *off* angeben, prahlen, sich aufspielen; ~ *up* F auftauchen, sich blicken lassen; **2.** (Her)Zeigen *n*; Zurschaustellung *f*; Ausstellung *f*; Vorführung *f*, -stellung *f*, Schau *f*; F (Theater-, Film-) Vorstellung *f*, (*Rundfunk-*, *Fernseh-*) Sendung *f*, Show *f*; *leerer* Schein; *on* ~ zu besichtigen; ~**·biz** F [ˈʃəʊbɪz], ~ **busi·ness** Showbusineß *n*, Showgeschäft *n*, Vergnügungs-, Unterhaltungsbranche *f*; ~**-case** Schaukasten *m*, Vitrine *f*; ~**-down** Aufdecken *n* der Karten (*a. fig.*); *fig.* Kraftprobe *f*.
show·er [ˈʃaʊə] **1.** (Regen- *etc.*) Schauer *m*; Dusche *f*; *fig.* Fülle *f*; **2.** *v/t.* überschütten, -häufen; *v/i.* gießen; (sich) brausen *od.* duschen; ~ *down* niederprasseln; ~**·y** [~rɪ] (*-ier*, *-iest*) regnerisch.
show|-jump·er [ˈʃəʊdʒʌmpə] *Sport*: Springreiter(in); ~**-jump·ing** [~ɪŋ] *Sport*: Springreiten *n*; ~**n** [~n] *p.p. von show 1*; ~**·room** Ausstellungsraum *m*; ~**-win·dow** Schaufenster *n*; ~**·y** □ [~ɪ] (*-ier*, *-iest*) prächtig; protzig.
shrank [ʃræŋk] *pret. von shrink.*
shred [ʃred] **1.** Stückchen *n*; Fetzen *m* (*a. fig.*); *fig.* Spur *f*; **2.** (*-dd-*) zerfetzen; in Streifen schneiden.
shrew [ʃruː] zänkisches Weib.
shrewd □ [ʃruːd] scharfsinnig; schlau.
shriek [ʃriːk] **1.** schriller Schrei; Gekreisch *n*; **2.** kreischen, schreien.
shrill [ʃrɪl] **1.** □ schrill, gellend; **2.** schrillen, gellen; *et.* kreischen.
shrimp [ʃrɪmp] *zo.* Garnele *f*, Krabbe *f*; *fig. contp.* Knirps *m*.
shrine [ʃraɪn] Schrein *m*.
shrink [ʃrɪŋk] (*shrank*, *shrunk*) (ein-, zusammen)schrumpfen (lassen); einlaufen; zurückweichen (*from* vor *dat.*); zurückschrecken (*from*, *at* vor *dat.*); ~**·age** [ˈʃrɪŋkɪdʒ] Einlaufen *n*; (Ein-, Zusammen)Schrumpfen *n*; Schrumpfung *f*; *fig.* Verminderung *f*.
shriv·el [ˈʃrɪvl] (*bsd. Brt. -ll-, Am. -l-*) (ein-, zusammen)schrumpfen (lassen), (ver)welken (lassen).
shroud [ʃraʊd] **1.** Leichentuch *n*; *fig.* Schleier *m*; **2.** in ein Leichentuch (ein)hüllen; *fig.* hüllen.
Shrove|tide [ˈʃrəʊvtaɪd] Fastnachts-, Faschingszeit *f*; ~ **Tues·day** Fastnachts-, Faschingsdienstag *m*.
shrub [ʃrʌb] Strauch *m*; Busch *m*; ~**·be·ry** [ˈʃrʌbərɪ] Gebüsch *n*.
shrug [ʃrʌɡ] **1.** (*-gg-*) (die Achseln) zucken; **2.** Achselzucken *n*.
shrunk [ʃrʌŋk] *p.p. von shrink*; ~**·en** [ˈʃrʌŋkən] *adj.* (ein-, zusammen)geschrumpft.
shuck *bsd. Am.* [ʃʌk] **1.** Hülse *f*, Schote *f*; ~*s!* F Quatsch!; **2.** enthülsen.
shud·der [ˈʃʌdə] **1.** schaudern; (erzittern, (er)beben; **2.** Schauder *m*.
shuf·fle [ˈʃʌfl] **1.** *Karten*: mischen; schlurfen (mit); Ausflüchte machen; ⚠ *nicht schaufeln*; ~ *off Klei*

dung abstreifen; *fig. Verantwortung etc.* abwälzen (*on, upon* auf *acc.*); **2.** (Karten)Mischen *n*; Schlurfen *n*; Umstellung *f*; (*Kabinetts*)Umbildung *f*; *fig.* Ausflucht *f*, Schwindel *m*.

shun [ʃʌn] (*-nn-*) (ver)meiden.

shunt [ʃʌnt] **1.** 🚂 Rangieren *n*; 🚂 Weiche *f*; ⚡ Nebenschluß *m*; **2.** 🚂 rangieren; ⚡ nebenschließen; beiseite schieben; *fig. et.* aufschieben.

shut [ʃʌt] (*-tt-*; *shut*) (sich) schließen; zumachen; ~ *down Betrieb* schließen; ~ *off Wasser, Gas etc.* abstellen; ~ *up* einschließen; *Haus etc.* verschließen; einsperren; ~ *up!* F halt die Klappe!; **~·ter** [ˈʃʌtə] Fensterladen *m*; *phot.* Verschluß *m*; ~ *speed phot.* Belichtung(szeit) *f*.

shut·tle [ˈʃʌtl] **1.** ⊕ Schiffchen *n*; Pendelverkehr *m*; *s. space* ~; **2.** 🚂 *etc.* pendeln; **~·cock** *Sport*: Federball *m*; ~ **di·plo·ma·cy** *pol.* Pendeldiplomatie *f*; ~ **ser·vice** Pendelverkehr *m*.

shy [ʃaɪ] **1.** □ (*~er od. shier, ~est od. shiest*) scheu; schüchtern; **2.** scheuen (*at* vor *dat.*); ~ *away from fig.* zurückschrecken vor (*dat.*); **~·ness** [ˈʃaɪnɪs] Schüchternheit *f*; Scheu *f*.

Si·be·ri·an [saɪˈbɪərɪən] **1.** sibirisch; **2.** Sibirier(in).

sick [sɪk] krank (*of* an *dat.*; *with* vor *dat.*); überdrüssig (*of gen.*); *fig.* krank (*of* von *dat.*; *for* nach); *be* ~ sich übergeben (müssen); *be* ~ *of s.th.* et. satt haben; *fall* ~ krank werden; *I feel* ~ mir ist schlecht *od.* übel; *go* ~, *report* ~ sich krank melden; **~-ben·e·fit** *Brt.* [ˈsɪkbenɪfɪt] Krankengeld *n*; **~·en** [~ən] *v/i.* krank werden; kränkeln; ~ *at* sich ekeln vor (*dat.*); *v/t.* krank machen; anekeln.

sick·le [ˈsɪkl] Sichel *f*.

sick|-leave [ˈsɪkliːv] Fehlen *n* wegen Krankheit; *be on* ~ wegen Krankheit fehlen; **~·ly** [~lɪ] (*-ier, -iest*) kränklich; schwächlich; bleich, blaß; ungesund (*Klima*); ekelhaft; matt (*Lächeln*); **~·ness** [~nɪs] Krankheit *f*; Übelkeit *f*.

side [saɪd] **1.** Seite *f*; ~ *by* ~ Seite an Seite; *take ~s with* Partei ergreifen für; **2.** Seiten...; Neben...; **3.** Partei ergreifen (*with* für); **~·board** [ˈsaɪdbɔːd] Anrichte *f*, Sideboard *n*; **~-car** *mot.* Beiwagen *m*; **sid·ed** ...seitig; **~-dish** Beilage *f* (*Essen*); **~·long 1.** *adv.* seitwärts; **2.** *adj.* seitlich; Seiten...; **~-road, ~-street** Nebenstraße *f*; **~-stroke** *Sport*: Seitenschwimmen *n*; **~-track 1.** 🚂 Nebengleis *n*; **2.** 🚂 auf ein Nebengleis schieben; *fig.* ablenken; **~·walk** *Am.* Bürgersteig *m*; **~·ward(s)** [~wəd(z)], **~·ways** seitlich; seitwärts.

sid·ing 🚂 [ˈsaɪdɪŋ] Nebengleis *n*.

si·dle [ˈsaɪdl]: ~ *up to s.o.* sich an j-n heranmachen.

siege [siːdʒ] Belagerung *f*; ⚠ *nicht Sieg*; *lay* ~ *to* belagern; *fig. j-n* bestürmen.

sieve [sɪv] **1.** Sieb *n*; **2.** (durch)sieben.

sift [sɪft] sieben; *fig.* sichten, prüfen.

sigh [saɪ] **1.** Seufzer *m*; **2.** seufzen; sich sehnen (*for* nach).

sight [saɪt] **1.** Sehvermögen *n*, Sehkraft *f*, Auge(nlicht) *n*; Anblick *m*; Sicht *f* (*a. econ.*); Visier *n*; *fig.* Auge *n*; *~s pl.* Sehenswürdigkeiten *pl.*; *at* ~, *on* ~ sofort; *at* ~ vom Blatt (*singen etc.*); *at the* ~ *of* beim Anblick (*gen.*); *at first* ~ auf den ersten Blick; *catch* ~ *of* erblicken; *know by* ~ vom Sehen kennen; *lose* ~ *of* aus den Augen verlieren; (*with*)*in* ~ in Sicht(weite); **2.** sichten, erblicken; (an)visieren; **~·ed** [ˈsaɪtɪd] ...sichtig; **~·ly** [~lɪ] (*-ier, -iest*) ansehnlich, stattlich; **~·see** (*-saw, -seen*): *go ~ing* e-e Besichtigungstour machen; **~·see·ing** [~ɪŋ] Besichtigung *f* von Sehenswürdigkeiten; ~ *tour* Besichtigungstour *f*, (Stadt)Rundfahrt *f*; **~·se·er** [~ə] Tourist(in).

sign [saɪn] **1.** Zeichen *n*; Wink *m*; Schild *n*; *in* ~ *of* zum Zeichen (*gen.*); **2.** winken, Zeichen geben; (unter-)zeichnen, unterschreiben.

sig·nal [ˈsɪgnl] **1.** Signal *n* (*a. fig.*); Zeichen *n*; **2.** bemerkenswert; außerordentlich; **3.** (*bsd. Brt. -ll-, Am. -l-*) (ein) Zeichen geben; signalisieren; **~·ize** [~nəlaɪz] auszeichnen; hervorheben.

sig·na|to·ry [ˈsɪgnətərɪ] **1.** Unterzeichner(in); **2.** unterzeichnend; ~ *powers pl. pol.* Signatarmächte *pl.*; **~·ture** [~tʃə] Signatur *f*; Unterschrift *f*; ~ *tune Rundfunk, TV*: Kennmelodie *f*.

sign|board [ˈsaɪnbɔːd] (Aushänge-)Schild *n*; **~·er** [~ə] Unterzeichner(in).

sig·net [ˈsɪgnɪt] Siegel *n*.

S

sig·nif·i|cance [sɪɡˈnɪfɪkəns] Bedeutung *f*; **~·cant** □ [~t] bedeutsam; bezeichnend (*of* für); **~·ca·tion** [sɪɡnɪfɪˈkeɪʃn] Bedeutung *f*, Sinn *m*.
sig·ni·fy [ˈsɪɡnɪfaɪ] andeuten; zu verstehen geben; bedeuten.
sign·post [ˈsaɪnpəʊst] Wegweiser *m*.
si·lence [ˈsaɪləns] **1.** (Still)Schweigen *n*; Stille *f*, Ruhe *f*; *~!* Ruhe!; *put od. reduce to ~* = **2.** zum Schweigen bringen; **si·lenc·er** [~ə] ⊕ Schalldämpfer *m*; *mot.* Auspufftopf *m*.
si·lent □ [ˈsaɪlənt] still; schweigend; schweigsam; stumm; *~ partner Am. econ.* stiller Teilhaber.
silk [sɪlk] Seide *f*; *attr.* Seiden...; **~·en** [ˈsɪlkən] seiden, Seiden...; **~-stock·ing** *Am.* vornehm; **~·worm** *zo.* Seidenraupe *f*; **~·y** □ [~ɪ] (*-ier, -iest*) seidig, seidenartig.
sill [sɪl] Schwelle *f*; Fensterbrett *n*.
sil·ly □ [ˈsɪlɪ] (*-ier, -iest*) albern, töricht, dumm, verrückt.
silt [sɪlt] **1.** Schlamm *m*; **2.** *mst ~ up* verschlammen.
sil·ver [ˈsɪlvə] **1.** Silber *n*; **2.** silbern, Silber...; **3.** versilbern; silb(e)rig *od.* silberweiß werden; *~* **plate, ~·ware** Tafelsilber *n*; **~·y** [~rɪ] silberglänzend; *fig.* silberhell.
sim·i·lar □ [ˈsɪmɪlə] ähnlich, gleich; **~·i·ty** [sɪmɪˈlærətɪ] Ähnlichkeit *f*.
sim·i·le [ˈsɪmɪlɪ] Gleichnis *n*.
si·mil·i·tude [sɪˈmɪlɪtjuːd] Gestalt *f*, Ebenbild *n*; Gleichnis *n*.
sim·mer [ˈsɪmə] leicht kochen *od.* sieden (lassen); *fig.* kochen (*with* vor *dat.*), gären (*Gefühl, Aufstand*); *~ down* sich beruhigen *od.* abregen.
sim·per [ˈsɪmpə] **1.** einfältiges Lächeln; **2.** einfältig lächeln.
sim·ple □ [ˈsɪmpl] (*~r, ~st*) einfach; schlicht; einfältig; arglos, naiv; **~-heart·ed, ~-mind·ed** einfältig, arglos, naiv; **~·ton** [~tən] Einfaltspinsel *m*.
sim·pli|ci·ty [sɪmˈplɪsətɪ] Einfachheit *f*; Unkompliziertheit *f*; Schlichtheit *f*; Einfalt *f*; **~·fi·ca·tion** [sɪmplɪfɪˈkeɪʃn] Vereinfachung *f*; **~·fy** [ˈsɪmplɪfaɪ] vereinfachen.
sim·ply [ˈsɪmplɪ] einfach; bloß.
sim·u·late [ˈsɪmjʊleɪt] vortäuschen; simulieren; ⚔, ⊕ *a. Bedingungen, Vorgänge* (wirklichkeitsgetreu) nachahmen.
sim·ul·ta·ne·ous □ [sɪmlˈteɪnjəs] gleichzeitig, simultan.

S

sin [sɪn] **1.** Sünde *f*; **2.** (*-nn-*) sündigen.
since [sɪns] **1.** *prp.* seit; **2.** *adv.* seitdem; **3.** *cj.* seit(dem); da (ja).
sin·cere □ [sɪnˈsɪə] aufrichtig, ehrlich, offen; *Yours ~ly Briefschluß*: Mit freundlichen Grüßen; **sin·cer·i·ty** [~ˈserətɪ] Aufrichtigkeit *f*; Offenheit *f*.
sin·ew *anat.* [ˈsɪnjuː] Sehne *f*; **~·y** [~juːɪ] sehnig; *fig.* kraftvoll.
sin·ful □ [ˈsɪnfl] sündig, sündhaft.
sing [sɪŋ] (*sang, sung*) singen; *~ to s.o.* j-m vorsingen.
singe [sɪndʒ] (ver-, ab)sengen.
sing·er [ˈsɪŋə] Sänger(in).
sing·ing [ˈsɪŋɪŋ] Gesang *m*, Singen *n*; *~ bird* Singvogel *m*.
sin·gle [ˈsɪŋɡl] **1.** □ einzig; einzeln; Einzel...; einfach; ledig, unverheiratet; *bookkeeping by ~ entry* einfache Buchführung; *in ~ file* im Gänsemarsch; **2.** *Brt.* einfache Fahrkarte, ✈ einfaches Ticket; Single *f* (*Schallplatte*); Single *m*, Unverheiratete(r *m*) *f*; *Brt.* Einpfund-, *Am.* Eindollarschein *m*; *~s sg., pl. Tennis*: Einzel *n*; **3.** *~ out* auswählen, -suchen; **~-breast·ed** einreihig (*Jacke etc.*); **~-en·gined** ✈ einmotorig; **~-hand·ed** eigenhändig, allein; **~-heart·ed** □, **~-mind·ed** □ aufrichtig; zielstrebig.
sin·glet *Brt.* [ˈsɪŋɡlɪt] ärmelloses Unterhemd *od.* Trikot.
sin·gle-track 🚂 [ˈsɪŋɡltræk] eingleisig; F *fig.* einseitig.
sin·gu·lar [ˈsɪŋɡjʊlə] **1.** □ einzigartig; eigenartig; sonderbar; **2.** *a. ~ number gr.* Singular *m*, Einzahl *f*; **~·i·ty** [sɪŋɡjʊˈlærətɪ] Einzigartigkeit *f*; Eigentümlich-, Seltsamkeit *f*.
sin·is·ter □ [ˈsɪnɪstə] unheilvoll; böse.
sink [sɪŋk] **1.** (*sank od. sunk, sunk*) *v/i.* sinken; ein-, nieder-, unter-, versinken; sich senken; (ein)dringen, (-)sickern; *v/t.* (ver)senken; *Brunnen* bohren; *Geld* fest anlegen; **2.** Ausguß *m*, Spüle *f*; **~·ing** [ˈsɪŋkɪŋ] (Ein-, Ver)Sinken *n*; Versenken *n*; ⚕ Schwäche(gefühl *n*) *f*; *econ.* Tilgung *f*; *~-fund* (Schulden)Tilgungsfonds *m*.
sin·less □ [ˈsɪnlɪs] sünd(en)los, sündenfrei.
sin·ner [ˈsɪnə] Sünder(in).
sin·u·ous □ [ˈsɪnjʊəs] gewunden.
sip [sɪp] **1.** Schlückchen *n*; **2.** (*-pp-*)

v/t. nippen an (*dat.*) *od.* von; schlückchenweise trinken; *v/i.* nippen (*at* an *dat. od.* von).
sir [sɜː] Herr *m* (*Anrede*); ♀ [sə] Sir *m* (*Titel*).
sire [ˈsaɪə] *mst poet.* Vater *m*; Vorfahr *m*; *zo.* Vater(tier *n*) *m*.
si·ren [ˈsaɪərən] Sirene *f*.
sir·loin [ˈsɜːlɔɪn] Lendenstück *n*.
sis·sy F [ˈsɪsɪ] Weichling *m*.
sis·ter [ˈsɪstə] (*a.* Ordens-, Ober-, Kranken)Schwester *f*; **~·hood** [~hʊd] Schwesternschaft *f*; **~-in-law** [~rɪnlɔː] (*pl. sisters-in-law*) Schwägerin *f*; **~·ly** [~lɪ] schwesterlich.
sit [sɪt] (*-tt-*; *sat*) *v/i.* sitzen; e-e Sitzung halten, tagen; *fig.* liegen, stehen; ~ *down* sich setzen; ~ *in* ein Sit-in veranstalten; ~ *in for* für *j-n* einspringen; ~ *up* aufrecht sitzen; aufbleiben; *v/t.* setzen; sitzen auf (*dat.*).
site [saɪt] Lage *f*; Stelle *f*; Stätte *f*; (Bau)Gelände *n*.
sit-in [ˈsɪtɪn] Sit-in *n*.
sit·ting [ˈsɪtɪŋ] Sitzung *f*; ~ **room** Wohnzimmer *n*.
sit·u|at·ed [ˈsɪtjʊeɪtɪd] gelegen; *be* ~ liegen, gelegen sein; **~·a·tion** [sɪtjʊˈeɪʃn] Lage *f*, Stellung *f*, Stelle *f*.
six [sɪks] **1.** sechs; **2.** Sechs *f*; **~·teen** [ˈsɪksˈtiːn] **1.** sechzehn; **2.** Sechzehn *f*; **~·teenth** [~θ] sechzehnte(r, -s); **~th** [sɪksθ] **1.** sechste(r, -s); **2.** Sechstel *n*; **~th·ly** [ˈsɪksθlɪ] sechstens; **~·ti·eth** [~tɪɪθ] sechzigste(r, -s); **~·ty** [~tɪ] **1.** sechzig; **2.** Sechzig *f*.
size [saɪz] **1.** Größe *f*; Format *n*; **2.** nach Größe(n) ordnen; ~ *up* F abschätzen; **~d** von *od.* in ... Größe.
siz(e)·a·ble □ [ˈsaɪzəbl] (ziemlich) groß.
siz·zle [ˈsɪzl] zischen; knistern; brutzeln; *sizzling* (*hot*) glühendheiß.
skate [skeɪt] **1.** Schlittschuh *m*; Rollschuh *m*; **2.** Schlittschuh laufen, eislaufen; Rollschuh laufen; **~·board** [ˈskeɪtbɔːd] **1.** Skateboard *n*; **2.** Skateboard fahren; **skat·er** [~ə] Schlittschuhläufer(in); Rollschuhläufer(in); **skat·ing** [~ɪŋ] Schlittschuh-, Eislaufen *n*, Eislauf *m*; Rollschuhlauf(en *n*) *m*.
ske·dad·dle F [skɪˈdædl] abhauen.
skein [skeɪn] Strang *m*, Docke *f*.
skel·e·ton [ˈskelɪtn] Skelett *n*; Gerippe *n*; Gestell *n*; *attr.* Skelett...; ⚔ Stamm...; ~ *key* Nachschlüssel *m*.
skep|tic [ˈskeptɪk], **~·ti·cal** [~l] *Am.* = *sceptic(al)*.
sketch [sketʃ] **1.** Skizze *f*; Entwurf *m*; *thea.* Sketch *m*; **2.** skizzieren; entwerfen.
ski [skiː] **1.** (*pl. skis, ski*) Schi *m*, Ski *m*; *attr.* Schi..., Ski...; **2.** Schi *od.* Ski laufen *od.* fahren.
skid [skɪd] **1.** Bremsklotz *m*; ✈ (Gleit)Kufe *f*; *mot.* Rutschen *n*, Schleudern *n*; ~ *mark mot.* Bremsspur *f*; **2.** (*-dd-*) rutschen; schleudern.
skid·doo *Am. sl.* [skɪˈduː] abhauen.
ski|er [ˈskiːə] Schi-, Skiläufer(in); ⚠ *nicht Skier*; **~·ing** [~ɪŋ] Schi-, Skilauf(en *n*) *m*, -fahren *n*, -sport *m*.
skil·ful □ [ˈskɪlfl] geschickt; geübt.
skill [skɪl] Geschicklichkeit *f*, Fertigkeit *f*; **~ed** geschickt; ausgebildet, Fach...; ~ *worker* Facharbeiter *m*.
skill·ful *Am.* □ [ˈskɪlfl] = *skilful*.
skim [skɪm] **1.** (*-mm-*) abschöpfen; *Milch* entrahmen; (hin)gleiten über (*acc.*); *Buch* überfliegen; ~ *through* durchblättern; **2.** ~ *milk* Magermilch *f*.
skimp [skɪmp] *j-n* knapphalten; sparen an; knausern (*on* mit); **~·y** □ [ˈskɪmpɪ] (*-ier, -iest*) knapp; dürftig.
skin [skɪn] **1.** Haut *f*; Fell *n*; Schale *f*; **2.** (*-nn-*) *v/t.* (ent)häuten; abbalgen; schälen; *v/i. a.* ~ *over* zuheilen; **~-deep** [ˈskɪnˈdiːp] (nur) oberflächlich; ~ **div·ing** Sporttauchen *n*; **~·flint** Knicker *m*; **~·ny** [~ɪ] (*-ier, -iest*) mager; **~·ny-dip** F nackt baden.
skip [skɪp] **1.** Sprung *m*; **2.** (*-pp-*) *v/i.* hüpfen, springen; seilhüpfen; *v/t.* überspringen.
skip·per [ˈskɪpə] ⚓ Schiffer *m*; ⚓, ✈, *Sport*: Kapitän *m*.
skir·mish [ˈskɜːmɪʃ] **1.** ⚔ *u. fig.* Geplänkel *n*; **2.** plänkeln.
skirt [skɜːt] **1.** (Damen)Rock *m*; (Rock)Schoß *m*; *oft* ~*s pl.* Rand *m*, Saum *m*; **2.** (um)säumen; (sich) entlangziehen an (*dat.*); **~·ing-board** *Brt.* [ˈskɜːtɪŋbɔːd] Scheuerleiste *f*.
skit [skɪt] Stichelei *f*; Satire *f*; **~·tish** □ [ˈskɪtɪʃ] ausgelassen; scheu (*Pferd*).
skit·tle [ˈskɪtl] Kegel *m*; *play* (*at*) ~*s* kegeln; **~-al·ley** Kegelbahn *f*.
skulk [skʌlk] (herum)schleichen; lauern; sich drücken.

skull [skʌl] Schädel *m.*
skul(l)·dug·ge·ry F [skʌlˈdʌgərɪ] Gaunerei *f.*
skunk *zo.* [skʌŋk] Skunk *m*, Stinktier *n.*
sky [skaɪ] *oft skies pl.* Himmel *m*; **~·jack** F [ˈskaɪdʒæk] *Flugzeug* entführen; **~·jack·er** F [~ə] Flugzeugentführer(in); **~·lab** *Am.* Raumlabor *n*; **~·lark 1.** *zo.* Feldlerche *f*; **2.** F Blödsinn treiben; **~·light** Oberlicht *n*, Dachfenster *n*; **~·line** Horizont *m*; Silhouette *f*; **~-rock·et** F in die Höhe schießen (*Preise*), sprunghaft ansteigen; **~·scrap·er** Wolkenkratzer *m*; **~·ward(s)** [~wəd(z)] himmelwärts.
slab [slæb] Platte *f*, Fliese *f*; (dicke) Scheibe (*Käse etc.*).
slack [slæk] **1.** □ schlaff; locker; (nach)lässig; flau (*a. econ.*); **2.** ⚓ Lose *f* (*schlaffes Taustück*); Flaute *f* (*a. econ.*); Kohlengrus *m*; **~·en** [ˈslækən] nachlassen; (sich) verringern; (sich) lockern; (sich) entspannen; (sich) verlangsamen; **~s** *pl.* Freizeithose *f.*
slag [slæg] Schlacke *f.*
slain [sleɪn] *p.p. von slay.*
slake [sleɪk] *Kalk* löschen; *Durst* löschen, stillen.
slam [slæm] **1.** Zuschlagen *n*; Knall *m*; **2.** (*-mm-*) *Tür etc.* zuschlagen, zuknallen; *et. auf den Tisch etc.* knallen.
slan·der [ˈslɑːndə] **1.** Verleumdung *f*; **2.** verleumden; **~·ous** □ [~rəs] verleumderisch.
slang [slæŋ] **1.** Slang *m*; Berufssprache *f*; lässige Umgangssprache; **2.** *j-n* wüst beschimpfen.
slant [slɑːnt] **1.** schräge Fläche; Abhang *m*; Neigung *f*; Standpunkt *m*, Einstellung *f*; Tendenz *f*; **2.** schräg legen *od.* liegen; sich neigen; **~·ing** *adj.* □ [ˈslɑːntɪŋ], **~·wise** *adv.* [~waɪz] schief, schräg.
slap [slæp] **1.** Klaps *m*, Schlag *m*; **2.** (*-pp-*) e-n Klaps geben (*dat.*); schlagen; klatschen; **~·jack** *Am.* [ˈslæpdʒæk] *Art* Pfannkuchen *m*; **~·stick** (Narren)Pritsche *f*; *a.* ~ *comedy thea.* Slapstickkomödie *f.*
slash [slæʃ] **1.** Hieb *m*; Schnitt(wunde *f*) *m*; Schlitz *m*; **2.** (auf)schlitzen; schlagen, hauen; *fig.* scharf kritisieren.
slate [sleɪt] **1.** Schiefer *m*; Schiefertafel *f*; *bsd. Am. pol.* Kandidatenliste *f*; **2.** mit Schiefer decken; *Brt.* F heftig kritisieren; *Am.* F *Kandidaten* aufstellen; **~-pen·cil** [ˈsleɪtˈpensl] Griffel *m.*
slat·tern [ˈslætən] Schlampe *f.*
slaugh·ter [ˈslɔːtə] **1.** Schlachten *n*; *fig.* Blutbad *n*, Gemetzel *n*; **2.** schlachten; *fig.* niedermetzeln; **~·house** Schlachthaus *n*, -hof *m.*
Slav [slɑːv] **1.** Slaw|e *m*, -in *f*; **2.** slawisch.
slave [sleɪv] **1.** Sklav|e *m*, -in *f* (*a. fig.*); **2.** sich (ab)placken, schuften.
slav·er [ˈslævə] **1.** Geifer *m*, Sabber *m*; **2.** geifern, sabbern.
sla·ve·ry [ˈsleɪvərɪ] Sklaverei *f*; Plackerei *f*; **slav·ish** □ [~ɪʃ] sklavisch.
slay *rhet.* [sleɪ] (*slew*, *slain*) erschlagen; töten; ⚠ *nicht schlagen.*
sled [sled] **1.** = *sledge*[1] *1*; **2.** (*-dd-*) = *sledge*[1] *2.*
sledge[1] [sledʒ] **1.** Schlitten *m*; **2.** Schlitten fahren, rodeln.
sledge[2] [~] *a.* ~*-hammer* Schmiedehammer *m.*
sleek [sliːk] **1.** □ glatt, glänzend (*Haar*, *Fell*); geschmeidig; **2.** glätten.
sleep [sliːp] **1.** (*slept*) *v/i.* schlafen; ~ (*up*)*on od. over et.* überschlafen; ~ *with s.o.* mit j-m schlafen (*Geschlechtsverkehr haben*); *v/t.* schlafen; *j-n* für die Nacht unterbringen; ~ *away Zeit* verschlafen; **2.** Schlaf *m*; *get od. go to* ~ einschlafen; *put to* ~ *Tier* einschläfern, **~·er** [ˈsliːpə] Schlafende(r *m*) *f*; 🚂 Schwelle *f*; 🚂 Schlafwagen *m*; **~·ing** [~ɪŋ] schlafend; Schlaf...; **♀·ing Beau·ty** Dornröschen *n*; **~·ing-car(·riage)** 🚂 Schlafwagen *m*; **~·ing part·ner** *Brt. econ.* stiller Teilhaber; **~·less** □ [~lɪs] schlaflos; **~-walk·er** Schlafwandler(in); **~·y** □ [~ɪ] (*-ier*, *-iest*) schläfrig; müde; verschlafen.
sleet [sliːt] **1.** Schneeregen *m*; Graupelschauer *m*; **2.** *it was* ~*ing* es gab Schneeregen; es graupelte.
sleeve [sliːv] Ärmel *m*; ⊕ Muffe *f*; *Brt.* (Schall)Plattenhülle *f*; **~-link** [ˈsliːvlɪŋk] Manschettenknopf *m.*
sleigh [sleɪ] **1.** (*bsd.* Pferde)Schlitten *m*; **2.** (im) Schlitten fahren.
sleight [slaɪt]: ~ *of hand* (Taschenspieler)Trick *m*; Fingerfertigkeit *f.*
slen·der □ [ˈslendə] schlank; schmächtig; *fig.* schwach; dürftig.

S

slept [slept] *pret. u. p.p. von sleep 1.*
sleuth [slu:θ] *a.* ~*-hound* Spürhund *m* (*a. fig. Detektiv*).
slew [slu:] *pret. von slay.*
slice [slaɪs] **1.** Schnitte *f*, Scheibe *f*, Stück *n*; (An)Teil *m*; **2.** (in) Scheiben schneiden; aufschneiden.
slick [slɪk] **1.** □ *adj.* glatt, glitschig; F geschickt, raffiniert; **2.** *adv.* direkt; **3.** Ölfleck *m*, -teppich *m*; **~·er** *Am.* F ['slɪkə] Regenmantel *m*; gerissener Kerl.
slid [slɪd] *pret. u. p.p. von slide 1.*
slide [slaɪd] **1.** (*slid*) gleiten (lassen); rutschen; schlittern; ausgleiten; ~ *into fig.* in *et.* hineinschlittern; *let things* ~ *fig.* die Dinge laufen lassen; **2.** Gleiten *n*, Rutschen *n*, Schlittern *n*; Rutschbahn *f*; Rutsche *f*; ⊕ Schieber *m*; *phot.* Dia(positiv) *n*; *Brt.* (Haar)Spange *f*; *a. land*~ Erdrutsch *m*; **~-rule** ['slaɪdru:l] Rechenschieber *m*.
slid·ing □ ['slaɪdɪŋ] gleitend, rutschend; Schiebe...; ~ *time Am. econ.* Gleitzeit *f*.
slight [slaɪt] **1.** □ leicht; schmächtig; schwach; gering, unbedeutend; **2.** Geringschätzung *f*; **3.** geringschätzig behandeln; beleidigen, kränken.
slim (*-mm-*) [slɪm] **1.** □ schlank, dünn; *fig.* gering, dürftig; **2.** e-e Schlankheitskur machen, abnehmen.
slime [slaɪm] Schlamm *m*; Schleim *m*; **slim·y** ['slaɪmɪ] (*-ier, -iest*) schlammig; schleimig; *fig.* schmierig; kriecherisch.
sling [slɪŋ] **1.** (Stein)Schleuder *f*; Schlinge *f* (*zum Tragen*); Tragriemen *m*; ⚕ Schlinge *f*, Binde *f*; **2.** (*slung*) schleudern; auf-, umhängen; *a.* ~ *up* hochziehen; ⚠ *nicht schlingen.*
slink [slɪŋk] (*slunk*) schleichen.
slip [slɪp] **1.** (*-pp-*) gleiten (lassen); rutschen; ausgleiten, -rutschen; (ver)rutschen; loslassen; ~ *away* wegschleichen, sich fortstehlen; ~ *in Bemerkung* dazwischenwerfen; ~ *into* hineinstecken *od.* hineinschieben in (*acc.*); ~ *off* (*on*) *Ring, Kleid etc.* abstreifen (überstreifen); ~ *up* (e-n) Fehler machen; *have* ~*ped s.o.'s memory od. mind* j-m entfallen sein; **2.** (Aus)Gleiten *n*, (-)Rutschen *n*; Fehltritt *m* (*a. fig.*); (Flüchtigkeits-) Fehler *m*; Fehler *m*, Panne *f*; Streifen *m*, Zettel *m*; *econ.* (Kontroll)Abschnitt *m*; (Kissen)Bezug *m*; Unterkleid *n*, -rock *m*; ⚠ *nicht Slip*; *a* ~ *of a boy* (*girl*) ein schmächtiges Bürschchen (ein zartes Ding); ~ *of the tongue* Versprecher *m*; *give s.o. the* ~ j-m entwischen; **~ped disc** ⚕ [slɪpt 'dɪsk] Bandscheibenvorfall *m*; **~·per** ['slɪpə] Pantoffel *m*, Hausschuh *m*; **~·per·y** □ [~rɪ] (*-ier, -iest*) glatt, schlüpfrig; **~-road** *Brt.* Autobahnauffahrt *f*, -ausfahrt *f*; **~·shod** [~ʃɒd] schlampig, nachlässig.
slit [slɪt] **1.** Schlitz *m*, Spalt *m*; **2.** (*-tt-*; *slit*) (auf-, zer)schlitzen.
slith·er ['slɪðə] gleiten, rutschen.
sliv·er ['slɪvə] Splitter *m*.
slob·ber ['slɒbə] **1.** Sabber *m*, Geifer *m*; **2.** (be)geifern, (be)sabbern.
slo·gan ['sləʊgən] Slogan *m*; Schlagwort *n*; Werbespruch *m*.
sloop ⚓ [slu:p] Schaluppe *f*.
slop [slɒp] **1.** Krankensüppchen *n*; ~*s pl.* Spül-, Schmutzwasser *n*; **2.** (*-pp-*) *v/t.* verschütten; *v/i.* ~ *over* überschwappen.
slope [sləʊp] **1.** (Ab)Hang *m*; Neigung *f*, Gefälle *n*; **2.** ⊕ abschrägen; abfallen; schräg verlaufen; (sich) neigen.
slop·py □ ['slɒpɪ] (*-ier, -iest*) naß, schmutzig; schlampig; labb(e)rig (*Essen*); rührselig.
slot [slɒt] Schlitz *m*, (Münz)Einwurf *m*.
sloth [sləʊθ] Faulheit *f*; *zo.* Faultier *n*.
slot-ma·chine ['slɒtməʃi:n] (Waren-, Spiel)Automat *m*.
slouch [slaʊtʃ] **1.** krumm *od.* (nach-) lässig dastehen *od.* dasitzen; F (herum)latschen; **2.** schlaffe, schlechte Haltung; ~ *hat* Schlapphut *m*.
slough[1] [slaʊ] Sumpf(loch *n*) *m*.
slough[2] [slʌf] *Haut* abwerfen.
slov·en ['slʌvn] unordentlicher Mensch; Schlampe *f*; **~·ly** [~lɪ] schlampig.
slow [sləʊ] **1.** □ langsam; schwerfällig; träge; *be* ~ nachgehen (*Uhr*); **2.** *adv.* langsam; **3.** ~ *down*, ~ *up v/t. Geschwindigkeit* verlangsamen, -ringern; *v/i.* langsamer werden; **~·coach** ['sləʊkəʊtʃ] Langweiler *m*; **~-down (strike)** *Am. econ.* Bummelstreik *m*; ~ **mo·tion** *phot.* Zeitlupe *f*; **~·poke** *Am.* = *slowcoach*; **~-worm** *zo.* Blindschleiche *f*.

sludge [slʌdʒ] Schlamm *m*; Matsch *m*.
slug [slʌg] **1.** *zo.* Wegschnecke *f*; Stück *n* Rohmetall; *bsd. Am.* (Pistolen)Kugel *f*; *Am.* (Faust)Schlag *m*; **2.** (*-gg-*) *Am.* F *j-m* e-n harten Schlag versetzen.
slug|gard [ˈslʌgəd] Faulpelz *m*; **~·gish** □ [~ɪʃ] träge; *econ.* schleppend.
sluice ⊕ [slu:s] Schleuse *f*.
slum·ber [ˈslʌmbə] **1.** *mst* ~*s pl.* Schlummer *m*; **2.** schlummern.
slump [slʌmp] **1.** plumpsen; *econ.* fallen, stürzen (*Preise*); **2.** *econ.* (Kurs-, Preis)Sturz *m*; (starker) Konjunkturrückgang.
slums [slʌmz] *pl.* Slums *pl.*, Elendsviertel *n od. pl.*
slung [slʌŋ] *pret. u. p.p. von sling* 2.
slunk [slʌŋk] *pret. u. p.p. von slink.*
slur [slɜ:] **1.** (*-rr-*) verunglimpfen, verleumden; undeutlich (aus)sprechen; ♪ *Töne* binden; **2.** Verunglimpfung *f*, Verleumdung *f*; undeutliche Aussprache; ♪ Bindebogen *m*.
slush [slʌʃ] Schlamm *m*, Matsch *m*; Schneematsch *m*; Kitsch *m*.
slut [slʌt] Schlampe *f*; Nutte *f*.
sly □ [slaɪ] (~*er*, ~*est*) schlau, listig; hinterlistig; *on the* ~ heimlich.
smack [smæk] **1.** (Bei)Geschmack *m*; Schmatz *m* (*Kuß*); Schmatzen *n*; klatschender Schlag, Klatsch *m*, Klaps *m*; (Peitschen)Knall *m*; *fig.* Spur *f*, Andeutung *f*; **2.** schmecken (*of* nach); klatschend schlagen; knallen (mit); *j-m* e-n Klaps geben; ~ *one's lips* schmatzen.
small [smɔ:l] **1.** klein; gering; wenig; unbedeutend; bescheiden; (sozial) niedrig; kleinlich; ⚠ *nicht schmal*; *feel* ~ sich schämen; sich ganz klein und häßlich vorkommen; *look* ~ beschämt *od.* schlecht dastehen; *the* ~ *hours* die frühen Morgenstunden *pl.*; *in a* ~ *way* bescheiden; **2.** ~ *of the back anat.* Kreuz *n*; ~*s pl. Brt.* F Unterwäsche *f*, Taschentücher *pl. etc.*; *wash one's* ~*s* kleine Wäsche waschen; ~ **arms** [ˈsmɔ:lɑ:mz] *pl.* Handfeuerwaffen *pl.*; ~ **change** Kleingeld *n*; **~·ish** [~ɪʃ] ziemlich klein; **~·pox** ⚕ [~pɒks] Pocken *pl.*; ~ **talk** oberflächliche Konversation; **~-time** F unbedeutend.

S

smart [smɑ:t] **1.** □ klug; gewandt, geschickt; gerissen, raffiniert; elegant, schick, fesch; forsch; flink; hart, scharf; heftig; schlagfertig; ~ *aleck* F Klugscheißer *m*; **2.** stechender Schmerz; **3.** schmerzen; leiden; **~·ness** [ˈsmɑ:tnɪs] Klugheit *f*; Gewandtheit *f*; Gerissenheit *f*; Eleganz *f*; Schärfe *f*.
smash [smæʃ] **1.** *v/t.* zerschlagen, -trümmern; (zer)schmettern; *fig.* vernichten; *v/i.* zersplittern; krachen; zusammenstoßen; *fig.* zusammenbrechen; **2.** heftiger Schlag; Zerschmettern *n*; Krach *m*; Zusammenbruch *m* (*a. econ.*); *Tennis etc.*: Schmetterball *m*; *a.* ~ *hit* F toller Erfolg; **~·ing** *bsd. Brt.* F [ˈsmæʃɪŋ] toll, sagenhaft; **~-up** Zusammenstoß *m*; Zusammenbruch *m*.
smat·ter·ing [ˈsmætərɪŋ] oberflächliche Kenntnis.
smear [smɪə] **1.** (be-, ein-, ver-) schmieren; *fig.* verleumden; **2.** Schmiere *f*; Fleck *m*.
smell [smel] **1.** Geruch(ssinn) *m*; Duft *m*; Gestank *m*; **2.** (*smelt od. smelled*) *v/t.* riechen (an *dat.*); *v/i.* riechen (*at* an *dat.*); duften; stinken; **~·y** [ˈsmelɪ] (*-ier*, *-iest*) übelriechend, stinkend.
smelt[1] [smelt] *pret. u. p.p. von smell* 2.
smelt[2] *metall.* [~] *Erz* (ein)schmelzen, verhütten.
smile [smaɪl] **1.** Lächeln *n*; **2.** lächeln; ~ *at j-n* anlächeln.
smirch [smɜ:tʃ] besudeln.
smirk [smɜ:k] grinsen.
smith [smɪθ] Schmied *m*.
smith·e·reens [ˈsmɪðəˈri:nz] *pl.* Stücke *pl.*, Splitter *pl*, Fetzen *pl.*
smith·y [ˈsmɪðɪ] Schmiede *f*.
smit·ten [ˈsmɪtn] betroffen, heimgesucht; *fig.* hingerissen (*with* von); *humor.* verliebt, -knallt (*with* in *acc.*).
smock [smɒk] Kittel *m*.
smog [smɒg] Smog *m*.
smoke [sməʊk] **1.** Rauch *m*; *have a* ~ (eine) rauchen; **2.** rauchen; qualmen; dampfen; räuchern; **~-dried** [ˈsməʊkdraɪd] geräuchert; **smok·er** [~ə] Raucher(in); 🚃 F Raucher(abteil *n*) *m*; **~-stack** 🚃, ⚓ Schornstein *m*.
smok·ing [ˈsməʊkɪŋ] Rauchen *n*; *attr.* Rauch(er)...; **~-com·part·ment** 🚃 Raucherabteil *n*.

smok·y □ [ˈsməʊkɪ] (*-ier, -iest*) rauchig; verräuchert.
smooth [smuːð] **1.** □ glatt; eben; ruhig (⊕, *Meer, Reise*); sanft (*Stimme*); flüssig (*Stil etc.*); mild (*Wein*); (aal)glatt, gewandt (*Benehmen*); **2.** glätten; *fig.* besänftigen; ~ *away fig.* wegräumen; ~ *down* sich glätten; glattstreichen; ~ *out Falte* glattstreichen; **~·ness** [ˈsmuːðnɪs] Glätte *f*.
smoth·er [ˈsmʌðə] ersticken.
smo(u)l·der [ˈsməʊldə] schwelen.
smudge [smʌdʒ] **1.** (ver-, be)schmieren; schmutzig werden; **2.** Schmutzfleck *m*.
smug [smʌg] (*-gg-*) selbstgefällig.
smug·gle [ˈsmʌgl] schmuggeln; **~r** [~ə] Schmuggler(in).
smut [smʌt] Ruß(fleck) *m*; Schmutzfleck *m*; *fig.* Zote(n *pl.*) *f*; ⚠ *nicht Schmutz*; **2.** (*-tt-*) beschmutzen; **~·ty** □ [ˈsmʌtɪ] (*-ier, -iest*) schmutzig.
snack [snæk] Imbiß *m*; *have a* ~ e-e Kleinigkeit essen; **~-bar** [ˈsnækbɑː] Snackbar *f*, Imbißstube *f*.
snaf·fle [ˈsnæfl] *a.* ~ *bit* Trense *f*.
snag [snæg] (Ast-, Zahn)Stumpf *m*; *bsd. Am.* Baumstumpf *m* (*bsd. unter Wasser*); *fig.* Haken *m*.
snail *zo.* [sneɪl] Schnecke *f*.
snake *zo.* [sneɪk] Schlange *f*; ⚠ *nicht Schnecke*.
snap [snæp] **1.** (Zu)Schnappen *n*, Biß *m*; Knacken *n*, Krachen *n*; Knacks *m*; Knall *m*; Schnappschloß *n*; F *phot.* Schnappschuß *m*; *fig.* F Schwung *m*, Schmiß *m*; *cold* ~ Kälteeinbruch *m*; **2.** (*-pp-*) *v/i.* schnappen (*at* nach); zuschnappen (*Schloß*); krachen; knacken; knallen; (zer)brechen; zerkrachen, -springen, -reißen; schnauzen; ~ *at s.o.* j-n anschnauzen; ~ *to it!*, *Am. a.* ~ *it up! sl.* mach schnell!, Tempo!; ~ *out of it! sl.* hör auf (damit)!, komm, komm!; *v/t.* (er)schnappen, beißen; schnell greifen nach; knallen mit; (auf- *od.* zu)schnappen *od.* (-)knallen lassen; *phot.* knipsen; zerbrechen; *j-n* anschnauzen, anfahren; ~ *one's fingers* mit den Fingern schnalzen; ~ *one's fingers at fig. j-n, et.* nicht ernst nehmen; ~ *out Worte* hervorstoßen; ~ *up* wegschnappen; an sich reißen; **~-fas·ten·er** [ˈsnæpfɑːsnə] Druckknopf *m*; **~·pish** □ [~ɪʃ] bissig; schnippisch; **~·py** [~ɪ] (*-ier, -iest*) bissig; F flott; F schnell; *make it* ~!, *Brt. a. look* ~! F mach fix!; **~·shot** Schnappschuß *m*, Momentaufnahme *f*.
snare [sneə] **1.** Schlinge *f*, Falle *f* (*a. fig.*); **2.** fangen; *fig.* umgarnen.
snarl [snɑːl] **1.** wütend knurren; **2.** Knurren *n*, Zähnefletschen *n*; Knoten *m*; *fig.* Gewirr *n*.
snatch [snætʃ] **1.** schneller Griff; Ruck *m*; Stückchen *n*; **2.** schnappen; ergreifen; *et.* an sich reißen; nehmen; ~ *at* greifen nach.
sneak [sniːk] **1.** *v/i.* schleichen; *Brt. sl.* petzen; *v/t. sl.* stibitzen; **2.** F Leisetreter *m*, Kriecher *m*; *Brt. sl.* Petze *f*; **~·ers** *bsd. Am.* [ˈsniːkəz] *pl.* Turnschuhe *pl.*
sneer [snɪə] **1.** höhnisches Grinsen; höhnische Bemerkung; **2.** höhnisch grinsen; spotten; *et.* höhnen.
sneeze [sniːz] **1.** niesen; **2.** Niesen *n*.
snick·er [ˈsnɪkə] *bsd. Am.* kichern; *bsd. Brt.* wiehern.
sniff [snɪf] schnüffeln, schnuppern; *fig.* die Nase rümpfen.
snig·ger *bsd. Brt.* [ˈsnɪgə] kichern.
snip [snɪp] **1.** Schnitt *m*; Schnipsel *m*, *n*; **2.** (*-pp-*) schnippeln, schnipseln.
snipe [snaɪp] **1.** *zo.* Schnepfe *f*; **2.** aus dem Hinterhalt schießen; **snip·er** [ˈsnaɪpə] Heckenschütze *m*.
sniv·el [ˈsnɪvl] (*bsd. Brt. -ll-, Am. -l-*) schniefen; schluchzen; plärren.
snob [snɒb] Snob *m*; **~·bish** □ [ˈsnɒbɪʃ] versnobt.
snoop F [snuːp] **1.** ~ *about*, ~ *around* F *fig.* herumschnüffeln; **2.** Schnüffler(in).
snooze F [snuːz] **1.** Nickerchen *n*; **2.** ein Nickerchen machen; dösen.
snore [snɔː] **1.** schnarchen; **2.** Schnarchen *n*.
snort [snɔːt] schnauben; prusten.
snout [snaʊt] Schnauze *f*; Rüssel *m*.
snow [snəʊ] **1.** Schnee *m*; *sl.* Snow *m*, Schnee *m* (*Kokain, Heroin*); **2.** schneien; *~ed in od. up* eingeschneit; *be ~ed under fig.* erdrückt werden; **~-bound** [ˈsnəʊbaʊnd] eingeschneit; **~-capped, ~·clad, ~·cov·ered** schneebedeckt; **~-drift** Schneewehe *f*; **~·drop** ⚘ Schneeglöckchen *n*; **~-white** schneeweiß; ♀ **White** Schneewittchen *n*; **~·y** □ [~ɪ] (*-ier, -iest*) schneeig; schneebedeckt, verschneit; schneeweiß.
snub [snʌb] **1.** (*-bb-*) *j-n* vor den Kopf stoßen, brüskieren; *j-m* über

S

den Mund fahren; *j-n* schneiden; **2.** Brüskierung *f*; **~-nosed** [ˈsnʌbnəʊzd] stupsnasig.
snuff [snʌf] **1.** Schnuppe *f* (*e-r Kerze*); Schnupftabak *m*; *take* ~ schnupfen; **2.** *Kerze* putzen; schnupfen.
snuf·fle [ˈsnʌfl] schnüffeln; näseln.
snug □ [snʌg] (*-gg-*) geborgen; behaglich; enganliegend; **~·gle** [ˈsnʌgl] sich anschmiegen *od.* kuscheln (*up to s.o.* an j-n).
so [səʊ] so; also; deshalb; *I hope* ~ ich hoffe es; *I think* ~ ich glaube *od.* denke schon; *are you tired? – ~ I am* bist du müde? Ja; *you are tired, ~ am I* du bist müde, ich auch; *~ far* bisher.
soak [səʊk] *v/t.* einweichen; durchnässen; (durch)tränken; *~ in* einsaugen; *~ up* aufsaugen; *v/i.* sich vollsaugen; ein-, durchsickern.
soap [səʊp] **1.** Seife *f*; *soft* ~ Schmierseife *f*; *fig.* Schmeichelei *f*; **2.** ab-, einseifen; **~-box** [ˈsəʊpbɒks] Seifenkiste *f*; improvisierte Rednerbühne; **~·y** □ [~ɪ] (*-ier, -iest*) seifig; *fig.* F schmeichlerisch.
soar [sɔː] (hoch) aufsteigen, sich erheben; in großer Höhe fliegen *od.* schweben; ✈ segeln, gleiten.
sob [sɒb] **1.** Schluchzen *n*; **2.** (*-bb-*) schluchzen.
so·ber [ˈsəʊbə] **1.** □ nüchtern; **2.** ernüchtern; *~ down, ~ up* nüchtern machen *od.* werden; **so·bri·e·ty** [səʊˈbraɪətɪ] Nüchternheit *f*.
so-called [ˈsəʊˈkɔːld] sogenannt.
soc·cer [ˈsɒkə] Fußball *m* (*Spiel*).
so·cia·ble [ˈsəʊʃəbl] **1.** □ gesellig; gemütlich; **2.** geselliges Beisammensein.
so·cial [ˈsəʊʃl] **1.** □ gesellig; gesellschaftlich; sozial; sozialistisch; Sozial...; **2.** geselliges Beisammensein; ~ **in·sur·ance** Sozialversicherung *f*.
so·cial|is·m [ˈsəʊʃəlɪzəm] Sozialismus *m*; **~·ist** [~ɪst] **1.** Sozialist(in); **2.** = **~·is·tic** [səʊʃəˈlɪstɪk] (*~ally*) sozialistisch; **~·ize** [ˈsəʊʃəlaɪz] sozialisieren; verstaatlichen; gesellschaftlich verkehren (*with* mit).
so·cial| sci·ence [ˈsəʊʃlˈsaɪəns] Sozialwissenschaft *f*; ~ **se·cu·ri·ty** Sozialhilfe *f*; *be on* ~ Sozialhilfe beziehen; ~ **serv·ices** *pl.* staatliche Sozialleistungen *pl.*; ~ **work** Sozialarbeit *f*; ~ **work·er** Sozialarbeiter(in).
so·ci·e·ty [səˈsaɪətɪ] Gesellschaft *f*; Verein *m*, Vereinigung *f*.
so·ci·ol·o·gy [səʊsɪˈɒlədʒɪ] Soziologie *f*.
sock [sɒk] Socke *f*; Einlegesohle *f*.
sock·et [ˈsɒkɪt] *anat.* (Augen-, Zahn-) Höhle *f*; *anat.* (Gelenk)Pfanne *f*; ⊕ Muffe *f*; ⚡ Fassung *f*; ⚡ Steckdose *f*; ⚡ (Anschluß)Buchse *f*.
sod [sɒd] Grasnarbe *f*; Rasenstück *n*.
so·da [ˈsəʊdə] ⚗ Soda *f*, *n*; Soda (-wasser) *n*; **~-foun·tain** Siphon *m*; *Am.* Erfrischungshalle *f*, Eisbar *f*.
sod·den [ˈsɒdn] durchweicht; teigig.
soft [sɒft] **1.** □ weich; mild; sanft; sacht, leise; gedämpft (*Licht etc.*); leicht, angenehm (*Arbeit*); weichlich; *a. ~ in the head* F einfältig, doof; alkoholfrei (*Getränk*); weich (*Drogen*); **2.** *adv.* sanft, leise; **~·en** [ˈsɒfn] *v/t.* weich machen; *Farbe, Stimme etc.* dämpfen; *Wasser* enthärten; *j-n* erweichen; *fig.* mildern; *v/i.* weich(er) *od.* sanft(er) *od.* mild(er) werden; **~-head·ed** doof; **~-heart·ed** weichherzig; **~-land** *Raumfahrt*: weich landen; ~ **landing** *Raumfahrt*: weiche Landung; **~·ware** *Computer*: Software *f* (*Programme etc.*); *Sprachlabor*: Software *f*, Begleitmaterial *n*; **~·y** F [~ɪ] Trottel *m*; weichlicher Typ; Schwächling *m*.
sog·gy [ˈsɒgɪ] (*-ier, -iest*) durchnäßt; feucht.
soil [sɔɪl] **1.** Boden *m*, Erde *f*; Fleck *m*; Schmutz *m*; **2.** (be)schmutzen; schmutzig machen *od.* werden.
soj·ourn [ˈsɒdʒɜːn] **1.** Aufenthalt *m*; **2.** sich (vorübergehend) aufhalten.
sol·ace [ˈsɒləs] **1.** Trost *m*; **2.** trösten.
so·lar [ˈsəʊlə] Sonnen...
sold [səʊld] *pret. u. p.p. von sell.*
sol·der ⊕ [ˈsɒldə] **1.** Lot *n*; **2.** löten.
sol·dier [ˈsəʊldʒə] Soldat *m*; **~·like, ~·ly** [~lɪ] soldatisch; **~·y** [~rɪ] Militär *n*, Soldaten *pl.*
sole[1] □ [səʊl] alleinig, einzig, Allein...; *~ agent* Alleinvertreter *m*.
sole[2] [~] **1.** (Fuß-, Schuh)Sohle *f*; ⚠ *nicht Sole*; **2.** besohlen.
sole[3] *zo.* [~] Seezunge *f*.
sol|emn □ [ˈsɒləm] feierlich; ernst; **so·lem·ni·ty** [səˈlemnətɪ] Feierlichkeit *f*; **~·em·nize** [ˈsɒləmnaɪz] feiern; *Trauung* feierlich vollziehen.
so·li·cit [səˈlɪsɪt] (dringend) bitten (um); sich anbieten (*Prostituierte*).
so·lic·i|ta·tion [səlɪsɪˈteɪʃn] dringen-

S

de Bitte; **~·tor** [sə'lɪsɪtə] *Brt.* ⚖ (*nicht plädierender*) Anwalt; *Am.* Agent *m*, Werber *m*; **~·tous** □ [~əs] besorgt (*about, for* um, wegen); *~ of* begierig nach; *~ to do* bestrebt zu tun; **~·tude** [~ju:d] Sorge *f*, Besorgnis *f*.
sol·id ['sɒlɪd] **1.** □ fest; derb, kräftig; stabil; massiv; ⩚ körperlich, räumlich, Raum...; gewichtig, triftig; solid(e), gründlich; solid(e), zuverlässig (*Person*); einmütig, solidarisch; *a ~ hour* e-e volle Stunde; **2.** fester Stoff; *geom.* Körper *m*; *~s pl.* feste Nahrung; **sol·i·dar·i·ty** [sɒlɪ'dærətɪ] Solidarität *f*.
so·lid·i|fy [sə'lɪdɪfaɪ] fest werden (lassen); verdichten; **~·ty** [~tɪ] Solidität *f*.
so·lil·o·quy [sə'lɪləkwɪ] Selbstgespräch *n*; *bsd. thea.* Monolog *m*.
sol·i·taire [sɒlɪ'teə] Solitär *m*; *Am. Karten*: Patience *f*.
sol·i|ta·ry □ ['sɒlɪtərɪ] einsam; einzeln; einsiedlerisch; **~·tude** [~ju:d] Einsamkeit *f*; Verlassenheit *f*; Öde *f*.
so·lo ['səʊləʊ] (*pl. -los*) Solo *n*; ✈ Alleinflug *m*; **~·ist** ♪ [~ɪst] Solist(in).
sol·u·ble ['sɒljʊbl] löslich; *fig.* lösbar; **so·lu·tion** [sə'lu:ʃn] (Auf)Lösung *f*.
solve [sɒlv] lösen; **sol·vent** ['sɒlvənt] **1.** ⚗ (auf)lösend; *econ.* zahlungsfähig; **2.** ⚗ Lösungsmittel *n*.
som·bre, *Am.* **-ber** □ ['sɒmbə] düster, trüb(e); *fig.* trübsinnig.
some [sʌm, səm] (irgend)ein; *vor pl.*: einige, ein paar, manche; etwas; etwa; F beachtlich, vielleicht ein (*in Ausrufen*); *~ 20 miles* etwa 20 Meilen; *to ~ extent* einigermaßen; **~·bod·y** ['sʌmbədɪ] (irgend) jemand, irgendeiner; **~·day** eines Tages; **~·how** irgendwie; *~ or other* irgendwie; **~·one** (irgend) jemand, irgendeiner; **~·place** *Am.* = *somewhere*.
som·er·sault ['sʌməsɔ:lt] **1.** Salto *m*; Purzelbaum *m*; *turn a ~* = **2.** e-n Salto machen; e-n Purzelbaum schlagen.
some|thing ['sʌmθɪŋ] (irgend) etwas; *~ like* so etwas wie, so ungefähr; **~·time 1.** irgendwann; **2.** ehemalige(r, -s); **~·times** manchmal; **~·what** etwas, ziemlich; **~·where** irgendwo(hin).
son [sʌn] Sohn *m*.
sonde [sɒnd] *Raumfahrt*: Sonde *f*.
song [sɒŋ] Lied *n*; Gesang *m*; Gedicht *n*; *for a ~* für ein Butterbrot; **~·bird** ['sɒŋbɜ:d] Singvogel *m*; **~·ster** [~stə] Singvogel *m*; Sänger *m*; **~·stress** [~rɪs] Sängerin *f*.
son·ic ['sɒnɪk] Schall...; *~* **boom,** *Brt. a.* *~* **bang** Überschallknall *m*.
son-in-law ['sʌnɪnlɔ:] (*pl. sons-in-law*) Schwiegersohn *m*.
son·net ['sɒnɪt] Sonett *n*.
so·nor·ous □ [sə'nɔ:rəs] klangvoll.
soon [su:n] bald; früh; gern; *as od. so ~ as* sobald als *od.* wie; **~·er** ['su:nə] eher; früher; lieber; *~ or later* früher oder später; *the ~ the better* je eher, desto besser; *no ~ ... than* kaum ... als; *no ~ said than done* gesagt, getan.
soot [sʊt] **1.** Ruß *m*; **2.** verrußen.
soothe [su:ð] beruhigen, besänftigen, beschwichtigen; lindern, mildern; **sooth·ing** □ ['su:ðɪŋ] besänftigend; lindernd; **sooth·say·er** ['su:θseɪə] Wahrsager(in).
soot·y □ ['sʊtɪ] (*-ier, -iest*) rußig.
sop [sɒp] **1.** eingetunkter *od.* -weichter Bissen; **2.** (*-pp-*) eintunken.
so·phis·ti·cat·ed [sə'fɪstɪkeɪtɪd] anspruchsvoll, kultiviert; intellektuell; blasiert; ⊕ hochentwickelt; ⊕ kompliziert; verfälscht; **soph·ist·ry** ['sɒfɪstrɪ] Spitzfindigkeit *f*.
soph·o·more *Am.* ['sɒfəmɔ:] College-Student(in) *od.* Schüler(in) e-r High-School im zweiten Jahr.
sop·o·rif·ic [sɒpə'rɪfɪk] **1.** (*~ally*) einschläfernd; **2.** Schlafmittel *n*.
sor·cer|er ['sɔ:sərə] Zauberer *m*, Hexenmeister *m*; **~·ess** [~ɪs] Zauberin *f*, Hexe *f*; **~·y** [~ɪ] Zauberei *f*, Hexerei *f*.
sor·did □ ['sɔ:dɪd] schmutzig; schäbig, elend, miserabel.
sore [sɔ:] **1.** □ (*~r, ~st*) schlimm, entzündet; wund, weh; gereizt; verärgert, böse; *a ~ throat* Halsschmerzen *pl.*; **2.** Wunde *f*, Entzündung *f*; **~·head** *Am.* F ['sɔ:hed] mürrischer Mensch.
sor·rel ['sɒrəl] **1.** rotbraun; **2.** *zo.* Fuchs *m* (*Pferd*); ⚘ Sauerampfer *m*.
sor·row ['sɒrəʊ] **1.** Kummer *m*, Leid *n*; Schmerz *m*, Jammer *m*; **2.** trauern; sich grämen; **~·ful** □ [~fl] traurig, betrübt.
sor·ry □ ['sɒrɪ] (*-ier, -iest*) betrübt, bekümmert; traurig, erbärmlich; *be ~ about s.th.* et. bereuen *od.* bedauern; *I am (so) ~!* es tut mir (sehr) leid, Verzeihung!; *~!* Verzeihung!,

S

Entschuldigung!; *I am ~ for him* er tut mir leid; *we are ~ to say* wir müssen leider sagen.
sort [sɔːt] **1.** Sorte *f*, Art *f*; *what ~ of* was für; *of a ~, of ~s* F so was wie; *~ of* F gewissermaßen; *out of ~s* F nicht auf der Höhe; **2.** sortieren; *~ out* (aus-)sortieren; *fig.* in Ordnung bringen.
sot [sɒt] Säufer *m*, Trunkenbold *m*.
sough [saʊ] **1.** Rauschen *n*; **2.** rauschen.
sought [sɔːt] *pret. u. p.p. von seek*.
soul [səʊl] Seele *f* (*a. fig.*); Inbegriff *m*; ♪ Soul *m*.
sound [saʊnd] **1.** ☐ gesund; intakt; *econ.* solid(e), stabil, sicher; vernünftig; ⚖ gültig; zuverlässig; kräftig, tüchtig; fest, tief (*Schlaf*); **2.** Ton *m*, Schall *m*, Laut *m*, Klang *m*; ♪ Sound *m*; ⚕ Sonde *f*; Sund *m*, Meerenge *f*; Fischblase *f*; **3.** (er)tönen, (-)klingen; erschallen (lassen); sich *gut etc.* anhören; sondieren; ⚓ (aus-)loten; ⚕ abhorchen; *~* **bar·ri·er** Schallgrenze *f*, -mauer *f*; *~***-film** [ˈsaʊndfɪlm] Tonfilm *m*; *~***·ing** ⚓ [~ɪŋ] Lotung *f*; *~s pl.* lotbare Wassertiefe; *~***·less** ☐ [~lɪs] lautlos; *~***·ness** [~nɪs] Gesundheit *f* (*a. fig.*); *~* **pol·lu·tion** Lärmbelästigung *f*; *~***-proof** schalldicht; *~***-track** *Film*: Tonspur *f*; Filmmusik *f*; *~***-wave** Schallwelle *f*.
soup [suːp] **1.** Suppe *f*; *(some) ~* e-e Suppe; **2.** *~ up* F *Motor* frisieren.
sour [ˈsaʊə] **1.** ☐ sauer; *fig.* verbittert; **2.** *v/t.* säuern; *fig.* ver-, erbittern; *v/i.* sauer (*fig.* verbittert) werden.
source [sɔːs] Quelle *f*; Ursprung *m*.
sour|ish ☐ [ˈsaʊərɪʃ] säuerlich; *~***·ness** [~nɪs] Säure *f*; *fig.* Bitterkeit *f*.
souse [saʊs] eintauchen; (mit Wasser) begießen; *Fisch etc.* einlegen, -pökeln.
south [saʊθ] **1.** Süd(en *m*); **2.** südlich, Süd...; *~***-east** [ˈsaʊθˈiːst] **1.** Südosten *m*; **2.** südöstlich; *~***-east·er** Südostwind *m*; *~***-east·ern** südöstlich.
south·er|ly [ˈsʌðəlɪ], *~***n** [~n] südlich, Süd...; *~***n·most** südlichste(r, -s).
south·ward(s) *adv.* [ˈsaʊθwəd(z)] südwärts, nach Süden.
south|-west [ˈsaʊθˈwest] **1.** Südwesten *m*; **2.** südwestlich; *~***-west·er** [~ə] Südwestwind *m*; ⚓ Südwester *m*; *~***-west·er·ly,** *~***-west·ern** südwestlich.
sou·ve·nir [suːvəˈnɪə] Souvenir *n*, Andenken *n*.
sove·reign [ˈsɒvrɪn] **1.** ☐ höchste(r, -s); unübertrefflich; unumschränkt, souverän; **2.** Herrscher(in); Monarch(in); Sovereign *m* (*alte brit. Goldmünze von 20 Shilling*); *~***·ty** [~əntɪ] höchste (Staats)Gewalt; Souveränität *f*, Landeshoheit *f*.
So·vi·et [ˈsəʊvɪət] Sowjet *m*; *attr.* sowjetisch, Sowjet...
sow[1] [saʊ] *zo.* Sau *f*, (Mutter-)Schwein *n*; ⊕ Sau *f*; ⊕ Massel *f*.
sow[2] [səʊ] (*sowed, sown od. sowed*) (aus)säen, ausstreuen; besäen; *~***n** [~n] *p.p. von sow*[2].
spa [spɑː] Heilbad *n*; Kurort *m*.
space [speɪs] **1.** (Welt)Raum *m*; Raum *m*, Platz *m*; Abstand *m*, Zwischenraum *m*; Zeitraum *m*; **2.** *mst ~ out print.* sperren; *~* **age** Weltraumzeitalter *m*; *~* **cap·sule** [ˈspeɪskæpsjuːl] Raumkapsel *f*; *~***·craft** Raumfahrzeug *n*; *~* **flight** (Welt)Raumflug *m*; *~***·lab** Raumlabor *n*; *~***·port** Raumfahrtzentrum *n*; *~* **probe** (Welt-)Raumsonde *f*; *~* **re·search** (Welt-)Raumforschung *f*; *~***·ship** Raumschiff *n*; *~* **shut·tle** Raumfähre *f*; *~* **sta·tion** (Welt)Raumstation *f*; *~***·suit** Raumanzug *m*; *~* **walk** Weltraumspaziergang *m*; *~***·wom·an** (*pl. -women*) (Welt)Raumfahrerin *f*.
spa·cious ☐ [ˈspeɪʃəs] geräumig; weit; umfassend.
spade [speɪd] Spaten *m*; *Karten*: Pik *n*, Grün *n*; *king of ~s pl.* Pik-König *m*; *call a ~ a ~* das Kind beim (rechten) Namen nennen.
span [spæn] **1.** Spanne *f*; *arch.* Spannweite *f*; ⚠ *nicht Span*; **2.** (*-nn-*) um-, überspannen; (aus)messen.
span·gle [ˈspæŋgl] **1.** Flitter *m*, Paillette *f*; **2.** mit Flitter *od.* Pailletten besetzen; *fig.* übersäen.
Span·iard [ˈspænjəd] Spanier(in).
Span·ish [ˈspænɪʃ] **1.** spanisch; **2.** *ling.* Spanisch *n*; *the ~ pl. coll.* die Spanier *pl.*
spank F [spæŋk] **1.** verhauen; **2.** Klaps *m*, Schlag *m*; *~***·ing** [ˈspæŋkɪŋ] **1.** *adj.* ☐ schnell, flott; tüchtig, gehörig; **2.** *adv.*: *~ clean* blitzsauber; *~ new* funkelnagelneu; **3.** F Haue *f*, Tracht *f* Prügel.
span·ner ⊕ [ˈspænə] Schraubenschlüssel *m*.
spar [spɑː] **1.** ⚓ Spiere *f*; ✈ Holm *m*; **2.** (*-rr-*) *Boxen*: sparren; *fig.* sich streiten.

spare [speə] **1.** □ sparsam; kärglich, mager; überzählig; überschüssig; Ersatz..., Reserve...; ~ *part* Ersatzteil *n*, *a. m*; ~ *room* Gästezimmer *n*; ~ *time od. hours* Freizeit *f*, Mußestunden *pl.*; **2.** ⊕ Ersatzteil *n*, *a. m*; **3.** (ver)schonen; erübrigen; entbehren; (übrig)haben (für); ersparen; sparen mit; scheuen; ⚠ *nicht Geld etc. sparen.*
spar·ing □ ['speərɪŋ] sparsam.
spark [spɑːk] **1.** Funke(n) *m*; **2.** Funken sprühen; **~·ing-plug** *Brt. mot.* ['spɑːkɪŋplʌg] Zündkerze *f*.
spar|kle ['spɑːkl] **1.** Funke(n) *m*; Funkeln *n*; **2.** funkeln; blitzen; perlen (*Wein*); **~·kling** □ [~ɪŋ] funkelnd, sprühend; *fig.* geistsprühend, spritzig; ~ *wine* Schaumwein *m*.
spark-plug *Am. mot.* ['spɑːkplʌg] Zündkerze *f*.
spar·row *zo.* ['spærəʊ] Sperling *m*, Spatz *m*; **~-hawk** *zo.* Sperber *m*.
sparse □ [spɑːs] spärlich, dünn.
spas·m ['spæzəm] ⚕ Krampf *m*; Anfall *m*; **spas·mod·ic** [spæz'mɒdɪk] (~*ally*) ⚕ krampfhaft, -artig; *fig.* sprunghaft.
spas·tic ⚕ ['spæstɪk] **1.** (~*ally*) spastisch; **2.** Spastiker(in).
spat [spæt] *pret. u. p.p. von spit*² *2.*
spa·tial □ ['speɪʃl] räumlich.
spat·ter ['spætə] (be)spritzen.
spawn [spɔːn] **1.** *zo.* Laich *m*; *fig. contp.* Brut *f*; **2.** *zo.* laichen; *fig.* hervorbringen.
speak [spiːk] (*spoke*, *spoken*) *v/i.* sprechen, reden (*to* mit; *about* über *acc.*); ~ *out*, ~ *up* laut u. deutlich sprechen; offen reden; ~ *to s.o.* j-n *od.* mit j-m sprechen; *v/t.* (aus)sprechen; sagen; äußern; *Sprache* sprechen (können); **~·er** ['spiːkə] Sprecher(in), Redner(in); ♀ *parl.* Sprecher *m*, Präsident *m*; *Mr* ♀*!* Herr Vorsitzender!
spear [spɪə] **1.** Speer *m*; Spieß *m*, Lanze *f*; **2.** durchbohren, aufspießen.
spe·cial ['speʃl] **1.** □ besondere(r, -s); speziell; Sonder...; Spezial...; **2.** Hilfspolizist *m*; Sonderausgabe *f*; Sonderzug *m*; *Rundfunk, TV*: Sondersendung *f*; *Am.* Tagesgericht *n* (*im Restaurant*); *Am. econ.* Sonderangebot *n*; *on* ~ *Am. econ.* im Angebot; **~·ist** [~əlɪst] Spezialist(in), Fachmann *m*; ⚕ Facharzt *m*, -ärztin *f*; **spe·ci·al·i·ty** [speʃɪ'ælətɪ] Besonderheit *f*; Spezialfach *n*; *econ.* Spezialität *f*; **~·ize** ['speʃəlaɪz] besonders anführen; (sich) spezialisieren; **~·ty** *bsd. Am.* [~tɪ] = *speciality*.
spe·cies ['spiːʃiːz] (*pl.* *-cies*) Art *f*, Spezies *f*.
spe|cif·ic [spɪ'sɪfɪk] (~*ally*) spezifisch; besondere(r, -s); bestimmt; **~·ci·fy** ['spesɪfaɪ] spezifizieren, einzeln angeben; **~·ci·men** [~mɪn] Probe *f*, Muster *n*; Exemplar *n*.
spe·cious □ ['spiːʃəs] blendend, bestechend; trügerisch; Schein...
speck [spek] Fleck(en) *m*; Stückchen *n*; ⚠ *nicht Speck*; **~·le** ['spekl] Fleck(en) *m*, Sprenkel *m*, Tupfen *m*; **~·led** gefleckt, gesprenkelt, getüpfelt.
spec·ta·cle ['spektəkl] Schauspiel *n*; Anblick *m*; ⚠ *nicht der Spektakel*; (*a pair of*) ~*s pl.* (e-e) Brille.
spec·tac·u·lar [spek'tækjʊlə] **1.** □ spektakulär, sensationell, aufsehenerregend; **2.** große (Fernseh)Schau, Galavorstellung *f*.
spec·ta·tor [spek'teɪtə] Zuschauer (-in).
spec|tral □ ['spektrəl] gespenstisch; **~·tre,** *Am.* **~·ter** [~ə] Gespenst *n*.
spec·u|late ['spekjʊleɪt] grübeln, nachsinnen; *econ.* spekulieren; **~·la·tion** [spekjʊ'leɪʃn] theoretische Betrachtung; Nachdenken *n*; Grübeln *n*; *econ.* Spekulation *f*; **~·la·tive** □ ['spekjʊlətɪv] grüblerisch; theoretisch; *econ.* spekulativ; **~·la·tor** [~eɪtə] *econ.* Spekulant *m*.
sped [sped] *pret. u. p.p. von speed 2.*
speech [spiːtʃ] Sprache *f*; Reden *n*, Sprechen *n*; Rede *f*, Ansprache *f*; *make a* ~ e-e Rede halten; **~-day** *Brt.* ['spiːtʃdeɪ] *Schule*: (Jahres-) Schlußfeier *f*; **~·less** □ [~lɪs] sprachlos.
speed [spiːd] **1.** Geschwindigkeit *f*, Tempo *n*, Schnelligkeit *f*, Eile *f*; ⊕ Drehzahl *f*; *mot.* Gang *m*; *phot.* Lichtempfindlichkeit *f*; *phot.* Belichtungszeit *f*; *sl.* Speed *n* (*Aufputschmittel*); **2.** (*sped*) *v/i.* (dahin-) eilen, schnell fahren, rasen; ~ *up* (*pret. u. p.p. speeded*) die Geschwindigkeit erhöhen; *v/t.* rasch befördern; ~ *up* (*pret. u. p.p. speeded*) beschleunigen; **~·boat** ['spiːdbəʊt] Rennboot *n*; **~·ing** *mot.* [~ɪŋ] zu schnelles Fahren, Geschwindig-

S

keitsüberschreitung *f*; ~ **lim·it** Geschwindigkeitsbegrenzung *f*, Tempolimit *n*; **~·o** F *mot.* [~əʊ] (*pl.* *-os*) Tacho *m*; **~·om·e·ter** *mot.* [spɪˈdɒmɪtə] Tachometer *m*, *n*; **~-up** [ˈspiːdʌp] Beschleunigung *f*, Temposteigerung *f*; *econ.* Produktionserhöhung *f*; **~·way** *Sport*: Speedwayrennen *n*; Speedwaybahn *f*; *Am. mot.* Schnellstraße *f*; *Am. Sport*: *mot.* Rennstrecke *f*; **~·y** □ [~ɪ] (*-ier*, *-iest*) schnell, rasch.

spell [spel] **1.** Weile *f*, Weilchen *n*; Anfall *m*; Zauber(spruch) *m*; *fig.* Zauber *m*; *a ~ of fine weather* e-e Schönwetterperiode; *hot ~* Hitzewelle *f*; **2.** *~ s.o. at s.th.* j-n bei et. ablösen; (*spelt od. Am. spelled*) buchstabieren; richtig schreiben; bedeuten; geschrieben werden, sich schreiben; **~·bound** [ˈspelbaʊnd] (wie) gebannt, fasziniert, gefesselt; **~·er** [~ə]: *be a good od. bad ~* in Rechtschreibung gut *od.* schlecht sein; **~·ing** [~ɪŋ] Buchstabieren *n*; Rechtschreibung *f*; **~·ing-book** Fibel *f*.

spelt [spelt] *pret. u. p.p. von spell 2.*

spend [spend] (*spent*) verwenden; *Geld* ausgeben; verbrauchen; verschwenden; *Mühe* aufwenden; *Zeit* zu-, verbringen; ⚠ *nicht spenden*; *~ o.s.* sich erschöpfen; **~·thrift** [ˈspendθrɪft] Verschwender(in).

spent [spent] **1.** *pret. u. p.p. von spend*; **2.** *adj.* erschöpft, matt.

sperm [spɜːm] Sperma *n*, Samen *m*.

sphere [sfɪə] Kugel *f*; Erd-, Himmelskugel *f*; *fig.* Sphäre *f*; (Wirkungs)Kreis *m*, Bereich *m*, Gebiet *n*; **spher·i·cal** □ [ˈsferɪkl] sphärisch; kugelförmig.

spice [spaɪs] **1.** Gewürz(e *pl.*) *n*; *fig.* Würze *f*; Anflug *m*; **2.** würzen.

spick and span [ˈspɪkənˈspæn] blitzsauber; wie aus dem Ei gepellt; funkelnagelneu.

spic·y □ [ˈspaɪsɪ] (*-ier*, *-iest*) würzig; gewürzt; *fig.* pikant.

spi·der *zo.* [ˈspaɪdə] Spinne *f*.

spig·ot [ˈspɪgət] (Faß)Zapfen *m*; (Zapf-, *Am.* Leitungs)Hahn *m*.

spike [spaɪk] **1.** Stift *m*; Spitze *f*; Dorn *m*; Stachel *m*; ⚘ Ähre *f*; *Sport*: Spike *m*; *~s pl. Rennschuhe*, *mot.*: Spikes *pl.*; **2.** festnageln; mit (Eisen-) Spitzen *etc.* versehen; *~* **heel** Pfennigabsatz *m*.

spill [spɪl] **1.** (*spilt od. spilled*) *v/t.* ver-, ausschütten; *Blut* vergießen; verstreuen; *Reiter* abwerfen; *sl.* ausplaudern; *s. milk 1*; *v/i.* überlaufen; *sl.* auspacken, singen; **2.** Sturz *m* (*vom Pferd etc.*).

spilt [spɪlt] *pret. u. p.p. von spill 1.*

spin [spɪn] **1.** (*-nn-*; *spun*) *v/t.* spinnen; schnell drehen, (herum)wirbeln; *Wäsche* schleudern; *Münze* hochwerfen; *fig.* sich *et.* ausdenken, erzählen; *~ s.th. out* et. in die Länge ziehen, et. ausspinnen; *v/i.* spinnen; sich drehen; ✈ trudeln; *mot.* durchdrehen (*Räder*); *~ along* dahinrasen; **2.** schnelle Drehung; Schleudern *n* (*Wäsche*); ✈ Trudeln *n*; *go for a ~* e-e Spritztour machen.

spin·ach ⚘ [ˈspɪnɪdʒ] Spinat *m*.

spin·al *anat.* [ˈspaɪnl] Rückgrat...; *~ column* Wirbelsäule *f*, Rückgrat *n*; *~ cord*, *~ marrow* Rückenmark *n*.

spin·dle [ˈspɪndl] Spindel *f*.

spin|-dri·er [ˈspɪndraɪə] (Wäsche-) Schleuder *f*; **~-dry** *Wäsche* schleudern; **~-dry·er** = *spin-drier*.

spine [spaɪn] *anat.* Wirbelsäule *f*, Rückgrat *n*; *bot.*, *zo.* Stachel *m*; (Gebirgs)Grat *m*; (Buch)Rücken *m*.

spin·ning|-mill [ˈspɪnɪŋmɪl] Spinnerei *f*; **~-top** Kreisel *m*; **~-wheel** Spinnrad *n*.

spin·ster [ˈspɪnstə] ⚖ unverheiratete Frau; alte Jungfer.

spin·y ⚘, *zo.* [ˈspaɪnɪ] (*-ier*, *-iest*) stach(e)lig.

spi·ral [ˈspaɪərəl] **1.** □ spiralig; Spiral...; gewunden; *~ staircase* Wendeltreppe *f*; **2.** Spirale *f*.

spire [ˈspaɪə] (Turm-, Berg- *etc.*)Spitze *f*; Kirchturm(spitze *f*) *m*.

spir·it [ˈspɪrɪt] **1.** Geist *m*; Schwung *m*; Elan *m*; Mut *m*; Gesinnung *f*; ⚗ Spiritus *m*; *~s pl.* alkoholische *od.* geistige Getränke *pl.*, Spirituosen *pl.*; *high* (*low*) *~s pl.* gehobene (gedrückte) Stimmung; **2.** *~ away od. off* wegschaffen, -zaubern; **~·ed** □ [~ɪd] lebhaft; energisch; feurig (*Pferd etc.*); geistvoll; **~·less** □ [~lɪs] geistlos; temperamentlos; mutlos.

spir·i·tu·al [ˈspɪrɪtjʊəl] **1.** □ geistig; geistlich; geistreich; **2.** ♪ (Neger-) Spiritual *n*; **~·is·m** [~ɪzəm] Spiritismus *m*.

spirt [spɜːt] = *spurt*[2].

spit[1] [spɪt] **1.** (Brat)Spieß *m*; *geogr.* Landzunge *f*; **2.** (*-tt-*) aufspießen.

S

spit² [~] **1.** Speichel *m*, Spucke *f*; Fauchen *n*; F Ebenbild *n*; **2.** (*-tt-*; *spat od. spit*) spucken; fauchen; sprühen (*fein regnen*); *a.* ~ *out* (aus-) spucken.

spite [spaɪt] **1.** Bosheit *f*; Groll *m*; *in* ~ *of* trotz (*gen.*); **2.** *j-n* ärgern; **~·ful** □ [ˈspaɪtfl] boshaft, gehässig.

spit·fire [ˈspɪtfaɪə] Hitzkopf *m*.

spit·tle [ˈspɪtl] Speichel *m*, Spucke *f*.

spit·toon [spɪˈtuːn] Spucknapf *m*.

splash [splæʃ] **1.** Spritzer *m*, (Spritz-) Fleck *m*; Klatschen *n*, Platschen *n*; **2.** (be)spritzen; platschen; planschen; (hin)klecksen; ~ *down* wassern (*Raumkapsel*); **~-down** Wasserung *f*.

splay [spleɪ] **1.** Ausschrägung *f*; **2.** *v/t.* spreizen; ausschrägen; *v/i.* ausgeschrägt sein; **~-foot** [ˈspleɪfʊt] Spreizfuß *m*.

spleen [spliːn] *anat.* Milz *f*; schlechte Laune.

splen|did □ [ˈsplendɪd] glänzend, prächtig, herrlich; F großartig, hervorragend; **~·do(u)r** [~ə] Glanz *m*, Pracht *f*, Herrlichkeit *f*.

splice [splais] spleißen; *Film* zusammenkleben.

splint ⚕ [splɪnt] **1.** Schiene *f*; **2.** schienen.

splin·ter [ˈsplɪntə] **1.** Splitter *m*; **2.** (zer)splittern; ~ *off* (*fig.* sich) absplittern.

split [splɪt] **1.** Spalt *m*, Riß *m*, Sprung *m*; *fig.* Spaltung *f*; **2.** gespalten; **3.** (*-tt-*; *split*) *v/t.* (zer)spalten; zerreißen; sich in *et.* teilen; ~ *hairs* Haarspalterei treiben; ~ *one's sides laughing od. with laughter* sich totlachen; *v/i.* sich spalten; zerspringen, (-)platzen, (-)bersten; **~·ting** [ˈsplɪtɪŋ] heftig, rasend (*Kopfschmerz*).

splut·ter [ˈsplʌtə] (heraus)stottern; zischen; stottern (*Motor*).

spoil [spɔɪl] **1.** *mst* ~*s pl.* Beute *f*; *fig.* Ausbeute *f*, Gewinn *m*; **2.** (*spoilt od. spoiled*) verderben; ruinieren; *Kind* verwöhnen, -ziehen; **~·er** *mot.* [ˈspɔɪlə] Spoiler *m*; **~·sport** Spielverderber(in); **~t** [~t] *pret. u. p.p. von spoil 2.*

spoke¹ [spəʊk] Speiche *f*; (Leiter-) Sprosse *f*.

spoke² [~] *pret. von speak*; **spok·en** [ˈspəʊkən] **1.** *p.p. von speak*; **2.** gesprochen (*Sprache*); **~s·man** [~smən] (*pl. -men*) Wortführer *m*, Sprecher *m*; **~s·wom·an** (*pl. -women*) Wortführerin *f*, Sprecherin *f*.

sponge [spʌndʒ] **1.** Schwamm *m*; F *fig.* Schmarotzer(in); *Brt.* = *sponge-cake*; **2.** *v/t.* mit e-m Schwamm (ab)wischen; ~ *off* weg-, abwischen; ~ *up* aufsaugen, -wischen; *v/i.* F *fig.* schmarotzen; **~-cake** [ˈspʌndʒkeɪk] Biskuitkuchen *m*; **spong·er** F *fig.* [~ə] Schmarotzer(in); **spong·y** [~ɪ] (*-ier*, *-iest*) schwammig.

spon·sor [ˈspɒnsə] **1.** Bürg|e *m*, -in *f*; (Tauf)Pat|e *m*, -in *f*; Förderer *m*, Gönner(in); Schirmherr(in); Geldgeber(in), Sponsor(in); **2.** bürgen für; fördern; die Schirmherrschaft (*gen.*) übernehmen; *Rundfunk-*, *TV-Sendung*, *Sportler* sponsern; **~·ship** [~ʃɪp] Bürgschaft *f*; Patenschaft *f*; Schirmherrschaft *f*; Unterstützung *f*, Förderung *f*.

spon·ta·ne|i·ty [spɒntəˈneɪətɪ] Spontaneität *f*, eigener Antrieb; Ungezwungenheit *f*; **~·ous** □ [spɒnˈteɪnjəs] spontan; unvermittelt; ungezwungen, natürlich; von selbst (entstanden); Selbst...

spook [spuːk] Spuk *m*; **~·y** [ˈspuːkɪ] (*-ier*, *-iest*) gespenstisch, Spuk...

spool [spuːl] Spule *f*; Rolle *f*; *a.* ~ *of thread Am.* Garnrolle *f*.

spoon [spuːn] **1.** Löffel *m*; **2.** löffeln; **~·ful** [ˈspuːnfʊl] (*ein*) Löffel(voll) *m*.

spo·rad·ic [spəˈrædɪk] (*~ally*) sporadisch, gelegentlich, vereinzelt.

spore ⚘ [spɔː] Spore *f*, Keimkorn *n*.

sport [spɔːt] **1.** Sport(art *f*) *m*; Zeitvertreib *m*; Spaß *m*, Scherz *m*; F feiner Kerl; ~*s pl.* Sport *m*; *Brt. Schule*: Sportfest *n*; **2.** *v/i.* herumtollen; spielen; *v/t.* F stolz (zur Schau) tragen, protzen mit; **spor·tive** □ [ˈspɔːtɪv] verspielt; **~s** [~s] Sport...; **~s·man** (*pl. -men*) Sportler *m*; **~s·wom·an** (*pl. -women*) Sportlerin *f*.

spot [spɒt] **1.** Fleck *m*; Tupfen *m*; Makel *m*; Stelle *f*, Ort *m*; ⚕ Leberfleck *m*; ⚕ Pickel *m*; *Rundfunk*, *TV*: (Werbe)Spot *m*; *Brt.* F Tropfen *m*, Schluck *m*; *a* ~ *of Brt.* F etwas; *on the* ~ auf der Stelle, sofort; **2.** *econ.* sofort liefer- *od.* zahlbar; **3.** (*-tt-*) beflecken; sprenkeln; entdecken, erspähen, erkennen; fleckig werden; **~·less** □ [ˈspɒtlɪs] fleckenlos; **~·light** *thea.*

S

Scheinwerfer(licht *n*) *m*; **~·ter** [~ə] Beobachter *m*; ⚔ Aufklärer *m*; **~·ty** [~ɪ] (*-ier, -iest*) fleckig; pickelig.
spouse [spaʊz] Gatt|e *m*, -in *f*.
spout [spaʊt] **1.** Tülle *f*, Schnabel *m*; Strahlrohr *n*; (Wasser)Strahl *m*; **2.** (heraus)spritzen; hervorsprudeln.
sprain ⚕ [spreɪn] **1.** Verstauchung *f*; **2.** sich *et.* verstauchen.
sprang [spræŋ] *pret. von spring 2.*
sprat *zo.* [spræt] Sprotte *f*.
sprawl [sprɔːl] sich rekeln; ausgestreckt daliegen; ⚘ wuchern.
spray [spreɪ] **1.** Sprühregen *m*, Gischt *m*, Schaum *m*; Spray *m*, *n*; = *sprayer*; **2.** zerstäuben; (ver)sprühen; besprühen; *Haar* sprayen; **~·er** [ˈspreɪə] Zerstäuber *m*, Sprüh-, Spraydose *f*.
spread [spred] **1.** (*spread*) *v/t. a.* ~ *out* ausbreiten; ausstrecken; spreizen; ausdehnen; verbreiten; belegen; *Butter etc.* (auf)streichen; *Brot etc.* streichen; ~ *the table* den Tisch decken; *v/i.* sich aus- *od.* verbreiten; sich ausdehnen; **2.** Aus-, Verbreitung *f*; Ausdehnung *f*; Spannweite *f*; Fläche *f*; (*Bett*)Decke *f*; (*Brot*)Aufstrich *m*; F Festessen *n*.
spree F [spriː]: *go (out) on a* ~ e-e Sauftour machen; *go on a buying (shopping, spending)* ~ wie verrückt einkaufen.
sprig ⚘ [sprɪg] kleiner Zweig.
spright·ly [ˈspraɪtlɪ] (*-ier, -iest*) lebhaft, munter.
spring [sprɪŋ] **1.** Sprung *m*, Satz *m*; ⊕ (Sprung)Feder *f*; Sprungkraft *f*, Elastizität *f*; Quelle *f*; *fig.* Triebfeder *f*; *fig.* Ursprung *m*; Frühling *m* (*a. fig.*), Frühjahr *n*; **2.** (*sprang od. Am. sprung, sprung*) *v/t.* springen lassen; (zer)sprengen; *Wild* aufjagen; ~ *a leak* ⚓ leck werden; ~ *a surprise on s.o.* j-n überraschen; *v/i.* springen; entspringen (*from dat.*), *fig.* herkommen, stammen (*from* von); ⚘ sprießen; ~ *up* aufkommen (*Ideen etc.*); **~·board** [ˈsprɪŋbɔːd] Sprungbrett *n*; **~ tide** Springflut *f*; **~·tide** *poet.*, **~·time** Frühling(szeit *f*) *m*, Frühjahr *n*; **~·y** □ [~ɪ] (*-ier, -iest*) federnd.
sprin|kle [ˈsprɪŋkl] (be)streuen; (be)sprengen; *impers.* sprühen (*fein regnen*); **~·kler** [~ə] Berieselungsanlage *f*; Sprinkler *m*; Rasensprenger *m*; **~·kling** [~ɪŋ] Sprühregen *m*; *a* ~ *of fig.* ein wenig, ein paar.
sprint [sprɪnt] *Sport* **1.** sprinten; spurten; **2.** Sprint *m*; Spurt *m*; **~·er** [ˈsprɪntə] *Sport*: Sprinter(in), Kurzstreckenläufer(in).
sprite [spraɪt] Kobold *m*.
sprout [spraʊt] **1.** sprießen; wachsen (lassen); **2.** ⚘ Sproß *m*; (*Brussels*) ~*s pl.* ⚘ Rosenkohl *m*.
spruce[1] □ [spruːs] schmuck, adrett.
spruce[2] ⚘ [~] *a.* ~ *fir* Fichte *f*, Rottanne *f*.
sprung [sprʌŋ] *pret. u. p.p. von spring 2.*
spry [spraɪ] munter, flink.
spun [spʌn] *pret. u. p.p. von spin 1.*
spur [spɜː] **1.** Sporn *m* (*a. zo.*, ⚘); Vorsprung *m*, Ausläufer *m* (*e-s Berges*); *fig.* Ansporn *m*; ⚠ *nicht Spur*; *on the* ~ *of the moment* der Eingebung des Augenblicks folgend, spontan; **2.** (*-rr-*) *e-m Pferd* die Sporen geben; *oft* ~ *on fig.* anspornen.
spu·ri·ous □ [ˈspjʊərɪəs] unecht, gefälscht.
spurn [spɜːn] verschmähen, verächtlich zurückweisen.
spurt[1] [spɜːt] **1.** plötzlich aktiv werden; *Sport*: spurten, sprinten; **2.** plötzliche Aktivität *od.* Anspannung; *Sport*: Spurt *m*, Sprint *m*.
spurt[2] [~] **1.** (heraus)spritzen; **2.** (*Wasser- etc.*)Strahl *m*.
sput·ter [ˈspʌtə] = *splutter*.
spy [spaɪ] **1.** Spion(in); Spitzel *m*; **2.** erspähen, entdecken; (aus)spionieren; ~ *on*, ~ *upon j-m* nachspionieren; *j-n* bespitzeln; *Gespräch etc.* abhören; **~·glass** [ˈspaɪglɑːs] Fernglas *n*; **~·hole** Guckloch *n*, Spion *m*.
squab·ble [ˈskwɒbl] **1.** Zank *m*, Kabbelei *f*; **2.** sich zanken.
squad [skwɒd] Gruppe *f* (*a.* ⚔); *Polizei*: (*Überfall- etc.*)Kommando *n*; Dezernat *n*; ~ *car Am.* (Funk)Streifenwagen *m*; **~·ron** ⚔ [ˈskwɒdrən] Schwadron *f*; (Panzer)Bataillon *n*; ✈ Staffel *f*; ⚓ Geschwader *n*.
squal·id □ [ˈskwɒlɪd] schmutzig, verwahrlost, -kommen, armselig.
squall [skwɔːl] **1.** *meteor.* Bö *f*; Schrei *m*; ~*s pl.* Geschrei *n*; **2.** schreien.
squal·or [ˈskwɒlə] Schmutz *m*.
squan·der [ˈskwɒndə] verschwenden, -geuden.
square [skweə] **1.** □ (vier)eckig; quadratisch, Quadrat...; ... im Quadrat; rechtwink(e)lig; vierschrötig (*Per-*

S

son); stimmend, in Ordnung; quitt, gleich; anständig, ehrlich, offen; F altmodisch, spießig; **2.** Quadrat *n*; Viereck *n*; Feld *n* (*e-s Brettspiels*); *öffentlicher* Platz; Winkel(maß *n*) *m*; *sl.* altmodischer Spießer; **3.** quadratisch *od.* rechtwink(e)lig machen; *Zahl* ins Quadrat erheben; *Schultern* straffen; *Sport*: *Kampf* unentschieden beenden; *econ. Konten* ausgleichen; *econ. Schuld* begleichen; *fig.* in Einklang bringen *od.* stehen (*with* mit); anpassen (*to* an *acc.*); passen (*with* zu); **~-built** [ˈskweəˈbɪlt] vierschrötig; **~ dance** *bsd. Am.* Square dance *m*; **~ mile** Quadratmeile *f*; **~-toed** *fig.* altmodisch, steif.

squash[1] [skwɒʃ] **1.** Gedränge *n*; Brei *m*, Matsch *m*; *Brt.* (*Orangen- etc.*) Saft *m*; *Sport*: Squash *n*; **2.** (zer-, zusammen)quetschen; zusammendrücken.

squash[2] ⚘ [~] Kürbis *m*.

squat [skwɒt] **1.** (*-tt-*) hocken, kauern; sich ohne Rechtstitel ansiedeln (auf *dat.*); *leerstehendes Haus* besetzen; ~ *down* sich hinhocken; **2.** in der Hocke; untersetzt, vierschrötig; **~·ter** [ˈskwɒtə] Squatter *m*, illegaler Siedler; Schafzüchter *m* (*in Australien*); Hausbesetzer(in); ~ *movement* Hausbesetzerszene *f*.

squawk [skwɔːk] **1.** kreischen, schreien; **2.** Gekreisch *n*, Geschrei *n*.

squeak [skwiːk] quiek(s)en, piepen, piepsen; quietschen.

squeal [skwiːl] schreien, kreischen; quietschen, kreischen (*Bremsen etc.*); quiek(s)en, piep(s)en.

squeam·ish □ [ˈskwiːmɪʃ] empfindlich; mäkelig; heikel; penibel.

squeeze [skwiːz] **1.** (aus-, zusammen)drücken, (-)pressen, (aus)quetschen; sich zwängen *od.* quetschen; **2.** Druck *m*; Gedränge *n*; **squeez·er** [ˈskwiːzə] (Frucht)Presse *f*.

squelch *fig.* [skweltʃ] unterdrücken.

squid *zo.* [skwɪd] Tintenfisch *m*.

squint [skwɪnt] schielen; blinzeln.

squire [ˈskwaɪə] Großgrundbesitzer *m*, Gutsherr *m*.

squirm F [skwɜːm] sich winden.

squir·rel *zo.* [ˈskwɪrəl, *Am.* ˈskwɜːrəl] Eichhörnchen *n*.

squirt [skwɜːt] **1.** Spritze *f*; Strahl *m*; F Wichtigtuer *m*; **2.** spritzen.

stab [stæb] **1.** Stich *m*, (Dolch- *etc.*)Stoß *m*; ⚠ *nicht Stab*; **2.** (*-bb-*) *v/t.* niederstechen; *et.* aufspießen; *v/i.* stechen (*at* nach).

sta·bil|i·ty [stəˈbɪlətɪ] Stabilität *f*; Standfestig-, Beständigkeit *f*; **~·ize** [ˈsteɪbəlaɪz] stabilisieren.

sta·ble[1] □ [ˈsteɪbl] stabil, fest.

sta·ble[2] [~] **1.** Stall *m*; **2.** in den Stall bringen; im Stall halten; im Stall stehen (*Pferd*).

stack [stæk] **1.** ✓ (Heu-, Stroh-, Getreide)Schober *m*; Stapel *m*; F Haufen *m*; Schornstein(reihe *f*) *m*; ~*s pl.* (Haupt)Magazin *n* (*e-r Bibliothek*); **2.** *a.* ~ *up* (auf)stapeln.

sta·di·um [ˈsteɪdjəm] (*pl. -diums, -dia* [-djə]) *Sport*: Stadion *n*.

staff [stɑːf] **1.** Stab *m* (*a.* ⚔), Stock *m*; Stütze *f*; (*pl. staves* [steɪvz]) ♪ Notensystem *n*; (Mitarbeiter)Stab *m*; Personal *n*, Belegschaft *f*; Beamtenstab *m*; Lehrkörper *m*; **2.** (mit Personal, Beamten *od.* Lehrern) besetzen; **~ mem·ber** Mitarbeiter(in); **~ room** Lehrerzimmer *n*.

stag *zo.* [stæg] Hirsch *m*.

stage [steɪdʒ] **1.** *thea.* Bühne *f*; *das* Theater; *fig.* Schauplatz *m*; Stufe *f*, Stadium *n*, Phase *f*; Teilstrecke *f*, Fahrzone *f* (*Bus etc.*); Etappe *f*; ⊕ Bühne *f*, Gerüst *n*; ⊕ Stufe *f* (*e-r Rakete*); **2.** inszenieren; veranstalten; **~·coach** *hist.* [ˈsteɪdʒkəʊtʃ] Postkutsche *f*; **~·craft** dramaturgisches *od.* schauspielerisches Können; **~ de·sign** Bühnenbild *n*; **~ de·sign·er** Bühnenbildner(in); **~ di·rec·tion** Regieanweisung *f*; **~ fright** Lampenfieber *n*; **~ man·ag·er** Inspizient *m*; **~ prop·er·ties** *pl.* Requisiten *pl.*

stag·ger [ˈstægə] **1.** *v/i.* (sch)wanken, taumeln, torkeln; *fig.* (sch)wanken(d werden); *v/t.* ins Wanken bringen; *Arbeitszeit etc.* staffeln; *fig.* überwältigen, sprachlos machen; **2.** (Sch)Wanken *n*, Taumeln *n*; ✈ Staffelung *f*.

stag|nant □ [ˈstægnənt] stehend (*Gewässer*); stagnierend; stockend; *econ.* still, flau; *fig.* träge; **~·nate** [stægˈneɪt] stagnieren, stillstehen, stocken.

staid □ [steɪd] gesetzt; ruhig.

stain [steɪn] **1.** Fleck *m*; Beize *f*; *fig.* Schandfleck *m*; **2.** *v/t.* beschmutzen, beflecken; färben, *Holz* beizen, *Glas* bemalen; *v/i.* Flecken verursachen; schmutzen; ~*ed glass* Buntglas *n*;

S

~·less □ [ˈsteɪnlɪs] rostfrei, nichtrostend; *bsd. fig.* fleckenlos.
stair [steə] Stufe *f*; *~s pl.* Treppe *f*, Stiege *f*; **~·case** [ˈsteəkeɪs], **~·way** Treppe(nhaus *n*) *f*.
stake [steɪk] **1.** Pfahl *m*, Pfosten *m*; Marterpfahl *m*; (Wett-, Spiel)Einsatz *m* (*a. fig.*); *~s pl. Pferderennen*: Dotierung *f*; Rennen *n*; *pull up ~s bsd. Am. fig.* F s-e Zelte abbrechen; *be at ~ fig.* auf dem Spiel stehen; **2.** wagen, aufs Spiel setzen; *~ off*, *~ out* abstecken.
stale □ [steɪl] (*~r*, *~st*) alt (*nicht frisch*); schal, abgestanden; verbraucht (*Luft*); *fig.* fad.
stalk[1] ♀ [stɔːk] Stengel *m*, Stiel *m*, Halm *m*.
stalk[2] [~] *v/i. hunt.* (sich an)pirschen; *oft ~ along* (einher)stolzieren; *v/t.* sich heranpirschen an (*acc.*); verfolgen, hinter *j-m* herschleichen.
stall[1] [stɔːl] **1.** Box *f* (*im Stall*); ⚠ *nicht Stall*; (Verkaufs)Stand *m*, (Markt)Bude *f*; Chorstuhl *m*; *~s pl. Brt. thea.* Parkett *n*; **2.** *v/t. Tier* in Boxen unterbringen; *Motor* abwürgen; *v/i.* absterben (*Motor*).
stall[2] [~] ausweichen; *a. ~ for time* Zeit schinden; *Sport*: auf Zeit spielen.
stal·li·on *zo.* [ˈstæljən] (Zucht-)Hengst *m*.
stal·wart □ [ˈstɔːlwət] stramm, kräftig; *bsd. pol.* treu.
stam·i·na [ˈstæmɪnə] Ausdauer *f*, Zähigkeit *f*; Durchhaltevermögen *n*, Kondition *f*.
stam·mer [ˈstæmə] **1.** stottern, stammeln; **2.** Stottern *n*.
stamp [stæmp] **1.** (Auf)Stampfen *n*; Stempel *m* (*a. fig.*); ⚠ *nicht Poststempel*; (Brief)Marke *f*; *fig.* Gepräge *n*; *fig.* Art *f*; **2.** (auf)stampfen; aufstampfen mit; (ab)stempeln (*a. fig.*); frankieren; (auf)prägen; *~ out* (aus)stanzen.
stam·pede [stæmˈpiːd] **1.** Panik *f*, wilde, panische Flucht; (Massen-)Ansturm *m*; **2.** *v/i.* durchgehen; *v/t.* in Panik versetzen.
stanch [stɑːntʃ] *s. staunch*[1,2].
stand [stænd] **1.** (*stood*) *v/i.* stehen; sich befinden; bleiben; *fig.* festbleiben; *mst ~ still* stillstehen, stehenbleiben; *v/t.* stellen; aushalten; (v)ertragen; sich *et.* gefallen lassen, ertragen; sich *e-r Sache* unterziehen; *Probe* bestehen; *e-e Chance* haben; F spendieren; *~ a round* F e-e Runde schmeißen; *~ about* herumstehen; *~ aside* beiseite treten; *~ back* zurücktreten; *~ by* dabeisein, -stehen; bereitstehen; *fig.* zu *j-m* halten *od.* stehen, helfen; *~ for* kandidieren für; bedeuten; eintreten für; F sich *et.* gefallen lassen; *~ in* einspringen (*for s.o.* für j-n); *~ in for Film*: *j-n* doubeln; *~ off* sich entfernt halten; *fig.* Abstand halten; *~ on* (*fig.* be)stehen auf (*dat.*); *~ out* hervorstehen, -treten; sich abheben (*against* gegen); aus-, durchhalten; *fig.* herausragen; standhalten (*dat.*); *~ over* liegenbleiben; (sich) vertagen (*to* auf *acc.*); *~ to* stehen zu; ⚔ in Bereitschaft stehen *od.* versetzen; *~ up* aufstehen, sich erheben; sich aufrichten (*Stacheln etc.*); *~ up for* eintreten für; *~ up to* mutig gegenüberstehen (*dat.*); standhalten (*dat.*); *~ upon* = *~ on*; **2.** Stand *m*; Stillstand *m*; (Stand)Platz *m*, Standort *m*; Stand(platz) *m* (*für Taxis*); (Verkaufs-, Messe)Stand *m*; *fig.* Standpunkt *m*; Ständer *m*; Tribüne *f*; *bsd. Am.* Zeugenstand *m*; *make a ~ against* sich entgegenstellen (*dat.*).
stan·dard [ˈstændəd] **1.** Standarte *f*, Fahne *f*, Flagge *f*; Standard *m*, Norm *f*; Maßstab *m*; Niveau *n*, Stand *m*, Grad *m*; Münzfuß *m*; (*Gold- etc.*)Währung *f*; Ständer *m*; **2.** maßgebend; normal; Normal...; **~·ize** [~aɪz] norm(ier)en, standardisieren, vereinheitlichen.
stand|-by [ˈstændbaɪ] **1.** (*pl. -bys*) Beistand *m*, Hilfe *f*; Bereitschaft *f*; Ersatz *m*; **2.** Not..., Ersatz..., Reserve...; Bereitschafts...; **~-in** *Film*: Double *n*; Ersatzmann *m*, Vertreter(in).
stand·ing [ˈstændɪŋ] **1.** stehend (*a. fig.*); (fest)stehend; *econ.* laufend; ständig; **2.** Stellung *f*, Rang *m*; Ruf *m*, Ansehen *n*; Dauer *f*; *of long ~* alt; *~* **or·der** *econ.* Dauerauftrag *m*; **~-room** Stehplatz *m*.
stand|-off·ish [ˈstændˈɒfɪʃ] reserviert, (sehr) ablehnend, zurückhaltend; **~·point** Standpunkt *m*; **~·still** Stillstand *m*; *be at a ~* stocken, ruhen, an e-m toten Punkt angelangt sein; **~-up** stehend; im Stehen (eingenommen) (*Essen*); *~ collar* Stehkragen *m*.

S

stank [stæŋk] *pret. von stink 2.*
stan·za ['stænzə] Stanze *f*; Strophe *f*.
sta·ple[1] ['steɪpl] Haupterzeugnis *n*; Hauptgegenstand *m*; *attr.* Haupt...
sta·ple[2] [~] **1.** Krampe *f*; Heftklammer *f*; **2.** heften; ⚠ *nicht stapeln*; **~r** [~ə] Heftmaschine *f*.
star [stɑ:] **1.** Stern *m*; *thea.*, *Film*, *Sport*: Star *m*; ⚠ *nicht zo. Star*; *The* ♀*s and Stripes pl.* das Sternenbanner (*der USA*); **2.** (*-rr-*) mit Sternen schmücken; die *od.* e-e Hauptrolle spielen; in der *od.* e-r Hauptrolle zeigen; *a film ~ring ...* ein Film mit ... in der Hauptrolle.
star·board ⚓ ['stɑ:bəd] Steuerbord *n*.
starch [stɑ:tʃ] **1.** (Wäsche)Stärke *f*; *fig.* Steifheit *f*; **2.** *Wäsche* stärken.
stare [steə] **1.** Starren *n*; starrer *od.* erstaunter Blick; **2.** (*~ at* an)starren; erstaunt blicken.
stark [stɑ:k] **1.** *adj.* □ starr; rein, bar, völlig (*Unsinn*); ⚠ *nicht stark*; **2.** *adv.* völlig.
star·light ['stɑ:laɪt] Sternenlicht *n*.
star·ling *zo.* ['stɑ:lɪŋ] Star *m*.
star·lit ['stɑ:lɪt] stern(en)klar.
star|ry ['stɑ:rɪ] (*-ier*, *-iest*) Stern(en)...; **~ry-eyed** F naiv; romantisch; **~-span·gled** [~spæŋgld] sternenbesät; *The* ♀ *Banner* das Sternenbanner (*Flagge u. Nationalhymne der USA*).
start [stɑ:t] **1.** Auffahren *n*, -schrecken *n*; Schreck *m*; Start *m*; Aufbruch *m*, Abreise *f*, Abfahrt *f*, ✈ Abflug *m*, Start *m*; Beginn *m*, Anfang *m*; *Sport*: Vorgabe *f*; *fig.* Vorsprung *m*; *get the ~ of s.o.* j-m zuvorkommen; **2.** *v/i.* auffahren, hochschrecken; stutzen; sich auf den Weg machen, aufbrechen; abfahren (*Zug*), auslaufen (*Schiff*), ✈ abfliegen, starten; *Sport*: starten; ⊕ anspringen (*Motor*), anlaufen (*Maschine*); anfangen, beginnen; *~ from scratch* F ganz von vorne anfangen; *v/t.* in Gang setzen *od.* bringen, ⊕ *a.* anlassen; anfangen, beginnen; *Sport*: starten (lassen); **~er** ['stɑ:tə] *Sport*: Starter *m*; *mot.* Anlasser *m*, Starter *m*; *~s pl.* F Vorspeise *f*.
start|le ['stɑ:tl] erschrecken; aufschrecken; **~ling** [~ɪŋ] erschreckend; überraschend, aufsehenerregend.
starv|a·tion [stɑ:'veɪʃn] Hungern *n*; Verhungern *n*, Hungertod *m*; *attr.* Hunger...; **~e** [stɑ:v] verhungern (lassen); *fig.* verkümmern (lassen).
state [steɪt] **1.** Zustand *m*; Stand *m*; Staat *m*; *mst* ♀ *pol.* Staat *m*; *attr.* Staats...; *lie in ~* feierlich aufgebahrt liegen; **2.** angeben; erklären, darlegen; feststellen; festsetzen, -legen; ♀ **De·part·ment** *Am. pol.* Außenministerium *n*; **~ly** ['steɪtlɪ] (*-ier*, *-iest*) stattlich; würdevoll; erhaben; **~·ment** [~mənt] Angabe *f*; (Zeugen- *etc.*)Aussage *f*; Darstellung *f*; Erklärung *f*, Verlautbarung *f*, Statement *n*; Aufstellung *f*, *bsd. econ.* (Geschäfts-, Monats- *etc.*)Bericht *m*; *~ of account* Kontoauszug *m*; **~·room** Staatszimmer *n*; ⚓ (Einzel)Kabine *f*; **~·side, ♀·side** *Am.* **1.** *adj.* USA-..., Heimat...; **2.** *adv.* in den Staaten; nach den *od.* in die Staaten (zurück); **~s·man** *pol.* [~smən] (*pl.* *-men*) Staatsmann *m*.
stat·ic ['stætɪk] (*~ally*) statisch.
sta·tion ['steɪʃn] **1.** Platz *m*, Posten *m*; Station *f*; (*Polizei- etc.*)Wache *f*; (*Tank- etc.*)Stelle *f*; (Fernseh-, Rundfunk)Sender *m*; 🚂 Bahnhof *m*; ⚓, ⚔ Stützpunkt *m*; Stellung *f*, Rang *m*; **2.** aufstellen, postieren; ⚓, ⚔ stationieren; **~·a·ry** □ [~ərɪ] (still)stehend; fest(stehend); gleichbleibend; **~·er** [~ə] Schreibwarenhändler *m*; *~'s (shop)* Schreibwarenhandlung *f*; **~·er·y** [~rɪ] Schreibwaren *pl.*; Briefpapier *n*; **~-mas·ter** 🚂 Stationsvorsteher *m*; **~ wag·on** *Am. mot.* Kombiwagen *m*.
sta·tis·tics [stə'tɪstɪks] *pl. u. sg.* Statistik *f*.
stat|u·a·ry ['stætjʊərɪ] Bildhauer (-kunst *f*) *m*; **~·ue** [~u:] Standbild *n*, Plastik *f*, Statue *f*.
stat·ure ['stætʃə] Statur *f*, Wuchs *m*.
sta·tus ['steɪtəs] Zustand *m*; (*Familien*)Stand *m*; Stellung *f*, Rang *m*; Status *m*.
stat·ute ['stætju:t] Statut *n*, Satzung *f*; Gesetz *n*.
staunch[1] [stɔ:ntʃ] *Blut*(*ung*) stillen.
staunch[2] □ [~] treu, zuverlässig.
stave [steɪv] **1.** Faßdaube *f*; Strophe *f*; **2.** (*staved od. stove*) *mst ~ in* eindrücken; ein Loch schlagen in (*acc.*); *~ off* abwehren.
stay [steɪ] **1.** ⊕ Strebe *f*, Stütze *f*; ⚖ Aufschub *m*; (vorübergehender) Aufenthalt; *~s pl.* Korsett *n*; **2.** blei-

S

ben (*with s.o.* bei j-m); sich (vorübergehend) aufhalten, wohnen (*at, in* in *dat.*; *with s.o.* bei j-m); ⚠ *nicht stehen*; ~ *away* (*from*) fernbleiben (*dat.*), wegbleiben (von); ~ *up* aufbleiben, wach bleiben.
stead [sted]: *in his* ~ an s-r Stelle; **~·fast** □ ['stedfəst] fest, unerschütterlich; standhaft; unverwandt (*Blick*).
stead·y ['stedɪ] **1.** *adj.* □ (*-ier, -iest*) fest; gleichmäßig, stetig, (be)ständig; zuverlässig; ruhig, sicher; **2.** *adv.*: *go* ~ *with s.o.* F (fest) mit j-m gehen; **3.** festigen, fest *od.* sicher *od.* ruhig machen *od.* werden; sich beruhigen; **4.** F feste Freundin, fester Freund.
steak [steɪk] Steak *n.*
steal [sti:l] (*stole, stolen*) *v/t.* stehlen (*a. fig.*); *v/i.* stehlen; ~ *away* sich davonstehlen.
stealth [stelθ]: *by* ~ heimlich, verstohlen; **~·y** □ ['stelθɪ] (*-ier, -iest*) heimlich, verstohlen.
steam [sti:m] **1.** Dampf *m*; Dunst *m*; *attr.* Dampf...; **2.** *v/i.* dampfen; ~ *up* (sich) beschlagen (*Glas*); *v/t. Speisen* dünsten, dämpfen; **~·er** ⚓ ['sti:mə] Dampfer *m*; **~·y** □ [~ɪ] (*-ier, -iest*) dampfig, dampfend; dunstig; beschlagen (*Glas*).
steel [sti:l] **1.** Stahl *m*; **2.** stählern; Stahl...; **3.** *fig.* stählen, wappnen; **~·work·er** ['sti:lwɜ:kə] Stahlarbeiter *m*; **~·works** *sg.* Stahlwerk *n.*
steep [sti:p] **1.** □ steil, jäh; F toll; **2.** einweichen; eintauchen; ziehen lassen; *be ~ed in s.th. fig.* von et. durchdrungen sein.
stee·ple ['sti:pl] (spitzer) Kirchturm; **~·chase** *Pferdesport*: Hindernisrennen *n*; *Leichtathletik*: Hindernislauf *m.*
steer[1] *zo.* [stɪə] junger Ochse; ⚠ *nicht Stier.*
steer[2] [~] steuern, lenken; **~·age** ⚓ ['stɪərɪdʒ] Steuerung *f*; Zwischendeck *n*; **~·ing col·umn** *mot.* [~ɪŋkɒləm] Lenksäule *f*; **~·ing wheel** ⚓ Steuerrad *n*; *mot. a.* Lenkrad *n.*
stem [stem] **1.** (Baum-, Wort)Stamm *m*; Stiel *m*; Stengel *m*; **2.** (*-mm-*) stammen (*from* von); eindämmen; *Blut(ung)* stillen; ankämpfen gegen.
stench [stentʃ] Gestank *m.*
sten·cil ['stensl] Schablone *f*; *print.* Matrize *f.*
ste·nog·ra|pher [ste'nɒgrəfə] Stenograph(in); **~·phy** [~ɪ] Stenographie *f.*
step [step] **1.** Schritt *m*, Tritt *m*; kurze Strecke; (Treppen)Stufe *f*; Trittbrett *n*; *fig.* Fußstapfe *f*; (*a pair of*) *~s pl.* (e-e) Trittleiter; *mind the* ~ Vorsicht, Stufe!; *take ~s fig.* Schritte unternehmen; **2.** (*-pp-*) *v/i.* schreiten, treten; gehen; ⚠ *nicht steppen*; ~ *out* forsch ausschreiten; *v/t.* ~ *off,* ~ *out* abschreiten; ~ *up* ankurbeln, steigern.
step- [~] *in Zssgn*: Stief...; **~·fa·ther** ['stepfɑ:ðə] Stiefvater *m*; **~·moth·er** Stiefmutter *f.*
steppe [step] Steppe *f.*
step·ping-stone *fig.* ['stepɪŋstəʊn] Sprungbrett *n.*
ster·e·o ['sterɪəʊ] (*pl. -os*) *Radio etc.*: Stereo *n*; Stereogerät *n*; *attr.* Stereo...
ster|ile ['steraɪl] unfruchtbar; steril; **ste·ril·i·ty** [ste'rɪlətɪ] Sterilität *f*; **~·il·ize** ['sterəlaɪz] sterilisieren.
ster·ling ['stɜ:lɪŋ] **1.** lauter, echt, gediegen; **2.** *econ.* Sterling *m* (*Währung*).
stern [stɜ:n] **1.** □ ernst; finster, streng, hart; **2.** ⚓ Heck *n*; **~·ness** ['stɜ:nnɪs] Ernst *m*; Strenge *f.*
stew [stju:] **1.** schmoren, dämpfen; **2.** Eintopf *m*, Schmorgericht *n*; *be in a* ~ in heller Aufregung sein.
stew·ard [stjʊəd] Verwalter *m*; ⚓, ✈ Steward *m*; (Fest)Ordner *m*; **~·ess** ⚓, ✈ ['stjʊədɪs] Stewardeß *f.*
stick [stɪk] **1.** Stock *m*; Stecken *m*; trockener Zweig; Stengel *m*, Stiel *m*; (*Lippen- etc.*)Stift *m*; Stab *m*; Stange *f*; (*Besen- etc.*)Stiel *m*; *~s pl.* Kleinholz *n*; **2.** (*stuck*) *v/i.* stecken(bleiben); (fest)kleben (*to* an *dat.*); sich heften (*to* an *acc.*); ~ *at nothing* vor nichts zurückschrecken; ~ *out* ab-, hervor-, herausstehen; ~ *to* bleiben bei; *v/t.* (ab)stechen; stecken, heften (*to* an *acc.*); kleben; F *Messer* stoßen; F *et., j-n* (v)ertragen, ausstehen; ~ *out* herausst(r)ecken; ~ *it out* F durchhalten; **~·er** ['stɪkə] Aufkleber *m*; *antinuke* ~ *sl.* Anti-Kernwaffen-Aufkleber *m*; **~·ing plas·ter** [~ɪŋplɑ:stə] Heftpflaster *n.*
stick·y □ ['stɪkɪ] (*-ier, -iest*) klebrig; schwierig, heikel.
stiff [stɪf] **1.** □ steif; starr; hart; fest; mühsam; stark (*alkoholisches Getränk*); *be bored* ~ F zu Tode gelang-

S

weilt sein; *keep a ~ upper lip* Haltung bewahren; **2.** *sl.* Leiche *f*; **~en** [ˈstɪfn] (sich) versteifen; steif werden, erstarren; **~-necked** [~ˈnekt] halsstarrig.

sti·fle [ˈstaɪfl] ersticken; *fig.* unterdrücken.

stile [staɪl] Zauntritt *m*.

sti·let·to [stɪˈletəʊ] (*pl. -tos, -toes*) Stilett *n*; **~ heel** Pfennigabsatz *m*.

still [stɪl] **1.** *adj.* □ still; ruhig; unbeweglich; **2.** *adv.* noch (immer), (immer) noch; **3.** *cj.* und doch, dennoch; **4.** stillen; beruhigen; **5.** Destillierapparat *m*; **~·born** [ˈstɪlbɔːn] totgeboren; **~ life** (*pl. still lifes od. lives*) *paint.* Stilleben *n*; **~·ness** [~nɪs] Stille *f*, Ruhe *f*.

stilt [stɪlt] Stelze *f*; **~·ed** □ [ˈstɪltɪd] gestelzt (*Stil*).

stim·u|lant [ˈstɪmjʊlənt] **1.** ⚕ stimulierend; **2.** ⚕ Reiz-, Aufputschmittel *n*; Genußmittel *n*; Anreiz *m*; **~·late** [~eɪt] ⚕ stimulieren (*a. fig.*), anregen, aufputschen; *fig. a.* anspornen; **~·la·tion** [stɪmjʊˈleɪʃn] ⚕ Reiz *m*, Reizung *f*; Anreiz *m*, Antrieb *m*, Anregung *f*; **~·lus** [ˈstɪmjʊləs] (*pl. -li* [-liː]) ⚕ Reiz *m*; (An)Reiz *m*, Antrieb *m*.

sting [stɪŋ] **1.** Stachel *m*; Stich *m*, Biß *m*; **2.** (*stung*) stechen; brennen; schmerzen; *fig.* anstacheln, reizen.

stin|gi·ness [ˈstɪndʒɪnɪs] Geiz *m*; **~·gy** □ [~ɪ] (*-ier, -iest*) geizig, knaus(e)rig; dürftig.

stink [stɪŋk] **1.** Gestank *m*; **2.** (*stank od. stunk, stunk*) stinken.

stint [stɪnt] **1.** Einschränkung *f*; Arbeit *f*; **2.** knausern mit; einschränken; *j-n* knapphalten.

stip·u|late [ˈstɪpjʊleɪt] *a. ~ for* ausbedingen, ausmachen, vereinbaren; **~·la·tion** [stɪpjʊˈleɪʃn] Abmachung *f*; Klausel *f*, Bedingung *f*.

stir [stɜː] **1.** Rühren *n*; Bewegung *f*; Aufregung *f*, Aufruhr *m*; Aufsehen *n*; **2.** (*-rr-*) (sich) rühren; (sich) bewegen; erwachen; (um)rühren; *fig.* erregen; *~ up* aufhetzen; *Streit etc.* entfachen.

stir·rup [ˈstɪrəp] Steigbügel *m*.

stitch [stɪtʃ] **1.** Stich *m*; Masche *f*; Seitenstechen *n*; **2.** nähen; heften.

stock [stɒk] **1.** (Baum)Strunk *m*; Pfropfunterlage *f*; Griff *m*; (Gewehr)Schaft *m*; ⚠ *nicht Stock*; Stamm *m*, Familie *f*, Herkunft *f*, Rohstoff *m*; (Fleisch-, Gemüse-) Brühe *f*; Vorrat *m*; *econ.* Waren(lager *n*) *pl.*; (Wissens)Schatz *m*; *a. live~* Vieh(bestand *m*) *n*; *econ.* Stammkapital *n*; *econ.* Anleihekapital *n*; *~s pl. econ.* Effekten *pl.*; Aktien *pl.*; Staatspapiere *pl.*; *in (out of) ~ econ.* (nicht) vorrätig *od.* auf Lager; *take ~ econ.* Inventur machen; *take ~ of fig.* sich klarwerden über (*acc.*); **2.** vorrätig; Serien..., Standard...; *fig.* stehend, stereotyp; **3.** ausstatten, versorgen; *econ. Waren* führen, vorrätig haben.

stock·ade [stɒˈkeɪd] Palisade(nzaun *m*) *f*.

stock|breed·er [ˈstɒkbriːdə] Viehzüchter *m*; **~·brok·er** *econ.* Börsenmakler *m*; **~ ex·change** *econ.* Börse *f*; **~ farm·er** Viehzüchter *m*; **~·hold·er** *bsd. Am. econ.* Aktionär(in).

stock·ing [ˈstɒkɪŋ] Strumpf *m*.

stock|job·ber *econ.* [ˈstɒkdʒɒbə] Börsenhändler *m*; *Am.* Börsenspekulant *m*; **~ mar·ket** *econ.* Börse *f*; **~-still** stockstill, unbeweglich; **~-tak·ing** *econ.* Bestandsaufnahme *f* (*a. fig.*), Inventur *f*; **~·y** [~ɪ] (*-ier, -iest*) stämmig, untersetzt.

stok·er [ˈstəʊkə] Heizer *m*.

stole [stəʊl] *pret. von steal 1*; **sto·len** [ˈstəʊlən] *p.p. von steal 1.*

stol·id □ [ˈstɒlɪd] gleichmütig; stur.

stom·ach [ˈstʌmək] **1.** Magen *m*; Leib *m*, Bauch *m*; *fig.* Lust *f*; **2.** *fig.* (v)ertragen; **~·ache** Magenschmerzen *pl.*, Bauchweh *n*; **~ up·set** Magenverstimmung *f*.

stone [stəʊn] **1.** Stein *m*; (Obst)Stein *m*, (-)Kern *m*; (*pl. stone*) *Brt. Gewichtseinheit* (*= 14 lb. = 6,35 kg*); **2.** steinern; Stein...; **3.** steinigen; entsteinen, -kernen; **~-blind** [ˈstəʊnˈblaɪnd] stockblind; **~-dead** mausetot; **~-deaf** stocktaub; **~·ma·son** Steinmetz *m*; **~·ware** [~weə] Steinzeug *n*.

ston·y □ [ˈstəʊnɪ] (*-ier, -iest*) steinig; *fig.* steinern, kalt.

stood [stʊd] *pret. u. p.p. von stand 1.*

stool [stuːl] Hocker *m*, Schemel *m*; ⚠ *nicht Stuhl*; ⚕ Stuhl(gang) *m*; **~-pigeon** [ˈstuːlpɪdʒɪn] Lockvogel *m*; Spitzel *m*.

stoop [stuːp] **1.** *v/i.* sich bücken; gebeugt gehen; *fig.* sich erniedrigen *od.* herablassen; *v/t.* neigen, beugen; **2.** gebeugte Haltung.

stop [stɒp] **1.** (*-pp-*) *v/t.* aufhören (mit); stoppen; anhalten; aufhalten; hindern; *Zahlungen*, *Tätigkeit etc.* einstellen; *Zahn* plombieren; *Blut* stillen; *a.* ~ *up* ver-, zustopfen; *v/i.* (an)halten, stehenbleiben, stoppen; aufhören; bleiben; ~ *dead* plötzlich stehenbleiben *od.* aufhören; ~ *off* F kurz haltmachen; ~ *over* kurz haltmachen; Zwischenstation machen; ~ *short* plötzlich anhalten; **2.** Halt *m*; Stillstand *m*; Ende *n*; Pause *f*; 🚂 *etc.* Aufenthalt *m*; 🚂 Station *f*; (Bus-)Haltestelle *f*; ⚓ Anlegestelle *f*; *phot.* Blende *f*; *mst full* ~ *gr.* Punkt *m*; **~·gap** [ˈstɒpgæp] Notbehelf *m*; **~·light** *mot.* Brems-, Stopplicht *n*; **~·o·ver** *bsd. Am.* Zwischenstation *f*; ✈ Zwischenlandung *f*; **~·page** [~ɪdʒ] Unterbrechung *f*; Stopp *m*; (Verkehrs)Stockung *f*, Stau *m*; Verstopfung *f*; (Gehalts-, Lohn)Abzug *m*; Sperrung *f* (*e-s Schecks*); (Arbeits-, Zahlungs- *etc.*)Einstellung *f*; **~·per** [~ə] Stöpsel *m*, Pfropfen *m*; **~·ping** ⚕ [~ɪŋ] Plombe *f*; ~ **sign** *mot.* Stoppschild *n*; **~·watch** Stoppuhr *f*.

stor·age [ˈstɔːrɪdʒ] Lagerung *f*, Speicherung *f*; *Computer*: Speicher *m*; Lagergeld *n*; *attr.* Speicher... (*a. Computer*).

store [stɔː] **1.** Vorrat *m*; Lagerhaus *n*; *Brt.* Kauf-, Warenhaus *n*; *bsd. Am.* Laden *m*, Geschäft *n*; *fig.* Fülle *f*, Reichtum *m*; ⚠ *nicht Store*; *in* ~ vorrätig, auf Lager; **2.** versorgen; *a.* ~ *up*, ~ *away* (auf)speichern, (ein-)lagern; ⚡, *Computer*: speichern; **~·house** [ˈstɔːhaʊs] Lagerhaus *n*; *fig.* Fundgrube *f*; **~·keep·er** Lagerverwalter *m*; *bsd. Am.* Ladenbesitzer (-in).

sto·rey, *bsd. Am.* **-ry** [ˈstɔːrɪ] Stock (-werk *n*) *m*.

-sto·reyed, *bsd. Am.* **-sto·ried** [ˈstɔːrɪd] mit ... Stockwerken, ...stöckig.

stork *zo.* [stɔːk] Storch *m*.

storm [stɔːm] **1.** Sturm *m*; Unwetter *n*; Gewitter *n*; **2.** stürmen; toben; **~·y** □ [ˈstɔːmɪ] (*-ier*, *-iest*) stürmisch.

sto·ry[1] [ˈstɔːrɪ] Geschichte *f*; Erzählung *f*; *thea. etc.* Handlung *f*; F Lüge *f*, Märchen *n*; *short* ~ Kurzgeschichte *f*; Erzählung *f*.

sto·ry[2] *bsd. Am.* [~] = *storey*.

stout □ [staʊt] stark, kräftig; derb; dick; tapfer.

stove[1] [stəʊv] Ofen *m*; *Am.* Herd *m*.

stove[2] [~] *pret. u. p.p. von stave 2.*

stow [stəʊ] (ver)stauen, packen; ~ *away* wegräumen; **~·a·way** ⚓, ✈ [ˈstəʊəweɪ] blinder Passagier.

strad·dle [ˈstrædl] die Beine spreizen; rittlings sitzen auf (*dat.*).

strag|gle [ˈstrægl] verstreut liegen *od.* stehen; herumstreifen; (hinterher-)bummeln; ⚘ *etc.* wuchern; **~·gly** [~ɪ] (*-ier*, *-iest*) verstreut (liegend); ⚘ *etc.* wuchernd; unordentlich (*Haar*).

straight [streɪt] **1.** *adj.* □ gerade; glatt (*Haar*); pur (*Whisky etc.*); aufrichtig, offen, ehrlich; *put* ~ in Ordnung bringen; **2.** *adv.* gerade(aus); gerade(wegs); direkt; klar (*denken*); ehrlich, anständig; *a.* ~ *out* offen, rundheraus; ~ *away* sofort; **~·en** [ˈstreɪtn] *v/t.* geradmachen, (gerade)richten; ~ *out* in Ordnung bringen; *v/i.* gerade werden; ~ *up* sich aufrichten; **~·for·ward** □ [~ˈfɔːwəd] ehrlich, redlich, offen; einfach.

strain [streɪn] **1.** *biol.* Rasse *f*, Art *f*; (Erb)Anlage *f*, Hang *m*, Zug *m*; ⊕ Spannung *f*; (Über)Anstrengung *f*; Anspannung *f*; Belastung *f*; Druck *m*; ⚕ Zerrung *f*; *fig.* Ton(art *f*) *m*; *mst* ~*s pl.* ♪ Weise *f*, Melodie *f*; **2.** *v/t.* (an)spannen; (über)anstrengen; ⚕ sich *et.* zerren *od.* verstauchen; *fig et.* strapazieren, überfordern; durchseihen, filtern; *v/i.* sich spannen; sich anstrengen; sich abmühen (*after* um); zerren (*at* an *dat.*); **~ed** [~d] gezwungen, unnatürlich; **~·er** [ˈstreɪnə] Sieb *n*, Filter *m*.

strait [streɪt] (*in Eigennamen* ♀*s pl.*) Meerenge *f*, Straße *f*; ~*s pl.* Not (-lage) *f*; **~·ened** [ˈstreɪtnd]: *in* ~ *circumstances* in beschränkten Verhältnissen; **~·jack·et** Zwangsjacke *f*.

strand [strænd] **1.** Strang *m*; (Haar-)Strähne *f*; *poet.* Gestade *n*, Ufer *n*; ⚠ *nicht Strand*; **2.** auf den Strand setzen; *fig.* stranden (lassen).

strange □ [streɪndʒ] (~*r*, ~*st*) fremd; seltsam, sonderbar; **strang·er** [ˈstreɪndʒə] Fremde(r *m*) *f*.

stran·gle [ˈstræŋgl] erwürgen.

strap [stræp] **1.** Riemen *m*; Gurt *m*; Band *n*; Träger *m* (*Kleid*); **2.** (*-pp-*) festschnallen; mit e-m Riemen schlagen.

strat·a·gem [ˈstrætədʒəm] (Kriegs-)List *f*.

stra·te·gic [strəˈtiːdʒɪk] (~*ally*) stra-

tegisch; **strat·e·gy** [ˈstrætɪdʒɪ] Strategie *f.*
stra·tum *geol.* [ˈstrɑːtəm] (*pl. -ta* [~tə]) Schicht *f* (*a. fig.*), Lage *f.*
straw [strɔː] **1.** Stroh(halm *m*) *n*; **2.** Stroh...; **~·ber·ry** ⚘ [ˈstrɔːbərɪ] Erdbeere *f.*
stray [streɪ] **1.** (herum)streunen; (herum)streifen; sich verirren; **2.** verirrt, streunend; vereinzelt; **3.** verirrtes *od.* streunendes Tier.
streak [striːk] **1.** Strich *m*, Streifen *m*; *fig.* Spur *f*; *fig.* (*Glücks- etc.*)Strähne *f*; ~ *of lightning* Blitzstrahl *m*; **2.** streifen; rasen, flitzen.
stream [striːm] **1.** Bach *m*, Flüßchen *n*; Strom *m*, Strömung *f*; **2.** strömen; tränen (*Augen*); triefen; flattern, wehen; **~·er** [ˈstriːmə] Wimpel *m*; (flatterndes) Band.
street [striːt] Straße *f*; *attr.* Straßen...; *in* (*Am. on*) *the* ~ auf der Straße; **~·car** *Am.* [ˈstriːtkɑː] Straßenbahn(wagen *m*) *f.*
strength [streŋθ] Stärke *f*, Kraft *f*; *on the* ~ *of* auf ... hin, auf Grund (*gen.*); **~·en** [ˈstreŋθən] *v/t.* (ver)stärken; *fig.* bestärken; *v/i.* stark werden.
stren·u·ous □ [ˈstrenjʊəs] rührig, emsig; eifrig; anstrengend.
stress [stres] **1.** Ton *m*, Akzent *m*, Betonung *f*; *fig.* Nachdruck *m*; *fig.* Belastung *f*, Anspannung *f*, Druck *m*; Stress *m*; **2.** betonen.
stretch [stretʃ] **1.** *v/t.* strecken; (ausdehnen; (an)spannen; recken; *fig.* übertreiben; *fig.* es nicht allzu genau nehmen mit; ~ *out* ausstrecken; *v/i.* sich erstrecken; sich dehnen (lassen); **2.** Strecken *n*; Dehnen *n*; Anspannung *f*; Übertreibung *f*, Zeit (-raum *m*, -spanne) *f*; Strecke *f*, Fläche *f*; **~·er** [ˈstretʃə] (Kranken-) Trage *f.*
strew [struː] (*strewed, strewn od. strewed*) (be-, ver)streuen; **~n** [~n] *p.p. von strew.*
strick·en *adj.* [ˈstrɪkən] heimgesucht, schwer betroffen; ergriffen.
strict [strɪkt] streng; genau; ~*ly speaking* genaugenommen; **~·ness** [ˈstrɪktnɪs] Genauigkeit *f*; Strenge *f.*
strid·den [ˈstrɪdn] *p.p. von stride 1.*
stride [straɪd] **1.** (*strode, stridden*) (*a.* ~ *out* aus)schreiten; überschreiten; **2.** großer Schritt.
strife [straɪf] Streit *m*, Hader *m.*
strike [straɪk] **1.** *econ.* Streik *m*; (Öl-, Erz)Fund *m*; ⚔ (Luft)Angriff *m*; ⚔ Atomschlag *m*; *be on* ~ streiken; *go on* ~ in (den) Streik treten; *a lucky* ~ ein Glückstreffer; **2.** (*struck*) *v/t.* schlagen; treffen; stoßen; schlagen *od.* stoßen gegen *od.* auf (*acc.*); stoßen *od.* treffen auf (*acc.*); *Flagge, Segel* streichen; ♪ *Ton* anschlagen; *Streichholz* anzünden; *ein Feuer* machen; *Zelt* abbrechen; einschlagen in (*acc.*) (*Blitz*); *Wurzel* schlagen; *j-n* beeindrucken; *j-m* auf- *od.* einfallen; ~ *off*, ~ *out* (aus)streichen; ~ *up* ♪ anstimmen; *Freundschaft* schließen; *v/i.* schlagen; ⚓ auflaufen (*on* auf *acc.*); *econ.* streiken; ~ *home fig.* ins Schwarze treffen; **strik·er** *econ.* [ˈstraɪkə] Streikende(r *m*) *f*; **strik·ing** □ [~ɪŋ] Schlag...; auffallend; eindrucksvoll; treffend.
string [strɪŋ] **1.** Schnur *f*; Bindfaden *m*; Band *n*; Faden *m*, Draht *m*; (Bogen)Sehne *f*; ⚘ Faser *f*; Reihe *f*, Kette *f*; ♪ Saite *f*; ~*s pl.* ♪ Streichinstrumente *pl.*, *die* Streicher *pl.*; *pull the* ~*s fig.* der Drahtzieher sein; *no* ~*s attached* ohne Bedingungen; **2.** (*strung*) spannen; *Perlen etc.* aufreihen; ♪ besaiten, bespannen; (ver-, zu)schnüren; *Bohnen* abziehen; *be strung up* angespannt *od.* erregt sein; **~ band** ♪ [ˈstrɪŋˈbænd] Streichorchester *n.*
strin·gent □ [ˈstrɪndʒənt] streng, scharf; zwingend; knapp.
string·y [ˈstrɪŋɪ] (*-ier, -iest*) faserig; sehnig; zäh.
strip [strɪp] **1.** (*-pp-*) entkleiden (*a. fig.*); *a.* ~ *off* abziehen, abstreifen, (ab)schälen; (sich) ausziehen; *a.* ~ *down* ⊕ zerlegen, auseinandernehmen; *fig.* entblößen, berauben; **2.** Streifen *m.*
stripe [straɪp] Streifen *m*; ⚔ Tresse *f.*
strip·ling [ˈstrɪplɪŋ] Bürschchen *n.*
strive [straɪv] (*strove, striven*) streben; sich bemühen; ringen (*for* um);
striv·en [ˈstrɪvn] *p.p. von strive.*
strode [strəʊd] *pret. von stride 1.*
stroke [strəʊk] **1.** Schlag *m*; Streich *m*, Stoß *m*; Strich *m*; ⚕ Schlag(anfall) *m*; ~ *of* (*good*) *luck* Glücksfall *m*; **2.** streichen über; streicheln.
stroll [strəʊl] **1.** schlendern, (herum)bummeln; herumziehen; **2.** Bummel *m*, Spaziergang *m*; **~·er** [ˈstrəʊlə] Bummler(in), Spaziergänger(in); *Am.* (Falt)Sportwagen *m.*

S

strong □ [strɒŋ] stark; kräftig; energisch; überzeugt; fest; stark, schwer (*Getränk etc.*); **~-box** [ˈstrɒŋbɒks] Geld-, Stahlkassette *f*; **~·hold** Festung *f*; *fig*. Hochburg *f*; **~-mind·ed** willensstark; **~-room** Stahlkammer *f*, Tresor(raum) *m*.
strove [strəʊv] *pret. von strive.*
struck [strʌk] *pret. u. p.p. von strike* 2.
struc·ture [ˈstrʌktʃə] Bau(werk *n*) *m*; Struktur *f*, Gefüge *n*; Gebilde *n*.
strug·gle [ˈstrʌgl] **1.** sich (ab)mühen; kämpfen, ringen; sich winden, zappeln, sich sträuben; **2.** Kampf *m*, Ringen *n*; Anstrengung *f*.
strum [strʌm] (*-mm-*) klimpern (auf).
strung [strʌŋ] *pret. u. p.p. von string* 2.
strut [strʌt] **1.** (*-tt-*) *v/i.* stolzieren; *v/t.* ⊕ abstützen; **2.** Stolzieren *n*; ⊕ Strebe(balken *m*) *f*, Stütze *f*.
stub [stʌb] **1.** (Baum)Stumpf *m*; Stummel *m*; Kontrollabschnitt *m*; **2.** (*-bb-*) (aus)roden; sich *die Zehe* anstoßen; ~ *out Zigarette etc.* ausdrücken.
stub·ble [ˈstʌbl] Stoppel(n *pl.*) *f*.
stub·born □ [ˈstʌbən] eigensinnig; widerspenstig; stur; hartnäckig.
stuck [stʌk] *pret. u. p.p. von stick* 2; **~-up** F [ˈstʌkˈʌp] hochnäsig.
stud[1] [stʌd] **1.** Beschlagnagel *m*; Ziernagel *m*; Knauf *m*; Manschetten-, Kragenknopf *m*; **2.** (*-dd-*) mit Nägeln *etc.* beschlagen; übersäen.
stud[2] [~] Gestüt *n*; ⚠ *nicht Stute*; *a.* *~-horse* (Zucht)Hengst *m*; *~-book* Gestütbuch *n*; *~-farm* Gestüt *n*; *~-mare* Zuchtstute *f*.
stu·dent [ˈstju:dnt] Student(in); *Am.* Schüler(in).
stud·ied □ [ˈstʌdɪd] einstudiert; gesucht, gewollt; wohlüberlegt.
stu·di·o [ˈstju:dɪəʊ] (*pl. -os*) Atelier *n*, Studio *n*; (Fernseh-, Rundfunk-)Studio *n*, Aufnahme-, Senderaum *m*.
stu·di·ous □ [ˈstju:djəs] fleißig; eifrig bemüht; sorgfältig, peinlich.
stud·y [ˈstʌdɪ] **1.** Studium *n*; Studier-, Arbeitszimmer *n*; *paint. etc.* Studie *f*; *studies pl.* Studium *n*, Studien *pl.*; *in a brown* ~ in Gedanken versunken, geistesabwesend; **2.** (ein)studieren; lernen; studieren, erforschen; sich bemühen um.
stuff [stʌf] **1.** Stoff *m*; Zeug *n*; **2.** *v/t.* (voll-, aus)stopfen; füllen; ⚠ *nicht stopfen (ausbessern)*; *v/i.* sich vollstopfen; **~·ing** [ˈstʌfɪŋ] Füllung *f*; **~·y** □ [~ɪ] (*-ier, -iest*) dumpf, muffig, stickig; langweilig, fad; F spießig; F prüde.
stum·ble [ˈstʌmbl] **1.** Stolpern *n*, Straucheln *n*; Fehltritt *m*; **2.** stolpern, straucheln; ~ *across*, ~ *on*, ~ *upon* zufällig stoßen auf (*acc.*).
stump [stʌmp] **1.** Stumpf *m*, Stummel *m*; **2.** *v/t.* F verblüffen; *v/i.* stampfen, stapfen; **~·y** □ [ˈstʌmpɪ] (*-ier, -iest*) gedrungen; plump.
stun [stʌn] (*-nn-*) betäuben (*a. fig.*).
stung [stʌŋ] *pret. u. p.p. von sting* 2.
stunk [stʌŋk] *pret. u. p.p. von stink* 2.
stun·ning □ F [ˈstʌnɪŋ] toll, phantastisch.
stunt[1] [stʌnt] Kunststück *n*; (Reklame)Trick *m*; Sensation *f*; ~ *man Film*: Stuntman *m*, Double *n*.
stunt[2] [~] (im Wachstum *etc.*) hemmen; **~·ed** [ˈstʌntɪd] verkümmert.
stu·pe·fy [ˈstju:pɪfaɪ] betäuben; *fig.* verblüffen.
stu·pen·dous □ [stju:ˈpendəs] verblüffend, erstaunlich.
stu·pid □ [ˈstju:pɪd] dumm, einfältig; stumpfsinnig, blöd; **~·i·ty** [stju:ˈpɪdətɪ] Dummheit *f*; Stumpfsinn *m*.
stu·por [ˈstju:pə] Erstarrung *f*, Betäubung *f*.
stur·dy □ [ˈstɜ:dɪ] (*-ier, -iest*) robust, kräftig; *fig.* entschlossen.
stut·ter [ˈstʌtə] **1.** stottern; stammeln; **2.** Stottern *n*; Stammeln *n*.
sty[1] [staɪ] Schweinestall *m*.
sty[2], **stye** ⚕ [~] Gerstenkorn *n*.
style [staɪl] **1.** Stil *m*; Mode *f*; (Mach)Art *f*; Titel *m*, Anrede *f*; **2.** nennen; entwerfen; gestalten.
styl|ish □ [ˈstaɪlɪʃ] stilvoll; elegant; **~·ish·ness** [~nɪs] Eleganz *f*; **~·ist** [~st] Stilist(in).
suave □ [swɑ:v] verbindlich; mild.
sub- [sʌb] Unter..., unter...; Neben..., untergeordnet; Hilfs...; fast ...
sub·di·vi·sion [ˈsʌbdɪvɪʒn] Unterteilung *f*; Unterabteilung *f*.
sub·due [səbˈdju:] unterwerfen; bezwingen; bändigen; dämpfen.
sub|ject 1. [ˈsʌbdʒɪkt] unterworfen; untergeben; abhängig; untertan; ausgesetzt (*to dat.*); *be ~ to* neigen

zu; ~ *to* vorbehaltlich (*gen.*); **2.** [~] Untertan(in); Staatsbürger(in), -angehörige(r *m*) *f*; *gr*. Subjekt *n*, Satzgegenstand *m*; Thema *n*, Gegenstand *m*; (Lehr-, Schul-, Studien-) Fach *n*; **3.** [səbˈdʒekt] unterwerfen; *fig*. unterwerfen, -ziehen, aussetzen (*to dat.*); **~·jec·tion** [~kʃn] Unterwerfung *f*; Abhängigkeit *f*.
sub·ju·gate [ˈsʌbdʒʊgeɪt] unterjochen, -werfen.
sub·junc·tive *gr*. [səbˈdʒʌŋktɪv] *a*. ~ *mood* Konjunktiv *m*.
sub|lease [ˈsʌbˈliːs], **~·let** (*-tt-*; *-let*) untervermieten.
sub·lime □ [səˈblaɪm] erhaben.
sub·ma·chine gun [ˈsʌbməˈʃiːn gʌn] Maschinenpistole *f*.
sub·ma·rine [ˈsʌbməriːn] **1.** unterseeisch, Untersee...; **2.** ⚓, ⚔ Unterseeboot *n*.
sub·merge [səbˈmɜːdʒ] (unter)tauchen; überschwemmen.
sub·mis|sion [səbˈmɪʃn] Unterwerfung *f*; Unterbreitung *f*; **~·sive** □ [~sɪv] unterwürfig; ergeben.
sub·mit [səbˈmɪt] (*-tt-*) (sich) unterwerfen *od*. -ziehen; unterbreiten, vorlegen; sich fügen *od*. ergeben (*to dat. od.* in *acc.*).
sub·or·di·nate **1.** □ [səˈbɔːdɪnət] untergeordnet; nebensächlich; ~ *clause gr*. Nebensatz *m*; **2.** [~] Untergebene(r *m*) *f*; **3.** [~eɪt] unterordnen.
sub|scribe [səbˈskraɪb] *v/t*. *Geld* stiften, spenden (*to* für); *Summe* zeichnen; mit *s-m Namen* unterzeichnen, unterschreiben mit; *v/i*. ~ *to Zeitung etc*. abonnieren; **~·scrib·er** [~ə] (Unter)Zeichner(in); Spender(in); Abonnent(in); *teleph*. Teilnehmer(in), Anschluß *m*.
sub·scrip·tion [səbˈskrɪpʃn] Vorbestellung *f*, Subskription *f*; (Mitglieds)Beitrag *m*; Spende *f*.
sub·se·quent [ˈsʌbsɪkwənt] (nach-) folgend; später; *~ly* nachher; später.
sub·ser·vi·ent □ [səbˈsɜːvjənt] dienlich; unterwürfig.
sub|side [səbˈsaɪd] sinken; sich senken; sich setzen; sich legen (*Wind etc.*); ~ *into* verfallen in (*acc.*); **~·sid·i·a·ry** [~ˈsɪdjərɪ] **1.** □ Hilfs...; Neben..., untergeordnet; **2.** *econ*. Tochter(gesellschaft) *f*; **~·si·dize** [ˈsʌbsɪdaɪz] subventionieren; **~·si·dy** [~ɪ] Beihilfe *f*; Subvention *f*.
sub|sist [səbˈsɪst] leben, sich ernähren (*on* von); **~·sis·tence** [~əns] Dasein *n*, Existenz *f*; (Lebens)Unterhalt *m*.
sub·stance [ˈsʌbstəns] Substanz *f*; *das* Wesentliche, Kern *m*, Gehalt *m*; Vermögen *n*.
sub·stan·dard [ˈsʌbˈstændəd] unter der Norm; ~ *film* Schmalfilm *m*.
sub·stan·tial □ [səbˈstænʃl] wesentlich; wirklich (vorhanden); beträchtlich; reichlich; kräftig; stark; solid; vermögend; namhaft (*Summe*).
sub·stan·ti·ate [səbˈstænʃɪeɪt] beweisen, begründen.
sub·stan·tive *gr*. [ˈsʌbstəntɪv] Substantiv *n*, Hauptwort *n*.
sub·sti|tute [ˈsʌbstɪtjuːt] **1.** an die Stelle setzen *od*. treten (*for* von); ~ *s.th. for s.th.* et. durch et. ersetzen, et. gegen et. austauschen *od*. -wechseln; **2.** Stellvertreter(in), Vertretung *f*; Ersatz *m*; **~·tu·tion** [sʌbstɪˈtjuːʃn] Stellvertretung *f*; Ersatz *m*; *Sport*: Auswechslung *f*.
sub·ter·fuge [ˈsʌbtəfjuːdʒ] Vorwand *m*, Ausflucht *f*; List *f*.
sub·ter·ra·ne·an □ [ˈsʌbtəˈreɪnjən] unterirdisch.
sub·ti·tle [ˈsʌbtaɪtl] Untertitel *m*.
sub·tle □ [ˈsʌtl] (*~r*, *~st*) fein(sinnig); subtil; scharf(sinnig).
sub·tract ♈ [səbˈtrækt] abziehen, subtrahieren.
sub·trop·i·cal [ˈsʌbˈtrɒpɪkl] subtropisch.
sub|urb [ˈsʌbɜːb] Vorstadt *f*, -ort *m*; **~·ur·ban** [səˈbɜːbən] vorstädtisch.
sub·ven·tion [səbˈvenʃn] Subvention *f*.
sub·ver|sion [səbˈvɜːʃn] Umsturz *m*; **~·sive** □ [~sɪv] umstürzlerisch, subversiv; **~t** [~t] stürzen.
sub·way [ˈsʌbweɪ] (Straßen-, Fußgänger)Unterführung *f*; *Am*. Untergrundbahn *f*, U-Bahn *f*.
suc·ceed [səkˈsiːd] *v/i*. Erfolg haben; glücken, gelingen; ~ *to* folgen (*dat.*) *od*. auf (*acc.*), nachfolgen (*dat.*); *v/t*. (nach)folgen (*dat.*), *j-s* Nachfolger werden.
suc·cess [səkˈses] Erfolg *m*; **~·ful** □ [~fl] erfolgreich.
suc·ces|sion [səkˈseʃn] (Nach-, Erb-, Reihen)Folge *f*; *in* ~ nacheinander; **~·sive** □ [~sɪv] aufeinanderfolgend; **~·sor** [~ə] Nachfolger(in).

S

suc·co(u)r [ˈsʌkə] **1.** Hilfe *f*; **2.** helfen.
suc·cu·lent □ [ˈsʌkjʊlənt] saftig.
suc·cumb [səˈkʌm] unter-, erliegen.
such [sʌtʃ] solche(r, -s); derartige(r, -s); so; ~ *a man* ein solcher Mann; ~ *as* diejenigen, welche; wie.
suck [sʌk] **1.** saugen (an *dat.*); aussaugen; lutschen (an *dat.*); **2.** Saugen *n*; **~·er** [ˈsʌkə] Saugorgan *n*; ⚘ Wurzelschößling *m*; F Trottel *m*, Simpel *m*; **~·le** [~l] säugen, stillen; **~·ling** [~ɪŋ] Säugling *m.*
suc·tion [ˈsʌkʃn] (An)Saugen *n*; Sog *m*; *attr.* (An)Saug...
sud·den □ [ˈsʌdn] plötzlich; (*all*) *of a* ~ (ganz) plötzlich.
suds [sʌdz] *pl.* Seifenlauge *f*; Seifenschaum *m*; **~·y** [ˈsʌdzɪ] (*-ier*, *-iest*) schaumig.
sue [sjuː] *v/t.* verklagen (*for* auf *acc.*, wegen); *a.* ~ *out* erwirken; *v/i.* nachsuchen (*for* um); klagen.
suede, suède [sweɪd] Wildleder *n.*
su·et [ˈsjʊɪt] Nierenfett *n*, Talg *m.*
suf·fer [ˈsʌfə] *v/i.* leiden (*from* an, unter *dat.*); büßen; *v/t.* erleiden, erdulden; (zu)lassen; **~·ance** [~rəns] Duldung *f*; **~·er** [~ə] Leidende(r *m*) *f*; Dulder(in); **~·ing** [~ɪŋ] Leiden *n.*
suf·fice [səˈfaɪs] genügen; ~ *it to say* es genügt wohl, wenn ich sage.
suf·fi·cien|cy [səˈfɪʃnsɪ] genügende Menge; Auskommen *n*; **~t** [~t] genügend, genug, ausreichend; *be* ~ genügen, (aus)reichen.
suf·fix [ˈsʌfɪks] Suffix *n*, Nachsilbe *f.*
suf·fo·cate [ˈsʌfəkeɪt] ersticken.
suf·frage [ˈsʌfrɪdʒ] (Wahl)Stimme *f*; Wahl-, Stimmrecht *n.*
suf·fuse [səˈfjuːz] übergießen; überziehen.
sug·ar [ˈʃʊgə] **1.** Zucker *m*; **2.** zuckern; **~-ba·sin,** *bsd. Am.* ~ **bowl** Zuckerdose *f*; **~-cane** ⚘ Zuckerrohr *n*; **~-coat** überzuckern; *fig.* versüßen; **~·y** [~rɪ] zuckerig; *fig.* zuckersüß.
sug|gest [səˈdʒest, *Am. a.* səgˈdʒest] vorschlagen, anregen; nahelegen; hinweisen auf (*acc.*); *Gedanken* eingeben; andeuten; denken lassen an (*acc.*); **~·ges·tion** [~tʃən] Anregung *f*, Vorschlag *m*; *psych.* Suggestion *f*; Eingebung *f*; Andeutung *f*; **~·ges·tive** □ [~tɪv] anregend; vielsagend; zweideutig; *be* ~ *of s.th.* auf et. hindeuten; an et. denken lassen; den Eindruck von et. erwecken.
su·i·cide [ˈsjʊɪsaɪd] **1.** Selbstmord *m*; Selbstmörder(in); *commit* ~ Selbstmord begehen; **2.** *Am.* Selbstmord begehen.
suit [sjuːt] **1.** (Herren)Anzug *m*; (Damen)Kostüm *n*; Anliegen *n*; Werben *n* (*um e-e Frau*); *Karten*: Farbe *f*; ⚖ Prozeß *m*; *follow* ~ *fig.* dem Beispiel folgen, dasselbe tun; **2.** *v/t. j-m* passen, zusagen, bekommen; *j-n* kleiden, *j-m* stehen, passen zu; ~ *oneself* tun, was e-m beliebt; ~ *yourself* mach, was du willst; ~ *s.th. to* et. anpassen (*dat.*) *od.* an (*acc.*); *be* ~*ed* geeignet sein (*for*, *to* für, zu); *v/i.* passen; **sui·ta·ble** □ [ˈsjuːtəbl] passend, geeignet (*for*, *to* für, zu); **~·case** (Hand)Koffer *m.*
suite [swiːt] Gefolge *n*; ♪ Suite *f*; Zimmerflucht *f*, Suite *f*; (Möbel-, Sitz)Garnitur *f*, (Zimmer)Einrichtung *f.*
sui·tor [ˈsjuːtə] Freier *m*; ⚖ Kläger(in).
sul·fur, *etc. Am.* [ˈsʌlfə] *s. sulphur, etc.*
sulk [sʌlk] schmollen, eingeschnappt sein; **~·i·ness** [ˈsʌlkɪnɪs], **~s** *pl.* Schmollen *n*; **~·y** [~ɪ] **1.** □ (*-ier*, *-iest*) verdrießlich; schmollend; **2.** *Sport*: Sulky *n*, Traberwagen *m.*
sul·len □ [ˈsʌlən] verdrossen, mürrisch; düster, trübe.
sul·ly *mst fig.* [ˈsʌlɪ] beflecken.
sul|phur ⚗ [ˈsʌlfə] Schwefel *m*; **~·phu·ric** ⚗ [sʌlˈfjʊərɪk] Schwefel...
sul·tri·ness [ˈsʌltrɪnɪs] Schwüle *f.*
sul·try □ [ˈsʌltrɪ] (*-ier*, *-iest*) schwül; *fig.* heftig, hitzig.
sum [sʌm] **1.** Summe *f*; Betrag *m*; Rechenaufgabe *f*; *fig.* Inbegriff *m*; *do* ~*s* rechnen; **2.** (*-mm-*) ~ *up* zusammenzählen, addieren; *j-n* kurz einschätzen; *Situation* erfassen; zusammenfassen.
sum|mar·ize [ˈsʌməraɪz] zusammenfassen; **~·ma·ry** [~ɪ] **1.** □ kurz (zusammengefaßt); ⚖ Schnell...; **2.** (kurze) Inhaltsangabe, Zusammenfassung *f.*
sum·mer [ˈsʌmə] Sommer *m*; ~ *school* Ferienkurs *m*; **~·ly** [~lɪ], **~·y** [~rɪ] sommerlich.
sum·mit [ˈsʌmɪt] Gipfel *m* (*a. fig.*).
sum·mon [ˈsʌmən] auffordern; (einbe)rufen; ⚖ vorladen; ~ *up Mut etc.* zusammennehmen, auf-

bieten; ~s Aufforderung f; ⚖ Vorladung f.
sump·tu·ous □ [ˈsʌmptjʊəs] kostspielig; üppig, aufwendig.
sun [sʌn] **1.** Sonne f; attr. Sonnen...; **2.** (-*nn*-) der Sonne aussetzen; ~ (*o.s.*) sich sonnen; **~-bath** [ˈsʌnbɑːθ] Sonnenbad n; **~·beam** Sonnenstrahl m; **~·burn** Sonnenbräune f; Sonnenbrand m.
sun·dae [ˈsʌndeɪ] Eisbecher m mit Früchten.
Sun|day [ˈsʌndɪ] Sonntag m; *on* ~ (am) Sonntag; *on* ~*s* sonntags.
sun|di·al [ˈsʌndaɪəl] Sonnenuhr f; **~·down** = *sunset*.
sun|dries [ˈsʌndrɪz] pl. Diverse(s) n, Verschiedene(s) n; **~·dry** [~ɪ] verschiedene.
sung [sʌŋ] *p.p. von sing*.
sun·glass·es [ˈsʌnglɑːsɪz] pl. (*a pair of* ~ e-e) Sonnenbrille.
sunk [sʌŋk] *pret. u. p.p. von sink 1*.
sunk·en adj. [ˈsʌŋkən] versunken; tiefliegend; fig. eingefallen.
sun|ny □ [ˈsʌnɪ] (-*ier*, -*iest*) sonnig; **~·rise** Sonnenaufgang m; **~·set** Sonnenuntergang m; **~·shade** Sonnenschirm m; Markise f; **~·shine** Sonnenschein m; **~·stroke** ⚕ Sonnenstich m; **~·tan** (Sonnen)Bräune f.
su·per F [ˈsuːpə] super, toll, prima, Spitze, Klasse.
su·per- [ˈsjuːpə] Über..., über...; Ober..., ober...; Super..., Groß...; **~·a·bun·dant** □ [~rəˈbʌndənt] überreichlich; überschwenglich; **~·an·nu·ate** [sjuːpəˈrænjʊeɪt] pensionieren; ~*d* pensioniert; veraltet.
su·perb □ [sjuːˈpɜːb] prächtig, herrlich, großartig; ausgezeichnet.
su·per|charg·er mot. [ˈsjuːpətʃɑːdʒə] Kompressor m; **~·cil·i·ous** □ [~ˈsɪlɪəs] hochmütig; **~·fi·cial** □ [~ˈfɪʃl] oberflächlich; **~·fine** [~ˈfaɪn] extrafein; **~·flu·i·ty** [~ˈflʊətɪ] Überfluß m; **~·flu·ous** □ [sjuːˈpɜːflʊəs] überflüssig; überreichlich; **~·heat** ⊕ [ˈsjuːpəˈhiːt] überhitzen; **~·hu·man** □ [~ˈhjuːmən] übermenschlich; **~·im·pose** [~rɪmˈpəʊz] darauf-, darüberlegen; überlagern; **~·in·tend** [~rɪnˈtend] die (Ober)Aufsicht haben über (*acc.*), überwachen; leiten; **~·in·tend·ent** [~ənt] **1.** Leiter m, Direktor m; (Ober)Aufseher m, Inspektor m; *Brt.* Kommissar (-in); *Am.* Polizeichef m; *Am.* Hausverwalter m; **2.** aufsichtführend.
su·pe·ri·or [sjuːˈpɪərɪə] **1.** □ höhere(r, -s), höherstehend, vorgesetzt; besser, hochwertiger; überlegen (*to dat.*); hervorragend; **2.** Höherstehende(r m) f, bsd. Vorgesetzte(r m) f; *mst Father* ♀ *eccl.* Superior m; *mst Lady* ♀, *Mother* ♀ *eccl.* Oberin f; **~·i·ty** [sjuːpɪərɪˈɒrətɪ] Überlegenheit f.
su·per·la·tive [sjuːˈpɜːlətɪv] **1.** □ höchste(r, -s); überragend; **2.** *a.* ~ *degree gr.* Superlativ m.
su·per|mar·ket [ˈsjuːpəmɑːkɪt] Supermarkt m; **~·nat·u·ral** □ [~ˈnætʃrəl] übernatürlich; **~·nu·me·ra·ry** [~ˈnjuːmərərɪ] **1.** überzählig; zusätzlich; **2.** Zusatzperson f, -sache f; *thea.*, *Film*: Statist(in); **~·scrip·tion** [~ˈskrɪpʃn] Über-, Aufschrift f; **~·sede** [~ˈsiːd] ersetzen; verdrängen; absetzen; ablösen; **~·son·ic** *phys.* [~ˈsɒnɪk] Überschall...; **~·sti·tion** [~ˈstɪʃn] Aberglaube m; **~·sti·tious** □ [~əs] abergläubisch; **~·vene** [~ˈviːn] (noch) hinzukommen; dazwischenkommen; **~·vise** [~vaɪz] beaufsichtigen, überwachen; **~·vi·sion** [~ˈvɪʒn] (Ober)Aufsicht f; Beaufsichtigung f, Überwachung f; **~·vi·sor** [~vaɪzə] Aufseher(in); Leiter(in).
sup·per [ˈsʌpə] Abendessen n; *the* (*Lord's*) ♀ das heilige Abendmahl.
sup·plant [səˈplɑːnt] verdrängen.
sup·ple [ˈsʌpl] **1.** □ (~*r*, ~*st*) geschmeidig; **2.** geschmeidig machen.
sup·ple|ment **1.** [ˈsʌplɪmənt] Ergänzung f; Nachtrag m; (Zeitungs- *etc.*)Beilage f; **2.** [~ment] ergänzen; **~·men·tal** □ [sʌplɪˈmentl], **~·men·ta·ry** [~ərɪ] Ergänzungs...; nachträglich; Nachtrags...
sup·pli·ant [ˈsʌplɪənt] **1.** □ demütig bittend, flehend; **2.** Bittsteller(in).
sup·pli|cate [ˈsʌplɪkeɪt] demütig bitten; (an)flehen; **~·ca·tion** [sʌplɪˈkeɪʃn] demütige Bitte.
sup·pli·er [səˈplaɪə] Lieferant(in); *a.* ~*s pl.* Lieferfirma f.
sup·ply [səˈplaɪ] **1.** liefern; *e-m Mangel* abhelfen; *e-e Stelle* ausfüllen; beliefern, ausstatten, versorgen; ergänzen; **2.** Lieferung f; Versorgung f; Zufuhr f; *econ.* Angebot n; (Stell)Vertretung f; *mst supplies pl.* Vorrat m; *econ.* Artikel m, Bedarf m;

S

parl. bewilligter Etat; ~ *and demand* *econ.* Angebot u. Nachfrage.
sup·port [sə'pɔːt] **1.** Stütze *f*; Hilfe *f*; ⊕ Träger *m*; Unterstützung *f*; (Lebens)Unterhalt *m*; **2.** tragen, (ab)stützen; unterstützen; unterhalten, sorgen für (*Familie etc.*); ertragen; **~·er** [~ə] Anhänger(in) (*a. Sport*), Befürworter(in).
sup·pose [sə'pəʊz] annehmen; voraussetzen; vermuten; *he is ~d to do* er soll tun; ~ *we go* gehen wir!; wie wär's, wenn wir gingen?; *what is that ~d to mean?* was soll denn das?; *I ~ so* ich nehme es an, vermutlich.
sup|posed □ [sə'pəʊzd] vermeintlich; **~·pos·ed·ly** [~ɪdlɪ] angeblich.
sup·po·si·tion [sʌpə'zɪʃn] Voraussetzung *f*; Annahme *f*, Vermutung *f*.
sup|press [sə'pres] unterdrücken; **~·pres·sion** [~ʃn] Unterdrückung *f*.
sup·pu·rate ⚕ ['sʌpjʊəreɪt] eitern.
su·prem|a·cy [sjʊ'preməsɪ] Oberhoheit *f*; Vorherrschaft *f*; Überlegenheit *f*; Vorrang *m*; **~e** □ [sjuː'priːm] höchste(r, -s); oberste(r, -s); Ober...; größte(r, -s).
sur·charge **1.** [sɜː'tʃɑːdʒ] e-n Zuschlag *od.* ein Nachporto *etc.* erheben auf (*acc.*); **2.** ['sɜːtʃɑːdʒ] Zuschlag *m*; Nach-, Strafporto *n*; Über-, Aufdruck *m* (*auf Briefmarken*).
sure [ʃʊə] **1.** *adj.* □ (~r, ~st): ~ (*of*) sicher, gewiß (*gen.*), überzeugt (von); *make ~ that* sich (davon) überzeugen, daß; **2.** *adv. Am.* F wirklich; *it ~ was cold Am.* F es war vielleicht kalt!; ~! klar!, aber sicher!; ~ *enough* ganz bestimmt; tatsächlich; **~·ly** ['ʃʊəlɪ] sicher(lich); **sur·e·ty** [~tɪ] Kaution *f*; Bürge *m*.
surf [sɜːf] **1.** Brandung *f*; **2.** *Sport*: surfen.
sur·face ['sɜːfɪs] **1.** (Ober)Fläche *f*; ✈ Tragfläche *f*; **2.** ⚓ auftauchen (*U-Boot*).
surf|board ['sɜːfbɔːd] Surfbrett *n*; **~·boat** Brandungsboot *n*.
sur·feit ['sɜːfɪt] **1.** Übersättigung *f*; Überdruß *m*; **2.** (sich) übersättigen *od.* -füttern.
surf|er ['sɜːfə] *Sport*: Surfer(in), Wellenreiter(in); **~·ing** [~ɪŋ], **~-rid·ing** [~raɪdɪŋ] *Sport*: Surfen *n*, Wellenreiten *n*.
surge [sɜːdʒ] **1.** Woge *f*; **2.** wogen; (vorwärts)drängen; *a.* ~ *up* (auf)wallen (*Gefühle*).
sur|geon ['sɜːdʒən] Chirurg *m*; **~·ge·ry** [~rɪ] Chirurgie *f*; operativer Eingriff, Operation *f*; *Brt.* Sprechzimmer *n*; ~ *hours pl. Brt.* Sprechstunde(n *pl.*) *f*.
sur·gi·cal □ ['sɜːdʒɪkl] chirurgisch.
sur·ly □ ['sɜːlɪ] (*-ier, -iest*) mürrisch; grob.
sur·mise **1.** ['sɜːmaɪz] Vermutung *f*; **2.** [sɜː'maɪz] vermuten.
sur·mount [sɜː'maʊnt] überwinden.
sur·name ['sɜːneɪm] Familien-, Nach-, Zuname *m*.
sur·pass *fig.* [sə'pɑːs] übersteigen, -treffen; **~·ing** [~ɪŋ] unvergleichlich.
sur·plus ['sɜːpləs] **1.** Überschuß *m*, Mehr *n*; **2.** überschüssig; Über(schuß)...
sur·prise [sə'praɪz] **1.** Überraschung *f*; ⚔ Überrump(e)lung *f*; **2.** überraschen; ⚔ überrumpeln.
sur·ren·der [sə'rendə] **1.** Übergabe *f*; Kapitulation *f*; Aufgabe *f*, Verzicht *m*; Hingabe *f*; **2.** *v/t. et.* übergeben; aufgeben; *v/i.* sich ergeben (*to dat.*), kapitulieren; sich hingeben *od.* überlassen (*to dat.*).
sur·ro·gate ['sʌrəgɪt] Ersatz *m*; ~ *mother* Leihmutter *f*.
sur·round [sə'raʊnd] umgeben; ⚔ umzingeln, -stellen; **~·ing** [~ɪŋ] umliegend; **~·ings** *pl.* Umgebung *f*.
sur·tax ['sɜːtæks] Steuerzuschlag *m*.
sur·vey **1.** [sə'veɪ] überblicken; sorgfältig prüfen; begutachten; *Land* vermessen; **2.** ['sɜːveɪ] Überblick *m* (*a. fig.*); sorgfältige Prüfung; Inspektion *f*, Besichtigung *f*; Gutachten *n*; (Land)Vermessung *f*; (Lage-)Karte *f*, (-)Plan *m*; **~·or** [sə'veɪə] Landmesser *m*; (amtlicher) Inspektor.
sur|viv·al [sə'vaɪvl] Überleben *n*; Fortleben *n*; Überbleibsel *n*; ~ *kit* Überlebensausrüstung *f*; **~·vive** [~aɪv] überleben, am Leben bleiben; noch leben; fortleben; bestehen bleiben; **~·vi·vor** [~ə] Überlebende(r *m*) *f*.
sus·cep·ti·ble □ [sə'septəbl] empfänglich (*to* für); empfindlich (*to* gegen); *be ~ of et.* zulassen.
sus·pect **1.** [sə'spekt] (be)argwöhnen; in Verdacht haben, verdächtigen; vermuten, befürchten; **2.** ['sʌspekt] Verdächtige(r *m*) *f*; **3.** [~] = **~·ed** [sə'spektɪd] verdächtig.
sus·pend [sə'spend] (auf)hängen;

S

aufschieben; in der Schwebe lassen; *Zahlung* einstellen; ⚖ *Verfahren etc.* aussetzen; suspendieren; *Sport*: *j-n* sperren; **~ed** [~ɪd] schwebend; hängend; ⚖ zur Bewährung ausgesetzt; suspendiert; **~·er** [~ə] *Brt.* Strumpf-, Sockenhalter *m*; (*a. a pair of*) *~s pl. Am.* Hosenträger *pl.*

sus|pense [sə'spens] Ungewißheit *f*; Unentschiedenheit *f*; Spannung *f*; **~·pen·sion** [~ʃn] Aufhängung *f*; Aufschub *m*; (einstweilige) Einstellung; Suspendierung *f*, Amtsenthebung *f*; *Sport*: Sperre *f*; *~ bridge* Hängebrücke *f*; *~ railroad, bsd. Brt. ~ railway* Schwebebahn *f*.

sus·pi|cion [sə'spɪʃn] Verdacht *m*; Mißtrauen *n*; *fig.* Spur *f*; **~·cious** □ [~əs] verdächtig; mißtrauisch.

sus·tain [sə'steɪn] stützen, tragen; *et.* (aufrecht)erhalten; aushalten (*a. fig.*); erleiden; *Familie* ernähren; *j-m* Kraft geben; ⚖ *e-m Einspruch* stattgeben.

sus·te·nance ['sʌstɪnəns] (Lebens-)Unterhalt *m*; Nahrung *f*.

swab [swɒb] **1.** Scheuerlappen *m*, Mop *m*; ⚕ Tupfer *m*; ⚕ Abstrich *m*; **2.** (*-bb-*) *~ up* aufwischen.

swad|dle ['swɒdl] *Baby* wickeln; **~·dling-clothes** [~ɪŋkləʊðz] *pl.* Windeln *pl.*

swag·ger ['swægə] stolzieren; prahlen, großtun.

swal·low[1] *zo.* ['swɒləʊ] Schwalbe *f*.

swal·low[2] [~] **1.** Schlund *m*; Schluck *m*; **2.** (hinunter-, ver)schlucken; *Beleidigung* einstecken, schlucken; F für bare Münze nehmen.

swam [swæm] *pret. von swim 1.*

swamp [swɒmp] **1.** Sumpf *m*; **2.** überschwemmen (*a. fig.*); *Boot* volllaufen lassen; **~·y** ['swɒmpɪ] (*-ier, -iest*) sumpfig.

swan *zo.* [swɒn] Schwan *m*.

swank F [swæŋk] **1.** Angabe *f*, Protzerei *f*; **2.** angeben, protzen; **~·y** □ ['swæŋkɪ] (*-ier, -iest*) protzig, angeberisch.

swap F [swɒp] **1.** Tausch *m*; **2.** (*-pp-*) (ein-, aus)tauschen.

swarm [swɔːm] **1.** (Bienen- *etc.*) Schwarm *m*; Haufen *m*, Schar *f*, Horde *f*; **2.** schwärmen (*Bienen*); wimmeln (*with* von).

swar·thy □ ['swɔːðɪ] (*-ier, -iest*) dunkel(häutig).

swash [swɒʃ] plan(t)schen.

swat [swɒt] (*-tt-*) *Fliege etc.* totschlagen.

sway [sweɪ] **1.** Schwanken *n*; Einfluß *m*; Herrschaft *f*; **2.** schwanken; (sich) wiegen; schwingen; beeinflussen; beherrschen.

swear [sweə] (*swore, sworn*) schwören; fluchen; *~ s.o. in* j-n vereidigen.

sweat [swet] **1.** Schweiß *m*; Schwitzen *n*; *by the ~ of one's brow* im Schweiße seines Angesichts; *in a ~*, F *all of a ~* in Schweiß gebadet (*a. fig.*); **2.** (*sweated, Am. mst sweat*) *v/i.* schwitzen; *v/t.* (aus)schwitzen; in Schweiß bringen; *econ.* schuften lassen, ausbeuten; **~·er** ['swetə] Sweater *m*, Pullover *m*; *econ.* Ausbeuter *m*; **~·shirt** Sweatshirt *n*; **~ suit** *Sport*: *bsd. Am.* Trainingsanzug *m*; **~·y** □ [~ɪ] (*-ier, -iest*) schweißig; verschwitzt.

Swede [swiːd] Schwed|e *m*, -in *f*.

Swed·ish ['swiːdɪʃ] **1.** schwedisch; **2.** *ling.* Schwedisch *n*.

sweep [swiːp] **1.** (*swept*) fegen (*a. fig.*), kehren; gleiten *od.* schweifen über (*acc.*) (*Blick*); (majestätisch) einherschreiten *od.* (dahin)rauschen; **2.** (*fig.* Dahin)Fegen *n*; Kehren *n*; schwungvolle Bewegung; Schwung *m*; Spielraum *m*, Bereich *m*; *bsd. Brt.* Schornsteinfeger *m*; *make a clean ~* gründlich aufräumen (*of* mit); *Sport*: überlegen siegen; **~·er** ['swiːpə] (Straßen)Kehrer(in); Kehrmaschine *f*; **~·ing** □ [~ɪŋ] schwungvoll; umfassend; **~·ings** *pl.* Kehricht *m*, Müll *m*.

sweet [swiːt] **1.** □ süß; lieblich; freundlich; frisch; duftend; *have a ~ tooth* gern Süßes essen; **2.** *Brt.* Süßigkeit *f*, Bonbon *m*, *n*; *Brt.* Nachtisch *m*; Süße(r *m*) *f*, Schatz *m* (*als Anrede*); **~·en** ['swiːtn] (ver)süßen; **~·heart** Schatz *m*, Liebste(r *m*) *f*; **~·ish** [~ɪʃ] süßlich; **~·meat** Bonbon *m*, *n*; kandierte Frucht; **~·ness** [~nɪs] Süße *f*, Süßigkeit *f*; **~ pea** ⚘ Gartenwicke *f*; **~-shop** *Brt.* Süßwarenladen *m*.

swell [swel] **1.** (*swelled, swollen od. swelled*) *v/i.* (an)schwellen; sich (auf)blähen; sich bauschen; *v/t.* (an)schwellen lassen; aufblähen; **2.** *Am.* F prima; **3.** Anschwellen *n*; Schwellung *f*; ⚓ Dünung *f*; **~·ing** ['swelɪŋ] Schwellung *f*, Geschwulst *f*.

S

swel·ter [ˈsweltə] vor Hitze umkommen.
swept [swept] *pret. u. p.p. von sweep 1.*
swerve [swɜːv] **1.** ausbrechen (*Auto, Pferd*); *mot.* das Steuer *od.* den Wagen herumreißen; schwenken (*Straße*); **2.** *mot.* Schlenker *m*; Ausweichbewegung *f*; Schwenk *m* (*e-r Straße*).
swift □ [swɪft] schnell, eilig, flink; **~·ness** [ˈswɪftnɪs] Schnelligkeit *f*.
swill [swɪl] **1.** (Ab)Spülen *n*; Spülicht *n*; **2.** (ab)spülen; F saufen.
swim [swɪm] **1.** (*-mm-; swam, swum*) (durch)schwimmen; schweben; *my head ~s* mir ist schwind(e)lig; **2.** Schwimmen *n*; *go for a ~* schwimmen gehen; *have od. take a ~* baden, schwimmen; *be in the ~* auf dem laufenden sein; **~·mer** [ˈswɪmə] Schwimmer(in); **~·ming** [~ɪŋ] **1.** Schwimmen *n*; **2.** Schwimm...; *~-bath(s pl.) Brt. bsd.* Hallenbad *n*; *~-pool* Schwimmbecken *n*, Swimmingpool *m*; Schwimmbad *n*; (*a pair of*) *~-trunks pl.* (e-e) Badehose; **~-suit** Badeanzug *m*.
swin·dle [ˈswɪndl] **1.** beschwindeln; betrügen; ⚠ *nicht schwindeln*; **2.** Schwindel *m*, Betrug *m*.
swine [swaɪn] Schwein *n*.
swing [swɪŋ] **1.** (*swung*) schwingen; schwenken; schlenkern; baumeln (lassen); (sich) schaukeln; sich (*in den Angeln*) drehen (*Tür*); F baumeln, hängen; **2.** Schwingen *n*; Schwung *m*; Schaukel *f*; Spielraum *m*; *in full ~* in vollem Gange; **~-door** [ˈswɪŋdɔː] Drehtür *f*.
swin·ish □ [ˈswaɪnɪʃ] schweinisch.
swipe [swaɪp] **1.** schlagen (*at* nach); F klauen; **2.** harter Schlag.
swirl [swɜːl] **1.** (herum)wirbeln, strudeln; **2.** Wirbel *m*, Strudel *m*.
Swiss [swɪs] **1.** schweizerisch, Schweizer...; **2.** Schweizer(in); *the ~ pl.* die Schweizer *pl.*
switch [swɪtʃ] **1.** Gerte *f*; *Am.* 🚂 Weiche *f*; ⚡ Schalter *m*; falscher Zopf; **2.** peitschen; *bsd. Am.* 🚂 rangieren; ⚡ (um)schalten; *fig.* wechseln, überleiten; *~ off* ⚡ ab-, ausschalten; *~ on* ⚡ an-, einschalten; **~·board** ⚡ [ˈswɪtʃbɔːd] Schaltbrett *n*, -tafel *f*.
swiv·el [ˈswɪvl] **1.** ⊕ Drehring *m*; *attr.* Dreh...; **2.** (*bsd. Brt. -ll-, Am. -l-*) (sich) drehen; schwenken.
swol·len [ˈswəʊlən] *p.p. von swell 1.*
swoon [swuːn] *veraltet* **1.** Ohnmacht *f*; **2.** in Ohnmacht fallen.
swoop [swuːp] **1.** *~ down on od. upon* herabstoßen auf (*acc.*) (*Raubvogel*); *fig.* herfallen über (*acc.*); **2.** Herabstoßen *n*; Razzia *f*.
swop F [swɒp] = *swap*.
sword [sɔːd] Schwert *n*; **~s·man** [ˈsɔːdzmən] (*pl. -men*) Fechter *m*.
swore [swɔː] *pret. von swear.*
sworn [swɔːn] *p.p. von swear.*
swum [swʌm] *p.p. von swim 1.*
swung [swʌŋ] *pret. u. p.p. von swing 1.*
syc·a·more ⚘ [ˈsɪkəmɔː] Bergahorn *m*; *Am.* Platane *f*.
syl·la·ble [ˈsɪləbl] Silbe *f*.
syl·la·bus [ˈsɪləbəs] (*pl. -buses, -bi* [-baɪ]) (*bsd.* Vorlesungs)Verzeichnis *n*; *bsd.* Lehrplan *m*.
sym·bol [ˈsɪmbl] Symbol *n*, Sinnbild *n*; **~·ic** [sɪmˈbɒlɪk], **~·i·cal** □ [~kl] sinnbildlich; **~·is·m** [ˈsɪmbəlɪzəm] Symbolik *f*; **~·ize** [~aɪz] symbolisieren.
sym|met·ric [sɪˈmetrɪk], **~·met·ri·cal** □ [~kl] symmetrisch, ebenmäßig; **~·me·try** [ˈsɪmɪtrɪ] Symmetrie *f*; Ebenmaß *n*.
sym·pa|thet·ic [sɪmpəˈθetɪk] (*~ally*) mitfühlend; ⚠ *nicht sympathisch*; *~ strike* Sympathiestreik *m*; **~·thize** [ˈsɪmpəθaɪz] sympathisieren, mitfühlen; **~·thy** [~ɪ] Anteilnahme *f*, Mitgefühl *n*; ⚠ *nicht Sympathie.*
sym·pho·ny ♪ [ˈsɪmfənɪ] Symphonie *f*.
symp·tom [ˈsɪmptəm] Symptom *n*.
syn·chro|nize [ˈsɪŋkrənaɪz] *v/i.* gleichzeitig sein; synchron gehen (*Uhr*) *od.* laufen (*Maschine*); *v/t. Uhren, Maschinen, Film, TV* synchronisieren; *Geschehen* aufeinander abstimmen; **~·nous** □ [~əs] gleichzeitig; synchron.
syn·di·cate [ˈsɪndɪkət] Syndikat *n*.
syn·o·nym [ˈsɪnənɪm] Synonym *n*; **sy·non·y·mous** □ [sɪˈnɒnɪməs] synonym; gleichbedeutend.
sy·nop·sis [sɪˈnɒpsɪs] (*pl. -ses* [-siːz]) Übersicht *f*, Zusammenfassung *f*.
syn·tax *gr.* [ˈsɪntæks] Syntax *f*.
syn|the·sis [ˈsɪnθəsɪs] (*pl. -ses* [-siːz]) Synthese *f*; **~·thet·ic** [sɪnˈθetɪk], **~·thet·i·cal** □ [~kl] synthetisch.

S

sy·ringe [ˈsɪrɪndʒ] **1.** Spritze *f*; **2.** (be-, ein-, aus)spritzen.
syr·up [ˈsɪrəp] Sirup *m.*
sys|tem [ˈsɪstəm] System *n*; *physiol.* Organismus *m*, Körper *m*; Plan *m*, Ordnung *f*; **~·te·mat·ic** [sɪstɪˈmætɪk] (*~ally*) systematisch.

T

ta *Brt. int.* F [tɑː] danke.
tab [tæb] Streifen *m*; Etikett *n*, Schildchen *n*, Anhänger *m*; Schlaufe *f*, (Mantel)Aufhänger *m*; F Rechnung *f*.
ta·ble [ˈteɪbl] **1.** Tisch *m*; Tafel *f*; Tisch-, Tafelrunde *f*; Tabelle *f*, Verzeichnis *n*; = *tableland*; *at* ~ bei Tisch; *turn the* ~*s* den Spieß umdrehen (*on s.o.* j-m gegenüber); **2.** auf den Tisch legen; tabellarisch anordnen; **~-cloth** Tischtuch *n*, -decke *f*; **~·land** Tafelland *n*, Plateau *n*, Hochebene *f*; **~-lin·en** Tischwäsche *f*; **~-mat** Set *n*; **~ set** *Rundfunk*, *TV*: Tischgerät *n*; **~·spoon** Eßlöffel *m*.
tab·let [ˈtæblɪt] Täfelchen *n*; (Gedenk)Tafel *f*; (Schreib- *etc.*)Block *m*; Stück *n* (*Seife*); Tafel *f* (*Schokolade*); Tablette *f*; ⚠ *nicht Tablett*.
table|top [ˈteɪbltɒp] Tischplatte *f*; **~·ware** Geschirr *n* u. Besteck *n*.
ta·boo [təˈbuː] **1.** tabu, unantastbar; verboten; verpönt; **2.** Tabu *n*; **3.** *et.* für tabu erklären.
tab·u|lar □ [ˈtæbjʊlə] tabellarisch; **~·late** [~eɪt] tabellarisch (an)ordnen.
ta·cit □ [ˈtæsɪt] stillschweigend; **ta·ci·turn** □ [~ɜːn] schweigsam.
tack [tæk] **1.** Stift *m*, Reißnagel *m*, Zwecke *f*; Heftstich *m*; ⚓ Halse *f*; ⚓ Gang *m* (*beim Lavieren*); *fig.* Weg *m*; **2.** *v/t.* heften (*to* an *acc.*); *v/i.* ⚓ wenden; *fig.* lavieren.
tack·le [ˈtækl] **1.** Gerät *n*; ⚓ Takel-, Tauwerk *n*; ⊕ Flaschenzug *m*; *Fußball*: Angreifen *n*; **2.** (an)packen; *Fußball*: angreifen; in Angriff nehmen; lösen, fertig werden mit.
tack·y [ˈtækɪ] (*-ier, -iest*) klebrig; *Am.* F schäbig.
tact [tækt] Takt *m*, Feingefühl *n*; **~·ful** □ [ˈtæktfl] taktvoll.
tac·tics [ˈtæktɪks] *pl. u. sg.* Taktik *f*.
tact·less □ [ˈtæktlɪs] taktlos.
tad·pole *zo.* [ˈtædpəʊl] Kaulquappe *f*.
taf·fe·ta [ˈtæfɪtə] Taft *m*.
taf·fy *Am.* [ˈtæfɪ] = *toffee*; F Schmus *m*, Schmeichelei *f*.
tag [tæg] **1.** (Schnürsenkel)Stift *m*; Schildchen *n*, Etikett *n*; loses Ende, Fetzen *m*, Lappen *m*; Redensart *f*, Zitat *n*; *a. question* ~ *gr.* Frageanhängsel *n*; Fangen *n* (*Kinderspiel*); **2.** (*-gg-*) etikettieren, auszeichnen; anhängen (*to, on to* an *acc.*); ~ *along* F mitkommen; ~ *along behind s.o.* hinter j-m hertrotten *od.* -zockeln.
tail [teɪl] **1.** Schwanz *m*; Schweif *m*; hinteres Ende, Schluß *m*; ~*s pl.* Rückseite *f* (*e-r Münze*); F Frack *m*; *turn* ~ davonlaufen; ~*s up* in Hochstimmung, fidel; **2.** ~ *after s.o.* j-m hinterherlaufen; ~ *s.o.* F j-n beschatten; ~ *away*, ~ *off* abflauen, sich verlieren; nachlassen; **~·back** *mot.* [ˈteɪlbæk] Rückstau *m*; **~·coat** [~ˈkəʊt] Frack *m*; **~·light** *mot. etc.* [~laɪt] Rück-, Schlußlicht *n*.
tai·lor [ˈteɪlə] **1.** Schneider *m*; **2.** schneidern; **~-made** Schneider..., Maß...
taint [teɪnt] **1.** (Schand)Fleck *m*, Makel *m*; (verborgene) Anlage (*zu e-r Krankheit*); **2.** beflecken; verderben; ⚕ anstecken; verderben, schlecht werden (*Fleisch etc.*).
take [teɪk] **1.** (*took, taken*) *v/t.* nehmen; (an-, ein-, entgegen-, heraus-, hin-, mit-, weg)nehmen; fassen, packen, ergreifen; fangen; ⚔ gefangennehmen; sich aneignen, Besitz ergreifen von; (hin-, weg)bringen; ⚠ *nicht herbringen*; *et. gut etc.* aufnehmen; *Beleidigung* hinnehmen; *et.* ertragen, aushalten; halten (*for* für); auffassen; *fig.* fesseln; *phot. et.* aufnehmen, *Aufnahme* machen; *Temperatur* messen; *Notiz* machen, nie-

derschreiben; *Prüfung* machen, ablegen; *Rast, Ferien etc.* machen; *Urlaub, ein Bad* nehmen; *Kleidergröße etc.* haben; sich *e-e Krankheit* holen; *Speisen* zu sich nehmen, *Mahlzeit* einnehmen; *Zeitung* beziehen; *Zug, Bus etc.* nehmen; *Weg* wählen; *j-n wohin* führen; *Preis* gewinnen; *Gelegenheit, Maßnahmen* ergreifen; *Vorsitz etc.* übernehmen; *Eid* ablegen; *Zeit, Geduld* erfordern, brauchen; *Zeit* dauern; *Mut* fassen; *Anstoß* nehmen; *I ~ it that* ich nehme an, daß; *~ it or leave it* F mach, was du willst; *~n all in all* im großen (u.) ganzen; *be ~n* besetzt sein; *be ~n ill od.* F *bad* krank werden; *be ~n with* begeistert *od.* entzückt sein von; *~ breath* verschnaufen; *~ comfort* sich trösten; *~ compassion on* Mitleid mit *j-m* haben; sich erbarmen (*gen.*); *~ counsel* beraten; *~ a drive* e-e Fahrt machen; *~ fire* Feuer fangen; *~ in hand* unternehmen; *~ hold of* ergreifen; *~ a look* e-n Blick tun *od.* werfen (*at* auf *acc.*); *Can I ~ a message?* Kann ich et. ausrichten?; *~ to pieces* auseinandernehmen, zerlegen; *~ pity on* Mitleid haben mit; *~ place* stattfinden; spielen (*Handlung*); ⚠ *nicht Platz nehmen*; *~ a risk* ein Risiko eingehen *od.* auf sich nehmen; *~ a seat* Platz nehmen; *~ a walk* e-n Spaziergang machen; *~ my word for it* verlaß dich drauf; *~ along* mitnehmen; *~ apart* auseinandernehmen, zerlegen; *~ around j-n* herumführen; *~ away* wegnehmen; *... to ~ away Brt. Schild*: ... zum Mitnehmen; *~ down* herunternehmen; *Gebäude* abreißen; notieren; *~ from j-m* wegnehmen; A abziehen von; *~ in* kürzer *od.* enger machen; *Zeitung* halten; aufnehmen (*als Gast etc.*); *Lage* überschauen; *fig.* einschließen; verstehen; erfassen; F *j-n* reinlegen; *be ~n in* reingefallen sein; *~ in lodgers* (Zimmer) vermieten; *~ off* ab-, wegnehmen; *Kleidungsstück* ablegen, ausziehen; *Hut etc.* abnehmen; *e-n Tag etc.* Urlaub machen; *~ on* an-, übernehmen; *Arbeiter etc.* einstellen; *Fahrgäste* zusteigen lassen; *~ out* heraus-, entnehmen; *Fleck* entfernen; *j-n* ausführen; *Versicherung* abschließen; *~ over Amt, Aufgabe, Idee etc.* übernehmen; *~ up* aufheben, -nehmen; sich befassen mit; *Fall, Idee etc.* aufgreifen; *Raum, Zeit* in Anspruch nehmen; *v/i.* ⚕ wirken, anschlagen (*Medikament*); F gefallen, ankommen, ziehen; *~ after j-m* nachschlagen; *~ off* abspringen; ✈, *Raumfahrt*: starten; *~ on* Anklang finden; *~ over* die Amtsgewalt *etc.* übernehmen; *~ to* sich hingezogen fühlen zu, Gefallen finden an; *~ to doing s.th.* anfangen et. zu tun; *~ up with* sich anfreunden mit; **2.** *Fischerei*: Fang *m*; (*Geld*)Einnahme(n *pl.*) *f*; *hunt.* Beute *f*; Anteil *m* (*of* an *dat.*); *Film*: Szene(naufnahme) *f*; **~-a·way** ['teɪkəweɪ] **1.** zum Mitnehmen; **2.** Restaurant *n* mit Straßenverkauf; **~-in** F [~ɪn] Schwindel *m*, Betrug *m*; **tak·en** [~ən] *p.p. von take 1*; **~-off** [~ɒf] Absprung *m*; ✈, *Raumfahrt*: Start *m*, Abflug *m*; Abheben *n*; F Nachahmung *f*.

tak·ing ['teɪkɪŋ] **1.** □ F anziehend, fesselnd, einnehmend; ansteckend; **2.** (An-, Ab-, Auf-, Ein-, Ent-, Hin-, Weg- *etc.*)Nehmen *n*; Inbesitznahme *f*; ⚔ Einnahme *f*; F Aufregung *f*; *~s pl. econ.* Einnahme(n *pl.*) *f*.

tale [teɪl] Erzählung *f*; Geschichte *f*; Märchen *n*, Sage *f*; *tell ~s* klatschen; *it tells its own ~* es spricht für sich selbst; **~·bear·er** ['teɪlbeərə] Zuträger(in), Klatschmaul *n*.

tal·ent ['tælənt] Talent *n*, Begabung *f*, Anlage *f*; **~·ed** talentiert, begabt.

talk [tɔːk] **1.** Gespräch *n*; Unterhaltung *f*; Unterredung *f*; Plauderei *f*; Vortrag *m*; Geschwätz *n*; Sprache *f*, Art *f* zu reden; **2.** sprechen; reden; plaudern; *~ to s.o.* mit j-m sprechen *od.* reden; **~·a·tive** □ ['tɔːkətɪv] gesprächig, geschwätzig; **~·er** [~ə] Schwätzer(in); Sprechende(r *m*) *f*; **~ show** *TV* Talk-Show *f*; **~-show host** *TV* Talkmaster *m*.

tall [tɔːl] groß; lang; hoch; F übertrieben, unglaublich; *that's a ~ order* F das ist ein bißchen viel verlangt.

tal·low ['tæləʊ] Talg *m*.

tal·ly ['tælɪ] **1.** *econ.* (Ab-, Gegen-) Rechnung *f*; Kontogegenbuch *n*; Etikett *n*, Kennzeichen *n*; *Sport*: Punkt(zahl *f*) *m*; **2.** in Übereinstimmung bringen; übereinstimmen.

tal·on ['tælən] Kralle *f*, Klaue *f*.

tame [teɪm] **1.** □ (*~r, ~st*) zahm; folgsam; harmlos; lahm, fad(e); **2.** zähmen, bändigen.

tam·per ['tæmpə]: *~ with* sich (unbe-

fugt) zu schaffen machen an (*dat.*); *j-n* zu bestechen suchen; *Urkunde* fälschen.
tam·pon ⚕ [ˈtæmpən] Tampon *m.*
tan [tæn] **1.** Lohe *f*; Lohfarbe *f*; (Sonnen)Bräune *f*; **2.** lohfarben; **3.** (*-nn-*) gerben; bräunen; braun werden.
tang [tæŋ] scharfer Geruch *od.* Geschmack; (scharfer) Klang; ⚘ Seetang *m.*
tan·gent [ˈtændʒənt] ⩓ Tangente *f*; *fly od. go off at a ~* plötzlich (vom Thema) abschweifen.
tan·ge·rine ⚘ [tændʒəˈriːn] Mandarine *f.*
tan·gi·ble □ [ˈtændʒəbl] fühl-, greifbar; klar.
tan·gle [ˈtæŋgl] **1.** Gewirr *n*; *fig.* Verwirrung *f*, -wicklung *f*; **2.** (sich) verwirren, -wickeln.
tank [tæŋk] **1.** *mot.*, ⚔ *etc.* Tank *m*; (Wasser)Becken *n*, Zisterne *f*; **2.** ~ (*up*) auf-, volltanken.
tank·ard [ˈtæŋkəd] Humpen *m*, *bsd.* (Bier)Seidel *n.*
tank·er [ˈtæŋkə] ⚓ Tanker *m*; ✈ Tankflugzeug *n*; *mot.* Tankwagen *m.*
tan|ner [ˈtænə] Gerber *m*; **~·ne·ry** [~rɪ] Gerberei *f.*
tan·ta·lize [ˈtæntəlaɪz] quälen.
tan·ta·mount [ˈtæntəmaʊnt] gleichbedeutend (*to* mit).
tan·trum [ˈtæntrəm] Wutanfall *m.*
tap [tæp] **1.** leichtes Klopfen; (Wasser-, Gas-, Zapf)Hahn *m*; Zapfen *m*; Schankstube *f*; *on ~* vom Faß (*Bier*); *~s pl. Am.* ⚔ Zapfenstreich *m*; **2.** (*-pp-*) leicht pochen, klopfen, tippen (*on, at* auf, an, gegen *acc.*); anzapfen (*a. Telefonleitung*); abzapfen; **~-dance** [ˈtæpdɑːns] Steptanz *m.*
tape [teɪp] **1.** schmales Band, Streifen *m*; *Sport*: Zielband *n*; *tel.* Papierstreifen *m*; *Computer, Fernschreiber*: Lochstreifen *m*; (Magnet-, Video-, Ton)Band *n*; *s. red tape*; **2.** mit e-m Band befestigen; mit Klebestreifen verkleben; auf (Ton)Band aufnehmen; *TV* aufzeichnen; **~ cas·sette** Tonbandkassette *f*; **~ deck** Tapedeck *n*; **~ li·bra·ry** Bandarchiv *n*; **~ meas·ure** Bandmaß *n.*
ta·per [ˈteɪpə] **1.** dünne Wachskerze; **2.** *adj.* spitz (zulaufend); **3.** *v/i. oft ~ off* spitz zulaufen; *v/t.* zuspitzen.
tape|-re·cord [ˈteɪprɪkɔːd] auf (Ton-)Band aufnehmen; **~ re·cord·er** (Ton)Bandgerät *n*; **~ re·cord·ing** (Ton)Bandaufnahme *f*; **~ speed** Bandgeschwindigkeit *f.*
ta·pes·try [ˈtæpɪstrɪ] Gobelin *m*; ⚠ *nicht Tapete.*
tape·worm *zo.* [ˈteɪpwɜːm] Bandwurm *m.*
tap·room [ˈtæprʊm] Schankstube *f.*
tar [tɑː] **1.** Teer *m*; **2.** (*-rr-*) teeren.
tar·dy □ [ˈtɑːdɪ] (*-ier, -iest*) langsam; *Am.* spät.
tare *econ.* [teə] Tara *f.*
tar·get [ˈtɑːgɪt] (Schieß-, Ziel)Scheibe *f*; ⚔, *Radar*: Ziel *n*; *fig.* (*Leistungs- etc.*)Ziel *n*, (-)Soll *n*; *fig.* Zielscheibe *f* (*des Spottes etc.*); *~ area* ⚔ Zielbereich *m*; *~ group econ. Werbung*: Zielgruppe *f*; *~ language ling.* Zielsprache *f*; *~ practice* Scheiben-, Übungsschießen *n.*
tar·iff [ˈtærɪf] (*bsd.* Zoll)Tarif *m.*
tar·nish [ˈtɑːnɪʃ] **1.** *v/t.* ⊕ matt *od.* blind machen; *fig.* trüben; ⚠ *nicht tarnen*; *v/i.* matt *od.* trüb werden, anlaufen; **2.** Trübung *f*; Belag *m.*
tar·ry [ˈtɑːrɪ] (*-ier, -iest*) teerig.
tart [tɑːt] **1.** □ sauer, herb; *fig.* scharf, beißend; **2.** *bsd. Brt.* Obstkuchen *m*, (Obst)Torte *f*; *sl.* Flittchen *n.*
tar·tan [ˈtɑːtn] Tartan *m*: Schottentuch *n*; Schottenmuster *n.*
task [tɑːsk] **1.** Aufgabe *f*; Arbeit *f*; *take to ~* zur Rede stellen; **2.** beschäftigen; in Anspruch nehmen; **~ force** ⚓, ⚔ Sonder-, Spezialeinheit *f*; Sonderdezernat *n* (*der Polizei*).
tas·sel [ˈtæsl] Troddel *f*, Quaste *f.*
taste [teɪst] **1.** Geschmack *m*; (Kost-)Probe *f*; Neigung *f*, Vorliebe *f* (*for* für, zu); **2.** kosten; (ab)schmecken; *Essen* anrühren; schmecken (*of* nach); versuchen; **~·ful** □ [ˈteɪstfl] schmackhaft; *fig.* geschmackvoll; **~·less** □ [~lɪs] fad(e); *fig.* geschmacklos.
tast·y □ [ˈteɪstɪ] (*-ier, -iest*) schmackhaft.
ta-ta *int.* F [ˈtæˈtɑː] auf Wiedersehen!
tat·ter [ˈtætə] Fetzen *m.*
tat·tle [ˈtætl] **1.** klatschen, tratschen; **2.** Klatsch *m*, Tratsch *m.*
tat·too [təˈtuː] **1.** (*pl. -toos*) ⚔ Zapfenstreich *m*; Tätowierung *f*; **2.** *fig.* trommeln; tätowieren.
taught [tɔːt] *pret. u. p.p. von teach.*
taunt [tɔːnt] **1.** Stichelei *f*, Spott *m*; **2.** verhöhnen, -spotten.

T

taut □ [tɔːt] straff; angespannt.
tav·ern *veraltet* [ˈtævn] Wirtshaus *n*, Schenke *f*.
taw·dry □ [ˈtɔːdrɪ] (*-ier*, *-iest*) billig, geschmacklos; knallig.
taw·ny [ˈtɔːnɪ] (*-ier*, *-iest*) lohfarben.
tax [tæks] **1.** Steuer *f*, Abgabe *f*; *fig.* Inanspruchnahme *f* (*on*, *upon gen.*); **2.** besteuern; ⚖ *Kosten* schätzen; *fig.* stark in Anspruch nehmen; auf e-e harte Probe stellen; *j-n* zur Rede stellen; ~ *s.o. with s.th.* j-n e-r Sache beschuldigen; **~·a·tion** [tækˈseɪʃn] Besteuerung *f*; Steuer(n *pl.*) *f*; *bsd.* ⚖ Schätzung *f*.
tax·i F [ˈtæksɪ] **1.** *a.* ~*-cab* Taxi *n*, Taxe *f*; **2.** (~*ing*, *taxying*) mit e-m Taxi fahren; ✈ rollen; ~ **driv·er** Taxifahrer(in); ~ **rank,** *bsd. Am.* ~ **stand** Taxistand *m*.
tax|pay·er [ˈtæksperə] Steuerzahler(in); ~ **re·turn** Steuererklärung *f*.
tea [tiː] Tee *m*; *s. high tea*; **~·bag** [ˈtiːbæg] Tee-, Aufgußbeutel *m*.
teach [tiːtʃ] (*taught*) lehren, unterrichten, *j-m et.* beibringen; **~·a·ble** [ˈtiːtʃəbl] gelehrig; lehrbar; **~·er** [~ə] Lehrer(in); **~-in** [~ɪn] Teach-in *n*.
tea|-co·sy [ˈtiːkəʊzɪ] Teewärmer *m*; **~·cup** Teetasse *f*; *storm in a* ~ *fig.* Sturm *m* im Wasserglas; **~·ket·tle** Tee-, Wasserkessel *m*.
team [tiːm] Team *n*, Arbeitsgruppe *f*; Gespann *n*; *Sport u. fig.*: Mannschaft *f*, Team *n*; **~·ster** *Am.* [ˈtiːmstə] LKW-Fahrer *m*; **~·work** Zusammenarbeit *f*, Teamwork *n*; Zusammenspiel *n*.
tea·pot [ˈtiːpɒt] Teekanne *f*.
tear[1] [teə] **1.** (*tore*, *torn*) zerren; (zer-)reißen; rasen, stürmen; **2.** Riß *m*.
tear[2] [tɪə] Träne *f*; *in* ~*s* weinend, in Tränen (aufgelöst); **~·ful** □ [ˈtɪəfl] tränenreich; weinend.
tea·room [ˈtiːrʊm] Teestube *f*.
tease [tiːz] necken, hänseln; ärgern.
teat [tiːt] *zo.* Zitze *f*; *anat.* Brustwarze *f* (*der Frau*); (Gummi)Sauger *m*.
tech·ni·cal □ [ˈteknɪkl] technisch; *fig.* rein formal; Fach...; **~·i·ty** [teknɪˈkælətɪ] technische Besonderheit *od.* Einzelheit; Fachausdruck *m*; reine Formsache.
tech·ni·cian [tekˈnɪʃn] Techniker(in); Facharbeiter(in).
tech·nique [tekˈniːk] Technik *f*, Verfahren *n*, Methode *f*; ⚠ *nicht Technik* (*Technologie*).
tech·nol·o·gy [tekˈnɒlədʒɪ] Technologie *f*.
ted·dy| bear [ˈtedɪbeə] Teddybär *m*; ♀ **boy** Halbstarke(r) *m*.
te·di·ous □ [ˈtiːdjəs] langweilig, ermüdend; weitschweifig.
teem [tiːm] wimmeln, strotzen (*with* von).
teen|-age(d) [ˈtiːneɪdʒ(d)] im Teenageralter; für Teenager; **~·ag·er** [~ə] Teenager *m*.
teens [tiːnz] *pl.* Teenageralter *n*; Teenager *pl.*; *be in one's* ~ ein Teenager sein.
tee·ny[1] F [ˈtiːnɪ] Teeny *m* (*Teenager*); ~*-bopper* F *junger Teenager* (*bsd. Mädchen*), *der alles mitmacht*, *was gerade ‚in' ist.*
tee·ny[2] F [~], *a.* **~-wee·ny** F [~ˈwiːnɪ] (*-ier*, *-iest*) klitzeklein, winzig.
tee shirt [ˈtiːʃɜːt] = *T-shirt.*
teeth [tiːθ] *pl. von tooth*; **~e** [tiːð] zahnen, (die) Zähne bekommen.
tee·to·tal·(l)er [tiːˈtəʊtlə] Abstinenzler(in).
tel·e·cast [ˈtelɪkɑːst] **1.** Fernsehsendung *f*; **2.** (*-cast*) im Fernsehen übertragen *od.* bringen.
tel·e·course [ˈtelɪkɔːs] Fernsehlehrgang *m*, -kurs *m*.
tel·e·gram [ˈtelɪgræm] Telegramm *n*.
tel·e·graph [ˈtelɪgrɑːf] **1.** Telegraf *m*; **2.** telegrafieren; **~·ic** [telɪˈgræfɪk] (~*ally*) telegrafisch; im Telegrammstil.
te·leg·ra·phy [tɪˈlegrəfɪ] Telegrafie *f*.
tel·e·phone [ˈtelɪfəʊn] **1.** Telefon *n*, Fernsprecher *m*; **2.** telefonieren; anrufen; ~ **booth,** ~ **box** *Brt.* Telefon-, Fernsprechzelle *f*; **tel·e·phon·ic** [telɪˈfɒnɪk] (~*ally*) telefonisch; ~ **ki·osk** *Brt.* = *telephone booth*;
te·leph·o·ny [tɪˈlefənɪ] Fernsprechwesen *n*.
tel·e·pho·to lens *phot.* [ˈtelɪˈfəʊtəʊ ˈlenz] Teleobjektiv *n*.
tel·e·print·er [ˈtelɪprɪntə] Fernschreiber *m*.
tel·e·scope [ˈtelɪskəʊp] **1.** Fernrohr *n*; **2.** (sich) ineinanderschieben.
tel·e·type·writ·er *Am.* [telɪˈtaɪpraɪtə] Fernschreiber *m*.
tel·e·vise [ˈtelɪvaɪz] im Fernsehen übertragen *od.* bringen.
tel·e·vi·sion [ˈtelɪvɪʒn] Fernsehen *n*; *on* ~ im Fernsehen; *watch* ~ fernsehen; *a.* ~ *set* Fernsehapparat *m*, -gerät *n*.

tel·ex [ˈteleks] **1.** Telex *n*, Fernschreiben *n*; **2.** *j-m et.* telexen *od.* per Fernschreiben mitteilen.
tell [tel] (*told*) *v/t.* sagen, erzählen; erkennen; nennen; unterscheiden; zählen; ~ *s.o. to do s.th.* j-m sagen, er solle et. tun; ~ *off* abzählen; F abkanzeln; *v/i.* erzählen (*of* von; *about* über *acc.*); sich auswirken (*on* auf *acc.*); sitzen (*Hieb etc.*); ~ *on s.o.* j-n verpetzen; *you never can* ~ man kann nie wissen; **~·er** *bsd. Am.* [ˈtelə] (Bank)Kassierer *m*; **~·ing** □ [~ɪŋ] wirkungsvoll; aufschlußreich, vielsagend; **~·tale** [ˈtelteɪl] **1.** Klatschbase *f*, Petze *f*; **2.** *fig.* verräterisch.
tel·ly *Brt.* F [ˈtelɪ] Fernseher *m*.
te·mer·i·ty [tɪˈmerətɪ] Verwegenheit *f*; Frechheit *f*.
tem·per [ˈtempə] **1.** mäßigen, mildern; ⊕ tempern; *Stahl* härten; **2.** ⊕ Härte(grad *m*) *f*; Temperament *n*, Charakter *m*; Laune *f*, Stimmung *f*; Wut *f*; *keep one's* ~ sich beherrschen; *lose one's* ~ in Wut geraten.
tem·pe|ra·ment [ˈtempərəmənt] Temperament *n*; **~·ra·men·tal** □ [tempərəˈmentl] von Natur aus; launisch; **~·rance** [ˈtempərəns] Mäßigkeit *f*; Enthaltsamkeit *f*; **~·rate** □ [~rət] gemäßigt; zurückhaltend; maßvoll; mäßig; **~·ra·ture** [~prətʃə] Temperatur *f*.
tem|pest [ˈtempɪst] Sturm *m*; Gewitter *n*; **~·pes·tu·ous** □ [temˈpestjəs] stürmisch; ungestüm.
tem·ple [ˈtempl] Tempel *m*; *anat.* Schläfe *f*.
tem·po|ral □ [ˈtempərəl] zeitlich; weltlich; **~·ra·ry** □ [~ərɪ] zeitweilig; vorläufig; vorübergehend; Not..., (Aus)Hilfs..., Behelfs...; **~·rize** [~raɪz] Zeit zu gewinnen suchen.
tempt [tempt] *j-n* versuchen; verleiten; (ver)locken; **temp·ta·tion** [tempˈteɪʃn] Versuchung *f*; Reiz *m*; **~·ing** □ [ˈtemptɪŋ] verführerisch.
ten [ten] **1.** zehn; **2.** Zehn *f*.
ten·a·ble [ˈtenəbl] haltbar (*Argument etc.*); verliehen (*Amt*).
te·na|cious □ [tɪˈneɪʃəs] zäh; gut (*Gedächtnis*); *be* ~ *of s.th.* zäh an et. festhalten; **~·ci·ty** [tɪˈnæsətɪ] Zähigkeit *f*; Festhalten *n*; Verläßlichkeit *f* (*des Gedächtnisses*).
ten·ant [ˈtenənt] Pächter *m*; Mieter *m*.
tend [tend] *v/i.* sich bewegen, streben (*to* nach, auf ... zu); *fig.* tendieren, neigen (*to* zu); *v/t.* pflegen; hüten; ⊕ bedienen; **ten·den·cy** [ˈtendənsɪ] Tendenz *f*; Richtung *f*; Neigung *f*; Zweck *m*.
ten·der [ˈtendə] **1.** □ zart; weich; empfindlich; heikel (*Thema*); sanft, zart, zärtlich; **2.** Angebot *n*; *econ.* Kostenanschlag *m*; 🚂, ⚓ Tender *m*; *legal* ~ gesetzliches Zahlungsmittel; **3.** anbieten; *Entlassung* einreichen; **~·foot** (*pl. -foots, -feet*) *Am.* F Neuling *m*, Anfänger *m*, Greenhorn *n*; **~·loin** Filet *n*; **~·ness** [~nɪs] Zartheit *f*; Zärtlichkeit *f*.
ten·don *anat.* [ˈtendən] Sehne *f*.
ten·dril ⚘ [ˈtendrɪl] Ranke *f*.
ten·e·ment [ˈtenɪmənt] Wohnhaus *n*; Mietwohnung *f*; *a.* ~ *house* Mietshaus *n*.
ten·nis [ˈtenɪs] Tennis *n*; ~ **court** Tennisplatz *m*.
ten·or [ˈtenə] Fortgang *m*, Verlauf *m*; Inhalt *m*; ♪ Tenor *m*.
tense [tens] **1.** *gr.* Zeit(form) *f*, Tempus *n*; **2.** □ (~*r*, ~*st*) gespannt (*a. fig.*); straff; (über)nervös, verkrampft; **ten·sion** [ˈtenʃn] Spannung *f*.
tent [tent] **1.** Zelt *n*; **2.** zelten.
ten·ta·cle *zo.* [ˈtentəkl] Fühler *m*; Fangarm *m* (*e-s Polypen*).
ten·ta·tive □ [ˈtentətɪv] versuchend; Versuchs...; vorsichtig, zögernd, zaghaft; ~*ly* versuchsweise.
ten·ter·hooks *fig.* [ˈtentəhʊks]: *be on* ~ wie auf (glühenden) Kohlen sitzen.
tenth [tenθ] **1.** zehnte(r, -s); **2.** Zehntel *n*; **~·ly** [ˈtenθlɪ] zehntens.
ten·u·ous □ [ˈtenjʊəs] dünn; zart, fein; *fig.* dürftig.
ten·ure [ˈtenjʊə] Besitz(art *f*, -dauer *f*) *m*; ~ *of office* Amtsdauer *f*.
tep·id □ [ˈtepɪd] lau(warm).
term [tɜːm] **1.** (bestimmte) Zeit, Dauer *f*; Frist *f*; Termin *m*; Zahltag *m*; Amtszeit *f*; ⚖ Sitzungsperiode *f*; Semester *n*, Quartal *n*, Trimester *n*; (Fach)Ausdruck *m*, Wort *n*, Bezeichnung *f*; Begriff *m*; ~*s pl.* (Vertrags)Bedingungen *pl.*; Beziehungen *pl.*; *be on good* (*bad*) ~*s with* gut (schlecht) stehen mit; *they are not on speaking* ~*s* sie sprechen nicht (mehr) miteinander; *come to* ~*s* sich einigen; **2.** (be)nennen; bezeichnen als.
ter·mi|nal [ˈtɜːmɪnl] **1.** □ End...;

letzte(r, -s); ⚕ unheilbar; ~*ly* zum Schluß; **2.** Endstück *n*; ⚡ Pol *m*; 🚂 *etc.* Endstation *f*; Terminal *m*, *n*: Flughafenabfertigungsgebäude *n*; *Brt. Endstation der Zubringerlinie zum u. vom Flughafen*; *Zielbahnhof für Containerzüge*; *Computer*: Terminal *n*, Datenendstation *f*, Abfragestation *f*; **~·nate** [~neɪt] begrenzen; beend(ig)en; *Vertrag* lösen, kündigen; **~·na·tion** [tɜːmɪˈneɪʃn] Beendigung *f*; Ende *n*; *gr.* Endung *f*.

ter·mi·nus [ˈtɜːmɪnəs] (*pl. -ni* [-naɪ], *-nuses*) Endstation *f*.

ter·race [ˈterəs] Terrasse *f*; Häuserreihe *f* (an erhöht gelegener Straße); **~d** terrassenförmig (angelegt); **~d house** *Brt.* = **~ house** *Brt.* Reihenhaus *n*.

ter·res·tri·al □ [tɪˈrestrɪəl] irdisch; Erd...; *bsd. zo.*, ♀ Land...

ter·ri·ble □ [ˈterəbl] schrecklich.

ter·rif·ic F [təˈrɪfɪk] (*~ally*) toll, phantastisch; irre (*Geschwindigkeit*, *Hitze etc.*).

ter·ri·fy [ˈterɪfaɪ] *j-m* Angst u. Schrecken einjagen.

ter·ri·to|ri·al □ [terɪˈtɔːrɪəl] territorial, Land...; **~·ry** [ˈterɪtərɪ] Territorium *n*, (Hoheits-, Staats)Gebiet *n*.

ter·ror [ˈterə] (tödlicher) Schrecken, Entsetzen *n*; Terror *m*; **~·is·m** [~rɪzm] Terrorismus *m*; **~·ist** [~rɪst] Terrorist(in); **~·ize** [~raɪz] terrorisieren.

terse □ [tɜːs] (*~r*, *~st*) knapp; kurz u. bündig.

test [test] **1.** Probe *f*; Versuch *m*; Test *m*; Untersuchung *f*; (Eignungs)Prüfung *f*; ⚗ Reagens *n*; **2.** probieren; prüfen; testen; **3.** Probe..., Versuchs..., Test...

tes·ta·ment [ˈtestəmənt] Testament *n*; *last will and ~* ⚖ Testament *n*.

tes·ti·cle *anat.* [ˈtestɪkl] Hode(n *m*) *m*, *f*.

tes·ti·fy [ˈtestɪfaɪ] bezeugen; (als Zeuge) aussagen.

tes·ti·mo|ni·al [testɪˈməʊnjəl] (Führungs)Zeugnis *n*; Zeichen *n* der Anerkennung; **~·ny** [ˈtestɪmənɪ] ⚖ Zeugenaussage *f*; Beweis *m*.

test tube [ˈtesttjuːb] **1.** ⚗ Reagenzglas *n*; **2.** ⚕ Retorten...

tes·ty □ [ˈtestɪ] (*-ier*, *-iest*) gereizt, reizbar, kribbelig.

teth·er [ˈteðə] **1.** Haltestrick *m*; *fig.* Spielraum *m*; *at the end of one's ~ fig.* am Ende s-r Kräfte; **2.** anbinden.

text [tekst] Text *m*; Bibelstelle *f*; **~·book** [ˈtekstbʊk] Lehrbuch *n*.

tex·tile [ˈtekstaɪl] **1.** Textil..., Gewebe...; **2.** *~s pl.* Webwaren *pl.*, Textilien *pl.*

tex·ture [ˈtekstʃə] Gewebe *n*; Gefüge *n*; Struktur *f*.

than [ðæn, ðən] als; ⚠ *nicht dann*.

thank [θæŋk] **1.** danken (*dat.*); *~ you* danke; *no, ~ you* nein, danke; (*yes,*) *~ you* ja, bitte; **2.** *~s pl.* Dank *m*; *~s* F danke; *no, ~s* F nein, danke; *~s to* dank (*dat. od. gen.*); **~·ful** □ [ˈθæŋkfl] dankbar; **~·less** □ [~lɪs] undankbar; **~s·giv·ing** [~sgɪvɪŋ] *bsd.* Dankgebet *n*; ♀ (*Day*) *Am.* (Ernte-) Dankfest *n*.

that [ðæt, ðət] **1.** *pron. u. adj.* (*pl. those* [ðəʊz]) jene(r, -s), der, die, das, der-, die-, dasjenige; solche(r, -s); *ohne pl.*: das; **2.** *adv.* F so, dermaßen; *~ much* so viel; **3.** *relative pron.* (*pl. that*) der, die, das, welche(r, -s); **4.** *cj.* daß; damit; weil; da, als.

thatch [θætʃ] **1.** Dachstroh *n*; Strohdach *n*; **2.** mit Stroh decken.

thaw [θɔː] **1.** Tauwetter *n*; (Auf-) Tauen *n*; **2.** (auf)tauen.

the [ðiː; *vor Vokalen*: ðɪ; *vor Konsonanten*: ðə] **1.** *bestimmter art.* der, die, das, *pl.* die; **2.** *adv.* desto, um so; *~ ... ~* je ... desto; *s. sooner*.

the·a·tre, *Am.* **-ter** [ˈθɪətə] Theater *n*; *fig.* (Kriegs)Schauplatz *m*; **the·at·ri·cal** □ [θɪˈætrɪkl] Theater...; *fig.* theatralisch.

thee *Bibel od. poet.* [ðiː] dich; dir.

theft [θeft] Diebstahl *m*.

their [ðeə] *pl.* ihr(e); **~s** [~z] der (die, das) ihrige *od.* ihre.

them [ðem, ðəm] sie (*acc. pl.*); ihnen.

theme [θiːm] Thema *n*.

them·selves [ðəmˈselvz] sie (*acc. pl.*) selbst; sich (selbst).

then [ðen] **1.** *adv.* dann; damals; da; denn; also, folglich; *by ~* bis dahin; inzwischen; *every now and ~* ab u. zu, gelegentlich; *there and ~* sofort; *now ~* also (nun); **2.** *attr. adj.* damalig.

thence *lit.* [ðens] daher; von da.

the·o·lo·gian [θɪəˈləʊdʒjən] Theologe *m*; **the·ol·o·gy** [θɪˈɒlədʒɪ] Theologie *f*.

the·o|ret·ic [θɪəˈretɪk] (*~ally*), **~·ret·i·cal** □ [~kl] theoretisch; **~·ry** [ˈθɪərɪ] Theorie *f*.

ther·a|peu·tic [θerəˈpjuːtɪk] **1.** (*~ally*) therapeutisch; **2.** *~s mst sg.* Therapeutik *f*; **~·py** [ˈθerəpɪ] Therapie *f*.
there [ðeə] da, dort; darin; (dahin, dort)hin; *int.* da!, na!; *~ is, pl. ~ are* es gibt, es ist, es sind; **~·a·bout(s)** [ˈðeərəbaʊt(s)] da herum; so ungefähr; **~·aft·er** [ðeərˈɑːftə] danach; **~·by** [ˈðeəˈbaɪ] dadurch; **~·fore** [ˈðeəfɔː] darum, deswegen, deshalb, daher; **~·up·on** [ðeərəˈpɒn] darauf (-hin); **~·with** [ðeəˈwɪð] damit.
ther·mal [ˈθɜːml] **1.** □ Thermal...; *phys.* thermisch, Wärme..., Hitze...; **2.** Thermik *f*.
ther·mom·e·ter [θəˈmɒmɪtə] Thermometer *n*.
these [ðiːz] *pl. von this*.
the·sis [ˈθiːsɪs] (*pl. -ses* [-siːz]) These *f*; Dissertation *f*.
they [ðeɪ] *pl.* sie; man.
thick [θɪk] **1.** □ dick; dicht; trüb; legiert (*Suppe*); heiser; dumm; F dick befreundet; *~ with* über u. über bedeckt von; voll von, voller; *that's a bit ~! sl.* das ist ein starkes Stück!; **2.** dickster Teil; *fig.* Brennpunkt *m*; *in the ~ of* mitten in (*dat.*); **~·en** [ˈθɪkən] (sich) verdicken; (sich) verstärken; legieren; (sich) verdichten; dick(er) werden; **~·et** [~ɪt] Dickicht *n*; **~-head·ed** dumm; **~·ness** [~nɪs] Dicke *f*, Stärke *f*; Dichte *f*; **~·set** dicht(gepflanzt); untersetzt; **~-skinned** *fig.* dickfellig.
thief [θiːf] (*pl. thieves* [θiːvz]) Dieb(in); **thieve** [θiːv] stehlen.
thigh *anat.* [θaɪ] (Ober)Schenkel *m*.
thim·ble [ˈθɪmbl] Fingerhut *m*.
thin [θɪn] **1.** □ (*-nn-*) dünn; licht; mager; spärlich, dürftig; schwach; fadenscheinig (*bsd. fig.*); **2.** (*-nn-*) verdünnen; (sich) lichten; abnehmen.
thine *Bibel od. poet.* [ðaɪn] dein(e); der (die, das) deinige *od.* deine.
thing [θɪŋ] Ding *n*; Sache *f*; Gegenstand *m*; Geschöpf *n*; *~s pl.* Sachen *pl.*; die Dinge *pl.* (*Umstände*); *the ~* das Richtige.
think [θɪŋk] (*thought*) *v/i.* denken (*of* an *acc.*); überlegen, nachdenken (*about* über *acc.*); meinen, glauben; *~ of* sich erinnern an (*acc.*); sich *et.* ausdenken; daran denken, beabsichtigen; *v/t. et.* denken; meinen, glauben; sich vorstellen; halten für; *et.* halten (*of* von); beabsichtigen, vorhaben; *~ s.th. over* sich et. überlegen, über et. nachdenken.
third [θɜːd] **1.** □ dritte(r, -s); **2.** Drittel *n*; **~·ly** [ˈθɜːdlɪ] drittens; **~-rate** [~ˈreɪt] drittklassig.
thirst [θɜːst] Durst *m*; **~·y** □ [ˈθɜːstɪ] (*-ier, -iest*) durstig; dürr (*Boden*); *be ~* Durst haben, durstig sein.
thir|teen [ˈθɜːˈtiːn] **1.** dreizehn; **2.** Dreizehn *f*; **~·teenth** [~iːnθ] dreizehnte(r, -s); **~·tieth** [ˈθɜːtɪɪθ] dreißigste(r, -s); **~·ty** [ˈθɜːtɪ] **1.** dreißig; **2.** Dreißig *f*.
this [ðɪs] (*pl. these* [ðiːz]) diese(r, -s); *~ morning* heute morgen; *~ is John speaking teleph.* hier (spricht) John.
this·tle ⚘ [ˈθɪsl] Distel *f*.
thong [θɒŋ] (Leder)Riemen *m*.
thorn [θɔːn] Dorn *m*; **~·y** [ˈθɔːnɪ] (*-ier, -iest*) dornig; *fig.* schwierig; heikel.
thor·ough □ [ˈθʌrə] gründlich, genau; vollkommen; vollständig, völlig; vollendet; **~·bred** Vollblut (-pferd) *n*; *attr.* Vollblut...; **~·fare** Durchgangsstraße *f*, Hauptverkehrsstraße *f*; *no ~!* Durchfahrt verboten!; **~·go·ing** gründlich; kompromißlos; durch u. durch.
those [ðəʊz] *pl. von that 1*.
thou *Bibel od. poet.* [ðaʊ] du.
though [ðəʊ] obgleich, obwohl, wenn auch; zwar; jedoch, doch; *as ~* als ob.
thought [θɔːt] **1.** *pret. u. p.p. von think*; **2.** Gedanke *m*, Einfall *m*; (Nach)Denken *n*; *on second ~s* nach reiflicher Überlegung; **~·ful** □ [ˈθɔːtfl] gedankenvoll, nachdenklich; rücksichtsvoll (*of* gegen); **~·less** □ [~lɪs] gedankenlos, unbesonnen; rücksichtslos (*of* gegen).
thou·sand [ˈθaʊzənd] **1.** tausend; **2.** (*pl. ~, ~s*) Tausend *n*; **~th** [~ntθ] **1.** tausendste(r, -s); **2.** Tausendstel *n*.
thrash [θræʃ] verdreschen, -prügeln; *Sport*: *j-m* e-e Abfuhr erteilen; *~ about, ~ around* sich *im Bett etc.* hin u. her werfen; um sich schlagen; zappeln (*Fisch*); *~ out fig.* gründlich erörtern; **~·ing** [ˈθræʃɪŋ] Dresche *f*, Tracht *f* Prügel.
thread [θred] **1.** Faden *m* (*a. fig.*); Zwirn *m*, Garn *n*; ⊕ (Schrauben-)Gewinde *n*; **2.** einfädeln; aufreihen; *fig.* sich durchwinden (durch); **~·bare** [ˈθredbeə] fadenscheinig (*a. fig.*); *fig.* abgedroschen.

T

threat [θret] (Be)Drohung *f*; **~·en** [ˈθretn] (be-, an)drohen; **~·en·ing** [~nɪŋ] drohend; bedrohlich.
three [θriː] **1.** drei; **2.** Drei *f*; **~·fold** [ˈθriːfəʊld] dreifach; **~·pence** [ˈθrepəns] *altes englisches Währungssystem*: Dreipencestück *n*; **~·score** [ˈθriːˈskɔː] sechzig.
thresh [θreʃ] dreschen; **~·er** [ˈθreʃə] Drescher *m*; Dreschmaschine *f*; **~·ing** [~ɪŋ] Dreschen *n*; **~·ing-ma·chine** Dreschmaschine *f*.
thresh·old [ˈθreʃhəʊld] Schwelle *f*.
threw [θruː] *pret. von throw 1.*
thrice *veraltet od. lit.* [θraɪs] dreimal.
thrift [θrɪft] Sparsamkeit *f*; Wirtschaftlichkeit *f*; **~·less** □ [ˈθrɪftlɪs] verschwenderisch; **~·y** □ [~ɪ] (*-ier*, *-iest*) sparsam; *poet.* gedeihend.
thrill [θrɪl] **1.** *v/t.* erschauern lassen, erregen, packen; *v/i.* (er)beben, erschauern, zittern; **2.** Zittern *n*, Erregung *f*; (Nerven)Kitzel *m*, Sensation *f*; Beben *n*; **~·er** [ˈθrɪlə] Reißer *m*, Thriller *m* (*Kriminalfilm, -roman etc.*); **~·ing** [~ɪŋ] spannend, aufregend.
thrive [θraɪv] (*thrived od. throve, thrived od. thriven*) gedeihen; *fig.* blühen; Erfolg haben; **~n** [ˈθrɪvn] *p.p. von thrive.*
throat [θrəʊt] Kehle *f*, Gurgel *f*, Schlund *m*; Hals *m*; *clear one's ~* sich räuspern.
throb [θrɒb] **1.** (*-bb-*) (heftig) pochen, klopfen, schlagen; pulsieren; **2.** Pochen *n*; Schlagen *n*; Pulsschlag *m*.
throm·bo·sis [θrɒmˈbəʊsɪs] (*pl. -ses* [-siːz]) Thrombose *f*.
throne [θrəʊn] Thron *m*.
throng [θrɒŋ] **1.** Gedränge *n*; (Menschen)Menge *f*; **2.** sich drängen (in *dat.*).
thros·tle *zo.* [ˈθrɒsl] Drossel *f*.
throt·tle [ˈθrɒtl] **1.** erdrosseln; *~ back, ~ down mot.* ⊕ drosseln, Gas wegnehmen; **2.** *a. ~-valve mot.* ⊕ Drosselklappe *f*.
through [θruː] **1.** *prp.* durch; hindurch; *Am.* (von ...) bis; *Monday ~ Friday Am.* von Montag bis Freitag; **2.** *adj.* Durchgangs...; durchgehend; *~ car Am., ~ carriage, ~ coach Brt.* Kurswagen *m*; *~ flight* Direktflug *m*; *~ travel(l)er* Transitreisende(r *m*) *f*; **~·out** [θruːˈaʊt] **1.** *prp.* überall in (*dat.*); während; **2.** *adv.* durch und durch, ganz und gar, durchweg; **~·put** *econ. Computer*: Durchsatz *m*.
throve [θrəʊv] *pret. von thrive.*
throw [θrəʊ] **1.** (*threw, thrown*) (ab)werfen, schleudern; *Am. Wettkampf etc.* absichtlich verlieren; *Würfel* werfen; *Zahl* würfeln; ⊕ ein-, ausschalten; *~ over fig.* aufgeben; *~ up* hochwerfen; erbrechen, sich übergeben; *fig. et.* aufgeben, hinwerfen; **2.** Wurf *m*; **~·a·way** [ˈθrəʊəweɪ] **1.** et. zum Wegwerfen, *z.B.* Reklamezettel *m*; **2.** Wegwerf...; Einweg...; **~n** [θrəʊn] *p.p. von throw 1.*
thru *Am.* [θruː] = *through.*
thrum [θrʌm] (*-mm-*) klimpern auf (*od. on* auf) (*dat.*).
thrush *zo.* [θrʌʃ] Drossel *f*.
thrust [θrʌst] **1.** Stoß *m*; Vorstoß *m*; ⊕ Druck *m*, Schub *m*; **2.** (*thrust*) stoßen; stecken, schieben; *~ o.s. into* sich drängen in (*acc.*); *~ upon s.o.* j-m aufdrängen.
thud [θʌd] **1.** (*-dd-*) dumpf (auf-) schlagen, F bumsen; **2.** dumpfer (Auf)Schlag, F Bums *m*.
thug [θʌg] (Gewalt)Verbrecher *m*, Schläger *m*.
thumb [θʌm] **1.** Daumen *m*; **2.** *~ a lift od. ride* per Anhalter fahren; *~ through a book* ein Buch durchblättern; *well-~ed Buch etc.*: abgegriffen; **~·tack** *Am.* [ˈθʌmtæk] Reißzwecke *f*, -nagel *m*, Heftzwecke *f*.
thump [θʌmp] **1.** dumpfer Schlag; **2.** *v/t.* heftig schlagen *od.* hämmern *od.* pochen gegen *od.* auf (*acc.*); *v/i.* (auf)schlagen; (laut) pochen (*Herz*).
thun·der [ˈθʌndə] **1.** Donner *m*; **2.** donnern; **~·bolt** Blitz *m* (u. Donner *m*); **~·clap** Donnerschlag *m*; **~·ous** □ [~rəs] donnernd; **~·storm** Gewitter *n*; **~·struck** *fig.* wie vom Donner gerührt.
Thurs·day [ˈθɜːzdɪ] Donnerstag *m*.
thus [ðʌs] so; also, somit.
thwart [θwɔːt] **1.** durchkreuzen, vereiteln; **2.** Ruderbank *f*.
thy *veraltet od. poet.* [ðaɪ] dein(e).
tick[1] *zo.* [tɪk] Zecke *f*.
tick[2] [~] **1.** Ticken *n*; (Vermerk)Häkchen *n*, Haken *m*; **2.** *v/i.* ticken; *v/t.* anhaken; *~ off* abhaken.
tick[3] [~] Inlett *n*; Matratzenbezug *m*.
tick·er tape [ˈtɪkəteɪp] Lochstreifen

T

m; ~ *parade bsd. Am.* Konfettiparade *f*.

tick·et [ˈtɪkɪt] **1.** Fahrkarte *f*, -schein *m*; Flugkarte *f*, Ticket *n*; (Eintritts-, Theater- *etc.*)Karte *f*; *mot.* Strafzettel *m*, gebührenpflichtige Verwarnung; Etikett *n*, Schildchen *n*, (*Preis- etc.*)Zettel *m*; *bsd. Am. pol.* (Wahl-, Kandidaten)Liste *f*; **2.** etikettieren, *Ware* auszeichnen; **~-can·cel·(l)ing ma·chine** (Fahrschein)Entwerter *m*; ~ **col·lec·tor** 🚂 (Bahnsteig)Schaffner *m*; **(au·to·mat·ic) ~ ma·chine** Fahrkartenautomat *m*; ~ **of·fice** 🚂 Fahrkartenschalter *m*; *thea.* Kasse *f*.

tick|le [ˈtɪkl] kitzeln (*a. fig.*); **~·lish** □ [~ɪʃ] kitz(e)lig; *fig.* heikel.

tid·al [ˈtaɪdl]: ~ *wave* Flutwelle *f*.

tid·bit *Am.* [ˈtɪdbɪt] = *titbit*.

tide [taɪd] **1.** Gezeiten *pl.*; Ebbe *f* u. Flut *f*; *fig.* Strom *m*, Strömung *f*; *in Zssgn*: Zeit *f*; *high* ~ Flut *f*; *low* ~ Ebbe *f*; **2.** ~ *over fig.* hinwegkommen *od. j-m* hinweghelfen über (*acc.*).

ti·dy [ˈtaɪdɪ] **1.** □ (*-ier, -iest*) ordentlich, sauber, reinlich, aufgeräumt; F ganz schön, beträchtlich (*Summe*); **2.** Behälter *m*; Abfallkorb *m*; **3.** *a.* ~ *up* zurechtmachen; in Ordnung bringen; aufräumen.

tie [taɪ] **1.** (Schnür)Band *n*; Schleife *f*; Krawatte *f*, Schlips *m*; *fig.* Band *n*, Bindung *f*; *fig.* (lästige) Fessel, Last *f*; *Sport*: Punkt-, *parl.* Stimmengleichheit *f*; *Sport*: (Ausscheidungs)Spiel *n*; *Am.* 🚂 Schwelle *f*; **2.** *v/t.* (an-, fest-, *fig.* ver)binden; *v/i. Sport*: punktgleich sein; *mit Adverbien*: ~ *down fig.* binden (*to* an *acc.*); ~ *in with* passen zu; verbinden *od.* koppeln mit; ~ *up* zu-, an-, ver-, zusammenbinden; **~-in** *econ.* [ˈtaɪɪn] Kopplungsgeschäft *n*, -verkauf *m*; *a book movie* ~ *Am. etwa:* das Buch zum Film.

tier [tɪə] Reihe *f*; Rang *m*.

tie-up [ˈtaɪʌp] (Ver)Bindung *f*; *econ.* Fusion *f*; Stockung *f*; *bsd. Am.* Streik *m*.

ti·ger *zo.* [ˈtaɪgə] Tiger *m*.

tight [taɪt] **1.** □ dicht; fest; eng; knapp (sitzend); straff, (an)gespannt; *econ.* knapp; F blau, besoffen; F knick(e)rig, geizig; *be in a* ~ *corner od. place od.* F *spot fig.* in der Klemme sein; **2.** *adv.* fest; *hold* ~ festhalten; **~·en** [ˈtaɪtn] fest-, anziehen; *Gürtel* enger schnallen; *a.* ~ *up* (sich) zusammenziehen; **~-fist·ed** knick(e)rig, geizig; **~·ness** [~nɪs] Festigkeit *f*; Dichte *f*; Straffheit *f*; Knappheit *f*; Enge *f*; Geiz *m*; **~s** [taɪts] *pl.* (Tänzer-, Artisten)Trikot *n*; *bsd. Brt.* Strumpfhose *f*.

ti·gress *zo.* [ˈtaɪgrɪs] Tigerin *f*.

tile [taɪl] **1.** (Dach)Ziegel *m*; Kachel *f*; Platte *f*; Fliese *f*; **2.** (mit Ziegeln *etc.*) decken; kacheln; fliesen.

till[1] [tɪl] (Laden)Kasse *f*.

till[2] [~] **1.** *prp.* bis (zu); **2.** *cj.* bis.

till[3] ⚒ [~] bestellen, bebauen; **~·age** [ˈtɪlɪdʒ] (Land)Bestellung *f*; Ackerbau *m*; Ackerland *n*.

tilt [tɪlt] **1.** (Wagen)Plane *f*; Kippen *n*; Neigung *f*; Stoß *m*; **2.** (um)kippen.

tim·ber [ˈtɪmbə] **1.** (Bau-, Nutz)Holz *n*; ⚓ Spant *m*; Baumbestand *m*, Bäume *pl.*; **2.** zimmern.

time [taɪm] **1.** Zeit *f*; Uhrzeit *f*; Frist *f*; Mal *n*; ♪ Takt *m*; Tempo *n*; ~*s pl.* mal, ...mal; ~ *is up* die Zeit ist um *od.* abgelaufen; *for the* ~ *being* vorläufig; *have a good* ~ sich gut unterhalten *od.* amüsieren; *what's the* ~?, *what* ~ *is it?* wieviel Uhr ist es?, wie spät ist es?; ~ *and again* immer wieder; *all the* ~ ständig, immer; *at a* ~ auf einmal, zusammen; *at any* ~, *at all* ~*s* jederzeit; *at the same* ~ gleichzeitig, zur selben Zeit; *in* ~ rechtzeitig; *in no* ~ im Nu, im Handumdrehen; *on* ~ pünktlich; **2.** messen, (ab)stoppen; zeitlich abstimmen; timen (*a. Sport*), den richtigen Zeitpunkt wählen *od.* bestimmen für; ~ **card** Stechkarte *f*; ~ **clock** Stechuhr *f*; **~-hon·o(u)red** [ˈtaɪmɒnəd] altehrwürdig; **~·ly** [~lɪ] (*-ier, -iest*) (recht)zeitig; **~·piece** Uhr *f*; ~ **sheet** Stechkarte *f*; ~ **sig·nal** *Rundfunk, TV*: Zeitzeichen *n*; **~·ta·ble** Terminkalender *m*; Fahr-, Flug-, Stundenplan *m*.

tim|id □ [ˈtɪmɪd], **~·or·ous** □ [~ərəs] ängstlich; schüchtern.

tin [tɪn] **1.** Zinn *n*; Weißblech *n*; *bsd. Brt.* (Konserven)Dose *f*, (-)Büchse *f*; **2.** (*-nn-*) verzinnen; *bsd. Brt.* (in Büchsen) einmachen, eindosen.

tinc·ture [ˈtɪŋktʃə] **1.** Farbe *f*; Tinktur *f*; *fig.* Anstrich *m*; **2.** färben.

tin·foil [ˈtɪnˈfɔɪl] Stanniol(papier) *n*.

tinge [tɪndʒ] **1.** Tönung *f*; *fig.* An-

T

flug *m*, Spur *f*; **2.** tönen, färben; *fig.* e-n Anstrich geben (*dat.*).
tin·gle [ˈtɪŋgl] klingen; prickeln.
tink·er [ˈtɪŋkə] herumpfuschen, -basteln (*at* an *dat.*).
tin·kle [ˈtɪŋkl] klingeln (mit).
tin| o·pen·er *bsd. Brt.* [ˈtɪnəʊpnə] Dosenöffner *m*; ~ **plate** Weißblech *n.*
tin·sel [ˈtɪnsl] Flitter *m*; Lametta *n.*
tint [tɪnt] **1.** (zarte) Farbe; (Farb)Ton *m*, Tönung *f*, Schattierung *f*; **2.** (leicht) färben; tönen.
ti·ny □ [ˈtaɪnɪ] (*-ier, -iest*) winzig, sehr klein.
tip [tɪp] **1.** Spitze *f*; Filter *m* (*e-r Zigarette*); Trinkgeld *n*; Tip *m*, Wink *m*; leichter Stoß; *Brt.* Schuttabladeplatz *m*; **2.** (*-pp-*) mit e-r Spitze versehen; (um)kippen; *j-m* ein Trinkgeld geben; *a.* ~ *off j-m* e-n Tip *od.* Wink geben.
tip·sy □ [ˈtɪpsɪ] (*-ier, -iest*) angeheitert.
tip·toe [ˈtɪptəʊ] **1.** auf Zehenspitzen gehen; **2.** *on* ~ auf Zehenspitzen.
tire[1] *Am.* [ˈtaɪə] = *tyre.*
tire[2] [~] ermüden, müde machen *od.* werden; **~d** □ müde; **~·less** □ [ˈtaɪəlɪs] unermüdlich; **~·some** □ [~səm] ermüdend; lästig.
tis·sue [ˈtɪʃuː] Gewebe *n*; Papiertaschentuch *n*; = ~ **pa·per** Seidenpapier *n.*
tit[1] [tɪt] = *teat.*
tit[2] *zo.* [~] Meise *f.*
tit·bit *bsd. Brt.* [ˈtɪtbɪt] Leckerbissen *m.*
tit·il·late [ˈtɪtɪleɪt] kitzeln.
ti·tle [ˈtaɪtl] (Buch-, Ehren- *etc.*)Titel *m*; Überschrift *f*; ⚖ Rechtsanspruch *m*; **~d** ad(e)lig.
tit·mouse *zo.* [ˈtɪtmaʊs] (*pl. -mice*) Meise *f.*
tit·ter [ˈtɪtə] **1.** kichern; **2.** Kichern *n.*
tit·tle [ˈtɪtl]: *not one od. a* ~ *of it* kein *od.* nicht ein Jota (davon); **~-tat·tle** [~tætl] Schnickschnack *m.*
to [tuː, tʊ, tə] **1.** *prp.* zu; gegen, nach, an, in, auf; bis zu, bis an (*acc.*); um zu; für; *a quarter* ~ *one* (ein) Viertel vor eins; *from Monday* ~ *Friday Brt.* von Montag bis Freitag; ~ *me etc.* mir *etc.*; *I weep* ~ *think of it* ich weine, wenn ich daran denke; *here's* ~ *you!* auf Ihr Wohl!, prosit!; **2.** *adv.* zu, geschlossen; *pull* ~ *Tür* zuziehen; *come* ~ (wieder) zu sich kommen; ~ *and fro* hin u. her, auf u. ab.
toad *zo.* [təʊd] Kröte *f*; **~·stool** ♀ [ˈtəʊdstuːl] (größerer Blätter)Pilz; Giftpilz *m*; **~·y** [~ɪ] **1.** Speichellecker(in); **2.** *fig.* vor *j-m* kriechen.
toast [təʊst] **1.** Toast *m*; Toast *m*, Trinkspruch *m*; **2.** toasten; rösten; *fig.* wärmen; trinken auf (*acc.*).
to·bac·co [təˈbækəʊ] (*pl. -cos*) Tabak *m*; **~·nist** [~ənɪst] Tabakhändler *m.*
to·bog·gan [təˈbɒgən] **1.** Rodelschlitten *m*; **2.** rodeln.
to·day [təˈdeɪ] heute.
tod·dle [ˈtɒdl] auf wack(e)ligen Beinen gehen (*bsd. Kleinkind*); F (dahin)zotteln.
tod·dy [ˈtɒdɪ] Toddy *m* (*Art Grog*).
to-do F [təˈduː] Lärm *m*; Getue *n*, Aufheben *n.*
toe [təʊ] **1.** *anat.* Zehe *f*; Spitze *f* (*von Schuhen etc.*); **2.** mit den Zehen berühren.
tof|fee, *a.* **~·fy** [ˈtɒfɪ] Sahnebonbon *m, n*, Toffee *n.*
to·geth·er [təˈgeðə] zusammen; zugleich; *Tage etc.* nacheinander.
toil [tɔɪl] **1.** mühselige Arbeit, Mühe *f*, Plackerei *f*; **2.** sich plagen.
toi·let [ˈtɔɪlɪt] Toilette *f*; **~-pa·per** Toilettenpapier *n.*
toils *fig.* [tɔɪlz] *pl.* Schlingen *pl.*, Netz *n.*
to·ken [ˈtəʊkən] Zeichen *n*; Andenken *n*, Geschenk *n*; *as a* ~, *in* ~ *of* als *od.* zum Zeichen (*gen.*).
told [təʊld] *pret. u. p.p. von tell.*
tol·e|ra·ble □ [ˈtɒlərəbl] erträglich; **~rance** [~ns] Toleranz *f*; Nachsicht *f*; **~rant** □ [~t] tolerant (*of* gegen); **~rate** [~eɪt] dulden; ertragen; **~ra·tion** [tɒləˈreɪʃn] Duldung *f.*
toll [təʊl] **1.** Straßenbenutzungsgebühr *f*, Maut *f*; Standgeld *n* (*auf e-m Markt etc.*); *fig.* Tribut *m*, (Zahl *f* der) Todesopfer *pl.*; *the* ~ *of the road* die Verkehrsopfer *pl.*; **2.** läuten; **~-bar** [ˈtəʊlbɑː], **~·gate** Schlagbaum *m.*
to·ma·to ♀ [təˈmɑːtəʊ, *Am.* təˈmeɪtəʊ] (*pl. -toes*) Tomate *f.*
tomb [tuːm] Grab(mal) *n.*
tom·boy [ˈtɒmbɔɪ] Wildfang *m.*
tomb·stone [ˈtuːmstəʊn] Grabstein *m.*
tom-cat *zo.* [ˈtɒmˈkæt] Kater *m.*
tom·fool·e·ry [tɒmˈfuːlərɪ] Unsinn *m.*

T

to·mor·row [təˈmɒrəʊ] morgen.
ton [tʌn] Tonne *f* (*Gewichtseinheit*); ⚠ *nicht Ton.*
tone [təʊn] **1.** Ton *m*, Klang *m*, Laut *m*; (Farb)Ton *m*; **2.** (ab)tönen; ~ *down* (sich) abschwächen *od.* mildern.
tongs [tɒŋz] *pl.* (*a pair of* ~ e-e) Zange.
tongue [tʌŋ] *anat.* Zunge *f*; Sprache *f*; (Schuh)Lasche *f*; *hold one's* ~ den Mund halten; **~-tied** *fig.* [ˈtʌŋtaɪd] stumm, sprachlos.
ton·ic [ˈtɒnɪk] **1.** (*~ally*) tonisch; stärkend, belebend; **2.** ♪ Grundton *m*; Stärkungsmittel *n*, Tonikum *n*.
to·night [təˈnaɪt] heute abend *od.* nacht.
ton·nage ⚓ [ˈtʌnɪdʒ] Tonnage *f*.
ton·sil *anat.* [ˈtɒnsl] Mandel *f*; **~·li·tis** ⚕ [tɒnsɪˈlaɪtɪs] Mandelentzündung *f*.
too [tu:] zu, allzu; auch, ebenfalls.
took [tʊk] *pret. von take 1.*
tool [tu:l] Werkzeug *n*, Gerät *n*; **~-bag** [ˈtu:lbæg] Werkzeugtasche *f*; **~-box** Werkzeugkasten *m*; **~-kit** Werkzeugtasche *f*.
toot [tu:t] **1.** blasen, tuten; hupen; **2.** Tuten *n*.
tooth [tu:θ] (*pl. teeth* [ti:θ]) Zahn *m*; **~·ache** [ˈtu:θeɪk] Zahnschmerzen *pl.*; **~·brush** Zahnbürste *f*; **~·less** □ [~lɪs] zahnlos; **~·paste** Zahnpasta *f*, -creme *f*; **~·pick** Zahnstocher *m*.
top[1] [tɒp] **1.** ober(st)es Ende; Oberteil *n*; Spitze *f* (*a. fig.*); Gipfel *m* (*a. fig.*); Wipfel *m*; Kopf(ende *n*) *m*; (Topf- *etc.*)Deckel *m*; *mot.* Verdeck *n*; Stulpe *f* (*am Stiefel*); *at the* ~ *of one's voice* aus vollem Halse; *on* ~ oben(auf); obendrein; *on* ~ *of* (oben) auf (*dat.*); **2.** oberste(r, -s), höchste(r, -s), Höchst..., Spitzen...; **3.** (*-pp-*) oben bedecken; überragen (*a. fig.*); an der Spitze *e-r Liste etc.* stehen; ~ *up Tank etc.* auf-, nachfüllen; ~ *s.o. up* j-m nachschenken.
top[2] [~] Kreisel *m*.
top| boots [ˈtɒpˈbu:ts] *pl.* Stulpenstiefel *pl.*; ~ **hat** Zylinder(hut) *m*.
top·ic [ˈtɒpɪk] Gegenstand *m*, Thema *n*; **~·al** □ [~l] lokal; aktuell.
top|less [ˈtɒplɪs] oben ohne, Obenohne-...; **~·most** höchste(r, -s), oberste(r, -s).
top·ple [ˈtɒpl]: (*~down*, ~ *over* um-) kippen.
top·sy-tur·vy □ [ˈtɒpsɪˈtɜ:vɪ] auf den Kopf (gestellt), das Oberste zuunterst; drunter u. drüber.
torch [tɔ:tʃ] Fackel *f*; *a. electric* ~ *bsd. Brt.* Taschenlampe *f*; **~·light** [ˈtɔ:tʃlaɪt] Fackelschein *m*; ~ *procession* Fackelzug *m*.
tore [tɔ:] *pret. von tear*[1] *1.*
tor·ment 1. [ˈtɔ:ment] Qual *f*, Marter *f*; **2.** [tɔ:ˈment] quälen, peinigen, plagen.
torn [tɔ:n] *p.p. von tear*[1] *1.*
tor·na·do [tɔ:ˈneɪdəʊ] (*pl. -does, -dos*) Wirbelsturm *m*, Tornado *m*.
tor·pe·do [tɔ:ˈpi:dəʊ] (*pl. -does*) **1.** Torpedo *m*; **2.** ⚓ torpedieren (*a. fig.*).
tor·pid □ [ˈtɔ:pɪd] starr; apathisch; träge; **~·i·ty** [tɔ:ˈpɪdətɪ], **~·ness** [~nɪs], **tor·por** [~ə] Apathie *f*, Stumpfheit *f*; Erstarrung *f*, Betäubung *f*.
tor|rent [ˈtɒrənt] Sturz-, Wildbach *m*; reißender Strom; *fig.* Strom *m*, Schwall *m*; **~·ren·tial** [təˈrenʃl]: ~ *rain(s)* sintflutartige Regenfälle.
tor·toise *zo.* [ˈtɔ:təs] Schildkröte *f*.
tor·tu·ous □ [ˈtɔ:tjʊəs] gewunden.
tor·ture [ˈtɔ:tʃə] **1.** Folter(ung) *f*; Tortur *f*; **2.** foltern.
toss [tɒs] **1.** (Hoch)Werfen *n*, Wurf *m*; Zurückwerfen *n* (*Kopf*); **2.** werfen, schleudern; *a.* ~ *about* (sich) hin- u. herwerfen; schütteln; ~ *off Getränk* hinunterstürzen; *Arbeit* hinhauen; *a.* ~ *up* hochwerfen; losen (*for* um) (*durch Münzwurf*).
tot F [tɒt] Knirps *m* (*kleines Kind*).
to·tal [ˈtəʊtl] **1.** □ ganz, gänzlich; total; gesamt; **2.** Gesamtbetrag *m*, -menge *f*; **3.** (*bsd. Brt. -ll-, Am. -l-*) sich belaufen auf (*acc.*); **~·i·tar·i·an** [təʊtælɪˈteərɪən] totalitär; **~·i·ty** [təʊˈtælətɪ] Gesamtheit *f*.
tot·ter [ˈtɒtə] torkeln, (sch)wanken, wackeln.
touch [tʌtʃ] **1.** (sich) berühren; anrühren; anfassen; grenzen *od.* stoßen an (*acc.*); *fig.* rühren; erreichen; ♪ anschlagen; *a bit ~ed fig.* ein bißchen verrückt; ~ *at* ⚓ anlegen in (*dat.*); ~ *down* ✈ aufsetzen; ~ *up* auffrischen; retuschieren; **2.** Berührung *f*; Tastsinn *m*, -gefühl *n*; Verbindung *f*, Kontakt *m*; leichter Anfall; Anflug *m*; besondere Note; ♪ Anschlag *m*; (Pinsel)Strich *m*; **~-and-go** [ˈtʌtʃənˈgəʊ] gewagte Sa-

T

che; *it is* ~ es steht auf des Messers Schneide; **~·ing** □ [~ɪŋ] rührend; **~·stone** Prüfstein *m*; **~·y** □ [~ɪ] (*-ier, -iest*) empfindlich; heikel.

tough □ [tʌf] zäh (*a. fig.*); robust, stark; hart, grob, brutal, übel; **~·en** [ˈtʌfn] zäh machen *od.* werden; **~·ness** [~nɪs] Zähigkeit *f*.

tour [tʊə] **1.** (Rund)Reise *f*, Tour *f*; Rundgang *m*, -fahrt *f*; *thea.* Tournee *f* (*a. Sport*); *s. conduct 2*; **2.** (be)reisen; **~·ist** [ˈtʊərɪst] Tourist(in); ~ *agency*, ~ *bureau*, ~ *office* Reisebüro *n*; Verkehrsverein *m*; ~ *season* Reisesaison *f*, -zeit *f*.

tour·na·ment [ˈtʊənəmənt] Turnier *n*.

tou·sle [ˈtaʊzl] (zer)zausen.

tow [təʊ] **1.** Schleppen *n*; *take in* ~ ins Schlepptau nehmen; **2.** (ab)schleppen; treideln; ziehen.

to·ward(s) [təˈwɔːd(z)] gegen; nach ... zu, auf (*acc.*) ... zu; (*als Beitrag*) zu.

tow·el [ˈtaʊəl] **1.** Handtuch *n*; **2.** (*bsd. Brt. -ll-, Am. -l-*) (ab)trocknen; (ab)reiben.

tow·er [ˈtaʊə] **1.** Turm *m*; *fig.* Stütze *f*, Bollwerk *n*; *a.* ~ *block* (Büro-, Wohn)Hochhaus *n*; **2.** (hoch)ragen, sich erheben; **~·ing** □ [ˈtaʊərɪŋ] (turm)hoch; rasend (*Wut*).

town [taʊn] **1.** Stadt *f*; **2.** Stadt...; städtisch; ~ **cen·tre,** *Am.* ~ **cen·ter** Innenstadt *f*, City *f*; ~ **clerk** *Brt.* städtischer Verwaltungsbeamter; ~ **coun·cil** *Brt.* Stadtrat *m* (*Versammlung*); ~ **coun·ci(l)·lor** *Brt.* Stadtrat *m*, -rätin *f*; ~ **hall** Rathaus *n*; **~s·folk** [ˈtaʊnzfəʊk] *pl.* Städter *pl.*; **~·ship** Stadtgemeinde *f*; Stadtgebiet *n*; **~s·man** (*pl. -men*) Städter *m*; (Mit-)Bürger *m*; **~s·peo·ple** *pl.* = *townsfolk*; **~s·wom·an** (*pl. -women*) Städterin *f*; (Mit)Bürgerin *f*.

tox|ic [ˈtɒksɪk] (~*ally*) giftig; Gift...; **~·in** [~ɪn] Giftstoff *m*.

toy [tɔɪ] **1.** Spielzeug *n*; Tand *m*; **~s** *pl.* Spielsachen *pl.*, -waren *pl.*; **2.** Spielzeug...; Miniatur...; Zwerg...; **3.** spielen.

trace [treɪs] **1.** Spur *f* (*a. fig.*); **2.** nachspüren (*dat.*), *j-s* Spur folgen; verfolgen; herausfinden; (auf)zeichnen; (durch)pausen.

trac·ing [ˈtreɪsɪŋ] Pauszeichnung *f*.

track [træk] **1.** Spur *f*, Fährte *f*; 🚂 Gleis *n*, Geleise *n u. pl.*; Pfad *m*; *Computer, Tonband*: Spur *f*; (Raupen)Kette *f*; *Sport*: (Renn-, Aschen-)Bahn *f*; ~*-and-field Sport*: Leichtathletik...; ~ *events pl. Sport*: Laufdisziplinen *pl.*; ~ *suit* Trainingsanzug *m*; **2.** nachgehen, -spüren (*dat.*), verfolgen; ~ *down*, ~ *out* aufspüren; ~*ing station Raumfahrt*: Bodenstation *f*.

tract [trækt] Fläche *f*, Strecke *f*, Gegend *f*; Traktat *n*, Abhandlung *f*.

trac·ta·ble □ [ˈtræktəbl] lenk-, fügsam.

trac|tion [ˈtrækʃn] Ziehen *n*, Zug *m*; ~ *engine* Zugmaschine *f*; **~·tor** ⊕ [~tə] Trecker *m*, Traktor *m*.

trade [treɪd] **1.** Handel *m*; Gewerbe *n*, Beruf *m*, Handwerk *n*; **2.** Handel treiben, handeln; ~ *on* ausnutzen; **~-mark** Warenzeichen *n*; ~ **price** Großhandelspreis *m*; **trad·er** [ˈtreɪdə] Händler *m*; **~s·man** [~zmən] (*pl. -men*) (Einzel)Händler *m*; **~(s) un·i·on** Gewerkschaft *f*; **~(s) un·i·on·ist** Gewerkschaftler(in); ~ **wind** Passat(wind) *m*.

tra·di·tion [trəˈdɪʃn] Tradition *f*; Überlieferung *f*; **~·al** □ [~l] traditionell.

traf·fic [ˈtræfɪk] **1.** Verkehr *m*; Handel *m*; **2.** (*-ck-*) (*a.* illegal) handeln (*in* mit).

traf·fi·ca·tor *Brt. mot.* [ˈtræfɪkeɪtə] (Fahrt)Richtungsanzeiger *m*, Blinker *m*.

traf·fic| cir·cle *Am.* [ˈtræfɪkˈsɜːkl] Kreisverkehr *m*; ~ **jam** (Verkehrs-)Stau *m*, Verkehrsstockung *f*; ~ **light(s** *pl.*) Verkehrsampel *f*; ~ **sign** Verkehrszeichen *n*, -schild *n*; ~ **sig·nal** = *traffic light(s)*; ~ **war·den** *Brt.* Politesse *f*.

tra|ge·dy [ˈtrædʒɪdɪ] Tragödie *f*; **~·gic** [~ɪk] (~*ally*), **trag·i·cal** □ [~kl] tragisch.

trail [treɪl] **1.** Schleppe *f*; Spur *f*; Pfad *m*, Weg *m*; *fig.* Schweif *m*; **2.** *v/t.* hinter sich herziehen; verfolgen, *j-n* beschatten; *v/i.* schleifen; sich schleppen; ♀ kriechen, sich ranken; **~·er** [ˈtreɪlə] ♀ Kriechpflanze *f*; *mot.* Anhänger *m*; *Am. mot.* Wohnwagen *m*, Wohnanhänger, Caravan *m*; *Film, TV*: (Programm)Vorschau *f*.

train [treɪn] **1.** (Eisenbahn)Zug *m*; *allg.* Zug *m*; Gefolge *n*; Reihe *f*, Folge *f*, Kette *f*; Schleppe *f* (*am Kleid*); **2.** erziehen; (sich) schulen;

T

abrichten; (sich) ausbilden; *Sport*: trainieren; sich üben; **~·ee** [treɪˈniː] in der Ausbildung Stehende(r *m*) *f*; Auszubildende(r *m*) *f*; **~·er** [ˈtreɪnə] Ausbilder *m*; *Sport*: Trainer *m*; **~·ing** [~ɪŋ] Ausbildung *f*; Üben *n*; *bsd. Sport*: Training *n*.
trait [treɪ] (Charakter)Zug *m*.
trai·tor [ˈtreɪtə] Verräter *m*.
tram(·car) *Brt.* [ˈtræm(kɑː)] Straßenbahn(wagen *m*) *f*.
tramp [træmp] **1.** Getrampel *n*; Wanderung *f*; Tramp *m*, Landstreicher *m*; **2.** trampeln, treten; (durch-) wandern; **tram·ple** [ˈtræmpl] (herum-, zer)trampeln.
trance [trɑːns] Trance *f*.
tran·quil □ [ˈtræŋkwɪl] ruhig; gelassen; **~·(l)i·ty** [træŋˈkwɪlətɪ] Ruhe *f*; Gelassenheit *f*; **~·(l)ize** [ˈtræŋkwɪlaɪz] beruhigen; **~·(l)iz·er** [~aɪzə] Beruhigungsmittel *n*.
trans- [trænz] jenseits; durch; über.
trans|act [trænˈzækt] abwickeln, abmachen; **~·ac·tion** [~kʃn] Erledigung *f*; Geschäft *n*, Transaktion *f*.
trans·al·pine [ˈtrænzˈælpaɪn] transalpin(isch).
trans·at·lan·tic [ˈtrænzətˈlæntɪk] transatlantisch, Übersee...
tran|scend [trænˈsend] überschreiten, hinausgehen über (*acc.*); übertreffen; **~·scen·dence, ~·scen·den·cy** [~əns, ~sɪ] Überlegenheit *f*; *phls.* Transzendenz *f*.
tran·scribe [trænˈskraɪb] abschreiben; *Kurzschrift* übertragen.
tran|script [ˈtrænskrɪpt], **~·scrip·tion** [trænˈskrɪpʃn] Abschrift *f*; Umschrift *f*.
trans·fer 1. [trænsˈfɜː] (*-rr-*) *v/t.* übertragen; versetzen, -legen; *Geld* überweisen; *Sport*: *Spieler* transferieren (*to* zu), abgeben (*to* an *acc.*); *v/i.* übertreten; *Sport*: wechseln (*Spieler*); 🚋 *etc.* umsteigen; **2.** [ˈtrænsfɜː] Übertragung *f*; Versetzung *f*, -legung *f*; *econ.* (Geld)Überweisung *f*; *Sport*: Transfer *m*, Wechsel *m*; *Am.* 🚋 *etc.* Umsteigefahrschein *m*; **~·a·ble** [trænsˈfɜːrəbl] übertragbar.
trans·fig·ure [trænsˈfɪgə] umgestalten; verklären.
trans·fix [trænsˈfɪks] durchstechen; **~ed** *fig.* versteinert, starr (*with* vor *dat*).
trans|form [trænsˈfɔːm] umformen; um-, verwandeln; **~·for·ma·tion** [trænsfəˈmeɪʃn] Umformung *f*; Um-, Verwandlung *f*.
trans|fuse ⚕ [trænsˈfjuːz] *Blut* übertragen; **~·fu·sion** ⚕ [~ʒn] (Blut-) Übertragung *f*, (-)Transfusion *f*.
trans|gress [trænsˈgres] *v/t.* überschreiten; *Gesetze etc.* übertreten, verletzen; *v/i.* sich vergehen; **~·gres·sion** [~ʃn] Überschreitung *f*; Übertretung *f*; Vergehen *n*; **~·gres·sor** [~sə] Übeltäter(in); Rechtsbrecher(in).
tran·sient [ˈtrænzɪənt] **1.** □ = *transitory*; **2.** *Am.* Durchreisende(r *m*) *f*.
tran·sis·tor [trænˈsɪstə] Transistor *m*.
tran·sit [ˈtrænsɪt] Durchgang *m*; Transit-, Durchgangsverkehr *m*; *econ.* Transport *m* (*von Waren*).
tran·si·tion [trænˈsɪʒn] Übergang *m*.
tran·si·tive □ *gr.* [ˈtrænsɪtɪv] transitiv.
tran·si·to·ry □ [ˈtrænsɪtərɪ] vorübergehend; vergänglich, flüchtig.
trans|late [trænsˈleɪt] übersetzen, -tragen; *fig.* umsetzen; **~·la·tion** [~ʃn] Übersetzung *f*, -tragung *f*; **~·la·tor** [~ə] Übersetzer(in).
trans·lu·cent □ [trænzˈluːsnt] lichtdurchlässig.
trans·mi·gra·tion [ˈtrænzmaɪˈgreɪʃn] Seelenwanderung *f*.
trans·mis·sion [trænzˈmɪʃn] Übermittlung *f*; Übertragung *f*; *biol.* Vererbung *f*; *phys.* Fortpflanzung *f*; *mot.* Getriebe *n*; *Rundfunk*, *TV*: Sendung *f*.
trans·mit [trænzˈmɪt] (*-tt-*) übermitteln, -senden; übertragen; *Rundfunk*, *TV*: senden; *biol.* vererben; *phys.* (weiter)leiten; **~·ter** [~ə] Übermittler(in); *tel. etc.* Sender *m*.
trans·mute [trænzˈmjuːt] um-, verwandeln.
trans·par·ent □ [trænsˈpærənt] durchsichtig (*a. fig.*).
tran·spire [trænˈspaɪə] ausdünsten, -schwitzen; *fig.* durchsickern.
trans|plant [trænsˈplɑːnt] umpflanzen; verpflanzen (*a.* ⚕); **~·plan·ta·tion** [ˈtrænsplɑːnˈteɪʃn] Verpflanzung *f* (*a.* ⚕).
trans|port 1. [trænsˈpɔːt] transportieren, befördern, fortschaffen; *fig.* *j-n* hinreißen; **2.** [ˈtrænspɔːt] Transport *m*, Beförderung *f*; Versand *m*; Verkehr *m*; Beförderungsmittel *n*;

T

Transportschiff *n*, -flugzeug *n*; *in a ~ of rage* außer sich vor Wut; *be in ~s of* außer sich sein vor (*Freude etc.*); **~·por·ta·tion** [ˈtrænspɔːˈteɪʃn] Transport *m*, Beförderung *f*.
trans·pose [trænsˈpəʊz] versetzen, umstellen; ♪ transponieren.
trans·verse □ [ˈtrænzvɜːs] querlaufend; Quer...
trap [træp] **1.** Falle *f* (*a. fig.*); ⊕ Klappe *f*; *sl.* Schnauze *f* (*Mund*); *keep one's ~ shut sl.* die Schnauze halten; *set a ~ for s.o.* j-m e-e Falle stellen; **2.** (*-pp-*) (in e-r Falle) fangen; *fig.* in e-e Falle locken; **~·door** [ˈtræpdɔː] Falltür *f*; *thea.* Versenkung *f*.
tra·peze [trəˈpiːz] Trapez *n*.
trap·per [ˈtræpə] Trapper *m*, Fallensteller *m*, Pelztierjäger *m*.
trap·pings *fig.* [ˈtræpɪŋz] *pl.* Schmuck *m*, Putz *m*, Drum u. Dran *n*.
trash [træʃ] *bsd. Am.* Abfall *m*, Abfälle *pl.*, Müll *m*; Unsinn *m*, F Blech *n*; Gesindel *n*; Kitsch *m*; **~ can** *Am.* Abfall-, Mülleimer *m*; *Am.* Abfall-, Mülltonne *f*; **~·y** □ [ˈtræʃɪ] (*-ier, -iest*) wertlos, kitschig.
trav·el [ˈtrævl] **1.** (*bsd. Brt. -ll-, Am. -l-*) *v/i.* reisen; sich bewegen; *bsd. fig.* schweifen, wandern; *v/t.* bereisen; **2.** *das* Reisen; ⊕ (Kolben)Hub *m*; *~s pl.* Reisen *pl.*; **~ a·gen·cy, ~ bu·reau** Reisebüro *n*; **~·(l)er** [~ə] Reisende(r *m*) *f*; *~'s cheque* (*Am. check*) Reisescheck *m*.
tra·verse [ˈtrævəs] durch-, überqueren; durchziehen; führen über (*acc.*).
trav·es·ty [ˈtrævɪstɪ] **1.** Travestie *f*; Karikatur *f*, Zerrbild *n*; **2.** travestieren; ins Lächerliche ziehen.
trawl ⚓ [trɔːl] **1.** (Grund)Schleppnetz *n*; **2.** mit dem Schleppnetz fischen; **~·er** ⚓ [ˈtrɔːlə] Trawler *m*.
tray [treɪ] (Servier)Brett *n*, Tablett *n*; Ablagekorb *m*.
treach·er|ous □ [ˈtretʃərəs] verräterisch, treulos; (heim)tückisch; trügerisch; **~·y** [~ɪ] (*to*) Verrat *m* (an *dat.*), Treulosigkeit *f* (gegen).
trea·cle [ˈtriːkl] Sirup *m*.
tread [tred] **1.** (*trod, trodden od. trod*) treten; (be)schreiten; trampeln; **2.** Tritt *m*, Schritt *m*; ⊕ Lauffläche *f*; *mot.* Profil *n*; **trea·dle** [ˈtredl] Pedal *n*; Tritt *m*; **~·mill** Tretmühle *f* (*a. fig.*).
trea|son [ˈtriːzn] Verrat *m*; **~·so·na·ble** □ [~əbl] verräterisch.
treas|ure [ˈtreʒə] **1.** Schatz *m*, Reichtum *m*; *~ trove* Schatzfund *m*; **2.** sehr schätzen; *~ up Schätze* sammeln, anhäufen; **~·ur·er** [~rə] Schatzmeister *m*; Kassenwart *m*.
treas·ur·y [ˈtreʒərɪ] Schatzkammer *f*; ♀ Finanzministerium *n*; ♀ **Bench** *Brt. parl.* Regierungsbank *f*; ♀ **Depart·ment** *Am.* Finanzministerium *n*.
treat [triːt] **1.** *v/t.* behandeln, umgehen mit; betrachten; *~ s.o. to s.th.* j-m et. spendieren; *v/i.* *~ of* handeln von; *~ with* verhandeln mit; **2.** Vergnügen *n*; *school ~* Schulausflug *m*, -fest *n*; *it is my ~* es geht auf meine Rechnung.
trea·tise [ˈtriːtɪz] Abhandlung *f*.
treat·ment [ˈtriːtmənt] Behandlung *f*.
treat·y [ˈtriːtɪ] Vertrag *m*.
tre·ble [ˈtrebl] **1.** □ dreifach; **2.** ♪ Diskant *m*, Sopran *m*; *Radio*: Höhen *pl.*; **3.** (sich) verdreifachen.
tree [triː] Baum *m*.
tre·foil ⚘ [ˈtrefɔɪl] Klee *m*.
trel·lis [ˈtrelɪs] **1.** ↗ Spalier *n*; **2.** vergittern; ↗ am Spalier ziehen.
trem·ble [ˈtrembl] zittern.
tre·men·dous □ [trɪˈmendəs] schrecklich, ungeheuer, gewaltig; F enorm.
trem·or [ˈtremə] Zittern *n*; Beben *n*.
trem·u·lous □ [ˈtremjʊləs] zitternd, bebend.
trench [trentʃ] **1.** (⚔ Schützen)Graben *m*; Furche *f*; **2.** *v/t.* mit Gräben durchziehen; *v/i.* (⚔ Schützen)Gräben ausheben.
tren·chant □ [ˈtrentʃənt] scharf.
trend [trend] **1.** Richtung *f*; *fig.* (Ver)Lauf *m*; *fig.* Trend *m*, Entwicklung *f*, Tendenz *f*; **2.** tendieren, neigen; **~·y** *bsd. Brt.* F [ˈtrendɪ] (*-ier, -iest*) modern.
trep·i·da·tion [trepɪˈdeɪʃn] Zittern *n*; Angst *f*, Beklommenheit *f*.
tres·pass [ˈtrespəs] **1.** ⚖ unbefugtes Betreten; Vergehen *n*; **2.** *~ (up)on* ⚖ widerrechtlich betreten; über Gebühr in Anspruch nehmen; *no ~ing* Betreten verboten; **~·er** ⚖ [~ə] Rechtsverletzer *m*; Unbefugte(r *m*) *f*.

T

tres·tle [ˈtresl] Gestell *n*, Bock *m*.
tri·al [ˈtraɪəl] **1.** Versuch *m*; Probe *f*, Prüfung *f* (*a. fig.*); ⚖ Prozeß *m*, Verhandlung *f*; *fig.* Plage *f*; *on* ~ auf *od.* zur Probe; *give s.th. od. s.o. a* ~ e-n Versuch mit et. *od.* j-m machen; *be on* ~ ⚖ angeklagt sein; *put s.o. on* ~ ⚖ j-n vor Gericht bringen; **2.** Versuchs..., Probe...
tri·an|gle [ˈtraɪæŋgl] Dreieck *n*; **~·gu·lar** □ [traɪˈæŋgjʊlə] dreieckig.
tribe [traɪb] (Volks)Stamm *m*; *contp.* Sippe *f*; ⚘, *zo.* Klasse *f*.
tri·bu·nal ⚖ [traɪˈbjuːnl] Gericht(shof *m*) *n*; **trib·une** [ˈtrɪbjuːn] Tribun *m*; Tribüne *f*.
trib|u·ta·ry [ˈtrɪbjʊtərɪ] **1.** □ zinspflichtig; *fig.* helfend; *geogr.* Neben...; **2.** Nebenfluß *m*; **~·ute** [~juːt] Tribut *m* (*a. fig.*), Zins *m*; Anerkennung *f*.
trice [traɪs]: *in a* ~ im Nu.
trick [trɪk] **1.** Kniff *m*, List *f*, Trick *m*; Kunststück *n*; Streich *m*; (schlechte) Angewohnheit; *play a* ~ *on s.o.* j-m e-n Streich spielen; **2.** überlisten, F hereinlegen; **~·e·ry** [ˈtrɪkərɪ] Betrügerei *f*.
trick·le [ˈtrɪkl] tröpfeln, rieseln.
trick|ster [ˈtrɪkstə] Gauner(in); **~·y** □ [~ɪ] (*-ier, -iest*) verschlagen; F heikel; verzwickt, verwickelt, schwierig.
tri·cy·cle [ˈtraɪsɪkl] Dreirad *n*.
tri·dent [ˈtraɪdənt] Dreizack *m*.
tri|fle [ˈtraɪfl] **1.** Kleinigkeit *f*; Lappalie *f*; *a* ~ ein bißchen, ein wenig, etwas; **2.** *v/i.* spielen; spaßen; *v/t.* ~ *away* verschwenden; **~·fling** □ [~ɪŋ] geringfügig; unbedeutend.
trig·ger [ˈtrɪgə] Abzug *m* (*am Gewehr*); *phot.* Auslöser *m*.
trill [trɪl] **1.** Triller *m*; gerolltes r; **2.** trillern; *bsd.* das r rollen.
tril·lion [ˈtrɪljən] *Brt.* Trillion *f*; *Am.* Billion *f*.
trim [trɪm] **1.** □ (*-mm-*) ordentlich; schmuck; gepflegt; **2.** (guter) Zustand; Ordnung *f*; *in good* ~ in Form; **3.** (*-mm-*) zurechtmachen, in Ordnung bringen; (*a.* ~ *up* herausputzen, schmücken; *Kleider etc.* besetzen; stutzen, trimmen, (be-)schneiden; ✈, ⚓ trimmen; **~·ming** [ˈtrɪmɪŋ]: ~*s pl.* Besatz *m*; Zutaten *pl.*, Beilagen *pl.* (*e-r Speise*).
Trin·i·ty *eccl.* [ˈtrɪnɪtɪ] Dreieinigkeit *f*.

trin·ket [ˈtrɪŋkɪt] wertloses Schmuckstück.
trip [trɪp] **1.** (kurze) Reise, Fahrt *f*; Ausflug *m*, Spritztour *f*; Stolpern *n*, Fallen *n*; Fehltritt *m* (*a. fig.*); *fig.* Versehen *n*, Fehler *m*; F Trip *m* (*Drogenrausch*); **2.** (*-pp-*) *v/i.* trippeln; stolpern; *fig.* (e-n) Fehler machen; *v/t. a.* ~ *up j-m* ein Bein stellen (*a. fig.*).
tri·par·tite [ˈtraɪˈpɑːtaɪt] dreiteilig.
tripe [traɪp] Kaldaunen *pl.*, Kutteln *pl.*
trip|le □ [ˈtrɪpl] dreifach; ~ *jump Sport*: Dreisprung *m*; **~·lets** [~ɪts] *pl.* Drillinge *pl.*
trip·li·cate **1.** [ˈtrɪplɪkɪt] dreifach; **2.** [~keɪt] verdreifachen.
tri·pod [ˈtraɪpɒd] Dreifuß *m*; *phot.* Stativ *n*.
trip·per *bsd. Brt.* [ˈtrɪpə] Ausflügler(in).
trite □ [traɪt] abgedroschen, banal.
tri|umph [ˈtraɪəmf] **1.** Triumph *m*, Sieg *m*; **2.** triumphieren; **~·um·phal** [traɪˈʌmfl] Sieges..., Triumph...; **~·um·phant** □ [~ənt] triumphierend.
triv·i·al □ [ˈtrɪvɪəl] bedeutungslos; unbedeutend; trivial; alltäglich.
trod [trɒd] *pret. u. p.p. von tread 1*; **~·den** [ˈtrɒdn] *p.p. von tread 1*.
trol·l(e)y [ˈtrɒlɪ] *Brt.* Handwagen *m*, Gepäckwagen *m*, Kofferkuli *m*, Einkaufswagen *m*, Sackkarre(n *m*) *f*, *Golf*: Caddie *m*; *Brt.* 🚂 Draisine *f*; *Brt.* Tee-, Servierwagen *m*; ⚡ Kontaktrolle *f* (*e-s Oberleitungsfahrzeugs*); *Am.* Straßenbahn(wagen *m*) *f*; **~·bus** O(berleitungs)bus *m*.
trol·lop [ˈtrɒləp] F Schlampe *f*; leichtes Mädchen, Hure *f*.
trom·bone ♪ [trɒmˈbəʊn] Posaune *f*.
troop [truːp] **1.** Trupp *m*, Haufe(n) *m*; ~*s pl.* ⚔ Truppen *pl.*; **2.** sich scharen; (*herein- etc.*)strömen, marschieren; ~ *away*, ~ *off* F abziehen; ~ *the colours Brt.* ⚔ e-e Fahnenparade abhalten; **~·er** ⚔ [ˈtruːpə] Kavallerist *m*.
tro·phy [ˈtrəʊfɪ] Trophäe *f*.
trop|ic [ˈtrɒpɪk] **1.** Wendekreis *m*; ~*s pl.* Tropen *pl.*; **2.** (~*ally*), **~·i·cal** □ [~kl] tropisch.
trot [trɒt] **1.** Trott *m*, Trab *m*; **2.** (*-tt-*) trotten; traben (lassen).
trou·ble [ˈtrʌbl] **1.** Mühe *f*, Plage *f*, Last *f*, Belästigung *f*, Störung *f*;

T

Unannehmlichkeiten *pl.*, Schwierigkeiten *pl.*, Scherereien *pl.*, Ärger *m*; *ask od. look for* ~ unbedingt Ärger haben wollen; *take (the)* ~ sich (die) Mühe machen; *what's the* ~? was ist los?; **2.** stören, beunruhigen, belästigen; quälen, plagen; *j-m* Mühe machen; (sich) bemühen; bitten (*for* um); *don't* ~ *yourself* bemühen Sie sich nicht; **~·mak·er** Unruhestifter(in); **~·some** □ [~səm] beschwerlich; lästig.
trough [trɒf] Trog *m*; Rinne *f*; Wellental *n*.
trounce [traʊns] verprügeln.
troupe *thea.* [tru:p] Truppe *f*.
trou·ser [ˈtraʊzə]: (*a pair of*) ~*s pl.* (e-e) (lange) Hose; Hosen *pl.*; *attr.* Hosen...; ~ **suit** Hosenanzug *m*.
trous·seau [ˈtru:səʊ] Aussteuer *f*.
trout *zo.* [traʊt] Forelle(n *pl.*) *f*.
trow·el [ˈtraʊəl] Maurerkelle *f*.
tru·ant [ˈtru:ənt] Schulschwänzer(in); *play* ~ (die Schule) schwänzen.
truce ⚔ [tru:s] Waffenstillstand *m*.
truck [trʌk] **1.** 🚂 offener Güterwagen; *bsd. Am.* Last(kraft)wagen *m*, Lkw *m*; Transportkarren *m*; Tausch(handel) *m*; *Am.* Gemüse *n*; **2.** (ver)tauschen; **~·er** *Am.* [ˈtrʌkə] Lastwagen-, Fernfahrer *m*; ~ **farm** *Am.* Gemüsegärtnerei *f*.
truc·u·lent □ [ˈtrʌkjʊlənt] wild, roh, grausam; gehässig.
trudge [trʌdʒ] sich (mühsam dahin-) schleppen, (mühsam) stapfen.
true □ [tru:] (~*r*, ~*st*) wahr; echt, wirklich; treu; genau; richtig; (*it is*) ~ gewiß, freilich, zwar; *come* ~ in Erfüllung gehen; wahr werden; ~ *to nature* naturgetreu.
tru·ly [ˈtru:lɪ] wirklich; wahrhaft; aufrichtig; genau; treu; *Yours* ~ *Briefschluß*: Hochachtungsvoll.
trump [trʌmp] **1.** Trumpf(karte *f*) *m*; **2.** (über)trumpfen; ~ *up* erfinden.
trum·pet [ˈtrʌmpɪt] **1.** ♪ Trompete *f*; **2.** trompeten; *fig.* ausposaunen.
trun·cheon [ˈtrʌntʃən] (Gummi-) Knüppel *m*, Schlagstock *m*.
trun·dle [ˈtrʌndl] rollen.
trunk [trʌŋk] (Baum)Stamm *m*; Rumpf *m*; Rüssel *m*; (Schrank)Koffer *m*, Truhe *f*; *Am. mot.* Kofferraum *m*; **~-call** *Brt. teleph.* [ˈtrʌŋkkɔ:l] Ferngespräch *n*; **~-line** 🚂 Hauptlinie *f*; *teleph.* Fernleitung *f*; ~*s* [trʌŋks] *pl.* Turnhose *f*; Badehose *f*; *Sport*: Shorts *pl.*; *bsd. Brt.* (Herren-) Unterhose *f*.
truss [trʌs] **1.** Bündel *n*, Bund *n*; ⚕ Bruchband *n*; *arch.* Träger *m*, Fachwerk *n*; **2.** (zs.-)binden; *arch.* stützen.
trust [trʌst] **1.** Vertrauen *n*; Glaube *m*; Kredit *m*; Pfand *n*; Verwahrung *f*; ⚖ Treuhand *f*; ⚖ Treuhandvermögen *n*; *econ.* Trust *m*; *econ.* Kartell *n*; ~ *company* ✝ Treuhandgesellschaft *f*; *in* ~ zu treuen Händen; **2.** *v/t.* (ver)trauen (*dat.*); anvertrauen, übergeben (*s.o. with s.th., s.th. to s.o.* j-m et.); zuversichtlich hoffen; *v/i.* vertrauen (*in, to* auf *acc.*); **~·ee** ⚖ [trʌsˈti:] Sach-, Verwalter *m*; Treuhänder *m*; **~·ful** □ [ˈtrʌstfl], **~·ing** □ [~ɪŋ] vertrauensvoll; **~·wor·thy** □ [~wɜ:ðɪ] vertrauenswürdig, zuverlässig.
truth [tru:θ] (*pl.* ~*s* [tru:ðz, tru:θs]) Wahrheit *f*; Wirklichkeit *f*; Genauigkeit *f*; **~·ful** □ [ˈtru:θfl] wahr (-heitsliebend).
try [traɪ] **1.** versuchen; probieren; prüfen; ⚖ verhandeln über *et. od.* gegen *j-n*; vor Gericht stellen; *die Augen etc.* angreifen; sich bemühen *od.* bewerben (*for* um); ~ *on Kleid* anprobieren; ~ *out* ausprobieren; **2.** Versuch *m*; **~·ing** □ [ˈtraɪɪŋ] anstrengend; kritisch.
tsar *hist.* [zɑ:] Zar *m*.
T-shirt [ˈti:ʃɜ:t] T-Shirt *n*.
tub [tʌb] Faß *n*; Zuber *m*, Kübel *m*; *Brt.* F (Bade)Wanne *f*; *Brt.* F (Wannen)Bad *n*.
tube [tju:b] Rohr *n*; ⚡ Röhre *f*; Tube *f*; (*inner* ~ Luft)Schlauch *m*; Tunnel *m*; *die* (Londoner) U-Bahn; *the* ~ *Am.* F die Röhre, die Glotze (*Fernseher*); **~·less** [ˈtju:blɪs] schlauchlos.
tu·ber ⚘ [ˈtju:bə] Knolle *f*.
tu·ber·cu·lo·sis ⚕ [tju:bɜ:kjʊˈləʊsɪs] Tuberkulose *f*.
tu·bu·lar □ [ˈtju:bjʊlə] röhrenförmig.
tuck [tʌk] **1.** Biese *f*; Abnäher *m*; **2.** stecken; ~ *away* weg-, verstecken; ~ *in*, ~ *up* (warm) zudecken; ~ *s.o. up in bed* j-n ins Bett packen; ~ *up Rock* schürzen; *Ärmel* hochkrempeln.
Tues·day [ˈtju:zdɪ] Dienstag *m*.
tuft [tʌft] Büschel *n*; (Haar)Schopf *m*.
tug [tʌg] **1.** Zerren, heftiger Ruck; *a.*

~boat ⚓ Schlepper *m*; *fig.* Anstrengung *f*; **2.** (*-gg-*) ziehen, zerren; ⚓ schleppen; sich mühen; **~ of war** Tauziehen *n*.
tu·i·tion [tjuːˈɪʃn] Unterricht *m*; Schulgeld *n*.
tu·lip ⚘ [ˈtjuːlɪp] Tulpe *f*.
tum·ble [ˈtʌmbl] **1.** fallen; stürzen; purzeln; taumeln; sich wälzen; **2.** Sturz *m*; Wirrwarr *m*; **~-down** baufällig; **~r** [~ə] Becher *m*; *zo.* Tümmler *m*.
tu·mid □ [ˈtjuːmɪd] geschwollen.
tum·my F [ˈtʌmɪ] Bäuchlein *n*.
tu·mo(u)r ⚕ [ˈtjuːmə] Tumor *m*.
tu·mult [ˈtjuːmʌlt] Tumult *m*; **tu·mul·tu·ous** □ [tjuːˈmʌltjʊəs] lärmend; stürmisch.
tun [tʌn] Faß *n*.
tu·na *zo.* [ˈtuːnə] Thunfisch *m*.
tune [tjuːn] **1.** Melodie *f*; ♪ (Ein-) Stimmung *f*; *fig.* Harmonie *f*; *in ~* (gut)gestimmt; *out of ~* verstimmt; **2.** ♪ stimmen; *~ in v/i.* (das Radio *etc.*) einschalten; *v/t. das Radio etc.* einstellen (*to* auf *acc.*); *~ up* die Instrumente stimmen; *Motor* tunen; **~·ful** □ [ˈtjuːnfl] melodisch; **~·less** □ [~lɪs] unmelodisch.
tun·er [ˈtjuːnə] *Radio*, *TV*: Tuner *m*.
tun·nel [ˈtʌnl] **1.** Tunnel *m*; ⚒ Stollen *m*; **2.** (*bsd. Brt. -ll-, Am. -l-*) e-n Tunnel bohren (durch).
tun·ny *zo.* [ˈtʌnɪ] Thunfisch *m*.
tur·bid □ [ˈtɜːbɪd] trüb; dick(flüssig); *fig.* verworren, wirr.
tur·bine ⊕ [ˈtɜːbaɪn] Turbine *f*.
tur·bot *zo.* [ˈtɜːbət] Steinbutt *m*.
tur·bu·lent □ [ˈtɜːbjʊlənt] unruhig; ungestüm; stürmisch, turbulent.
tu·reen [təˈriːn] Terrine *f*.
turf [tɜːf] **1.** (*pl. ~s, turves*) Rasen *m*; Torf *m*; *the ~* die (Pferde)Rennbahn; der Pferderennsport *m*; **2.** mit Rasen bedecken.
tur·gid □ [ˈtɜːdʒɪd] geschwollen.
Turk [tɜːk] Türk|e *m*, -in *f*.
tur·key [ˈtɜːkɪ] *zo.* Truthahn *m*, -henne *f*, Pute(r *m*) *f*; *talk ~ bsd. Am.* F offen *od.* sachlich reden.
Turk·ish [ˈtɜːkɪʃ] **1.** türkisch; **2.** *ling.* Türkisch *n*.
tur·moil [ˈtɜːmɔɪl] Aufruhr *m*, Unruhe *f*; Durcheinander *n*.
turn [tɜːn] **1.** *v/t.* (um-, herum)drehen; (um)wenden; *Seite* umdrehen, -blättern; lenken, richten; verwandeln; *j-n* abbringen (*from* von); abwenden; *Text* übertragen, -setzen; bilden, formen; ⊕ drechseln; *Laub* verfärben; *~ a corner* um eine Ecke biegen; *~ loose* los-, freilassen; *~ s.o. sick* j-n krank machen; *~ sour Milch* sauer werden lassen; *s. somersault*; *~ s.o. against* j-n aufhetzen gegen; *~ aside* abwenden; *~ away* abwenden; abweisen; *~ down* umbiegen; *Kragen* umschlagen; *Bett* aufdecken, *Decke* zurückschlagen; *Gas etc.* klein(er) stellen; *Radio etc.* leiser stellen; *j-n, et.* ablehnen; *~ in bsd. Am.* einreichen, -senden; *~ off Gas, Wasser etc.* abdrehen; *Licht, Radio etc.* ausschalten, -machen; *~ on Gas, Wasser etc.* aufdrehen; *Gerät* anstellen; *Licht, Radio etc.* anmachen, einschalten; F antörnen; F anmachen (*a. sexuell*); *~ out econ. Waren* produzieren; hinauswerfen; = *turn off*; *~ over econ. Waren* umsetzen; umdrehen; *Seite* umblättern; umwerfen; übergeben (*to dat.*); überlegen; *~ up* nach oben drehen *od.* biegen; *Kragen* hochschlagen; *Ärmel* hochkrempeln; *Hose etc.* auf-, umschlagen; *Gas etc.* aufdrehen; *Radio etc.* lauter stellen; *v/i.* sich drehen (lassen); sich (um-, herum)drehen; *mot.* wenden; sich (ab-, hin-, zu)wenden; (ab-, ein)biegen; e-e Biegung machen (*Straße etc.*); sich (ver)wandeln; umschlagen (*Wetter etc.*); *Christ, grau etc.* werden; *~ (sour)* sauer werden (*Milch*); *~ about* sich umdrehen; ⚔ kehrtmachen; *~ aside, ~ away* sich abwenden; *~ back* zurückkehren; *~ in* F ins Bett gehen; *~ off* abbiegen; *~ out gut etc.* ausfallen, -gehen; sich herausstellen (als); *~ over* sich umdrehen; *~ to* nach *rechts etc.* abbiegen; sich zuwenden (*dat.*); sich an *j-n* wenden; werden zu; *~ up fig.* auftauchen; **2.** (Um)Drehung *f*; Biegung *f*, Kurve *f*, Kehre *f*; (einzelne) Windung (*e-s Kabels etc.*); Wendung *f*; Wendepunkt *m* (*a. fig.*); Wende *f*; Wechsel *m*; Gestalt *f*, Form *f*; (kurzer) Spaziergang; (kurze) Fahrt; Reihe(nfolge) *f*; Dienst *m*, Gefallen *m*, Zweck *m*; Neigung *f*, Talent *n*; F Schrecken *m*; *~ (of mind)* Denkart *f*, -weise *f*; *at every ~* auf Schritt und Tritt; *by ~s* abwechselnd; *in ~* der Reihe nach; *it is my ~* ich bin an der Reihe; *take ~s* (mit-) einander *od.* sich (gegenseitig) ab-

wechseln (*at* in *dat.*, bei); *does it serve your ~?* ist Ihnen damit gedient?; **~·coat** [ˈtɜːnkəʊt] Abtrünnige(r) *m*, Überläufer(in); **~·er** [~ə] Drechsler *m*; Dreher *m*.
turn·ing [ˈtɜːnɪŋ] ⊕ Drehen *n*, Drechseln *n*; Biegung *f*; Straßenecke *f*; (Weg)Abzweigung *f*; Querstraße *f*; **~-point** *fig.* Wendepunkt *m*.
tur·nip ⚘ [ˈtɜːnɪp] (*bsd.* Weiße) Rübe.
turn|out [ˈtɜːnaʊt] Aufmachung *f*, *bsd.* Kleidung *f*; Teilnahme *f*, Besucher(zahl *f*) *pl.*, Beteiligung *f*; *econ.* Gesamtproduktion *f*; **~·o·ver** [ˈtɜːnəʊvə] *econ.* Umsatz *m*; Personalwechsel *m*, Fluktuation *f*; **~·pike** *a.* ~ *road Am.* gebührenpflichtige Schnellstraße; **~·stile** Drehkreuz *n*; **~·ta·ble** 🚂 Drehscheibe *f*; Plattenteller *m*; **~-up** *Brt.* Hosenaufschlag *m*.
tur·pen·tine ⚗ [ˈtɜːpəntaɪn] Terpentin *n*.
tur·pi·tude [ˈtɜːpɪtjuːd] Verworfenheit *f*.
tur·ret [ˈtʌrɪt] Türmchen *n*; ⚔, ⚓ Geschützturm *m*.
tur·tle *zo.* [ˈtɜːtl] (See)Schildkröte *f*; **~-dove** *zo.* Turteltaube *f*; **~-neck** Rollkragen *m*; *a.* ~ *sweater* Rollkragenpullover *m*.
turves [tɜːvz] *pl. von turf 1.*
tusk [tʌsk] Stoßzahn *m*; Hauer *m*.
tus·sle [ˈtʌsl] **1.** Rauferei *f*, Balgerei *f*; **2.** raufen, sich balgen.
tus·sock [ˈtʌsək] (Gras)Büschel *n*.
tut *int.* [tʌt] ach was!; Unsinn!
tu·te·lage [ˈtjuːtɪlɪdʒ] ⚖ Vormundschaft *f*; (An)Leitung *f*.
tu·tor [ˈtjuːtə] **1.** Privat-, Hauslehrer *m*; *Brt. univ.* Tutor *m*; *Am. univ.* Assistent *m* (*mit Lehrauftrag*); **2.** unterrichten; schulen, erziehen; **tu·to·ri·al** [tjuːˈtɔːrɪəl] **1.** *Brt. univ.* Tutorenkurs *m*; **2.** Tutor(en)...
tux·e·do *Am.* [tʌkˈsiːdəʊ] (*pl. -dos, -does*) Smoking *m*.
TV F [ˈtiːviː] **1.** TV *n*, Fernsehen *n*; Fernseher *m*, Fernsehapparat *m* ; *on* ~ im Fernsehen; **2.** Fernseh...
twang [twæŋ] **1.** Schwirren *n*; *mst nasal* ~ näselnde Aussprache; **2.** schwirren (lassen); näseln; klimpern *od.* kratzen auf (*dat.*), zupfen.
tweak [twiːk] zwicken, kneifen.
tweet [twiːt] zwitschern.
tweez·ers [ˈtwiːzəz] *pl.* (*a pair of* ~ e-e) Pinzette.
twelfth [twelfθ] **1.** zwölfte(r, -s); **2.** Zwölftel *n*; **2-night** [ˈtwelfθnaɪt] Dreikönigsabend *m*.
twelve [twelv] **1.** zwölf; **2.** Zwölf *f*.
twen|ti·eth [ˈtwentɪɪθ] zwanzigste(r, -s); **~·ty** [~ɪ] **1.** zwanzig; **2.** Zwanzig *f*.
twice [twaɪs] zweimal.
twid·dle [ˈtwɪdl] herumdrehen (an *dat.*); (herum)spielen mit (*od. with* mit).
twig [twɪg] dünner Zweig, Ästchen *n*.
twi·light [ˈtwaɪlaɪt] Zwielicht *n*; (*bsd.* Abend)Dämmerung *f*; *fig.* Verfall *m*.
twin [twɪn] **1.** Zwillings...; doppelt; **2.** Zwilling *m*; ~*s pl.* Zwillinge *pl.*; *attr.* Zwillings...; *~-bedded room* Zweibettzimmer *n*; ~ *brother* Zwillingsbruder *m*; *~-engined* ✈ zweimotorig; *~-jet* ✈ zwei-, doppelstrahlig; *~-lens reflex camera phot.* Spiegelreflexkamera *f*; ~ *sister* Zwillingsschwester *f*; ~ *town* Partnerstadt *f*; ~ *track* Doppelspur *f* (*e-s Tonbands*).
twine [twaɪn] **1.** Bindfaden *m*, Schnur *f*; Zwirn *m*; **2.** zs.-drehen; verflechten; (sich) schlingen *od.* winden; umschlingen, -ranken.
twinge [twɪndʒ] stechender Schmerz, Zwicken *n*, Stich *m*.
twin·kle [ˈtwɪŋkl] **1.** funkeln, blitzen; huschen; zwinkern; **2.** Funkeln *n*, Blitzen *n*; (Augen)Zwinkern *n*, Blinzeln *n*.
twirl [twɜːl] **1.** Wirbel *m*; **2.** wirbeln.
twist [twɪst] **1.** Drehung *f*; Windung *f*; Biegung *f*; (Gesichts)Verzerrung *f*; Twist *m*, Garn *n*; Kringel *m*, Zopf *m* (*Backwaren*); ♪ Twist *m*; *fig.* Entstellung *f*; *fig.* (ausgeprägte) Neigung *od.* Veranlagung; **2.** (sich) drehen *od.* winden; zs.-drehen; verdrehen; (sich) verziehen *od.* -zerren; ♪ twisten, Twist tanzen.
twit *fig.* [twɪt] (*-tt-*) *j-n* aufziehen.
twitch [twɪtʃ] **1.** zupfen (an *dat.*); zucken mit (*od. with* vor); **2.** Zuckung *f*.
twit·ter [ˈtwɪtə] **1.** zwitschern; **2.** Gezwitscher *n*; *in a ~, all of a ~* aufgeregt.
two [tuː] **1.** zwei; *in ~s* zu zweit, zu zweien; *in ~* entzwei; *put ~ and ~ together* sich einen Vers darauf machen; **2.** Zwei *f*; **~-bit** *Am.* F [ˈtuːbɪt] 25-Cent-...; *fig.* unbedeutend, klein; **~-cy·cle** *Am.* ⊕ Zweitakt...; **~-**

T

edged ['tu:'edʒd] zweischneidig; ~·fold ['tu:fəʊld] zweifach; ~-pence *Brt.* ['tʌpəns] zwei Pence *pl.*; ~·pen·ny *Brt.* ['tʌpnɪ] zwei Pence wert; ~-piece ['tu:pi:s] **1.** zweiteilig; **2.** *a.* ~ *dress* Jackenkleid; *a.* ~ *swimming-costume* Zweiteiler *m*; ~-seat·er *mot.*, ✈ ['tu:'si:tə] Zweisitzer *m*; ~-stroke *bsd. Brt.* ⊕ ['tu:strəʊk] Zweitakt...; ~-way Doppel...; ~ *adapter* ⚡ Doppelstecker *m*; ~ *traffic* Gegenverkehr *m*.

ty·coon *Am.* F [taɪ'ku:n] Industriemagnat *m*; *oil* ~ Ölmagnat *m*.

type [taɪp] **1.** Typ *m*; Urbild *n*; Vorbild *n*; Muster *n*; Art *f*, Sorte *f*; *print.* Type *f*, Buchstabe *m*; *true to* ~ artgemäß, typisch; *set in* ~ *print.* setzen; **2.** *v/t. et.* mit der Maschine (ab-) schreiben, (ab)tippen; *v/i.* maschineschreiben, tippen; ~·**writ·er** ['taɪpraɪtə] Schreibmaschine *f*; ~ *ribbon* Farbband *n*.

ty·phoid ⚕ ['taɪfɔɪd] **1.** typhös; ~ *fever* = **2.** (Unterleibs)Typhus *m*.

ty·phoon [taɪ'fu:n] Taifun *m*.

ty·phus ⚕ ['taɪfəs] Flecktyphus *m*, -fieber *n*; ⚠ *nicht Typhus*.

typ·i|cal □ ['tɪpɪkl] typisch; bezeichnend, kennzeichnend (*of* für); ~·**fy** [~faɪ] typisch sein für; versinnbildlichen.

typ·ist ['taɪpɪst] Maschinenschreiber(in); Schreibkraft *f*.

ty·ran|nic [tɪ'rænɪk] (~*ally*), ~·**ni·cal** □ [~kl] tyrannisch.

tyr·an|nize ['tɪrənaɪz] tyrannisieren; ~·**ny** [~ɪ] Tyrannei *f*.

ty·rant ['taɪərənt] Tyrann(in).

tyre *Brt.* ['taɪə] (Rad-, Auto)Reifen *m*.

Tyr·o·lese [tɪrə'li:z] **1.** Tiroler(in); **2.** tirolisch, Tiroler...

tzar *hist.* [zɑ:] Zar *m*.

U

u·biq·ui·tous □ [ju:'bɪkwɪtəs] allgegenwärtig, überall zu finden(d).

ud·der ['ʌdə] Euter *n*.

ug·ly □ ['ʌglɪ] (*-ier, -iest*) häßlich; schlimm; gemein; widerwärtig, übel.

ul·cer ⚕ ['ʌlsə] Geschwür *n*; ~·**ate** ⚕ [~reɪt] eitern (lassen); ~·**ous** ⚕ [~rəs] eiternd.

ul·te·ri·or □ [ʌl'tɪərɪə] jenseitig; weiter; tiefer(liegend), versteckt.

ul·ti·mate □ ['ʌltɪmət] äußerste(r, -s), letzte(r, -s); End...; ~·**ly** [~lɪ] letztlich; schließlich.

ul·ti·ma·tum [ʌltɪ'meɪtəm] (*pl.* *-tums, -ta* [-tə]) Ultimatum *n*.

ul·tra ['ʌltrə] übermäßig; extrem; super...; Ultra..., ultra...; ~·**fash·ion·a·ble** [~'fæʃənəbl] hypermodern; ~·**mod·ern** hypermodern.

um·bil·i·cal cord *anat.* [ʌm'bɪlɪkl kɔ:d] Nabelschnur *f*.

um·brel·la [ʌm'brelə] Regenschirm *m*; ⚔, ✈ Abschirmung *f*; *fig.* Schutz *m*.

um·pire ['ʌmpaɪə] **1.** Schiedsrichter *m*; **2.** als Schiedsrichter fungieren (bei); schlichten; *Sport*: *a.* Spiel leiten.

un- [ʌn] un..., Un...; ent...; nicht...

un·a·bashed ['ʌnə'bæʃt] unverfroren; unerschrocken.

un·a·bat·ed ['ʌnə'beɪtɪd] unvermindert.

un·a·ble ['ʌn'eɪbl] unfähig, außerstande, nicht in der Lage.

un·ac·com·mo·dat·ing ['ʌnə'kɒmədeɪtɪŋ] unnachgiebig; ungefällig.

un·ac·coun·ta·ble □ ['ʌnə'kaʊntəbl] unerklärlich, seltsam.

un·ac·cus·tomed ['ʌnə'kʌstəmd] ungewohnt; ungewöhnlich.

un·ac·quaint·ed ['ʌnə'kweɪntɪd]: *be* ~ *with s.th.* et. nicht kennen, mit e-r Sache nicht vertraut sein.

un·ad·vised □ ['ʌnəd'vaɪzd] unbesonnen, unüberlegt; unberaten.

un·af·fect·ed □ ['ʌnə'fektɪd] unberührt; ungerührt; ungekünstelt.

un·aid·ed ['ʌn'eɪdɪd] ohne Unterstützung, (ganz) allein; bloß (*Auge*).

un·al·ter·a·ble □ [ʌn'ɔ:ltərəbl] unveränderlich; **un·al·tered** ['ʌn'ɔ:ltəd] unverändert.

u·na·nim·i·ty [juːnəˈnɪmətɪ] Einmütigkeit *f*; **u·nan·i·mous** □ [juːˈnænɪməs] einmütig, -stimmig.
un·an·swe·ra·ble □ [ʌnˈɑːnsərəbl] unwiderlegIich; **un·an·swered** [ˈʌnˈɑːnsəd] unbeantwortet.
un·ap·proa·cha·ble □ [ˈʌnəˈprəʊtʃəbl] unzugänglich, unnahbar.
un·apt □ [ʌnˈæpt] ungeeignet.
un·a·shamed □ [ˈʌnəˈʃeɪmd] schamlos.
un·asked [ˈʌnˈɑːskt] ungefragt; ungebeten; uneingeladen.
un·as·sist·ed □ [ˈʌnəˈsɪstɪd] ohne Hilfe *od.* Unterstützung.
un·as·sum·ing □ [ˈʌnəˈsjuːmɪŋ] anspruchslos, bescheiden.
un·at·tached [ˈʌnəˈtætʃt] nicht gebunden; ungebunden, ledig, frei.
un·at·trac·tive □ [ˈʌnəˈtræktɪv] wenig anziehend, reizlos, unattraktiv.
un·au·thor·ized [ˈʌnˈɔːθəraɪzd] unberechtigt; unbefugt.
un·a·vai·la·ble □ [ˈʌnəˈveɪləbl] nicht verfügbar; **un·a·vail·ing** [~ɪŋ] vergeblich.
un·a·void·a·ble □ [ʌnəˈvɔɪdəbl] unvermeidlich.
un·a·ware [ˈʌnəˈweə]: *be ~ of et.* nicht bemerken; **~s** [~z] unversehens, unvermutet; versehentlich.
un·backed [ˈʌnˈbækt] ohne Unterstützung; ungedeckt (*Scheck*).
un·bal·anced [ˈʌnˈbælənst] unausgeglichen; *of ~ mind* geistesgestört.
un·bear·a·ble □ [ʌnˈbeərəbl] unerträglich.
un·beat·en [ˈʌnˈbiːtn] ungeschlagen, unbesiegt; unübertroffen.
un·be·com·ing □ [ˈʌnbɪˈkʌmɪŋ] unkleidsam; unpassend, unschicklich.
un·be·known(st) [ˈʌnbɪˈnəʊn(st)] (*to*) ohne (*j-s*) Wissen; unbekannt (*to dat.*).
un·be·lief *eccl.* [ˈʌnbɪˈliːf] Unglaube *m.*
un·be·lie·va·ble □ [ˈʌnbɪˈliːvəbl] unglaublich; **un·be·liev·ing** □ [ˈʌnbɪˈliːvɪŋ] ungläubig.
un·bend [ˈʌnˈbend] (*-bent*) (sich) entspannen; aus sich herausgehen, auftauen; **~ing** □ [~ɪŋ] unbiegsam; *fig.* unbeugsam.
un·bi·as(s)ed □ [ˈʌnˈbaɪəst] unvoreingenommen; ⚖ unbefangen.
un·bid(·den) [ˈʌnˈbɪd(n)] unaufgefordert; ungebeten; ungeladen.
un·bind [ˈʌnˈbaɪnd] (*-bound*) losbinden, befreien; lösen; den Verband abnehmen von.
un·blush·ing □ [ˈʌnˈblʌʃɪŋ] schamlos.
un·born [ˈʌnˈbɔːn] (noch) ungeboren; (zu)künftig, kommend.
un·bos·om [ʌnˈbʊzəm] offenbaren.
un·bound·ed □ [ˈʌnˈbaʊndɪd] unbegrenzt; *fig.* grenzen-, schrankenlos.
un·bri·dled *fig.* [ʌnˈbraɪdld] ungezügelt; *~ tongue* lose Zunge.
un·bro·ken □ [ˈʌnˈbrəʊkən] ungebrochen; unversehrt; ununterbrochen; nicht zugeritten (*Pferd*).
un·bur·den [ʌnˈbɜːdn]: *~ o.s.* (*to s.o.*) (j-m) sein Herz ausschütten.
un·but·ton [ˈʌnˈbʌtn] aufknöpfen.
un·called-for [ʌnˈkɔːldfɔː] unerwünscht; unverlangt; unpassend.
un·can·ny □ [ʌnˈkænɪ] (*-ier, -iest*) unheimlich.
un·cared-for [ˈʌnˈkeədfɔː] unbeachtet; vernachlässigt; ungepflegt.
un·ceas·ing □ [ʌnˈsiːsɪŋ] unaufhörlich.
un·ce·re·mo·ni·ous □ [ˈʌnserɪˈməʊnjəs] ungezwungen; grob; unhöflich.
un·cer·tain □ [ʌnˈsɜːtn] unsicher; ungewiß; unbestimmt; unzuverlässig; **~ty** [~tɪ] Unsicherheit *f.*
un·chal·lenged [ˈʌnˈtʃæləndʒd] unangefochten.
un·change·a·ble □ [ˈʌnˈtʃeɪndʒəbl] unveränderlich, unwandelbar; **unchanged** [ˈʌnˈtʃeɪndʒd] unverändert; **un·chang·ing** □ [ˈʌnˈtʃeɪndʒɪŋ] unveränderlich.
un·char·i·ta·ble □ [ˈʌnˈtʃærɪtəbl] lieblos; unbarmherzig; unfreundlich.
un·checked [ˈʌnˈtʃekt] ungehindert; unkontrolliert.
un·civ·il □ [ˈʌnˈsɪvl] unhöflich; **un·civ·i·lized** [~vəlaɪzd] unzivilisiert.
un·claimed [ˈʌnˈkleɪmd] nicht beansprucht; unzustellbar (*bsd. Brief*).
un·clasp [ˈʌnˈklɑːsp] auf-, loshaken, auf-, losschnallen; aufmachen.
un·cle [ˈʌŋkl] Onkel *m.*
un·clean □ [ˈʌnˈkliːn] unrein.
un·close [ˈʌnˈkləʊz] (sich) öffnen.
un·come·ly [ˈʌnˈkʌmlɪ] (*-ier, -iest*) unattraktiv, unschön, reizlos; unpassend.
un·com·for·ta·ble □ [ʌnˈkʌmfətəbl]

unbehaglich, ungemütlich; unangenehm.
un·com·mon □ [ʌnˈkɒmən] ungewöhnlich.
un·com·mu·ni·ca·tive □ [ˈʌnkəˈmjuːnɪkətɪv] wortkarg, verschlossen.
un·com·plain·ing □ [ˈʌnkəmˈpleɪnɪŋ] klaglos, ohne Murren, geduldig.
un·com·pro·mis·ing □ [ʌnˈkɒmprəmaɪzɪŋ] kompromißlos.
un·con·cern [ˈʌnkənˈsɜːn] Unbekümmertheit *f*; Gleichgültigkeit *f*; **~ed** □ unbekümmert; unbeteiligt; gleichgültig; uninteressiert (*with* an *dat.*).
un·con·di·tion·al □ [ˈʌnkənˈdɪʃənl] bedingungs-, vorbehaltlos.
un·con·firmed [ˈʌnkənˈfɜːmd] unbestätigt; *eccl.* nicht konfirmiert.
un·con·nect·ed □ [ˈʌnkəˈnektɪd] unverbunden; unzusammenhängend.
un·con·quer·a·ble □ [ˈʌnˈkɒŋkərəbl] unüberwindlich, unbesiegbar; **un·con·quered** [ˈʌnˈkɒŋkəd] unbesiegt.
un·con·scio·na·ble □ [ʌnˈkɒnʃnəbl] gewissen-, skrupellos; F unverschämt, unmäßig, übermäßig.
un·con·scious □ [ʌnˈkɒnʃəs] unbewußt; ⚕ bewußtlos; **~·ness** ⚕ [~nɪs] Bewußtlosigkeit *f*.
un·con·sti·tu·tion·al □ [ˈʌnkɒnstɪˈtjuːʃənl] verfassungswidrig.
un·con·trol·la·ble □ [ˈʌnkənˈtrəʊləbl] unkontrollierbar; unbeherrscht; **un·con·trolled** □ [ˈʌnkənˈtrəʊld] unbeaufsichtigt; unbeherrscht.
un·con·ven·tion·al □ [ˈʌnkənˈvenʃənl] unkonventionell; unüblich; ungezwungen.
un·con·vinced [ˈʌnkənˈvɪnst] nicht überzeugt (*of* von); **un·con·vinc·ing** [~ɪŋ] nicht überzeugend.
un·cork [ˈʌnˈkɔːk] entkorken.
un·count|a·ble [ˈʌnˈkaʊntəbl] unzählbar; **~·ed** ungezählt.
un·coup·le [ˈʌnˈkʌpl] ab-, aus-, loskoppeln.
un·couth □ [ʌnˈkuːθ] ungehobelt.
un·cov·er [ʌnˈkʌvə] aufdecken, freilegen; entblößen.
unc|tion [ˈʌŋkʃn] Salbung *f* (*a. fig.*); Salbe *f*; **~·tu·ous** □ [~tjʊəs] fettig, ölig; *fig.* salbungsvoll.
un·cul·ti·vat·ed [ˈʌnˈkʌltɪveɪtɪd], **un·cul·tured** [~tʃəd] unkultiviert.
un·dam·aged [ˈʌnˈdæmɪdʒd] unbeschädigt, unversehrt, heil.
un·daunt·ed □ [ˈʌnˈdɔːntɪd] unerschrocken, furchtlos.
un·de·ceive [ˈʌndɪˈsiːv] *j-m* die Augen öffnen; *j-n* aufklären.
un·de·cid·ed □ [ˈʌndɪˈsaɪdɪd] unentschieden, offen; unentschlossen.
un·de·fined □ [ˈʌndɪˈfaɪnd] unbestimmt; unbegrenzt.
un·de·mon·stra·tive □ [ˈʌndɪˈmɒnstrətɪv] zurückhaltend, reserviert.
un·de·ni·a·ble □ [ˈʌndɪˈnaɪəbl] unleugbar; unbestreitbar.
un·der [ˈʌndə] **1.** *adv.* unten; darunter; **2.** *prp.* unter; **3.** *adj.* untere(r, -s); *in Zssgn*: unter..., Unter...; ungenügend, zu gering; **~·bid** [ʌndəˈbɪd] (*-dd-*; *-bid*) unterbieten; **~·brush** [ˈʌndəbrʌʃ] Unterholz *n*; **~·car·riage** [ˈʌndəkærɪdʒ] ✈ Fahrwerk *n*, -gestell *n*; *mot.* Fahrgestell *n*; **~·clothes** [ˈʌndəkləʊðz] *pl.*, **~·cloth·ing** [~ðɪŋ] Unterkleidung *f*, -wäsche *f*; **~·cut** [ʌndəˈkʌt] (*-tt-*; *-cut*) *Preise* unterbieten; **~·dog** [ˈʌndədɒg] Verlierer *m*, Unterlegene(r *m*) *f*; *der* sozial Schwächere *od.* Benachteiligte; **~·done** [ʌndəˈdʌn] nicht gar, nicht durchgebraten; **~·es·ti·mate** [ʌndərˈestɪmeɪt] unterschätzen; **~·fed** [ʌndəˈfed] unterernährt; **~·go** [ʌndəˈgəʊ] (*-went*, *-gone*) durchmachen; erdulden; sich unterziehen (*dat.*); **~·grad·u·ate** [ʌndəˈgrædjʊət] Student(in); **~·ground** [ˈʌndəgraʊnd] **1.** unterirdisch; Untergrund...; **2.** *bsd. Brt.* Untergrundbahn *f*, U-Bahn *f*; **~·growth** [ˈʌndəgrəʊθ] Unterholz *n*; **~·hand** [ʌndəˈhænd] unter der Hand; heimlich; **~·lie** [ˈʌndəˈlaɪ] (*-lay*, *-lain*) zugrunde liegen (*dat.*); **~·line** [ʌndəˈlaɪn] unterstreichen; **~·ling** *contp.* [ˈʌndəlɪŋ] Untergebene(r *m*) *f*; **~·mine** [ˈʌndəˈmaɪn] unterminieren; *fig.* untergraben; schwächen; **~·most** [ˈʌndəməʊst] unterste(r, -s); **~·neath** [ˈʌndəˈniːθ] **1.** *prp.* unter(halb); **2.** *adv.* unten; darunter; **~·pass** [ˈʌndəpɑːs] Unterführung *f*; **~·pin** [ʌndəˈpɪn] (*-nn-*) untermauern (*a. fig.*); **~·plot** [ˈʌndəplɒt] Nebenhandlung *f*; **~·priv·i·leged** [ʌndəˈprɪvɪlɪdʒd] benachteiligt; **~·rate** [ˈʌndəˈreɪt] unterschätzen; **~·sec·re·ta·ry** [ˈʌndəˈsekrətərɪ] Staatssekretär *m*; **~·sell** *econ.* [ʌndəˈsel] (*-sold*) *j-n* unter-

bieten; *Ware* verschleudern; **~·shirt** *Am.* [ˈʌndəʃɜːt] Unterhemd *n*; **~·signed** [ˈʌndəsaɪnd]: *the ~* der, die Unterzeichnete; **~·size(d)** [ʌndəˈsaɪz(d)] zu klein; **~·skirt** [ˈʌndəskɜːt] Unterrock *m*; **~·staffed** [ˈʌndəˈstɑːft] (personell) unterbesetzt; **~·stand** [ʌndəˈstænd] (*-stood*) verstehen; sich verstehen auf (*acc.*); (als sicher) annehmen; erfahren, hören; (sinngemäß) ergänzen; *make o.s. understood* sich verständlich machen; *an understood thing* e-e abgemachte Sache; **~·stand·a·ble** [~əbl] verständlich; **~·stand·ing** [~ɪŋ] Verstand *m*; Einvernehmen *n*; Verständigung *f*, Abmachung *f*, Einigung *f*; Voraussetzung *f*; **~·state** [ʌndəˈsteɪt] zu gering angeben; abschwächen; **~·state·ment** [~mənt] Understatement *n*, Untertreibung *f*; **~·take** [ʌndəˈteɪk] (*-took*, *-taken*) unternehmen; übernehmen; sich verpflichten; **~·tak·er** [ˈʌndəteɪkə] Leichenbestatter *m*; Beerdigungs-, Bestattungsinstitut *n*; ⚠ *nicht Unternehmer*; **~·tak·ing** [ʌndəˈteɪkɪŋ] Unternehmen *n*; Zusicherung *f*; [ˈʌndəteɪkɪŋ] Leichenbestattung *f*; **~·tone** [ˈʌndətəʊn] leiser Ton; *fig.* Unterton *m*; **~·val·ue** [ʌndəˈvæljuː] unterschätzen; **~·wear** [ˈʌndəweə] Unterkleidung *f*, -wäsche *f*; **~·wood** [ˈʌndəwʊd] Unterholz *n*.

un·de·served □ [ˈʌndɪˈzɜːvd] unverdient; **un·de·serv·ing** □ [~ɪŋ] unwürdig.

un·de·signed □ [ˈʌndɪˈzaɪnd] unbeabsichtigt, unabsichtlich.

un·de·si·ra·ble [ˈʌndɪˈzaɪərəbl] **1.** □ unerwünscht; **2.** unerwünschte Person.

un·de·vel·oped [ʌndɪˈveləpt] unerschlossen (*Gelände*); unentwickelt.

un·de·vi·at·ing □ [ˈʌnˈdiːvɪeɪtɪŋ] unentwegt.

un·dies F [ˈʌndɪz] *pl.* (Damen)Unterwäsche *f*.

un·dig·ni·fied □ [ʌnˈdɪgnɪfaɪd] unwürdig, würdelos.

un·dis·ci·plined [ʌnˈdɪsɪplɪnd] undiszipliniert; ungeschult.

un·dis·guised □ [ˈʌndɪsˈgaɪzd] nicht verkleidet; *fig.* unverhohlen.

un·dis·put·ed □ [ˈʌndɪˈspjuːtɪd] unbestritten.

un·do [ˈʌnˈduː] (*-did*, *-done*) aufmachen; (auf)lösen; ungeschehen machen, aufheben; vernichten; **~·ing** [~ɪŋ] Aufmachen *n*; Ungeschehenmachen *n*; Vernichtung *f*; Verderben *n*; **un·done** [ˈʌnˈdʌn] zugrunde gerichtet, ruiniert, erledigt.

un·doubt·ed □ [ʌnˈdaʊtɪd] unzweifelhaft, zweifellos.

un·dreamed [ʌnˈdriːmd], **un·dreamt** [ʌnˈdremt]: *~-of* ungeahnt.

un·dress [ˈʌnˈdres] (sich) entkleiden *od.* ausziehen; **~ed** unbekleidet.

un·due □ [ˈʌnˈdjuː] unpassend; übermäßig; *econ.* noch nicht fällig.

un·du|late [ˈʌndjʊleɪt] wogen; wallen; wellenförmig verlaufen; **~·la·tion** [ʌndjʊˈleɪʃn] wellenförmige Bewegung.

un·du·ti·ful □ [ˈʌnˈdjuːtɪfl] ungehorsam; pflichtvergessen.

un·earth [ˈʌnˈɜːθ] ausgraben; *fig.* aufstöbern; **~·ly** [ʌnˈɜːθlɪ] überirdisch; unheimlich; *at an ~ hour* F zu e-r unchristlichen Zeit.

un·eas|i·ness [ʌnˈiːzɪnɪs] Unruhe *f*; Unbehagen *n*; **~·y** □ [ʌnˈiːzɪ] (*-ier*, *-iest*) unbehaglich; unruhig; unsicher.

un·ed·u·cat·ed [ˈʌnˈedjʊkeɪtɪd] ungebildet.

un·e·mo·tion·al □ [ˈʌnɪˈməʊʃənl] leidenschaftslos; passiv; nüchtern.

un·em|ployed [ˈʌnɪmˈplɔɪd] **1.** arbeitslos; ungenützt; **2.** *the ~ pl.* die Arbeitslosen *pl.*; **~·ploy·ment** [~mənt] Arbeitslosigkeit *f*.

un·end·ing □ [ʌnˈendɪŋ] endlos.

un·en·dur·a·ble □ [ˈʌnɪnˈdjʊərəbl] unerträglich.

un·en·gaged [ˈʌnɪnˈgeɪdʒd] frei.

un·e·qual □ [ˈʌnˈiːkwəl] ungleich; nicht gewachsen (*to dat.*); **~(l)ed** unerreicht, unübertroffen.

un·er·ring □ [ˈʌnˈɜːrɪŋ] unfehlbar.

un·es·sen·tial [ˈʌnɪˈsenʃl] unwesentlich, unwichtig.

un·e·ven □ [ˈʌnˈiːvn] uneben; ungleich(mäßig); ungerade (*Zahl*).

un·e·vent·ful □ [ˈʌnɪˈventfl] ereignislos; ohne Zwischenfälle.

un·ex·am·pled [ˈʌnɪgˈzɑːmpld] beispiellos.

un·ex·cep·tio·na·ble □ [ˈʌnɪkˈsepʃnəbl] untadelig; einwandfrei.

un·ex·pec·ted □ [ˈʌnɪkˈspektɪd] unerwartet.

un·ex·plained [ˈʌnɪkˈspleɪnd] unerklärt.

un·fad·ing [ʌnˈfeɪdɪŋ] nicht wel-

kend; unvergänglich; echt (*Farbe*).
un·fail·ing □ [ʌnˈfeɪlɪŋ] unfehlbar, nie versagend; unerschöpflich; *fig.* treu.
un·fair □ [ˈʌnˈfeə] unfair; ungerecht; unehrlich.
un·faith·ful □ [ˈʌnˈfeɪθfl] un(ge)-treu, treulos; nicht wortgetreu.
un·fa·mil·i·ar [ˈʌnfəˈmɪljə] ungewohnt; unbekannt; nicht vertraut (*with* mit).
un·fas·ten [ˈʌnˈfɑːsn] aufmachen; lösen; **~ed** unbefestigt, lose.
un·fath·o·ma·ble □ [ʌnˈfæðəməbl] unergründlich.
un·fa·vo(u)·ra·ble □ [ˈʌnˈfeɪvərəbl] ungünstig; unvorteilhaft.
un·feel·ing □ [ʌnˈfiːlɪŋ] gefühllos.
un·fil·i·al □ [ˈʌnˈfɪljəl] respektlos, pflichtvergessen (*Kind*).
un·fin·ished [ˈʌnˈfɪnɪʃt] unvollendet; unfertig; unerledigt.
un·fit [ˈʌnˈfɪt] **1.** □ ungeeignet, untauglich; *Sport*: nicht fit, nicht in (guter) Form; **2.** (*-tt-*) ungeeignet *od.* untauglich machen.
un·fix [ˈʌnˈfɪks] losmachen, lösen.
un·fledged [ˈʌnfledʒd] ungefiedert, (noch) nicht flügge; *fig.* unreif.
un·flinch·ing □ [ʌnˈflɪntʃɪŋ] entschlossen, unnachgiebig; unerschrocken.
un·fold [ˈʌnˈfəʊld] (sich) entfalten *od.* öffnen; [ʌnˈfəʊld] darlegen, enthüllen.
un·forced [ˈʌnˈfɔːst] ungezwungen.
un·fore·seen [ˈʌnfɔːˈsiːn] unvorhergesehen, unerwartet.
un·for·get·ta·ble □ [ˈʌnfəˈgetəbl] unvergeßlich.
un·for·giv·ing [ˈʌnfəˈgɪvɪŋ] unversöhnlich, nachtragend.
un·for·got·ten [ˈʌnfəˈgɒtn] unvergessen.
un·for·tu·nate [ʌnˈfɔːtʃnət] **1.** □ unglücklich; **2.** Unglückliche(r *m*) *f*; **~ly** [~lɪ] unglücklicherweise, leider.
un·found·ed □ [ˈʌnˈfaʊndɪd] unbegründet, grundlos.
un·friend·ly [ˈʌnˈfrendlɪ] (*-ier, -iest*) unfreundlich; ungünstig.
un·furl [ˈʌnˈfɜːl] entfalten, aufrollen.
un·fur·nished [ˈʌnˈfɜːnɪʃt] unmöbliert.
un·gain·ly [ʌnˈgeɪnlɪ] unbeholfen, plump, linkisch.
un·gen·er·ous □ [ˈʌnˈdʒenərəs] nicht freigebig; kleinlich; unfair.
un·god·ly □ [ˈʌnˈgɒdlɪ] gottlos; F scheußlich; *at an ~ hour* F zu e-r unchristlichen Zeit.
un·gov·er·na·ble □ [ˈʌnˈgʌvənəbl] unlenksam; zügellos, wild.
un·grace·ful □ [ˈʌnˈgreɪsfl] ungraziös, ohne Anmut; unbeholfen.
un·gra·cious □ [ˈʌnˈgreɪʃəs] ungnädig; unfreundlich.
un·grate·ful □ [ʌnˈgreɪtfl] undankbar.
un·guard·ed □ [ˈʌnˈgɑːdɪd] unbewacht; ungeschützt; unvorsichtig.
un·guent *pharm.* [ˈʌŋgwənt] Salbe *f.*
un·ham·pered [ˈʌnˈhæmpəd] ungehindert.
un·hand·some □ [ʌnˈhænsəm] unschön.
un·han·dy □ [ˈʌnˈhændɪ] (*-ier, -iest*) unhandlich; ungeschickt; unbeholfen.
un·hap·py □ [ʌnˈhæpɪ] (*-ier, -iest*) unglücklich.
un·harmed [ˈʌnˈhɑːmd] unversehrt.
un·health·y □ [ʌnˈhelθɪ] (*-ier, -iest*) ungesund.
un·heard-of [ʌnˈhɜːdɒv] unerhört; beispiellos.
un·heed|ed □ [ˈʌnˈhiːdɪd] unbeachtet; **~ing** [~ɪŋ] sorglos.
un·hes·i·tat·ing □ [ʌnˈhezɪteɪtɪŋ] ohne Zögern; anstandslos.
un·ho·ly [ˈʌnˈhəʊlɪ] (*-ier, -iest*) unheilig; gottlos; F *s. ungodly.*
un·hook [ˈʌnˈhʊk] auf-, loshaken.
un·hoped-for [ʌnˈhəʊptfɔː] unverhofft, unerwartet.
un·hurt [ˈʌnˈhɜːt] unverletzt.
u·ni- [ˈjuːnɪ] uni..., ein..., einzig.
u·ni·corn [ˈjuːnɪkɔːn] Einhorn *n.*
u·ni·fi·ca·tion [juːnɪfɪˈkeɪʃn] Vereinigung *f*; Vereinheitlichung *f.*
u·ni·form [ˈjuːnɪfɔːm] **1.** □ gleichförmig, -mäßig, gleich; einheitlich; **2.** Uniform *f*, Dienstkleidung *f*; **3.** uniformieren; **~i·ty** [juːnɪˈfɔːmətɪ] Gleichförmigkeit *f*; Einheitlichkeit *f*, Übereinstimmung *f.*
u·ni·fy [ˈjuːnɪfaɪ] verein(ig)en; vereinheitlichen.
u·ni·lat·e·ral □ [ˈjuːnɪˈlætərəl] einseitig.
un·i·ma·gi·na|ble □ [ˈʌnɪˈmædʒɪnəbl] unvorstellbar; **~tive** □ [ˈʌnɪˈmædʒɪnətɪv] phantasie-, einfallslos.
un·im·por·tant □ [ˈʌnɪmˈpɔːtənt] unwichtig, unbedeutend.

un·im·proved [ˈʌnɪmˈpruːvd] nicht kultiviert, unbebaut (*Land*); unverbessert.
un·in·formed [ˈʌnɪnˈfɔːmd] nicht unterrichtet *od.* eingeweiht.
un·in·hab|i·ta·ble [ˈʌnɪnˈhæbɪtəbl] unbewohnbar; **~·it·ed** [~tɪd] unbewohnt.
un·in·jured [ˈʌnˈɪndʒəd] unbeschädigt, unverletzt.
un·in·tel·li·gi·ble □ [ˈʌnɪnˈtelɪdʒəbl] unverständlich.
un·in·ten·tion·al □ [ˈʌnɪnˈtenʃənl] unabsichtlich, unbeabsichtigt.
un·in·te·rest·ing □ [ˈʌnˈɪntrɪstɪŋ] uninteressant.
un·in·ter·rupt·ed □ [ˈʌnɪntəˈrʌptɪd] ununterbrochen.
u·ni·on [ˈjuːnjən] Vereinigung *f*; Verbindung *f*; Union *f*; Verband *m*, Verein *m*, Bund *m*; *pol.* Vereinigung *f*, Zusammenschluß *m*; Gewerkschaft *f*; **~·ist** [~ɪst] Gewerkschaftler(in); ♀ **Jack** Union Jack *m* (*britische Nationalflagge*); **~ suit** *Am.* Hemdhose *f* (mit langem Bein).
u·nique □ [juːˈniːk] einzigartig, einmalig.
u·ni·son ♪ *u. fig.* [ˈjuːnɪzn] Einklang *m*.
u·nit [ˈjuːnɪt] Einheit *f*; ⊕ (Bau)Einheit *f*; Ꝕ Einer *m*.
u·nite [juːˈnaɪt] (sich) vereinigen, (sich) verbinden; **u·nit·ed** vereinigt, vereint; **u·ni·ty** [ˈjuːnətɪ] Einheit *f*; Einigkeit *f*, Eintracht *f*.
u·ni·ver·sal □ [juːnɪˈvɜːsl] allgemein; allumfassend; Universal...; Welt...; **~·i·ty** [ˈjuːnɪvɜːˈsælətɪ] Allgemeinheit *f*; umfassende Bildung; Vielseitigkeit *f*.
u·ni·verse [ˈjuːnɪvɜːs] Weltall *n*, Universum *n*.
u·ni·ver·si·ty [juːnɪˈvɜːsətɪ] Universität *f*; ~ *graduate* Akademiker *m*.
un·just □ [ˈʌnˈdʒʌst] ungerecht; **un·jus·ti·fi·a·ble** □ [ʌnˈdʒʌstɪfaɪəbl] nicht zu rechtfertigen(d), unentschuldbar.
un·kempt [ˈʌnˈkempt] ungekämmt, zerzaust; ungepflegt.
un·kind □ [ʌnˈkaɪnd] unfreundlich.
un·know·ing □ [ˈʌnˈnəʊɪŋ] unwissend; unbewußt; **un·known** [~n] **1.** unbekannt; ~ *to me* ohne mein Wissen; **2.** *der, die, das* Unbekannte.
un·lace [ˈʌnˈleɪs] aufschnüren.
un·latch [ˈʌnˈlætʃ] *Tür* aufklinken.
un·law·ful □ [ˈʌnˈlɔːfl] ungesetzlich, widerrechtlich, illegal.
un·lead·ed [ˈʌnledɪd] bleifrei.
un·learn [ˈʌnˈlɜːn] (*-ed od. -learnt*) verlernen.
un·less [ənˈles] wenn ... nicht, außer wenn ..., es sei denn, daß ...
un·like [ˈʌnˈlaɪk] **1.** *adj.* □ ungleich; **2.** *prp.* unähnlich (*s.o.* j-m); anders als; im Gegensatz zu; **~·ly** [ʌnˈlaɪklɪ] unwahrscheinlich.
un·lim·it·ed [ʌnˈlɪmɪtɪd] unbegrenzt.
un·load [ˈʌnˈləʊd] ent-, ab-, ausladen; ⚓ *Ladung* löschen.
un·lock [ˈʌnˈlɒk] aufschließen; **~ed** unverschlossen.
un·looked-for [ʌnˈlʊktfɔː] unerwartet, überraschend.
un·loose, un·loos·en [ˈʌnˈluːs, ʌnˈluːsn] lösen; lockern; losmachen.
un·love·ly [ˈʌnˈlʌvlɪ] reizlos, unschön; **un·lov·ing** □ [~ɪŋ] lieblos.
un·luck·y □ [ʌnˈlʌkɪ] (*-ier, -iest*) unglücklich; unheilvoll; *be* ~ Pech haben.
un·make [ˈʌnˈmeɪk] (*-made*) aufheben, widerrufen, rückgängig machen; umbilden; *j-n* absetzen.
un·man [ˈʌnˈmæn] (*-nn-*) entmannen; entmutigen; *~ned Raumflug*: unbemannt.
un·man·age·a·ble □ [ʌnˈmænɪdʒəbl] unkontrollierbar.
un·mar·ried [ˈʌnˈmærɪd] unverheiratet, ledig.
un·mask [ˈʌnˈmɑːsk] (sich) demaskieren; *fig.* entlarven.
un·matched [ˈʌnˈmætʃt] unerreicht, unübertroffen, unvergleichlich.
un·mean·ing □ [ʌnˈmiːnɪŋ] nichtssagend.
un·mea·sured [ʌnˈmeʒəd] ungemessen; unermeßlich.
un·mer·it·ed [ˈʌnˈmerɪtɪd] unverdient.
un·mind·ful □ [ʌnˈmaɪndfl]: *be ~ of* nicht achten auf (*acc.*); nicht denken an (*acc.*).
un·mis·ta·ka·ble □ [ˈʌnmɪˈsteɪkəbl] unverkennbar; unmißverständlich.
un·mit·i·gat·ed [ʌnˈmɪtɪgeɪtɪd] ungemildert; *an ~ scoundrel* ein Erzhalunke.
un·mo·lest·ed [ˈʌnməˈlestɪd] unbelästigt.
un·mount·ed [ˈʌnˈmaʊntɪd] unbe-

ritten; ungefaßt (*Schmuckstein*); nicht aufgezogen (*Bild*).
un·moved [ˈʌnˈmuːvd] unbewegt, ungerührt.
un·named [ˈʌnˈneɪmd] ungenannt.
un·nat·u·ral □ [ʌnˈnætʃrəl] unnatürlich.
un·ne·ces·sa·ry □ [ʌnˈnesəsərɪ] unnötig; überflüssig.
un·neigh·bo(u)r·ly [ˈʌnˈneɪbəlɪ] nicht gutnachbarlich; unfreundlich.
un·nerve [ˈʌnˈnɜːv] entnerven.
un·no·ticed [ˈʌnˈnəʊtɪst] unbemerkt.
un·ob·jec·tio·na·ble □ [ˈʌnəbˈdʒekʃnəbl] einwandfrei.
un·ob·serv·ant □ [ˈʌnəbˈzɜːvənt] unachtsam; **un·ob·served** □ [~d] unbemerkt.
un·ob·tai·na·ble [ˈʌnəbˈteɪnəbl] unerreichbar.
un·ob·tru·sive □ [ˈʌnəbˈtruːsɪv] unaufdringlich, bescheiden.
un·oc·cu·pied [ˈʌnˈɒkjʊpaɪd] unbesetzt; unbewohnt; unbeschäftigt.
un·of·fend·ing [ˈʌnəˈfendɪŋ] harmlos.
un·of·fi·cial □ [ˈʌnəˈfɪʃl] nichtamtlich, inoffiziell.
un·op·posed [ˈʌnəˈpəʊzd] ungehindert.
un·os·ten·ta·tious □ [ˈʌnɒstənˈteɪʃəs] anspruchslos; unauffällig; schlicht.
un·owned [ˈʌnˈəʊnd] herrenlos.
un·pack [ʌnˈpæk] auspacken.
un·paid [ˈʌnˈpeɪd] unbezahlt.
un·par·al·leled [ʌnˈpærəleld] einmalig, beispiellos, ohnegleichen.
un·par·don·a·ble □ [ʌnˈpɑːdnəbl] unverzeihlich.
un·per·ceived □ [ˈʌnpəˈsiːvd] unbemerkt.
un·per·turbed [ˈʌnpəˈtɜːbd] ruhig, gelassen.
un·pick [ʌnˈpɪk] *Naht etc.* auftrennen.
un·placed [ʌnˈpleɪst]: *be ~ Sport*: sich nicht placieren können.
un·pleas·ant □ [ʌnˈpleznt] unangenehm, unerfreulich; unfreundlich; **~·ness** [~nɪs] Unannehmlichkeit *f*; Unstimmigkeit *f*.
un·pol·ished [ˈʌnˈpɒlɪʃt] unpoliert; *fig.* ungehobelt, ungebildet.
un·pol·lut·ed [ˈʌnpəˈluːtɪd] unverschmutzt, unverseucht, sauber (*Umwelt*).
un·pop·u·lar □ [ˈʌnˈpɒpjʊlə] unpopulär, unbeliebt; **~·i·ty** [ˈʌnpɒpjʊˈlærətɪ] Unbeliebtheit *f*.
un·prac|ti·cal □ [ˈʌnˈpræktɪkl] unpraktisch; **~·tised,** *Am.* **~·ticed** [ʌnˈpræktɪst] ungeübt.
un·pre·ce·dent·ed □ [ʌnˈpresɪdəntɪd] beispiellos; noch nie dagewesen.
un·prej·u·diced □ [ʌnˈpredʒʊdɪst] unbefangen, unvoreingenommen.
un·pre·med·i·tat·ed □ [ˈʌnprɪˈmedɪteɪtɪd] unüberlegt; nicht vorsätzlich.
un·pre·pared □ [ˈʌnprɪˈpeəd] unvorbereitet.
un·pre·ten·tious □ [ˈʌnprɪˈtenʃəs] bescheiden, schlicht.
un·prin·ci·pled [ʌnˈprɪnsəpld] ohne Grundsätze; gewissenlos.
un·prof·i·ta·ble □ [ʌnˈprɒfɪtəbl] unrentabel.
un·proved, un·prov·en [ˈʌnˈpruːvd, ˈʌnˈpruːvn] unbewiesen.
un·pro·vid·ed [ˈʌnprəˈvaɪdɪd]: *~ with* nicht versehen mit, ohne; *~ for* unversorgt, mittellos.
un·pro·voked □ [ˈʌnprəˈvəʊkt] ohne Anlaß, grundlos.
un·qual·i·fied [ˈʌnˈkwɒlɪfaɪd] unqualifiziert, ungeeignet; uneingeschränkt.
un·ques|tio·na·ble □ [ʌnˈkwestʃənəbl] unzweifelhaft, fraglos; **~·tion·ing** □ [~ɪŋ] bedingungslos, blind.
un·quote [ˈʌnˈkwəʊt]: *~!* Ende des Zitats!
un·rav·el [ʌnˈrævl] (*bsd. Brt. -ll-, Am. -l-*) auftrennen; (sich) entwirren.
un·re·al □ [ˈʌnˈrɪəl] unwirklich, irreal; **un·re·a·lis·tic** [ˈʌnrɪəˈlɪstɪk] (*~ally*) wirklichkeitsfremd, unrealistisch.
un·rea·so·na·ble □ [ʌnˈriːznəbl] unvernünftig; unsinnig; unmäßig.
un·rec·og·niz·a·ble □ [ˈʌnˈrekəgnaɪzəbl] nicht wiederzuerkennen(d).
un·re·deemed □ [ˈʌnrɪˈdiːmd] *eccl.* unerlöst; nicht eingelöst (*Rechnung, Pfand*); ungetilgt (*Schuld*).
un·re·fined [ˈʌnrɪˈfaɪnd] nicht raffiniert, roh, Roh...; *fig.* unkultiviert.
un·re·flect·ing □ [ˈʌnrɪˈflektɪŋ] gedankenlos, unüberlegt.
un·re·gard·ed [ˈʌnrɪˈgɑːdɪd] unbeachtet; unberücksichtigt.
un·re·lat·ed [ˈʌnrɪˈleɪtɪd] ohne Beziehung (*to* zu).

un·re·lent·ing □ [ˈʌnrɪˈlentɪŋ] erbarmungslos; unvermindert.
un·rel·i·a·ble □ [ˈʌnrɪˈlaɪəbl] unzuverlässig.
un·re·lieved □ [ˈʌnrɪˈliːvd] ungemildert; ununterbrochen.
un·re·mit·ting □ [ʌnrɪˈmɪtɪŋ] unablässig, unaufhörlich; unermüdlich.
un·re·quit·ed □ [ˈʌnrɪˈkwaɪtɪd]: ~ *love* unerwiderte Liebe.
un·re·served □ [ˈʌnrɪˈzɜːvd] rückhaltlos; frei, offen; nicht reserviert.
un·re·sist·ing □ [ˈʌnrɪˈzɪstɪŋ] widerstandslos.
un·re·spon·sive □ [ˈʌnrɪˈspɒnsɪv] unempfänglich (*to* für); teilnahmslos.
un·rest [ˈʌnˈrest] Unruhe *f*, *pol. a.* Unruhen *pl.*
un·re·strained □ [ˈʌnrɪˈstreɪnd] ungehemmt; uneingeschränkt.
un·re·strict·ed □ [ˈʌnrɪˈstrɪktɪd] uneingeschränkt.
un·right·eous □ [ˈʌnˈraɪtʃəs] ungerecht; unredlich.
un·ripe [ˈʌnˈraɪp] unreif.
un·ri·val(l)ed [ʌnˈraɪvld] unvergleichlich, unerreicht, einzigartig.
un·roll [ˈʌnˈrəʊl] ent-, aufrollen; sich entfalten.
un·ruf·fled [ˈʌnˈrʌfld] glatt; *fig.* gelassen, ruhig.
un·ru·ly [ʌnˈruːlɪ] (*-ier, -iest*) ungebärdig, widerspenstig.
un·safe □ [ˈʌnˈseɪf] unsicher.
un·said [ʌnˈsed] unausgesprochen.
un·sal(e)·a·ble [ˈʌnˈseɪləbl] unverkäuflich.
un·san·i·tar·y [ˈʌnˈsænɪtərɪ] unhygienisch.
un·sat·is|fac·to·ry □ [ˈʌnsætɪsˈfæktərɪ] unbefriedigend, unzulänglich; **~·fied** [ˈʌnˈsætɪsfaɪd] unbefriedigt; **~·fy·ing** □ [~ɪŋ] = *unsatisfactory.*
un·sa·vo(u)r·y □ [ˈʌnˈseɪvərɪ] unappetitlich (*a. fig.*), widerwärtig.
un·say [ˈʌnˈseɪ] (*-said*) zurücknehmen, widerrufen.
un·scathed [ˈʌnˈskeɪðd] unversehrt, unverletzt.
un·schooled [ˈʌnˈskuːld] ungeschult, nicht ausgebildet; unverbildet.

un·screw [ˈʌnˈskruː] *v/t.* ab-, los-, aufschrauben; *v/i.* sich abschrauben lassen.
un·scru·pu·lous □ [ʌnˈskruːpjʊləs] bedenken-, gewissen-, skrupellos.
un·sea·soned [ˈʌnˈsiːznd] nicht abgelagert (*Holz*); ungewürzt; *fig.* nicht abgehärtet.
un·seat [ˈʌnˈsiːt] *Reiter* abwerfen; *j-n* s-s Postens entheben; *j-m* s-n Sitz (im Parlament) nehmen.
un·see·ing □ [ʌnˈsiːɪŋ] *fig.* blind; *with ~ eyes* mit leerem Blick.
un·seem·ly [ʌnˈsiːmlɪ] ungehörig.
un·self·ish □ [ˈʌnˈselfɪʃ] selbstlos, uneigennützig; **~·ness** [~nɪs] Selbstlosigkeit *f.*
un·set·tle [ˈʌnˈsetl] durcheinanderbringen; beunruhigen; aufregen; erschüttern; **~d** unbeständig, veränderlich (*Wetter*).
un·shak·en [ˈʌnˈʃeɪkən] unerschüttert; unerschütterlich.
un·shaved, un·shav·en [ˈʌnˈʃeɪvd, ~n] unrasiert.
un·ship [ˈʌnˈʃɪp] ausschiffen.
un·shrink|a·ble [ˈʌnˈʃrɪŋkəbl] nicht einlaufend (*Stoff*); **~·ing** □ [ʌnˈʃrɪŋkɪŋ] unverzagt, furchtlos.
un·sight·ly [ʌnˈsaɪtlɪ] häßlich.
un·skil(l)·ful □ [ˈʌnˈskɪlfl] ungeschickt; **un·skilled** ungelernt.
un·so·cia·ble □ [ʌnˈsəʊʃəbl] ungesellig; **un·so·cial** [~l] unsozial; asozial; *work ~ hours Brt.* außerhalb der normalen Arbeitszeit arbeiten.
un·sol·der [ˈʌnˈsɒldə] los-, ablöten.
un·so·lic·it·ed [ˈʌnsəˈlɪsɪtɪd] unaufgefordert; *~ goods econ.* unbestellte Ware(n).
un·solv·a·ble [ˈʌnˈsɒlvəbl] ⚗ unlöslich; *fig.* unlösbar; **un·solved** [~d] ungelöst.
un·so·phis·ti·cat·ed [ˈʌnsəˈfɪstɪkeɪtɪd] ungekünstelt, natürlich, naiv.
un·sound □ [ˈʌnˈsaʊnd] ungesund; verdorben; wurmstichig, morsch; nicht stichhaltig (*Beweis*); verkehrt; *of ~ mind* ⚖ unzurechnungsfähig.
un·spar·ing □ [ʌnˈspeərɪŋ] freigebig; schonungslos, unbarmherzig.
un·spea·ka·ble □ [ʌnˈspiːkəbl] unsagbar, unbeschreiblich, entsetzlich.
un·spoiled, un·spoilt [ˈʌnˈspɔɪld, ~t] unverdorben; nicht verzogen (*Kind*).
un·spo·ken [ˈʌnˈspəʊkən] ungesagt; *~ of* unerwähnt.
un·stead·y □ [ˈʌnˈstedɪ] (*-ier, -iest*) unsicher; schwankend, unbeständig; unregelmäßig; *fig.* unsolide.
un·strained [ˈʌnˈstreɪnd] unfiltriert; *fig.* ungezwungen.

un·strap [ˈʌnˈstræp] (*-pp-*) ab-, auf-, losschnallen.
un·stressed *ling.* [ˈʌnˈstrest] unbetont.
un·strung [ˈʌnˈstrʌŋ] ♪ saitenlos; ♪ entspannt (*Saite*); *fig.* zerrüttet, entnervt (*Person*).
un·stuck [ˈʌnˈstʌk]: *come ~* sich lösen, abgehen; *fig.* scheitern (*Person, Plan*).
un·stud·ied [ˈʌnˈstʌdɪd] ungekünstelt, natürlich.
un·suc·cess·ful □ [ˈʌnsəkˈsesfl] erfolglos, ohne Erfolg.
un·suit·a·ble □ [ˈʌnˈsjuːtəbl] unpassend; unangemessen.
un·sure [ˈʌnˈʃɔː] (*~r*, *~st*) unsicher.
un·sur·passed [ˈʌnsəˈpɑːst] unübertroffen.
un·sus·pect|ed □ [ˈʌnsəˈspektɪd] unverdächtig; unvermutet; **~·ing** □ [~ɪŋ] nichts ahnend; arglos.
un·sus·pi·cious □ [ˈʌnsəˈspɪʃəs] nicht argwöhnisch, arglos; unverdächtig.
un·swerv·ing □ [ʌnˈswɜːvɪŋ] unbeirrbar.
un·tan·gle [ˈʌnˈtæŋgl] entwirren.
un·tapped [ˈʌnˈtæpt] ungenutzt (*Reserven, Energie*).
un·teach·a·ble [ˈʌnˈtiːtʃəbl] unbelehrbar (*Person*); nicht lehrbar (*Sache*).
un·ten·a·ble [ˈʌnˈtenəbl] unhaltbar (*Theorie etc.*).
un·ten·ant·ed [ˈʌnˈtenəntɪd] unbewohnt.
un·thank·ful □ [ˈʌnˈθæŋkfl] undankbar.
un·think|a·ble [ʌnˈθɪŋkəbl] undenkbar; **~·ing** □ [ˈʌnˈθɪŋkɪŋ] gedankenlos.
un·thought [ˈʌnˈθɔːt] unüberlegt; *~-of* unvorstellbar; unerwartet.
un·ti·dy □ [ʌnˈtaɪdɪ] (*-ier*, *-iest*) unordentlich.
un·tie [ˈʌnˈtaɪ] aufknoten, *Knoten etc.* lösen; losbinden.
un·til [ənˈtɪl] **1.** *prp.* bis; **2.** *cj.* bis (daß); *not ~* erst als *od.* wenn.
un·time·ly [ʌnˈtaɪmlɪ] vorzeitig; ungelegen.
un·tir·ing □ [ʌnˈtaɪərɪŋ] unermüdlich.
un·to [ˈʌntʊ] = *to*.
un·told [ˈʌnˈtəʊld] unerzählt; ungesagt; unermeßlich; unsäglich.
un·touched [ˈʌnˈtʌtʃt] unberührt (*Essen etc.*); *fig.* ungerührt.
un·trou·bled [ˈʌnˈtrʌbld] ungestört; ruhig.
un·true □ [ˈʌnˈtruː] unwahr, falsch.
un·trust·wor·thy [ˈʌnˈtrʌstwɜːðɪ] unzuverlässig, nicht vertrauenswürdig.
un·truth·ful □ [ˈʌnˈtruːθfl] unwahr; unaufrichtig; falsch.
un·used[1] [ˈʌnˈjuːzd] unbenutzt, ungebraucht.
un·used[2] [ˈʌnˈjuːst] nicht gewöhnt (*to* an *acc.*); nicht gewohnt (*to doing* zu tun).
un·u·su·al □ [ʌnˈjuːʒʊəl] ungewöhnlich.
un·ut·ter·a·ble □ [ʌnˈʌtərəbl] unaussprechlich.
un·var·nished *fig.* [ˈʌnˈvɑːnɪʃt] ungeschminkt.
un·var·y·ing □ [ʌnˈveərɪɪŋ] unveränderlich.
un·veil [ʌnˈveɪl] entschleiern; *Denkmal etc.* enthüllen.
un·versed [ˈʌnˈvɜːst] unbewandert, unerfahren (*in* in *dat.*).
un·want·ed [ˈʌnˈwɒntɪd] unerwünscht.
un·war·rant·ed [ʌnˈwɒrəntɪd] ungerechtfertigt, unberechtigt.
un·wel·come [ʌnˈwelkəm] unwillkommen.
un·well [ʌnˈwel]: *she is od. feels ~* sie fühlt sich unwohl *od.* unpäßlich, sie ist unpäßlich.
un·whole·some [ˈʌnˈhəʊlsəm] ungesund (*a. fig.*).
un·wield·y □ [ʌnˈwiːldɪ] unhandlich, sperrig; unbeholfen.
un·will·ing □ [ˈʌnˈwɪlɪŋ] widerwillig; ungern; *be ~ to do et.* nicht wollen.
un·wind [ˈʌnˈwaɪnd] (*-wound*) auf-, loswickeln; (sich) abwickeln; F sich entspannen, abschalten.
un·wise □ [ˈʌnˈwaɪz] unklug.
un·wit·ting □ [ʌnˈwɪtɪŋ] unwissentlich, unabsichtlich.
un·wor·thy □ [ʌnˈwɜːðɪ] unwürdig; *he is ~ of it* er verdient es nicht, er ist es nicht wert.
un·wrap [ˈʌnˈræp] auswickeln, auspacken, aufwickeln.
un·writ·ten [ˈʌnrɪtn]: *~ law* ungeschriebenes Gesetz.
un·yield·ing □ [ʌnˈjiːldɪŋ] starr, fest; *fig.* unnachgiebig.
un·zip [ʌnˈzɪp] (*-pp-*) den Reißverschluß öffnen (*gen.*).

up [ʌp] **1.** *adv.* nach oben, hoch, (her-, hin)auf, in die Höhe, empor, aufwärts; oben; von ... an; flußaufwärts; in der *od.* in die (*bsd.* Haupt-) Stadt; *Brt. bsd.* in *od.* nach London; in (*dat.*) (*up North*); aufrecht, gerade; *Baseball*: am Schlag; ~ *to* hinauf nach *od.* zu; bis (zu); **2.** *adj.* aufwärts..., nach oben; oben; hoch; aufgegangen (*Sonne*); gestiegen (*Preise*); abgelaufen, um (*Zeit*); auf (-gestanden); ~ *and about* wieder auf den Beinen; *it is* ~ *to him* es liegt an ihm; es hängt von ihm ab; *what are you* ~ *to?* was machst du (*there* da)?; *what's* ~*?* was ist los?; ~ *train* Zug *m* nach der Stadt; **3.** *prp.* hinauf; ~ (*the*) *country* landeinwärts; **4.** (-*pp*-) *v/i.* aufstehen, sich erheben; *v/t. Preise etc.* erhöhen; **5.** *the* ~*s and downs* das Auf u. Ab, die Höhen u. Tiefen (*of life* des Lebens).

up-and-com·ing [ˈʌpənˈkʌmɪŋ] aufstrebend, vielversprechend.

up·bring·ing [ˈʌpbrɪŋɪŋ] Erziehung *f.*

up·com·ing *Am.* [ˈʌpkʌmɪŋ] bevorstehend.

up·coun·try [ˈʌpˈkʌntrɪ] landeinwärts; im Inneren des Landes (gelegen).

up·date [ʌpˈdeɪt] auf den neuesten Stand bringen.

up·end [ʌpˈend] hochkant stellen; *Gefäß* umstülpen.

up·grade [ʌpˈgreɪd] *j-n* (im Rang) befördern.

up·heav·al *fig.* [ʌpˈhiːvl] Umwälzung *f.*

up·hill [ˈʌpˈhɪl] bergauf; *fig.* mühsam.

up·hold [ʌpˈhəʊld] (-*held*) aufrechterhalten, unterstützen; ⚖ bestätigen.

up|hol·ster [ʌpˈhəʊlstə] *Möbel* polstern; **~·hol·ster·er** [~rə] Polsterer *m*; **~·hol·ster·y** [~ɪ] Polsterung *f*; (Möbel)Bezugsstoff *m*; Polstern *n*; Polsterei *f.*

up·keep [ˈʌpkiːp] Instandhaltung(skosten *pl.*) *f*; Unterhalt(ungskosten *pl.*) *m.*

up·land [ˈʌplənd] *mst* ~*s pl.* Hochland *n.*

up·lift *fig.* [ʌpˈlɪft] aufrichten, erbauen.

up·on [əˈpɒn] = *on*; *once* ~ *a time there was* es war einmal.

up·per [ˈʌpə] obere(r, -s), höhere(r, -s), Ober...; **~·most 1.** *adj.* oberste(r, -s), höchste(r, -s); **2.** *adv.* obenan, ganz oben.

up·raise [ʌpˈreɪz] er-, hochheben.

up·right [ˈʌpraɪt] **1.** □ aufrecht; *fig.* rechtschaffen; **2.** (senkrechte) Stütze, Träger *m.*

up·ris·ing [ˈʌpraɪzɪŋ] Erhebung *f*, Aufstand *m.*

up·roar [ˈʌprɔː] Aufruhr *m*; **~·i·ous** □ [ʌpˈrɔːrɪəs] lärmend, laut, tosend (*Beifall*), schallend (*Gelächter*).

up·root [ʌpˈruːt] entwurzeln; (her-) ausreißen.

up·set [ʌpˈset] (-*set*) umwerfen, (um)stürzen, umkippen, umstoßen; durcheinanderbringen (*a. fig.*); *Magen* verderben; *fig. j-n* aus der Fassung bringen; *be* ~ aufgeregt sein, aus der Fassung sein, durcheinander sein.

up·shot [ˈʌpʃɒt] Ergebnis *n.*

up·side down [ˈʌpsaɪdˈdaʊn] das Oberste zuunterst; verkehrt (herum).

up·stairs [ˈʌpˈsteəz] die Treppe hinauf, (nach) oben.

up·start [ˈʌpstɑːt] Emporkömmling *m.*

up·state *Am.* [ˈʌpsteɪt] im Norden (des Bundesstaates).

up·stream [ˈʌpˈstriːm] fluß-, stromaufwärts.

up·tight F [ˈʌptaɪt] nervös.

up-to-date [ˈʌptəˈdeɪt] modern; auf dem neuesten Stand.

up·town *Am.* [ˈʌpˈtaʊn] im *od.* in das Wohn- *od.* Villenviertel.

up·turn [ˈʌptɜːn] Aufschwung *m.*

up·ward(s) [ˈʌpwəd(z)] aufwärts (gerichtet).

u·ra·ni·um ⚗ [jʊəˈreɪnjəm] Uran *n.*

ur·ban [ˈɜːbən] städtisch, Stadt...; **~e** □ [ɜːˈbeɪn] höflich; gebildet.

ur·chin [ˈɜːtʃɪn] Bengel *m.*

urge [ɜːdʒ] **1.** *j-n* (be)drängen (*to do* zu tun); dringen auf *et.*; *Recht* geltend machen; *oft* ~ *on j-n* drängen, (an)treiben; **2.** Drang *m*; **ur·gen·cy** [ˈɜːdʒənsɪ] Dringlichkeit *f*; Drängen *n*; **ur·gent** □ [~t] dringend; dringlich; eilig.

u·ri|nal [ˈjʊərɪnl] Harnglas *n*; (Männer)Toilette *f*, Pissoir *n*; **~·nate** [~eɪt] urinieren; **u·rine** [~ɪn] Urin *m*, Harn *m.*

UV

urn [ɜːn] Urne *f*; Tee-, Kaffeemaschine *f*.

us [ʌs, əs] uns; *all of ~* wir alle; *both of ~* wir beide.

us·age [ˈjuːzɪdʒ] Brauch *m*, Gepflogenheit *f*; Sprachgebrauch *m*; Behandlung *f*; Verwendung *f*, Gebrauch *m*.

use 1. [juːs] Gebrauch *m*, Benutzung *f*, Verwendung *f*; Gewohnheit *f*, Übung *f*, Brauch *m*; Nutzen *m*; (*of*) *no ~* nutz-, zwecklos; *have no ~ for* keine Verwendung haben für; *Am.* F nicht mögen; **2.** [juːz] gebrauchen, benutzen, ver-, anwenden; handhaben; *~ up* ver-, aufbrauchen; *I ~d to do* ich pflegte zu tun, früher tat ich; **~d** [juːzd] ge-, verbraucht; [juːst] gewöhnt (*to* an *acc.*), gewohnt (*to* zu *od. acc.*); **~·ful** □ [ˈjuːsfl] brauchbar, nützlich; Nutz...; **~·less** □ [ˈjuːslɪs] nutz-, zwecklos, unnütz.

ush·er [ˈʌʃə] **1.** Türhüter *m*, Pförtner *m*; Gerichtsdiener *m*; Platzanweiser *m*; **2.** *mst. ~ in* herein-, hineinführen; **~·ette** [ʌʃəˈret] Platzanweiserin *f*.

u·su·al □ [ˈjuːʒʊəl] gewöhnlich, üblich, gebräuchlich.

u·sur·er [ˈjuːʒərə] Wucherer *m*.

u·surp [juːˈzɜːp] sich *et.* widerrechtlich aneignen, an sich reißen; **~·er** [~ə] Usurpator *m*.

u·su·ry [ˈjuːʒʊrɪ] Wucher(zinsen *pl.*) *m*.

u·ten·sil [juːˈtensl] Gerät *n*.

u·te·rus *anat.* [ˈjuːtərəs] (*pl. -ri* [-raɪ]) Gebärmutter *f*.

u·til·i·ty [juːtɪlətɪ] **1.** Nützlichkeit *f*, Nutzen *m*; *utilities pl.* Leistungen *pl.* der öffentlichen Versorgungsbetriebe; **2.** Gebrauchs...

u·ti|li·za·tion [juːtɪlaɪˈzeɪʃn] (Aus-) Nutzung *f*, Verwertung *f*, -wendung *f*; **~·lize** [ˈjuːtɪlaɪz] (aus)nutzen, verwerten, -wenden.

ut·most [ˈʌtməʊst] äußerste(r, -s).

U·to·pi·an [juːˈtəʊpjən] **1.** utopisch; **2.** Utopist(in).

ut·ter [ˈʌtə] **1.** □ *fig.* äußerste(r, -s), völlig; **2.** äußern; *Seufzer etc.* ausstoßen, von sich geben; *Falschgeld etc.* in Umlauf setzen; **~·ance** [ˈʌtərəns] Äußerung *f*, Ausdruck *m*; Aussprache *f*; **~·most** [ˈʌtəməʊst] äußerste(r, -s).

U-turn [ˈjuːtɜːn] *mot.* Wende *f*; *fig.* Kehrtwendung *f*.

u·vu·la *anat.* [ˈjuːvjʊlə] (*pl. -lae* [-liː], *-las*) (Gaumen)Zäpfchen *n*.

V

va|can·cy [ˈveɪkənsɪ] Leere *f*; freies Zimmer (*Hotel*); offene *od.* freie Stelle; *fig.* geistige Leere; **~·cant** □ [~t] leer (*a. fig.*); frei (*Zimmer, Sitzplatz*); leer(stehend), unbewohnt (*Haus*); offen, frei (*Stelle*); unbesetzt, vakant (*Amt*); *fig.* geistesabwesend.

va·cate [vəˈkeɪt, *Am.* ˈveɪkeɪt] räumen, *Stelle* aufgeben, aus *e-m Amt* scheiden, *Amt* niederlegen; **va·ca·tion** [vəˈkeɪʃn, *Am.* veɪˈkeɪʃn] **1.** *bsd. Am.* Schulferien *pl.*; *univ.* Semesterferien *pl.*; ⚖ Gerichtsferien *pl.*; *bsd. Am.* Urlaub *m*, Ferien *pl.*; *be on ~ bsd. Am.* im Urlaub sein, Urlaub machen; *take a ~ bsd. Am.* sich Urlaub nehmen, Urlaub machen; **2.** *bsd. Am.* Urlaub machen;

va·ca·tion·ist *bsd. Am.* [~ʃənɪst] Urlauber(in).

vac|cin·ate [ˈvæksɪneɪt] impfen; **~·cin·a·tion** [væksɪˈneɪʃn] (Schutz-) Impfung *f*; **~·cine** ⚕ [ˈvæksiːn] Impfstoff *m*.

vac·il·late *mst fig.* [ˈvæsɪleɪt] schwanken.

vac·u·ous □ *fig.* [ˈvækjʊəs] leer, geistlos.

vac·u·um [ˈvækjʊəm] **1.** (*pl. -uums, -ua* [-jʊə]) *phys.* Vakuum *n*; *~ bottle* Thermosflasche *f*; *~ cleaner* Staubsauger *m*; *~ flask* Thermosflasche *f*; *~-packed* vakuumverpackt; **2.** *v/t.* (*mit dem Staubsauger*) saugen; *v/i.* (staub)saugen.

vag·a·bond [ˈvægəbɒnd] Landstreicher(in).

va·ga·ry [ˈveɪgərɪ] wunderlicher Einfall; Laune *f*, Schrulle *f*.
va·gi|na *anat.* [vəˈdʒaɪnə] Vagina *f*, Scheide *f*; **~·nal** *anat.* [~nl] vaginal, Vaginal..., Scheiden...
va|grant [ˈveɪgrənt] **1.** □ wandernd, vagabundierend; *fig.* unstet; **2.** Landstreicher(in).
vague □ [veɪg] (*~r, ~st*) vage, verschwommen; unbestimmt; unklar.
vain □ [veɪn] eitel, eingebildet; nutzlos, vergeblich; *in ~* vergebens, vergeblich, umsonst.
vale [veɪl] *poet. od. in Namen*: Tal *n*.
val·e·dic·tion [vælɪˈdɪkʃn] Abschied(sworte *pl.*) *m*.
val·en·tine [ˈvæləntaɪn] Valentinsgruß *m* (*am Valentinstag, 14. Februar, gesandt*); am Valentinstag erwählte(r) Liebste(r).
va·le·ri·an ⚘ [vəˈlɪərɪən] Baldrian *m*.
val·et [ˈvælɪt] (Kammer)Diener *m*; Hoteldiener *m*.
val·e·tu·di·nar·i·an [vælɪtjuːdɪˈneərɪən] **1.** kränklich; hypochondrisch; **2.** kränklicher Mensch; Hypochonder *m*.
val·i·ant □ [ˈvæljənt] tapfer, mutig.
val|id □ [ˈvælɪd] triftig, stichhaltig; berechtigt; gültig; *be ~* gelten; *become ~* Rechtskraft erlangen; **~·i·date** ⚖ [~eɪt] für gültig erklären, bestätigen; **~·id·i·ty** [vəˈlɪdətɪ] (⚖ Rechts)Gültigkeit *f*; Stichhaltigkeit *f*; Richtigkeit *f*.
va·lise [vəˈliːz] Reisetasche *f*.
val·ley [ˈvælɪ] Tal *n*.
val·o(u)r [ˈvælə] Mut *m*, Tapferkeit *f*.
val·u·a·ble [ˈvæljʊəbl] **1.** □ wertvoll; **2.** *~s pl.* Wertsachen *pl*.
val·u·a·tion [væljʊˈeɪʃn] Bewertung *f*, Schätzung *f*; Schätz-, Taxwert *m*.
val·ue [ˈvæljuː] **1.** Wert *m*; *econ.* Währung *f*; *mst ~s pl. fig.* (*kulturelle od. sittliche*) Werte *pl.*; *at ~ econ.* zum Tageskurs; *give* (*get*) *good ~ for money econ.* reell bedienen (bedient werden); **2.** (ab)schätzen, veranschlagen; *fig.* schätzen, bewerten; **~-ad·ded tax** *econ.* (*abbr. VAT*) Mehrwertsteuer *f*; **~d** veranschlagt; geschätzt; **~·less** [~jʊlɪs] wertlos.
valve [vælv] ⊕ Ventil *n*; (*Herz- etc.*) Klappe *f*; *Brt.* ⚡ (Radio-, Fernseh-) Röhre *f*.
vam·pire [ˈvæmpaɪə] Vampir *m*.
van[1] [væn] Lieferwagen *m*; *bsd. Brt.* 🚃 Güter-, Gepäckwagen *m*; F Wohnwagen *m*.
van[2] ⚔ [~] = *vanguard*.
van·dal·ize [ˈvændəlaɪz] wie die Vandalen hausen in (*dat.*), mutwillig zerstören, verwüsten.
vane [veɪn] Wetterfahne *f*; (Propeller)Flügel *m*; ⊕ Schaufel *f*.
van·guard ⚔ [ˈvængɑːd] Vorhut *f*.
va·nil·la [vəˈnɪlə] Vanille *f*.
van·ish [ˈvænɪʃ] verschwinden.
van·i·ty [ˈvænətɪ] Eitelkeit *f*; Nichtigkeit *f*; *~ bag* Kosmetiktäschchen *n*; *~ case* Kosmetikkoffer *m*.
van·quish [ˈvæŋkwɪʃ] besiegen.
van·tage [ˈvɑːntɪdʒ] *Tennis*: Vorteil *m*; **~-ground** günstige Stellung.
vap·id □ [ˈvæpɪd] schal; fad(e).
va·por·ize [ˈveɪpəraɪz] verdampfen, verdunsten (lassen).
va·po(u)r [ˈveɪpə] Dampf *m*, Dunst *m*; *~ trail* ✈ Kondensstreifen *m*.
var·i|a·ble [ˈveərɪəbl] **1.** □ veränderlich, wechselnd, unbeständig; ⊕ ver-, einstellbar; **2.** veränderliche Größe; **~·ance** [~ns]: *be at ~* (*with*) uneinig sein (mit *j-m*), anderer Meinung sein (als *j-d*); im Widerspruch stehen (zu); **~·ant** [~nt] **1.** abweichend, verschieden; **2.** Variante *f*; **~·a·tion** [veərɪˈeɪʃn] Schwankung *f*, Abweichung *f*; Variation *f*.
var·i·cose veins ⚕ [ˈværɪkəʊs veɪnz] *pl.* Krampfadern *pl*.
var·ied □ [ˈveərɪd] verschieden, mannigfaltig; verändert.
va·ri·e·ty [vəˈraɪətɪ] Mannigfaltigkeit *f*, Vielzahl *f*, Abwechslung *f*; *econ.* Auswahl *f*; Sorte *f*, Art *f*; Spielart *f*, Variante *f*; *for a ~ of reasons* aus den verschiedensten Gründen; *~ show* Varietévorstellung *f*; *~ theatre* Varieté(theater) *n*.
var·i·ous □ [ˈveərɪəs] verschiedene, mehrere; verschiedenartig.
var·mint F [ˈvɑːmɪnt] *zo.* Schädling *m*; Halunke *m*.
var·nish [ˈvɑːnɪʃ] **1.** Firnis *m*; Lack *m*; Politur *f*; *fig.* Tünche *f*; **2.** firnissen; lackieren; *Möbel* (auf)polieren; *fig.* beschönigen.
var·si·ty [ˈvɑːsətɪ] *Brt.* F Uni *f* (*Universität*); *a. ~ team Am.* Universitäts-, College-, Schulmannschaft *f*.
var·y [ˈveərɪ] (sich) (ver)ändern; variieren; wechseln (mit *et.*); abweichen *od.* verschieden sein (*from* von); **~·ing** □ [~ɪŋ] unterschiedlich.

UV

vase [vɑːz, *Am.* veɪs, veɪz] Vase *f.*
vast □ [vɑːst] ungeheuer, gewaltig, riesig, umfassend, weit.
vat [væt] Faß *n*, Bottich *m.*
vau·de·ville *Am.* [ˈvəʊdəvɪl] Varieté *n.*
vault[1] [vɔːlt] **1.** (Keller)Gewölbe *n*; Wölbung *f*; Stahlkammer *f*, Tresorraum *m*; Gruft *f*; **2.** (über)wölben.
vault[2] [~] **1.** *bsd. Sport*: Sprung *m*; **2.** *v/i.* springen (*over* über *acc.*); *v/t.* überspringen, springen über (*acc.*); **~·ing-horse** [ˈvɔːltɪŋhɔːs] *Turnen*: Pferd *n*; **~·ing-pole** *Stabhochsprung*: Sprungstab *m.*
've *abbr.* [v] = *have.*
veal [viːl] Kalbfleisch *n*; ~ *chop* Kalbskotelett *n*; ~ *cutlet* Kalbsschnitzel *n*; *roast* ~ Kalbsbraten *m.*
veer [vɪə] (sich) drehen; *Auto*: *a.* plötzlich die Richtung ändern, ausscheren.
vege·ta·ble [ˈvedʒtəbl] **1.** Gemüse...; pflanzlich; **2.** Pflanze *f*; *mst* ~*s pl.* Gemüse *n.*
veg·e|tar·i·an [vedʒɪˈteərɪən] **1.** Vegetarier(in); **2.** vegetarisch; **~·tate** *fig.* [ˈvedʒɪteɪt] (dahin)vegetieren; **~·ta·tive** □ [~tətɪv] vegetativ; wachstumfördernd.
ve·he|mence [ˈviːɪməns] Heftigkeit *f*; Gewalt *f*; **~·ment** □ [~t] heftig; ungestüm.
ve·hi·cle [ˈviːɪkl] Fahrzeug *n*, Beförderungsmittel *n*; *fig.* Vermittler *m*, Träger *m*; *fig.* Ausdrucksmittel *n.*
veil [veɪl] **1.** Schleier *m*; **2.** (sich) verschleiern; *fig.* verbergen.
vein [veɪn] *anat.* Vene *f*; Ader *f* (*a. fig.*); *fig.* Veranlagung *f*, Neigung *f*; *fig.* Stimmung *f.*
ve·loc·i·pede *Am.* [vɪˈlɒsɪpiːd] (Kinder)Dreirad *n.*
ve·loc·i·ty ⊕ [vɪˈlɒsətɪ] Geschwindigkeit *f.*
vel·vet [ˈvelvɪt] **1.** Samt *m*; **2.** aus Samt, Samt...; **~·y** [~ɪ] samtig.
ve·nal [ˈviːnl] käuflich; bestechlich, korrupt.
vend [vend] verkaufen; **~·er** [ˈvendə] (*Straßen*)Händler *m*, (-)Verkäufer *m*; **~·ing-ma·chine** [ˈvendɪŋməˈʃiːn] (Verkaufs)Automat *m*; **~·or** [~ɔː] *bsd.* ⚖ Verkäufer(in); (Verkaufs)Automat *m.*
ve·neer [vəˈnɪə] **1.** Furnier *n*; *fig.* äußerer Anstrich, Tünche *f*; **2.** furnieren.
ven·e|ra·ble □ [ˈvenərəbl] ehrwürdig; **~·rate** [~eɪt] (ver)ehren; **~·ra·tion** [venəˈreɪʃn] Verehrung *f.*
ve·ne·re·al [vɪˈnɪərɪəl] Geschlechts...; ~ *disease* ⚕ Geschlechtskrankheit *f.*
Ve·ne·tian [vɪˈniːʃn] **1.** venezianisch; ♀ *blind* (Stab)Jalousie *f*; **2.** Venezianer(in).
ven·geance [ˈvendʒəns] Rache *f*; *with a* ~ F wie verrückt, ganz gehörig.
ve·ni·al □ [ˈviːnjəl] verzeihlich; *eccl.* läßlich (*Sünde*).
ven·i·son [ˈvenɪzn] Wildbret *n.*
ven·om [ˈvenəm] (*bsd.* Schlangen-)Gift *n*; *fig.* Gift *n*, Gehässigkeit *f*; **~·ous** □ [~əs] giftig (*a. fig.*).
ve·nous [ˈviːnəs] Venen...; venös.
vent [vent] **1.** (Abzugs)Öffnung *f*; Luft-, Spundloch *n*; Schlitz *m*; *give* ~ *to* = **2.** *v/t. fig. s-m Zorn etc.* Luft machen, *s-e Wut etc.* auslassen, abreagieren (*on* an *dat.*).
ven·ti|late [ˈventɪleɪt] ventilieren, (be-, ent-, durch)lüften; *fig.* erörtern; **~·la·tion** [ventɪˈleɪʃn] Ventilation *f*, Lüftung *f*; *fig.* Erörterung *f*; **~·la·tor** [ˈventɪleɪtə] Ventilator *m.*
ven·tril·o·quist [venˈtrɪləkwɪst] Bauchredner *m.*
ven·ture [ˈventʃə] **1.** Wagnis *n*, Risiko *n*; Abenteuer *n*; *econ.* Unternehmen *n*; *econ.* Spekulation *f*; *at a* ~ auf gut Glück; **2.** (sich) wagen; riskieren.
ve·ra·cious □ [vəˈreɪʃəs] wahrhaftig; wahrheitsgemäß.
verb *gr.* [vɜːb] Verb *n*, Zeitwort *n*; **~·al** □ [ˈvɜːbl] wörtlich; mündlich; **ver·bi·age** [ˈvɜːbɪɪdʒ] Wortschwall *m*; **ver·bose** □ [vɜːˈbəʊs] wortreich, langatmig.
ver·dant □ [ˈvɜːdənt] grün; *fig.* unreif.
ver·dict [ˈvɜːdɪkt] ⚖ (Urteils)Spruch *m* (*der Geschworenen*); *fig.* Urteil *n*; *bring in od. return a* ~ *of guilty* auf schuldig erkennen.
ver·di·gris [ˈvɜːdɪgrɪs] Grünspan *m.*
ver·dure [ˈvɜːdʒə] (frisches) Grün.
verge [vɜːdʒ] **1.** Rand *m*, Grenze *f*; Bankett *n* (*Straße*); *on the* ~ *of* am Rande (*gen.*), dicht vor (*dat.*); *on the* ~ *of despair* (*tears*) der Verzweiflung (den Tränen) nahe; **2.** ~ (*up*)*on* grenzen an (*acc.*) (*a. fig.*).
ver·i·fy [ˈverɪfaɪ] (nach)prüfen; beweisen; bestätigen.

ver·i·si·mil·i·tude [verɪsɪˈmɪlɪtjuːd] Wahrscheinlichkeit *f*.
ver·i·ta·ble □ [ˈverɪtəbl] wahr, wirklich.
ver·mi·cel·li [vɜːmɪˈselɪ] Fadennudeln *pl.*
ver·mic·u·lar [vɜːˈmɪkjʊlə] wurmartig.
ver·mi·form ap·pen·dix *anat.* [ˈvɜːmɪfɔːm əˈpendɪks] Wurmfortsatz *m.*
ver·mil·i·on [vəˈmɪljən] **1.** Zinnoberrot *n*; **2.** zinnoberrot.
ver·min [ˈvɜːmɪn] Ungeziefer *n*; Schädling(e *pl.*) *m*; *fig.* Gesindel *n*, Pack *n*; **~ous** [~əs] voller Ungeziefer.
ver·nac·u·lar [vəˈnækjʊlə] **1.** □ einheimisch; Volks...; **2.** Landes-, Volkssprache *f*; Jargon *m.*
ver·sa·tile □ [ˈvɜːsətaɪl] vielseitig; flexibel.
verse [vɜːs] Vers(e *pl.*) *m*; Strophe *f*; Dichtung *f*; **~d** [~t] bewandert; *be (well) ~ in* sich (gut) auskennen in (*dat.*).
ver·si·fy [ˈvɜːsɪfaɪ] *v/t.* in Verse bringen; *v/i.* Verse machen.
ver·sion [ˈvɜːʃn] Übersetzung *f*; Fassung *f*, Darstellung *f*; Lesart *f*; ⊕ Ausführung *f*, Modell *n* (*Auto etc.*).
ver·sus [ˈvɜːsəs] ⚖, *Sport*: gegen.
ver·te|bra *anat.* [ˈvɜːtɪbrə] (*pl. -brae* [~riː]) Wirbel *m*; **~·brate** *zo.* [~rət] Wirbeltier *n.*
ver·ti·cal □ [ˈvɜːtɪkl] vertikal, senkrecht.
ver·tig·i·nous □ [vɜːˈtɪdʒɪnəs] schwindlig; schwindelnd (*Höhe*).
ver·ti·go [ˈvɜːtɪgəʊ] (*pl. -gos*) Schwindel(anfall) *m.*
verve [vɜːv] Schwung *m*, Begeisterung *f.*
ver·y [ˈverɪ] **1.** *adv.* sehr; *vor sup.*: aller...; *the ~ best* das allerbeste; **2.** *adj.* gerade, genau; bloß; rein; der-, die-, dasselbe; *the ~ same* ebenderselbe; *in the ~ act* auf frischer Tat; gerade dabei; *the ~ thing* genau das (richtige); *the ~ thought* der bloße Gedanke (*of* an *acc.*).
ves·i·cle [ˈvesɪkl] Bläschen *n.*
ves·sel [ˈvesl] Gefäß *n* (*a. anat.*, ⚘, *fig.*); ⚓ Fahrzeug *n*, Schiff *n.*
vest [vest] *Brt.* Unterhemd *n*; *Am.* Weste *f.*
ves·ti·bule [ˈvestɪbjuːl] *anat.* Vorhof *m*; (Vor)Halle *f*; *Am.* 🚃 (Harmonika)Verbindungsgang *m*; *~ train Am.* 🚃 Zug *m* mit (Harmonika)Verbindungsgängen.
ves·tige *fig.* [ˈvestɪdʒ] Spur *f.*
vest·ment [ˈvestmənt] Amtstracht *f*, Robe *f.*
ves·try *eccl.* [ˈvestrɪ] Sakristei *f*; Gemeindesaal *m.*
vet F [vet] **1.** Tierarzt *m*; *Am.* ⚔ Veteran *m*; **2.** (*-tt-*) *co.* verarzten; gründlich prüfen.
vet·e·ran [ˈvetərən] **1.** altgedient; erfahren; **2.** Veteran *m.*
vet·e·ri·nar·i·an *Am.* [vetərɪˈneərɪən] Tierarzt *m.*
vet·e·ri·na·ry [ˈvetərɪnərɪ] **1.** tierärztlich; **2.** *a. ~ surgeon Brt.* Tierarzt *m.*
ve·to [ˈviːtəʊ] **1.** (*pl. -toes*) Veto *n*; **2.** sein Veto einlegen gegen.
vex [veks] ärgern; schikanieren; **~·a·tion** [vekˈseɪʃn] Verdruß *m*; Ärger(nis *n*) *m*; **~·a·tious** [~ʃəs] ärgerlich.
vi·a [ˈvaɪə] über, via.
vi·a·duct [ˈvaɪədʌkt] Viadukt *m*, *n.*
vi·al [ˈvaɪəl] Phiole *f*, Fläschchen *n.*
vi·brate [vaɪˈbreɪt] vibrieren; zittern; **vi·bra·tion** [~ʃn] Schwingung *f*; Zittern *n*, Vibrieren *n.*
vic·ar *eccl.* [ˈvɪkə] Vikar *m*; **~·age** [~rɪdʒ] Pfarrhaus *n.*
vice[1] [vaɪs] Laster *n*; Untugend *f*; Fehler *m*; *~ squad* Sittenpolizei *f*, -dezernat *n.*
vice[2] *Brt.* ⊕ [~] Schraubstock *m.*
vi·ce[3] *prp.* [ˈvaɪsɪ] an Stelle von.
vice[4] F [vaɪs] Vize *m*; *attr.* stellvertretend, Vize...; **~·roy** [ˈvaɪsrɔɪ] Vizekönig *m.*
vi·ce ver·sa [ˈvaɪsɪˈvɜːsə] umgekehrt.
vi·cin·i·ty [vɪˈsɪnətɪ] Nachbarschaft *f*; Nähe *f.*
vi·cious □ [ˈvɪʃəs] lasterhaft; bösartig; boshaft; fehlerhaft.
vi·cis·si·tude [vɪˈsɪsɪtjuːd] Wandel *m*, Wechsel *m*; *~s pl.* Wechselfälle *pl.*, *das* Auf u. Ab.
vic·tim [ˈvɪktɪm] Opfer *n*; **~·ize** [~aɪz] (auf)opfern; schikanieren; (ungerechterweise) bestrafen.
vic|tor [ˈvɪktə] Sieger(in); **♀·to·ri·an** *hist.* [vɪkˈtɔːrɪən] Viktorianisch; **~·to·ri·ous** □ [~ɪəs] siegreich; Sieges...; **~·to·ry** [ˈvɪktərɪ] Sieg *m.*
vict·ual [ˈvɪtl] **1.** (*bsd. Brt. -ll-*, *Am. -l-*) (sich) verpflegen *od.* verproviantieren; **2.** *mst ~s pl.* Lebensmittel *pl.*,

Proviant *m*; **~·(l)er** [~ə] Lebensmittellieferant *m*.
vid·e·o [ˈvɪdɪəʊ] **1.** (*pl. -os*) Video(gerät *n*, -recorder *m*) *n*; *Computer*: Bildschirm-, Bildsicht-, Datensichtgerät *n*; *Am.* Fernsehen *n*; **2.** Video...; *Am.* Fernseh...; **~ cas·sette** Videokassette *f*; **~ disc** Bildplatte *f*; **~ game** Videospiel *n*; **~·phone** Bildtelefon *n*; **~·tape 1.** Videoband *n*; **2.** auf Videoband aufnehmen; **~·tape re·cord·er** Videorecorder *m*.
vie [vaɪ] wetteifern (*with* mit; *for* um).
Vi·en·nese [vɪəˈniːz] **1.** Wiener(in); **2.** wienerisch, Wiener...
view [vjuː] **1.** Sicht *f*, Blick *m*; Besichtigung *f*; Aussicht *f* (*of* auf *acc.*); Anblick *m*; Ansicht *f* (*a. fig.*); Absicht *f*; *in ~* sichtbar, zu sehen; *in ~ of* im Hinblick auf (*acc.*); angesichts (*gen.*); *on ~* zu besichtigen; *with a ~ to inf. od. of ger.* in der Absicht zu *inf.*; *have* (*keep*) *in ~* im Auge haben (behalten); **2.** *v/t.* ansehen, besichtigen; *fig.* betrachten; *v/i.* fernsehen; **~ da·ta** *pl.* Bildschirmtext *m*; **~·er** [ˈvjuːə] Fernsehzuschauer(in), Fernseher(in); ⊕ Diabetrachter *m*; **~·find·er** *phot.* [~faɪndə] (Bild)Sucher *m*; **~·less** [~lɪs] ohne eigene Meinung; *poet.* unsichtbar; **~·point** Gesichts-, Standpunkt *m*.
vig|il [ˈvɪdʒɪl] Nachtwache *f*; **~·i·lance** [~əns] Wachsamkeit *f*; **~·i·lant** □ [~t] wachsam.
vig|or·ous □ [ˈvɪgərəs] kräftig; energisch; nachdrücklich; **~·o(u)r** [ˈvɪgə] Kraft *f*; Vitalität *f*; Energie *f*; Nachdruck *m*.
Vi·king [ˈvaɪkɪŋ] **1.** Wiking(er) *m*; **2.** wikingisch, Wikinger...
vile □ [vaɪl] gemein; abscheulich.
vil|lage [ˈvɪlɪdʒ] Dorf *n*; *~ green* Dorfanger *m*, -wiese *f*; **~·lag·er** [~ə] Dorfbewohner(in).
vil·lain [ˈvɪlən] Schurke *m*, Schuft *m*, Bösewicht *m*; **~·ous** □ [~əs] schurkisch; F scheußlich; **~·y** [~ɪ] Schurkerei *f*.
vim F [vɪm] Schwung *m*, Schmiß *m*.
vin·di|cate [ˈvɪndɪkeɪt] rechtfertigen; rehabilitieren; **~·ca·tion** [vɪndɪˈkeɪʃn] Rechtfertigung *f*.
vin·dic·tive □ [vɪnˈdɪktɪv] rachsüchtig, nachtragend.
vine ⚘ [vaɪn] Wein(stock) *m*, (Wein-)Rebe *f*; ⚠ *nicht Wein* (*Getränk*).
vin·e·gar [ˈvɪnɪgə] (Wein)Essig *m*.
vine|-grow·ing [ˈvaɪngrəʊɪŋ] Weinbau *m*; **~·yard** [ˈvɪnjəd] Weinberg *m*.
vin|tage [ˈvɪntɪdʒ] **1.** Weinlese *f*; (Wein)Jahrgang *m*; **2.** klassisch; erlesen; altmodisch; *~ car mot.* Oldtimer *m*; **~·tag·er** [~ə] Weinleser(in).
vi·o·la ♪ [vɪˈəʊlə] Bratsche *f*.
vi·o|late [ˈvaɪəleɪt] verletzen; *Eid etc.* brechen; vergewaltigen; **~·la·tion** [vaɪəˈleɪʃn] Verletzung *f*; (Eid- *etc.*) Bruch *m*; Vergewaltigung *f*.
vi·o|lence [ˈvaɪələns] Gewalt(tätigkeit) *f*; Heftigkeit *f*; **~·lent** □ [~t] gewaltsam, -tätig; heftig.
vi·o·let ⚘ [ˈvaɪələt] Veilchen *n*.
vi·o·lin ♪ [vaɪəˈlɪn] Violine *f*, Geige *f*.
VIP F [ˈviːaɪˈpiː] prominente Persönlichkeit.
vi·per *zo.* [ˈvaɪpə] Viper *f*, Natter *f*.
vi·ra·go [vɪˈrɑːgəʊ] (*pl. -gos, -goes*) Zankteufel *m*, Drachen *m*.
vir·gin [ˈvɜːdʒɪn] **1.** Jungfrau *f*; **2.** *a.* **~·al** □ [~l] jungfräulich; Jungfern...; **~·i·ty** [vəˈdʒɪnətɪ] Jungfräulichkeit *f*.
vir·ile [ˈvɪraɪl] männlich; Mannes...; **vi·ril·i·ty** [vɪˈrɪlətɪ] Männlichkeit *f*; *physiol.* Mannes-, Zeugungskraft *f*.
vir·tu·al □ [ˈvɜːtʃʊəl] eigentlich; **~·ly** [~ɪ] praktisch.
vir|tue [ˈvɜːtʃuː] Tugend *f*; Vorzug *m*; *in od. by ~ of* kraft, vermöge (*beide gen.*); *make a ~ of necessity* aus der Not e-e Tugend machen; **~·tu·os·i·ty** [vɜːtjʊˈɒsətɪ] Virtuosität *f*; **~·tu·ous** □ [ˈvɜːtʃʊəs] tugendhaft; rechtschaffen; ⚠ *nicht virtuos.*
vir·u·lent □ [ˈvɪrʊlənt] ⚕ (sehr) giftig, bösartig (*a. fig.*).
vi·rus ⚕ [ˈvaɪərəs] Virus *n*, *m*; *fig.* Gift *n*.
vi·sa [ˈviːzə] Visum *n*, Sichtvermerk *m*; **~ed, ~'d** [~d] mit e-m Sichtvermerk *od.* Visum (versehen).
vis·cose [ˈvɪskəʊs] Viskose *f*; *~ silk* Zellstoffseide *f*.
vis·count [ˈvaɪkaʊnt] Vicomte *m*; **~·ess** [~ɪs] Vicomtesse *f*.
vis·cous □ [ˈvɪskəs] zähflüssig.
vise *Am.* ⊕ [vaɪs] Schraubstock *m*.
vis·i|bil·i·ty [vɪzɪˈbɪlətɪ] Sichtbarkeit *f*; Sichtweite *f*; **~·ble** □ [ˈvɪzəbl] sichtbar; *fig.* (er)sichtlich; *pred.* zu sehen (*Sache*); zu sprechen (*Person*).
vi·sion [ˈvɪʒn] Sehvermögen *n*, -kraft *f*; *fig.* Seherblick *m*; Vision *f*; **~·a·ry** [~ərɪ] **1.** phantastisch; **2.** Hellseher(in); Phantast(in).
vis|it [ˈvɪzɪt] **1.** *v/t.* besuchen; aufsu-

chen; besichtigen; *fig.* heimsuchen; ~ *s.th. on s.o. eccl.* j-n für et. (be)strafen; *v/i.* e-n Besuch *od.* Besuche machen; *Am.* plaudern (*with* mit); **2.** Besuch *m*; ⚠ *nicht* ⚕ *Visite* (*im Krankenhaus*); **~i·ta·tion** [vɪzɪˈteɪʃn] Besuch *m*; Besichtigung *f*; *fig.* Heimsuchung *f*; **~it·or** [ˈvɪzɪtə] Besucher(in), Gast *m*.

vi·sor [ˈvaɪzə] Visier *n*; (Mützen-)Schirm *m*; *mot.* Sonnenblende *f*.

vis·ta [ˈvɪstə] (Aus-, Durch)Blick *m*.

vis·u·al □ [ˈvɪzjʊəl] Seh..., Gesichts...; visuell; ~ *aids pl. Schule*: Anschauungsmaterial *n*; ~ *display unit Computer*: Bildschirm-, Bildsicht-, Datensichtgerät *n*; ~ *instruction Schule*: Anschauungsunterricht *m*; **~ize** [~aɪz] sich vorstellen, sich ein Bild machen von.

vi·tal □ [ˈvaɪtl] **1.** Lebens...; lebenswichtig; wesentlich; (hoch)wichtig; vital; ~ *parts pl.* = **2.** ~*s pl.* lebenswichtige Organe *pl.*, edle Teile *pl.*; **~i·ty** [vaɪˈtælətɪ] Lebenskraft *f*, Vitalität *f*; **~ize** [ˈvaɪtəlaɪz] beleben.

vit·a·min [ˈvɪtəmɪn] Vitamin *n*; ~ *deficiency* Vitaminmangel *m*.

vi·ti·ate [ˈvɪʃɪeɪt] verderben; beeinträchtigen.

vit·re·ous □ [ˈvɪtrɪəs] Glas..., gläsern.

vi·va·cious □ [vɪˈveɪʃəs] lebhaft; **vi·vac·i·ty** [vɪˈvæsətɪ] Lebhaftigkeit *f*.

viv·id □ [ˈvɪvɪd] lebhaft, lebendig.

vix·en [ˈvɪksn] Füchsin *f*; zänkisches Weib, Drachen *m*.

V-neck [ˈviːnek] V-Ausschnitt *m*; **V-necked** [~t] mit V-Ausschnitt.

vo·cab·u·la·ry [vəˈkæbjʊlərɪ] Wörterverzeichnis *n*; Wortschatz *m*.

vo·cal □ [ˈvəʊkl] stimmlich, Stimm...; laut; ♪ Vokal..., Gesang...; klingend; *ling.* stimmhaft; **~ist** [~əlɪst] Sänger(in); **~ize** [~aɪz] (*ling.* stimmhaft) aussprechen.

vo·ca·tion [vəʊˈkeɪʃn] Berufung *f*; Beruf *m*; **~al** □ [~ənl] beruflich, Berufs...; ~ *adviser* Berufsberater *m*; ~ *education* Berufsausbildung *f*; ~ *guidance* Berufsberatung *f*; ~ *school Am.* (*etwa*) Berufsschule *f*; ~ *training* Berufsausbildung *f*.

vo·cif·er|ate [vəˈsɪfəreɪt] schreien; **~ous** □ [~əs] schreiend; lautstark.

vogue [vəʊg] Mode *f*; *be in* ~ (in) Mode sein.

voice [vɔɪs] **1.** Stimme *f*; *active* (*passive*) ~ *gr.* Aktiv *n* (Passiv *n*); *give* ~ *to* Ausdruck geben *od.* verleihen (*dat.*); **2.** äußern, ausdrücken; *ling.* (stimmhaft) (aus)sprechen.

void [vɔɪd] **1.** leer; ⚖ (rechts)unwirksam, ungültig; ~ *of* frei von, arm an (*dat.*), ohne; **2.** Leere *f*; *fig.* Lücke *f*.

vol·a·tile [ˈvɒlətaɪl] ⚗ flüchtig (*a. fig.*); flatterhaft.

vol·ca·no [vɒlˈkeɪnəʊ] (*pl. -noes, -nos*) Vulkan *m*.

vo·li·tion [vəˈlɪʃn] Wollen *n*, Wille(nskraft *f*) *m*; *of one's own* ~ aus eigenem Entschluß.

vol·ley [ˈvɒlɪ] **1.** Salve *f*; (*Geschoß- etc.*)Hagel *m*; *fig.* Schwall *m*; *Tennis*: Flugball *m*; **2.** *mst* ~ *out* e-n Schwall von *Worten etc.* von sich geben; e-e Salve *od.* Salven abgeben; *fig.* hageln; dröhnen; **~-ball** *Sport*: Volleyball(spiel *n*) *m*.

volt ⚡ [vəʊlt] Volt *n*; **~age** ⚡ [ˈvəʊltɪdʒ] Spannung *f*; **~me·ter** ⚡ Volt-, Spannungsmesser *m*.

vol·u|bil·i·ty [vɒljʊˈbɪlətɪ] Redegewandtheit *f*; **~ble** □ [ˈvɒljʊbl] (rede)gewandt.

vol·ume [ˈvɒljuːm] Band *m* (*e-s Buches*); Volumen *n*; *fig.* Masse *f*, große Menge; (*bsd.* Stimm)Umfang *m*; ⚡ Lautstärke *f*; **vo·lu·mi·nous** □ [vəˈljuːmɪnəs] vielbändig; umfangreich, voluminös.

vol·un|ta·ry □ [ˈvɒləntərɪ] freiwillig; **~teer** [vɒlənˈtɪə] **1.** Freiwillige(r *m*) *f*; **2.** *v/i.* freiwillig dienen; sich freiwillig melden; sich erbieten; *v/t. Dienste etc.* freiwillig anbieten; sich *e-e Bemerkung* erlauben.

vo·lup·tu|a·ry [vəˈlʌptjʊərɪ] Lüstling *m*; **~ous** □ [~əs] wollüstig; üppig; sinnlich.

vom·it [ˈvɒmɪt] **1.** *v/t.* (er)brechen; *v/i.* (sich er)brechen; **2.** Erbrochene(s) *n*; Erbrechen *n*.

vo·ra·cious □ [vəˈreɪʃəs] gefräßig, gierig, unersättlich; **vo·rac·i·ty** [vɒˈræsətɪ] Gefräßigkeit *f*, Gier *f*.

vor·tex [ˈvɔːteks] (*pl. -texes, -tices* [-tɪsiːz]) Wirbel *m*, Strudel *m* (*mst fig.*).

vote [vəʊt] **1.** (Wahl)Stimme *f*; Abstimmung *f*; Stimm-, Wahlrecht *n*; Beschluß *m*, Votum *n*; ~ *of no confidence* Mißtrauensvotum *n*; *take a* ~ *on s.th.* über et. abstimmen; **2.** *v/t.* wählen; bewilligen; *v/i.* abstimmen;

wählen; ~ *for* stimmen für; F für *et.* sein; **vot·er** [ˈvəʊtə] Wähler(in).
vot·ing [ˈvəʊtɪŋ] Abstimmung *f,* Stimmabgabe *f*; *attr.* Wahl...; **~-pa·per** Stimmzettel *m.*
vouch [vaʊtʃ]: ~ *for* (sich ver)bürgen für; **~·er** [ˈvaʊtʃə] Beleg *m,* Unterlage *f*; Gutschein *m*; **~·safe** [vaʊtʃˈseɪf] gewähren; geruhen (*to do* zu tun).
vow [vaʊ] **1.** Gelübde *n*; (Treu-) Schwur *m*; *take a ~, make a ~* ein Gelübde ablegen; **2.** geloben.
vow·el *ling.* [ˈvaʊəl] Vokal *m,* Selbstlaut *m.*
voy|age [ˈvɔɪɪdʒ] **1.** *längere* (See-, Flug)Reise; **2.** *lit.* reisen; **~·ag·er** [ˈvɔɪədʒə] (See)Reisende(r *m*) *f.*
vul·gar □ [ˈvʌlgə] gewöhnlich, unfein, ordinär; vulgär, pöbelhaft; geschmacklos; ~ *tongue* Volkssprache *f*; **~·i·ty** [vʌlˈgærətɪ] ungehobeltes Wesen; Ungezogenheit *f*; Geschmacklosigkeit *f.*
vul·ne·ra·ble □ [ˈvʌlnərəbl] verwundbar (*a. fig.*); ⚔, *Sport*: ungeschützt, offen; *fig.* angreifbar.
vul·pine [ˈvʌlpaɪn] Fuchs..., fuchsartig; schlau, listig.
vul·ture *zo.* [ˈvʌltʃə] Geier *m.*
vy·ing [ˈvaɪɪŋ] wetteifernd.

W

wad [wɒd] **1.** (*Watte*)Bausch *m*; Pfropf(en) *m*; Banknotenbündel *n*; **2.** (*-dd-*) wattieren, auspolstern; zu e-m Bausch zusammenpressen; **~·ding** [ˈwɒdɪŋ] Einlage *f,* Füllmaterial (*zum Verpacken etc.*); Wattierung *f*; Watte *f.*
wad·dle [ˈwɒdl] **1.** watscheln; **2.** watschelnder Gang, Watscheln *n.*
wade [weɪd] *v/i.* waten; ~ *through fig.* F sich (hin)durcharbeiten; *v/t.* durchwaten.
wa·fer [ˈweɪfə] Waffel *f*; Oblate *f*; *eccl.* Hostie *f.*
waf·fle[1] [ˈwɒfl] Waffel *f.*
waf·fle[2] *Brt.* F [~] schwafeln.
waft [wɑːft] **1.** wehen; **2.** Hauch *m.*
wag [wæg] **1.** (*-gg-*) wackeln *od.* wedeln (mit); **2.** Schütteln *n*; Wedeln *n*; Spaßvogel *m.*
wage[1] [weɪdʒ] *Krieg* führen, *Feldzug* unternehmen (*on, against* gegen).
wage[2] [~] *mst ~s pl.* (Arbeits)Lohn *m*; **~-earn·er** *econ.* [ˈweɪdʒɜːnə] Lohnempfänger(in); ~ **freeze** *econ.* Lohnstopp *m*; ~ **pack·et** *econ.* Lohntüte *f.*
wa·ger [ˈweɪdʒə] **1.** Wette *f*; **2.** wetten.
wag·gish □ [ˈwægɪʃ] schelmisch.
wag·gle [ˈwægl] wackeln (mit).
wag·(g)on [ˈwægən] (Last-, Roll-) Wagen *m*; *Brt.* 🚂 (offener) Güterwagen; **~·er** [~nə] Fuhrmann *m.*
wag·tail *zo.* [ˈwægteɪl] Bachstelze *f.*
waif *lit.* [weɪf] verlassenes *od.* verwahrlostes Kind.
wail [weɪl] **1.** (Weh)Klagen *n*; **2.** (weh)klagen; schreien, wimmern, heulen (*a. Wind*).
wain·scot [ˈweɪnskət] (Wand)Täfelung *f.*
waist [weɪst] Taille *f*; schmalste Stelle; ⚓ Mitteldeck *n*; **~·coat** [ˈweɪskəʊt] Weste *f*; **~·line** [ˈweɪstlaɪn] *Schneiderei*: Taille *f.*
wait [weɪt] **1.** *v/i.* warten (*for* auf *acc.*); *a.* ~ *at* (*Am. on*) *table* bedienen, servieren; ~ *on*, ~ *upon j-n* bedienen; *v/t.* abwarten; **2.** Warten *n*; *lie in ~ for s.o.* j-m auflauern; **~·er** [ˈweɪtə] Kellner *m*; ~, *the bill* (*Am. check*), *please!* (Herr) Ober, bitte zahlen!
wait·ing [ˈweɪtɪŋ] Warten *n*; Dienst *m*; *in ~* diensttuend; **~-room** Wartezimmer *n*; 🚂 *etc.* Wartesaal *m.*
wait·ress [ˈweɪtrɪs] Kellnerin *f,* Bedienung *f*; ~, *the bill* (*Am. check*), *please!* Fräulein, bitte zahlen!
waive [weɪv] verzichten auf (*acc.*).
wake [weɪk] **1.** ⚓ Kielwasser *n* (*a. fig.*); *in the ~ of* im Kielwasser (*e-s Schiffes*); *fig.* im Gefolge (*gen.*); **2.** (*woke od. waked, woken od. waked*) *v/i. a.* ~ *up* aufwachen; *v/t. a.* ~ *up* (auf)wecken; *fig.* wachrufen; **~·ful** □ [ˈweɪkfl] wachsam; schlaflos;
wak·en [~ən] = *wake* 2.

wale [weɪl] Strieme(n *m*) *f*.

walk [wɔːk] **1.** *v/i*. gehen (*a. Sport*), zu Fuß gehen, laufen; spazierengehen; wandern; im Schritt gehen; ~ *out econ.* streiken; ~ *out on* F im Stich lassen; *v/t.* (zu Fuß) gehen; führen; *Pferd* im Schritt gehen lassen; begleiten; durchwandern; auf u. ab gehen in *od.* auf (*dat.*); **2.** (Spazier-) Gang *m*; Spazierweg *m*; ~ *of life* (soziale) Schicht; Beruf *m*; **~er** [ˈwɔːkə] Spaziergänger(in); *Sport*: Geher *m*; *be a good* ~ gut zu Fuß sein.

walk·ie-talk·ie [ˈwɔːkɪˈtɔːkɪ] Walkie-talkie *n*, tragbares Funksprechgerät.

walk·ing [ˈwɔːkɪŋ] (Zufuß)Gehen *n*; Spazierengehen *n*, Wandern *n*; *attr.* Spazier...; Wander...; ~ **pa·pers** *pl. Am.* F Laufpaß *m* (*Entlassung*); **~-stick** Spazierstock *m*; **~-tour** Wanderung *f*.

walk|-out *econ.* [ˈwɔːkaʊt] Ausstand *m*, Streik *m*; **~-over** Spaziergang *m*, leichter Sieg; **~-up** *Am.* (Miets-) Haus *n* ohne Fahrstuhl; Wohnung *f* in e-m Haus ohne Fahrstuhl.

wall [wɔːl] **1.** Wand *f*; Mauer *f*; **2.** *a.* ~ *in* mit e-r Mauer umgeben; ~ *up* zumauern.

wal·let [ˈwɒlɪt] Brieftasche *f*.

wall·flow·er *fig.* [ˈwɔːlflaʊə] Mauerblümchen *n*.

wal·lop F [ˈwɒləp] *j-n* verdreschen.

wal·low [ˈwɒləʊ] sich wälzen.

wall|-pa·per [ˈwɔːlpeɪpə] **1.** Tapete *f*; **2.** tapezieren; **~-sock·et** ⚡ (Wand-) Steckdose *f*; **~-to-~**: ~ *carpet* Spannteppich *m*; ~ *carpeting* Teppichboden *m*.

wal·nut ⚘ [ˈwɔːlnʌt] Walnuß(baum *m*) *f*.

wal·rus *zo.* [ˈwɔːlrəs] Walroß *n*.

waltz [wɔːls] **1.** Walzer *m*; **2.** Walzer tanzen.

wan □ [wɒn] (*-nn-*) blaß, bleich, fahl.

wand [wɒnd] Zauberstab *m*.

wan·der [ˈwɒndə] herumwandern, -laufen, umherstreifen; ⚠ *nicht in e-m Gebiet wandern* = *hike*; *fig.* abschweifen; irregehen; phantasieren.

wane [weɪn] **1.** abnehmen (*Mond*); *fig.* schwinden; **2.** Abnehmen *n*.

wan·gle F [ˈwæŋgl] *v/t.* deichseln, hinkriegen; *v/i.* mogeln.

want [wɒnt] **1.** Mangel *m* (*of* an *dat.*); Bedürfnis *n*; Not *f*; **2.** *v/i.* ermangeln (*for gen.*); *he ~s for nothing* es fehlt ihm an nichts; *v/t.* wünschen, (haben) wollen; bedürfen (*gen.*), brauchen; nicht (genug) haben; *it ~s s.th.* es fehlt an et. (*dat.*); *he ~s energy* es fehlt ihm an Energie; *~ed* gesucht; **~-ad** F [ˈwɒntæd] Stellenangebot *n*, -gesuch *n*; **~·ing** [~ɪŋ]: *be* ~ es fehlen lassen (*in* an *dat.*); unzulänglich sein.

wan·ton [ˈwɒntən] **1.** □ mutwillig; ausgelassen; **2.** herumtollen.

war [wɔː] **1.** Krieg *m*; *attr.* Kriegs...; *make od. wage* ~ Krieg führen (*on*, *against* gegen); **2.** (*-rr-*) streiten, kämpfen.

war·ble [ˈwɔːbl] trillern; trällern.

ward [wɔːd] **1.** (Krankenhaus)Station *f*, Abteilung *f*; Krankenzimmer *n*; (Gefängnis)Trakt *m*; Zelle *f*; (Stadt-, Wahl)Bezirk *m*; ⚖ Mündel *n*; *in* ~ ⚖ unter Vormundschaft (stehend); **2.** ~ *off* abwehren; **war·den** [ˈwɔːdn] Aufseher *m*; *univ.* Rektor *m*; *Am.* (Gefängnis)Direktor *m*; **~·er** [ˈwɔːdə] *Brt.* Aufsichtsbeamte(r) *m* (*im Gefängnis*).

war·drobe [ˈwɔːdrəʊb] Garderobe *f*; Kleiderschrank *m*; ~ *trunk* Schrankkoffer *m*.

ware [weə] *in Zssgn*: Ware(n *pl.*) *f*, Artikel *m od. pl.*; ⚠ *nicht* (*Einkaufs-*) *Ware*.

ware·house **1.** [ˈweəhaʊs] (Waren-) Lager *n*; Lagerhaus *n*, Speicher *m*; ⚠ *nicht Warenhaus*; **2.** [~z] auf Lager bringen, (ein)lagern.

war|fare [ˈwɔːfeə] Krieg(führung *f*) *m*; **~·head** ⚔ Spreng-, Gefechtskopf *m* (*e-r Rakete etc.*).

war·i·ness [ˈweərɪnɪs] Vorsicht *f*.

war·like [ˈwɔːlaɪk] kriegerisch.

warm [wɔːm] **1.** □ warm (*a. fig.*); heiß; *fig.* hitzig; **2.** *et.* Warmes; (Auf-, An)Wärmen *n*; **3.** *v/t. a.* ~ *up* (auf-, an-, er)wärmen; *v/i. a.* ~ *up* warm werden, sich erwärmen; warmlaufen (*Motor etc.*); **~th** [~θ] Wärme *f*.

warn [wɔːn] warnen (*of*, *against* vor *dat.*); verwarnen; ermahnen; verständigen; **~·ing** [ˈwɔːnɪŋ] (Ver-) Warnung *f*; Mahnung *f*; Kündigung *f*; *attr.* warnend, Warn...

warp [wɔːp] *v/i.* sich verziehen (*Holz*); *v/t. fig.* verdrehen, -zerren; beeinflussen; *j-n* abbringen (*from* von).

war|rant [ˈwɒrənt] **1.** Vollmacht *f*; Rechtfertigung *f*; Berechtigung *f*; ⚖ (Vollziehungs-, Haft- *etc.*)Befehl *m*; Berechtigungsschein *m*; ~ *of arrest* ⚖ Haftbefehl *m*; **2.** bevollmächtigen; rechtfertigen; verbürgen, garantieren; **~·ran·ty** *econ.* [~tɪ]: *it's still under* ~ darauf ist noch Garantie.

war·ri·or [ˈwɒrɪə] Krieger *m*.

wart [wɔːt] Warze *f*; Auswuchs *m*.

war·y □ [ˈweərɪ] (-*ier*, -*iest*) wachsam, vorsichtig.

was [wɒz, wəs] *1. und 3. sg. pret. von be*: war; *pret. pass. von be*: wurde.

wash [wɒʃ] **1.** *v/t.* waschen; (ab)spülen; ~ *up* abwaschen, abspülen; *v/i.* sich waschen (lassen); *vom Wasser* gespült *od.* geschwemmt werden; ~ *up Brt.* Geschirr spülen; **2.** Waschen *n*; Wäsche *f*; Wellenschlag *m*; Spülwasser *n*; *mouth*~ Mundwasser *n*; **3.** Wasch...; **~·a·ble** [ˈwɒʃəbl] waschbar; **~-and-wear** bügelfrei; pflegeleicht; **~-ba·sin** Waschbecken *n*; **~-cloth** *Am.* Waschlappen *m*; **~·er** [ˈwɒʃə] Wäscherin *f*; Waschmaschine *f*; = *dishwasher*; ⊕ Unterlegscheibe *f*; **~·er·wom·an** (*pl.* -*women*) Waschfrau *f*; **~·ing** [ˈwɒʃɪŋ] **1.** Waschen *n*; Wäsche *f*; ~*s pl.* Spülwasser *n*; **2.** Wasch...; **~·ing ma·chine** Waschmaschine *f*; **~·ing pow·der** Waschpulver *n*, -mittel *n*; **~·ing-up** *Brt.* Abwasch *m*; **~·rag** *Am.* Waschlappen *m*; **~·y** [ˈwɒʃɪ] (-*ier*, -*iest*) wässerig, wäßrig.

wasp *zo.* [wɒsp] Wespe *f*.

wast·age [ˈweɪstɪdʒ] Verlust *m*; Vergeudung *f*.

waste [weɪst] **1.** wüst, öde; unbebaut; überflüssig; Abfall...; *lay* ~ verwüsten; **2.** Verschwendung *f*, -geudung *f*; Abfall *m*; Ödland *n*, Wüste *f*; **3.** *v/t.* verwüsten; verschwenden; verzehren; *v/i.* verschwendet werden; **~·ful** □ [ˈweɪstfl] verschwenderisch; ~ **paper** Abfallpapier *n*; Altpapier *n*; **~-pa·per bas·ket** [weɪstˈpeɪpəbɑːskɪt] Papierkorb *m*; ~ **pipe** [ˈweɪstpaɪp] Abflußrohr *n*.

watch [wɒtʃ] **1.** Wache *f*; (Taschen-, Armband)Uhr *f*; **2.** *v/i.* zusehen, zuschauen; wachen; ~ *for* warten auf (*acc.*); ~ *out* (*for*) aufpassen, achtgeben (auf *acc.*); sich hüten (vor *dat.*); ~ *out!* Achtung!, Vorsicht!; *v/t.* bewachen; beobachten; achtgeben auf (*acc.*); *Gelegenheit* abwarten; **~·dog** [ˈwɒtʃdɒg] Wachhund *m*; *fig.* Überwacher(in); **~·ful** □ [~fl] wachsam; **~·mak·er** Uhrmacher *m*; **~·man** [~mən] (*pl.* -*men*) (Nacht)Wächter *m*; **~·word** Kennwort *n*, Parole *f*.

wa·ter [ˈwɔːtə] **1.** Wasser *n*; Gewässer *n*; *drink the* ~*s* Brunnen trinken; **2.** *v/t.* bewässern; (be)sprengen; (be-)gießen; mit Wasser versorgen; tränken; verwässern (*a. fig.*); *v/i.* wässern (*Mund*); tränen (*Augen*); ~ **clos·et** (Wasser)Klosett *n*; **~-col·o(u)r** Wasser-, Aquarellfarbe *f*; Aquarell(malerei *f*) *n*; **~·course** Wasserlauf *m*; Fluß-, Strombett *n*; Kanal *m*; **~·cress** ⚘ Brunnenkresse *f*; **~·fall** Wasserfall *m*; **~·front** an ein Gewässer grenzender Stadtbezirk, Hafengebiet *n*, -viertel *n*; ~ **ga(u)ge** ⊕ Wasserstands(an)zeiger *m*; Pegel *m*; **~·hole** Wasserloch *n*.

wa·ter·ing [ˈwɔːtərɪŋ] Bewässern *n*; (Be)Gießen *n*; Tränken (*von Vieh*); **~-can** Gießkanne *f*; **~-place** Wasserstelle *f*; Tränke *f*; Bad(eort *m*) *n*; Seebad *n*; **~-pot** Gießkanne *f*.

wa·ter| lev·el [ˈwɔːtəlevl] Wasserspiegel *m*; Wasserstand(slinie *f*) *m*; ⊕ Wasserwaage *f*; **~·logged** [~lɒgd] ⚓ voll Wasser (*Boot*); vollgesogen (*Erdreich*); ~ **main** ⊕ Hauptwasserrohr *n*; **~·mark** Wasserzeichen *n* (*Papier*); **~·mel·on** ⚘ Wassermelone *f*; ~ **pol·lu·tion** Wasserverschmutzung *f*; ~ **po·lo** *Sport*: Wasserball(spiel *n*) *m*; **~·proof 1.** wasserdicht; **2.** Regenmantel *m*; **3.** imprägnieren; **~·shed** *geogr.* Wasserscheide *f*; *fig.* Wendepunkt *m*; **~·side** Fluß-, Seeufer *n*; ~ **ski·ing** *Sport*: Wasserski(laufen) *n*; **~·tight** wasserdicht; *fig.* unanfechtbar; stichhaltig (*Argument*); **~·way** Wasserstraße *f*; **~·works** *oft sg.* Wasserwerk *n*; *turn on the* ~ *fig.* F losheulen; **~·y** [~rɪ] wässerig, wäßrig.

watt ⚡ [wɒt] Watt *n*.

wave [weɪv] **1.** Welle *f* (*a. phys.*); Woge *f*; Winken *n*; **2.** *v/t.* wellen; schwingen; schwenken; ~ *s.o. aside* j-n beiseite winken; *v/i.* wogen; wehen, flattern; ~ *at od. to s.o.* j-m (zu)winken, j-m ein Zeichen geben; **~·length** [ˈweɪvleŋθ] *phys.* Wellenlänge *f* (*a. fig.*).

wa·ver [ˈweɪvə] (sch)wanken; flackern.

wav·y □ [ˈweɪvɪ] (*-ier*, *-iest*) wellig; wogend.
wax¹ [wæks] **1.** Wachs *n*; Siegellack *m*; Ohrenschmalz *n*; **2.** wachsen; bohnern.
wax² [~] zunehmen (*Mond*).
wax|en *fig.* [ˈwæksən] wächsern; **~·works** *sg.* Wachsfigurenkabinett *n*; **~·y** □ [~ɪ] (*-ier*, *-iest*) wachsartig; weich.
way [weɪ] **1.** Weg *m*; Straße *f*; Art *f* u. Weise *f*; (Eigen)Art; Strecke *f*; Richtung *f*; *fig.* Hinsicht *f*; *~ in* Eingang *m*; *~ out* Ausgang *m*; *fig.* Ausweg *m*; *right of ~* ⚖ Wegerecht *n*; *bsd. mot.* Vorfahrt(srecht *n*) *f*; *this ~* hierher, hier entlang; *by the ~* übrigens; *by ~ of* durch; *on the ~, on one's ~* unterwegs; *out of the ~* ungewöhnlich; *under ~* in Fahrt; *give ~* zurückweichen; *mot.* die Vorfahrt lassen (*to dat.*); nachgeben; abgelöst werden (*to* von); sich hingeben (*to dat.*); *have one's ~* s-n Willen haben; *lead the ~* vorangehen; **2.** *adv.* weit; **~·bill** [ˈweɪbɪl] Frachtbrief *m*; **~·far·er** *veraltet od. lit.* [~feərə] Wanderer *m*; **~·lay** [weɪˈleɪ] (*-laid*) *j-m* auflauern; *j-n* abfangen, abpassen; **~-out** F äußerst ungewöhnlich; toll, super; **~·side** [ˈweɪsaɪd] **1.** Wegrand *m*; **2.** am Wege; **~ sta·tion** *Am.* Zwischenstation *f*; **~ train** *Am.* Bummelzug *m*; **~·ward** □ [~wəd] launisch; eigensinnig.
we [wiː, wɪ] wir.
weak □ [wiːk] schwach; schwächlich; dünn (*Getränk*); **~·en** [ˈwiːkən] *v/t.* schwächen; *v/i.* schwach werden; **~·ling** [~lɪŋ] Schwächling *m*; **~·ly** [~lɪ] (*-ier*, *-iest*) schwächlich; **~-mind·ed** [wiːkˈmaɪndɪd] schwachsinnig; **~·ness** [ˈwiːknɪs] Schwäche *f*.
weal [wiːl] Strieme(n *m*) *f*.
wealth [welθ] Reichtum *m*; *econ.* Besitz *m*, Vermögen *n*; *fig.* Fülle *f*; **~·y** □ [ˈwelθɪ] (*-ier*, *-iest*) reich; wohlhabend.
wean [wiːn] entwöhnen; *~ s.o. from s.th.* j-m et. abgewöhnen.
weap·on [ˈwepən] Waffe *f*.
wear [weə] **1.** (*wore*, *worn*) *v/t. am Körper* tragen; zur Schau tragen; *a. ~ away*, *~ down*, *~ off*, *~ out Kleidung etc.* abnutzen, abtragen, verschleißen, *Reifen* abfahren; *a. ~ out* ermüden; *j-s Geduld* erschöpfen; *a. ~ away*, *~ down* zermürben; entkräften; *v/i.* sich *gut etc.* tragen *od.* halten; *a. ~ away*, *~ down*, *~ off*, *~ out* sich abnutzen *od.* abtragen, verschleißen; sich abfahren (*Reifen*); *~ off fig.* sich verlieren; *~ on* sich dahinschleppen (*Zeit etc.*); *~ out fig* sich erschöpfen; **2.** Tragen *n*; (Be-Kleidung *f*; Abnutzung *f*; *for hard ~* strapazierfähig; *the worse for ~* abgetragen; **~ and tear** Verschleiß *m*; **~·er** [ˈweərə] Träger(in).
wear|i·ness [ˈwɪərɪnɪs] Müdigkeit *f*; Überdruß *m*; **~·i·some** □ [~səm] ermüdend; langweilig; **~·y** [ˈwɪərɪ] **1** □ (*-ier*, *-iest*) müde; überdrüssig; ermüdend; anstrengend; **2.** ermüden; überdrüssig werden (*of gen.*).
wea·sel *zo.* [ˈwiːzl] Wiesel *n*.
weath·er [ˈweðə] **1.** Wetter *n*, Witterung *f*; **2.** *v/t.* dem Wetter aussetzen; ⚓ *Sturm* abwettern; *fig.* überstehen; *v/i.* verwittern; **~-beat·en** vom Wetter mitgenommen; **~ bu·reau** Wetteramt *n*; **~ chart** Wetterkarte *f*; **~ fore·cast** Wetterbericht *m*, -vorhersage *f*; **~-worn** verwittert.
weave [wiːv] (*wove*, *woven*) weben; flechten; *fig.* ersinnen, erfinden.
weav·er [ˈwiːvə] Weber *m*.
web [web] Gewebe *n*, Netz *n*; *zo.* Schwimm-, Flughaut *f*; **~·bing** [ˈwebɪŋ] Gurtband *n*.
wed [wed] (*-dd-*; *wedded od. selten wed*) heiraten; *fig.* verbinden (*to* mit); **~·ding** [ˈwedɪŋ] **1.** Hochzeit *f*; **2.** Hochzeits..., Braut..., Trau...; *~ ring* Ehe-, Trauring *m*.
wedge [wedʒ] **1.** Keil *m*; **2.** (ver)keilen; (ein)keilen, (-)zwängen (*in* in *acc.*).
wed·lock [ˈwedlɒk]: *born in* (*out of*) *~* ehelich (unehelich) geboren.
Wednes·day [ˈwenzdɪ] Mittwoch *m*.
wee [wiː] klein, winzig; *a ~ bit* ein klein wenig.
weed [wiːd] **1.** Unkraut *n*; **2.** jäten; säubern (*of* von); *~ out fig.* aussondern, -sieben; **~-kill·er** [ˈwiːdkɪlə] Unkrautvertilgungsmittel *n*; **~s** [wiːdz] *pl. mst widow's ~* Witwenkleidung *f*; **~·y** [ˈwiːdɪ] (*-ier*, *-iest*) voll Unkraut, verunkrautet; F schmächtig.
week [wiːk] Woche *f*; *this day ~* heute in *od.* vor e-r Woche; **~·day** [ˈwiːkdeɪ] Wochentag *m*; **~·end** [wiːkˈend] Wochenende *n*; **~·end·er** [~ə] Wo-

chenendausflügler(in); **~·ly** ['wi:klɪ] **1.** wöchentlich; Wochen...; **2.** *a.* ~ *paper* Wochenblatt *n*, Wochen(zeit)schrift *f*.
weep [wi:p] (*wept*) weinen; tropfen; **~·ing** ['wi:pɪŋ]: ~ *willow* ⚘ Trauerweide *f*; **~·y** F [~ɪ] (*-ier, -iest*) weinerlich; rührselig, sentimental.
weigh [weɪ] *v/t.* (ab)wiegen; *fig.* ab-, erwägen; ~ *anchor* ⚓ den Anker lichten; ~*ed down* niedergedrückt; *v/i.* wiegen (*a. fig.*); ausschlaggebend sein; ~ *on*, ~ *upon* lasten auf (*dat.*).
weight [weɪt] **1.** Gewicht *n* (*a. fig.*); Last *f*; *fig.* Bedeutung *f*; *fig.* Last *f*, Bürde *f*; *put on* ~, *gain* ~ zunehmen; *lose* ~ abnehmen; **2.** beschweren; belasten; **~·less** ['weɪtlɪs] schwerelos; **~·less·ness** [~nɪs] Schwerelosigkeit *f* (*a. Raumfahrt*); ~ **lift·ing** [~lɪftɪŋ] *Sport*: Gewichtheben *n*; **~·y** □ [~ɪ] (*-ier, -iest*) (ge)wichtig; wuchtig.
weir [wɪə] Wehr *n*; Fischreuse *f*.
weird □ [wɪəd] Schicksals...; unheimlich; F sonderbar, seltsam.
wel·come ['welkəm] **1.** willkommen; *you are* ~ *to inf.* es steht Ihnen frei, zu *inf.*; (*you are*) ~*!* nichts zu danken!, bitte sehr!; **2.** Willkomm(en *n*) *m*; **3.** willkommen heißen; *fig.* begrüßen.
weld ⊕ [weld] (ver-, zusammen-) schweißen.
wel·fare ['welfeə] Wohl(ergehen) *n*; Sozialhilfe *f*; Wohlfahrt *f*; ~ **state** *pol.* Wohlfahrtsstaat *m*; ~ **work** Sozialarbeit *f*; ~ **work·er** Sozialarbeiter(in).
well[1] [wel] **1.** Brunnen *m*; Quelle *f*; ⊕ Bohrloch *n*; Fahrstuhl-, Licht-, Luftschacht *m*; **2.** quellen.
well[2] [~] **1.** (*better, best*) wohl; gut; ordentlich, gründlich; gesund; *be* ~, *feel* ~ sich wohl fühlen; *be* ~ *off* in guten Verhältnissen leben, wohlhabend sein; **2.** *int.* nun!, na!; **~-bal·anced** [wel'bælənst] ausgewogen (*Diät*); (innerlich) ausgeglichen; **~-be·ing** Wohl(befinden) *n*; **~-born** aus guter Familie; **~-bred** wohlerzogen; **~-de·fined** deutlich; klar umrissen; **~-done** gutgemacht; (gut) durchgebraten (*Fleisch*); **~-in·ten·tioned** [~ɪn'tenʃnd] wohlmeinend; gutgemeint; **~-known** bekannt; **~-man·nered** mit guten Manieren; **~-nigh** ['welnaɪ] beinahe; **~-off** [wel'ɒf] wohlhabend; **~-read** belesen; **~-timed** (zeitlich) günstig, im richtigen Augenblick; *Sport*: gutgetimed (*Paß etc.*); **~-to-do** wohlhabend; **~-worn** abgetragen; *fig.* abgedroschen.
Welsh [welʃ] **1.** walisisch; **2.** *ling.* Walisisch *n*; *the* ~ *pl.* die Waliser *pl.*; ~ **rab·bit,** ~ **rare·bit** überbackener Käsetoast.
welt [welt] Strieme(n *m*) *f*.
wel·ter ['weltə] Wirrwarr *m*, Durcheinander *n*.
wench *veraltet* [wentʃ] (*bsd.* Bauern-) Mädchen *n*.
went [went] *pret. von go 1.*
wept [wept] *pret. u. p.p. von weep.*
were [wɜ:, wə] **1.** *pret. von be*: *du* warst, *Sie* waren, *wir, sie* waren, *ihr* wart; **2.** *pret. pass. von be*: wurde(n); **3.** *subj. pret. von be*: wäre(n).
west [west] **1.** West(en *m*); *a.* Westen *m*, westlicher Landesteil; *the* ♀ der Westen, die Weststaaten *pl.* (*der USA*); *pol.* der Westen; **2.** West..., westlich; **3.** westwärts, nach Westen; **~·er·ly** ['westəlɪ] westlich; **~·ern** [~ən] **1.** westlich; **2.** Western *m*, Wildwestfilm *m*; **~·ward(s)** [~wəd(z)] westwärts.
wet [wet] **1.** naß, feucht; **2.** Nässe *f*, Feuchtigkeit *f*; **3.** (*-tt-*; *wet od wetted*) naß machen, anfeuchten.
weth·er *zo.* ['weðə] Hammel *m*.
wet-nurse ['wetnɜ:s] Amme *f*.
whack [wæk] (knallender) Schlag; F (An)Teil *m*; **~ed** [~t] fertig, erledigt (*erschöpft*); **~·ing** ['wækɪŋ] **1.** F Mords...; **2.** (Tracht *f*) Prügel *pl.*
whale *zo.* [weɪl] Wal *m*; **~·bone** ['weɪlbəʊn] Fischbein *n*; ~ **oil** Tran *m*.
whal|er ['weɪlə] Walfänger *m* (*a. Schiff*); **~·ing** [~ɪŋ] Walfang *m*.
wharf [wɔ:f] (*pl. wharfs, wharves* [~vz]) Kai *m*.
what [wɒt] **1.** was; wie; was für ein(e), welche(r, -s), *vor pl.*: was für; (das,) was; *know* ~*'s* ~ Bescheid wissen; ~ *about ...?* wie steht's mit ...?; ~ *for?* wozu?; ~ *of it?*, *so* ~*?* na und?; ~ *next?* was sonst noch?; *iro.* sonst noch was?, das fehlte noch!; ~ *a blessing!* was für ein Segen!; ~ *with ...*, ~ *with ...* teils durch ..., teils durch ...; **2.** *int.* was!, wie!; *fragend*: was?, wie?; **~·(so·)ev·er**

[wɒt(səʊ)ˈevə] was (auch immer); alles, was.
wheat ⚘ [wiːt] Weizen *m.*
whee·dle [ˈwiːdl] beschwatzen; ~ *s.th. out of s.o.* j-m et. abschwatzen.
wheel [wiːl] **1.** Rad *n*; Steuer(rad) *n*; Lenkrad *n*; *bsd. Am.* F (Fahr)Rad *n*; Töpferscheibe *f*; Drehung *f*; ⚔ Schwenkung *f*; **2.** rollen, fahren, schieben; sich drehen; ⚔ schwenken; *bsd. Am.* F radeln; **~·bar·row** [ˈwiːlbærəʊ] Schubkarre(n *m*) *f*; **~·chair** Rollstuhl *m*; **~ed** mit Rädern; fahrbar; *in Zssgn*: ...räd(e)rig.
-wheel·er [ˈwiːlə] *in Zssgn*: Wagen *od.* Fahrzeug mit ... Rädern.
wheeze [wiːz] schnaufen, keuchen.
whelp [welp] **1.** *zo.* Welpe *m*; Junge(s) *n*; F Balg *m*, *n* (*ungezogenes Kind*); **2.** (Junge) werfen.
when [wen] **1.** wann; **2.** wenn; als; während, obwohl, wo ... (doch).
whence [wens] woher, von wo.
when·(so·)ev·er [wen(səʊ)ˈevə] (immer) wenn, sooft (als); *fragend*: wann denn.
where [weə] wo; wohin; ~ ... *from?* woher?; ~ ... *to?* wohin?; **~·a·bouts** **1.** [weərəˈbaʊts] wo etwa; **2.** [ˈweərəbaʊts] Aufenthalt(sort) *m*, Verbleib *m*; **~·as** [weərˈæz] wohingegen, während (doch); **~·at** [~rˈæt] woran, wobei, worauf; **~·by** [weəˈbaɪ] wodurch; **~·fore** [ˈweəfɔː] weshalb; **~·in** [weərˈɪn] worin; **~·of** [~rˈɒv] wovon; **~·u·pon** [~rəˈpɒn] worauf(hin); **wher·ev·er** [~rˈevə] wo(hin) (auch) immer; **~·with·al** [ˈweəwɪðɔːl] *die* (nötigen) Mittel *pl.*, *das* nötige (Klein)Geld.
whet [wet] (*-tt-*) wetzen, schärfen; *fig.* anstacheln.
wheth·er [ˈweðə] ob; ~ *or no* so oder so.
whet·stone [ˈwetstəʊn] Schleifstein *m.*
whey [weɪ] Molke *f.*
which [wɪtʃ] **1.** welche(r, -s); **2.** der, die, das; was; **~·ev·er** [~ˈevə] welche(r, -s) (auch) immer.
whiff [wɪf] **1.** Hauch *m*; Duftwolke *f*, Geruch *m*; F Zigarillo *m*, *n*; Zug *m* (*beim Rauchen*); *have a few* ~*s* ein paar Züge machen; **2.** paffen; F duften (*unangenehm riechen*).
while [waɪl] **1.** Weile *f*, Zeit *f*; *for a* ~ e-e Zeitlang; **2.** *mst* ~ *away* sich *die Zeit* vertreiben; verbringen; **3.** *a.* **whilst** [waɪlst] während.
whim [wɪm] Laune *f*, Grille *f.*
whim·per [ˈwɪmpə] **1.** wimmern, winseln; **2.** Wimmern *n*, Winseln; ⚠ *nicht Wimper.*
whim|si·cal □ [ˈwɪmzɪkl] wunderlich; launisch (*a. Wetter etc.*); **~·sy** [ˈwɪmzɪ] Grille *f*, Laune *f.*
whine [waɪn] winseln; wimmern.
whin·ny [ˈwɪnɪ] wiehern.
whip [wɪp] **1.** (*-pp-*) *v/t.* peitschen; geißeln (*a. fig.*); *j-n* verprügeln; schlagen; *a. Eier, Sahne* schlagen; ~*ped cream* Schlagsahne *f*, -rahm *m*; ~*ped eggs pl.* Eischnee *m*; *v/i.* sausen, flitzen; **2.** Peitsche *f*; (Reit-) Gerte *f.*
whip·ping [ˈwɪpɪŋ] (Tracht *f*) Prügel *pl.*; **~-top** Kreisel *m.*
whip·poor·will *zo.* [ˈwɪppʊəwɪl] Ziegenmelker *m.*
whirl [wɜːl] **1.** wirbeln; (sich) drehen; **2.** Wirbel *m*, Strudel *m*; **~·pool** [ˈwɜːlpuːl] Strudel *m*; **~·wind** [~wɪnd] Wirbelwind *m*, -sturm *m.*
whir(r) [wɜː] (*-rr-*) schwirren.
whisk [wɪsk] **1.** schnelle *od.* heftige Bewegung; Wisch *m*; Staubwedel *m*; *Küche*: Schneebesen *m*; **2.** *v/t.* (ab-, weg)wischen, (ab-, weg)fegen; *mit dem Schwanz* schlagen; *Eier* schlagen; ~ *away* schnell verschwinden lassen, wegnehmen; *v/i.* huschen, flitzen. **whis·ker** [ˈwɪskə] Barthaar *n*; ~*s pl.* Backenbart *m.*
whis·per [ˈwɪspə] **1.** flüstern; **2.** Flüstern *n*, Geflüster *n*; *in a* ~, *in* ~*s* flüsternd, im Flüsterton.
whis·tle [ˈwɪsl] **1.** pfeifen; **2.** Pfeife *f*; Pfiff *m*; F Kehle *f*; ~ **stop** *Am.* 🚂 Bedarfshaltestelle *f*; Kleinstadt *f*; *pol.* kurzes Auftreten (*e-s Kandidaten im Wahlkampf*).
Whit [wɪt] *in Zssgn*: Pfingst...
white [waɪt] **1.** (~*r*, ~*st*) weiß; rein; F anständig; Weiß...; **2.** Weiß(e) *n*; Weiße(r *m*) *f* (*Rasse*); **~-col·lar** [waɪtˈkɒlə] Büro...; ~ *worker* (Büro-) Angestellte(r *m*) *f*; ~ **heat** Weißglut *f*; ~ **lie** Notlüge *f*, fromme Lüge; **whit·en** [ˈwaɪtn] weiß machen *od.* werden; bleichen; **~·ness** [~nɪs] Weiße *f*; Blässe *f*; **~·wash** **1.** Tünche *f*; **2.** weißen, tünchen; *fig.* reinwaschen.
whit·ish [ˈwaɪtɪʃ] weißlich.
Whit·sun [ˈwɪtsn] Pfingst...; **~·tide** Pfingsten *n od. pl.*

whit·tle [ˈwɪtl] schnitze(l)n; ~ *away* schwächen, beschneiden, herabsetzen, kürzen.
whiz(z) [wɪz] (*-zz-*) zischen, sausen.
who [huː, hʊ] wer; welche(r, -s), der, die, das.
who·dun(n)·it F [huːˈdʌnɪt] Krimi *m* (*Kriminalroman, -stück, -film*).
who·ev·er [huːˈevə] wer (auch) immer.
whole [həʊl] **1.** □ ganz; voll(ständig); heil, unversehrt; **2.** Ganze(s) *n*; *the ~ of London* ganz London; *on the ~* im großen (u.) ganzen; im allgemeinen; **~-hearted** □ [həʊlˈhɑːtɪd] aufrichtig; **~·meal** [ˈhəʊlmiːl] Vollkorn...; *~ bread* Vollkornbrot *n*; **~·sale 1.** *econ.* Großhandel *m*; **2.** *econ.* Großhandels...; *fig.* Massen...; *~ dealer* = **~·sal·er** [~ə] *econ.* Großhändler *m*; **~·some** □ [~səm] gesund; ~ **wheat** *bsd. Am.* = *wholemeal.*
whol·ly *adv.* [ˈhəʊllɪ] ganz, gänzlich.
whom [huːm, hʊm] *Objektkasus von who.*
whoop [huːp] **1.** (*bsd.* Freuden)Schrei *m*; ⚕ Keuchen *n* (*bei Keuchhusten*); **2.** schreien, *a.* ~ *with joy* jauchzen; ~ *it up* F auf den Putz hauen (*ausgelassen feiern*); **~·ee** F [ˈwʊpiː]: *make* ~ auf den Putz hauen (*ausgelassen feiern*); **~·ing-cough** ⚕ [ˈhuːpɪŋkɒf] Keuchhusten *m*.
whore [hɔː] Hure *f*.
whose [huːz] *gen. sg. u. pl. von who.*
why [waɪ] **1.** warum, weshalb; ~ *so?* wieso?; **2.** *int.* nun (gut); ja doch.
wick [wɪk] Docht *m*.
wick·ed □ [ˈwɪkɪd] böse, schlecht, schlimm; **~·ness** [~nɪs] Bosheit *f*.
wick·er [ˈwɪkə] aus Weiden geflochten, Weiden..., Korb...; ~ *basket* Weidenkorb *m*; ~ *bottle* Korbflasche *f*; ~ *chair* Korbstuhl *m*; ~ *work* Korbwaren *pl.*; Flechtwerk *n*.
wick·et [ˈwɪkɪt] Pförtchen *n*; *Kricket*: Dreistab *m*, Tor *n*.
wide [waɪd] *adj.* □ *u. adv.* weit; ausgedehnt; großzügig; breit; weitab; ~ *awake* völlig (*od.* hell)wach; aufgeweckt, wach; *3 feet* ~ 3 Fuß breit; **wid·en** [ˈwaɪdn] (sich) verbreitern; (sich) erweitern (*Wissen etc.*); **~-o·pen** [ˈwaɪdˈəʊpən] weitgeöffnet; *Am.* äußerst großzügig (*in der Gesetzesdurchführung*); **~·spread** weitverbreitet; ausgedehnt.
wid·ow [ˈwɪdəʊ] Witwe *f*; *attr.* Witwen...; **~ed** verwitwet; **~·er** [~ə] Witwer *m*.
width [wɪdθ] Breite *f*, Weite *f*.
wield [wiːld] *Einfluß etc.* ausüben.
wife [waɪf] (*pl. wives* [~vz]) (Ehe-) Frau *f*, Gattin *f*.
wig [wɪg] Perücke *f*.
wild [waɪld] **1.** *adj.* □ wild; toll; rasend; wütend; ausgelassen; planlos; ~ *about* (ganz) verrückt nach; **2.** *adv.*: *run* ~ verwildern (*Garten etc.*; *a. fig. Kinder etc.*); *talk* ~ (wild) drauflosreden; dummes Zeug reden; **3.** *a.* ~*s pl.* Wildnis *f*; **~·cat** [ˈwaɪldkæt] **1.** *zo.* Wildkatze *f*; *econ. Am.* Schwindelunternehmen *n*; **2.** wild (*Streik*); *econ. Am.* Schwindel...; **wil·der·ness** [ˈwɪldənɪs] Wildnis *f*, Wüste *f*; **~·fire** [ˈwaɪldfaɪə]: *like* ~ wie ein Lauffeuer; **~·life** *coll.* wildlebende Tiere (u. wildwachsende Pflanzen).
wile [waɪl] List *f*; ~*s pl. a.* Schliche *pl.*
will [wɪl] **1.** Wille *m*; Wunsch *m*; Testament *n*; *of one's own free* ~ aus freien Stücken; **2.** *v/aux.* (*pret. would*; *verneint*: ~ *not, won't*) *ich, du etc.* will(st) *etc.*; *ich* werde, *wir* werden; wollen; werden; **3.** wollen; durch Willenskraft zwingen; entscheiden; ⚖ vermachen.
wil(l)·ful □ [ˈwɪlfl] eigensinnig; absichtlich, *bsd.* ⚖ vorsätzlich.
will·ing □ [ˈwɪlɪŋ] *pred.* gewillt, willens, bereit; (bereit)willig.
will-o'-the-wisp [ˈwɪləðəˈwɪsp] Irrlicht *n*.
wil·low ⚘ [ˈwɪləʊ] Weide *f*; **~·y** *fig.* [~ɪ] geschmeidig; gertenschlank.
will·pow·er [ˈwɪlpaʊə] Willenskraft *f*.
wil·ly-nil·ly [ˈwɪlɪˈnɪlɪ] wohl oder übel.
wilt [wɪlt] (ver)welken.
wi·ly □ [ˈwaɪlɪ] (*-ier, -iest*) listig, gerissen.
win [wɪn] **1.** (*-nn-*; *won*) *v/t.* gewinnen; erringen; erlangen; erreichen; *j-n* dazu bringen (*to do* zu tun); ~ *s.o. over od. round* j-n für sich gewinnen; *v/i.* gewinnen, siegen; **2.** *Sport*: Sieg *m*.
wince [wɪns] (zusammen)zucken.
winch [wɪntʃ] Winde *f*; Kurbel *f*.
wind[1] [wɪnd] **1.** Wind *m*; Atem *m*, Luft *f*; ⚕ Blähung(en *pl.*) *f*; *the ~ sg. od. pl.* ♪ die Bläser; **2.** *hunt.* wittern;

außer Atem bringen; verschnaufen lassen.

wind² [waɪnd] (*wound*) *v/t.* winden, wickeln, schlingen; kurbeln; (*winded od. wound*) *Horn* blasen; ~ *up Uhr* aufziehen; *Rede etc.* beschließen; *v/i.* sich winden; sich schlängeln; ~ *up* (*bsd.* s-e Rede) schließen (*by saying* mit den Worten); F enden, landen.

wind|bag F [ˈwɪndbæg] Schwätzer *m*; **~·fall** Fallobst *n*; Glücksfall *m*.

wind·ing [ˈwaɪndɪŋ] **1.** Windung *f*; **2.** sich windend; ~ *stairs pl.* Wendeltreppe *f*; ~ **sheet** Leichentuch *n*.

wind-in·stru·ment ♪ [ˈwɪndɪnstrʊmənt] Blasinstrument *n*.

wind·lass ⊕ [ˈwɪndləs] Winde *f*.

wind·mill [ˈwɪnmɪl] Windmühle *f*.

win·dow [ˈwɪndəʊ] Fenster *n*; Schaufenster *n*; Schalter *m*; **~-dress·ing** Schaufensterdekoration *f*; *fig.* Aufmachung *f*, Mache *f*; ~ **shade** *Am.* Rouleau *n*; ~ **shop·ping** Schaufensterbummel *m*; *go* ~ e-n Schaufensterbummel machen.

wind|pipe *anat.* [ˈwɪndpaɪp] Luftröhre *f*; **~·screen,** *Am.* **~·shield** *mot.* Windschutzscheibe *f*; ~ *wiper* Scheibenwischer *m*; **~·surf·ing** *Sport*: Windsurfing *n*, -surfen *n*.

wind·y □ [ˈwɪndɪ] (*-ier*, *-iest*) windig (*a. fig. inhaltlos*); geschwätzig.

wine [waɪn] Wein *m*; **~·press** [ˈwaɪnpres] (Wein)Kelter *f*.

wing [wɪŋ] **1.** Flügel *m* (*a.* ⚔ *u. arch.*, *Sport*, *pol.*); Schwinge *f*; *Brt. mot.* Kotflügel *m*; ✈ Tragfläche *f*; ✈, ⚔ Geschwader *n*; ~*s pl. thea.* Seitenkulisse *f*; *take* ~ weg-, auffliegen; *on the* ~ im Flug; **2.** fliegen; *fig.* beflügeln.

wink [wɪŋk] **1.** Blinzeln *n*, Zwinkern *n*; *not get a* ~ *of sleep* kein Auge zutun; *s. forty*; **2.** blinzeln *od.* zwinkern (mit); blinken (*Licht*); ⚠ *nicht winken*; ~ *at j-m* zublinzeln; *fig.* ein Auge zudrücken bei *et.*

win|ner [ˈwɪnə] Gewinner(in); Sieger(in); **~·ning** [ˈwɪnɪŋ] **1.** □ einnehmend, gewinnend; **2.** ~*s pl.* Gewinn *m*.

win|ter [ˈwɪntə] **1.** Winter *m*; **2.** überwintern; den Winter verbringen; **~·ter sports** *pl.* Wintersport *m*; **~·try** [~rɪ] winterlich; *fig.* frostig.

wipe [waɪp] (ab-, auf)wischen; reinigen; (ab)trocknen; ~ *out* auswischen; wegwischen, (aus)löschen; *fig.* vernichten; ~ *up* aufwischen; *Geschirr* abtrocknen; **wip·er** *mot.* [ˈwaɪpə] Scheibenwischer *m*.

wire [ˈwaɪə] **1.** Draht *m*; ⚡ Leitung *f*; F Telegramm *n*; *pull the* ~*s* der Drahtzieher sein; s-e Beziehungen spielen lassen; **2.** (ver)drahten; telegrafieren; **~drawn** spitzfindig; **~less** [~lɪs] **1.** □ drahtlos, Funk...; **2.** *Brt.* Radio(apparat *m*) *n*; *on the* ~ im Radio *od.* Rundfunk; **3.** funken; **~ net·ting** [waɪəˈnetɪŋ] Maschendraht *m*; **~·tap** [ˈwaɪətæp] (*-pp-*) Telefongespräche abhören, die Telefonleitung anzapfen.

wir·y □ [ˈwaɪərɪ] (*-ier*, *-iest*) drahtig, sehnig.

wis·dom [ˈwɪzdəm] Weisheit *f*, Klugheit *f*; ~ *tooth* Weisheitszahn *m*.

wise¹ □ [waɪz] (~*r*, ~*st*) weise, klug; verständig; erfahren; ~ *guy* F Klugscheißer *m*.

wise² *veraltet* [~] Weise *f*, Art *f*.

wise·crack F [ˈwaɪzkræk] **1.** witzige Bemerkung; **2.** witzeln.

wish [wɪʃ] **1.** wünschen; wollen; ~ *for* (sich) *et.* wünschen; ~ *s.o. well* (*ill*) j-m Gutes (Böses) wünschen; **2.** Wunsch *m*; **~·ful** □ [ˈwɪʃfl] sehnsüchtig; ~ *thinking* Wunschdenken *n*.

wish·y-wash·y [ˈwɪʃɪˈwɒʃɪ] wäßrig, dünn; *fig.* seicht, saft- u. kraftlos.

wisp [wɪsp] Bündel *n*; Strähne *f*.

wist·ful □ [ˈwɪstfl] sehnsüchtig.

wit¹ [wɪt] Geist *m*, Intelligenz *f*, Witz *m*; *a.* ~*s pl.* Verstand *m*; geistreicher Mensch; ⚠ *nicht Witz = joke*; *be at one's* ~*'s od.* ~*s' end* mit s-r Weisheit am Ende sein; *keep one's* ~*s about one* e-n klaren Kopf behalten.

wit² [~]: *to* ~ *bsd.* ⚖ nämlich, das heißt.

witch [wɪtʃ] Hexe *f*, Zauberin *f*; **~craft** [ˈwɪtʃkrɑːft], **~·e·ry** [~ərɪ] Hexerei *f*; **~hunt** *pol.* Hexenjagd *f* (*for, against* auf *acc.*).

with [wɪð] mit; nebst; bei; von; durch; vor (*dat.*); ~ *it* F up to date, modern.

with·draw [wɪðˈdrɔː] (*-drew*, *-drawn*) *v/t.* ab-, ent-, zurückziehen; zurücknehmen; *Geld* abheben; *v/i.* sich zurückziehen; zurücktreten; *Sport*: auf den Start verzichten; **~·al** [~əl] Zurückziehung *f*, -nahme *f*; Rücktritt *m*; *bsd.* ⚔ Ab-, Rückzug *m*; *econ.* Abheben *n* (*von Geld*); *Sport*:

Startverzicht *m*; ⚕ Entziehung *f*; ~ *cure* ⚕ Entziehungskur *f*; ~ *symptoms pl.* ⚕ Entzugserscheinungen *pl.*

with·er [ˈwɪðə] *v/i.* (ver)welken, verdorren, austrocknen; *v/t.* welken lassen.

with·hold [wɪðˈhəʊld] (*-held*) zurückhalten; ~ *s.th. from s.o.* j-m et. vorenthalten.

with|in [wɪˈðɪn] **1.** *adv.* im Innern, drin(nen); zu Hause; **2.** *prp.* in(nerhalb); ~ *doors* im Hause; ~ *call* in Rufweite; **~·out** [wɪˈðaʊt] **1.** *adv.* (dr)außen; äußerlich; **2.** *prp.* ohne.

with·stand [wɪðˈstænd] (*-stood*) widerstehen (*dat.*).

wit·ness [ˈwɪtnɪs] **1.** Zeug|e *m*, -in *f*; *bear* ~ *to* Zeugnis ablegen von, *et.* bestätigen; **2.** bezeugen; Zeuge sein von *et.*; beglaubigen; ~ **box,** *Am.* ~ **stand** Zeugenstand *m.*

wit|ti·cis·m [ˈwɪtɪsɪzəm] witzige Bemerkung; **~·ty** □ [~ɪ] (*-ier, -iest*) witzig; geistreich.

wives [waɪvz] *pl. von wife.*

wiz·ard [ˈwɪzəd] Zauberer *m*; Genie *n*, Leuchte *f*.

wiz·en(ed) [ˈwɪzn(d)] schrump(e)lig.

wob·ble [ˈwɒbl] schwanken, wackeln.

woe [wəʊ] Weh *n*, Leid *n*; ~ *is me!* wehe mir!; **~·be·gone** [ˈwəʊbɪgɒn] jammervoll; **~·ful** □ [ˈwəʊfl] jammervoll, traurig, elend.

woke [wəʊk] *pret. u. p.p. von wake 2*; **wok·en** [ˈwəʊkən] *p.p. von wake 2.*

wold [wəʊld] hügeliges Land.

wolf [wʊlf] **1.** (*pl. wolves* [~vz]) *zo.* Wolf *m*; **2.** *a.* ~ *down* (gierig) ver- *od.* hinunterschlingen; **~·ish** □ [ˈwʊlfɪʃ] wölfisch, Wolfs...

wom·an [ˈwʊmən] **1.** (*pl. women* [ˈwɪmɪn]) Frau *f*; F (Ehe)Frau *f*; F Freundin *f*; F Geliebte *f*; **2.** weiblich; ~ *doctor* Ärztin *f*; ~ *student* Studentin *f*; **~·hood** [~hʊd] die Frauen *pl.*; Weiblichkeit *f*; **~·ish** □ [~ɪʃ] weibisch; **~·kind** [~ˈkaɪnd] die Frauen (-welt *f*) *pl.*; **~·like** [~laɪk] fraulich; **~·ly** [~lɪ] weiblich.

womb [wu:m] Gebärmutter *f*; Mutterleib *m*; *fig.* Schoß *m.*

wom·en [ˈwɪmɪn] *pl. von woman*; ♀'s *Liberation* (*Movement*), F ♀'s *Lib* [lɪb] Frauenemanzipationsbewegung *f*; **~·folk, ~·kind** die Frauen *pl.*; F Weibervolk *n.*

won [wʌn] *pret. u. p.p. von win 1.*

won·der [ˈwʌndə] **1.** Wunder *n*; Verwunderung *f*, Erstaunen *n*; *work ~s* Wunder wirken; **2.** sich wundern; gern wissen mögen, sich fragen; *I ~ if you could help me* vielleicht können Sie mir helfen; **~·ful** □ [~fl] wunderbar, -voll; **~·ing** □ [~rɪŋ] staunend, verwundert.

wont [wəʊnt] **1.** gewohnt; *be ~ to do* gewohnt sein zu tun, zu tun pflegen; **2.** Gewohnheit *f*; *as was his ~* wie es s-e Gewohnheit war.

won't [~] = *will not.*

wont·ed [ˈwəʊntɪd] gewohnt.

woo [wu:] werben um; locken.

wood [wʊd] Holz *n*; *oft ~s pl.* Wald *m*, Gehölz *n*; Holzfaß *n*; = *woodwind*; *touch ~!* unberufen!, toi, toi, toi!; *he cannot see the ~ for the trees* er sieht den Wald vor lauter Bäumen nicht; **~·cut** [ˈwʊdkʌt] Holzschnitt *m*; **~·cut·ter** Holzfäller *m*; *Kunst*: Holzschnitzer *m*; **~·ed** [~ɪd] bewaldet; **~·en** □ [~n] hölzern, aus Holz, Holz...; *fig.* ausdruckslos; **~·man** [~mən] (*pl. -men*) Förster *m*; Holzfäller *m*; **~·peck·er** *zo.* [~pekə] Specht *m*; **~s·man** [~zmən] (*pl. -men*) Waldbewohner *m*; **~·wind** ♪ [~wɪnd] Holzblasinstrument *n*; *the ~ sg. od. pl.* die Holzbläser *pl.*; **~·work** Holzwerk *n*; **~·y** [~ɪ] (*-ier, -iest*) waldig; holzig.

wool [wʊl] Wolle *f*; **~·gath·er·ing** [ˈwʊlgæðərɪŋ] Verträumtheit *f*; **~(l)en** [ˈwʊlən] **1.** wollen, Woll...; **2.** *~s pl.* Wollsachen *pl.*; **~·ly** [ˈwʊlɪ] **1.** (*-ier, -iest*) wollig; Woll...; verschwommen (*Ideen*); **2.** *woollies pl.* F Wollsachen *pl.*

word [wɜ:d] **1.** Wort *n*; Vokabel *f*; Nachricht *f*; ⚔ Losung(swort *n*) *f*; Versprechen *n*; Befehl *m*; Spruch *m*; *~s pl.* Wörter *pl.*; Worte *pl.*; *fig.* Wortwechsel *m*, Streit *m*; Text *m* (*e-s Liedes*); *have a ~ with* mit *j-m* sprechen; **2.** (in Worten) ausdrücken, (ab)fassen; **~·ing** [ˈwɜ:dɪŋ] Wortlaut *m*, Fassung *f*; ~ **or·der** *gr.* Wortstellung *f* (*im Satz*); ~ **pro·cess·ing** *Computer*: Textverarbeitung *f*; ~ **pro·ces·sor** *Computer*: Textverarbeitungsanlage *f*, -system *n*; **~-split·ting** Wortklauberei *f*.

word·y □ [ˈwɜ:dɪ] (*-ier, -iest*) wortreich; Wort...

wore [wɔ:] *pret. von wear 1.*

work [wɜ:k] **1.** Arbeit *f*; Werk *n*; *attr.*

Arbeits...; ~s *pl.* ⊕ (Uhr-, Feder-) Werk *n*; ⚔ Befestigungen *pl.*; ~s *sg.* Werk *n*, Fabrik *f*; ~ *of art* Kunstwerk *n*; *at* ~ bei der Arbeit; *be in* ~ Arbeit haben; *be out of* ~ arbeitslos sein; *set to* ~, *set od. go about one's* ~ an die Arbeit gehen; ~*s council* Betriebsrat *m*; **2.** *v/i.* arbeiten (*at, on* an *dat.*); ⊕ funktionieren, gehen; wirken; *fig.* gelingen, klappen; ~ *to rule econ.* Dienst nach Vorschrift tun; *v/t.* ver-, bearbeiten; *Maschine etc.* bedienen; betreiben; *fig.* bewirken; ~ *one's way* sich durcharbeiten; ~ *off* ab-, aufarbeiten; *Gefühl* abreagieren; *econ. Ware* abstoßen; ~ *out Plan* ausarbeiten; *Aufgabe* lösen; ausrechnen; ~ *up* verarbeiten (*into* zu); *Interesse* wecken; ~ *o.s. up* sich aufregen.

wor·ka·ble □ [ˈwɜːkəbl] bearbeitungs-, betriebsfähig; ausführbar.

work|a·day [ˈwɜːkədeɪ] Alltags...; **~bench** ⊕ Werkbank *f*; **~·book** *Schule*: Arbeitsheft *n*; **~·day** Werktag *m*; *on* ~*s* werktags; **~·er** [~ə] Arbeiter(in).

work·ing [ˈwɜːkɪŋ] **1.** ~*s pl.* Arbeitsweise *f*, Funktionieren *n*; **2.** arbeitend; Arbeits...; Betriebs...; **~class** Arbeiter...; ~ **day** Werk-, Arbeitstag *m*; ~ **hours** *pl.* Arbeitszeit *f*.

work·man [ˈwɜːkmən] (*pl.* *-men*) Arbeiter *m*; Handwerker *m*; **~·like** [~laɪk] kunstgerecht, fachmännisch; **~·ship** [~ʃɪp] Kunstfertigkeit *f*.

work|out [ˈwɜːkaʊt] F *Sport*: (Konditions)Training *n*; Erprobung *f*; **~·shop** Werkstatt *f*; Werkraum *m*; **~-shy** arbeitsscheu, faul; **~-to-rule** *econ.* Dienst *m* nach Vorschrift; **~-woman** (*pl.* *-women*) Arbeiterin *f*.

world [wɜːld] Welt *f*; *a* ~ *of* e-e Unmenge (von); *bring* (*come*) *into the* ~ zur Welt bringen (kommen); *think the* ~ *of* große Stücke halten auf (*acc.*); **~-class** (von) Weltklasse, von internationalem Format (*Sportler, etc.*); ♀ **Cup** Fußballweltmeisterschaft *f*; *Skisport*: Weltcup *m*.

world·ly [ˈwɜːldlɪ] (*-ier, -iest*) weltlich; Welt...; **~-wise** weltklug.

world| pow·er *pol.* [ˈwɜːldpaʊə] Weltmacht *f*; **~·wide** weltweit, weltumspannend; Welt...

worm [wɜːm] **1.** *zo.* Wurm *m* (*a. fig.*); **2.** *ein Geheimnis* entlocken (*out of dat.*); ~ *o.s.* sich schlängeln; *fig.* sich einschleichen (*into* in *acc.*); **~-eat·en** [ˈwɜːmiːtn] wurmstichig; *fig.* veraltet, altmodisch.

worn [wɔːn] *p.p. von wear 1*; **~-out** [ˈwɔːnˈaʊt] abgenutzt; abgetragen; verbraucht (*a. fig.*); müde, erschöpft; abgezehrt; verhärmt.

wor·ried □ [ˈwʌrɪd] besorgt, beunruhigt.

wor·ry [ˈwʌrɪ] **1.** (sich) beunruhigen, (sich) ängstigen, sich sorgen, sich aufregen; ärgern; zerren an (*dat.*), (ab)würgen; plagen, quälen; *don't* ~*!* keine Angst *od.* Sorge!; **2.** Unruhe *f*, Sorge *f*; Ärger *m*.

worse [wɜːs] (*comp. von bad*) schlechter, schlimmer, ärger; ~ *luck!* leider!; um so schlimmer!; **wors·en** [ˈwɜːsn] (sich) verschlechtern.

wor·ship [ˈwɜːʃɪp] **1.** Verehrung *f*; Gottesdienst *m*; Kult *m*; **2.** (*bsd. Brt.* *-pp-*, *Am.* *-p-*) *v/t.* verehren; anbeten; *v/i.* den Gottesdienst besuchen; **~(p)er** [~ə] Verehrer(in); Kirchgänger(in).

worst [wɜːst] **1.** *adj.* (*sup. von bad*) schlechteste(r, -s), schlimmste(r, -s), ärgste(r, -s); **2.** *adv.* (*sup. von badly*) am schlechtesten, am schlimmsten, am ärgsten; **3.** *der, die, das* Schlechteste *od.* Schlimmste *od.* Ärgste; *at* (*the*) ~ schlimmstenfalls.

wor·sted [ˈwʊstɪd] Kammgarn *n*.

worth [wɜːθ] **1.** wert; ~ *reading* lesenswert; **2.** Wert *m*; **~·less** □ [ˈwɜːθlɪs] wertlos; unwürdig; **~-while** [~ˈwaɪl] der Mühe wert; **~·y** □ [ˈwɜːðɪ] (*-ier, -iest*) würdig; wert.

would [wʊd] *pret. von will 2*; *I* ~ *like* ich hätte gern; **~-be** [ˈwʊdbiː] Möchtegern...; angehend, zukünftig.

wound[1] [wuːnd] **1.** Wunde *f*, Verletzung *f* (*beide a. fig.*), Verwundung *f*; *fig.* Kränkung *f*; **2.** verwunden, verletzen (*beide a. fig.*).

wound[2] [waʊnd] *pret. u. p.p. von wind*[2].

wove [wəʊv] *pret. von weave*; **wov·en** [ˈwəʊvn] *p.p. von weave*.

wow *int.* F [waʊ] Mensch!, toll!

wran·gle [ˈræŋgl] **1.** sich streiten *od.* zanken; **2.** Streit *m*, Zank *m*.

wrap [ræp] **1.** (*-pp-*) *v/t. oft* ~ *up* (ein)wickeln; *fig.* (ein)hüllen; *be* ~*ped up in* gehüllt sein in (*acc.*); ganz aufgehen in (*dat.*); *v/i.* ~ *up* sich einhüllen *od.* -packen; **2.** Hülle *f*;

Decke *f*; Schal *m*; Mantel *m*; **~·per** [ˈræpə] Hülle *f*, Umschlag *m*; *a. postal ~* Streifband *n*; **~·ping** [~ɪŋ] Verpackung *f*; *~-paper* Einwickel-, Pack-, Geschenkpapier *n*.
wrath *lit.* [rɔːθ] Zorn *m*, Wut *f*.
wreak *lit.* [riːk] *Rache* üben, *Wut etc.* auslassen (*on, upon* an *j-m*).
wreath [riːθ] (*pl. wreaths* [~ðz]) (Blumen)Gewinde *n*, Kranz *m*, Girlande *f*; Ring *m*, Kreis *m*; **~e** [riːð] *v/t.* (um)winden; *v/i.* sich ringeln *od.* kräuseln.
wreck [rek] **1.** Wrack *n*; Trümmer *pl.*; Schiffbruch *m*; *fig.* Untergang *m*; **2.** zertrümmern, -stören; zugrunde richten, ruinieren; *be ~ed* ⚓ scheitern, Schiffbruch erleiden; in Trümmer gehen; 🚂 entgleisen; **~-age** [ˈrekɪdʒ] Trümmer *pl.*; Wrackteile *pl.*; **~ed** [rekt] schiffbrüchig; ruiniert; **~·er** [ˈrekə] ⚓ Bergungsschiff *n*, -arbeiter *m*; *bsd. hist.* Strandräuber *m*; Abbrucharbeiter *m*; *Am. mot.* Abschleppwagen *m*; **~·ing** [~ɪŋ] *bsd. hist.* Strandraub *m*; *~ company Am.* Abbruchfirma *f*; *~ service Am. mot.* Abschleppdienst *m*.
wren *zo.* [ren] Zaunkönig *m*.
wrench [rentʃ] **1.** reißen, zerren, ziehen; entwinden (*from s.o.* j-m); ⚕ verrenken, -stauchen; *~ open* aufreißen; **2.** Ruck *m*; ⚕ Verrenkung *f*, -stauchung *f*; *fig.* Schmerz *m*; ⊕ Schraubenschlüssel *m*.
wrest [rest] reißen; *~ s.th. from s.o.* j-m et. entreißen.
wres|tle [ˈresl] ringen (mit); **~·tler** [~ə] *bsd. Sport*: Ringer *m*; **~·tling** [~ɪŋ] *bsd. Sport*: Ringen *n*.
wretch [retʃ] Elende(r *m*) *f*; Kerl *m*.
wretch·ed □ [ˈretʃɪd] elend.
wrig·gle [ˈrɪgl] sich winden *od.* schlängeln; *~ out of s.th.* sich aus e-r Sache herauswinden.
-wright [raɪt] *in Zssgn*: ...macher *m*, ...bauer *m*.
wring [rɪŋ] (*wrung*) *Hände* ringen; (aus)wringen; pressen; *Hals* umdrehen; abringen (*from s.o.* j-m); *~ s.o.'s heart* j-m zu Herzen gehen.
wrin·kle [ˈrɪŋkl] **1.** Runzel *f*, Falte *f*; **2.** (sich) runzeln.
wrist [rɪst] Handgelenk *n*; *~watch* Armbanduhr *f*; **~·band** [ˈrɪstbænd] Bündchen *n*, (Hemd)Manschette *f*; Armband *n*.
writ [rɪt] Erlaß *m*; gerichtlicher Befehl; *Holy* ♀ *die* Heilige Schrift.
write [raɪt] (*wrote, written*) schreiben; *~ down* auf-, niederschreiben; **writ·er** [ˈraɪtə] Schreiber(in); Verfasser(in); Schriftsteller(in).
writhe [raɪð] sich krümmen.
writ·ing [ˈraɪtɪŋ] Schreiben *n* (*Tätigkeit*); Aufsatz *m*; Werk *n*; (Hand-) Schrift *f*; Schriftstück *n*; Urkunde *f*; Stil *m*; *attr.* Schreib...; *in ~* schriftlich; **~-case** Schreibmappe *f*; **~ desk** Schreibtisch *m*; **~ pad** Schreibblock *m*; **~ pa·per** Schreibpapier *n*.
writ·ten [ˈrɪtn] **1.** *p.p. von write*; **2.** *adj.* schriftlich.
wrong [rɒŋ] **1.** □ unrecht; verkehrt, falsch; *be ~* unrecht haben; nicht in Ordnung sein; falsch gehen (*Uhr*); *go ~* schiefgehen; *be on the ~ side of sixty* über 60 (Jahre alt) sein; **2.** Unrecht *n*; Beleidigung *f*; Irrtum *m*, Unrecht *n*; *be in the ~* unrecht haben; **3.** unrecht tun (*dat.*); ungerecht behandeln; **~·do·er** [ˈrɒŋduə] Übeltäter(in); **~·ful** □ [~fl] ungerecht; unrechtmäßig.
wrote [rəʊt] *pret. von write*.
wrought| i·ron [rɔːtˈaɪən] Schmiedeeisen *n*; **~-i·ron** [ˈrɔːtˈaɪən] schmiedeeisern.
wrung [rʌŋ] *pret. u. p.p. von wring*.
wry □ [raɪ] (*-ier, -iest*) schief, krumm, verzerrt.

X

X·mas F [ˈkrɪsməs] = *Christmas*.
X-ray [eksˈreɪ] **1.** *~s pl.* Röntgenstrahlen *pl.*; **2.** Röntgen...; **3.** durchleuchten, röntgen.
xy·lo·phone ♪ [ˈzaɪləfəʊn] Xylophon *n*.

Y

yacht ⚓ [jɒt] **1.** (Segel-, Motor)Jacht *f*; (Renn)Segler *m*; **2.** auf e-r Jacht fahren; segeln; **~-club** [ˈjɒtklʌb] Segel-, Jachtklub *m*; **~·ing** [~ɪŋ] Segelsport *m*; *attr.* Segel...
Yan·kee F [ˈjæŋkɪ] Yankee *m* (*Spitzname für Nordamerikaner*).
yap [jæp] (*-pp-*) kläffen; F quasseln; F meckern.
yard [jɑːd] Yard *n* (= *0,914 m*); ⚓ Rah(e) *f*; Hof *m*; (Bau-, Stapel)Platz *m*; *Am.* Garten *m*; **~ meas·ure** [ˈjɑːdmeʒə], **~·stick** Yardstock *m*, -maß *n*.
yarn [jɑːn] Garn *n*; F Seemannsgarn *n*; abenteuerliche Geschichte.
yawl ⚓ [jɔːl] Jolle *f*.
yawn [jɔːn] **1.** gähnen; **2.** Gähnen *n*.
yea F [jeɪ] ja.
year [jɜː] Jahr *n*; **~·ly** [ˈjɜːlɪ] jährlich.
yearn [jɜːn] sich sehnen (*for* nach); **~·ing** [ˈjɜːnɪŋ] **1.** Sehnen *n*, Sehnsucht *f*; **2.** □ sehnsüchtig.
yeast [jiːst] Hefe *f*; Schaum *m*.
yell [jel] **1.** (gellend) schreien; aufschreien; **2.** (gellender) Schrei; Anfeuerungs-, Schlachtruf *m*.
yel·low [ˈjeləʊ] **1.** gelb; F hasenfüßig (*feig*); Sensations...; **2.** Gelb *n*; **3.** (sich) gelb färben; **~·ed** vergilbt; **~ fe·ver** ⚕ Gelbfieber *n*; **~·ish** [~ɪʃ] gelblich; **~ pag·es** *pl. teleph. die* gelben Seiten, Branchenverzeichnis *n*.
yelp [jelp] **1.** (auf)jaulen (*Hund etc.*); aufschreien; **2.** (Auf)Jaulen *n*; Aufschrei *m*.
yeo·man [ˈjəʊmən] (*pl. -men*) freier Bauer.
yep F [jep] ja.
yes [jes] **1.** ja; doch; **2.** Ja *n*.
yes·ter·day [ˈjestədɪ] gestern.
yet [jet] **1.** *adv.* noch; schon (*in Fragen*); sogar; *as* ~ bis jetzt; *not* ~ noch nicht; **2.** *cj.* aber (dennoch), doch.
yew ⚘ [juː] Eibe *f*.
yield [jiːld] **1.** *v/t.* (ein-, hervor)bringen; *Gewinn* abwerfen; *v/i.* ✓ tragen; sich fügen, nachgeben; **2.** Ertrag *m*; **~·ing** □ [ˈjiːldɪŋ] nachgebend; *fig.* nachgiebig.
yip·pee *int.* F [jɪˈpiː] hurra!
yo·del [ˈjəʊdl] **1.** Jodler *m*; **2.** (*bsd. Brt. -ll-, Am. -l-*) jodeln.
yoke [jəʊk] **1.** Joch *n* (*a. fig.*); Paar *n* (*Ochsen*); Schultertrage *f*; **2.** an-, zusammenspannen; *fig.* paaren (*to* mit).
yolk [jəʊk] (Ei)Dotter *m*, *n*, Eigelb *n*.
yon [jɒn], **~·der** *lit.* [ˈjɒndə] da *od.* dort drüben.
yore [jɔː]: *of* ~ ehemals, ehedem.
you [juː, jʊ] du, ihr, Sie; man.
young [jʌŋ] **1.** □ jung; jung, klein; **2.** (Tier)Junge *pl.*; *the* ~ die jungen Leute, die Jugend; *with* ~ trächtig; **~·ster** [ˈjʌŋstə] Junge *m*.
your [jɔː] dein(e), euer(e), Ihr(e); **~s** [jɔːz] deine(r, -s), euer, euere(s), Ihre(r, -s); ♀, *Bill Briefschluß*: Dein Bill; **~·self** [jɔːˈself] (*pl. yourselves* [~vz]) du, ihr, Sie selbst; dir, dich, euch, sich; *by* ~ allein.
youth [juːθ] (*pl.* ~*s* [~ðz]) Jugend *f*; junger Mann, Jüngling *m*; ~ *hostel* Jugendherberge *f*; **~·ful** □ [ˈjuːθfl] jugendlich.
Yu·go·slav [juːgəʊˈslɑːv] **1.** jugoslawisch; **2.** Jugoslaw|e *m*, -in *f*.
yule·tide *bsd. poet.* [ˈjuːltaɪd] Weihnachten *n*, Weihnachtszeit *f*.
yup·pie [ˈjʌpɪ] Yuppie *m* (*junge[r] karrierebewußte[r] Großstädter[in]*).

Z

zeal [ziːl] Eifer *m*; **~·ot** [ˈzelət] Eiferer *m*; **~·ous** □ [ˈzeləs] eifrig; eifrig bedacht (*for* auf *acc.*); innig, heiß.
zeb·ra *zo.* [ˈziːbrə] Zebra *n*; **~ cross·ing** [ˈzebrə-] Zebrastreifen *m* (*Fußgängerübergang*).
zen·ith [ˈzenɪθ] Zenit *m*; *fig.* Höhepunkt *m*.
ze·ro [ˈzɪərəʊ] **1.** (*pl. -ros, -roes*) Null *f*; Nullpunkt *m*; **2.** Null...; ~ (*economic*) *growth* Nullwachstum *n*; ~ *option pol.* Nullösung *f*; *have* ~

interest in s.th. F null Bock auf et. haben.

zest [zest] **1.** Würze *f* (*a. fig.*); Lust *f*, Freude *f*; Genuß *m*; **2.** würzen.

zig·zag [ˈzɪgzæg] **1.** Zickzack *m*; Zickzacklinie *f*, -kurs *m*, -weg *m*; **2.** im Zickzack laufen *od.* fahren *etc.*

zinc [zɪŋk] **1.** *min.* Zink *n*; **2.** verzinken.

zip [zɪp] **1.** Schwirren *n*; F Schwung *m*; = *zip-fastener*; **2.** (*-pp-*): ~ *s.th. open* den Reißverschluß von et. öffnen; ~ *s.o. up* j-m den Reißverschluß zumachen; ~ **code** *Am.* Postleitzahl *f*; **~-fas·ten·er** *bsd. Brt.* [ˈzɪpfɑːsnə], **~·per** *Am.* [~ə] Reißverschluß *m.*

zo·di·ac *ast.* [ˈzəʊdɪæk] Tierkreis *m.*

zone [zəʊn] Zone *f*; *fig.* Gebiet *n.*

zoo [zuː] (*pl.* ~*s*) Zoo *m.*

zo·o·log·i·cal □ [zəʊəˈlɒdʒɪkl] zoologisch; ~ *garden*(*s*) zoologischer Garten.

zo·ol·o·gy [zəʊˈɒlədʒɪ] Zoologie *f.*

zoom [zuːm] **1.** surren; ✈ steil hochziehen; F sausen; *phot. Film*: zoomen; ~ *in on s.th. phot. Film*: et. heranholen; ~ *past* F vorbeisausen; **2.** Surren *n*; ✈ Steilflug *m.*

Deutsch-Englisches Wörterverzeichnis

A

Aal *zo. m* eel; **⁀en** *v/refl.*: *sich in der Sonne* ~ bask in the sun; **⁀glatt** *adj.* (as) slippery as an eel.

Aas *n coll.* carrion; *fig.* beast, V bastard; *kein* ~ not one damned person; **~geier** *zo. m* vulture (*a. fig.*).

ab *prp. u. adv.*: *München* ~ *13.55* departure from Munich (at) 13.55; ~ *7 Uhr* from 7 o'clock (on); ~ *morgen* (*1. März*) starting tomorrow (March 1st); *von jetzt* (*da*) ~ from now (that time) on; ~ *und zu* now and then; *ein Film* ~ *18* an X(-rated) film; *ein Knopf etc. ist* ~ has come off.

abarbeiten *v/t. Schuld*: work out *od.* off; *sich* ~ wear* o.s. out.

Abart *f* variety; **⁀ig** *adj.* abnormal.

Abbau *m* ⚒ mining; *fig. Vorurteile etc.*: overcoming; *Maschinen etc.*: dismantling; *Personal, Preise etc.*: reduction; **⁀en** *v/t.* ⚒ mine; *Vorurteile etc.*: overcome*; *Maschinen etc.*: dismantle; *Personal, Preise etc.*: reduce.

ab|beißen *v/t.* bite* off; **~beizen** *v/t. Farbe etc.*: remove with corrosives; **~bekommen** *v/t. losbekommen*: get* off; *s-n Teil od. et.* ~ get* one's share; *et.* ~ be* hurt, get* hurt.

abberuf|en *v/t.*, **⁀ung** *f* recall.

ab|bestellen *v/t. Zeitung* (*Waren*): cancel one's subscription (order) for; **⁀bestellung** *f* cancellation; **~biegen** *v/i.* turn (off); *nach rechts* (*links*) ~ turn right (left).

abbild|en *v/t.* show*, depict; **⁀ung** *f* picture, illustration.

Abbitte *f*: *j-m* ~ *leisten wegen* apologize to s.o. for.

ab|blasen F *v/t. Vorhaben etc.*: call off, cancel; **~blättern** *v/i. Farbe etc.*: flake off; **~blenden 1.** *v/t.* dim; **2.** *v/i. mot.* dip (*Am.* dim) the headlights; **⁀blendlicht** *mot. n* dipped (*Am.* dimmed) headlights *pl.*, low beam; **~brechen** *v/t.* break* off (*a. fig.*); *Gebäude etc.*: pull down, demolish; *Zelt, Lager*: strike*; **~bremsen** *v/t.* slow down; **~brennen** *v/t. Gebäude etc.*: burn* down; *Feuerwerk*: let* *od.* set* off; **~bringen** *v/t.*: *j-n von e-r Sache* ~ talk s.o. out of (doing) s.th.; *j-n vom Thema* ~ get* s.o. off a subject; **~bröckeln** *v/i.* crumble away (*a. fig.*).

Abbruch *m* breaking off; *Gebäude etc.*: demolition; **⁀reif** *adj.* derelict, due for demolition.

abbuch|en *econ. v/t.* debit (*von* to); **⁀ung** *econ. f* debit.

abbürsten *v/t. Staub etc.*: brush off; *Mantel etc.*: brush.

Abc *n* ABC, alphabet; **~schütze** F *m* school beginner; **~-Waffen** ⚔ *pl.* NBC-weapons.

abdank|en *v/i.* resign; *Herrscher*: abdicate; **⁀ung** *f* resignation; abdication.

ab|decken *v/t.* uncover; *Dach*: untile; *Gebäude*: unroof; *Tisch*: clear; *zudecken*: cover (up); **~dichten** *v/t.* make* tight, insulate; **~drängen** *v/t.* push aside; **~drehen 1.** *v/t. Gas, Licht etc.*: turn *od.* switch off; **2.** ⚓, ✈ *v/i.* change one's course.

Abdruck *m* print, mark; **⁀en** *v/t.* print.

abdrücken *v/i. Gewehr etc.*: fire, pull the trigger.

Abend *m* evening; *am* ~ in the evening, at night; *heute abend* tonight; *morgen* (*gestern*) *abend* tomorrow (last) night; *s. essen*; **~brot** *n*, **~essen** *n* supper, dinner, *Brt. a.* high tea; **~kasse** *thea. f* box-office; **~kleid** *n* evening dress *od.* gown; **~kurs** *m* evening classes *pl.*; **~land** *n* West, Occident; **⁀ländisch** *adj.* Western, Occidental; **~mahl** *eccl. n the* (Holy) Communion, *the* Lord's Supper; *das* ~ *empfangen* receive Communion; **~rot** *n* evening *od.* sunset glow.

abends *adv.* in the evening, at night; *dienstags* ~ (on) Tuesday evenings.

Abendschule *f* evening classes *pl.*, night school.

Abenteu|er *n* adventure; **⁀erlich** *adj.* adventurous; *fig. riskant*: risky; *unwahrscheinlich*: fantastic; **~rer(in)** adventur|er (-ess).

aber *cj. u. adv.* but; *oder* ~ or else; *Tausende und* ~ *Tausende* thousands upon thousands; ~, ~! now then!; ~ *nein!* not at all!

Aber|glaube *m* superstition; **2gläubisch** *adj*. superstitious.

aberkenn|en *v/t*.: *j-m et.* ~ deprive s.o. of s.th. (*a.* ⚖); **2ung** *f* deprivation (*a.* ⚖).

aber|malig *adj*. repeated; **~mals** *adv*. once more *od*. again.

abfahren 1. *v/i*. leave*; *förmlicher*: start, depart (*alle*: *nach* for); F: (*voll*) ~ *auf* get* (absolutely) turned on by; **2.** *v/t*. *Schutt etc*.: carry *od*. cart away.

Abfahrt *f* departure (*nach* for), start (for); *Ski*: descent; **~slauf** *m* downhill skiing; *Rennen*: downhill race; **~szeit** *f* (time of) departure.

Abfall *m* waste, refuse, rubbish, *Am*. *a*. garbage, trash; *s. a. Müll*; **~eimer** *m* dustbin, *Am*. garbage can; **2en** *v/i*. *Blätter etc*.: fall* (off); *Gelände*: slope (down); *fig*. *sich abwenden*: fall* away (*von* from); *bsd*. *pol*. secede (from); *vom Glauben* ~ renounce one's faith; ~ *gegen* compare badly with.

abfällig 1. *adj*. *Bemerkung etc*.: derogatory; **2.** *adv*.: ~ *von j-m sprechen* run* s.o. down.

Abfallprodukt *n* waste product.

abfälschen *v/t*. deflect (*a. Ball*).

ab|fangen *v/t*. catch*, intercept; *mot*., ✈ right; **2fangjäger** ✈ ⚔ *m* interceptor (plane); **~färben** *v/i*.: *der Pullover färbt ab* the colo(u)r of the sweater runs; *fig*. ~ *auf* rub off on.

abfassen *v/t*. compose, word.

abfertig|en *v/t*. *Ware etc*.: dispatch; *Zoll*: clear; *Kunden*: serve, attend to; *j-n kurz* ~ be* short with s.o.; **2ung** *f* dispatch; clearance.

abfeuern *v/t*. fire (off); *Rakete*: launch.

abfind|en *v/t*. *Gläubiger*: pay* off; *Teilhaber*: buy* out; *entschädigen*: compensate; *sich mit et.* ~ put* up with s.th.; **2ung** *f* satisfaction; compensation (*a.* **~ssumme**).

ab|flachen *v/t*. *u*. *v/refl*. flatten; **~flauen** *v/i*. *Wind etc*.: drop (*a. fig*.); **~fliegen** ✈ *v/i*. leave*, take* off, start; **~fließen** *v/i*. flow off, drain (off *od*. away).

Abflug ✈ *m* takeoff, start.

Abfluß *m* flowing off; drain; **~rohr** *n* waste-pipe; ⊕ drain(-pipe).

abfragen *v/t*. *Schule*: quiz *od*. question *s.o*. (*über* about), test *s.o*. orally.

Abfuhr *f* removal; *fig*. *j-m e-e* ~ *erteilen* rebuff s.o.; F *besiegen*: lick s.o.

abführ|en *v/t*. lead* *od*. take* away; *Geld*: pay* (over) (*an* to); **~end** ⚕ *adj*., **2mittel** ⚕ *n* laxative.

abfüllen *v/t*.: *in Flaschen* ~ bottle.

Abgabe *f* *Sport*: pass; *Gebühr*: rate; *Zoll*: duty; **2nfrei** *adj*. tax-free; **2npflichtig** *adj*. *Ware*: dutiable.

Abgang *m* *Schule*: school-leaving; *thea*. exit (*a. fig*.); *Reck etc*.: dismount.

Abgänger(in) school leaver.

Abgangszeugnis *n* (school-)leaving certificate; *Am*. diploma.

Abgas|e *pl*. emission *sg*.; *mot*. exhaust fumes *pl*.; **~entgiftung** *f* emission control.

abgearbeitet *adj*. worn out.

abgeben *v/t*. *Schlüssel etc*.: leave* (*bei* with); *Prüfungsarbeit etc*.: hand in; *Gepäck*: deposit, leave*; *Geld*, *Fahrkarte etc*.: hand over (*an* to); *Stimme*: cast*; *Ball*: pass; *Wärme etc*.: give* off, emit; *Angebot*, *Erklärung*: make*; *j-m et.* ~ *von et.* share s.th. with s.o.; *sich* ~ *mit* deal* with.

abge|brannt F *fig*. *adj*. broke; **~brüht** *fig*. *adj*. hard-boiled; **~droschen** *adj*. hackneyed; **~fahren** *mot*. *adj*. *Reifen*: worn out; **~griffen** *adj*. worn; **~hackt** *fig*. *adj*. disjointed; **~hangen** *adj*.: *gut~es Fleisch* well-hung meat; **~härtet** *adj*. hardened (*gegen* to).

abgehen *v/i*. *Zug etc*.: leave*; *Post*, *Ware*: go* off; *thea*. make* one's exit (*a. fig*.); *Knopf etc*.: come* off; *von der Schule* ~ leave* school; ~ *von e-m Plan etc*.: drop; *von s-r Meinung* ~ change one's mind *od*. opinion; *diese Eigenschaft geht ihm ab* he lacks this quality; *gut* ~ end well, pass off well.

abge|hetzt, ~kämpft *adj*. exhausted, worn out; **~kartet** F *adj*.: *~e Sache* put-up job; **~legen** *adj*. remote, distant; **~macht** *adj*.: ~! it's a deal!; **~magert** *adj*. emaciated; **~neigt** *adj*.: *e-r Sache* ~ *sein* be* averse to s.th.; *ich wäre e-r Sache* (*et. zu tun*) *nicht* ~ I wouldn't mind (doing) s.th.; **~nutzt** *adj*. worn out.

Abgeordnete(r) *parl*. *Brt*. Member of Parliament (*abbr*. MP); *Am*. rep-

resentative, congress|man (-woman); **~nhaus** *parl. n Brt.* House of Commons, *Am.* House of Representatives.
abgeschieden *adj.* secluded; *Leben*: solitary; **2heit** *f* seclusion.
abgeschlossen *adj. Wohnung*: self-contained; *Ausbildung*: completed.
abgesehen *adj.*: ~ *von* apart from, *Am. a.* aside from; *ganz* ~ *von* not to mention, let alone.
abge|spannt *fig. adj.* exhausted, weary; **~standen** *adj.* stale; **~storben** *adj. Baum etc.*: dead; *gefühllos*: numb; *gänzlich*: dead; **~stumpft** *fig. adj.* insensitive, indifferent (*gegen* to); **~tragen, ~wetzt** *adj.* worn-out; threadbare, shabby.
abgewöhnen *v/t.*: *j-m et.* ~ make* s.o. give* up s.th.; *sich das Rauchen* ~ stop *od.* give* up smoking; *das werde ich dir* ~*!* I'll cure you of that!
abgleiten *v/i.* slip; *fig.* lapse (*in* into).
Abgott *m* idol (*a. fig.*).
abgöttisch *adv.*: *j-n* ~ *lieben* idolize *od.* worship s.o.
ab|grasen *v/t.* graze; *fig.* scour; **~grenzen** *v/t.* mark off; delimit (*gegen* from).
Abgrund *m* abyss, chasm, gulf (*alle a. fig.*); *am Rande des* ~*s* on the brink of disaster; **2tief** *adj. bsd. fig.* abysmal.
abgucken F *v/t.*: *j-m et.* ~ learn* s.th. from (watching) s.o.; *Schule*: *s. abschreiben.*
Abguß *m* cast; *Nachguß*: second cast.
ab|haben F *v/t.*: *et.* ~ have* some; **~hacken** *v/t.* chop *od.* cut* off; **~haken** *fig. v/t.* tick *od.* check off; **~halten** *v/t. Versammlung, Prüfung etc.*: hold*; *j-n von der Arbeit* ~ keep* s.o. from his work; *j-n davon* ~ *et. zu tun* keep* od. stop s.o. from doing s.th.; **~handeln** *v/t.*: *j-m et.* ~ make* a deal with s.o. for s.th.
abhanden *adv.*: ~ *kommen* get* lost.
Abhandlung *f* treatise (*über* on).
Abhang *m* slope; *steil*: precipice.
abhängen 1. *v/t. Bild etc.*: take* down; *Fleisch*: hang*; **2.** *v/i.*: ~ *von* depend on; *das hängt davon ab* that depends.
abhängig *adj.*: ~ *von* dependent on; *Drogen*: addicted to; **2keit** *f* dependence (*von* on); addiction (to).
ab|härten *v/t.*: *sich* ~ harden o.s. (*gegen* to); **~hauen 1.** *v/t.* cut* *od.* chop off; **2.** F *v/i.* make* off; *hau ab!* *sl.* beat it!, scram!; **~häuten** *v/t.* skin, flay; **~heben 1.** *v/t.* lift *od.* take* off; *teleph. Hörer*: pick up; *Geld*: (with)draw*; *sich* ~ *von* stand* out against; *fig. a.* contrast with; **2.** *v/i. Karten*: cut*; *teleph.* answer the phone; ✈ take* off; **~heften** *v/t.* file; **~heilen** *v/i.* heal (up); **~hetzen** *v/refl.* wear* o.s. out.
Abhilfe *f* remedy; ~ *schaffen* take* remedial measures.
Abholdienst *m* pickup service.
ab|holen *v/t.* pick up, collect; *j-n von der Bahn* ~ meet* s.o. at the station; **~holzen** *v/t. Bäume*: fell, cut* down; *Wald*: deforest; **~horchen** ⚕ *v/t.* auscultate, sound.
Abhör|anlage *f*, **~apparat** *m* F bugging device; **2en** *v/t. Telephongespräch*: listen in on, tap; *mit Mikrophon* ~: F bug; *Schüler*: *s. abfragen.*
Abitur *n* school-leaving examination (qualifying for university entrance).
ab|jagen *v/t.*: *j-m et.* ~ recover s.th. from s.o.; **~kanzeln** F *v/t.* tell* *s.o.* off; **~kaufen** *v/t.*: *j-m et.* ~ buy* s.th. from s.o.
Abkehr *fig. f* break* (*von* with); **2en** *v/refl.*: *sich* ~ *von* turn away from.
ab|klingen *v/i.* fade away; *Schmerz etc.*: ease off; **~klopfen** ⚕ *v/t.* sound; **~knallen** F *v/t.* pick off; **~knicken** *v/t.* snap *od.* break* off; *verbiegen*: bend*; **~kochen** *v/t.* boil; *Milch*: scald; **~kommandieren** ⚔ *v/t.* detach (*zu* for).
Abkommen *n* agreement, treaty; *ein* ~ *schließen* make* an agreement.
abkommen *v/i.* get* off; *vom Wege* ~ lose* one's way.
Abkömmling *m* descendant.
ab|koppeln *v/t.* uncouple (*von* from); *Raumfahrt*: undock; **~kratzen 1.** *v/t.* scrape off; **2.** F *v/i. sterben*: kick the bucket; **~kühlen** *v/t.* cool down (*a. fig.*); **2kühlung** *f* cooling.
Abkunft *f* descent; origin; *edler* (*deutscher*) ~ of noble (German) descent.
abkuppeln *v/t. s. abkoppeln.*
abkürz|en *v/t.* shorten; *Wort etc.*: abbreviate; *den Weg* ~ take* a short cut; **2ung** *f* abbreviation; short cut.
abladen *v/t.* unload; *Schutt etc.*: dump.
Ablage *f Bord etc.*: shelf; *von Akten*:

filing; *für Kleider*: cloakroom; *Schweiz*: *s. a. Zweigstelle*.
ab|lagern 1. *v/t. Holz, Wein*: season; *Wein*: let* age; *sich ~* be* deposited; **2.** *v/i.* season; age; **2lagerung** ⚗, *geol. f* deposit, sediment; **~lassen 1.** *v/t. Flüssigkeit*: drain off; *Dampf*: let* off (*a. fig.*); *Teich etc.*: drain; **2.** *v/i.*: *von et. ~* stop (doing) s.th.
Ablauf *m Ereignisse etc.*: course, *bsd. Arbeits2 etc.*: process; *Programm2*: order of events; *Frist etc.*: expiration; **2en 1.** *v/i. Wasser etc.*: run* off; *Vorgang etc.*: go*, proceed; *enden*: come* to an end; *Frist, Zeit, Platte, Band*: run* out; *Uhr*: run* down; *gut ~* turn out well; **2.** *v/t. Schuhe*: wear* out.
ab|lecken *v/t.* lick (off); **~legen 1.** *v/t. Kleidung*: take* off; *Akten etc.*: file; *Gewohnheit etc.*: give* up; *Eid, Prüfung*: take*; *abgelegte Kleider* cast-offs *pl.*; **2.** *v/i.* take* off one's (hat and) coat; ⚓ put* out.
Ableger ⚘ *m* layer; offshoot (*a. fig.*).
ablehn|en *v/t.* refuse; *Antrag etc.*: turn down; *parl.* reject; *mißbilligen*: object to, reject; *stärker*: condemn; **~end** *adj.* negative; **2ung** *f* refusal; rejection; objection (*gen.* to).
ableit|en *v/t. Fluß etc.*: divert; *gr.*, ⚗ derive (*aus, von* from) (*a. fig.*); **2ung** *f* diversion; *gr.*, ⚗ derivation (*a. fig.*).
ab|lenken *v/t. Verdacht, Gedanken, Fluß, Ball etc.*: divert (*von* from); *Torschuß*: turn away; *Strahlen etc.*: deflect; *j-n von der Arbeit ~* distract s.o. from his work; *er läßt sich leicht ~* he is easily diverted; **2lenkung(smanöver** *n*) *f* diversion; **~lesen** *v/t.* read* (*a. Instrumente*); **~leugnen** *v/t.* deny.
abliefer|n *v/t.* deliver (*bei* to, at); hand over (to); **2ung** *f* delivery.
ablösbar *adj.* detachable.
ablös|en *v/t. entfernen*: detach; take* off; *j-n*: take* the place of; *bsd.* ⚔ *etc.*: relieve; *ersetzen*: replace; *sich ~ bei der Arbeit etc.*: take* turns; **2esumme** *f Sport*: transfer fee; **2ung** *f* relief.
abmach|en *v/t.* remove, take* off; *Geschäft etc.*: settle, arrange; **2ung** *f* settlement, arrangement; F deal.
abmager|n *v/i.* get* thin; **2ung** *f* emaciation; **2ungskur** *f* slimming diet.
ab|mähen *v/t.* mow*; **~malen** *v/t.* copy.
Abmarsch *m* start; ⚔ marching off; **2ieren** *v/i.* start; ⚔ march off.
abmeld|en *v/t. Auto, Radio etc.*: cancel the registration of; *vom Verein* cancel s.o.'s membership; *von der Schule*: give* notice of s.o.'s withdrawal (from school); *sich ~ bei Behörde*: give* notice of change of address; *vom Dienst*: report off duty; **2ung** *f* notice of withdrawal; notice of change of address.
abmess|en *v/t.* measure; **2ung** *f* measurement; **~en** *pl.* dimensions *pl.*
ab|montieren *v/t.* take* off; *bsd. Werksanlagen*: dismantle; **~mühen** *v/refl.* try hard (*to do s.th.*); **~nagen** *v/t.*: *e-n Knochen ~* pick (*Tier*: gnaw) a bone.
Abnahme *f Rückgang*: decrease, reduction; *Verlust*: loss (*a. Gewicht*); *econ.* purchase; ⊕ acceptance.
abnehm|bar *adj.* removable; **~en 1.** *v/t.* take* off, remove; *teleph. Hörer*: pick up; *Obst*: gather; ⊕ *Maschine etc.*: accept; *econ.* purchase; *j-m et. ~* take* s.th. from s.o.; **2.** *v/i.* decrease, diminish; lose* weight; *teleph.* answer the phone; *Mond*: wane; **2er** *econ. m* buyer; customer.
Abneigung *f* dislike (*gegen* of); *stärker*: aversion (*gegen* to).
abnorm *adj.* abnormal; **2ität** *f* abnormality, anomaly.
ab|nutzen, ~nützen *v/t. u. v/refl.* wear* out; **2nutzung, 2nützung** *f* wear (and tear) (*a. fig.*).
Abonn|ement *n* subscription (*auf* to); **~ent(in)** subscriber; *thea.* season-ticket holder; **2ieren** *v/t.* subscribe to.
Abordnung *f* delegation.
Abort *m* lavatory, toilet.
ab|passen *v/t. j-n, Gelegenheit*: watch for, wait for; *j-n überfallen*: waylay* (*a. fig.*); **~pflücken** *v/t.* pick, gather; **~plagen** *v/refl.* struggle (*mit* with); **~prallen** *v/i.* rebound, bounce (off); *Geschoß*: ricochet; **~putzen** *v/t. Schmutz etc.*: wipe off; clean; *Nase, Schuhe*: wipe; **~raten** *v/i.*: *j-m ~ von* advise *od.* warn s.o. against; **~räumen** *v/t.* clear away; *Tisch*: clear; **~reagieren** *v/t. s-n Ärger etc.*: work off (*an* on); *sich ~* F let* off steam.
abrechn|en 1. *v/t. abziehen*: deduct; **2.** *v/i.*: *mit j-m ~* settle *od.* get* even with s.o. (*a. fig.*); **2ung** *f* settlement; deduction.

abreib|en *v/t.* rub off; *Körper*: rub down; *Schuhe etc.*: polish; **2ung** *f* rub-down; F *fig.* beating.

Abreise *f* departure (*nach* for); **2n** *v/i.* depart, leave*, start, set* out (*alle*: *nach* for).

abreiß|en 1. *v/t.* tear* *od.* pull off; *Gebäude*: pull down; **2.** *v/i.* *Schnur etc.*: break*; *Knopf etc.*: come* off; **2kalender** *m* tear-off calendar.

ab|richten *v/t.* *Tier*: train; *Pferd*: break* (in); **~riegeln** *v/t.* *Tür*: bolt; *Straße*: block; *durch Polizei*: cordon off.

Abriß *m* outline, summary.

ab|rollen 1. *v/t.* unroll; uncoil; unwind*; unreel; **2.** *v/i.* unroll; *fig.* *geschehen*: pass (off), go*; **~rücken 1.** *v/t.* move away (*von* from); **2.** *v/i.* draw* away (*von* from); ⚔ march off; F *s. abhauen 2.*

Abruf *m*: *auf* ~ *econ.* on call; **2en** *v/t.* call away; *Computer*: *Daten* ~ read* back data.

ab|runden *v/t.* round (off); **~rupfen** *v/t.* pluck (off).

abrupt *adj.* abrupt.

abrüst|en ⚔ *v/i.* disarm; **2ung** ⚔ *f* disarmament.

abrutschen *v/i.* *Erde etc.*: slide* down; *Fuß etc.*: slip (off) (*von* from).

Absage *f* refusal; cancellation; **2n 1.** *v/t.* *Veranstaltung etc.*: call off, cancel; **2.** *v/i.*: *j-m* ~ *Termin*: cancel one's appointment with s.o.; *Einladung*: decline (the invitation).

absägen *v/t.* saw* off.

Absatz *m* *Abschnitt*: paragraph; *econ.* sales *pl.*; *Schuh2*: heel; *Treppen2*: landing.

abschaben *v/t.* scrape off.

abschaff|en *v/t.* do* away with, abolish; *Gesetz*: repeal; *Mißstände*: put* an end to; **2ung** *f* abolition; repeal.

abschalten 1. *v/t.* switch *od.* turn off; **2.** F *v/i.* relax, switch off.

abschätz|en *v/t.* estimate; *ermessen*: assess; **~ig** *adj.* contemptuous; *Bemerkung*: derogatory.

Abschaum *m* scum (*a. fig.*).

Abscheu *m* disgust (*vor*, *gegen* at, for); *e-n* ~ *haben vor* abhor, detest; **2erregend** *adj.* revolting, repulsive; **2lich** *adj.* abominable, horrid; *Verbrechen*: *a.* atrocious; **~lichkeit** *f* *Untat*: atrocity.

abschicken *v/t.* *s. absenden.*

abschieben *fig.* *v/t.* *Schuld etc.*: shuffle off (*auf* onto); *loswerden*: get* rid of; *Ausländer*: deport.

Abschied *m* parting, farewell; ~ *nehmen* (*von*) say* goodby(e) (to), take* leave (of); *s-n* ~ *nehmen* resign, retire; **~sfeier** *f* farewell party; **~skuß** *m* goodby(e) kiss.

ab|schießen *v/t.* *Waffe*: shoot* off, *Rakete*: launch; ✈ (shoot* *od.* bring*) down; *Wild*: shoot*, kill; **~schirmen** *v/t.* shield (*gegen* from); *fig.* protect (*gegen* against, from); **2schirmung** *f* shield, screen; protection; **~schlachten** *v/t.* slaughter (*a. fig.*).

Abschlag *m* *Sport*: goal-kick; **2en** *v/t.* knock off; *Kopf*: cut* off; *Baum*: cut* down; *Bitte etc.*: refuse, turn *s.th.* down.

abschleifen *v/t.* grind* off; *schmirgeln*: sandpaper, smoothe.

Abschlepp|dienst *mot. m* breakdown (*Am.* wrecking) service; **2en** *mot.*, ⚓ *v/t.* tow off; **~seil** *n* tow(ing)-rope.

abschließen 1. *v/t.* lock (up); *beenden*: close, finish; *vollenden*: complete; *Versicherung*: take* out; *Vertrag etc.*: conclude; *e-n Handel* ~ strike* a bargain; *sich* ~ shut* o.s. off; **2.** *v/i.* *enden*: close, finish; **~d 1.** *adj.* concluding; *endgültig*: final; **2.** *adv.*: ~ *sagte er* he concluded by saying.

Abschluß *m* conclusion; **~prüfung** *f* final examination, finals *pl.*, *bsd. Am.* *a.* graduation; *s-e* ~ *machen* graduate (*an* from); **~zeugnis** *n* (school-) leaving certificate; *Am.* (highschool) diploma.

abschmecken *v/t.* *würzen*: season.

ab|schmieren ⊕ *v/t.* lubricate, grease; **~schminken** *v/t.*: *sich* ~ remove one's make-up; **~schnallen** *v/t.* undo*; *Skier*: take* off; *sich* ~ *mot.*, ✈ unfasten one's seatbelt; **~schneiden 1.** *v/t.* cut* (off) (*a. fig.*); *j-m das Wort* ~ cut* s.o. short; **2.** *v/i.*: *gut* ~ come* off well.

Abschnitt *m* *e-s Buches*: passage, section; *e-r Seite*: paragraph; ⩓, *biol.* segment; *Zeit2*: stage, phase; *Kontroll2*: coupon, counterfoil; **2weise** *adv.*: ~ *lesen* read* section by section.

abschrauben *v/t.* unscrew, screw off.

abschreck|en *v/t.* deter (*von* from); *fig.* *Eier etc.*: dip in cold water; **~end**

adj. deterrent; *~es Beispiel* warning example; **2ung** *pol. f* deterrence.
abschreiben *v/t.* copy; *mogeln*: crib.
Abschrift *f* copy, duplicate.
abschürf|en *v/t.* graze; **2ung** *f* abrasion.
Abschuß *m e-r Rakete*: launch(ing); ✈ shooting down, downing; kill; **~basis** ⚔ *f* launching base; **~liste** F *f*: *auf der ~ stehen* be* in for it; **~rampe** *f* launching platform.
abschüssig *adj.* sloping; *steil*: steep.
ab|schütteln *v/t.* shake* off; **~schwächen** *v/t.* weaken, lessen, diminish; **~schweifen** *fig. v/i.* digress (*von* from).
Abschwung *m Turnen*: dismount.
abseh|bar *adj.* foreseeable; *Folgen*: predictable; *in ~er Zeit* before long; **~en** *v/t.* foresee*; *es ist kein Ende abzusehen* there is no end in sight; *es abgesehen haben auf* be* after; *~ von* refrain from.
abseilen *v/t.* rope down.
abseits *adv. u. prp. entfernt von*: away *od.* remote from; *Fußball*: *~ stehen* be* offside.
absend|en *v/t.* send* (off), dispatch; ✉ post, *bsd. Am.* mail; **2er** ✉ *m* sender.
absetz|en 1. *v/t. Hut, Brille etc.*: take* off; *Last*: set* *od.* put* down; *Fahrgast*: drop; *entlassen*: dismiss; *thea., Film*: take* off; *steuerlich*: deduct; *König*: depose; *econ.* sell*; *sich ~* ⚗, *geol.* deposit; **2.** *v/i.*: *ohne abzusetzen* without stopping; **2ung** *f* dismissal; deposal; *thea., Film*: withdrawal.
Absicht *f* intention; *mit ~* on purpose; **2lich 1.** *adj.* intentional; **2.** *adv.* on purpose.
absitzen 1. *v/i. Reiter*: dismount; **2.** *v/t. Strafe*: serve; F *Zeit*: sit* out.
absolut *adj.* absolute.
Absolv|ent(in) graduate; **2ieren** *v/t. Schule, Kurs besuchen*: attend; *abschließen*: complete, graduate from.
absonder|n *v/t.* separate; ⚕, *biol.* secrete; *sich ~* cut* o.s. off (*von* from); **2ung** *f* separation; ⚕, *biol.* secretion.
absorbieren ⚗, *phys. v/t.* absorb (*a. fig.*).
abspenstig *adj.*: *j-m die Freundin ~ machen* steal* s.o.'s girlfriend.
absperr|en *v/t.* lock; *Wasser etc.*: turn off; *Straße*: block off; *Polizei*: cordon off; **2ung** *f* barrier; *Kette* cordon; *s. a. Sperre.*
ab|spielen *v/t. Platte, Band etc.* play; *Sport*: pass; *sich ~* happen take* place; **2sprache** *f* agreement **~sprechen** *v/t.* agree upon; arrange *j-m die Fähigkeit etc. ~* dispute s.o.' ability *etc.*; **~springen** *v/i.* jump off ✈ jump; *Notfall*: bail out; *fig.* bac out (*von* of).
Absprung *m* jump; *Sport*: take-off
abspülen *v/t.* rinse; *Geschirr*: was up.
abstamm|en *v/i.* descend (*von* from) ⚗, *gr.* derive; **2ung** *f* descent derivation; **2ungslehre** *f* theory o the origin of species.
Abstand *m* distance (*a. fig.*); *zeitlich* interval; *~ halten* keep* one's distance; *fig. mit ~* by far.
ab|statten *v/t.*: *j-m e-n Besuch ~* pay* a visit to s.o.; **~stauben** *v/t* dust; **2stauber(tor** *n*) *m* F opportunist goal.
abstech|en 1. *v/t.* stick*; **2.** *v/i* contrast (*von* with); **2er** *m* side-trip excursion (*a. fig.*).
ab|stecken *v/t.* mark out; **~stehen** *v/i.* stand* off; *Ohren etc.*: stick* out protrude; *s. abgestanden*; **~steigen** *v/i.* get* off (*von* from); *ins Tal* climb down; *in e-m Hotel*: stay (*in* at); *Sport*: be* relegated; **2steiger** *m Sport*: relegated club; **~stellen** *v/t* put* down; *bei j-m*: leave*; *Gas etc.* turn off; *Auto*: park; *fig. Mißstände etc.*: put* an end to; **2stellraum** *m* storeroom; **~stempeln** *v/t.* stamp.
Abstieg *m* descent; *fig.* decline *Sport*: relegation.
abstimm|en *v/i.* vote (*über* on) **2ung** *f* vote; *Radio*: tuning.
Abstinenzler *m* teetotal(l)er.
abstoppen *v/t.* stop; *bremsen*: slow down.
Abstoß *m Sport*: goal-kick; **2en** *v/t* push off; *fig. j-n*: repel; F *loswerden* get* rid of; **2end** *fig. adj.* repulsive
abstrakt *adj.* abstract.
ab|streifen *v/t. Kleid, Ring etc.*: slip off; *Schuhe*: wipe; *fig. Sorgen etc.* cast* off; **~streiten** *v/t.* deny.
ab|stufen *v/t.* graduate; *Farben*: gradate; **~stumpfen 1.** *v/t.* blunt, dull (*a. fig.*); **2.** *fig. v/i.* become* unfeeling
Absturz *m* fall; ✈ crash.
ab|stürzen *v/i.* fall*; ✈ crash; **~suchen** *v/t.* search (*nach* for).

absurd *adj.* absurd, preposterous.
Abszeß ⚕ *m* abscess.
Abt *eccl. m* abbot.
ab|tasten *v/t.* feel* (for); ⚕ palpate; *nach Waffen*: frisk; ⚡ scan; **~tauen** *v/t. Kühlschrank etc.*: defrost.
Abtei *eccl. f* abbey.
Ab|teil 🚆 *n* compartment; **2teilen** *v/t.* divide; *arch.* partition off; **~teilung** *f* department (*a. econ.*); *e-s Krankenhauses*: ward; ⚔ detachment; **~teilungsleiter** *m* head of (a) department.
Äbtissin *eccl. f* abbess.
ab|töten *v/t. Bakterien, Nerv etc.*: kill; *fig. Schmerz, Gefühl*: deaden; **~tragen** *v/t. Kleidung*: wear* out; *Geschirr, Erde etc.*: clear away; *Schuld*: pay* off.
Abtransport *m* transportation.
abtreib|en *v/i.* ⚕ have* an abortion; ⚓, ✈ be* blown off course; **2ung** ⚕ *f* abortion; *e-e ~ vornehmen* perform an abortion.
abtrennen *v/t. Coupon etc.*: detach; *Fläche etc.*: separate.
abtret|en 1. *v/t. Absätze*: wear* down; *Füße*: wipe; *fig. Amt, Platz etc.*: give* up (*an* to); **2.** *v/i. vom Amt etc.*: resign; **2er** *m* doormat.
abtrocknen 1. *v/t.* dry; wipe (dry); **2.** *v/i.* dry up (*a. Geschirr*).
abtrünnig *adj.* unfaithful, disloyal; **2e(r)** renegade, turncoat.
ab|tun *v/t. Vorschlag etc.*: dismiss (*als* as); **~wägen** *v/t.* consider carefully; **~wälzen** *v/t. Schuld etc.*: shuffle off (*auf* onto); **~wandeln** *v/t.* vary, modify; **~wandern** *v/i.* migrate (*von* from; *nach* to); **2wanderung** *f* migration.
Ab|wandlung *f* modification, variation; **~wärme** *f* waste heat.
Abwart *m Schweiz*: caretaker, janitor.
abwarten 1. *v/t.* wait for, await; **2.** *v/i.* wait; *warten wir ab!* let's wait and see!; *wart nur ab!* just wait!
abwärts *adv.* down, downward(s).
abwasch|bar *adj. Tapete etc.*: wipe-clean; **~en 1.** *v/t.* wash off; **2.** *v/i. Geschirr*: do* the dishes, wash up; **2wasser** *n* dishwater.
Abwasser *n* waste water, sewage; **~aufbereitung** *f* sewage treatment.
abwechseln *v/i.* alternate; *sich mit j-m ~* take* turns (*bei et.* at [doing] s.th.); **~d** *adv.* by turns.
Abwechs(e)lung *f* change; *zur ~* for a change; **2sreich** *adj.* varied; *Programm etc.*: colo(u)rful.
Abweg *m*: *auf ~e geraten* go* astray; **2ig** *adj.* absurd, unrealistic.
Abwehr *f* defen|ce, *Am.* -se (*a. Sport*); *e-s Stoßes etc.*: warding off; *e-s Balles*: save; **2en** *v/t.* ward off; *zurückschlagen*: beat* back; *Sport*: block; **~fehler** *m* defensive error; **~kräfte** ⚕ *pl.* resistance *sg.*; **~spieler(in)** defender; **~stoffe** ⚕ *pl.* antibodies *pl.*
abweichen *v/i.* deviate (*von* from); *Thema*: digress; **2ung** *f* deviation.
abweisen *v/t. Besucher etc.*: turn away; *schroff*: rebuff; *Bitte etc.*: decline; *stärker*: turn down; **~d** *adj.* unfriendly; *Wasser etc.*: repellent.
ab|wenden *v/t.* turn away; *Unheil etc.*: avert; *sich ~* turn away (*von* from); **~werfen** *v/t.* throw* off; ✈ *Bomben etc.*: drop; *Laub etc.*: shed*; *Gewinn*: yield.
abwert|en *v/t. Währung*: devalue; **~end** *adj. Bemerkung etc.*: depreciatory; **2ung** *f* devaluation.
abwesen|d *adj.* absent; **2heit** *f* absence.
ab|wickeln *v/t.* unwind*; *erledigen*: handle; *Geschäft*: transact; **~wiegen** *v/t.* weigh (out); **~wischen** *v/t.* wipe (off); **2wurf** *m* dropping; *Fußball*: throw-out; **~würgen** F *v/t. mot.* stall; *Diskussion etc.*: stifle; **~zahlen** *v/t. monatlich etc.*: make* payments for; *vollständig*: pay* off; **~zählen** *v/t.* count.
Abzahlung *f*: *et. auf ~ kaufen* buy* s.th. on hire purchase (*Am.* on the instal[l]ment plan).
abzapfen *v/t.* tap, draw* off.
Abzeichen *n* badge; *Ehren2*: medal.
ab|zeichnen *v/t.* copy, draw*; *unterschreiben*: sign; *sich ~* (begin* to) show*; stand* out (*gegen* against); **~ziehen 1.** *v/t.* take* off, remove; A subtract; *Bett*: strip; *Schlüssel*: take* out; *das Fell ~* skin; **2.** *v/i.* go* away; ⚔ march off; *Rauch*: escape; *Gewitter, Wolken*: move off.
Abzug *m econ.* deduction; *Skonto*: discount; ⚔ withdrawal; *Kopie*: copy; *phot.* print; *Waffe*: trigger; ⊕ outlet; *Küche*: cooker hood.
abzüglich *prp.* less, minus.
abzweig|en 1. *v/t. Geld*: divert (*für*

to); **2.** *v/i. Weg etc.*: branch off; **~ung** *f Straße etc.*: junction.
ach *int.* oh!; ~ *je!* oh dear!; ~ *so!* I see; ~ *was! überrascht*: really?
Achse *f* ⊕, *mot.* axle; *etc.*: axis; *auf ~ sein* be* on the move.
Achsel *f* shoulder; *die ~n zucken* shrug one's shoulders; **~höhle** *f* armpit.
acht *adj.* eight; *heute in ~ Tagen* a week from today, *bsd. Brt.* today week; *(heute) vor ~ Tagen* a week ago (today).
Acht *f*: *außer acht lassen* disregard; *sich in acht nehmen* be* careful, look *od.* watch out (*vor* for), be* on one's guard (against).
acht|e *adj.* eighth; **~eckig** *adj.* octagonal; **~el** *n* eighth (part).
achten 1. *v/t.* respect; **2.** *v/i.*: ~ *auf* pay* attention to; *im Auge behalten*: keep* an eye on; *Verkehr*: watch; *schonend behandeln*: be* careful with; *darauf ~, daß* see* to it that.
ächten *v/t.* ban; *bsd. hist.* outlaw.
Achter *m Rudern*: eight; **~bahn** *f* switchback, *Am.* roller coaster.
achtfach *adj. u. adv.* eightfold.
achtgeben *v/i.* be* careful; pay* attention (*auf* to); *auf Kinder etc.*: take* care (*auf* of); *gib acht!* look *od.* watch out!, be careful!
achtlos *adj.* careless, heedless.
Achtung *f Respekt*: respect (*vor* for); *~!* look out!; ⚔ attention!; *~! ~!* attention please!; *~! Fertig! Los!* ready, steady, go!; *~ Stufe!* mind the step!
achtzehn *adj.* eighteen; **~te** *adj.* eighteenth.
achtzig *adj.* eighty; *die ~er Jahre* the eighties; **~ste** *adj.* eightieth.
ächzen *v/i.* groan (*vor* with).
Acker *m* field; **~bau** *m* agriculture; farming; ~ *und Viehzucht* crop and stock farming; **~land** *n* farmland; **~n** *fig. v/i.* toil.
Adapter ⚡, *phys. m* adapter.
addi|eren *v/t.* add (up); **~tion** *f* addition, adding up.
Adel *m* aristocracy; **~n** *v/t.* ennoble (*a. fig.*); *Brt.* knight.
Ader *anat. f* blood vessel, vein (*a. fig.*).
adieu *int.* good-by(e)!, farewell!, F cheerio!
Adjektiv *gr. n* adjective.
Adler *zo. m* eagle.
adlig *adj.* noble; ~ *sein* be* of noble birth; **~e(r)** noble|woman (-man).
Admiral ⚓ *m* admiral.
adopt|ieren *v/t.* adopt; **~ivkind** adopted child.
Adreßbuch *n* directory.
Adress|e *f* address; **~ieren** *v/t.* address (*an* to).
Advent *eccl. m Zeit*: Advent; *Sonntag*: Advent Sunday; **~szeit** *f* Christmas season.
Adverb *gr. n* adverb.
Affäre *f* affair (*a. Liebes~*); *contp. a.* scandal.
Affe *zo. m* monkey; *bsd. Menschen~* ape.
Affekt *m*: *im ~* in the heat of passion (*a.* ⚖); **~iert** *adj.* affected; *eingebildet*: conceited.
Afrikan|er(in), ~isch *adj.* African.
After *anat. m* anus.
Agent *m* agent; *pol.* (secret) agent; **~ur** *f* agency.
Aggress|ion *f* aggression; **~iv** *adj.* aggressive.
Agitator *m* agitator; *contp.* rabble-rouser.
ah *int.* ah!
aha *int.* I see!, oh!
Ahn *m* ancestor; *~en pl. a.* forefathers *pl.*
ähneln *v/i.* resemble, look like.
ahnen *v/t.* foresee*, know*.
ähnlich *adj.* similar (*dat.* to); *j-m ~ sehen* look like s.o.; **~keit** *f* likeness, resemblance, similarity (*mit* to).
Ahnung *f* presentiment; *böse*: foreboding; *Vorstellung*: notion, idea; *ich habe keine ~* I have no idea; **~slos** *adj.* unsuspecting.
Ahorn ⚘ *m* maple(-tree).
Ähre ⚘ *f* ear; *Blüten~*: spike.
Akademi|e *f* academy, college; **~ker(in)** professional man (woman), *bsd. Am.* university graduate; **~sch** *adj.* academic; *die ~en Berufe* the professions.
akklimatisieren *v/refl.* acclimatize (*an* to).
Akkord *m* ♪ chord; *im ~ econ.* by the piece *od.* job; **~arbeit** *econ. f* piecework; **~arbeiter(in)** *econ.* pieceworker; **~lohn** *econ. m* piece wages *pl.*
Akku F ⊕ *m*, **~mulator** ⊕ *m* accumulator, (storage) battery.
Akkusativ *gr. m* accusative (case).
Akne ⚕ *f* acne.

⚠ *„ä" wurde nicht in „ae" aufgelöst, sondern wie „a" behandelt.*

Akrobat|(in) acrobat; **⁓isch** *adj.* acrobatic.
Akt *m* act(ion); *thea.* act; *paint., phot.* nude.
Akte *f* file; *⁓n pl.* files *pl.*, records *pl.*; *zu den ⁓n legen* file; **⁓nkoffer** *m* attaché case; **⁓nordner** *m* file; **⁓ntasche** *f* briefcase; **⁓zeichen** *n* reference (number).
Aktie *econ. f* share, *bsd. Am.* stock; **⁓ngesellschaft** *f* joint-stock company, *Am.* (stock) corporation.
Aktion *f Werbe⁓, Spenden⁓ etc.*: campaign, drive; ⚔, *Rettungs⁓ etc.*: operation; **⁓är** *m* shareholder, *bsd. Am.* stockholder.
aktiv *adj.* active.
Aktiv *gr. n* active voice.
aktuell *adj. Bedeutung, Interesse etc.*: topical; *heutig*: current; *modern*: up-to-date; *TV, Funk*: *e-e ⁓e Sendung* a current-affairs program(me); ⚠ *nicht actual.*
Akust|ik *f Lehre*: acoustics; *e-s Raums*: acoustics *pl.*; **⁓isch** *adj.* acoustic.
akut *adj. Problem etc.*: urgent; ⚕ acute.
Akzent *m* accent; *Betonung*: *a.* stress (*a. fig.*).
akzept|abel *adj.* acceptable; *Preis etc.*: reasonable; **⁓ieren** *v/t.* accept.
Alarm *m* alarm; *⁓ schlagen* sound the alarm; **⁓anlage** *f* alarm system; **⁓ieren** *v/t. Polizei etc.*: call; *beunruhigen*: alarm.
albern *adj.* silly, foolish.
Album *n* album.
Alge ⚘ *f* alga.
Algebra A *f* algebra.
Alibi ⚖ *n* alibi.
Alimente ⚖ *pl.* maintenance *sg.*
Alkohol *m* alcohol; **⁓frei** *adj.* nonalcoholic, soft; **⁓iker(in)** alcoholic; **⁓isch** *adj.* alcoholic; **⁓ismus** *m* alcoholism; **⁓test** *mot. m* breath test.
all *indef. pron. u. adj.* all; *⁓es* everything; *⁓es (beliebige)* anything; *⁓e (Leute)* everybody; anybody; *⁓e beide* both of them; *wir ⁓e* all of us; *vor ⁓em* above all; *⁓es in ⁓em* all in all; *⁓er Art* of all kinds; *auf ⁓e Fälle* in any case; *⁓e drei Tage* every three days; *⁓es Gute!* good luck!
All *n* universe; *Raum*: (outer) space.
alle F *adj.*: *⁓ sein* be* all gone; *mein Geld ist ⁓* I'm out of money.
Allee *f* avenue; ⚠ *nicht alley.*
allein *adj. u. adv.* alone; *einsam*: lonely; *selbst*: by o.s.; *ganz ⁓* all alone; *er hat es ganz ⁓ gemacht* he did it all by himself; **⁓gang** *m* solo; **⁓ig** *adj.* sole; **⁓sein** *n* loneliness; **⁓stehend** *adj.* single.
aller|beste *adj.*: *der (die, das) ⁓e* the best of all, the very best; **⁓dings** *adv. einschränkend*: however, though; *⁓!* certainly!, *bsd. Am.* F sure!; **⁓erste** *adj.* very first.
Allergie ⚕ *f* allergy (*gegen* to).
aller|hand F *adj. viel*: a good deal; *das ist ja ⁓!* that's a bit too much!; **⁓heiligen** *n* All Saints' Day; **⁓lei** *adj.* all kinds *od.* sorts of; **⁓letzte** *adj.* last of all, very last; **⁓liebst 1.** *adj.* (most) lovely; **2.** *adv.*: *am ⁓en mögen* like best of all; **⁓meiste** *adj.* (by far the) most; **⁓nächste** *adj.* very next; *in ⁓r Zeit* in the very near future; **⁓neu(e)ste** *adj.* very latest; **⁓seelen** *n* All Souls' Day; **⁓seits** *adv.*: *guten Morgen ⁓!* good morning everybody!; **⁓wenigst** *adv.*: *am ⁓en* least of all.
allesamt *adv.* all together.
allgemein 1. *adj.* general; *üblich*: common; *umfassend*: universal; **2.** *adv.*: *im ⁓en* in general, generally; **⁓bildung** *f* general education; **⁓heit** *f* general public; **⁓verständlich** *adj.* intelligible (to all), popular; **⁓wissen** *n* general knowledge.
Allheilmittel *n* cure-all (*a. fig.*).
Allianz *f* alliance.
Alliierte *m* ally; *die ⁓n pl. pol.* the Allies *pl.*
all|jährlich 1. *adj.* annual; **2.** *adv.* every year; **⁓mächtig** *adj.* omnipotent; *bsd. Gott*: almighty; **⁓mählich 1.** *adj.* gradual; **2.** *adv.* gradually.
All|radantrieb *mot. m* all-wheel drive; **⁓seitig** *adv.*: *⁓ interessiert sein* have* all-round interests; **⁓tag** *m* workday; weekday; *fig.* everyday life; **⁓täglich** *adj.* daily, everyday; *fig.* ordinary; **⁓wissend** *adj.* omniscient; **⁓zu** *adv.* (much) too; **⁓zuviel** *adv.* too much.
Alm *f* alpine pasture, alp.
Almosen *n* alms *sg. u. pl.*
Alpdruck *m* nightmare (*a. fig.*).
Alphabet *n* alphabet; **⁓isch** *adj.* alphabetic(al).
alpin *adj.* alpine.
Alptraum *m* nightmare (*a. fig.*).
als *cj. zeitlich*: when; *während*: while; *nach comp.*: than; *⁓ ich ankam* when

I arrived; ~ *kleiner Junge* as a little boy; *älter* ~ older than; ~ *ob* as if *od.* though; *nichts* ~ nothing but.

also *cj. folglich, deshalb*: so; ~, *ich* ... well, I ...; ~ *gut!* very well (then)!, all right (then)!; ~ *doch* so ... after all; *du willst* ~ ...? so you want to ...?

alt *adj.* old; *hist.* ancient; *Sprachen*: classical; *ein 12 Jahre* ~*er Junge* a twelve-year-old boy.

Alt ♪ *m* alto (*a. in Zssgn*).

Altar *m* altar.

Alt|e *m, f*: *der* ~ the old man (*a. fig.*); *Chef*: *a.* the boss; *die* ~ the old woman (*a. fig.*); *die* ~*n pl.* the old *pl.*, elderly people *pl.*; ~**enheim** *n s. Altersheim*; ~**enpfleger(in)** geriatric nurse.

Alter *n* age; *hohes*: old age; *im* ~ *von* at the age of.

älter *adj.* older; *mein* ~*er Bruder* my elder brother; *ein* ~*er Herr* an elderly gentleman.

altern *v/i.* grow* old, age.

alternativ *adj.* alternative (*a. in Zssgn*); *Bewegung, Kultur, Szene etc.*: *a.* counterculture (*a. in Zssgn*); 2**e** *f* alternative.

Alters|grenze *f* age limit; *Rentenalter*: retirement age; ~**heim** *n* old people's home; ~**rente** *f* old-age pension; ~**schwäche** *f*: *an* ~ *sterben* die of old age; ~**versorgung** *f* old age pension (scheme).

Altertum *n* antiquity.

altklug *adj.* precocious.

Alt|metall *n* scrap (metal); 2**modisch** *adj.* old-fashioned; ~**öl** *n* waste oil; ~**papier** *n* waste paper; 2**sprachlich** *adj.*: ~*es Gymnasium appr.* classical secondary school; ~**stadt** *f* old town; ~**warenhändler** *m* second-hand dealer; ~**weibersommer** *m* Indian summer; *Fäden*: gossamer.

Aluminium ⚗ *n* aluminium, *Am.* aluminum.

am *prp. räumlich* (*Tisch etc.*): at the; *Abend, Morgen*: in the; *Anfang, Wochenende*: at the; *Sonntag etc.*: on; ~ *1. Mai* on May 1st; ~ *Tage* during the day; ~ *Himmel* in the sky; ~ *meisten* most; ~ *Leben* alive.

Amateur *m* amateur; ~**funker** *m* radio amateur; F radio ham.

Amboß *m* anvil.

ambulan|t ⚕ *adv.*: ~ *behandelt werden* get* outpatient treatment; 2**z** *f Klinik*: outpatients' department; *Krankenwagen*: ambulance.

Ameise *zo. f* ant; ~**nhaufen** *m* anthill.

Amerikan|er(in), 2**isch** *adj.* American.

Amnestie *pol. f,* 2**ren** *v/t.* amnesty.

Amok *m*: ~ *laufen* run* amok.

Ampel *mot. f* traffic light(s *pl.*).

Amphibie *zo. f* amphibian (*a. fig. u. in Zssgn*).

Ampulle *f* ampoule.

Amput|ation ⚕ *f* amputation; 2**ieren** ⚕ *v/t.* amputate.

Amsel *zo. f* blackbird.

Amt *n Dienststelle*: office, department, *bsd. Am.* bureau; *Posten*: office, position; *Aufgabe*: duty, function; *teleph.* exchange; 2**lich** *adj.* official.

Amts|arzt *m* medical officer (*Am.* examiner); ~**einführung** *f* inauguration; ~**geheimnis** *n* official secret; ~**geschäfte** *pl.* official duties *pl.*; ~**zeichen** *teleph. n* dialling (*Am.* dial) tone.

Amulett *n* amulet, (lucky) charm.

amüs|ant *adj.* amusing, entertaining; ~**ieren** *v/refl.* enjoy o.s., have* a good time; *sich* ~ *über* laugh at.

an 1. *prp. räumlich*: ~ *der Themse* (*Küste, Wand*) on the Thames (coast, wall); ~ *s-m Schreibtisch* at his desk; ~ *der Hand* by the hand; ~ *der Arbeit* at work; ~ *den Hausaufgaben sitzen* sit* over one's homework; *et. schicken* ~ send* s.th. to; *sich lehnen* ~ lean* against; ~ *die Tür etc. klopfen* knock at the door *etc.*; *zeitlich*: ~ *e-m Sonntagmorgen* on a Sunday morning; ~ *dem Tag,* ~ *dem du abreist* on the day you leave; ~ *Weihnachten etc.* at Christmas *etc.*; *fig.* ~ *seiner Stelle* in his place; *sterben* ~ die of; *erkrankt* ~ ill with; *Mangel* ~ lack of; **2.** *adv.* on (*a. Licht etc.*); *von jetzt* (*da, heute*) ~ from now (that time, today) on; *München* ~ *16.45* arrival Munich 16.45.

Analphabet *m* illiterate (person).

Analys|e *f* analysis; 2**ieren** *v/t.* analy|se, *Am.* -ze.

Ananas *f* pineapple.

Anarchie *f* anarchy.

Anatom|ie *f* anatomy; 2**isch** *adj.* anatomical.

anbahnen *v/t.* pave the way for; *sich* ~ be* developing (*b. s.* impending).
Anbau *m* ⸗ cultivation; *arch.* annex, extension; **≈en** *v/t.* ⸗ cultivate, grow*; *arch.* add (*an* to).
anbehalten *v/t.* keep* on.
anbei *econ. adv.* enclosed.
an|beißen 1. *v/t.* take* a bite of; **2.** *v/i.* *Fisch*: bite*; *fig.* take* the bait; **~bellen** *v/t.* bark at (*a. fig.*); **~beten** *v/t.* adore, worship (*a. fig.*).
Anbetracht *m*: *in* ~ (*dessen, daß*) considering (that).
anbetteln *v/t.*: *j-n um et.* ~ beg s.o. for s.th.
an|biedern *v/refl.* curry favo(u)r (*bei* with); **~bieten** *v/t.* offer; **~binden** *v/t.* tie (*an* to).
Anblick *m* sight; **≈en** *v/t.* look at; *flüchtig*: glance at.
an|bohren *v/t.* drill a hole into; *Quelle, Faß etc.*: tap; **~brechen 1.** *v/t.* *Vorräte*: break* into; *Flasche etc.*: open; **2.** *v/i.* begin*; *Tag*: break*; *Nacht*: fall*; **~brennen** *v/i.* *Milch etc.*: burn* (*a.* ~ *lassen*); **~bringen** *v/t.* fix (*an* to).
anbrüllen *v/t.* roar at.
Andacht *f* devotion; *Gottesdienst*: service.
andächtig *adj.* devout; *fig.* rapt.
andauern *v/i.* continue, go* on, last.
Andenken *n* keepsake; *Reise≈*: souvenir (*beide*: *an* of); *zum* ~ *an* in memory of.
andere *adj. u. indef. pron.* other; *verschieden*: different; *noch* ~ *Fragen?* any more questions?; *mit* ~*n Worten* in other words; *am* ~*n Morgen* the next morning; *et.* (*nichts*) ~*s* s.th. (nothing) else; *nichts* ~*s als* nothing but; *die* ~*n* the others; *alle* ~*n* everybody else; *s. a. anders*.
andererseits *adv.* on the other hand.
ändern *v/t.* change; *Kleidung etc.*: alter; *ich kann es nicht* ~ I can't help it; *sich* ~ change.
andernfalls *adv.* otherwise.
anders *adv.* different(ly); *j.* ~ somebody else; ~ *werden* change; ~ *sein* (*als*) be* different (from); *es geht nicht* ~ there is no other way; **~herum** *adv.* the other way round; **~wo(hin)** *adv.* elsewhere.
anderthalb *adj.* one and a half.
Änderung *f* change; *Kleid etc.*: alteration.
andeut|en *v/t.* *zu verstehen geben*: hint (at), suggest; *erwähnen*: indicate; *j-m* ~, *daß* give* s.o. a hint that; **≈ung** *f* hint, suggestion.
Andrang *m* crush; *Nachfrage*: rush (*nach* for), run (*zu, nach* on).
andrehen *v/t.* *Licht etc.*: turn on.
androhen *v/t.*: *j-m et.* ~ threaten s.o. with s.th.
aneignen *v/t.* acquire.
aneinander *adv.* *binden etc.*: together; ~ *denken* think* of each other; **~geraten** *v/i.* clash (*mit* with).
anekeln *v/t.* disgust, sicken; *es ekelt mich an* it makes me sick.
anerkannt *adj.* acknowledged, recognized.
anerkenn|en *v/t.* acknowledge, recognize; *lobend*: appreciate; **~end** *adj.* appreciative; **≈ung** *f* acknowledg(e)ment, recognition; appreciation.
anfahr|en 1. *v/i.* start; **2.** *v/t.* *Baum, Auto*: run* into; *Person*: hit*; *transportieren*: carry (up); *j-n* ~ *schelten*: jump on s.o.; **≈t** *f* journey, ride.
Anfall ⚕ *m* fit, attack; **≈en** *v/t.* attack, assault; *Hund*: go* for.
anfällig *adj.* susceptible (*für* to); *Gesundheit*: delicate.
Anfang *m* beginning, start; *am* ~ at the beginning; ~ *Mai* early in May; ~ *nächsten Jahres* early next year; ~ *der achtziger Jahre* in the early eighties; *er ist* ~ *20* he is in his early twenties; *von* ~ *an* from the beginning *od.* start; **≈en** *v/t. u. v/i.* begin*, start.
Anfänger(in) beginner.
anfangs *adv.* at first; **≈buchstabe** *m* initial (letter); *großer* ~ capital letter.
anfassen *v/t.* touch; *ergreifen*: take* (hold of); *sich* ~ take* each other by the hands.
anfecht|bar *adj.* contestable; **~en** *v/t.* contest; **≈ung** *f* contesting.
an|fertigen *v/t.* make*, manufacture; **~feuchten** *v/t.* moisten; **~feuern** *fig. v/t.* *Sport*: cheer; **~flehen** *v/t.* implore; **~fliegen** ✈ *v/t.* approach; *regelmäßig*: fly* (regularly) to; **≈flug** *m* ✈ approach; *fig.* touch.
anforder|n *v/t.* demand; request; **≈ung** *f* demand; request; ~*en pl.* requirements *pl.*, qualifications *pl.*
Anfrage *f* inquiry; **≈n** *v/i.* inquire (*bei j-m nach et.* of s.o. about s.th.).
an|freunden *v/refl.* make* friends

(*mit* with); **~fühlen** *v/refl.* feel*; *es fühlt sich weich (wie Leder) an* it feels soft (like leather).

anführ|en *v/t.* lead*; *nennen*: state; *täuschen*: fool; **2er** *m* leader; **2ungszeichen** *pl.* quotation marks *pl.*, inverted commas *pl.*

Angabe *f Aussage*: statement; *Hinweis*: indication; F *Aufschneiderei*: big talk; *Tennis*: service; *~n pl.* information *sg*, data *pl.*; *nähere*: details *pl.*

angeb|en 1. *v/t.* give*, state; *Zoll*: declare; *zeigen*: indicate; *Preis*: quote; **2.** *v/i.* F *fig.* brag, show* off; *Tennis*: serve; **2er** F *m* braggart, show-off; **2erei** F *f* bragging, showing off; **~lich** *adj.* alleged.

angeboren *adj.* innate, inborn; ⚕ congenital.

Angebot *n* offer (*a. econ.*); *~ und Nachfrage* supply and demand.

ange|bracht *adj.* appropriate; **~bunden** *adj.*: *kurz ~* curt; **~gossen** F *adj.*: *wie ~ sitzen* fit like a glove.

angehen 1. *v/i. Licht etc.*: go* on; **2.** *v/t.*: *j-n ~* concern s.o.; *das geht dich nichts an* that is none of your business.

angehör|en *v/i.* belong to; **2ige(r)** relative; *Mitglied*: member; *die nächsten ~n pl.* the next of kin *pl.*

Angeklagte(r) ⚖ defendant.

Angel *f* fishing tackle; *Tür2*: hinge.

Angelegenheit *f* matter, affair.

ange|lehnt *adj. Tür etc.*: ajar; **~lernt** *adj. Arbeiter*: semi-skilled.

Angel|haken *m* fish-hook; **2n 1.** *v/i.* fish (*nach* for), angle (for) (*beide a. fig.*); **2.** *v/t.* catch*, hook; **~rute** *f* fishing-rod.

Angel|sachse *m*, **2sächsisch** *adj.* Anglo-Saxon.

Angel|schein *m* fishing permit; **~schnur** *f* fishing-line.

ange|messen *adj.* proper, suitable; *Strafe*: just; *Preis*: reasonable; **~nehm** *adj.* pleasant, agreeable; *das 2e mit dem Nützlichen verbinden* combine business with pleasure; **~regt** *adj.* animated; *Unterhaltung*: lively; **~sehen** *adj.* respected; **~sichts** *prp.* in view of.

Angestellte(r) employee (*bei* with); *die ~n pl.* the staff *pl.*

ange|trunken *adj.*: *in ~em Zustand* under the influence of alcohol; **~wandt** *adj.* applied; **~wiesen** *adj.*: *~ sein auf* be* dependent (up)on.

angewöhnen *v/t.*: *sich (j-m) ~, et. zu tun* get* (s.o.) used to doing s.th.; *sich das Rauchen ~* take* to smoking.

Angewohnheit *f* habit.

Angina ⚕ *f* tonsillitis.

angleichen *v/t.* adjust (*an* to).

Angler *m* angler.

Anglist(in) *Student(in)*: student of English.

angreif|en *v/t. feindlich*: attack (*a. Sport u. fig.*); *Gesundheit*: affect; *Vorräte etc.*: touch; **2er** *m* attacker (*a. Sport*), assailant; *bsd. pol.* aggressor.

angrenzend *adj.* adjacent (*an* to), adjoining (to).

Angriff *m* attack (*a. Sport u. fig.*); *Sturm2*: assault, charge; *in ~ nehmen* set* about; **2slustig** *adj.* aggressive.

Angst *f* fear (*vor* of); *~ haben vor* be* afraid *od.* scared of; *j-m ~ einjagen* frighten *od.* scare s.o.; **~hase** F *m*: *ein ~ sein* be* chicken.

ängstigen *v/t.* frighten, alarm; *sich ~* be* afraid (*vor* of); be* worried (*um* about).

ängstlich *adj. Charakter*: timid, fearful; *besorgt*: anxious.

an|gurten *v/t. s. anschnallen*; **~haben** *v/t. Kleidung*: wear*; have* on (*a. Licht etc.*); *das kann mir nichts ~* that can't do me any harm.

anhalten 1. *v/t.* stop; *den Atem ~* hold* one's breath; **2.** *v/i.* stop; *andauern*: continue; *um j-s Hand ~* propose (marriage) to s.o.; **~d** *adj.* continual.

Anhalter(in) hitchhiker; *per ~ fahren* hitchhike.

Anhaltspunkt *m* clue.

anhand *prp.* by means of.

Anhang *m Buch*: appendix; *Verwandte*: relations *pl.*

anhäng|en *v/t. hinzufügen*: add; *aufhängen*: hang* up; 🚂, *mot.* couple (*an* to); **2er** *m* follower, supporter (*a. Sport*); *Schmuck*: pendant; *Koffer2 etc.*: label, tag; *mot.* trailer.

anhänglich *adj.* affectionate; *contp.* clinging; **2keit** *f* affection.

anhäuf|en *v/t. u. v/refl.* heap up, accumulate; **2ung** *f* accumulation.

an|heben *v/t.* lift, raise (*a. Preis*); *mot.* jack up; **~heften** *v/t.* attach, tack (*beide*: *an* to).

anheimstellen *v/t.*: *j-m et. ~* leave* s.th. to s.o.

Anhieb *m*: *auf ~* at the first go.

anhimmeln F *v/t.* idolize, worship.
Anhöhe *f* rise, hill, elevation.
anhör|en *v/t.* listen to; *et. mit* ~ overhear* s.th.; *sich* ~ *klingen*: sound; **≈ung** ⚖, *pol. f* hearing.
animieren *v/t.* encourage.
ankämpfen *v/i.*: ~ *gegen* fight* *s.th.*
Ankauf *m* purchase.
Anker ⚓ *m* anchor; *vor* ~ *gehen* drop anchor; **≈n** ⚓ *v/i.* anchor.
anketten *v/t.* chain (*an* to).
Anklage ⚖ *f* accusation, charge (*a. fig.*); **≈n** ⚖ *v/t.* accuse (*wegen* of), charge (with) (*beide a. fig.*).
anklammern *v/t.* clip *s.th.* on; *sich* ~ cling* (*an* to).
Anklang *m*: ~ *finden* meet* with approval.
an|kleben *v/t.* stick* on (*an* to); **~kleiden** *v/t.* dress; **~klopfen** *v/i.* knock (*an* at); **~knipsen** ⚡ *v/t.* switch on; **~knüpfen** *v/t. Schnur etc.*: tie (*an* to); *fig.* begin*; *Beziehungen* ~ (*zu*) establish contacts (with); ~ *an et.* refer to s.th.; **~kommen** *v/i.* arrive; *nicht gegen j-n* ~ be* no match for s.o.; *es kommt* (*ganz*) *darauf an* it (all) depends; *es kommt darauf an, daß* what matters is; *darauf kommt es nicht an* that doesn't matter; *es darauf* ~ *lassen* chance it.
ankündig|en *v/t.* announce; *in der Presse*: advertise; **≈ung** *f* announcement; advertisement.
Ankunft *f* arrival.
an|lächeln, ~lachen *v/t.* smile at.
Anlage *f Anordnung*: arrangement; *Einrichtung*: facility; *Fabrik≈*: plant; *Grün≈, Sport≈*: grounds *pl.*; *Geld≈*: investment; *zu e-m Brief*: enclosure; *Talent*: gift; *öffentliche* ~*n pl.* public gardens *pl.*; *sanitäre* ~*n pl.* sanitary facilities *pl.*
Anlaß *m* occasion; *Ursache*: cause.
anlass|en *v/t. Kleidung*: keep* on, leave* on (*a. Licht etc.*); ⊕, *mot.* start; **≈er** *mot. m* starter.
anläßlich *prp.* on the occasion of.
Anlauf *m Sport*: run-up; *fig.* start; **≈en 1.** *v/i.* run* up; *fig.* start; *Metall*: tarnish; *Brille etc.*: steam up; **2.** ⚓ *v/t.* call *od.* touch at.
an|legen 1. *v/t. Kleidung, Schmuck etc.*: put* on; *Garten, Straße*: lay* out; *Geld*: invest; *Stadt*: found; ⚘ *Verband*: apply; *Vorräte*: lay* in; *fig. sich mit j-m* ~ pick a quarrel with s.o.; **2.** *v/i.* ⚓ land; moor; ~ *auf* aim at; **~lehnen** *v/t.* lean* (*an* against); *Tür*: leave* ajar; *sich* ~ *an* lean* against (*fig.* on).
Anleihe *f* loan.
Anleitung *f* guidance, instruction; *schriftliche*: instructions *pl.*
Anliegen *n Bitte*: request; *e-s Buches etc.*: message.
Anlieger *m* resident (*a. mot.*).
an|locken *v/t.* attract; *stärker*: lure; **~machen** *v/t. anzünden*: light*; *Licht, Radio etc.*: turn on; *Salat*: dress; **~malen** *v/t.* paint.
Anmarsch *m*: *im* ~ on the way; ⚔ advancing.
anmaßen *v/t.*: *sich* ~, *et. zu tun* presume to do s.th.; **~d** *adj.* arrogant.
anmeld|en *v/t. Besuch etc.*: announce; *amtlich*: register; *Zollgut*: declare; *für Kurs, Schule etc.*: enrol(l); *sich* ~ *bei Arzt etc.*: make* an appointment with; **≈ung** *f* announcement; registration, enrol(l)ment.
anmerk|en *v/t.*: *j-m et.* ~ notice s.th. in s.o.; *sich et.* ~ *lassen* let* s.th. show; **≈ung** *f* note; *erklärend*: annotation, *Fußnote*: *a.* footnote.
Anmut *f* grace(fulness); **≈ig** *adj.* graceful.
annähen *v/t.* sew* on (*an* to).
annäher|nd *adv.* approximately; **≈ung** *f* approach (*an* to); **≈ungsversuche** *pl.* advances *pl.*; F pass *sg.*
Annahme *f* acceptance (*a. fig.*); *Vermutung*: assumption.
annehm|bar *adj.* acceptable; *Preis*: reasonable; **~en** *v/t.* accept; *vermuten*: suppose; *Kind, Namen*: adopt; *Ball*: take*; *Form etc.*: take* on; *sich e-r Sache od. j-s* ~ take* care of s.th. *od.* s.o.; **≈lichkeit** *f* convenience.
Annonce *f* advertisement.
anonym *adj.* anonymous; **≈ität** *f* anonymity.
Anorak *m* anorak.
anordn|en *v/t.* arrange; *befehlen*: give* order(s), order; **≈ung** *f* arrangement; direction, order.
anorganisch ⚗ *adj.* inorganic.
anpacken F *fig.* **1.** *v/t. Problem etc.*: tackle; **2.** *v/i.*: *mit* ~ lend* a hand.
anpass|en *v/t.* adapt (*dat. od. an* to), adjust (to); *sich j-m od. e-r Sache* ~ adapt *od.* adjust o.s. to s.o. *od.* s.th.; **≈ung** *f* adaptation, adjustment;

~ungsfähig *adj.* adaptable; **2ungsfähigkeit** *f* adaptability.
anpflanz|en *v/t.* cultivate, plant; **2ung** *f* cultivation.
anprobieren *v/t.* try on.
Anrainer *östr. m s. Anlieger.*
an|raten *v/t.* advise; **~rechnen** *v/t. berechnen*: charge; *gutschreiben*: allow; *hoch ~* appreciate very much; *als Fehler ~* count as a mistake.
Anrecht *n*: *ein ~ haben auf* be* entitled to.
Anrede *f* address; **2n** *v/t.* address (*mit Namen* by name).
anreg|en *v/t. beleben*: stimulate; *vorschlagen*: suggest; **~end** *adj.* stimulating; **2ung** *f* stimulation; suggestion; **2ungsmittel** *n* stimulant.
Anreiz *m* incentive.
anrichten *v/t. Speisen*: prepare, dress; *Schaden*: cause, do*.
anrüchig *adj.* disreputable.
Anruf *m* call (*a. teleph.*); **~beantworter** *teleph. m* answering machine; **2en** *v/t.* call *od.* ring* up, phone.
anrühren *v/t.* touch; *mischen*: mix.
Ansage *f* announcement; **2n** *v/t.* announce; **~r(in)** announcer.
ansamm|eln *v/t.* accumulate; **2lung** *f* collection, accumulation; *Menschen2*: crowd.
Ansatz *m Beginn*: start (*zu* of); *Versuch*: attempt (*zu* at); *Methode*: approach; ⊕ attachment; 🝖 set-up; *Ansätze pl.* first signs *pl.*
anschaff|en *v/t. allg.* get*; *sich et. ~* buy* *od.* get* (o.s.) s.th.; **2ung** *f* purchase, buy.
anschau|en *v/t. s. ansehen*; **~lich** *adj. Stil etc.*: graphic, plastic.
Anschauung *f* view (*von* of), opinion (*von* about, of); **~smaterial** *n Schule etc.*: visual aids *pl.*
Anschein *m* appearance; *allem ~ nach* to all appearances; **2end** *adv.* apparently.
anschieben *v/t.* give* a push (*a. mot.*).
Anschlag *m* poster, bill; *Bekanntmachung*: notice; *Überfall*: attack; *Schreibmaschine*: stroke; *e-n ~ auf j-n verüben* make* an attempt on s.o.'s life; **~brett** *n* notice board, *bsd. Am.* bulletin board; **2en 1.** *v/t. Plakat*: post; ♪ strike*; *Tasse etc.*: chip; **2.** *v/i. Hund*: bark; *wirken*: take* (effect) (*a.* ⚕); **~säule** *f* advertising pillar.
anschließen *v/t.* ⊕, ⚡ connect; *sich ~ folgen*: follow; *e-r Ansicht etc.*: agree with; *sich j-m od. e-r Sache ~* join s.o. *od.* s.th.; **~d 1.** *adj.* following; **2.** *adv.* then, afterwards.
Anschluß *m* 🚂, ⚡, *teleph., Gas etc.*: connection; *im ~ an* following; *~ finden (bei)* make* contact *od.* friends (with); *~ bekommen teleph.* get* through.
an|schmiegen *v/refl.* snuggle up (*an* to); **~schmiegsam** *adj.* affectionate; **~schnallen** *v/t.* strap on, put* on (*a. Ski*); *sich ~* ✈, *mot.* fasten one's seat belt; **~schnauzen** F *v/t.* blow* *s.o.* up, *Am. a.* bawl *s.o.* out; **~schneiden** *v/t.* cut*; *Thema*: bring* up.
Anschnitt *m* first cut *od.* slice.
an|schrauben *v/t.* screw on (*an* to); **~schreiben** *v/t. Schule etc.*: write* on the (black)board; *j-n ~* write* to s.o.; (*et.*) *~ lassen* buy* (s.th.) on credit; **~schreien** *v/t.* shout at.
Anschrift *f* address.
anschuld|igen *v/t.* accuse (*gen., wegen* of), charge (with); **2igung** *f* accusation.
anschwellen *v/i.* swell* (*a. fig.*).
anschwemmen *v/t.* wash ashore.
ansehen *v/t.* look at, have* *od.* take* a look at; watch; see*; *sich e-n Film ~* see* a film; *sich ein Rennen (Spiel) ~* watch a race (game); *et. (j-n) ~ als* look upon s.th. (s.o.) as; *et. mit ~* watch *od.* witness s.th.; *man sieht ihm an, daß* ... one can see that ...
Ansehen *n* reputation.
ansehnlich *adj. beträchtlich*: considerable.
an|seilen *mount. v/t. u. v/refl.* rope; **~setzen 1.** *v/t.* put* (*an* to); *anfügen*: put* on, add; *Termin*: fix, set*; *Rost (Fett) ~* put* on rust (weight); **2.** *v/i.*: *~ zu Landung etc.*: prepare for.
Ansicht *f Meinung*: opinion, view; *Anblick*: sight, view; *der ~ sein, daß* ... be* of the opinion that ...; *meiner ~ nach* in my opinion; *zur ~ econ.* on approval; **~skarte** *f* picture postcard; **~ssache** *f* matter of opinion.
ansied|eln *v/t. u. v/refl.* settle; **2ler** *m* settler; **2lung** *f* settlement.
anspann|en *fig. v/t. Kräfte etc.*: strain; **2ung** *fig. f* strain, exertion.
anspiel|en *v/i. Fußball*: kick off; *~ auf* allude to, hint at; **2ung** *f* allusion, hint.
anspitzen *v/t. Stift etc.*: sharpen.

Ansporn *m* incentive; **2en** *v/t.* spur *s.o.* on.
Ansprache *f* address, speech; *e-e ~ halten* deliver an address.
ansprechen *v/t.* address, speak* to; *fig. gefallen*: appeal to; **~d** *adj.* attractive.
an|springen 1. *v/i. Motor*: start; **2.** *v/t.* jump (up)on; **~spritzen** *v/t.* splash (*j-n mit et.* s.th. on s.o.).
Anspruch *m* claim (*auf* to) (*a.* ⚖); *~ haben auf* be* entitled to; *~ erheben auf* claim; *Zeit in ~ nehmen* take* up time; **2slos** *adj.* modest; *Buch, Musik*: light, undemanding; *contp.* trivial; **2svoll** *adj.* hard to please; *Buch etc.*: demanding; ⊕, *Geschmack*: sophisticated, refined.
Anstalt *f* establishment, institution; *Nervenheil2*: mental home.
Anstand *m* decency; *Benehmen*: manners *pl.*
anständig *adj.* decent; *Preis*: reasonable; **2keit** *f* decency.
anstandslos *adv.* unhesitatingly; *mühelos*: without difficulty.
anstarren *v/t.* stare at.
anstatt *prp. u. cj.* instead of.
anstechen *v/t. Faß*: tap.
ansteck|en *v/t.* stick* on; *Ring*: put* on; *anzünden*: light*; *Haus etc.*: set* fire to; ⚕ infect; *sich bei j-m ~* catch* s.th. from s.o.; **~end** ⚕ *adj.* infectious (*a. fig.*); *direkt*: contagious; **2nadel** *f* pin, button; **2ung** ⚕ *f* infection; contagion.
an|stehen *v/i.* queue (up) (*nach* for), *bsd. Am.* stand* in line (for); **~steigen** *v/i.* rise*.
anstell|en *v/t. j-n einstellen*: engage, employ; *TV etc.*: turn on; *mot.* start; *Versuche, Ermittlungen*: make*; *sich ~* queue (up) (*nach* for), *Am.* line up (for); *was hast du wieder angestellt?* what have you done again?; **2ung** *f Stelle*: job, position; *e-e ~ finden* find* employment.
Anstieg *m* rise, increase.
anstift|en *v/t.* incite; **2er** *m* instigator; **2ung** *f* incitement.
anstimmen *v/t.* strike* up.
Anstoß *m Fußball*: kickoff; *Anregung*: initiative, impulse; *Ärgernis*: offen|ce, *Am.* -se; *~ erregen* give* offence (*bei* to); *~ nehmen an* take* offence at; *den ~ zu et. geben* start s.th., initiate s.th.; **2en 1.** *v/t. mit dem Ellbogen*: nudge; **2.** *v/i. mit Gläsern*: clink glasses; *auf j-n od. et. ~* drink* to s.o. *od.* s.th.
anstößig *adj.* offensive.
an|strahlen *v/t. Gebäude etc.*: illuminate; *j-n*: beam on.
anstreiche|n *v/t.* paint; *Fehler, Textstelle*: mark; **2r** *m* (house)painter.
anstreng|en *v/refl.* try (hard), make* an effort, work hard; **~end** *adj.* strenuous, hard; **2ung** *f* exertion, strain; *Bemühung*: effort.
Ansturm *fig. m* rush (*auf* for).
Anteil *m* share, part; *~ nehmen an* take* an interest in; *mitleidig*: sympathize with; **~nahme** *f* sympathy; *Interesse*: interest.
Antenne *f* aerial, *bsd. Am.* antenna.
Anti|..., 2... *in Zssgn autoritär, Militarismus etc.*: anti...; **~alkoholiker** *m* teetotal(l)er; **~babypille** F *f* birth-control pill, F the pill.
antik *adj.* antique, *hist. a.* ancient; **2e** *hist. f* ancient world.
Antilope *zo. f* antelope.
Antipathie *f* antipathy.
Antiquar|iat *n* antiquarian (*modernes ~*: second-hand) bookshop; **2isch** *adj. u. adv.* second-hand.
Antiquitäten *pl.* antiques *pl.*
Antisemit *m* anti-Semite; **2isch** *adj.* anti-Semitic; **~ismus** *m* anti-Semitism.
Antlitz *lit. n* face, countenance.
Antrag *m Gesuch*: application; *parl.* motion; *Heirats2*: proposal; *~ stellen auf* make* an application for; *parl.* move for; **~steller** *m* proponent, applicant; *parl.* mover.
an|treffen *v/t.* meet*, find*; **~treiben** *v/t.* ⊕, *mot.* drive*, power; *zu et. ~*: urge (on); *Strandgut*: float ashore; **~treten 1.** *v/t. Amt, Erbe*: enter upon; *Position*: take* up; *Reise*: set* out on; **2.** *v/i.* take* one's place; ⚔ line up.
Antrieb *m* ⊕ drive, propulsion; *fig.* motive, impulse; *Schwung*: drive.
antun *v/t.*: *j-m et. ~* do* s.th. to s.o.; harm s.o.; *sich et. ~* lay* hands on o.s.
Antwort *f* answer (*auf* to), reply (to); **2en** *v/i.* answer (*j-m* s.o.), reply (to s.o.); *auf e-e Frage od. e-n Brief ~* answer a question *od.* a letter.
an|vertrauen *v/t.*: *j-m et. ~ Aufgabe etc.*: (en)trust s.o. with s.th.; *Geheimnis etc.*: confide s.th. to s.o.; **~wachsen** *v/i.* ⚘ take* root; *fest-*

wachsen: grow* on (*an* to); *fig.* grow*, increase.
Anwalt *m s. Rechtsanwalt.*
Anwärter(in) candidate (*auf* for).
anweis|en *v/t. zuweisen*: assign; *anleiten, j-m auftragen*: instruct; *befehlen*: *a.* direct, order; *s. angewiesen*; **2ung** *f* instruction; order.
anwend|en *v/t.* use; *Regel, Arznei*: apply (*auf* to); *s. angewandt*; **2ung** *f* use; application.
anwerben *v/t.* recruit (*a. fig.*).
Anwesen *n* estate; property.
anwesen|d *adj.* present; **2heit** *f* presence; *Schule*: attendance; *die ~ feststellen* make* a roll call.
Anzahl *f* number, quantity.
anzahl|en *v/t.* pay* on account; **2ung** *f erste Rate*: down payment.
anzapfen *v/t.* tap.
Anzeichen *n* symptom (*a.* ⚕), sign.
Anzeige *f Zeitungs2*: advertisement; *Bekanntgabe*: announcement; ⚖ information; ⊕ scale; **2n** *v/t. bekanntgeben*: announce; *bei der Polizei*: report to the police; ⊕ *Instrument*: indicate, show*; *j-n ~* inform against s.o.
anziehen *v/t. Kleidung*: put* on; *Kind etc.*: dress; *reizen, anlocken*: attract, draw*; *Schraube*: tighten; *Bremse, Hebel*: pull; *sich ~* dress, get* dressed; **~d** *adj.* attractive.
Anziehung(skraft) *f phys.* attraction; *fig. a.* appeal.
Anzug *m* suit; *im ~ sein* be* coming up.
anzüglich *adj. Witz*: suggestive; *Bemerkung*: personal, offensive.
anzünden *v/t.* light*; *Gebäude*: set* on fire.
apathisch *adj.* apathetic.
Apfel *m* apple; **~mus** *n* apple sauce; **~sine** *f* orange; **~wein** *m* cider.
Apostel *m* apostle.
Apostroph *m* apostrophe.
Apotheke *f* chemist's shop, pharmacy, *Am.* drugstore; **~r(in)** pharmacist, *bsd. Brt.* chemist; *bsd. Am.* druggist.
Apparat *m* apparatus; *Gerät, Vorrichtung*: device; *teleph.* (tele)phone; radio; TV set; camera; *fig. pol. etc.*: machine(ry); *am ~! teleph.* speaking!; *am ~ bleiben teleph.* hold* the line.
Appell *m* appeal (*an* to); **2ieren** *v/i.* make* an appeal (*an* to).
Appetit *m* appetite (*auf* for); *~ auf et. haben* feel* like s.th.; **2lich** *adj.* appetizing, savo(u)ry; *fig. a.* inviting.
applau|dieren *v/i.* applaud; **2s** *m* applause.
Aprikose *f* apricot.
April *m* April; *~! ~!* April fool!; **~scherz** *m* April fool (joke).
Aquarell *n* water-colo(u)r.
Aquarium *n* aquarium.
Äquator *m* equator.
Ära *f* era.
Arab|er(in) Arab; **2isch** *adj.* Arabian; *Sprache, Zahl*: Arabic.
Arbeit *f* work, *econ., pol. a.* labo(u)r; *Berufstätigkeit*: *a.* employment, job; *Klassen2*: test; *schriftliche, wissenschaftliche*: paper; *Ausführung*: workmanship; *bei der ~* at work; *zur ~ gehen od. fahren* go* to work; *gute ~ leisten* make* a good job of it; *sich an die ~ machen* set* to work; *die ~ niederlegen* stop work; **2en** *v/i.* work (*an* at, on).
Arbeiter|(in) worker; **~klasse** *f* working class(es *pl.*).
Arbeit|geber *m* employer; **~nehmer** *m* employee.
Arbeits|amt *n* labo(ur)r exchange, *Brt. mst* job centre; *Am.* labor office; **~bescheinigung** *f* certificate of employment; **2fähig** *adj.* fit for work; **~gemeinschaft** *f* work *od.* study group; **~gericht** *n* labo(u)r court, *Brt.* industrial tribunal; **~kleidung** *f* working clothes *pl.*; **~kraft** *f* working power; *Arbeiter*: worker; *Arbeitskräfte pl. a.* labo(u)r *sg.*; **2los** *adj.* unemployed, out of work, jobless; **~lose** *m, f*: *die ~n pl.* the unemployed *pl.*; **~losenunterstützung** *f* unemployment benefit; *~ beziehen* F be* on the dole; **~losigkeit** *f* unemployment; **~markt** *m* labo(u)r market; **~minister** *m Brt.* Minister of Labour, *Am.* Secretary of Labor; **~niederlegung** *f* strike, walkout; **~pause** *f* break, intermission; **~platz** *m* place of work; *Stelle*: job; **2scheu** *adj.* work-shy; **~suche** *f*: *er ist auf ~* he is looking for a job; **~tag** *m* workday; **2unfähig** *adj.* unfit for work; *ständig*: disabled; **~weise** *f* method (of working); **~zeit** *f* working time; working hours *pl.*; **~zimmer** *n* study.
Archäo|loge *m* arch(a)eologist; **~logie** *f* arch(a)eology.

Arche *f* ark; *die ~ Noah* Noah's ark.
Architekt *m* architect; **2onisch** *adj.* architectural; **~ur** *f* architecture.
Archiv *n* archives *pl.*; record office.
Areal *n* area.
Arena *f Stierkampf, Zirkus*: ring.
Ärger *m* anger (*über* at); *Unannehmlichkeit*: trouble; F: *mach keinen ~!* cool it!; **2lich** *adj.* angry (*über, auf* at *s.th.*; with *s.o.*); *störend*: annoying; **2n** *v/t.* annoy, irritate; *sich ~* feel* angry (*über* at, about *s.th.*, with *s.o.*); **~nis** *n* nuisance; *~ erregen* give* offen|ce, *Am.* -se.
arglos *adj.* innocent.
Arg|wohn *m* suspicion (*gegen* of); **2wöhnen** *v/t.* suspect; **2wöhnisch** *adj.* suspicious.
Arie ♪ *f* aria.
Aristokrat|(in) aristocrat; **~ie** *f* aristocracy; **2isch** *adj.* aristocratic.
arm *adj.* poor; *die 2en* the poor.
Arm *m* arm; *e-s Flusses etc.*: branch; F: *j-n auf den ~ nehmen* pull s.o.'s leg.
Armatur ⊕ *f*: *~en pl. im Bad etc.*: plumbing fixtures *pl.*; **~enbrett** *mot. n* dashboard.
Arm|band *n* bracelet; **~banduhr** *f* wrist-watch; **~brust** *f* crossbow.
Armee *f* armed forces *pl.*; *Heer*: army.
Ärmel *m* sleeve.
ärmlich *adj.* poor (*a. fig.*); *Kleidung*: shabby.
Armreif(en) *m* bangle.
armselig *adj.* wretched, miserable.
Armut *f* poverty; *~ an* lack of.
Aroma *n* flavo(u)r; *Duft*: fragrance, aroma.
Arrest *m* arrest; *Nachsitzen*: detention; *~ bekommen* be* kept in.
arrogant *adj.* arrogant, conceited.
Arsch V *m* arse, *Am. mst* ass; **~loch** V *n* arse-hole, *Am.* asshole.
Art *f ~ u. Weise*: way, manner; kind, sort; *biol.* species; *auf die(se) ~* (in) this way; *e-e ~ ...* a sort of ...; *was für e-e ~ ...?* what kind of ...?; *Geräte aller ~* all kinds *od.* sorts of tools.
Arterie *anat. f* artery.
artig *adj.* good, well-behaved; *sei ~!* be good!; *stärker*: behave!
Artikel *m* article.
Artillerie ⚔ *f* artillery.
Artist(in) artiste, acrobat, (circus) performer.
Arznei(mittel *n)* *f* medicine, drug.
Arzt *m* doctor, *bsd. Berufsbezeichnung*: physician, **~helfer(in)** doctor's assistant.
Ärztin *f* (woman) doctor *od.* physician.
ärztlich 1. *adj.* medical; **2.** *adv.*: *sich ~ behandeln lassen* undergo* (medical) treatment.
As *n* ace; ♪ A flat.
Asche *f* ash(es *pl.*); **~nbahn** *f* cinder-track, *mot.* dirt-track; **~nbecher** *m* ashtray; **~rmittwoch** *m* Ash Wednesday.
äsen *hunt. v/i.* feed*, browse.
Asiat|(in), 2isch *adj.* Asian, Asiatic.
Asket *m*, **2isch** *adj.* ascetic.
asozial *adj.* antisocial.
Asphalt *m* asphalt; **2ieren** *v/t.* (cover with) asphalt.
Assistent(in) assistant.
Assistenz|arzt *m*, **~ärztin** *f* assistant (*Am.* resident) physician.
Ast *m* branch; **~loch** *n* knot-hole.
Astro|naut(in) astronaut; **~nom** *m* astronomer; **~nomie** *f* astronomy.
Asyl *n* asylum (*suchen* seek*).
Atelier *n* studio.
Atem *m* breath; *außer ~* out of breath; *(tief) ~ holen* take* a (deep) breath; **2beraubend** *adj.* breathtaking; **~gerät** ⚕ *n* respirator; **2los** *adj.* breathless; **~pause** *f* F breather; **~zug** *m* breath.
Äther *m* ⚗ ether; *Funk*: air.
Athlet|(in) athlete; **2isch** *adj.* athletic.
Atlas *m* atlas.
atmen *v/i. u. v/t.* breathe.
Atmosphäre *f* atmosphere.
Atmung *f* breathing, respiration.
Atom *n* atom; **~...** *in Zssgn Energie, Forschung, Kraft, Rakete, Reaktor, Waffen etc.*: nuclear ...; **2ar** *adj.* atomic, nuclear; **~bombe** *f* atom(ic) bomb; **~kern** *m* (atomic) nucleus.
Attent|at *n* attempt(ed assassination); *Opfer e-s ~s werden* be* assassinated; **~äter** *m* assassin.
At|test *n* (doctor's) certificate; **~traktion** *f* attraction; **2traktiv** *adj.* attractive; **~trappe** *f* dummy; **~tribut** *gr. n* attribute (*a. fig.*).
ätzend *adj.* corrosive, caustic (*a. fig.*).
au *int.* ouch!; *~ fein!* oh, good!
auch *cj.* also, too, as well; *ich ~* so am (do) I, F me too; *wir ~ nicht* nor are (do) we; *wenn ~* even if; *wo ~ (immer)* wherever; *ist es ~ wahr?* is it really true?
Audienz *f* audience (*bei* with).

auf *prp. u. adv. räumlich*: on; in; at; *offen*: open; *wach, hoch*: up; ~ *Seite 20* on page 20; ~ *der Straße* in (*bsd. Am.* on) the street; on the road; ~ *der Welt* in the world; ~ *See* at sea; ~ *dem Lande* in the country; ~ *dem Bahnhof etc.* at the station *etc.*; ~ *der Schule* at school; ~ *Urlaub* on holiday; *die Uhr stellen* ~ set* the watch to; ~ *deutsch* in German; ~ *deinen Wunsch* at your request: ~ *die Sekunde (den Zentimeter) genau* to the second (centimetre); ~ *und ab* up and down; ~ *geht's!* let's go!

auf|arbeiten *v/t. Rückstände*: catch* up on; *Möbel*: refurbish; **~atmen** *fig. v/i.* heave a sigh of relief.

Aufbau *m* building (up); *Gefüge*: structure; **2en** *v/t.* build* (up) (*a. fig.*); set* up; construct.

auf|bauschen *v/t.* exaggerate; **~bekommen** *v/t. Tür*: get* open; *Aufgabe*: be* given; **~bereiten** *v/t.* process, clean, treat; **~bessern** *v/t. Gehalt*: raise; **~bewahren** *v/t.* keep*; *Vorräte*: store; **~blasen** *v/t.* blow* up; **~bleiben** *v/i.* stay up; *Tür etc.*: remain open; **~blenden** *v/i. mot.* turn the headlights up; *phot.* open the aperture; **~blicken** *v/i.* look up (*zu* at) (*a. fig.*); **~blitzen** *v/i.* flash (*a. fig.*).

aufbrausen *v/i.* fly* into a temper; **~d** *adj.* irascible.

auf|brechen 1. *v/t.* break* *od.* force open; **2.** *v/i.* burst* open; *fig.* leave* (*nach* for); **2bruch** *m* departure, start.

aufbrühen *v/t. Kaffee etc.*: make*.

auf|bürden *v/t.*: *j-m et.* ~ burden s.o. with s.th.; **~decken** *v/t.* uncover; **~drängen** *v/t.*: *j-m et.* ~ force s.th. on s.o.; **~drehen 1.** *v/t.* turn on; **2.** *fig. v/i.* open up.

aufdringlich *adj.* obtrusive.

Aufdruck *m* imprint; *auf Briefmarken*: overprint, surcharge.

aufeinander *adv.* on top of each other; *nacheinander*: one after another; **2folge** *f* succession; **~folgend** *adj.* successive.

Aufenthalt *m* stay; 🚂 stop; **~sgenehmigung** *f* residence permit; **~sraum** *m* lounge, recreation room.

aufersteh|en *v/i.* rise* (from the dead); **2ung** *f* resurrection.

auf|essen *v/t.* eat* up; **~fahren** *mot. v/i.* crash (*auf* into).

Auffahrt *f Zufahrt*: approach; *zu e-m Haus*: drive, *Am.* driveway.

Auffahrunfall *mot. m* rear-end crash.

auf|fallen *v/i.* attract attention; *j-m* ~ strike* s.o.; **~fallend, ~fällig** *adj. ins Auge fallend*: striking; conspicuous; *ungewöhnlich, sonderbar*: strange; *Kleider etc.*: flashy, showy.

auffangen *v/t.* catch* (*a. fig.*).

auffass|en *v/t.* understand* (*als* as); **2ung** *f Meinung*: view; *Deutung*: interpretation.

auffinden *v/t.* find*, discover.

aufforder|n *v/t.*: *j-n* ~, *et. zu tun* ask (*stärker*: tell*) s.o. to do s.th.; **2ung** *f* request; *stärker*: demand.

auffrischen *v/t.* freshen up; *Wissen*: brush up.

aufführ|en *v/t. thea. etc.*: perform, present; act; *sich* ~ behave; **2ung** *f thea. etc.*: performance, *Film a.* show(ing).

Aufgabe *f Arbeit:* task, job; *Pflicht*: duty; *Schul2*: task, assignment; ⩚ problem; *Haus2*: homework; *Verzicht*: surrender; *das Aufgeben*: giving up; *es sich zur* ~ *machen* make* it one's business.

Aufgang *m* staircase; *ast.* rising.

aufgeben 1. *v/t. verzichten*: give* up; *Anzeige*: insert; *Brief etc.*: post, *Am.* mail, send*; *Gepäck*: register, *bsd. Am.* check; *Hausaufgabe*: set*, give*, assign; *Bestellung*: place; **2.** *v/i. sich ergeben*: give* up *od.* in.

aufgehen *v/i. sich öffnen*: open; *Sonne, Teig etc.*: rise*; *Rechnung etc.*: come* out even; *in Flammen* ~ go* up in flames.

aufge|hoben *fig. adj.*: *gut* ~ *sein bei* be* in good hands with; **~legt** *adj.*: *zu et.* ~ *sein* feel* like (doing) s.th.; *gut (schlecht)* ~ in a good (bad) humo(u)r; **~schlossen** *fig. adj.* open-minded; ~ *für* open to; **~weckt** *fig. adj.* bright.

aufgreifen *fig. v/t.* pick up.

auf|haben F *v/t. Hut etc.*: have* on, wear*; *Hausaufgabe*: have* to do; **~halten** *v/t.* stop, hold* up (*a. Verkehr, Dieb etc.*); *Augen, Tür etc.*: keep* open; *sich* ~ (*bei j-m*) stay (with s.o.); **~hängen** *v/t.* hang* (up); *j-n* ~ hang s.o.

aufheben *v/t. vom Boden*: pick up; *aufbewahren*: keep*; *Vorräte*: store; *abschaffen*: abolish; *Versammlung*:

break* up; *sich gegenseitig* ~ neutralize each other.
Aufheb|en *n*: *viel ~s machen* make* a fuss (*von* about); **~ung** *f* abolition; breaking up.
auf|heitern *v/t.* cheer up; *sich ~ Wetter*: clear up; **~helfen** *v/i.* help *s.o.* up; **~hellen** *v/t. u. v/refl.* brighten.
aufhetzen *v/t.*: *j-n ~ gegen* set* s.o. against.
auf|holen 1. *v/t. Zeit*: make* up for; **2.** *v/i. Sport, Leistung etc.*: catch* up (*gegen* with); **~hören** *v/i.* stop, end, finish, quit*; *mit et. ~* stop (doing) s.th.; *hör(t) auf!* stop it!; **~kaufen** *v/t.* buy* up.
aufklär|en *v/t.* clear up, *Verbrechen a.* solve; *j-n ~ über* inform s.o. about; *j-n (sexuell) ~* F tell* s.o. the facts of life; **2ung** *f* clearing up, solution; information; *sexuelle ~*: sex education; *phls.* enlightenment; ⚔ reconnaissance.
auf|kleben *v/t.* paste *od.* stick* on; **2kleber** *m* sticker; **~knöpfen** *v/t.* unbutton.
aufkommen *v/i.* come* up; *Mode etc.*: come* into fashion *od.* use; *Zweifel, Gerücht etc.*: arise*; *~ für Schaden, Kosten etc.*: pay* (for).
aufladen *v/t.* load; ⚡ charge.
Auflage *f Buch*: edition; *Zeitung*: circulation.
auf|lassen *v/t.* F *Tür etc.*: leave* open; F *Hut*: keep* on; **~lauern** *v/i.*: *j-m ~* waylay* s.o.
Auflauf *m* crowd; *Speise*: soufflé, pudding; **2en** ⚓ *v/i.* run* aground.
auflegen 1. *v/t.* put* on, lay* on; **2.** *teleph. v/i.* hang* up.
auflehn|en *v/t. u. v/refl. stützen*: lean* (*auf* on); *sich ~* rebel, revolt (*gegen* against); **2ung** *f* rebellion, revolt.
auf|lesen *v/t.* pick up (*a. fig.*); **~leuchten** *v/i.* flash (up); **~lockern** *v/t.* loosen up; *Unterricht etc.*: liven up.
auflös|en *v/t.* dissolve; *Rätsel*: solve (*a.* ⅍); *in s-e Bestandteile*: disintegrate; **2ung** *f* (dis)solution; disintegration.
aufmach|en *v/t.* open; **2ung** *f* get-up.
aufmerksam *adj.* attentive (*auf* to); *zuvorkommend*: thoughtful; *j-n ~ machen auf* call s.o.'s attention to; **2keit** *f* attention; *Geschenk*: token.
aufmuntern *v/t. ermuntern*: encourage; *aufheitern*: cheer up.
Aufnahme *f e-r Tätigkeit*: taking up; *Empfang*: reception (*a. Klinik etc.*); *Zulassung*: admission; *phot.* photo (-graph); *Ton2*: recording; **2fähig** *adj.* receptive (*für* of); **~gebühr** *f* admission fee; **~prüfung** *f* entrance examination.
aufnehmen *v/t.* take* up (*a. Tätigkeit, Geld*); *vom Boden*: pick up; *beherbergen*: put* *s.o.* up; *fassen*: hold*; *geistig*: take* in; *empfangen*: receive; *Schule, Verein*: admit; *phot.* take* *s.o.'s* picture; *Band, Platte*: record; *Ball*: take*; *es ~ mit* be* a match for.
auf|passen *v/i. Schule etc.*: pay* attention; *vorsichtig sein*: take* care; *auf j-n od. et. ~* take* care of, look after; *im Auge behalten*: keep* an eye on; *paß auf!* look out!; **2prall** *m* impact; **~prallen** *v/i.*: *~ auf* hit*; **~pumpen** *v/t.* pump up; **~putschen** *v/t.* pep up; **2putschmittel** *n* pep pill; **~räumen** *v/t.* tidy up; *Unfallstelle etc.*: clear.
aufrecht *adj. u. adv.* upright (*a. fig.*); **~erhalten** *v/t.* maintain, keep* up.
aufreg|en *v/t.* excite, upset*; *sich ~* get* excited *od.* upset (*über* about); **~end** *adj.* exciting; **2ung** *f* excitement; *Getue*: fuss.
auf|reiben *fig. v/t.* wear* down; **~reißen** *v/t.* tear* open; *Tür etc.*: fling* open; *Augen*: open wide.
aufreizend *adj.* provocative.
aufrichten *v/t.* put* up, raise; *sich ~* stand* up; straighten o.s; *im Bett*: sit* up.
aufrichtig *adj.* sincere; *offen*: frank; **2keit** *f* sincerity; frankness.
Aufriß *arch. m* elevation.
aufrollen *v/t. u. v/refl.* roll up (*a.* ⚔).
Aufruf *m* call; *öffentlicher*: appeal (*zu* for); **2en** *v/t.* call on (*a. Schule*).
Aufruhr *m Rebellion*: revolt; *Krawall*: riot; *seelisch*: turmoil.
aufrühr|en *fig. v/t.* stir up; **2er** *m* rebel; rioter; **~erisch** *adj.* rebellious.
Aufrüstung ⚔ *f* (re)armament.
auf|rütteln *fig. v/t.* shake* up, rouse; **~sagen** *v/t.* say*; *Gedicht*: *a.* recite.
aufsässig *adj.* rebellious.
Aufsatz *m Zeitungs2*: article; *Schul2*: composition, essay; ⊕ top.
auf|saugen *v/t.* absorb (*a. fig.*);

~scheuern *v/t.* chafe; **~schichten** *v/t.* pile up; **~schieben** *fig. v/t.* put* off, postpone; *verzögern*: delay.
Aufschlag *m Aufprall*: impact; *Zuschlag*: extra charge; *Jacke etc.*: lapel; *Hose*: turnup; *Tennis*: service; **2en 1.** *v/t. Buch, Augen etc.*: open; *Zelt*: pitch; *Knie etc.*: cut*; *Seite 30* ~ open at page 30; **2.** *v/i. Tennis*: serve; *auf dem Boden* ~ hit* the ground.
auf|schließen *v/t.* unlock, open; **~schlitzen** *v/t.* slit* *od.* rip open.
Aufschluß *fig. m* information (*über* on).
auf|schnappen F *fig. v/t.* pick up; **~schneiden 1.** *v/t.* cut* open; *Fleisch*: cut* up; **2.** F *fig. v/i.* brag, boast, talk big.
Aufschnitt *m* (slices *pl.* of) cold meat, *Am.* cold cuts *pl.*
auf|schnüren *v/t.* untie; *Schuh*: unlace; **~schrauben** *v/t. öffnen*: unscrew; **~schrecken 1.** *v/t.* startle; **2.** *v/i.* start (up).
Aufschrei *m* yell; *angstvoll*: scream, outcry (*a. fig.*).
auf|schreiben *v/t.* write* down; **~schreien** *v/i.* cry out, scream.
Aufschrift *f* inscription.
Aufschub *m* postponement; *Verzögerung*: delay; *Vertagung*: adjournment; *e-r Frist*: respite.
Aufschwung *m Turnen*: swing-up; *fig. bsd. econ.* recovery, upswing; boom.
Aufsehen *n*: ~ *erregen* attract attention; *stärker*: cause a sensation; **2erregend** *adj.* sensational.
Aufseher(in) *Gefängnis etc.*: ward|en, (-ress).
aufsetz|en *v/t.* put* on; *abfassen*: draw* up; ✈ touch down; *sich* ~ sit* up; **2er** *m Sport*: bounce shot.
Aufsicht *f* supervision, control; ~ *führen Lehrer*: be* on (break) duty; *bei Prüfungen*: invigilate; **~sbehörde** *f* board of control.
auf|sitzen *v/i. Reiter*: mount; **~spannen** *v/t.* stretch; *Schirm*: put* up; *Segel*: spread*; **~sparen** *v/t.* save; **~sperren** *v/t.* unlock; *Mund etc.*: open wide; **~spielen** *v/refl.* show* off; *sich* ~ *als* play; **~spießen** *v/t.* spear; *mit Hörnern*: gore; **~springen** *v/i.* jump up; *Tür*: fly* open; *Lippen etc.*: chap; **~spüren** *v/t.* track down; **~stacheln** *fig. v/t.* goad (*s.o. into doing s.th.*) **~stampfen** *v/i.* stamp (one's foot).
Aufstand *m* revolt, rebellion.
aufständisch *adj.* rebellious; **2e** *m* rebel.
auf|stapeln *v/t.* pile up; **~stechen** *v/t.* puncture, prick open; ⚕ lance; **~stecken** *v/t. Haar etc.*: put* up; F *fig.* give* up; **~stehen** *v/i.* get* up, rise*; **~steigen** *v/i.* rise*; *auf Pferd, Rad etc.*: get* on; *Beruf, Sport*: be* promoted.
aufstell|en *v/t.* set* up, put* up; *Wachen*: post; *Falle, Rekord*: set*; *Kandidaten, Spieler*: nominate; *Rechnung*: draw* up; *Liste*: make* up; **2ung** *f* putting up; nomination; *Liste*: list; *Mannschaft*: line-up.
Aufstieg *m* ascent; *fig. a.* rise.
auf|stöbern *fig. v/t.* ferret out; **~stoßen 1.** *v/t.* push open; **2.** *v/i. rülpsen*: belch.
Aufstrich *m Brot2*: spread.
auf|stützen *v/refl.* lean* (*auf* on); **~suchen** *v/t. Ort*: visit; *Arzt*: see*.
Auftakt *m* ♪ upbeat; *fig.* prelude.
auf|tanken *v/t.* fill up; ✈ refuel; **~tauchen** *v/i. erscheinen*: appear; ⚓ surface; **~tauen** *v/t.* thaw; *Speisen*: defrost; **~teilen** *v/t.* divide (up).
Auftrag *m* instructions *pl.*, order (*a. econ.*); *im* ~ *von* on behalf of; **2en** *v/t. Speisen*: serve (up); *Farbe etc.*: apply; *j-m et.* ~ ask (*stärker*: tell*) s.o. to do s.th.
auf|treffen *v/i.* strike*, hit*; **~treiben** F *v/t.* get* hold of; *Geld*: raise; **~trennen** *v/t. Naht etc.*: undo*, cut* open.
auftreten *v/i. thea. etc.*: appear (*als* as); *handeln*: behave, act; *vorkommen*: occur.
Auftreten *n* appearance; behavio(u)r; *Vorkommen*: occurrence.
Auftrieb *m phys.* buoyancy (*a. fig.*); ✈ lift; *fig.* impetus.
Auftritt *m thea.* entrance; appearance (*a. fig.*); **~sverbot** *m* stage ban.
auf|tun *v/refl.* open (*a. fig.*); *Abgrund*: yawn; **~türmen** *v/t.* pile *od.* heap up; *sich* ~ *Berge etc.*: tower up; *fig.* pile up; **~wachsen** *v/i.* grow* up.
Aufwand *m* expenditure (*an* of), *Geld*: *a.* expense; *Prunk*: pomp.
aufwärmen *v/t.* warm up; *fig.* bring* up.
aufwärts *adv.* upward(s); **~gehen** *fig. v/i.* improve.

aufwasch|en *v/t. s. abwaschen.*
auf|wecken *v/t.* wake* (up); **~weichen** *v/t.* soften; *Brot etc.*: soak; **~weisen** *v/t.* show*, have*; **~wenden** *v/t.* spend* (*für* on); *Mühe ~* take* pains; **~wendig** *adj. teuer*: costly; *Leben etc.*: extravagant; **~werfen** *v/t.* raise.
aufwert|en *v/t. econ.* revalue; *fig.* increase the value of; **2ung** *econ. f* revaluation.
aufwickeln *v/t. u. v/refl.* wind* up, roll up; *Haar*: put* in curlers.
aufwiegel|n *v/t.* stir up, incite, instigate; **2ung** *f* instigation.
aufwiegen *fig. v/t.* make* up for.
Aufwiegler *m* agitator; *Anstifter*: instigator; **2isch** *adj.* seditious.
aufwirbeln *v/t.* whirl up; *fig.* (*viel*) *Staub ~* make* (quite) a stir.
aufwischen *v/t.* wipe up.
aufwühlen *fig. v/t.* stir, move.
aufzähl|en *v/t.* name (one by one), list; **2ung** *f* enumeration, list.
aufzeichn|en *v/t. TV*, *Funk etc.*: record, tape; *zeichnen*: draw*; *schreiben*: write* down; **2ung** *f* recording; *~en pl. Notizen*: notes *pl.*
auf|zeigen *v/t.* show*; *verdeutlichen*: demonstrate; *Fehler etc.*: point out; **~ziehen 1.** *v/t.* draw* *od.* pull up; *öffnen*: (pull) open; *Kind*: bring* up; *Uhr etc.*: wind* (up); *Bild*, *Reifen*: mount; *j-n ~* tease s.o., F pull s.o.'s leg; **2.** *v/i. Sturm etc.*: come* up.
Aufzucht *f* breeding, rearing.
Aufzug *m* lift, *Am.* elevator; *thea.* act; *fig. contp.* get-up.
aufzwingen *v/t.*: *j-m et. ~* force s.th. upon s.o.
Augapfel *m* eyeball.
Auge *n* eye; *ein blaues ~* a black eye; *mit bloßem ~* with the naked eye; *mit verbundenen ~n* blindfold; *in meinen ~n* in my view; *mit anderen ~n* in a different light; *aus den ~n verlieren* lose* sight of; *ein ~ zudrücken* turn a blind eye; *unter vier ~n* in private.
Augen|arzt *m*, **~ärztin** *f* oculist, eye specialist; **~blick** *m* moment, instant; **2blicklich 1.** *adj. gegenwärtig*: present; *sofortig*: immediate; *vorübergehend*: momentary; **2.** *adv.* at present, at the moment; immediately; **~braue** *f* eyebrow; **~licht** *n* eyesight; **~lid** *n* eyelid; **~maß** *n*: *ein gutes ~* a sure eye; *nach dem ~* by the eye; **~merk** *n*: *sein ~ richten auf* turn one's attention to; *fig. a.* have* in view; **~schein** *m* appearance; *in ~ nehmen* examine, view, inspect; **~zeuge** *m* eyewitness.
August *m* August.
Auktion *f* auction; **~ator** *m* auctioneer.
Aula *f* (assembly) hall, *Am.* auditorium.
aus *prp. u. adv. räumlich*: *mst* out of, from; *Material*: of; *Grund*: out of; *~geschaltet etc.*: out, off; *zu Ende*: over; *Sport*: out; *~ dem Fenster etc.* out of the window *etc.*; *~ München* from Munich; *~ Holz* (made) of wood; *~ Mitleid* out of pity; *~ Spaß* for fun; *~ Versehen* by mistake; *~ diesem Grunde* for this reason; *von hier ~* from here; F: *von mir ~!* I don't care!; *~ der Mode* out of fashion; *die Schule* (*das Spiel*) *ist ~* school (the game) is over; *ein – ~* ⊕ on – off.
aus|arbeiten *v/t.* work out; *entwerfen*: prepare; **~arten** *v/i.* get* out of hand; **~atmen** *v/t. u. v/i.* breathe out.
Ausbau *m Erweiterung*: extension; *Fertigstellung*: completion; *e-s Motors etc.*: removal; **2en** *v/t.* extend; complete; remove; *verbessern*: improve.
ausbesser|n *v/t.* mend, repair, F *a.* fix; **2ung** *f* repair(ing).
Ausbeut|e *f* gain, profit; *Ertrag*: yield; **2en** *v/t.* exploit (*a. contp.*); **~ung** *f* exploitation.
ausbild|en *v/t. schulen*: train, instruct; *j-n ~ zu* train s.o. to be; **2er(in)** instructor; **2ung** *f* training, instruction.
ausbitten *v/t.*: *sich et. ~* request s.th.; *energisch*: insist on s.th.
ausbleiben *v/i.* fail to come.
Ausbleiben *n* failure to come; *Abwesenheit*: absence.
Ausblick *m* outlook (*a. fig.*).
ausbrech|en *v/i.* break* out (*a. fig.*); *in Tränen ~* burst* into tears; **2er** *m* escaped prisoner.
ausbreit|en *v/t.* spread* (out); *Arme*, Flügel: stretch (out); *sich ~* spread*; **2ung** *f* spreading.
ausbrennen *v/t.* burn* out.
Ausbruch *m Flucht*: escape, breakout; *Feuer*, *Krieg*, *Seuche*: outbreak; *Vulkan*: eruption; *Gefühls2*: (out)burst.

aus|brüten *v/t.* hatch (*a. fig.*); **~bürgern** *v/t.* expatriate.
Ausdauer *f* perseverance, stamina; *bsd. Sport*: *a.* staying power; **2nd** *adj.* persevering; *Sport*: tireless.
ausdehn|en *v/t. u. v/refl.* stretch; *fig.* expand, extend; **2ung** *f* expansion; extension.
aus|denken *v/t.* think* *s.th.* out *od.* up; *erfinden*: invent (*a. fig.*); *vorstellen*: imagine; **~drehen** *v/t. Radio, Gas*: turn off.
Ausdruck *m* expression (*a. Gesichts2*), term.
ausdrück|en *v/t. Zigarette*: stub out; *äußern, zeigen*: express; **~lich** *adj.* express, explicit.
ausdrucks|los *adj.* expressionless; *Gesicht*: *a.* blank; **~voll** *adj. Blick etc.*: expressive; **2weise** *f* language, style.
Ausdünstung *f* exhalation; *Schweiß*: perspiration; *Geruch*: odo(u)r, smell.
auseinander *adv.* apart; separate(d); **~bringen** *v/t.* separate, **~gehen** *v/i. Versammlung, Menge*: break* up; *Meinungen*: differ; *sich trennen*: part; *Eheleute*: separate; **~nehmen** *v/t.* take* apart (*a. fig.*); **~setzen** *v/t.* place *od.* seat apart (*a. Schüler*); *erklären*: explain; *sich mit et. ~* deal* with s.th.; *sich mit j-m ~* argue with s.o.; **2setzung** *f Streit*: argument; *kriegerische ~* armed conflict.
auserlesen *adj.* choice, exquisite.
auserwählen *v/t.* choose*, select.
ausfahr|en **1.** *v/i.* go* for a drive *od.* ride, **2.** *v/t. Baby, Kranken etc.*: take* out; ✈ *Fahrgestell*: lower; **2t** *f* drive, ride; *mot.* exit.
Ausfall *m* ⊕, *mot., Sport*: failure; *Verlust*: loss; *Schule s. ausfallen*; **2en** *v/i.* fall* out; *nicht stattfinden*: not take* place, be* cancelled; ⊕, *mot.* break* down, fail; *Ergebnis*: turn out, prove; *~ lassen* cancel; *die Schule fällt aus* there is no school.
aus|fallend, ~fällig *adj.* rude, insulting.
ausfertig|en *v/t. Dokument*: draw* up; *Rechnung etc.*: make* out; **2ung** *f* drawing up; *Abschrift*: copy; *in doppelter ~* in two copies.
ausfindig *adj.*: *~ machen* find*; *entdecken*: discover.
ausflippen F *v/i.* freak out.
Ausflucht *f*: *Ausflüchte machen* make* excuses.
Ausflug *m* trip, excursion, outing.
Ausflügler *m* excursionist, tripper.
aus|fragen *v/t.* question (*über* about); *neugierig*: sound out; **~fransen** *v/i.* fray.
Ausfuhr *econ. f* export(ation).
ausführ|bar *adj.* practicable; **~en** *v/t. Freundin, Hund etc.*: take* out; *Plan, Befehl, Arbeit*: carry out; *econ.* export; *darlegen*: explain.
ausführlich **1.** *adj.* detailed; *umfassend*: comprehensive; **2.** *adv.* in detail; **2keit** *f*: *in aller ~* in great detail.
Ausführung *f Plan, Befehl, Arbeit*: execution, performance; *Qualität*: workmanship; *Typ*: type, model, design.
ausfüllen *fig. v/t.* fill up (*Formular*: in, *bsd. Am.* out).
Ausgabe *f Verteilung*: distribution; *Buch etc.*: edition; *Geld*: expense; *Briefmarke, Zeitschrift etc.*: issue.
Ausgang *m* exit, way out; *Ende*: end; *Ergebnis*: result; **~spunkt** *m* starting point.
ausgeben *v/t.* give* out; *Geld*: spend*; F *j-m e-n ~* buy* s.o. a drink; *sich ~ für* give* o.s. out to be.
ausge|beult *adj.* baggy; **~bildet** *adj.* trained, skilled; **~bucht** *adj.* booked up; **~dehnt** *adj.* extensive; **~fallen** *adj.* odd, unusual.
ausgehen *v/i.* go* out; *enden*: end; *Haare*: fall* out; *Geld, Vorräte*: run* out; *leer ~* get* nothing; *ihm ging das Geld aus* he ran out of money.
ausge|lassen *fig. adj.* cheerful; *stärker*: hilarious; **~nommen** *prp.* with the exception of; **~prägt** *adj.* marked, pronounced; **~rechnet** *adv.* just; *~ er* he of all people; *~ heute* today of all days; **~schlossen** *fig. adj.* out of the question; **~storben** *adj.* extinct.
ausge|sucht *fig. adj.* select, choice; **~wachsen** *adj.* full-grown; **~zeichnet** *fig. adj.* excellent.
ausgiebig *adj.* extensive, thorough; *Mahlzeit*: substantial.
ausgießen *v/t.* pour out; *Gefäß*: empty.
Ausgleich *m* compensation; *Sport*: equalization; **2en** *v/t.* equalize (*a. Sport*); *Verlust*: compensate; **~ssport** *m* remedial exercises *pl.*; **~streffer** *m* equalizer.

aus|gleiten *v/i.* slip, slide*; **~graben** *v/t.* dig* out *od.* up (*a. fig.*); **2grabungen** *pl.* excavations *pl.*
Ausguß *m* (kitchen) sink.
aus|halten *v/t.* bear*, stand*; *et.* (*j.*) *ist nicht auszuhalten* s.th. (s.o.) is unbearable; **~händigen** *v/t.* hand over.
Aushang *m* notice; *formell*: bulletin.
aushängen *v/t.* hang* out, put* up; *Tür*: unhinge.
aus|harren *v/i.* hold* out; **~heben** *v/t. Graben*: dig*; *Tür*: unhinge; **~helfen** *v/i.* help out.
Aushilf|e *f* (temporary) help; *als ~ arbeiten* help out; **~s...** *in Zssgn Kellner, Personal etc.*: temporary ...
aus|holen *v/i.*: *zum Schlag ~* swing* (to strike); *mit der Axt ~* raise the axe; *fig. weit ~* go* far back; **~horchen** *v/t.* sound (*über* on); **~hungern** *v/t.* starve out; **~kennen** *v/refl.*: *sich ~* (*in*) know* one's way (about); *fig.* know* a lot (about), be* at home (in); **~klopfen** *v/t.* beat* (out); *Kleidung*: dust; *Pfeife*: knock out.
auskommen *v/i.*: *~ mit et.*: manage with; *j-m*: get* on *od.* along with.
Auskommen *n*: *sein ~ haben* make* one's living.
auskundschaften *v/t.* explore; ⚔ scout; *fig.* find* out (about).
Auskunft *f* information; *Schalter*: information desk; *teleph.* inquiries *pl.*
aus|lachen *v/t.* laugh at (*wegen* for); **~laden** *v/t.* unload.
Auslage *f* window display; *~n pl.* expenses *pl.*
Ausland *n*: *das ~* foreign countries *pl.*; *ins ~*, *im ~* abroad.
Ausländ|er(in) foreigner; **2isch** *adj.* foreign.
Auslands|hilfe *pol. f* foreign aid; **~korrespondent(in)** foreign correspondent; *in e-r Firma*: foreign correspondence clerk.
auslass|en *v/t.* leave* out; *Fett*: melt; *Saum etc.*: let* out; *s-n Zorn an j-m ~* take* it out on s.o.; *sich ~ über* express o.s. on; **2ung** *f* omission; *~en pl.* remarks *pl.*; **2ungszeichen** *gr. n* apostrophe.
Auslauf *m* room to move about; *Hund*: exercise; **2en** *v/i.* ⚓ leave* port; *Gefäß*: leak; *Flüssigkeit, Produktion*: run* out; **~modell** *econ. n* phase-out model.
ausleg|en *v/t.* lay* out; *mit Teppichboden*: carpet; *mit Papier etc.*: line; *Waren*: display; *deuten*: explain, interpret; *Geld*: advance; **2er** ⚓ *m* outrigger (boat); **2ung** *f* interpretation.
aus|leihen *v/t. verleihen*: lend* (out), loan; *sich ~*: borrow; **~lernen** *v/i.* complete one's training; *man lernt nie aus* we live and learn.
Auslese *f* choice, selection; *fig.* pick; **2n** *v/t.* pick out, select; *Buch*: finish.
ausliefer|n *v/t.* hand *od.* turn over, deliver (up); *pol.* extradite; **2ung** *f* delivery; extradition.
aus|liegen *v/i.* be* laid out; **~löschen** *v/t.* put* out; *fig.* wipe out; **~losen** *v/t.* draw* (lots) for.
auslös|en *v/t.* ⊕, *Alarm etc.*: release; *Gefangene, Pfand*: redeem; *Gefühl, Wirkung, Krieg etc.*: cause; **2er** *m* ⊕ release, *bsd. phot.* trigger.
aus|machen *v/t. Feuer etc.*: put* out; *Licht etc.*: turn off; *Termin etc.*: arrange; *Preis etc.*: agree on; *Teil*: make* up; *Betrag*: amount to; *Streit*: settle; *sichten*: sight, spot; *macht es Ihnen et. aus(, wenn...)?* do you mind (if ...)?; *es macht mir nichts aus* I don't mind (*gleichgültig*: care); *das macht (gar) nichts aus* that doesn't matter (at all); **~malen** *v/t.* paint; *sich et. ~* imagine s.th.
Ausmaß *fig. n* extent; *~e pl.* proportions *pl.*
aus|merzen *v/t.* eliminate; **~messen** *v/t.* measure.
Ausnahm|e *f* exception; **2sweise** *adv.* by way of exception.
ausnehmen *v/t. Geflügel*: draw*; *Fisch etc.*: gut; *j-n*: except; *befreien*: exempt; F *beim Spiel*: clean out; **~d** *adv.* exceptionally.
aus|nutzen *v/t.* use, take* advantage of (*a. contp.*); *ausbeuten*: exploit; **~packen 1.** *v/t.* unpack; **2.** *v/i.* F *fig.* talk; **~pfeifen** *v/i.* boo, hiss; **~plaudern** *v/t.* blab *od.* let* out; **~plündern** *v/t.* plunder, rob; **~probieren** *v/t.* try (out), test.
Auspuff *mot. m* exhaust; **~gase** *mot. pl.* exhaust fumes *pl.*; **~rohr** *mot. n* exhaust pipe; **~topf** *mot. m* silencer, *bsd. Am.* muffler.
aus|putzen *v/t.* clean; **2putzer** *m* sweeper; **~quartieren** *v/t.* move out; **~radieren** *v/t.* erase; **~rangieren** *v/t.* discard; **~rauben** *v/t.* rob;

~räumen *v/t.* empty, clear; *Möbel etc.*: remove; **~rechnen** *v/t.* calculate; *Aufgabe*: work out.
Ausrede *f* excuse; **2n** **1.** *v/i.* finish speaking; ~ *lassen* hear* *s.o.* out; *lassen Sie mich ~!* don't interrupt me!; **2.** *v/t.*: *j-m et.* ~ talk s.o. out of s.th.
ausreichen *v/t.* be* enough; **~d** *adj.* sufficient, enough; *Zensur*: pass (only), only average, weak, D.
Ausreise *f* departure; *formell*: exit.
ausreiß|en **1.** *v/t.* pull *od.* tear* out; **2.** F *v/i.* run* away; **2er(in)** runaway.
aus|renken *v/t.* dislocate; **~richten** *v/t. Botschaft*: deliver; *erreichen*: accomplish; *Fest*: arrange; *richte ihr e-n Gruß von mir aus!* give her my regards!; *kann ich et. ~?* can I take a message?; *richte ihm aus, daß* ... let him know that ...
ausrott|en *v/t. Volk, Tierart etc.*: exterminate; **2ung** *f* extermination; *bsd. Tierart*: extinction.
Ausruf *m* cry, shout; **2en** *v/t.* cry, shout, exclaim; *Namen etc.*: call out; *pol.* proclaim; **~ung** *pol. f* proclamation; **~ungszeichen** *n* exclamation mark.
ausruhen *v/i., v/t. u. v/refl.* rest.
ausrüst|en *v/t.* equip; **2ung** *f* equipment.
ausrutschen *v/i.* slip.
Aussage *f* statement; ⚖ evidence; *fig. Anliegen*: message; **2n** *v/t.* state, declare; ⚖ testify.
aus|saugen *v/t.* suck (out); **~schalten** *v/t.* switch off; *fig.* eliminate.
Ausschau *f*: ~ *halten nach* be* on the look-out for, watch for.
ausscheid|en **1.** *v/i. nicht in Frage kommen*: be* ruled out; *Sport etc.*: drop out (*aus* of); *Amt*: retire (*aus* from); ~ *aus Firma*: leave*; **2.** *v/t.* eliminate; ⚕ *etc.*: secrete, exude; **2ung** *f* elimination (*a. Sport*); ⚕ secretion; **2ungs...** *in Zssgn Kampf, Spiel etc.*: qualifying *match etc.*
aus|schelten, ~schimpfen *v/t.* scold (*wegen* for); **~schlafen** **1.** *v/i.* sleep* one's fill, sleep* in; **2.** *v/t. Rausch etc.*: sleep* off.
Ausschlag *m* ⚕ rash; *Zeiger*: deflection; *den ~ geben* decide it; **2en** **1.** *fig. v/t.* refuse, decline; **2.** *v/i. Pferd*: kick; *Zeiger*: deflect; **2gebend** *adj.* decisive.
ausschließ|en *v/t.* lock out; *fig.* exclude; *ausstoßen*: expel; *Sport*: disqualify; **~lich** *adj.* exclusive.
Ausschluß *m* exclusion; *Schule etc.*: expulsion; *Sport*: disqualification; *unter ~ der Öffentlichkeit* in closed session.
aus|schmücken *v/t.* adorn, decorate; *fig.* embellish; **~schneiden** *v/t.* cut* out.
Ausschnitt *m Kleidung*: neck; *Zeitungs2*: cutting, *Am.* clipping; *fig.* part; *Buch, Rede*: extract; *mit tiefem ~* low-necked.
ausschreib|en *v/t.* write* out (*a. Scheck etc.*); *Stelle etc.*: advertise; **2ung** *f* advertisement.
Ausschreitungen *pl.* riots *pl.*
Ausschuß *m* committee, board; *Abfall*: refuse, waste.
aus|schütteln *v/t.* shake* out; **~schütten** *v/t.* pour out (*a. fig.*); *verschütten*: spill*; *sich vor Lachen ~* split* one's sides.
ausschweif|end *adj.* dissolute; **2ung** *f* debauchery, excess.
aussehen *v/i.* look; *krank (traurig) ~* look ill (sad); *wie j. (et.) ~* look like s.o. (s.th.); *wie sieht er aus?* what does he look like?
Aussehen *n* look(s *pl.*), appearance.
außen *adv.* outside; *von ~ her* from (the) outside; *nach ~ (hin)* outward(s); *fig.* outwardly; **2bordmotor** *m* outboard motor.
aussenden *v/t.* send* out.
Außen|dienst *m* field service; **~handel** *m* foreign trade; **~minister** *m Brt.* Foreign Secretary, *Am.* Secretary of State; **~ministerium** *n Brt.* Foreign Office, *Am.* State Department; **~politik** *f* foreign affairs *pl.*; *bestimmte*: foreign policy; **2politisch** *adj.* foreign-policy; **~seite** *f* outside; **~seiter** *m* outsider; **~spiegel** *mot. m* outside rear-view mirror; **~stände** *econ. pl.* receivables *pl.*; **~stürmer** *m Sport*: wing; **~welt** *f* outer *od.* outside world.
außer **1.** *prp. räumlich*: out of; *neben*: beside(s), *Am.* aside from; *ausgenommen*: except; ~ *sich sein* be beside o.s. (*vor Freude* with joy); *alle ~ e-m* all but one; **2.** *cj.*: ~ *daß* except that; ~ *wenn* unless; **~dem** *cj.* besides, moreover.
äußere *adj.* exterior, outer, outward.
Äußere *n* exterior, outside; *Erscheinung*: (outward) appearance.

außer|gewöhnlich *adj.* unusual, uncommon; **~halb** *prp. u. adv.* outside; out of; *jenseits*: beyond.
äußerlich *adj.* external, outward; **2-keit** *f Oberflächlichkeit*: superficiality; *Formalität*: formality.
äußern *v/t.* utter, express; *sich ~ zu od. über* express o.s. on.
außerordentlich *adj.* extraordinary, exceptional.
äußerst 1. *adj. räumlich*: outermost; *fig.* extreme; **2.** *adv.* extremely.
außerstande *adj.*: *~ sein* be* unable.
Äußerung *f* utterance, remark.
aussetz|en 1. *v/t. Kind, Tier*: abandon; *der Sonne, e-r Gefahr etc.*: expose (*dat.* to); *Belohnung, Preis*: offer; *et. auszusetzen haben an* find* fault with; **2.** *v/i.* stop, break* off; *Motor etc.*: fail.
Aussicht *f* view (*auf* of); *fig.* prospect (of), chance (of); *~ auf Erfolg* a chance of success; **2slos** *adj.* hopeless, desperate; **2sreich** *adj.* promising, full of promise.
aussöhn|en *v/t.* reconcile; *sich ~ (mit)* become* reconciled (with), F make* it up (with); **2ung** *f* reconciliation.
aus|sondern, ~sortieren *v/t.* sort out.
aus|spannen 1. *v/t. Zugtier*: unharness; F *fig.* steal* (*j-m die Freundin* s.o.'s girl friend); **2.** *fig. v/i.* (take* a) rest, relax.
aussperr|en *v/t.* shut* out; *Arbeiter*: lock out; **2ung** *f* lock-out.
aus|spielen 1. *v/t. Karte*: play; *j-n gegen j-n ~* play s.o. off against s.o.; **2.** *v/i. Kartenspiel*: lead*; *er hat ausgespielt fig.* he is done for; **~spionieren** *v/t.* spy out.
Aussprache *f* pronunciation; *Erörterung*: discussion; *private ~*: talk.
aussprechen *v/t.* pronounce; *Meinung etc.*: express; *sich ~ für (gegen)* speak* for (against); *sich mit j-m gründlich ~* have* a heart-to-heart talk with s.o.; *s. a. ausreden.*
Ausspruch *m* word(s *pl.*), saying; *Bemerkung*: remark.
aus|spucken *v/i. u. v/t.* spit* out; **~spülen** *v/t.* rinse.
Ausstand *m* strike, F walkout.
ausstatt|en *v/t.* fit out, equip, furnish; **2ung** *f* equipment, furnishings *pl.*; design.
aus|stechen *v/t.* cut* out (*a. fig.*); *Auge*: put* out; **~stehen 1.** *v/t. Schmerzen etc.*: stand*, bear*, endure; F *ich kann ihn (es) nicht ~* I can't stand him (it); **2.** *v/i.* be* due; **~steigen** *v/i.* get* out (*aus* of); (*a. ~ aus*) *Zug, Bus*: get* off; *fig.* drop out; **2steiger** F *m* drop-out.
ausstell|en *v/t.* exhibit, display, show*; *Rechnung, Scheck etc.*: make* out; *Paß etc.*: issue; **2er** *m* exhibitor; issuer; *Scheck*: drawer; **2ung** *f* exhibition, show.
aussterben *v/i.* die out, become* extinct (*beide a. fig.*).
Aussteuer *f* trousseau; *Mitgift*: dowry.
aussteuer|n ⚡ *v/t.* modulate; **2ung** ⚡ *f* modulation; *Aufnahmeregelung*: level control.
ausstopfen *v/t.* stuff; *auspolstern*: pad.
Ausstoß *m* ⊕, *phys.* discharge, ejection; *Leistung*: output; **2en** *v/t.* ⊕, *phys.* give* off, eject, emit; *Stückzahl*: turn out; *Schrei, Seufzer*: give*; *ausschließen*: expel; **~ung** *f* expulsion.
aus|strahlen *v/t. Wärme, Glück etc.*: radiate; *TV, Funk*: broadcast*, transmit; **2strahlung** *f* radiation; transmission; **~strecken** *v/t.* stretch (out); **~streichen** *v/t.* strike* out; **~strömen** *v/i.* escape (*aus* from); **~suchen** *v/t.* choose*, select, pick (out).
Austausch *m* exchange (*a. in Zssgn Schüler, Lehrer etc.*); **2bar** *adj.* exchangeable; **2en** *v/t.* exchange (*gegen* for).
austeil|en *v/t.* distribute, hand out; *Karten, Schläge*: deal* (out); **2ung** *f* distribution; deal(ing).
Auster *zo. f* oyster.
austrag|en *v/t. Briefe etc.*: deliver; *Streit etc.*: settle; *Wettkampf etc.*: hold*; **2ungsort** *m Sport*: venue.
Austral|ier(in), 2isch *adj.* Australian.
austreib|en *v/t. Vieh etc.*: drive* out; *Teufel*: exorcise; F: *das werde ich ihm ~!* I'll cure him of that!
aus|treten 1. *v/t. Feuer*: tread* *od.* stamp out; *Schuhe*: wear* out; **2.** *v/i. entweichen*: escape (*aus* from); F go* to the bathroom; *~ aus Verein etc.*: leave*; *formell*: resign from; **~trinken** *v/t.* drink* up; *leeren*: empty; **2tritt** *m* leaving (*a. Schule*); resignation; escape; **~trocknen** *v/t. u. v/i.* dry up.

ausüb|en *v/t. Beruf, Sport*: practi|se, *Am. a.* -ce; *Amt*: hold*; *Macht*: exercise; *Druck*: exert; **˜ung** *f* practice; exercise.

Ausverkauf *econ. m* (clearance) sale; **˜t** *econ., thea. adj.* sold out; *vor ~em Haus spielen* play to a full house.

Auswahl *f* choice, selection (*beide a. econ.*); *Sport*: representative team.

auswählen *v/t.* choose*, select.

Auswander|er *m* emigrant; **˜n** *v/i.* emigrate; **~ung** *f* emigration.

auswärt|ig *adj.* out-of-town; *pol.* foreign; *das Auswärtige Amt s. Außenministerium*; **~s** *adv.* out of town; *~ essen* eat* out; **˜ssieg** *m Sport*: away victory; **˜sspiel** *n* away game.

auswechs|eln *v/t.* exchange (*gegen* for); *Rad etc.*: change; *ersetzen*: replace; *Sport*: *A gegen B ~* substitute B for A; **˜elspieler(in)** substitute; **˜(e)lung** *f* exchange; replacement; substitution.

Ausweg *m* way out; **˜los** *adj.* hopeless; **~losigkeit** *f* hopelessness.

ausweichen *v/i.* make* way (*dat.* for); *fig. j-m*: avoid; *e-r Frage*: evade; **~d** *adj.* evasive.

Ausweis *m* identification (card); *Mitglieds˜ etc.*: card; **˜en** *v/t.* expel; *sich ~* identify o.s.; **~papiere** *pl.* documents *pl.*; **~ung** *f* expulsion.

ausweiten *fig. v/t.* expand.

auswendig *fig. adv.* by heart; *et. ~ können* know* s.th. by heart; *~ lernen* memorize; *bsd. Schule*: *a.* learn* by heart.

aus|werfen *v/t.* throw* out (*a. Daten*); *bsd. Anker*: cast*; ⊕ eject; **~werten** *v/t. Daten etc.*: evaluate, analyze, interpret; *ausnützen*: utilize, exploit; **˜wertung** *f* evaluation; utilization; **~wickeln** *v/t.* unwrap; **~wirken** *v/refl.*: *sich ~ auf* affect; *sich positiv ~* have* a favo(u)rable effect; **˜wirkung** *f* effect; **~wischen** *v/t.* wipe out; **~wringen** *v/t.* wring* out; **~wuchten** ⊕ *v/t.* balance.

Auswuchs *m Übersteigerung*: excess.

aus|zahlen *v/t.* pay* (out); *j-n*: pay* off; **~zählen** *v/t.* count (out) (*a. Boxer*).

Auszahlung *f* payment; paying off.

auszeichn|en *v/t. Ware*: price, mark (out); *sich ~* distinguish o.s.; *j-n mit et. ~* award s.th. to s.o.; **˜ung** *f* marking; *fig.* distinction, hono(u)r; *Preis*: award; *Orden*: decoration.

auszieh|en 1. *v/t. Kleidung*: take* off; *Tisch, Antenne*: pull out; *sich ~* undress; **2.** *v/i. aus e-r Wohnung*: move out.

Auszubildende(r) apprentice, trainee.

Auszug *m* move, removal; *aus e-m Buch etc.*: extract, excerpt; *Konto˜*: statement (of account).

authentisch *adj.* authentic, genuine.

Auto *n* (motor) car, *bsd. Am. a.* automobile; *~ fahren* drive*, go* by car; **~bahn** *f Brt.* motorway; *Am.* superhighway, expressway; **~bahngebühr** *f* toll; **~biographie** *f* autobiography; **~bus** *m* bus; *Reisebus*: *bsd. Brt.* coach; **~fahrer** *m* motorist, (car) driver; **~friedhof** F *m* car dump; **~gramm** *n* autograph; **~grammjäger** *m* autograph hunter; **~karte** *f* road map; **~kino** *n* drive-in cinema; **~mat** *m* slot-machine, vending machine; **~matik** ⊕ *f* automatic (system); *mot. Getriebe*: automatic transmission; **~mation** ⊕ *f* automation; **˜matisch** *adj.* automatic; **~mechaniker** *m* car mechanic; **~mobil** *n s. Auto*; **~nummer** *mot. f* licen|ce (*Am.* -se) number.

Autor(in) author.

Autoreparaturwerkstatt *f* car repair shop, garage.

autori|sieren *v/t.* authorize; **~tär** *adj.* authoritarian; **˜tät** *f* authority.

Auto|vermietung *f* car hire (*Am.* rental) service; **~waschanlage** *f* carwash.

Axt *f* ax(e).

B

Bach *m* brook, stream, *Am. a.* creek.
Backbord ⚓ *n* port (*a. in Zssgn*).
Backe *f* cheek.
backen *v/t. u. v/i.* bake; *in der Pfanne*: fry.
Backenzahn *m* molar (tooth).
Bäcker *m* baker; *beim* ~ at the baker's; **~ei** *f* bakery, baker's (shop).
Back|form *f* baking tin; **~hendl** *östr. n* fried chicken; **~obst** *n* dried fruit; **~ofen** *m* oven; **~pflaume** *f* prune; **~pulver** *n* baking powder; **~stein** *m* brick; **~waren** *pl.* breads *pl.* and pastries *pl.*
Bad *n* bath; *im Freien*: swim, *Brt. a.* bathe; *Kur*2: health resort; *ein* ~ *nehmen s. baden 1.*
Bade|anstalt *f* swimming pool, public baths *pl.*; **~anzug** *m* bathing-suit, swimsuit; **~hose** *f* bathing-trunks *pl.*; **~kappe** *f* bathing-cap; **~mantel** *m* bathrobe; **~meister** *m* bath attendant.
baden 1. *v/i.* take★ *od.* have★ a bath, *Am. a.* bathe; *im Freien*: swim★, *bsd. Brt.* bathe; ~ *gehen* go★ swimming; **2.** *v/t. bsd. Brt.* bath, *Am.* bathe.
Bade|ort *m* seaside resort; *Kurbad*: health resort; **~tuch** *n* bath towel; **~wanne** *f* bath(-tub); **~zimmer** *n* bath(room).
Bagger *m* excavator; *Schwimm*2: dredge(r); **2n** *v/i.* excavate; dredge.
Bahn *f* 🚂 railway, *Am.* railroad; *Zug*: train; *Weg, Kurs*: way, path, course; *mit der* ~ by rail; ~ *frei!* make way!; *Zssgn s. a. Eisenbahn*; **2brechend** *adj.* epoch-making; **~damm** *m* railway (*Am.* railroad) embankment.
bahnen *v/t.*: *j-m od. e-r Sache den Weg* ~ clear the way for s.o. *od.* s.th.; *sich e-n Weg* ~ force *od.* work one's way.
Bahn|hof *m* (railway-, *Am.* railroad) station; **~linie** *f* railway- (*Am.* railroad) line; **~steig** *m* platform; **~übergang** *m* level (*Am.* grade) crossing.
Bahre *f* stretcher; *Toten*2: bier.
Baisse *econ. f* fall, slump.
Bajonett ⚔ *n* bayonet.
Bakterien ⚕, *biol. pl.* germs *pl.*
balancieren *v/t. u. v/i.* balance.
bald *adv.* soon; F *beinahe*: almost, nearly; *so* ~ *wie möglich* as soon as possible; **~ig** *adj.* speedy; *~e Antwort econ.* early reply; *auf (ein) ~es Wiedersehen!* see you again soon!
Balg 1. *m* skin; **2.** F *m, n Kind*: brat; **2en** *v/refl.* scuffle (*um* for).
Balken *m* beam.
Balkon *m* balcony; **~tür** *f* French window.
Ball *m* ball (*a. Tanz*2); *am* ~ *sein Sport*: have★ the ball.
Ballade *f* ballad.
Ballast *m* ballast; *fig. a.* burden.
ballen *v/t. Faust*: clench.
Ballen *m* bale; *anat.* ball.
Ballett *n* ballet.
Ballon *m* balloon.
Ballungs|gebiet *n*, **~raum** *m*, **~zentrum** *n* congested area, conurbation.
Balsam *m* balm, balsam (*beide a. fig.*).
Balz *biol., hunt. f* mating season.
Bambus *m* bamboo; **~rohr** *n* bamboo (cane).
banal *adj.* banal, trite.
Banane *f* banana; **~nstecker** ⚡ *m* banana plug.
Banause *m* philistine.
Band 1. *m* volume; **2.** *n* band; *Zier*2: ribbon; *Meß*2, *Ton*2, *Ziel*2: tape; *anat.* ligament; *fig.* tie, link; *auf* ~ *aufnehmen* tape; *am laufenden* ~ *fig.* continuously.
Bandag|e *f* bandage; **2ieren** *v/t.* (put★ on a) bandage.
Bande *f* gang; *Billard*: cushions *pl.*; *Eishockey*: boards *pl.*; *Kegeln*: gutter.
Bänderriß ⚕ *m* torn ligament.
bändigen *v/t. Tier*: tame (*a. fig.*); *Kinder, Zorn etc.*: restrain, control.
Bandit *m* bandit, outlaw.
Band|maß *n* tape measure; **~säge** *f* band-saw; **~scheibe** *anat. f* (intervertebral) disc; **~scheibenschaden** ⚕ *m* F a slipped disc; **~wurm** *zo. m* tapeworm.
bang|(e) *adj. ängstlich*: afraid; *besorgt*: anxious; *j-m bange machen* frighten *od.* scare s.o.; **2e** *f*: *keine* ~*!* (have) no fear!; **~en** *v/i.* be★ anxious *od.* worried (*um* about).
Bank[1] *f* bench; *Schul*2: desk; F *durch die* ~ without exception; *auf die lange* ~ *schieben* put★ off.

Bank² *econ. f* bank; *Geld auf der* ~ money in the bank; **~angestellte(r)** bank clerk *od.* employee; **~einlage** *f* deposit.
Bankett *n* banquet.
Bankgeschäfte *econ. pl.* banking transactions *pl.*
Bankier *m* banker.
Bank|konto *n* bank(ing) account; **~leitzahl** *f* bank code number; **~note** *f* (bank) note *od. Am.* bill.
bankrott *adj.* bankrupt.
Bankrott *m* bankruptcy; ~ *machen* go* bankrupt.
Bann *m* ban; *Zauber*: spell; **2en** *v/t. Gefahr etc.*: ward off; *eccl.* excommunicate; *fig.* (*wie*) *gebannt* spellbound.
Banner *n* banner (*a. fig.*).
bar *adj. econ.* (in) cash; *bloß*: bare; *rein*: pure; *gegen* ~ for cash.
Bar *f* bar; night-club.
Bär *zo. m* bear.
Baracke *f* hut; *contp.* shack; ⚠ *nicht barrack.*
Barbar|(in), 2isch *adj.* barbarian; *Verbrechen etc.*: atrocious.
Bardame *f* barmaid.
barfuß *adj. u. adv.* barefoot.
Bar|geld *n* cash; **2geldlos** *adj.* cashless; **~hocker** *m* bar stool.
Bariton ♪ *m* baritone.
Barkasse ⚓ *f* launch.
barmherzig *adj.* merciful; *mild*: charitable; **2keit** *f* mercy; charity.
Barmixer *m* bartender.
Barometer *n* barometer.
Baron *m* baron; **~in** *f* baroness.
Barren *m metall.* ingot; *Gold-, Silber2*: bullion; *Turngerät*: parallel bars *pl.*
Barriere *f* barrier.
Barrikade *f* barricade.
Barsch *zo. m* perch.
barsch *adj.* rough, gruff, brusque.
Barscheck *econ. m* cashable cheque (*Am.* check).
Bart *m* beard; *Schlüssel2*: bit; *sich e-n* ~ *wachsen lassen* grow* a beard.
bärtig *adj.* bearded.
Barzahlung *f* cash payment.
Base ⚗ *f* base.
basieren *v/i.*: ~ *auf* be* based on.
Basis *f Grundlage*: basis; ⚔, *arch.* base.
Baskenmütze *f* beret.
Baß ♪ *m* bass (*a. in Zssgn*).
Bassin *n* basin; (swimming) pool.
Bassist ♪ *m* bass singer *od.* player.
Bast *m* bast; *am Geweih*: velvet.
Bastard *m biol.* hybrid; *Hund*: mongrel; V bastard.
bast|eln *v/t.* build*, make*; *er bastelt gern* he likes to do handicrafts; **2ler** *m* home mechanic, do-it-yourself man.
Batik *m, f* batik.
Batist *m* cambric.
Batterie ⚔, ⚡ *f* battery.
Bau *m Vorgang*: building, construction; *Körper2 etc.*: build, frame; *Gebäude*: building, edifice; *Kaninchen2*: hole; *Fuchs2*: earth; *beim* ~ in the building trade; *im* ~ under construction.
Bau|arbeiten *pl.* construction work(s *pl.*); **~arbeiter** *m* construction worker; **~art** *f* architecture, style; (method of) construction; *Typ*: type, model.
Bauch *m* belly (*a. fig.*); *anat.* abdomen; F tummy; **2ig** *adj.* big-bellied, bulgy; **~landung** *f* belly landing; **~redner** *m* ventriloquist; **~schmerzen** *pl.*, **~weh** *n* belly-ache, stomachache.
bauen 1. *v/t.* build*, construct, *Instrument, Möbel etc.*: *a.* make*; **2.** *fig. v/i.*: *auf et.* ~ rely on s.th.
Bauer 1. *m* farmer; *Schach*: pawn; **2.** *n, m Vogel2*: (bird-)cage.
Bäuerin *f* farmer's wife, farmer.
bäuerlich *adj.* rural, rustic.
Bauern|haus *n* farmhouse; **~hof** *m* farm; **~möbel** *pl.* rustic furniture *sg.*
bau|fällig *adj.* dilapidated; **2firma** *f* builders *pl.* and contractors *pl.*; **2gerüst** *n* scaffold(ing); **2herr** *m* owner; **2holz** *n* timber, *Am.* lumber; **2ingenieur** *m* civil engineer; **2jahr** *n* year of construction; ~ *1986* 1986 model; **2kasten** *m* box of bricks; *technischer*: construction set; **2leiter** *m* building supervisor; **~lich** *adj.* structural.
Baum *m* tree.
baumeln *v/i.* dangle, swing*; *mit den Beinen* ~ dangle one's legs.
Baum|schule *f* nursery; **~stamm** *m* trunk; *gefällter*: log; **~wolle** *f* cotton (*a. aus* ~).
Bau|plan *m* architect's *od.* construction plan; **~platz** *m* building site.
Bausch *m* wad, ball; *in* ~ *und Bogen*

wholesale, in the lump; ≗en *v/refl.* bulge, billow, swell*.
Bausparkasse *f* building society, *Am.* building and loan association.
Bau|stein *m* brick, building stone; *Spielzeug*: (building) block; *fig.* element; **~stelle** *f* building site; *mot.* roadworks *pl.*; **~stil** *m* (architectural) style; **~stoff** *m* building material; **~techniker** *m* engineer; **~unternehmer** *m* building contractor; **~vorschriften** *pl.* building regulations *pl.*; **~zaun** *m* hoarding; **~zeichner** *m* construction draughtsman (*bsd. Am.* draftsman).
Bay|er(in), ≗(e)risch *adj.* Bavarian.
Bazillus *m* bacillus, germ.
beabsichtigen *v/t.* intend, plan; *das war beabsichtigt* that was intentional.
beacht|en *v/t.* pay* attention to; *beachten Sie, daß* ... note that ...; *nicht ~* take* no notice of; *Vorschrift etc.*: disregard; **~lich** *adj.* remarkable; *beträchtlich*: considerable; **≗ung** *f* attention; *Berücksichtigung*: consideration; notice; *Befolgung*: observance.
Beamt|e *m*, **~in** *f* official, officer; *Staats≗*: civil servant.
beängstigend *adj.* alarming.
beanspruch|en *v/t. Recht, Eigentum etc.*: claim; *Zeit, Raum etc.*: take* up; ⊕ stress; **≗ung** *f* claim; ⊕, *nervliche*: stress, strain.
bean|standen *v/t.* object to; **~tragen** *v/t.* apply for; ⚖, *parl.* move (for); *vorschlagen*: propose.
beantwort|en *v/t.* answer, reply to; **≗ung** *f* answer, reply.
bearbeit|en *v/t.* work; ✓ till; *Steine*: hew*; *verarbeiten*: process; ⚖ *Fall*: be* in charge of; *Thema*: treat; *Buch*: revise; *für Bühne etc.*: adapt (*nach* from); *bsd.* ♪ arrange; *j-n ~* work on s.o.; **≗ung** *f* working; *e-s Buches*: revision; *thea.* adaptation; *bsd.* ♪ arrangement; processing; ⚗ treatment.
beaufsichtig|en *v/t.* supervise; *Kind*: look after; **≗ung** *f* supervision; looking after.
beauftrag|en *v/t.* commission, charge (*mit* with); *anweisen*: instruct; **≗te(r)** agent; *Vertreter*: representative; *amtlich*: commissioner.
bebauen *v/t. arch.* build* on; ✓ cultivate.

beben *v/i.* shake* (*vor* with), tremble (with); *schaudern*: shiver (with); *Erde*: quake.
Becher *m* cup, *mit Henkel*: *a.* mug.
Becken *n* basin, bowl; pool; ♪ cymbal(s *pl.*); *anat.* pelvis.
bedacht *adj.*: *darauf ~ sein zu inf.* be* anxious to *inf.*
bedächtig *adj.* deliberate.
bedanken *v/refl.*: *sich bei j-m für et. ~* thank s.o. for s.th.
Bedarf *m* need (*an* of), want (of); *econ.* demand (for); **~shaltestelle** *f* request stop.
bedauerlich *adj.* regrettable; **~erweise** *adv.* unfortunately.
bedauern *v/t. j-n*: feel* *od.* be* sorry for, pity; *et.*: regret.
Bedauern *n* regret (*über* at); **≗swert** *adj.* pitiable, deplorable.
bedeck|en *v/t.* cover; **~t** *adj. Himmel*: overcast.
bedenken *v/t.* consider.
Bedenken *pl. Zweifel*: doubts *pl.*; *moralische*: scruples *pl.*; *Einwände*: objections *pl.*; **≗los** *adv.* unhesitatingly; without scruples.
bedenklich *adj. zweifelhaft*: doubtful; *ernst*: serious; *stärker*: critical.
Bedenkzeit *f*: *e-e Stunde ~* one hour to think it over.
bedeuten *v/t.* mean*; **~d** *adj.* important; *beträchtlich*: considerable; *angesehen*: distinguished.
Bedeutung *f* meaning, sense; *Wichtigkeit*: importance; **≗slos** *adj.* insignificant; *ohne Sinn*: meaningless; **~sunterschied** *m* difference in meaning; **≗svoll** *adj.* significant; *vielsagend*: meaningful.
bedien|en **1.** *v/t. j-n*: serve, wait on; ⊕ operate, work; ⚔ *Geschütz*: serve; *Telephon*: answer; *sich ~* help o.s.; *~ Sie sich!* help yourself!; **2.** *v/i.* serve; *bei Tisch*: wait (at table); *Karten*: follow suit; **≗ung** *f* service; *Kellner(in)*: wait|er (-ress); *Verkäufer(in)*: shop assistant, *bsd. Am.* clerk; ⊕ operation, control; **≗ungsanleitung** *f* operating instructions *pl.*
beding|en *v/t. erfordern*: require; *verursachen*: cause; *in sich schließen*: imply, involve; **~t** *adj. beschränkt*: limited; *verursacht*: caused (*durch* by); **≗ung** *f* condition; *~en pl. econ.* terms *pl.*; *Anforderungen*: requirements *pl.*; *Verhältnisse*: conditions

pl.; *unter e-r* (*keiner*) ~ on one (no) condition; **~ungslos** *adj.* unconditional.
bedrängen *v/t.* press (hard), plague.
bedroh|en *v/t.* threaten, menace; **~lich** *adj.* threatening; **2ung** *f* threat, menace (*gen.* to).
bedrücken *v/t.* depress, sadden.
Bedürf|nis *n* need, necessity (*für, nach* for); *die ~se des Lebens* the needs *od.* necessities of life; *sein ~ verrichten* relieve o.s.; **2tig** *adj.* needy, poor.
beeilen *v/refl.* hurry (up).
beeindrucken *v/t.* impress.
beeinfluss|en *v/t.* influence; *nachteilig*: affect; **2ung** *f* influence.
beeinträchtigen *v/t.* affect, impair.
beend(ig)en *v/t.* (bring* to an) end, finish, conclude, close.
beengt *adj. Verhältnisse*: cramped; *~ wohnen* live in cramped quarters.
beerben *v/t.*: *j-n ~* be* s.o.'s heir.
beerdig|en *v/t.* bury; **2ung** *f* burial, funeral.
Beere *f* berry; *Wein2*: grape.
Beet ⚘ *n* bed, *Gemüse2*: *a.* patch.
be|fähigen *v/t.* enable; *zu et.*: qualify (*für, zu* for); **~fähigt** *adj.* (cap)able; *zu et. ~* fit *od.* qualified for s.th.; **2fähigung** *f* qualification(s *pl.*), (cap)ability.
befahr|bar *adj.* passable, practicable; ⚓ navigable; **~en** *v/t.* drive* *od.* travel on; ⚓ navigate.
befallen *v/t.* attack, seize (*a. fig.*).
befangen *adj. verlegen*: embarrassed; *schüchtern*: self-conscious; *voreingenommen*: prejudiced (*a.* ⚖); ⚖ bias(s)ed; **2heit** *f* embarrassment; self-consciousness; ⚖ bias, prejudice.
befassen *v/refl.* deal* (*mit* with).
Befehl *m* order; command (*über* of); **2en** *v/t.* order; command; **2erisch** *adj.* imperious, F bossy.
Befehlshaber *m* commander.
befestig|en *v/t.* fasten (*an* to), fix (to), attach (to); ⚔ fortify; **2ung** *f* fixing, fastening; ⚔ fortification.
befeuchten *v/t.* moisten, damp.
befinden *v/refl.* be* (situated).
Befinden *n* (state of) health.
beflecken *v/t.* stain; *fig. a.* sully.
befolg|en *v/t. Rat*: follow, take*; *Vorschrift*: observe; *eccl. Gebote*: keep*; **2ung** *f* following; observance.
beförder|n *v/t.* carry, transport; *nur Güter*: haul, ship (*a.* ⚓); *zum ... befördert werden* be* promoted (to) ...; **2ung** *f* transport(ation); shipment; promotion; **2ungsmittel** *n* (means of) transport(ation).
befragen *v/t.* question, interview.
befrei|en *v/t.* free, liberate; *retten*: rescue; *von Pflichten*: exempt; **2ung** *f* liberation; exemption.
befreund|en *v/refl.*: *sich mit j-m ~* make* friends with s.o.; **~et** *adj.*: (*miteinander*) *~ sein* be* friends.
befriedig|en *v/t.* satisfy; *sich selbst ~* masturbate; **~end** *adj.* satisfactory; *Note*: fair, C; **~t** *adj.* satisfied, pleased; **2ung** *f* satisfaction.
befristet *adj.* limited (*auf* to), temporary.
befrucht|en *v/t.* fertilize, inseminate (*a. künstlich*); **2ung** *f* fertilization, insemination.
Befug|nis *f* authority; *bsd.* ⚖ competence; **2t** *adj.* authorized; competent.
befühlen *v/t.* feel*, touch.
Befund *m* finding(s *pl.*) (*a.* ⚕, ⚖).
befürcht|en *v/t.* fear, be* afraid of; *vermuten*: suspect; **2ung** *f* fear, suspicion.
befürwort|en *v/t.* advocate, speak* *od.* plead for; **2er(in)** advocate.
begab|t *adj.* gifted, talented; **2ung** *f* gift, talent(s *pl.*).
begeben *v/refl.*: *sich in Gefahr ~* expose o.s. to danger; **2heit** *f* incident, event.
begegn|en *v/i.* meet*; **2ung** *f* meeting, encounter (*a. Sport*).
begehen *v/t.* walk (on); *Geburtstag*: celebrate; *Verbrechen*: commit; *Fehler*: make*; *ein Unrecht ~* do* wrong.
begehr|en *v/t.* desire; **~enswert** *adj.* desirable; **~lich** *adj.* desirous, covetous; **~t** *adj.* popular, (much) in demand (*a. econ.*).
begeister|n *v/t.* fill with enthusiasm; *Publikum*: *a.* carry away; *sich ~ für* be* enthusiastic about; **2ung** *f* enthusiasm.
Begier|de *f* desire (*nach* for), appetite (for); **2ig** *adj.* eager (*nach, auf* for), anxious (*to do s.th.*).
begießen *v/t.* water; *Braten*: baste.
Beginn *m* beginning, start; *zu ~* at the beginning; **2en** *v/t. u. v/i.* begin*, start.

beglaubig|en *v/t.* attest, certify; **Ձung** *f* attestation, certification.
begleichen *econ.* *v/t.* *Rechnung*, *Schuld*: pay*, settle.
begleit|en *v/t.* accompany (*a.* ♪ *auf* on); *j-n nach Hause* ~ see* s.o. home; **Ձer(in)** companion; ♪ accompanist; **Ձschreiben** *n* covering letter; **Ձung** *f* company; *bsd.* ⚔ escort; ♪ accompaniment.
beglückwünschen *v/t.* congratulate (*zu* on).
begnadig|en *v/t.* pardon; amnesty; **Ձung** *f* pardon; amnesty.
begnügen *v/refl.*: *sich* ~ *mit* be* satisfied with; *auskommen*: make* do with.
begraben *v/t.* bury (*a. fig.*).
Begräbnis *n* burial; *Feier*: funeral.
begradigen *v/t.* straighten.
begreif|en *v/t.* comprehend, understand; **~lich** *adj.* understandable.
be|grenzen *fig.* *v/t.* limit, restrict (*auf* to); **~grenzt** *adj.* limited; **Ձgrenzung** *f* limitation.
Begriff *m* idea, notion; *Ausdruck*: term (*a.* ⚕); *im* ~ *sein zu* be* about to.
begründ|en *v/t.* *gründen*: establish, found; *fig.* give* reasons for; **Ձung** *fig. f* reasons *pl.*, arguments *pl.*
begrüß|en *v/t.* greet, welcome; ⚔ salute; **Ձung** *f* greeting, welcome; salutation.
begünstigen *v/t.* favo(u)r.
begutachten *v/t.* give* an (expert's) opinion on; *prüfen*: examine; ~ *lassen* obtain expert opinion on.
be|gütert *adj.* wealthy; **~haart** *adj.* hairy; **~häbig** *adj.* phlegmatic; *Gestalt*: portly; **~haftet** *adj.*: ~ *mit e-r Krankheit etc.*: afflicted with.
Behagen *n* pleasure, enjoyment.
behag|en *v/i.* please *od.* suit *s.o.*; **~lich** *adj.* comfortable; cosy, snug.
behalten *v/t.* keep* (*für sich* to o.s.); *sich merken*: remember.
Behälter *m* container, receptacle.
behand|eln *v/t.* treat (*a.* ⚕, ⊕); *sich* (*ärztlich*) ~ *lassen* undergo* (medical) treatment; *schonend* ~ handle with care; **Ձlung** *f* treatment; handling.
beharr|en *v/i.* insist (*auf* on); **~lich** *adj.* persistent.
behaupt|en *v/t.* claim; *fälschlich*: pretend; **Ձung** *f* statement, claim.
beheben *v/t.* *Schaden etc.*: repair.

behelfen *v/refl.*: *sich* ~ *mit* make* do with; *sich* ~ *ohne* do* without.
behend(e) *adj.* nimble, agile.
beherbergen *v/t.* accommodate.
beherrsch|en *v/t.* rule (over), govern; *Lage*, *Markt etc.*: dominate, control; *Sprache*: have* (a good) command of; *sich* ~ control o.s.; **Ձung** *f* command, control; *die* ~ *verlieren* lose* one's temper.
be|herzigen *v/t.* take* to heart, mind; **~hilflich** *adj.*: *j-m* ~ *sein* help s.o. (*bei* with, in); **~hindern** *v/t.* hinder; *Sicht*, *Verkehr*, *Sport*: obstruct; **~hindert** *adj.* handicapped; *schwer*: disabled; **Ձhinderung** *f* obstruction; handicap, disability.
Behörde *f* authority, *mst the* authorities *pl.*; board; council.
behüten *v/t.* guard (*vor* from).
behutsam *adj.* careful; *sanft*: gentle.
bei *prp. räumlich*: near; at; with; by; *zeitlich*: during; at; ~ *München* near Munich; ~ *der nächsten Kreuzung* at the next crossing; *zu Besuch sein* ~ be* staying with; ~ *uns* (*zu Hause*) at home; *arbeiten* ~ work for; *e-e Stelle* ~ a job with; ~ *der Marine* in the navy; ~ *Familie Müller* at the Müllers'; ~ *Müller Adresse*: c/o Müller; *ich habe kein Geld* ~ *mir* I have no money with *od.* on me; ~ *e-r Tasse Tee* over a cup of tea; *wir haben Englisch* ~ *Herrn Edler* we have Mr Edler for English; ~ *Licht* by light; ~ *Tag* during the day; ~ *Nacht* (*Sonnenaufgang*) at night (sunrise); ~ *s-r Geburt* at his birth; ~ *Regen* (*Gefahr*) in case of rain (danger); ~ *100 Grad* at a hundred degrees; ~ *der Arbeit* at work; ~ *weitem* by far; ~ *Gott* (*!*) by God (!); *s.a. beim.*
beibehalten *v/t.* keep* up, retain.
beibringen *v/t.* *lehren*: teach*; *mitteilen*: tell*; *erklären*: explain.
Beichte *f* confession; **Ձn** *v/t. u. v/i.* confess (*a. fig.*).
beide *adj. u. pron.* both; *m-e* **~n** *Brüder* my two brothers; *wir* ~ the two of us; *betont*: both of us; *keiner von* **~n** neither of them; *30* ~ *Tennis*: 30 all.
beiderlei *adj.*: ~ *Geschlechts* of either sex.
beieinander *adv.* together.
Beifahrer *m* front(-seat) passenger.
Beifall *m* applause; *fig.* approval.

beifügen *v/t. e-m Brief*: enclose.
beige *adj.* tan, beige.
Bei|geschmack *m* smack (von of) (*a. fig.*); **~hilfe** *f* aid, allowance; ⚖ aiding and abetting.
Beil *n* hatchet; *großes*: ax(e).
Beilage *f Zeitung*: supplement; *Essen*: side-dish; vegetables *pl.*
bei|läufig *adj.* casual; **~legen** *v/t.* add (*dat.* to); *e-m Brief*: enclose; *Streit*: settle; **²legung** *f* settlement.
Beileid *n* condolence, sympathy.
beiliegen *v/i.* be* enclosed (*dat.* with).
beim *prp.*: ~ *Arzt* (*Bäcker*) at the doctor's (baker's); ~ *Schlafengehen etc.* on *od.* when going to bed; ~ *Sprechen* while speaking; ~ *Spielen* at play; *s. a. bei.*
bei|messen *v/t. Bedeutung*: attach (*dat.* to); **~mischen** *v/t.*: *e-r Sache et.* ~ mix s.th. with s.th.
Bein *n* leg; *Knochen*: bone.
beinah(e) *adv.* almost, nearly.
Beinbruch *m* fracture of the leg.
beipflichten *v/i.* agree (*j-m* with; *e-r Meinung* to).
beirren *v/t.* confuse.
beisammen *adv.* together.
Bei|sein *n* presence; **²seite** *adv.* aside.
beisetz|en *v/t.* bury; **²ung** *f* funeral.
Beispiel *n* example; *zum* ~ for example, for instance; **²haft** *adj.* exemplary; **²los** *adj.* unprecedented, unparalleled; **²sweise** *adv.* such as.
beißen *v/t. u. v/i.* bite* (*a. fig.*); **~d** *adj.* biting, pungent (*beide a. fig.*).
Bei|stand *m* assistance; **²stehen** *v/i.*: *j-m* ~ assist *od.* help s.o.; **²steuern** *v/t.* contribute (*zu* to).
Beitrag *m* contribution; *Mitglieds²*: subscription, *Am.* dues *pl.*
bei|treten *v/i.* join; **²tritt** *m* joining.
Beiwagen *m Motorrad*: side-car.
beiwohnen *v/i.* be* present at.
beizeiten *adv.* early, in good time.
beizen *v/t. Holz*: stain; *Fleisch*: pickle.
bejahen *v/t.* answer in the affirmative, affirm; **~d** *adj.* affirmative.
bejahrt *adj.* aged, elderly.
bekämpfen *v/t.* fight* (against); *fig. a.* oppose.
bekannt *adj.* (well-)known; *vertraut*: familiar; *j-n mit j-m* ~ *machen* introduce s.o. to s.o.; **²e(r)** acquaintance, *mst* friend; **~geben** *v/t.* announce, make* known; **~lich** *adv.* as you know; **²machung** *f* (public) announcement; **²schaft** *f* acquaintance.
bekehr|en *v/t.* convert; **²te(r)** convert; **²ung** *f* conversion (*zu* to).
bekenn|en *v/t. zugeben*: admit; *gestehen*: confess (*a. Sünden*); *sich schuldig* ~ ⚖ plead guilty; *sich* ~ *zu* declare o.s. for; profess *s.th.*; **²tnis** *n* confession, *Religion*: *a.* denomination.
beklagen *v/t.* deplore; *sich* ~ complain (*über* of, about); **~swert** *adj.* deplorable; *Person*: pitiable.
be|kleben *v/t.* glue *od.* stick* on; *mit Etiketten* ~ label *s.th.*; *e-e Mauer mit Plakaten* ~ paste posters on a wall; **~kleckern** F *v/t.* stain; *sich* ~ soil one's clothes.
Bekleidung *f* clothing, clothes *pl.*
Be|klemmung *f* oppression; **~klommenheit** *f* anxiety.
bekommen 1. *v/t.* get*; *Brief, Geschenk*: *a.* receive; *Krankheit*: *a.* catch*; **2.** *v/i.*: *j-m* (*gut*) ~ agree with s.o.
bekömmlich *adj.* wholesome.
bekräftig|en *v/t.* confirm; **²ung** *f* confirmation.
be|kreuzigen *v/refl.* cross o.s.; **~kümmert** *adj.* worried; **~laden** *v/t.* load, *fig. a.* burden.
Belag *m* covering; ⊕ coat(ing); ⚕ *Zungen²*: fur; *Brot²*: spread; (sandwich) filling.
belager|n ⚔ *v/t.* besiege (*a. fig.*); **²ung** *f* siege; **²ungszustand** *pol. m* state of siege.
belanglos *adj.* irrelevant.
belast|bar *adj.* resistant to strain *od.* stress; ⊕, ⚡ loadable; **~en** *v/t.* load, *fig.* burden; *beschweren*: weight; ⚖ incriminate; *j-s Konto* ~ *mit econ.* charge *s.th.* to s.o.'s account.
belästig|en *v/t.* molest; *ärgern*: annoy; *stören*: disturb, bother; **²ung** *f* molestation; annoyance; disturbance.
Belastung *f* load (*a.* ⚡, ⊕); *fig.* burden; *körperliche*: strain; *seelische*: stress; ⚖ incrimination; **~szeuge** ⚖ *m* witness for the prosecution.
be|laufen *v/refl.*: *sich* ~ *auf* amount to; **~lauschen** *v/t.* overhear*, eavesdrop on.
beleb|en *fig. v/t.* stimulate; **~end** *adj.* stimulating; **~t** *adj. Straße*: busy, crowded.

B

Beleg *m Beweis*: proof; *Quittung*: receipt; *Unterlage*: document; **2en** *v/t.* cover; *Platz etc.*: reserve; *beweisen*: prove; *Kurs etc.*: enrol(l) for, take*; *Brote etc.*: put* s.th. on; *den ersten etc. Platz ~* take* first *etc.* place; **~schaft** *f* staff; **2t** *adj. Platz, Zimmer*: taken, occupied; *Hotel etc.*: full; *Stimme*: husky; *Zunge*: coated; *~es Brot* sandwich.
belehren *v/t.* teach*, instruct, inform; *sich ~ lassen* take* advice.
beleibt *adj.* corpulent, stout, fat.
beleidig|en *v/t.* offend (*a. fig.*), *stärker*: insult; **~end** *adj.* offensive, insulting; **2ung** *f* offen|ce, *Am.* -se, insult.
belesen *adj.* well-read.
beleucht|en *v/t.* light* (up), illuminate (*a. fig.*); *fig.* throw* light on; **2ung** *f* light(ing); illumination.
belicht|en *phot. v/t.* expose; **2ungsmesser** *phot. m* exposure meter.
Belieb|en *n*: *nach ~* at will; **2ig** *adj.* any; *Zahl*: optional; *jeder ~e* anyone; *in ~er Reihenfolge* in any order (whatever); **2t** *adj.* popular (*bei* with); **~theit** *f* popularity.
beliefer|n *v/t.* supply, furnish (*mit* with); **2ung** *f* supply.
bellen *v/i.* bark (*a. fig.*).
belohn|en *v/t.* reward; **2ung** *f* reward; *zur ~* as a reward.
belügen *v/t.*: *j-n ~* lie to s.o.
belustig|en *v/t.* amuse; **~t** *adj.* amused; **2ung** *f* amusement.
be|mächtigen *v/refl.* get* hold of, seize; **~malen** *v/t.* paint; **~mängeln** *v/t.* find* fault with; **~mannt** ⚓, ✈ *adj.* manned.
bemerk|bar *adj.* noticeable; *sich ~ machen Person*: draw* attention to o.s.; *Sache*: begin* to show; **~en** *v/t.* notice; *äußern*: remark; **~enswert** *adj.* remarkable (*wegen* for); **2ung** *f* remark.
bemitleiden *v/t.* pity, feel* sorry for; **~swert** *adj.* pitiable.
bemüh|en *v/refl.* try (hard); *sich ~ um et.*: try to get; *j-n*: try to help; *bitte ~ Sie sich nicht!* please don't bother!; **2ung** *f* effort; *danke für Ihre ~en!* thank you for your trouble.
benachbart *adj.* neighbo(u)ring; *angrenzend*: adjacent.
benachrichtig|en *v/t.* inform, notify; **2ung** *f* information; notification.
benachteilig|en *v/t.* place at a disadvantage, handicap; *bsd. sozial*: discriminate against; **2ung** *f* disadvantage, handicap; discrimination.
benehmen *v/refl.* behave (o.s.).
Benehmen *n* behavio(u)r, conduct; *Manieren*: manners *pl.*
beneiden *v/t.*: *j-n um et. ~* envy s.o. s.th.; **~swert** *adj.* enviable.
Bengel *m* (little) rascal, urchin.
benommen *adj.* dazed, F dopey.
benoten *v/t. Schule*: mark, *Am.* grade.
benötigen *v/t.* need, want, require.
benutz|en *v/t.* use; *nützen*: make* use of; **2ung** *f* use.
Benzin *n* petrol, *Am.* gasoline, F gas, *allg. a.* fuel.
beobacht|en *v/t.* watch; *genau*: observe; *beschatten*: shadow; **2er** *m* observer (*a.* ⚔, *pol. etc.*); **2ung** *f* observation.
bepflanzen *v/t.* plant (*mit* with).
bequem *adj.* comfortable; *leicht*: easy; *faul*: lazy; **~en** *v/refl.*: *sich ~ zu* bring* o.s. to *do s.th.*; **2lichkeit** *f* comfort; laziness; *alle ~en* all conveniences.
berat|en *v/t. j-n*: advise; *et.*: debate, discuss; *sich ~* confer (*mit j-m* with s.o.; *über et.* on *od.* about s.th.); **2er(in)** adviser, counsel(l)or; **2ung** *f* advice (*a.* ⚕); debate; *Besprechung*: consultation, conference.
be|rauben *v/t.* rob; *fig.* deprive of; **~rauschend** *adj.* intoxicating; F *nicht gerade ~!* not so hot!; **~rauscht** *adj.*: *~ von* drunk with (*a. fig.*).
berechn|en *v/t.* calculate; *econ.* charge (*zu* at); **~end** *adj.* calculating; **2ung** *f* calculation (*a. fig.*).
berechtig|en *v/t.*: *j-n ~ zu* entitle s.o. to; *ermächtigen*: authorize s.o. to; **~t** *adj.* entitled (*zu* to); authorized (to); *begründet*: legitimate; **2ung** *f Recht, Anspruch*: right (*zu* to); *Vollmacht*: authority.
Be|redsamkeit *f* eloquence; **~redt** *adj.* eloquent (*a. fig.*).
Bereich *m, n* area; *Umfang*: range; *e-r Wissenschaft etc.*: field, realm; **2ern** *v/t.* enrich; *sich ~* enrich o.s.; **~erung** *f* enrichment.
Bereifung *f* (set of) tyres (*Am.* tires) *pl.*
bereisen *v/t.* tour; *Vertreter*: cover.
bereit *adj.* ready, prepared; **~en** *v/t.* prepare; *verursachen*: cause; **~s** *adv.*

already; **ᘯschaft** *f* readiness; **~willig** *adj.* ready, willing.

bereuen *v/t.* repent (of); regret.

Berg *m* mountain; ~*e von* F heaps *od.* piles of; *die Haare standen ihm zu* ~*e* his hair stood on end; **ᘯab** *adv.* downhill (*a. fig.*); **~arbeiter** *m* miner; **ᘯauf** *adv.* uphill; **~bahn** 🚞 *f* mountain railway; **~bau** *m* mining.

bergen *v/t.* save; *enthalten*: hold*; *Tote*: recover.

Berg|kette *f* mountain range; **~mann** ⚒ *m* miner; **~rutsch** *m* landslide; **~spitze** *f* (mountain) peak; **~steigen** *n* mountaineering; **~steiger(in)** mountaineer.

Bergung *f* recovery; *Rettung*: rescue; **~sarbeiten** *pl.* salvage operations *pl.*; rescue work *sg.*

Berg|wacht *f* alpine rescue service; **~werk** *n* mine.

Bericht *m* report (*über* on), account (of); **ᘯen 1.** *v/t.* report; *j-m et.* ~ inform s.o. of s.th.; tell* s.o. about s.th.; **2.** *v/i.*: *über et.* ~ report on s.th., *in der Presse*: *a.* cover s.th.; **~erstatter(in)** *Presse*: reporter; *auswärtiger*: correspondent; **~erstattung** *f* report(ing); coverage.

berichtig|en *v/t.* correct; **ᘯung** *f* correction.

berieseln *v/t.* sprinkle; *fig.* shower.

Bernstein *m* amber.

bersten *v/i.* burst* (*fig. vor* with).

berüchtigt *adj.* infamous, notorious (*wegen, für* for).

berücksichtig|en *v/t. et.*: take* into consideration; *nicht* ~ disregard; **ᘯung** *f*: *unter* ~ *von* in consideration of.

Beruf *m* occupation; *bsd. Handwerk*: trade; F job; *akademischer* ~: profession; **ᘯen** *v/refl.*: *sich auf j-n* ~ refer to s.o.; **ᘯlich** *adj.* professional; *Schule*: vocational; *tätig*: on business.

Berufs|ausbildung *f* vocational (*bsd. akademisch*: professional) training; **~beratung** *f* vocational guidance; **ᘯbildend** *adj.*: ~*e Schule* vocational school, technical *od.* trade school; **~kleidung** *f* work clothes *pl.*; **~krankheit** *f* occupational disease; **~schule** *f s. berufsbildend*; **ᘯtätig** *adj.*: ~ *sein* work; **~tätige** *pl.* working people *pl.*; **~verkehr** *mot. m* commuter *od.* rush-hour traffic.

Berufung *f Ernennung*: appointment (*zu* to); ⚖ appeal (*bei* to); *unter* ~ *auf* with reference to.

beruhen *v/i.*: ~ *auf* be* based on; *et. auf sich* ~ *lassen* let* s.th. rest.

beruhig|en *v/t.* quiet, calm; *Schmerz, Nerven*: soothe; *sich* ~ calm down; **~end** *adj.* reassuring; ⚕ sedative; **ᘯung** *f* calming (down); *Besänftigung*: soothing; *Erleichterung*: relief; **ᘯungsmittel** ⚕ *n* sedative; *Pille*: tranquil(l)izer.

berühmt *adj.* famous (*wegen* for); **ᘯheit** *f* fame; *Person*: celebrity, star.

berühr|en *v/t.* touch (*a. fig.*); *seelisch*: *a.* move; *betreffen*: concern; **ᘯung** *f* touch; *in* ~ *kommen* come* into contact.

be|sagen *v/t.* say*; *bedeuten*: mean*; **~sänftigen** *v/t.* appease, calm, soothe.

Besatz *m* trimming; *Band*ᘯ: braid.

Besatzung *f* ⚓, ✈ crew; ⚔ occupation (*a.* ~*szeit*); **~smacht** ⚔ *f* occupying power; **~struppen** ⚔ *pl.* occupation forces *pl.*

beschädig|en *v/t.* damage; **ᘯung** *f* damage.

beschaffen *v/t.* provide, get*; *Geld*: raise; **ᘯheit** *f* state, condition.

beschäf|tigen *v/t.* employ; *zu tun geben*: keep* busy; *sich* ~ occupy o.s.; **~tigt** *adj.* busy, occupied; ~ *sein mit et.* be* engaged in (doing) s.th.; **ᘯtigung** *f* employment; occupation.

be|schämen *v/t.* make* *s.o.* feel ashamed; **~schämend** *adj.* shameful; *demütigend*: humiliating; **~schämt** *adj.* ashamed (*über* of); **ᘯschämung** *f* shame; humiliation.

beschatten *v/t.* shade; *fig. j-n*: shadow, F tail.

Bescheid *m* answer; ⚖ decision; information (*über* on, about); ~ *geben* (*bekommen*) send* (receive) word; *sagen Sie mir* ~ let me know; (*gut*) ~ *wissen über* know* all about.

bescheiden *adj.* modest (*a. fig.*); *ärmlich*: humble; **ᘯheit** *f* modesty.

bescheinig|en *v/t.* certify; *den Empfang* ~ acknowledge receipt; *hiermit wird bescheinigt, daß* this is to certify that; **ᘯung** *f* certification; *Schein*: certificate; *Quittung*: receipt; *Bestätigung*: acknowledg(e)ment.

bescheißen V *v/t.* cheat.

beschenken *v/t.*: *j-n* ~ give* s.o. (*reich*: shower s.o. with) presents.

Bescherung *f* distribution of (Christmas) presents; F *fig.* mess.
beschicht|en *v/t.*, **&ung** *f* coat.
beschieß|en *v/t.* fire *od.* shoot* at; *mit Granaten*: bombard (*a. phys.*), shell.
beschimpf|en *v/t.* abuse, insult; swear* at; **&ung** *f* abuse, insult.
Be|schiß V *m s. Betrug*; **&schissen** V *adj.* lousy, rotten, *Brt. a.* bloody, *bsd. Am. a.* fucking.
Beschlag *m* ⊕ metal fitting(s *pl.*); *in ~ nehmen fig. j-n*: monopolize; *et.*: bag; *Raum etc.*: occupy; **&en 1.** *v/t.* cover; ⊕ fit, mount; *Pferd*: shoe*; **2.** *v/i. Fenster etc.*: steam up; **3.** *adj. Fenster*: steamed-up; *fig.* well versed (*auf, in* in).
Beschlag|nahme ⚖ *f* confiscation; **&nahmen** confiscate.
beschleunig|en *v/t.* accelerate (*a. v/i.*; *a. mot., phys.,* ⚘ *etc.*); *Vorgang*: speed* up; **&ung** *f* acceleration.
beschließen *v/t.* decide (on); *Gesetz etc.*: pass; *beenden*: conclude.
Beschluß *m* decision.
be|schmieren *v/t.* (be)smear; **~schmutzen** *v/t.* soil (*a. fig.*), dirty; **~schneiden** *v/t.* clip, cut* (*a. fig.*); *Baum*: lop; ⚘ *Vorhaut*: circumcise; **~schönigen** *v/t.* gloss over.
beschränk|en *v/t.* confine, limit, restrict; *sich ~ auf* confine o.s. to; **~t** *adj.* limited; *fig.* feeble-minded; **&ung** *f* limitation, restriction.
beschreib|en *v/t.* describe; *Papier*: write* on; **&ung** *f* description.
beschrift|en *v/t.* inscribe; *Ware etc.*: mark; **&ung** *f* inscription.
beschuldig|en *v/t.* *Schuld geben*: blame; *j-n e-r Sache ~* accuse s.o. of s.th., charge s.o. with s.th. (*beide a.* ⚖); **&ung** *f* accusation, charge.
Beschuß ⚔ *m*: *unter ~* under fire (*a. fig.*).
beschütze|n *v/t.* protect, shelter, guard (*vor* from); **&r** *m* protector.
Beschwerde *f* complaint (*über* about; *bei* to); **~n** *pl. Schmerzen*: complaints *pl.*, trouble *sg.*
beschwer|en *v/t.*: *sich ~* complain (*über* about, of; *bei* to); **~lich** *adj.* arduous, hard.
be|schwichtigen *v/t.* appease (*a. pol.*), calm; **~schwindeln** *v/t.* tell* a fib *od.* lie; *betrügen*: cheat; **~schwipst** F *adj.* tipsy; **~schwören** *v/t. et.*: swear* to; *j-n*: implore; *Geister*: conjure up.
beseitig|en *v/t.* remove; *Abfall*: *a.* dispose of; *Mißstand, Fehler etc.*: eliminate; *umbringen*: remove; *pol.* liquidate; **&ung** *f* removal; disposal; elimination.
Besen *m* broom; **~stiel** *m* broomstick.
besessen *adj.* obsessed (*von* by); *wie ~* like mad.
besetz|en *v/t.* occupy (*a.* ⚔); *Stelle etc.*: fill; *thea. Rollen*: cast*; *Kleid*: trim; *Haus*: squat; **~t** *adj.* occupied; *Platz*: taken; *Bus, Zug etc.*: full up; *teleph.* engaged, *Am.* busy; **&ung** *f thea.* cast; ⚔ occupation.
besichtig|en *v/t.* visit, see* the sights of; *prüfend*: inspect; **&ung** *f* sightseeing; visit (to); inspection.
besied|eln *v/t.* settle, colonize; *bevölkern*: populate; **~elt** *adj.*: *dicht* (*dünn*) *~* densely (sparsely) populated; **&lung** *f* colonization, settlement; population.
be|siegeln *v/t.* seal (*a. fig.*); **~siegen** *v/t.* defeat, beat* (*a. Sport*); *Land*: conquer (*a. fig.*).
besinn|en *v/refl. erinnern*: remember; *nachdenken*: think* (*auf* about); **~lich** *adj.* contemplative.
Besinnung *f Bewußtsein*: consciousness; **&slos** *adj.* unconscious.
Besitz *m* possession; *Eigentum*: property (*a. Land&*); *in ~ nehmen, ~ ergreifen von* take* possession of; **&anzeigend** *gr. adj.* possessive; **&en** *v/t.* possess, own; **~er(in)** possessor, owner; *den Besitzer wechseln* change hands.
besohlen *v/t.*: (*neu*) *~ lassen* have* (re)soled.
Besoldung *f* pay; *Beamte*: salary.
besonder|e *adj.* special, particular; *außergewöhnlich*: extraordinary, exceptional; *eigentümlich*: peculiar; **&heit** *f* peculiarity.
besonders *adv.* especially, particularly; *hauptsächlich*: chiefly, mainly.
besonnen *adj.* prudent, levelheaded, calm.
besorg|en *v/t.* get*, buy*; **&nis** *f* concern, alarm, anxiety (*über* about, at); **~niserregend** *adj.* alarming; **~t** *adj.* worried, concerned; **&ung** *f*: *~en machen* go* shopping, go* on errands.
bespielen *v/t. Tonband etc.*: make* a recording on; *bespieltes Band* (pre-)recorded tape.
besprech|en *v/t.* discuss, talk *s.th.*

B

over; *vereinbaren*: arrange; *Buch etc.*: review; ≈**ung** *f* discussion, talk(s *pl.*); conference; review.

besser *adj. u. adv.* better; ~ *als* better than; *es ist* ~, *wir fragen ihn* we had better ask him; *immer* ~ better and better; *es geht ihm* ~ he is better; *oder* ~ *gesagt* or rather; *ich weiß (kann) es* ~ I know (can do) better (than that).

besser|n *v/refl.* improve, get* better; ≈**ung** *f* improvement; *auf dem Wege der* ~ on the way to recovery; *gute* ~! (I) hope you will be better soon.

Bestand *m* (continued) existence; *Vorrat*: stock; ~ *haben* last, be* lasting.

beständig *adj.* constant, steady (*a. Charakter*); *Wetter*: settled.

Bestand|saufnahme *econ. f*: *e-e* ~ *machen* take* stock (*a. fig.*); ~**teil** *m* part, component; ~*e pl. Zutaten*: ingredients *pl.*

bestärken *v/t.* confirm, strengthen, encourage (*in* in).

bestätig|en *v/t.* confirm (*a.* ⚖, *econ.*); *bescheinigen*: certify; *Empfang*: acknowledge; *sich* ~ be* confirmed; *sich bestätigt fühlen* feel* affirmed; ≈**ung** *f* confirmation; certificate; acknowledg(e)ment; *psych.* affirmation.

Bestattungsinstitut *n* undertakers *pl.*, *Am.* funeral home.

beste *adj. u. adv.* best; *am* ~*n* best; *welches gefällt dir am* ~*n?* which do you like best?; *es ist das* ~ *od. am* ~*n ist es, Sie nehmen den Bus* you had best (*od.* it would be best for you to) take a bus.

Beste *m, f, n the* best; *das* ~ *geben* do* one's best; *das* ~ *machen aus* make* the best of; (*nur*) *zu deinem* ~*n* for your own good; *der (die)* ~ *der Klasse* the best in his (her) class.

bestech|en *v/t.* bribe; *beeindrucken*: fascinate; ~**lich** *adj.* corrupt; ≈**ung** *f* bribery, corruption.

Besteck *n* (set of) knife, fork and spoon; *coll.* cutlery.

bestehen 1. *v/t. Probe*: stand*; *Prüfung*: pass; **2.** *v/i.* be*, exist; ~ *auf* insist on; ~ *aus (in)* consist of (in); ~ *bleiben* last, survive.

Bestehen *n* existence; passing.

besteigen *v/t. Berg*: climb; *Fahrzeug, Pferd*: get* on; *Thron*: ascend.

bestell|en *v/t. Waren, Speisen etc.*: order; *Zimmer, Karten*: book; *vor*~: reserve; *Taxi*: call; *j-n*: ask (*stärker*: tell*) to come; *j-m et.*: tell*; *Boden*: cultivate; *kann ich et.* ~? can I take a message?; ≈**ung** *f* order; booking; reservation; *auf* ~ to order.

besten|falls *adv.* at best; ~**s** *adv.* very well.

Bestie *f* brute, beast.

bestimmen *v/t. festlegen, entscheiden*: determine, decide; *Begriff*: define; *j-n für od. zu et.* ~ designate *od.* intend s.o. for s.th.; *zu* ~ *haben* be* in charge, F be* the boss; ~ *über* dispose of; *bestimmt für* meant for.

bestimmt 1. *adj. Stimme, Auftreten etc.*: decided, determined, firm; ~*er Artikel gr.* definite article; ~*e Dinge* certain (*besondere*: special) things; **2.** *adv.* certainly; *ganz* ~ definitely; ≈**heit** *f* determination, firmness; *Gewißheit*: certainty.

Bestimmung *f Vorschrift*: regulation; *Schicksal*: destiny; ~**sort** *m* destination.

bestraf|en *v/t.* punish; ≈**ung** *f* punishment.

bestrahl|en *v/t.* irradiate (*a.* ⚕); ≈**ung** *f* irradiation; ⚕ ray treatment, radiotherapy.

Bestreb|en *n*, ~**ung** *f* effort; *Versuch*: attempt.

be|streichen *v/t.*: *et. mit et.* ~ spread* s.th. on s.th.; *mit Butter* ~ butter; ~**streiten** *v/t. anfechten*: challenge; *leugnen*: deny; ~**streuen** *v/t.* strew*, sprinkle (*mit* with); ~**stürmen** *v/t. drängen*: urge; *überschütten*: bombard.

bestürz|t *adj.* dismayed (*über* at), stunned (by); ≈**ung** *f* consternation, dismay.

Besuch *m* visit (*bei, in* to); *kurzer*: call; *Aufenthalt*: stay; *Schule, Veranstaltung*: attendance; ≈**en** *v/t.* visit; call on, (go* to) see*; F look up; *Schule etc.*: attend; *Lokal*: go* to; ~**er(in)** visitor, caller, guest; ~**szeit** *f* visiting hours *pl.*

besucht *adj.* attended; *Lokal, Ort*: (much-)frequented.

be|tasten *v/t.* touch, feel*, finger; ~**tätigen** *v/t.* ⊕ operate; *Bremse*: apply; *sich* ~ be* active.

betäub|en *v/t.* stun (*a. fig.*), daze; make* unconscious; ⚕ an(a)esthetize; ≈**ung** *f* ⚕ an(a)esthetization; ⚕ *Zustand*: an(a)esthesia; *fig.* stupefac-

B

tion; ≈**ungsmittel** ⚕ *n Droge*: narcotic; an(a)esthetic.

Bete ⚘ *f*: *Rote* ~ beet(root *Brt.*).

beteil|igen *v/t.*: *j-n* ~ give* s.o. a share (*an* in); *sich* ~ take* part (*an, bei* in), participate (in) (*a.* ⚖); ~**igt** *adj.* concerned; ~ *sein an Unfall, Verbrechen*: be* involved in; *Gewinn*: have* a share in; ≈**igung** *f* participation (*a.* ⚖, *econ.*); involvement; share (*a. econ.*).

beten *v/i.* pray (*um* for), say* one's prayers; *bei Tisch*: say* grace.

beteuern *v/t. Unschuld*: protest.

Beton ⊕ *m* concrete.

beton|en *v/t.* stress; *fig. a.* emphasize; ≈**ung** *f* stress; *fig.* emphasis.

betören *v/t.* infatuate, bewitch.

Betracht *m*: *in* ~ *ziehen* take* into consideration; (*nicht*) *in* ~ *kommen* (not) come* into question; ≈**en** *v/t.* look at, view (*a. fig.*); ~ *als* look upon *od.* regard as, consider.

beträchtlich *adj.* considerable.

Betrachtung *f* view; *bei näherer* ~ on closer inspection.

Betrag *m* amount, sum; ≈**en 1.** *v/t.* amount to; **2.** *v/refl.* behave (o.s.).

Betragen *n* behavio(u)r, conduct.

betreffen *v/t. angehen*: concern; *sich beziehen auf*: refer to; *was ... betrifft* as for, as to; *betrifft* (*abbr. Betr.*) re; ~**d** *adj.* concerning; *die* ~*en Personen etc.* the people *etc.* concerned.

betreiben 1. *v/t. Geschäft* keep*; *Unternehmen*: operate, run*; *Hobby, Sport*: go* in for.

betreten 1. *v/t.* step on; *eintreten*: enter; **2.** *adj.* embarrassed.

Betreten *n*: ~ (*des Rasens*) *verboten!* keep off (the grass)!

betreu|en *v/t.* look after, take* care of; ≈**ung** *f* care (*gen.* of, for).

Betrieb *m Firma*: business, firm, company; *Betreiben*: operation, running; *in Straßen, Geschäften*: rush; *in* ~ *sein* (*setzen*) be* in (put* into) operation; *außer* ~ out of order; *im Geschäft war viel* ~ the shop was very busy.

Betriebs|anleitung *f* operating instructions *pl.*; ~**ferien** *pl.* works *od.* staff holiday *sg.*; ~**fest** *n* (annual) company fête; ~**kapital** *n* working capital; ~**klima** *n* working conditions *pl.*; ~**kosten** *pl.* operating costs *pl.*; ~**leitung** *f* management; ~**rat** *m* works council; ≈**sicher** *adj.* safe to operate; ~**störung** *f* breakdown; ~**unfall** *m* industrial accident; ~**wirtschaft** *econ. f* business management (*Am.* administration).

betrinken *v/refl.* get* drunk.

betroffen *adj.* affected (*a. seelisch*); ~*e Personen s. betreffend.*

betrübt *adj.* sad, grieved (*über* at).

Betrug *m* cheating; ⚖ fraud; *Täuschung*: deceit.

betrüge|n *v/t.* cheat (*beim Kartenspiel* at cards), swindle, trick (*um et.*: out of s.th.); *Ehepartner*: be* unfaithful to; ≈**r(in)** swindler, trickster.

betrunken *adj.* drunk; *ein* ~*er Mann* a drunk; ≈**e(r)** drunk.

Bett *n* bed; *am* ~ at the bedside; *ins* ~ *gehen* (*bringen*) go* (put*) to bed; ~**decke** *f* blanket; quilt.

betteln *v/i.* beg (*um* for).

Bett|gestell *n* bedstead; ≈**lägerig** *adj.* bedridden; ~**laken** *n* sheet.

Bettler(in) beggar.

Bett|ruhe *f*: ~ *verordnen* order to stay in bed; ~**vorleger** *m* bedside rug; ~**wäsche** *f* bed linen; ~**zeug** *n* bedding, bedclothes *pl.*

beugen *v/t.* bend* (*a. Knie*), bow; *gr.* inflect; *sich* ~ bend* (*vor* to), bow (to).

Beule *f* bump; *im Blech etc.*: dent.

be|unruhigen *v/t.* disquiet, alarm; ~**urkunden** *v/t.* attest, certify.

beurlaub|en *v/t.* give* *s.o.* leave *od.* time off; *vom Amt*: suspend; *sich* ~ *lassen* ask for leave; ~**t** *adj.* on leave.

beurteil|en *v/t.* judge (*nach* by); ≈**ung** *f* judg(e)ment; *Bewertung*: evaluation.

Beuschel *östr. n* lungs (of an animal).

Beute *f* booty, loot; *e-s Tieres*: prey; *hunt.* bag; *fig.* prey, victim (*gen.* to).

Beutel *m* bag; *zo., Tabaks*≈: pouch.

bevölk|ern *v/t.* populate, people; ~**ert** *adj.*: *dicht* (*dünn*) ~ densely (thinly) populated; ≈**erung** *f* population.

bevollmächtig|en *v/t.* authorize, empower.

bevor *cj.* before.

bevorstehen *v/i.* be* approaching, be* near; *Gefahr*: be* imminent; *j-m* ~ be* in store for s.o., await s.o.

bevor|zugen *v/t.* prefer; favo(u)r (*a. Schule*); ~**zugt** *adj.* privileged; ≈**zugung** *f* preferential treatment.

B

bewach|en *v/t.* guard, watch over; **≈er** *m*, **≈ung** *f* guard.
bewaffn|en *v/t.* arm (*a. fig.*); **≈ung** *f* armament; *Waffen*: arms *pl.*
be|wahren *v/t.* keep*, preserve (*vor* from); **~währen** *v/refl.* prove successful; *sich ~ als* prove to be.
bewährt *adj.* (well-)tried, proven, reliable; *Person*: experienced.
Bewährung ⚖ *f* probation (*zur* on).
bewaldet *adj.* wooded, woody.
bewältigen *v/t.* master, manage, cope with; *Strecke*: cover.
bewandert *adj.* (well-)versed (*in* in).
bewässer|n *v/t. Land etc.*: irrigate; **≈ung** *f* irrigation.
bewegen [1] *v/t.*: *j-n zu et. ~* get* s.o. to do s.th.
beweg|en[2] *v/t. u. v/refl.* move (*a. fig.*); *sich ~ zwischen* range from ... to; *nicht ~!* don't move!; **≈grund** *m* motive; **~lich** *adj.* movable; *flink*: agile; *flexibel*: flexible; *Teile*: moving; **≈lichkeit** *f* mobility; agility; **~t** *adj. Meer*: rough; *Stimme*: choked; *Leben*: eventful; *fig.* moved, touched; **≈ung** *f* movement (*a. pol.*); motion (*a. phys.*); *fig.* emotion; *in ~ setzen* set* in motion; *körperliche ~* physical exercise; **~ungslos** *adj.* motionless, immobile.
Beweis *m* proof (*für* of); *~(e pl.)* evidence (*bsd.* ⚖); **≈en** *v/t.* prove*; *Interesse etc.*: show*; **~stück** *n* (piece of) evidence.
bewenden *v/i.*: *es dabei ~ lassen* leave* it at that.
bewerb|en *v/refl.*: *sich ~ um* apply for; *kandidieren*: be* a candidate for; *e-n Preis*: compete for; *e-e Frau*: court; **≈er** *m* applicant (*um* for); candidate; competitor; *um e-e Frau*: suitor; **≈ung** *f* application; candidature; competition; courtship; **≈ungsschreiben** *n* (letter of) application.
bewert|en *v/t.* rate, judge; *econ.* value; *Schule*: *a.* assess, *Am. a.* grade; **≈ung** *f* rating; valuation; assessment; *Schule*: *a.* points *pl.*, credits *pl.*; marks *pl.*, *bsd. Am.* grades *pl.*
bewilligen *v/t.* grant, allow.
bewirken *v/t. verursachen*: cause; bring* about, effect.
bewirt|en *v/t.* entertain; **~schaften** *v/t.* manage, run*; ✓ farm; **≈ung** *f* *Lokal*: service; *freundliche ~* kind hospitality.
bewohne|n *v/t.* inhabit, live in; *Haus etc.*: *a.* occupy; **≈r** *m* inhabitant; occupant.
be|wölken *v/refl.* cloud over (*a. fig.*); **~wölkt** *adj.* cloudy, overcast; **≈wölkung** *f* clouds *pl.*
bewunder|n *v/t.* admire (*wegen* for); **~nswert** *adj.* admirable; **≈ung** *f* admiration.
bewußt *adj.* conscious; *absichtlich*: intentional; *sich e-r Sache ~ sein* (*werden*) be* (become*) conscious *od.* aware of s.th., realize s.th.; **~los** *adj.* unconscious; **~machen** *v/t.*: *j-m et. ~* bring* s.th. home to s.o.; **≈sein** *n* consciousness; *bei ~* conscious.
bezahl|en *v/t. Betrag, Rechnung, Schuld, j-n*: pay*; *Ware etc.*: pay* for (*a. fig.*); **≈ung** *f* payment (*für* for; *von* of).
bezaubern *v/t.* charm; *stärker*: enchant; **~d** *adj.* charming, F sweet, darling.
bezeichn|en *v/t. bedeuten*: stand* for; *~ als* call, describe as; **~end** *adj.* characteristic, typical (*für* of); **≈ung** *f* name, term.
be|zeugen *v/t.* ⚖ testify to, bear* witness to (*beide a. fig.*); **~ziehen** *v/t. Möbel etc.*: cover; *Bett*: change; *Haus etc.*: move into; *erhalten*: receive; *~ auf* relate to; *sich ~ Himmel*: cloud over; *sich ~ auf* refer to.
Beziehung *f* relation (*zu et.* to s.th.; *zu j-m* with s.o.); connection (*zu* with); *Verwandtschaft, Zweier≈*: relationship; *Hinsicht*: respect; *~en haben* have* connections, know* the right people; **≈sweise** *adv.* respectively; *oder*: or; *oder vielmehr*: or rather.
Bezirk *m* district, *Am. a.* precinct.
Bezug *m Überzug*: cover(ing); case, slip (*beide a. Kissen≈*); *von Waren*: purchase; *e-r Zeitung*: subscription (*gen.* to); *in ≈ auf* referring to; *~ nehmen auf* refer to; **~sperson** *psych. f* parent person; **~spunkt** *m* reference point; **~squelle** *econ. f* source (of supply).
be|zwecken *v/t.* aim at, intend; **~zweifeln** *v/t.* doubt, question; **~zwingen** *v/t.* conquer, defeat (*a. Sport*).
Bibel *f* Bible.
Bibeli *n Schweiz*: pimple.
Biber *zo. m* beaver.

B

Bibliothek *f* library; **~ar(in)** librarian.
biblisch *adj.* biblical.
bieder *adj.* honest; *spießig*: square.
bieg|en *v/t.* bend* (*a. sich ~*); *Straße*: *a.* turn; *um die Ecke ~* turn (round) the corner; **~sam** *adj.* flexible; **2ung** *f* curve.
Biene *zo. f* bee; **~nkönigin** *f* queen (bee); **~nkorb, ~nstock** *m* (bee)hive.
Bier *n* beer; *~ vom Faß* draught (*Am.* draft) beer; **~deckel** *m* beer mat; **~krug** *m* beer mug, *Am.* stein.
Biest F *fig. n*: (*kleines*) *~* brat, little devil, *Am. a.* stinker.
bieten 1. *v/t.* offer; *sich ~* present itself; **2.** *v/i. Auktion*: (make* a) bid*.
Bigamie *f* bigamy.
Bikini *m* bikini.
Bilanz *f econ.* balance; *fig.* result; *~ ziehen aus fig.* take* stock of.
Bild *n* picture; *sprachliches*: image; *sich ein ~ machen von* get* an idea of; **~ausfall** *TV m* blackout; **~bericht** *m Presse*: photo-report.
bilden *v/t.* form; *gestalten*: *a.* shape; *fig.* educate, train; *darstellen, sein*: be*, constitute; *sich ~* form; *fig.* educate o.s., improve one's mind.
Bilderbuch *n* picture-book.
Bild|fläche *f*: F *auf der ~ erscheinen* (*von der ~ verschwinden*) appear on (disappear from) the scene; **~hauer** *m* sculptor; **2lich** *adj.* graphic; *Wort etc.*: figurative; **~nis** *n* portrait; **~platte** *TV f* video disc; **~röhre** *TV f* picture tube; **~schirm** *TV m* (television) screen; **2schön** *adj.* most beautiful.
Bildung *f* education; *Aus2*: training; *Bilden*: forming, formation; **~s...** *in Zssgn Chancen, Reform, Urlaub etc.*: educational ...
Billard *n* billiards, *Am. a.* pool; **~kugel** *f* billiard ball; **~stock** *m* cue.
Billet(t) *n Schweiz*: ticket.
billig *adj.* cheap (*a. contp.*), inexpensive; *recht und ~* right and proper; **~en** *v/t.* approve of; **2ung** *f* approval.
Billion *f* billion, *Am.* trillion.
Binde *f* ⚕ bandage; *Armschlinge*: (arm-)sling; *s. Damenbinde*; **~gewebe** *anat. n* connective tissue; **~glied** *n* (connecting) link; **~haut** *anat. f* conjunctiva; **~hautentzündung** ⚕ *f* conjunctivitis.
binden *v/t.* bind*, tie (*an* to); *Buch etc.*: bind*; *Besen, Kranz etc.*: make*; *Krawatte*: knot; *sich ~* bind* *od.* commit o.s.; **2.** *v/i.* bind*; ⊕ *Zement etc.*: set*, harden; *fig.* unite; **~strich** *m* hyphen; **~wort** *gr. n* conjunction.
Bindfaden *m* string; *stärker*: packthread.
Bindung *f fig.* tie, link, bond; *Ski2*: binding; *ohne ~en* free of obligations.
Binnen|hafen *m* inland port; **~handel** *m* domestic trade (*Am.* commerce); **~land** *n* interior; **~schiffahrt** ⚓ *f* inland navigation; **~verkehr** *m* inland traffic *od.* transport.
Binse ⚘ *f* rush; F: *in die ~n gehen* go* phut.
Biochemie *f* biochemistry.
biodynamisch ⚒ *adj.* biodynamic.
Biographi|e *f* biography; **2sch** *adj.* biographic(al).
Biolog|e *m* biologist; **~ie** *f* biology; **~in** *f* biologist; **2isch** *adj.* biological; *Anbau etc.*: organical.
Birke ⚘ *f* birch(-tree).
Birne *f* pear; ⚡ (light) bulb.
bis *prp. u. adv. u. cj. zeitlich*: till, until, (up) to; *räumlich*: (up) to; *von ... ~* from ... to; *~ auf außer*: except, but; *~ zu* up to; *~ dann* (*morgen!*) see you then *od.* later (tomorrow!); *~ jetzt* up to now, so far; *~ dahin* (*Freitag*) by then (Friday); *zwei ~ drei* two or three; *wie weit ist es ~ zum Bahnhof?* how far is it to the station?
Bischof *m* bishop.
Biscuit *n Schweiz*: biscuit, *Am.* cookie.
bisher *adv.* up to now, so far; *wie ~* as before; **~ig** *adj.* previous.
Biskuit *n* sponge cake (mixture).
Biß *m* bite.
bißchen 1. *adj.*: *ein ~* a little, a (little) bit (of); **2.** *adv.*: *ein ~* a little, a (little) bit; *ein ~ schneller* a little *od.* a bit faster; *ein ~ schlafen* have* some sleep, sleep* a bit; *nicht ein ~* not in the least.
Bissen *m* bite; *keinen ~* not a thing.
bissig *adj. Hund*: dangerous, vicious; *fig.* biting, cutting; *Vorsicht, ~er Hund!* beware of the dog!
bisweilen *adv.* at times, now and then.
Bitte *f* request (*um* for; *auf j-s* at s.o.'s); *ich habe e-e ~* (*an dich*) I have a favo(u)r to ask of you.
bitte *adv.* please; *~ nicht!* please

don't! ~ (schön)! *keine Ursache*: that's all right, not at all, *bsd. Am.* you're welcome; *beim Überreichen etc.*: here you are; (wie) ~? pardon?
bitten *v/t.*: j-n um et. ~ ask s.o. for s.th. *od.* to do s.th.; um j-s Namen (Erlaubnis) ~ ask s.o.'s name (permission); darf ich ~? *Tanz*: may I have (the pleasure of) this dance?
bitter *adj.* bitter (*a. fig.*); *Kälte*: biting; **≗keit** *f* bitterness; **~lich** *adv.* bitterly.
bläh|en *v/refl.* swell*; **≗ung** ⚕ *f* flatulence, F wind.
Blam|age *f* disgrace, shame; **≗ieren** *v/t.*: j-n ~ make* s.o. look like a fool; sich ~ make* a fool of o.s.; ⚠ nicht blame.
blank *adj.* shining, shiny, bright; ~ *geputzt*: polished; F *fig.* broke.
Bläschen ⚕ *n* vesicle, small blister.
Blase *f Luft≗*: bubble; *anat.* bladder; *Haut≗*: blister; **~balg** *m* (ein a pair of) bellows *pl.*
blasen *v/t.* blow* (*a.* ♪).
Blas|instrument ♪ *n* wind instrument; **~kapelle** *f* brass band; **~rohr** *n Waffe*: blowpipe.
blaß *adj.* pale (vor with), colo(u)rless (*a. fig.*); ~ werden turn pale.
Blässe *f* paleness.
Blatt *n* ♀ leaf; *Papier≗*: piece, sheet (*a.* ♪); *Kartenspiel*: hand; *Zeitung*: (news)paper.
blättern *v/i.*: ~ in leaf through.
Blätterteig *m* puff paste.
blau *adj.* blue; F *fig.* loaded, stoned; ~es Auge black eye; ~e Flecken haben be* black and blue.
Blaubeere ♀ *f* bilberry, *Am.* blueberry.
blaugrau *adj.* bluish-grey.
bläulich *adj.* bluish.
Blausäure ⚗ *f* hydrocyanic *od.* prussic acid.
Blech *n* sheet metal; *in Zssgn Dach, Löffel etc.*: tin (*a.* aus ~); **~büchse, ~dose** *f* tin, *Am.* (tin) can; **~schaden** *mot. m* dent(s *pl.*).
Blei ⚗ *n* lead; aus ~ leaden.
bleiben *v/i.* stay, remain; ruhig ~ keep* calm; ~ bei stick* to; bleib(t) sitzen! keep seated!; bitte ~ Sie am Apparat *teleph.* hold the line, please; **~d** *adj.* lasting, permanent; **~lassen** *v/t.* leave* *s.th.* alone; laß das bleiben! stop *od.* quit that!
bleich *adj.* pale (vor with); **~en** *v/t.* bleach; **≗gesicht** F *n* paleface.
bleiern *adj.* (of) lead, leaden (*a. fig.*).
bleifrei *mot. adj.* unleaded.
Bleistift *m* pencil; **~spitzer** *m* pencil-sharpener.
Blende *f* blind; *phot.* aperture; (bei) ~ 8 (at) f-8.
blend|en *v/t.* blind, dazzle (*beide a. fig.*); **~end** *adj.* dazzling (*a. fig.*); *Leistung*: brilliant; *Aussehen*: marvellous; **~frei** *opt. adj.* anti-glare.
Blick *m* look (auf at); *Aussicht*: view (of); flüchtiger ~ glance; auf den ersten ~ at first sight; **≗en** *v/i.* look, glance (*beide*: auf, nach at); **~fang** *m* eye-catcher.
blind *adj.* blind (*a. fig.*: gegen, für to; vor with); *Spiegel etc.*: dull; ~er Alarm false alarm; ~er Passagier stowaway; auf e-m Auge ~ blind in one eye.
Blinddarm *anat. m* appendix; **~entzündung** ⚕ *f* appendicitis; **~operation** ⚕ *f* appendectomy.
Blinde(r) blind woman (man).
Blinden|heim *n* home for the blind; **~hund** *m* guide dog, *Am. a.* seeing-eye dog; **~schrift** *f* braille.
Blind|flug ✈ *m* blind flying **~heit** *f* blindness; **≗lings** *adv.* blindly; **~schleiche** *zo. f* slow-worm.
blinke|n *v/i.* sparkle, glitter; *Sterne*: twinkle; *Zeichen geben*: flash (a signal); *mot.* indicate, signal; **≗r** *mot. m* indicator, *bsd. Brt.* trafficator.
blinzeln *v/i.* blink (one's eyes).
Blitz *m* (flash of) lightning; *phot.* flash; **~ableiter** *m* lightning conductor; **≗en** *v/i.* flash; es blitzt it is lightening; **~gerät** *phot. n* (electronic) flash; **~lampe** *phot. f Birne*: flashbulb; *Würfel*: flash cube; **~licht** *phot. n* flashlight, *Am.* flash; **~schlag** *m* lightning stroke; **≗schnell** *adv.* with lightning speed.
Block *m* block; *pol., econ.* bloc; *Schreib≗*: pad; **~ade** ⚔, ⚓ *f* blockade; **~flöte** *f* recorder; **~haus** *n* log cabin; **≗ieren** *v/t. u. v/i.* block; **~schrift** *f* block letters *pl.*
blöd|(e) F *adj.* silly, stupid; **≗heit** *f* stupidity; **≗sinn** *m* rubbish, nonsense; **~sinnig** *adj.* idiotic, foolish.
blöken *v/i. Schaf, Kalb*: bleat.
blond *adj.* blond, fair(-haired); **≗ine** *f* blonde.
bloß 1. *adj.* bare; *Auge*: naked;

nichts als: mere; **2.** *adv.* only, just, merely.

Blöße *f* nakedness; *sich e-e ~ geben* lay* o.s. open to attack *od.* criticism.

bloß|legen *v/t.* lay* bare, expose; **~stellen** *v/t.* expose, compromise, unmask; *sich ~* compromise o.s.

blühen *v/i. Blumen*: *mst* (be* in) bloom; *Bäume, Büsche*: *mst* (be* in) blossom; *fig.* flourish, thrive, prosper; *econ.* boom.

Blume *f* flower; *Wein*: bouquet; *Bier*: froth.

Blumen|beet *n* flower-bed; **~händler** *m* florist; **~kohl** *m* cauliflower; **~strauß** *m* bunch of flowers; **~topf** *m* flowerpot.

Bluse *f* blouse.

Blut *n* blood; **²arm** ⚕ *adj.* an(a)emic (*a. fig.*); **~armut** ⚕ *f* an(a)emia; **~bad** *n* massacre; **~bahn** *anat. f* bloodstream; **~bank** ⚕ *f* blood bank; **²bedeckt, ²beschmiert** *adj.* bloodstained; **~blase** *f* blood blister; **~druck** *m* blood pressure.

Blüte *f* ⚘ flower; *bsd. Baum~*: blossom; *fig. Elite*: cream; *s. Blütezeit*; *in (voller) ~* in (full) bloom.

Blut|egel *zo. m* leech; **²en** *v/i.* bleed* (*aus* from); **~erguß** ⚕ *m* effusion of blood.

Blütezeit *fig. f* prime, heyday.

Blut|gefäß *anat. n* blood-vessel; **~gerinnsel** ⚕ *n* blood clot; **~gruppe** *f* blood group; **²ig** *adj.* bloody; *~er Anfänger* rank beginner, F greenhorn; **~körperchen** *n* blood corpuscle; **~kreislauf** *m* (blood) circulation; **~lache** *f* pool of blood; **²leer** *adj.* bloodless; **~probe** *f* blood test; **²rünstig** *fig. adj.* blood-curdling, gory; **~schande** ⚖ *f* incest; **~spender(in)** blood-donor; **²stillend** ⚕ *adj.* styptic; **~sverwandte** *pl.* blood relations *pl.*; **~übertragung** *f* blood-transfusion; **~ung** *f* bleeding, h(a)emorrhage; **²unterlaufen** *adj. Auge*: bloodshot; **~vergießen** *n* bloodshed; **~vergiftung** *f* blood-poisoning; **~wurst** *f* black pudding, *Am.* blood sausage.

Bö *f* gust, squall.

Bob *m* bob(sled); **~bahn** *f* bob run; **~fahren** *n* bobsledding; **~schlitten** *m s. Bob.*

Bock *m* buck (*a. Sport*); *Ziegen²*: he-goat, F billy-goat; *Widder*: ram; *e-n ~ schießen* (make* a) blunder; **²en** *v/i. Pferd*: buck (*bsd. Am. a. fig.*); *Person*: be* obstinate; *schmollen*: sulk; **²ig** *adj.* obstinate; sulky; **~springen** *n Sport*: buck vaulting; *Spiel*: leapfrog.

Boden *m* ground (*a. fig.*); ⚒ soil; *Gefäß²*, *Meeres²*: bottom; *Fuß²*: floor; *Dach²*: attic; **~kammer** *f* garret, attic; **²los** *adj.* bottomless; *fig.* incredible; **~personal** ✈ *n* ground personnel *od.* staff; **~reform** *f* land reform; **~schätze** *pl.* mineral resources *pl.*; **~station** ✈ *f* ground control; **~turnen** *n* floor exercises *pl.*

Bogen *m Biegung*: bend, curve; ⩘ arc; *arch.* arch; *Eislauf*: curve; *Ski*: turn; *Waffe*: bow; *Papier²*: sheet; **~schießen** *n* archery; **~schütze** *m* archer.

Bohle *f* plank.

Bohne ⚘ *f* bean; *grüne ~n pl.* French beans *pl.*, string-beans *pl.*; *weiße ~n pl.* haricot beans *pl.*; **~nstange** *f* beanpole (*a.* F *fig.*).

bohner|n *v/t.* polish; **²wachs** *n* floor polish.

bohren *v/t.* bore, drill (*a. Zahnarzt*); **~d** *fig. adj. durchdringend*: piercing; *Fragen*: insistent.

Bohr|er ⊕ *m* drill; *Mensch*: driller; **~insel** ⊕ *f* oil rig; **~loch** ⊕ *n* borehole, *Öl²*: *a.* well(head); **~maschine** ⊕ *f* (electric) drill; **~turm** ⊕ *m* derrick; **~ung** ⊕ *f* drilling; *Zylinder*: bore.

Boje ⚓ *f* buoy.

Bolzen ⊕ *m* bolt.

bombardieren *v/t.* bomb; *fig.* bombard.

Bombe *f* bomb; *fig.* bomb-shell; **~nangriff** ⚔ *m* air-raid; **~nanschlag** *m* bombing (*auf* of), bomb attack; **²nsicher** *adj.* bomb-proof; **~r** ✈ *m* bomber (*a. fig.*).

Bon *econ. m* coupon, voucher.

Bonbon *m, n* sweet, *Am.* candy.

Boot *n* boat; **~smann** *m* boatswain.

Bord 1. *n* shelf; **2.** ⚓, ✈ *m*: *an ~* on board, aboard; *über ~* overboard; *von ~ gehen* go ashore; **~funker** ⚓, ✈ *m* radio operator; **~stein** *m* kerb, *Am.* curb.

borgen *v/t.* borrow; *sich et. ~ von* borrow s.th. from; *j-m et. ~* lend* s.th. to s.o.

Borke *f* bark.

Börse *econ. f* stock exchange, stock-market.

B

Börsen|bericht *m* market report; **~kurs** *m* quotation; **~makler** *m* stock-broker; **~papiere** *pl.* listed securities *pl.*; **~spekulant** *m* stock-jobber.
Borst|e *f* bristle; **⁀ig** *adj.* bristly.
Borte *f* border; *Besatz⁀*: braid, lace.
bösartig *adj.* vicious; ⚕ malignant.
Böschung *f* slope, bank; *Ufer⁀*, 🚂: embankment.
böse *adj.* bad, evil, wicked; *zornig*: angry (*über* at, about; *auf j-n* with s.o.); *er meint es nicht ~* he means no harm.
Böse *n* (the) evil; **~wicht** *m mst. iro.* villain.
bos|haft *adj.* malicious; **⁀heit** *f* malice, spite.
böswillig *adj.* malicious, *bsd.* ⚖ *a.* wil(l)ful.
Botani|k *f* botany; **~ker(in)** botanist; **⁀sch** *adj.* botanical.
Bote *m* messenger; **~ngang** *m*: *Botengänge machen* run* errands.
Botschaft *f* message; *Amt*: embassy; **~er** *m* ambassador.
Bottich *m* tub, vat.
Bouillon *f* consommé, bouillon, broth.
Bowle *f* cup; *heiße*: punch.
boxen 1. *v/i.* box; **2.** *v/t.* punch.
Box|en *n* boxing; **~er** *m* boxer; **~handschuh** *m* boxing-glove; **~kampf** *m* boxing-match, fight; **~sport** *m* boxing.
Boykott *m*, **⁀ieren** *v/t.* boycott.
brachliegen ⚘ *v/i.* lie* fallow (*a. fig.*).
Branche *econ. f* line (of business), trade; branch (of industry).
Brand *m* fire; *in ~ geraten* catch* fire; *in ~ stecken* set* fire to; **~blase** *f* blister; **~bombe** *f* incendiary bomb; **⁀en** *v/i.* surge (*a. fig.*), break* (*an, gegen* against); **~fleck** *m* burn; **~mal** *n* brand; *fig.* stigma; **⁀marken** *fig. v/t.* brand, stigmatize; **~mauer** *f* fire wall; **~stätte, ~stelle** *f* scene of fire; **~stifter** *m* arsonist; **~stiftung** *f* arson; **~ung** *f* surf, surge, breakers *pl.*; **~wunde** *f* burn; *durch Verbrühen*: scald.
braten *v/t.* roast; *auf dem Rost*: grill, broil; *in der Pfanne*: fry; *am Spieß ~* roast on a spit, barbecue.
Braten *m* roast (meat); *~stück*: joint; **~fett** *n* dripping; **~soße** *f* gravy.
Brat|fisch *m* fried fish; **~huhn** *n* roast chicken; **~kartoffeln** *pl.* fried potatoes *pl.*; **~pfanne** *f* frying-pan; **~röhre** *f* oven.
Bratsche ♪ *f* viola.
Brauch *m Sitte*: custom; *Gewohnheit*: habit, practice; **⁀bar** *adj.* useful; **⁀en** *v/t. nötig haben*: need; *erfordern*: require; *Zeit*: take*; *ge~*: use; *wie lange wird er ~?* how long will it take him?; *du brauchst es nur zu sagen* you only have to say so; *ihr braucht es nicht zu tun* you need not (*od.* don't have to) do it; *er hätte nicht zu kommen ~* he need not have come.
Braue *f* eyebrow.
brau|en *v/t.* brew; **⁀erei** *f* brewery.
braun *adj.* brown; *sonnen~*: (sun-) tanned; *~ werden von der Sonne*: get* a tan.
Bräune *f* brownness; (sun)tan; **⁀n 1.** *v/t.* brown; *Sonne*: tan; **2.** *v/i.* (get* a) tan.
Braunkohle *f* brown coal, lignite.
bräunlich *adj.* brownish.
Brause(bad *n)* *f* shower(-bath); **~(limonade)** *f* lemonade, pop; **⁀n** *v/i. Wind, Wasser etc.*: roar; *eilen*: rush; have a shower(-bath); **~pulver** *n* sherbet powder.
Braut *f* bride; *Verlobte*: fiancée.
Bräutigam *m* (bride)groom; fiancé.
Braut|jungfer *f* bridesmaid; **~kleid** *n* wedding-dress; **~leute** *pl.*, **~paar** *n* bride and (bride)groom; *Verlobte*: engaged couple.
brav *adj. artig*: good; *ehrlich*: honest; *sei(d) ~!* be good!; ⚠ *nicht brave.*
brechen *v/t. u. v/i.* break* (*a.* ⚖, ⚕); *sich übergeben*: throw* up, *Brt. a.* be* sick; *sich ~ opt.* be* refracted; *sich den Arm ~* break* one's arm; *mit j-m ~* break* with s.o.
Brech|reiz *m* nausea; **~stange** ⊕ *f* crowbar; **~ung** *opt. f* refraction.
Brei *m ~masse*: pulp, mash; *Kinder⁀*: pap; *Hafer⁀*: porridge; *Reis⁀ etc.*: pudding; **⁀ig** *adj.* pulpy, mushy.
breit *adj.* wide; *Schultern, Grinsen*: broad (*a. fig.*); **~beinig** *adj.* with legs (wide) apart.
Breite *f* width, breadth; *ast., geogr.* latitude; **⁀n** *v/t.* spread*; **~ngrad** *m* degree of latitude; **~nkreis** *m* parallel (of latitude).
breit|machen *v/refl.* spread* o.s., take* up room; **~schlagen** *v/t.*: F: *j-n*

zu et. ~ talk s.o. into (doing) s.th.; **2seite** ⚓ *f* broadside (*a. fig.*); **2wand** *f Film*: wide screen.

Bremsbelag ⊕ *m* brake lining.

Bremse *f* ⊕ brake; *zo.* gadfly; **2n 1.** *v/i.* brake, put* on the brake(s); *ab~*: slow down; **2.** *v/t.* brake; *fig.* curb.

Brems|kraftverstärker *mot. m* brake booster; **~leuchte** *mot. f* stop light; **~pedal** *n* brake pedal; **~weg** *m* stopping distance.

brenn|bar *adj.* combustible; *entzündlich*: inflammable; **~en 1.** *v/t.* burn*; *Schnaps*: distil(l); *Ziegel*: bake; **2.** *v/i.* burn*; *Haus etc.*: be* on fire; *Wunde, Augen*: smart, burn*; F *darauf ~, et. zu tun* be* burning to do s.th.; *es brennt!* fire!

Brenn|er *m Gas2 etc.*: burner; **~essel** ⚘ *f* (stinging) nettle; **~glas** *n* burning glass; **~holz** *n* firewood; **~material** *n* fuel; **~punkt** *m* focus, focal point; **~spiritus** *m* methylated spirit; **~stoff** *m* fuel.

brenzlig *fig. adj.* critical.

Bresche *f* breach (*a. fig.*), gap.

Brett *n* board; **~erbude** *f* shack; **~erzaun** *m* wooden fence; **~spiel** *n* board game.

Brezel *f* pretzel.

Brief *m* letter; **~beschwerer** *m* paperweight; **~bogen** *m* sheet of (note)paper; **~freund(in)** pen friend; **~karte** *f* correspondence card; **~kasten** *m* letter-box, *Am.* mailbox; **2lich** *adj. u. adv.* by letter; **~marke** *f* (postage) stamp; **~markensammlung** *f* stamp-collection; **~öffner** *m* paper-knife, *Am. a.* letter opener; **~papier** *n coll.* stationery; **~tasche** *f* wallet; **~taube** *f* carrier pigeon; **~träger(in)** post(wo)man; **~umschlag** *m* envelope; **~wechsel** *m* correspondence.

Brikett *n* briquet(te).

Brillant 1. *m* brilliant, cut diamond; **2.** 2 *adj.* brilliant; **~ring** *m* diamond ring.

Brille *f* glasses *pl.*, spectacles *pl.*; *Schutz2*: goggles *pl.*; **~netui** *n* spectacle case; **~nträger(in)**: ~ *sein* wear* glasses.

bringen *v/t.* bring*; *fort~, hin~*: take*; *Opfer*: make*; *Gewinn etc.*: yield; *nach Hause ~* see* *s.o.* home; *in Ordnung ~* put* in order; *j-n auf e-e Idee ~* put* s.th. into s.o.'s head; *j-n dazu ~, et. zu tun* make* s.o. (*od.* get* s.o. to) do s.th.; *et. mit sich ~* involve s.th.; *j-n um et. ~* deprive s.o. of s.th.; *j-n zum Lachen ~* make* s.o. laugh; *j-n wieder zu sich* (*zur Vernunft*) ~ bring* s.o. round (to his senses); *es zu et.* (*nichts*) ~ succeed (fail) in life.

Brise *f* breeze.

Brit|e *m*, **~in** *f* Briton; *die Briten pl.* the British *pl.*; **2isch** *adj.* British.

bröckeln *v/i.* crumble.

Brocken *m* piece; *Klumpen*: lump; *Fleisch*: chunk; *Bissen*: morsel; ~ *pl. Worte*: scraps *pl.*; F *ein harter ~* a hard nut to crack.

Brombeere *f* blackberry.

Bronchi|en *pl.* bronchi(a) *pl.*; **~tis** ⚕ *f* bronchitis.

Bronze *f* bronze; **~zeit** *hist. f* Bronze Age.

Brosche *f* brooch.

broschiert *adj.* paperback(ed).

Broschüre *f* booklet, brochure, pamphlet.

Brot *n* bread; *belegtes*: sandwich; *ein* (*Laib*) ~ a loaf (of bread); *e-e Scheibe ~* a slice of bread; *sein ~ verdienen* earn one's living; **~aufstrich** *m* spread.

Brötchen *n* roll.

Brot|rinde *f* crust; **~(schneide)maschine** *f* bread cutter.

Bruch *m Brechen*: break(ing); *Knochen2*: fracture; ⚕ hernia; *Riß*: crack; 𝔄 fraction; *e-s Versprechens*: breach; *e-s Gesetzes etc.*: violation; *zu ~ gehen* be* wrecked (*a. fig.*).

brüchig *adj.* *zerbrechlich*: fragile; *spröde*: brittle; *rissig*: cracked.

Bruch|landung ✈ *f* crash-landing; **~rechnung** *f* fractional arithmetic, F fractions *pl.*; **2sicher** *adj.* breakproof; **~strich** 𝔄 *m* fraction bar; **~stück** *n* fragment (*a. fig.*); **~teil** *m* fraction; *im ~ e-r Sekunde* in a split second; **~zahl** *f* fraction(al) number.

Brücke *f* bridge (*a. Sport*); *Teppich*: rug; *e-e ~ über et. schlagen* bridge s.th. (*a. fig.*); **~npfeiler** *m* pier.

Bruder *m* brother (*a. eccl.*); **~krieg** *m* civil war.

brüder|lich 1. *adj.* brotherly, fraternal; **2.** *adv.*: ~ *teilen* share and share alike; **2lichkeit** *f* brotherliness; **2schaft** *f* brotherhood.

Brüh|e *f Fleisch2*: broth; *klare Fleisch2*: clear soup; F *üble Flüssig-*

B

keit: slop(s *pl.*), slush; F *Getränk*: dishwater; **~würfel** *m* beef cube.
brüllen *v/i.* roar (*a. Mensch*); *Kuh*: low; *Stier*: bellow; F *Kind*: bawl; *vor Lachen* ~ roar with laughter; **~d** *adj.*: *~es Gelächter* roars *pl.* of laughter.
brumm|en *v/i. Bär, fig. Mensch*: growl; *Insekt*: hum, buzz (*a. Motor etc.*); **~ig** *adj.* grumpy.
brünett *adj.* brunette, dark-haired.
Brunft *hunt. f* rut; rutting season.
Brunnen *m* well; *Quelle*: spring; *Spring*≈: fountain; *e-n* ~ *graben* sink* a well.
brünstig *zo. adj.* rutting; *Weibchen*: in heat.
Brunstzeit *zo. f* rutting season.
Brust *f* chest; *weibliche* ~: breast(s *pl.*), bosom; **~bein** *anat. n* breastbone; **~beutel** *m* money bag.
brüsten *v/refl.* boast, brag (*mit* of).
Brust|kasten, ~korb *m* chest, *anat.* thorax; **~schwimmen** *n* breaststroke.
Brüstung *f* parapet.
Brustwarze *anat. f* nipple.
Brut *f* brooding; brood, hatch; *Fisch*≈: fry; F *fig.* brood; *contp.* scum.
brutal *adj.* brutal; **≈ität** *f* brutality.
Brutapparat *zo. m* incubator.
brüten *v/i.* brood, sit* (on eggs), incubate; ~ *über* brood over.
Brutkasten ⚕ *m* incubator.
brutto *econ. adv.* gross (*a. in Zssgn*); **≈sozialprodukt** *econ. n* gross national product; **≈verdienst** *m* gross earnings *pl.*
Bube *m* boy, lad; *Karte*: knave, jack.
Buch *n* book; **~binder** *m* (book)binder; **~drucker** *m* printer; **~druckerei** *f* printing-office.
Buche ⚘ *f* beech.
buchen *v/t.* book (*a. Flug etc.*).
Bücher|bord *n* bookshelf; **~ei** *f* library; **~regal** *n* bookshelf; **~schrank** *m* bookcase.
Buch|fink *zo. m* chaffinch; **~halter(in)** bookkeeper; **~haltung** *f* bookkeeping; **~händler(in)** bookseller; **~handlung** *f* bookshop, *Am.* bookstore.
Büchse *f* box, case; *Blech*≈: tin, *Am.* can; *Gewehr*: rifle; **~nfleisch** *n* tinned (*Am.* canned) meat; **~nöffner** *m* tin-opener, *Am.* can opener.
Buchstab|e *m* letter; *print.* type; *großer (kleiner)* ~ capital (small) letter; **≈ieren** *v/t.* spell*.
buchstäblich *adv.* literally.
Buchstütze *f* book-end.
Bucht *f* bay; *kleiner*: creek, inlet.
Buchung *f* booking, reservation; *Buchhaltung*: entry.
Buckel *m* hump, hunch; *bsd. Mensch*: humpback, hunchback; *e-n* ~ *machen* hump *od.* hunch one's back.
bücken *v/refl.* bend* (down), stoop.
bucklig *adj.* humpbacked, hunchbacked; **≈e(r)** humpback, hunchback.
Bückling *m* bloater, kipper; *fig.* bow.
Buddhis|mus *eccl. m* Buddhism; **~t(in), ≈tisch** *adj.* Buddhist.
Bude *f Verkaufs*≈: stall, booth; *Hütte*: hut; F digs *pl.*, *Am.* pad; *contp.* dump, hole.
Budget *n* budget.
Büfett *n* (*Verkaufs*)*Theke*: counter, bar, buffet; *Möbel*: sideboard, cupboard; *kaltes* ~ buffet (meal).
Büffel *zo. m* buffalo.
büffeln F *v/i.* grind*, cram, swot.
Bug *m* ⚓ bow; ✈ nose; *zo.* shoulder.
Bügel *m Brillen*≈ *etc.*: bow; *Kleider*≈: hanger; **~brett** *n* ironing-board; **~eisen** *n* iron; **~falte** *f* crease; **≈frei** *adj.* non-iron; **≈n** *v/t. Hemd etc.*: iron; *Hose etc.*: press.
buh *int.* boo!; **~en** *v/i.* boo.
Bühne *f* stage; *fig. a.* scene; **~nbild** *n* (stage) set(ting); **~nbildner(in)** stage designer.
Bull|auge ⚓ *n* porthole, bull's eye; **~dogge** *zo. f* bulldog.
Bulle *zo. m* bull (*a. fig.*); *contp. Polizist*: cop(per).
Bummel F *m* stroll; **~ei** *f* dawdling; *Nachlässigkeit*: slackness; **≈n** *v/i.* stroll, saunter; *trödeln*: dawdle; *econ.* go* slow; **~streik** *m* go-slow (strike), *Am.* slowdown; **~zug** F *m* slow train, *Am.* way train.
Bund 1. *m* union, federation, alliance; *Verband*: association; *Hosen*≈ *etc.*: (waist)band; *der* ~ *pol.* the Federal Government; F *s. Bundeswehr*; **2.** *n Bündel*: bundle; **3.** *m, a. n Schlüssel etc.*: bunch.
Bündel *n* bundle; **≈n** *v/t.* bundle (up).
Bundes|... *in Zssgn* Federal ...; **~bahn** *f* Federal Railway(s *pl.*); **~genosse** *m* ally; **~kanzler** *m* Federal Chancellor; **~land** *pol. n appr.* state; **~liga** *f Sport*: First Division; **~post** *f* Federal Postal Administration; **~**

präsident *m* Federal President; **~rat** *m* Bundesrat, Upper House of German Parliament; **~republik** *f* Federal Republic; **~staat** *m einzelner*: federal state; *Gesamtheit der einzelnen*: confederation; **~tag** *m* Bundestag, Lower House of German Parliament; **~trainer(in)** coach of the (German) national team; **~wehr** *f* (German Federal) Armed Forces *pl.*

bündig *adj.* ⊕ flush; *kurz und ~* terse(ly); point-blank.

Bündnis *n* alliance.

Bunker *m* air-raid shelter, bunker (*a.* ⚔).

bunt *adj. farbig*: colo(u)red; *mehrfarbig*: multicolo(u)red; *farbenfroh*: colo(u)rful (*a. fig.*); *abwechslungsreich*: varied; **~gemustert** *adj.* with a colo(u)rful pattern; **℞stift** *m* colo(u)red pencil, crayon.

Bürde *fig. f* burden (*für j-n* to s.o.).

Burg *f* castle.

Bürge ⚖ *m* guarantor (*a. fig.*); **℞n** *v/i.*: *für j-n ~* ⚖ stand* surety for s.o.; *für et. ~* guarantee s.th.

Bürger|(in) citizen; **~initiative** *f* (local, *bsd. Am.* citizens') action group; **~krieg** *m* civil war.

bürgerlich *adj.* civil; *bsd. contp.* bourgeois; *~e Küche* plain cooking; **℞e(r)** commoner.

Bürger|meister *m* mayor; **~recht** *n* civil rights *pl.*; **~steig** *m* pavement, *Am.* sidewalk.

Bürgschaft ⚖ *f* surety; bail.

Büro *n* office; **~angestellte(r)** clerk, office worker; **~arbeit** *f* office-work; **~klammer** *f* (paper-)clip; **~krat** *m* bureaucrat; **~kratie** *f* bureaucracy; *contp.* red tape; **~stunden** *pl.* office hours *pl.*; **~vorsteher** *m* chief clerk.

Bursche *m* fellow, boy, *bsd. Brt.* lad, chap, *bsd. Am.* guy.

Bürste *f* brush; **℞n** *v/t.* brush; **~nschnitt** *m* crew cut.

Bus *m* bus; *Reise℞*: *a.* coach.

Busch ⚘ *m* bush, shrub.

Büschel *n* bunch; *Haar, Gras etc.*: tuft.

busch|ig *adj.* bushy; **℞messer** *n* bushknife, machete.

Busen *m* bosom, breast(s *pl.*); *fig.* bosom, heart; *Meer℞*: bay, gulf.

Bushaltestelle *f* bus stop.

Bussard *zo. m* buzzard.

Buße *f* penance; *Reue*: repentance; *Geld℞*: fine; *~ tun* do* penance.

büßen *v/t. eccl.* repent; *das sollst du mir ~!* you'll pay for that!

Buß|geld ⚖ *n* fine, penalty; **~tag** *m* day of repentance.

Büste *f* bust; **~nhalter** *m* brassière, F bra.

Butter *f* butter; **~blume** ⚘ *f* buttercup; **~brot** *n* (slice *od.* piece of) bread and butter; sandwich; F: *für ein ~* for a song; **~brotpapier** *n* greaseproof paper; **~dose** *f* butter-dish; **~milch** *f* buttermilk; **℞n** *v/i.* churn, make* butter.

C

Café *n* café, coffee-house.

Camping|... *in Zssgn Bett, Tisch etc.*: camp ...; **~platz** *m* camping site *od.* ground, campsite, campground.

Cape *n* cape.

Catcher *m* wrestler; ⚠ *nicht catcher.*

Cell|ist(in) ♪ cellist; **~o** ♪ *n* (violon-)cello.

Celsius: *5 Grad ~* (*abbr.* 5° C) five degrees centigrade.

Cembalo ♪ *n* harpsichord.

Champagner *m* champagne.

Champignon ⚘ *m* (field) mushroom.

Chance *f* chance; *die ~n stehen gleich* (*3 zu 1*) the odds are even (three to one); **~ngleichheit** *f* equal opportunities *pl.*

Chao|s *n* chaos; **℞tisch** *adj.* chaotic.

Charakter *m* character, nature; *ein Junge etc. mit gutem* (*schlechtem*) *~* a boy *etc.* of good (bad) character; **℞isieren** *v/t.* characterize, describe (*als* as); **~istik** *f* characterization; **℞istisch** *adj.* characteristic *od.* typical (*für* of); **℞lich** *adj.* personal,

moral; **≈los** *adj. schlecht*: of bad character; *schwach*: lacking character; **~zug** *m* trait (of character).
charmant *adj.* charming.
Charme *m* charm, grace.
Chassis ⊕ *n* chassis.
Chauffeur *m* chauffeur, driver.
Chaussee *f* highway, (high) road.
Chef *m* F boss; head, chief (*a. Polizei*); ⚠ *nicht* chef; **~...** *in Zssgn Pilot, Redakteur etc.*: chief ...; **~arzt** *m* senior consultant, *Am.* medical director; **~sekretärin** *f* executive *od.* director's secretary.
Chem|ie *f* chemistry; **~iefaser** *f* synthetic fib|re, *Am.* -er; **~ikalien** *pl.* chemicals *pl.*; **~iker(in)** (analytical) chemist; **≈isch** *adj.* chemical; *~e Reinigung* dry-cleaning.
Chiffr|e *f* code, cipher; *in e-r Anzeige*: box (number); **≈ieren** *v/t. verschlüsseln*: (en)code, (en)cipher.
Chines|e *m*, **~in** *f*, **≈isch** *adj.* Chinese.
Chinin *pharm. n* quinine.
Chirurg *m* surgeon; **~ie** *f* surgery; **≈isch** *adj.* surgical.
Chlor ⚗ *n* chlorine; **≈en** *v/t.* chlorinate.
Cholera ⚕ *f* cholera.
cholerisch *adj.* choleric, irascible.
Chor *m* choir (*a. arch.*); *im ~* in chorus; **~al** *m* chorale, hymn; **~gesang** *m* choral singing.
Christ|(in) Christian; **~baum** *m* Christmas-tree; **~enheit** *f*: *die ~* Christendom; **~entum** *n* Christianity; **~kind** *n* Christ-child, Infant Jesus; **≈lich** *adj.* Christian.
Chrom ⚗ *n* chromium; *in Zssgn mst* chrome.
Chromosom *biol. n* chromosome.
Chronik *f* chronicle.
chronisch ⚕ *adj.* chronic (*a. fig.*).
chronologisch *adj.* chronological.
circa *adv. s. zirka.*
City *f* (town) cent|re, *Am.* -er.
Clique *f* F group, set; *bsd. contp.* clique; **~nwirtschaft** *f* cliquism.
Clou F *m Höhepunkt*: highlight, climax; *der ~ (Witz) daran* the whole point of it.
Coiffeur *m s. Friseur.*
Conférencier *m* compère, *Am.* master of ceremonies.
Contergankind *n* thalidomide child.
Corner *östr. m Sport*: corner, corner-kick.
Couch *f* couch.
Coupé *mot. n* coupé.
Cousin *m*, **~e** *f* cousin.
Creme *f* cream (*a. fig.*).
Curry *m Gewürz*: curry powder; **~...** *in Zssgn Reis etc.*: curried ...

D

da 1. *adv. räumlich*: there, here; *zeitlich*: then, at that time; *~ drüben (draußen; hinten)* over (out; back) there; *von ~ aus* from there; *~ kommt er* here he comes; *~ bin ich* here I am; *er ist gleich wieder ~* he'll be right back; *der (die, das) ... ~* that ... (there); *ist noch Kaffee ~?* is there any coffee left?; *dafür ist er (es) ~* that's what he's (it's) here for; *von ~ an od. ab* from then on; **2.** *cj. begründend*: as, since, because.
dabei *adv. anwesend*: there, present; *nahe*: near *od.* close by; *gleichzeitig, zusätzlich*: at the same time, as well; *mit enthalten*: included; *er ist gerade ~ (, es zu tun)* he's just doing it; *es ist nichts ~ leicht*: there's nothing to it; *harmlos*: there's no harm in it; *was ist schon ~?* (so) what of it?; *lassen wir es ~!* let's leave it at that!; *ich habe ... ~* I have ... with me.
dableiben *v/i.* stay.
Dach *n* roof; **~boden** *m* loft; **~decker** *m* roofer; **~fenster** *n* dormer window; **~gepäckträger** *m* roof rack; **~geschoß** *n* attic; **~kammer** *f* garret; **~pappe** *f* roofing felt; **~rinne** *f* gutter.
Dachs *zo. m* badger.
Dachstuhl *m* roof framework.
Dackel *zo. m* dachshund.
dadurch *adv. u. cj. örtlich, Art u. Weise*: this *od.* that way; *deshalb*: for

this reason, so; ~, *daß* by *doing s.th.*; due to the fact that.

dafür *adv.* for it, for that; *anstatt*: instead; *als Gegenleistung*: in return, in exchange; ~ *sein* be* in favo(u)r of (doing) s.th.; ~, *daß* for *doing s.th.*; *er kann nichts* ~ it is not his fault; ~ *sorgen, daß* see* to it that.

dagegen *adv. u. cj.* against it; *jedoch*: however, on the other hand; ~ *sein* be* against (*od.* opposed to) it; *haben Sie et.* ~, *daß ich ...?* do you mind if I ...?; *wenn Sie nichts* ~ *haben* if you don't mind; F: *nichts* ~ nothing by comparison.

daheim *adv.* at home.

daher *adv. u. cj.* from there; *kommen etc.*: along; *deshalb*: therefore, so.

dahin *adv. räumlich*: there, to that place; *vergangen*: gone, past; *bis* ~ *zeitlich*: till then, *örtlich*: up to there.

dahinten *adv.* back there.

dahinter *adv.* behind it; *es steckt nichts* ~ there is nothing in it; **~kommen** *v/i.* find* out (about it).

dalassen *v/t.* leave* behind.

damal|ig *adj.* then; *nachgestellt*: at that time; **~s** *adv.* then, at that time.

Damast *m* damask.

Dame *f* lady; *Tanz*: partner; *Karte, Schach*: queen; *Spiel*: draughts, *Am.* checkers; **~n...** *in Zssgn Sport*: women's ...

Damen|binde *f* (woman's) sanitary towel, *Am.* sanitary napkin; **2haft** *adj.* ladylike.

damit 1. *adv.* with it *od.* that; *mittels*: by it, with it; *was will er* ~ *sagen?* what does he mean by it?; *wie steht es* ~? how about it?; ~ *einverstanden sein* agree to it; **2.** *cj.* so that; (in order) that, in order to *inf.*; ~ *nicht* for fear that (*mit Konjunktiv*).

Damm *m Stau2*: dam; *Fluß2 etc.*: embankment.

Dämm... ⊕ *in Zssgn* insulating ...

dämmer|ig *adj.* dim; **2licht** *n* twilight; **~n** *v/i. Morgen*: dawn (*a.* F *fig.*: *j-m* on s.o.); get* dark *od.* dusky; **2ung** *f Abend2*: dusk; *Morgen2*: dawn.

Dämon *m* demon; **2isch** *adj.* demoniac(al).

Dampf *m* steam, vapo(u)r; **2en** *v/i.* steam.

dämpfen *v/t. Schall*: deaden; *Stimme*: muffle; *Licht, Farbe, Schlag*: soften; *Stoff*: steam; *Eifer etc.*: damp (*a.* ♪, ⚡, *phys.*); *Gefühle etc.*: subdue, curb.

Dampf|er *m* steamer, steamship; **~kochtopf** *m* pressure cooker; **~maschine** *f* steam engine; **~walze** *f* steam-roller (*a. fig.*).

danach *adv.* after it *od.* that; *später*: afterwards; *Ziel*: for it; *entsprechend*: according to it; *ich fragte ihn* ~ I asked him about it.

Däne *m* Dane.

daneben *adv.* next to it, beside it; *außerdem*: besides, as well, at the same time; *am Ziel vorbei*: beside the mark; **~gehen** F *v/i. Kugel etc.*: miss (the target); F *mißglücken*: go* wrong; **~treffen** *v/i.* miss (the target; *Sport*: the goal).

Dän|in *f* Dane; **2isch** *adj.* Danish.

Dank *m* thanks *pl.*; *Gott sei* ~! thank God!

dank *prp.* thanks to; **~bar** *adj.* grateful (*j-m* to s.o.; *für* for); *lohnend*: profitable; **2barkeit** *f* gratitude; **~en** *v/i.* thank (*j-m für et.* s.o. for s.th.); *danke (schön)* thank you (very much); *(nein,) danke* no, thank you; *nichts zu* ~ not at all.

dann *adv.* then; ~ *und wann* (every) now and then.

daran *adv. räumlich*: on it; *sterben, denken*: of it; *glauben*: in it; *leiden*: from it; **~gehen** *v/i.* set* to (work on) it.

darauf *adv. räumlich*: on (*betont*: top of) it; *zeitlich*: after (that); *hören, antworten, trinken*: to it; *stolz*: of it; *warten*: for it; *am Tage* ~ the day after; *zwei Jahre* ~ two years later; ~ *kommt es an* that's what matters; **~hin** *adv.* after that; *als Folge*: as a result; in answer to it.

daraus *adv.* from (*od.* out of) it; *was ist* ~ *geworden?* what has become of it?; *ich mache mir nichts* ~ I don't care for it; *mach dir nichts* ~! never mind!

darbiet|en *v/t.* present, show*; *vorführen*: *a.* perform; **2ung** *f* presentation, show, performance.

da|rein *adv.* in(to) it *od.* that; **~rin** *adv.* in it; *betont*: in that; *gut* ~ good at it.

darlegen *v/t.* explain, point out.

Darlehen *n* loan (*geben* grant).

Darm *m anat.* bowel(s *pl.*), intestine(s *pl.*), gut(s *pl.*); *Wurst*: skin; **~...** ⚕ *in Zssgn* intestinal ...; **~grippe** *f* gastric flu.

D

darstell|en *v/t. wiedergeben, zeigen*: represent, show*, depict; *beschreiben*: describe; *Rolle*: play, do*; *graphisch*: trace, graph; **&er(in)** *thea.* performer, ac|tor (-tress); **&ung** *f* representation; description; account; *Portrait, Rolle*: portrayal.

darüber *adv.* over *od.* above it; *quer*: across it; *zeitlich*: in the meantime; *mehr*: more; *über et.*: about it; ~ *werden Jahre vergehen* it will take years.

darum *adv. u. cj. räumlich*: (a)round it; *deshalb*: because of it, that's why; *ich bat ihn* ~ I asked him for (*od.* to do) it; ~ *geht es* (*nicht*) that's (not) the point.

darunter *adv.* under *od.* below it, underneath; *dazwischen*: among them; *weniger*: less; *einschließlich*: including; *was verstehst du* ~? what do you understand by it?

das *s. der.*

dasein *v/i.* be* there *od.* present; *vorhanden sein*: exist.

Dasein *n* life, existence.

daß *cj.* that; *damit*: so (that); *es sei denn*, ~ unless; *ohne* ~ without *ger.*; *nicht* ~ *ich wüßte* not that I know of.

dastehen *v/i.* stand* (there).

Daten *pl.* data *pl.* (*a.* ⊕ *u. in Zssgn*), facts *pl.*; *Personalangaben*: particulars *pl.*; **~verarbeitung** *f* data processing.

datieren *v/t. u. v/i.* date.

Dativ *gr. m* dative (case).

Dattel *f* date.

Datum *n* date; *ohne* ~ undated; *welches* ~ *haben wir heute?* what's the date today?

Dauer *f* duration; *Fort&*: continuance; *auf die* ~ in the long run; *für die* ~ *von* for a period *od.* term of; *von* ~ *sein* last; **~auftrag** *econ. m* standing order; **~frost** *m* permafrost; **~geschwindigkeit** *mot. etc. f* cruising speed; **&haft** *adj. Friede etc.*: lasting; *Material etc.*: durable; *Farbe etc.*: fast; **~lauf** *m* endurance run; jog(ging); **~lutscher** *m* lollipop.

dauer|n *v/i.* last, take*; *wie lange dauert es* (*noch*)? how long (how much longer) will it take?; *es dauert nicht lange* it won't take long; **&welle** *f* permanent wave, F perm.

Daumen *m* thumb; *j-m den* ~ *halten* keep* one's fingers crossed (for s.o.); *am* ~ *lutschen* suck one's thumb.

Daune *f* down; **~ndecke** *f* eiderdown (quilt).

davon *adv. räumlich*: (away) from it; *dadurch*: by it; *darüber*: about it; *fort*: away; ~... *in Zssgn fahren, rennen etc.*: *mst* ... off; *genug* (*mehr*) ~ enough (more) of it; *drei* ~ three of them; *et.* (*nichts*) ~ *haben* get* s.th. (nothing) out of it; *das kommt* ~! there you are!, that will teach you!; **~kommen** *v/i.* escape, get* off; **~laufen** *v/i.* run* away.

davor *adv.* before it; *nur räumlich*: in front of it; *sich fürchten, warnen*: of it.

dazu *adv. dafür*: for it, for that purpose; *außerdem*: in addition; *noch* ~ into the bargain; ~ *ist es da* that's what it's there for; ... *Salat* ~? ... a salad with it?; ~ *wird es nicht kommen* it won't come to that; ~ *kommen*(,*es zu tun*) get* around to (doing) it; ~ *habe ich keine Lust* I don't feel like it; **~gehören** *v/i.* belong to it, be* part of it; **~gehörig** *adj.* belonging to it; **~kommen** *v/i.* join *s.o.*; *Sache*: be* added.

dazwischen *adv. räumlich*: between (them); *zeitlich*: in between; *darunter*: among them; **~kommen** *v/i. Ereignis*: intervene, happen.

Debatt|e *f* debate; **&ieren** *v/i.* debate (*über* on).

Debüt *n* debut (*geben* make*).

dechiffrieren *v/t.* decipher, decode.

Deck ⚓ *n* deck.

Decke *f Woll&*: blanket; *Stepp&*: quilt; *Zimmer&*: ceiling; **~l** *m* lid, cover, top; **&n** *v/t. u. v/i.* cover (*a. Dach u. zo.*); *Farbe*: cover; *Fußball*: mark; *Boxen*: cover (up); *den Tisch* ~ lay* the table; *sich* ~ (*mit*) coincide *od.* correspond (with).

Deckung *f* cover; *Boxen*: guard; *Fußball*: marking; *in* ~ *gehen* take* cover.

defekt *adj.* defective, faulty.

Defekt *m* defect, fault.

defen|siv *adj.*, **&sive** *f* defensive.

defin|ieren *v/t.* define; **&ition** *f* definition.

Defizit *econ. n* deficit, deficiency.

Degen *m* sword; *Fechten*: épée.

degradieren *v/t.* degrade (*a. fig.*).

dehn|bar *adj.* flexible, elastic (*a. fig.*); **~en** *v/t.* stretch (*a. fig.*).

Deich *m* dike; **~bruch** *m* dike breach.

Deichsel *f* pole, shaft.

dein *poss. pron.* your; ~*er*, ~*e*, ~(*e*)*s*

yours; *die Deinen pl.* your family; **~erseits** *adv.* on your part; **~esgleichen** *pron.* people such as you.
Dekan *eccl., univ. m* dean.
deklamieren *v/t. u. v/i.* recite.
Deklin|ation *gr. f* declension; **2ieren** *gr. v/t.* decline.
Dekor|ateur *m* decorator; *Schaufenster2*: window-dresser; **~ation** *f* decoration; (window) display; *thea.* scenery; **2ieren** *v/t.* decorate; dress.
delegieren *v/t.* delegate (*an* to).
delikat *adj. köstlich*: delicious; *heikel*: difficult, F ticklish; ⚠ *nicht delicate*; **2esse** *f* delicacy (*a. fig.*); **~n** delicatessen *pl.*; **2essenladen** *m* delicatessen *sg.*
Delphin *zo. m* dolphin.
dementieren *v/t.* deny (officially).
dem|entsprechend, ~gemäß *adv.* consequently, accordingly; **~nach** *adv.* therefore; **~nächst** *adv.* soon, shortly, before long.
Demokrat *m* democrat; **~ie** *f* democracy; **2isch** *adj.* democratic.
demolieren *v/t.* demolish, wreck.
Demonstr|ant(in) demonstrator; **~ation** *f* demonstration; *pol. a.* march; **2ieren** *v/t. u. v/i.* demonstrate.
demontieren *v/t.* dismantle.
Demut *f* humility, humbleness.
demütig *adj.* humble; **~en** *v/t.* humiliate; *sich ~* humble o.s.
Denk|anstöße *pl.*: *~ gebend* thought-provoking; **2bar 1.** *adj.* conceivable; **2.** *adv.*: *~ einfach* most simple; **2en** *v/t. u. v/i.* think* (*an, über* of, about); *das kann ich mir ~* I can imagine; *das habe ich mir gedacht* I thought so; *denk daran, zu ...* remember to ...; **~mal** *n* monument; *Ehrenmal*: memorial; **2würdig** *adj.* memorable; **~zettel** *fig. m* lesson.
denn *cj. u. adv.* for, because; *es sei ~, daß* unless, except; *wieso ~?* how so?; *mehr ~ je* more than ever.
dennoch *cj.* yet, still, nevertheless.
Denunzi|ant *m* informer; **2eren** *v/t.* inform against, denounce.
Deodorant *n* deodorant.
deplaziert *adj.* out of place.
de|ponieren *v/t.* deposit; **2pot** *n* depot (*a.* ⚔); *Waren2*: *a.* depository; *Schweiz*: *Pfand*: deposit.
Depress|ion *f* depression (*a. econ.*); **2iv** *adj.* depressive.
deprimier|en *v/t.* depress; **~t** *adj.* depressed.
der, die, das 1. *art.* the; **2.** *dem. pron.* that, this; he, she, it; *die pl.* these, those, they; **3.** *rel. pron.* who, which, that.
derartig *adj.* such (as this).
derb *adj. unfein, grob*: coarse; *strapazierfähig*: tough, sturdy.
dergleichen *dem. pron.*: *nichts ~* nothing of the kind.
der-, die-, dasjenige *dem. pron.* he, she, that; *diejenigen pl.* those.
der-, die-, dasselbe *dem. pron.* the same; he, she, it.
Desert|eur *m* deserter; **2ieren** *v/i.* desert.
deshalb *cj. u. adv.* therefore, for that reason, that is why, so.
desinfizieren *v/t.* disinfect.
Desinteress|e *n* indifference; **2iert** *adj.* uninterested, indifferent.
destillieren *v/t.* distil(l).
desto *cj. u. adv.* the; *je mehr, ~ besser* the more the better.
deswegen *cj. u. adv. s. deshalb.*
Detail *n* detail.
Detektiv *m* detective.
deuten 1. *v/t.* interpret; *Sterne, Traum*: read*; **2.** *v/i.*: *~ auf* point at.
deutlich *adj.* clear, distinct, plain.
deutsch *adj.* German (*auf* in); **2e(r)** German; **2unterricht** *m* German lessons *pl. od.* classes *pl.*
Devise *f* motto; **~n** *pl. econ.* foreign currency.
Dezember *m* December.
dezent *adj.* discreet, unobtrusive; *Kleidung*: conservative; *Musik*: soft.
Dezimal|... *in Zssgn Bruch, System etc.*: decimal ...; **~stelle** *f* decimal (place).
dezimieren *v/t.* decimate.
Dia *phot. n* slide.
Diagnose *f* diagnosis.
diagonal *adj.*, **2e** *f* diagonal.
Dialekt *m* dialect.
Dialog *m* dialogue, *Am. a.* dialog.
Diamant *m* diamond.
Diaprojektor *phot. m* slide projector.
Diät *f* diet; *~ machen* (*2 leben*) be* on (keep*) a diet.
dicht 1. *adj. Haar, Gewebe, Nebel, Verkehr, Wald etc.*: dense, thick; *Fenster etc.*: tight (*a. fig.*); **2.** *adv.*: *~ an od. bei* close to.
dicht|en *v/t. u. v/i.* compose, write* (poetry); **2er(in)** poet(ess); writer;

~erisch *adj.* poetic(al); **⁀kunst** *f* poetry.
Dichtung¹ ⊕ *f* seal(ing).
Dichtung² *f Verskunst*: poetry; *allg. Literatur*: literature; *Werk*: (poetic) work.
D
dick *adj.* thick; *Person*: fat; *Bauch*: big; *es macht* ~ it is fattening; **⁀e** *f* thickness; fatness; **~flüssig** *adj.* thick; ⊕ viscous; **⁀icht** *n* thicket; **⁀kopf** *m* stubborn *od.* pigheaded person.
Dieb|(in) thief; **~stahl** *m* theft; ⚖ *mst* larceny.
Diele *f Brett*: board, plank; *Vorraum*: hall, *Am. a.* hallway.
dienen *v/i.* serve (*j-m* s.o.; *als* as; *zu* for; *dazu, zu inf.* to *inf.*).
Diener *m* servant; *fig.* bow (*vor* to); **~in** *f* maid.
Dienst *m* service (*a.* **~***leistung*); *Amtsleistung*: duty; *Arbeit*: work; ~ *haben* be* on duty; *im* (*außer*) ~ on (off) duty; *außer* ~ *pensioniert*: retired; **~...** *in Zssgn Wagen, Wohnung etc.*: official ..., company ...
Dienstag *m* Tuesday.
Dienst|alter *n* seniority, length of service; **⁀bereit** *adj.* on duty; **⁀eifrig** *adj.* (*contp.* over-)eager; **~grad** *m* grade, rank (*a.* ⚔); **~leistung** *f* service; **⁀lich** *adj.* official; **~mädchen** *n* maid, *Am. a.* help; **~reise** *f* official *od.* business trip; **~stunden** *pl.* office hours *pl.*; **⁀tuend** *adj.* on duty; **~weg** *m* official channels *pl.*
dies(er, -e, -es) *dem. pron.* this; *alleinstehend*: this one; **~***e pl.* these.
dies|jährig *adj.* this year's; **~mal** *adv.* this time; **~seits** *prp.* on this side of.
Dietrich *m* picklock.
Differenz *f* difference; *Unstimmigkeit*: *a.* disagreement; **⁀ieren** *v/i.* distinguish (*zwischen* between).
Digital... *in Zssgn Anzeige, Uhr etc.*: digital ...
Diktat *n* dictation; **~or** *m* dictator; **⁀orisch** *adj.* dictatorial; **~ur** *f* dictatorship.
diktier|en *v/t. u. v/i.* dictate (*a. fig.*); **⁀gerät** *n* dictaphone.
Dilettant *m* amateur; **⁀isch** *adj.* amateurish.
Ding *n* thing; *guter* **~***e* in good spirits; *vor allen* **~***en* above all; F: *ein* ~ *drehen* pull a job.
Dioxid ⚗ *n* dioxide (*a. in Zssgn*).

Diphtherie ⚕ *f* diphtheria.
Diplom *n* diploma, certificate; **~...** *in Zssgn Ingenieur etc.*: qualified ..., graduate ...
Diplomat *m* diplomat; **~enkoffer** *m* attaché case; **~ie** *f* diplomacy; **⁀isch** *adj.* diplomatic (*a. fig.*).
dir *pers. pron.* (to) you; ~ (*selbst*) yourself.
direkt 1. *adj.* direct; *TV* live; **2.** *adv. geradewegs*: direct; *fig. genau, sofort*: directly; *TV* live; ~ *gegenüber* (*von*) right across; **⁀ion** *f Geschäftsleitung*: management; **⁀or** *m* director, manager; *geschäftsführender*: managing director; *Schul⁀*: headmaster, *bsd. Am.* principal; **⁀orin** *f* headmistress, *Am.* principal; **⁀übertragung** *TV f* live transmission *od.* broadcast.
Dirig|ent(in) ♪ conductor; **⁀ieren** ♪ *v/t. u. v/i.* conduct; *lenken*: direct.
Dirne *f* prostitute, whore.
Disharmoni|e *f* ♪ dissonance (*a. fig.*); **⁀sch** *adj.* discordant.
Diskont *econ. m* discount (*a. in Zssgn*).
Diskothek *f Lokal*: disco(theque).
diskret *adj.* discreet; **⁀ion** *f* discretion.
diskriminier|en *v/t.* discriminate against; **⁀ung** *f* discrimination (*von* against).
Diskussion *f* discussion; **~sleiter(in)** (panel) chairman.
Diskuswerfen *n* discus throwing.
diskutieren *v/t. u. v/i.* discuss (*über et.* s.th.).
Disqualifi|kation *f* disqualification (*wegen* for); **⁀zieren** *v/t.* disqualify.
Distanz *f* distance (*a. fig.*); **⁀ieren** *v/refl.*: *sich* ~ *von* dis(as)sociate o.s. from.
Distel ⚘ *f* thistle.
Distrikt *m* district.
Disziplin *f* discipline; *Sport*: event; **⁀iert** *adj.* disciplined.
Divid|ende *econ. f* dividend; **⁀ieren** *v/t.* divide (*durch* by).
Division ⚹, ⚔ *f* division.
doch *cj. u. adv.* but, however, yet; *also* ~ (*noch*) after all; *kommst du nicht* (*mit*)? – ~*!* aren't you coming? – (oh) yes, I am!; *ich war es nicht* – ~*!* I didn't do it – yes, you did!, *Am. a.* you did too!; *du kommst* ~*?* you're coming, aren't you?; *kommen Sie* ~ *herein!* do come in!; *du weißt* ~, *daß* (I'm sure)

you know that; *wenn ~ ...! wünschend*: if only ...!
Docht *m* wick.
Dock ⚓ *n* dock.
Dogge *zo. f* mastiff; Great Dane.
Dohle *zo. f* (jack)daw.
Doktor *m* doctor; *Grad*: doctor's degree.
Dokument *n* document; **~ar...** *in Zssgn Film etc.*: documentary ...
Dolch *m* dagger.
Dollar *m* dollar.
Dolmetsch *östr. m s. Dolmetscher*; **ᘔen** *v/i.* interpret; **~er(in)** interpreter.
Dom *m* cathedral; ⚠ *nicht dome.*
dominierend *adj.* (pre)dominant.
Domp|teur *m*, **~teuse** *f* animal tamer.
Donner *m* thunder; **ᘔn** *v/i.* thunder (*a. fig.*); **~stag** *m* Thursday; **~wetter** F *n* row; *~! bewundernd*: wow!
doof F *adj.* stupid, *Am. a.* dumb.
Doppel *n* duplicate; *Tennis etc.*: doubles *pl.*; **~...** *in Zssgn Bett, Zimmer etc.*: double ...; **~decker** *m* ✈ biplane; double-decker (bus); **~gänger** *m* double; **~haus** *n* semi-detached house(s *pl.*); **~paß** *m Fußball*: wall pass; **~punkt** *m* colon; **~stecker** ⚡ *m* two-way adapter.
doppelt *adj.* double; *~ so viel (wie)* twice as much (as).
Dorf *n* village; **~bewohner(in)** villager.
Dorn *m* thorn (*a. fig.*); *Schnalle*: tongue; *Schuh*: spike; **ᘔig** *adj.* thorny (*a. fig.*).
Dorsch *zo. m* cod(fish).
dort *adv.* there; *~ drüben* over there; **~her** *adv.* from there; **~hin** *adv.* there; *bis ~* up to there *od.* that point.
Dose *f* tin, *Am.* can; **~nöffner** *m* tin (*Am.* can) opener.
Dosis *f* dose (*a. fig.*).
Dotter *m, n* yolk.
Double *n Film*: stand-in, stunt man.
Dozent(in) (university) lecturer, *Am. a.* assistant professor.
Drache *m* dragon; **~n** *m* kite; *Sport*: hang glider; *e-n ~ steigen lassen* fly* a kite; **~nfliegen** *n* hang gliding.
Draht *m* wire; **ᘔig** *fig. adj.* wiry; **ᘔlos** *adj.* wireless; **~seil** *n* ⊕ wire cable; *Zirkus*: tightrope; **~seilbahn** *f* cableway, ropeway; **~zieher** F *fig. m* wire-puller.
drall *adj.* buxom, strapping.
Drall *m* twist, spin (*a. Sport*).
Drama *n* drama; **~tiker** *m* dramatist, playwright; **ᘔtisch** *adj.* dramatic.
dran F *adv. s. daran*; *ich bin ~* it's my turn.
Drang *m* urge, drive (*nach* for).
dräng|eln F *v/t. u. v/i.* push, shove; *j-n ~, et. zu tun* pester s.o. to do s.th.; **~en** *v/t. u. v/i.* push, shove; *j-n zu et.*: press *od.* urge; *sich ~* press; *durch et.*: force one's way; *die Zeit drängt* time is pressing.
drankommen F *v/i. Schule*: have* one's turn; *du kommst als erster (nächster) dran* you're first (next).
drastisch *adj.* drastic; graphic.
drauf F *adv. s. darauf*; *~ und dran sein, et. zu tun* be* on the point of doing s.th.; **ᘔgänger** *m* daredevil.
draus F *adv. s. daraus.*
draußen *adv.* outside; *im Freien*: out of doors; *da ~* out there; *bleib(t) ~!* keep out!
drechs|eln *v/t.* turn; **ᘔler** *m* turner.
Dreck F *m* dirt; *stärker*: filth (*a. fig.*); *Schlamm*: mud; *fig.* trash; **ᘔig** F *adj.* dirty; filthy (*beide a. fig.*).
Dreh|bank ⊕ *f* (turning) lathe; **ᘔbar** *adj.* revolving, rotating; **~bleistift** *m* propelling pencil; **~buch** *n* script; **ᘔen** *v/t.* turn; *Film*: shoot*; *Zigarette*: roll; *sich ~* turn, rotate; *schnell*: spin*; *worum dreht es sich (eigentlich)?* what is it (all) about?; *darum dreht es sich (nicht)* that's (not) the point; **~er** *m* turner; **~kreuz** *n* turnstile; **~orgel** *f* barrel-organ; **~ort** *m* location; **~strom** ⚡ *m* three-phase current; **~stuhl** *m* swivel chair; **~tür** *f* revolving door; **~ung** *f* turn; *um e-e Achse*: rotation; **~zahl** ⊕ *f* (number of) revolutions; **~zahlmesser** *mot. m* rev(olution) counter.
drei *adj.* three.
Drei *f Note*: fair, C.
drei|beinig *adj.* three-legged; **~dimensional** *adj.* three-dimensional; **ᘔeck** *n* triangle; **~eckig** *adj.* triangular; **~erlei** *adj.* three kinds of; **~fach** *adj.* threefold, triple; **ᘔgang...** ⊕ *in Zssgn* three-speed ...; **ᘔkampf** *m* triathlon; **ᘔrad** *n* tricycle; **ᘔsatz** 𝔄 *m* rule of three; **~silbig** *adj.* trisyllabic; **ᘔsprung** *m* triple jump.
dreißig *adj.* thirty; **~ste** *adj.* thirtieth.
dreist *adj.* brazen (*a. Lüge*), impertinent.
dreizehn(te) *adj.* thirteen(th).

D

D

dresch|en *v/t. u. v/i.* thresh; *prügeln*: thrash; **2maschine** *f* threshing-machine.
dress|ieren *v/t.* train; **2man** *m* (male fashion) model; **2ur** *f* training; *Nummer*: act; **2urreiten** *n* dressage.
dribb|eln *v/i.*, **2ling** *n* dribble.
drillen ⚔, ⚘ *v/t.* drill.
Drillinge *pl.* triplets *pl.*
drin F *adv. s. darin.*
dringen *v/i.*: ~ *auf* insist on; ~ *aus* break* forth from; *Geräusch*: come* from; ~ *durch* force one's way through, penetrate, pierce; ~ *in* penetrate into; *darauf* ~, *daß* urge that; *an die Öffentlichkeit* ~ leak out; **~d** *adj.* urgent, pressing; *Verdacht, Rat, Grund*: strong.
drinnen F *adv.* inside.
dritte *adj.* third; *zu dritt sein* be* three; **2l** *n* third; **~ns** *adv.* thirdly.
Drog|e *f* drug; **2enabhängig, 2ensüchtig** *adj.* drug-addicted; **~erie** *f* chemist's (shop), *Am.* drugstore; **~ist** *m* chemist, *bsd. Am.* druggist.
drohen *v/i.* threaten, menace.
Drohne *f zo.* drone (*a. fig.*).
dröhnen *v/i. Motor, Stimme etc.*: roar; *widerhallen*: resound.
Drohung *f* threat (*gegen* to), menace.
drollig *adj.* funny, droll.
Dromedar *zo. n* dromedary.
Drossel *zo. f* thrush; **2n** ⊕ *v/t.* throttle (*a. fig.*).
drüben *adv.* over there (*a. fig.*).
drüber F *adv. s. darüber.*
Druck *m* ⊕, *phys., fig.* pressure; *Buch2 etc.*: printing; *Kunst2 etc.*: print; **~buchstabe** *m* block letter; **2en** *v/t.* print; ~ *lassen* have* *s.th.* printed *od.* published.
drücken *v/t.* press; *Knopf*: *a.* push; *Schuh*: pinch; *Preis, Leistung etc.*: force down; *j-m die Hand* ~ shake* hands with s.o.; F *sich* ~ *vor et.* shirk (doing) s.th.; *aus Angst*: F chicken out of s.th.
drückend *adj.* heavy, oppressive.
Drucker *m* printer.
Drücker *m* door-knob; *Gewehr*: trigger.
Drucker|ei *f* printing office; **~schwärze** *f* printer's ink.
Druck|fehler *m* misprint; **~kammer** *f* pressurized cabin; **~knopf** *m* snap-fastener; ⚡ push-button; **~luft** *f* compressed air; **~sache(n** *pl.*) ✉ *f* printed matter, *Am. a.* second-class matter; **~schrift** *f* block letters *pl.*; **~taste** *f* press key.
drum F *adv., cj. s. darum.*
drunter F *adv. s. darunter.*
Drüse *anat. f* gland.
Dschungel *m* jungle (*a. fig.*).
Dschunke ⚓ *f* junk.
du *pers. pron.* you.
Dübel ⊕ *m*, **2n** *v/t.* dowel.
ducken *v/refl.* duck; *fig.* cringe (*vor* before); *zum Sprung*: crouch.
Dudelsack ♪ *m* bagpipes *pl.*
Duell *n* duel; **2ieren** *v/refl.* (fight* a) duel.
Duett ♪ *n* duet.
Duft *m* scent, fragrance, smell (*nach* of); **2en** *v/i.* smell*, have* a scent, be* fragrant; **2end** *adj.* fragrant; **2ig** *adj.* dainty, gossamer.
duld|en *v/t. zulassen*: tolerate, put* up with; *leiden*: suffer; **~sam** *adj.* tolerant.
dumm *adj.* stupid, *Am.* F dumb; **2heit** *f* stupidity, *Handlung*: stupid *od.* foolish thing; *Unwissenheit*: ignorance; **2kopf** *m* fool, blockhead.
dumpf *adj.* dull; *Gefühl etc.*: dark.
Düne *f* dune, sand-hill.
Dung *m* dung, manure.
düng|en *v/t.* fertilize; *natürlich*: manure; **2er** *m* fertilizer; manure.
dunkel *adj.* dark (*a. fig.*).
Dunkel|heit *f* dark(ness); **~kammer** *phot. f* darkroom.
dünn *adj.* thin; *Kaffee etc.*: weak.
Dunst *m* haze, mist; *Dampf*: vapo(u)r; *Qualm*: fume(s *pl.*).
dünsten *v/t.* stew, braise.
dunstig *adj.* hazy; *feucht*: damp.
Duplikat *n* duplicate; *Kopie*: copy.
Dur ♪ *n* major (key).
durch *prp. u. adv.* through; *quer* ~: across; 𝔄 divided by; ~ *j-n od. et.* by s.o. *od.* s.th.; ~ *und* ~ through and through.
durcharbeiten 1. *v/t.* study thoroughly; *sich* ~ *durch Buch etc.*: work (one's way) through; **2.** *v/i.* work without a break.
durchaus *adv.* absolutely, quite; ~ *nicht* by no means.
durch|blättern *v/t. Buch etc.*: leaf *od.* thumb through; **2blick** *fig. m* grasp *of s.th.*; **~blicken** *v/i.* look through; ~ *lassen* give* to understand; *ich blicke (da) nicht durch* I don't get it; **~bluten** *v/t.* supply with blood;

~bohren *v/t.* pierce; *durchlöchern*: perforate; *mit Blicken* ~ look daggers at; **~braten** *v/t.* roast thoroughly; **~brechen** *v/t. u. v/i. zerbrechen*: break* (in two); *Mauer etc.*: break* through (*a.* ⚔ *u. Sport*); **~brennen** *v/i.* ⚡ *Sicherung*: blow*; *Reaktor*: melt* down; F *fig.* run* away; **~bringen** *v/t.* get* (*Kranken*: pull) through (*a. Geld*); *Familie*: support; **≈bruch** *m* breakthrough (*a. fig.*); **~drängen** *v/refl.* force one's way through; **~drehen 1.** *v/i.* F *nervlich*: crack up, flip; *stärker*: freak out; *Räder etc.*: spin*; **2.** *v/t. Fleisch etc.*: mince, *bsd. Am.* grind*; **~dringen 1.** *v/t.* penetrate; **2.** *v/i.* get* through (*bis* to); **~dringend** *adj.* piercing.

durcheinander *adv.*: ~ *sein* be* confused; *Dinge*: be* (in) a mess; **~bringen** *v/t.* confuse, mix up.

durchfahren *v/t. u. v/i.* go* *od.* pass *od.* drive* through.

Durchfahrt *f* passage (through); ~ *verboten* no thoroughfare.

Durchfall *m* ⚕ diarrh(o)ea; F *Reinfall*: flop; **≈en** *v/i.* fall* through; *Prüfling*: fail, *bsd. Am.* F flunk, be* flunked out; *Stück etc.*: (be* a) flop; *j-n ~ lassen* fail s. o., *bsd. Am.* F flunk s.o.

durch|finden *v/refl.* find* one's way (through); **~forschen** *v/t.* explore (*nach* for); **~fragen** *v/refl.* ask one's way (*nach, zu* to).

durchführ|bar *adj.* practicable, feasible; **~en** *fig. v/t.* carry out, do*.

Durchgang *m* passage; **~s...** *in Zssgn Straße, Verkehr etc.*: through ...

durchgebraten *adj.* well done.

durchgehen 1. *v/i.* go* through (*a.* 🚂 *u. parl.*); *fliehen*: run* away; *Pferd*: bolt; **2.** *v/t. prüfend*: go* *od.* look through; **~d 1.** *adj. ununterbrochen*: continuous; *~er Zug* through train; **2.** *adv.*: ~ *geöffnet* open all day.

durchgreifen *fig. v/i.* take* drastic measures *od.* steps; **~d** *adj.* drastic; radical.

durch|halten 1. *v/t.* keep* up; **2.** *v/i.* hold* out; **~hauen** *v/t.* cut* through; **~kämpfen** *v/t.* fight* out; *sich* ~ fight* one's way through; **~kommen** *v/i. Zug, Patient etc.*: come* through; *durch Verkehr, Schwierigkeiten, Prüfung etc.*: get* through; *mit Geld, Sprache etc.*: get* along; *mit Lüge etc.*: get* away; **~kreuzen** *v/t. Plan etc.*: cross, thwart; **~lassen** *v/t.* let* pass, let* through.

durchlässig *adj.* pervious (to), permeable (to); *undicht*: leaky.

durch|laufen 1. *v/i.* run* through; **2.** *v/t. Schule, Stufen etc.*: pass through; *Schuhe*: wear* through; **≈lauferhitzer** *m* (instantaneous) water heater; **~lesen** *v/t.* read* (through); **~leuchten 1.** *v/i.* shine* through; **2.** *v/t.* ⚕ X-ray; *fig.* investigate, *bsd. pol.* screen; **~löchern** *v/t.* perforate, make* holes in; **~machen** *v/t.* go* through; *viel* ~ suffer a lot.

Durchmesser *m* diameter.

durch|nässen *v/t.* soak; **~nehmen** *v/t.* do*, deal* with, treat, talk about, go* through; **~pausen** *v/t.* trace; **~queren** *v/t.* cross; **≈reiche** *f* hatch.

Durch|reise *f*: *ich bin nur auf der* ~ I'm only passing through; **≈reisen 1.** *v/i.* travel through; **2.** *v/t. ein Land als Tourist* ~: tour; **~reisevisum** *n* transit visa.

durch|reißen *v/t. u. v/i.* tear* (in two); **≈sage** *f* announcement; **~schauen** *v/i. u. v/t.* look through; *Absicht etc.*: see* through.

durchscheinen *v/i.* shine* through; **~d** *adj.* transparent.

durch|scheuern *v/t. Haut*: chafe; *Stoff*: wear* through; **~schlafen** *v/i. u. v/t.* sleep* through.

Durchschlag *m* (carbon) copy; **≈en 1.** *v/t. zerschlagen*: cut* in two; *Kugel etc.*: go* through, pierce; *sich* ~ fight* one's way through (life), struggle along; **2.** *v/i.* ⚡ blow*; *Charakter*: come* through; **≈end** *adj. Erfolg etc.*: sweeping; *wirkungsvoll*: effective; **~papier** *n* carbon paper; **~skraft** *fig. f* force, impact.

durchschneiden *v/t.* cut* *s.th.* (through); *j-m die Kehle* ~ cut* s.o.'s throat.

Durchschnitt *m* average; *im* ~ on an average; *im ~ betragen, verdienen etc.* average; **≈lich 1.** *adj.* average; ordinary; **2.** *adv.* on an average; normally; **~s...** *in Zssgn Bürger, Temperatur etc.*: average ...

durch|sehen 1. *v/i.* see* *od.* look through; **2.** *v/t.* look *od.* go* through; *prüfen*: check; **~setzen** *v/t. Plan etc.*: put* (*mit Gewalt*: push) through; *seinen Kopf* ~ have* one's way; *sich* ~ have* *od.* get* one's way; *erfolg-*

D

reich sein: be* successful; *sich* ~ *können Lehrer etc.*: have* authority (*bei* over); **~setzt** *adj.*: ~ *mit* interspersed with.
durchsichtig *adj.* transparent (*a. fig.*); *klar*: clear; *Bluse etc.*: see-through.

D

durch|sickern *v/i.* seep through; *Nachrichten etc.*: leak out; **~sieben** *v/t.* sift; *mit Kugeln*: riddle; **~sprechen** *v/t.* discuss, talk over; **~starten** ✈ *v/i.* climb and reaccelerate; **~stechen** *v/t.* stick* through; *Ohrläppchen*: pierce; **~stecken** *v/t.* stick* through.
durch|stoßen *v/t. u. v/i.* break* through (*a.* ⚔ *u. Sport*); **~streichen** *v/t.* cross out.
durchsuch|en *v/t.* search (*a.* ⚖); *nach Waffen*: F frisk; **2ung** *f* search.
durchtreten *v/t. Schuh*: wear* out; *Pedal*: floor; *Starter*: kick.
durchtrieben *adj.* cunning, sly.
durchwachsen *adj. Speck*: streaky.
durchweg *adv.* throughout, without exception.
durch|weichen *v/t. u. v/i.* soak, drench; **~winden** *v/refl.* worm one's way through; **~wühlen 1.** *fig. v/refl.* work one's way through; **2.** *v/t.* ransack, rummage; **~ziehen 1.** *v/i.* pass *od.* go* through; **2.** *v/t.* pull *s.th.* through; *Duft etc.*: fill, pervade; **~zucken** *v/t.* flash through.
Durchzug *m* draught, *Am.* draft.
durchzwängen *v/refl.* squeeze o.s. through.
dürfen *v/aux.* be* allowed *od.* permitted to; *darf ich?* may I?; *ja* (*,du darfst*) yes, you may; *du darfst nicht* you must not *od.* aren't allowed to; *das hättest du nicht tun ~!* You shouldn't have done that!; *dürfte ich ...?* could I ...?; *das dürfte genügen* that should be enough.
dürftig *adj.* poor; *spärlich*: scanty.
dürr *adj.* dry; *Boden etc.*: barren, arid; *mager*: skinny; **2e** *f Trockenzeit*: drought; barrenness.
Durst *m* thirst (*nach* for); ~ *haben* be* thirsty; **2en** *v/i.* go* thirsty; **2ig** *adj.* thirsty.
Dusche *f* shower(-bath); **2n** *v/refl. u. v/i.* have* *od.* take* a shower.
Düse *f* ⊕ nozzle; **~nantrieb** *m* jet propulsion; *mit* ~ jet-propelled; **~nflugzeug** *n* jet (plane); **~njäger** ✈ *m* jet fighter; **~ntriebwerk** ✈ *n* jet engine.
düster *adj.* dark, gloomy (*beide a. fig.*); *Licht*: dim; *trostlos*: dismal.
Dutzend *n* dozen; *ein* ~ *Eier* a dozen eggs; **2weise** *adv.* by the dozen, in dozens.
Duvet *n Schweiz*: blanket, quilt.
Dynami|k *phys. f* dynamics *sg.* (*a. fig.*); **2sch** *adj.* dynamic.
Dynamit *n* dynamite.
Dynamo *m* dynamo, generator.
D-Zug 🚂 *m* express train.

E

Ebbe *f* ebb; *Niedrigwasser*: low tide.
eben 1. *adj.* even; *flach*: flat; ⩓ plane; *zu ~er Erde* on the ground (*Am.* first) floor; **2.** *adv.* just; *an* ~ *dem Tag* on that very day; *so ist es* ~ that's the way it is; *gerade* ~ *so od. noch* just barely; **2bild** *n* image; **~bürtig** *adj.*: *j-m* ~ *sein* be* a match for s.o., be* s.o.'s equal.
Ebene *f* plain; ⩓ plane; *fig.* level.
eben|erdig *adj. u. adv.* at street level; on the ground (*Am.* first) floor; **~falls** *adv.* as well, too; ~ *nicht* not either; *danke, ~!* thank you, (the) same to you!; **2holz** *n* ebony; **2maß** *n* symmetry; harmony; *der Züge*: regularity; **~mäßig** *adj.* symmetrical; harmonious; regular; **~so** *adv. u. cj.* just as; *ebenfalls*: as well; ~ *wie* in the same way as; **~sogern, ~sogut** *adv.* just as well; **~sosehr, ~soviel** *adv.* just as much; **~sowenig** *adv.* just as little *od.* few (*pl.*).
Eber *zo. m* boar.
ebnen *v/t.* even, level; *fig.* smooth.
Echo *n* echo; *fig.* response.
echt *adj.* genuine (*a. fig.*), real; *wahr*: true; *rein*: pure; *wirklich*: real; *Far-*

be: fast; *Dokument*: authentic; **≈heit** *f* genuineness; fastness; authenticity.

Eck|ball *m Sport*: corner(-kick); **~e** *f* corner (*Sport*: *lange* far; *kurze* near); *Kante*: edge; *s. Eckball*; **≈ig** *adj*. square, angular; *fig*. awkward; **~stein** *m* corner-stone; **~zahn** *m* canine tooth.

edel *adj*. noble; *min*. precious; *Körperteile*: vital; **≈metall** *n* precious metal; **≈stahl** *m* stainless steel; **≈stein** *m* precious stone; *geschnittener*: gem.

Efeu ⚘ *m* ivy.

Effekt *m* effect; **~hascherei** *f* (cheap) showmanship, claptrap; **≈iv 1.** *adj*. effective; **2.** *adv*. actually; **~ivität** *f* effectiveness; **≈voll** *adj*. effective, striking.

egal F *adj*.: ~ *ob* (*warum*, *wer etc.*) no matter if (why, who, *etc.*); *das ist* ~ it doesn't matter; *das ist mir* ~ I don't care.

Egge *f*, **≈n** *v/t*. harrow.

Egois|mus *m* ego(t)ism; **~t(in)** ego(t)ist; **≈tisch** *adj*. selfish, ego(t)istic(al).

ehe *cj*. before; *nicht*, ~ not until.

Ehe *f* marriage (*mit* to); **~beratung** *f* marriage guidance (*Stelle*: council); **~brecher(in)** adulter|er (-ess); **≈brecherisch** *adj*. adulterous; **~bruch** *m* adultery; **~frau** *f* wife; **~leute** *pl*. married people *pl*.; **≈lich** *adj*. conjugal; *Kind*: legitimate.

ehemal|ig *adj*. former, ex-...; **~s** *adv*. formerly.

Ehe|mann *m* husband; **~paar** *n* (married) couple.

eher *adv*. earlier, sooner; *je* ~, *desto lieber* the sooner the better; *nicht* ~ *als* not until *od*. before; ~ ... *als* rather ... than.

Ehe|ring *m* wedding ring; **~vermittlungsinstitut** *n* marriage bureau.

ehrbar *adj*. respectable.

Ehre *f* hono(u)r; *zu* **~n** (*von*) in hono(u)r of; **≈n** *v/t*. hono(u)r; *achten*: respect.

ehren|amtlich *adj*. honorary; **≈bürger** *m* honorary citizen; **≈doktor** *m* honorary doctor; **≈gast** *m* guest of hono(u)r; **≈kodex** *m* code of hono(u)r; **≈mann** *m* man of hono(u)r; **≈mitglied** *n* honorary member; **≈platz** *m* place of hono(u)r; *Geschenk*: special place; **≈rechte** *pl*. civil rights *pl*.; **≈rettung** *f* rehabilitation; **~rührig** *adj*. defamatory; **≈runde** *f* lap of hono(u)r; **≈sache** *f* point of hono(u)r; **≈tor** *n*, **≈treffer** *m* consolation goal; **~voll, ~wert** *adj*. hono(u)rable; **≈wort** *n* word of hono(u)r; F *~!* upon my word!, honestly!

Ehr|furcht *f* respect (*vor* for); awe (of); **≈furchtgebietend** *adj*. awe-inspiring, awesome; **≈fürchtig** *adj*. respectful; **~gefühl** *n* sense of hono(u)r; **~geiz** *m* ambition; **≈geizig** *adj*. ambitious.

ehrlich *adj*. honest; *offen*: *a*. frank; *Kampf*: fair; F: *~!(?)* honestly!(?); **≈keit** *f* honesty; fairness.

Ehr|ung *f* hono(u)r(ing); **≈würdig** *adj*. venerable.

Ei *n* egg; V *~er Hoden*: balls.

Eiche ⚘ *f* oak(-tree); **~l** *f* ⚘ acorn; *Karten*: club(s *pl*.); *anat*. glans (penis).

eichen[1] *v/t*. ga(u)ge.

eichen[2] *adj*. oaken, (of) oak.

Eich|hörnchen *zo*. *n* squirrel; **~maß** *n* standard.

Eid *m* oath; **≈brüchig** *adj*.: ~ *werden* break* one's oath.

Eidechse *zo*. *f* lizard.

eidesstattlich ⚖ *adj*.: *~e Erklärung* statutory declaration.

Eidotter *m*, *n* yolk.

Eier|becher *m* egg-cup; **~kuchen** *m* pancake; **~laufen** *n* egg-and-spoon race; **~likör** *m* egg-flip, *bsd*. *Am*. egg-nog; **~schale** *f* egg-shell; **~stock** *anat*. *m* ovary; **~uhr** *f* egg-timer.

Eifer *m* zeal, eagerness; *glühender* ~ ardo(u)r; **~sucht** *f* jealousy; **≈süchtig** *adj*. jealous (*auf* of).

eifrig *adj*. eager, zealous; ardent.

eigen *adj*. own, of one's own; *~tümlich*: peculiar; (*über*)*genau*: particular, F fussy; **...~** *in Zssgn staats~ etc.*: ...-owned; **≈art** *f* peculiarity; **~artig** *adj*. peculiar; *seltsam*: strange; **~artigerweise** *adv*. strangely enough; **≈bedarf** *m* personal needs *pl*.; **~händig 1.** *adj*. *Unterschrift etc.*: personal; **2.** *adv*. personally, with one's own hands; ~ *geschrieben* in one's own hand; **≈heim** *n* house of one's own; **≈liebe** *f* self-love; **≈lob** *n* self-praise; **~mächtig** *adj*. arbitrary; **≈name** *m* proper name; **~nützig** *adj*. selfish.

eigens *adv*. (e)specially, expressly.

Eigenschaft *f* quality; ⊕, *phys.* ⚗ property; *in s-r ~ als* in his capacity as; **~swort** *gr. n* adjective.
Eigensinn *m* stubbornness; **2ig** *adj.* stubborn, obstinate.
eigentlich 1. *wirklich*: actual, true, real; *genau*: exact; **2.** *adv.* actually, really; *ursprünglich*: originally.
Eigentor *n* own goal (*a. fig.*).
Eigentum *n* property.
Eigentüm|er(in) owner, propriet|or (-ress); **2lich** *adj.* peculiar; *seltsam*: strange, odd; **~lichkeit** *f* peculiarity.
Eigentumswohnung *f* owner-occupied flat, *Am.* condominium.
eigenwillig *adj.* wil(l)ful; *Stil etc.*: individual, original.
eign|en *v/refl.*: *sich ~ für* be* suited for; **2ung** *f* suitability; *Person*: *a.* aptitude, qualification; **2ungsprüfung** *f*, **2ungstest** *m* aptitude test.
Eil|bote ✉ *m*: *durch ~n* by special delivery; **~brief** ✉ *m* express (*Am.* special delivery) letter.
Eil|e *f* haste, hurry; **2n** *v/i.* hurry, hasten, rush; *Brief, Angelegenheit*: be* urgent; **2ig** *adj.* hurried, hasty; *dringend*: urgent; *es ~ haben* be* in a hurry.
Eimer *m* bucket, pail.
ein 1. *adj.* one; **2.** *indef. art.* a, an; **3.** *adv.*: *„ ~ – aus"* "on – off".
einander *pron.* each other, *bsd. mehrere*: one another.
ein|arbeiten *v/t.* train, acquaint *s.o.* with his work, F break *s.o.* in; *sich ~* work o.s. in; **~armig** *adj.* one-armed; **~äschern** *v/t. Leiche*: cremate; **2äscherung** *f* cremation; **~atmen** *v/t.* inhale, breathe; **~äugig** *adj.* one-eyed.
Einbahnstraße *f* one-way street.
einbalsamieren *v/t.* embalm.
Einband *m* binding, cover.
Einbau *m* installation, fitting; **~...** *in Zssgn Möbel etc.*: built-in ...; **2en** *v/t.* build* in, instal(l), fit.
einberuf|en *v/t.* ⚔ call up, *Am. mst* draft; *Sitzung etc.*: call; **2ung** ⚔ *f* call-up (orders *pl.*); *Am. mst* draft (orders *pl.*).
einbetten *v/t.* embed.
einbild|en *v/t.* imagine; *sich et. ~ auf* be* conceited about; *darauf kannst du dir et. ~* (*brauchst du dir nichts einzubilden*) that's s.th. (nothing) to be proud of; **2ung** *f* imagination, fancy; *Dünkel*: conceit.
Einblick *m* insight (*in* into).
ein|brechen *v/i.* break* in; *bei uns* (*in der Bank*) *wurde eingebrochen* our house (the bank) was broken into; **2brecher** *m* burglar; **2bruch** *m* burglary; *bei ~ der Nacht* at nightfall.
einbürger|n *v/t.* naturalize; *sich ~ fig.* come* into use; **2ung** *f* naturalization.
Ein|buße *f* loss; **2büßen** *v/t.* lose*.
ein|dämmen *v/t.* dam (up) (*a. fig.*); *Fluß*: embank; *fig. a.* get* under control; **~decken** *fig. v/t.* provide (*mit* with); **~deutig** *adj.* clear; **~drehen** *v/t. Haar*: put* in curlers.
eindring|en *v/i.*: *~ in* enter (*a. Wasser, Keime etc.*); *gewaltsam*: force one's way into; ⚔ invade; **~lich** *adj.* urgent; **2ling** *m* intruder; ⚔ invader.
Eindruck *m* impression.
ein|drücken *v/t.* break* *od.* push in; **~drucksvoll** *adj.* impressive; **~einhalb** *adj.* one and a half; **~engen** *v/t.* confine, restrict.
ein|er, ~e, ~(e)s *indef. pron.* one.
Einer *m* 𝔄 unit; *Rudern*: single sculls *pl.*
einerlei *adj.*: *ganz ~* all the same; *~ ob* no matter if; *~ Stoff* material of the same kind.
Einerlei *n*: *dasselbe* (*tägliche*) *~* the same old (daily) routine.
einerseits *adv.* on the one hand.
einfach *adj.* simple; *leicht*: *a.* easy; *schlicht*: *a.* plain; *Fahrkarte*: single, *Am.* one-way; **2heit** *f* simplicity.
einfädeln *v/t.* thread; *fig.* start, set* afoot; *geschickt*: contrive.
ein|fahren 1. *v/t. mot.* run* (*bsd. Am.* break*) in; *Ernte*: bring* in; **2.** *v/i.* come* in, 🚂 *a.* pull in; **2fahrt** *f* entrance, way in, drive, *bsd. Am.* driveway.
Einfall *m* idea; ⚔ invasion; **2en** *v/i.* fall* in; *einstürzen*: *a.* collapse; ♪ join in; *~ in* ⚔ invade; *ihm fiel ein, daß* it came to his mind that; *mir fällt nichts ein* I have no ideas; *es fällt mir nicht ein* I can't think of it; *dabei fällt mir ein* that reminds me; *was fällt dir ein?* what's the idea?
ein|fältig *adj.* simple(-minded); stupid; **~farbig** *adj.* one-colo(u)red, unicolo(u)red; *Stoff*: plain; **~fassen** *v/t.* border; *Edelsteine*: set*; **~fetten** *v/t.* grease; **~finden** *v/refl.* appear, arrive; F show* up; **~flechten** *fig.*

v/t. work in, insert; **~flößen** *v/t.* pour (*j-m* into s.o.'s mouth); *Respekt etc.*: fill with.

Einfluß *fig. m* influence; **2reich** *adj.* influential.

ein|förmig *adj.* uniform; **2friedung** *f* enclosure; **~frieren 1.** *v/i.* freeze* (in); **2.** *v/t.* freeze* (*a. fig.*); **~fügen** *v/t.* put* in; *fig.* insert; *sich ~* fit in; *in e-e Gruppe*: adjust (o.s.) (*in* to); **~fühlsam** *adj.* sympathetic; **2fühlungsvermögen** *n* empathy.

Einfuhr *econ. f* import(ation).

einführen *v/t.* introduce; *ins Amt*: instal(l); *Gegenstand*: insert; *econ.* import.

Einfuhrstopp *econ. m* import ban.

Einführung *f* introduction; **~s...** *in Zssgn Kurs, Preis etc.*: introductory ...

Eingabe *f* petition; application.

Eingang *m* entrance; *Eintritt*: entry.

eingeben *v/t. Arznei etc.*: administer (*dat.* to); *Daten etc.*: feed* (*in* into).

einge|bildet *adj.* imaginary; *dünkelhaft*: conceited (*auf* of); *~er Kranker* hypochondriac; **2borene(r)** native.

Eingebung *f* inspiration; impulse.

einge|fallen *adj. Augen, Wangen*: sunken, hollow; **~fleischt** *adj. Junggeselle etc.*: confirmed.

eingehen 1. *v/i. Post, Waren*: come* in, arrive; ⚘, *Tier*: die; *Stoff*: shrink*; *~ auf* agree to; *Einzelheiten*: go* into; **2.** *v/t. Vertrag etc.*: enter into; *Wette*: make*; *Risiko*: take*; **~d** *adj.* thorough.

eingemacht *adj.* preserved; pickled.

eingemeinden *v/t.* incorporate (*in* into).

einge|nommen *adj.* partial (*für* to); prejudiced (*gegen* against); *von sich ~* conceited; **~schlossen** *adj.* locked in; *Preis*: included; **~schnappt** F *fig. adj.* sulky; **~schrieben** *adj.* registered; **~spielt** *adj.*: (*gut*) *aufeinander ~ sein* play *od.* work well together, be* a good team; **~stellt** *adj.*: *~ auf* prepared for; *~ gegen* opposed to.

Eingeweide *anat. pl.* intestines *pl.*, bowels *pl.*, guts *pl.* (*a. Fische*).

einge|wöhnen *v/refl.*: *sich ~ in Ort, Beruf*: settle into.

ein|gießen *v/t.* pour; **~gliedern** *v/t.* integrate (*in* into); **~gliederung** *f* integration.

ein|graben *v/t.* dig* in; *vergraben*: bury; **~gravieren** *v/t.* engrave.

eingreifen *v/i.* step in, interfere (*in* with); *in Gespräch*: join in.

Eingriff *m* intervention, interference; ⚕ operation.

einhaken *v/t.* hook in; *sich ~* link arms; *bei j-m*: take* s.o.'s arm.

Einhalt *m*: *~ gebieten* put* a stop (*dat.* to); **2en** *fig. v/t. Termin, Versprechen, Regel*: keep*.

ein|hängen 1. *v/t.* hang* in (*Hörer*: up); *sich ~ s. einhaken*; **2.** *teleph. v/i.* hang* up.

einheimisch *adj.* native, local; *Industrie, Markt*: home, domestic; **2e(r)** local, native.

Einheit *f* Ȧ, *phys.*, ⚔, *econ.* unit; *pol., poet.* unity; *Ganzes*: *a.* whole; **2lich** *adj.* uniform; *geschlossen*: homogeneous; **~s...** *in Zssgn Maß etc.*: standard ...

einhellig *adj.* unanimous.

einholen *v/t.* catch* up with, overtake*; *Zeitverlust*: make* up for; *Auskünfte*: make* (*über* about); *Rat*: seek* (*bei* from); *Erlaubnis*: ask for; *Ernte*: bring* in; *~ gehen* go* shopping.

Einhorn *myth. n* unicorn.

einhüllen *v/t.* wrap (up) (*in* in).

einig *adj. vereint*: united; *~ sein od. werden* agree (*über* on); *nicht ~ sein über* disagree *od.* differ on; **~e** *indef. pron.* some, a few, several; **~en** *v/t.* unite; *sich ~ über* agree on; **~ermaßen** *adv.* somewhat; *~* (*gut*) fairly *od.* passably (well), middling; **~es** *indef. pron.* some(thing); *viel*: quite a lot; **2keit** *f* unity; *Übereinstimmung*: agreement; **2ung** *f* agreement, settlement; *e-s Volkes etc.*: unification.

einjagen *v/t.*: *j-m Angst od. e-n Schreck ~* frighten *od.* scare s.o.

einjährig *adj.* one-year-old; *~e Tätigkeit* one year's work.

einkalkulieren *v/t.* take* into account, allow for.

Einkauf *m bsd. econ.* purchase; *Einkäufe machen s. einkaufen 2*; **2en 1.** *v/t.* buy*, purchase; **2.** *v/i.* go* shopping, shop; *~ gehen*: *a.* do* one's shopping.

Einkaufs|... *in Zssgn Netz, Tasche, Zentrum etc.*: shopping ...; **~bummel** *m* shopping tour *od.* spree; **~preis** *econ. m* purchase price; **~wagen** *m* trolley.

ein|kehren *v/i.* stop (*in* at); **~kerkern**

v/t. imprison; **~klagen** *v/t.* sue for; **~klammern** *v/t.* put* in brackets, bracket.
Einklang *m* ♪ unison; *fig.* harmony.
ein|kleiden *v/t.* clothe (*a. fig.*); **~knöpfbar** *adj.* button-in; **~kochen** **1.** *v/t.* preserve; **2.** *v/i.* boil down.
Einkommen *n* income; **~steuererklärung** *f* income-tax return.
einkreisen *v/t.* encircle, surround.
Einkünfte *pl.* income *sg.*; *econ.* receipts *pl.*
einlad|en *v/t.* invite (*zu* to); *Waren*: load; **~end** *adj.* inviting (*a. fig.*); **＆ung** *f* invitation.
Einlage *f econ.* investment; *Schuh＆*: arch support; *thea.*, ♪ interlude, intermezzo.
Einlaß *m* admission, admittance.
einlassen *v/t.* let* in, admit; *ein Bad*: run*; *sich ~ auf* get* involved in; *leichtsinnig*: let* o.s. in for; *zustimmen*: agree to; *sich ~ mit j-m* get* involved with s.o. (*a. erotisch*).
Ein|lauf *m Sport*: finish; ⚕ enema; **＆laufen** *v/i.* come* in (*a. Sport*); *Wasser*: run* in; ⚓ enter port; *Stoff*: shrink*; **＆leben** *v/refl.*: *sich ~ in* get* used to; settle into.
einlege|n *v/t.* put* in; *Haare*: set*; ⊕ inlay*; *in Essig*: pickle; **＆sohle** *f* insole.
einleit|en *v/t.* start; introduce; **~end** *adj.* introductory; **＆ung** *f* introduction.
ein|lenken *v/i.* come* round; **~leuchten** *v/i.* be* evident *od.* obvious; *das leuchtet mir* (*nicht*) *ein* that makes (doesn't make) sense to me; **~liefern** *v/t.* take* (*ins Gefängnis* to prison; *in die Klinik* to [the] hospital); **~lösen** *v/t. Pfand*: redeem; *Scheck*: cash; **~machen** *v/t. Obst*: preserve; *in Essig*: pickle; *Marmelade ~* make* jam.
einmal *adv.* once; *zukünftig*: *a.* some *od.* one day, sometime; *auf ~ plötzlich*: suddenly; *gleichzeitig*: at the same time, at once; *noch ~* once more *od.* again; *noch ~ so ... (wie)* twice as ... (as); *es war ~* once (upon a time) there was; *haben Sie schon ~ ...?* have you ever ...?; *es schon ~ getan haben* have* done it before; *schon ~ dortgewesen sein* have* been there before; *erst ~* first (of all); *nicht ~* not even; **＆eins** *n* multiplication table; **~ig** *adj.* single; *fig.* unique.
Einmarsch *m* marching in, entry; **＆ieren** *v/i.* march in, enter.
ein|mengen, ~mischen *v/refl.* meddle (*in* with, in), interfere (with).
einmütig *adj.* unanimous; **＆keit** *f* unanimity.
Einnahme *f* ⚔ taking, capture; *econ. mst ~n pl.* takings *pl.*, receipts *pl.*
einnehmen *v/t. Platz, Arznei, Mahlzeit*: take* (*a.* ⚔); *verdienen*: earn, make*; **~d** *adj.* engaging.
Einöde *f* desert, solitude.
ein|ordnen *v/t.* put* in its proper place; *Akten etc.*: file; *sich links ~ mot.* move to the left lane; **~packen** *v/t.* pack (up); *einwickeln*: wrap up; **~parken** *v/t. u. v/i.* park (between two cars); **~pferchen** *v/t.* pen in; *Menschen*: coop up; **~pflanzen** *v/t.* plant; *fig.* implant (*a.* ⚕); **~prägen** *v/t.* impress; *sich et. ~* keep* s.th. in mind; *auswendig*: memorize s.th.; **~prägsam** *adj. Melodie, Ausdruck*: catchy; **~quartieren** F *v/refl.*: *sich ~ bei* put* up with; **~rahmen** *v/t.* frame; **~räumen** *v/t. Dinge*: put* away; *Zimmer*: furnish; *fig.* grant, concede; **~reden 1.** *v/t.*: *j-m et. ~* persuade *od.* talk s.o. into (doing) s.th.; **2.** *v/i.*: *auf j-n ~* keep* on at s.o.; **~reiben** *v/t.* rub; **~reichen** *v/t.* hand *od.* send* in, present; **~reihen** *v/t.* place (among); *sich ~* take* one's place.
einreihig *adj. Anzug*: single-breasted.
Einreise *f* entry (*a. in Zssgn*); **＆n** *v/i.* enter (*in ein Land* a country).
ein|reißen 1. *v/t.* tear*; *Gebäude*: pull down; **2.** *v/i.* tear*; *Unsitte etc.*: spread*; **~renken** *v/t.* ⚕ set*; *fig.* straighten out.
einricht|en *v/t. Zimmer etc.*: furnish; *Küche, Büro etc.*: fit out; *gründen*: establish; *ermöglichen*: arrange; *sich ~ auf* prepare for; **＆ung** *f* furnishings *pl.*; fittings *pl.*; ⊕ installation(s *pl.*), facilities *pl.*; *öffentliche*: institution, facility.
ein|rosten *v/i.* rust in; *fig.* get* rusty; **~rücken 1.** ⚔ *v/i.* join the forces; *Truppen*: march in; **2.** *v/t. Zeile*: indent.
eins *pron. u. adj.* one; one thing; *es ist alles ~* it's all the same (thing).
Eins *f Note*: excellent, A.
einsam *adj.* lonely, lonesome; *Lage, Leben*: solitary; **＆keit** *f* loneliness; solitude.

einsammeln *v/t.* gather; *Geld, Hefte etc.*: collect.

Einsatz *m* ⊕ inset, insert; *Spiel*: stake(s *pl. a. fig.*); ♪ entry; *Mühe, Eifer*: effort(s *pl.*), zeal; *Verwendung*: use, employment; ⚔ action, mission; *von Truppen, Waffen*: deployment; *den ~ geben* give* the cue; *im ~* in action; *unter ~ des Lebens* at the risk of one's life; **2bereit** *adj.* ready for action; **2freudig** *adj.* dynamic, zealous.

ein|schalten *v/t.* ⚡ switch *od.* turn on; *j-n*: call in; *sich ~* step in; **2schaltquote** *TV f* rating; **~schärfen** *v/t.* urge (*et.* to do s.th.); **~schätzen** *v/t. schätzen*: estimate; *beurteilen*: judge, rate; *falsch ~* misjudge; **~schenken** *v/t.* pour (out); **~schicken** *v/t.* send* in; **~schieben** *v/t.* insert; **~schlafen** *v/i.* fall* asleep, go* to sleep; **~schläfern** *v/t.* lull to sleep; *töten*: put* to sleep.

Einschlag *m* strike, impact; *Blitz*: stroke; *fig.* touch; **2en 1.** *v/t. Nagel*: drive* in; *zerbrechen*: break* (in), smash (*a. Schädel*); *einwickeln*: wrap up; *Weg, Richtung*: take*; *Laufbahn*: enter upon; *Rad*: turn; **2.** *v/i. Blitz, Geschoß*: strike*; *fig.* be* a success.

einschlägig *adj.* relevant.

ein|schleichen *v/refl.* steal* in, creep* in (*a. fig. Fehler etc.*); **~schleppen** *v/t. Krankheit*: import; **~schleusen** *fig. v/t.* infiltrate (*in* into); **~schließen** *v/t.* lock in *od.* up; *umgeben*: enclose; ⚔ surround, encircle; *einbeziehen*: include; **~schließlich** *prp.* including, *nachgestellt*: included; **~schmeicheln** *v/refl.* ingratiate o.s. (*bei* with); **~schnappen** *v/i.* snap shut; *fig. s. eingeschnappt*; **~schneidend** *fig. adj.* drastic; far-reaching.

Einschnitt *m* cut; *Kerbe*: notch.

einschränk|en *v/t.* restrict, reduce (*beide*: *auf* to); *Rauchen etc.*: cut* down on; *sich ~* economize; **2ung** *f* restriction, reduction, cut.

Einschreibe|brief *m* registered letter; **2n** *v/t. eintragen*: enter; *buchen*: book; *als Mitglied, Schüler etc.*: enrol(l) (*a.* ⚔); (*sich*) *~ lassen* (*für*) enrol(l) (o.s.) (for).

einschreiten *fig. v/i.*: *~* (*gegen*) interfere (with), take* (*gerichtlich*: legal) measures (against).

ein|schüchtern *v/t.* intimidate; *brutal*: bully; **2schüchterung** *f* intimidation; **~schulen** *v/t.*: *eingeschult werden* start school.

Einschuß *m* bullet-hole.

ein|segnen *v/t.* consecrate; *Kinder*: confirm; **2segnung** *f* consecration; confirmation.

ein|sehen *v/t. Zweck, Fehler etc.*: see*, realize; **~seifen** *v/t.* soap; *Bart*: lather.

einseitig *adj.* one-sided; ⚕, *pol.*, ⚖ unilateral.

einsend|en *v/t.* send* in; **2er(in)** sender; *an Zeitungen*: contributor; **2eschluß** *m* closing day.

einsetzen 1. *v/t.* put* in, insert; *ernennen*: appoint; *Mittel*: use, employ; *Geld*: invest, stake; bet*; *Leben*: risk; *sich ~* try hard, make* an effort; *für j-n, et.*: support, stand* up for; **2.** *v/i.* set* in, start.

Einsicht *f Erkenntnis*: insight; *Einsehen*: understanding; *Vernunft*: reason; **2ig** *adj.* understanding; reasonable.

Einsiedler *m* hermit.

einsilbig *adj.* monosyllabic; *fig.* taciturn; **2keit** *f* taciturnity.

Einsitzer ✈, *mot. m* single-seater.

ein|spannen *v/t. Pferd*: harness; ⊕ clamp, fix; *fig. j-n*: rope in; **~sparen** *v/t.* save, economize; **~sperren** *v/t.* lock (*Tier*: shut*) up; **~spielen** *v/t. Geld*: bring* in; *TV einblenden*: fade in; **2spielergebnisse** *pl. Film*: box-office returns *pl.*; **~springen** *fig. v/i.*: *für j-n ~* take* s.o.'s place; **2spritz...** *mot. in Zssgn* injection ...

Einspruch *m* objection (*a.* ⚖), protest; *pol.* veto; *Berufung*: appeal.

einspurig *adj.* 🚂 single-track; *mot.* single-lane.

einst *adv.* once, at one time; *künftig*: one *od.* some day.

Einstand *m* start; *Tennis*: deuce.

ein|stecken *v/t.* pocket (*a. fig.*); ⚡ plug in; *Brief*: post, *bsd. Am.* mail; *fig. hinnehmen, vertragen*: take*; **~steigen** *v/i.* get* in; *in Bus, Zug, Flugzeug*: get* on; *alles ~!* 🚂 all aboard!

einstell|en *v/t. Arbeitskräfte etc.*: engage, employ, hire; *aufgeben*: give* up; *beenden*: stop; *Rekord*: tie; *regulieren*: ⊕ adjust (*auf* to); *Radio*: tune in (to); *opt.* focus (on) (*a. fig.*); *die Arbeit ~* (go* on) strike*, walk out; *das Feuer ~* ⚔ cease fire; *sich ~*

appear; *sich ~ auf j-n, et.*: adjust to; *vorsorglich*: be* prepared for; **~ig** ⚔ *adj.* single-digit; **²ung** *f Haltung*: attitude (*zu* towards); *Arbeitskräfte*: employment; *Beendigung*: cessation; ⊕ adjustment; *opt., phot.* focus(s)ing; *Film*: take.
einstig *adj.* former, one-time.
einstimm|en ♪ *v/i.* join in; **~ig** *adj.* unanimous.
einstöckig *adj.* one-storied.
ein|studieren *thea. v/t.* rehearse; **~stufen** *v/t.* grade, rate; **~stufig** *adj.* single-stage (*a. Rakete*); **²sturz** *m*, **~stürzen** *v/i.* collapse.
einst|weilen *adv.* for the present; **~weilig** *adj.* temporary.
ein|tauschen *v/t.* exchange (*gegen* for); **~teilen** *v/t.* divide (*in* into); *Zeit*: organize; *s.a. einstufen*; **~teilig** *adj.* one-piece; **²teilung** *f* division; organization; *Anordnung*: arrangement.
eintönig *adj.* monotonous; **²keit** *f* monotony.
Ein|tracht *f* harmony, unity; **²trächtig** *adj.* harmonious, peaceful.
Eintrag *m* entry (*a. econ.*), registration; *Schule*: black mark; **²en** *v/t.* enter (*in* in); *amtlich*: register (*bei* with); *als Mitglied*: enrol(l) (with); *Gewinn, Lob etc.*: earn; *sich ~* register, *Hotel*: *a.* check in.
einträglich *adj.* profitable.
ein|treffen *v/i.* arrive; *geschehen*: happen; *sich erfüllen*: come* true; **~treiben** *fig. v/t.* collect; **~treten 1.** *v/i.* enter; *geschehen*: happen, take* place; *~ für* stand* up for, support; *~ in Verein etc.*: join; **2.** *v/t. Tür etc.*: kick in.
Eintritt *m* entry; *Zutritt, Gebühr*: admission; *~ frei!* admission free!; *~ verboten!* no admittance!; **~sgeld** *n* entrance *od.* admission (fee); *Sport*: gate(-money); **~skarte** *f* (admission) ticket.
ein|trocknen *v/i.* dry (up); **~üben** *v/t.* practise; *proben*: rehearse.
einver|standen *adj.*: *~ sein* agree (*mit* to); *~!* agreed!; **²ständnis** *n* agreement.
Einwand *m* objection (*gegen* to).
Einwander|er *m* immigrant; **²n** *v/i.* immigrate; **~ung** *f* immigration.
einwandfrei *adj.* perfect, faultless.
einwärts *adv.* inward(s).
Einweg... *in Zssgn Flasche etc.*: no(n)-return(able) ..., disposable ...
einweih|en *v/t. eccl.* consecrate; *Denkmal etc.*: inaugurate; *j-n ~ in* F let* s.o. in on; **²ung** *f* consecration; inauguration.
einweisen *v/t.*: *~ in Anstalt, Heim, Gefängnis etc.*: send* to, *bsd.* ⚖ commit to.
einwend|en *v/t.* object (*gegen* to); **²ung** *f* objection.
einwerfen *v/t.* throw* in (*a. Bemerkung, Sport a. v/i.*); *Fenster*: break*; *Brief*: post, *Am.* mail; *Münze*: insert.
einwickel|n *v/t.* wrap (up); *fig.* take* *s.o.* in; **²papier** *n* wrapping-paper.
einwillig|en *v/i.* consent (*in* to), agree (to); **²ung** *f* consent (*in* to), agreement.
einwirk|en *v/i.*: *~ auf* act (up)on; *fig. auf j-n*: work on; **²ung** *f* effect, influence.
Einwohner|(in) inhabitant; **~meldeamt** *n* registration office.
Einwurf *m Sport*: throw-in; *fig.* objection; *für Briefe etc.*: slit; *für Münzen*: slot.
Einzahl *gr. f* singular; **²en** *v/t.* pay* in; **~ung** *f* payment, deposit.
einzäunen *v/t.* fence in.
Einzel *n Tennis*: single(s *pl.*); **~...** *in Zssgn Bett, Zimmer etc.*: single ...; **~fall** *m* special case; **~gänger** *m* F loner; **~haft** ⚖ *f* solitary confinement; **~handel** *econ. m* retail trade; **~händler** *econ. m* retailer; **~haus** *n* detached house; **~heit** *f* detail, particular.
einzeln *adj.* single; *Schuh etc.*: odd; *~e pl.* several, some; *der ~e* (*Mensch*) the individual; *~ eintreten* enter one at a time; *~ angeben* specify; *im ~en* in detail; *jeder ~e* each and every one.
einziehen 1. *v/t.* draw* in; *bsd.* ⊕ retract; *Kopf*: duck; *Segel, Fahne*: strike*; ⚔ call up, *Am.* draft; *beschlagnahmen*: confiscate; *Führerschein*: withdraw*; **2.** *v/i. in Haus etc.*: move in; *kommen*: come* (*a. Winter etc.*); *geordnet, feierlich*: march in, come* marching in; *Flüssigkeit*: soak in.
einzig *adj.* only; *einzeln*: single; *kein ~er* ... not a single ...; *das ~e* the only thing; *der ~e* the only one; **~artig** *adj.* unique, singular.

Einzug *m* moving in; entry.
einzwängen *v/t.* squeeze, jam.
Eis *n* ice; *~krem*: ice-cream; **~bahn** *f* skating-rink; **~bär** *zo. m* polar bear; **~berg** *m* iceberg; **~brecher** ⚓ *m* icebreaker; **~diele** *f* ice-cream parlo(u)r.
Eisen *n* iron.
Eisenbahn *f* railway, *Am.* railroad; *Zssgn s.a. Bahn*; **~er** *m* railwayman; **~wagen** *m* railway car(riage) *od.* coach, *Am.* railroad car.
Eisen|erz *n* iron ore; **~gießerei** *f* iron foundry; **~hütte** *f* ironworks *sg., pl.*; **~waren** *pl.* hardware *sg.*, ironware *sg.*; **~warenhandlung** *f* hardware store, *Brt. a.* ironmonger's.
eisern *adj.* iron (*a. fig.*), of iron.
eis|gekühlt *adj.* iced; **2hockey** *n* ice hockey, *Am.* hockey; **~ig** *adj.* icy (*a. fig.*); **~kalt** *adj.* ice-cold; **2kunstlauf** *m* figure skating; **2kunstläufer(in)** figure skater; **2meer** *n* polar sea; **2revue** *f* ice-show; **2schnellauf** *m* speed skating; **2scholle** *f* ice floe; **2schrank** *m s. Kühlschrank*; **2verkäufer** *m* iceman; **2würfel** *m* ice cube; **2zapfen** *m* icicle; **2zeit** *geol. f* ice age.
eitel *adj.* vain; **2keit** *f* vanity.
Eiter ⚕ *m* pus; **~beule** ⚕ *f* abscess, boil; **2n** ⚕ *v/i.* fester.
eitrig ⚕ *adj.* purulent, festering.
Eiweiß *n* white of egg; *biol.* protein; *arm* (*reich*) *an* ~ low (rich) in protein.
Eizelle *f* egg cell, ovum.
Ekel 1. *m* disgust (*vor* at), loathing (for); **2.** F *n* beast; **2erregend, 2haft, 2ig** *adj.* sickening, disgusting, repulsive; **2n** *v/refl. u. v/impers.*: *ich ekle mich davor, es ekelt mich* it makes me sick.
elastisch *adj.* elastic, flexible.
Elch *zo. m* elk, *Am.* moose.
Elefant *zo. m* elephant.
elegan|t *adj.* elegant; **2z** *f* elegance.
Elektri|ker *m* electrician; **2sch** *adj. allg.* electrical; ~ *betrieben*: electric; **2sieren** *v/t.* electrify.
Elektrizität *f* electricity; **~swerk** *n* (electric) power station.
Elektrogerät *n* electric appliance.
Elektron|en... *in Zssgn*: electron(ic) ...; **~ik** *f* electronics *sg.*; **2isch** *adj.* electronic.
Elektrotechnik *f* electrical engineering; **~er** *m* electrical engineer.

Element *n* element; **2ar** *adj.* elementary.
Elend *n* misery.
elend *adj.* miserable; **2sviertel** *n* slums *pl.*
elf *adj.* eleven.
Elfe *f* elf, fairy.
Elfenbein *n*, **2ern** *adj.* ivory.
Elfmeter *m* penalty (kick).
elfte *adj.* eleventh.
Elite *f* élite.
Ellbogen *anat. m* elbow.
Elsäss|er(in), 2isch *adj.* Alsatian.
Elster *zo. f* magpie.
elter|lich *adj.* parental; **2n** *pl.* parents *pl.*; **~nlos** *adj.* orphan(ed); **2nteil** *m* parent; **2nvertretung** *f Schule appr.*: Parent-Teacher Association.
Email *n*, **~le** *f* enamel.
Emanzip|ation *f* emancipation; *Frauenbewegung*: Women's Lib(eration Movement); **2ieren** *v/refl.* emancipate o.s.
Embargo *n* embargo.
Embolie ⚕ *f* embolism.
Embryo *biol. m* embryo.
Emigra|nt *m* emigrant, *bsd. pol.* refugee; **~tion** *f* emigration; *in der* ~ in exile.
Empfang *m* reception (*a. Radio, Hotel*), welcome; *Erhalt*: receipt (*nach, bei* on); **2en** *v/t.* receive; *freundlich*: *a.* welcome.
Empfäng|er *m* receiver (*a. Radio*); **2lich** *adj.* susceptible (*für* to); **~lichkeit** *f* susceptibility; **~nis** ⚕ *f* conception; **~nisverhütung** *f* contraception, birth control; *s. Verhütungsmittel*.
Empfangs|bescheinigung *econ. f* receipt; **~dame** *f* receptionist.
empfehl|en *v/t.* recommend; **~enswert** *adj. ratsam*: advisable; **2ung** *f* recommendation.
empfinden *v/t.* feel* (*als* ... to be ...).
empfindlich *adj.* sensitive (*für, gegen* to) (*a. phot.*, ⚕); *zart*: tender, delicate (*a. Gesundheit, Gleichgewicht*); *leicht gekränkt*: touchy; *sensibel*: sensitive; *reizbar*: irritable (*a. Magen*); *Kälte, Strafe*: severe; *~e Stelle* sore (*fig. a.* vulnerable) spot; **2keit** *f* sensitivity; delicacy; touchiness; irritability; severity.
empfindsam *adj.* sensitive; *gefühlvoll*: sentimental; **2keit** *f* sensitiveness; sentimentality.
Empfindung *f* sensation; *Wahrneh-*

mung: perception; *Gefühl*: feeling, emotion; **＆slos** *adj*. insensible; *Körperteil*: numb, dead.
empor *adv*. up, upward(s); *Zssgn s. a.* (*hin*)*auf...*, *hoch...*
empören *v/t*. incense; *schockieren*: shock; *sich* ~ (*über*) be* outraged *od*. shocked (at); *sich* ~ *gegen* rebel against; **~d** *adj*. shocking, outrageous.
E
empor|kommen *v/i*. rise* (in life); **＆kömmling** *contp*. *m* upstart.
empör|t *adj*. indignant (*über* at), shocked (at); **＆ung** *f* indignation (*über* at); *Aufstand*: revolt.
emsig *adj*. busy; **＆keit** *f* activity.
Ende *n* end; *am* ~ at the end; *schließlich*: in the end, finally; *zu* ~ over; *Zeit*: up; *zu* ~ *gehen* come* to an end; *et. zu* ~ *tun* finish doing s.th.; *er ist* ~ *zwanzig* he is in his late twenties; (*am*) ~ *der achtziger Jahre* in the late eighties.
enden *v/i*. (come* to an) end; stop, finish; F ~ *als* end up as.
Endergebnis *n* final result.
end|gültig *adj*. final, definitive; **~lich** *adv*. finally, at last; **~los** *adj*. endless; **＆runde** *f*, **＆spiel** *n Sport*: final(s *pl*.); **＆station** 🚂 *f* terminus, terminal; **＆summe** *f* (sum) total.
Endung *ling*. *f* ending.
Endziel *n* ultimate goal (*a. fig*.).
Energie *f* energy; ⊕, ⚡ power; **＆los** *adj*. lacking energy; **~versorgung** *f* power supply.
energisch *adj*. energetic, vigorous.
eng *adj*. narrow; *Kleidung*: tight; *Kontakt, Freund*(*schaft*): close; *beengt*: cramped; ~ *beieinander* close(ly) together.
Engagement *n thea. etc*. engagement; *fig*., *pol*. commitment.
engagier|en *v/t*. engage; *sich* ~ commit o.s. (*für* to); **~t** *adj*. *Autor etc*.: committed, dedicated.
Enge *f* narrowness; *Wohnverhältnisse*: cramped conditions *pl*.; *in die* ~ *treiben* corner.
Engel *m* angel.
Engländer *m* Englishman; *die* ~ *pl*. the English *pl*.; **~in** *f* Englishwoman.
englisch *adj*. English (*auf* in); **＆unterricht** *m* English lesson(s *pl*.) *od*. class(es *pl*.).
Engpaß *m* bottle-neck (*a. fig*.).
engstirnig *adj*. narrow-minded.

Enkel *m* grandchild; grandson; **~in** *f* granddaughter.
enorm *adj*. enormous, immense.
Ensemble *thea*. *n* company; cast.
entart|en *v/i*., **~et** *adj*. degenerate; **＆ung** *f* degeneration.
entbehr|en *v/t*. do* without; *erübrigen*: spare; *vermissen*: miss; **~lich** *adj*. dispensable; *überflüssig*: superfluous; **＆ung** *f* want, privation.
entbind|en ⚕ *v/t*.: *entbunden werden von* give* birth to; **＆ung** ⚕ *f* delivery; **＆ungsstation** *f* maternity ward.
entblößen *v/t*. bare, uncover.
entdeck|en *v/t*. discover, find*; **＆er** *m* discoverer; **＆ung** *f* discovery.
Ente *f zo*. duck; F *Zeitungs*＆: hoax.
entehren *v/t*. dishono(u)r.
enteign|en *v/t*. expropriate; *j-n*: dispossess; **＆ung** *f* expropriation; dispossession.
enterben *v/t*. disinherit.
entern *v/t*. board, grapple.
ent|fachen *v/t*. kindle; *fig. a*. rouse; **~fallen** *v/i*. *wegfallen*: be* dropped *od*. cancelled; ~ *auf* fall* to s.o.('s share); *es ist mir* ~ it has slipped my memory; **~falten** *v/t*. unfold; *Fähigkeiten*: develop; *zeigen*: display; *sich* ~ unfold; *fig*. develop (*zu* into).
entfern|en *v/t*. remove (*a. fig*.); *sich* ~ leave*; **~t** *adj*. distant (*a. fig*.); *weit* (*10 Meilen*) ~ far (10 miles) away; **＆ung** *f* distance; removal; **＆ungsmesser** *phot*. *m* range-finder.
ent|flammbar *adj*. (in)flammable; **~flammen** *v/t. u. v/i*. inflame; **~fliehen** *v/i*. flee*, escape (*aus od. dat*. from).
entführ|en *v/t*. kidnap; *Flugzeug etc*.: hijack; **＆er** *m* kidnapper; hijacker; **＆ung** *f* kidnapping; hijacking.
entgegen *prp. u. adv*. *gegen*: contrary to; *Richtung*: toward(s); **~gehen** *v/i*. go* to meet; **~gesetzt** *adj*. opposite; **~halten** *fig*. *v/t*. point *s.th*. out (*dat*. in reply to); **~kommen** *v/i*. come* to meet; *fig*. *j-m* ~ meet* s.o. halfway; **＆kommen** *n* obligingness; **~kommend** *adj*. obliging, kind, helpful; **~nehmen** *v/t*. accept, receive; **~sehen** *v/i*. await; *e-r Sache freudig*: look forward to; **~setzen** *v/t*.: *j-m* (*e-r Sache*) *Widerstand* ~ put* up resistance to s.o. (s.th.); **~strecken** *v/t*. hold* out (*dat*. to); **~treten** *v/i*.

j-m: meet*; *feindlich*: oppose; *e-r Gefahr*: face.
entgegn|en *v/i.* reply, answer; *schlagfertig, kurz*: retort; **&ung** *f* reply; retort.
entgehen *v/i.* escape; *Wort, Fehler, Gelegenheit etc.*: miss.
entgiften *v/t. Luft etc.*: decontaminate.
entgleis|en *v/i.* be* derailed; *fig.* blunder; **&ung** *f* derailment; *fig.* slip, blunder, faux pas.
entgleiten *fig. v/i.* get* out of control.
enthalt|en *v/t.* contain, hold*, include; sich ~ *gen.* abstain *od.* refrain from; **~sam** *adj.* abstinent; *maßvoll*: moderate; **&samkeit** *f* abstinence; moderation; **&ung** *f bsd. Stimm&*: abstention.
ent|härten *v/t.* soften; **~haupten** *v/t.* behead, decapitate.
enthüll|en *v/t.* uncover; *Denkmal*: unveil; *fig.* reveal, disclose; **&ung** *f* uncovering; unveiling; *fig.* revelation, disclosure.
Enthusias|mus *m* enthusiasm; **~t** *m* enthusiast; *Film, Sport*: F fan; **&tisch** *adj.* enthusiastic.
ent|jungfern *v/t.* deflower; **&jungferung** *f* defloration; **~kleiden** *v/t. u. v/refl.* undress, strip (*a. fig.*).
entkommen *v/i.* escape (j-m s.o.; aus from).
entkräft|en *v/t.* weaken (*a. fig.*); **&ung** *f* weakness, debility.
entlad|en *v/t.* unload; *bsd.* ⚡ discharge; sich ~ *bsd.* ⚡ discharge; *Zorn etc.*: explode; **&ung** *f* unloading; *bsd.* ⚡ discharge; explosion.
entlang *prp. u. adv.* along; hier ~, bitte! this way, please!; er ging (fuhr) die Straße ~ he went (drove) along the street.
entlarven *v/t.* unmask, expose.
entlass|en *v/t.* dismiss, F fire, give* *s.o.* the sack; *Patient*: discharge (*a.* ⚔); *Häftling*: release; aus der Schule ~ werden leave* school; ~er Häftling ex-convict; **&ung** *f* dismissal; discharge; release; **&ungsgesuch** *n* (letter of) resignation.
entlasten *v/t.* relieve (*a. Verkehr*); *Gewissen*: ease; ⚖ exonerate, clear *s.o.* of a charge.
Entlastung *f* relief; ⚖ exoneration; **~szeuge** *m* witness for the defen|ce, *Am.* -se.
ent|laufen *v/i.* run* away (*dat.* from); **~ledigen** *v/refl. j-s, e-r Sache*: rid* o.s. of, get* rid of.
entlegen *adj.* remote, distant.
ent|lehnen *v/t.* borrow (*dat.* from); **~locken** *v/t.* draw*, elicit (*dat.* from); **~lohnen** *v/t.* pay* (off); **~lüften** *v/t.* ventilate; **~machten** *v/t.* deprive *s.o.* of *his* power; **~militarisieren** *v/t.* demilitarize; **~mündigen** ⚖ *v/t.* place under disability; **~mutigen** *v/t.* discourage; **~nehmen** *v/t.* take* (*dat.* from); ~ aus (with)draw* from; *fig.* gather *od.* learn* from; **~nervt** *adj.* enervated; **~puppen** *v/refl.*: sich ~ als turn out to be; **~reißen** *v/t.* snatch (away) (*dat.* from); **~richten** *v/t.* pay*; **~rinnen** *v/i.* escape (*dat.* from); **~rollen** *v/t.* unroll.
entrüst|en *v/t.* fill with indignation; sich ~ become* angry *od.* indignant (über at *s.th.*, with *s.o.*); **~et** *adj.* indignant (über at *s.th.*, with *s.o.*); **&ung** *f* indignation.
Ent|safter *m* juice extractor; **&salzen** ⚗ *v/t.* desalinize.
entschädig|en *v/t.* compensate; **&ung** *f* compensation.
entschärfen *v/t.* defuse (*a. Lage*).
entscheid|en *v/t. u. v/i. u. v/refl.* decide; *endgültig*: settle; sich ~ für (gegen) decide on *od.* in favo(u)r of (against); er kann sich nicht ~ he can't make up his mind; **~end** *adj.* decisive; *kritisch*: crucial; **&ung** *f* decision.
entschieden *adj.* decided, determined, resolute; ~ dafür strongly in favour of it; **&heit** *f* determination.
entschließ|en *v/refl.* decide, determine, make* up one's mind; **&ung** *pol. f* resolution.
entschlossen *adj.* determined, resolute; **&heit** *f* determination, resoluteness.
Entschluß *m* decision, resolution.
entschuldig|en *v/t.* excuse; sich ~ apologize (bei to; für for); *für Abwesenheit*: excuse o.s.; ~ Sie! (I'm) sorry!; *j-n anredend*: excuse me!; **&ung** *f* excuse (*a. Schreiben*); *Verzeihung*: apology; um ~ bitten apologize; ~! (I'm) sorry!; *beim Vorbeigehen etc.*: excuse me!
Entschwefelungsanlage ⊕ *f* desulphurization plant.
entsetzen *v/t.* horrify, shock.
Entsetz|en *n* horror, terror; **&lich** *adj.*

horrible, dreadful, terrible; *scheußlich*: atrocious.
entsinnen *v/refl.* remember, recall.
Entsorgung *f bsd. nukleare*: (nuclear) waste disposal.
entspann|en *v/t. u. v/refl.* relax; *sich ~ a.* take* it easy; *Lage*: ease (up); **2ung** *f* relaxation; *pol.* détente.
entspiegelt *opt. adj.* anti-reflection.
E
entsprech|en *v/i.* correspond to; *e-r Beschreibung*: answer to; *Anforderungen etc.*: meet*; **~end** *adj.* corresponding (to); *passend*: appropriate; **2ung** *f* equivalent.
entspringen *v/i.* escape (*dat.*, aus from); *Fluß*: rise*; *s. entstehen*.
entstammen *v/i. abstammen*: come* of (*herrühren*: from).
entsteh|en *v/i.* come* into being *od.* existence; *geschehen, eintreten*: arise*, come* about; *allmählich*: emerge, develop; ~ aus originate from; **2ung** *f* origin.
entstell|en *v/t.* disfigure, deform, *verzerren*: distort; **2ung** *f* disfigurement, deformation, distortion (*a. von Tatsachen*).
entstört ⚡ *adj.* interference-free.
enttäusch|en *v/t.* disappoint; **2ung** *f* disappointment.
entthronen *v/t.* dethrone (*a. fig.*).
entwaffnen *v/t.* disarm.
entwässer|n *v/t.* drain; **2ung** *f* drainage; ⚗ dehydration.
entweder *cj.*: ~ ... oder either ... or.
ent|weichen *v/i.* escape (aus from); **~wenden** *v/t.* pilfer, steal*; **~werfen** *v/t.* design; *Schriftstück*: draw* up.
entwert|en *v/t. abwerten*: lower the value of (*a. fig.*); *Fahrschein etc.*: cancel; **2ung** *f* devaluation; cancellation.
entwickeln *v/t. u. v/refl.* develop (*a. phot.*) (zu into).
Entwicklung *f* development, *biol. a.* evolution; *~salter*: adolescence, age of puberty; **~shelfer(in)** *pol. econ.* development aid volunteer; *Brt.* person in the Voluntary Service Overseas; *Am.* Peace Corps Worker; **~shilfe** *f* development aid; **~sland** *pol. n* developing country.
ent|wirren *v/t.* disentangle (*a. fig.*); **~wischen** *v/i.* get* away, escape (aus from).
Entwurf *m* outline, (rough) draft, plan; *Gestaltung*: design; *Skizze*: sketch.
ent|wurzeln *v/t.* uproot; **~ziehen** *v/t.* take* away (*dat.* from); *Führerschein, Lizenz*: revoke; *Rechte*: deprive of; ⚗ extract; sich j-m od. e-r Sache ~ evade s.o. *od.* s.th.; **2ziehungsanstalt** ⚕ *f* drug (*Am.* substance) abuse clinic; **2ziehungskur** ⚕ *f* detoxi(fi)cation (treatment); *Alkohol2*: *a.* F drying out; **~ziffern** *v/t.* decipher, make* out.
entzücken *v/t.* charm, delight.
Entzück|en *n* delight; **2end** *adj.* delightful, charming, F sweet; **2t** *adj.* delighted (über, von at, with); **~ung** *f*: in ~ geraten go* into raptures.
Entzug *m* withdrawal; *Lizenz etc.*: revocation; **~serscheinung** ⚕ *f* withdrawal symptom.
entzünd|bar *adj.* (in)flammable; **~en** *v/refl.* catch* fire; ⚕ become* inflamed; **2ung** ⚕ *f* inflammation.
entzwei *adv.* in two, to pieces; **~en** *v/refl.* fall* out, break* (mit with); **~gehen** *v/i.* break*, go* to pieces.
Enzyklopädie *f* encyclop(a)edia.
Epidemie ⚕ *f* epidemic (disease).
Epilog *m* epilog(ue).
episch *adj.* epic.
Episode *f* episode.
Epoche *f* epoch, period, era.
Epos *n* epic (poem).
er *pers. pron.* he; *Sache*: it.
erachten *v/t.* consider, think*.
Erachten *n*: meines ~s in my opinion.
erbarmen *v/refl.*: sich j-s ~ take* pity on s.o.
Erbarmen *n* pity, mercy.
erbärmlich *adj.* pitiful, pitiable; *elend*: miserable; *gemein*: mean.
erbarmungslos *adj.* pitiless, merciless; *Verfolgung etc.*: relentless.
erbau|en *v/t.* build*, construct, raise; **2er** *m* builder, constructor; **~lich** *adj.* edifying; **2ung** *fig. f* edification, uplift.
Erbe 1. *m* heir; **2.** *n* inheritance, heritage.
erbeben *v/i.* tremble, shake*, quake.
erben *v/t.* inherit.
erbeuten *v/t.* capture.
Erbin *f* heiress.
erbitten *v/t.* ask for, request.
erbittert *adj.* embittered; *Kampf etc.*: fierce, furious.
Erbkrankheit ⚕ *f* hereditary disease.

er|blassen, ~bleichen *v/i.* grow* *od.* turn pale.
erblich *adj.* hereditary.
erblicken *v/t.* see*, catch* sight of.
erblind|en *v/i.* go* blind; **2ung** *f* loss of sight.
Erbrechen ⚕ *n* vomiting, sickness.
Erbschaft *f* inheritance, heritage.
Erbse ⚘ *f* pea; (*grüne*) *~n* green peas.
Erb|stück *n* heirloom; **~sünde** *f* original sin; **~teil** *n* (portion of an) inheritance.
Erd|apfel *östr. m* potato; *Zssgn s. Kartoffel...*; **~ball** *m* globe; **~beben** *n* earthquake; **~beere** ⚘ *f* strawberry; **~boden** *m* earth, ground; **~e** *f* earth; *Bodenart*: ground, soil; **2en** ⚡ *v/t.* earth, ground.
erdenklich *adj.* imaginable.
Erd|gas *n* natural gas; **~geschoß** *n* ground floor, *Am. a.* first floor.
erdicht|en *v/t.* invent, make* up; **~et** *adj.* invented, made-up.
erdig *adj.* earthy.
Erd|klumpen *m* clod, lump of earth; **~kruste** *f* earth's crust; **~kugel** *f* globe; **~kunde** *f* geography; **~leitung** *f* ⚡ earth (*Am.* ground) connection; *Gas etc.*: underground pipe(line); **~nuß** *f* peanut; **~öl** *n* (mineral) oil, petroleum; *Zssgn s. Öl...*; **~reich** *n* ground, earth.
erdreisten *v/refl.* F have* the nerve.
erdrosseln *v/t.* strangle, throttle.
erdrücken *v/t.* crush (to death); **~d** *fig. adj.* overwhelming.
Erd|rutsch *m* landslide (*a. pol.*); **~teil** *geogr. m* continent.
erdulden *v/t.* suffer, endure.
Erd|umlaufbahn *f* earth orbit; **~ung** ⚡ *f* earthing, *Am.* grounding; **~wärme** *geol. f* geothermal energy.
ereifern *v/refl.* get* excited.
ereignen *v/refl.* happen, occur.
Ereignis *n* event, occurrence; **2reich** *adj.* eventful.
Erektion *f* erection.
Eremit *m* hermit, anchorite.
erfahren[1] *v/t.* hear*; learn*; *erleben*: experience.
erfahr|en[2] *adj.* experienced; „*altgedient*": veteran; **2ung** *f* experience; *Praxis*: *a.* practice.
Erfahrungs|austausch *m* exchange of experience; **2gemäß** *adv.* as experience shows.
erfassen *v/t. be-*, *ergreifen*: grasp; *statistisch*: record, register; *umfassen*: cover, include; ⚔ call up.
erfind|en *v/t.* invent; **2er** *m* inventor; **~erisch** *adj.* inventive; **2ung** *f* invention.
Erfolg *m* success; *Ergebnis*: result; *viel ~!* good luck!; **2en** *v/i.*: *aufgrund von ... ~* be* caused by; **2los** *adj.* unsuccessful; *vergeblich*: futile; **~losigkeit** *f* lack of success; **2reich** *adj.* successful; **~serlebnis** *n* sense of achievement; **2versprechend** *adj.* promising.
erforder|lich *adj.* necessary, required; **~n** *v/t.* require, demand; **2nis** *n* requirement, demand.
erforsch|en *v/t.* explore; *untersuchen*: investigate, study; **2er** *m* explorer; **2ung** *f* exploration.
erfreu|en *v/t.* please; *sich e-r Sache ~* enjoy s.th.; **~lich** *adj.* pleasing, pleasant; *befriedigend*: gratifying.
erfrier|en *v/i.* freeze* to death; **2ung** *f* frost-bite.
erfrisch|en *v/t. u. v/refl.* refresh (o.s.); **2ung** *f* refreshment.
erfroren *adj. Finger etc.*: frostbitten; *Pflanzen*: killed by frost.
erfüll|en *fig. v/t. Wunsch, Pflicht, Aufgabe*: fulfil(l); *mit et.*: fill; *Versprechen*: keep*; *Zweck*: serve; *Bedingung*, *Erwartung*: meet*; *sich ~* be* fulfilled, come* true; **2ung** *f* fulfil(l)ment; *in ~ gehen* come* true.
ergänz|en *v/t.* complement (*einander* each other); *nachträglich hinzufügen*: supplement, add; **~end** *adj.* complementary, supplementary; **2ung** *f* completion; supplement, addition.
ergeben 1. *v/t.* amount *od.* come* to; **2.** *v/refl.* surrender; *Schwierigkeiten*: arise*; *sich ~ aus* result from; *sich ~ in* resign o.s. to; **2heit** *f* devotion.
Ergebnis *n* result, outcome; *Sport*: result, score; **2los** *adj.* fruitless, without result.
ergehen *v/i.*: *wie ist es dir ergangen?* how did things go with you?; *so erging es mir auch* the same thing happened to me; *et. über sich ~ lassen* (passively) suffer s.th.
ergiebig *adj.* productive, rich; **2keit** *f* (high) yield; productiveness.
er|gießen *v/refl.*: *sich ~ über* pour down on; **~grauen** *v/i.* turn grey.
ergreif|en *v/t.* seize, grasp, take* hold of; *Gelegenheit*, *Maßnahme*:

E

take*; *Beruf*: take* up; *fig.* move, touch; **≈ung** *f* capture, seizure.

Ergriffenheit *f* emotion.

ergründen *v/t.* find* out, fathom.

erhaben *adj.* raised, elevated; *fig.* sublime; ~ *sein über* be* above.

erhalten[1] *v/t.* get*, receive; *bewahren*: keep*; *unterstützen*: support, maintain.

erhalten[2] *adj.*: *gut* ~ in good condition.

erhältlich *adj.* obtainable.

er|hängen *v/t. u. v/refl.* hang (o.s.); **~härten** *v/t.* harden; *fig. a.* confirm.

erheb|en *v/t.* raise (*a. Stimme*), lift; *sich* ~ rise* (*gegen* against); **~lich** *adj.* considerable; **≈ung** *f Boden≈*: rise, elevation; *Statistik*: survey; *Aufstand*: revolt.

er|heitern *v/t.* cheer up, amuse; **~hellen** *v/t.* light* up; *fig.* throw* light upon; **~hitzen** *v/t.* heat; *sich* ~ get* hot; **~hoffen** *v/t.* hope for.

erhöh|en *v/t.* raise; *fig. steigern*: *a.* increase; **≈ung** *f* increase; *Boden*: elevation.

erhol|en *v/refl. genesen*: recover; *entspannen*: relax, rest; **~sam** *adj.* restful, relaxing; **≈ung** *f* recovery; relaxation.

erinner|n *v/t.*: *j-n* ~ *an* remind s.o. of; *sich* ~ *an* remember, recall; **≈ung** *f* memory (*an* of); *Andenken*: remembrance, souvenir; *an j-n*: keepsake; *zur* ~ *an* in memory of.

erkalten *v/i.* cool down (*a. fig.*).

erkält|en *v/refl.*: *sich* ~ catch* cold; *stark erkältet sein* have* a bad cold; **≈ung** *f* cold.

erkennen *v/t.* recognize (*an* by), know* (by); *verstehen*: see*, realize.

erkenntlich *adj.*: *sich (j-m)* ~ *zeigen* show* (s.o.) one's gratitude.

Erkenn|tnis *f* realization; *Entdekkung*: discovery; **~se** *pl.* findings *pl.*; **~ungsmelodie** ♪ *f* signature tune; **~ungszeichen** *n* badge; ✈ markings *pl.*

Erker *m* bay; **~fenster** *n* bay-window.

erklär|en *v/t.* explain (*j-m* to s.o.); *verkünden*: declare (*a.* ⚖); *j-n* (*offiziell*) *für* ... ~ pronounce s.o. ...; **~end** *adj. Worte etc.*: explanatory; **~lich** *adj.* explainable; **~t** *adj.* professed, declared; **≈ung** *f* explanation; declaration; *Wort≈*: definition; *e-e* ~ *abgeben* make* a statement.

erklingen *v/i.* (re)sound, ring* (out).

erkrank|en *v/i.* fall* ill, *Am. a.* get* sick; ~ *an* catch*, contract; **≈ung** *f* falling ill; illness, sickness.

erkunden *v/t.* explore.

erkundig|en *v/refl.* inquire (*über*, *nach* after); *Auskünfte einholen*: make* inquiries (about); *sich* (*bei j-m*) *nach dem Weg* ~ ask (s.o.) the way; **≈ung** *f* inquiry.

Erkundung *f* exploration; ⚔ reconnaissance (*a. in Zssgn*).

Erlagschein *östr. m* money-order form.

er|lahmen *fig. v/i.* slacken, wane, flag; **~langen** *v/t.* gain, obtain, reach.

Er|laß *m Verordnung*: rule, regulation, ordinance; *e-r Strafe etc.*: remission; **≈lassen** *v/t. Verordnung*: issue; *Gesetz*: enact; *j-m et.*: release *od.* dispense from.

erlauben *v/t.* allow, permit; *sich et.* ~ permit o.s. (*wagen*: dare) to do s.th.; *gönnen*: treat o.s. to s.th.

Erlaubnis *f* permission; *Befugnis*: authority; **~schein** *m* permit.

erläuter|n *v/t.* explain, illustrate; *kommentieren*: comment (up)on; **≈ung** *f* explanation, illustration; comment.

Erle ⚘ *f* alder(-tree).

erleb|en *v/t.* experience; *Schlimmes*: go* through; *mit ansehen*: see*; *Abenteuer, Überraschung, Freude etc.*: have*; *das werden wir nicht mehr* ~ we won't live to see that; **≈nis** *n* experience; *Abenteuer*: adventure; **~nisreich** *adj.* eventful.

erledig|en *v/t. allg.* take* care of, do*, handle; *Angelegenheit, Problem*: settle; F *j-n*: finish (*a. Sport*); *umbringen*: do* in; **~t** *adj.* finished, settled; *erschöpft*: worn out; *der ist* ~*!* he is done for; **≈ung** *f* settlement; **~en** *pl.* errands *pl.*; shopping *sg.*

erlegen *hunt. v/t.* shoot*, kill, bag.

erleichter|n *v/t.* ease, relieve; **~t** *adj.* relieved; **≈ung** *f* relief (*über* at).

er|leiden *v/t.* suffer (*a. fig.*); **~lernen** *v/t.* learn*.

erleucht|en *v/t.* illuminate; *fig.* enlighten; **≈ung** *fig. f* inspiration.

erliegen *v/i.* succumb to.

Erliegen *n*: *zum* ~ *kommen* (*bringen*) come* (bring*) to a standstill.

erlogen *adj.* false, a lie.

Erlös *m* proceeds *pl.*; *Gewinn*: profit(s *pl.*).
erloschen *adj. Vulkan*: extinct.
erlöschen *v/i.* go* out; *Gefühle*: die; ⚖ *auslaufen*: lapse, expire.
erlös|en *v/t.* deliver, free (*beide: von* from); **2er** *eccl. m* Saviour; **2ung** *f eccl.* salvation; *Erleichterung*: relief.
ermächtig|en *v/t.* authorize; **2ung** *f* authorization; *Befugnis*: authority.
ermahn|en *v/t.* admonish (*a. Schule*); *stärker*: reprove, warn (*a. Sport*); **2ung** *f* admonition; warning; *bsd. Sport*: (first) caution.
Ermangelung *f*: *in* ~ for want of.
ermäßig|t *adj.* reduced, cut; **2ung** *f* reduction, cut.
Ermessen *n* discretion; *nach eigenem* ~ at one's own discretion.
ermitt|eln 1. *v/t.* find* out; *bestimmen*: determine; **2.** *v/i. bsd.* ⚖ investigate; **2lung** *f* finding; ⚖ investigation.
ermöglichen *v/t.* make* possible.
ermord|en *v/t.* murder; *bsd. pol.* assassinate; **2ung** *f* murder; assassination.
ermüd|en *v/t. u. v/i.* tire, fatigue (*a.* ⊕); **2ung** *f* fatigue, tiredness.
er|muntern *v/t.* encourage; *anregen*: stimulate; **2munterung** *f* encouragement; *Anreiz*: incentive; **~mutigen** *v/t.* encourage; **2mutigung** *f* encouragement.
ernähr|en *v/t.* feed*; *Familie*: support; **2er** *m* breadwinner, supporter; **2ung** *f* nutrition, food.
ernenn|en *v/t.*: *j-n* ~ *zu* appoint s.o. (to be); **2ung** *f* appointment.
erneu|ern *v/t.* renew; **2erung** *f* renewal; **~t** *adv.* once more.
erniedrig|en *v/t.* humiliate; *sich* ~ degrade o.s.; **2ung** *f* humiliation.
Ernst *m* seriousness, earnest; *im* ~ (?) seriously (?); *ist das dein* ~? are you serious?
ernst, ~haft, ~lich *adj.* serious, earnest.
Ernte *f* harvest; *bsd. Ertrag*: crop(s *pl.*); **~dankfest** *n* harvest festival, *Am.* Thanksgiving (Day); **2n** *v/t.* harvest, reap (*a. fig.*).
ernüchter|n *v/t.* sober; *fig. a.* disillusion; **2ung** *f* sobering; disillusionment.
Erober|er *m* conqueror; **2n** *v/t.* conquer; **~ung** *f* conquest (*a. fig.*).
eröffn|en *v/t.* open; *feierlich*: *a.* inaugurate; disclose (*j-m* to s.o.); **2ung** *f* opening; inauguration; disclosure.
Erot|ik *f* eroticism, sex; **2isch** *adj.* erotic, sexy.
erörter|n *v/t.* discuss; **2ung** *f* discussion.
erpicht *adj.*: ~ *auf* keen on.
erpress|en *v/t.* blackmail; *Geständnis etc.*: extort; **2er(in)** blackmailer; **2ung** *f* blackmail(ing).
erproben *v/t.* try, test.
erquick|en *v/t.* refresh; **2ung** *f* refreshment.
er|raten *v/t.* guess; **~rechnen** *v/t.* calculate.
erreg|bar *adj.* excitable; *reizbar*: irritable; **~en** *v/t.* excite; *aufregen*: *a.* upset*; *sexuell*: *a.* arouse; *Gefühle*: rouse; *verursachen*: cause; **~end** *adj.* exciting, thrilling; **2er** ⚕ *m* germ, virus; **2ung** *f* excitement.
erreich|bar *adj.* within reach (*a. fig.*); *leicht* ~ within easy reach; *nicht* ~ out of reach; **~en** *v/t.* reach; *Zug etc.*: catch*; *Erfolg haben*: succeed in; *et.* ~ get* somewhere; *telefonisch zu* ~ *sein* be* on the (*Am.* have* a) phone.
erricht|en *v/t.* set* up, erect, raise; *fig.* establish; **2ung** *f* erection; *fig.* establishment.
er|ringen *v/t.* win*, gain; *Erfolg*: achieve; **~röten** *v/i.* blush.
Errungenschaft *f* achievement.
Ersatz *m* replacement; *auf Zeit*, *a. Person*: substitute; *Ausgleich*: compensation; *Schaden*2: damages *pl.*; *als* ~ *für* in exchange for; **~dienst** *m* alternative national service (for conscientious objectors); **~mann** *m* substitute (*a. Sport*); **~mine** *f* refill; **~mittel** *n* substitute, surrogate; **~reifen** *mot. m* spare tyre (*Am.* tire); **~teil** ⊕ *n* spare part.
erschaff|en *v/t.* create; **2ung** *f* creation.
erschallen *v/i.* (re)sound, ring* (out).
Erscheinen *n* appearance; *Buch*: *a.* publication.
erschein|en *v/i.* appear, F turn up; *Buch*: be* published, appear; **2ung** *f* appearance; *Geister*2: apparition; *Tatsache, Natur*2: phenomenon.
er|schießen *v/t.* shoot* (dead); **~schlaffen** *v/i. Person*: tire; *Muskel*: slacken (*a. fig.*); **~schlagen** *v/t.* kill, *bsd. lit.* slay*; **~schließen** *v/t.* open up; *Bauland*: develop.

erschöpf|en *v/t.* exhaust; **2ung** *f* exhaustion.
erschrecken 1. *v/t.* frighten, scare; **2.** *v/i.* be* frightened (*über* at); **~d** *adj.* alarming; *Anblick*: terrible.
erschütter|n *v/t.* shake*; *fig. a.* shock; *bewegen*: move; **2ung** *f* shock (*a. seelisch*); ⊕ vibration.
erschweren *v/t.* make* more difficult; *verschlimmern*: aggravate.
erschwing|en *v/t.* afford; **~lich** *adj.* within one's means; *Preise*: reasonable; *das ist für uns nicht ~* we can't afford that.
er|sehen *v/t.* see*, learn*, gather (*alle*: *aus* from); **~sehnen** *v/t.* long for; **~setzen** *v/t.* replace (*durch* by); *ausgleichen*: compensate for, make* up for (*a. Schaden, Verlust*).
ersichtlich *adj.* evident, obvious.
ersinnen *v/t.* contrive, devise.
erspar|en *v/t.* save; *j-m et. ~* spare s.o. s.th.; **2nisse** *pl.* savings *pl.*
erst *adv.* first; *anfangs*: at first; *~ jetzt* (*gestern*) only now (yesterday); *~ nächste Woche* not before *od.* until next week; *es ist ~ neun Uhr* it is only nine o'clock; *eben ~* just (now); *~ recht* all the more; *~ recht nicht* even less.
erstarr|en *v/i.* stiffen; *fig., a. Blut, Lächeln*: freeze*; **~t** *adj.* stiff; *vor Kälte*: numb.
erstatt|en *v/t. Geld*: refund; *Bericht*: make*; *Anzeige ~* report to the police; **2ung** *f* refund.
Erstaufführung *f thea.* first night *od.* performance, premiere; *Film*: *a.* first run.
erstaunen *v/t.* surprise, astonish.
Erstaun|en *n* surprise, astonishment; *in ~ setzen* astonish; **2lich** *adj.* surprising, astonishing; **2t** *adj.* astonished (*über* at).
erste *adj.* first; *auf den ~n Blick* at first sight; *fürs ~* for the time being; *als ~(r)* first; *zum ~n Mal(e)* for the first time.
erstechen *v/t.* stab.
erstens *adv.* first(ly), in the first place.
erstick|en *v/t. u. v/i.* choke, suffocate; **2ung** *f* suffocation.
erstklassig *adj.* first-class, F *a.* super.
erstreben *v/t.* strive* after *od.* for; **~swert** *adj.* desirable.
erstrecken *v/refl.* extend, stretch (*bis, auf* to; *über* over); *sich ~ über a.* cover.
ersuchen *v/t.* request.
Ersuchen *n* request.
er|tappen *v/t.* catch*, surprise; *s. frisch*; **~tönen** *v/i.* (re)sound.
Ertrag *m* yield, produce; ⚒ *a.* output; *Einnahmen*: proceeds *pl.*, returns *pl.*; **2en** *v/t. Schmerzen etc.*: bear*, endure; *Klima, Person*: *a.* stand*.
erträglich *adj.* bearable, tolerable.
er|tränken *v/t.* drown; **~trinken** *v/i.* (be*) drown(ed); **~übrigen** *v/t. Zeit etc.*: spare; *sich ~* be* unnecessary; **~wachen** *v/i.* wake* (up); *bsd. fig. Gefühle etc.*: awake*, awaken.
erwachsen[1] *v/i.* arise* (*aus* from).
erwachsen[2] *adj.* grown-up, adult; **2e(r)** adult, grown-up.
erwäg|en *v/t.* consider, think* *s.th.* over; **2ung** *f* consideration; *in ~ ziehen* take* into consideration.
erwähn|en *v/t.* mention; **2ung** *f* mention(ing).
erwärmen *v/t. u. v/refl.* warm (up); *fig. sich ~ für* warm to.
erwart|en *v/t.* expect; *Kind*: be* expecting; *warten auf*: wait for, await; **2ung** *f* expectation; **~ungsvoll** *adj.* hopeful, full of expectation.
er|wecken *fig. v/t.* awaken; *Verdacht, Gefühle*: arouse; **~wehren** *v/refl.* keep* *od.* ward off; **~weichen** *v/t.* soften; *fig. a.* move; **~weisen** *v/t. Dienst, Gefallen*: do*; *sich ~ als* prove to be.
erweiter|n *v/t. u. v/refl.* extend, enlarge; *bsd. econ.* expand; **2ung** *f* extension, enlargement, expansion.
Erwerb *m* acquisition; *Kauf*: purchase; *Einkommen*: income; **2en** *v/t.* acquire (*a. Wissen, Ruf etc.*); *kaufen*: purchase.
erwerbs|los *adj.* unemployed; **~tätig** *adj.* (gainfully) employed, working; **~unfähig** *adj.* disabled, unable to earn a living; **2zweig** *m* line of business, trade.
Erwerbung *f* acquisition; purchase.
erwider|n *v/t.* reply, answer; *Gruß, Besuch etc.*: return; **2ung** *f* reply, answer; return.
erwischen *v/t.* catch*, get* hold of.
erwünscht *adj.* desired; *wünschenswert*: desirable; *willkommen*: welcome.

erwürgen *v/t.* strangle.
Erwürgen *n* strangling, strangulation.
Erz ⚒ *n* ore.
erzähl|en *v/t.* tell*; *kunstvoll*: narrate; *man hat mir erzählt* I was told; **≈er(in)** narrator; **≈ung** *f* (short) story, tale.
Erz|bischof *eccl. m* archbishop; **~bistum** *eccl. n* archbishopric; **~engel** *eccl. m* archangel.
erzeug|en *v/t.* produce (*a. fig.*); *industriell*: *a.* make*, manufacture; ⚡ generate; *verursachen*: cause, create; **≈er** *econ. m* producer; **≈nis** *n* product (*a. fig.*); **≈ung** *f* production.
Erz|feind *m* arch-enemy; **~herzog** *m* archduke; **~herzogtum** *n* archduchy.
erziehe|n *v/t.* bring* up, rear, raise; *geistig*: educate; *j-n zu et.* ~ teach* s.o. to be *od.* to do s.th.; **≈r(in)** educator; *Lehrer(in)*: teacher; *Beruf*: nursery(-school) teacher; **~risch** *adj.* educational, pedagogic(al).
Erziehung *f* upbringing; *geistige*: education; **~sanstalt** *f bsd. Brt.* approved school, borstal, *bsd. Am.* reform school; **~sberechtigte(r)** parent or guardian; **~swesen** *n* educational system.
er|zielen *v/t.* *Ergebnis*, *Erfolg etc.*: achieve; *Sport*: score; **~zogen** *adj.*: *gut* (*schlecht*) ~ well-(ill-)bred, well-(ill-)mannered; **~zürnt** *adj.* angry; *stärker*: furious; **~zwingen** *v/t.* force.
es *pers. pron.* it; *Person*, *Tier bei bekanntem Geschlecht*: he; she; ~ *gibt* there is, there are; ~ *klopft* there is a knock; *ich bin* ~ it's me; *ich hoffe* ~ I hope so; *ich kann* ~ I can.
Esche ⚘ *f* ash(-tree).
Esel *m zo.* donkey; *bsd. fig.* ass; **~sbrücke** *f* mnemonic; **~sohr** *fig. n* dog-ear.
Eskorte *f* ⚔ escort; ⚓ *a.* convoy.
eßbar *adj.* eatable; *bsd. Pilz etc.*: edible.
essen *v/t. u. v/i.* eat*; *zu Mittag* ~ (have*) lunch; *zu Abend* ~ have* supper (*feiner*: dinner); *auswärts* ~ eat* *od.* dine out; *et. zu Mittag etc.* ~ have* s.th. for lunch *etc.*
Essen *n Nahrung*, *Verpflegung*: food; *Mahlzeit*: meal; *Gericht*: dish; *warmes Abend- od. Mittag≈*: dinner; **~smarke** *f* meal-ticket; **~szeit** *f* mealtime.
Essenz *f* essence.
Essig *m* vinegar.
Eß|löffel *m* tablespoon; **~tisch** *m* dining-table; **~zimmer** *n* dining-room.
Estrich *m arch.* flooring, subfloor; *Schweiz*: loft, attic, garret.
Etage *f* floor, stor(e)y; *auf der ersten* ~ on the first (*Am.* second) floor; **~nbett** *n* bunk bed.
Etappe *f* phase, stage (*a. Sport*); ⚔ base.
Etat *m* budget.
Eth|ik *f* ethics *pl.*, *sg.*; **≈isch** *adj.* ethical.
ethnisch *adj.* ethnic.
Etikett *n* label (*a. fig.*); (price) tag; **~e** *f* etiquette; **≈ieren** *v/t.* label.
etliche *indef. pron.* several, quite a few.
Etui *n* case.
etwa *adv. ungefähr*: about, *bsd. Am. a.* around; *nicht* ~ (,*daß*) not that; **~ig** *adj.* any.
etwas 1. *indef. pron.* something; *irgend* ~: anything; **2.** *adj.* some; any; **3.** *adv.* a little, somewhat.
euer *poss. pron.* your; *der* (*die*, *das*) *eu(e)re* yours.
Eule *zo. f* owl; *~n nach Athen tragen* carry coals to Newcastle.
euresgleichen *pron.* people like you, the likes of you.
Europä|er(in), ≈isch *adj.* European; *Europäische Gemeinschaft* (*abbr.* *EG*) European (Economic) Community (*abbr.* EEC).
Euroscheck *econ. m* Eurocheque.
Euter *n* udder.
evakuieren *v/t.* evacuate.
evangeli|sch *eccl. adj.* Protestant; *lutherisch*: Lutheran; **≈um** *n* gospel.
eventuell 1. *adj.* possible; **2.** *adv.* possibly, perhaps; ⚠ *nicht eventual(ly)*.
ewig *adj.* eternal; F *dauernd*: constant, endless; *auf* ~ for ever; **≈keit** *f* eternity; F *eine* ~ (for) ages.
exakt *adj.* exact, precise; **≈heit** *f* exactness, precision.
Examen *n* examination, F exam.
Exekutive *pol. f* executive (power).
Exemplar *n* specimen; *e-s Buches*: copy.
exerzier|en ⚔ *v/i. u. v/t.* drill; **≈platz** ⚔ *m* drill ground.
Exil *n* exile.

Existenz *f* existence; *Unterhalt*: living, livelihood; **~minimum** *n* subsistence level *od.* wage.
existieren *v/i.* exist; *(über)leben*: *a.* subsist (*von* on).
exklusiv *adj.* exclusive, select.
exotisch *adj.* exotic.
Expansion *f* expansion.
Expedition *f* expedition.
Experiment *n*, **2ieren** *v/i.* experiment.
Expert|e *m*, **~in** *f* expert (*für* on).
explo|dieren *v/i.* explode (*a. fig.*), burst*; **2sion** *f* explosion (*a. fig.*); **~siv** *adj.* explosive.
Export *m* export(ation); **2ieren** *v/t.* export.
extra *adj. u. adv.* extra; *gesondert*: *a.* separate(ly); F *absichtlich*: on purpose; ~ *für dich* (e)specially for you; **2blatt** *n* extra (edition).
Extrakt *m* extract.
extravagant *adj. fein*: stylish, sophisticated; *ausgefallen*: unconventional; *stärker*: eccentric.
Extrem *n*, 2 *adj.* extreme; **~ist(in), 2istisch** *adj.* extremist, ultra.
Exzellenz *f* Excellency.
exzentrisch *adj.* eccentric.
Exzeß *m* excess.

F

Fabel *f* fable (*a. fig.*); **2haft** *adj.* marvellous, great, terrific.
Fabrik *f* factory, works *sg., pl., bsd. Am. a.* shop; **~ant** *m Besitzer*: factory owner; *Hersteller*: manufacturer; **~arbeiter(in)** factory worker; **~at** *n* make, brand; *Erzeugnis*: product; **~ation** *f* manufacturing, production; **~ationsfehler** *m* flaw; **~besitzer** *m* factory owner; **~ware** *f* manufactured product(s *pl.*).
Fach *n Schrank2 etc.*: compartment, shelf; *in Wand, Kasten etc.*: box; *Schul-, Studien2*: subject; *s. Fachgebiet*; **~arbeiter(in)** skilled worker; **~arzt** *m*, **~ärztin** *f* specialist (*für* in); **~ausbildung** *f* professional training; **~ausdruck** *m* technical term; **~buch** *n* (specialized) textbook.
Fächer *m* fan.
Fach|gebiet *n* line, field; *Branche*: *a.* trade, business; **~geschäft** *n* dealer (specializing in ...); **~hochschule** *f appr.* (technical) college; *bsd. Brt.* polytechnic; **~kenntnisse** *pl.* specialized knowledge; **2kundig** *adj.* competent, expert; **~literatur** *f* specialized literature; **~mann** *m*, **2männisch** *adj.* expert; **~schule** *f* technical school *od.* college; **2simpeln** *v/i.* talk shop; **~werk** *arch. n* framework; **~werkhaus** *n* half-timbered house; **~zeitschrift** *f* (professional *od.* technical) journal.
Fackel *f* torch; **~zug** *m* torchlight procession.
fad(e) *adj. Essen*: tasteless, flat; *schal*: stale; *langweilig*: dull, boring.
Faden *m* thread (*a. fig.*); **2scheinig** *adj.* threadbare; *Ausrede*: flimsy.
fähig *adj.* capable (*zu* of [*doing*] *s.th.*), able (to *do s.th.*); **2keit** *f* (cap)ability; *Begabung*: talent, gift.
fahl *adj.* pale; *Gesicht*: *a.* ashen.
fahnd|en *v/i.* search (*nach* for); **2ung** *f* search.
Fahne *f* flag; *mst fig.* banner; F: *e-e ~ haben* reek of the bottle.
Fahnen|flucht *f* desertion; **~stange** *f* flagpole, flagstaff.
Fahr|bahn *f* road(way), *Am. a.* pavement; *Spur*: lane; **2bar** *adj.* mobile.
Fähre *f* ferry(boat).
fahren 1. *v/i. allg.* go*; *reisen*: *a.* travel; *verkehren*: run*; *ab~*: leave*, go*; *Auto ~*: drive*; *in od. auf e-m Fahrzeug*: ride*; *mit dem Auto (Zug, Bus etc.) ~* go* by car (train, bus *etc.*); *über e-e Brücke etc. ~* cross a bridge *etc.*; **2.** *v/t. Auto etc.*: drive*; *(Motor)Rad*: ride*; *Güter*: carry.
Fahrer *m* driver; **~flucht** *f* hit-and-run offen|ce, *Am.* -se; **~in** *f* driver.
Fahr|gast *m* passenger; **~geld** *n* fare; **~gestell** *n mot.* chassis; ✈ *s. Fahrwerk*; **~karte** *f* ticket; **~kartenschalter** *m* booking- *od.* ticket office; **2lässig** *adj.* careless, reckless (*a.*

⚖); *grob* ~ grossly negligent; **~lehrer** *m* driving instructor; **~plan** *m* timetable, *Am. a.* schedule; **2planmäßig 1.** *adj.* scheduled; **2.** *adv.* according to schedule; *pünktlich*: on time; **~preis** *m* fare; **~prüfung** *f* driving test; **~rad** *n* bicycle, F bike; *Zssgn s. Rad...*; **~schein** *m* ticket; **~schule** *f* driving school; **~schüler(in)** *mot.* learner (-driver); *Schule*: non-local student; **~stuhl** *m* lift, *Am.* elevator; **~stunde** *f* driving lesson.

Fahrt *f in od. auf e-m Fahrzeug*: ride; *mot. a.* drive; *Reise*: trip (*a. Ausflug*), journey; ⚓ voyage, trip, cruise; *Geschwindigkeit*: speed (*a.* ⚓); *in voller* ~ at full speed.

Fährte *f* track (*a. fig.*).

Fahr|wasser ⚓ *n* fairway; **~werk** ✈ *n* landing gear; **~zeug** *n* vehicle; ⚓ vessel.

Faktor *m* factor.

Fakultät *univ. f* faculty, department.

Falke *zo. m* hawk, falcon.

Fall *m* fall; *gr.*, ⚖, ⚕ case; *auf jeden (keinen)* ~ in any (no) case, by all (no) means; *für den* ~, *daß* ... in case ...; *gesetzt den* ~, *daß* suppose (that).

Falle *f* trap (*a. fig.*).

fallen *v/i.* fall* (*a. Regen etc.*), drop (*a.* ~ *lassen*); ⚔ be* killed (in action); *ein Tor fiel* a goal was scored.

fällen *v/t. Baum*: fell, cut* down; ⚖ *Urteil*: pass; *Entscheidung*: make*.

fallenlassen *v/t. Plan etc.*: drop.

fällig *adj.* due; *Geld*: *a.* payable.

Fall|obst *n* windfall; **~rückzieher** *m* falling overhead kick.

falls *cj.* if, in case; ~ *nicht* unless.

Fallschirm *m* parachute; **~jäger** ⚔ *m* paratrooper; **~springen** *n* parachuting; *Sport*: *mst* sky-diving; **~springer(in)** parachutist; skydiver.

falsch *adj. u. adv.* wrong; *unwahr, unecht*: false (*a. Freund, Name, Bescheidenheit etc.*); *gefälscht*: forged; ~ *gehen Uhr*: be* wrong; *et.* ~ *aussprechen* (*schreiben, verstehen etc.*) mispronounce (misspell*, misunderstand* *etc.*) s.th.; ~ *verbunden! teleph.* sorry, wrong number.

fälsche|n *v/t.* forge, fake; *Geld*: *a.* counterfeit; **2r** *m* forger.

Falsch|geld *n* counterfeit *od.* false money; **~münzer** *m* counterfeiter; **~spieler(in)** cheat, cheater.

Fälschung *f* forgery; counterfeit.

Falt|... *in Zssgn Bett, Boot etc.*: folding ...; **~e** *f* fold; *Knitter2, Runzel*: wrinkle; *Rock2*: pleat; *Bügel2*: crease; **2en** *v/t.* fold; **~enrock** *m* pleated skirt; **2ig** *adj.* wrinkled.

familiär *adj. zwanglos*: informal, personal; ⚠ *nicht familiar*; **~e** *Gründe* family reasons.

Familie *f* family (*a. zo.*, ⚘).

Familien|angelegenheit *f* family affair; **~anschluß** *m*: ~ *haben* live as one of the family; **~name** *m* family name, surname, *Am. a.* last name; **~packung** *f* family size (package); **~planung** *f* family planning; **~stand** *m* marital status; **~vater** *m* family man.

Fanati|ker(in), 2sch *adj.* fanatic; **~smus** *m* fanaticism.

Fanfare *f* trumpet; *Stoß*: fanfare.

Fang *m* catch (*a. fig.*); **2en** *v/t.* catch* (*a. fig.*); **~en** *n*: ~ *spielen* play catch (*Am.* tag); **~zahn** *m* fang.

Farb|band *n* (typewriter) ribbon; **~e** *f* colo(u)r; *Mal2*: paint; *Gesichts2*: complexion; *Bräune*: tan; *Kartenspiel*: suit; **2echt** *adj.* colo(u)r-fast.

färben *v/t.* dye; *bsd. fig.* colo(u)r; *sich rot* ~ turn red.

farben|blind *adj.* colo(u)r-blind; **~froh** *adj.* colo(u)rful.

Farb|fernsehen *n* colo(u)r television; **~fernseher** *m* colo(u)r TV set; **~film** *m* colo(u)r film.

farbig *adj.* colo(u)red; *Glas*: stained; *fig.* colo(u)rful.

Farbige *m, f* colo(u)red person *od.* (wo)man; *die* **~n** (the) colo(u)red people, *bsd. Am.* the Blacks.

farb|los *adj.* colo(u)rless (*a. fig.*); **2photographie** *f* colo(u)r photography; *Bild*: colo(u)r photo(graph); **2stift** *m* colo(u)red pencil, crayon; **2stoff** *m* colo(u)ring matter; ⊕ dye(-stuff); **2ton** *m* shade, tint.

Färbung *f* colo(u)ring; dyeing; *leichte Tönung*: shade.

Farnkraut ⚘ *n* fern.

Fasan *zo. m* pheasant.

Fasching *m* carnival, Shrovetide.

Faschis|mus *pol. m* fascism; **~t** *m*, **2tisch** *adj.* fascist.

faseln *v/i.* blether, waffle, drivel.

Faser *f anat.*, ⚘, *fig.* fib|re, *Am.* -er; *Woll2 etc.*: staple; *Holz2*: grain; **2ig**

F

adj. fibrous; **2n** *v/i. Stoff etc.*: fray (out).
Faß *n* cask, barrel; *vom ~* on tap *od.* draught (*Am.* draft); **~bier** *n* draught (*Am.* draft) beer.
Fassade *arch. f* facade, front (*a. fig.*).
fassen 1. *v/t.* seize, grasp, take* hold of; *Verbrecher*: catch*; *enthalten*: hold*, take*; *Schmuck*: set*; *begreifen*: grasp, understand*, believe; *Mut*: pluck up; *Entschluß*: make*; *sich ~* compose o.s.; *sich kurz ~* be* brief; **2.** *v/i.*: *~ nach* reach for.
Fassung *f Schmuck*: setting; *Brillen2*: frame; ⚡ socket; *schriftlich*: draft(ing); *Wortlaut*: wording, version; *seelische*: composure; *die ~ verlieren* lose* one's temper; *aus der ~ bringen* upset*, shake*; **~svermögen** *n* capacity (*a. fig.*).
fast *adv.* almost, nearly; *~ nie (nichts)* hardly ever (anything).
fasten *v/i.* fast; **2zeit** *eccl. f* Lent.
Fastnacht *f* carnival, Shrovetide.
fatal *adj.* unfortunate; *peinlich*: awkward; *verhängnisvoll*: disastrous; ⚠ *nicht fatal*.
fauchen *v/i.* spit* (*a.* F *fig.*).
faul *adj.* rotten, bad; *Fisch, Fleisch*: *a.* spoiled; *fig.* lazy, idle; *verdächtig*: fishy; *~e Ausrede* lame excuse; **~en** *v/i.* rot, go* bad; *verwesen*: decay.
faulenze|n *v/i.* laze, loaf (about); **2r** *m* lazy fellow, sluggard, lazy-bones; *Bummler*: slacker, loafer.
Faulheit *f* laziness, idleness.
Fäulnis *f* rottenness, decay (*a. fig.*).
Faul|pelz *m s. Faulenzer*; **~tier** *zo. n* sloth; *fig. s. Faulenzer*.
Faust *f* fist; *auf eigene ~* on one's own initiative; **~handschuh** *m* mitt(en); **~regel** *f* rule of thumb; **~schlag** *m* punch, blow (with the fist).
Favorit(in) favo(u)rite.
Feber *östr. m*, **Februar** *m* February.
fechten *v/i.* fence; *fig.* fight*.
Fechten *n Sport*: fencing.
Feder *f* feather; *Schmuck2*: *a.* plume; *Schreib2*: (pen-)nib: ⊕ spring; **~ball** *m Sport*: badminton; *Ball*: shuttlecock; **~bett** *n* eiderdown, quilt, *Am. a.* comforter; **~gewicht** *n Sport*: featherweight; **~halter** *m* penholder; **2leicht** *adj.* (as) light as a feather; **2n** *v/i.* be* springy; **2nd** *adj.* springy, elastic; **~strich** *m* stroke of the pen; **~ung** ⊕ *f* resilience; *e-e gute ~ haben* be* well sprung; **~zeichnung** *f* pen-and-ink (drawing).
Fee *f* fairy.
fegen *v/t. u. v/i.* sweep* (*a. fig.*).
fehl *adj.*: *~ am Platze* out of place; **2betrag** *m* deficit; **~en** *v/i. nicht da, verschwunden sein*: be* missing; *Schule etc.*: be* absent; *ihm fehlt (es an)* he is lacking; *du fehlst uns* we miss you; *was dir fehlt, ist* what you need is; *was fehlt Ihnen?* what's wrong with you?; **2en** *n* absence (*in, bei* from); *Mangel*: lack.
Fehler *m* mistake, error, F slip; *Charakter2, Schuld, Mangel*: fault; ⊕ *a.* defect, flaw; **2frei** *adj.* faultless, perfect, flawless; **2haft** *adj.* faulty, full of mistakes; ⊕ defective.
Fehl|geburt *f* miscarriage; **~konstruktion** *f* failure, F lemon; **~schlag** *fig. m* failure; **2schlagen** *fig. v/i.* fail; **~start** *m* false start (*a. fig.*); **~tritt** *m* false step, slip; *fig.* slip, lapse; **~zündung** *mot. f* misfire, backfire (*a. ~ haben*).
Feier *f* celebration; party; **~abend** *m* finishing *od.* closing time; *~ machen* finish, F knock off; *machen wir ~!* let's call it a day!; **2lich** *adj.* solemn; *festlich*: festive; **~lichkeit** *f* solemnity; *Feier*: ceremony; **2n** *v/t. u. v/i.* celebrate; have* a party; **~tag** *m* holiday; *fig.* red-letter day.
feig(e) *adj.* cowardly, F chicken.
Feige ♀ *f* fig.
Feig|heit *f* cowardice; **~ling** *m* coward.
Feile *f*, **2n** *v/t. u. v/i.* file.
feilschen *v/i.* haggle (*um* about, over).
fein *adj.* fine; *Qualität*: *a.* choice, excellent; *Gehör etc.*: keen; *zart*: delicate; *vornehm*: distinguished, F posh (*a. Kleidung, Restaurant etc.*); F *prima*: fine, great.
Feind|(in) enemy (*a.* ⚔); **2lich** *adj.* hostile; ⚔ *Truppen etc.*: enemy; **~schaft** *f* hostility; **2selig** *adj.* hostile (*gegen* to); **~seligkeit** *f* hostility.
fein|fühlig *adj.* sensitive; *taktvoll*: tactful; **2gefühl** *n* sensitiveness; tact; **2heit** *f* fineness; *des Gehörs etc.*: keenness; *Zartheit*: delicacy; *~en pl.* niceties *pl.*; *Einzelheiten*: details *pl.*; **2kostgeschäft** *n* delicatessen *sg.*; **2mechanik** *f* precision mechanics

pl.; 2**mechaniker(in)** precision mechanic; 2**schmecker(in)** gourmet.
feist *adj.* fat, stout.
Feld *n* field (*a. fig.*); *Schach*: square; **~arbeit** *f* agricultural work; **~bett** *n* camp-bed; **~flasche** *f* water-bottle; **~herr** *m* general; **~lazarett** ⚔ *n* field hospital; **~lerche** *zo. f* skylark; **~marschall** *m* Field Marshal; **~stecher** *m* field-glasses *pl.*; **~webel** *m* sergeant; **~weg** *m* (field) path; **~zug** *m* ⚔ campaign (*a. fig.*).
Felge *f* rim; **~nbremse** *f* rim brake.
Fell *n* coat; *abgezogenes*: skin, fur; das ~ abziehen skin (*a. fig.*).
Fels|**(en)** *m* rock; 2**ig** *adj.* rocky.
femin|**in** *adj.* feminine (*a. gr.*); 2**istin** *f*, **~istisch** *adj.* feminist.
Fenchel ⚘ *m* fennel.
Fenster *n* window; **~brett** *n* window-sill; **~flügel** *m* casement; **~laden** *m* shutter; **~rahmen** *m* window-frame; **~scheibe** *f* (window-)pane.
Ferien *pl.* holiday(s *pl.*), *bsd. Am.* vacation; in ~ sein (fahren) be* (go*) on holiday.
Ferkel *n* piglet; *fig.* pig.
fern *adj. u. adv.* far(-away), far-off, distant (*a. Zukunft etc.*); von ~ from a distance.
Fern|**amt** *teleph. n* trunk (*Am.* long-distance) exchange; **~bedienung** *f* remote control.
fernbleiben *v/i.* stay away (*dat.* from).
Fern|**e** *f* distance; aus der ~ from a distance; *von weit her*: from afar; in der ~ far away (from home); 2**er** *adv.* further(more), in addition, also; ~ liefen ... also ran ...; **~fahrer** *m* long-distance lorry driver, *Am.* long-haul truck driver, F trucker; **~gespräch** *teleph. n* trunk (*bsd. Am.* long-distance) call; 2**gesteuert** *adj.* remote-controlled; *Rakete*: guided; **~glas** *n* binoculars *pl.*; 2**halten** *v/t. u. v/refl.* keep* away (von from); **~heizung** *f* district heating; **~kurs(us)** *m* correspondence course; **~laster** F *mot. m* long-distance lorry, *Am.* long-haul truck; **~licht** *mot. n* main (*Am.* high) beam; 2**liegen** *v/i.*: es liegt mir fern zu far be it from me to; **~melde...** *in Zssgn Amt, Satellit etc.*: (tele)communications ...; **~rohr** *n* telescope; **~schreiben** *n*, **~schreiber** *m* telex; **~sehen** *n* television (im on); 2**sehen** *v/i.* watch television; **~seher** *m* television *od.* TV set; *Person*: television viewer, televiewer; *pl. coll.* television audience *sg.*; **~sehschirm** *m* (TV) screen; **~sehsendung** *f* television broadcast *od.* program(me), telecast.
Fernsprechamt *n* telephone exchange, *Am. a.* central; *weitere Zssgn s.* Telephon.
Fern|**steuerung** *f* remote control; **~verkehr** *m* long-distance traffic.
Ferse *f* heel (*a. fig.*).
fertig *adj. bereit*: ready; *beendet*: finished; (mit et.) ~ sein have* finished (s.th.); mit et. ~ werden *Problem etc.*: cope *od.* deal* with, manage; **~bringen** *v/t.* bring* about, manage; 2**gericht** *n* instant meal; 2**haus** *arch. n* prefab(ricated house); 2**keit** *f* skill; **~machen** *v/t.* finish (*a. fig. j-n*); *für et.*: get* *s.th. od. s.o.* ready; sich ~ get* ready; 2**stellung** *f* completion; 2**waren** *pl.* finished products *pl.*
fesch *adj.* smart, neat, natty, chic.
Fessel *f* ties *pl.*; *Ketten*: bonds *pl.*, chains *pl.* (*alle a. fig.*); *anat.* ankle; 2**n** *v/t.* bind*, tie (up); *fig.* fascinate.
fest *adj.* firm (*a. fig.*); *nicht flüssig*: solid; *~gelegt*: fixed; *gut befestigt*: fast; *Schlaf*: sound; *Freund(in)*: steady; ~ schlafen be* fast asleep.
Fest *n* festival, feast (*beide a. eccl.*); *Feier*: celebration; party; *bsd. im Freien*: fête; frohes ~! happy holiday!
fest|**binden** *v/t.* fasten, tie (an to); 2**essen** *n* banquet, feast; **~fahren** *v/refl.* get* stuck; 2**halle** *f* (festival) hall; **~halten 1.** *v/i.*: ~ an stick* to; **2.** *v/t.* hold* on to; hold* *s.o. od. s.th.* tight; sich ~ an hold* on to; **~igen** *v/t.* strengthen; sich ~ grow* firm *od.* strong; 2**igkeit** *f* firmness; *Haltbarkeit*: strength; 2**land** *n* mainland; *bsd. europäisches*: Continent; **~legen** *v/t.* fix, set*; sich auf et. ~ commit o.s. to s.th.; **~lich** *adj.* festive; *feierlich*: ceremonial; **~machen** *v/t.* fasten, fix (an to); ⚓ moor; *vereinbaren*: arrange; 2**nahme** *f*, **~nehmen** *v/t.* arrest; **~schrauben** *v/t.* screw (on) tight; **~setzen** *v/t.* fix, set*; 2**spiel** *n* festival; **~stehen** *v/i.* stand* firm; *fig.* be* certain; *Plan, Termin*: be* fixed; **~stehend** *adj.* fixed, stationary; *Tatsache etc.*: established; *Regel, Redensart*: standing; **~stellen** *v/t.* find* (out); *ermitteln*: establish, determine; *wahrnehmen*: see*, notice; ⊕ lock, arrest;

grease.
fett *adj.* fat (*a. fig.*); **2fleck** *m* grease spot; **~gedruckt** *adj.* in bold type; **~ig** *adj.* greasy; **2kloß, 2wanst** F *m* fatty, *bsd. Am.* fatso.
Fetzen *m* shred; *Lumpen*: rag; *ein ~ Papier* a scrap of paper.
feucht *adj.* moist, damp; *Luft*: *a.* humid; **2igkeit** *f* moisture; *e-s Ortes etc.*: dampness; *Luft2*: humidity.
feudal *adj. pol.* feudal; F *fig.* posh.
Feuer *n* fire (*a. fig.*); *zum Anzünden*: light; *~ fangen* catch* fire; *fig.* fall* for *s.o.*; **~alarm** *m* fire alarm; **~bestattung** *f* cremation; **~eifer** *m* ardo(u)r; **2fest** *adj.* fireproof, fire-resistant; **~gefahr** *f* danger of fire; **2gefährlich** *adj.* inflammable; **~leiter** *f* fire-escape; **~löscher** *m* fire extinguisher; **~melder** *m* fire alarm.
feuer|n *v/i. u. v/t.* fire (*a. fig.*); **~rot** *adj.* fiery (red); *Gesicht etc.*: crimson.
Feuer|schiff ⚓ *n* lightship; **~stein** *m* flint; **~stoß** ⚔ *m* burst of (gun-)fire; **~versicherung** *f* fire insurance (company); **~wache** *f* fire station; **~waffe** *f* firearm, gun; **~wehr** *f* fire-brigade, *Am. a.* fire department; **~wehrmann** *m* fireman; **~werk** *n* fireworks *pl.*; **~werkskörper** *m* firework; **~zeug** *n* (cigarette-)lighter.
feurig *adj.* fiery, ardent.
Fiasko *n* (complete) failure, fiasco.
Fibel *f* primer, first reader.
Fiber *f* fib|re, *Am. a.* -er; **~glas** *n* fib|re (*Am. a.* -er) glass.
Fichte ⚘ *f* spruce, F *mst* pine *od.* fir (tree); **~nnadel** *f* pine needle.
ficken V *v/i. u. v/t.* fuck.
fidel *adj.* cheerful, merry, jolly.
Fieber *n* temperature, fever; *~ haben* have* *od.* run* a temperature; **2haft** *adj.* feverish (*a. fig.*); **2n** *v/i.* have* *od.* run* a temperature; *fig.* be* feverish (*vor* with); *~ nach* yearn for; **2senkend** ⚕ *adj.* antipyretic; **~thermometer** *n* clinical thermometer.
fies F *adj.* nasty, filthy, dirty.
Figur *f* figure (*a. fig.*).
Filet *n Lendenstück etc.*: fil(l)et.
Filiale *f* branch.
Film *m* film; *Spiel2*: *a.* (motion) picture, *bsd. Am.* movie; **~gesellschaft** *f* film (*Am.* motion-picture) company; **~kamera** *f* film (*Am.* motion-picture) camera; **~kassette** *f* film magazine, cartridge; **~regisseur** *m* film director; **~schauspieler(in)** film *od.* screen (*bsd. Am.* movie) act|or (-ress); **~streifen** *m* film strip; **~studio** *n* film studio(s *pl.*); **~theater** *n s. Kino*; **~verleih** *m* film distributors *pl.*; **~vorstellung** *f* film (*bsd. Am.* movie) performance, *Am. a.* (picture) show.
Filter *m*, *bsd.* ⊕ *n* filter; **~kaffee** *m* percolated *od.* filter(ed) coffee; **2n** *v/t.* filter, filtrate; **~zigarette** *f* filter(-tipped) cigarette, filter-tip.
Filz *m* felt; **2en** F *v/t.* frisk.
Finanz|amt *n allg.* tax office; *Brt.* Inland (*Am.* Internal) Revenue; **~en** *pl.* finances *pl.*; **2iell** *adj.* financial; **2ieren** *v/t.* finance; **~lage** *f* financial position; **~minister** *m allg.* minister of finance; *Brt.* Chancellor of the Exchequer, *Am.* Secretary of the Treasury; **~ministerium** *n allg.* ministry of finance; Treasury Board (*Am.* Department); **~wesen** *n* finances *pl.*; financial matters *pl.*
Findelkind *n* foundling.
finden *v/t.* find*; *der Ansicht sein*: think*, believe; *ich finde ihn nett* I think he's nice; *wie ~ Sie ...?* how do you like ...?; *~ Sie (nicht)?* do (don't) you think so?; *das wird sich ~* we'll see.
Finder|(in) finder; **~lohn** *m* finder's reward.
Finger *m* finger; **~abdruck** *m* fingerprint; **~fertigkeit** *f* manual skill; **~hut** *m* thimble; ⚘ foxglove; **~spitze** *f* fingertip; **~spitzengefühl** *fig. n* sure instinct; tact; **~übung** ♪ *f* finger exercise; **~zeig** *m* hint, tip, pointer.
Fink *zo. m* finch.
Finn|e *m*, **~in** *f* Finn; **2isch** *adj.* Finnish.
finster *adj.* dark; *düster*: gloomy, sombre; *Miene*: grim; *fragwürdig*: shady; **2nis** *f* darkness, gloom.
Firma *econ. f* firm, business, company.
firmen *eccl. v/t.* confirm.
Firn *n* firn, névé.

First *arch. m* ridge.
Fisch *m* fish; ~*e fangen* catch* fish; ~**dampfer** *m* trawler; 2**en** *v/t. u. v/i.* fish; ~**er** *m* fisherman; ~**erboot** *n* fishing boat; ~**erdorf** *n* fishing village; ~**fang** *m* fishing; ~**gräte** *f* fishbone; ~**grät(enmuster)** *n* herring-bone (pattern); ~**gründe** *pl.* fishing grounds *pl.*; ~**händler** *m* fish dealer, *bsd. Brt.* fishmonger; ~**kutter** *m* smack; ~**laich** *m* spawn; ~**stäbchen** *n* fish finger; ~**vergiftung** ⚕ *f* fish poisoning; ~**zucht** *f* fish-farming; ~**zug** *m* catch *od.* haul (of fish).
Fisole *östr. f* string bean.
Fistel ⚕ *f* fistula; ~**stimme** *f* falsetto (*a.* ♪).
fix *adj. fest(gelegt)*: fixed (*a. Idee*); *flink*: quick; *aufgeweckt*: smart, bright; ~**en** *sl. v/i.* shoot*, fix; 2**er(in)** *sl.* junkie, mainliner; ~**ieren** *v/t.* fix (*a. phot.*); *j-n*: stare at; 2**stern** *ast. m* fixed star.
FKK *abbr. f* nudism; *in Zssgn Strand etc.*: nudist.
flach *adj.* flat; *eben*: *a.* level, even, plane; *nicht tief, fig. oberflächlich*: shallow.
Fläche *f Ober*2: surface (*a.* ⩕); *Gebiet*: area (*a. geom.*); *weite* ~: expanse, space; ~**ninhalt** ⩕ *m* (surface) area; ~**nmaß** *n* square *od.* surface measure.
Flachland *n* lowland, plain.
Flachs ⚘ *m* flax.
flackern *v/i.* flicker (*a. fig.*).
Fladen *m* flat cake.
Flagge *f* flag; 2**n** *v/i.* fly* a flag *od.* flags.
Flak ⚔ *f* anti-aircraft gun.
Flamme *f* flame (*a. Herd u. fig.*).
Flanell *m* flannel.
Flank|e *f* flank, side; *Fußball*: cross; *Turnen*: flank vault; 2**ieren** *v/t.* flank.
Flasche *f* bottle; *Säuglings*2: feeding-bottle; ~**nbier** *n* bottled beer; ~**nhals** *m* neck of a bottle; ~**nöffner** *m* bottle-opener; ~**npfand** *n* (bottle) deposit; ~**nzug** ⊕ *m* block and tackle, pulley.
flatter|haft *adj.* fickle, flighty; ~**n** *v/i.* flutter (*a. fig.*, ⊕); *Räder*: wobble.
flau *adj. unwohl*: queasy; *Stimmung, Geschmack*: dull; *Brise, Markt*: slack.
Flaum *m* down, fluff, fuzz.
Flausch *m* pilot-cloth; 2**ig** *adj.* fluffy.
Flausen F *pl.* (funny) ideas *pl.*
Flaute *f* ⚓ calm; *bsd. econ.* slack period.
Flecht|e *f* braid, plait; ⚘, ⚕ lichen; 2**en** *v/t. Haare, Bänder etc.*: braid, plait; *Korb, Kranz etc.*: weave*; *Blumen*: wreath; *Seil*: twist; ~**werk** *n* wickerwork.
Fleck *m Schmutz*2, *Farb*2 *etc.*: spot, stain, mark; *kleiner*: speck; *Punkt*: dot; *Klecks*: blot(ch); *Ort, Stelle*: place, spot; *Flicken, Fläche*: patch; *blauer* ~ bruise; ~**en** *m s. Fleck*; *hist.* small (market-)town; ~**entferner** *m* stain remover; 2**enlos** *adj.* spotless (*a. fig.*); 2**ig** *adj.* spotted; *schmutzig*: *a.* stained, soiled.
Fledermaus *zo. f* bat.
Flegel *fig. m* lout, boor; 2**haft** *adj.* rude, ill-mannered, loutish.
flehen *v/i.* beg; pray (*um* for); ~**tlich** *adj.* imploring, entreating.
Fleisch *n Nahrung*: meat; *lebendes*: flesh (*a. fig.*); ~**brühe** *f* (meat) broth, consommé, beef tea; ~**er** *m* butcher; ~**erei** *f* butcher's (shop); 2**fressend** *adj.* carnivorous; ~**hauer** *östr. m* butcher; 2**ig** *adj.* fleshy; *Tier*: meaty; ⚘ pulpy; ~**klößchen** *n* meatball; ~**konserven** *pl.* tinned (*Am.* canned) meat; 2**lich** *adj. Begierden etc.*: carnal, of the flesh; 2**los** *adj.* meatless; ~**vergiftung** *f* meat poisoning; ~**wolf** *m* mincer, *Am.* meat grinder; ~**wunde** *f* flesh wound.
Fleiß *m* effort, hard work (*beide a. Schule*), industry, diligence; 2**ig** *adj.* hard-working, industrious, diligent; ~ *sein od. arbeiten* work hard.
fletschen *v/t. Zähne*: bare.
flexib|el *adj.* flexible; 2**ilität** *f* flexibility.
flicken *v/t.* mend, repair; *notdürftig, a. fig.*: patch (up).
Flick|en *m* patch; ~**flack** *m* flip-flop; ~**werk** *n* patchwork (*a. fig.*); ~**zeug** *n Fahrrad*: repair kit.
Flieder ⚘ *m* lilac.
Fliege *f zo.* fly; *Krawatte*: bow-tie.
fliegen *v/i. u. v/t.* fly* (*a.* ~ *lassen*); *fig.* be* fired, get* the sack; *Schule*: be* kicked out; *in die Luft* ~ blow* up.
Fliegen *n* flying; *Luftfahrt*: aviation.
Fliegen|fänger *m* fly-paper, fly-strip; ~**gewicht** *n Sport*: flyweight; ~**gitter** *n* wire mesh (screening);

F

sprinter; **~alarm** ⚔ *m* air-raid warning; **~in** *f* (woman) flier *od.* pilot.

flieh|en *v/i.* flee*, run* away (*beide*: vor from); **≈kraft** *phys. f* centrifugal force.

Fliese *f*, **≈n** *v/t.* tile; **~nleger** *m* tiler.

Fließ|band *n* assembly line; *Förderband*: conveyor belt; **≈en** *v/i.* flow (*a. fig.*); *Leitungswasser, Schweiß, Blut*: run*; **≈end 1.** *adj.* flowing; *Leitungswasser*: running; *Sprache*: fluent; **2.** *adv.*: er spricht ~ Deutsch he speaks German fluently *od.* fluent German; **~heck** *mot. n* fastback.

flimmern *v/i.* glimmer, glitter; *Fernsehen, Film*: flicker.

flink *adj.* quick, nimble; *Zunge*: ready.

Flinte *f Schrot≈*: shotgun; F *allg.* gun.

Flipper F *m* pin-ball machine; ⚠ nicht flipper; **≈n** *v/i.* play pin-ball.

Flirt *m* flirtation; **≈en** *v/i.* flirt.

Flittchen F *n* hussy, slut, floozie.

Flitter *m* tinsel (*a. fig.*), spangles *pl.*; **~kram** *m* cheap finery; **~wochen** *pl.* honeymoon *sg.*

flitzen F *v/i.* flit, whizz, shoot*.

Flock|e *f* flake; **≈ig** *adj.* fluffy, flaky.

Floh *zo. m* flea; **~markt** *m* flea market.

Florett *n* foil.

florieren *v/i.* flourish, prosper.

Floskel *f* empty *od.* cliché(d) phrase.

Floß *n* raft, float.

Flosse *f* fin; *Robbe, Schwimm≈*: flipper.

Flöte ♪ *f* flute; *Block≈*: recorder.

flott *adj. Tempo*: brisk; *schick*: smart; *Wagen*: *a.* racy; ⚓ afloat.

Flotte *f* ⚓ fleet; *Marine*: navy; **~nstützpunkt** ⚔ *m* naval base.

Fluch *m* curse; *Schimpfwort*: *a.* swear-word; **≈en** *v/i.* swear*, curse.

Flucht *f* flight (vor from); *erfolgreiche*: escape, getaway (aus from); **≈artig** *adv.* hastily.

flücht|en *v/i.* flee* (nach, zu to), run* away; *entkommen*: escape, get* away; **~ig** *adj. Gefangener etc.*: on the run, at large; *oberflächlich*: superficial; *nachlässig*: careless; ~er Blick glance; ~er Eindruck glimpse; **≈igkeitsfehler** *m* slip; **≈ling** *m* fugitive; missile; **~bahn** *f e-r Rakete etc.*: trajectory; ✈ flight path; **~ball** *m Sport*: volley; **~blatt** *n* handbill, leaflet; **~boot** ✈ *n* flying boat, seaplane; **~dienst** ✈ *m* air service.

Flügel *m* wing; *Propeller≈ etc.*: *a.* blade; *Windmühlen≈*: sail; ♪ grand piano; **~mutter** ⊕ *f* wing nut; **~schraube** ⊕ *f* thumb screw; **~stürmer** *m* wing forward; **~tür** *arch. f* folding door.

Fluggast *m* (air) passenger.

flügge *adj.* (full-)fledged.

Flug|gesellschaft *f* airline; **~hafen** *m* airport; **~körper** ✈ flying object; ⚔ missile; **~linie** *f* ✈ air route; *s.* Fluggesellschaft; **~lotse** *m* air-traffic controller; **~platz** *m* airfield; *s.* Flughafen; **~schreiber** *m* flight recorder; **~sicherung** *f* air-traffic control.

Flugzeug *n* aircraft, (aero)plane, *bsd. Am. a.* airplane; mit dem ~ by air *od.* plane; **~absturz** *m* air *od.* plane crash; **~entführung** *f* hijacking, skyjacking; **~halle** *f* hangar; **~träger** *m* aircraft carrier.

Flunder *zo. f* flounder.

flunkern *v/i.* fib; *aufschneiden*: brag.

Flur 1. *f* field; **2.** *m* hall; *Gang*: corridor.

Fluß *m* river; *kleiner*: stream; *das Fließen*: flow (*a. fig.*); **≈abwärts** *adv.* downstream; **≈aufwärts** *adv.* upstream; **~bett** *n* river bed; **~dampfer** *m* steamboat.

flüssig *adj.* liquid; *geschmolzen*: melted; *Stil, Schrift etc.*: fluent; *Geld*: available; **≈keit** *f* liquid; *Zustand*: liquidity; fluency.

Fluß|lauf *m* course of a river; **~pferd** *zo. n* hippo(potamus); **~schiffahrt** *f* river navigation *od.* traffic; **~ufer** *n* riverbank, riverside.

flüstern *v/i. u. v/t.* whisper.

Flut *f* flood (*a. fig.*); *Hochwasser*: high tide; es ist ~ the tide is in; **≈en** *v/i. u. v/t.* flood; **~licht** ⚡ *n* floodlight; **~welle** *f* tidal wave.

Fohlen *zo. n* foal; *männliches*: colt; *weibliches*: filly.

Folge *f Ergebnis*: result, consequence; *Wirkung*: effect; *Aufeinander≈*: succession; *Reihen≈*: order;

Serie: series (*a. TV etc.*); *Fortsetzung*: episode; (*negative*) *Auswirkung*: after-effect(s *pl.*), aftermath.
folgen *v/i.* follow; *gehorchen*: obey; *hieraus folgt, daß* from this it follows that; *wie folgt* as follows; **~dermaßen** *adv.* as follows; **~schwer** *adj.* of grave consequence, grave.
folger|n *v/t.* conclude (*aus* from); **2ung** *f* conclusion (*ziehen* draw*).
folg|lich *cj.* consequently, thus, therefore; **~sam** *adj.* obedient.
Folie *f* foil; *Schule etc.*: transparency.
Folter *f* torture; *auf die ~ spannen* tantalize; **2n** *v/t.* torture; *fig. a.* torment.
Fön *TM m* hair-dryer.
Fonds *econ. m* fund; *Gelder*: funds *pl.*
Fontäne *f* jet, spout; *Blut*: *a.* gush.
foppen *v/t.* tease; *narren*: fool.
Förder|band *n* conveyor belt; **~korb** ⚒ *m* cage.
fordern *v/t.* demand; *bsd.* ⚖ *a.* claim (*a. Tote*); *Preis etc.*: ask, charge.
fördern *v/t.* promote; *unterstützen*: support (*a. univ.*), sponsor; ⚒ mine.
Forderung *f* demand; *Anspruch*: claim (*a.* ⚖); *Preis2*: charge.
Förderung *f* promotion, advancement; support, sponsorship; *staatliche univ. etc.*: grant; ⚒ mining; *Ertrag*: output.
Forelle *zo. f* trout.
Form *f* form, shape; *Sport*: *a.* condition; ⊕ mo(u)ld; **2al** *adj.* formal; **~alität** *f* formality; **~at** *n* size; *bsd. Buch etc.*: format, *fig.* calib|re, *Am.* -er; **~el** *f* formula; **2ell** *adj.* formal; **2en** *v/t.* shape, form; *Ton, Charakter etc.*: mo(u)ld; **~fehler** *m* flaw (*a.* ⚖, ⊕); **2ieren** *v/t. u. v/refl.* form (up).
förmlich 1. *adj.* formal; *fig. regelrecht*: regular; **2.** *adv.* formally; *fig.* literally.
form|los *adj.* shapeless; *fig.* informal; **~schön** *adj.* well-designed.
Formular *n* form, blank.
formulier|en *v/t.* word, phrase; *Regel etc.*: *a.* formulate; *ausdrücken*: express; *wie soll ich es ~?* how shall I put it?; **2ung** *f* wording, phrasing; formulation; *einzelne*: expression, phrase.
forsch *adj.* smart, dashing.
forsch|en *v/i.* research, do* research work; *~ nach* search for; **2er** *m Entdecker*: explorer; *Wissenschaftler*: (research) scientist; **2ung** *f* research (work).
Forst *m* forest.
Förster *m* forester; *Am. a.* forest ranger.
Forstwirtschaft *f* forestry.
Fort ⚔ *n* fort.
fort *adv. davon*: off, away; *weg*: away, gone; *verschwunden*: gone, missing.
fort|bestehen *v/i.* continue; **~bewegen** *v/refl.* move; **2bewegung** *f* moving; (loco)motion; **2bildung** *f* further education *od.* training; **~fahren** *v/i.* leave*, go* away (*a. verreisen*); *mot. a.* drive* off; *weitermachen*: continue, go* *od.* keep* on (*et. zu tun* doing s.th.); **~führen** *v/t.* continue, carry on; **~gehen** *v/i.* go* away, leave*; **~geschritten** *adj.* advanced; **~laufend** *adj.* consecutive, successive; **~pflanzen** *v/refl. biol.* reproduce; *fig.* spread*; **2pflanzung** *biol. f* reproduction; **~reißen** *v/t.* sweep* *od.* carry away (*a. fig.*); **~schaffen** *v/t.* remove (*a. fig.*); **~schreiten** *v/i.* advance, proceed, progress; **~schreitend** *adj.* progressive; *zunehmend*: *a.* increasing; **2schritt** *m* progress, advances *pl.*; **~schrittlich** *adj.* progressive; **~setzen** *v/t.* continue, go* on with; **2setzung** *f* continuation; *~ folgt* to be continued; **2setzungs...** *in Zssgn Roman etc.*: serial ...; **~während** *adj.* continual, constant.
Foto... *s. Photo...*
Fotze V *f* cunt.
Foyer *n* foyer, lobby, lounge.
Fracht *f* freight, load, goods *pl.*; ⚓, ✈ *a.* cargo; *Gebühr*: carriage; **~brief** *m* 🚂 consignment note, ⚓, *Am.* bill of lading; **~er** *m* freighter.
Frack *m* dress coat, tailcoat.
Frage *f* question; *in ~ stellen* question; *gefährden*: put* in jeopardy; *in ~ kommen* be* possible (*Person*: eligible); *nicht in ~ kommen* be* out of the question; **~bogen** *m* question(n)aire; **2n** *v/t. u. v/i.* ask (*nach* for; *wegen* about); *nach dem Weg* (*der Zeit*) *~* ask the way (time); *sich ~* wonder; **~wort** *gr. n* interrogative; **~zeichen** *n* question mark.
frag|lich *adj.* doubtful, uncertain; *betreffend*: in question; **~los** *adv.* undoubtedly, unquestionably.
Fragment *n* fragment.
fragwürdig *adj.* dubious, F shady.

F

Fraktion *parl. f* (parliamentary) group *od.* party; **~sführer** *parl. m Brt.* chief whip, *Am.* floor leader.
frankieren *v/t.* prepay*, stamp.
Frans|e *f* fringe; **2ig** *adj.* frayed.
Franz|ose *m* Frenchman; *die ~n pl.* the French *pl.*; **~ösin** *f* Frenchwoman; **2ösisch** *adj.* French.
Fräsmaschine *f* milling-machine.
Fraß F *m sl.* grub.
Fratze *f* grimace; **2nhaft** *adj.* distorted.

F

Frau *f* woman; *Ehe2*: wife; *~ X* Mrs X.
Frauen|arzt *m*, **~ärztin** *f* gyn(a)ecologist; **~bewegung** *pol. f* feminist movement, Women's Lib(eration movement); **~emanzipation** *f* emancipation of women; **~klinik** *f* gyn(a)ecological hospital; **~rechtlerin** *f* feminist.
Fräulein *n* Miss.
fraulich *adj.* womanly, feminine.
frech *adj.* impudent, F cheeky, *Am.* fresh; *Lüge etc.*: brazen; *keß*: pert; **2heit** *f* impudence, F cheek, nerve; brazenness.
frei *adj.* free (*von* from, of); *Beruf*: independent; *Journalist etc.*: freelance; *nicht besetzt*: vacant (*a. W.C.*); *~mütig*: candid, frank; *Sport*: unmarked; *ein ~er Tag* a day off; *morgen (samstags) haben wir ~* there is no school tomorrow (on Saturdays); *im Freien* outdoors.
Frei|bad *n* open-air swimming-pool; **2bekommen** *v/t.* get* *a day etc.* off; **2beruflich** *adj.* self-employed; *Journalist etc.*: freelance; **~exemplar** *n* free copy; **~gabe** *f* release; **2geben 1.** *v/t.* release; *e-n Tag etc. ~* give* a day *etc.* off; **2.** *v/i.*: *j-m ~* give* s.o. time off; **2gebig** *adj.* generous, liberal; **~gepäck** *n* free luggage; **2haben** *v/i.* have* a holiday; *im Büro etc.*: have* a day off; **~hafen** *m* free port; **2halten** *v/t.* keep* clear; *Platz*: save; *j-n*: treat; **2händig** *adv.* with no hands; **~heit** *f* freedom, liberty; **~heitsstrafe** ⚖ *f* prison sentence; **~karte** *f* free ticket; **~körperkultur** *f* nudism; **2lassen** *v/t.* release, set* free; *gegen Kaution ~* ⚖ release on bail; **~lassung** *f* release; **~lauf** *m* freewheel (*a. im ~ fahren*).
freilich *adv.* indeed, of course.
Frei|licht... *in Zssgn* open-air ...; **2machen** *v/t.* ✉ prepay*, stamp; *sich ~* undress; *sich ~ von* free o.s. from; **~maurer** *m* Freemason; **2mütig** *adj.* candid, frank; **2sprechen** *v/t. bsd. eccl.* absolve (*von* from); ⚖ acquit (of); *Lehrling*: release from his indentures; **~spruch** ⚖ *m* acquittal; **~staat** *pol. m* free state; **2stehen** *v/i. leerstehen*: be* vacant; *Sport*: be* unmarked; *es steht dir frei zu* you are free to; **2stellen** *v/t.*: *j-n ~* exempt s.o. (*von* from) (*a.* ⚔); *j-m et. ~* leave* s.th. to s.o.; **~stoß** *m Fußball*: free kick; **~stunde** *f Schule*: free period; **~tag** *m* Friday; **~tod** *m* suicide; **~treppe** *f* outdoor stairs *pl.*; **~übungen** *pl.* cal(l)isthenics *pl.*; **2willig** *adj.* voluntary; *sich ~ melden* volunteer (*zu* for); **~willige(r)** volunteer; **~zeit** *f* free *od.* spare *od.* leisure time; **~zeitgestaltung** *f* recreational activities *pl.*
fremd *adj.* strange; *ausländisch*: foreign; *unbekannt*: unknown; *ich bin auch ~ hier* I'm a stranger here myself; **~artig** *adj.* strange, exotic.
Fremde[1] *f* foreign parts *pl.*; *in der ~* abroad.
Fremde[2] *m, f* stranger; *Ausländer(in)*: foreigner.
Fremden|führer(in) (tourist) guide; **~heim** *n* boarding house; **~legion** ⚔ *f* Foreign Legion; **~verkehr** *m* tourism; **~verkehrsbüro** *n* tourist office; **~zimmer** *n*: *~ (zu vermieten)* rooms to let.
fremd|gehen F *v/i.* be* unfaithful (to one's wife *od.* husband), play around; **2körper** *m* ⚕ foreign body; *fig.* alien element; **2sprache** *f* foreign language; **2sprachenkorrespondent(in)** foreign correspondence clerk; **~sprachig, ~sprachlich** *adj.* foreign-language; **2wort** *n* foreign word.
Frequenz *phys. f* frequency.
Fresse V *f* trap, kisser.
fressen *v/t. u. v/i.* eat*, feed* (on); F *Mensch*: gobble; *verschlingen*: devour.
Freude *f* joy, delight; *Vergnügen*: pleasure; *~ haben an* take* pleasure in.
Freuden|botschaft *f* glad tidings *pl.*; **~geschrei** *n* shouts *pl.* of joy, cheers *pl.*; **~haus** F *n* brothel; **~tag** *m* red-letter day; **~taumel** *m* raptures *pl.*

freud|estrahlend *adj.* radiant (with joy); **~ig** *adj.* joyful, cheerful; *Ereignis, Erwartung*: happy; **~los** *adj.* joyless, cheerless.

freuen *v/t.*: *es freut mich, daß* I am glad *od.* pleased (that); *sich ~ über* be* pleased about *od.* with, be* glad about; *sich ~ auf* look forward to.

Freund *m* (boy-)friend; **~in** *f* (girl-) friend; **≈lich** *adj.* friendly, kind, nice; *Raum, Farben*: cheerful; **~lichkeit** *f* friendliness, kindness; **~schaft** *f* friendship; *~ schließen* make* friends; **≈schaftlich** *adj.* friendly; **~schaftsspiel** *n* friendly (game).

Frevel *m* outrage (*an, gegen* on).

Frieden *m* peace; *im ~* in peacetime; *laß mich in ~!* leave me alone!

Friedens|bewegung *f* peace movement; **~forschung** *f* peace and conflict research; **~verhandlungen** *pl.* peace negotiations *pl. od.* talks *pl.*; **~vertrag** *m* peace treaty.

fried|fertig *adj.* peaceable, peaceful; **≈hof** *m* cemetery, graveyard (*a. fig.*); **~lich** *adj.* peaceful; **~liebend** *adj.* peace-loving.

frieren *v/i.* freeze*; *ich friere* I am *od.* feel cold; *stärker*: I'm freezing.

Fries *arch. m* frieze.

frisch *adj.* fresh; *Wäsche*: clean; *~ gestrichen!* wet (*Am. a.* fresh) paint!; *~ verheiratet* just married; **≈e** *f* freshness; **≈haltepackung** *f* vacuum package.

Friseu|r *m* hairdresser; *Herren≈*: *a.* barber; **~rsalon** *m* (ladies' *od.* men's) hairdressing salon; *Damen≈*: *Am. a.* beauty parlor *od.* shop; *Herren≈*: *a.* barber's shop, *Am.* barbershop; **~se** *f* hairdresser.

frisieren *v/t.* do* *s.o.'s* hair; F *mot.* soup up.

Frist *f Zeitraum*: (prescribed) period, (set) term; *Zeitpunkt*: time limit, deadline; *Aufschub*: extension (*a. econ.*); **≈en** *v/t.*: *sein Dasein ~* scrape a living; **≈los** *adj.* without notice.

Frisur *f* hair-style, hair-do.

fritieren *v/t.* deep-fry.

frivol *adj.* risqué; *stärker*: indecent.

froh *adj.* glad (*über* about); *fröhlich*: cheerful; *glücklich*: happy; *~es Fest!* happy holiday!; Merry Christmas!

fröhlich *adj.* cheerful, happy; *lustig*: *a.* merry; **≈keit** *f* cheerfulness, merriment.

fromm *adj.* religious, pious; *Pferd*: steady; *~er Wunsch* wishful thinking.

Frömmigkeit *f* religiousness, piety.

frönen *v/i.* indulge in.

Front *f arch.* front, face; ⚔ front, line; *fig.* front; *in ~ liegen* be* ahead; **≈al** *mot. adj.* head-on; **~antrieb** *mot. m* front-wheel drive.

Frosch *zo. m* frog; **~mann** *m* frogman; **~perspektive** *f* worm's-eye view.

Frost *m* frost; **~beule** *f* chilblain.

frösteln *v/i.* feel* chilly, shiver (*a. fig.*).

frostig *adj.* frosty; *fig. a.* chilly.

Frott|ee *n, m* terry (cloth); **≈ieren** *v/t.* rub down.

Frucht *f* ⚘ fruit (*a. fig.*); ⸙ crop(s *pl.*); **≈bar** *adj. biol.* fertile (*a. fig.*); fruitful (*bsd. fig.*); **~barkeit** *f* fertility; fruitfulness; **≈los** *adj.* fruitless, futile.

früh *adj. u. adv.* early; *zu ~ kommen* be* early; *~ genug* soon enough; *heute (morgen) ~* this (tomorrow) morning; **≈aufsteher** *m* early riser, F early bird.

Früh|e *f*: *in aller ~* (very) early in the morning; **≈er 1.** *adj. ehemalig*: former; *vorherig*: previous; **2.** *adv.* in former times, at one time; *~ oder später* sooner or later; *ich habe ~ (einmal)*... I used to ...; **≈estens** *adv.* at the earliest; **~geburt** ⚕ *f* premature birth; premature baby; **~jahr** *n*, **~ling** *m* spring (*a. fig.*); **≈morgens** *adv.* early in the morning; **≈reif** *adj.* precocious; **~stück** *n* breakfast (*zum* for); **≈stücken 1.** *v/i.* (have*) breakfast; **2.** *v/t.* have* *s.th.* for breakfast.

Fuchs *m zo.* fox (*a. fig.*); *Pferd*: sorrel.

Füchsin *zo. f* she-fox, vixen.

Fuchs|jagd *f* fox-hunt(ing); **~schwanz** ⊕ *m* pad-saw; **≈teufelswild** F *adj.* hopping mad.

fuchteln *v/i.*: *~ mit* wave *s.th.* about.

Fuder *n* (cart-)load; *Wein*: tun.

Fuge *f* ⊕ joint; ♪ fugue.

füg|en *v/refl.* submit, give* in, yield (*in et., e-r Sache* to s.th.); **~sam** *adj.* obedient, submissive.

fühl|bar *fig. adj.* noticeable; *beträchtlich*: considerable; **~en** *v/t. u. v/i. u. v/refl.* feel*; *ahnen*: *a.* sense; *sich wohl ~* feel* well; **≈er** *m* feeler (*a. fig.*).

Fuhre *f* (cart-)load; *Taxi*: fare.

führen 1. *v/t.* lead*; *herum~, lenken, leiten*: guide; *geleiten, bringen*: take*; *Betrieb, Haushalt etc.*: run*, manage; *Waren*: sell*, deal* in; *Buch, Konto*: keep*; *Gespräch etc.*: carry on; ⚔ command; *j-n ~ durch* show* s.o. round; **2.** *v/i.* lead* (*zu* to *a. fig.*); *Sport*: *a.* be* leading *od.* ahead; **~d** *adj.* leading, prominent.

Führer *m* leader (*a. pol.*); *Fremden*ℒ: guide; *Leiter*: head, chief; *Reise*ℒ: guide(-book); **~schein** *mot. m* driving licence, *Am.* driver's license.

Führung *f* leadership, control; *Unternehmen etc.*: management; *Museum etc.*: (guided) tour; *in ~ gehen* (*sein*) take* (be* in) the lead; **~szeugnis** *n* certificate of (good) conduct.

Fuhr|unternehmen *n* haulage contractors *pl.*; **~werk** *n* horse-drawn vehicle.

Fülle *f Gedränge*: crush; *fig. von Einfällen etc.*: wealth, abundance; *Haar, Wein etc.*: body.

füllen *v/t. u. v/refl.* fill (*a. Zahn*); *Kissen, Geflügel etc.*: stuff.

Füllen *zo. n s. Fohlen.*

Füll|er F *m*, **~feder(halter** *m*) *f* fountain-pen; ℒ**ig** *adj.* stout, portly; **~ung** *f* filling (*a. Zahn*ℒ); *Kissen*ℒ, *Braten*ℒ: stuffing.

fummeln F *v/i.* fumble, fiddle; *basteln*: *a.* tinker (*alle*: *an* with, at).

Fund *m* finding, discovery; *Gefundenes*: find.

Fundament *n arch.* foundation(s *pl.*); *fig. a.* basis.

Fund|amt, ~büro *n* lost-property (*Am.* lost and found) office; **~gegenstand** *m* object found; **~grube** *fig. f* rich source, mine.

fünf *adj.* five; *Note*: fail, poor, E, *Am.* F, N; ℒ**eck** *n* pentagon; **~fach** *adj.* fivefold, quintuple; ℒ**kampf** *m Sport*: pentathlon; ℒ**linge** *pl.* quintuplets *pl.*; **~te** *adj.* fifth; ℒ**tel** *n* fifth; **~tens** *adv.* fifth(ly), in the fifth place; **~zehn(te)** *adj.* fifteen(th); **~zig** *adj.* fifty; **~zigste** *adj.* fiftieth.

Funk *m* radio (*a. in Zssgn Bild, Taxi etc.*), *Brt. a.* wireless; *über od. durch ~* by radio; **~amateur** *m* radio amateur *od.* F ham.

Funke *m* spark; *fig. a.* glimmer; ℒ**ln** *v/i.* sparkle, glitter; *Sterne*: *a.* twinkle.

funk|en *v/t.* radio, transmit; ℒ**er** *m* radio operator; ℒ**gerät** *n* radio set; ℒ**haus** *n* broadcasting cent|re, *Am.* -er; ℒ**signal** *n* radio signal; ℒ**spruch** *m* radio message; ℒ**streife** *f* (radio) patrol car.

Funktion *f* function; **~är(in)** functionary, official (*a. Sport*); ℒ**ieren** *v/i.* work.

Funk|turm *m* radio tower; **~verkehr** *m* radio communication(s *pl.*).

für *prp.* for; *zugunsten*: *a.* in favo(u)r of; *anstatt*: *a.* instead of; *~ mich Meinung, Geschmack*: to me; *~ immer* forever; *Tag ~ Tag* day by day; *Wort ~ Wort* word by word; *jeder ~ sich arbeiten etc.*: everyone by himself; *was ~ ...?* what (kind *od.* sort of) ...?; *das Für und Wider* the pros and cons *pl.*

Furche *f* furrow; *Wagenspur*: rut; ⊕ groove; ℒ**n** *v/t.* furrow; ⊕ groove.

Furcht *f* fear, *stärker*: dread (*beide*: *vor* of); *aus od. vor ~* (*daß*) for fear (that); ℒ**bar** *adj.* terrible, awful.

fürchten *v/t. u. v/i.* fear, be* afraid of; *stärker*: dread; *~ um* fear for; *sich ~* be* scared; be* afraid (*vor* of); *ich fürchte, ...* I'm afraid ...

fürchterlich *adj. s. furchtbar.*

furcht|erregend *adj.* frightening; **~los** *adj.* fearless; **~sam** *adj.* timid.

füreinander *adv.* for each other.

Fürsorge *f* care; *öffentliche ~* (public) welfare (work); **~amt** *n* welfare department; **~empfänger** *m* welfare recipient; **~r(in)** social *od.* welfare worker.

fürsorglich *adj.* considerate.

Für|sprache *f* intercession (*für* for, *bei* with); **~sprech(er)** *m Schweiz*: lawyer; **~sprecher(in)** advocate (*a. fig.*).

Fürst *m* prince; **~entum** *n* principality; **~in** *f* princess; ℒ**lich** *adj.* princely, royal (*beide a. fig.*).

Furt *f* ford.

Furunkel ⚕ *m* boil, furuncle.

Fürwort *gr. n* pronoun.

Furz V *m*, ℒ**en** *v/i.* fart.

Fuß *m* foot; *zu ~* on foot; *zu ~ gehen* walk; *gut zu ~ sein* be* a good walker; *~ fassen* become* established; *auf freiem ~* at large; **~abstreifer** *m* doormat; **~angel** *f* mantrap; **~ball** *m* (association) football, F *u. Am.* soccer; **~ballfeld** *n* football field; **~ballmatch** *östr. n*, **~ballspiel** *n* football match; **~ball-**

spieler *m* football player, footballer; **~balltoto** *n* football pools *pl.*; **~boden** *m* floor; *~belag*: flooring; **~bodenheizung** *f* underfloor heating; **~bremse** *mot. f* footbrake; **~gänger(in)** pedestrian; **~gängerzone** *f* pedestrian precinct, *Am.* (shopping) mall; **~geher** *östr. m s. Fußgänger*; **~gelenk** *n* ankle (joint); **~note** *f* footnote; **~pflege** *f* pedicure; ⚕ chiropody, *Am. a.* podiatry; **~pilz** ⚕ *m* athlete's foot; **~sohle** *f* sole (of the foot); **~spur** *f* footprint; *Fährte*: track; **~stapfen** *pl.*: *in j-s ~ treten* follow in s.o.'s footsteps; **~tritt** *m* kick; **~weg** *m* foothpath; *e-e Stunde ~* an hour's walk.

Futter *n* ⚒ *allg.* feed; *bsd. Pflanzen*≈: fodder; *Hunde*≈ *etc.*: food; F *Essen*: eats *pl.*, chow; ⊕, *Mantel*≈ *etc.*: lining.

Futteral *n* case; *Hülle*: cover.

Futtermittel *n* feed(ing stuff).

futtern F *v/i.* tuck in.

füttern *v/t.* feed*; *Kleid etc.*: line.

Futternapf *m* (feeding) bowl.

Fütterung *f* feeding (time).

Futur *gr. n* future (tense).

G

Gabe *f* gift, present; *Almosen*: alms; ⚕ dose; *Begabung*: talent, gift.

Gabel *f* fork; ≈**n** *v/refl.* fork, branch; **~stapler** ⊕ *m* fork-lift (truck); **~ung** *f* fork(ing).

gackern *v/i.* cackle (*a. fig.*).

gaffen F *v/i.* gape, stare.

Gage *f* salary, pay; *einmalige*: fee.

gähnen *v/i.* yawn (*a. fig.*).

Gala *f* gala (*a. in Zssgn*).

galant *adj.* gallant, courteous.

Galeere ⚓ *f* galley.

Galerie *f* gallery.

Galgen *m* gallows; **~frist** *f* last respite; **~humor** *m* gallows *od.* grim humo(u)r.

Galle *anat. f* gall (*a. fig.*); *Sekret*: *a.* bile; **~nblase** *anat. f* gall-bladder; **~nstein** ⚕ *m* gallstone.

Gallert *n*, **~e** *f* gelantin(e), jelly.

Galopp *m*, ≈**ieren** *v/i.* gallop.

gamm|eln F *fig. v/i.* loaf (about), bum around; ≈**ler(in)** loafer, bum.

Gang *m* walk; *~art*: *a.* gait; *Durch*≈: passage; *zwischen Sitzen etc.*: aisle; *Flur*: corridor, hall(way); *mot.* gear; *Speise*, *(Ver)Lauf*: course; *et. in ~ bringen* get* s.th. going, start s.th.; *in ~ kommen* get* started; *im ~(e) sein* be* (going) on, be* in progress; *in vollem ~(e)* in full swing.

gang *adj.*: *~ und gäbe* (nothing un)usual, (quite) common.

gängeln F *v/t.* keep* in leading-strings, patronize.

gängig *adj.* current; *econ.* sal(e)able.

Gangschaltung *f* gear-change; *Hebel*: gear-lever; *Am. beide*: gearshift.

Ganove F *m* crook.

Gans *zo. f* goose.

Gänse|blümchen ⚘ *n* daisy; **~braten** *m* roast goose; **~feder** *f* (goose) quill; **~füßchen** F *pl.* quotation marks *pl.*, inverted commas *pl.*; **~haut** *fig. f* goose-flesh; *dabei kriege ich e-e ~* it gives me the creeps; **~marsch** *m* single *od.* Indian file; **~rich** *zo. m* gander.

ganz 1. *adj.* whole; *ungeteilt, vollständig*: *a.* entire, total; *Betrag, Stunde*: *a.* full; *den ~en Tag* all day; *die ~e Zeit* all the time; *in der ~en Welt* all over the world; *sein ~es Geld* all his money; **2.** *adv.* wholly, completely; entirely, totally; *sehr*: very; *ziemlich*: quite, rather, fairly; *genau*: just, exactly; *~ allein* all by oneself; *~ aus Holz etc.* all wood *etc.*; *~ und gar* completely, totally; *~ und gar nicht* not at all, by no means; *~ wie du willst* just as you like; *nicht ~* not quite; *im ~en* in all, altogether; *im (großen und) ~en* on the whole.

Ganze *n* whole; *das ~ alles*: the whole thing, all, the lot; *aufs ~ gehen* go* all out.

Gänze *östr. f*: *zur ~ s. gänzlich.*

gänzlich *adv.* completely, entirely.

Ganztags|beschäftigung *f* full-time job; **~schule** *f* whole-day school.

gar 1. *adj.* done; **2.** *adv.*: ~ *nicht(s)* not(hing) at all; *vielleicht* ~ perhaps even.
Garage *f* garage.
Garantie *f* guarantee, *bsd. econ.* warranty; **2ren** *v/t. u. v/i.* guarantee (*für et.* s.th.); **~schein** *econ. m* warranty (certificate).
Garbe *f* sheaf.
Garde *f* guard; ⚔ (the) Guards *pl.*
Garderobe *f* wardrobe, clothes *pl.*; *Kleiderablage*: cloakroom, *Am.* checkroom; *thea.* dressing-room; *im Haus*: coat rack; **~nfrau** *f* cloakroom (*Am.* checkroom) attendant, *Am.* F *a.* hatcheck girl; **~nmarke** *f* check, *Brt. a.* cloakroom ticket; **~nständer** *m* coat stand *od.* rack.
Gardine *f* curtain; **~nstange** *f* curtain rod.
gären *v/i.* ferment, work.
Garn *n* yarn; *Faden*: thread; *Baumwoll2*: cotton; *Netz*: net; *j-m ins* ~ *gehen* fall* into s.o.'s snare.
garnieren *v/t.* garnish (*a. fig.*).
Garnison ⚔ *f* garrison, *Am. a.* post.
Garnitur *f* set; *Möbel*: *a.* suite.
garstig *adj.* nasty, F beastly.
Gärstoff *m* ferment.
Garten *m* garden; **~arbeit** *f* gardening; **~bau** *m* horticulture; **~erde** *f* (garden) mo(u)ld; **~fest** *n* garden party; **~geräte** *pl.* gardening tools *pl.*; **~haus** *n* summer-house; *Laube*: arbo(u)r, bower; **~lokal** *n* beer garden; **~schere** *f* pruning shears *pl.*, *bsd. Brt.* secateurs *pl.*; **~stadt** *f* garden city; **~zwerg** *m* (garden) gnome.
Gärtner *m* gardener; **~ei** *f Betrieb*: market (*Am.* truck) garden; nursery.
Gärung *f* fermentation.
Gas *n* gas; ~ *geben mot.* accelerate, F step on the gas; **~brenner** *m* gas burner; **2förmig** *adj.* gaseous; **~hahn** *m* gas tap; **~heizung** *f* gas heating; **~herd** *m* gas cooker *od.* stove; **~kammer** *f* gas chamber; **~laterne** *f* gas (street) lamp; **~leitung** *f* gas main; **~maske** *f* gas mask; **~ofen** *m* gas oven; **~pedal** *mot. n* accelerator (pedal), *bsd. Am.* gas pedal.
Gasse *f* lane, alley.
Gast *m* guest; *Besucher*: visitor; *im Lokal etc.*: customer; **~arbeiter(in)** foreign worker; **~bett** *n* spare bed.
Gäste|buch *n* visitors' book; **~zimmer** *n* guest-room, spare (bed-) room.
gast|freundlich *adj.* hospitable; **2freundschaft** *f* hospitality; **2geber** *m* host; **2geberin** *f* hostess; **2haus** *n*, **2hof** *m* restaurant; hotel; tavern, *bsd. Brt.* pub; *bsd. Land2*: inn.
gastieren *v/i. Zirkus etc.*: give* performances; *thea.* give* a guest performance, guest.
gast|lich *adj.* hospitable; **2mahl** *hist. lit. n* feast, banquet; **2mannschaft** *f* visiting team, visitors *pl.*; **2rolle** *thea. f* guest part; **2spiel** *thea. n* guest performance; **2stätte** *f* restaurant; **2stube** *f* taproom; restaurant; **2wirt** *m* innkeeper, landlord, *Brt. a.* publican; **2wirtschaft** *f* restaurant; tavern, *bsd. Brt.* pub.
Gas|uhr *f* gas-meter; **~werk** *n* gasworks *pl.*
Gatte *lit. m* husband.
Gatter *n* fence; *Tor*: gate.
Gattin *lit. f* wife.
Gattung *f* type, class, sort; *biol.* genus; *Art*: species.
Gaul *m* (old) nag.
Gaumen *anat. m* palate (*a. fig.*).
Gauner *m* swindler, cheat(er), crook, trickster; **~ei** *f* cheat(ing), swindle, trick(ery).
Gaze *f* gauze.
Gazelle *zo. f* gazelle.
Geächtete(r) outlaw, outcast.
Gebäck *n* pastry; *Plätzchen*: biscuits *pl.*, *Am.* cookies *pl.*
Gebälk *n* timberwork, beams *pl.*
Gebärde *f* gesture; **2n** *v/refl.* behave, act (*wie* like).
gebär|en *v/t.* give* birth to; **2mutter** *anat. f* uterus, womb.
Gebäude *n* building, structure.
geben *v/t.* give* (*j-m et.* s.o. s.th.); *reichen*: *a.* hand, pass; *Karten*: deal*, *er~*: make*; *sich* ~ *nachlassen*: pass; *gut werden*: come* right; *von sich* ~ utter, let* out; ⚗ give* off; *j-m die Schuld* ~ blame s.o.; *es gibt* there is, *pl.* there are; *was gibt es?* what's the matter?; *zum Essen*: what's for lunch *etc.*?; *TV etc.*: what's on?; *das gibt es nicht* there's no such thing; *verbietend*: that's out.
Gebet *n* prayer.
Gebiet *n* region, area; *bsd. pol.* territory; *fig.* field; **2erisch** *adj.* imperious; **2sweise** *adv.* regionally; ~ *Regen* local showers.

Gebilde *n* thing, object; *Werk*: work, creation; **≗t** *adj.* educated; *belesen*: well-read.
Gebirg|e *n* mountains *pl.*; **≗ig** *adj.* mountainous; **~sbewohner(in)** mountain-dweller, highlander; **~s-zug** *m* mountain range.
Gebiß *n* (set of) teeth; *künstliches*: (set of) artificial *od.* false teeth, denture(s *pl.*); *am Zaum*: bit.
Gebläse ⊕ *n* blower, (*mot.* air) fan.
ge|blümt *adj.* flowered; **~bogen** *adj.* bent, curved; **~boren** *adj.* born; *ein ~er Deutscher* German by birth; *~e Smith* née Smith; *ich bin am ... ~* I was born on the ...
geborgen *adj.* safe, sheltered; **≗heit** *f* safety, security.
Gebot *n eccl.* commandment; *Vorschrift*: rule; *Erfordernis*: necessity; *Auktion etc.*: bid.
Gebrauch *m* use; *Anwendung*: *a.* application; **≗en** *v/t.* use; *anwenden*: *a.* employ; *gut* (*nicht*) *zu ~ sein* be* useful (useless); *ich könnte ... ~* I could do with ...
gebräuchlich *adj.* in use; *üblich*: common, usual; *Wort*: *a.* current.
Gebrauchs|anweisung *f* directions *pl. od.* instructions *pl.* for use; **≗-fertig** *adj.* ready for use; *Kaffee etc.*: instant.
gebraucht *adj.* used; *bsd. Waren*: *a.* second-hand; **≗wagen** *mot. m* used *od.* second-hand car; **≗warenhändler** *m* second-hand dealer.
Gebrech|en *n* defect, handicap; **≗lich** *adj.* weak, shaky; *altersschwach*: infirm; **~lichkeit** *f* weakness, shakiness; infirmity.
Ge|brüder *pl.* brothers *pl.*; **~brüll** *n* roar(ing); *Rind*: low(ing).
Gebühr *f* charge (*a. teleph.*), fee; ✉ postage; *Abgabe*: due; **≗end** *adj.* due; *angemessen*: proper; **≗enfrei** *adj.* free of charge; *teleph.* non-chargeable, *Am.* toll-free; **≗en-pflichtig** *adj.* chargeable; *~e Straße* toll road; *~e Verwarnung* ⚖ fine.
gebunden *adj.* bound; *fig. a.* tied.
Geburt *f* birth (*von* by); **~enkontrolle, ~enregelung** *f* birth control, family planning; **~enziffer** *f* birth rate.
gebürtig *adj.*: *~ aus* a native of.
Geburts|anzeige *f* birth announcement; **~datum** *n* date of birth; **~-fehler** *m* congenital defect; **~helfer(in)** *Arzt*: obstetrician; **~jahr** *n* year of birth; **~land** *n* native country; **~ort** *m* birthplace; **~tag** *m* birthday; **~tagsfeier** *f* birthday party; **~urkunde** *f* birth certificate.
Gebüsch *n* bushes *pl.*, shrubbery.
Gedächtnis *n* memory; *aus dem ~* from memory; *zum ~ an* in memory of; *im ~ behalten* keep* in mind, remember; **~feier** *f* commemoration; **~stütze** *f* memory aid.
Gedanke *m* thought, idea; *was für ein ~!* what an idea!; *in ~n* absorbed in thought; *sich ~n machen über* think* about; *besorgt*: be* worried *od.* concerned about; *j-s ~n lesen* read* s.o.'s mind.
Gedanken|gang *m* train of thought; **≗los** *adj.* thoughtless; *leichtsinnig*: careless; **~strich** *m* dash; **≗voll** *adj.* thoughtful, pensive.
Ge|därme *pl.* bowels *pl.*, intestines *pl.*, guts *pl.*; **~deck** *n* cover; *ein ~ auflegen* lay* a place.
gedeihen *v/i.* thrive*, prosper; *wachsen*: grow*; *blühen*: flourish.
gedenken *v/i.* think* of; *ehrend*: commemorate; *erwähnen*: mention; *~ zu* intend to.
Gedenk|feier *f* commemoration; **~-stätte** *f*, **~stein** *m* memorial; **~tafel** *f* plaque.
Gedicht *n* poem.
gediegen *adj.* solid; *geschmackvoll*: tasteful.
Gedräng|e *n* crowd, throng, F crush; **≗t** *adj.* crowded, packed, crammed; *Stil*: concise.
ge|drückt *fig. adj.* depressed; **~-drungen** *adj. Figur*: squat, stocky; thickset; *bsd.* ⊕ compact.
Geduld *f* patience; **≗en** *v/refl.* wait (patiently); **≗ig** *adj.* patient.
ge|ehrt *adj.* hono(u)red; *in Briefen*: *Sehr ~er Herr N.!* Dear Sir, Dear Mr N.; **~eignet** *adj.* suitable; *befähigt*: suited, qualified; *bsd. körperlich*: fit; *passend*: right.
Gefahr *f* danger, hazard, risk; *bsd. große*: peril; *Bedrohung*: threat, menace; *auf eigene ~* at one's own risk; *außer ~* out of danger, safe.
gefährden *v/t.* endanger; *aufs Spiel setzen*: risk.
gefährlich *adj.* dangerous, hazardous, risky; *stärker*: perilous.
gefahrlos *adj.* without risk, safe.
Gefährt|e *m*, **~in** *f* companion.

G

Gefälle *n* fall, slope, descent; *Straße etc.*: gradient (*a. phys.*).
Gefallen[1] *m* favo(u)r; *j-n um e-n ~ bitten* ask a favo(u)r of s.o.
Gefallen[2] *n*: *~ finden an et.*: take* pleasure in; *j-m*: take* (a fancy) to.
gefallen *v/i.* please; *es gefällt mir (nicht)* I (don't) like it; *wie gefällt dir ...?* how do you like ...?; *sich ~ lassen* put* up with.
gefällig *adj. angenehm*: pleasing, agreeable; *entgegenkommend*: obliging, kind; *j-m ~ sein* do* s.o. a favo(u)r; **⁓keit** *f* kindness; *Gefallen*: favo(u)r; **~st** F *adv.* kindly, (if you) please; *grob*: will you!
gefangen *adj.* captive; imprisoned; **⁓e(r)** prisoner; *Sträfling*: convict; **⁓nahme** *f* capture (*a.* ⚔); **~nehmen** *v/t.* take* prisoner; *fig.* captivate; **⁓schaft** *f* captivity, imprisonment; *in ~ sein* ⚔ be* a prisoner of war; **~setzen** *v/t.* put* in prison.
Gefängnis *n* prison, jail, *Brt. a.* gaol; *ins ~ kommen* go* to jail *od.* prison; **~direktor** *m* governor, *bsd. Am.* warden; **~strafe** *f* (sentence *od.* term of) imprisonment; **~wärter(in)** prison guard, jailer, *Brt. a.* ward|er (-ress).
Gefäß *n* vessel (*a. anat.*), container.
gefaßt *adj.* composed; *~ auf* prepared for.
Ge|fecht ⚔ *n* combat, action; **⁓federt** *adj.*: *gut ~* well-sprung; **~fieder** *n* plumage, feathers *pl.*; **~flecht** *n* net(work) (*a. fig.*).
Geflügel *n* fowl; *Haus⁓*: poultry; **~salat** *m* chicken salad; **⁓t** *adj.* winged; **~zucht** *f* poultry farm(ing).
Gefolg|e *n* retinue, train, attendants *pl.*; **~schaft** *f* followers *pl.*
gefräßig *adj.* greedy, voracious (*a. zo.*); **⁓keit** *f* greed(iness), voracity.
gefrier|en *v/i.* freeze*; **⁓fach** *n* freezer, freezing compartment; **⁓fleisch** *n* frozen meat; **⁓punkt** *m* freezing-point; **⁓schrank** *m*, **⁓truhe** *f* freezer, deep-freeze.
Gefrorene *östr. n* ice-cream.
Gefüge *fig. n* structure, texture.
gefügig *adj.* pliant; **⁓keit** *f* pliancy.
Gefühl *n* feeling; *Sinn, Gespür*: *a.* sense; *bsd. kurzes*: sensation; *Gemütsbewegung*: *a.* emotion; **⁓los** *adj. bsd.* ⚕ insensible; *herzlos*: unfeeling; **⁓sbetont** *adj.* (highly) emotional; **⁓voll** *adj.* (full of) feeling; *zärtlich*: tender; *rührselig*: sentimental.
gegebenenfalls *adv.* if necessary.
gegen *prp.* against; ⚖, *Sport*: *a.* versus; *ungefähr*: about, *bsd. Am.* around; *für (Geld etc.)*: (in return) for; *Mittel*: for; *verglichen mit*: compared with; *freundlich ~* friendly to.
Gegen|... *in Zssgn Aktion, Angriff, Argument etc.*: counter-...; **~besuch** *m* return visit; **~beweis** ⚖ *m* counter-evidence.
Gegend *f* region, area; *Landschaft*: countryside; *Nähe, Wohn⁓*: neighbo(u)rhood.
gegeneinander *adv.* against one another *od.* each other.
Gegen|fahrbahn *mot. f* opposite *od.* oncoming lane; **~gewicht** *n* counterweight; *ein ~ bilden zu et.* counterbalance s.th.; **~kandidat** *m* rival candidate; **~leistung** *f* return (service); *als ~* in return; **~liebe** *fig. f* approval; **~maßnahme** *f* countermeasure; **~mittel** *n* antidote (*a. fig.*); **~partei** *f* other side; *pol.* opposition; *Sport*: opposite side; **~probe** *f*: *die ~ machen* cross-check; **~richtung** *f* opposite direction; **~satz** *m* contrast; *Gegenteil*: opposite; *im ~ zu* in contrast with *od.* to; *im Widerspruch*: in opposition to; **⁓sätzlich** *adj.* contrary, opposite; **~schlag** *m* counterblast; *bsd.* ⚔ *a.* retaliation; **~seite** *f* opposite side; **⁓seitig** *adj.* mutual; **~seitigkeit** *f*: *auf ~ beruhen* be* mutual; **~spieler** *m* opponent; **~sprechanlage** *f* intercom (system); **~stand** *m* object (*a. fig.*); *Thema*: subject; **~stück** *n* counterpart; **~teil** *n* opposite; *im ~* on the contrary; **⁓teilig** *adj.* contrary, opposite; **⁓über** *adv. u. prp.* opposite; *fig. gegen*: to, toward(s); *im Vergleich zu*: compared with; **~über** *n* vis-à-vis; **⁓überstehen** *v/i.* face, be* faced with; **~überstellung** *bsd.* ⚖ *f* confrontation; **~verkehr** *m* oncoming traffic; **~wart** *f* present (time); *Anwesenheit*: presence; *gr.* present (tense); **⁓wärtig 1.** *adj.* present, current; **2.** *adv.* at present; **~wehr** *f* resistance; **~wert** *m* equivalent (value); **~wind** *m* head wind; **~wirkung** *f* counter-effect, reaction; **⁓zeichnen** *v/t.* countersign; **~zug** *m* countermove (*a. fig.*); 🚂 corresponding train.

Gegner|(in) opponent (*a. Sport*), adversary; ⚔ enemy; **2isch** *adj.* opposing; ⚔ (of the) enemy, hostile; **~schaft** *f* opposition.
Gehalt 1. *m* content; **2.** *n* salary; **~sempfänger(in)** salaried employee; **~serhöhung** *f* increase *od.* rise in salary, *Am.* raise; **2voll** *adj.* substantial; *nahrhaft*: *a.* nutritious.
gehässig *adj.* malicious, spiteful; **2keit** *f* malice, spite(fulness).
Ge|häuse *n* case, box; ⊕ casing; *zo.* shell; *Kern2*: core; **~hege** *n* enclosure; *Hühner etc.*: pen.
geheim *adj.* secret; **2dienst** *m* secret service; **~halten** *v/t.* keep* (a) secret.
Geheimnis *n* secret; *Rätselhaftes*: mystery; **~krämer** *m* mystery-monger; **2voll** *adj.* mysterious.
Geheim|polizei *f* secret police; **~schrift** *f* code, cipher.
gehemmt *adj.* inhibited, self-conscious.
gehen *v/i.* go*; *zu Fuß*: walk; *weg~*: leave*; *funktionieren* (*a. fig.*): work; *Ware*: sell*; *dauern*: last; *einkaufen* (*schwimmen*) ~ go* shopping (swimming); ~ *wir!* let's go!; *m-e Uhr geht vor* (*nach*) my watch is fast (slow); *wie geht es dir* (*Ihnen*)? how are you?; *es geht mir gut* (*schlecht*) I'm fine (not feeling well); ~ *in passen*: go* into; *führen*: lead* into; *in Urlaub* ~ go* on holiday; ~ *nach urteilen*: go* *od.* judge by; *es geht nichts über* there is nothing like; *worum geht es?* what is it about?; *was geht hier vor?* what's going on here?
Gehen *n* walking (*a. Sport*); *et. zum* ~ *bringen* get* s.th. going.
Geheul *n* howling.
Gehilf|e *m*, **~in** *f* assistant, helper; *fig.* helpmate.
Gehirn *n* brain(s *pl.*); **~erschütterung** ⚕ *f* concussion (of the brain); **~schlag** ⚕ *m* (cerebral) apoplexy; **~wäsche** *fig. f* brainwashing.
gehoben *adj. Stil etc.*: elevated; *Beruf etc.*: high(er); *~e Stimmung* high spirits *pl.*
Gehöft *n* farm(stead).
Gehölz *n* wood, coppice, copse.
Gehör *n* (sense of) hearing; ear; *nach dem* ~ by ear; *j-m* ~ *schenken* lend* s.o. an ear; *sich* ~ *verschaffen* make* o.s. heard.
gehorchen *v/i.* obey; *nicht* ~ disobey.
gehör|en *v/i.* belong (*dat. od. zu* to); *gehört dir das?* is this yours?; *es gehört sich* (*nicht*) it is proper *od.* right (not done); *das gehört nicht hierher* that's not to the point; **~ig 1.** *adj. gebührend*: due, proper; *nötig*: necessary; *tüchtig*, *gründlich*: thorough, good; *zu et.* ~ belonging to s.th.; **2.** *adv.* really, thoroughly.
gehörlos *adj.* deaf; *die 2en* the deaf.
gehorsam *adj.* obedient.
Gehorsam *m* obedience.
Geh|steig, ~weg *m* pavement, *Am.* sidewalk.
Geier *zo. m* vulture, *Am. a.* buzzard.
Geige ♪ *f* violin, F fiddle; (*auf der*) ~ *spielen* play (on) the violin; **~nbogen** ♪ *m* (violin) bow; **~nkasten** ♪ *m* violin case; **~r(in)** violinist.
geil *adj.* V hot, horny; *contp.* lecherous, lewd; ⚘ rank.
Geisel *f* hostage; **~nehmer** *m* kidnap(p)er.
Geiß *zo. f* (she-, nanny-)goat; **~bock** *zo. m* he-goat, billy-goat.
Geißel *fig. f* scourge, plague.
Geist *m* spirit; *Seele*: *a.* soul; *Sinn*, *Gemüt*: mind; *Verstand*: mind, intellect; *Witz*: wit; *Gespenst*: ghost; *der Heilige* ~ the Holy Ghost *od.* Spirit.
Geister|bahn *f* ghost train, *Am.* tunnel of horror; **~erscheinung** *f* apparition; **~fahrer** F *mot. m* driver using a motorway in the wrong direction; **2haft** *adj.* ghostly.
geistes|abwesend *adj.* absent-minded; **2arbeiter** *m* brainworker; **2blitz** *m* brainwave, flash of genius; **2gegenwart** *f* presence of mind; **~gegenwärtig** *adj.* alert; *schlagfertig*: quick-witted; **~gestört** *adj.* mentally disturbed; **~krank** *adj.* insane, mentally ill; **2krankheit** *f* insanity, mental illness; **~schwach** *adj.* feeble-minded, mentally deficient; **2wissenschaften** *pl.* (liberal) arts *pl.*, *the* humanities *pl.*; **2zustand** *m* state of mind.
geistig *adj.* mental; *Arbeit*, *Fähigkeiten etc.*: intellectual; *nicht körperlich*: spiritual; *~e Getränke pl.* spirits *pl.*
geistlich *adj.* religious; *Lied etc.*: *a.* spiritual; *kirchlich*: ecclesiastical; *2e betreffend*: clerical; **2e** *m* clergyman; *bsd. protestantisch*: minister; *die ~n pl. coll.* the clergy *pl.*

G

geist|los *adj*. trivial, inane, silly; **~reich, ~voll** *adj*. witty, clever.
Geiz *m* stinginess; **~hals** *m* miser, niggard; **2ig** *adj*. stingy, miserly.
Ge|jammer *n* wailing, complaining; **~kläff** *n* yapping; **~klapper** *n* clatter(ing); **~klimper** *n* tinkling.
ge|konnt *adj*. masterly, skil(l)ful; **~kränkt** *adj*. hurt, offended.
Gekritzel *n* scrawl, scribble.
gekünstelt *adj*. affected; artificial.
Ge|lächter *n* laughter; **~lage** *n* carouse, drinking-bout.
Gelände *n* area, country, ground; *Bau2 etc.*: site; *auf dem ~ e-s Betriebs etc.*: on the premises *pl.*; **~....** *in Zssgn Lauf, Ritt, Wagen etc.*: cross-country ...
Geländer *n Treppen2*: banisters *pl.*; *~stange*: handrail, rail(ing); *Brükken2, Balkon2*: parapet.
gelangen *v/i.*: *~ an od. nach* reach, arrive at, get* *od.* come* to; *~ in* get* *od.* come* into; *zu et. ~* gain *od.* win* *od.* achieve s.th.
gelassen *adj*. calm, composed, cool.
Gelatine *f* gelatin(e).
ge|läufig *adj*. common, current; *vertraut*: familiar; **~launt** *adj*.: *gut (schlecht) ~ sein* be* in a good (bad) mood.
gelb *adj*. yellow; *Ampel*: amber; **~lich** *adj*. yellowish; **2sucht** ⚕ *f* jaundice.
Geld *n* money (*um* for); *zu ~ machen* turn into cash; **~angelegenheiten** *pl.* money *od.* financial matters *pl.* *od.* affairs *pl.*; **~anlage** *f* investment; **~ausgabe** *f* expense; **~beutel** *m*, **~börse** *f* purse; **~buße** *f* fine, penalty; **~geber** *m* financial backer; investor; **~geschäfte** *pl.* money transactions *pl.*; **2gierig** *adj*. greedy for money, avaricious; **~knappheit** *f*, **~mangel** *m* lack of money; *econ.* (financial) stringency; **~mittel** *pl.* funds *pl.*, means *pl.*, resources *pl.*; **~schein** *m* (bank)note, *Am.* bill; **~schrank** *m* safe; **~sendung** *f* remittance; **~strafe** *f* fine; **~stück** *n* coin; **~verlegenheit** *f* financial embarrassment; **~verschwendung** *f* waste of money; **~wechsel** *m* exchange of money; **~wechsler** *m* change machine.
Gelee *n*, *m* jelly; *Kosmetik*: gel.
gelegen *adj*. situated, *Am. a.* located; *passend*: convenient, opportune; **2heit** *f Anlaß*: occasion; *günstige*: opportunity, chance; *bei ~* on occasion.
Gelegenheits|arbeit *f* casual *od.* odd job; **~arbeiter** *m* casual labo(u)rer, odd-job man; **~kauf** *m* bargain.
gelegentlich *adj*. occasional.
gelehr|ig *adj*. docile; **2igkeit** *f* docility; **2samkeit** *f* learning; **~t** *adj*. learned; **2te(r)** scholar, learned man *od.* woman.
Geleise *n s. Gleis.*
Geleit *n* escort; **2en** *v/t.* accompany, conduct; *bsd. schützend*: escort; **~zug** ⚓ *m* convoy.
Gelenk *anat.*, ⊕, ⚘ *n* joint; **2ig** *adj*. flexible (*a.* ⊕); *geschmeidig*: lithe, supple.
gelernt *adj*. *Arbeiter*: skilled, trained.
geliebt *adj*. (be)loved, dear.
Geliebte 1. *m* lover; **2.** *f* mistress.
gelinde 1. *adj*. soft, gentle; **2.** *adv.*: *~ gesagt* to put it mildly.
gelingen *v/i.* succeed, manage; *gut geraten*: turn out well; *es gelang mir, et. zu tun* I succeeded in doing (managed to do) s.th.
Gelingen *n* success; *gutes ~!* good luck!
gelt|en *v/i. u. v/t. wert sein*: be* worth; *fig.* count for; *gültig sein*: be* valid; *Sport*: count; *Preis, Gesetz*: be* effective; *~ für* apply to; *~ als* be* regarded *od.* looked upon as, be* considered *od.* supposed to be; *~ lassen* accept (*als* as); **~end** *adj*. accepted; *~ machen Anspruch, Recht*: assert; *s-n Einfluß (bei j-m) ~ machen* bring* one's influence to bear (on s.o.); **2ung** *f Ansehen*: prestige; *Gewicht*: weight; *zur ~ kommen* show* to advantage; **2ungsbedürfnis** *n* need for recognition *od.* admiration.
Gelübde *n* vow.
gelungen *adj*. successful, a success.
gemächlich *adj*. leisurely, easy.
Gemälde *n* painting, picture; **~galerie** *f* picture-gallery.
gemäß *prp.* according to; **~igt** *adj*. moderate; *Klima etc.*: temperate.
gemein *adj*. *contp.* mean; *Lüge, Witz etc.*: dirty, filthy; ⚘, *zo.*, ⚔ common; *et. ~ haben (mit)* have* s.th. in common (with).
Gemeinde *f pol.* municipality; *Verwaltung*: *a.* local government; *eccl.* parish; *in der Kirche*: congregation; **~rat** *m* municipal council; *Person*:

municipal council(l)or; **∼steuer** *f* rate, *Am.* local tax.

gemein|gefährlich *adj.*: ∼*er Mensch* public danger, *Am.* public enemy; **≈heit** *f* meanness; mean thing (to do *od.* say); F dirty trick; **∼nützig** *adj.* non-profit(-making); **≈platz** *m* commonplace; **∼sam** *adj.* common, joint; *gegenseitig*: mutual; *et.* ∼ *tun* do* s.th. together.

Gemeinschaft *f* community; **∼sarbeit** *f* team-work; **∼skunde** *f* social studies *pl.*; **∼sproduktion** *f* co-production; **∼sraum** *m* recreation room, lounge.

Gemein|sinn *m* public spirit; (sense of) solidarity; **≈verständlich** *adj.* *Stil etc.*: popular; **∼wohl** *n* public welfare.

gemessen *adj.* measured; *förmlich*: formal; *feierlich*: grave.

Gemetzel *n* slaughter, massacre.

Gemisch *n* mixture (*a.* ⚗).

Gemse *zo. f* chamois.

Gemurmel *n* murmur, mutter.

Gemüse *n* vegetable(s *pl.*); *grünes*: greens *pl.*; **∼händler** *m* greengrocer('s).

Gemüt *n* mind, soul; *Herz*: heart; ∼*sart*: nature, mentality; **≈lich** *adj.* comfortable, snug, cosy; *ungezwungen, angenehm*: peaceful, pleasant, relaxed; *mach es dir* ∼ make yourself at home; **∼lichkeit** *f* snugness, cosiness; cosy *od.* relaxed atmosphere.

Gemüts|bewegung *f* emotion; **≈krank** *adj.* emotionally disturbed; **∼verfassung** *f*, **∼zustand** *m* state of mind.

Gen *biol. n* gene.

genau 1. *adj.* exact, precise, accurate; *sorgfältig*: careful, close; *streng*: strict; ≈*eres* further details *pl.*; **2.** *adv.*: ∼ *um 10 Uhr* at 10 o'clock sharp; ∼ *der* ... that very ...; ∼ *zuhören* listen closely; *es* ∼ *nehmen* (*mit et.*) be* particular (about s.th.); **≈igkeit** *f* accuracy, precision, exactness; **∼so** *adv. s. ebenso.*

genehmig|en *v/t.* permit, allow; *bsd. amtlich*: approve; **≈igung** *f* permission; approval; ∼*sschein*: permit; *Zulassung*: *a.* licen|ce, *Am.* -se.

geneigt *adj.* inclined (*a. fig. zu* to).

General ⚔ *m* general; **∼direktor** *m* general manager, managing director; **∼konsul** *m* consul general; **∼konsulat** *n* consulate general; **∼probe** *thea. f* dress rehearsal; **∼sekretär** *m* secretary-general; **∼stab** ⚔ *m* general staff; **∼streik** *m* general strike; **∼versammlung** *econ. f* general meeting; **∼vertreter** *econ. m* general agent.

Generation *f* generation; **∼enkonflikt** *m* generation gap.

Generator *m* generator.

generell *adj.* general, universal.

genes|en *v/i.* recover (*von* from), get* well; **≈ung** *f* recovery.

Genet|ik *biol. f* genetics *sg.*; **≈isch** *adj.* genetic.

genial *adj.* brilliant, of genius; ⚠ *nicht genial*; **≈ität** *f* genius.

Genick *n* (back *od.* nape of the) neck.

Genie *n* genius.

genieren *v/refl.* be* embarrassed.

genieß|en *v/t.* enjoy; **≈er** *m* gourmet.

Genitiv *gr. m* genitive *od.* possessive (case).

genormt *adj.* standardized.

Genoss|e *m pol.* comrade; F pal, *Brt.* mate, *Am.* buddy; **∼enschaft** *econ. f* co(-)operative (society); **∼in** *pol. f* comrade.

Gentechnologie *f* genetic engineering.

genug *adj.* enough, sufficient.

Genüg|e *f*: *zur* ∼ (well) enough, sufficiently; **≈en** *v/i.* be* enough *od.* sufficient; *das genügt* that will do; **≈end** *adj.* enough, sufficient; *Zeit*: *a.* plenty of; **≈sam** *adj.* easily satisfied; *im Essen*: frugal; *bescheiden*: modest; **∼samkeit** *f* modesty; frugality.

Genugtuung *f* satisfaction.

Genus *gr. n* gender.

Genuß *m* pleasure; *von Nahrung*: consumption; *ein* ∼ a real treat; *Essen*: *a.* delicious; **∼mittel** *n* (semi-)luxury; *Am.* excise item; **∼sucht** *f*, **≈süchtig** *adj.* pleasure-seeking.

Geograph *m* geographer; **∼ie** *f* geography; **≈isch** *adj.* geographic(al).

Geolog|e *m* geologist; **∼ie** *f* geology; **≈isch** *adj.* geologic(al).

Geometr|ie *f* geometry; **≈isch** *adj.* geometric(al).

Gepäck *n* luggage, *bsd. Am.* baggage; **∼ablage** *f* luggage rack; **∼aufbewahrung** *f* left-luggage office, *Am.* baggage room; **∼kontrolle** *f* luggage inspection, *Am.* baggage check; **∼schalter** *m* luggage counter; **∼schein** *m* luggage-ticket, *Am.* baggage check; **∼träger** *m* porter; *Fahr-*

G

rad: (luggage-)rack; **~wagen** 🚂 *m* luggage van, *Am.* baggage car.
Gepard *zo. m* cheetah.
gepflegt *adj.* well-groomed, neat; *fig. Stil etc.*: cultivated.
Gepflogenheit *f* habit, custom.
Ge|plapper *n* babbling, chatter(ing); **~plauder** *n* chat(ting); **~polter** *n* rumble; **~quassel, ~quatsche** *n* blather, blabber.
gerade 1. *adj.* straight (*a. fig.*); *Zahl etc.*: even; *direkt*: direct; *Haltung*: upright, erect; **2.** *adv.* just; *nicht ~* not exactly; *das ist es ja ~!* that's just it!; *~ deshalb* that's just why; *~ rechtzeitig* just in time; *warum ~ ich?* why me of all people?; *da wir ~ von ... sprechen* speaking of ...
Gerade *f* ⩘ (straight) line; *Rennbahn*: straight; *linke* (*rechte*) *~ Boxen*: straight left (right); **2aus** *adv.* straight on *od.* ahead; **2heraus** *adj.* straightforward, frank; **2stehen** *v/i.* stand* straight; *~ für* answer for; **2wegs** *adv.* straight, directly; **2zu** *adv.* simply.
Gerät *n Vorrichtung*: device; *kleines*: F gadget; *Elektro2, Haushalts2 etc.*: appliance; *Radio2, Fernseh2*: set; *coll. ~schaften, a. Sport, Labor etc.*: equipment; *Handwerks2, Garten2*: tool; *feinmechanisches, optisches*: instrument; *Küchen2*: (kitchen) utensil(s *pl. coll.*); *Turn2*: apparatus.
geraten *v/i. ausfallen*: turn out (*gut* well); *~ an* come* across; *~ in* get* into; *in Brand ~* catch* fire.
Geräteturnen *n* apparatus gymnastics *pl.*
Geratewohl *n*: *aufs ~* at random.
geräumig *adj.* spacious, roomy.
Geräusch *n* sound, noise; **2los 1.** *adj.* noiseless (*a.* ⊕); **2.** *adv.* without a sound; **2voll** *adj.* noisy.
gerb|en *v/t.* tan; **2erei** *f* tannery.
gerecht *adj.* just, fair; *~ werden* do* justice to; *Wünschen etc.*: meet*; **2igkeit** *f* justice.
Gerede *n* talk; *Klatsch*: gossip.
gereizt *adj.* irritable; **2heit** *f* irritability.
Gericht *n* dish; ⚖ court; *vor ~ stehen* (*stellen*) stand* (bring* to) trial; *vor ~ gehen* go* to court; **2lich** *adj.* judicial, legal.
Gerichts|barkeit *f* jurisdiction; **~gebäude** *n* court-house; **~medizin** *f* forensic medicine; **~saal** *m* court-room; **~verfahren** *n* lawsuit; **~verhandlung** *f* (court) hearing; *Straf2*: trial; **~vollzieher** *m* bailiff, *Am.* marshal.
gering *adj.* little, small; *unbedeutend*: slight, minor; *niedrig*: low; **~fügig** *adj.* slight, minor; *Betrag, Vergehen*: petty; **~schätzen** *v/t.* think* little of; **~schätzig** *adj.* contemptuous; **~st** *adj.* least; *nicht im ~en* not in the least.
gerinnen *v/i.* coagulate; *bsd. Milch*: *a.* curdle; *bsd. Blut*: *a.* clot.
Gerippe *n* skeleton (*a. fig.*); ⊕ framework.
gerissen *fig. adj.* cunning, smart.
germanis|ch *adj.* Germanic; **2t(in)** student of German; 🕮 Germanist.
gern(e) *adv.* willingly, gladly; *~ haben* like, be* fond of; *et.* (*sehr*) *~ tun* like (love) to do s.th. *od.* doing s.th.; *ich möchte ~* I'd like (to); *~ geschehen!* not at all, (you're) welcome, that's all right.
Geröll *n* scree; *großes*: boulders *pl.*
Gerste ⚘ *f* barley; **~nkorn** ⚕ *n* sty(e).
Gerte *f* switch, rod, twig.
Geruch *m* smell; *bsd. schlechter*: odo(u)r; *bsd. Duft*: scent; **2los** *adj.* odo(u)rless; **~ssinn** *m* (sense of) smell.
Gerücht *n* rumo(u)r.
gerührt *adj.* touched, moved.
Gerümpel *n* lumber, junk.
Gerundium *gr. n* gerund.
Gerüst *n* frame(work); *Bau2*: scaffold(ing); *Bühne*: stage.
gesamt *adj.* whole, entire, total, all; **2...** *in Zssgn Ergebnis, Gewicht etc.*: *mst* total ...; **2ausgabe** *f* complete edition; **~deutsch** *pol. adj.* all-German; **2schule** *f* comprehensive school.
Gesandt|e(r) *pol.* envoy; **2schaft** *f* legation, mission.
Gesang *m* singing; *Lied*: song; *Fach*: voice; **~buch** *eccl. n* hymn-book; **~slehrer(in)** singing-teacher; **~verein** *m* choral society, *Am. a.* glee club.
Gesäß *anat. n* buttocks *pl.*, bottom.
Geschäft *n* business; *Laden*: shop, *Am.* store; *vorteilhaftes*: bargain; **2ig** *adj.* busy, active; **~igkeit** *f* activity; **2lich 1.** *adj.* business ...; commercial; **2.** *adv.* on business.
Geschäfts|brief *m* business letter; **~frau** *f* businesswoman; **~freund** *m*

business friend, correspondent; **~führer** *m* manager; **~führung** *f* management *sg., pl.*; **~inhaber(in)** propriet|or (-ress); shopkeeper, *bsd. Am.* storekeeper; **~lage** *f* business situation (*örtlich*: location); **~mann** *m* businessman; **²mäßig** *adj.* businesslike; **~ordnung** *f parl.* standing orders *pl.*; rules *pl.* (of procedure); **~partner** *m* (business) partner; **~räume** *pl.* (business) premises *pl.*; **~reise** *f* business trip; **~schluß** *m* closing-time; *nach ~ a.* after business hours; **~stelle** *f* office; **~straße** *f* shopping street; **~träger** *pol. m* chargé d'affaires; **²tüchtig** *adj.* efficient, smart; **~verbindung** *f* business connection; **~viertel** *n* commercial district; *Am. a.* downtown; **~zeit** *f* office *od.* business hours *pl.*; **~zweig** *m* branch *od.* line (of business).

geschehen *v/i.* happen, occur, take* place; *getan werden*: be* done; *es geschieht ihm recht* it serves him right.

Geschehen *n* events *pl*, happenings *pl.*

gescheit *adj.* clever, intelligent, bright.

Geschenk *n* present, gift; **~packung** *f* gift box.

Geschicht|e *f* story; *Wissenschaft*: history; *fig.* business, thing; **²lich** *adj.* historical; **~sschreiber, ~swissenschaftler** *m* historian.

Geschick *n* fate, destiny; *Gewandtheit* = **~lichkeit** *f* skill; *bsd. körperliche*: dexterity; **²t** *adj.* skil(l)ful, skilled; *gewandt*: dext(e)rous; *geistig*: *a.* clever.

Geschirr *n* dishes *pl.*; *Porzellan*: china; *Küchen²*: kitchen utensils *pl.*, pots and pans *pl.*, crockery; *Pferde²*: harness; *~ spülen* wash *od.* do* the dishes; **~spüler** *m* dishwasher.

Geschlecht *n* sex; *Gattung*: kind, species; *Abstammung*: family, line(age); *Generation*: generation; *gr.* gender; **²lich** *adj.* sexual.

Geschlechts|krankheit ⚕ *f* venereal disease; **~reife** *f* puberty; **~teile** *anat. pl.* genitals *pl.*; **~trieb** *m* sexual instinct *od.* urge; **~verkehr** *m* (sexual) intercourse; **~wort** *gr. n* article.

ge|schliffen *adj.* *Edelstein*: cut; *fig.* polished; **~schlossen** *adj.* closed; ⊕, *fig.* compact; *~e Gesellschaft* private party.

Geschmack *m* taste (*a. fig.*); *Aroma*: flavo(u)r; *~ finden an* develop a taste for; **²los** *adj.* tasteless; **~losigkeit** *f* tastelessness; *das war e-e ~* that was in bad taste; **~(s)sache** *f* matter of taste; **²voll** *adj.* tasteful, in good taste.

geschmeidig *adj.* supple, pliant.

Geschöpf *n* creature.

Geschoß *n* projectile, missile; *Stockwerk*: stor(e)y, floor.

Geschrei *n* shouting, yelling; *Angst²*: screams *pl.*; *Baby*: crying; *fig. Aufhebens*: fuss.

Geschütz ⚔ *n* gun, cannon.

Geschwader ⚔ *n* ⚓ squadron; ✈ wing, *Am.* group.

Geschwätz *n* chatter, babble; *Klatsch*: gossip; *fig. Unsinn*: nonsense; **²ig** *adj.* talkative; gossipy.

geschweige *cj.*: *~ (denn)* let alone.

geschwind *adj.* quick, swift; **²igkeit** *f* speed; *Schnelligkeit*: *a.* fastness, quickness; *phys.* velocity; *mit e-r ~ von ...* at a speed *od.* rate of ...; **²igkeitsbegrenzung** *f* speed limit; **²igkeitsüberschreitung** *mot. f* speeding.

Geschwister *pl.* brother(s *pl.*) and sister(s *pl.*).

geschwollen *adj.* ⚕ swollen; *fig.* bombastic, pretentious, pompous.

Geschworene|(r) member of a jury; *die ~n pl.* the jury; **²ngericht** *n s. Schwurgericht.*

Geschwulst ⚕ *f* growth, tumo(u)r.

Geschwür ⚕ *n* abscess, ulcer.

Geselchte *östr. n* smoked meat.

Gesell|e *m Handwerker*: journeyman; **²en** *v/refl.*: *sich zu j-m ~* join s.o.; **²ig** *adj. zo. etc.*: social; *Person*: sociable; *~es Beisammensein* social, get-together; **~in** *f* trained woman *hairdresser etc.*, journeywoman.

Gesellschaft *f* society; *Umgang*: company; *Abend² etc.*: party; *Firma*: company, corporation; *j-m ~ leisten* keep* s.o. company; **²lich** *adj.* social.

Gesellschafts|... *in Zssgn Kritik, Ordnung, System etc.*: social ...; **~reise** *f* package *od.* conducted tour; **~spiel** *n* parlo(u)r game; **~tanz** *m* ballroom dance.

Gesetz *n* law; *Einzel²*: *a.* act; **~buch** *n* code (of law); **~entwurf** *m* bill;

G

²**gebend** *adj.* legislative; ~**geber** *m* legislator; ~**gebung** *f* legislation; ²**lich 1.** *adj.* legal; *legal*: *a.* lawful; **2.** *adv.*: ~ geschützt *econ.* ⚖ patented, registered; ²**los** *adj.* lawless; ²**mäßig** *adj.* legal, lawful.
gesetzt 1. *adj.* staid, dignified; *Alter*: mature; **2.** *cj.*: ~ den Fall, (daß) ... supposing (that) ...
gesetzwidrig *adj.* illegal, unlawful.
Gesicht *n* face; zu ~ bekommen catch* sight (*kurz*: a glimpse) of; aus dem ~ verlieren lose* sight (*fig. a.* track) of; das ~ verziehen make* a face.
Gesichts|ausdruck *m* (facial) expression, look; ~**farbe** *f* complexion; ~**punkt** *m* point of view, aspect, angle; ~**zug** *m* feature.
Gesindel *n* trash, *the* riff-raff *pl.*
gesinn|t *adj. eingestellt*: minded; j-m feindlich ~ sein be* ill-disposed towards s.o.; ²**ung** *f* mind; *Haltung*: attitude; *pol.* conviction(s *pl.*).
gesinnungs|los *adj.* unprincipled; ~**treu** *adj.* loyal; ²**wechsel** *m* about-face.
gesittet *adj.* civilized, well-mannered.
Gespann *n* team (*a. fig. gutes*).
gespannt *adj.* tense (*a. fig.*); ~ sein auf be* looking forward (anxiously) to, be* anxious to see; ich bin ~, ob (wie) I wonder if (how).
Gespenst *n* ghost, *bsd. fig.* spect|re, *Am.* -er; ²**isch** *adj.* ghostly, F spooky.
Gespinst *n* web, tissue (*beide a. fig.*).
Gespött *n* mockery, ridicule; j-n zum ~ machen make* a laughingstock of s.o.
Gespräch *n* talk (*a. pol.*), conversation; *teleph.* call; ²**ig** *adj.* talkative.
Gespür *n* flair, F nose, antenna.
Gestalt *f allg.* shape, form; *Figur, Person*: figure; ²**en** *v/t. Fest etc.*: arrange; *entwerfen*: design; et. ~ zu turn s.th. into; ~**ung** *f* arrangement; design; *Raum*²: decoration; *Darbietung*: presentation.
geständ|ig *adj.*: ~ sein confess; ²**nis** *n* confession (*a. fig.*).
Gestank *m* stench, stink.
gestatten *v/t.* allow, permit.
Geste *f* gesture (*a. fig.*).
gestehen *v/t. u. v/i.* confess.
Ge|stein *n* rock, stone; ~**stell** *n Ständer, Sockel*: stand, base, pedestal; *Regal*: shelves *pl.*; *Grundkonstruktion*: frame.
gest|ern *adv.* yesterday; ~ abend last night; ~**rig** *adj.* yesterday's, of yesterday.
Gestrüpp *n* brushwood, undergrowth; *fig.* jungle, maze.
Gestüt *n* stud farm; *Pferde*: stud.
Gesuch *n* application, request.
gesund *adj.* healthy; *Kost, Leben*: *a.* healthful; *fig. a.* sound; ~er Menschenverstand common sense; (wieder) ~ werden get* well (again), recover.
Gesundheit *f* health; auf j-s ~ trinken drink* to s.o.'s health; ~! *beim Niesen*: bless you!; ²**lich 1.** *adj. Zustand*: physical; *Einrichtung etc.*: sanitary; **2.** *adv.*: ~ geht es ihm gut he is in good health.
Gesundheits|amt *n* Public Health Office; ²**schädlich** *adj.* injurious *od.* harmful to health; *Nahrung etc.*: unhealthy, unwholesome; ~**zustand** *m* state of health, physical condition.
Getöse *n* din, (deafening) noise.
Getränk *n* drink, beverage; ~**eautomat** *m* drink dispenser.
getrauen *v/refl. s.* trauen.
Getreide *n* grain, cereals *pl.*, *Brt. a.* corn; ~**ernte** *f* grain harvest; *Ertrag*: *a.* grain crop.
getreu *adj.* true, faithful.
Getriebe *mot. n* transmission.
getrost *adv. bedenkenlos*: safely.
Ge|tue *n* fuss; ~**tümmel** *n* turmoil.
Gewächs *n* plant; ⚕ growth; ~**haus** *n* greenhouse, hothouse.
ge|wachsen *fig. adj.*: j-m ~ sein be* a match for s.o.; e-r Sache ~ sein be* equal to s.th., be* able to cope with s.th.; ~**wagt** *adj.* daring (*a. fig. Film*); *fig. Witz etc.*: risqué; ~**wählt** *adj. Stil*: refined; ~**wahr** *adj.*: ~ werden become* aware of.
Gewähr *f*: ~ übernehmen (für) guarantee; ²**en** *v/t.* grant, allow; ²**leisten** *v/t.* guarantee.
Gewahrsam *m*: et. (j-n) in ~ nehmen take* s.th. in safekeeping (s.o. into custody).
Gewalt *f* force, violence (*a.* ~*tätigkeit*); *Macht*: power; *Beherrschung*: control; mit ~ by force; höhere ~ act of God; in s-e ~ bringen seize by force; die ~ verlieren über lose* control over; ~**herrschaft** *f* tyranny; ²**ig** *adj.* powerful, mighty; *riesig*,

ungeheuer: enormous; ≈**los** *adj.* non-violent; ~**losigkeit** *f* non-violence; ≈**sam 1.** *adj.* violent; **2.** *adv.* forcibly; ~ *öffnen* force open; ~**tat** *f* act of violence; ≈**tätig** *adj.* violent.
Gewand *n* robe, gown; *eccl.* vestment.
gewandt *adj.* nimble; *geschickt*: skil(l)ful; *fig.* clever; ≈**heit** *f* nimbleness; skill; *Auftreten*: ease.
Ge|wässer *n* body of water; ~ *pl.* waters *pl.*; ~**webe** *n* fabric; *biol.* tissue.
Gewehr *n allg.* gun; *Büchse*: rifle; *Flinte*: shotgun; ~**kolben** *m* (rifle) butt; ~**lauf** *m* (rifle *od.* gun) barrel.
Geweih *n* antlers *pl.*, horns *pl.*
Gewerbe *n* trade, business; ~**schein** *m* trade licen|ce, *Am.* -se; ~**schule** *f* vocational *od.* trade school.
gewerb|lich *adj.* commercial, industrial; ~**smäßig** *adj.* professional.
Gewerkschaft *f* (trade) union, *Am.* labor union; ~**(l)er(in)** trade (*Am.* labor) unionist; ≈**lich** *adj.*, ~**s...** *in Zssgn* (trade, *Am.* labor) union ...
Gewicht *n* weight; *Bedeutung*: *a.* importance; ~ *legen auf* stress, emphasize; ≈**ig** *adj.* weighty (*a. fig.*).
gewillt *adj.* willing, ready.
Ge|wimmel *n* throng; ~**winde** ⊕ *n* thread; *ein ~ bohren in* tap.
Gewinn *m econ.* profit (*a. fig.*); *Ertrag*: gain(s *pl.*); *Lotterie*≈: prize; *Spiel*≈: winnings *pl.*; ≈**bringend** *adj.* profitable; ≈**en** *v/t. u. v/i.* win*; *erhalten, zunehmen an*: gain; ≈**end** *adj. Wesen, Lächeln*: winning, engaging; ~**er** *m* winner; ~**zahl** *f* winning number.
Gewirr *n* tangle; *Straßen*≈: maze.
gewiß 1. *adj.* certain; *ein gewisser Herr N.* a certain Mr N.; **2.** *adv.* certainly, surely.
Gewissen *n* conscience; ≈**haft** *adj.* conscientious; ≈**los** *adj.* unscrupulous; ~**sbisse** *pl.* pricks *pl. od.* pangs *pl.* of conscience; ~**sfrage** *f* question of conscience; ~**sgründe** *pl.*: *aus ~n* for reasons of conscience.
Gewißheit *f* certainty; *mit ~ sagen, wissen*: for certain *od.* sure.
Gewitter *n* thunderstorm; ~**regen** *m* thunder-shower; ~**wolke** *f* thundercloud.
gewöhnen *v/t. u. v/refl.*: *sich (j-n) ~ an* get* (s.o.) used to.
Gewohnheit *f* habit (*et. zu tun* of doing s.th.); ≈**smäßig** *adj.* habitual.
gewöhnlich *adj.* common, ordinary, usual; *unfein*: vulgar, F common.
gewohnt *adj.* usual; *et. (zu tun) ~ sein* be* used *od.* accustomed to (doing) s.th.
Gewölb|e *n* vault; ≈**t** *adj.* arched.
Gewühl *n* milling crowd, throng.
gewunden *adj. Weg etc.*: winding.
Gewürz *n* spice; ~**gurke** *f* pickle(d gherkin).
Ge|zeiten *pl.* tide(s *pl.*); ~**zeter** *n* (shrill) clamo(u)r; *Nörgeln*: nagging; ≈**ziert** *adj.* affected; ~**zwitscher** *n* chirp(ing), twitter(ing); ≈**zwungen** *adj.* forced, unnatural.
Gicht ⚕ *f* gout.
Giebel *m* gable(-end).
Gier *f* greed(iness) (*nach* for); ≈**ig** *adj.* greedy (*nach, auf* for, after).
gieß|en *v/t. u. v/i.* pour; ⊕ cast*; *Blumen*: water; ≈**erei** *f* foundry; ≈**kanne** *f* watering-can *od.* -pot.
Gift *n* poison; *zo. a.* venom (*a. fig.*); ⚠ *nicht gift*; ≈**ig** *adj.* poisonous; venomous (*a. fig.*); *vergiftet*: poisoned; ⚕ toxic; ~**müll** *m* toxic waste; ~**schlange** *f* poisonous *od.* venomous snake; ~**stoff** *m* poisonous *od.* toxic substance; *in der Umwelt*: pollutant; ~**zahn** *m* poison fang.
Gigant *m* giant; ≈**isch** *adj.* gigantic.
Gipfel *m* top, peak, summit; *fig. a.* height; ~**konferenz** *pol. f* summit (meeting *od.* conference); ≈**n** *v/i.* culminate.
Gips *m* plaster (of Paris); *in ~* ⚕ in (a) plaster (cast); ~**abdruck**, ~**abguß** *m* plaster cast; ≈**en** *v/t.* plaster (*a.* F ⚕); ~**er** *m* plasterer; ~**verband** ⚕ *m* plaster cast.
Giraffe *zo. f* giraffe.
Girlande *f* garland, festoon.
Girokonto *n* current (*bsd. Am.* checking) account.
Gischt *m, f* (sea) spray, spindrift.
Gitarr|e ♪ *f* guitar; ~**ist(in)** guitarist.
Gitter *n* lattice; *vor Fenster etc.*: grating; F *hinter ~n (sitzen)* (be*) behind bars; ~**bett** *n* cot, *Am.* crib; ~**fenster** *n* lattice (window).
Glanz *m* shine, gloss (*a.* ⊕), lust|re, *Am.* -er, brilliance (*a. fig.*); *fig. Pracht*: splendo(u)r, glamo(u)r.
glänzen *v/i.* shine*, gleam; *funkeln*: *a.* glitter, glisten; ~**d** *adj.* shiny,

glossy (*a. phot.*), brilliant (*a. fig.*); *fig.* excellent, splendid.
Glanz|leistung *f* brilliant achievement; **~zeit** *f* heyday.
Glas *n* glass; **~er** *m* glazier.
gläsern *adj.* (of) glass.
Glas|faser, ~fiber *f* glass fib|re, *Am.* -er; **~hütte** ⊕ *f* glassworks *pl.*
glas|ieren *v/t.* glaze; *Kuchen*: ice, frost; **~ig** *adj.* glassy; **~klar** *adj.* crystal-clear (*a. fig.*); **≈scheibe** *f* (glass) pane; **≈ur** *f* glaze; *Kuchen*: icing.
glatt *adj.* smooth (*a. fig.*); *schlüpfrig*: slippery; *fig. Sieg etc.*: clear.
Glätte *f* smoothness (*a. fig.*); slipperiness.
Glatteis *n* (black, *Am.* glare) ice; *es herrscht ~* the roads are icy; F *j-n aufs ~ führen* mislead* s.o.
glätten *v/t.* smooth; *Schweiz*: *s. bügeln*.
glatt|gehen F *v/i.* work (out well), go* (off) well; **~rasiert** *adj.* clean-shaven.
Glatze *f* bald head; *e-e ~ haben* be* bald.
Glaube *m* belief, *bsd. eccl.* faith (*beide*: *an* in); **≈n** *v/t. u. v/i.* believe; *meinen*: *a.* think*, *Am. a.* guess; *~ an* believe in (*a. eccl.*).
Glaubens|bekenntnis *n* creed, profession *od.* confession of faith; **~lehre** *f*, **~satz** *m* dogma, doctrine.
glaubhaft *adj.* credible, plausible.
gläubig *adj.* religious; *fromm*: devout (*bsd. a. attr.*); *die ≈en* the faithful *pl.*
Gläubiger *econ. m* creditor.
glaubwürdig *adj.* credible; reliable.
gleich 1. *adj.* same, *Rechte, Lohn etc.*: equal; *auf die ~e Art* (in) the same way; *zur ~en Zeit* at the same time; *das ist mir ~* it's all the same to me; *ganz ~, wann etc.* no matter when *etc.*; *das ~e* the same; (*ist*) *~* 𝔄 equals, is; **2.** *adv.* equally, alike; *sofort*: at once, right away; *sehr bald*: in a moment *od.* minute; *~ groß* (*alt*) of the same size (age); *~ nach* (*neben*) right after (next to); *~ gegenüber* just opposite *od.* across the street; *es ist ~ 5* it's almost 5 o'clock; *~ aussehen* (*gekleidet*) look (dressed) alike; *bis ~!* see you soon *od.* later!; **~altrig** *adj.* (of) the same age; **~berechtigt** *adj.* equal, having equal rights; **≈berechtigung** *f* equal rights *pl.*; **~bleibend** *adj.* constant, steady; **~en** *v/i.* be* *od.* look like.
gleich|falls *adv.* also, likewise; *danke, ~!* (thanks,) the same to you! **~förmig** *adj.* uniform; **~gesinnt** *adj.* like-minded; **≈gewicht** *n* balance (*a. fig.*); **~gültig** *adj.* indifferent (*gegen* to); *leichtfertig*: careless; *das* (*er*) *ist mir ~* I don't care (for him); **≈gültigkeit** *f* indifference; **≈heit** *f* equality; **~kommen** *v/i.*: *e-r Sache ~* amount to s.th.; *j-m ~* equal s.o. (*an* in); **~lautend** *adj.* identical; **~mäßig** *adj.* *regelmäßig*: regular; *gleichbleibend*: constant; *Verteilung*: even; **~namig** *adj.* of the same name; **≈nis** *n* parable; **~sam** *adv.* as it were, so to speak; **~seitig** 𝔄 *adj.* equilateral; **~setzen, ~stellen** *v/t.* equate (*dat.* to, with); *j-n*: put* on an equal footing (with); **≈strom** ⚡ *m* direct current, *abbr.* DC; **≈ung** 𝔄 *f* equation; **~wertig** *adj.* equally good; *j-m ~ sein* be* a match for s.o. (*a. Sport*); **~zeitig** *adj.* simultaneous; *beide ~* both at the same time.
Gleis 🚂 *n* rail(s *pl.*), track(s *pl.*), line; *Bahnsteig*: platform, *Am. a.* gate.
gleit|en *v/i.* glide, slide*; **~end** *adj.* *Arbeitszeit*: flexible; **≈flug** *m* glide.
Gletscher *m* glacier; **~spalte** *f* crevasse.
Glied *n anat.* limb; *männliches*: penis; *Verbindungs≈*: link; **≈ern** *v/t.* structure; divide (*in* into); **~erung** *f* structure, arrangement; *e-s Aufsatzes*: outline; **~maßen** *pl.* limbs *pl.*, extremities *pl.*
glimm|en *v/i.* glow; *schwelen*: smo(u)lder; **≈stengel** F *m* butt, fag.
glimpflich 1. *adj.* lenient, mild; **2.** *adv.*: *~ davonkommen* get* off lightly.
glitschig *adj.* slippery.
glitzern *v/i.* glitter, sparkle, glint.
glob|al *adj.* global; **≈us** *m* globe.
Glocke *f* bell; **~nblume** ⚘ *f* bluebell; **~nspiel** *n* chimes *pl.*; **~nturm** *m* bell tower, belfry.
glorreich *adj.* glorious.
Glotze F *TV f* goggle-box; **≈n** F *v/i.* goggle, gape, stare.
Glück *n* luck, fortune; *Gefühl*: happiness; *~ haben* be* lucky; *zum ~* fortunately; *viel ~!* good luck!; **≈bringend** *adj.* lucky.
Glucke *zo. f* sitting hen; *fig.* hen.
glücken *v/i. s. gelingen.*
gluckern *v/i.* gurgle.
glücklich *adj.* happy; *~er Zufall*

lucky chance; **~erweise** *adv.* fortunately.

Glücks|bringer *m* lucky charm; **~fall** *m* lucky chance; **~pfennig** *m* lucky penny; **~pilz** *m* lucky fellow; **~spiel** *n* game of chance; *coll.* gambling; **~spieler(in)** gambler; **~tag** *m* red-letter day; lucky day.

glück|strahlend *adj.* radiant; **2wunsch** *m* congratulation(s *pl.*); *herzlichen ~!* congratulations!; *zum Geburtstag*: happy birthday!

Glüh|birne ⚡ light bulb; **2en** *v/i.* glow (*a. fig.*); **2end** *adj.* glowing; *Eisen*: red-hot; *fig.* burning, passionate; **2endheiß** *adj.* blazing hot; **~wein** *m* mulled claret.

Glut *f* (glowing) fire; embers *pl.*; live coals *pl.*; *Hitze*: blazing heat; *Gefühle*: ardo(u)r.

Glykol ⚗ *n* glycol.

Gnade *f* mercy, *bsd. eccl. a.* grace; *Gunst*: favo(u)r; **~nfrist** *f* reprieve; **~ngesuch** ⚖ *n* petition for mercy; **2nlos** *adj.* merciless.

gnädig *adj.* gracious; *bsd. eccl.* merciful.

Gnom *m* gnome.

Goal *östr. n Sport*: goal.

Gold *n* gold; **~barren** *m* gold bar *od.* ingot; *coll.* bullion; **2en** *adj.* gold; *fig.* golden; **~fisch** *m* goldfish; **2gelb** *adj.* golden(-yellow); **~gräber** *m* gold-digger; **~grube** *fig. f* gold-mine, bonanza; **2ig** *fig. adj.* sweet, lovely, *Am.* F *a.* cute; **~mine** *f* gold-mine; **~münze** *f* gold coin; **~schmied** *m* goldsmith; **~stück** *n* gold coin; **~sucher** *m* gold prospector.

Golf[1] *geogr. m* gulf.

Golf[2] *n* golf; **~platz** *m* golf-course; **~schläger** *m* golf-club; **~spieler(in)** golfer.

Gondel *f* gondola; *Lift2*: *a.* cabin.

Gong(schlag) *m* (sound of the) gong.

gönn|en *v/t.*: *j-m et. ~* not (be)grudge s.o. s.th.; *j-m et. nicht ~* (be)grudge s.o. s.th.; *sich et. ~* allow o.s. s.th., treat o.s. to s.th.; **~erhaft** *adj.* patronizing.

Gorilla *zo. m* gorilla.

Gosse *f* gutter (*a. fig.*).

Got|ik *arch. hist. f* Gothic style *od.* period; **2isch** *adj.* Gothic.

Gott *m* God, Lord; *myth.* god; *~ sei Dank(!)* thank God(!); *um ~es Willen!* for heaven's sake!; **2ergeben** *adj.* resigned (to the will of God).

Gottes|dienst *eccl. m* (divine) service; mass; **2fürchtig** *adj.* God-fearing; **~lästerer** *m* blasphemer; **~lästerung** *f* blasphemy.

Gottheit *f* deity, divinity.

Gött|in *f* goddess; **2lich** *adj.* divine.

gott|lob *int.* thank God *od.* goodness!; **~los** *adj.* godless, wicked; **~verlassen** F *adj.* godforsaken; **2vertrauen** *n* trust in God.

Götze *m*, **~nbild** *n* idol.

Gouverneur *m* governor.

Grab *n* grave; *bsd. ~mal*: tomb.

Graben *m* ditch; ⚔ trench.

graben *v/t. u. v/i.* dig*; *Tier*: *a.* burrow.

Grab|gewölbe *n* vault, tomb; **~mal** *n Ehrenmal*: monument; tomb, sepulch|re, *Am.* -er; **~rede** *f* funeral address; **~schrift** *f* epitaph; **~stätte** *f* burial-place; grave, tomb; **~stein** *m* tombstone, gravestone.

Grad *m* degree; ⚔ *etc.*: rank, grade; *15 ~ Kälte* 15 degrees below zero; **~einteilung** *f* graduation; **2uell** *adj.* *Unterschied etc.*: in degree.

Graf *m* count; *Brt.* earl.

Gräfin *f* countess.

Grafschaft *f* county.

Gram *lit. m s. Kummer, Trauer.*

Gramm *n* gram.

Grammati|k *f* grammar; **2sch** *adj.* grammatical.

Granat *min. m* garnet; **~e** ⚔ *f* shell; *fig. Sport*: cannonball; **~splitter** ⚔ *m* shell-splinter; **~werfer** ⚔ *m* mortar.

grandios *adj.* magnificent, grand.

Granit *min. m* granite.

Graphi|k *f coll.* graphic arts *pl.*; *Druck*: print; ⚗, ⊕ *etc.* graph, diagram; *Ausgestaltung*: art(work), illustrations *pl.*; **~ker(in)** graphic artist; **2sch** *adj.* graphic.

Graphologie *f* graphology.

Gras ⚘ *n* grass; **2en** *v/i.* graze; **~halm** *m* blade of grass.

grassieren *v/i.* rage, be* rife.

gräßlich *adj.* hideous, atrocious.

Gräte *f* (fish-)bone.

Gratifikation *f* gratuity, bonus.

gratis *adv.* free (of charge).

Grätsche *f*, **2n** *v/i.* straddle.

Gratul|ant(in) congratulator; **~ation** *f* congratulation; **2ieren** *v/i.* congratulate (*j-m zu et.* s.o. on s.th.);

j-m zum Geburtstag ~ wish s.o. many happy returns (of the day).
grau *adj.* grey, *bsd. Am.* gray; **2brot** *n* rye bread; **~en** *v/i. Tag*: dawn; *mir graut es vor* I dread (the thought of); **2en** *n* horror; **~enhaft, ~envoll** *adj.* horrible, horrifying.
gräulich *adj.* greyish, grayish.
Graupel *meteor. f* sleet, soft hail.
grausam *adj.* cruel; **2keit** *f* cruelty.
grausig *adj. s. grauenhaft.*
grav|ieren *v/t.* engrave; **~ierend** *fig. adj.* serious; **2ur** *f* engraving.
Graz|ie *f* grace; **2iös** *adj.* graceful; ⚠ *nicht gracious.*

G

greifen 1. *v/t.* seize, grasp, grab, take* *od.* catch* hold of; **2.** *v/i.*: ~ *nach* reach for; *fest*: grasp at.
Greis *m* (very) old man; **2enhaft** *adj.* senile (*a.* ⚕); **~in** *f* (very) old woman.
grell *adj.* glaring; *Ton*: shrill.
Grenze *f* border; *Linie*: *a.* boundary; *fig.* limit; **2n** *v/i.*: ~ *an* border on; **2nlos** *adj.* boundless.
Grenz|fall *m* borderline case; **~land** *n* borderland, frontier; **~linie** *f* borderline, *pol.* demarcation line; **~stein** *m* boundary stone; **~übergang** *m* frontier crossing(-point), checkpoint.
Greuel *m* horror; **~tat** *f* atrocity.
Griech|e *m*, **~in** *f*, **2isch** *adj.* Greek.
Grieß *m* semolina.
Griff *m* grip, grasp, hold; *Tür2, Messer2 etc.*: handle; **2bereit** *adj.* at hand, handy.
Grill *m* grill; **~e** *zo. f* cricket; **2en** *v/t.* grill, barbecue.
Grimasse *f* grimace; *~n schneiden* pull faces.
grimmig *adj.* grim.
grinsen *v/i.* grin (*über* at); *höhnisch*: sneer (at).
Grinsen *n* grin; sneer.
Grippe ⚕ *f* influenza, F flu(e).
Grips F *m* brains *pl.*
grob 1. *adj.* coarse (*a. fig.*); *Fehler, Lüge etc.*: gross; *Benehmen*: crude; *frech*: rude; *Arbeit, Fläche, Skizze etc.*: rough; **2.** *adv.*: ~ *geschätzt* at a rough estimate; **2heit** *f* coarseness; roughness; rudeness.
grölen F *v/t. u. v/i.* bawl.
Groll *m* grudge, ill will; **2en** *v/i.*: *j-m* ~ bear* s.o. ill will *od.* a grudge.
Groschen *fig. m* penny, *Am. a.* cent.
groß *adj.* big; *bsd. Fläche, Umfang, Zahl*: large (*a. Familie*); *hoch(gewachsen)*: tall; *erwachsen*: grown-up; F *Bruder*: big; *fig. bedeutend*: great (*a. Freude, Spaß, Eile, Mühe, Schmerz etc.*); *Buchstabe*: capital; *~es Geld* notes *pl.*, *Am.* bills *pl.*; *~e Ferien* summer holiday(s *pl.*), *Am. a.* summer vacation *sg.*; ~ *und klein* young and old; *im ~en (und) ganzen* on the whole; F: ~ *in et. sein* be* great at (doing) s.th.; *wie ~ ist es?* what size is it?; *wie ~ bist du?* how tall are you?; **~artig** *adj.* great, F *a.* terrific; **2aufnahme** *f Film*: close-up.
Größe *f* size (*a. Kleid etc.*); *Körper2*: height; *bsd.* ⚹ quantity; *Bedeutung*: greatness; *Person*: celebrity; *Film etc.*: star.
Großeltern *pl.* grandparents *pl.*
großenteils *adv.* to a large *od.* great extent, largely.
Größenwahn *m* megalomania (*a. fig.*).
Groß|handel *econ. m* wholesale (trade); **~händler** *econ. m* wholesale dealer, wholesaler; **~handlung** *econ. f* wholesale business; **~industrie** *f* big industry; *weitS.* big business; **~industrielle** *m* big industrialist, F tycoon.
Groß|macht *pol. f* Great Power; **~maul** *n* braggart; **~mut** *f* generosity; **~mutter** *f* grandmother; **~raum** *pol. econ. m* conurbation, metropolitan area; *der ~ München* Greater Munich, the Greater Munich area; **~schreibung** *f* (use of) capitalization; **2sprecherisch** *adj.* boastful; **2spurig** *adj.* arrogant; **~stadt** *f* big city; **2städtisch** *adj.* of *od.* in a big city, urban.
größtenteils *adv.* mostly, mainly.
groß|tun *v/i.* show* off; *sich mit et.* ~ boast *od.* brag of *od.* about s.th.; **2vater** *m* grandfather; **2verdiener** *m* big earner; **2wild** *n* big game; **~ziehen** *v/t.* raise, rear; *Kind*: *a.* bring* up; **~zügig** *adj.* generous, liberal (*a. Erziehung*); *Planung etc.*: *a.* on a large scale; **2zügigkeit** *f* generosity, liberality; *Haus etc.*: spaciousness.
grotesk *adj.* grotesque.
Grotte *f* grotto.
Grübchen *n* dimple.
Grube *f* pit (*a.* ⚒); *Bergwerk*: mine.
Grübel|ei *f* pondering, musing; **2n** *v/i.* ponder, muse (*über* on, over).

Gruft *f* tomb, vault.
grün *adj.* green; *~ und blau schlagen* beat* black and blue.
Grün *n* green; *im ~en* in the country.
Grund *m* reason; *Ursache*: cause; *Boden*: ground; ⛏ *a.* soil; *Meer etc.*: bottom; *~ und Boden* property, land; *aus diesem ~(e)* for this reason; *auf ~ gen.* because of; *von ~ auf* entirely; *im ~e (genommen)* actually, basically; **~...** *in Zssgn Bedeutung, Bedingung, Regel, Prinzip, Wortschatz etc.*: *mst* basic ...; **~begriffe** *pl.* basics *pl.*, fundamentals *pl.*; **~besitz** *m* land(ed property); **~besitzer** *m* land-owner.
gründ|en *v/t.* found (*a. Familie*), set* up, establish; *sich ~ auf* be* based *od.* founded on; **Ձer(in)** founder.
grund|falsch *adj.* absolutely wrong; **Ձfläche** *f* ∡ base; *e-s Zimmers etc.*: area; **Ձgedanke** *m* basic idea; **Ձgeschwindigkeit** ✈ *f* ground speed; **Ձgesetz** *pol. n* constitution; **Ձlage** *f* foundation; *fig. a.* basis; *~n pl.* (basic) elements *pl.*; **~legend** *adj.* fundamental, basic.
gründlich *adj.* thorough (*a. fig.*).
grund|los *fig. adj.* groundless, unfounded; **Ձmauer** *f* foundation.
Gründonnerstag *eccl. m* Maundy *od.* Holy Thursday.
Grund|rechnungsart ∡ *f*: *die 4 ~en* the four fundamental operations of arithmetic; **~riß** *arch. m* ground-plan; **~satz** *m* principle; **Ձsätzlich 1.** *adj.* fundamental; **2.** *adv.*: *ich bin ~ dagegen* I am against it on principle; **~schule** *f* primary *od.* elementary (*Am. a.* grade) school; **~stein** *m arch.* foundation-stone; *fig.* foundations *pl.*; **~stück** *n* plot (of land), *bsd. Am. a.* lot; *Bauplatz*: (building) site; *Haus nebst Zubehör*: premises *pl.*; **~stücksmakler** *m* (*Am.* real) estate agent, *Am. a.* realtor; **~ton** *m* ♪ keynote; *paint.* ground shade.
Gründung *f* foundation, establishment, setting up.
grund|verschieden *adj.* totally different; **Ձwasser** *n* ground-water; **Ձzahl** *f* cardinal number; **Ձzug** *m* main feature, characteristic.
Grün|fläche *f* open space, lawn; park area; **Ձlich** *adj.* greenish; **~span** *m* verdigris.
grunzen *v/i. u. v/t.* grunt.
Grupp|e *f* group; **Ձieren** *v/t.* group, arrange in groups; *sich ~* form groups.
Grusel|... *in Zssgn Film etc.*: horror ...; **Ձig** *adj.* eerie, creepy, spooky; **Ձn** *v/t. u. v/refl.*: *es gruselt mich* it makes my flesh creep, F it gives me the creeps.
Gruß *m* greeting(s *pl.*) (*aus* from); ⚔ salute; *viele Grüße an ...* give my regards (*herzlicher*: love) to ...; *mit freundlichem ~ Brief*: yours sincerely; *herzliche Grüße* best wishes; *herzlicher*: love.
grüßen *v/t.* greet, F say* hello to; *bsd.* ⚔ salute; *j-n ~ lassen* send* one's regards *od.* love to s.o.
Grütze *f* grits *pl.*, groats *pl.*
guck|en *v/i.* look; *spähen*: peep, peer; **Ձloch** *n* peep- *od.* spyhole.
Güggeli *n Schweiz*: chicken.
gültig *adj.* valid; *Geld*: *a.* current; **Ձkeit** *f* validity; currency; *s-e ~ verlieren* expire.
Gummi *n* rubber; *s. Radiergummi*; **~...** *in Zssgn Ball, Handschuh, Sohle, Stiefel etc.*: *mst* rubber ...; **~band** *n* rubber (*bsd. Brt. a.* elastic) band; **~baum** ⚘ *m* rubber tree; *im Haus*: rubber plant; **~bonbon** *m, n* gumdrop; **~boot** *n* rubber dinghy.
gummieren *v/t.* gum.
Gummi|knüppel *m* truncheon, *Am. a.* billy (club); **~zug** *m* elastic.
Gunst *f* favo(u)r, goodwill; *zu ~en von od. gen.* in favo(u)r of.
günst|ig *adj.* favo(u)rable (*für* to); *passend*: convenient; *~e Gelegenheit* chance; *im ~sten Fall* at best; **Ձling** *m* favo(u)rite.
Gurgel *f*: *j-m an die ~ springen* fly* at s.o.'s throat; **Ձn** *v/i.* ⚕ gargle; *Wasser*: gurgle.
Gurke *f* cucumber; *GewürzՁ*: pickle(d gherkin).
gurren *v/i.* coo.
Gurt *m* belt (*a. mot. u.* ✈); *HalteՁ, TrageՁ*: strap.
Gürtel *m* belt; △ *nicht girdle*.
Guß *m Regen etc.*: downpour; ⊕ casting; *ZuckerՁ*: icing; *fig. aus e-m ~* of a piece; **~eisen** *n* cast iron; **Ձeisern** *adj.* cast-iron.
gut 1. *adj.* good; *Wetter*: *a.* fine; *ganz ~* not bad; *also ~!* all right (then)!; *schon ~!* never mind!; (*wieder*) *~ werden* come* right (again), be* all right; *~e Reise!* have a nice trip!; *sei bitte so ~ und ...* would you be so

good as to *od.* good enough to ...; *in et.* ~ *sein* be* good at (doing) s.th.; **2.** *adv.* well; *aussehen, klingen, riechen, schmecken etc.*: good; *du hast es* ~ you are lucky; *es ist* ~ *möglich* it may well be; *es gefällt mir* ~ I (do) like it; ~ *gemacht!* well done!; *mach's* ~*!* bye!, take care (of yourself)!, so long!, *Brt. a.* cheerio!; *s. gutgehen.*

Gut *n Land*♀: estate; *Güter pl.* goods.

Gut|achten *n* (expert) opinion; *Zeugnis*: certificate; **~achter** *m* expert; **♀artig** *adj.* good-natured; ⚕ benign; **~dünken** *n*: *nach* ~ at discretion *od.* pleasure.

Gute *n* good; ~*s tun* do* good; *alles* ~*!* all the best!, good luck!

Güte *f* goodness, kindness; *econ.* quality; F: *meine* ~*!* good gracious!

Güter|bahnhof *m* goods station, *Am.* freight depot; **~gemeinschaft** ⚖ *f* community of goods; **~trennung** ⚖ *f* separation of property; **~verkehr** *m* goods (*Am.* freight) traffic; **~wagen** *m* (goods) waggon, *Am.* freight car; **~zug** *m* goods train, *Am.* freight train.

gut|gebaut *adj.* well-built; **~gehen** *v/i.* go* (off) well, work out well *od.* all right; *wenn alles gutgeht* if nothing goes wrong; *mir geht es gut* I'm (*finanziell*: doing) well; **~gelaunt** *adj.* in a good mood; **~gläubig** *adj.* credulous; **♀haben** *econ. n* credit (balance); **~heißen** *v/t.* approve (of); **~herzig** *adj.* kind(-hearted).

gütig *adj.* good, kind(ly).

gütlich *adv.*: *sich* ~ *einigen* come* to an amicable settlement; *sich* ~ *tun an* treat o.s. to.

gut|machen *v/t.* make* up for, repay*; **~mütig** *adj.* good-natured; **♀mütigkeit** *f* good nature.

Gutsbesitzer(in) estate owner.

Gut|schein *m* coupon, *bsd. Brt.* voucher; **♀schreiben** *v/t.*: *j-m et.* ~ pass s.th. to s.o.'s credit; **~schrift** *econ. f* credit(ing).

Guts|haus *n* manor (house); **~hof** *m* estate, manor; **~verwalter** *m* steward, (landholder's) manager.

gutwillig *adj.* willing.

Gymnasium *n Brt. appr.* grammar-school; ⚠ *nicht gymnasium.*

Gymnasti|k *f* gymnastics *pl.*; *Freiübungen*: *a.* callisthenics *pl.*, exercises *pl.*; **♀sch** *adj.* gymnastic.

Gynäkologe ⚕ *m* gyn(a)ecologist.

H

Haar *n* hair; *sich die* ~*e kämmen* comb one's hair; *sich die* ~*e schneiden lassen* have* one's hair cut; *aufs* ~ to a hair; *um ein* ~ by a hair's breadth; **~ausfall** *m* loss of hair; **~bürste** *f* hairbrush; **♀en** *v/i. u. v/refl. Tier*: lose* its hair; *Pelz*: shed* hairs; **~esbreite** *f*: *um* ~ by a hair's breadth; **♀fein** *adj.* (as) fine as a hair; *fig.* subtle; **~festiger** *m* setting lotion; **~gefäß** *anat. n* capillary (vessel); **♀genau** F *adv.* precisely; (*stimmt*) ~*!* dead right!; **♀ig** *adj.* hairy; *in Zssgn*: ...-haired; **♀klein** F *adv.* to the last detail; **~klemme** *f* hair clip, *Am.* bobby pin; **~nadel** *f* hairpin; **~nadelkurve** *f* hairpin bend; **~netz** *n* hair-net; **♀scharf** F *adv.* by a hair's breadth; **~schnitt** *m* haircut; **~spalterei** *f* hair-splitting; **~spange** *f* (hair-)slide, *Am.* barrette; **♀sträubend** *adj.* hair-raising, shocking; **~teil** *n* hair-piece; **~trockner** *m* hair dryer; **~wäsche** *f*, **~waschmittel** *n* shampoo; **~wasser** *n* hair tonic; **~wuchs** *m*: *starken* ~ *haben* have* a lot of hair; **~wuchsmittel** *n* hair-restorer.

Habe *f* (personal) belongings *pl.*

haben *v/t.* have* (got); *Hunger* (*Durst*) ~ be* hungry (thirsty); *Ferien* (*Urlaub*) ~ be* on holiday; *er hat Geburtstag* it's his birthday; *welches Datum* ~ *wir heute?* what's the date today?; *welche Farbe hat ...?* what colo(u)r is ...?; *zu* ~ *Ware etc.*: available; F *Mädchen*: to be had; F: *sich* ~ make* a fuss; F: *was hast du?* what's the matter with you?; F: *da* ~ *wir's!* there (we are)!

Habgier *f* greed(iness); **≈ig** *adj.* greedy.
Habicht *zo. m* (gos)hawk.
Habseligkeiten *pl.* belongings *pl.*
Hacke *f* ✓ hoe, mattock; *Spitz≈*: (pick)axe; *Ferse*: heel.
hack|en *v/t.* chop; ✓ hoe; *Vogel*: peck; **≈fleisch** *n* minced (*Am.* ground) meat; **≈ordnung** *f* pecking order (*a. fig.*).
Hafen *m* harbo(u)r, port; **~arbeiter** *m* docker, *Am. a.* longshoreman; **~stadt** *f* (sea)port.
Hafer *m* oats *pl.*; **~brei** *m* (oatmeal) porridge; **~flocken** *pl.* (rolled) oats *pl.*; **~schleim** *m* gruel.
Haft ⚖ *f* confinement, imprisonment; in ~ under arrest; **≈bar** *adj.* responsible, ⚖ liable (für for); **~befehl** *m* warrant of arrest; **≈en** *v/i.* stick*, adhere (an to); ~ für ⚖ answer for, be* liable for.
Häftling *m* prisoner, convict.
Haftpflicht ⚖ *f* liability; **~versicherung** *f* liability insurance; *mot.* third-party insurance.
Haftung *f* responsibility, ⚖ liability; mit beschränkter ~ limited.
Hagel *m* hail; *fig. a.* shower, volley; **~korn** *n* hailstone; **≈n** *v/i.* hail (*a. fig.*); **~schauer** *m* hail shower.
hager *adj.* lean, gaunt, haggard.
Hahn *m zo.* cock; *Haus≈*: *a.* rooster; ⊕ *Wasser≈*: (water) tap, *Am. a.* faucet.
Hähnchen *n* chicken.
Hahnenschrei *m* cock-crow.
Hai(fisch) *zo. m* shark.
häkeln *v/t. u. v/i.* crochet.
Haken *m* hook (*a. Boxen*); *Kleider≈*: *a.* peg; *Zeichen*: mark; *fig.* snag, catch; **~kreuz** *n* swastika.
halb *adj. u. adv.* half; e-e ~e Stunde half an hour; ein ~es Pfund half a pound; zum ~en Preis at half-price; auf ~em Wege (entgegenkommen) (meet*) halfway; ~ so viel half as much; F: (mit j-m) ~e-~e machen go* halves *od.* fifty-fifty (with s.o.); **≈blut** *n* half-breed; **≈bruder** *m* half-brother; **≈dunkel** *n* semi-darkness; **~er** *prp. s.* wegen, um... willen; **~gar** *adj.* underdone; **≈gott** *m* demigod (*a. fig.*).
halbieren *v/t.* halve; ⚹ bisect.
Halb|insel *f* peninsula; **~jahr** *n* six months *pl.*; **≈jährig** *adj.* six-month; **≈jährlich 1.** *adj.* half-yearly; **2.** *adv.* half-yearly, twice a year; **~kreis** *m* semicircle; **~kugel** *f* hemisphere; **≈laut 1.** *adj.* low, subdued; **2.** *adv.* in an undertone; **~leiter** ⚡ *m* semiconductor; **≈links** *adv.* inside left; **≈mast** *adv.* (at) half-mast; **~mond** *m* half-moon, crescent (*a. Form*); **~pension** *f* half-board; **≈rechts** *adv.* inside right; **~schlaf** *m* doze; **~schuh** *m* (Oxford) shoe; **~schwester** *f* half-sister; **~tags...** *in Zssgn* part-time ..., half-day ...; **≈wegs** *adv.* halfway; **≈wüchsig** *adj.* adolescent; **~zeit** *f Sport*: half(-time).
Halde *f* slope; ⚒ dump.
Hälfte *f* half; die ~ von half of.
Halfter *m, n* halter; holster.
Halle *f* hall; *Hotel≈*: *a.* lounge; in der ~ *Sport etc.* indoors.
hallen *v/i.* resound, reverberate.
Hallen|bad *n* indoor swimming-pool; **~sport** *m* indoor sports *pl.*
Halm ⚘ *m Gras≈*: blade; *Getreide≈*: ha(u)lm, stalk; *Stroh≈*: straw.
Hals *m* neck; *Kehle*: throat; ~ über Kopf helter-skelter; sich vom ~ schaffen get* rid of; es hängt mir zum ~(e) (he)raus I'm fed up with it; **~band** *n* necklace; *Hunde≈ etc.*: collar; **~entzündung** ⚕ *f* sore throat; **~kette** *f* necklace; **~schmerzen** *pl.*: ~ haben have* a sore throat; **≈starrig** *adj.* stubborn, obstinate; **~tuch** *n* scarf, neckerchief.
Halt *m* hold; *Stütze*: support (*a. fig.*); *Zwischen≈*: stop; *fig. innerer*: stability.
halt *int.* stop!; ⚔ halt!
haltbar *adj.* durable, lasting; *Lebensmittel*: not perishable; *Farben*: fast; *Argument etc.*: tenable.
halten 1. *v/t.* hold*; *Versprechen, Tier etc.*: keep*; *Rede*: make*; *Vortrag*: give*; *Zeitung*: take* (*Brt. a.* in); *Torwart*: save; ~ für regard as; *irrtümlich*: (mis)take* for; viel (wenig) ~ von think* highly (little) of; sich ~ last; *Essen, in Richtung od. Zustand*: keep*; sich gut ~ *in e-r Prüfung*: do* well; sich ~ an keep* to; **2.** *v/i.* hold*, last; *an~*: stop, halt; *Eis*: bear*; *Seil etc.*: hold*; ~ zu stand* by, F stick* to.
Halte|r *m* owner; *für Geräte etc.*: holder; **~stelle** *f* stop; 🚂 *a.* station; **~verbot** *mot. n* no stopping (area), *Brt.* a clearway (zone).
halt|los *adj.* unsteady; *unbegründet*:

H

baseless; **~machen** *v/i.* stop, halt; *vor nichts* ~ stop at nothing; **2ung** *f Körper*: posture; *pol. etc.* attitude (*zu* towards).
hämisch *adj.* malicious, sneering.
Hammel *m* wether; **~fleisch** *n* mutton.
Hammer *m* hammer (*a. Sport*).
hämmern *v/t. u. v/i.* hammer.
Hämorrhoiden ⚕ *pl.* h(a)emorrhoids *pl.*, piles *pl.*
Hampelmann *m* jumping-jack.
Hamster *zo. m* hamster; **2n** *v/t. u. v/i.* hoard.
Hand *f* hand; *von* (*mit der*) ~ by hand; *an* ~ *von* by means of; *zur* ~ at hand; *aus erster* (*zweiter*) ~ first-hand (secondhand); *an die* ~ *nehmen* take* by the hand; *sich die* ~ *geben* shake* hands; *aus der* ~ *legen* lay* aside; *Hände hoch* (*weg*)! hands up (off)!; **~arbeit** *f* manual labo(u)r; *Nadelarbeit*: needlework (*a. Schule*); *es ist* ~ it is handmade; **~ball** *m* (European) handball; **~betrieb** ⊕ *m* manual operation; **~breit** *f* hand's breadth; **~bremse** *mot. f* hand brake; **~buch** *n* manual, handbook.
Hände|druck *m* handshake; **~klatschen** *n* (hand-)clapping; applause.
Handel *m* commerce, business; *~sverkehr*: trade; *Markt*: market; *abgeschlossener*: transaction, deal, bargain; ~ *treiben econ.* trade (*mit* with *s.o.*); **2n** *v/i.* act, take* action; *feilschen*: bargain (*um* for), haggle (over); *mit j-m* ~ *econ.* trade with s.o.; *mit Waren* ~ *econ.* trade *od.* deal* in goods; ~ *von* deal* with, be* about; *es handelt sich um* it concerns, it is about, it is a matter of.
Handels|abkommen *n* trade agreement; **~bank** *f* commercial bank; **2einig** *adj.*: ~ *werden* come* to terms; **~gesellschaft** *f* (trading) company; **~kammer** *f* Chamber of Commerce; **~schiff** *n* merchant ship; **~schule** *f* commercial school; **2üblich** *adj.* customary in trade; **~ware** *f* commercial articles *pl.*, merchandise.
Hand|feger *m* hand-brush; **~fertigkeit** *f* manual skill; **2fest** *fig. adj.* solid; **~fläche** *f* palm; **2gearbeitet** *adj.* handmade; **~gelenk** *n* wrist; **~gepäck** *n* hand luggage (*Am.* baggage); **~granate** ⚔ *f* hand-grenade; **2greiflich** *adj.*: ~ *werden* turn violent, *Am. a.* get* tough; **2haben** *v/t.* handle, manage; *Maschine etc.*: operate; **~kantenschlag** *m* (backhand) chop.
Händler(in) dealer, trader.
handlich *adj.* handy, manageable.
Handlung *f Film etc.*: story, plot, action(s *pl.*); *Tat*: act, action, deed.
Handlungs|reisende *m* commercial travel(l)er, travel(l)ing salesman; **~weise** *f Verhalten*: conduct, behavio(u)r.
Hand|rücken *m* back of the hand; **~schellen** *pl.* handcuffs *pl.*; *j-m* ~ *anlegen* handcuff s.o.; **~schlag** *m* handshake; **~schrift** *f* hand(-writing); **2schriftlich** *adj.* handwritten; **~schuh** *m* glove; **~stand** *m* handstand; **~tasche** *f* handbag, *Am. a.* purse; **~tuch** *n* towel; **~voll** *f* handful; **~wagen** *m* handcart; **~werk** *n* (handi)craft, trade; **~werker** *m* craftsman, artisan; *allg.* workman; **~werkszeug** *n* (kit of) tools *pl.*; **~wurzel** *f* wrist.
Hanf ⚘ *m* hemp; *Indisch* ~: cannabis.
Hang *m* slope; *fig.* inclination (*zu* for), tendency (towards).
Hänge|brücke *arch. f* suspension bridge; **~lampe** *f* hanging lamp; **~matte** *f* hammock.
hängen *v/i. u. v/t.* hang* (*an Wand etc.*: on; *Decke etc.*: from); ~ *an* be* fond of; *stärker*: be* devoted to; *alles, woran ich hänge* everything that is dear to me; **~bleiben** *v/i.* get* stuck (*a. fig.*); *an et.* ~ get* caught on s.th.
hänseln *v/t.* tease (*wegen* about).
Hanswurst *fig. m* fool, clown.
Hant|el *f* dumbbell; **~ieren** *v/i.*: ~ *mit* handle; ~ *an* fiddle about with.
Happen *m* morsel, bite; snack.
Harfe ♪ *f* harp; **~nist(in)** harpist.
Harke ⚒ *f*, **2n** *v/t.* rake.
harmlos *adj.* harmless.
Harmoni|e *f* harmony (*a.* ♪); **2eren** *v/i.* harmonize (*mit* with); **2sch** *adj.* harmonious.
Harn *m* urine; **~blase** *f* (urinary) bladder; **~röhre** *f* urethra.
Harpun|e *f*, **2ieren** *v/t.* harpoon.
hart 1. *adj.* hard, F *a.* tough; *Sport*: rough; *streng*: severe; **2.** *adv.* hard; ⚠ *nicht hardly*.
Härte *f* hardness; toughness; roughness; severity; *bsd.* ⚖ hardship; **~**

fall *m* case of hardship; ⁓**n** *v/t. u. v/i.* harden.

Hart|faserplatte *f* hardboard; ⁓**gekocht** *adj.* hard-boiled; ⁓**geld** *n* coin(s *pl.*); ⁓**gesotten** *fig. adj.* hard-boiled; ⁓**gummi** *m, n* hard rubber; ⁓**herzig** *adj.* hard-hearted; ⁓**näckig** *adj.* stubborn, obstinate; *beharrlich*: persistent; ⚕ *Krankheit*: refractory.

Harz *n* resin; *Geigen*⁓: rosin; ⁓**ig** *adj.* resinous.

Hasch|isch *n* hashish, cannabis, *sl.* pot; ⁓**en** F *v/i.* smoke pot.

Hase *zo. m* hare.

Haselnuß ♀ *f* hazelnut.

Hasen|braten *m* roast hare; ⁓**fuß** *m* coward; ⁓**scharte** ⚕ *f* harelip.

Haß *m* hatred, hate.

hassen *v/t.* hate.

häßlich *adj.* ugly; *fig. a.* nasty.

Hast *f* hurry, haste; rush; ⁓**en** *v/i.* hurry, hasten, rush; ⁓**ig** *adj.* hasty, hurried.

hätscheln *v/t.* fondle; *contp.* pamper.

Haube *f* bonnet; *Schwestern*⁓: cap; *zo.* crest; *mot.* bonnet, *Am.* hood.

Hauch *m* breath; *Duft*⁓: whiff; *fig. Anflug*: touch, trace; ⁓**en** *v/t.* breathe, whisper.

Haue F *f* hiding, spanking; ⁓**n** *v/t.* F hit*, beat*, *prügeln*: thrash, *Kind*: *a.* spank; ⊕ hew*; *sich* ⁓ (have* a) fight*.

Haufen *m* heap, pile (*beide a.* F *fig.*); F *fig.* crowd.

häuf|en *v/t.* heap (up), pile (up), accumulate; *sich* ⁓ pile up, accumulate; *fig.* become* more frequent, increase; ⁓**ig 1.** *adj.* frequent; **2.** *adv.* frequently, often.

Haupt *n* head, *fig. a.* leader; ⁓**bahnhof** *m* main *od.* central station; ⁓**beschäftigung** *f* chief occupation; ⁓**bestandteil** *m* chief ingredient; ⁓**darsteller(in)** leading act|or (-ress), star, lead(ing man [lady]).

Häuptelsalat *östr. m* lettuce.

Haupt|fach *n Studium*: main subject, *Am.* major; ⁓**figur** *f* main character; ⁓**film** *m* feature (film); ⁓**gewinn** *m* first prize; ⁓**grund** *m* main reason.

Häuptling *m* chief(tain).

Haupt|mann ⚔ *m* captain; ⁓**merkmal** *n* chief characteristic; ⁓**person** F *f* cent|re (*Am.* -er) of attention; ⁓**quartier** *n* headquarters *pl.*; ⁓**rolle** *thea. f* lead(ing part); ⁓**sache** *f* main thing *od.* point; ⁓**sächlich** *adj.* main, chief, principal; ⁓**satz** *gr. m* main clause; ⁓**stadt** *f* capital; ⁓**straße** *f* main street; main road; ⁓**verkehrsstraße** *f* main road; ⁓**verkehrszeit** *f* rush hour(s *pl.*), peak hour(s *pl.*); ⁓**versammlung** *f* general meeting; ⁓**wort** *gr. n* noun.

Haus *n* house; *Gebäude*: building; *parl.* House; *zu* ⁓*e* at home, in; *nach* ⁓*e kommen* (*bringen*) come* *od.* get* (take*) home; ⁓**angestellte(r)** domestic (servant); ⁓**apotheke** *f* (family) medicine cabinet; ⁓**arbeit** *f* housework; ⁓**arzt** *m* family doctor; ⁓**aufgaben** *pl.* homework *sg.*, *Am. a.* assignment; ⁓**bar** *f* cocktail cabinet; ⁓**besetzer** *m* squatter; ⁓**besetzung** *f* squatting; ⁓**besitzer(in)** house owner, land|lord (-lady); ⁓**einweihung** *f* house-warming (party).

hausen *v/i.* live; *wüten*: play havoc.

Haus|flur *m* (entrance) hall, *bsd. Am.* hallway; ⁓**frau** *f* housewife; ⁓**friedensbruch** ⚖ *m* trespass; ⁓**gemacht** *adj.* home-made; ⁓**halt** *m* household; *econ. pol.* budget; (*j-m*) *den* ⁓ *führen* keep* house (for s.o.); ⁓**hälterin** *f* housekeeper; ⁓**haltsgeld** *n* housekeeping money; ⁓**haltswaren** *pl.* household articles *pl.*; ⁓**herr(in)** land|lord (-lady); *Gastgeber(in)*: host(ess); ⁓**hoch** *adj.* huge; *Sieg*: smashing.

hausiere|n *v/i.* peddle, hawk (*mit et.* s.th.) (*a. fig.*); ⁓**r** *m* pedlar, hawker.

Hauskleid *n* house frock *od.* dress.

häuslich *adj.* domestic; home-loving.

Haus|mädchen *n* (house)maid; ⁓**mann** F *m* house husband; ⁓**mannskost** *f* plain fare; ⁓**meister** *m* caretaker, janitor; ⁓**mittel** *n* household remedy; ⁓**ordnung** *f* house rules *pl.*; ⁓**rat** *m* household effects *pl.*; ⁓**schlüssel** *m* front-door key; ⁓**schuh** *m* slipper.

Hausse *econ. f* rise, boom.

Haus|suchung ⚖ *f* house search; ⁓**tier** *n* domestic animal; ⁓**tür** *f* front door; ⁓**verwaltung** *f* property management; ⁓**wirt(in)** land|lord (-lady).

Hauswirtschaft *f* housekeeping; ⁓**slehre** *f* domestic science; *Am. a.* home economics; ⁓**sschule** *f* domestic science (*Am. a.* home economics) school.

Haut *f* skin; *Teint*: complexion; *bis*

H

auf die ~ durchnäßt soaked to the skin; **~abschürfung** ⚕ *f* abrasion; **~arzt** *m* dermatologist; **~ausschlag** ⚕ *m* rash; **⁓eng** *adj.* skin-tight; **~farbe** *f* colo(u)r of the skin; *Teint*: complexion; **~krankheit** *f* skin disease; **~pflege** *f* skin care; **~schere** *f* cuticle scissors *pl.*

H-Bombe ⚔ *f* H-bomb.

Hebamme *f* midwife.

Hebebühne *mot. f* car hoist.

Hebel ⊕ *m* lever.

heben *v/t.* lift (*a. mot.*, ⚓, *Sport*); raise (*a. Wrack u. fig.*); *schwere Last*: heave; *hochwinden*: hoist; *fig. a.* improve; *sich ~* rise*, go* up.

Hecht *zo. m* pike; **⁓en** *v/i.* dive* (*nach* for); *Turnen*: do* a long-fly.

Heck *n* ⚓ stern; ✈ tail; *mot.* rear (*a. in Zssgn Fenster, Motor etc.*).

Hecke ✂ *f* hedge; **~nrose** ⚘ *f* dog-rose; **~nschütze** *m* sniper.

Heer *n* ⚔ army; *fig. a.* host.

Hefe *f* yeast (*a. in Zssgn Teig etc.*).

Heft *n* notebook; *Schul⁓*: copy-book, exercise book; *Bändchen*: booklet; *Ausgabe*: issue, number; *Degen⁓ etc.*: hilt.

heft|en *v/t.* fix, fasten, attach (*an* to); *mit Nadeln*: pin (to); *Saum etc.*: tack, baste; *Buch*: stitch; **⁓er** *m* stapler; *Ordner*: file.

heftig *adj.* violent, fierce; *Regen etc.*: heavy; **⁓keit** *f* violence, fierceness.

Heft|klammer *f* staple; **~pflaster** *n* adhesive plaster, *Am. a.* band-aid.

hegen *v/t.* preserve, protect; *fig.* have*.

Hehler *m* receiver of stolen goods, *sl.* fence; **~ei** *f* receiving stolen goods.

Heide[1] *m* heathen.

Heide[2] *f* heath(land); **~kraut** ⚘ *n* heather, heath.

Heiden|angst F *f*: *e-e ~ haben* be* scared stiff; **~geld** F *n*: *ein ~* a fortune; **~lärm** F *m*: *ein ~* a hell of a noise; **~spaß** F *m*: *e-n ~ haben* have* a ball.

Heid|entum *n* heathenism; **~in** *f*, **⁓nisch** *adj.* heathen.

heikel *adj.* delicate, tricky; *Thema, Punkt*: tender; F *Person*: fussy.

heil *adj. Person*: safe, unhurt; *Sache*: undamaged, whole, intact.

Heil *n eccl.* grace; *sein ~ versuchen* try one's luck.

Heiland *eccl. m* Saviour, Redeemer.

Heil|anstalt *f* sanatorium, *Am. a.* sanitarium; *Nerven⁓*: mental home; **~bad** *n* health resort, spa; **⁓bar** *adj.* curable; **⁓en 1.** *v/t.* cure; **2.** *v/i.* heal (up); **~gymnastik** *f* physiotherapy.

heilig *adj.* holy; *Gott geweiht*: sacred (*a. fig.*); **⁓abend** *m* Christmas Eve; **⁓e(r)** saint; **~en** *v/t.* sanctify (*a. fig.*), hallow; **⁓keit** *f* holiness, sacredness, sanctity; **~sprechen** *v/t.* canonize; **⁓tum** *n* sanctuary, shrine.

Heil|kraft *f* healing *od.* curative power; **⁓kräftig** *adj.* curative; **~kraut** *n* medicinal herb; **⁓los** *fig. adj. Durcheinander*: utter, hopeless; **~mittel** *n* remedy, cure (*beide a. fig.*); **~praktiker** *m* nonmedical practitioner; **~quelle** *f* (medicinal) mineral spring; **⁓sam** *fig. adj.* wholesome.

Heilsarmee *f* Salvation Army.

Heilung *f* cure; *Wunde*: healing.

heim *adv.* home.

Heim *n* home; *Jugend⁓ etc.*: hostel.

Heim... *in Zssgn Mannschaft, Sieg, Spiel etc.*: home ...

Heimat *f* home, native country; *Ort*: home town; *in der (meiner) ~* at home; **⁓los** *adj.* homeless; **~ort** *m* home town; native village; **~vertriebene(r)** expellee.

heimisch *adj. Industrie etc.*: home, domestic; ⚘, *zo. etc.*: native; *Gefühl etc.*: homelike, *bsd. Am.* hom(e)y; *sich ~ fühlen* feel* at home.

Heim|kehr *f* return (home); **⁓kehren, ⁓kommen** *v/i.* return home, come* back.

heimlich *adj.* secret; **⁓keit** *f* secrecy; *~en pl.* secrets *pl.*

Heim|reise *f* journey home; **⁓suchen** *v/t. Unheil etc.*: strike*; **⁓tückisch** *adj.* insidious (*a. Krankheit*); *Mord etc.*: treacherous; **⁓wärts** *adv.* homeward(s); **~weg** *m* way home; **~weh** *n* homesickness; *~ haben* be* homesick.

Heirat *f* marriage; **⁓en** *v/t. u. v/i.* marry, get* married (to).

Heirats|antrag *m* proposal (of marriage); *j-m e-n ~ machen* propose to s.o.; **~schwindler** *m* marriage impostor; **~vermittler(in)** marriage broker; **~vermittlung** *f* marriage bureau.

heiser *adj.* hoarse, husky; **⁓keit** *f* hoarseness, huskiness.

heiß *adj.* hot; *fig. a.* passionate, ardent; *mir ist ~* I am *od.* feel hot.

heißen *v/i.* be* called; *bedeuten*:

mean*; *wie ~ Sie?* what is your name?; *wie heißt das?* what do you call this?; *was heißt ... auf englisch?* what is ... in English?; *es heißt im Text* it says in the text; *das heißt* that is (*abbr. d. h.* i.e.).

heiter *adj.* cheerful; *Film etc.*: humorous; *meteor.* fair; *fig. aus ~em Himmel* out of the blue; **2keit** *f* cheerfulness; *Belustigung*: amusement.

heiz|en *v/t. u. v/i.* heat; *mit Kohlen ~* burn* coal; **2er** ⚓, 🚂 *m* stoker; **2kessel** *m* boiler; **2kissen** *n* electric cushion; **2körper** *m* radiator; **2kraftwerk** *n* thermal power-station; **2material** *n* fuel; **2öl** *n* fuel oil; **2ung** *f* heating.

Held *m* hero.

helden|haft *adj.* heroic; **2mut** *m* heroism, valo(u)r; **2tat** *f* heroic deed; **2tod** *m* heroic death; **2tum** *n* heroism.

Heldin *f* heroine.

helfen *v/i.* help, aid; *förmlicher*: assist; *j-m bei et. ~* help s.o. with *od.* in (doing) s.th.; *~ gegen Mittel etc.*: be* good for; *er weiß sich zu ~* he can manage (*bsd. Brt.* cope); *es hilft nichts* it's no use.

Helfer|(in) helper, assistant; **~shelfer** *m* accomplice.

hell *adj. Licht etc.*: bright; *Farbe*: light; *Kleid etc.*: light-colo(u)red; *Klang*: clear; *Bier*: pale; *fig. intelligent*: bright, clever; *es wird schon ~* it's getting light already; **~blau** *adj.* light-blue; **~blond** *adj.* very fair; **~hörig** *adj.* quick of hearing; *arch.* poorly soundproofed; *~ werden* prick up one's ears; **2seher(in)** clairvoyant(e).

Helm *m* helmet.

Hemd *n* shirt; *Unter2*: vest; **~bluse** *f* shirt-blouse, *Am. a.* shirtwaist.

Hemisphäre *f* hemisphere.

hemm|en *v/t. Bewegung etc.*: check, stop; *behindern*: hamper; **2schuh** F *fig. m* drag (*für* on); **2ung** *psych. f* inhibition; *moralische*: scruple; **~ungslos** *adj.* unrestrained; unscrupulous.

Hengst *zo. m* stallion.

Henkel *m* handle.

Henker *m* hangman, executioner.

Henne *zo. f* hen.

her *adv. hier~*: here; *das ist lange ~* that was a long time ago.

herab *adv.* down; **~lassen** *fig. v/refl.* condescend; **~lassend** *adj.* condescending; **~sehen** *fig. v/i.*: *~ auf* look down upon; **~setzen** *v/t.* reduce; *fig.* disparage.

heran *adv.* close, near; *~ an* up *od.* near to; **~gehen** *v/i.*: *~ an* walk up to; *fig. Aufgabe etc.*: set* about; **~kommen** *v/i.* come* near (*a. fig. an Leistung etc.*); **~wachsen** *v/i.* grow* (up) (*zu* into); **2wachsende(r)** adolescent; **~ziehen** *fig. v/t. Arzt etc.*: call in; *Fachleute etc.*: bring* in.

herauf *adv.* up (here); *die Treppe ~*: upstairs; **~beschwören** *v/t.* call up; *verursachen*: bring* on, provoke; **~ziehen 1.** *v/t.* pull up; **2.** *v/i. Wolke etc.*: come* up.

heraus *adv.* out; *fig. aus ... ~* out of ...; *zum Fenster ~* out of the window; *~ mit der Sprache!* speak out!, out with it!; **~bekommen** *v/t.* get* out; *Geld*: get* back; *fig.* find* out; **~bringen** *v/t.* bring* out; *thea.* stage; *fig.* find* out; **~finden 1.** *v/t.* find*; *fig.* find* out, discover; **2.** *v/i.* find* one's way out; **2forderer** *m* challenger; **~fordern** *v/t.* challenge; *Tat etc.*: provoke, F ask for it; **2forderung** *f* challenge; provocation; **~geben** *v/t. zurückgeben*: give* back; *ausliefern*: give* up; *Buch*: publish; *Vorschriften*: issue; *Geld*: give* change (*auf* for); **2geber** *m* editor; publisher; **~kommen** *v/i.* come* out; *fig.*: *a.* appear; be* published; *~ aus* get* out of; F: *groß ~* make* it (big), make* a hit; **~nehmen** *v/t.* take* out; *Spieler*: take* off the team; *fig. sich et. ~* take* liberties, go* too far; **~putzen** *v/t. u. v/refl.* spruce (o.s.) up; **~reden** *v/refl.* make* excuses; *erfolgreich*: talk one's way out; **~stellen** *v/t.* put* out; *fig.* emphasize; *sich ~ als* turn out *od.* prove* to be; **~strecken** *v/t.* stick* out; **~suchen** *v/t.* pick out; *j-m et. ~* find* s.o. s.th.

herb *adj. Geschmack etc.*: tart; *Wein etc.*: dry; *fig.* harsh; bitter.

herbei *adv.* up, over, here; **~eilen** *v/i.* come* running up; **~führen** *fig. v/t.* cause, bring* about.

Herberge *f Gasthaus*: inn; *Unterkunft*: lodging, place to stay.

Herbst *m* autumn, *Am. a.* fall.

Herd *m* cooker, stove; *fig.* cent|re, *Am.* -er; ⚕ focus, seat.

H

Herde *f Vieh*♀, *Schweine*♀ *etc.*: herd (*a. fig. contp.*); *Schaf*♀, *Gänse*♀ *etc.*: flock.
herein *adv.* in (here); ~*!* come in!; **~brechen** *fig. v/i. Nacht*: fall*; ~ *über Unglück etc.*: befall*; **~fallen** *fig. v/i.* be* taken in (*auf* by); **~legen** *fig. v/t.* take* in, fool.
her|fallen *v/i.*: ~ *über* attack (*a. fig.*), assail; F *fig.* pull to pieces; ♀**gang** *m*: *j-m den* ~ *schildern* tell* s.o. what *od.* how it happened; **~geben** *v/t.* give* up, part with; *sich* ~ *zu* lend* o.s. to.
Hering *zo. m* herring.
her|kommen *v/i.* come (here); ~ *von* come* from; *fig. a.* be* caused by; **~kömmlich** *adj.* conventional (*a.* ⚔); ♀**kunft** *f* origin; *Person*: *a.* birth, descent.
Herr *m* gentleman; *Besitzer, Gebieter*: master; *eccl. the* Lord; ~ *Brown* Mr Brown; ~ *der Lage* master of the situation.
Herren|bekleidung *f* men's wear; **~einzel** *n Tennis*: men's singles *pl.*; ♀**los** *adj.* ownerless; *mot.* driverless.
herrichten *v/t.* get* ready, F fix.
herrisch *adj.* imperious, peremptory.
herrlich *adj.* marvel(l)ous, wonderful, F fantastic; ♀**keit** *f* glory.
Herrschaft *f* rule, power, control (*a. fig.*) (*über* over); *die* ~ *verlieren über* lose* control of.
herrsch|en *v/i.* rule; *es herrschte ... Freude etc.*: *mst* there was ...; ♀**er(in)** ruler; sovereign, monarch; **~süchtig** *adj.* despotic, F bossy.
her|rühren *v/i.*: ~ *von* come* from, be* due to; **~stellen** *v/t.* make*, manufacture, produce; *fig.* establish; ♀**stellung** *f* manufacture, production; *fig.* establishment.
herüber *adv.* over (here), across.
herum *adv.* (a)round; F: *anders* ~ the other way round; **~führen** *v/t.*: *j-n* (*in der Stadt etc.*) ~ show* (a)round (the town *etc.*); **~kommen** *v/i.* get* around (*um et.* s.th.); **~kriegen** F *v/t.*: *j-n zu et.* ~ get* s.o. round to (doing) s.th.; **~lungern** *v/i.* loaf *od.* hang* around; **~reichen** *v/t.* pass *od.* hand round; **~sprechen** *v/refl.* get* around; **~treiben** *v/refl.* F gad *od.* knock about; ♀**treiber(in)** tramp, loafer.
herunter *adv.* down; *die Treppe* ~: downstairs; **~gekommen** *adj.* rundown; *schäbig*: seedy, shabby; **~hauen** F *v/t.*: *j-m e-e* ~ smack *od.* slap s.o.('s face); **~machen** F *fig. v/t.* run* down; **~putzen** F *v/t.* blow* up, *bsd. Am.* bawl out; **~spielen** F *fig. v/t.* play down.
hervor *adv.* out of *od.* from, forth; **~bringen** *v/t.* bring out*, produce (*a. fig.*); *Früchte*: yield; *Wort*: utter; **~gehen** *fig. v/i.*: ~ *aus* follow from; *als Sieger* ~ come* off victorious; **~heben** *fig. v/t.* stress, emphasize; **~ragend** *fig. adj.* outstanding, excellent, superior; *Bedeutung, Persönlichkeit*: prominent, eminent; **~rufen** *fig. v/t.* cause, bring* about; *Problem etc.*: *a.* create; **~stechend** *fig. adj.* striking; **~tretend** *adj.* prominent; *Augen etc.*: protruding, bulging; **~tun** *v/refl.* distinguish o.s. (*als* as).
Herz *n anat.* heart (*a. fig.*); *Karten*: heart(s *pl.*); *sich ein* ~ *fassen* take* heart; *mit ganzem* ~*en* whole-heartedly; *sich et. zu* ~*en nehmen* take* s.th. to heart; *es nicht übers* ~ *bringen zu* not have* the heart to; *et. auf dem* ~*en haben* have* s.th. on one's mind; *ins* ~ *schließen* take* to one's heart; **~anfall** *m* heart attack.
Herzens|lust *f*: *nach* ~ to one's heart's content; **~wunsch** *m* heart's desire, dearest wish.
herz|ergreifend *fig. adj.* deeply moving; ♀**fehler** ⚕ *m* cardiac defect; **~haft** *adj.* hearty; *nicht süß*: savo(u)ry; **~ig** *adj.* sweet, lovely, *Am. a.* cute; ♀**infarkt** ⚕ *m* cardiac infarct(ion), F *mst* heart attack, coronary; ♀**klopfen** ⚕ *n* palpitation; *er hatte* ~ (*vor*) his heart was throbbing (with); **~krank** *adj.* suffering from (a) heart disease; **~lich 1.** *adj.* cordial, hearty; *Empfang, Lächeln etc.*: *a.* warm, friendly; **2.** *adv.*: ~ *gern* with pleasure; **~los** *adj.* heartless, unfeeling.
Herzog *m* duke; **~in** *f* duchess.
Herz|schlag *m* heartbeat; ⚕ heart failure; **~schrittmacher** ⚕ *m* (cardiac) pace-maker; **~verpflanzung** ⚕ *f* heart transplant; ♀**zerreißend** *adj.* heart-rending.
Hetz|e *f* hurry, rush; *pol. etc.* agitation, campaign(ing) (*gegen* against); *Rassen*♀ *etc.*: baiting (of); ♀**en 1.** *v/t.* hunt, chase; *fig.* hurry, rush; *e-n Hund auf j-n* ~ set* a dog on s.o.;

2. *v/i. eilen*: hurry, rush; *pol. etc.* agitate (*gegen* against); **≈erisch** *adj.* virulent, inflammatory; **~jagd** *f* hunt(ing), chase (*a. fig.*); *Eile*: rush, hurry; **~kampagne** *f* virulent campaign.

Heu *n* hay; **~boden** *m* hayloft.

Heuch|elei *f* hypocrisy; *Gerede*: cant; **≈eln** *v/i. u. v/t.* feign, pretend, simulate; **~ler** *m* hypocrite, F phon(e)y; **≈lerisch** *adj.* hypocritical, sham.

Heuer ⚓ *f* pay.

heuer *südd. u. östr. adv.* this year.

heuern *v/t.* hire; ⚓ *a.* sign on.

heulen *v/i.* howl; F *contp. weinen*: bawl; *mot.* roar; *Sirene*: whine.

Heu|schnupfen ⚕ *m* hay fever; **~schrecke** *zo. f* grasshopper, locust.

heut|e *adv.* today; *~ abend* this evening, tonight; *~ früh*, *~ morgen* this morning; *~ in acht Tagen* a week from now, *Brt. a.* today week; *~ vor acht Tagen* a week ago today; **~ig** *adj.* today's; *gegenwärtig*: of today, present(-day); **~zutage** *adv.* nowadays, these days.

Hexe *f* witch (*a. fig.*), sorceress; *fig.* hell-cat; *alte ~* (old) hag; **≈n** *v/i.* practise witchcraft; F *fig.* work miracles; **~nkessel** *fig. m* inferno; **~nschuß** ⚕ *m* lumbago.

Hieb *m* blow, stroke; *Faust≈*: *a.* punch; *Peitschen≈*: *a.* lash, cut; *Fechten*: cut; *~e pl.* beating *sg.*; thrashing *sg.*

hier *adv.* here, in this place; *anwesend*: present; *~ entlang!* this way!

hier|an *adv.* from *od.* in this; **~auf** *adv.* on it *od.* this; *zeitlich*: after this *od.* that, then; **~aus** *adv.* from *od.* out of it *od.* this; **~bei** *adv.* here, in this case; *bei dieser Gelegenheit*: on this occasion; **~durch** *adv.* by this, hereby, this way; **~für** *adv.* for it *od.* this; **~her** *adv.* (over) here, this way; *bis ~* so far (*a. zeitlich*); **~in** *adv.* in this; **~mit** *adv.* with this; *lit.* herewith; **~nach** *adv.* after it *od.* this; *demzufolge*: according to this; **~über** *fig. adv.* about this (subject); **~unter** *adv.* under it *od.* this; *dazwischen*: among these; *verstehen*: by this *od.* that; **~von** *adv.* of *od.* from it *od.* this; **~zu** *adv.* for this; *dazu*: to this.

hiesig *adj.* local; *ein ≈er* one of the locals.

Hilfe *f* help; *Beistand*: aid (*a. econ.*), assistance (*a.* ⚕), relief (*für* to); *Erste ~* first aid; *um ~ rufen* cry for help; *mit ~ von* with the help of; *fig. a.* by means of; *~!* help!; **~ruf** *m* cry for help; **~stellung** *f* support (*a. fig.*).

hilf|los *adj.* helpless; **~reich** *adj.* helpful.

Hilfs|aktion *f* relief action; **~arbeiter(in)** unskilled worker; **≈bedürftig** *adj.* needy; **≈bereit** *adj.* helpful, ready to help; **~bereitschaft** *f* readiness to help, helpfulness; **~mittel** *n* aid; ⊕ *a.* device; **~organisation** *f* relief organization; **~verb** *gr. n* auxiliary (verb).

Himbeere ⚘ *f* raspberry.

Himmel *m* sky; *eccl., fig.* heaven; *um ~s willen* for Heaven's sake; *s. heiter*; **≈blau** *adj.* sky-blue; **~fahrt** *eccl. f* Ascension (Day); **~fahrtskommando** F *n* suicide mission.

Himmels|körper *m* celestial body; **~richtung** *f* direction; *Kompaß*: cardinal point.

himmlisch *adj.* heavenly; *fig. a.* marvel(l)ous.

hin 1. *adv.* there; *bis ~ zu* as far as; *noch lange ~* still a long way off; *auf s-e Bitte* (*s-n Rat*) *~* at his request (advice); *~ und her* to and fro, back and forth; *~ und wieder* now and then; *~ und zurück* there and back; *Fahrkarte*: return (ticket), *bsd. Am.* round trip, round-trip ticket; **2.** F *pred. adj. kaputt*: ruined; *erledigt*: *a.* done for; *weg*: gone.

hinab *adv. s. hinunter*.

hinarbeiten *v/i.*: *~ auf* work for *od.* towards.

hinauf *adv.* up (there); *die Treppe ~*: upstairs; *die Straße etc. ~* up the street *etc.*; **~gehen** *v/i.* go* up; *fig. a.* rise*; **~steigen** *v/i.* climb up (*bis oben*: to the top).

hinaus *adv.* out; *aus ... ~* out of ...; *in ... ~* out into ...; *~ (mit dir)!* (get) out!, out you go!; **~gehen** *v/i.* go* out(side); *~ über* go* beyond; *~ auf Fenster etc.*: look out on; **~laufen** *v/i.* run* out(side); *~ auf* come* *od.* amount to; **~schieben** *fig. v/t.* put* off, postpone; **~stellen** *v/t. Sport*: send* off (the field); **~werfen** *v/t.* throw* out (*aus* of); *fig. a.* kick out; *entlassen*: *a.* (give* *s.o.* the) sack, fire; **~wollen** *fig. v/i.*: *auf et. ~* aim (*bsd. mit Worten*: drive* *od.* get*) at s.th.

Hin|blick *m*: *im ~ auf* in view of, with regard to; **≈bringen** *v/t.* take* there.

hinder|lich *adj.* hindering, impeding; *j-m ~ sein* be* in s.o.'s way; **~n** *v/t.* hinder, hamper (*an, bei* in); *~ an* prevent from; **&nis** *n* obstacle (*a. fig.*); **&nisrennen** *n* steeplechase.

hindurch *adv.* through; *das ganze Jahr etc. ~* throughout the year *etc.*

hinein *adv.* in; *~ mit dir!* in you go!; **~gehen** *v/i.* go* in; *~ in* go* into.

hin|fallen *v/i.* fall* (down); **~fällig** *adj. Person*: frail; *ungültig*: invalid; **&gabe** *f* devotion (*an* to); **~geben** *v/t.* give* (up); *sich ~* give* o.s. to; *widmen*: devote o.s. to; **~halten** *v/t.* *Gegenstand etc.*: hold* out; *j-n*: put* s.o. off.

hinken *v/i.* (walk with a) limp.

hin|kommen *v/i.* get* there; **~kriegen** F *v/t.* manage; **~länglich** *adj.* sufficient; **~legen** *v/t.* lay* *od.* put* down; *sich ~* lie* down; **~nehmen** *v/t. ertragen*: put* up with; **~reißen** *fig. v/t.* carry away; **~reißend** *adj.* entrancing; *Schönheit*: breathtaking; **~richten** *v/t.* execute; **&richtung** *f* execution; **~setzen** *v/t.* set* *od.* put* down; *sich ~* sit* down; **&sicht** *f* respect; *in gewisser ~* in a way; **~sichtlich** *prp.* with respect *od.* regard to; **~stellen** *v/t. abstellen*: put* (down); *j-n, et. ~ als* make* appear to be.

hinten *adv.* at the back; *im Auto etc.*: in the back; *von ~* from behind.

hinter *prp.* behind; **&...** *in Zssgn Achse, Eingang, Rad, Reifen*: rear ...; **&bein** *n* hind leg; **&bliebenen** *pl.* survivors *pl.*; *lit. the* bereaved *pl.*; **~einander** *adv.* one after the other; *dreimal ~* three times in a row; **&gedanke** *m* ulterior motive; **~gehen** *v/t.* deceive; **&grund** *m* background (*a. fig.*); **&halt** *m* ambush; **~hältig** *adj.* insidious, underhand(ed); **&haus** *n* rear building; **~her** *adv.* behind, after; *zeitlich*: afterwards; **&hof** *m* backyard; **&kopf** *m* back of the head; **~lassen** *v/t.* leave* (behind); **&lassenschaft** *f* property (left), estate; **~legen** *v/t.* deposit (*bei* with); **&list** *f* deceit(fulness); *Trick*: (underhanded) trick; **~listig** *adj.* deceitful; underhand(ed); **&mann** *m* person (*mot.* car *etc.*) behind (one); *fig. mst pl.* person behind the scenes, brain, mastermind; **&n** F *m* bottom, backside, behind; **~rücks** *adv.* from behind; **&seite** *f* back; **&teil** *n* back *od.* rear (part); F *s. Hintern*; **&treppe** *f* back stairs *pl.*; **&tür** *f* back door; **~ziehen** ⚖ *v/t. Steuern*: evade; **&zimmer** *n* back room.

hinüber *adv.* over, across; **~sein** F *v/i.* *Kleid*: be* ruined; *Fleisch*: be* spoilt.

hinunter *adv.* down; *die Treppe ~*: downstairs; *den (die, das) ... ~* down the ...

Hinweg *m* way there.

hinweg *adv.*: *über ... ~* over ...; **~kommen** *v/i.*: *~ über* get* over; **~sehen** *v/i.*: *~ über* see* *od.* look over; *fig.* overlook; *ignorieren*: ignore; **~setzen** *v/refl.*: *sich ~ über* ignore, disregard.

Hin|weis *m Verweis*: reference (*auf* to); *Wink*: hint, tip (as to, regarding); *Anzeichen*: indication (of), clue (as to); **&weisen** **1.** *v/t.*: *j-n ~ auf* draw* *od.* call s.o.'s attention to; **2.** *v/i.*: *~ auf* point at *od.* to, indicate; *fig.* point out, indicate; *anspielen*: hint at; **~weisschild** *n*, **~weistafel** *f* sign, notice; **&werfen** *v/t.* throw* down; **&ziehen** *v/refl. räumlich*: extend (*bis zu* to), stretch (to); *zeitlich*: drag on.

hinzu *adv.* in addition; **~fügen** *v/t.* add (*zu* to) (*a. fig.*); **~kommen** *v/i.* *noch ~*: be* added; *hinzu kommt, daß* add to this, ... and what is more, ...; **~ziehen** *v/t. Arzt, Experten etc.*: call in, consult.

Hirn *n anat.* brain; *fig.* brain(s *pl.*), mind; **~gespinst** *n*: *ein reines ~* mere fantasy; **&rissig, &verbrannt** F *adj.* crazy, crack-brained.

Hirsch *zo. m* stag; *Gattung*: red deer; **~geweih** *n* antlers *pl.*; **~kuh** *f* hind.

Hirse ⚘ *f* millet.

Hirt(e) *m* herdsman; *Schaf&, fig.*: shepherd.

hissen *v/t. Flagge, Segel*: hoist.

Histori|ker *m* historian; **&sch** *adj.* historical; *Ereignis etc.*: historic.

Hitze *f* heat (*a. zo.*); **~welle** *f* heat wave, hot spell.

hitz|ig *adj.* hot-tempered; *Debatte*: heated; **&kopf** *m* hothead; **&schlag** ⚕ *m* heat-stroke.

Hobel ⊕ *m* plane; **~bank** *f* woodworker's bench; **&n** *v/t.* plane.

hoch *adj.* high; *Baum, Haus etc.*: tall; *Strafe*: heavy, severe; *Gast etc.*: distinguished; *Alter*: great, old;

Schnee: deep; ⚗ ~ *zwei* squared; ~ *drei* cubed; *3000 Meter* ~ *fliegen etc.*: at a height of 3,000 metres; ~ *gewinnen* win* high; ~ *verlieren* get* trounced; *in hohem Maße* highly, greatly; *das ist mir zu* ~ that's above me.

Hoch *n meteor.* high (*a. fig.*).

Hoch|achtung *f* (deep) respect (*vor* for); **≈achtungsvoll** *adv. Brief*: Yours sincerely; **~bau** ⊕ *m*: *Hoch- und Tiefbau* structural and civil engineering; **~betrieb** *m* rush; **≈deutsch** *adj.* High *od.* standard German; **~druck** *m* high pressure (*a. fig.*); **~ebene** *f* plateau, tableland; **~form** *f*: *in* ~ in top form *od.* shape; **~frequenz** ⚡ *f* high frequency (*a. in Zssgn*); **~gebirge** *n* high mountains *pl.*; **~genuß** *m* (real) treat; **≈gezüchtet** *adj. zo.*, ⊕ highbred; ⊕ *a.* sophisticated; *mot.* tuned-up, F souped-up; **≈hackig** *adj.* high-heeled; **~haus** *n* high-rise (building), tower block; **~konjunktur** *econ. f* boom; **~land** *n* highlands *pl.*; **~leistungs...** *in Zssgn Sport etc.*: high-performance ...; **~mut** *m* arrogance; **≈mütig** *adj.* arrogant; **~ofen** ⊕ *m* blast-furnace; **≈prozentig** *adj. Schnaps etc.*: high-proof; *Lösung*: highly concentrated; **~saison** *f* peak (*od.* height of the) season; **~schule** *f* university; college; academy; ⚠ *nicht highschool*; **~seefischerei** *f* deep-sea fishing; **~sommer** *m* midsummer; **~spannung** ⚡ *f* high tension (*a. fig.*) *od.* voltage; **~sprung** *m* high jump.

höchst 1. *adj.* highest; *fig. a.*: supreme; *äußerst*: extreme; **2.** *adv.* highly, most, extremely.

Höchst... *in Zssgn mst* maximum *od.* top ...

Hochstapler *m* impostor, swindler.

höchstens *adv.* at (the) most, at best.

Höchst|form *f Sport*: top form *od.* shape; **~geschwindigkeit** *f* top speed (*mit* at); *Begrenzung*: speed limit; **~leistung** *f Sport*: record (performance); ⊕ *e-r Maschine etc.*: maximum output; **~maß** *n* maximum (*an* of); **≈wahrscheinlich** *adv.* most likely *od.* probably.

hoch|trabend *fig. adj.* pompous; **≈verrat** *m* high treason; **≈wald** *m* high forest; **≈wasser** *n* high tide; *Überschwemmung*: flood; **~wertig** *adj.* high-grade, high-class.

Hochzeit *f* wedding; *Trauung*: *a.* marriage; **~s...** *in Zssgn Geschenk, Kleid, Tag etc.*: wedding ...; **~sreise** *f* honeymoon (trip).

Hocke *f* crouch, squat; **≈n** *v/i.* squat, crouch; F sit*; **~r** *m* stool.

Höcker *m Kamel≈ etc.*: hump.

Hockey *n* hockey, *Am.* field hockey.

Hoden *anat. m* testicle.

Hof *m* yard; ✓ farm; *Innen≈*: court(yard); *Fürsten≈*: court; **~dame** *f* lady-in-waiting.

hoffen *v/i. u. v/t.* hope (*auf* for); *zuversichtlich*: trust (in); *das Beste* ~ hope for the best; *ich hoffe es* I hope so; *ich hoffe nicht, ich will es nicht* ~ I hope not; **~tlich** *adv.* I hope, let's hope, F hopefully.

Hoffnung *f* hope (*auf* of); *sich* ~*en machen* have* hopes; *die* ~ *aufgeben* lose* hope; **≈slos** *adj.* hopeless; **≈svoll** *adj.* hopeful; *vielversprechend*: promising.

Hofhund *m* watchdog.

höf|isch *adj.* courtly; **~lich** *adj.* polite, courteous (*zu* to); **≈lichkeit** *f* politeness, courtesy.

Höhe *f* height; ✈, ⚗, *ast., geogr.* altitude: *An≈*: hill; *Gipfel*: peak (*a. fig.*); *e-r Summe, Strafe etc.*: amount; *Niveau*: level; *Ausmaß*: extent; ♪ pitch; *auf gleicher* ~ *mit* on a level with; *in die* ~ up; *ich bin nicht ganz auf der* ~ I'm not feeling up to the mark.

Hoheit *f pol.* sovereignty; *Titel*: Highness; **~sgebiet** *n* territory; **~sgewässer** *pl.* territorial waters *pl.*; **~szeichen** *n* national emblem.

Höhen|luft *f* mountain air; **~messer** *m* altimeter; **~ruder** ✈ *n* elevator; **~sonne** ⚕ *f* ultraviolet *od.* quartz lamp; **~zug** *m* mountain chain.

Höhepunkt *m* climax (*a. thea. u. sexuell*), culmination, height, peak; *e-s Abends etc.*: highlight.

hohl *adj.* hollow (*a. fig.*).

Höhle *f* cave, cavern; *zo.* hole, burrow; *Lager*: den, lair.

Hohl|maß *n* measure of capacity; **~raum** *m* hollow, cavity; **~spiegel** *m* concave mirror; **~weg** *m* defile.

Hohn *m* mockery, derision, scorn; **~gelächter** *n* jeering laughter, jeers *pl.*

höhnisch *adj.* scornful; ~*es Lä-*

H

cheln, *~e Bemerkung* sneer, *stärker*: jeer.
holen *v/t.* (go* and) get*, fetch, go* for; *Atem*: draw*; *Polizei, ans Telefon*: call; *~ lassen* send* for; *sich ~ Krankheit etc.*: catch*, get*; *Rat etc.*: seek*.
Holländ|er(in) Dutch|man (-woman); **2isch** *adj.* Dutch.
Hölle *f* hell; *in die ~ kommen* go* to hell; **~nlärm** *m a* hell of a noise; **~nmaschine** *f* time bomb.
Holler ⚘ *östr. m* elder.
höllisch *adj.* infernal (*a. fig.*).
holper|ig *adj.* bumpy (*a. fig.*), rough, uneven; *Sprache*: clumsy; **~n** *v/i. Wagen*: jolt, bump; *fig.* be* bumpy.
Holunder ⚘ *m* elder.
Holz *n* wood; *Nutz2*: timber, *Am. a.* lumber; *aus ~* (made) of wood, wooden; *~ hacken* chop wood; **~bearbeitung** *f* woodwork(ing); **~blasinstrument** ♪ *n* woodwind (instrument).
hölzern *adj.* wooden; *fig. a.* clumsy.
Holz|fäller, ~hacker *m* woodcutter, *Am. a.* lumberjack; **~hammer** *m* mallet; *fig.* sledge-hammer (*a. in Zssgn*); **~händler** *m* wood *od.* timber (*bsd. Am.* lumber) merchant; **2ig** *adj.* woody; **~kohle** *f* charcoal; **~schnitt** *m* woodcut; **~schnitzer** *m* woodcarver; **~schuh** *m* wooden shoe, clog; **~stoß** *m* pile *od.* stack of wood; **~weg** *fig. m*: *auf dem ~ sein* be* on the wrong track; **~wolle** *f* woodwool, *Am. a.* excelsior.
homöopathisch *adj.* hom(o)eopathic.
homosexuell *adj.*, **2e(r)** homosexual; *Frau*: *mst* lesbian.
Honig *m* honey; **~wabe** *f* honeycomb.
Honor|ar *n* fee; **2ieren** *v/t.* pay* (a fee to); *fig.* appreciate, reward.
Hopfen *m* ⚘ hop; *Brauerei*: hops *pl.*
hoppla *int.* (wh)oops!
hopsen F *v/i.* hop, jump.
Hör|apparat *m* hearing-aid; **2bar** *adj.* audible.
horche|n *v/i.* listen (*auf* to); *heimlich*: eavesdrop; **2r** *m* eavesdropper.
Horde *f* horde (*a. zo.*); *contp. a.* mob, gang.
hör|en *v/i. u. v/t.* hear*; *an~, Radio, Musik etc.*: listen to; *gehorchen*: obey, listen; *~ auf* listen to; *von j-m ~* hear* from (*durch Dritte*: of, about) s.o.; *er hört schwer* his hearing is bad; *hör(t) mal!* listen!; *erklärend*: *a.* look (here)!; *nun od. also hör(t) mal! Einwand*: wait a minute!, now look *od.* listen here!; **2er** *m* listener; *teleph.* receiver; **2erin** *f* listener; **2fehler** ⚕ *m* hearing defect; **2gerät** *n* hearing-aid; **~ig** *adj.*: *j-m ~ sein* be* s.o.'s slave.
Horizont *m* horizon (*a. fig.*); *s-n ~ erweitern* broaden one's mind; *das geht über meinen ~* that's beyond me; **2al** *adj.* horizontal.
Hormon *n* hormone.
Horn *n* horn; **~haut** *f* horny skin; *Auge*: cornea.
Hornisse *zo. f* hornet.
Horoskop *n* horoscope.
Hör|rohr ⚕ *n* stethoscope; **~saal** *m* lecture hall; **~spiel** *n* radio play; **~weite** *f*: *in ~* within earshot.
Höschen *n* pants *pl.*; *Schlüpfer*: panties *pl.*
Hose *f* (*e-e ~* a pair of) trousers *pl. od.* F, *Am.* pants *pl.*; *bsd. sportliche*: slacks *pl.*; *kurze*: shorts *pl.*; **~nanzug** *m* trouser (*Am.* slack) suit; **~nrock** *m* culotte; **~nschlitz** *m* fly; **~nträger** *pl.* (a pair of) braces *pl. od. Am.* suspenders *pl.*
Hospital *n* hospital.
Hostie *eccl. f* host.
Hotel *n* hotel; **~direktor** *m* hotel manager; **~gewerbe** *n* hotel industry; **~zimmer** *n* hotel room.
Hubraum *mot. m* cubic capacity.
hübsch *adj.* pretty, nice(-looking), *bsd. Am. a.* cute; *Geschenk etc.*: nice, lovely.
Hubschrauber ✈ *m* helicopter.
Huf *m* hoof; **~eisen** *n* horseshoe; **~schlag** *m Klang*: hoof-beat.
Hüft|e *anat. f* hip; **~gelenk** *n* hip-joint; **~gürtel** *m* girdle.
Hügel *m* hill(ock); **2ig** *adj.* hilly.
Huhn *zo. n* chicken; *Henne*: hen.
Hühnchen *zo. n* chicken; *ein ~ zu rupfen haben* have* a bone to pick.
Hühner|auge ⚕ *n* corn; **~brühe** *f* chicken broth; **~ei** *n* hen's egg; **~farm** *f* poultry *od.* chicken farm; **~hof** *m* poultry *od.* chicken yard; **~hund** *zo. m* pointer, setter; **~leiter** *f* chicken-ladder; **~stall** *m* henhouse.
huldigen *v/i.* pay* homage to; *e-m Laster etc.*: indulge in.
Hülle *f* cover(ing), wrap(ping); *Schutz2, Buch2, Platten2*: jacket;

*Schirm*2: sheath; *in ~ und Fülle* an abundance of; 2**n** *v/t.* wrap, cover, envelop (*a. fig.*).
Hülse *f Schote*: pod; *Getreide*2: husk; ⊕ case (*a. Patronen*2); **~nfrüchte** *pl.* pulse *sg.*
human *adj.* humane; **~itär** *adj.* humanitarian; 2**ität** *f* humanity.
Hummel *zo. f* bumble-bee.
Hummer *zo. m* lobster.
Humor *m* humo(u)r; (*keinen*) *~ haben* have* a (no) sense of humo(u)r; **~ist** *m* humorist; 2**istisch,** 2**voll** *adj.* humorous.
humpeln *v/i.* hobble; *hinken*: limp.
Hund *m zo.* dog; ⚒ tub.
Hunde|hütte *f* kennel, *Am.* doghouse; **~kuchen** *m* dog-biscuit; **~leine** *f* (dog-)lead *od.* leash; 2**müde** *adj.* dog-tired.
hundert *adj.* a *od.* one hundred; *zu* 2*en* by the hundreds; **~fach** *adj.* hundredfold; 2**jahrfeier** *f* centenary, *Am. a.* centennial; **~jährig** *adj.* a hundred years old; *Dauer*: of a hundred years; **~st** *adj.* hundredth.
Hündi|n *zo. f* bitch, female (dog); 2**sch** *fig. adj.* doglike, slavish.
hunds|miserabel F *adj.* rotten, lousy; 2**tage** *pl.* dogdays *pl.*
Hüne *m* giant; **~ngrab** *n* dolmen.
Hunger *m* hunger; *~ bekommen* get* hungry; *~ haben* be* *od.* feel* hungry; *vor ~ sterben* die of hunger, starve to death; **~lohn** *m* starvation wages *pl.*; 2**n** *v/i.* go* hungry, (suffer) hunger, starve; *j-n ~ lassen* starve s.o.; **~snot** *f* famine; **~streik** *m* hunger strike; **~tod** *m* (death from) starvation.
hungrig *adj.* hungry (*nach, auf* for).
Hupe *mot. f* horn; 2**n** *v/i.* sound one's horn, hoot, honk.
hüpfen *v/i.* hop, skip; *Ball etc.*: bounce.
Hürde *f* hurdle; *fig. a.* obstacle; *Pferch*: fold, pen; **~nlauf** *m* hurdle-race; *Sportart*: hurdles *pl.*; **~nläufer(in)** hurdler.
Hure *f* whore, prostitute.
Husar ⚔ *m* hussar.
huschen *v/i.* flit (*a. fig.*), dart.
hüsteln *v/i.* cough slightly; *iro.* hem.
husten *v/i.*, 2 *m* cough; 2**bonbon** *m, n* cough drop; 2**saft** *m* cough syrup.
Hut[1] *m* hat; *den ~ aufsetzen* (*abnehmen*) put* on (take* off) one's hat.
Hut[2] *f*: *auf der ~ sein* be* on one's guard (*vor* against).
hüten *v/t.* guard, protect, watch over; *Schafe etc.*: herd, mind; *Kind, Haus*: look after; *das Bett ~* be* confined to (one's) bed; *sich ~ vor* beware of; *sich ~, et. zu tun* be* careful not to do s.th.
Hutkrempe *f* (hat-)brim.
hutschen *östr. v/t. u. v/i. s. schaukeln.*
Hütte *f* hut, shack; *Häuschen*: cottage, cabin; *Berg*2: mountain lodge; ⊕ metallurgical plant.
Hyäne *zo. f* hy(a)ena.
Hyazinthe ⚘ *f* hyacinth.
Hydrant *m* hydrant.
hydraulisch *adj.* hydraulic.
Hydrokultur *f* hydroponics *sg.*
Hygien|e *f* hygiene; 2**isch** *adj.* hygienic(al).
Hymne *f* hymn; *s. Nationalhymne.*
Hypno|se *f* hypnosis; **~tiseur** *m* hypnotist; 2**tisieren** *v/t. u. v/i.* hypnotize.
Hypotenuse ⩓ *f* hypotenuse.
Hypothek *f* mortgage; *e-e ~ aufnehmen* raise a mortgage.
Hypothe|se *f* hypothesis; 2**tisch** *adj.* hypothetical.
Hysteri|e *f* hysteria; 2**sch** *adj.* hysterical.

H

I

ich *pers. pron.* I; ~ *selbst* (I) myself; F: *ich bin's* it's me.
Ich *n*: *j-s* ~ s.o.'s self *od. psych.* ego; *mein anderes* ~ my alter ego.
Ideal *n*, ♀ *adj.* ideal; **~ismus** *m* idealism; **~ist** *m* idealist.
Idee *f* idea, notion.
identi|fizieren *v/t.* identify; *sich* ~ identify o.s. (*mit* with); **~sch** *adj.* identical; **♀tät** *f* identity; **♀tätskarte** *östr. f* identity card.
Ideolog|e *m* ideologist; **~ie** ideology; **♀isch** *adj.* ideological.
idiomatisch *ling. adj.* idiomatic; *~er Ausdruck* idiom.
Idiot *m* idiot; **~ie** *f* idiocy; **♀isch** *adj.* idiotic.
Idol *n* idol.
Idyll|(e *f*) *n* idyl(l); **♀isch** *adj.* idyllic.
Igel *zo. m* hedgehog.
ignorieren *v/t.* ignore, disregard.
ihr *poss. pron.* her; *pl.* their; *Ihr sg. u. pl.* your; **~erseits** *adv.* on her (*pl.* their) part; **~esgleichen** *indef. pron.* her (*pl.* their) equals *pl.*, people *pl.* like herself (*pl.* themselves); **~etwegen** *adv.* for her (*pl.* their) sake.
illeg|al *adj.* illegal; **~itim** *adj.* illegitimate.
Illus|ion *f* illusion; **♀orisch** *adj.* illusory.
Illu|stration *f* illustration; **♀strieren** *v/t.* illustrate; **~strierte** *f* magazine.
im *prep.* in the; ~ *Bett* in bed; ~ *Kino etc.* at the cinema *etc.*; ~ *Erdgeschoß* on the ground floor; ~ *Mai* in May; ~ *Jahre 1985* in (the year) 1985; ~ *Stehen etc.* (while) standing up *etc.*; *s. in.*
imaginär *adj.* imaginary.
Imbiß *m* snack; **~stube** *f* snack bar.
imitieren *v/t.* imitate, copy; fake.
Imker *m* bee-master, bee-keeper.
immer *adv.* always, all the time; ~ *mehr* more and more; ~ *wieder* again and again; *für* ~ for ever, for good; **♀grün** ⚘ *n* evergreen; **~hin** *adv.* after all; **~zu** *adv.* all the time, constantly.
Immigrant(in) immigrant.
Immobilien *pl.* real estate *sg.*; **~makler** *m* (*Am.* real) estate agent.
immun *adj.* immune (*gegen* to, against, from); **♀ität** *f* immunity.
Imperativ *gr. m* imperative (mood).
Imperfekt *gr. n* past (tense).
Imperialis|mus *m* imperialism; **~t** *m*, **♀tisch** *adj.* imperialist.
impf|en ⚕ *v/t.* inoculate; *bsd. gegen Pocken*: vaccinate; **♀schein** *m* certificate of vaccination *od.* inoculation; **♀stoff** ⚕ *m* vaccine, serum; **♀ung** *f* inoculation; vaccination.
imponieren *v/i.*: *j-m* ~ impress s.o.
Import *m* import(ation); **~eur** *m* importer; **♀ieren** *v/t.* import.
imposant *adj.* impressive, imposing.
imprägnier|en *v/t.*, **~t** *adj.* waterproof.
improvisieren *v/t. u. v/i.* improvise.
Impuls *m* impulse; *Anstoß*: *a.* stimulus; **♀iv** *adj.* impulsive.
imstande *adj.*: ~ *sein* be* capable of.
in *prp.* **1.** *räumlich*: *wo?* in, at; *innerhalb*: within, inside; *wohin?* into, in; *überall* ~ all over; ~ *der Stadt* in town; ~ *der Schule* at school; ~ *die Schule* to school; *~s Kino* to the cinema; *~s Bett* to bed; *warst du schon mal* ~ ...? have you ever been to ...?; *s. im*; **2.** *zeitlich*: in, at, during; ~ *dieser* (*der nächsten*) *Woche* this (next) week; ~ *diesem Alter* (*Augenblick*) at this age (moment); ~ *der Nacht* at night; *heute* ~ *acht Tagen* a week from now, *Brt. a.* today week; *heute* ~ *e-m Jahr* this time next year; *s. im*; **3.** *Art u. Weise etc.*: in, at; *gut sein* ~ be* good at; ~ *Eile* in a hurry; ~ *Behandlung* (*Reparatur*) under treatment (repair); *~s Deutsche* into German; *s. im.*
Inbegriff *m* (quint)essence; *Muster* (*-beispiel*): *a.* perfect example, paragon; **♀en** *adj.* included.
indem *cj. während*: while, as; *dadurch, daß*: by *doing s.th.*
Inder(in) Indian.
Indian *östr. m* turkey(-cock).
Indianer(in) (American) Indian.
Indikativ *gr. m* indicative (mood).
indirekt *adj.* indirect; *gr. a.* reported.
indisch *adj.* Indian.
indiskret *adj.* indiscreet; **♀ion** *f* indiscretion.
indiskutabel *adj.* out of the question.
individu|ell *adj.* , **♀um** *n* individual.
industrialisier|en *v/t.* industrialize; **♀ung** *f* industrialization.
Industrie *f* industry; **~...** *in Zssgn mst*

industrial ...; **~abfälle** *pl.* industrial waste *sg.*; **~gebiet** *n* industrial area; **Ɀll** *adj.* industrial; **~lle** *m* industrialist; **~staat** *m* industrial(ized) country *od.* nation.

ineinander *adv.* into one another; *~ verliebt* in love with each other; **~greifen** ⊕ *v/i.* mesh (with), interlock (*a. fig.*).

infam *adj.* infamous, disgraceful.

Infanter|ie ⚔ *f* infantry; **~ist** ⚔ *m* infantryman.

Infektion ⚕ infection; **~skrankheit** ⚕ *f* infectious disease.

Infinitiv *gr. m* infinitive (mood).

infizieren *v/t.* infect.

Inflation *f* inflation.

infolge *prp.* owing *od.* due to; **~dessen** *adv.* consequently.

Inform|atik *f* computer science; **~ation** *f* information; *die neuesten ~en pl.* the latest information *sg.*; **Ɀieren** *v/t.* inform; *falsch ~* misinform.

infra|rot *phys. adj.* infra-red; **Ɀstruktur** *f* infrastructure.

Ingenieur *m* engineer.

Ingwer *m* ginger.

Inhaber *m* owner, proprietor; *e-r Wohnung*: occupant; *e-s Ladens*: keeper; *e-s Amtes etc.*: holder.

Inhalt *m* contents *pl.*; *Raum*Ɀ: volume, capacity; *fig. Sinn*: meaning.

Inhalts|angabe *f* summary; **~verzeichnis** *n Buch*: table of contents.

Initiative *f* initiative; *die ~ ergreifen* take* the initiative.

inklusive *prp.* including.

inkonsequen|t *adj.* inconsistent; **Ɀz** *f* inconsistency.

Inkrafttreten *n* coming into force, taking effect.

Inland *n* home (country); *Landesinnere*: inland.

inländisch *adj.* domestic, home (-made).

Inlett *n* tick.

inmitten *prp.* in the midst of, amid(st).

innen *adv.* inside, within; *im Haus*: indoors; *nach ~* inwards.

Innen|architekt(in) interior designer; **~architektur** *f* interior design *od.* decorating; **~minister** *m* minister of the interior; *Brt.* Home Secretary, *Am.* Secretary of the Interior; **~ministerium** *n* ministry of the interior; *Brt.* Home Office, *Am.* Department of the Interior; **~politik** *f* domestic politics *pl.*; **~seite** *f*: *auf der ~* (on the) inside; **~stadt** *f* (city) cent|re, *Am.* -er, *Am. a.* downtown.

inner *adj.* inner; ⚕, *pol.* internal; ✈ *a.* interior; **Ɀe** *n* interior, inside; **Ɀeien** *pl.* offal *sg.*; *Fisch*: guts *pl.*; **~halb** *prp.* within; **~lich** *adj.* internal (*a.* ⚕).

innert *prp. Schweiz*: within.

innig *adj.* tender, affectionate.

Innung *f* guild, corporation.

inoffiziell *adj.* unofficial.

ins *prep. s. in.*

Insasse *m* occupant, passenger; *Anstalt etc.*: inmate.

Inschrift *f* inscription, legend.

Insekt *zo. n* insect; **~enstich** *m* insect bite.

Insel *f* island; **~bewohner** *m* islander.

Inser|at *n* advertisement, F ad; **Ɀieren** *v/t. u. v/i.* advertise.

insge|heim *adv.* secretly; **~samt** *adv.* altogether, in all.

insofern *cj.* so far; *~ als* in so far as.

Inspek|tion *f* inspection; *mot. a.* servicing; **~or(in)** officer; *Polizei*Ɀ: inspector.

inspirieren *v/t.* inspire.

inspizieren *v/t.* inspect.

Install|ateur *m* plumber; (gas *od.* electrical) fitter; **Ɀieren** *v/t.* instal(l).

instand *adv.*: *~ halten* keep* in good order; ⊕ maintain; *~ setzen* repair; **Ɀhaltung** *f* maintenance.

inständig *adv.*: *j-n ~ bitten* implore *od.* beseech s.o.

Instanz *f* authority; ⚖ instance.

Instinkt *m* instinct; **Ɀiv** *adv.* instinctively, by instinct.

Institut *n* institute; **~ion** *f* institution.

Instrument *n* instrument.

inszenier|en *v/t.* (put* on the) stage; *Film*: direct; *fig.* stage; **Ɀung** *thea. f* production, staging (*a. fig.*).

intellektuell *adj.*, **Ɀe(r)** intellectual, F highbrow.

intelligen|t *adj.* intelligent; **Ɀz** *f* intelligence; **Ɀzquotient** *m* I.Q.

Intendant *thea. m* director.

intensiv *adj.* intensive; *stark*: intense; **Ɀkurs** *m* crash course.

interess|ant *adj.* interesting; **Ɀe** *n* interest (*an, für* in); **~elos** *adj.* uninterested, indifferent; **Ɀelosigkeit** *f* indifference; **Ɀengebiet** *n* field of interest; **Ɀengemeinschaft** *f* com-

I J

munity of interests; *econ.* combine, pool; ²**ent** *m* interested person *od.* party; *econ.* prospective buyer, *bsd. Am.* prospect; ~**ieren** *v/t.* interest (*für* in); *sich ~ für* take* an interest in; be* interested in.
intern *adj.* internal; ²**at** *n* boarding-school.
international *adj.* international.
Internist ⚕ *m* internist.
Inter|pretation *f* interpretation; *Literatur*: *a.* analysis; ²**pretieren** *v/t.* interpret, ana|lyse, *Am.* -lyze; ~**punktion** *f* punctuation; ~**vall** *n* interval; ²**venieren** *v/i.* intervene; ~**view** *n*, ²**viewen** *v/t.* interview.
intim *adj.* intimate (*mit* with) (*a. sexuell*); ²**ität** *f* intimacy; ²**sphäre** *f* privacy.
intoleran|t *adj.* intolerant (*gegen* of); ²**z** *f* intolerance.
intransitiv *gr. adj.* intransitive.
Intrig|e *f*, ²**ieren** *v/i.* intrigue, scheme, plot.
Invalid|e *m* invalid, disabled person; ~**enrente** *f* disability pension; ~**ität** *f* disablement, disability.
Inventar *n* inventory, stock.
Inventur *econ. f* stock-taking; *~ machen* take* stock.
invest|ieren *econ. v/t.* invest (*a. fig.*); ²**ition** *econ. f* investment.
inwie|fern *cj. u. adv.* in what respect *od.* way; ~**weit** *cj. u. adv.* how far, to what extent.
Inzucht *biol. f* inbreeding (*a. fig.*).
inzwischen *adv.* meanwhile, in the meantime; *jetzt*: by now.
Ionen... *phys. in Zssgn*: ion(ic)...
irdisch *adj.* earthly, worldly.
Ire *m* Irishman; *die ~n pl.* the Irish *pl.*
irgend *adv. in Zssgn*: some...; any... (*a. verneint u. fragend*); *wenn ~ möglich* if at all possible; *wenn du ~ kannst* if you possibly can; F *~ so ein* some; *~ et.* something; anything; *~ j.* someone, somebody; anyone, anybody; ~**ein(e)** *indef. pron.* some (-one); any(one); ~**ein(e)s** *indef. pron.* some; any; ~**wann** *adv. unbestimmt*: sometime (or other); *beliebig*: (at) any time; ~**wie** *adv.* somehow (or other); ~**wo** *adv.* somewhere; anywhere.
Ir|in *f* Irishwoman; ²**isch** *adj.* Irish.
Iron|ie *f* irony; ²**isch** *adj.* ironic(al).
irre mad, crazy, insane; *verwirrt*: confused; F *sagenhaft*: super, terrific.
Irre *m,f* mad|man (-woman), lunatic; *wie ein ~r* like mad *od.* a madman.
irre|führen *bsd. fig. v/t.* mislead*, lead* astray; ~**führend** *adj.* misleading; ~**gehen** *v/i.* go* astray; *fig. a.* be* wrong; ~**machen** *v/t.* confuse.
irren 1. *v/refl.* be* wrong *od.* mistaken; *sich in et. ~* get* s.th. wrong; **2.** *v/i.* wander, stray, err; *Sie ~* you are wrong.
Irrenanstalt ⚕ *f* mental home.
Irrfahrt *f* wandering, odyssey.
irritieren *v/t. ärgern, reizen*: irritate; F *verwirren*: confuse.
Irr|licht *n* will-o'-the-wisp (*a. fig.*); ~**sinn** *m* insanity, madness (*a. fig.*); ²**sinnig** *adj.* insane, mad; F *Tempo etc.*: *a.* terrific; ~**tum** *m* error, mistake; *im ~ sein* be* mistaken; ²**tümlich 1.** *adj.* erroneous; **2.** *adv.* = ²**tümlicherweise** *adv.* by mistake; ~**weg** *bsd. fig. m* wrong way *od.* track.
Ischias ⚕ *f*, F *a. n, m* sciatica.
Islam *m* Islam.
Isländ|er(in) Icelander; ²**isch** *adj.* Icelandic.
Isolier|band ⚡ *n* insulating tape; ²**en** *v/t.* isolate; ⚡, ⊕ insulate; ~**haft** *f* solitary confinement; ~**station** ⚕ *f* isolation ward; ~**ung** *f* isolation; ⚡, ⊕ insulation.
Israeli *m, f*, ²**sch** *adj.* Israeli.
Italien|er(in), ²**isch** *adj.* Italian.
I-Tüpfelchen *n*: *bis aufs ~* to a T.

J

ja *adv.* yes, F *a.* yeah; ⚓, *parl.* aye, *Am. parl.* yea; *wenn* ~ if so; *da ist er ~!* well, there he is!; *ich sagte es Ihnen* ~ I told you so; *ich bin* ~ (*schließlich*) ... after all, I am ...; *tut es ~ nicht!* don't you dare do it!; *sei ~ vorsichtig!* do be careful!; *vergessen Sie es ~ nicht!* be sure not to forget it!; ~, *weißt du nicht?* why, don't you know?; *du kommst doch, ~?* you're coming, aren't you?; *hier, da – ~ überall* here, there – in fact everywhere.

Jacht ⚓ *f* yacht.

Jacke *f* jacket; *längere, a. Anzug≈, Kostüm≈*: coat; **~tt** *n* jacket, coat.

Jagd *f* hunt(ing) (*a. fig.*); *mit dem Gewehr*: *a.* shoot(ing); *Verfolgung*: chase; *s. Jagdrevier*; *auf (die) ~ gehen* go★ hunting *od.* shooting; *~ machen auf* hunt (for); *j-n*: *a.* chase; **~aufseher** *m* gamekeeper; **~bomber** ⚔ *m* fighter-bomber; **~flieger** ⚔ *m* fighter pilot; **~flugzeug** ⚔ *n* fighter (plane); **~hund** *m* hound; **~hütte** *f* (hunting) lodge; **~revier** *n* hunting-ground; **~schein** *m* hunting *od.* shooting licen|ce, *Am.* -se.

jagen *v/t. u. v/i.* hunt; *mit dem Gewehr*: *a.* shoot★; *fig. rasen*: race, dash; *fig. verfolgen*: hunt, chase; *aus dem Haus etc. ~* drive★ *od.* chase out of the house *etc.*

Jäger *m* hunter, huntsman.

Jaguar *zo. m* jaguar.

jäh *adj.* sudden; *steil*: steep.

Jahr *n* year; *ein dreiviertel ~* nine months *pl.*; *einmal im ~* once a year; *im ~e 1985* in (the year) 1985; *ein 20 ~e altes Auto* a twenty-year-old car; *mit 18 ~en, im Alter von 18 ~en* at (the age of) eighteen; *heute vor e-m ~* a year ago today; *die 80er ~e* the eighties *pl.*; **≈aus** *adv.*: ~, *jahrein* year in, year out; year after year; **~buch** *n* yearbook, annual.

jahrelang **1.** *adj.* year-long, (many) years of; **2.** *adv.* for (many) years.

Jahres|... *in Zssgn Bericht, Bilanz, Einkommen etc.*: annual ...; **~anfang** *m* beginning of the year; **~ende** *n* end of the year; **~tag** *m* anniversary; **~wechsel** *m* turn of the year; **~zahl** *f* date, year; **~zeit** *f* season, time of (the) year.

Jahrgang *m Personen*: age-group; *Schule*: year; *Am. a.* class (*1985* of '85); *Wein*: vintage.

Jahrhundert *n* century; *Zeitalter*: age; **~wende** *f* turn of the century.

jährlich **1.** *adj.* annual, yearly; **2.** *adv.* every year, yearly, once a year.

Jahr|markt *m* fair; **~tausend** *n* millennium; **~zehnt** *n* decade.

Jähzorn *m* violent (*Ausbruch*: fit of) temper; **≈ig** *adj.* hot-tempered.

Jalousie *f* (venetian) blind.

Jammer *m* misery; *es ist ein ~* it is a pity.

jämmerlich *adj.* miserable, wretched; *Anblick etc.*: *a.* pitiful, sorry; *~ versagen* fail miserably.

jammer|n *v/i.* moan, lament (*über* over, about); *sich beklagen*: complain (of, about); **~schade** *adj.*: *es ist ~* it is a (great) pity *od.* shame.

Janker *östr. m* jacket.

Jänner *östr. m*, **Januar** *m* January.

Japan|er(in), ≈isch *adj.* Japanese.

Jargon *m* jargon, lingo; slang.

Jastimme *parl. f* aye, *Am.* yea.

jäten *v/t.* weed (*a. Unkraut ~*).

Jauche *f* liquid manure; F *fig.* muck.

jauchzen *v/i.* shout for *od.* with joy; *bsd. lit.* exult, rejoice.

Jause *östr. f* snack.

jawohl *adv.* ⚔, F yes, sir!; *ganz recht*: (that's) right, (yes,) indeed.

Jawort *n* consent; *(j-m) sein ~ geben* say★ yes (to s.o.'s proposal).

je *adv. u. cj.* ever; each; per; *der beste Film, den ich ~ gesehen habe* the best film I have ever seen; *~ zwei* (*Pfund*) two (pounds) each; *drei Mark ~ Kilo* three marks per kilo; *~ nach Größe* (*Geschmack*) according to size (taste); *~ nachdem*(, *wie*) it depends (on how); *~ ..., desto* ... the ... the ...

jede|(r, -s) *indef. pron.* ~ *insgesamt*: every; ~ *beliebige*: any; ~ *einzelne*: each; *von zweien*: either; *jeder weiß* (*das*) everybody knows; *du kannst jeden fragen* (you can) ask anyone; *jeder von uns* (*euch*) each of us (you); *jeder, der* whoever; *jeden zweiten Tag* every other day; *jeden Augenblick* any moment now; **~nfalls** *adv.* in any case, anyhow; **~rmann** *indef. pron.* everyone, every-

body; **~rzeit** *adv.* always, at any time; **~smal** *adv.* each *od.* every time; ~ *wenn* whenever.
jedoch *cj.* however, yet.
jeher *adv.*: *von* ~ at all times, always.
jemals *adv.* ever; *s. je.*
jemand *indef. pron.* someone, somebody; *fragend, verneint*: anyone, anybody.
jene(r, -s) *dem. pron.* that (one); *pl.* those *pl.*; *dies und jenes* this and that.
jenseitig *adj.* opposite.
jenseits *adv. u. prp.* on the other side (of), beyond (*a. fig.*).
Jenseits *n* next world, hereafter.
jetzig *adj.* present; existing.
jetzt *adv.* now, at present; *bis* ~ up to now, so far; *eben* ~ just now; *erst* ~ only now; ~ *gleich* right now *od.* away; *für* ~ for the present; *noch* ~ even now; *von* ~ *an* from now on.
jeweil|ig *adj.* respective; **~s** *adv. je*: each; *gleichzeitig*: at a time.
Jochbein *anat. n* cheek-bone.
Jockei *m* jockey.
Jod ⚗ *n* iodine.
jodeln *v/i.* yodel.
Joga *m, n* yoga.
Joghurt *m, n* yog(h)urt.
Johannisbeere *f* currant; *rote* (*schwarze*) ~ red (black) currant.
johlen *v/i.* howl, yell.
Jolle ⚓ *f* jolly-boat, yawl.
Jongl|eur *m* juggler; **2ieren** *v/t. u. v/i.* juggle.
Journal|ismus *m* journalism; **~ist(in)** journalist.
Jubel *m* jubilation, (great) joy; *~geschrei*: cheering, cheers *pl.*; **2n** *v/i.* cheer, shout with joy; *lit.* rejoice.
Jubiläum *n* anniversary; *50jähriges* ~ fiftieth anniversary, (golden) jubilee.
jucken *v/t. u. v/i.* itch; *es juckt mich am* ... my ... itches.
Jude *m* Jew; **~ntum** *eccl. n* Judaism.
Jüd|in *f* Jewess; **2isch** *adj.* Jewish.
Jugend *f* youth, *the* young (people) *pl.*; **~amt** *n* youth welfare office; **~arbeitslosigkeit** *f* youth unemployment; **2frei** *adj.*: *~er Film* U (*Am.* G) (-rated) film; *nicht ~er Film* X film; **~fürsorge** *f* youth welfare; **~gericht** *n* juvenile court; **~herberge** *f* youth hostel; **~kriminalität** *f* juvenile delinquency; **2lich** *adj.* youthful, young; **~liche(r)** youth, juvenile, young person, teenager; **~stil** *m* Art Nouveau; **~strafanstalt** *f* detention cent|re, *Am.* -er, *Brt. a.* Borstal, *Am. a.* reformatory; **~verbot** *n* for adults only; *s. jugendfrei.*
Jugoslaw|e *m*, **~in** *f*, **2isch** *adj.* Yugoslav(ian).
Juli *m* July.
jung *adj.* young; ~ *verheiratet* newly married.
Junge 1. *m* boy, youngster, lad; *Kartenspiel*: knave, jack; **2.** *zo. n* young (one); *Hund*: *a.* pup(py); *Katze*: *a.* kitten; *Raubtier*: *a.* cub; ~ *bekommen od. werfen* have* young (ones), litter; **2nhaft** *adj.* boyish; **~nstreich** *m* boyish prank *od.* trick.
jünger *adj.* younger, junior; *er ist drei Jahre ~ als ich* he is my junior by three years, he is three years younger than I (am).
Jünger *eccl. m* disciple (*a. fig.*).
Jungfer *f*: *alte* ~ old maid.
Jungfern|fahrt ⚓ *f* maiden voyage *od.* trip; **~flug** ✈ *m* maiden flight.
Jung|frau *f* virgin; **~geselle** *m* bachelor, single (man); **~gesellin** *f* bachelor girl, single (woman); *bsd.* ⚖ spinster.
Jüngling *lit. iro. m* youth, young man.
jüngst *adj.* youngest; *Ereignisse etc.*: latest; *in ~er Zeit* lately, recently; *das 2e Gericht, der 2e Tag* the Last Judg(e)ment, Doomsday.
Juni *m* June.
junior *adj.*, **2** *m* junior (*a. Sport*).
Jupe *m Schweiz*: skirt.
Jura *pl.*: ~ *studieren* study (the) law.
juridisch *östr. adj. s. juristisch.*
Jurist|(in) lawyer; law-student; **2isch** *adj.* legal.
Jury *f* jury.
Jurorenkomitee *östr. n s. Jury.*
justieren ⊕ *v/t.* adjust, set*.
Justiz *f* (administration of) justice, (the) law; **~beamte** *m* judicial officer; **~irrtum** *m* error of justice; **~minister** *m* minister of justice; *Brt.* Lord Chancellor, *Am.* Attorney General; **~ministerium** *n* ministry of justice; *Am.* Department of Justice.
Juwel *m, n* jewel, gem (*beide a. fig.*); *~en pl.* jewel(le)ry; **~ier** *m* jewel(l)er.

J

K

Kabarett *n* political satirical revue.
Kabel *n* cable; **~fernsehen** *n* cable TV.
Kabeljau *zo. m* cod(fish).
kabeln *v/t. u. v/i.* cable.
Kabine *f* cabin; *e-r Seilbahn*: *a.* gondola; *teleph.* booth; *Sport*: locker room; *Umkleide*⁓, *Dusch*⁓ *etc.*: cubicle; **~nbahn** *f* cableway.
Kabinett *pol. n* cabinet.
Kabis *m Schweiz*: green cabbage.
Kabriolett *mot. n* convertible.
Kachel *f*, ⁓**n** *v/t.* tile; **~ofen** *m* tiled stove.
Kadaver *m* carcass.
Kadett *m* cadet.
Käfer *zo. m* beetle, *Am. a.* bug.
Kaffee *m* coffee (*kochen* make*); **~bohne** ⚘ *f* coffee-bean; **~haus** *östr. n* café; **~kanne** *f* coffee-pot; **~maschine** *f* coffee-maker, percolator; **~mühle** *f* coffee-mill.
Käfig *m* cage (*a. fig.*).
kahl *adj. Mensch*: bald; *Baum*, *Landschaft etc.*: bare, naked.
Kahn *m* boat; *Last*⁓: barge; ~ *fahren* go* boating.
Kai *m* quay, wharf.
Kaiser *m* emperor; **~in** *f* empress; **~reich** *n* empire.
Kajüte ⚓ *f* cabin.
Kakao *m* cocoa; *Getränk*: *a.* (hot) chocolate; *kalter*: chocolate milk.
Kakt|ee ⚘ *f*, **~us** ⚘ *m* cactus.
Kalb *zo. n* calf; ⁓**en** *v/i.* calve; **~fleisch** *n* veal; **~sbraten** *m* roast veal; **~sschnitzel** *n* veal cutlet; *paniertes*: escalope (of veal).
Kalender *m* calendar; **~jahr** *n* calendar year.
Kali ⚒ *n* potash.
Kaliber *n* calib|re, *Am.* -er (*a. fig.*).
Kalk *m* lime; *geol.* limestone, chalk; ⚗ calcium; ⁓**en** *v/t. Wand etc.*: whitewash; ✓ lime; ⁓**ig** *adj.* limy; **~stein** *m* limestone.
Kalorie *f* calorie; *arm* (*reich*) *an* ~*n* low (rich) in calories.
kalt *adj.* cold; *mir ist* ~ I'm cold; *es* (*mir*) *wird* ~ it's (I'm) getting cold; *das läßt mich* ~ that leaves me cold; **~bleiben** *v/i.* keep* (one's) cool; **~blütig** *adj.* cold-blooded (*a. fig.*).
Kälte *f* coldness, chilliness (*beide a. fig.*); *Temperatur*: *a.* cold, chill (*a. fig.*); *vor* ~ *zittern* shiver with cold; *fünf Grad* ~ five degrees below freezing; **~grad** *m* degree below zero; **~periode** *f* cold spell.
kaltmachen F *v/t.* rub *od.* wipe out, do* in.
Kamel *zo. n* camel; **~haar** *n* camelhair (*a. in Zssgn*).
Kamera *f* camera.
Kamerad *m* friend, companion, comrade, fellow, F pal, *Am. a.* buddy; ⚔ *a.* fellow-soldier; ~*en pl.* ⚔ comrades in arms; **~schaft** *f* (good) fellowship, comradeship; ⁓**schaftlich** *adj. u. adv.* like a good fellow, comradely.
Kameramann *m* cameraman.
Kamille ⚘ *f* camomile (*a. in Zssgn*).
Kamin *m* fireplace; *Schornstein*: chimney (*a. mount.*); *am* ~ by the fire(side); **~sims** *m*, *n* mantelpiece.
Kamm *m* comb; *zo. a.* crest (*a. fig.*).
kämmen *v/t.* comb; *sich* (*die Haare*) ~ comb one's hair.
Kammer *f* (small) room; *Abstell*⁓: store-room, *bsd. Am.* closet; *Dach*⁓: garret; *pol.*, *econ.* chamber; ⚖ division; **~musik** *f* chamber music.
Kammgarn *n* worsted (yarn).
Kampagne *f* campaign.
Kampf *m* fight (*a. fig.*); *schwerer*: struggle (*a. fig.*); *bsd.* ⚔ combat; *Schlacht*: battle (*a. fig.*); *Wett*⁓: contest, match; *Box*⁓: fight, bout; *fig.* conflict; ⁓**bereit** *adj.* ready for battle (⚔ combat).
kämpfen *v/i.* fight* (*gegen* against; *mit* with; *um* for) (*a. fig.*); struggle (*a. fig.*); *fig.* contend, wrestle.
Kampfer *m* camphor.
Kämpfer *m* fighter (*a. fig.*); ⁓**isch** *adj.* fighting, aggressive (*a. Sport*).
Kampf|flugzeug *n* combat aircraft; **~kraft** *f* fighting strength; **~richter** *m* judge; *s. Schiedsrichter*; **~stoff** ⚔ *m* (warfare) agent, weapon; ⁓**unfähig** *adj.* disabled; *Sport*: unable to fight.
Kanal *m künstlicher*: canal; *natürlicher*: channel (*a. TV*, ⊕, *fig.*); *Abzugs*⁓: sewer, drain; **~isation** *f* sewerage, drainage; *Fluß*: canalization; ⁓**isieren** *v/t.* sewer; canalize; *fig.* channel.
Kanarienvogel *zo. m* canary.

K

Kandid|at *m* candidate; **~atur** *f* candidature, *bsd. Am.* candidacy; **&ieren** *v/i.* be* a candidate, stand*, *Am.* run* (*für* for).
Känguruh *zo. n* kangaroo.
Kaninchen *zo. n* rabbit.
Kanister *m* can; *Benzin&*: jerrican.
Kanne *f Kaffee&*, *Tee&*: pot; *Milch&*, *Öl&*, *Gieß& etc.*: can.
Kannibale *m* cannibal.
Kanon *m* canon, ♪ *a.* round.
Kanone *f* cannon, gun; *fig.* ace; *bsd. Sport*: *a.* crack; **~nofen** *m* cylindrical (iron) stove.
Kant|e *f* edge; **~en** *m* crust; **&en** *v/t.* set* on edge, tilt; *Skier*: edge; **&ig** *adj.* angular, square(d).
Kantine *f* canteen.
Kanton *pol. m* canton.
Kanu *n* canoe.
Kanüle ⚕ *f* cannula, (drain) tube.
Kanzel *f eccl.* pulpit; ✈ cockpit.
Kanzlei *f* office.
Kanzler *m* chancellor.
Kap *geogr. n* cape, headland.
Kapazität *f* capacity; *fig.* authority.
Kapell|e *f eccl.* chapel; ♪ band; **~meister** *m* conductor.
kapern *v/t.* ⚓ capture, seize; *fig.* grab.
kapieren F *v/t.* get*; *kapiert?* got it?
Kapital *n* capital, funds *pl.*; **~anlage** *f* investment; **~ismus** *m* capitalism; **~ist** *m*, **&istisch** *adj.* capitalist; **~verbrechen** *n* capital crime.
Kapitän *m* captain (*a. Sport*).
Kapitel *n* chapter (*a. fig.*); F *fig.* story.
Kapitul|ation *f* capitulation, surrender (*a. fig.*); **&ieren** *v/i.* capitulate, surrender (*a. fig.*).
Kaplan *eccl. m* curate.
Kappe *f* cap; ⊕ *a.* top, hood; **&n** *v/t. Tau*: cut*; *Baum*: lop, top.
Kapsel *f* capsule; *Hülse*: case, box.
kaputt *adj.* broken; *Lift etc.*: out of order; *erschöpft*: dead-beat; *Ruf*, *Gesundheit etc.*: ruined; *Ehe etc.*: broken; **~gehen** *v/i.* break*; *mot. etc.* break* down; *Ehe etc.*: break* up; **~machen** *v/t.* break*, wreck (*a. fig.*), ruin (*a. fig.*).
Kapuze *f* hood; *eccl.* cowl.
Karabiner *m Gewehr*: carbine.
Karaffe *f* decanter, carafe.
Karambolage *f* collision, crash.
Karat *n* carat.
Karate *n* karate.
Karawane *f* caravan.
Kardinal *eccl. m* cardinal.
Karfiol *östr. m* cauliflower.
Karfreitag *eccl. m* Good Friday.
karg, kärglich *adj.* meag|re, *Am.* -er, scanty; *Essen*, *Leben*: *a.* frugal; *Boden*: poor.
kariert *adj.* check(ed), chequered, *Am.* checkered.
Karik|atur *f mst* cartoon; *bsd. fig.* caricature; **~aturist(in)** cartoonist; **&ieren** *v/t.* caricature.
Karneval *m* carnival, Shrovetide.
Karo *n* square, check; *Kartenspiel*: diamonds *pl.*
Karosserie *mot. f* body.
Karotte ♀ *f* carrot.
Karpfen *zo. m* carp.
Karre *f*, **~n** *m* cart; *Schub&*: wheelbarrow; F *Auto*: jalopy.
Karriere *f* career; ~ *machen* work one's way up, get* to the top.
Karte *f* card; *Land&*: map; *See&*: chart; *Fahr&*, *Eintritts&*: ticket; *Speise&*: menu; *gute ~n* a good hand.
Kartei *f* card index; **~karte** *f* index *od.* file card; **~kasten** *m* card index box.
Karten|haus *n* house of cards (*a. fig.*); ⚓ chartroom; **~spiel** *n* card-playing; *bestimmtes*: card game; *Karten*: pack (*Am. a.* deck) of cards.
Kartoffel *f* potato; **~brei** *m* mashed potatoes *pl.*; **~chips** *pl. Brt.* crisps *pl.*, *Am.* (potato) chips *pl.*; **~kloß**, **~knödel** *m* potato dumpling; **~puffer** *m* potato fritter *od.* pancake; **~schalen** *pl.* potato peelings *pl.*; **~schäler** *m* potato peeler.
Karton *m Pappe*: cardboard; *stärker*: pasteboard; *Schachtel*: cardboard box, carton.
Karussell *n* roundabout, merry-go-round, *Am. a.* carrousel.
Karwoche *eccl. f* Holy *od.* Passion Week.
Kaschmir *m* cashmere (*a. in Zssgn*).
Käse *m* cheese; **~kuchen** *m* cheesecake.
Kaserne ⚔ *f* barracks *sg.*, *pl.*; **~nhof** *m* barrack-square.
käsig *adj.* cheesy; *blaß*: pasty.
Kasino *n* casino; ⚔ (officers') mess.
Kasperle *n*, *m* Punch; **~theater** *n* Punch and Judy show.
Kassa *östr. f*, **Kasse** *f Kaufhaus etc.*: cash desk, pay-desk; *Bank*: cashier's desk *od.* counter; *Supermarkt*: check-out; *Laden&*: till; *Registrier&*:

cash register; *thea. etc.* box-office; *Kassette*: strong-box; *beim Spiel*: pool; F *gut (knapp) bei ~ sein* be* in (out of) cash.
Kassen|beleg, ~bon *m* sales slip (*Am.* check); **~erfolg** *m thea. etc.* box-office success; **~patient(in)** ⚕ health-plan patient; **~wart** *m Verein etc.*: treasurer.
Kassette *f allg.* box, case; ♪, *TV*, *phot. etc.* cassette, *Schmuck*≈: *a.* casket; **~n...** *in Zssgn Recorder etc.*: cassette ...
kassiere|n *v/t. u. v/i.* collect, take* (the money); F *verdienen*: make*; **≈r(in)** cashier; *Bank*≈: *a.* teller; *Beiträge etc.*: collector.
Kastanie ⚘ *f* chestnut.
Kaste *f* caste, *fig. a.* class.
Kasten *m* box (*a. fig. Fernseher, Tor, Haus etc.*); *Behälter, Geigen*≈: case; *Kiste*: chest.
kastrieren ⚕, *vet. v/t.* castrate.
Kasus *gr. m* case.
Katalog *m* catalogue, *Am. a.* catalog.
Katalysator *m* ⚗ catalyst; *mot.* catalytic converter.
Katapult *m, n*, **≈ieren** *v/t.* catapult.
katastroph|al *adj.* disastrous (*a. fig.*); **≈e** *f* catastrophe, disaster (*a. fig.*); **≈engebiet** *n* disaster area; **≈enschutz** *m* disaster control.
Katechismus *eccl. m* catechism.
Kategorie *f* category.
Kater *m zo.* male cat, tomcat; *fig.* hangover.
Kathedrale *f* cathedral.
Katholi|k(in), ≈sch *adj.* (Roman) Catholic.
Kätzchen *n* kitten, pussy (*a.* ⚘).
Katze *zo. f* cat; *junge*: kitten.
Kauderwelsch *n* gibberish.
kauen *v/t. u. v/i.* chew.
kauern *v/i. u. v/refl.* crouch, squat.
Kauf *m* buying, purchase (*a. econ.*); *ein guter ~* a good buy *od.* bargain; *zum ~* for sale; **≈en** *v/t.* buy* (*a. fig.*), purchase.
Käufer *m* buyer; *Kunde*: customer.
Kauf|haus *n* department store; **~kraft** *econ. f* purchasing power.
käuflich *adj.* for sale; *fig.* venal.
Kauf|mann *m allg.* businessman; *Händler*: dealer, trader, merchant; *Einzelhändler*: shopkeeper, *Am. mst* storekeeper; *bsd. Lebensmittelhändler*: grocer; **≈männisch** *adj.* commercial, business; *~er Angestellter* clerk; **~vertrag** *m* contract of sale.
Kaugummi *m* chewing-gum.
kaum *adv.* hardly, scarcely, barely; *~ zu glauben* hard to believe.
Kaution *f econ.* security; ⚖ bail.
Kautschuk *m* (india)rubber.
Kavalier *m* gentleman.
Kavallerie ⚔ *f* cavalry.
Kaviar *m* caviar(e).
keck *adj.* pert (*a. flott*), saucy, brash.
Kegel *m Figur*: pin; ⚘, ⊕ cone; **~bahn** *f* skittle (*bsd. Am.* bowling) alley; **≈förmig** *adj.* conic(al), cone-shaped; **~kugel** *f* skittle (*bsd. Am.* bowling) ball; **≈n** *v/i.* play (at) skittles *od.* ninepins, *bsd. Am.* bowl, go* bowling.
Kehl|e *f* throat; **~kopf** *m* larynx.
Kehre *f* (sharp) bend *od.* turn; **≈n** *v/t.* sweep*; *j-m den Rücken ~* turn one's back on s.o.
Kehrseite *f* reverse; F *fig.* back(side); *die ~ der Medaille* the other side of the coin.
kehrtmachen *v/i.* turn back.
keifen *v/i.* scold, nag.
Keil *m* wedge; *Zwickel*: gusset; **~e** F *f* thrashing, hiding; **~er** *zo. m* wild boar; **~erei** F *f* brawl, fight; **≈förmig** *adj.* wedge-shaped, cuneiform; **~kissen** *n* wedge-shaped bolster.
Keim *m biol.*, ⚕ germ; ⚘ bud; *Trieb*: sprout; *fig.* seeds *pl.*; **≈en** *v/i. Samen*: germinate; *sprießen*: sprout; *fig.* burgeon; **≈frei** *adj.* sterilized, sterile; **≈tötend** *adj.* germicidal; **~zelle** *f* germ-cell.
kein *indef. pron.* **1.** *als adj.*: *~(e)* no, not any; *~ anderer* no one else; *~(e) ... mehr* not any more ...; *~ Geld (~e Zeit) mehr* no money (time) left; *~ Kind mehr* no longer a child; **2.** *als Substantiv*: *~er, ~e, ~(e)s* none, no one, nobody; *~er von beiden* neither (of the two); *~er von uns* none of us; **~esfalls** *adv.* by no means, under no circumstances; **~eswegs** *adv.* by no means, not in the least; **~mal** *adv.* not once, not a single time.
Keks *m, n* biscuit, *Am.* cookie; *ungesüßt*: cracker.
Kelch *m* cup (*a.* ⚘, *fig.*), chalice (*a. eccl.*).
Kelle *f* scoop; *Maurer*≈: trowel.
Keller *m* cellar, basement (*a. ~geschoß*); **~wohnung** *f* basement (flat).
Kellner *m* waiter; **~in** *f* waitress.

K

Kelter *f* winepress; **2n** *v/t.* press.

kenn|en *v/t.* know*, be* acquainted with; **~enlernen** *v/t.* get* to know, become* acquainted with; *j-n*: *a.* meet*; *als ich ihn kennenlernte* when I first met him; **2er** *m* expert; *Kunst2*, *Wein2*: connoisseur; **~tlich** *adj.* recognizable (*an* by); *~ machen* mark; *etikettieren*: label; **2tnis** *f* knowledge; *~ nehmen von* take* not(ic)e of; *gute ~se in* a good knowledge of; **2zeichen** *n* mark, sign; *mot.* registration (*Am.* license) number; **~zeichnen** *v/t.* mark; *fig.* characterize.

kentern ⚓ *v/i.* capsize, overturn.

Kerbe *f* notch.

Kerker *m* jail, prison; *hist.* dungeon.

Kerl F *m* fellow, *bsd. Brt.* lad, chap, *bsd. Am.* guy; *übler ~* bad character.

Kern *m Obst*: pip, seed; *Kirsch2 etc.*: stone; *Nuß*: kernel; ⊕ core (*a. Reaktor2*); *phys.* nucleus (*a. Atom2*); *fig.* core, heart, bottom; **~...** *in Zssgn Energie, Forschung, Physik, Waffen etc.*: nuclear ...; **~fach** *n* basic subject, *Brt. appr.* set subject; *pl. coll.* core curriculum; **~gehäuse** ⚘ *n* core; **2gesund** *adj.* thoroughly healthy, F (as) sound as a bell; **2ig** *adj.* seedy; *fig.* robust; **~kraft** *f* nuclear power; **~kraftgegner** *m* anti-nuclear activist; **~kraftwerk** *n* nuclear power station *od.* plant; **2los** *adj.* seedless; **~spaltung** *f* nuclear fission.

Kerze *f* candle; *Turnen*: shoulder stand.

keß F *adj.* pert, saucy, jaunty.

Kessel *m Tee2*: kettle; *Wasch2*, *Heiz2*, *Dampf2*: boiler; *Behälter*: tank.

Kette *f* chain (*a. fig.*); *Hals2*: necklace; *e-e ~ bilden* form a line; **~n...** *in Zssgn Antrieb, Raucher, Reaktion etc.*: chain ...; **2n** *v/t.* chain (*an* to); **~nfahrzeug** *n* tracked vehicle.

Ketzer *m* heretic; **~ei** *f* heresy.

keuch|en *v/i.* pant, gasp; **2husten** ⚕ *m* whooping cough.

Keule *f* club; *fig. chemische*: mace; *Fleisch2*: leg.

keusch *adj.* chaste; **2heit** *f* chastity.

kichern *v/i.* giggle, titter.

Kiebitz *m zo.* lapwing; *fig.* kibitzer.

Kiefer[1] *m* jaw(-bone).

Kiefer[2] ⚘ *f* pine, fir.

Kiel *m* ⚓ keel; **~flosse** *f* tail fin; **~raum** *m* bilge; **~wasser** *n* wake (*a fig.*).

Kieme *zo. f* gill.

Kies *m* gravel; *sl. Geld*: dough; **~el** *n* pebble; **~weg** *m* gravel path.

Kilo|(gramm) *n* kilogram(me); **~hertz** *n* kilocycle per second; **~meter** *m* kilomet|re, *Am.* -er; **~wat** *n* kilowatt.

Kimme *f* notch; *~ und Korn* sights *pl*

Kind *n* child; *Klein2*: baby; *ein ~ erwarten* (*bekommen*) be* expecting (have*) a baby.

Kinder|arzt *m*, **~ärztin** *f* p(a)ediatrician; **~garten** *m* kindergarten, nursery school; **~gärtnerin** *f* nursery school *od.* kindergarten teacher; **~hort** *m*, **~krippe** *f* day-nursery; **~lähmung** ⚕ *f* polio(myelitis); **2lieb** *adj.* fond of children; **2los** *adj.* childless; **~mädchen** *n* nurse(maid); **~spiel** *fig. n*: *ein ~* child's play; **~stube** *fig. f* manners *pl.*, upbringing; **~wagen** *m* perambulator, F pram *Am.* baby carriage (F buggy); **~zimmer** *n* children's room, nursery

Kindes|alter *n* childhood; infancy **~beine** *pl.*: *von ~n an* from early childhood; **~entführung** *f* kidnap(p)ing.

Kind|heit *f* childhood; **2isch** *adj* childish; **2lich** *adj.* childlike.

Kinn *n* chin; **~backe** *f*, **~backen** *n* jaw(-bone); **~haken** *m Boxen*: hook to the chin, upper-cut.

Kino *n* cinema, *bsd. Am.* motion pictures *pl.*, F *the* pictures *pl.*, F *the* movies *pl.*; *Gebäude*: cinema, *bsd Am.* movie theater; **~besucher(in)**, **~gänger(in)** cinemagoer, filmgoer **~vorstellung** *f s. Filmvorstellung.*

Kippe *f* F stub, *bsd. Am.* butt; *Turnen*: upstart; *auf der ~ stehen* be* uncertain; *stärker*: be* touch and go *er steht auf der ~* it's touch and go with him; **2n 1.** *v/i.* tip *od.* topple (over); **2.** *v/t.* tilt, tip over *od.* up.

Kirche *f* church.

Kirchen|buch *n* parish register; **~diener** *m* verger, sexton; **~gemeinde** *f* parish; **~jahr** *n* Church *od* ecclesiastical year; **~lied** *n* hymn **~musik** *f* sacred *od.* church music **~schiff** *arch. n* nave; **~steuer** *f* church-rate; **~tag** *m* church congress; **~stuhl** *m* pew.

Kirch|gang *m* churchgoing; **~gänger** *m* churchgoer; **2lich** *adj.* church ecclesiastical; **~turm** *m* steeple; *Spitze*: spire; *ohne Spitze*: church-tower.

Kirsche *f* cherry.

Kissen *n* pillow; *Sitz*2, *Luft*2: cushion; **~bezug** *m*, **~hülle** *f* pillowcase, pillowslip.

Kiste *f* box, chest; *Latten*2: crate.

Kitsch *m* trash, kitsch; *sentimentaler*: slush; 2**ig** *adj.* trashy, shoddy, kitschy; slushy, *Am. a.* corny.

Kitt *m* cement; *Glaser*2: putty.

Kittel *m* smock; *Arbeits*2, *~schürze*: overall; *Arzt*2: (white) coat.

kitten *v/t.* cement; *Glaserei*: putty.

Kitz|el *m* tickle, *fig. a.* thrill, kick; 2**eln** *v/i. u. v/t.* tickle; **~ler** *anat. m* clitoris; 2**lig** *adj.* ticklish (*a. fig.*).

kläffen *v/i.* yap, yelp.

klaffend *adj.* gaping; *bsd. Abgrund*: yawning.

Klage *f* complaint; *Weh*2: lament; ⚖ action, (law)suit; 2**n** *v/i.* complain (*über* of, about; *bei* to); lament; ⚖ go* to court; *gegen j-n* ~ sue s.o.

Kläger(in) ⚖ plaintiff.

kläglich *adj. s. jämmerlich.*

Klamauk *m* racket; *thea. etc.* slapstick.

klamm *adj.* numb; *Raum*: clammy.

Klammer *f* ⊕ cramp, clamp; *Büro*2, *Haar*2: clip; *Wäsche*2: (clothes-)peg, *bsd. Am.* clothes-pin; *Zahn*2: brace; ⚒, *print.* bracket(s *pl.*); 2**n** *v/t.* fasten *od.* clip together; *sich ~ an* cling* to (*a. fig.*).

Klang *m* sound; *Tonqualität*: tone; *Gläser*2: clink; *Glocken*2: ringing; 2**voll** *adj.* sonorous; *fig.* illustrious.

Klappe *f* flap; *Klappdeckel*: hinged lid; *am Lastwagen*: tailboard; ⊕, ♀, *anat.* valve; F *Mund*: trap; 2**n 1.** *v/t.*: *nach oben ~* lift up, raise; *Sitz etc.*: put* *od.* fold up; *nach unten ~* lower, put* down; *es läßt sich (nach hinten) ~* it folds (backward); **2.** *v/i.* clap, clack; *fig.* work, work out (well).

Klapper *f* rattle; 2**n** *v/i.* clatter, rattle (*mit et.* s.th.); *er klapperte vor Kälte mit den Zähnen* his teeth were chattering with cold; **~schlange** *zo. f* rattlesnake.

Klapp|fahrrad *n* fold-up bicycle; **~fenster** *n* top-hung window; **~messer** *n* clasp-knife, jack-knife; 2**rig** *adj. Auto etc.*: rattly, ramshackle; *Möbel*: rickety; *Person*: shaky; **~sitz** *m* folding *od.* tip-up seat; **~stuhl** *m* folding chair; **~tisch** *m* folding table.

Klaps *m* slap, pat; *harter*: smack.

klar *adj.* clear (*a. fig.*); *ist dir ~, daß ...?* do you realize that ...?; *das ist mir (nicht ganz) ~* I (don't quite) understand; *(na) ~!* of course!; *alles ~?* everything okay?

Klär|anlage *f* sewage-works *pl.*; 2**en** *v/t.* ⊕ purify; *Wasser*: *a.* treat; *fig.* clear up; *endgültig*: settle.

Klarheit *f* clearness; *fig. a.* clarity.

Klarinette ♪ *f* clarinet.

Klarsicht... *in Zssgn* transparent ...

Klasse *f* class (*a. pol.*); *Schul*2: *Brt. a.* form, *Am. a.* grade; *~nzimmer*: classroom; F *großartig*: super, fantastic.

Klassen|arbeit *f* (classroom) test; **~buch** *n* (class) register, *Am.* classbook; **~kamerad(in)** class-mate; **~lehrer(in)** class teacher, *Brt. a.* form master (mistress), *Am. a.* homeroom teacher; **~sprecher(in)** class representative; **~zimmer** *n* classroom.

klassifizier|en *v/t.* classify; 2**ung** *f* classification.

Klassi|ker *m* classic; 2**sch** *adj.* classic(al).

Klatsch F *fig. m*, **~base** *f* gossip; 2**en** *v/i. u. v/t. Beifall ~*: clap, applaud; F *schlagen, werfen*: slap, bang; *ins Wasser*: splash; F *fig.* gossip; *in die Hände ~* clap one's hands; 2**haft** *adj.* gossipy; **~maul** F *n* (old) gossip; 2**naß** F *adj.* soaking wet.

klauben *östr. v/t.* pick; gather.

Klaue *f* claw; *fig.* clutches *pl.*

klauen F *v/t.* pinch, lift.

Klausel ⚖ *f* clause; condition.

Klausur *f* test (paper), exam(ination).

Klavier ♪ *n* piano; *~ spielen* play the piano; **~konzert** *n Stück*: piano concerto; *Vortrag*: piano recital.

Klebeband *n* adhesive tape.

kleb|en 1. *v/t.* glue, paste (*a. fig. j-m e-e*); stick*; **2.** *v/i.* stick*, cling* (*an* to) (*a. fig.*); **~rig** *adj.* sticky; 2**stoff** *m* adhesive; *Leim*: glue.

kleck|ern F **1.** *v/i.* make* a mess; **2.** *v/t.* spill*; 2**s** F *m* (ink-)blot; *Farb*2: blob; **~sen** F *v/i.* blot, make* blots.

Klee ♀ *m* clover; **~blatt** *n* clover-leaf.

Kleid *n* dress; *~er pl. Kleidung*: clothes *pl.*; 2**en** *v/t.* dress, clothe; *j-n gut ~* suit *od.* become* s.o.; *sich (gut) ~* dress (well).

Kleider|bügel *m* (coat-)hanger; **~bürste** *f* clothes-brush; **~haken** *m*

K

(clothes-)peg; **~schrank** *m* wardrobe; **~ständer** *m* hat (and coat) stand; **~stoff** *m* dress material.
kleidsam *adj.* becoming.
Kleidung *f* clothes *pl.*, clothing; **~s-stück** *n* article of clothing.
Kleie *f* bran.
klein *adj.* small, *bsd.* F little (*a. Finger, Bruder*); *von Wuchs*: short; *von ~ auf* from an early age; *ein ~ wenig* a little bit; *groß und ~* young and old; *die ≈en* the little ones; **≈bildkamera** *f* miniatur *od.* 35 mm camera; **≈geld** *n* (small) change; **≈holz** *n* matchwood; **≈igkeit** *f* little thing, trifle; *Geschenk*: little something; *e-e ~ leicht*: nothing, child's play; **≈kind** *n* infant; **≈kram** F *m* odds and ends *pl.*; **~laut** *adj.* subdued; **~lich** *adj.* narrow-minded; *geizig*: mean; *pedantisch*: pedantic, fussy; **~schneiden** *v/t.* cut* into small pieces; **≈stadt** *f* small town; **~städtisch** *adj.* small-town, provincial; **≈wagen** *m* small car, F mini.
Kleister *m* paste; **≈n** *v/t.* paste.
Klemme *f* ⊕ clamp; *Haar≈*: (hair) grip *od.* clip; F *in der ~ sitzen* be* in a jam *od.* fix *od.* tight spot; **≈n** *v/i. u. v/t.* jam; *stecken*: stick*; *Tür etc.*: be* stuck *od.* jammed; *sich ~* jam one's finger *od.* hand.
Klempner *m* plumber.
Klerus *m* clergy *pl.*
Klette *f* ⚘ bur(r); *fig.* leech.
kletter|n *v/i.* climb (*auf e-n Baum* [up] a tree); **≈pflanze** *f* climber.
Klient(in) client.
Klima *n* climate; *fig. a.* atmosphere; **~anlage** *f* air-conditioning (system); **≈tisch** *adj.* climatic.
klimpern *v/i.* jingle, chink (*mit et.* s.th.); ♪ F strum (away) (*auf* on).
Klinge *f* blade.
Klingel *f* bell; **~knopf** *m* bell-push; **≈n** *v/i.* ring* (the bell); *es klingelt* the (door)bell is ringing.
klingen *v/i.* sound; *Glocke, Metall etc.*: ring*; *Gläser etc.*: clink.
Klini|k *f* hospital, clinic; *Privat≈*: nursing home; **≈sch** *adj.* clinical.
Klinke *f* (door-)handle.
Klippe *f* cliff, rock(s *pl.*); *fig.* obstacle.
klirren *v/i. Fenster*: rattle; *Gläser etc.*: clink; *Scherben*: tinkle; *Schwerter etc.*: clash; *Münzen, Schlüssel etc.*: jingle.
Klischee *fig. n* cliché.
klobig *adj.* bulky, clumsy (*a. fig.*).
klopfen 1. *v/i. Herz, Puls*: beat* *heftig*: throb; *an die Tür etc.*: knock *auf die Schulter*: tap; *tätschelnd*: pat *es klopft* there's a knock at the door **2.** *v/t.* beat*; *Nagel etc.*: knock drive*.
Klops *m* meat ball.
Klosett *n* lavatory, toilet; **~brille** toilet seat; **~papier** *n* toilet-paper.
Kloß *m* clod, lump (*a. fig. in de Kehle*); *Speise*: dumpling.
Kloster *n Mönchs≈*: monastery; *Nonnen≈*: convent.
Klotz *m* block; *Holz≈*: *a.* log.
Klub *m* club; **~sessel** *m* lounge chair
Kluft *f* gap (*a. fig.*); *Abgrund*: abyss
klug *adj.* intelligent, clever, F bright smart; *vernünftig*: wise; *daraus (aus ihm) werde ich nicht ~* I don't know what to make of it (him); **≈heit** intelligence, cleverness, F brains *pl.* *Vernunft*: good sense; *Wissen* knowledge.
Klump|en *m allg.* lump; *Erd≈ etc.* clod; *Gold≈ etc.*: nugget; *Haufen* heap; **~fuß** *m* club-foot; **≈ig** *adj* lumpy; cloddish.
knabbern *v/t. u. v/i.* nibble, gnaw.
Knabe *m* boy; **≈nhaft** *adj.* boyish.
knack|en *v/t. u. v/i.* crack (*a. fig. u.* F) *Zweig*: snap; *Feuer, Radio*: crackle *an et. zu ~ haben* have* s.th. to chew on; **≈s** F *m* crack (*a. Geräusch*); *fig.* defect.
Knall *m allg.* bang; *Schuß*: *a.* crack report; *Peitsche*: crack; *Korken*: pop; F *e-n ~ haben* be* nuts; **~bonbon** *m, n* cracker; **~effekt** *fig. m* sensation; **≈en** *v/i. u. v/t.* bang; *Tür*: *a.* slam; crack; pop; F *prallen*: crash (*gegen* into); F *j-m e-e ~* slap s.o.('s face); **≈ig** F *adj.* loud, flashy; **~körper** *m* fire cracker; **≈rot** F *adj.* glaring red; *Gesicht*: scarlet.
knapp *adj. Vorräte etc.*: scarce; *Kost, Lohn*: scanty, meag|re, *Am.* -er; *Stunde, Meile, Mehrheit*: bare; *~ bemessen*: limited (*a. Zeit*); *Sieg, Entkommen*: narrow, bare; *Kleid etc.*: tight; *Schreiben etc.*: brief; *~ an Geld (Zeit etc.)* short of money (time *etc.*); *mit ~er Not* only just, barely; **≈e** ⚒ *m* miner; **~halten** *v/t.* keep* *s.o.* short; **≈heit** *f* scarcity, shortage.
Knarre *f* rattle; F gun; **≈n** *v/i.* creak.
Knast F *m* jail; **~bruder** F *m* jailbird.

knattern *v/i.* crackle; *mot.* roar.
Knäuel *m, n* ball; *wirres*: tangle.
Knauf *m* knob; *Degen*≈: pommel.
knaus(e)rig F *adj.* stingy.
knautsch|en *v/t. u. v/i.* crumple; **≈zone** *mot. f* crush section.
Knebel *m*, **≈n** *v/t.* gag (*a. fig.*).
Knecht *m* farmhand; *fig.* slave; **~schaft** *f* slavery.
kneif|en *v/t. u. v/i.* pinch (*j-m in den Arm* s.o.'s arm); F *fig.* chicken out; **≈zange** *f* pincers *pl.*
Kneipe F *f* pub, *bsd. Am.* saloon, bar.
knet|en *v/t.* knead; *formen*: mo(u)ld; **≈gummi** *m, n*, **≈masse** *f* plasticine.
Knick *m* fold, crease; *Kurve*: bend; **≈en** *v/t.* fold, crease; bend*; *Zweig*: break*; *nicht ~!* do not bend!
Knicks *m* curtsy; *e-n ~ machen* = **≈en** *v/i.* (drop a) curtsy (*vor* to).
Knie *n* knee; **~beuge** *f* knee bend; **~kehle** *f* hollow of the knee; **≈n** *v/i.* kneel*, be* on one's knees (*vor* before); **~scheibe** *f* knee-cap; **~strumpf** *m* knee(-length) sock.
Kniff *m* crease, fold; *Zwicken*: pinch; *fig.* trick, knack; **≈(e)lig** *adj.* tricky, ticklish.
knipsen *v/t. u. v/i.* F *phot.* take* a picture (of); *lochen*: punch, clip.
Knirps *m* little chap (*Am.* guy).
knirschen *v/i.* crunch; *mit den Zähnen ~* grind* *od.* gnash one's teeth.
knistern *v/i.* crackle; *Papier*: rustle.
knittern *v/t. u. v/i.* crumple, crease, wrinkle.
Knoblauch ⚘ *m* garlic.
Knöchel *m* ankle; *Finger*≈: knuckle.
Knoch|en *m* bone; *Fleisch mit (ohne) ~* meat on (off) the bone; **~enbruch** *m* fracture; **≈ig** *adj.* bony.
Knödel *m* dumpling.
Knolle ⚘ *f* tuber; *Zwiebel*: bulb; **~nnase** *f* bulbous nose.
Knopf *m*, **knöpfen** *v/t.* button.
Knopfloch *n* buttonhole.
Knorpel *m* gristle; *anat.* cartilage.
knorrig *adj.* gnarled, knotted.
Knospe ⚘ *f*, **≈n** *v/i.* bud.
knoten *v/t.* knot, make* a knot in.
Knoten *m* knot (*a. fig.*, ⚓); **~punkt** *m* 🚂 junction; *allg.* cent|re, *Am.* -er.
knüllen *v/t. u. v/i.* crumple.
Knüller F *m* smash (hit); *Presse*: scoop.
knüpfen *v/t.* tie; *Teppich*: knot.
Knüppel *m* stick, cudgel; *Polizei*≈: truncheon, *bsd. Am.* club; **~schaltung** *mot. f* floor shift.
knurren *v/i.* growl, snarl; *fig.* grumble (*über* at); *Magen*: rumble.
knusp(e)rig *adj.* crisp, crunchy.
knutschen F *v/i.* pet, neck, smooch.
k.o. *adj.* knocked out; *fig.* beat.
Kobold *m* (hob)goblin, imp (*a. fig.*).
Koch *m* cook; *im Lokal*: *a.* chef; **~buch** *n* cookery book, *bsd. Am.* cookbook; **≈en 1.** *v/t.* cook; *Eier, Wasser, Wäsche*: boil; *Kaffee, Tee*: make*; **2.** *v/i.* cook, do* the cooking; *Flüssiges*: boil (*a. fig.*); *gut ~* be* a good cook; *vor Wut ~* boil with rage; **≈endheiß** *adj.* boiling hot; **~er** *m* cooker.
Köchin *f* cook.
Koch|löffel *m* (wooden) spoon; **~nische** *f* kitchenette; **~platte** *f* hotplate; **~salz** *n* common salt; **~topf** *m* saucepan, pot.
Köder *m* bait (*a. fig.*), lure; **≈n** *v/t.* bait, decoy (*beide a. fig.*).
Kodex *m* code.
Koffein ⚗ *n* caffeine.
Koffer *m* (suit)case; *großer*: trunk; **~radio** *n* portable (radio); **~raum** *mot. Brt.* boot, *Am.* trunk.
Kognak *m* (French) brandy, cognac.
Kohl ⚘ *m* cabbage.
Kohle *f* coal; ⚡ carbon; F *Geld*: dough; **~hydrat** *n* carbohydrate.
Kohlen|... ⚗ *in Zssgn Dioxid etc.*: carbon ...; **~bergwerk** *n* coal-mine; **~ofen** *m* coal-burning stove; **~säure** *f* ⚗ carbonic acid; *im Getränk*: F fizz; **≈säurehaltig** *adj.* carbonated, F fizzy; **~stoff** ⚗ *m* carbon.
Kohle|papier *n* carbon paper; **~zeichnung** *f* charcoal drawing.
Kohl|kopf ⚘ *m* (head of) cabbage; **~rabi** ⚘ *m* kohlrabi.
Koje ⚓ *f* berth, bunk.
Kokain *n* cocaine.
kokett *adj.* coquettish; **~ieren** *v/i.* flirt; *fig. mit et.*: toy.
Kokosnuß ⚘ *f* coconut.
Koks *m* coke; F *Geld*: dough; *sl. Kokain*: coke, snow.
Kolben *m Gewehr*≈: butt; ⊕ piston; **~stange** *f* piston-rod.
Kolchose *f* collective farm, kolkhoz.
Kolibri *zo. m* humming-bird.
Kolleg *n univ.* course (of lectures); *s. Fachschule*; **~e** *m*, **~in** *f* fellow worker (teacher, doctor *etc.*), colleague;

K

~ium *n Schule etc.*: teaching staff, *Am. a.* faculty.
Kollekt|e *eccl. f* collection; **~ion** *econ.* collection; *Sortiment*: range; **~iv** *n*, **≈iv** *adj.* collective (*a. in Zssgn*).
Koller F *fig. m* fit; *Wut*: rage.
kolli|dieren *v/i.* collide (*a. fig.*); **≈sion** *f* collision; *fig. a.* clash, conflict.
Kölnischwasser *n* (eau de) cologne.
Kolonialwaren *pl. s. Lebensmittel.*
Koloni|e *f* colony; **≈sieren** *v/t.* colonize; **~sierung** *f* colonization.
Kolonne *f* column; ⚔ *Wagen≈*: convoy; *Arbeiter≈*: gang, crew.
Koloß *m* colossus; *fig. a.* giant (of a man).
kolossal *adj.* colossal, enormous (*a. fig.*).
Kombi *mot. m* estate (car), *bsd. Am.* station wagon; **~nation** *f* combination; *Kleidung*: set; *Montur*: overalls *pl.*, *Am. a.* coverall(s *pl.*); *Flieger≈*: flying suit; *Fußball etc.*: combined move; **≈nieren 1.** *v/t.* combine; **2.** *v/i.* reason.
Kombüse ⚓ *f* galley, caboose.
Komet *ast. m* comet.
Komfort *m* luxury; *Ausstattung*: (modern) conveniences *pl. od.* amenities *pl.*; **≈abel** *adj.* luxurious; *Hotel etc.*: *a.* well-appointed.
Komik *f* humo(u)r; *Wirkung*: comic effect; **~er(in)** comedian; *f Beruf*: comedienne.
komisch *adj.* comic(al), funny; *fig.* funny, strange, odd.
Komitee *n* committee.
Komma *n* comma; *sechs ~ vier* six point four.
Kommand|ant, ~eur ⚔ *m* commander, commanding officer; **≈ieren** *v/i. u. v/t.* (be* in) command (of); **~o** *n* command; *Befehl*: *a.* order; ⚔ *Gruppe*: commando; **~obrücke** ⚓ *f* (navigating) bridge.
kommen *v/i.* come*; *an~*: arrive; *gelangen*: get*; *reichen*: reach; *zu spät ~* be* late; *weit ~* get* far; *zur Schule ~* start school; *ins Gefängnis ~* go* to jail; *~ lassen j-n*: send* for, call; *et.*: order; *~ auf* think* of, hit* upon; remember; *hinter et. ~* find* s.th. out; *um et. ~* lose* s.th.; *verpassen*: miss s.th.; *zu et. ~* come* by s.th.; *wieder zu sich ~* come* round *od.* to; *wohin kommt ...?* where does ... go?; *daher kommt es, daß* that's why; *woher kommt es, daß ...?* why is it that ...?, F how come ...?
Komment|ar *m* comment(ary); **~ator** *m* commentator; **≈ieren** *v/t.* comment (on).
Kommissar *m* commissioner; *Polizei≈*: superintendent.
Kommission *f* commission (*a. econ. in* on); *Ausschuß*: *a.* committee.
Kommode *f* chest (of drawers), *Am. a.* bureau.
Kommun|al... *in Zssgn Politik etc.*: local ...; **~e** *f* commune; **~ikation** *f* communication; **~ion** *eccl. f* (Holy) Communion; **~ismus** *m* communism; **~ist(in), ≈istisch** *adj.* communist.
Komödie *f* comedy; *~ spielen* put* on an act, play-act.
Kompanie ⚔ *f* company.
Kompaß *m* compass.
komplett *adj.* complete.
Komplex *m* complex (*a. psych.*).
Kompliment *n* compliment; *j-m ein ~ machen* pay* s.o. a compliment.
Komplize *m* accomplice.
komplizier|en *v/t.* complicate; **~t** *adj.* complicated, complex; *~er Bruch* ⚕ compound fracture.
Komplott *n* plot, conspiracy.
kompo|nieren ♪ *v/t. u. v/i.* compose; *Lied*: *a.* write*; **≈nist** *m* composer; **≈sition** *f* composition.
Kompott *n* compot(e), stewed fruit.
komprimieren *v/t.* compress.
Kompromiß *m* compromise; **≈los** *adj.* uncompromising.
Kondens|ator *m* ⚡ capacitor; ⊕ condenser; **≈ieren** *v/t.* condense; **~milch** *f* evaporated milk; **~wasser** *n* condensation water.
Kondition *f* condition; *Sport*: *a.* shape, form; *gute ~* (great) stamina.
konditional *gr. adj.* conditional.
Konditionstraining *n* fitness training.
Konditor *m* confectioner, pastrycook; **~ei** *f* confectionery; café, tearoom; **~eiwaren** *pl.* confectionery *sg.*
Kondukteur *m Schweiz*: *s. Schaffner.*
Konfekt *n* sweets *pl.*, chocolates *pl.*
Konfektion *f* ready-made clothing; **~s...** *in Zssgn* ready-made ...
Konferenz *f* conference.
Konfession *f* religion, denomination; **≈ell** *adj.* confessional, denominational; **~sschule** *f* denominational school.

Konfirm|and(in) confirmand, candidate for confirmation; **~ation** *f* confirmation; **2ieren** *v/t.* confirm.
konfiszieren ⚖ *v/t.* confiscate.
Konfitüre *f* preserve(s *pl.*), jam.
Konflikt *m* conflict.
konfrontieren *v/t.* confront.
konfus *adj.* confused, mixed-up.
Kongreß *m* congress; *bsd. Am.* convention.
König *m* king; **~in** *f* queen; **2lich** *adj.* royal; **~reich** *n* kingdom.
Konjug|ation *gr. f* conjugation; **2ieren** *v/t.* conjugate.
Konjunkt|iv *gr. m* subjunctive (mood); **~ur** *econ. f* economic situation.
konkret *adj.* concrete.
Konkurr|ent(in) competitor, rival; **~enz** *f* competition; *die ~* one's competitors *pl.*; *außer ~* not competing; *s. konkurrenzlos*; **2enzfähig** *adj.* competitive; **~enzkampf** *m* competition; **2enzlos** *adj.* without competition, unrival(l)ed; **2ieren** *v/i.* compete.
Konkurs *econ.*, ⚖ *m* bankruptcy; *in ~ gehen* go* bankrupt; **~masse** ⚖ *f* bankrupt's estate.
können *v/aux., v/t. u. v/i.* can*, be* able to; *dürfen*: may*, be* allowed to; *kann ich ...?* can *od.* may I ...?; *du kannst nicht* you cannot *od.* can't; *ich kann nicht mehr* I can't go on; *essen*: I can't manage *od.* eat any more; *es kann sein* it may be; *ich kann nichts dafür* it's not my fault; *e-e Sprache ~* know* *od.* speak* a language.
Könn|en *n* ability, skill; **~er** *m* master, expert; *bsd. Sport*: ace, crack.
konsequen|t *adj.* consistent; **2z** *f* consistency; *Folge*: consequence.
konservativ *adj.* conservative.
Konserven *pl.* tinned (*Am.* canned) foods *pl.*; **~büchse, ~dose** *f* tin, *Am.* can; **~fabrik** *f* tinning factory, *bsd. Am.* cannery.
konservier|en *v/t.* preserve; **2ungsstoff** *m* preservative.
Konsonant *m* consonant.
konstruieren *v/t.* construct; *entwerfen*: design.
Konstruk|teur ⊕ *m* designer; **~tion** ⊕ *f* construction.
Konsul *m* consul; **~at** *n* consulate; **2tieren** *v/t.* consult.
Konsum *m Verbrauch*: consumption; *Genossenschaft*: cooperative (society), F co-op; *Laden*: cooperative (store), F co-op; **~ent** *m* consumer; **2ieren** *v/t.* consume.
Kontakt *m* contact (*a.* ⚡); *~ aufnehmen* get* in touch; *~ haben od. in ~ stehen mit* be* in contact *od.* touch with; *~ verlieren* lose* touch; **2freudig** *adj.* sociable; *~ sein* be* a good mixer; **~linsen** *opt. pl.* contact lenses *pl.*
Konter *m* counter (*a. in Zssgn*); **2n** *v/i.* counter (*a. fig.*).
Kontinent *m* continent.
Konto *econ. n* account; **~auszug** *m* statement of account.
Kontor *n* (branch) office.
Kontrast *m* contrast (*a. phot., TV etc.*).
Kontroll|e *f* control; *Aufsicht*: *a.* supervision; *Prüfung*: *a.* check(up); **~eur** *m* inspector; 🚂 *a.* conductor; **2ieren** *v/t.* (*über*)*prüfen*: check; *j-n*: check up on *s.o.*; *beherrschen, überwachen*: control; **~punkt** *m*, **~stelle** *f* check-point.
Kontroverse *f* controversy.
konventionell *adj.* conventional.
Konversation *f* conversation; **~slexikon** *n* encyclop(a)edia.
Konzentr|ation *f* concentration; **~ationslager** *n* concentration camp; **2ieren** *v/t. u. v/refl.* concentrate.
Konzept *n* (rough) draft; *Idee*: conception; *j-n aus dem ~ bringen* put* s.o. out.
Konzern *econ. m* combine, group.
Konzert ♪ *n* concert; *Musikstück*: concerto; **~saal** *m* concert hall.
Konzession *f* concession; *Genehmigung*: licen|ce, *Am.* -se.
Kopf *m* head (*a. fig.*); *~ende*: top; *Verstand*: *a.* brains *pl.*, mind; *~ hoch!* chin up!; *j-m über den ~ wachsen* outgrow* s.o.; *fig.* be* too much for s.o.; *sich den ~ zerbrechen* (*über*) rack one's brains (over); *sich et. aus dem ~ schlagen* put* s.th. out of one's mind; *~ an ~* neck and neck; **~arbeit** *f* brain-work; **~ball** *m* header; *Tor*: headed goal; **~bedeckung** *f* headgear; *ohne ~* uncovered.
köpfen *v/t.* behead, decapitate; *Fußball*: head (*ins Tor* home).
Kopf|ende *n* head, top; **~hörer** *m* headphone(s *pl.*), earphone(s *pl.*); **~jäger** *m* head-hunter; **~kissen** *n*

K

pillow; **≈los** *adj.* headless; *fig.* panicky; **~rechnen** *n* mental arithmetic; **~salat** *m* lettuce; **~schmerzen** *pl.* headache *sg.*; **~sprung** *m* header; **~stand** *m* headstand; **~tuch** *n* scarf, (head)kerchief; **≈über** *adv.* head first, headlong; **~weh** *n s. Kopfschmerzen*; **~zerbrechen** *n*: *j-m ~ machen* give* s.o. a headache.
Kopie *f*, **≈ren** *v/t.* copy; **~rgerät** *n* copier; **~rstift** *m* indelible pencil.
Koppel¹ *f Pferde≈*: paddock.
Koppel² ⚔ *n* belt.
koppeln *v/t.* couple; *Raumfahrt*: dock.
Koralle *f* coral.
Korb *m* basket; *j-m e-n ~ geben* turn s.o. down; **~möbel** *pl.* wicker furniture.
Kord *m* corduroy (*a. in Zssgn*); **~el** *f* cord; **~hose** *f* corduroys *pl.*
Korinthe *f* currant.
Kork, ~en *m* cork; **~enzieher** *m* corkscrew.
Korn 1. *n* grain; *Samen≈*: seed; *Getreide*: grain, cereals *pl.*, *Brt. a.* corn; *am Gewehr*: front sight; **2.** F *m* (German) grain whisky.
körnig *adj.* grainy; *in Zssgn*: ...-grained.
Körper *m* body (*a. phys.*, 🏛), *geom. a.* solid; **~bau** *m* build, physique; **≈behindert** *adj.* (physically) disabled *od.* handicapped; **~geruch** *m* body odo(u)r; **~größe** *f* height; **~kraft** *f* physical strength; **≈lich** *adj.* physical; **~pflege** *f* care of the body, hygiene; **~schaft** *f* corporation, (corporate) body; **~teil** *m* part of the body; **~verletzung** ⚖ *f* bodily injury.
korrekt *adj.* correct; **≈ur** *f* correction; *Benotung*: marking, *bsd. Am.* grading; **≈urzeichen** *n* mark (of correction).
Korrespond|ent(in) correspondent; **~enz** *f* correspondence; **≈ieren** *v/i.* correspond (*mit* with).
Korridor *m* corridor; *Flur*: hall.
korrigieren *v/t.* correct; *benoten*: mark, *bsd. Am.* grade.
korrupt *adj.* corrupt(ed); **≈ion** *f* corruption.
Korsett *n* corset (*a. fig.*).
Kosename *m* pet name.
Kosmetik *f* beauty culture; *Mittel*: cosmetics *pl.*, toiletries *pl.*; **~erin** *f* beautician, cosmetician.
Kost *f* food, diet; *Beköstigung*: board; **≈bar** *adj.* precious, valuable; *teuer*: costly; **~barkeit** *f* precious object, treasure (*a. fig.*).
kosten¹ *v/t.* try, (have* a) taste (of).
kosten² *v/t.* cost*, be*; *Zeit etc.*: *a.* take*; *was od. wieviel kostet ...?* how much is ...?
Kosten *pl.* cost(s *pl.*); price *sg.*; *Un≈*: expenses *pl.*; *Gebühren*: charges *pl.*; *auf j-s ~* at s.o.'s expense; **≈los 1.** *adj.* free; **2.** *adv.* free of charge.
köstlich *adj.* delicious; *fig.* priceless; *sich ~ amüsieren* have* great fun, F have* a ball.
Kost|probe *f* taste, sample (*a. fig.*); **≈spielig** *adj.* expensive, costly.
Kostüm *n* costume, dress; *Damen≈*: suit; **~fest** *n* fancy-dress ball.
Kot *m* excrement; *Tier*: *a.* droppings *pl.*
Kotelett *n* chop; **~en** *pl.* sideburns *pl.*
Kotflügel *mot. m* mudguard, *Am.* fender.
kotzen V *v/i.* puke.
Krabbe *zo. f* shrimp; *größere*: prawn.
krabbeln *v/i.* crawl.
Krach *m* crash, bang; *Lärm*: noise; *Streit*: quarrel, fight; **≈en** *v/i.* crack, bang (*beide a. Schuß etc.*), crash (*a. prallen*); **~er** *m* (fire)cracker.
krächzen *v/t. u. v/i.* croak.
Kraft *f* strength, force (*a. fig., pol.*), power (*a.* ⚡, ⊕, *pol.*); *in ~ sein (setzen, treten)* be* in (put* into, come* into) force; **~brühe** *f* consommé, clear soup; **~fahrer** *m* driver, motorist; **~fahrzeug** *n* motor vehicle; *Zssgn s. Auto...*
kräftig *adj.* strong (*a. fig.*), powerful; *Essen*: substantial; *tüchtig*: good.
kraft|los *adj. schwach*: weak, feeble; **≈probe** *f* test of strength; **≈stoff** *mot. m* fuel; **≈verschwendung** *f* waste of energy; **≈werk** ⚡ *n* power station.
Kragen *m* collar.
Krähe *zo. f*, **≈n** *v/i.* crow*.
Krake *zo. m* octopus.
Kralle *f* claw (*a. fig.*); **≈n** *v/refl.* cling* (*an* on), clutch (at).
Kram F *m* stuff, (one's) things *pl.*
Krampf ⚕ *m* cramp; *stärker*: spasm, convulsion; **~ader** ⚕ *f* varicose vein; **≈haft** *fig. adj. Lachen etc.*: forced; *Versuch etc.*: desperate.
Kran ⊕ *m* crane.
Kranich *zo. m* crane.
krank *adj.* ill, *attr.* sick; *~ sein (wer-*

K

den) be* (fall* *od.* get*) ill (*bsd. Am.* sick); ≈**e** *m, f* sick person, patient; *die* ~*n* the sick.
kränken *v/t.* hurt* (*s.o.'s* feelings), offend.
Kranken|bett *n* sick-bed; ~**geld** *n* sick-pay; ~**gymnastik** *f* physiotherapy; ~**haus** *n* hospital; ~**kasse** sickness insurance fund; *in e-r* ~ *sein* be* a member of a health insurance scheme *od.* plan; ~**pflege** *f* nursing; ~**pfleger** *m* male nurse; ~**schein** *m* health insurance certificate; ~**schwester** *f* nurse; ~**versicherung** *f* health insurance; ~**wagen** *m* ambulance; ~**zimmer** *n* sick-room.
krankhaft *adj.* morbid (*a. fig.*).
Krankheit *f* illness, sickness; *bestimmte*: disease; ~**serreger** ⚕ *m* germ.
kränklich *adj.* sickly, ailing.
Kränkung *f* insult, offen|ce, *Am.* -se, injury.
Kranz *m* wreath; *fig.* ring, circle.
kraß *adj.* crass, gross; *Worte*: blunt.
Krater *m* crater.
kratzen *v/t. u. v/refl.* scratch (o.s.); *ab*~: scrape (*von* off).
kraulen 1. *v/t.* scratch (gently); **2.** *v/i.* *Sport*: crawl.
kraus *adj. Haar*: curly; *Stirn, Stoff*: wrinkled; ≈**e** *f Hals*≈: ruff; *Haar*≈: friz(z).
kräuseln *v/t. u. v/refl. Haare*: curl, friz(z); *Wasser*: ripple.
Kraut ⚘ *n* herb; *Rüben*≈ *etc.*: tops *pl.*, leaves *pl.*; *Kohl*: cabbage; *Un*≈, F *Tabak*: weed.
Krawall *m* riot; F *Lärm*: row, racket.
Krawatte *f* (neck)tie.
kreat|iv *adj.* creative; ≈**ivität** *f* creativity; ≈**ur** *f* creature.
Krebs *m zo.* crayfish; ⚕ cancer; *ast.* Cancer.
Kredit *econ. m* credit, loan.
Kreide *f* chalk; *paint. a.* crayon.
Kreis *m* circle (*a. fig.*); *pol.* district, *Am. a.* county; ⚡ circuit; ~**bahn** *ast.* *f* orbit.
kreischen *v/i.* screech, scream, shriek.
Kreisel *m* (whipping-)top; *phys.* gyro(scope); ≈**n** *v/i.* spin* *od.* whirl around.
kreisen *v/i.* (move in a) circle, revolve, rotate; *Blut*: circulate.
kreis|förmig *adj.* circular; ≈**lauf** *m* ⚕, *Geld etc.*: circulation; *biol.*, *fig.* cycle; ⊕, ⚡ *a.* circuit; ≈**laufstörungen** ⚕ *pl.* circulatory trouble *sg.*; ~**rund** *adj.* circular; ≈**säge** ⊕ *f* circular saw; ≈**verkehr** *m* rotary (*bsd. Brt.* roundabout) (traffic).
Krempe *f* brim.
Kren *östr. m* horse-radish.
krepieren *v/i. Granate*: burst*, explode; *sl. Mensch*: kick the bucket, peg out; *Tier*: die, perish.
Krepp *m* crepe (*a. in Zssgn Papier etc.*).
Kreuz *n* cross (*a. fig.*); crucifix; *anat.* (small of the) back; *Kartenspiel*: club(s *pl.*); ♪ sharp; *über* ~ crosswise; *j-n aufs* ~ *legen* take* s.o. in.
kreuzen 1. *v/t. u. v/refl.* cross; *Pläne etc.*: clash; **2.** ⚓ *v/i.* cruise.
Kreuzer ⚓ *m* cruiser.
Kreuz|fahrer *m* crusader; ~**fahrt** ⚓ *f* cruise; ≈**igen** *v/t.* crucify; ~**igung** *f* crucifixion; ~**otter** *zo. f* adder; ~**schmerzen** *pl.* backache *sg.*; ~**ung** *f* 🚂, *mot.* crossing, junction; *Straßen*≈: *a.* crossroads *sg.*, *bsd. Am.* intersection; *biol.* cross(breed)ing; *Produkt*: cross(breed); *fig.* cross; ~**verhör** ⚖ *n* cross-examination; *ins* ~ *nehmen* cross-examine; ≈**weise** *adv.* crosswise, crossways; ~**worträtsel** *n* crossword (puzzle); ~**zug** *m* crusade.
krieche|n *v/i.* creep*, crawl (*fig. vor j-m* to s.o.); ≈**r** *contp. m* toady.
Krieg *m* war; ~ *führen* wage war.
kriegen F *v/t.* get*; *fangen*: catch*.
Krieg|er *m* warrior; ~**erdenkmal** *n* war memorial; ≈**erisch** *adj.* warlike, martial; ≈**führend** *adj.* belligerent; ~**führung** *f* warfare.
Kriegs|beil *fig. n*: *das* ~ *ausgraben* (*begraben*) dig* up (bury) the hatchet; ~**bemalung** *f* war paint (*a. fig.*); ~**dienstverweigerer** *m* conscientious objector; ~**erklärung** *f* declaration of war; ~**gefangene** *m* prisoner of war, P.O.W.; ~**gefangenschaft** *f* captivity; ~**recht** ⚖ *n* martial law; ~**schauplatz** *m* theat|re *od. Am.* -er of war; ~**schiff** *n* warship; ~**teilnehmer** *m ehemaliger*: ex-serviceman, *Am.* (war) veteran; ~**treiber** *pol. m* warmonger; ~**verbrechen** *n* war crime; ~**verbrecher** *m* war criminal.
Krimi F *m* (crime) thriller, (murder) mystery, F whodunit; *Buch*: *a.* detective story *od.* novel.
Kriminal|beamte *m* detective,

K

plain-clothesman, *Brt. a.* C.I.D. officer; **~polizei** *f* criminal investigation department; **~roman** *m s. Krimi.*
kriminell *adj.*, **2e(r)** criminal.
Krippe *f* crib, manger (*a. eccl.*); *Weihnachts2*: crib, *Am.* crèche.
Krise *f* crisis; **~nherd** *m* trouble spot.
Kristall *m*, **~** *n* crystal; **2isieren** *v/i. u. v/refl.* crystallize.
Krit|erium *n* criterion (*für* of); **~ik** *f* criticism; *thea.*, ♪ *etc.*: review, critique; *gute ~en* a good press; *~ üben an* criticize; **~iker(in)** critic; **2iklos** *adj.* uncritical; **2isch** *adj.* critical (*a. fig.*) (*gegenüber* of); **2isieren** *v/t.* criticize.
kritzeln *v/t. u. v/i.* scrawl, scribble.
Krokodil *zo. n* crocodile.
Krone *f* crown; *Adels2*: coronet.
krönen *v/t.* crown (*j-n zum König* s.o. king).
Kron|leuchter *m* chandelier; **~prinz** *m* crown prince; **~prinzessin** *f* crown princess.
Krönung *f* coronation; *fig.* crowning event, climax, high point.
Kropf *m* ⚕ goit|re, *Am.* -er; *zo.* crop.
Kröte *zo. f* toad.
Krück|e *f* crutch; **~stock** *m* walking-stick.
Krug *m* jug, pitcher; *Bier2*: mug, stein; *mit Deckel*: tankard.
Krümel *m* crumb; **2ig** *adj.* crumbly; **2n** *v/t. u. v/i.* crumble.
krumm *adj.* crooked (*a. fig. Geschäft etc.*), bent (*a. Rücken*); **~beinig** *adj.* bow-legged.
krümmen *v/t.* bend* (*a.* ⊕), crook (*a. Finger*); *sich ~* bend*; *vor Schmerz*: writhe (with pain).
Krümmung *f* bend (*a. Straße, Fluß*), curve (*a. arch.*); *geogr.*, A, ⚕ curvature.
Krüppel *m* cripple.
Kruste *f* crust.
Kübel *m* tub; *Eimer*: pail, bucket.
Kubik|meter *n, m* cubic met|re, *Am.* -er; **~wurzel** A *f* cube root.
Küche *f* kitchen; *Kochkunst*: cooking, cuisine; *kalte* (*warme*) *~* cold (hot) meals *pl.*
Kuchen *m* cake; *Obst2*: tart, pie.
Küchen|geräte *pl.* kitchen utensils *pl.* (*Maschinen*: appliances *pl.*); **~geschirr** *n* kitchen crockery, kitchenware; **~herd** *m* cooker, (cooking-) stove; **~maschine** *f* mixer; *weitS.* kitchen appliance; **~schrank** *m* (kitchen) cupboard, *Brt. a.* dresser.
Kuckuck *zo. m* cuckoo.
Kufe *f* runner; ✈ skid.
Kugel *f* ball; *Gewehr2 etc.*: bullet; A, *geogr.* sphere; *Sport*: shot; **2förmig** *adj.* ball-shaped; *bsd. ast.*, A spheric(al); **~gelenk** ⊕, *anat. n* ball (and socket) joint; **~lager** ⊕ *n* ball-bearing; **2n** *v/i. u. v/t.* roll; **~schreiber** *m* ball(-point) pen; **2sicher** *adj.* bulletproof; **~stoßen** *n* shot put(ting); **~stoßer(in)** shot-putter.
Kuh *zo. f* cow.
kühl *adj.* cool (*a. fig.*); **2box** *f* cold box; **2e** *f* cool(ness); **~en** *v/t.* cool, chill, refrigerate; **2er** *mot. m* radiator; **2erhaube** *f* bonnet, *Am.* hood; **2mittel** *n* coolant; **2raum** *m* cold-storage room; **2schrank** *m* refrigerator, F fridge; **2truhe** *f s. Gefriertruhe.*
kühn *adj.* bold; **2heit** *f* boldness.
Kuhstall *m* cowshed.
Küken *zo. n.* chick (*a. fig.*).
Kukuruz *östr. m s. Mais.*
Kulisse *f thea.*: *~n pl.* wings *pl.*; *Dekorationsstücke*: scenery; *hinter den ~n* behind the scenes.
Kult *m* cult; *Akt*: rite, ritual (act).
kultivieren *v/t.* cultivate.
Kultur *f* culture (*a. biol.*), civilization; ⚘ cultivation; **~beutel** *m* toilet bag; **2ell** *adj.* cultural; **~geschichte** *f* history of civilization; **~volk** *n* civilized people; **~zentrum** *n* cultural cent|re, *Am.* -er.
Kultusminister *m* minister of culture and education.
Kummer *m* grief, sorrow; *Verdruß*: trouble, worry; *~ haben mit* have* trouble *od.* problems with.
kümmer|lich *adj.* miserable; *dürftig*: poor, scanty; **~n** *v/refl. u. v/t.*: *sich ~ um j-n od. et.*: look after, take* care of, mind; *sich Gedanken machen*: care *od.* worry about, be* interested in; *was kümmert's mich?* what do I care?
Kumpel *m* ⚒ miner; F workmate; F *Freund*: pal, *bsd. Brt.* mate, *bsd. Am.* buddy.
Kunde *m* customer, client; **~ndienst** *m* service department; *Person*: serviceman; *Wartung*: servicing.
Kundgebung *f* meeting, rally, demonstration.
kündig|en *v/i. u. v/t. Vertrag etc.*:

cancel; *j-m* ~ give* s.o. his (*dem Hausbesitzer od. Arbeitgeber*: one's) notice; *entlassen*: dismiss s.o., F sack *od.* fire s.o.; ²**ung** *f* (*Frist*: period of) notice; cancel(l)ation.

Kundschaft *f* customers *pl.*, clients *pl.*; ~**er** ⚔ *m* scout, spy.

Kunst *f* art; *Fertigkeit*: *a.* skill; ~.... *in Zssgn Herz, Leder, Licht etc.*: artificial ...; ~**akademie** *f* academy of arts; ~**ausstellung** *f* art exhibition; ~**dünger** *m* (artificial) fertilizer; ~**erziehung** *f* art (education); ~**faser** *f* synthetic fib|re, *Am. a.* -re; ~**fehler** *m* professional blunder; ~**fliegen** ✈ *n* stunt flying, aerobatics *pl.*; ~**geschichte** *f* history of art; ~**gewerbe**, ~**handwerk** *n* arts and crafts *pl.*, handicraft.

Künstler|(in) artist; ♪, *thea. a.* performer; ²**isch** *adj.* artistic.

künstlich *adj.* artificial; *unecht*: *a.* false (*a. Zähne etc.*); synthetic.

Kunst|schütze *m* marksman; ~**schwimmen** *n* water ballet; ~**seide** *f* rayon, artificial silk; ~**springen** *n* (fancy) diving; ~**stoff** *m* synthetic (material), plastics *pl.*; *in Zssgn mst* plastic ...; ~**stück** *n* trick, stunt; *bsd. fig.* feat; ~**turnen** *n* gymnastics *sg.*; ~**turner(in)** gymnast; ²**voll** *adj.* artistic, elaborate; ~**werk** *n* work of art.

Kupfer *n* copper (*aus* of); ~**stich** *m* copperplate (engraving).

Kuppe *f* (rounded) hilltop; *Nagel*² *etc.*: head.

Kuppel *arch. f* dome; *kleine*: cupola; ~**ei** ⚖ *f* procuring; ²**n** **1.** *v/t.* couple; **2.** *mot. v/i.* put* the clutch in *od.* out.

Kupplung *f* ⊕ coupling; *mot.* clutch.

Kur *f* course of treatment, cure; ~*aufenthalt*: stay at a health resort.

Kür *f Kunstlauf*: free skating; *Turnen*: free exercise(s *pl.*).

Kurbel ⊕ *f* crank, handle; ²**n** *v/t.* crank; wind* (up *etc.*); ~**welle** ⊕ *f* crankshaft.

Kürbis ⚘ *m* pumpkin, gourd, squash.

Kurgast *m* visitor; F tourist.

kurieren ⚕ *v/t.* cure (*von* of).

kurios *adj.* curious, odd, strange.

Kur|ort *m* health resort, spa; ~**pfuscher** *m* quack (doctor).

Kurs *m* ⚓, ✈, *fig.* course; ~*us*: *a.* class(es *pl.*); *Wechsel*²: (exchange) rate; *Börsen*²: (stock) price; ~**buch** 🚂 *n* railway (*Am.* railroad) guide.

Kürschner *m* furrier.

kursieren *v/i.* circulate (*a. fig.*).

Kurve *f* curve (*a.* ⚕ *u. fig.*); *Straßen*²: *a.* bend, turn; ²**nreich** *adj.* winding, full of bends; *fig. Frau*: curvaceous.

kurz *adj.* short; *zeitlich*: *a.* brief; ~*e Hose* shorts *pl.*; (*bis*) *vor* ~*em* (until) recently; (*erst*) *seit* ~*em* (only) for a short time; ~ *vorher* (*darauf*) shortly before (after[wards]); ~ *vor uns* just ahead of us; ~ *nacheinander* in quick succession; ~ *fortgehen etc.* go* away for a short time *od.* a moment; *sich* ~ *fassen* be* brief, put* it briefly; ~ *gesagt* in short; *zu* ~ *kommen* go* short; ~ *angebunden* curt; ²**arbeit** *econ. f*: ~ *leisten* work short time; ~**atmig** *adj.* short of breath.

Kürze *f* shortness; *zeitlich*: *a.* brevity; *in* ~ soon, shortly, before long; ²**n** *v/t. Kleid etc.*: shorten (*um* by); *Buch etc.*: abridge; *Ausgaben etc.*: cut*, reduce (*a.* ⚕).

kurz|erhand *adv.* without hesitation, on the spot; ~**fristig** **1.** *adj.* short-term; **2.** *adv.* at short notice; ²**geschichte** *f* short story; ~**lebig** *adj.* short-lived.

kürzlich *adv.* recently, not long ago.

Kurz|nachrichten *pl.* news summary *sg.*; ~**schluß** ⚡ *m* short circuit, F short; ~**schrift** *f* shorthand; ²**sichtig** *adj.* short-sighted, near-sighted; ~**strecke** *f* short distance.

Kürzung *f* cut, reduction (*a.* ⚕).

Kurz|waren *pl.* haberdashery *sg.*, *Am. a.* notions *pl.*; ²**weilig** *adj.* entertaining; ~**welle** ⚡ *f* short(-)wave (band).

kuschel|ig F *adj.* cosy, snug; ~**n** *v/refl.* snuggle, cuddle (*an* up to; *in* in).

Kusine *f* cousin.

Kuß *m* kiss; ²**echt** *adj.* kiss-proof.

küssen *v/t.* kiss.

Küste *f* coast, shore; *an der* ~ on the coast; *an die* ~ ashore; ~**ngewässer** *pl.* coastal waters *pl.*; ~**nschiffahrt** *f* coastal shipping; ~**nschutz** *m*, ~**nwache** *f* coast guard.

Küster *eccl. m* verger, sexton.

Kutsche *f* carriage, coach; ~**r** *m* coachman.

Kutte *f* cowl, (monk's) habit.

Kutteln *pl.* tripe *sg.*

Kutter ⚓ *m* cutter.

Kuvert *n* envelope.

Kybernetik *f* cybernetics *sg.*

K

L

labil *adj.* unstable.
Labor *n* laboratory, F lab; **~ant(in)** laboratory assistant; **♀ieren** *v/i.*: ~ *an* suffer from.
Labyrinth *n* labyrinth, maze (*beide a. fig.*).
Lache *f* pool, puddle.
lächeln *v/i.*, ♀ *n* smile; *höhnisch*: sneer.
lachen *v/i.* laugh (*über* at).
Lachen *n* laugh(ter); *j-n zum ~ bringen* make* s.o. laugh.
lächerlich *adj.* ridiculous; *~ machen* ridicule, make* fun of; *sich ~ machen* make* a fool of o.s.
Lachs *zo. m* salmon.
Lack *m* varnish; *Farb♀*: lacquer; *mot.* paint(work); **♀ieren** *v/t.* varnish; lacquer; *mot.* paint; **~schuhe** *pl.* patent-leather shoes *pl.*
Lade|fläche *f* loading space; **~gerät** ⚡ *n* battery charger; **~hemmung** ⚔ *f* jam.
laden *v/t.* load; ⚡ charge; *auf sich ~* burden o.s. with.
Laden *m* shop, *bsd. Am.* store; *Fenster♀*: shutter; **~dieb(in)** shop-lifter; **~diebstahl** *m* shop-lifting; **~inhaber** *m* shopkeeper, *bsd. Am.* storekeeper; **~kasse** *f* till; **~schluß** *m* closing time; *nach ~* after hours; **~tisch** *m* counter.
Lade|rampe *f* loading platform *od.* ramp; **~raum** *m* loading space; ⚓ hold.
Ladung *f* load, freight; ⚓, ✈ cargo; ⚡, ⚔ charge; *e-e ~ ...* a load of ...
Lage *f* situation, position (*beide a. fig.*); *Platz*: *a.* location; *Schicht*: layer; *Bier etc.*: round; *in schöner (ruhiger) ~* beautifully (peacefully) situated; *in der ~ sein zu* be* able to, be* in a position to.
Lager *n* camp (*a. fig. Partei*); *econ.* stock, store; *~stätte*: bed; *geol. a.* deposit; ⊕ bearing; *et. auf ~ haben* have* s.th. in store (*a. fig. für j-n*); **~feuer** *n* campfire; **~haus** *n* warehouse, storehouse, depot; **♀n 1.** *v/i.* camp; *econ.* be stored; *Wein etc.*: age; **2.** *v/t.* store, keep* *in a place*; *Kranken etc.*: lay*, rest; **~raum** *m* store-room; **~ung** *f* storage.
Lagune *f* lagoon.
lahm *adj.* lame; **~en** *v/i.* be* lame (*auf* in).
lähmen, lahmlegen *v/t.* paraly|se, *Am.* -ze; *Verkehr*: *a.* bring* to a standstill.
Lähmung ⚕ *f* paralysis.
Laib *m* loaf.
Laich *m*, **♀en** *v/i.* spawn.
Laie *m* layman; amateur; **♀nhaft** *adj.* amateurish; **~nspiel** *n* amateur play; *Gruppe*: amateur dramatic group.
Laken *n* sheet; *Bade♀*: bath towel.
Lakritze *f* liquorice (*a. in Zssgn*).
lallen *v/i. u. v/t.* speak* drunkenly; *Baby*: babble.
lamentieren *v/i.* complain (*über* about).
Lamm *zo. n* lamb; **~fell** *n* lambskin.
Lampe *f* lamp, light; *Glüh♀*: bulb.
Lampen|fieber *n* stage fright; **~schirm** *m* lamp-shade.
Lampion *m* Chinese lantern.
Land *n Fest♀*: land (*a. poet.*); *Staat*: country; *Boden*: ground, soil; *~besitz*: land, property; *an ~ gehen* go* ashore; *auf dem ~e* in the country; *aufs ~ fahren* go* into the country; *außer ~es gehen* go* abroad; **~arbeiter** *m* farm-hand; **~bevölkerung** *f* country *od.* rural population.
Landebahn ✈ *f* runway.
landeinwärts *adv.* up-country, inland.
landen *v/i.* land; *fig. ~ in* end up in.
Landenge *f* neck of land, isthmus.
Landeplatz ✈ *m* landing-field.
Länderspiel *n* international match.
Landes|grenze *f* national border; **~innere** *n* interior; **~regierung** *f* Land (*östr.* Provincial) government; **~sprache** *f* national language; **♀üblich** *adj.* customary; **~verrat** *m* treason; **~verräter** *m* traitor (to one's country); **~verteidigung** *f* national defen|ce, *Am.* -se.
Land|flucht *f* rural exodus; **~friedensbruch** ⚖ *m* breach of the public peace; **~gericht** *n appr.* regional superior court; **~gewinnung** *f* reclamation of land; **~haus** *n* country-house, cottage; **~karte** *f* map; **~kreis** *m* rural district; **♀läufig** *adj.* customary, current, common.
ländlich *adj.* rural; *derb*: rustic.
Land|rat *m appr.* District Adminis-

trator; **~ratte** ⚓ *f* landlubber.

Landschaft *f* countryside; *bsd. schöne*: scenery; *bsd. paint.* landscape; **2lich** *adj.* scenic.

Landsmann *m* (fellow-)countryman.

Land|straße *f bsd. Brt.* high road, *bsd. Am.* highway; *nicht Autobahn*: ordinary road; **~streicher** *m* tramp, *Am. a.* hobo; **~streitkräfte** *pl.* land forces *pl.*; **~tag** *m* Land parliament.

Landung *f* landing, ✈ *a.* touchdown; **~ssteg** ⚓ *m* gangway.

Land|vermesser *m* land surveyor; **~vermessung** *f* land surveying; **~weg** *m*: *auf dem ~e* by land; **~wirt** *m* farmer; **~wirtschaft** *f* agriculture, farming; **2wirtschaftlich** *adj.* agricultural; *~e Maschinen pl.* agricultural machinery *sg.*; **~zunge** *f* spit.

lang *adj. u. adv.* long; F *Person*: tall; *drei Jahre* (*einige Zeit*) *~* for three years (some time); *den ganzen Tag ~* all day long; *seit ~em* for a long time; *vor ~er Zeit* (a) long (time) ago; *über kurz oder ~* sooner or later; **~atmig** *adj.* long-winded.

lange *adv.* (for a) long (time); *es ist schon ~ her*(, *seit*) it has been a long time (since); (*noch*) *nicht ~ her* not long ago; *noch ~ hin* still a long way off; *es dauert nicht ~* it won't take long; *ich bleibe nicht ~ fort* I won't be long; *wie ~ noch?* how much longer?

Länge *f* length; *geogr.* longitude; *der ~ nach* (at) full length; (*sich*) *in die ~ ziehen* stretch (*a. fig.*).

langen F *v/i. greifen*: reach (*nach* for); *genügen*: be* enough; *mir langt es* I've had enough; *fig. stärker*: *a.* I'm sick of it.

Längen|grad *m* degree of longitude; **~maß** *n* linear measure.

lang|ersehnt *adj.* long-hoped-for; **~erwartet** *adj.* long-awaited.

Langeweile *f* boredom; *~ haben* be* bored; *aus ~* to pass the time.

lang|fristig *adj.* long-term; **~jährig** *adj.*: *~e Erfahrung* many years *pl.* of experience; **2lauf** *m* cross-country (skiing); **~lebig** *adj.* long-lived (*a. fig.*).

länglich *adj.* longish, oblong.

längs 1. *prp.* along(side); **2.** *adv.* lengthwise.

lang|sam *adj.* slow; *~er werden od. fahren* slow down; **2schläfer** *m* late riser, F sleepyhead; **2spielplatte** *f* long-playing record, *mst* LP.

längst *adv.* long ago *od.* before; *~ vorbei* long past; *ich weiß es ~* I have known it for a long time; **~ens** *adv.* at (the) most.

Lang|strecken... *in Zssgn*: long-distance ...; ✈, ⚔ long-range ...; **2weilen** *v/t.* bore; *sich ~* be* bored; **2weilig** *adj.* boring, dull; *~e Person* bore; **~welle** *f* long wave; **2wierig** *adj.* lengthy, protracted (*a.* ⚕).

Lanze *f* lance, spear.

Lappalie *f* trifle.

Lapp|en *m* (piece of) cloth; *Fetzen*: rag (*a. fig.*); *Staub2*: duster; **2ig** *adj.* limp.

läppisch *adj.* silly; *Summe etc.*: ridiculous.

Lärche ⚘ *f* larch.

Lärm *m* noise; **2en** *v/i.* be* noisy; **2end** *adj.* noisy.

Larve *f* mask; *zo.* larva.

lasch F *adj.* slack, lax (*beide a. fig.*).

Lasche *f* flap; *Schuh2*: *a.* tongue.

lassen *v/t. u. v/aux.* let*, leave*; *j-n et. tun ~* let* s.o. do s.th.; allow s.o. to do s.th.; *veran~*: make* s.o. do s.th.; *j-n* (*et.*) *zu Hause ~* leave* s.o. (s.th.) at home; *j-n allein* (*in Ruhe*) *~* leave* s.o. alone; *sich die Haare schneiden ~* have* *od.* get* one's hair cut; *j-n grüßen ~* send* one's regards (*herzlicher*: love) to s.o.; *sein Leben ~* (*für*) lose* (give*) one's life (for); *rufen od. kommen ~* send* for, call in; *es läßt sich machen* it can be done; *laß alles so, wie* (*wo*) *es ist* leave everything as (where) it is; *er kann das Rauchen etc. nicht ~* he can't stop smoking *etc.*; *laß das!* stop *od.* quit it!, *bsd. Am. sl.* cut it out!

lässig *adj.* casual; *nach~*: careless.

Last *f* load (*a. fig.*); *Bürde*: burden (*a. fig.*); *Gewicht*: weight (*a. fig.*); *j-m zur ~ fallen* be* a burden to s.o.; *j-m et. zur ~ legen* charge s.o. with s.th.

lasten *v/i.*: *~ auf* weigh *od.* rest (up)on (*beide a. fig.*); **2aufzug** *m* goods lift, *Am.* freight elevator.

Laster[1] *mot. m s. Lastwagen.*

Laster[2] *n* vice.

lästern *v/i.*: *~ über* run* down.

lästig *adj.* troublesome, annoying; (*j-m*) *~ sein* be* a nuisance (to s.o.).

Last|kahn *m* barge; **~tier** *n* pack animal; **~wagen** *m* lorry, *Am.* truck;

~wagenfahrer *m* lorry (*Am.* truck) driver, *Am. a.* trucker.
Latein *n*, **²isch** *adj.* Latin.
Laterne *f* lantern; *Straßen²*: street-light; **~npfahl** *m* lamppost.
Latte *f* lath; *Zaun²*: pale; *Sport*: bar; **~nzaun** *m* paling, *Am. a.* picket fence.
Lätzchen *n* bib, *Brt. a.* feeder.
Laub *n* foliage, leaves *pl.*; **~baum** *m* deciduous tree.
Laube *f* arbo(u)r, bower(y).
Laub|frosch *zo. m* tree-frog; **~säge** *f* fret-saw.
Lauch ⚘ *m* leek.
Lauer *f*: *auf der ~ liegen od. sein* lie* in wait; **²n** *v/i.* lurk; *~ auf* lie* in wait for.
Lauf *m* run; *Bahn*: course; *Gewehr²*: barrel; *im ~(e) der Zeit* in the course of time; **~bahn** *f* career; **~disziplin** *f Sport*: track event.
laufen *v/i. u. v/t.* run* (*a.* ⊕, *mot.*, *econ.*, *fig.*); *gehen*: walk; *funktionieren*: work; **~d 1.** *adj.* present, current (*a. econ.*); *ständig*: continual; *auf dem ~en sein* be* up to date; **2.** *adv.* continuously; *regelmäßig*: regularly; *immer*: always; **~lassen** *v/t. j-n*: let* go; *straffrei*: let* off.
Läufer *m* runner (*a. Teppich*); *Schach*: bishop.
Lauf|gitter *n* play-pen; **~masche** *f* ladder, *Am. a.* run; **~paß** F *m*: *den ~ geben* give* the sack (*e-m Freund etc.*: the brush-off); **~schritt** *m*: *im ~* at the double; **~steg** *m* footbridge; ⊕, *Mode*: catwalk; ⚓ gangway.
Lauge *f* ⚗ lye; *Seifen²*: suds *pl.*
Laun|e *f* mood, temper; *gute* (*schlechte*) *~ haben* be* in a good (bad) mood *od.* temper; **²enhaft, ²isch** *adj.* moody; *mürrisch*: bad-tempered.
Laus *zo. f* louse; **~bub** *m* (young) rascal *od.* scamp.
lausch|en *v/i.* listen (*dat.* to); *heimlich*: *a.* eavesdrop; **~ig** *adj.* snug, cosy.
laut[1] *adj.* loud; *Straße, Kinder*: noisy; *~ vorlesen* read* (out) aloud; *~ heraus sagen, lachen*: out loud; (*sprich*) *~er, bitte!* speak up, please!
laut[2] *prp.* according to.
Laut *m* sound, noise; **²en** *v/i.* read*; *Name*: be*.
läuten *v/i. u. v/t.* ring*; *es läutet* (*an der Tür*) the (door)bell is ringing.
lauter *adv. Unsinn etc.*: sheer; *nichts als*: nothing but; *viele*: (so) many.
laut|los *adj.* silent, soundless; *Stille*: hushed; **²schrift** *f* phonetic transcription; **²sprecher** *m* (loud)speaker; **²stärke** *f* loudness; ⚡ *a.* (sound) volume; *mit voller ~* (at) full blast; **²stärkeregler** *m* volume control.
lauwarm *adj.* lukewarm (*a. fig.*).
Lava *geol. f* lava.
Lavabo *n Schweiz*: *s. Waschbecken.*
Lavendel ⚘ *m* lavender.
Lawine *f* avalanche (*a. fig.*).
Lazarett *n* (military) hospital.
leben 1. *v/i.* live; be* alive; *von et. ~* live on s.th.; **2.** *v/t.* live.
Leben *n* life; *am ~ bleiben* stay alive; *überleben*: survive; *am ~ sein* be* alive; *ums ~ bringen* kill; *sich das ~ nehmen* take* one's (own) life, commit suicide; *ums ~ kommen* lose* one's life, be* killed; *um sein ~ laufen* (*kämpfen*) run* (fight*) for one's life; *das tägliche ~* everyday life; *mein ~ lang* all my life; **²d** *adj.* living; **²dig** *adj.* living, alive; *fig.* lively.
Lebens|abend *m* old age, the last years *pl.* of one's life; **~bedingungen** *pl.* living conditions *pl.*; **~dauer** *f* life-span; ⊕ (service) life; **~erfahrung** *f* experience of life; **~erwartung** *f* life expectancy; **²fähig** *adj.* ⚕ viable (*a. fig.*); **~gefahr** *f* mortal danger; *in* (*unter*) *~* in danger (at the risk) of one's life; **²gefährlich** *adj.* dangerous (to life), perilous; **~gefährte** *m*, **~gefährtin** *f* partner; boy- *od.* girl-friend; *bsd.* ⚖ *Ehepartner*: spouse; **~größe** *f*: *e-e Statue in ~* a life-size(d) statue; **~haltungskosten** *pl.* cost *sg.* of living; **²länglich** *adj.* for life, lifelong; **~lauf** *m* personal record, curriculum vitae; **²lustig** *adj.* fond of life, F swinging; **~mittel** *pl.* food(stuffs *pl.*); *Waren*: *a.* groceries *pl.*; **~mittelgeschäft** *n* grocery, grocer's (shop); **²müde** *adj.* tired of life; **~notwendigkeit** *f* vital necessity; **~retter** *m* life-saver, rescuer; **~standard** *m* standard of living; **~unterhalt** *m* livelihood; *s-n ~ verdienen* earn one's living (*als* as; *mit* out of, by); **~versicherung** *f* life insurance; **~weise** *f* way of life; **²wichtig** *adj.* vital, essential; *~e Organe pl.* vitals *pl.*; **~zeichen** *n* sign of life; **~zeit** *f* lifetime; *auf ~* for life.

Leber *anat. f* liver; **~fleck** *m* mole; **~tran** *m* cod-liver oil.
Lebewesen *n* living being, creature.
leb|haft *adj.* lively; *Verkehr*: heavy; **2kuchen** *m* gingerbread; **~los** *adj.* lifeless (*a. fig.*); **2zeiten** *pl.*: zu s-n ~ in his lifetime.
lechzen *v/i.*: ~ nach thirst for.
leck *adj.* leaking, leaky.
Leck *n* leak.
lecken[1] *v/i.* leak.
lecken[2] *v/t. u. v/i.* lick (an on, at).
lecker *adj.* delicious, tasty, F yummy; **2bissen** *m* delicacy, treat (*a. fig.*).
Leder *n* leather; **2n** *adj.* leather(n); **~waren** *pl.* leather goods *pl.*
ledig *adj.* single, unmarried; **~lich** *adv.* only, merely, solely.
Lee *f* lee; nach ~ leeward.
leer 1. *adj.* empty (*a. fig.*); *unbewohnt*: *a.* vacant; *Seite etc.*: blank; *Batterie*: flat; **2.** *adv.*: ~ laufen ⊕ idle; **2e** *f* emptiness (*a. fig.*); **~en** *v/t. u. v/refl.* empty; **2gut** *n* empties *pl.*; **2lauf** *m* ⊕ idling; *Gang*: neutral (gear); *fig.* running on the spot; **~stehend** *adj. Wohnung*: unoccupied, vacant; **2ung** ✆ *f* collection (time).
legal *adj.* legal, lawful; **~isieren** *v/t.* legalize; **2isierung** *f* legalization.
Legasthen|ie *psych. f* dyslexia, F word-blindness; **~iker(in)** dyslexic.
legen *v/t. u. v/i.* lay* (*a. Eier*); place, put*; *Haare*: set*; sich ~ lie* down; *fig.* calm down; *Schmerz*: wear* off.
Legende *f* legend.
leger *adj.* casual, informal.
Legislative *f* legislative power.
legitim *adj.* legitimate.
Lehm *m* loam; *Ton*: clay; **2ig** *adj.* loamy, F muddy.
Lehn|e *f* back(rest); arm(rest); **2en** *v/t. u. v/i.* lean* (*a.* sich ~), rest (an, gegen against; auf on); sich aus dem Fenster ~ lean* out of the window; **~sessel, ~stuhl** *m* armchair, easy chair.
Lehrbuch *n* textbook.
Lehre *f Kunde*: science; *Theorie*: theory; *eccl., pol.* teachings *pl.*, doctrine; *e-r Geschichte*: moral; *e-s Lehrlings*: apprenticeship; in der ~ sein be* apprenticed (bei to); das wird ihm eine ~ sein that will teach him a lesson; **2n** *v/t.* teach, instruct; *zeigen*: show*.
Lehrer *m* teacher, instructor, *Brt. a.* master; **~ausbildung** *f* teacher training; **~in** *f* (lady) teacher, *Brt. a.* mistress; **~kollegium** *n* (teaching) staff; **~zimmer** *n* staff *od.* teachers' room.
Lehr|gang *m* course (of instruction *od.* study); *praktischer*: (training) course; **~herr** *m* master; **~jahr** *n* year (of apprenticeship); **~ling** *m* apprentice, trainee; **~meister** *m* master; *fig.* teacher; **~mittel** *pl.* teaching aids *pl.*; **~plan** *m* curriculum, syllabus; **~probe** *f* demonstration lesson; **2reich** *adj.* informative, instructive; **~stelle** *f* apprenticeship; *offene*: vacancy for an apprentice; **~stuhl** *m* professorship; **~tochter** *f Schweiz*: apprentice; **~vertrag** *m* indenture(s *pl.*); **~zeit** *f* apprenticeship.
Leib *m* body; *Bauch*: belly, *anat.* abdomen; *Magen*: stomach; bei lebendigem ~e alive; mit ~ und Seele (with) heart and soul.
Leibes|erziehung *f* physical education, *abbr.* PE; **~kräfte** *pl.*: aus ~n with all one's might; **~übungen** *pl. s.* Leibeserziehung.
Leib|garde *f* bodyguard; **~gericht** *n* favo(u)rite dish; **2haftig** *adj.*: der ~e Teufel the devil incarnate; ~es Ebenbild living image; ich sehe ihn noch ~ vor mir I can see him (before me) now; **2lich** *adj.* physical; **~rente** *f* life annuity; **~wache** *f*, **~wächter** *m* bodyguard; **~wäsche** *f* underwear.
Leiche *f* (dead) body, corpse.
leichen|blaß *adj.* deadly pale; **2halle** *f* mortuary; **2schauhaus** *n* morgue; **2verbrennung** *f* cremation; **2wagen** *m* hearse.
leicht *adj.* light (*a. fig.*); *einfach*: easy, simple; *geringfügig*: slight, minor; ⊕ light(-weight); ~ möglich quite possible; ~ gekränkt easily offended; das ist ~ gesagt it's not as easy as that; es geht ~ kaputt it breaks easily; **2athlet** *m* (track-and-field) athlete; **2athletik** *f* track and field (events *pl.*), athletics *pl.*; **~fallen** *v/i.*: es fällt mir (nicht) leicht (zu) I find it easy (difficult) (to); **2gewicht** *n* light-weight (*a. fig. u. in Zssgn*); **~gläubig** *adj.* credulous; **2igkeit** *fig. f*: mit ~ easily, with ease; **~lebig** *adj.* easygoing; **2metall** *n* light metal; **~nehmen** *v/t.* not worry (about); *Krankheit etc.*: make* light of; nimm's leicht! never mind!, don't worry about it!; ⚠ *nicht take it*

easy!; ♀**sinn** *m* carelessness; *stärker*: recklessness; **~sinnig** *adj.* careless, reckless; **~verständlich** *adj.* comprehensible.
Leid *n* sorrow, grief; *Schmerz*: pain; *ihr ist kein ~ geschehen* she came to no harm.
leid *adj.*: *es tut mir ~* I'm sorry (*um* for; *wegen* about; *daß ich zu spät komme* for being late); **~en** *v/t. u. v/i.* suffer (*an, unter* from); *ich kann od. mag ... nicht ~* I don't like ...; *stärker*: I can't stand ...
Leiden *n* suffering(s *pl.*); ⚕ disease.
Leidenschaft *f* passion; ♀**lich** *adj.* passionate; *heftig*: vehement.
Leidensgenoss|e *m*, **~in** *f* fellow sufferer.
leid|er *adv.* unfortunately; *~ ja (nein)* I'm afraid so (not); **~lich** *adj.* passable, F so-so; ♀**tragende** *m, f* mourner; *er ist der ~ dabei* he is the one who suffers for it; ♀**wesen** *n*: *zu meinem ~* to my regret.
Leierkasten *m* barrel-organ; **~mann** *m* organ-grinder.
leiern *v/i. u. v/t.* crank (up); *fig.* drone.
Leih|bücherei *f* public library; ♀**en** *v/t. j-m*: lend*; *vermieten*: hire (*Am.* rent) out; *sich ~*: borrow (*von* from); *mieten*: rent, hire; **~gebühr** *f* lending fee; **~haus** *n* pawnshop, pawnbroker's (shop); **~mutter** F *f* surrogate mother; **~wagen** *mot. m* hired *od.* rented car; ♀**weise** *adv.* on loan.
Leim *m* glue; ♀**en** *v/t.* glue.
Leine *f* line; *Hund*: lead, leash.
Lein|en *n* linen; *Segeltuch*: canvas; *in ~ gebunden* cloth-bound; **~enschuh** *m* canvas shoe; **~samen** ⚘ *m* linseed; **~tuch** *n* (linen) sheet; **~wand** *f* linen; *paint., Zelt*♀ *etc.*: canvas; *Kino etc.*: screen.
leise *adj.* quiet; *Stimme etc.*: *a.* low, soft (*a. Musik*); *fig.* slight, faint; *~r stellen* turn (the volume) down.
Leiste *f* ledge; *anat.* groin.
leisten *v/t.* do*, work; *vollbringen*: achieve, accomplish; *Dienst, Hilfe*: render; *Eid*: take*; *gute Arbeit ~* do* a good job; *sich et. ~ gönnen*: treat o.s. to s.th.; *ich kann es mir (nicht) ~* I can('t) afford it (*a. fig.*).
Leistung *f* performance; *besondere*: achievement; *Schule*: *a.* (piece of) work, result; ⊕ *a.* output; *Dienst*♀: service; *Sozial*♀ *etc.*: benefit; **~sdruck** *m* pressure, stress; ♀**sfähig** *adj.* efficient; (physically) fit; **~sfähigkeit** *f* efficiency (*a.* ⊕, *econ.*); fitness; **~skontrolle** *f* (achievement *od.* proficiency) test; **~skurs** *m appr.* set; **~ssport** *m* competitive sport(s *pl.*).
Leitartikel *m* editorial, *bsd. Brt.* leader, leading article.
leiten *v/t.* lead*, guide (*a. fig.*), conduct (*a. phys.*, ♪); *Amt, Geschäft etc.*: run* (*a. Schule*), be* in charge of, manage; *TV etc.* direct; *als Moderator*: host; **~d** *adj.* leading; *phys.* conductive; *~e Stellung* key position; *~er Angestellter* executive.
Leiter[1] *f* ladder (*a. fig.*).
Leiter[2] *m* leader; conductor (*a. phys.*, ♪); *Amt, Firma etc.*: head, manager; *Versammlung etc.*: chairman; *s. Schulleiter*; **~in** *f* leader; head; manageress; ♪ conductress; chairwoman.
Leit|faden *m* manual, guide; **~motiv** ♪ *n* leitmotiv; **~planke** *mot. f* crash barrier, *Am.* guardrail; **~spruch** *m* motto.
Leitung *f econ.* management; head office; *Verwaltung*: administration; *Vorsitz*: chairmanship; *e-r Veranstaltung*: organization; *künstlerische etc.*: direction; ⊕ *Haupt*♀: main; *im Haus*: pipe(s *pl.*); ⚡, *teleph.* line; *die ~ haben* be* in charge; *unter der ~ von* ♪ conducted by; **~srohr** *n* pipe; **~swasser** *n* tap-water.
Lekt|ion *f* lesson; **~üre** *f* reading (matter); *Schule*: (reading) text.
Lende *f* loin; *Rind*: sirloin.
lenk|en *v/t.* steer, drive*; *Kind*: guide; *Verkehr, j-s Aufmerksamkeit*: direct; ♀**er** *m Fahrrad etc.*: handlebar; ♀**rad** *mot. n* steering wheel; ♀**ung** *mot. f* steering (system).
Leopard *zo. m* leopard.
Lerche *zo. f* lark.
lernen *v/t. u. v/i.* learn*; *für die Schule etc.*: study; *er lernt leicht* he is a quick learner; *schwimmen etc. ~* learn* (how) to swim *etc.*
Lernmittelfreiheit *f* free books *pl. etc.*
lesbar *adj.* readable; *vgl. leserlich.*
Lesb|ierin *f*, ♀**isch** *adj.* lesbian.
Lese|buch *n* reader; **~lampe** *f* reading-lamp.
lesen *v/i. u. v/t.* read*; *Wein*: harvest;

das liest sich wie it reads like; **~swert** *adj.* worth reading.

Lese|r *m* reader; **~ratte** F *f* bookworm; **~rbrief** *m* letter to the editor; **2rlich** *adj.* legible; **~stoff** *m* reading matter; **~zeichen** *n* bookmark.

Lesung *f* reading (*a. parl.*).

Letzt *f*: *zu guter ~* in the end.

letzte *adj.* last; *neueste*: latest; *zum ~n Mal(e)* for the last time; *in ~r Zeit* recently; *als ~r ankommen etc.* arrive *etc.* last; *2r sein* be* last (*a. Sport*); *das ist das 2!* that's the limit!; **~ns** *adv.* finally; *erst ~* just recently; **~re** *adj.*: *der (die, das) ~* the latter.

Leucht|e *f* light; **2en** *v/i.* shine*; *schwächer*: glow; **~en** *n* shining; glow; **2end** *adj.* shining (*a. fig.*); *Farbe etc.*: bright; **~er** *m* candlestick; *s. Kronleuchter*; **~reklame** *f* neon sign(s *pl.*); **~(stoff)röhre** ⚡ *f* fluorescent lamp; **~turm** *m* lighthouse; **~ziffer** *f* luminous figure.

leugnen *v/t. u. v/i.* deny (*et. getan zu haben* having done s.th.).

Leute *pl.* people *pl.*, F folks *pl.*

Leutnant ⚔ *m* second lieutenant.

Lexikon *n* encyclop(a)edia; *Wörterbuch*: dictionary.

Libelle *zo. f* dragon-fly.

liber|al *adj.* liberal; **2o** *m* sweeper.

licht *adj.* bright; *fig.* lucid.

Licht *n* light; *Helle*: brightness; *~ machen* ⚡ switch *od.* turn on the light(s); **~bild** *n* photo(graph); *Dia*: slide; **~bildervortrag** *m* slide lecture; **~blick** *fig. m* ray of hope; *Idee*: bright moment; **2empfindlich** *adj.* sensitive to light; *phot.* sensitive.

lichten *v/t. Wald*: clear; *den Anker ~* ⚓ weigh anchor; *sich ~* get* thin(ner); *fig.* be* thinning (out).

Licht|geschwindigkeit *f* speed of light; **~hupe** *mot. f* (headlight) flash(er); **~jahr** *n* light-year; **~maschine** *mot. f* generator; **~orgel** *f* colo(u)r organ; **~pause** *f* blueprint; **~schacht** *m* well; **~schalter** *m* (light) switch; **2scheu** *fig. adj.* shady; **~strahl** *m* ray *od.* beam of light (*a. fig.*).

Lichtung *f* clearing, glade.

Lid *n* (eye)lid; **~schatten** *n* eye-shadow.

lieb *adj.* dear; *liebenswert*: *a.* sweet; *nett, freundlich*: nice, kind; *Kind*: good; *in Briefen*: *~e Jeanie* dear Jeanie.

Liebe *f* love (*zu* of, for); *aus ~ zu* out of love for; *~ auf den ersten Blick* love at first sight; **2n** *v/t.* love; *j-n*: *a.* be* in love with; *sexuell*: make* love to.

liebens|wert *adj.* lovable, charming, sweet; **~würdig** *adj.* kind; **2würdigkeit** *f* kindness.

lieber *adv.* rather, sooner; *~ haben* prefer, like better; *ich möchte ~ (nicht)* ... I'd rather (not) ...; *du solltest ~ (nicht)* ... you had better (not) ...

Liebes|brief *m* love-letter; **~erklärung** *f*: *j-m e-e ~ machen* declare one's love to s.o.; **~kummer** *m*: *~ haben* be* lovesick; **~paar** *n* lovers *pl.*

liebevoll *adj.* loving, affectionate.

lieb|gewinnen *v/t.* get* fond of; **~haben** *v/t.* love, be* fond of; **2haber** *m* lover (*a. fig.*); **2haber...** *in Zssgn Preis, Stück etc.*: collector's ...; **2haberei** *f* hobby; **~lich** *adj.* lovely, charming, sweet (*a. Wein*).

Liebling *m* darling; *Günstling*: favo(u)rite; *bsd. Kind, Tier*: pet; *als Anrede*: darling, F honey; **~s...** *in Zssgn mst* favo(u)rite ...

lieblos *adj.* unloving, cold; *Worte*: unkind; *nachlässig*: careless.

Lied *n* song; *Melodie*: tune.

liederlich *adj.* slovenly, sloppy.

Liedermacher *m* singer-songwriter.

Lieferant *econ. m* supplier.

liefer|bar *adj.* available; **2frist** *f* term of delivery; **~n** *v/t.* deliver; *j-m et. ~* supply s.o. with s.th.; **2ung** *f* delivery; *Versorgung*: supply; **2wagen** *m* (delivery) van.

Liege *f* couch; camp-bed.

liegen *v/i.* lie*; (*gelegen*) *sein*: *a.* be* (situated); (*krank*) *im Bett ~* be* (ill) in bed; *nach Osten (der Straße) ~* face east (the street); *daran liegt es (daß)* that's (the reason) why; *es (er) liegt mir nicht* it (he) is not my cup of tea; *mir liegt viel (wenig) daran* it means a lot (doesn't mean much) to me; **~bleiben** *v/i.* stay in bed; *Tasche etc.*: be* left behind; **~lassen** *v/t.* leave* (behind); *j-n links ~* ignore s.o., give* s.o. the cold shoulder.

Liege|sitz *m* reclining seat; **~stuhl** *m* deck-chair; **~stütz** *m* press-up; **~wagen** 🚃 *m* couchette.

Lift *m* lift, *Am.* elevator.
Liga *f* league; *Sport*: *a.* division.
Likör *m* liqueur.
lila *adj.* purple, violet.
Lilie ⚘ *f* lily.
Liliputaner *m* dwarf, midget.
Limonade *f* pop; *Zitronen*2: lemonade, *Am.* lemon soda.
Limousine *mot. f* saloon car, *Am.* sedan; *Pullman*2: limousine.
Linde ⊕ *f* lime(-tree), linden.
linder|n *v/t.* relieve, ease, alleviate; **2ung** *f* relief, alleviation.
Lineal *n* ruler.
Linie *f* line; *auf s-e ~ achten* watch one's weight; **~nflug** ✈ *m* scheduled flight; **~nrichter** *m* linesman; **2ntreu** *pol. adj.*: *~ sein* follow the party line.
lin(i)ieren *v/t.* rule, line.
link|e *adj.* left (*a. pol.*); *auf der ~n Seite* on the left(-hand side); **2e(r)** *pol.* leftist, left-winger; **~isch** *adj.* awkward, clumsy.
links *adv.* on the left (*a. pol.*); *verkehrt*: on the wrong side; *nach ~* (to the) left; *~ von* to the left of; **2...** *in Zssgn Verkehr etc.*: left-hand ...; **2händer(in)** left-hander.
Linse *f* ⚘ lentil; *opt.* lens.
Lippe *f* lip; **~nstift** *m* lipstick.
liquidieren *v/t.* liquidate (*a. pol.*).
lispeln *v/i.* (have* a) lisp.
List *f* trick; *~igkeit*: cunning.
Liste *f* list; *Namens*2: *a.* roll.
listig *adj.* cunning, tricky, sly.
Liter *n, m* lit|re, *Am.* -er.
litera|risch *adj.* literary; **2tur** *f* literature; **2tur...** *in Zssgn Kritik etc.*: *mst* literary ...
Litfaßsäule *f* advertising pillar.
Lizenz *f* licen|ce, *Am.* -se.
Lob *n*, **2en** *v/t.* praise; **2enswert** *adj.* praiseworthy, laudable.
Loch *n* hole (*a. fig.*); *im Reifen*: puncture; **2en** *v/t. Papier, Karte etc.*: punch (*a.* ⊕); **~er** *m* punch; **~karte** *f* punch(ed) card.
Locke *f* curl; *Strähne, Büschel*: lock.
locken[1] *v/t. u. v/refl.* curl.
locken[2] *v/t.* lure, entice; *fig. a.* attract, tempt (*a. reizen*).
Locken|kopf *m* curly head; **~wickler** *m* curler, roller.
locker *adj.* loose; *Seil*: *a.* slack; *fig. lässig*: relaxed; **~n** *v/t.* loosen, slacken; *Griff*: relax (*a. fig.*); *sich ~* loosen, (be)come* loose; *Sport*: limber up; *fig.* relax.
lockig *adj.* curly, curled.
Lock|mittel *n s. Köder*; **~vogel** *m* decoy, stool-pigeon (*beide a. fig.*).
lodern *v/i.* blaze, flare.
Löffel *m* spoon; *Schöpf*2: ladle; **2n** *v/t.* spoon up; **~voll** *m* spoonful.
Logbuch *n* log.
Loge *f thea.* box; *Bund*: lodge.
Log|ik *f* logic; **2isch** *adj.* logical; **2ischerweise** *adv.* logically, obviously.
Lohn *m* wages *pl.*, pay(ment); *fig.* reward; **~empfänger(in)** wage earner, *Am.* wageworker; **2en** *v/refl.* be* worth(while), pay*; *es (die Mühe) lohnt sich* it's worth it (the trouble); *das Buch (der Film) lohnt sich* the book (film) is worth reading (seeing); **2end** *adj.* paying; *fig.* rewarding; **~erhöhung** *f* increase in wages, rise, *Am.* raise; **~steuer** *f* income tax; **~stopp** *m* wage freeze; **~tüte** *f* pay-packet.
Loipe *f* (cross-country) course.
Lokal *n* restaurant, café; bar, *bsd. Brt.* pub(lic house), *bsd. Am.* saloon; **~...** *in Zssgn mst* local ...
Lok|(omotive) *f* locomotive (engine); **~führer** *m* train driver, *Am.* engineer.
Lorbeer ⚘ *m* laurel; *Gewürz*: bay leaf.
Lore *f* lorry, truck; *Kipp*2: dump truck.
Los *n* lot; *fig. a.* fate; *Lotterie*2: (lottery) ticket, number.
los *adj. u. adv. ab, fort*: off; *Hund etc.*: loose; *~ sein* be* rid of; *was ist ~?* what's the matter?, F what's up?; *geschieht*: what's going on (here)?; *hier ist nicht viel ~* there's nothing much going on here; F *da ist was ~!* that's where the action is!; F *also ~!* okay, let's go!; **~binden** *v/t.* untie.
Lösch|blatt *n* blotting-paper; **2en** *v/t.* extinguish, put* out; *Durst*: quench; *Tinte*: blot; *auf der Tafel*: wipe off; *Zeile, Aufnahme, Daten*: erase; *Kalk*: slake; ⚓ unload; **~papier** *n* blotting-paper.
lose *adj.* loose (*a. fig. Zunge etc.*).
Lösegeld *n* ransom.
losen *v/i.* draw* lots (*um* for).
lösen *v/t. Knoten etc.*: undo*; *lockern*: loosen, relax; *Bremse etc.*: release; *ab~*: take* off; *Rätsel, Problem, Aufgabe etc.*: solve; *Konflikt etc.*: settle;

Karte: buy*, get*; *auf*~: dissolve (*a.* ⚗); *sich* ~ come* loose *od.* undone; *fig.* free o.s. (*von* from).
los|fahren *v/i.* leave*; *selbst*: drive* off; **~gehen** *v/i.* leave*; start, begin*; *Schuß etc.*: go* off; *auf j-n* ~ go* for s.o.; *ich gehe jetzt los* I'm off now; **~kaufen** *v/t.* ransom; **~ketten** *v/t.* unchain; **~kommen** *v/i.* get* away (*von* from); **~lassen** *v/t.* let* go; *den Hund* ~ *auf* set* the dog on; **~legen** F *v/i.* get* cracking.
löslich ⚗ *adj.* soluble.
los|lösen, ~machen *v/t s. lösen*; **~reißen** *v/t.* tear* off; *sich* ~ break* away; *bsd. fig.* tear* o.s. away (*beide*: *von* from); **~sagen** *v/refl.*: *sich* ~ *von* break* with; **~schlagen** *v/i.* strike* (*auf j-n* out at s.o.); **~schnallen** *v/t.* unbuckle; *sich* ~ *mot.*, ✈ unfasten one's seat-belt; **~schrauben** *v/t.* unscrew, screw off; **~stürzen** *v/i.*: ~ *auf* rush at.
Losung *f* ⚔ password; *fig.* slogan.
Lösung *f* solution (*a. fig.*); *e-s Konflikts etc.*: settlement; **~smittel** *n* solvent.
los|werden *v/t.* get* rid of; *Geld*: spend*; lose*; **~ziehen** *v/i.* set* out, take* off, march away.
Lot *n* plumb(-line).
löten *v/t.* solder.
Lotse ⚓ *m*, **2n** *v/t.* pilot.
Lotterie *f* lottery; **~gewinn** *m* prize; **~los** *n* lottery ticket.
Lotto *n allg.* lotto, bingo; *deutsches*: Lotto; (*im*) ~ *spielen* do* Lotto; **~schein** *m* Lotto coupon; **~ziehung** *f* Lotto draw.
Löw|e *zo. m* lion; **~enzahn** ⚘ *m* dandelion; **~in** *zo. f* lioness.
loyal *adj.* loyal, faithful.
Luchs *zo. m* lynx.
Lücke *f* gap (*a. fig.*); **~nbüßer** *m* stopgap; **2nhaft** *adj.* full of gaps; *fig.* incomplete; **2nlos** *adj.* without a gap; *fig.* complete; **~ntest** *m* completion *od.* fill-in test.
Luft *f* air; *an der frischen* ~ (out) in the fresh air; (*frische*) ~ *schöpfen* get* a breath of fresh air; *die* ~ *anhalten* catch* (*bsd. fig. a.* hold*) one's breath; *tief* ~ *holen* take* a deep breath; *in die* ~ *fliegen* (*sprengen*) blow* up.
Luft|angriff *m* air raid; **~ballon** *m* balloon; **~blase** *f* (air-)bubble; **~brücke** *f* airlift.
Lüftchen *n* (gentle) breeze.
luft|dicht *adj.* airtight; **2druck** *phys.*, ⊕ *m* air pressure.
lüften *v/t. u. v/i.* air, ventilate; *Hut etc.*: raise; *Geheimnis etc.*: reveal.
Luft|fahrt *f* aviation, aeronautics; **~feuchtigkeit** *f* (atmospheric) humidity; **~gewehr** *n* airgun; **2ig** *adj.* airy; *Plätzchen*: breezy; *Kleid etc.*: light; **~kissen** *n* air-cushion; **~kissenfahrzeug** *n* hovercraft; **~krankheit** *f* air-sickness; **~krieg** *m* air warfare; **~kurort** *m* (climatic) health resort; **2leer** *adj.*: *~er Raum* vacuum; **~linie** *f* airline; *50 km* ~ 50 km as the crow flies; **~post** *f* air mail; **~pumpe** *f* air pump; bicycle pump; **~röhre** *anat. f* windpipe, trachea; **~schlange** *f* streamer; **~schloß** *n* castle in the air; **~sprünge** *pl.*: ~ *machen vor Freude* jump for joy.
Lüftung *f* airing; ⊕ ventilation.
Luft|veränderung *f* change of air; **~verkehr** *m* air traffic; **~verschmutzung** *f* air pollution; **~waffe** ⚔ *f* air force; **~weg** *m*: *auf dem* ~ by air; **~zug** *m* draught, *Am.* draft.
Lüge *f* lie, falsehood; **2n** *v/i.* lie, tell* a lie *od.* lies; *das ist gelogen* that's a lie.
Lügner|(in) liar; **2isch** *adj.* false.
Luke *f* hatch; *Dach*2: skylight.
Lümmel *m* rascal; **2n** *v/refl.* slouch.
lumpen F *v/t.*: *sich nicht* ~ *lassen* be* generous.
Lump|en *m* rag; *in* ~ in rags *pl.*; **~enpack** F *n sl.* bastards *pl.*; **2ig** *fig. adj.*: *für ~e zwei Mark* for a paltry two marks.
Lunge *anat. f* lungs *pl.*; (*auf*) ~ *rauchen* inhale; **~nentzündung** ⚕ *f* pneumonia; **~nflügel** *anat. m* lung; **~nzug** *m*: *e-n* ~ *machen* inhale.
lungern *v/i. s. herumlungern.*
Lupe *f* magnifying glass; *unter die* ~ *nehmen* scrutinize (closely).
Lust *f* desire, interest; *sinnliche*: lust; *Vergnügen*: pleasure, delight; ~ *haben auf et.* (*et. zu tun*) feel* like (doing) s.th.; *hättest du* ~ *auszugehen?* would you like to go out?, how about going out?; *ich habe keine* ~ I don't feel like it, I'm not in the mood for it; *die* ~ *an et. verlieren* (*j-m die* ~ *an et. nehmen*) (make* s.o.) lose* all interest in s.th.
lüstern *adj.* greedy (*nach et.* for s.th.).

lustig *adj.* funny; *fröhlich*: cheerful; *er ist sehr* ~ he is full of fun; *es war sehr* ~ it was great fun; *sich* ~ *machen über* make* fun of.
lust|los *adj.* listless, indifferent; **&mord** *m* sex murder; **&spiel** *n* comedy.
lutschen *v/i. u. v/t.* suck.
Luv ⚓ *f* windward, weather side.
luxuriös *adj.* luxurious.
Luxus *m* luxury (*a. fig.*); **~...** *in Zssgn Modell etc.*: *mst* de luxe ..., *bsd. Am.* deluxe ...; **~artikel** *m* luxury.
Lymphdrüse *anat. f* lymph gland.
lynchen *v/t.* lynch.
Lyr|ik *f* poetry; **~iker(in)** (lyric) poet(ess); **&isch** *adj.* lyrical (*a. fig.*).

M

machbar *adj.* feasible.
machen *v/t. tun*: do*; *herstellen, verursachen*: make*; *Essen etc.*: make*, prepare; *in Ordnung bringen, reparieren*: fix (*a. fig.*); *ausmachen, betragen*: be*, come* to, amount to; *Prüfung*: take*, *erfolgreich*: pass; *Reise, Ausflug*: make*, go* on; *Hausaufgaben* ~ do* one's homework; *da(gegen) kann man nichts* ~ it can't be helped; *mach, was du willst!* do as you please!; (*nun*) *mach mal od. schon!* hurry up!, come on *od.* along now!; *mach's gut!* take care (of yourself)!, good luck!; (*das*) *macht nichts* it doesn't matter; *mach dir nichts d(a)raus!* never mind!, don't worry!; *das macht mir nichts aus* I don't mind *od.* care; *was od. wieviel macht das?* how much is it?; *sich et.* (*nichts*) ~ *aus für* (*un*)*wichtig halten*: (not) care about; (*nicht*) *mögen*: (not) care for.
Macht *f* power (*über* of); *an der* ~ *pol.* in power; *mit aller* ~ with all one's might; **~haber** *pol. m* ruler.
mächtig *adj.* powerful, mighty (*a. fig.*); *riesig*: enormous, huge; F: ~ *klug* (*stolz*) mighty clever (proud).
Macht|kampf *m* struggle for power; **&los** *adj.* powerless; **~politik** *f* power politics *sg., pl.*; **~übernahme** *pol. f* takeover; **~wechsel** *pol. m* transition of power.
Mädchen *n* girl; *Dienst&*: maid; **&haft** *adj.* girlish; **~name** *m* girl's name; *e-r Frau*: maiden name; **~schule** *f* girls' school.
Made *zo. f* maggot; *Obst&*: worm.
Mädel *n* girl, *Brt. a.* lass, *Am.* F chick.
madig *adj. Obst*: wormeaten.
Magazin *n Zeitschrift, e-r Waffe*: magazine; *Lager*: store(room), warehouse, *bsd.* ⚔ magazine, depot; *TV, Rundfunk*: magazine, review.
Magd ✓ *f* (female) farmhand.
Magen *m* stomach, F tummy; **~beschwerden** *pl.* stomach trouble *sg.*; **~-Darm-Infektion** ⚕ *f* gastroenteritis; **~geschwür** ⚕ *n* gastric ulcer; **~schmerzen** *pl.* stomachache *sg.*
mager *adj. Körper*(*teil*): lean, thin, skinny; *Käse etc.*: low-fat; *Fleisch*: lean; *Milch*: skim; *fig. Gewinn, Ernte etc.*: meag|re, *Am. a.* -er.
Magi|e *f* magic; **&sch** *adj.* magic(al).
Magister *m univ.* Master of Arts *od.* Science; *östr. s. Apotheker.*
Magistrat *m* municipal council.
Magnet *m* magnet (*a. fig.*); **~...** *in Zssgn Band, Feld, Nadel etc.*: magnetic ...; **&isch** *adj.* magnetic (*a. fig.*); **&isieren** *v/t.* magnetize.
Mahagoni *n* mahogany.
Mäh|drescher ✓ *m* combine (harvester); **&en** *v/t. Rasen*: mow*; *Gras*: cut*; *bsd. Getreide*: reap.
mahlen *v/t.* grind*.
Mahlzeit *f* meal; *Baby*: feed(ing).
Mähne *f* mane.
mahn|en *v/t.* remind, warn; *förmlich*: admonish; *s. er~*; **&mal** *n* memorial; **&ung** *f* warning; *Mahnbrief*: reminder.
Mai *m* May; *der Erste* ~ May Day; **~baum** *m* maypole; **~glöckchen** ⚘ *n* lily of the valley; **~käfer** *zo. m* cockchafer.
Mais ⚘ *m* maize, *Am.* corn.
Majestät *f*: *Seine* (*Ihre, Eure*) ~ His (Her, Your) Majesty; **&isch** *adj.* majestic.

L

Major ⚔ *m* major.
makaber *adj.* macabre.
Makel *m* blemish (*a. fig.*).
mäkelig F *adj.* fussy, choos(e)y, *bsd. Am.* picky.
makellos *adj.* immaculate (*a. fig.*).
mäkeln F *v/i.* carp, pick, nag (*an* at).
Makler *econ. m Grundstücks*≈, *Wohnungs*≈: (*Am.* real) estate agent; *Börsen*≈: broker; **~gebühr** *econ. f* fee, commission.
mal *adv.* ✗ times, multiplied by; *Maße*: by; F *s. einmal*; *12 ~ 5 ist (gleich) 60* 12 times *od.* multiplied by 5 is *od.* equals 60; *ein 7 Meter ~ 4 Meter großes Zimmer* a room 7 metres by 4 metres.
Mal[1] *n* time; *zum ersten (letzten) ~(e)* for the first (last) time; *mit e-m ~(e) plötzlich*: all of a sudden; *ein für alle ~(e)* once and for all.
Mal[2] *n Zeichen*: mark; *s. Mutter*≈.
malen *v/t.* paint (*a. streichen*).
Maler *m* painter; **~ei** *f* painting; **~in** *f* (woman) painter; **≈isch** *fig. adj.* picturesque.
Malkasten *m* paint-box.
malnehmen ✗ *v/t.* multiply (*mit* by).
Malz *n* malt; **~bier** *n* malt beer.
Mama F *f* mum(my), *bsd. Am.* mom(my).
Mammut *zo. n* mammoth (*a. fig. u. in Zssgn*).
man *indef. pron.* you, *förmlicher*: one; they, people; *wie schreibt ~ das?* how do you spell it?; *~ sagt, daß* they *od.* people say (that); *~ hat mir gesagt* I was told.
Manager *m* executive; *Sport*: manager.
manch|(er, -e, -es) *indef. pron.* (*mst pl.*) *einige*: some; *viele*: quite a few, many; **~mal** *adv.* sometimes.
Mandant(in) ⚖ client.
Mandarine ⚘ *f* tangerine.
Mandat *pol. n* mandate; *Sitz*: seat.
Mandatar *östr. m s. Abgeordnete(r).*
Mandel *f* ⚘ almond; *anat.* tonsil; **~entzündung** ⚕ *f* tonsillitis.
Manege *f* (circus) ring.
Mangel[1] *m Fehlen*: lack (*an* of); *Knappheit*: shortage; ⊕ defect, fault; *e-r Leistung* (*a. Schule*): shortcoming; *aus ~ an* for lack of.
Mangel[2] *f Wäsche*≈: mangle.
mangelhaft *adj. Qualität*: poor; *Arbeit*, *Ware*: defective; *Schulleistung*, *-note*: poor, unsatisfactory, failing.
mangeln *v/t. Wäsche*: mangle.
mangels *prp.* for lack *od.* want of.
Mangelware *f*: *~ sein* be* scarce.
Manie *f* mania (*a. fig.*).
Manier|en *pl.* manners *pl.*; **≈lich** *adv.*: *sich ~ betragen* behave (decently).
Manifest *n* manifesto.
manipulieren *v/t.* manipulate.
Mann *m* man; *Ehe*≈: husband.
Männchen *n* little man; *zo.* male.
Mannequin *n* model.
mannig|fach, ~faltig *adj.* many and various *pl.*; **≈faltigkeit** *f* variety, diversity.
männlich *adj. biol.* male; *Aussehen*, *Eigenschaften*, *gr.*: masculine (*a. fig.*); *Mut*, *Verhalten etc.*: manly.
Mannschaft *f Sport*: team (*a. fig.*); ⚓, ✈ crew.
`Manöv|er *n*, **≈rieren** *v/i.* manoeuvre, *Am.* maneuver.
Mansarde *f* room in the attic; **~nfenster** *n* dormer (window).
Manschette *f* cuff; ⊕ *Dichtungs*≈: gasket; *Zier*≈: frill; **~nknopf** *m* cuff-link.
Mantel *m* coat; *Reifen*: casing, *Fahrrad*: tyre (*Am.* tire) cover; ⊕ jacket, shell.
Manuskript *n* manuscript; *druckreifes*: copy.
Mäppchen *n Feder*≈: pencil-case.
Mappe *f Aktentasche*: briefcase; *Schul*≈: school bag; *Ranzen*: satchel; *Aktendeckel*: folder; ⚠ *nicht map.*
Märchen *n* fairy-tale (*a. fig.*); *~ erzählen fig.* tell* (tall) stories *od.* fibs; **~land** *n* fairyland (*a. fig.*).
Marder *zo. m* marten.
Margarine *f* margarine.
Margerite ⚘ *f* marguerite.
Marienkäfer *zo. m* ladybird.
Marihuana *n* marijuana, *sl.* grass; **~zigarette** *f sl.* reefer, joint.
Marille *östr. f* apricot.
Marine ⚔ *f* navy; ⚠ *nicht marine.*
Marionette *f* puppet (*a. fig.*) **~ntheater** *n* puppet-show.
Mark[1] *f Währung*, *Münze*: mark.
Mark[2] *n Knochen*≈: marrow; *Frucht*≈: pulp.
Marke *f Lebensmittel etc.*: brand; *Fahrzeug*, *Gerät*: make; *~nzeichen*: trademark (*a. fig.*); *Brief*≈ *etc.*: stamp; *Erkennungs*≈: badge, tag; *Zeichen*: mark.

M

markier|en *v/t.* mark (*a. Sport*); F *fig.* act; **≈ung** *f* mark.
Markise *f* awning, sun-blind.
Markt *econ. m* market; *auf den ~ bringen econ.* put* on the market; **~platz** *m* market-place; **~wirtschaft** *f freie ~*: free enterprise (economy); *soziale ~*: social (market) economy.
Marmelade *f* jam; *Orangen≈*: marmalade.
Marmor *m* marble (*a. aus ~*).
Marsch[1] *m* march (*a.* ♪).
Marsch[2] *f* marsh, fen.
Marschall *m* marshal.
Marsch|befehl ⚔ *m* marching orders *pl.*; **~flugkörper** ⚔ *m* cruise missile; **≈ieren** *v/i.* march.
Marsmensch *m* Martian.
Marter *f* torture; **≈n** *v/t.* torture; **~pfahl** *m* stake.
Martinshorn *n* (police *etc.*) siren.
Märtyrer *m* martyr (*a. fig.*).
Marxis|mus *pol. m* Marxism; **~t(in)** *pol.* Marxist; **≈tisch** *pol. adj.* Marxist.
März *m* March.
Marzipan *n* marzipan.
Masche *f Strick≈*: stitch; *Netz≈*: mesh; F *fig.* trick; *Mode*: fad, craze; **~ndraht** *m* wire netting.
Maschine *f* machine; *Motor*: engine; *Flugzeug*: plane; *Motorrad*: motorcycle, machine.
Maschinen|bau ⊕ *m* mechanical engineering; **~gewehr** *n* machinegun; **~öl** *n* engine oil; **~pistole** *f* submachine gun, machine pistol; **~schaden** *m* engine trouble *od.* failure; **~schlosser** *m* (engine) fitter.
maschineschreiben *v/i.* type.
Masern ⚕ *pl.* measles *pl.*
Maserung *f Holz etc.*: grain.
Mask|e *f* mask (*a. fig.*); **~enball** *m* fancy-dress ball; **~enbildner(in)** make-up artist; **≈ieren** *v/t.* mask; *sich ~* put* on a mask; *s. verkleiden.*
maskulin *adj.* masculine (*a. gr.*).
Maß **1.** *n ~einheit*: measure (*für* of); *e-s Raumes etc.*: dimensions *pl.*, measurements *pl.*, size; *fig.* extent, degree; *~e und Gewichte* weights and measures; *nach ~ (gemacht)* made to measure; *in gewissem (hohem) ~e* to a certain (high) degree; *in zunehmendem ~e* increasingly; **2.** *f Bier*: lit|re (*Am.* -er) of beer.
Massage *f* massage.
Massaker *n* massacre.
Masse *f* mass; *Substanz*: substance; *Menschen≈*: crowd(s *pl.*); F: *e-e ~ Geld etc.* loads *od.* heaps of; *die (breite) ~*, *pol. die ~n pl.* the masses *pl.*
Maßeinheit *f* unit of measure(ment).
Massen|... *in Zssgn Medien, Produktion etc.*: mass ...; **~andrang** *m* crush; **≈haft** F *adv.* masses *od.* loads of; **~karambolage** *mot. f* pile-up.
Masseu|r *m* masseur; **~se** *f* masseuse.
maß|gebend, **~geblich** *adj. verbindlich*: authoritative; *beträchtlich*: substantial, considerable; **~halten** *v/i.* be* moderate (*in* in).
massieren *v/t.* massage.
massig *adj.* massive, bulky.
mäßig *adj.* moderate; *dürftig*: poor; **~en** *v/t. u. v/refl.* moderate; **≈ung** *f* moderation; restraint.
massiv *adj.* solid.
Massiv *n Berg≈*: massif.
Maß|krug *m* beer-mug, *Am. a.* stein; **≈los** *adj. Essen, Trinken etc.*: immoderate; *Übertreibung*: gross; **~nahme** *f* measure, step; **~regel** *f* rule; **≈regeln** *v/t. tadeln*: reprimand; *strafen*: discipline; **~stab** *m* scale; *fig.* standard; *im ~ 1:50 000* on the scale of 1:50 000; **≈stabgetreu** *adj.* true to scale; **≈voll** *adj.* moderate.
Mast[1] ⚓ *m* mast.
Mast[2] ✓ *f Schweine≈ etc.*: fattening; *~futter*: mast; **~darm** *anat. m* rectum.
mästen *v/t.* fatten; *j-n*: stuff.
masturbieren *v/i.* masturbate.
Match *östr. n* match, *Am.* game; **~ball** *m Tennis*: match-point.
Material *n* material (*a. fig.*); *Arbeits≈*: materials *pl.*; **~ismus** *phls. m* materialism; **~ist** *m* materialist; **≈istisch** *adj.* materialistic.
Materie *f* matter (*a. fig.*); *Thema*: subject(-matter); **≈ll** *adj.* material.
Mathemati|k *f* mathematics *sg. od. pl.*; **~ker** *m* mathematician; **≈sch** *adj.* mathematical.
Matinee *thea.*, ♪ *f* morning performance; ⚠ *nicht matinee.*
Matratze *f* mattress.
Matrize *f* stencil; *auf ~ schreiben* stencil.
Matrose ⚓ *m* sailor, seaman.
Matsch *m* sludge, mud; *bsd. Schnee≈*: slush; **≈ig** *adj.* muddy, slushy; *Frucht*: squashy, mushy.
matt *adj. schwach*: weak; *Farbe*: dull, pale; *Fotooberfläche*: mat(t); *Glas*,

Glühbirne: frosted; *Schach*: (check-) mate.
Matte *f* mat.
Mattigkeit *f* exhaustion, weakness.
Mattscheibe *f phot.* focus(s)ing screen; *Bildschirm*: screen; F *Fernseher*: *Brt.* telly, box, *Am.* (boob) tube.
Matura *f östr., Schweiz*: *s. Abitur.*
Mauer *f* wall; **~blümchen** *fig. n* wallflower; **≈n** *v/i.* lay* bricks; **~werk** *n* masonry, brickwork.
Maul *n* mouth; *sl.*: *halt's ~!* shut up!; **≈en** F *v/i.* grumble, sulk, pout; **~korb** *m* muzzle (*a. fig.*); **~tier** *zo. n* mule; **~wurf** *zo. m* mole; **~wurfshaufen, ~wurfshügel** *m* molehill.
Maurer *m* bricklayer; **~kelle** *f* trowel; **~meister** *m* master mason *od.* builder; **~polier** *m* foreman bricklayer.
Maus *zo. f* mouse; **~efalle** *f* mousetrap.
Mauser *f* mo(u)lt(ing); *in der ~ sein* be* mo(u)lting.
Maut *östr. f* toll; **~straße** *f* toll-road, *Am. a.* turnpike.
maxi|mal 1. *adj.* maximum; **2.** *adv.* at (the) most; **≈mum** *n* maximum.
Mayonnaise *f* mayonnaise.
Mäzen *m Kunst*: patron; *Sport*: sponsor.
Mechani|k *f phys.* mechanics *mst sg.*; ⊕ mechanism; **~ker** *m* mechanic; **≈sch** *adj.* mechanical; **≈sieren** *v/t.* mechanize; **~sierung** *f* mechanization; **~smus** ⊕ *m* mechanism; *Triebwerk, Uhrwerk*: works *pl.*
meckern *v/i. Ziege*: bleat; *fig.* grumble, grouch, *Am. a.* bitch (*über* at, about).
Medaill|e *f* medal; **~engewinner(in)** medal(l)ist; **~on** *n* locket.
Medien *pl. Massen≈*: mass media *pl.*; *Unterricht*: teaching aids *pl.*; *technische ~*: audio-visual aids *pl.*
Medikament *n* drug; *bsd. zum Einnehmen*: medicine.
meditieren *v/i.* meditate (*über* on).
Medizin *f* (science of) medicine; *Arznei*: medicine, remedy (*gegen* for); **~er(in)** *Arzt*: (medical) doctor; *Student*: medical student; **≈isch** *adj.* medical; **≈isch-technische(r) Assistent(in)** (*abbr. MTA*) medical (laboratory) technician; **~mann** *m* witch-doctor; *Indianer*: medicine-man.
Meer *n* sea (*a. fig.*), ocean; **~busen** *m* gulf, bay; **~enge** *f* straits *pl.*; **~esboden** *m* seabed; **~esfrüchte** *pl.* seafood *sg.*; **~esspiegel** *m* sea level; **~rettich** ♀ *m* horse-radish; **~schweinchen** *zo. n* guinea-pig.
Mehl *n* flour; *grobes*: meal; **≈ig** *adj.* mealy; **~speis(e)** *östr. f* sweet (dish).
mehr *indef. pron. u. adv.* more; *immer ~* more and more; *nicht ~* no *od.* not any more *od.* longer; *noch ~* even more; *es ist kein ... ~ da* there isn't any ... left; **~deutig** *adj.* ambiguous; **~ere** *adj. u. indef. pron.* several; **≈heit** *f* majority; **≈kosten** *pl.* extra costs *pl.*; **~mals** *adv.* several times; **≈wertsteuer** *econ. f* value-added tax (*abbr.* VAT); **≈zahl** *gr. f* plural (form); **≈zweck...** *in Zssgn Fahrzeug etc.*: multi-purpose ...
meiden *v/t.* avoid.
Meile *f* mile; **≈nweit** *adv.* (for) miles.
mein *poss. pron. u. adj.* my; *der (die, das) ~e* mine (*a. pl.*); *das ist ~er (-e, -[e]s) gehört mir*: that's mine.
Meineid ⚖ *m* perjury.
meinen *v/t. glauben, e-er Ansicht sein*: think*, believe; *sagen wollen, beabsichtigen, sprechen von*: mean*; *sagen*: say*; *~ Sie (wirklich)?* do you (really) think so?; *wie ~ Sie das?* what do you mean by that?; *sie ~ es gut* they mean well; *ich habe es nicht so gemeint* I didn't mean it; *wie ~ Sie?* (I beg your)pardon?
meinetwegen *adv. von mir aus*: I don't mind *od.* care!; *für mich*: for my sake; *wegen mir*: because of me.
Meinung *f* opinion (*über, von* about, of); ⚠ *nicht meaning*; *meiner ~ nach* in my opinion; *der ~ sein, daß* be* of the opinion that, feel* *od.* believe that; *s-e ~ äußern* express one's opinion; *s-e ~ ändern* change one's mind; *ich bin Ihrer (anderer) ~* I (don't) agree with you; **~saustausch** *m* exchange of views (*über* on); **~sforscher** *m* F pollster; **~sfreiheit** *f* freedom of speech *od.* opinion; **~sumfrage** *f* opinion poll; **~sverschiedenheit** *f* disagreement (*über* about).
Meise *zo. f* titmouse.
Meißel *m* chisel; **≈n** *v/t. u. v/i.* chisel, carve.
meist 1. *adj.* most; *das ~e (davon)* most of it; *die ~en (von ihnen)* most of them; *die ~en Leute* most people; *die ~e Zeit* most of the time; **2.** *adv.*: *s. meistens*; *am ~en*

most (of all); **~ens** *adv.* mostly, usually.
Meister *m Handwerk, Kunst, a. fig.*: master; *Sport*: champion, F champ; **≗haft 1.** *adj.* masterly; **2.** *adv.* in a masterly manner *od.* way; **~in** *f s. Meister*; **≗n** *v/t.* master; **~schaft** *f Können*: mastery; *Sport*: championship, cup; *Titel*: title; **~stück, ~werk** *n* masterpiece.
Melancholi|e *f* melancholy; **≗sch** *adj.* melancholy; ~ *sein* feel* depressed, F have* the blues.
meld|en 1. *v/t. et. od. j-n*: report *s.th. od. s.o.* (*bei* to); *Presse, Funk etc.*: announce, report; *amtlich*: notify *s.o.* (of *s.th.*); **2.** *v/refl.*: *sich* ~ report (*bei* to, *für, zu* for); *polizeilich an*~: register (*bei* with); *Schule etc.*: put* up one's hand; *Telefon*: answer the phone; *Prüfung, Wettbewerb*: enter (*für, zu* for); *freiwillig*: volunteer (*für, zu* for); **≗ung** *f Presse, Funk etc.*: report, news, announcement; *Mitteilung*: information, notice; *amtlich*: notification, report; *polizeiliche An≗*: registration (*bei* with); *Prüfung, Wettbewerb*: entry (*für, zu* for).
melken *v/t.* milk.
Melodi|e ♪ *f* melody, tune; **≗sch** *adj.* melodious, tuneful.
Melone *f* ⚘ melon; F *Hut*: bowler(hat), *Am.* derby.

M

Memoiren *pl.* memoirs *pl.*
Menge *f Anzahl*: quantity, amount; *Menschen≗*: crowd; Å set; F: *e-e ~ Geld* plenty of money, lots *pl.* of money; **≗n** *v/t. s. mischen*; **~nlehre** Å *f* set theory; *Schule*: new math(ematics *sg.*).
Mensa *f* cafeteria.
Mensch *m* human being; *der ~ als Gattung*: man; *einzelner*: person, individual; *die ~en pl.* people *pl.*; *alle*: mankind *sg.*; *kein* ~ nobody.
Menschen|affe *zo. m* ape; **~fresser** *m* cannibal, man-eater (*bsd. Tier*); **~freund** *m* philanthropist; **~handel** *m* slave trade; **~kenntnis** *f*: ~ *haben* know* human nature; **~leben** *n* human life; **≗leer** *adj.* deserted; **~menge** *f* crowd; **~rechte** *pl.* human rights *pl.*; **~seele** *f*: *keine* ~ not a (living) soul; **≗unwürdig** *adj.* degrading; *Unterkunft etc.*: unfit for human beings; **~verstand** *m*: *gesunder* ~ common sense; **~würde** *f* human dignity.
Mensch|heit *f*: *die* ~ mankind, the human race; **≗lich** *adj. den Menschen betreffend*: human; *human*: humane; **≗lichkeit** *f* humanity.
Menstruation ⚕ *f* menstruation.
Mentalität *f* mentality.
Menü *n* complete meal (consisting of several courses); ⚠ *nicht menu.*
Meridian *geogr., ast. m* meridian.
merk|bar *adj. deutlich*: marked, distinct; *wahrnehmbar*: noticeable; **≗blatt** *n* leaflet; **~en** *v/t. wahrnehmen*: notice; *spüren*: feel*; *entdecken*: find* (out), discover; *sich et.* ~ remember s.th., keep* *od.* bear* s.th. in mind; **~lich** *adj. s. merkbar*; **≗mal** *n sichtbares*: sign; *Eigenart*: feature, trait.
merkwürdig *adj.* strange, odd, curious; **~erweise** *adv.* strangely enough.
meß|bar *adj.* measurable; **≗becher** *m Haushalt*: measuring cup.
Messe *f econ.* fair; *eccl.* mass; ⚔, ⚓ mess.
messen *v/t.* measure; *Temperatur, Blutdruck etc.*: take*; *sich nicht mit j-m ~ können* be* no match for s.o.; *gemessen an* compared with.
Messer *n* knife; *bis aufs* ~ to the knife; *auf des ~s Schneide stehen* be* on a razor-edge; **~stecherei** *f* knifing; **~stich** *m* stab (with a knife).
Messing *n* brass.
Meßinstrument *n* measuring instrument.
Messung *f* measuring; *Ablesung*: reading.
Metall *n* metal (*a. aus* ~); **~bearbeitung** *f* metal-work (*a. Schulfach*); **≗en, ≗isch** *adj.* metallic; **~waren** *pl.* hardware *sg.*
Meteor|(it) *ast. m* meteor(ite); **~ologe** *m* meteorologist; **~ologie** *f* meteorology.
Meter *n, m* met|re, *Am.* -er; **~maß** *n* tape-measure.
Method|e *f* method; ⊕ *a.* technique; **≗isch** *adj.* methodical.
metrisch *adj.* metric; *~es Maßsystem* metric system.
Metropole *f* metropolis.
Metzger *m* butcher; **~ei** *f* butcher's (shop).
Meute *f* pack (of hounds); *fig.* mob, pack; **~rei** *f* mutiny; **~rer** *m* mutineer; **≗rn** *v/i.* mutiny (*gegen* against).

miau *int.* me(o)w, miaow; **~en** *v/i.* me(o)w.

mich *pers. pron.* me; ~ (*selbst*) myself.

Mieder *n am Kleid*: bodice; **~höschen** *n* pantie-girdle; **~waren** *pl.* foundation garments *pl.*, corsetry *sg.*

Miene *f* expression, look, air; *gute ~ zum bösen Spiel machen* grin and bear* it.

mies F *adj.* rotten, lousy.

Miet|e *f* rent; *für bewegliche Sachen*: hire charge; *zur ~ wohnen* be* a tenant; lodge (*bei* with); **2en** *v/t.* rent; *Auto etc.*: hire, *bsd. Am.* rent; *pachten*: (take* on) lease; ⚓, ✈ charter; **~er** *m* tenant, *Unter2*: lodger; **~shaus** *n* block of flats, F tenement house, *Am.* apartment house; **~vertrag** *m* lease (contract); **~wohnung** *f* (rented) flat, *Am.* apartment.

Migräne ⚕ *f* migraine.

Mikro... *in Zssgn Elektronik, Film, Wellen etc.*: micro...

Mikrophon *n* microphone, F mike.

Mikroskop *n* microscope; **2isch** *adj.* microscopic(al).

Milbe *zo. f* mite.

Milch *f* milk; **~glas** *n* frosted glass; **2ig** *adj.* milky; **~kaffee** *m* white coffee; **~kännchen** *n* (milk) jug; **~kanne** *f* milk can; **~mann** F *m* milkman; **~mixgetränk** *n* milk shake; **~produkte** *pl.* dairy products *pl.*; **~pulver** *n* powdered milk; **~reis** *m* rice pudding; **~straße** *ast. f* Milky Way, Galaxy; **~tüte** *f* milk carton; **~(waren)geschäft** *n* dairy, creamery; **~wirtschaft** *f* dairy farm(ing); **~zahn** *m* milk-tooth.

mild *adj.* mild, soft; *Lächeln*: gentle.

milde *adv.* mildly; ~ *ausgedrückt* to put it mildly.

Milde *f* mildness, gentleness; *Nachsicht*: leniency, mercy; ~ *walten lassen* be* merciful.

mildern *v/t.* lessen, soften; **~d** *adj.*: *~e Umstände* ⚖ mitigating circumstances.

mildtätig *adj.* charitable.

Milieu *n Umwelt*: environment; *Herkunft*: social background.

Militär *n the* military, armed forces *pl.*; *Heer*: army; **~dienst** *m* military service; **~diktatur** *f* military dictatorship; **~gericht** *n* court martial; **2isch** *adj.* military; **~regierung** *f* military government.

Milita|rismus *m* militarism; **~rist** *m* militarist; **2ristisch** *adj.* militaristic.

Milliarde *f* billion, *Brt. a.* a thousand million(s).

Millimeter *n, m* millimet|re, *Am.* -er; **~papier** *n* graph paper.

Million *f* million; **~är(in)** millionaire(ss).

Milz *anat. f* spleen.

Mimik *f* facial expression; ⚠ *nicht mimic.*

minder 1. *adj. s. geringer, weniger*; **2.** *adv.* less; *nicht ~* no less; **2heit** *f* minority; **~jährig** *adj.*: ~ *sein* be* under age *od.* a minor; **2jährige(r)** minor; **2jährigkeit** *f* minority.

minderwertig *adj.* inferior, of inferior quality; **2keit** *f* inferiority; *econ.* inferior quality; **2keitskomplex** *m* inferiority complex.

mindest *adj.* least; *das ~e* the (very) least; *nicht im ~en* not in the least, by no means; **2...** *in Zssgn Alter, Einkommen etc.*: minimum ...; **~ens** *adv.* at least; **2maß** *n* minimum; *auf ein ~ herabsetzen* minimize.

Mine *f* ⚒, ⚔, ⚓ mine; *Bleistift2*: lead; *Kugelschreiber2*: cartridge; *Ersatz2*: refill.

Mineral *n* mineral; **~ogie** *f* mineralogy; **~öl** *n* mineral oil; **~wasser** *n* mineral water.

Miniatur *f* miniature.

mini|mal *adj., adv. geringfügig*: minimal; *mindest*: minimum (*bsd. in Zssgn*); *wenigstens*: at least; **2mum** *n* minimum.

Minirock *m* miniskirt.

Minister *m* minister, *Brt. a.* secretary (of state), *Am.* secretary; **2ium** *n* ministry, *Brt. a.* office, *Am.* department; **~präsident** *m in GB etc.*: prime minister; *oft*: president; *e-s deutschen Bundeslandes*: minister-president, *Am.* (state) governor.

minus *adv.* ✗ minus; *bei 10 Grad ~* at 10 degrees below zero.

Minute *f* minute; **~nzeiger** *m* minute-hand.

mir *pers. pron.* (to) me.

Misch|batterie *f Waschbecken etc.*: mixer tap, *Am.* mixing faucet; **~brot** *n* wheat and rye bread; **2en** *v/t.* mix; *Tabak, Tee etc.*: blend; *Karten*: shuffle; *sich unters Volk ~* mingle with the crowd; **~ling** *m* half-breed (*a.* ⚘, *zo.*); ⚘, *zo.* hybrid; **~masch** F *m* hotch-potch, jumble; **~pult** *n*

M

Ton: sound mixer; *TV*: video mixer; **~ung** *f* mixture; blend; *Metall*: alloy; **~wald** *m* mixed forest.
miserabel F *adj.* lousy, rotten.
miß|achten *v/t. nicht beachten*: disregard, ignore; *verachten*: despise; **2achtung** *f* disregard; *Verachtung*: contempt; *Vernachlässigung*: neglect; **2bildung** *f* deformity, malformation; **~billigen** *v/t.* disapprove of; **2brauch** *m* abuse (*a.* ⚖ *Frau, Kind*); *falsche Anwendung*: misuse; **~brauchen** *v/t.* abuse; misuse; **~deuten** *v/t.* misinterpret.
missen *v/t.* miss; *ich möchte das nicht* ~ I wouldn't (like to) miss it.
Miß|erfolg *m* failure; F flop; **~ernte** *f* bad harvest, crop failure.
Misse|tat *iro., poet. f* misdeed; **~täter** *m* wrongdoer, culprit.
miß|fallen *v/i.*: *j-m* ~ displease s.o.; **2fallen** *n* displeasure, dislike; **~gebildet** *adj.* deformed, malformed; **2geburt** *f* monster, freak (of nature); **2geschick** *n Panne etc.*: mishap; **~glücken** *v/i.* fail; **~gönnen** *v/t.*: *j-m et.* ~ envy s.o. s.th.; **2griff** *m* mistake; **~handeln** *v/t.* ill-treat, maltreat (*a. fig.*); *schlagen*: beat* (up), batter; **2handlung** *f* ill-treatment, maltreatment; *bsd.* ⚖ assault and battery.
Mission *f* mission (*a. pol. u. fig.*); **~ar(in)** missionary.
Miß|klang *m* dissonance, discord (*beide a. fig.*); **~kredit** *m* discredit; **2lingen** *v/i.* fail; *das ist mir mißlungen* I've bungled it; **2mutig** *adj.* ill-humo(u)red; discontented; **2raten** **1.** *v/i.* fail; turn out badly; **2.** *adj.*: *bsd.* ~*er Jugendlicher* troublemaker, delinquent; **2trauen** *v/i.* distrust; **~trauen** *n* distrust, suspicion (*beide*: *gegenüber* of); **~trauensantrag (-votum)** *parl. m* (*n*) motion (vote) of no confidence; **2trauisch** *adj.* distrustful, suspicious; **~verhältnis** *n* disproportion; **~verständnis** *n* misunderstanding; **2verstehen** *v/t.* misunderstand*; **~wahl** *f* beauty contest *od.* competition.
Mist *m* dung, manure; F *fig.* trash, rubbish; **~beet** *n* hotbed.
Mistel ⚘ *f* mistletoe.
Mist|gabel *f* dung fork; **~haufen** *m* manure heap.
mit *prp. u. adv.* with; ~ *Gewalt* by force; ~ *Absicht* on purpose; ~ *dem Auto* (*der Bahn etc.*) by car (train etc); ~ *20 Jahren* at (the age of) 20; ~ *100 Stundenkilometern* at 100 kilometres per hour; ~ *einem Mal plötzlich*: all of a sudden; *gleichzeitig*: (all) at the same time; ~ *lauter Stimme* in a loud voice; ~ *anderen Worten* in other words; *ein Mann* ~ *dem Namen* a man by the name of; *j-n* ~ *Namen kennen* know* s.o. by name; ~ *der Grund dafür, daß* one of the reasons why; ~ *der Beste* one of the best.
Mit|arbeit *f zusammen*: cooperation; *Hilfe*: assistance; *Schule*: activity, class participation; **~arbeiter(in)** *Kollege*: colleague, co-worker; *Angestellter*: employee; *untergeordnet*: assistant; *freier* ~ *Zeitung, Funk*: free-lance (contributor); **2bekommen** F *fig. v/t. verstehen*: get*; *hören*: catch*; **2benutzen** *v/t.* share; **~bestimmungsrecht** *n* right of co-determination; **~bewerber** *m* (rival) competitor; *Stelle*: fellow applicant; **2bringen** *v/t.* bring* *s.th. od. s.o.* with one; *j-m et.* ~ bring* s.o. s.th.; **~bringsel** F *n* little present; *Reise2*: souvenir; **~bürger** *m* fellow citizen; **2einander** *adv.* with each other, with one another; *zusammen*: together, jointly; **2erleben** *v/t.* live to see; **~esser** ⚕ *m* blackhead; **2fahren** *v/i.*: *mit j-m* ~ drive* *od.* go* with s.o.; *j-n* ~ *lassen* give* s.o. a lift; **~fahrgelegenheit** *f* (opportunity of a) lift; **2fühlend** *adj.* sympathetic; **2geben** *v/t.*: *j-m et.* ~ give* s.o. s.th. (to take* along); **~gefühl** *n* sympathy; **2gehen** *v/i.*: *mit j-m* ~ go* with s.o.; **~gift** *f* dowry.
Mitglied *n* member (*bei* of); **~sbeitrag** *m* subscription; **~schaft** *f* membership.
mit|haben *v/t.*: *ich habe kein Geld mit* I haven't got any money with me *od.* on me; **2hilfe** *f* assistance, help, cooperation (*bei* in; *von* of); **~hören** *v/t. belauschen*: listen in to; *zufällig*: overhear*.
Mit|inhaber *m* co-partner; **2kommen** *v/i.* come* along (*mit* with); *fig. Schritt halten*: keep* pace (*mit* with), *verstehen*: follow; *Schule*: get* on, keep* up (with the class); **~laut** *m* consonant.
Mitleid *n* pity (*mit* for); *aus* ~ out of pity; ~ *haben mit* feel* sorry for; **2ig**

adj. compassionate, sympathetic; **⁓slos** *adj.* pitiless.
mit|machen 1. *v/i.* join in; **2.** *v/t.* take* part in; *die Mode*: follow; *erleben*: go* through; **⁓mensch** *m* fellow-man *od.* -being; **⁓nehmen** *v/t.* take* *s.th. od. s.o.* with one; *j-n (im Auto)* ⁓ give* s.o. a lift; **⁓reden** *v/t.*: *et. (nichts) mitzureden haben (bei)* have* a say (no say) (in); **⁓reißen** *v/t.* drag along; *fig. begeistern*: carry away (*mst pass.*); **⁓reißend** *adj. Rede, Musik etc.*: electrifying; **⁓schneiden** *v/t. Funk, TV*: tape (-record); **⁓schreiben 1.** *v/t.* take* down; *(Prüfungs)Arbeit*: take*, do*; **2.** *v/i.* take* notes.
Mitschuld *f* partial responsibility; **⁓ig** *adj.*: ⁓ *sein* be* partly to blame (*an* for).
Mitschüler(in) class- *od.* schoolmate, fellow student.
mitspiele|n *v/i. Sport, Orchester etc.*: play; *Spiel etc.*: join in; *in e-m Film etc.* ⁓ be* *od.* appear in a film *etc.*; **⁓r(in)** partner, *Sport*: *a.* team-mate.
mitsprechen *v/t. gemeinsam*: say* *s.th.* together; *s. a. mitreden.*
Mittag *m* noon, midday; *heute* ⁓ at noon today; *zu* ⁓ *essen* have* lunch, lunch; **⁓essen** *n* lunch; *was gibt es zum ⁓?* what's for lunch?; **⁓s** *adv.* at noon; *12 Uhr* ⁓ 12 o'clock noon.
Mittags|pause *f* lunch break; **⁓ruhe** *f* midday rest; **⁓schlaf** *m* after-dinner nap; **⁓tisch** *fig. m in Lokalen*: (we serve) lunch *od.* luncheons; **⁓zeit** *f* lunch-time.
Mitte *f* middle; *Mittelpunkt*: cent|re, *Am.* -er (*a. pol.*); ⁓ *Juli* in the middle of July; ⁓ *Dreißig* in one's middle thirties.
mitteil|en *v/t.*: *j-m et.* ⁓ inform s.o. of s.th.; **⁓sam** *adj.* communicative; *gesprächig*: talkative; **⁓ung** *f* report, information, message.
Mittel *n* means, way; *Maßnahme*: measure; *Heil⁓*: remedy (*gegen* for) (*a. fig.*); *Durchschnitt*: average; ⟨math⟩ mean; *phys.* medium; ⁓ *pl.* means *pl.*, money; **⁓alter** *n* Middle Ages *pl.*; **⁓alterlich** *adj.* medi(a)eval; **⁓ding** *n* cross (*zwischen* between); **⁓feld** *n* *Sport*: midfield; **⁓finger** *m* middle finger; **⁓fristig** *adj.* medium-term; **⁓gewicht** *n Sport*: middleweight (class); **⁓groß** *adj.* of medium height; *Sache*: medium-sized; **⁓klasse** *f* middle class (*a. mot.*); **⁓los** *adj.* without means; **⁓mäßig** *adj.* average; **⁓punkt** *m* cent|re, *Am.* -er (*a. fig.*); **⁓s** *prp.* by (means of), through; **⁓schule** *f s. Realschule*; **⁓strecke** *f Sport*: middle distance; **⁓streckenrakete** ⚔ *f* intermediate-range missile; **⁓stufe** *f* intermediate stage; *Schule*: *Brt.* middle school; *Am.* junior highschool; **⁓stürmer** *m* *Sport*: cent|re (*Am.* -er) forward; **⁓weg** *fig. m* middle course; **⁓welle** *f* *Radio*: medium wave (*abbr.* AM); **⁓wort** *gr. n* participle.
mitten *adv.*: ⁓ *in (auf, unter)* in the midst *od.* middle of; **⁓drin** F *adv.* right in the middle; **⁓durch** F *adv.* right through (the middle); *entzwei*: right in two.
Mitternacht *f* midnight.
mittler|e *adj.* middle, central; *durchschnittlich*: average, medium; **⁓er Bildungsabschluß** *m*, **⁓e Reife** *f* *Brt. appr.* General Certificate of Education O-Level; **⁓weile** *adv.* meanwhile, (in the) meantime.
Mittwoch *m* Wednesday.
mit|unter *adv.* now and then; **⁓verantwortlich** *adj.* jointly *od.* partly responsible; **⁓verantwortung** *f* share of the responsibility.
mitwirk|en *v/i.* take* part (*bei* in); **⁓ende** *m, f thea.*, ♪ performer; *die ⁓n pl. thea.* the cast *sg., pl.*; **⁓ung** *f* participation.
Mix|becher *m* shaker; **⁓en** *v/t.* mix; **⁓er** *m* mixer; **⁓getränk** *n* mixed drink, cocktail, shake.
Möbel *pl.* furniture *sg.*; **⁓spedition** *f* removal firm; **⁓stück** *n* piece of furniture; **⁓wagen** *m* furniture (*Am.* moving) van.
mobil *adj.* mobile; ⁓ *machen* ⚔ mobilize; **⁓iar** *n* furniture; **⁓machung** ⚔ *f* mobilization.
möblieren *v/t.* furnish.
Mode *f* fashion, vogue; *in* ⁓ in fashion *od.* vogue; *die neueste* ⁓ the latest fashion; *mit der* ⁓ *gehen* follow the fashion; *in (aus der)* ⁓ *kommen* come* into (go* out of) fashion.
Modell *n* model; *j-m* ⁓ *stehen od. sitzen* pose *od.* sit* for s.o.; **⁓bau** *m* model-making; **⁓baukasten** *m* model construction kit; **⁓eisenbahn** *f* model railway; **⁓ieren** *v/t.* model.
Modenschau *f* fashion show.

M

Moderator(in) *TV etc.* presenter, host.
Modergeruch *m* musty odo(u)r.
moderieren *TV etc. v/t.* present, host.
moderig *adj.* musty, mo(u)ldy.
modern[1] *v/i.* mo(u)ld, rot, decay.
modern[2] *adj.* modern; *modisch*: modern, fashionable; **~isieren** *v/t.* modernize, bring* up to date.
Mode|schmuck *m* costume jewel(le)ry; **~schöpfer(in)** fashion designer, couturier(e), stylist; **~waren** *pl.* fashionwear *sg.*; **~wort** *n* vogue word; **~zeichner(in)** fashion designer; **~zeitschrift** *f* fashion magazine.
modisch *adj.* fashionable, stylish.
Modul ⚡ *n* module; **~bauweise** *f* modular design.
Mofa *n* autocycle.
mogeln F *v/i.* cheat; *abschreiben*: crib.
mögen *v/t. u. v/aux.* like; *er mag sie (nicht)* he likes (doesn't like) her; *lieber ~* like better, prefer; *nicht ~* dislike; *was möchten Sie?* what would you like?; *ich möchte, daß du es weißt* I'd like you to know (it); *ich möchte lieber bleiben* I'd rather stay; *es mag sein, (daß)* it may be (that).
möglich 1. *adj.* possible; *alle ~en* all sorts of; *sein ~stes tun* do* what one can*; *stärker*: do* one's utmost; *nicht ~!* you don't say (so)!; *so bald (schnell, oft) wie ~* as soon (quickly, often) as possible; **2.** *adv.*: *~st bald etc.* as soon *etc.* as possible; **~erweise** *adv.* possibly; **≈keit** *f* possibility; *Gelegenheit*: opportunity; *Aussicht*: chance; *nach ~* if possible.
Mohammedan|er(in) Muslim, Mohammedan; **≈isch** *adj.* Mohammedan.
Mohn ⚘ *m* poppy.
Möhre, Mohrrübe ⚘ *f* carrot.
Molch *zo. m* salamander.
Mole ⚓ *f* mole, jetty.
Molekül *n* molecule.
Molkerei *f* dairy.
Moll ♪ *n* minor (key); *a-Moll* A minor.
mollig F *adj. behaglich, warm*: snug, cosy; *dicklich*: plump, chubby.
Molotowcocktail *m* Molotov cocktail.
Moment *m* moment; *(e-n) ~ bitte!* just a moment please!; *im ~* at the moment.

Monarch *m* monarch; **~ie** *f* monarchy; **~in** *f* monarch; **~ist** *m* monarchist.
Monat *m* month; *zweimal im (pro) ~* twice a month; **≈elang** *adv.* for months; **≈lich** *adj. u. adv.* monthly.
Monats|binde *f* sanitary towel (*Am.* napkin); **~karte** *f* (monthly) season ticket, *Am.* commuter ticket.
Mönch *m* monk; *Bettel≈*: friar.
Mond *m* moon; **~fahrzeug** *n* lunar rover; **~finsternis** *f* lunar eclipse; **≈hell** *adj.* moonlit; **~landefähre** *f* lunar module; **~landung** *f* moon landing; **~oberfläche** *f* moon surface, lunar soil; **~schein** *m* moonlight; **~sichel** *f* crescent; **≈süchtig** *adj.*: *~ sein* be* a sleepwalker *od.* somnambulist; **~umkreisung, ~umlaufbahn** *f* lunar orbit.
Monitor *TV m* monitor.
Mono|log *m* monologue, *Am. a.* monolog; **~pol** *econ. n* monopoly; **≈ton** *adj.* monotonous; **~tonie** *f* monotony.
Monoxid ⚗ *n* monoxide.
Monster *n* monster (*a. fig. u. in Zssgn*).
Montag *m* Monday.
Montage ⊕ *f Zusammenbau*: assembly; *e-r Anlage*: installation; *auf ~ sein* be* away on a field job; **~band** *n* assembly line; **~halle** *f* assembly shop.
Mont|eur ⊕ fitter; *bsd. mot.*, ✈ mechanic; **≈ieren** *v/t. zusammensetzen*: assemble; *anbringen*: fit, attach; *Anlage*: instal(l).
Moor *n* bog, swamp, moor(land); **≈ig** *adj.* boggy, marshy.
Moos ⚘ *n* moss; **≈ig** *adj.* mossy.
Moped *mot. n* moped.
Mops *zo. m* pug(-dog).
Moral *f Sittlichkeit*: morals *pl.*, moral standards *pl.*; *e-r Geschichte etc.*: moral; ⚔ *etc.*: morale; **≈isch** *adj.* moral; **≈isieren** *v/i.* moralize.
Morast *m* morass; *Schlamm*: mire, mud.
Mord *m* murder (*an* of); *e-n ~ begehen* commit murder; **~anschlag** *m bsd. pol.* assassination attempt.
Mörder *m* murderer; ⚠ *nicht murder*; *bezahlter*: (hired) killer; *bsd. pol.* assassin.
Mord|kommission *f Brt.* murder squad, *Am.* homicide division; **~prozeß** ⚖ *m* murder trial.

Mords|angst F *f*: *e-e ~ haben* be* scared stiff; **~glück** F *n* stupendous luck; **~kerl** F *m* devil of a fellow; **~wut** F *f*: *e-e ~ haben* be* in a hell of a rage.
Mord|verdacht *m* suspicion of murder; **~versuch** *m* attempted murder.
morgen *adv.* tomorrow; *~ abend* (*früh*) tomorrow night (morning); *~ mittag* at noon tomorrow; *~ in e-r Woche* a week from tomorrow; *~ um diese Zeit* this time tomorrow; *heute* (*gestern*) *~* this (yesterday) morning.
Morgen *m* morning; *Landmaß*: acre; *am* (*frühen*) *~* (early) in the morning; *am nächsten ~* the next morning; **~essen** *n Schweiz*: breakfast; **~grauen** *n* dawn (*im*, *bei* at); **~gymnastik** *f*: *s-e ~ machen* do* one's morning exercises; **~land** *n* Orient; **~rock** *m* dressing gown.
morgens *adv.* in the morning; *von ~ bis abends* from morning till night.
morgig *adj.*: *die ~en Ereignisse* tomorrow's events.
Morphium *pharm. n* morphine.
morsch *adj.* rotten; *~ werden* rot.
Morse|alphabet *tel. n* Morse code; **~zeichen** *n* Morse signal.
Mörser *m* mortar (*a.* ⚔).
Mörtel *m* mortar.
Mosaik *n* mosaic; **~stein** *m* piece.
Moschee *f* mosque.
Moskito *zo. m* mosquito.
Moslem *m* Muslim, Mohammedan.
Most *m* grape-juice; *Apfel*2: cider.
Motiv *n* motive; *paint.*, ♪ motif; **~ation** *f* motivation; **2ieren** *v/t.* motivate.
Motor *m* motor, engine; **~boot** *n* motor boat; **~haube** *f* bonnet, *Am.* hood; **2isieren** *v/t.* motorize; **~leistung** *f* (engine) performance; **~rad** *n* motorcycle, F motorbike; *~ fahren* ride* a motorcycle; **~radfahrer** *m* motorcyclist; **~roller** *m* (motor) scooter; **~säge** *f* power saw; **~schaden** *m* engine trouble (*od.* failure).
Motte *zo. f* moth; **~nkugel** *f* mothball; **2nzerfressen** *adj.* moth-eaten.
Motto *n* motto.
motzen F *v/i. s. meckern fig.*
Möwe *zo. f* (sea)gull.
Mücke *zo. f* gnat, midge, mosquito; *aus e-r ~ e-n Elefanten machen* make* a mountain out of a molehill; **~nstich** *m* gnatbite.

müd|e *adj.* tired; *matt*: weary; *schläfrig*: sleepy; *~ sein* (*werden*) be* (get*) tired (*fig. e-r Sache* of s.th.); **2igkeit** *f* tiredness.
Muff *m* muff; **~e** ⊕ *f* sleeve, socket; **~el** F *m Griesgram*: sourpuss; **2(e)lig, 2ig** *adj. Geruch*, *Luft etc.*: musty; *fig.* sulky, sullen.
Mühe *f* trouble; *Anstrengung*: effort; *Schwierigkeit(en)*: trouble, difficulty (*mit* with *s.th.*); (*nicht*) *der ~ wert* (not) worth the trouble; *j-m ~ machen* give* s.o. trouble; *sich ~ geben* try hard; *sich die ~ sparen* save o.s. the trouble; *mit ~ und Not* (just) barely; **2los** *adv.* without difficulty; **2n** *v/refl.* struggle, work hard; **2voll** *adj.* laborious.
Mühle *f* mill; *Spiel*: morris.
Müh|sal *f* toil; **2sam, 2selig 1.** *adj.* toilsome; **2.** *adv.* with difficulty.
Mulat|te *m* **~tin** *f* mulatto.
Mulde *f* hollow; *Container*: skip.
Muli *n Maultier*: mule.
Mull *m bsd.* ⚕ gauze; *Gewebe*: muslin.
Müll *m* refuse, rubbish, *Am. a.* garbage, trash; **~abfuhr** *f* refuse (*Am.* garbage) collection; **~beutel** *m* refuse (*Am.* garbage) bag; **~deponie** *f* dump; **~eimer** *m* dustbin, *Am.* garbage can.
Müller *m* miller.
Müll|fahrer *m* dustman, *Am.* garbage man; **~haufen** *m* rubbish (*Am.* garbage) heap; **~schlucker** *m* refuse (*Am.* garbage) chute; **~tonne** *f s. Mülleimer*; **~wagen** *m* refuse collection vehicle; F dust-cart, *Am.* garbage truck.
Multipli|kation ⅍ *f* multiplication; **2zieren** ⅍ *v/t.* multiply (*mit* by).
Mumie *f* mummy.
Mumps ⚕ *m*, F *f* mumps.
Mund *m* mouth; *den ~ voll nehmen* talk big; *halt den ~!* shut up!; **~art** *f* dialect; **~dusche** *f TM* water pic.
münden *v/i.*: *~ in Fluß etc.*: flow into; *Straße etc.*: run* *od.* lead* into.
Mund|geruch *m* bad breath; **~harmonika** ♪ *f* mouth-organ, harmonica.
mündig *adj. Bürger etc.*: emancipated; *~* (*werden*) ⚖ (come*) of age.
mündlich *adj.* oral, verbal; *~e Prüfung* oral exam(ination).
Mundstück *n* mouthpiece; *e-r Zigarette*: tip.

M

Mündung *f* mouth; *e-r Feuerwaffe*: muzzle.
Mund|voll *m*: *ein paar* ~ a few mouthfuls (of); **~wasser** *n* mouthwash; **~werk** F *fig. n*: *ein gutes* ~ the gift of the gab; *ein loses* ~ a loose tongue; **~winkel** *m* corner of the mouth; **~-zu-~-Beatmung** ⚕ *f* mouth-to-mouth resuscitation, F kiss of life.
Munition *f* ammunition.
munkeln F *v/t.*: *man munkelt, daß* rumo(u)r has it that.
Münster *n* cathedral, minster.
munter *adj. wach*: awake; *lebhaft*: lively; *fröhlich*: merry.
Münz|e *f* coin; *Gedenk*♀: medal; **~einwurf** *m Schlitz*: (coin) slot; **~ensammler** *m* collector of coins, numismatist; **~fernsprecher** *teleph. m* coin-box telephone, pay phone; **~tank(automat)** *m* coin-operated (filling station) pump; **~wechsler** *m* change giver *od.* machine.
mürbe *adj. zart*: tender; *Gebäck*: crisp; *brüchig*: brittle; ♀**teig** *m* short pastry; *Kuchen aus* ~: shortcake.
Murmel *f* marble; ♀**n** *v/t. u. v/i.* murmur; **~tier** *zo. n* marmot.
murren *v/i.* complain (*über* about).
mürrisch *adj.* sullen; grumpy.
Mus *n* mush; *Frucht*♀: stewed fruit.
Muschel *f zo.* mussel; *~schale*: shell.
Museum *n* museum.
Musik *f* music; ♀**alisch** *adj.* musical; **~anlage** *f* hi-fi *od.* stereo set; **~automat** *m*, **~box** *f* juke-box; **~er(in)** musician; **~instrument** *n* musical instrument; **~kapelle** *f* band; **~kassette** *f* musicassette; **~lehrer(in)** music teacher; **~stunde** *f* music lesson.
musisch *adv.*: ~ *interessiert* (*begabt*) fond of (gifted for) fine arts and music.
musizieren *v/i.* make* music.
Muskat *m*, **~nuß** ⚘ *f* nutmeg.
Muskel *m* muscle; **~kater** F *m* aching muscles *pl.*; **~zerrung** ⚕ *f* pulled muscle.
muskulös *adj.* muscular, brawny.
Muß *n* necessity; *es ist ein* ~ it is a must.
Muße *f* leisure; *Freizeit*: spare time.
müssen *v/i. u. v/aux.* must*, have* (got) to; *du mußt den Film sehen!* you must see the film!; *ich muß jetzt* (*meine*) *Hausaufgaben machen* I have (got) to do my homework now; *sie muß krank sein* she must be ill; *du mußt es nicht tun* you need not do it; ⚠ *nicht must not*; *das müßtest du* (*doch*) *wissen* you ought to know (that); *sie müßte zu Hause sein* she should (ought to) be (at) home; *das müßte schön sein!* that would be nice!; *du hättest ihm helfen* ~ you ought to have helped him.
müßig *adj. untätig*: idle; *unnütz*: useless.
Muster *n* pattern; *Probestück*: sample; *Vorbild*: model; ♀**gültig**, ♀**haft** *adj.* exemplary; *sich* ~ *benehmen* behave perfectly; **~haus** *arch. n* showhouse; ♀**n** *v/t. neugierig*: eye *s.o.*; *abschätzend*: size *s.o.* up; ⚔ *gemustert werden* F have* one's medical; **~ung** ⚔ *f* medical (examination for military service).
Mut *m* courage; ~ *machen* encourage *s.o.*; *den* ~ *verlieren* lose* courage; ♀**ig** *adj.* courageous, brave; ♀**los** *adj.* discouraged; ♀**maßen** *v/t.* speculate; ♀**maßlich** *adj.* presumed; **~maßung** *f*: *bloße* ~*en* mere guesswork; **~probe** *f* test of courage.
Mutter *f* mother; ⊕ *Schrauben*♀: nut; **~boden** ✓ *m*, **~erde** ✓ *f* topsoil.
mütterlich *adj.* motherly; **~erseits** *adv.*: *Onkel etc.* ~ maternal uncle *etc.*
Mutter|liebe *f* motherly love; ♀**los** *adj.* motherless; **~mal** *n* birthmark, mole; **~milch** *f* mother's milk; **~schaftsurlaub** *m* maternity leave; **~schutz** ⚖ *m* legal protection of expectant and nursing mothers; **~söhnchen** *contp. n* sissy; **~sprache** *f* mother tongue; **~tag** *m* Mother's Day.
Mutti F *f* mum(my), *bsd. Am.* mom(my).
mutwillig *adj.* wanton.
Mütze *f* cap.
mysteriös *adj.* mysterious.
mystisch *adj.* mystic(al).
myth|isch *adj.* mythical; ♀**ologie** *f* mythology; ♀**os**, ♀**us** *m* myth.

N

na *int.* well; ~ *und?* so what?; ~ *gut!* all right then; ~ *ja* (oh) well; ~, (~)*!* come on!, come now!; ~ *so (et)was! bsd. Brt.* I say!, *bsd. Am.* what do you know!; ~, *dann nicht!* oh, forget it!; ~ *also!* there you are!; ~, *warte!* just you wait!
Nabe *f* hub.
Nabel *anat. m* navel.
nach *prp. u. adv. örtlich*: to, toward(s), for; *hinter*: after; *zeitlich*: after, past; *gemäß*: according to, by; ~ *Hause* home; *abfahren* ~ leave* for; ~ *rechts (Süden)* to the right (south); ~ *oben* up(stairs); ~ *unten* down(stairs); ~ *vorn (hinten)* to the front (back); *(immer) der Reihe* ~ one after the other; *s-e Uhr* ~ *dem Radio stellen* set* one's watch by the radio; ~ *m-r Uhr* by my watch; *suchen (fragen)* ~ look (ask) for; ~ *Gewicht (Zeit)* by weight (the hour); *riechen (schmecken)* ~ smell (taste) of; ~ *und* ~ gradually; ~ *wie vor* as before, still.
nachäffen *v/t. j-n u. et.*: ape.
nachahm|en *v/t.* imitate, copy; *parodieren*: take* off; *fälschen*: counterfeit; **2ung** *f* imitation; counterfeit.
Nachbar|(in) neighbo(u)r; **~schaft** *f* neighbo(u)rhood, vicinity.
Nachbau ⊕ *m* reproduction; **2en** *v/t.* copy, reproduce.
Nachbildung *f* copy, imitation; *genaue*: replica; *Attrappe*: dummy.
nachblicken *v/i.* look after.
nachdem *cj.* after, when; *je* ~ *wie* depending on how.
nachdenk|en *v/i.* think*; ~ *über* think* about, think* *s.th.* over; **2en** *n* thinking, thought; *Zeit zum* ~ time to think (about s.th.); **~lich** *adj.* thoughtful; *es macht e-n* ~ it makes you think.
Nachdruck *m* emphasis, stress; *print.* reprint; **2en** *v/t.* reprint.
nachdrücklich *adj.* emphatic; *Forderung etc.*: forceful; ~ *raten (empfehlen)* advise (recommend) strongly.
nacheifern *v/i.* emulate.
nacheinander *adv.* one after the other, in (*abwechselnd*: by) turns.
nacherzähl|en *v/t.* retell*; **2ung** *f* reproduction, (story) retold.
Nachfolge *f* succession; *j-s* ~ *antreten* succeed s.o.; **2n** *v/i.* follow; *j-m*: succeed; **~r(in)** successor.
nachforsch|en *v/i.* investigate; **2ung** *f* investigation, inquiry.
Nachfrage *f* inquiry; *econ.* demand; **2n** *v/i.* inquire, ask.
nach|fühlen *v/t.*: *j-m et.* ~ understand* how s.o. feels; **~füllen** *v/t.* refill; **~geben** *v/i.* give* (way); *fig.* give* in; **2gebühr** 📯 *f* surcharge; **~gehen** *v/i.* follow (*a. fig.*); *Uhr*: be* slow; *e-m Vorfall etc.*: investigate; *s-r Arbeit* ~ go* about one's work; **2geschmack** *m* after-taste (*a. fig.*).
nachgiebig *adj.* yielding, soft (*beide a. fig.*); **2keit** *f* yieldingness, softness.
nachhaltig *adj.* lasting, enduring.
nachher *adv.* afterwards; *bis* ~*!* see you later!, so long!
Nachhilfe *f* help, assistance; **~stunden** *pl.*, **~unterricht** *m* private lesson(s *pl.*), coaching.
nachholen *v/t.* make* up for, catch* up on.
Nachkomme *m* descendant; ~*n pl. bsd.* ⚖ issue *sg.*; **2n** *v/i.* follow, come* later; *e-m Wunsch etc.*: comply with.
Nachkriegs... *in Zssgn* post-war ...
Nachlaß *m econ.* reduction, discount; ⚖ estate.
nachlassen *v/i.* decrease, diminish, go* down; *Schmerz, Wirkung etc.*: wear* off; *Schüler etc.*: slacken one's effort; *leistungsmäßig*: go* off.
nachlässig *adj.* careless, negligent.
nach|laufen *v/i.* run* after; **~lesen** *v/t.* look up; **~machen** *v/t.* imitate, copy; *fälschen*: counterfeit, forge.
Nachmittag *m* afternoon; *heute* ~ this afternoon; **2s** *adv.* in the afternoon.
Nach|nahme *f* cash on delivery; *per* ~ *schicken* send* C.O.D.; **~name** *m* surname, last (*Am. a.* family) name; **~porto** 📯 *n* surcharge.
nach|prüfen *v/t.* check (up), make* sure (of); **~rechnen** *v/t.* check.
Nachrede *f*: *üble* ~ *mündlich*: slander, *schriftlich*: libel.
Nachricht *f* news *sg.*; *Botschaft*: message; *Bericht*: report; *Mitteilung*: information, notice; *e-e gute*

(*schlechte*) ~ good (bad) news *sg.*; **~en** *pl.* news *sg.*, news report *sg.*, newscast *sg.*; *Sie hören* ~ here is the news; **~endienst** *m* news service; ⚔ intelligence service; **~ensatellit** *m* communications satellite; **~ensprecher(in)** newscaster; **~entechnik** *f* telecommunications *pl.*

Nach|ruf *m* obituary (notice); **2rüsten** *pol.* ⚔ *v/i.* close the armament gap; **2sagen** *v/t.*: *j-m Schlechtes* ~ speak* badly of s.o.; *man sagt ihm nach, daß er* he is said to *inf.*; **~saison** *f* off(-peak)-season; *in der* ~ out of season.

nachschlage|n 1. *v/t.* look up; **2.** *v/i.*: ~ *in* consult; **2werk** *n* reference (book).

Nach|schlüssel *m* duplicate (key); *Dietrich*: skeleton key; **~schrift** *f* postcript; *Diktat*: dictation; **~schub** *bsd.* ⚔ *m* supplies *pl.*

nach|sehen 1. *v/i.* follow with one's eyes; (have* a) look; ~ *ob* (go* and) see* whether; **2.** *v/t.* look *od.* go* over *od.* through; *Hefte*: *a.* correct, mark; *prüfen*: check (*a.* ⊕); **~senden** *v/t.* send* on, forward; *bitte* ~! ✉ please forward!

Nach|silbe *gr. f* suffix; **2sitzen** *v/i.* stay in (after school), be* kept in; ~ *lassen* keep* in, detain; **~spiel** *fig. n* sequel (⚖ in court), consequences *pl.*; **2spielen** *v/i. Sport*: play extra time; ~ *lassen* allow extra time; **2spionieren** *v/i.* spy (up)on; **2sprechen** *v/t.*: *j-m et.* ~ say* *od.* repeat s.th. after s.o.

nächst|beste *adj. beliebige*: first; *qualitativ*: next-best, second-best; **~e** *adj. in der Reihenfolge, zeitlich*: next; *nächstliegend*: nearest (*a. Angehörige*); *in den ~n Tagen* (*Jahren*) in the next few days (years); *in ~r Zeit* in the near future; *was kommt als ~s?* what comes next?; *der* ~ *bitte!* next please!

nachstehen *v/i.*: *j-m in nichts* ~ be* in no way inferior to s.o.

nachstell|en 1. *v/t. Uhr*: put* back; ⊕ (re)adjust; **2.** *v/i.*: *j-m* ~ be* after s.o.; **2ung** *fig. f* persecution.

Nächstenliebe *f* charity.

Nacht *f* night; *Tag und* ~ night and day; *die ganze* ~ all night (long); *heute* 2 *letzte*: last night; *kommende*: tonight; **~dienst** *m* night duty.

Nachteil *m* disadvantage, drawback; *im* ~ *sein* be* handicapped (*a. Sport*); **2ig** *adj.* disadvantageous.

Nacht|essen *n Schweiz*: *s. Abendbrot*; **~falter** *zo. m* moth; **~hemd** *n* night-dress, *bsd. Am.* night-gown, F nightie; *Männer*2: night-shirt.

Nachtigall *zo. f* nightingale.

Nachtisch *m* dessert; sweet.

nächtlich *adj. all~*: nightly; *Straßen etc.*: at *od.* by night.

Nachtlokal *n* night-club.

Nachtrag *m* supplement; **2en** *fig. v/t.*: *j-m et.* ~ bear* s.o. a grudge; **2end** *adj.* unforgiving.

nachträglich *adj. zusätzlich*: additional; *später*: later; *Wünsche etc.*: belated.

nachts *adv.* at *od.* by night.

Nacht|schicht *f* night-shift; **2schlafend** *adj.*: *zu ~er Zeit* in the middle of the night; **~tisch** *m* bedside table; **~topf** *m* chamber-pot; **~wächter** *m* (night-)watchman; **~wandler** *m* sleep-walker.

nach|wachsen *v/i.* grow* again; **2wahl** *parl. f* by-election; *Am.* special election.

Nachweis *m* proof, evidence; **2bar** *adj.* demonstrable; *bsd.* ⚗ *etc.* detectable; **2en** *v/t.* prove; *bsd.* ⚗ *etc.* detect; **2lich** *adv.* as can be proved.

Nach|welt *f* posterity; **~wirkung** *f* after-effect; *~en pl. a.* aftermath *sg.*; **~wort** *n* epilog(ue); **~wuchs** *m Beruf, Sport etc.*: young talent, F new blood; **~wuchs...** *in Zssgn Autor, Schauspieler etc.*: talented *od.* promising young ..., up-and-coming ...

nach|zahlen *v/t.* pay* extra; **~zählen** *v/t.* count over (again), check; **2zahlung** *f* additional *od.* extra payment.

Nachzügler *m* straggler, latecomer.

Nacken *m* (back *od.* nape of the) neck; **~stütze** *f* head-rest.

nackt *adj.* naked; *bsd. paint., phot.* nude; *bloß*: bare (*a. Wand etc.*); *Wahrheit*: plain; *völlig* ~ stark naked; *sich* ~ *ausziehen* strip; ~ *baden* swim* in the nude; *j-n* ~ *malen* paint s.o. in the nude.

Nadel *f* needle; *Steck*2, *Haar*2 *etc.*: pin; *Brosche*: brooch; **~baum** ⚘ *m* conifer(ous tree); **~öhr** *n* eye of a needle; **~stich** *m* (*fig.* pin-)prick; *Nähen*: stitch; **~streifen** *m* pinstripe.

Nagel *m anat.*, ⊕ nail; *an den Nägeln*

N O

kauen bite* one's nails; **~lack** *m* nail varnish *od.* polish; **2n** *v/t.* nail (*an, auf* to); **2neu** F *adj.* brand-new; **~pflege** *f* manicure.
nage|n 1. *v/i.* gnaw (*an* at); *an e-m Knochen ~* pick a bone; **2.** *v/t.* gnaw; **2tier** *zo. n* rodent.
nah *adj.* near, close (*bei* to); *~ gelegen*: nearby.
Nahaufnahme *f* close-up.
Nähe *f* nearness; *Umgebung*: neighbo(u)rhood, vicinity; *in der ~ des Bahnhofs etc.* near the station *etc.*; *ganz in der ~* quite near, close by; *in deiner ~* near you.
nahe|gehen *v/i.* affect deeply; **~kommen** *v/i.* come* close to; **~legen** *v/t.* suggest; **~liegen** *v/i.* seem likely; *stärker*: be* obvious; **~liegend** *adj.* likely; obvious.
nahen *v/i.* approach.
nähen *v/t. u. v/i.* sew*; *Kleid*: make*.
Näheres *n* details *pl.*, particulars *pl.*
nähern *v/refl.* approach, get* near(er) *od.* close(r) (*dat.* to).
nahezu *adv.* nearly, almost.
Nähgarn *n* (sewing-)cotton.
Nahkampf ⚔ *m* close combat.
Näh|maschine *f* sewing-machine; **~nadel** *f* (sewing-)needle.
nähren *v/t.* nourish (*a. fig.*), feed*; *Kind*: nurse, (breast-)feed*.
nahrhaft *adj.* nutritious, nourishing.
Nährstoff *m* nutrient.
Nahrung *f* food, nourishment; *Futter*: feed; *Kost*: diet; **~smittel** *pl.* food *sg.* (*a. in Zssgn Chemie etc.*), foodstuffs *pl.*
Nährwert *m* nutritional value.
Naht *f* seam; ⚕ suture.
Nahverkehr *m* local traffic; **~szug** *m* local *od.* commuter train.
Nähzeug *n* sewing-kit.
naiv *adj.* naive; **2ität** *f* naivety.
Name *m* name; *im ~n* on behalf of; (*nur*) *dem ~n nach* by name (only).
namen|los *adj.* nameless (*a. fig.*); *fig. a.* unspeakable; **~s** *adv.* by (the) name of, named, called.
Namens|tag *m* name-day; **~vetter** *m* namesake; **~zug** *m* signature.
namentlich *adj. u. adv.* by name.
nämlich *adv. das heißt*: that is (to say), namely; *begründend*: you see *od.* know, for.
Napf *m* bowl, basin.
Narb|e *f* scar; **2ig** *adj.* scarred.
Narkose ⚕ *f* an(a)esthesia; *in ~* under an an(a)esthetic.
Narr *m* fool; *zum ~en halten* fool.
narrensicher *adj.* foolproof.
närrisch *adj.* foolish; *~ vor* mad with.
Narzisse ⚘ *f gelbe*: daffodil.
nasal *adj.* nasal.
nasch|en 1. *v/i.* nibble (*an* at); *gern ~* have* a sweet tooth; **2.** *v/t.* nibble; **2ereien** *pl.* dainties *pl.*, goodies *pl.*, sweets *pl.*; **~haft** *adj.* sweet-toothed.
Nase *f* nose (*a. fig.*); *sich die ~ putzen* blow* one's nose; *in der ~ bohren* pick one's nose; *die ~ voll haben* (*von*) be* fed up (with).
Nasen|bluten *n* nosebleed; **~loch** *n* nostril; **~spitze** *f* tip of the nose.
Nashorn *zo. n* rhinoceros, F rhino.
naß *adj.* wet; *triefend ~* soaking (wet).
Nässe *f* wet(ness); **2n 1.** *v/t.* wet; **2.** ⚕ *v/i.* discharge.
naßkalt *adj.* damp and cold, raw.
Nation *f* nation.
national *adj.* national; **2hymne** *f* national anthem; **2ismus** *m* nationalism; **2ität** *f* nationality; **2mannschaft** *f* national team; **2sozialismus** *m* National Socialism, *contp.* Nazism; **2sozialist** *m*, **~sozialistisch** *adj.* National Socialist, Nazi.
Natter *f zo.* adder, viper (*a. fig.*).
Natur *f* nature; *von ~ (aus)* by nature.
Naturalismus *m* naturalism.
Natur|ereignis *n*, **~erscheinung** *f* natural phenomenon; **~forscher** *m* naturalist; **~geschichte** *f* natural history; **~gesetz** *n* law of nature; **2getreu** *adj.* true to life; lifelike; **~katastrophe** *f* (natural) catastrophe *od.* disaster, act of God.
natürlich 1. *adj.* natural; **2.** *adv.* naturally, of course.
Natur|schutz *m* nature conservation; *unter ~* protected; **~schützer** *m* conservationist; **~schutzgebiet** *n* nature *od.* wildlife reserve; *großes*: national park; **~volk** *n* primitive race; **~wissenschaft** *f* (natural) science.
Nebel *m* mist; *stärker*: fog; *Dunst*: haze; ⚔ smoke; **~horn** *n* fog-horn; **~leuchte** *mot. f* (*hinten*: rear) fog-lamp.
neben *prp.* beside, *direkt ~*: next to; *außer*: besides, apart from; *verglichen mit*: compared with; *~ anderem* among other things; *setz dich ~ mich* sit by me *od.* by my side.

neben|an *adv.* next door; **≈bedeutung** *f* secondary meaning, connotation; **~bei** *adv.* in addition, at the same time; ~ (*gesagt*) by the way; **≈beruf** *m* second job, sideline; **~beruflich** *adv.* as a sideline; **≈buhler(in)** rival; **~einander** *adv.* side by side; next (*wohnen*: door) to each other; ~ *bestehen* coexist; **≈einkünfte, ≈einnahmen** *pl.* extra money *sg.*; **≈fach** *n* subsidiary subject, *Am.* minor (subject); **≈fluß** *m* branch, tributary; **≈gebäude** *n* next-door *od.* adjoining building; *Anbau*: annex(e); **≈haus** *n* house next door; **≈kosten** *pl.* extras *pl.*; **≈mann** *m* neighbo(u)r; **≈produkt** *n* by-product; **≈rolle** *thea. f* supporting role, minor part (*a. fig.*); **≈sache** *f* minor matter; *das ist* ~ that's of little *od.* no importance; **~sächlich** *adj.* unimportant; **≈satz** *gr. m* dependent *od.* subordinate clause; **≈stelle** *teleph. f* extension; **≈straße** *f* side-street; *Landstraße*: minor road; **≈strecke** 🚂 *f* branch line; **≈tisch** *m* next table; **≈verdienst** *m* extra earnings *pl.*; **≈wirkung** *f* side-effect; **≈zimmer** *n* adjoining room.

neblig *adj.* foggy; misty; hazy.

neck|en *v/t.* tease, F kid; **≈erei** *f* teasing, F kidding; **~isch** *adj.* saucy, cheeky.

Neffe *m* nephew.

negativ *adj.* negative.

Negativ *n* negative (*a. in Zssgn*).

Neger *m* Negro; **~...** *in Zssgn mst* black ...; *die* ~ *pl.* the Blacks *pl.*; **~in** *f* Negress, black woman *od.* girl.

nehmen *v/t.* take* (*a. sich* ~); *j-m et.* ~ take* s.th. (away) from s.o. (*a. fig.*); *et. zu sich* ~ have* s.th. to eat; *sich e-n Tag etc. frei* ~ take* a day *etc.* off; *an die Hand* ~ take* by the hand.

Neid *m* envy; *reiner* ~ sheer envy; **≈isch** *adj.* envious (*auf* of); *s. a. beneiden.*

Neige *f*: *zur* ~ *gehen* draw* to its close; *Vorräte etc.*: run* out; **≈n 1.** *v/t. u. refl.* bend*, incline; **2.** *v/i.*: *zu et.* ~ tend to (do) s.th.

Neigung *f* inclination (*a. fig.*), slope, incline; *fig. a.* tendency.

nein *adv.* no.

Nektar *m* nectar.

Nelke ⚘ *f* carnation, pink; *Gewürz≈*: clove.

nennen *v/t.* name, call; *erwähnen*: mention; *sich* ~ call o.s., be* called; *man nennt ihn* (*es*) he (it) is called; *das nenne ich ...!* that's what I call ...!; **~swert** *adj.* worth mentioning.

Nenn|er ⚹ *m* denominator; **~wert** *econ. m* nominal *od.* face value; *zum* ~ at par.

Neo..., neo... *in Zssgn Faschist etc.*: neo-...

Neon ⚗ *n* neon; **~röhre** *f* neon tube.

Nepp F *m* rip-off; **≈en** *v/t.* fleece, rip off; **~lokal** *n* clip-joint.

Nerv *m* nerve; *j-m auf die* ~*en fallen od. gehen* get* on s.o.'s nerves; *die* ~*en behalten* (*verlieren*) keep* (lose*) one's head; **≈en** F *v/t. u. v/i.* be* a pain in the neck (to *s.o.*).

Nerven|arzt *m* neurologist; **≈aufreibend** *adj.* nerve-racking; **~belastung** *f* nervous strain; **~heilanstalt** *f* mental hospital; **~kitzel** *m* thrill, F kick(s *pl.*); **≈krank** *adj.* mentally ill; **~säge** F *f* pain in the neck; **~system** *n* nervous system; **~zusammenbruch** *m* nervous breakdown, F crack-up.

nerv|ig *adj.* sinewy; **~ös** *adj.* nervous; **≈osität** *f* nervousness.

Nerz *zo. m* mink (*a. Mantel*).

Nessel ⚘ *f* nettle.

Nest *n* nest; F *fig.* little place; *contp.* dump.

nett *adj.* nice; *freundlich*: *a.* kind; *so* ~ *sein und et.* (*od. et. zu*) *tun* be* so kind as to do s.th.

netto *econ. adv.* net (*a. in Zssgn*).

Netz *n* net; *fig.* network (*a.* ⊕, *teleph.*); ⚡ mains *pl.*, power (*beide a. in Zssgn Kabel, Stecker etc.*); **~haut** *anat. f* retina; **~karte** 🚂 *f* area season ticket.

neu *adj* new; *frisch, erneut*: *a.* fresh; ~*zeitlich*: modern; ~*ere Sprachen* modern languages; ~*este Nachrichten* (*Mode*) latest news *sg.* (fashion); *von* ~*em* anew, afresh; *seit* ~(*st*)*em* since (only) recently; *viel* ≈*es* a lot of new things; *was gibt es* ≈*es?* what's the news?, what's new?

neu|artig *adj.* novel; **≈bau** *m* new building; **≈baugebiet** *n* new housing estate; **~erdings** *adv.* lately, recently; **≈erer** *m* innovator; **≈erung** *f* innovation; **≈gestaltung** *f* reorganization, reformation; **≈gier(de)** *f* curiosity; **~gierig** *adj.* curious (*auf* about); F *contp.* nos(e)y; *ich bin* ~, *ob* I wonder if; **≈gierige** *contp. pl.*

Brt. F nosy parkers *pl.*, *Am.* F rubbernecks *pl.*; **≈heit** *f* novelty; **≈igkeit** *f* (piece of) news; **≈jahr** *n* New Year('s Day); *Prost ~!* Happy New Year!; **~lich** *adv.* the other day; **≈ling** *m* newcomer, F *bsd. contp.* greenhorn; **~modisch** *contp. adj.* newfangled; **≈mond** *m* new moon.

neun *adj.* nine; **~te** *adj.* ninth; **≈tel** *n* ninth (part); **~tens** *adv.* ninthly; **~zehn** *adj.* nineteen; **~zehnte** *adj.* nineteenth; **~zig** *adj.* ninety; **~zigste** *adj.* ninetieth.

neusprachlich *adj.* modern-language.

neutr|al *adj.* neutral; **≈alität** *f* neutrality; **≈on** *phys. n*, **≈onen...** *in Zssgn Bombe etc.*: neutron (...); **≈um** *gr. n* neuter.

Neu|verfilmung *f* remake; **≈wertig** *adj.* as good as new; **~zeit** *f* modern times *pl.*

nicht *adv.* not; *überhaupt ~* not at all; *~ (ein)mal, gar ~ erst* not even; *~ mehr* not any more *od.* longer; *sie ist nett (wohnt hier), ~ (wahr)?* she's nice (lives here), isn't (doesn't) she?; *~ so ... wie* not as ... as; *noch ~* not yet; *~ besser etc. (als)* no (*od.* not any) better *etc.* (than); *ich (auch) ~* I don't *od.* I'm not (either); *(bitte) ~!* (please) don't!

Nicht|... *in Zssgn Mitglied, Raucher, Schwimmer etc.*: *mst* non-...; **~beachtung** *f* disregard; *Vorschrift etc.*: *a.* non-observance.

Nichte *f* niece.

nichtig *adj.* trivial; ⚖ void, invalid.

nichts *indef. pron.* nothing, not anything; *~ (anderes) als* nothing but; *gar ~* nothing at all; F: *das ist ~* that's no good.

Nichts *n* nothing(ness); *aus dem ~ erscheinen*: from nowhere; *aufbauen*: from nothing.

nichts|destoweniger *adv.* nevertheless; **≈könner** *m* bungler, F botcher; **~nutzig** *adj.* good-for-nothing, worthless; **~sagend** *adj.* meaningless; **≈tuer** *m* do-nothing, F bum.

nicken *v/i.* nod (one's head).

nie *adv.* never, at no time; *fast ~* hardly ever; *~ und nimmer* never ever.

nieder 1. *adj.* low; **2.** *adv.* down.

Nieder|gang *m* decline; **≈geschlagen** *adj.* depressed, (feeling) down; **~kunft** *f* confinement; **~lage** *f* defeat, F beating; **≈lassen** *v/refl.* settle (down); *econ.* set* up (*als* as); **~lassung** *f* establishment; *Filiale*: branch; **≈legen** *v/t.* lay* down (*a. Waffen, Amt etc.*); *die Arbeit ~* (go* on) strike, down tools, F walk out; *sich ~* lie* down; go* to bed; **≈metzeln** *v/t.* massacre, butcher; **~schlag** *m meteor.* rain(fall) (*nur sg.*); *radioaktiver*: fallout; ⚗ precipitate; *Boxen*: knock-down; **≈schlagen** *v/t.* knock down; *Augen*: cast* down; *Aufstand*: put* down; ⚖ *Verfahren*: quash; *sich ~* ⚗ precipitate; **≈schmettern** *fig. v/t.* shatter, crush; **≈trächtig** *adj.* base, mean; **~ung** *f* lowland(s *pl.*).

niedlich *adj.* pretty, sweet, cute.

niedrig *adj.* low (*a. fig.*); *Strafe*: light; *~ stehen (fliegen)* be* (fly*) low.

niemals *adv. s. nie.*

niemand *indef. pron.* nobody, no one, not anybody; *~ von ihnen* none of them; **≈sland** *n* no-man's-land.

Niere *f* kidney.

nies|eln *v/i.* drizzle; **~en** *v/i.* sneeze; **≈pulver** *n* sneezing powder.

Niet ⊕ *m* rivet; **~e** *f Los*: blank; *fig.* failure; **≈en** ⊕ *v/t.* rivet.

Nikolaustag *m* St. Nicholas' Day.

Nikotin ⚗ *n* nicotine.

Nilpferd *zo. n* hippopotamus, F hippo.

Nippel *m* nipple.

nippen *v/i.* sip (*an* at).

nirgends *adv.* nowhere.

Nische *f* niche, recess.

nist|en *v/i.* nest; **≈platz** *m* nesting place.

Niveau *n* level; *fig. a.* standard.

Nixe *f* water-nymph, mermaid.

noch *adv.* still; *~ nicht(s)* not(hing) yet; *~ nie* never before; *er hat nur ~ 10 Mark (Minuten)* he has only 10 marks (minutes) left; *(sonst) ~ et.?* anything else?; *ich möchte ~ et. (Tee)* I'd like some more (tea); *~ ein(er)* one more, another; *~ (ein-) mal* once more *od.* again; *~ zwei Stunden* another two hours, two hours to go; *~ besser (schlimmer)* even better (worse); *~ gestern* only yesterday; *und wenn es (auch) ~ so ... ist* however (*od.* no matter how) ... it may be; **~malig** *adj.* (re)new(ed); **~mals** *adv.* once more *od.* again.

Nockerl *östr. n* small dumpling.

Nomade *m* nomad.
Nominativ *gr. m* nominative (case).
nominieren *v/t.* nominate.
Nonne *f* nun; **~nkloster** *n* convent.
Nord *geogr.*, **~en** *m* north; *nach ~* north(wards); **2isch** *adj.* northern; *~e Kombination* Nordic Combined.
nördlich *adj.* north(ern); *Kurs, Wind*: northerly; *~ von* north of.
Nord|licht *n* northern lights *pl.*; **~ost(en** *m***)** north-east; **~pol** *m* North Pole; **~west(en** *m***)** north-west.
nörg|eln *v/i.* nag (*an* at), carp (at); **2ler(in)** nagger, carper, faultfinder.
Norm *f* standard, norm.
normal *adj.* normal; F: *nicht ganz ~* not quite right in the head.
Normal|... *bsd.* ⊕ *in Zssgn Maß, Zeit etc.*: standard ...; **~benzin** *mot. n* regular (grade) petrol (*Am.* gas), *Brt. mst* two-star; **2erweise** *adv.* normally, usually; **2isieren** *v/refl.* return to normal.
normen *v/t.* standardize.
Not *f allg.* need; *Mangel*: *a.* want; *Armut*: poverty; *Elend, Leid*: hardship, misery; *Bedrängnis*: difficulty, trouble, problem; *~fall*: emergency; *bsd. seelische*: distress; *in ~ sein* be* in need *od.* distress; *die ~ der Armen lindern* help the poor and needy, relieve distress among the poor; *zur ~* if need be, if necessary.
Notar *m* notary (public).
Not|ausgang *m* emergency exit; **~behelf** *m* makeshift, expedient; **~bremse** *f* emergency brake; **~dienst** *m* emergency duty; **~durft** *f*: *s-e ~ verrichten* relieve o.s.; **2dürftig** *adj.* scanty; *behelfsmäßig*: temporary.
Note *f* note (*a.* ♪ *u. pol.*); *Bank2*: (bank)note, *bsd. Am.* bill; *Schule*: mark, *bsd. Am.* grade; *~n pl.* ♪ (sheet) music *sg.*; *~n lesen* read* music.
Noten|durchschnitt *m* average; **~ständer** *m* music stand.
Not|fall *m* emergency; **2falls** *adv.* if necessary; **2gedrungen** *adv.*: *et. ~ tun* be* forced to do s.th.
notieren *v/t.* make* a note of, note (down); *econ.* quote.
nötig *adj.* necessary; *~ haben* need; *~ brauchen* need badly; *das 2ste* the (bare) necessities *pl. od.* essentials *pl.*; **~en** *v/t.* force, compel; *drängen*: press, urge; **~enfalls** *adv.* if necessary; **2ung** *f* coercion; ⚖ intimidation.
Notiz *f* note, memo; *~ nehmen von* take* notice of, pay* attention to; *keine ~ nehmen von a.* ignore; *sich ~en machen* take* notes; **~block** *m* (memo) pad; **~buch** *n* notebook.
Not|lage *f* distress; *finanzielle*: difficulties *pl.*; *plötzlicher Notfall*: emergency; **2landen** ✈ *v/i.* make* an emergency landing; **~landung** ✈ *f* emergency landing; **2leidend** *adj.* needy, destitute; **~lösung** *f* expedient; **~lüge** *f* white lie.
notorisch *adj.* notorious.
Not|ruf *teleph. m* emergency call; **~rufsäule** *f* emergency phone; **~signal** *n* emergency *od.* distress signal; **~stand** *pol. m* state of (national) emergency; **~standsgebiet** *n econ.* depressed area; *bei Katastrophen*: disaster area; **~standsgesetze** *pl.* emergency laws *pl.*; **~verband** *m* first-aid dressing; **~wehr** *f* self-defen|ce, *Am.* -se; **2wendig** *adj.* necessary; **~wendigkeit** *f* necessity; **~zucht** *f* rape.
Novelle *f* novella; *parl.* amendment.
November *m* November.
Nu *m*: *im ~* in no time.
Nuance *f* shade.
nüchtern *adj.* sober (*a. fig.*); *sachlich*: matter-of-fact; *auf ~en Magen* on an empty stomach; *~ werden* (*machen*) sober up; **2heit** *f* sobriety.
Nudel *f* noodle; **2n** *v/t.* cram (*a. fig.*).
nuklear *adj.* nuclear; *Zssgn s. Atom...*
null *adj.* zero, nought, *teleph.* O (*Aussprache*: əʊ); *Sport*: nil, nothing; *Tennis*: love; *~ Grad* zero degrees; *~ Fehler* no mistakes; *gleich 2 sein Chancen etc.*: be* nil; **2diät** *f*: *auf ~ sein* go* without food, fast; **2punkt** *m* zero (point *od. fig.* level); **~tarif** *m* free fare(s *pl.*); *zum ~* free (of charge).
nume|rieren *v/t.* number; **2rus clausus** *univ. m* restricted admission(s *pl.*).
Nummer *f* number; *Zeitung etc.*: *a.* issue; *Größe*: size; **~nschild** *mot. n* number (*Am.* license) plate.
nun *adv.* now; *also, na*: well; *s. jetzt, na.*
nur *adv.* only, just; *bloß*: merely; *nichts als*: nothing but; *er tut ~ so* he's just pretending; *~ so* (*zum Spaß*) just for fun; *warte ~!* just you wait!; *mach ~!*, *~ zu!* go ahead!; *~ für Erwachsene* (for) adults only; *wenn ich ~ reich wäre!* if only I were rich!;

soviel du ~ kannst as much as you possibly can.

Nuß *f* nut; **~baum** *m Möbel*: walnut; **~knacker** *m* nutcracker; **~schale** *f* nutshell.

Nüstern *pl.* nostrils *pl.*

Nutte V *f* whore, *Am. sl.* hooker, hustler.

Nutz|anwendung *f* practical application; **2bar** *adj.* usable, ✓ *a.* cultivable; *~ machen* utilize, harness; *bsd. Bodenschätze*: exploit; **2bringend** *adj.* profitable, useful.

nütze *adj.* useful; *zu nichts ~ sein* be* (of) no use; *bsd. Person*: *a.* be* good for nothing.

Nutzen *m* use; *Gewinn*: profit, gain; *Vorteil*: advantage; *~ ziehen aus* benefit *od.* profit from *od.* by; *zum ~ von* for the benefit of.

nutzen, nützen 1. *v/i.*: *zu et. ~* be* of use *od.* useful for s.th.; *j-m ~* be* of use to s.o.; *es nützt nichts (es zu tun)* it's no use (doing it); **2.** *v/t.* use, make* use of, take* advantage of.

nützlich *adj.* useful, helpful, of use; F handy; *vorteilhaft*: advantageous; *sich ~ machen* make* o.s. useful, be* handy.

nutzlos *adj.* useless, (of) no use.

Nutzung *f* use (*a. Be2*), utilization.

Nylon *n* nylon; **~strümpfe** *pl.* nylons *pl.*, nylon stockings *pl.*

Nymphe *f* nymph.

O

o *int.* oh!; *~ weh!* oh dear!

Oase *f* oasis (*a. fig.*).

ob *cj.* whether, if; *als ~* as if, as though; *und ~!* and how!, you bet!

Obacht *f*: *~ geben auf* pay* attention to; *(gib) ~!* look *od.* watch out!

Obdach *n* shelter, lodging; **2los** *adj.* homeless, without shelter; **~lose** *m, f* homeless person; **~losenasyl** *n* hostel for the homeless.

Obdu|ktion ⚕ *f* autopsy; **2zieren** ⚕ *v/t.* perform an autopsy on.

oben *adv.* above; *in der Höhe*: up; *~auf*: on (the) top; *an Gegenstand*: at the top (*a. fig. Stellung*); *an der Oberfläche*: on the surface; *im Haus*: upstairs; *da ~* up there; *von ~ bis unten* from top to bottom (*Person*: toe); *links ~* left above; *siehe ~* see above; F *~ ohne* topless; *von ~ herab fig.* patronizing(ly), condescending(ly); **~an** *adv.* at the top; **~auf** *adv.* on the top; *auf der Oberfläche*: on the surface; F *fig.* feeling great; **~drein** *adv.* besides, *nachgestellt*: into the bargain, at that; **~erwähnt, ~genannt** *adj.* above-mentioned; **~hin** *adv.* superficially.

Ober *m* (head) waiter; **~arm** *m* upper arm; **~arzt** *m*, **~ärztin** *f* assistant medical director; **~befehl** ⚔ *m* supreme command; **~begriff** *n* generic term; **~bürgermeister** *m* (*Brt.* Lord) Mayor.

ober|e *adj.* upper, top; *fig. a.* superior; **2fläche** *f* surface (*a. fig.*) (*an* on); **~flächlich** *adj.* superficial; **~halb** *prp.* above; **2hand** *fig. f*: *die ~ gewinnen (über)* get* the upper hand (of); **2haupt** *n* head, chief; **2haus** *Brt. parl. n* House of Lords; **2hemd** *n* shirt; **2herrschaft** *f* supremacy.

Oberin *f eccl.* Mother Superior; *im Krankenhaus*: matron.

ober|irdisch *adj.* overground, above ground; ⚡ overhead; **2kellner** *m* head waiter; **2kiefer** *m* upper jaw; **2körper** *m* upper part of the body; *den ~ freimachen* strip to the waist; **2leder** *n* upper; **2leitung** *f* chief management; ⚡ overhead wires *pl.*; **2lippe** *f* upper lip.

Obers *östr. n* cream.

Ober|schenkel *m* thigh; **~schule** *f* grammar school, *Am. appr.* highschool.

Oberst ⚔ *m* colonel.

oberste *adj.* up(per)most, top(most); *höchste*: *a.* highest; *wichtigste*: chief, first.

Ober|stufe *f Brt. appr.* Sixth Form, *Am. appr.* senior highschool; **~teil** *n, m* top.

N O

obgleich *cj.* (al)though.
Obhut *f* care, charge; *in s-e ~ nehmen* take* care *od.* charge of.
obig *adj.* above(-mentioned).
Objekt *n* object (*a. gr.*); *arch.* project.
objektiv *adj.* objective; *unparteiisch*: *a.* impartial, unbias(s)ed.
Objektiv *phot. n* (object) lens.
Objektivität *f* objectivity; impartiality.
Oblate *f* wafer; *eccl.* host.
obligatorisch *adj.* compulsory.
Obo|e ♪ *f* oboe; **~ist(in)** oboist.
Obrigkeit *f* authorities *pl.*; government.
Observatorium *ast. n* observatory.
Obst *n* fruit; **~garten** *m* orchard; **~laden** *m bsd. Brt.* fruiterer's (shop), *Am.* fruit store; **~torte** *f* fruit flan (*Am.* pie).
obszön *adj.* obscene, filthy.
obwohl *cj.* (al)though.
Occasion *f Schweiz*: bargain, good buy.
Ochse *m zo.* ox; *fig.* blockhead; **~nschwanzsuppe** *f* oxtail soup.
öde *adj.* deserted, desolate; *unbebaut*: waste; *fig.* dull, dreary, tedious.
oder *cj.* or; *~ aber sonst*: or else, otherwise; *~ vielmehr* or rather; *~ so* or so; *er kommt doch, ~?* he's coming, isn't he?; *du kennst ihn ja nicht, ~ doch?* you don't know him, or do you?
Ofen *m* stove; *Back*2: oven; ⊕ furnace; **~heizung** *f* stove heating; **~rohr** *n* stove-pipe.
offen 1. *adj.* open (*a. fig.*); *Stelle*: *a.* vacant; *ehrlich*: *a.* frank; **2.** *adv.*: *~ gesagt* frankly (speaking); *~ s-e Meinung sagen* speak* one's mind (freely).
offenbar *adj.* obvious, evident; *anscheinend*: apparent; **~en** *v/t.* reveal, disclose, show*; **2ung** *f* revelation (*a.* F *fig. u. eccl.*).
Offenheit *fig. f* openness, frankness.
offen|herzig *adj.* open-hearted, frank, candid; *Kleid etc.*: revealing; **~sichtlich** *adj. s. offenbar.*
offensiv *adj.*, **2e** *f* offensive.
offenstehen *v/i.* stand* *od.* be* (*a. fig.*) open (*j-m* to s.o.); *Rechnung*: be* unpaid; *es steht Ihnen offen zu* you are free to.
öffentlich *adj.* public; *~e Verkehrsmittel pl.* public transport *sg.*; *~e Schulen pl.* state (*Am.* public) schools *pl.*; *~ auftreten* appear in public; **2keit** *f the* public; *in aller ~* in public, openly; *an die ~ bringen* make* public.
offiziell *adj.* official.
Offizier *m* (commissioned) officer.
öffn|en *v/t. u. v/refl.* open; **2er** *m* opener; **2ung** *f* opening; **2ungszeiten** *pl.* business *od.* office hours *pl.*
oft *adv.* often, frequently.
oh *int.* o(h)!
ohne *prp. u. cj.* without; *~ mich!* count me out!; *~ ein Wort (zu sagen)* without (saying) a word; **~gleichen** *adv.* unequal(l)ed, unparalleled; **~hin** *adv.* anyhow, anyway.
Ohn|macht *f* unconsciousness; *Hilflosigkeit*: helplessness; *in ~ fallen* faint, F pass out; **2mächtig** *adj.* unconscious; helpless; *~ werden* faint, F pass out.
Ohr *n* ear; F *j-n übers ~ hauen* cheat s.o.; *bis über die ~en verliebt (verschuldet)* head over heels in love (debt).
Öhr *n* eye.
Ohren|arzt *m* ear specialist; **2betäubend** *adj.* deafening; **~leiden** *n* ear trouble; **~schmerzen** *pl.* earache *sg.*; **~schützer** *pl.* ear-muffs *pl.*; **~zeuge** *m* earwitness.
Ohr|feige *f* slap in the face (*a. fig.*); **2feigen** *v/t.*: *j-n ~* slap s.o.'s face; **~läppchen** *n* ear lobe; **~ring** *m* earring.
oje *int.* oh dear!, dear me!
Öko|loge *m* ecologist; **~logie** *f* ecology; **2logisch** *adj.* ecological; **~nomie** *f Sparsamkeit*: economy; *econ.* economics *pl.*; **2nomisch** *adj. sparsam*: economical; *econ.* economic.
Oktave ♪ *f* octave.
Oktober *m* October.
ökumenisch *eccl. adj.* ecumenical.
Öl *n* oil; *Erd*2: *a.* petroleum; *nach ~ suchen (bohren)* search (drill) for oil; *auf ~ stoßen* strike* oil; **~baum** ⚘ *m* olive (tree).
Oldtimer *mot. m* veteran car.
ölen *v/t.* oil; ⊕ *a.* lubricate.
Öl|farbe *f* oil-colour(s *pl.*), oil-paint; **~förderung** *f* oil production; **~gemälde** *n* oil-painting; **~heizung** *f* oil heating; **2ig** *adj.* oily, greasy (*beide a. fig.*).
oliv *adj.*, **2e** ⚘ *f* olive.
Öl|leitung *f* (oil) pipeline; **~malerei**

⚠ *„ö" wurde nicht in „oe" aufgelöst, sondern wie „o" behandelt.*

f oil-painting; **~quelle** *f* oil-spring, gusher, *mit Pumpen*: oil-well; **~schiefer** *geol. m* oil-shale; **~teppich** *m* oil-slick; **~stand** *m* oil level; **~ung** *f* oiling; ⊕ *a.* lubrication; *Letzte* ~ *eccl.* extreme unction; **~verschmutzung** *f* oil pollution; **~vorkommen** *n* oil resources *pl.*; *Ölfeld*: oilfield.

Olympia|... *in Zssgn Mannschaft, Medaille etc.*: Olympic ...; **~de** *f* Olympiad; *Spiele*: Olympic Games *pl.*, Olympics *pl.*

Om|a F *f* grandma; **~i** F *f* granny.

Omnibus *m s. Bus.*

onanieren *v/i.* masturbate.

Onkel *m* uncle.

Opa F *m* grandpa.

Oper *f* ♪ opera; opera(-house).

Operation *f* operation (*vornehmen* perform); **~ssaal** ⚕ *m* operating-room (*Brt. a.* -theatre).

Operette ♪ *f* operetta.

operieren *v/t. u. v/i.* operate (*j-n* on s.o.; *wegen* for); *operiert werden* be* operated on, have* an operation; *sich* (*am Fuß etc.*) ~ *lassen* undergo* an operation (on one's foot *etc.*).

Opernsänger(in) opera singer.

Opfer *n* sacrifice; *Gabe*: *a.* offering; *Mensch, Tier*: victim; *ein* ~ *bringen* make* a sacrifice; *zum* ~ *fallen* fall* victim to; **2n 1.** *v/t.* sacrifice; **2.** *v/i.* (make* a) sacrifice (*dat.* to); **~ung** *f* sacrifice.

Opium *n* opium; *fig.* opiate.

Opposition *f* opposition (*a. parl.*).

Optik *f* optics *sg.*; *phot.* optical system; **~er** *m* optician.

opti|mal *adj.* optimum, best; **2mismus** *m* optimism; **2mist(in)** optimist; **~mistisch** *adj.* optimistic.

optisch *adj.* optical; 🕮 optic.

Orange *f* orange (*a. Farbe*).

Orchester ♪ *n* orchestra.

Orchidee ⚘ *f* orchid.

Orden *m* order (*a. eccl.*); *Auszeichnung*: medal, decoration, order.

Ordensschwester *eccl. f* sister, nun.

ordentlich 1. *adj. Person, Zimmer, Haushalt etc.*: tidy, neat, orderly; *richtig, sorgfältig*: proper; *gründlich*: thorough; *anständig*: decent (*a.* F *fig.*); *Leute*: *a.* respectable; *Mitglied, Professor*: full; *Gericht*: ordinary; *Leistung*: reasonable; F *tüchtig, kräftig*: good, sound; **2.** *adv.*: *s-e Sache* ~ *machen* do* a good job; *sich* ~ *benehmen* (*anziehen*) behave (dress) properly *od.* decently.

ordinär *adj.* vulgar; *alltäglich*: common.

ordn|en *v/t.* put* in order; *an*~: arrange, sort (out); *Akten*: file; *Angelegenheiten*: settle; **2er** *m Fest2 etc.*: steward; *Akten2 etc.*: file; *Schule etc.*: folder; **2ung** *f allg.* order; *Ordentlichkeit*: order(liness), tidiness; *Vorschriften*: rules *pl.*, regulations *pl.*; *An2*: arrangement; *System*: system, set-up; *Rang*: class; *in* ~ all right; ⊕ *etc.* in (good) order; *in* ~ *bringen* put* right (*a. fig.*); *Zimmer etc.*: tidy up; *reparieren*: repair, F fix (*a. fig.*); (*in*) ~ *halten* keep* (in) order; *et. ist nicht in* ~ (*mit*) there is s.th. wrong (with).

ordnungs|gemäß, ~mäßig 1. *adj.* correct, regular; **2.** *adv.* duly, properly; **2strafe** *f* fine, penalty; **2zahl** *f* ordinal number.

Organ *n* organ; **~isation** *f* organization; **~isator** *m* organizer; **2isatorisch** *adj.* organizational; **2isch** *adj.* organic.

organisier|en *v/t.* organize; F *beschaffen*: get* (hold of); *sich* ~ organize; *gewerkschaftlich*: *a.* unionize; **~t** *adj.* organized; unionized.

Organ|ismus *m* organism; **~ist(in)** ♪ organist; **~spender** ⚕ *m* (organ) donor.

Orgasmus *m* orgasm.

Orgel ♪ *f* organ; **~pfeife** *f* organ-pipe.

Orgie *f* orgy.

Oriental|e *m*, **2isch** *adj.* oriental.

orientier|en *v/t. j-n*: inform (*über* about), brief (on); *sich* ~ orient(ate) o.s. (*a. fig.*) (*nach* by); *erkundigen*: inform o.s.; **2ung** *f* orientation; *fig. a.* information; *die* ~ *verlieren* lose* one's bearings; **2ungssinn** *m* sense of direction.

original *adj.* original; *echt*: real, genuine; *TV* live.

Original *n* original; *fig.* real (*od.* quite a) character; **~...** *in Zssgn Aufnahme, Ausgabe etc.*: original ...; **~übertragung** *f* live broadcast *od.* program(me).

originell *adj.* original; *einfallsreich*: *a.* ingenious; *komisch*: witty.

Orkan *m* hurricane; **2artig** *adj. Sturm*: violent; *fig.* thunderous.

Ort *m allg.* place; *~schaft*: *a.* village, (small) town; *Stelle, Fleck*: *a.* spot,

point; *Schauplatz*: *a.* scene; *vor* ~ ⚒ at the (pit) face; *fig.* in the field, on the spot; ≈**en** *v/t.* locate, F spot.
ortho|dox *adj.* orthodox; ≈**graphie** *f* orthography; ≈**päde** ⚕ *m* orthop(a)edist.
örtlich *adj.* local; ≈**keiten** *pl.* scene *sg.*
Ortsbestimmung *f* ✈, ⚓ location; *gr.* adverb of place.
Ortschaft *f s. Ort.*
Orts|gespräch *teleph. n* local call; ~**kenntnis** *f*: ~ *besitzen* know* a place; ~**netz** *teleph. n* local exchange; ~**zeit** *f* local time.
Öse *f* eye; *Schuh*≈ *etc.*: eyelet.
Ost *geogr.* east; ~**block** *pol. m* East(ern) Bloc; ~**en** *m* east; *geogr., pol. the* East.
Oster|ei *n* Easter egg; ~**hase** *m* Easter bunny *od.* rabbit; ~**n** *n* Easter (*zu, an* at); *frohe* ~! Happy Easter!
Österreich|er(in), ≈**isch** *adj.* Austrian.
östlich *adj.* east(ern); *Wind etc.*: easterly; ~ *von* (to the) east of.
ost|wärts *adv.* east(wards); ≈**wind** *m* east(erly) wind.
Otter *zo.* **1.** *m* otter; **2.** *f* adder, viper.
Ouvertüre ♪ *f* overture.
oval *adj.*, ≈ *n* oval.
Oxyd ⚗ *n* oxide; ≈**ieren** *v/t. u. v/i.* oxidize.
Ozean *m* ocean, sea.

P

paar *indef. pron.*: *ein* ~ a few, some, F a couple of.
Paar *n* pair; *bsd. Mann u. Frau*: couple; *ein* ~ (*neue*) *Schuhe* a (new) pair of shoes; ≈**en** *v/t. u. v/refl. Tiere*: mate; *fig.* combine; ~**lauf** *m Sport*: pair skating; ≈**mal** *adv.*: *ein* ~ a few times; ~**ung** *f* mating, copulation; *Sport*: matching; ≈**weise** *adv.* in pairs *od.* twos, two by two.
Pacht *f* lease; ~*zins*: rent; ≈**en** *v/t.* (take* on) lease.
Pächter(in) leaseholder; ⚒ tenant.
Pacht|vertrag *m* lease; ~**zins** *m* rent.
Pack[1] *m s. Packen.*
Pack[2] *contp. n* rabble.
Päckchen *n* small parcel; *Packung*: packet, *bsd. Am.* pack (*a. Zigaretten*).
packen *v/t. u. v/i.* pack; *Paket*: make* up; *ergreifen*: grab, seize (*an* by); *fig. mitreißen*: grip.
Pack|en *m* pack, *Haufen*: pile (*a. fig.*); ~**er(in)** packer; *Möbel*≈: removal man; ~**papier** *n* packing *od.* brown paper; ~**ung** *f* package, box; *kleinere, a. Zigaretten*≈ *etc.*: packet, *bsd. Am.* pack.
Pädagog|e *m* teacher; education(al)-ist; ~**ik** *f* pedagogics *sg.*; ≈**isch** *adj.* educational; ~*e Hochschule* college of education.
Paddel *n* paddle; ~**boot** *n* canoe; ≈**n** *v/i.* paddle, canoe.
Page *m* page(-boy).
Paket *n* package, *bsd.* ✉ parcel; ~**annahme** ✉ *f* parcel counter; ~**karte** ✉ *f* parcel registration card; ~**post** *f* parcel post; ~**zustellung** ✉ *f* parcel delivery.
Pakt *pol. m* pact.
Palast *m* palace.
Palm|e ⚘ *f* palm(-tree); ~**sonntag** *eccl. m* Palm Sunday.
Pampelmuse ⚘ *f* grapefruit.
paniert *adj.* breaded.
Pani|k *f* panic; *in* ~ *geraten* (*versetzen*) panic; *in* ~ panic-stricken, F panicky; ≈**sch** *adj.*: ~*e Angst* panic fear.
Panne *f* breakdown, *mot. a.* engine trouble; *fig.* mishap; ~**nhilfe** *mot. f* breakdown service.
Panther *zo. m* panther.
Pantoffel *m* slipper; *unter dem* ~ *stehen* be* henpecked; ~**held** F *m* henpecked husband.
Pantomim|e *thea.* **1.** *f* dumb show; **2.** *m* mime, pantomimist; ≈**isch** *adj.* pantomimic.
Panzer *m* armo(u)r (*a. fig.*); ⚔ tank; *zo.* shell; ~**glas** *n* bullet-proof glass; ≈**n** *v/t.* armo(u)r; ~**platte** *f* armo(u)r-plate; ~**schrank** *m* safe; ~**ung** *f*

armo(u)r-(plating); **~wagen** *m* armo(u)red car.
Papa F *m* dad(dy), pa.
Papagei *zo. m* parrot.
Papeterie *f* *Schweiz*: stationer('s shop).
Papier *n* paper; *~e pl.* papers *pl.*, documents *pl.*; *Ausweis*~*e*: identification (paper); **~...** *in Zssgn Geld, Handtuch, Serviette, Tüte etc.*: *mst* paper ...; **~korb** *m* waste-paper basket; **~krieg** *fig. m* red tape; **~schnitzel** *pl.* scraps *pl.* of paper; **~waren** *pl.* stationery *sg.*; **~warenhandlung** *f* stationer('s shop, *Am.* store).
Pappe *f* cardboard, pasteboard.
Pappel ⚘ *f* poplar.
Papp|karton *m* cardboard box, carton; **~maché** *n* papier mâché.
Paprika ⚘ *m* *~schote*: green *od.* sweet pepper; *roter, Gewürz*: paprika; *gefüllter ~* stuffed peppers *pl.*
Papst *m* pope.
päpstlich *adj.* papal.
Parade *f* parade; *Fußball etc.*: save; *Boxen, Fechten*: parry.
Paradeiser *östr. m* tomato.
Paradies *n* paradise; **~isch** *fig. adj.* heavenly, delightful.
paradox *adj.* paradoxical.
Paragraph *m* ⚖ article, section; *print.* paragraph; section-mark (§).
parallel *adj.*, **~e** *f* parallel (*a. in Zssgn*).
Parasit *m* parasite.
Parfüm *n* perfume, *Brt. a.* scent; **~erie** *f* perfumery; **~ieren** *v/t.* perfume, scent; *sich ~* put* on perfume.
parieren *v/t. u. v/i. Schlag etc.*: parry; *fig. a.* counter (*mit* with); *Pferd*: pull up; *gehorchen*: obey.
Park *m* park; **~en** *v/i. u. v/t.* park; *~ verboten!* no parking!
Parkett *n* parquet (floor); *thea.* stalls *pl.*; *Tanz*~: dance-floor.
Park|gebühren *pl.* parking-fees *pl.*; **~haus** *n* multi-storey car-park, *Am.* parking garage; **~ieren** *v/t. u. v/i.* *Schweiz*: *s. parken*; **~lücke** *f* parking space; **~platz** *m* car-park, *Am.* parking lot; *e-n ~ suchen (finden)* look for (find*) somewhere to park the car; **~sünder** *m* parking offender; **~uhr** *mot. f* parking-meter; **~wächter** *m* park keeper; *mot.* car-park attendant.
Parlament *n* parliament; **~arisch** *adj.* parliamentary.
Parodie *f* parody, take-off (*auf* of); **~ren** *v/t.* parody, take* off.
Parole *f* ⚔ password; *fig.* watchword, *pol. a.* slogan.
Partei *f* party (*a. pol.*); *j-s ~ ergreifen* take* sides with s.o., side with s.o.; **~isch, ~lich** *adj.* partial (*für* to); prejudiced (*gegen* against); **~los** *pol. adj.* independent; **~mitglied** *pol. n* party member; **~programm** *pol. n* platform; **~tag** *pol. m* convention; **~zugehörigkeit** *pol. f* party membership.
Parterre *n* ground floor, *Am.* first floor; **~akrobat** *m* (floor) acrobat.
Partie *f* *Spiel*: game; *Sport*: *a.* match; *Teil*: part, passage (*a.* ♪); F *Heirat*: match.
Parti|san *m* partisan, guerilla; **~tur** ♪ *f* score; **~zip** *gr. n* participle.
Partner|(in) partner; **~schaft** *f* partnership; **~stadt** *f* twin town.
paschen *östr. v/t. u. v/i.* smuggle.
Pascher *östr. m* smuggler.
Paß *m* passport; *Sport, Gebirgs*~: pass.
Passage *f* passage.
Passagier *m* passenger; **~flugzeug** *n* passenger plane; *großes*: *a.* air liner.
Passah, ~fest *n* Passover.
Passant(in) passer-by.
Paßbild *n* passport photo(graph).
passen 1. *v/i.* fit (*j-m* s.o.; *auf od. für od. zu et.* s.th.); *zusagen, genehm sein*: suit (*j-m* s.o.), be* convenient; *Kartenspiel, Sport*: pass; *~ zu farblich etc.*: go* with, match (with); *sie ~ gut zueinander* they are well suited to each other; *paßt es Ihnen morgen?* would tomorrow suit you *od.* be all right (with you)?; *das (er) paßt mir gar nicht* I don't like that (him) at all; *das paßt (nicht) zu ihm* that's just like him (not like him, not his style); **~d** *adj.* fitting (*a. Kleidung*); *farblich etc.*: matching; *zeitlich, geeignet*: suitable, right.
passier|bar *adj.* passable; **~en 1.** *v/i.* happen; **2.** *v/t.* pass (through); **~schein** *m* pass, permit.
Passion *f* passion; *eccl.* Passion.
passiv *adj.* passive.
Passiv *gr. n* passive (voice).
Past|e *f* paste; **~ell** *n* pastel; **~ete** *f* pie.
Pate *m* godfather; godchild; **~nkind** *n* godchild; **~nschaft** *f* sponsorship.
Patent *n* patent; ⚔ *Offiziers*~: commission; **~amt** *n* patent office; **~-**

anwalt *m* patent agent; **~ieren** *v/t.* patent; *et. ~ lassen* take* out a patent for s.th.; **~inhaber** *m* patentee.
Pater *eccl. m* father, padre.
pathetisch *adj.* pompous; ⚠ *nicht pathetic.*
Patient(in) patient.
Patin *f* godmother.
Patriot|(in) patriot; **~ismus** *m* patriotism.
Patron *m* patron; *contp.* fellow; **~at** *n* patronage.
Patrone ⚔, ⊕, *phot. f* cartridge.
Patrouill|e *f*, **~ieren** *v/i.* patrol.
Patsch|e F *fig. f*: *in der ~ sitzen* be* in a fix *od.* jam; **~en** F *v/i.* (s)plash; **~naß** *adj.* soaking wet.
patze|n F *v/i.*, **~r** *m* blunder.
Pauke ♪ *f* bass drum; *Kessel~*: kettledrum; **~n** F *fig. v/i. u. v/t.* cram.
Pauschal|e *f* lump sum; **~gebühr** *f* flat rate; **~reise** *f* package tour; **~urteil** *n* sweeping judg(e)ment.
Pause *f Arbeits~, Schul~*: break, *Am.* recess; *bsd. thea., Sport*: interval, *Am.* intermission; *Sprech~*: pause; *Ruhe~*: rest (*a.* ♪); ⊕ tracing; **~n** *v/t.* trace; **~nlos** *adj.* uninterrupted, non-stop; **~nzeichen** *n Radio*: interval signal; *Schule*: bell.
pausieren *v/i.* pause, rest.
Pavian *zo. m* baboon.
Pavillon *m* pavilion.
Pazifis|mus *m* pacifism; **~t(in), ~tisch** *adj.* pacifist.
Pech *n* pitch; F *fig.* bad luck; **~strähne** F *f* run of bad luck; **~vogel** F *m* unlucky fellow.
pedantisch *adj.* pedantic, fussy.
Pegel *m* level (*a. fig.*).
peilen *v/t. Tiefe*: sound.
peinige|n *v/t.* torment; **~r** *m* tormentor.
peinlich *adj.* embarrassing; *~ genau* meticulous (*bei, in* in); *es war mir ~* I was *od.* felt embarrassed.
Peitsche *f*, **~n** *v/t.* whip; **~nhieb** *m* lash.
Pell|e *f* skin; *Schale*: peel; **~en** *v/t.* peel; **~kartoffeln** *pl.* potatoes *pl.* (boiled) in their jackets.
Pelz *m* fur; *abgezogener*: skin; **~gefüttert** *adj.* fur-lined; **~geschäft** *n* fur(rier's) shop (*Am.* store); **~ig** *adj.* furry; ⚕ *Zunge*: furred; **~mantel** *m* fur coat; **~tiere** *pl.* furred animals *pl.*, furs *pl.*
Pend|el *n* pendulum; **~eln** *v/i.* swing*; 🚂 *etc.* shuttle; *Person*: commute; **~eltür** *f* swing-door; **~elverkehr** 🚂 *etc. m* shuttle service; commuter traffic; **~ler** *m* commuter.
Penner F *m* tramp, *Brt. a.* dosser, *Am. a.* hobo, bum.
Pension *f* (old-age) pension; boarding-house, private hotel; *in ~ sein* be* retired; **~är(in)** pensioner; *Pensionsgast*: boarder; **~at** *n* boarding-school; **~ieren** *v/t.* pension (off); *sich ~ lassen* retire; **~ierung** *f* retirement; **~sgast** *m* boarder.
Pensum *n* allotted task *od.* work.
per *prp. pro*: per; *durch, mit*: by.
perfekt *adj.* perfect; *~ machen* settle.
Perfekt *gr. n* present perfect.
Pergament *n* parchment.
Period|e *f* period; ⚕ *a.* menstruation; **~isch** *adj.* periodic(al).
Peripherie *f* ⩓ circumference; *e-r Stadt*: outskirts *pl.*
Perle *f* pearl; *Glas~ etc.*: bead; **~n** *v/i. Sekt etc.*: sparkle, bubble; **~nkette** *f* pearl necklace.
Perl|muschel *zo. f* pearl-oyster; **~mutt** *n* mother-of-pearl.
Perron *m Schweiz*: platform.
Pers|er(in), ~isch *adj.* Persian, Iranian.
Person *f* person; *thea. etc. a.* character; *ein Tisch für drei ~en* a table for three.
Personal *n* staff, personnel; *zuwenig ~ haben* be* understaffed; **~abteilung** *f* personnel department; **~ausweis** *m* identity card; **~chef** *m* staff manager; **~ien** *pl.* particulars *pl.*, personal data *pl.*; **~pronomen** *gr. n* personal pronoun.
Personen|(kraft)wagen (*abbr.* **PKW**) *m* (*Brt. a.* motor) car, *bsd. Am. a.* auto(mobile); **~zug** 🚂 *m* passenger train; local *od.* commuter train.
personifizieren *v/t.* personify.
persönlich *adj.* personal; **~keit** *f* personality.
Perücke *f* wig.
pervers *adj.* perverted; *ein ~er* a pervert.
Pest ⚕ *f* plague; ⚠ *nicht pest.*
Petersilie ⚘ *f* parsley.
Petroleum *n* kerosene, paraffin *od.* lamp oil; **~lampe** *f* paraffin (*Am.* kerosene) lamp.
petzen F *v/i.* peach, *Brt. a.* sneak.
Pfad *m* path, track; **~finder** *m* boy

scout; **~finderin** *f* girl guide, *Am.* girl scout.

Pfahl *m* stake; *Pfosten*: post; *Mast*: pole.

Pfand *n* security; *Gegenstand*: pawn, pledge; *Flaschen*2 *etc.*: deposit; *im Spiel*: forfeit; **~brief** *econ. m* mortgage bond.

pfänden ⚖ *v/t. et.*: distrain (upon).

Pfand|haus *n s.* Leihhaus; **~leiher** *m* pawnbroker; **~schein** *m* pawn-ticket.

Pfändung ⚖ *f* seizure, distraint.

Pfann|e *f* pan; **~kuchen** *m* pancake.

Pfarr|bezirk *m* parish; **~er** *m bsd. protestantisch*: minister, parson (F *a. allg.*); *anglikanisch*: vicar; *bsd. evangelisch*: pastor; *bsd. katholisch*: priest; **~gemeinde** *f* parish; **~haus** *n* parsonage; *anglikanisch*: rectory, vicarage; **~kirche** *f* parish church.

Pfau *zo. m* peacock.

Pfeffer *m* pepper; **~kuchen** *m* gingerbread; **~minze** ⚘ *f* peppermint; **2n** *v/t.* pepper; **~streuer** *m* pepper-box.

Pfeife *f* whistle; *Orgel*2 *etc.*: pipe; (tobacco-)pipe; **2n** *v/i. u. v/t.* whistle (*j-m* to s.o.); F: ~ *auf* not give* a damn about; **~nkopf** *m* pipe-bowl.

Pfeil *m* arrow.

Pfeiler *m* pillar; *Stütz*2, *Tor*2: pier.

Pfennig *m* pfennig; *fig.* penny.

Pferch *m* fold, pen; **2en** *v/t.* cram, pack (*in* into).

Pferd *n* horse (*a. Turnen*); *zu ~e* on horseback; *aufs ~ steigen* mount a horse.

Pferde|geschirr *n* harness; **~koppel** *f* paddock; **~rennen** *n* horse-race; **~stall** *m* stable; **~stärke** ⊕ *f* horsepower; **~wagen** *m* (horse-drawn) carriage.

Pfiff *m* whistle; **2ig** *adj.* smart.

Pfingst|en *eccl. n* Whitsun (*zu, an* at); **~montag** *eccl. m* Whit Monday; **~rose** ⚘ *f* peony; **~sonntag** *eccl. m* Whit Sunday, *bsd. Am.* Pentecost.

Pfirsich *m* peach.

Pflanz|e *f* plant; **2en** *v/t.* plant, set*; *eintopfen*: pot; **~enfett** *n* vegetable fat; **2enfressend** *adj.* herbivorous; **~er** *m* planter; **2lich** *adj.* vegetable, plant; **~ung** *f* plantation.

Pflaster *n* ⚕ (sticking-)plaster, *bsd. Am.* band-aid; *Straßen*2: pavement; **~er** *m* paver, pavio(u)r; **2n** *v/t.* pave; **~stein** *m* paving stone.

Pflaume *f* plum; *Back*2: prune.

Pflege *f* care; ⚕ nursing; *e-s Gartens, von Beziehungen*: cultivation; ⊕ maintenance; *in ~ nehmen* foster, look after; **~...** *in Zssgn Eltern, Kind, Sohn etc.*: foster-...; **2bedürftig** *adj.* needing care; **~fall** *m* constant-care patient; **~heim** ⚕ *n* nursing home; **2leicht** *adj.* wash-and-wear, easy-care.

pflege|n *v/t.* care for, look after; *bsd. Kind, Kranke*: *a.* nurse; ⊕ maintain; *fig. Beziehungen etc.*: cultivate; *Brauch etc.*: keep* up; *sie pflegte zu sagen* she used to *od.* would say; **2r** ⚕ *m* male nurse; **2rin** ⚕ *f* nurse; **2stelle** *f* nursing place.

Pflicht *f* duty (*gegen* to); *Sport*: compulsories *pl.*; **2bewußt** *adj.* conscientious; **~bewußtsein** *n* sense of duty; **~erfüllung** *f* performance of one's duty; **~fach** *n* compulsory subject; **2gemäß, 2getreu** *adj.* dutiful; **2vergessen** *adv.*: *~ handeln* neglect one's duty; **~versicherung** *f* compulsory insurance.

Pflock *m* peg, pin; *Stöpsel*: plug.

pflücken *v/t.* pick, gather.

Pflug *m*, **pflügen** *v/t. u. v/i.* plough, *Am.* plow.

Pforte *f* gate, door, entrance.

Pförtner *m* doorman, porter.

Pfosten *m* post (*a. Fußball etc.*).

Pfote *f* paw (*a. fig.*).

Pfropfen *m* stopper; *Kork*2: cork; *Watte*2, *Stöpsel*: plug; ⚕ clot.

pfropfen *v/t.* stopper; cork; plug; ✐ graft; *fig.* cram, stuff.

pfui *int.* fie!; *Zuschauer*: boo!

Pfund *n* pound; *10 ~* ten pounds; **2weise** *adv.* by the pound.

pfusch|en F *v/i.*, **2erei** *f* bungle, botch.

Pfütze *f* puddle, pool.

Phänomen *n* phenomenon; **2al** *adj.* phenomenal.

Phantasie *f* imagination; *Trugbild*: fantasy; **2los** *adj.* unimaginative; **2ren** *v/i.* day-dream*; ⚕ be* delirious; F talk nonsense; **2voll** *adj.* imaginative.

Phantast *m* dreamer; **2isch** *adj.* fantastic; F *a.* great, terrific.

pharmazeutisch *adj.* pharmaceutic(al).

Phase *f* phase (*a.* ⚡), stage.

Philosoph *m* philosopher; **~ie** *f* philosophy; **2ieren** *v/i.* philosophize

P

(*über* on); ²isch *adj.* philosophical.
phlegmatisch *adj.* phlegmatic.
phon|etisch *adj.* phonetic; **~stark** *adj.* powerful; **~stärke** ⚡ *f* decibel level.
Phosphor ⚗ *m* phosphorus.
Photo *n* photo(graph), picture; **~apparat** *m* camera; **~graph** *m* photographer; ⚠ *nicht photograph*; **~graphie** *f* photography; *Bild*: photo(graph); ²**graphieren** *v/t. u. v/i.* photograph, take* a picture *od.* pictures (of); *sich ~ lassen* have* one's picture taken; **~graphin** *f* photographer; **~graphisch** *adj.* photographic; **~kopie** *f* (photo)copy; **~modell** *n* model.
Phrase *contp. f* cliché (phrase).
Physik *f* physics *sg.*; ²**alisch** *adj.* physical; **~er(in)** physicist.
physisch *adj.* physical.
Pian|ist(in) pianist; **~o** *n* piano.
Picke ⊕ *f* pick(axe).
Pickel[1] *m* pick(axe).
Pickel[2] ⚕ *m* pimple; ²**ig** ⚕ *adj.* pimpled, pimply.
picken *v/i. u. v/t.* peck, pick.
Picknick *n* picnic; ²**en** *v/i.* (have* a) picnic.
piep(s)en *v/i.* chirp, cheep; ⚡ bleep.
Pietät *f* reverence; *Frömmigkeit*: piety; ²**los** *adj.* irreverent; ²**voll** *adj.* reverent.
Pik *n Karten*: spade(s *pl.*).
pikant *adj.* piquant, spicy (*beide a. fig.*); *Witz etc.*: *a.* risqué.
Pilger|(in) pilgrim; **~fahrt** *f* pilgrimage; ²**n** *v/i.* (go* on a) pilgrimage.
Pille *f* pill; F: *die ~ nehmen* be* on the pill.
Pilot *m* pilot (*a. fig. u. in Zssgn*).
Pilz ♀ *m* mushroom (*a. fig.*); *giftiger*: toadstool; 📖, ⚕ fungus; *~e suchen (gehen)* go* mushrooming.
Pinguin *zo. m* penguin.
pinkeln F *v/i.* (have* a) pee, piddle.
Pinsel *m* (paint)brush; **~strich** *m* brushstroke.
Pinzette *f* tweezers *pl.*; ⚕ forceps.
Pioneer *m* pioneer; ⚔ *a.* engineer.
Pirat *m* pirate (*a. in Zssgn*).
Pisse V *f*, ²**n** *v/i.* piss.
Piste *f* course; ✈ runway.
Pistole *f* pistol, gun.
Plache *östr. f* awning, tarpaulin.
placier|en *v/t.* place; *sich ~ Sport*: be* placed; ²**ung** *f* place, placing.
plädieren *v/i.* plead (*für* for).
Plädoyer ⚖ *n* final speech, pleading.
Plage *f* trouble, misery; *Insekten*² *etc.*: plague; *Ärgernis*: nuisance, F pest; ²**n** *v/t.* trouble; *belästigen*: bother; *stärker*: pester; *sich ~* toil, drudge.
Plakat *n* poster, placard, bill.
Plakette *f Abzeichen*: plaque, badge.
Plan *m* plan; *Absicht*: *a.* intention.
Plane *f* awning, tarpaulin.
planen *v/t.* plan, make* plans for.
Planet *m* planet.
planieren ⊕ *v/t.* level, plane, grade.
Planke *f* plank, (thick) board.
plänkeln *v/i.* skirmish.
plan|los *adj.* without plan; *ziellos*: aimless; **~mäßig 1.** *adj. Ankunft etc.*: scheduled; **2.** *adv.* according to plan.
Plansch|becken *n* paddling pool; ²**en** *v/i.* paddle, splash.
Plantage *f* plantation.
Plapper|maul F *n* chatterbox; ²**n** F *v/i.* chatter, prattle, babble.
plärren F *v/i. u. v/t.* blubber; *schreien*: bawl; *Radio*: blare.
Plastik[1] *f Skulptur*: sculpture.
Plasti|k[2] *n* plastics *pl.*; **~k...** *in Zssgn Folie, Tüte etc.*: plastic ...; ²**sch** *adj.* plastic; *Sehen etc.*: three-dimensional; *fig.* graphic.
Platin *n* platinum.
plätschern *v/i.* ripple (*a. fig.*), splash.
platt *adj.* flat, level, even; *fig.* trite; F *fig.* flabbergasted.
Platte *f Metall, Glas*: sheet, plate; *Stein*: slab; *Pflaster*²: paving-stone; *Holz*: board; *Paneel*: panel; *Schall*²: record, disc; *Teller*: dish; F *Glatze*: bald pate; *kalte ~* plate of cold meats (*Am.* cuts).
plätten *v/t.* iron, press.
Platten|spieler *m* record-player; **~teller** *m* turntable.
Platt|form *f* platform; **~fuß** *m* ⚕ flat foot; F *mot.* flat (tyre); **~heit** *fig. f* triviality; *Floskel*: platitude.
Plättli *n Schweiz*: tile.
Platz *m Ort, Stelle*: place, spot; *Lage, Bau*² *etc.*: site; *Raum*: room, space; *öffentlicher*: square; *runder*: circus; *Sitz*²: seat; *es ist (nicht) genug ~* there is (isn't) enough room; *~ machen für* make* room for; *vorbeilassen*: make* way for; *~ nehmen* take* a seat, sit* down; ⚠ *nicht take place*; *ist dieser ~ noch frei?* is this seat taken?; *j-n vom ~ stellen* send* s.o. off; *auf eigenem ~* at home; *auf*

P

die Plätze(, fertig, los)! on your marks(, get set, go)!; **~anweiser(in)** usher(ette).
Plätzchen *n* (little) place, spot; *Gebäck*: biscuit, *Am.* cookie.
platzen *v/i.* burst* (*a. fig.*); *reißen*: *a.* crack, split*; *explodieren* (*a. fig.*): *a.* explode (*vor* with), blow* up; *fig. scheitern*: come* to grief *od.* nothing, fall* through, blow* up, *sl.* go* phut; *Freundschaft etc.*: break* up.
Plätzli *n Schweiz*: cutlet.
Platz|patrone *f* blank (cartridge); **~reservierung** *f* seat reservation (*a.* 🚂); **~verweis** *m*: *e-n ~ erhalten* be* sent off.
Plauder|ei *f* chat; **≈n** *v/i.* (have* a) chat.
plauschen *östr. v/i. s. plaudern.*
Pleite F *f* bankruptcy; *fig.* flop.
pleite F *adj.* broke; *~ gehen* go* broke.
Plomb|e *f* seal; *Zahn≈*: filling; **≈ieren** *v/t.* seal; fill.
plötzlich **1.** *adj.* sudden; **2.** *adv.* suddenly, all of a sudden.
plump *adj.* clumsy; **~s** *int.* thud, plop; **~sen** *v/i.* thud, plop, flop.
Plunder F *m* trash, junk.
Plünder|er *m* looter, plunderer; **≈n** *v/i. u. v/t.* plunder, loot.
Plural *gr. m* plural.
plus *adv.* plus; **≈quamperfekt** *gr. n* past perfect.
Pneu *m Schweiz*: tyre, *Am.* tire.
Po F *m* bottom, behind.
Pöbel *m* mob, rabble.
pochen *v/i.* knock, rap (*beide*: *an* at).
Pocke ⚕ *f* pock; **~n** ⚕ *pl.* smallpox *sg.*; **~nimpfung** ⚕ *f* smallpox vaccination.
Podest *n, m* platform; *fig.* pedestal.
Podium *n* podium, platform; **~sdiskussion** *f* panel discussion.
Poesie *f* poetry.
Poet *m* poet; **≈isch** *adj.* poetic(al).
Pointe *f* point, punch line.
Pokal *m* goblet; *Sport*: cup; **~endspiel** *n* Cup Final; **~spiel** *n* cup tie.
pökeln *v/t.* salt.
Pol *m* pole; **≈ar** *adj.* polar (*a.* ⚡).
Pole *m* Pole.
Polemi|k *f* polemic(s); **≈sch** *adj.* polemic(al); **≈sieren** *v/i.* polemize.
Police *f* policy.
Polier ⊕ *m* foreman; **≈en** *v/t.* polish.
Politi|k *f allg.* politics *sg. u. pl.*; *bestimmte, fig. Taktik*: policy; **~ker(in)** politician; **≈sch** *adj.* political; **≈sieren** *v/i.* talk politics.
Polizei *f* police *pl.*; **~beamte** *m* police-officer; **≈lich** *adj.* (of *od.* by the) police; **~präsidium** *n* police headquarters *pl.*; **~revier** *n* police station; *Bezirk*: district, *Am. a.* precinct; **~schutz** *m*: *unter ~* under police guard; **~streife** *f* police patrol; **~stunde** *f* closing-time; **~wache** *f* police station.
Polizist *m* policeman; **~in** *f* policewoman.
polnisch *adj.* Polish.
Polster *n* pad; *Kissen*: cushion; *Kopf≈*: bolster; *s. Polsterung*; **~möbel** *pl.* upholstered furniture *sg.*; **≈n** *v/t.* upholster, stuff; *wattieren*: pad (*a.*⊕), wad; **~sessel, ~stuhl** *m* upholstered chair; **~ung** *f* padding, stuffing; upholstery.
poltern *v/i.* rumble; *fig.* bluster.
Pommes frites *pl. Brt.* chips *pl.*, *Am.* French fried potatoes *pl.*
Pomp *m* pomp; **≈ös** *adj.* showy.
Pony[1] *zo. n* pony.
Pony[2] *m* fringe, *Am.* bangs *pl.*
popul|är *adj.* popular; **≈arität** *f* popularity.
Por|e *f* pore; **≈ig** *adj.* porous.
Porno... *in Zssgn Film etc.*: porno (-graphic)...
porös *adj.* porous.
Portemonnaie *n* purse.
Portier *m* doorman, porter.
Portion *f* portion, share; *bei Tisch*: helping, serving.
Porto *n* postage.
Porträt *n* portrait; **≈ieren** *v/t.* portray.
Portugies|e *m*, **~in** *f*, **≈isch** *adj.* Portuguese.
Porzellan *n* china, porcelain.
Posaune *f* ♩ trombone; *fig.* trumpet.
Pose *f* pose, attitude.
Position *f* position (*a. fig.*).
positiv *adj.* positive.
possessiv *gr. adj.* possessive (*a. in Zssgn*).
possierlich *adj.* droll, funny.
Post *f* post, *bsd. Am.* mail; *~sachen*: mail, letters *pl.*; *mit der ~* by post *od.* mail; **~amt** *n* post office; **~anweisung** *f* money order; **~beamte** *m* post-office clerk; **~bote** *m* postman, *Am.* mailman.
Posten *m* post; *Anstellung*: *a.* job,

P

position; ⚔ sentry; *Rechnungs*≈: item; *Waren*: lot, parcel.
Postfach *n* (PO) box.
postieren *v/t.* post, station, place; *sich* ~ station o.s.
Post|karte *f* postcard; **~kutsche** *f* stagecoach; **≈lagernd** *adj.* poste restante, *Am.* general delivery; **~leitzahl** *f* post(al) code, *Am.* zip code; **~minister** *m* Postmaster General; **~scheck** *m* postal cheque (*Am.* check); **~sparbuch** *n* post-office savings book; **~stempel** *m* postmark; **≈wendend** *adv.* by return (of post), *Am.* by return mail; **~wertzeichen** *n* (postage) stamp; **~zustellung** *f* postal *od.* mail delivery.
Potenz *f* ⚕ potency; *Ā*, *fig.* power.
Pracht *f* splendo(u)r, magnificence.
prächtig *adj.* splendid, magnificent; *fig. a.* great, super.
Prädikat *gr. n* predicate.
prägen *v/t.* stamp, coin (*a. fig.*).
prahlen *v/i.* brag, boast (*beide*: *mit* of), talk big, show* off.
Prahler *m* boaster, braggart; **~ei** *f* boasting, bragging; **≈isch** *adj.* boastful; *prunkend*: showy.
Prakti|kant(in) trainee; **~ken** *pl.* practices *pl.*; **~kum** *n* practical (training *od.* studies *pl.*); **≈sch 1.** *adj.* practical; *nützlich*: *a.* useful, handy; *~er Arzt* general practitioner; **2.** *adv.*: ~ (*gleich*) *null* virtually nil; **≈zieren** ⚕, ⚖ *v/i.* practi|se, *Am.* -ce medicine *od.* the law.
Prälat *eccl. m* prelate.
Praline *f* chocolate.
prall *adj.* tight; *Brieftasche*, *Muskeln etc.*: bulging; *Busen etc.*: well-rounded; *Sonne*: blazing; **~en** *v/i. Ball etc.*: bounce; ~ *gegen* hit*, crash *od.* bump into.
Prämi|e *f* premium; *Preis*: prize; *Leistungs*≈: bonus; **≈(i)eren** *v/t.* award a prize to.
Pranke *f* paw.
Präpa|rat *n* preparation; **≈ieren** *v/t.* prepare; ⚕, *bot., zo.* dissect.
Präposition *gr. f* preposition.
Prärie *f* prairie.
Präsens *gr. n* present (tense).
präsentieren *v/t.* present; offer.
Präsi|dent *m* president; *Vorsitzender*: *a.* chairman; **≈dieren** *v/i.* preside (*in* over); **~dium** *n* presidency.
prasseln *v/i. Regen etc.*: patter; *Feuer*: crackle.
Präteritum *gr. n* past (tense).
Praxis *f* practice (*a.* ⚕, ⚖); ⚕ *~räume*: *Brt.* surgery, *Am.* doctor's office.
Präzedenzfall *m* precedent.
präzis|(e) *adj.* precise; **≈ion** *f* precision.
predig|en *v/i. u. v/t.* preach; **≈er** *m* preacher; **≈t** *f* sermon.
Preis *m* price (*a. fig.*); *im Wettbewerb*: prize; *Film etc.*: award; *Belohnung*: reward; *um jeden* ~ at all costs; **~ausschreiben** *n* competition.
Preiselbeere ⚘ *f* cranberry.
preisen *v/t.* praise.
Preis|erhöhung *f* rise *od.* increase in price(s); **≈geben** *v/t.* abandon; *Geheimnis*: reveal, give* away; **≈gekrönt** *adj.* prize(-winning); **~gericht** *n* jury; **~lage** *f* price-range; **~liste** *f* price-list; **~nachlaß** *m* discount; **~rätsel** *n* competition puzzle; **~richter** *m* judge; **~stopp** *m* price freeze; **~träger(in)** prizewinner; **≈wert** *adj.* cheap; ~ *sein a.* be* good value *od.* a bargain.
prell|en *v/t. fig.* cheat (*um* out of); *sich et.* ~ contuse *od.* bruise s.th.; **≈ung** ⚕ *f* contusion, bruise.
Premier|e *thea. etc. f* first night, première; **~minister** *m* prime minister.
Presse *f* press; *Saft*≈: squeezer; **~...** *in Zssgn Agentur, Konferenz, Photograph etc.*: press ...; **~freiheit** *f* freedom of the press; **~meldung** *f* news item; **≈n** *v/t.* press; squeeze; **~vertreter** *m* reporter; public relations officer.
Preßluft *f* compressed air; **~...** *in Zssgn Bohrer, Hammer etc.*: pneumatic ...
Prestige *n* prestige; **~verlust** *m* loss of prestige *od.* face.
Preuß|e *m*, **≈isch** *adj.* Prussian.
prickeln *v/i.* prickle; *Finger etc.*: tingle.
Priester|(in) priest(ess); **≈lich** *adj.* priestly.
prim|a F *adj.* great, super; **~är** *adj.* primary (*a. in Zssgn*).
Primar|arzt *östr. m s. Oberarzt*; **~schule** *f Schweiz*: *s. Volksschule.*
Primel ⚘ *f* primrose.
primitiv *adj.* primitive.
Prinz *m* prince; **~essin** *f* princess; **~gemahl** *m* prince consort.
Prinzip *n* principle (*aus* on; *im* in); **≈iell** *adv.* as a matter of principle.

P

Prise *f*: *e-e ~ Salz etc.* a pinch of salt *etc.*
Prisma *n* prism.
Pritsche *f* plank bed; *mot.* platform.
privat *adj.* private; *persönlich*: *a.* personal; **2...** *in Zssgn Leben, Schule, Detektiv etc.*: private ...; **2angelegenheit** *f* personal *od.* private matter *od.* affair; *das ist m-e ~* that's my own business.
Privileg *n* privilege.
pro *prp.* per; *2 Mark ~ Stück* 2 marks each.
Pro *n*: *das ~ und Kontra* the pros and cons *pl.*
Probe *f Erprobung*: trial, test, tryout; *Muster, Beispiel*: sample; *thea.* rehearsal; ⚒ proof; *auf ~* on probation; *auf die ~ stellen* put* to the test; **~alarm** *m* test alarm, fire drill; **~aufnahmen** *pl. Film*: screen-test *sg.*; **~fahrt** *f* test drive; **~flug** *m* test flight; **2n** *thea. v/i. u. v/t.* rehearse; **2weise** *adv.* on trial; *Person*: *a.* on probation; **~zeit** *f* (time of) probation.
probieren *v/t.* try; *kosten*: *a.* taste.
Problem *n* problem; **2atisch** *adj.* problematic(al), difficult.
Produkt *n* product (*a.* ⚒); *Ergebnis*: result; **~ion** *f* production; *~smenge*: *a.* output; **~ionsmittel** *pl.* means *pl.* of production; **2iv** *adj.* productive.
Produz|ent *m* producer; **2ieren** *v/t.* produce.
professionell *adj.* professional.
Profess|or *m* professor; **~ur** *f* professorship, chair.
Profi *m* pro(fessional); **~...** *in Zssgn Fußball etc.*: professional ...
Profil *n* profile; *Reifen2*: tread; **2ieren** *v/refl.* distinguish o.s.
Profit *m* profit; **2ieren** *v/i.* profit (*von od. bei et.* from *od.* by s.th.).
Prognose *f* prediction; *bsd. Wetter*: *a.* forecast; ⚕ prognosis.
Programm *n* program(me); *TV Kanal*: *a.* channel; **2ieren** *v/t.* program; **~ierer(in)** programmer.
Projekt *n* project; **~ion** *f* projection; **~or** *phot. etc. m* projector.
proklamieren *v/t.* proclaim.
Prokurist *m* executive.
Proletari|er *m*, **2sch** *adj.* proletarian.
Prolog *m* prologue.
Promillegrenze *f* (blood) alcohol limit.
prominen|t *adj.* prominent; **2z** *f* notables *pl.*; high society.
Promo|tion *univ. f* (obtaining of a) doctorate; **2vieren** *v/i.* take* one's (doctor's) degree.
prompt *adj.* prompt; *Antwort*: *a.* quick.
Pronomen *gr. n* pronoun.
Propeller *m* propeller.
Prophe|t *m* prophet; **2tisch** *adj.* prophetic; **2zeien** *v/t.* prophesy, predict, foretell*; **~zeiung** *f* prophecy, prediction.
Proportion *f* proportion.
Proporz *m* proportional representation.
Prosa *f* prose.
Prospekt *m* prospectus; *Reise2 etc.*: brochure, pamphlet; ⚠ *nicht prospect.*
prost *int.* cheers!; your health!
Prostituierte *f* prostitute.
Protest *m* protest; *aus ~* as a *od.* in protest.
Protestant|(in), 2isch *adj.* Protestant.
protestieren *v/i.* protest.
Prothese ⚕ *f* artificial limb; *Zahn2*: denture.
Protokoll *n* record, minutes *pl.*; *Diplomatie*: protocol; **~führer** *m* keeper of the minutes; **2ieren** *v/t. u. v/i.* keep* a record *od.* the minutes (of).
protz|en F *v/i.* show* off (*mit et.* s.th.); **~ig** *adj.* showy, flashy, showoffy.
Proviant *m* provisions *pl.*, food.
Provinz *f* province; *fig.* country; **2iell** *adj.* provincial (*a. fig. contp.*).
Provis|ion *econ. f* commission; **2orisch** *adj.* provisional, temporary.
provozieren *v/t.* provoke.
Prozent *n* per cent; F *~e pl.* discount *sg.*; **~satz** *m* percentage; **2ual** *adj.* proportional; *~er Anteil* percentage.
Prozeß *m Vorgang*: process (*a.* ⊕, ⚗ *etc.*); ⚖ *Klage*: action; ⚖ *Rechtsstreit*: lawsuit, case; *Straf2*: trial; *j-m den ~ machen* try s.o., put* s.o. on trial; *e-n ~ gewinnen (verlieren)* win* (lose*) a case.
prozessieren *v/i.*: *mit j-m ~* go* to law against s.o.; carry on a lawsuit against s.o.
Prozession *f* procession.
prüde *adj.* prudish; *~ sein* be* a prude.

P

prüf|en *v/t. Schüler etc.*: examine, test; *nach*⁀: check; *über*⁀: inspect (*a.* ⊕); *erproben*: test; *Vorschlag etc.*: consider; **~end** *adj. Blick*: searching; **⁀er** *m* examiner; *bsd.* ⊕ tester; **⁀ling** *m* candidate; **⁀stein** *m* touchstone; **⁀ung** *f* examination, F exam; test; check(-up), inspection; *e-e ~ machen* (*bestehen, nicht bestehen*) take* (pass, fail) an exam(ination); **⁀ungsarbeit** *f* examination *od.* test paper.
Prügel F *pl.*: (*e-e Tracht*) *~ bekommen* get* a (good) beating *od.* hiding *od.* thrashing; **~ei** F *f* fight; **⁀n** F *v/t.* beat*, clobber; *Schüler*: flog, cane; *sich ~* (have* a) fight*; **~strafe** *f* corporal punishment; *Schule*: *a.* caning.
Prunk *m* splendo(u)r, pomp; **⁀voll** *adj.* splendid, magnificent.
Psalm *eccl. m* psalm.
Pseudonym *n* pseudonym.
pst *int. still*: sh!, ssh!; *hallo*: psst!
Psych|e *f* mind, psyche; **~iater** *m* psychiatrist; **⁀iatrisch** *adj.* psychiatric; **⁀isch** *adj.* mental, ⚕ *a.* psychic.
Psycho|analyse *f* psycho-analysis; **~loge** *m* psychologist (*a. fig.*); **~logie** *f* psychology; **⁀logisch** *adj.* psychological; **~se** *f* psychosis.
Pubertät *f* puberty.
Publikum *n* audience; *TV a.* viewers *pl.*; *Funk*: *a.* listeners *pl.*; *Sport*: crowd, spectators *pl.*; *Lokal etc.*: customers *pl.*; *Öffentlichkeit*: public; **~sgeschmack** *m* public taste.
publizieren *v/t.* publish.
Pudding *m* pudding, *bsd. Brt.* blancmange.
Pudel *zo. m* poodle; *Kegeln*: miss.
Puder *m* powder; **~dose** *f* compact; **⁀n** *v/t.* powder; *sich ~* powder o.s.; **~zucker** *m* icing (*Am.* confectioner's) sugar.
Puff F *m Bordell*: whore-house; *Stoß*: poke; **⁀en** *v/i.* puff (*a.* 🚂), pop; **~er** 🚂 *etc. m* buffer (*a. fig.*); **~mais** *m* popcorn; **~reis** *m* puffed rice.
Pull|i *m* (light) sweater, *Brt. a.* jumper; **~over** *m* sweater, pullover.
Puls ⚕ *m* pulse; *~zahl*: pulse rate; **~ader** *anat. f* artery; **⁀ieren** *v/i.* pulsate (*a. fig.*).
Pult *n* desk.
Pulv|er *n* powder; F *fig.* cash, *sl.* dough; **⁀(e)rig** *adj.* powdery; **⁀erisieren** *v/t.* pulverize; **~erkaffee** *m* instant coffee; **~erschnee** *m* powder snow.
pumm(e)lig F *adj.* chubby, plump, tubby.
Pumpe *f* pump; **⁀n** *v/i. u. v/t.* ⊕ pump; F *verleihen*: lend*; *entleihen*: borrow.
Punker F *m* punk.
Punkt *m* point (*a. fig.*); *Tupfen*: dot; *Satzzeichen*: full stop, period; *Stelle*: spot, place; *um ~ zehn* (*Uhr*) at ten (o'clock) sharp; *nach ~en gewinnen etc.*: on points; **⁀ieren** *v/t.* dot; ⚕ puncture.
pünktlich *adj.* punctual; *~ sein* be* on time; **⁀keit** *f* punctuality.
Punkt|sieger(in) winner on points; **~spiel** *n* league game.
Pupille *anat. f* pupil.
Puppe *f* doll; F *Mädchen*: *a.* bird, *Am. a.* chick; *thea., fig.* puppet; ⚔, *mot.* dummy; *zo.* chrysalis, pupa; **~nspiel** *n* puppet-show; **~nstube** *f* doll's house; **~nwagen** *m* doll's pram, *Am.* doll carriage.
pur *adj.* pure (*a. fig.*); *Whisky etc.*: neat, *Am.* straight.
Purpur *m Farbe*: crimson; *hist., fig.* purple; **⁀rot** *adj.* crimson.
Purzel|baum *m* somersault; *e-n ~ schlagen* turn a somersault; **⁀n** *v/i.* tumble.
Puste F *f* breath; *aus der ~* puffed; **⁀n** F *v/i.* blow*; *keuchen*: puff.
Pute *zo. f* turkey (hen); **~r** *zo. m* turkey (cock).
Putsch *m* putsch, coup (d'état); **⁀en** *v/i.* revolt, make* a putsch.
Putz *arch. m* plaster(ing); *unter ~* concealed; **⁀en 1.** *v/t.* clean; *Schuhe, Metall*: *a.* polish; *wischen*: wipe; *sich die Nase* (*Zähne*) *~* blow* one's nose (brush one's teeth); **2.** *v/i.* do* the cleaning; *~* (*gehen*) work as a cleaner; **~frau** *f* cleaner, cleaning woman *od.* lady; **⁀ig** *adj.* droll, funny, *Am. a.* cute; **~lappen** *m* cleaning rag; **~mittel** *n* clean(s)er; polish.
Puzzle *n* jigsaw (puzzle).
Pyjama *m* pyjamas *pl.*, *Am.* pajamas *pl.*
Pyramide *f* pyramid (*a.* △).

P

Q

Quacksalber *m* quack (doctor).
Quadrat *n* square; *ins ~ erheben* square; **~...** *in Zssgn Meile, Meter, Wurzel, Zahl etc.*: square ...; **²isch** *adj.* square; ⅍ *Gleichung*: quadratic.
quaken *v/i. Ente*: quack; *Frosch*: croak.
quäken *v/i.* squeak.
Qual *f* pain, torment, agony; *seelische*: *a.* anguish.
quälen *v/t.* torment (*a. fig.*); *foltern*: torture; *fig.* pester, plague; *sich ~ abmühen*: struggle (*mit* with).
Qualifi|kation *f* qualification; **~kations...** *in Zssgn Spiel etc.*: qualifying ...; **²zieren** *v/t. u. v/refl.* qualify.
Qualit|ät *f* quality; **²ativ** *adj. u. adv.* in quality.
Qualitäts... *in Zssgn Arbeit, Waren etc.*: high-quality ...
Qualm *m* (thick) smoke; **²en** *v/i.* smoke; F be* a heavy smoker.
qualvoll *adj.* very painful; *Schmerz*: agonizing (*a. seelisch*).
Quantit|ät *f* quantity; **²ativ** *adj. u. adv.* in quantity.
Quantum *n* amount; *fig. a.* share.
Quarantäne *f* quarantine; *in ~ sein (legen)* be* (put*) in quarantine.
Quark *m* curd *od.* cottage cheese.
Quartal *n* quarter (of a year); *univ.* term.
Quartett ♪ *n* quartet(te).
Quartier *n* accommodation; *Schweiz Viertel*: quarter.
Quarz *min. m* quartz (*a. in Zssgn*).
Quatsch F *m* nonsense, rubbish, *sl.* rot, crap, bullshit; *~ machen* fool around; *scherzen*: joke, F kid; **²en** F *v/i.* talk nonsense, babble, twaddle; *plaudern*: chat.
Quecksilber *n* mercury, quick-silver.
Quelle *f* spring, source (*a. fig.*); *Öl²*: well; *fig. a.* origin; **²n** *v/i.* pour, stream (*beide*: *aus* from); **~nangabe** *f* reference.
quengel|n F *v/i.* whine; **~ig** *adj.* pestering.
quer *adv.* across; *legen etc.*: *a.* crosswise; *kreuz und ~ durcheinander*: crisscross; *kreuz und ~ durch Deutschland etc. fahren* travel all over Germany *etc.*
Quer|e *f*: F *j-m in die ~ kommen* get* in s.o.'s way; **~feldein...** *in Zssgn* cross-country ...; **~schläger** ⚔ *m* ricochet; **~schnitt** *m* cross-section (*a. fig.*); **²schnitt(s)gelähmt** ⚕ *adj.* paraplegic; **~straße** *f* cross-road; *zweite ~ rechts* second turning to the right.
Querulant *m* querulous person.
quetsch|en *v/t. u. v/refl.* squeeze; ⚕ bruise (o.s.); **²ung** ⚕ *f* bruise.
quiek(s)en *v/i.* squeak, squeal.
quietschen *v/i.* squeal; *Bremsen, Reifen*: *a.* screech; *Tür, Bett etc.*: squeak, creak.
quitt *adj.*: *mit j-m ~ sein* be* quits *od.* even (*b.s.* finished) with s.o.; **~ieren** *v/t. econ.* receipt, give* a receipt for; *den Dienst ~* resign; **²ung** *f* receipt; *fig.* answer.
Quot|e *f* quota; *Anteil*: share; *Rate*: rate; **~ient** ⅍ *m* quotient.

QR

R

Rabatt *econ. m* discount, rebate.
Rabe *zo. m* raven.
rabiat *adj.* rough, tough.
Rache *f* revenge, vengeance.
Rachen *anat. m* throat; *fig.* jaws *pl.*
rächen *v/t. et.*: avenge; *bsd. j-n*: revenge; *sich an j-m für et. ~* revenge o.s. *od.* take* revenge on s.o. for s.th.
Rächer(in) avenger.
rachsüchtig *adj.* revengeful, vindictive.
Rad *n* wheel; *Fahr²*: bicycle, F bike; *ein ~ schlagen Pfau*: spread* its tail; *Sport*: turn a (cart-)wheel.
Radar *m, n* radar; **~schirm** *m* radar screen.
Radau F *m* row, racket.

Rädelsführer *m* ringleader.
Räderwerk ⊕ *n* gearing.
rad|fahren *v/i.* cycle, ride* a bicycle, F bike; ²**fahrer(in)** cyclist.
radier|en *v/t.* erase, rub out; *Kunst*: etch; ²**gummi** *m* eraser, *Brt. a.* rubber; ²**ung** *f* etching.
Radieschen ⚘ *n* (red) radish.
radikal *adj.*, ²**e(r)** radical; ²**ismus** *m* radicalism.
Radio *n* radio; *im* ~ on the radio; ~ *hören* listen to the radio; ²**aktiv** *phys. adj.* radioactive; ~*er Niederschlag* fall-out; ~**aktivität** *f* radioactivity; ~**wecker** *m* clock radio.
Radius ⩫ *m* radius.
Rad|kappe *f* hubcap; ~**rennbahn** *f* cycling track; ~**rennen** *n* cycle race; ~**sport** *m* cycling; ~**sportler(in)** cyclist; ~**spur** *f* rut; *mot.* wheel track; ~**weg** *m* cycle track, *Am. a.* bikeway.
raffen *v/t.* gather up; *an sich* ~ grab.
Raffi|nerie ⚗ *f* refinery; ~**nesse** *f* shrewdness; *Ausstattung*: refinement; ²**niert** *adj.* refined (*a. fig. verfeinert*); *schlau*: shrewd, clever.
ragen *v/i.* tower (up), rise* (high).
Ragout *n* ragout, stew.
Rahe ⚓ *f* yard.
Rahm *m* cream.
rahmen *v/t.* frame; *Dias*: mount.
Rahmen *m* frame; *Gefüge*: framework; *Hintergrund*: setting; *Bereich*: scope; *aus dem* ~ *fallen* be* out of the ordinary.
Rakete *f* rocket, ⚔ *a.* missile; *ferngelenkte* ~ guided missile; *e-e* ~ *abfeuern* (*starten*) launch a rocket *od.* missile; *dreistufige* ~ three-stage rocket; ~**nantrieb** *m* rocket propulsion; *mit* ~ rocket-propelled; ~**nbasis** ⚔ *f* rocket *od.* missile base *od.* site.
rammen *v/t.* ram; *mot. etc.* hit*, collide with.
Rampe *f* (loading) ramp; ~**nlicht** *n* footlights *pl.*; *fig.* limelight.
Ramsch *m* junk, trash.
Rand *m* edge, border; *Abgrund etc.*: brink (*a. fig.*); *Teller*, *Brille*: rim; *Hut*, *Glas*: brim; *Seite*: margin; (*e-n*) ~ *lassen* leave* a margin; *am* ~(*e*) *des Ruins* (*Krieges etc.*) on the brink of ruin (war *etc.*).
randalier|en *v/i.* kick up a racket; ²**er** *m* rowdy, hooligan.
Rand|bemerkung *f* marginal note; *fig.* comment; ²**los** *adj. Brille*: rimless; ~**streifen** *mot. m* shoulder.
Rang *m* position, rank (*a.* ⚔); *thea.* circle, *Am.* balcony; *Ränge pl. Stadion*: terraces *pl.*; *ersten* ~*es* first-rate.
rangieren **1.** 🚂 *v/t.* shunt, *Am.* switch; **2.** *fig. v/i.* rank (*vor j-m* before s.o.).
Rangordnung *f* hierarchy.
Ranke ⚘ *f* tendril; ²**n** *v/refl.* creep*, climb.
Ranzen *m* knapsack; *Schul*²: satchel.
ranzig *adj.* rancid, rank.
Rappe *zo. m* black horse.
rar *adj.* rare, scarce; ²**ität** *f Sache*: curiosity; *Seltenheit*: rarity.
rasch *adj.* quick, swift; *sofortig*: prompt.
rascheln *v/i.* rustle.
Rasen *m* lawn, grass.
rasen *v/i.* race, shoot*, speed*; *vor Wut*, *Sturm*: rage; ~ *vor Begeisterung* roar with enthusiasm; ~**d** *adj. Tempo*: breakneck; *wütend*: raging; *Schmerz*: agonizing; *Kopfschmerz*: splitting; *Beifall*: thunderous; ~ *werden* (*machen*) go* (drive*) mad.
Rasen|mäher *m* lawn-mower; ~**platz** *m* lawn; *Tennis*: grass court.
Raserei *f* frenzied rage; *Wahnsinn*: frenzy, madness; F *mot.* reckless driving; *j-n zur* ~ *bringen* drive* s.o. mad.
Rasier|apparat *m* (safety) razor; electric razor; ~**creme** *f* shaving-cream; ²**en** *v/t. u. v/refl.* shave; ~**klinge** *f* razor-blade; ~**messer** *n* (straight) razor; ~**pinsel** *m* shaving-brush; ~**seife** *f* shaving-soap; ~**wasser** *n* after-shave (lotion).
Rasse *f* race; *zo.* breed; ~**hund** *m* pedigree dog.
Rassel *f*, ²**n** *v/i.* rattle.
Rassen|... *in Zssgn Diskriminierung*, *Konflikt*, *Probleme etc.*: *mst* racial ...; ~**trennung** *pol. f* (racial) segregation; *Südafrika*: apartheid; ~**unruhen** *pl.* race-riots *pl.*
rass|ig *adj.* classy; ~**isch** *adj.* racial; ²**ismus** *pol. m* racism; ²**ist** *m*, ~**istisch** *adj.* racist.
Rast *f* rest, stop; *Pause*: *a.* break; ²**en** *v/i.* rest, stop, take* a break; ²**los** *adj.* restless; ~**platz** *m* resting-place; *mot.* lay-by, *Am.* rest stop; ~**stätte** *mot. f* service area.
Rasur *f* shave.

Rat *m* advice; *~schlag*: piece of advice; *e-r Stadt etc.*: council; *j-n um ~ fragen (j-s ~ befolgen)* ask (take*) s.o.'s advice.
Rate *f econ.* instal(l)ment; *Geburten≈ etc.*: rate; *auf ~n* by instal(l)ments.
raten *v/t. u. v/i.* advise; *er~*: guess; *Rätsel*: solve; *j-m zu et. ~* advise s.o. to do s.th.; *rate mal!* (have a) guess!
Ratenzahlung *econ. f s. Abzahlung.*
Ratespiel *TV etc. n* panel game.
Rat|geber *m* adviser, counsel(l)or; **~haus** *n* town (*Am.* city) hall.
ratifizieren *v/t.* ratify.
Ration *f* ration; **≈al** *adj.* rational; **≈ell** *adj.* efficient; *sparsam*: economical; **≈ieren** *v/t.* ration.
rat|los *adj.* at a loss; **~sam** *adj.* advisable, wise; **≈schlag** *m* piece of advice; *ein paar gute Ratschläge* some good advice *sg.*
Rätsel *n* puzzle; *~frage*: riddle (*beide a. fig.*); *Geheimnis*: mystery; **≈haft** *adj.* puzzling; mysterious.
Ratte *zo. f* rat (*a. fig. contp.*).
rattern *v/i.* rattle, clatter.
Raub *m* robbery, hold-up; *Menschen≈*: kidnap(p)ing; *Beute*: loot, booty; *Opfer*: prey; **≈en** *v/t.* rob, take* by force; kidnap; *j-m et. ~* rob s.o. of s.th. (*a. fig.*).
Räuber *m* robber, hold-up man.
Raub|fisch *m* predatory fish; **~mord** *m* murder with robbery; **~mörder** *m* murderer and robber; **~tier** *n* beast of prey; **~überfall** *m* hold-up, (armed) robbery, mugging; **~vogel** *m* bird of prey; **~zug** *m* raid.
Rauch *m* smoke; ⚗ *etc.* fume; **≈en** *v/i. u. v/t.* smoke; ⚗ *etc.* fume; *≈ verboten* no smoking; *Pfeife ~* smoke a pipe; **~er** *m* smoker (*a.* 🚃); *starker ~* heavy smoker.
Räucher|... *in Zssgn Aal, Speck etc.*: smoked ...; **≈n** *v/t.* smoke; **~stäbchen** *n* joss-stick.
Rauch|fahne *f* trail of smoke; **≈ig** *adj.* smoky; **~waren** *pl.* tobacco products *pl.*; *Pelze*: furs *pl.*; **~zeichen** *n* smoke signal.
Räud|e *vet. f* mange, scabies; **≈ig** *adj.* mangy, scabby.
rauf|en **1.** *v/t.*: *sich die Haare ~* tear* one's hair; **2.** *v/i.* fight*, scuffle; **≈erei** *f* fight, scuffle.
rauh *adj.* rough, rugged (*beide a. fig.*); *Klima, Stimme*: *a.* harsh; *Hände etc.*: chapped; *Hals*: sore; **~haarig** *zo. etc. adj.* wire-haired; **≈reif** *m* hoarfrost.
Raum *m* room; *Platz*: *a.* space; *Gebiet*: area; *Welt≈*: (outer) space; **~anzug** *m* spacesuit; **~deckung** *f Sport*: zone defen|ce, *Am.* -se.
räumen *v/t. Zimmer etc.*: quit*, leave*, move out of; *Straße, Lager etc.*: clear (*von* of); *bei Gefahr*: evacuate (*a.* ⚔); *s-e Sachen in ... ~* put* one's things (away) in ...
Raum|fahrt *f* space travel *od.* flight; 🕮 astronautics; **~fahrt...** *in Zssgn Technik etc.*: space ...; **~fähre** *f* space shuttle; **~flug** *m* space flight; **~inhalt** *m* volume; **~kapsel** *f* space capsule.
räumlich *adj.* three-dimensional.
Raum|schiff *n* spacecraft; *bsd. bemanntes*: *a.* spaceship; **~sonde** *f* space probe; **~station** *f* space station.
Räumung *f* clearance; *bei Gefahr*: evacuation (*a.* ⚔); ⚖ eviction; **~sverkauf** *econ. m* clearance sale.
raunen *v/i.* whisper, murmur.
Raupe *f zo.*, ⊕ caterpillar, ⊕ *a.* track; **~nschlepper** *m TM* caterpillar tractor.
raus *int.* get out (of here)!
Rausch *m* drunkenness, intoxication; *fig.* ecstasy; *e-n ~ haben (bekommen)* be* (get*) drunk; *s-n ~ ausschlafen* sleep* it off; **≈en** *v/i. Wind, Wasser*: rush; *Bach*: murmur; *fig. Person*: sweep*; **≈end** *adj. Applaus*: thunderous; **~gift** *n* drug(s *pl. coll.*), narcotic(s *pl. coll.*), F dope; **~gifthandel** *m* drug traffic(king); **~gifthändler** *m* drug trafficker, *sl.* pusher.
räuspern *v/refl.* clear one's throat.
Razzia *f* raid, round-up.
reagieren *v/i.* ⚕, ⚗ react (*auf* to); *fig. a.* respond (to).
Reaktion *f* ⚗, ⚕, *phys.* reaction (*auf* to) (*a. pol.*); *fig. a.* response (to); **~är** *m*, **≈är** *adj.* reactionary.
Reaktor *phys. m* (nuclear *od.* atomic) reactor.
real *adj.* real; *konkret*: concrete; **~isieren** *v/t.* realize; **≈ismus** *m* realism; **~istisch** *adj.* realistic; **≈ität** *f* reality; **≈schule** *f appr. Brt.* secondary (modern) school, *Am.* (junior) highschool.
Rebe ⚘ *f* vine.
Rebell *m* rebel; **≈ieren** *v/i.* rebel,

revolt, rise* (*alle*: *gegen* against); **²isch** *adj.* rebellious.
Reb|huhn *zo. n* partridge; **~laus** *zo. f* phylloxera; **~stock** ⚘ *m* vine.
Rechen *m*, **²** *v/t.* rake.
Rechen|aufgabe *f* (arithmetical) problem; *~n lösen* F do* sums; **~fehler** *m* arithmetical error, miscalculation; **~maschine** *f* calculator; computer; **~schaft** *f*: *~ ablegen über* account for; *zur ~ ziehen* call to account (*wegen* for); **~schieber** ⚙ *m* slide-rule.
Rechnen *n* arithmetic; calculation.
rechne|n *v/i. u. v/t.* calculate, reckon; *Aufgabe etc.*: work out, do*; *zählen*: count; *~ mit* expect; *bauen auf*: count on; *mit mir kannst du nicht ~!* count me out!; **²r** *m s. Rechenmaschine*; **~risch** *adj.* arithmetical.
Rechnung *f* calculation; *Aufgabe*: problem, sum; *econ.* invoice, *Am. a.* bill; *im Lokal*: bill, *Am. a.* check; *die ~, bitte!* can I have the bill, please?; *das geht auf m-e ~* that's on me.
recht 1. *adj.* right (*a.* ⚙); *richtig*: *a.* correct; *pol.* right-wing; *mir ist es ~* I don't mind; *~ haben* be* right; *j-m ~ geben* agree with s.o.; **2.** *adv.* right(ly), correctly; *ziemlich*: rather, quite; *ich weiß nicht ~* I don't really know; *es geschieht ihm ~* it serves him right; *erst ~* all the more; *erst ~ nicht* even less; *du kommst gerade ~ (zu)* you're just in time (for).
Recht *n* right; *Anspruch*: *a.* claim (*beide*: *auf* to); ⚖ *Gesetz*: law; *Gerechtigkeit*: justice; *gleiches ~* equal rights *pl.*; *im ~ sein* be* in the right; *er hat es mit (vollem) ~ getan* he was (perfectly) right to do so; *ein ~ auf et. haben* be* entitled to s.th.
Rechteck *n* rectangle; **²ig** *adj.* rectangular.
recht|fertigen *v/t.* justify; **²fertigung** *f* justification; **²haber** F *m* know-all; **~lich** *adj.* legal; **~los** *adj.* without rights; *ausgestoßen*: outcast; **²lose(r)** outcast; **~mäßig** *adj.* lawful; *berechtigt*: legitimate; *gesetzmäßig*: legal; **²mäßigkeit** *f* lawfulness, legitimacy.
rechts *adv.* on the right(-hand side); *nach ~* to the right.
Rechts|anspruch *m* legal claim (*auf* to); **~anwalt** *m*, **~anwältin** *f* lawyer; **~ausleger** *m Boxen*: southpaw.
recht|schaffen *adj.* honest; *gesetzestreu*: law-abiding; **²schreibfehler** *m* spelling mistake; **²schreibung** *f* spelling, orthography.
Rechts|fall *m* (law) case; **~händer(in)** right-handed person; *er (sie) ist ~* he (she) is right-handed.
Rechtsprechung *f* jurisdiction.
rechts|radikal *pol. adj.* extreme right-wing; **²schutz** *m* legal protection; *Versicherung*: legal costs insurance; **~widrig** *adj.* illegal, unlawful.
recht|wink(e)lig *adj.* rectangular; **~zeitig 1.** *adj.* punctual; **2.** *adv.* in time (*zu* for).
Reck *n* horizontal bar.
recken *v/t.* stretch; *sich ~* stretch o.s.
Redakt|eur *m* editor; **~ion** *f Tätigkeit*: editing; *Personen*: editorial staff *sg.*, *pl.*, editors *pl.*; *Büro*: editorial (*TV* production) office; **²ionell** *adj.* editorial.
Rede *f* speech, address; *Ge²*: talk (*von* of); *e-e ~ halten* make* a speech; *direkte* (*indirekte*) *~ gr.* direct (reported *od.* indirect) speech; *zur ~ stellen* take* to task; *nicht der ~ wert* not worth mentioning; **²gewandt** *adj.* eloquent; **~kunst** *f* rhetoric.
reden *v/i. u. v/t.* talk, speak* (*beide*: *mit* to; *über* about, of); *ich möchte mit dir ~* I'd like to talk to you; *die Leute ~* people talk; *j-n zum ² bringen* make* s.o. talk.
Red|ensart *f* saying, phrase; **~eweise** *f*: *s-e ~* the way he talks; **²lich** *adj.* upright, honest; *sich ~(e) Mühe geben* do* one's best; **~ner(in)** speaker; **~nerpult** *m* speaker's desk; **²selig** *adj.* talkative.
reduzieren *v/t.* reduce (*auf* to).
Reeder *m* shipowner; **~ei** *f* shipping company *od.* firm.
reell *adj. Preis etc.*: reasonable, fair; *Chance*: real; *Firma*: solid.
Refer|at *n* paper; *Bericht*: report; *Vortrag*: lecture; *ein ~ halten* read* a paper; **~endar** *m Schule*: *appr.* trainee teacher; **~ent(in)** speaker; **~enz** *f* reference; **²ieren** *v/i.* (give* a) report (*Vortrag*: lecture) (*über* on).
reflektieren *v/t. u. v/i.* reflect (*fig. über* [up]on); *~ auf* be* interested in.
Reflex *m* reflex (*a. in Zssgn*); **²iv** *gr. adj.* reflexive.
Reform *f* reform; **~ator** *m*, **~er** *m* reformer; **~haus** *n* health food shop (*Am.* store); **²ieren** *v/t.* reform.

Q R

Refrain *m* refrain, chorus.
Regal *n* shelf (unit), shelves *pl.*
rege *adj.* lively; *Verkehr etc.*: busy; *geistig, körperlich*: active.
Regel *f* rule; ⚕ period, menstruation; *in der* ~ as a rule; **≈mäßig** *adj.* regular; **≈n** *v/t.* regulate; ⊕ *a.* adjust; *Angelegenheit etc.*: settle; **≈recht** *adj.* regular (*a.* F *fig.*); **~technik** *f* control engineering; **~ung** *f* regulation; adjustment; settlement; *Steuerung*: control; **≈widrig** *adj.* against the rule(s); *Sport*: unfair; *~es Spiel* foul play.
regen *v/t. u. v/refl.* move, stir.
Regen *m* rain; *starker* ~ heavy rain(fall); **~bogen** *m* rainbow; **~bogenhaut** *anat. f* iris; **~guß** *m* (heavy) shower, downpour; **~mantel** *m* raincoat; **~schauer** *m* shower; **~schirm** *m* umbrella; **~tag** *m* rainy day; **~tropfen** *m* raindrop; **~wasser** *n* rain-water; **~wetter** *n* rainy weather; **~wurm** *zo. m* earthworm; **~zeit** *f* rainy season; *Tropen*: the rains *pl.*
Regie *f thea., Film*: direction; *unter der ~ von* directed by; **~anweisung** *thea. f* stage direction.
regier|en **1.** *v/i.* reign; **2.** *v/t.* govern (*a. gr.*), rule; **≈ung** *f* government, *Am. a.* administration; *e-s Monarchen*: reign.
Regierungs|bezirk *m* administrative district; **~chef** *m* head of government; **~wechsel** *m* change of government.
Regime *pol. n* regime.
Regiment *n* rule (*a. fig.*); ⚔ regiment.
Regisseur *m* director, *thea. Brt. a.* producer.
Regist|er *n* register (*a.* ♪), record; *in Büchern*: index; **≈rieren** *v/t.* register, record; *fig.* note; **~rierkasse** *f* cash register.
Reglement *n Schweiz*: regulation, order, rule.
Regler ⊕ *m* control.
regne|n *v/i.* rain (*a. fig.*); *es regnet in Strömen* it is pouring with rain; **~risch** *adj.* rainy.
regulär *adj.* regular; *üblich*: normal.
regulier|bar *adj.* adjustable; *steuerbar*: controllable; **~en** *v/t.* regulate, adjust; *steuern*: control.
Regung *f* movement, motion; *Gefühls≈*: emotion; *Eingebung*: impulse; **≈slos** *adj.* motionless.
Reh *zo. n* deer, roe; *weiblich*: doe; *als Speise*: venison.
rehabilitieren *v/t.* rehabilitate.
Reh|bock *zo. m* (roe)buck; **~keule** *f* leg of venison; **~kitz** *zo. n* fawn.
Reib|e *f*, **~eisen** *n* grater, rasp.
reib|en *v/i. u. v/t.* rub; *zerkleinern*: grate, grind*; *sich die Augen (Hände)* ~ rub one's eyes (hands); **≈ung** ⊕ *etc. f* friction; **~ungslos** *adj.* frictionless; *fig.* smooth.
reich *adj.* rich (*an* in), wealthy; *Ernte, Vorräte*: rich, abundant.
Reich *n* empire, kingdom (*a. eccl.*, ⚘, *zo.*); *fig.* world.
reichen **1.** *v/t.* reach; *zu~*: *a.* hand, pass; *s-e Hand*: give*, hold out; **2.** *v/i. aus~*: last, do*; ~ *bis* reach *od.* come* up to; ~ *nach* reach (out) for; *das reicht* that will do; *mir reicht's!* I've had enough.
reich|haltig *adj.* rich; **~lich** **1.** *adj.* rich, plentiful; *Zeit, Geld etc.*: plenty of; **2.** *adv. ziemlich*: rather; *großzügig*: generously; **≈tum** *m* wealth (*an* of) (*a. fig.*); **≈weite** *f* reach; ✈, ⚔, *Funk etc.*: range; *in (außer) (j-s)* ~ within (out of) (s.o.'s) reach.
reif *adj.* ripe; *bsd. Mensch*: mature.
Reif *m* white *od.* hoar-frost.
Reife *f* ripeness, *bsd. fig.* maturity.
reifen *v/i.* ripen, mature (*beide a. fig.*).
Reifen *m* hoop; *mot. etc.* tyre, *Am.* tire; **~panne** *mot. f* puncture, *Am. a.* flat.
Reifeprüfung *f s. Abitur.*
reiflich *adj.* careful.
Reihe *f* line, row (*a. Sitz≈*); *Anzahl*: number; *Serie*: series; *der ~ nach* in turn; *ich bin an der ~* it's my turn.
Reihen|folge *f* order; **~haus** *n Brt.* terraced house, *Am.* row house; **≈weise** *adv.* in rows; F *fig.* by the dozen.
Reiher *zo. m* heron.
Reim *m* rhyme; **≈en** *v/t. u. v/refl.* rhyme (*auf* with).
rein *adj.* pure (*a. fig.*); *sauber*: clean; *Gewissen*: clear; *Wahrheit*: plain; *nichts als*: mere, sheer, nothing but; **≈fall** F *m* flop; *Enttäuschung*: letdown; **≈gewinn** *m* net profit; **≈heit** *f* purity (*a. fig.*); cleanness.
reinig|en *v/t.* clean; *gründlich*: *a.* cleanse (*a.* ⚕); *chemisch*: dry-clean; *fig.* purify; **≈ung** *f* clean(s)ing; *fig.* purification; *~sanstalt*: (dry) clean-

ers *pl.*; *chemische* ~ dry cleaning; **2ungsmittel** *n* detergent, clean(s)er.
rein|lich *adj.* clean; *als Eigenschaft*: cleanly; **2machefrau** *f s. Putzfrau*; **~rassig** *adj.* pure-blooded; *Tier*: thoroughbred; **2schrift** *f* fair copy.
Reis ⚘ *m* rice.
Reise *f allg.* trip; *zu Lande*: *a.* journey; ⚓ voyage; *Rund2*: tour; *s-e ~n* his travels; *auf ~n sein* be* travel(l)ing; *e-e ~ machen* take* a trip; *gute ~!* have a nice trip!; **~andenken** *n* souvenir; **~büro** *n* travel agency *od.* bureau; **~führer** *m* guide(book); **~gesellschaft** *f* tourist party; **~kosten** *pl.* travel(l)ing-expenses *pl.*; **~leiter** *m* courier, *Am.* tour guide *od.* manager; **2n** *v/i.* travel; *durch Frankreich ~* tour France; *ins Ausland ~* go* abroad; **~nde(r)** travel(l)er; tourist; *Fahrgast*: passenger; **~paß** *m* passport; **~scheck** *m* travel(l)er's cheque (*Am.* check); **~tasche** *f* travel(l)ing-bag, holdall.
Reisig *n* brushwood.
Reißbrett *n* drawing-board.
reißen *v/t. u. v/i.* tear* (*in Stücke* to pieces), rip (up *od.* open); *zerren*: pull, drag; *Kette, Faden*: break*; *töten*: kill; F *Witze*: crack; *Latte etc.*: knock down; *Gewichtheben*: snatch; *an sich ~* seize, snatch, grab; *sich um et. ~* scramble for (*od.* to get) s.th.; **~d** *adj.* torrential; *~en Absatz finden* sell* like hot cakes.
Reißer F *m* thriller; *Erfolg*: hit; **2isch** *adj.* sensational, loud.
Reiß|verschluß *m* zipper; *den ~ an et. öffnen (schließen)* unzip (zip up) s.th.; **~zwecke** *f* drawing-pin, *Am.* thumbtack.
reiten 1. *v/i.* ride*, go* on horseback; **2.** *v/t.* ride*.
Reit|en *n* (*bsd. Am.* horseback) riding; **~er(in)** rider, horse|man (-woman); **~pferd** *n* saddle- *od.* riding-horse.
Reiz *m* charm, attraction, appeal; *Kitzel*: thrill; ⚕, *psych.* stimulus; (*für j-n*) *den ~ verlieren* lose* one's appeal (for s.o.); **2bar** *adj.* irritable, excitable; **2en 1.** *v/t.* irritate (*a.* ⚕); *ärgern*: *a.* annoy; *bsd. Tier*: bait; *herausfordern*: provoke; *anziehen*: appeal to, attract; *(ver)locken*: tempt; *Aufgabe etc.*: challenge; **2.** *v/i. Kartenspiel*: bid*; **2end** *adj.* charming, delightful; *hübsch*: lovely, sweet, *Am.* cute; **2los** *adj.* unattractive; **~überflutung** *f* overstimulation; **~ung** *f* irritation; **2voll** *adj.* attractive; *Aufgabe etc.*: challenging; **~wäsche** F *f* sexy underwear; **~wort** *n* emotive word.
rekeln F *v/refl.* loll, lounge.
Reklamation *f* complaint.
Reklame *f* advertising, publicity; *Anzeige*: advertisement, F ad; *~ machen für* advertise, promote; *s. a. Werbung.*
reklamieren *v/i.* complain (*wegen* about), protest (against).
Rekord *m* record; *e-n ~ aufstellen* set* *od.* establish a record.
Rekrut ⚔ *m*, **2ieren** ⚔ *v/t.* recruit.
Rektor(in) head|master (-mistress), *Am.* principal; *univ.* rector, *Am.* president.
relativ *adj.* relative (*a. in Zssgn*).
Relief *n* relief.
Religi|on *f* religion; *Schulfach*: religious instruction *od.* education, F R.I., R.E.; **2ös** *adj.* religious.
Reling ⚓ *f* rail.
Reliquie *f* relic.
Rempel|ei F *f*, **2n** *v/t.* jostle.
Renn|bahn *f* racecourse, race-track; *Rad2*: cycling track; **~boot** *n* racing boat; *mit Motor*: speedboat.
rennen *v/i. u. v/t.* run*.
Rennen *n* race (*a. fig.*); *Einzel2*: heat.
Renn|fahrer *m mot.* racing driver; *Rad2*: racing cyclist; **~läufer(in)** ski racer; **~pferd** *n* racehorse, racer; **~rad** *n* racing bicycle, racer; **~sport** *m* racing; **~stall** *m* racing stable; **~wagen** *m* racing car, racer.
renommiert *adj.* renowned.
renovieren *v/t.* renovate, F do* up; *Innenraum*: redecorate.
rentabel *adj.* profitable, paying.
Rente *f* (old-age) pension.
Rentier *zo. n* reindeer.
rentieren *v/refl.* pay*; *fig.* be* worth it.
Rentner(in) pensioner.
Reparatur *f* repair; **~werkstatt** *f* repair shop; *mot. a.* garage.
reparieren *v/t.* repair, mend, F fix.
Report|age *f* report; **~er** *m* reporter.
Repräsent|ant *m* representative; **~antenhaus** *Am. parl. n* House of Representatives; **2ieren** *v/t.* represent.
Repressalie *f* reprisal.

Reprodu|ktion *f* reproduction, print; 2**zieren** *v/t.* reproduce.
Reptil *zo. n* reptile.
Republik *f* republic; **~aner(in)** *pol.*, 2**anisch** *adj.* republican.
Reserv|at *n Wild*2: reserve; *Indianer*2: reservation; **~e** *f* reserve (*a.* ⚔); **~e...** *in Zssgn Kanister, Rad etc.*: spare ...; 2**ieren** *v/t.* reserve (*a.* ~ *lassen*); *j-m e-n Platz* ~ keep* *od.* save a seat for s.o.; 2**iert** *adj.* reserved (*a. fig.*).
Residenz *f* residence.
Re|signation *f* resignation; 2**signieren** *v/i.* give* up; 2**signiert** *adj.* resigned; **~sozialisierung** *f* rehabilitation.
Respekt *m* respect (*vor* for); 2**ieren** *v/t.* respect; 2**los** *adj.* irreverent, disrespectful; 2**voll** *adj.* respectful.
Ressort *n* department, province.
Rest *m* rest; **~e** *pl. Überreste*: remains *pl.*, remnants *pl.* (*a. econ.*); *Essen*: leftover *sg.*; *das gab ihm den* ~ that finished him (off).
Restaurant *n* restaurant.
restaurieren *v/t.* restore.
Rest|betrag *m* remainder; 2**lich** *adj.* remaining; 2**los** *adv.* completely.
Resultat *n* result (*a. Sport*), outcome.
rett|en *v/t.* save, rescue (*beide*: *aus, vor* from); 2**er(in)** rescuer.
Rettich ⚘ *m* radish.
Rettung *f* rescue (*aus, vor* from); *das war s-e* ~ that saved him.
Rettungs|boot *n* lifeboat; **~mannschaft** *f* rescue party; **~ring** *m* lifebelt, (life)buoy; **~schwimmer** *m* life-guard *od.* -saver.
Reu|e *f* remorse, repentance (*beide*: *über* for); 2**evoll,** 2**mütig** *adj.* repentant.
Revanche *f* revenge.
revanchieren *v/refl. sich rächen*: have* one's revenge (*bei, an* on); *et. gutmachen*: make* it up (*bei* to).
Revers *n, m* lapel.
revidieren *v/t.* revise; *econ.* audit.
Revier *n allg.* district; *zo., fig.* territory; *s. Polizeirevier.*
Revision *f econ.* audit; ⚖ appeal; *Änderung*: revision.
Revolt|e *f*, 2**ieren** *v/i.* revolt.
Revolution *f* revolution; 2**är** *adj.*, **~är(in)** revolutionary.
Revolver *m* revolver, F gun.
Revue *f thea.* (musical) show.
Rezept *n* ⚕ prescription; *Koch*2: recipe (*a. fig. Mittel*).
Rhabarber ⚘ *m* rhubarb.
rhetorisch *adj.* rhetorical.
Rheuma ⚕ *n* rheumatism.
rhythm|isch *adj.* rhythmic(al); 2**us** *m* rhythm.
Ribisel *östr. f* currant.
richten *v/t. allg.* fix; *(vor)bereiten*: *a.* get* *s.th.* ready, prepare; *Zimmer, Haar etc.*: *a.* do*; ⚖ judge (*a. fig.*); (*sich*) ~ *an* address (o.s.) to; *Frage*: put* to; ~ *auf* (*gegen*) direct *od.* turn to (against); *Waffe, Kamera etc.*: point *od.* aim at; *sich* ~ *nach* go* by, act according to; *Mode, Beispiel*: follow; *abhängen von*: depend on; *ich richte mich ganz nach dir* I leave it to you, you decide.
Richter *m* judge; 2**lich** *adj.* judicial.
Richtgeschwindigkeit *mot. f* recommended speed.
richtig 1. *adj. allg.* right; *korrekt*: *a.* correct, proper; *wahr*: true; *echt, wirklich, typisch*: real; **2.** *adv.*: ~ *nett* (*böse*) really nice (angry); *et.* ~ *machen* do* s.th. right; *m-e Uhr geht* ~ my watch is right; 2**keit** *f* correctness; truth; **~stellen** *v/t.* put* *od.* set* right.
Richt|linien *pl.* guiding rules *pl.*; **~preis** *econ. m* recommended price; **~schnur** *fig. f* guideline.
Richtung *f* direction; *pol.* leaning; *paint. etc.* style; 2**slos** *adj.* aimless, disorient(at)ed; 2**weisend** *fig. adj.* pioneering.
riechen *v/i. u. v/t.* smell* (*nach* of; *an* at).
Riegel *m* bolt, bar (*a. Schokolade*).
Riemen *m* strap; *Gürtel*, ⊕: belt; ⚓ oar.
Riese *m* giant (*a. fig.*).
rieseln *v/i.* trickle, run* (*a. fig.*); *Bach*: purl; *Regen*: drizzle; *Schnee*: fall* gently.
Riesen|... *in Zssgn mst* giant ..., gigantic ..., enormous ...; **~erfolg** *m* smash(ing) success; *Film etc.*: *a.* smash hit; 2**groß,** 2**haft** *adj. s. riesig*; **~kräfte** *pl.* Herculean strength *sg.*; **~rad** *n* Ferris wheel; **~welle** *f Turnen*: giant swing.
ries|ig *adj.* enormous, huge, gigantic, giant; 2**in** *f* giantess.
Riff *n* reef.
Rill|e *f* groove; 2**ig** *adj.* grooved.

Rind *zo. n* cow; *Fleisch*: beef; **~er** *pl.* cattle *pl.*
Rinde *f* ⚘ bark; *Käse*2: rind; *Brot*2: crust.
Rinder|braten *m* roast beef; **~herde** *f* herd of cattle.
Rind|fleisch *n* beef; **~(s)leder** *n* cowhide; **~vieh** *n* cattle *pl.*
Ring *m* ring (*a. fig.*); *mot.* ring road; *U-Bahn etc.*: circle (line); **~buch** *n* loose-leaf *od.* ring binder.
ringel|n *v/refl.* curl, coil (*a. Schlange*); 2**natter** *zo. f* ring-snake; 2**spiel** *östr. n s. Karussell.*
ringen 1. *v/i.* wrestle (*mit* with); *fig. a.* struggle (against, with; *um* for); *nach Atem* ~ gasp (for breath); **2.** *v/t. Hände*: wring*.
Ring|en *n* wrestling; **~er** *m* wrestler.
ring|förmig *adj.* circular; 2**kampf** *m* wrestling-match; 2**richter** *m* referee.
rings *adv.*: ~ *um* around; **~herum, ~um, ~umher** *adv.* all around; everywhere.
Rinn|e *f* groove, channel; *Dach*2: gutter; 2**en** *v/i.* run* (*a. Schweiß etc.*); *strömen*: flow, stream; **~sal** *n* streamlet; **~stein** *m* gutter.
Rippe *f* rib; **~nfell** *anat. n* pleura; **~nfellentzündung** ⚕ *f* pleurisy; **~nstoß** *m* nudge in the ribs.
Risiko *n* risk; *ein* (*kein*) ~ *eingehen* take* a risk (no risks); *auf eigenes* ~ at one's own risk.
risk|ant *adj.* risky; **~ieren** *v/t.* risk.
Riß *m* tear, rip, split (*a. fig.*); *Sprung*: crack; *in der Haut*: chap; *~wunde*: laceration.
rissig *adj.* full of tears; *Haut etc.*: chappy; *brüchig*: cracky, cracked.
Rist *m* instep; back of the hand.
Ritt *m* ride (on horseback).
Ritter *m* knight; *zum* ~ *schlagen* knight; 2**lich** *fig. adj.* chivalrous.
Ritz *m*, **~e** *f* crack, chink; *Schramme*: scratch; *Lücke*: gap; 2**en** *v/t.* scratch; *ein~*: carve, cut*.
Rival|e *m*, **~in** *f* rival; 2**isieren** *v/i.* rival (*mit j-m* s.o.); **~ität** *f* rivalry.
Robbe *zo. f* seal.
Robe *f* robe, gown.
Roboter *m* robot.
robust *adj.* robust, strong, tough.
röcheln 1. *v/i. Kranker*: moan; **2.** *v/t. Worte*: gasp.
Rock *m* skirt.
Rodel|bahn *f* toboggan run; 2**n** *v/i.* sled(ge), *Am. a.* coast; *Sport*: toboggan; **~schlitten** *m* sled(ge); toboggan.
roden *v/t.* clear; *Wurzeln*: stub.
Rogen *zo. m* (hard) roe.
Roggen ⚘ *m* rye.
roh *adj.* raw; *unbearbeitet*: rough; *Handlung*: brutal; *mit ~er Gewalt* with brute force; 2**bau** *m* carcass; 2**eisen** *n* pig-iron.
Roheit *fig. f* brutality, brutal act.
Roh|ling *m* brute; *metall.* blank; **~material** *n* raw material; **~öl** *n* crude (oil).
Rohr *n* pipe, tube; *Kanal*2: duct; ⚘ *Schilf*2: reed; *Bambus*2 *etc.*: cane.
Röhre *f* pipe, tube (*a. Am. TV*); *TV etc.* valve.
Rohr|leitung *f* duct, pipe(s *pl.*); *im Haus*: plumbing; *Fernleitung*: pipeline; **~stock** *m* cane; **~zucker** *m* cane-sugar.
Rohstoff *m* raw material.
Rolladen *m* rolling shutter.
Rollbahn ✈ *f* taxiway, taxi strip.
Rolle *f* roll (*a. Turnen*); ⊕ *a.* roller; *Tau*2 *etc.*: coil; *unter Möbeln*: cast|or, -er; *thea.* part, role (*beide a. fig.*); ~ *Garn* reel of cotton, *Am.* spool of thread; *das spielt keine* ~ that doesn't matter, that makes no difference; *aus der* ~ *fallen* forget* o.s.
rollen *v/i. u. v/t.* roll.
Roller *m* (*mot.* motor) scooter.
Roll|film *phot. m* roll film; **~kragen** *m* turtle-neck (*a. in Zssgn*).
Rollo *n* (roller) blind.
Rollschuh *m* roller-skate (*a.* ~ *fahren*); **~bahn** *f* roller-skating rink; **~läufer(in)** roller-skater.
Roll|stuhl *m* wheelchair; **~treppe** *f* escalator.
Roman *m* novel.
Roman|ik *arch. hist. f* Romanesque (style *od.* period); 2**isch** *adj. ling.* Romance; *arch.* Romanesque; **~ist(in)** *Student(in)*: student of Romance languages; **~schriftsteller** *m* novelist.
Romanti|k *f* romance; *hist.* Romanticism; 2**sch** *adj.* romantic.
Röm|er *m* Roman; *Glas*: rummer; 2**isch** *adj.* Roman.
Rommé *n* rummy.
röntgen *v/t.* X-ray; 2**apparat** *m* X-ray apparatus; 2**aufnahme** *f*, 2**bild** *n* X-ray; 2**strahlen** *pl.* X-rays *pl.*
rosa *adj.* pink; *fig.* rose-coloured.

Rose ⚘ *f* rose; **~nkohl** ⚘ *m* Brussels sprouts *pl.*; **~nkranz** *eccl. m* rosary.
rosig *adj.* rosy (*a. fig.*).
Rosine *f* F *mst* currant; *große*: raisin.
Roß *zo. n* horse; **~haar** *n* horsehair.
Rost *m* rust; ⊕ grate; *Brat*≈: grid(iron), grill; ≈**en** *v/i.* rust.
rösten *v/t.* roast (*a.* F *fig.*); *Brot*: toast; *Kartoffeln*: fry.
Rost|fleck *m* rust stain; ≈**frei** *adj.* rustless, rust-proof, stainless; ≈**ig** *adj.* rusty (*a. fig.*).
rot *adj.* red; *fig. pol. etc.* Red; ~ *werden* blush; *in den ~en Zahlen* in the red.
Rot *n* red; *die Ampel steht auf* ~ the lights are red; ≈**blond** *adj.* sandy (-haired).
Röte *f* redness, red (colo[u]r); *Scham*≈: blush; **~ln** ⚕ *pl.* German measles *pl.*; ≈**n** *v/t. u. v/refl.* redden; *Gesicht*: *a.* flush.
rot|glühend *adj.* red-hot; **~haarig** *adj.* red-haired; ≈**haarige(r)** redhead; ≈**haut** *f* redskin.
rotieren *v/i.* rotate, revolve.
Rot|kehlchen *zo. n* robin; **~kohl** *m* red cabbage.
rötlich *adj.* reddish.
Rot|stift *m* red crayon *od.* pencil; **~wein** *m* red wine; **~wild** *zo. n* (red) deer.
Rotz V *m* snot; **~nase** F *f* snotty nose.
Route *f* route.
Routin|e *f* routine; *Erfahrung*: experience; **~esache** *f* routine (matter); ≈**iert** *adj.* experienced.
Rübe ⚘ *f* turnip; *Zucker*≈: (sugar) beet.
Rubin *m* ruby.
Rübli *n Schweiz*: carrot.
Rubrik *f* heading; *Spalte*: column.
Ruck *m* jerk, jolt, start; *fig. pol.* swing; ≈**artig** *adj.* jerky, abrupt.
rück|bezüglich *gr. adj.* reflexive; ≈**blende** *f* flashback (*auf* to); ≈**blick** *m* review (*auf* of); *e-n ~ werfen auf* look back on.
rücken **1.** *v/t.* move, shift, push; **2.** *v/i.* move; *Platz machen*: move over; *näher* ~ approach.
Rücken *m* back (*a. fig.*); **~deckung** *fig. f* backing, support; **~lehne** *f* back(rest); **~mark** *anat. n* spinal cord; **~schmerzen** *pl.* backache *sg.*; **~schwimmen** *n* backstroke; **~wind** *m* following wind; **~wirbel** *anat. m* dorsal vertebra.
Rück|erstattung *econ. f* refund; **~fahrkarte** *f* return (ticket), *Am. a.* round-trip ticket; **~fahrt** *f* return trip; *auf der* ~ on the way back; **~fall** *m* relapse; ≈**fällig** *adj.*: ~ *werden* relapse; **~flug** *m* return flight; **~gabe** *f* return; **~gang** *fig. m* drop, fall; *econ.* recession; ≈**gängig** *adj.*: ~ *machen* cancel; **~gewinnung** *f* recovery; **~grat** *n anat.* spine, backbone (*beide a. fig.*); **~halt** *m* support; **~hand** *f* backhand(er); **~kauf** *m* repurchase; **~kehr** *f* return; **~kopplung** ⚡ *f* feedback (*a. fig.*); **~lage** *f* reserve(s *pl.*); *Ersparnisse*: savings *pl.*; **~lauf** *m Bandgerät*: rewind; ≈**läufig** *adj.* falling, downward; **~licht** *mot. n* rear- *od.* tail-light; ≈**lings** *adv.* backward(s); *von hinten*: from behind; **~porto** ✉ *n* return postage; **~reise** *f s. Rückfahrt.*
Rucksack *m* rucksack, *Am. a.* backpack.
Rück|schlag *fig. m* set-back; **~schluß** *m* conclusion; **~schritt** *m* step back (-ward); **~seite** *f* back; *Münze*: reverse; *Platte*: flip side; **~sendung** *f* return; **~sicht** *f* consideration, regard; *aus* (*ohne*) ~ *auf* out of (without any) consideration *od.* regard for; ~ *nehmen auf* show* consideration for; ≈**sichtslos** *adj.* inconsiderate (*gegen* of), thoughtless (of); *skrupellos*: ruthless; *Fahren etc.*: reckless; ≈**sichtsvoll** *adj.* considerate (*gegen* of), thoughtful; **~sitz** *mot. m* back seat; **~spiegel** *m* rear-view mirror; **~spiel** *n* return match; ≈**spulen** *v/t.* rewind*; **~stand** *m* ⚗ residue; *mit der Arbeit* (*e-m Tor*) *im ~ sein* be* behind with one's work (down by one goal); ≈**ständig** *adj. fig.* backward; *Land*: *a.* underdeveloped; *~e Miete* arrears *pl.* of rent; **~tritt** *m* resignation; *vom Vertrag*: withdrawal; **~trittbremse** *f* back-pedal (*Am.* coaster) brake; ≈**wärts** *adv.* backward(s); ~ *aus ... (in ...) fahren od. gehen* back out of ... (into ...); **~wärtsgang** *mot. m* reverse (gear); **~weg** *m* way back.
ruckweise *adv.* jerkily, in jerks.
rück|wirkend *adj.* retroactive; ≈**wirkung** *f* reaction (*auf* upon); ≈**zahlung** *f* repayment; ≈**zieher** *m Fußball*: overhead kick; F: *e-n ~ machen* back (*aus Angst*: chicken) out (*von* of); ≈**zug** *m* retreat.

QR

Rüde *zo.* male (dog *etc.*).
Rudel *n* pack; *Rehe*: herd.
Ruder *n* ⚓ *Steuer*2, ✈ *Seiten*2: rudder; *Riemen*: oar; *am* ~ at the helm (*a. fig.*); **~boot** *n* row(ing)-boat; **~er** *m* rower, oarsman; **2n** *v/i. u. v/t.* row; **~regatta** *f* (rowing) regatta, boat race; **~sport** *m* rowing.
Ruf *m* call (*a. fig.*); *Schrei*: cry, shout; *Ansehen*: reputation; **2en** *v/i. u. v/t.* call (*a. Arzt etc.*); cry, shout; ~ *nach* call for (*a. fig.*); ~ *lassen* send* for; *um Hilfe* ~ call *od.* cry for help.
Ruf|nummer *f* telephone number; **~weite** *f*: *in (außer)* ~ within (out of) call(ing distance).
Rüge *f* reproof, reproach (*beide*: *wegen* for); **2n** *v/t.* reprove, reproach.
Ruhe *f Stille*: quiet, calm; *Schweigen*: silence; *Erholung*, *Stillstand*, *a. phys.*: rest; *Frieden*: peace; *Gemüts*2: calm(ness); *zur* ~ *kommen* come* to rest; *j-n in* ~ *lassen* leave* s.o. in peace; *laß mich in* ~*!* leave me alone!; *et. in* ~ *tun* take* one's time (doing s.th.); *die* ~ *behalten* F keep* (one's) cool, play it cool; *sich zur* ~ *setzen* retire; ~, *bitte!* (be) quiet, please!; **2los** *adj.* restless; **2n** *v/i.* rest (*auf* on); **~pause** *f* break; **~stand** *m* retirement; **~stätte** *f* (*Grab*: *a.* last) resting-place; **~störer** *m bsd.* ⚖ disturber of the peace; **~störung** *f* disturbance (of the peace); **~tag** *m* a day's rest; *Montag* ~ *haben* be* closed on Mondays.
ruhig *adj.* quiet; *leise, schweigsam*: *a.* silent; *unbewegt*: calm; *Mensch*: *a.* cool; ⊕ smooth; ~ *bleiben* F keep* (one's) cool, play it cool.
Ruhm *m* fame; *bsd. pol.*, ⚔ *etc.* glory.
rühm|en *v/t.* praise (*wegen* for); *sich e-r Sache* ~ boast of s.th.; **~lich** *adj.* laudable, praiseworthy.
ruhm|los *adj.* inglorious; **~reich, ~voll** *adj.* glorious.
Ruhr ⚕ *f* dysentery.
Rühr|eier *pl.* scrambled eggs *pl.*; **2en** *v/t.* stir; (*sich*) *bewegen*: *a.* move; *fig. innerlich*: move, touch, affect; *das rührt mich gar nicht* that leaves me cold; *rührt euch!* ⚔ (stand) at ease!; **2end** *adj.* touching, moving; *mitleiderregend*: pathetic; **2ig** *adj.* active, busy; **2selig** *adj.* sentimental; **~ung** *f* emotion, feeling.
Ruin *m* ruin.
Ruine *f* ruin.
ruinieren *v/t.* ruin.
rülps|en *v/i.*, **2er** *m* belch.
Rumän|e, ~in, 2isch *adj.* Romanian.
Rummel F *m Geschäftigkeit*: (hustle and) bustle; *Reklame*2: F ballyhoo: *großen* ~ *machen um* make* a big fuss *od.* to-do about; **~platz** F *m* amusement park, fairground.
rumoren *v/i.* rumble (*a. Magen*).
Rumpel|kammer F *f* lumber-room; **2n** F *v/i.* rumble.
Rumpf *m anat.* trunk; ⚓ hull; ✈ fuselage.
rümpfen *v/t.*: *die Nase* ~ turn up one's nose (*über* at), sneer (at).
rund 1. *adj.* round (*a. fig.*); **2.** *adv. ungefähr*: about; ~ *um* (a)round; **2blick** *m* panorama; **2e** *f* round (*a. fig. u. Sport*); *Rennsport*: lap; *die* ~ *machen* go* the round(s *pl.*); **~en** *v/refl.* (get* *od.* grow*) round; **2fahrt** *f* tour (*durch* round).
Rundfunk *m* radio; *Gesellschaft*: broadcasting corporation; *im* ~ on the radio; *im* ~ *übertragen od. senden* broadcast*; **~hörer** *m* listener; ~ *pl. a.* (radio) audience *sg.*; **~sender** *m* broadcasting *od.* radio station.
Rund|gang *m* tour (*durch* of); **2heraus** *adv.* frankly, plainly; **2herum** *adv. ringsum*: all around; **2lich** *adj.* plump, chubby; **~reise** *f* (circular) tour *od.* trip, sight-seeing trip, *Am. a.* round trip; **~schau** *f* review; **~schreiben** *n* circular (letter); **~spruch** *m Schweiz*: *s. Rundfunk*; **~ung** *f* curve; **2weg** *adv.* flatly, plainly.
runter F *adv. s. herunter.*
Runz|el *f* wrinkle; **2(e)lig** *adj.* wrinkled; **2eln** *v/t.*: *die Stirn* ~ frown (*über* at).
Rüpel *m* lout; **2haft** *adj.* rude.
rupfen *v/t.* pluck (*a. fig.*).
Rüsche *f* frill, ruffle.
Ruß *m* soot.
Russe *m* Russian.
Rüssel *m* trunk; *Schweins*2: snout.
ruß|en *v/i.* smoke; **~ig** *adj.* sooty.
Russ|in *f*, **2isch** *adj.* Russian.
rüsten 1. *v/i. mil.* arm; **2.** *v/refl.* get* ready, prepare (*zu, für* for); arm o.s. (*gegen* for).
rüstig *adj.* vigorous; **2keit** *f* vigo(u)r.
rustikal *adj.* rustic.
Rüstung *f* ⚔ armament; *Ritter*2: armo(u)r; **~sindustrie** *f* armament industry; **~swettlauf** *m* arms race.

QR

Rüstzeug *fig. n* equipment.
Rute *f* rod (*a. fig.*), switch.
Rutsch|bahn *f*, **~e** *f* slide, chute; **2en** *v/i.* slide*, slip (*a. aus2*); *gleiten*: glide; *mot. etc.* skid; **2ig** *adj.* slippery; **2sicher** *adj.* non-skid.
rütteln 1. *v/t.* shake*; **2.** *v/i.* jolt; *an der Tür ~* rattle at the door.

S

Saal *m* hall.
Saat ↙ *f Säen*: sowing; *~gut*: seed(s *pl.*) (*a. fig.*); *junge ~*: crop(s *pl.*).
Sabbat *m* sabbath (day).
sabbern F *v/i.* slobber, slaver.
Säbel *m* sab|re, *Am.* -er (*a. Sport*), sword; **2n** F *v/t.* cut*, hack.
Sabot|age *f* sabotage; **~eur** *m* saboteur; **2ieren** *v/t.* sabotage.
Sach|bearbeiter *m* official in charge; **~beschädigung** *f* damage to property; **~buch** *n* specialized book; *pl. coll.* non-fiction *sg.*; **2dienlich** *adj.*: *~e Hinweise* relevant information *sg.*
Sache *f* thing; *Angelegenheit*: matter, business; (*Streit*)*Frage*: issue, problem, question; *Anliegen*: cause; ⚖ matter, case; *~n pl. allg.* things *pl.*; *Kleidung*: *a.* clothes *pl.*; *zur ~ kommen* (*bei der ~ bleiben*) come* (keep*) to the point; *nicht zur ~ gehören* be* irrelevant.
sach|gerecht *adj.* proper; **2kenntnis** *f* expert knowledge; **~kundig** *adj.* expert; **2lage** *f* state of affairs, situation; **~lich** *adj. nüchtern*: matter-of-fact, business-like; *unparteiisch*: unbias(s)ed, objective; *Gründe etc.*: practical, technical; *~ richtig* factually correct.
sächlich *gr. adj.* neuter.
Sach|register *n* (subject) index; **~schaden** *m* damage to property.
sacht *adj.* soft, gentle; slow; F: (*immer*) *~e!* (take it) easy!
Sach|verhalt *m* facts *pl.* (of the case); **~verstand** *m* know-how; **~verständige(r)** expert; ⚖ expert witness; **~wert** *m* real value; **~zwänge** *pl.* inherent necessities *pl.*
Sack *m* sack, bag; V *Hoden*: balls *pl.*; **2en** F *v/i.* sink*; **~gasse** *f* blind alley (*a. fig.*), cul-de-sac, impasse (*a. fig.*), dead end (street) (*a. fig.*); *fig. a.* deadlock; **~hüpfen** *n* sack race.
Sadis|mus *m* sadism; **~t(in)** sadist; **2tisch** *adj.* sadistic.
säen *v/t. u. v/i.* sow* (*a. fig.*).
Saft *m* juice; *Baum2*: sap (*beide a. fig.*); **2ig** *adj.* juicy (*a. Witz*); *Wiese*: lush; *Preis*: fancy; **2los** *adj.* juiceless, sapless (*a. fig.*).
Sage *f* legend, myth (*a. fig.*).
Säge *f* saw; **~bock** *m* saw-horse, *Am. a.* sawbuck; **~mehl** *n* sawdust.
sagen *v/i. u. v/t.* say*; *j-m et. ~* tell* s.o. s.th.; *die Wahrheit ~* tell* the truth; *er läßt dir ~* he asked me to tell you; *~ wir* (let's) say; *man sagt, er sei* he is said to be; *er läßt sich nichts ~* he will not listen to reason; *das hat nichts zu ~* it doesn't matter; *et.* (*nichts*) *zu ~ haben* (*bei*) have* a say (no say) (in); *~ wollen mit* mean* by; *das sagt mir nichts* it doesn't mean anything to me; *unter uns gesagt* between you and me.
sägen *v/t. u. v/i.* saw*.
sagenhaft *adj.* legendary; F *fig.* fabulous, incredible, fantastic.
Säge|späne *pl.* sawdust *sg.*; **~werk** *n* sawmill.
Sahne *f* cream; **~torte** *f* cream gateau.
Saison *f* season; *in der ~* in season; **2bedingt** *adj.* seasonal.
Saite *f* string, chord (*a. fig.*); **~ninstrument** *n* string(ed) instrument.
Sakko *m, n* sport(s)-coat *od.* -jacket.
Sakristei *f* vestry, sacristy.
Salat *m* ⚘ lettuce; *angemachter*: salad; **~sauce** *f* salad-dressing.
Salb|e *f* ointment; **~ung** *f* unction; **2ungsvoll** *fig. adj.* unctuous.
Saldo *econ. m* balance.
Salmiak ⚗ *m, n* sal ammoniac, ammonium chloride; **~geist** *m* liquid ammonia.
Salon *m Mode2*, *Friseur2 etc.*: salon;

S

⚓ *etc.* saloon; *bsd. hist.* drawing-room.
salopp *adj.* casual; *contp.* sloppy.
Salpeter ⚗ *m* saltpet|re, *Am.* -er, nit|re, *Am.* -er.
Salto *m* somersault (*a. fig.*).
Salut *m* salute; ~ *schießen* fire a salute; **2ieren** *v/i.* (give* a) salute.
Salve *f* volley (*a. fig.*); *Ehren*2: salute.
Salz *n* salt; **~bergwerk** *n* salt-mine; **2en** *v/t.* salt; **~hering** *m* pickled herring; **2ig** *adj.* salty; **~kartoffeln** *pl.* boiled potatoes *pl.*; **~korn** *n* grain of salt; **~stange** *f* saltstick; **~streuer** *m* salt-cellar, *Am.* salt-shaker; **~säure** ⚗ *f* hydrochloric acid; **~wasser** *n* salt water; *Lake*: brine; **~werk** *n* salt-works *sg.*, saltern.
Same *m*, **~n** *m* ⚘ seed (*a. fig.*); *biol.* sperm, semen; **~nkorn** ⚘ *n* seed-corn.
Sammel|... *in Zssgn Begriff, Bestellung, Konto etc.*: collective ...; **~büchse** *f* collecting-box; **2n** *v/t.* collect; *Pilze etc.*: gather; *anhäufen*: accumulate; *sich* ~ assemble; *fig.* compose o.s.; **~platz** *m* meeting-place.
Samml|er(in) collector; **~ung** *f* collection.
Samstag *m* Saturday.
samt *prp.* together *od.* along with.
Samt *m* velvet.
sämtlich *adj.*: ~*e pl. alle*: all the; *Werke etc.*: the complete.
Sanatorium *n* sanatorium, *Am. a.* sanitarium.
Sand *m* sand; ~*fläche*: sands *pl.*
Sandale *f* sandal.
Sand|bahn *f Sport*: dirt-track; **~bank** *f* sandbank; **~boden** *m* sandy soil; **~burg** *f* sandcastle; **2ig** *adj.* sandy; **~korn** *n* grain of sand; **~mann** *m* sandman; **~papier** *n* sand-paper; **~sack** *m* sand bag; **~stein** *m* sandstone; **~strand** *m* sandy beach; **~uhr** *f* sand-glass.
sanft *adj.* gentle, soft; *mild*: mild; *Tod*: easy; *ruhe* ~ rest in peace, *abbr.* R.I.P.; **~mütig** *adj.* gentle, mild.
Sänger(in) singer.
sanier|en *v/t.* redevelop (*a. econ.*), rehabilitate (*a. Haus*); **2ung** *f* redevelopment, rehabilitation; **2ungsgebiet** *n* redevelopment area.
sani|tär *adj.* sanitary; **2täter** *m* first-aid attendant, *Am.* paramedic; ⚔ medic, corpsman; **2täts...** *in Zssgn mst* medical *od.* ambulance ...
Sankt Saint, *abbr.* St.
Sard|elle *zo. f* anchovy; **~ine** *zo. f* sardine.
Sarg *m* coffin, *Am. a.* casket.
Sarkas|mus *m* sarcasm; **2tisch** *adj.* sarcastic.
Satan *m* Satan; *fig.* devil.
Satellit *m* satellite (*a. fig.*); **~en...** *in Zssgn Staat, Stadt etc.*: satellite ...
Satin *m* satin; *Baumwoll*2: sateen.
Satir|e *f* satire (*auf* upon); **~iker** *m* satirist; **2isch** *adj.* satiric(al).
satt *adj.* F full (up); *ich bin* ~ I've had enough, F I'm full (up); *sich* ~ *essen* eat* one's fill (*an* of); ~ *zu essen haben* have* enough to eat; *et. od. j-n* ~ *haben* (*bekommen*) be* (get*) tired *od.* F sick of, be* (get*) fed up with.
Sattel *m* saddle; **~gurt** *m* girth; **2n** *v/t.* saddle; **~schlepper** *mot. m* semi-trailer truck.
sättig|en 1. *v/t.* satisfy: *ernähren*: feed*; ⚗, *phys.* saturate; **2.** *v/i. Essen*: be* substantial *od.* filling; **2ung** *f lit.* repletion; *Fütterung*: feeding; ⚗, *econ.* saturation.
Sattler *m* saddler; **~ei** *f* saddlery.
Satz *m gr.* sentence; *Sprung*: leap; *Tennis, zs.-gehörige Dinge*: set; *econ.* rate; ♪ movement; **~aussage** *gr. f* predicate; **~bau** *gr. m* syntax; *e-s Satzes*: construction; **~gegenstand** *gr. m* subject; **~teil** *gr. m* part of a sentence.
Satzung *f* statute, by-law.
Satzzeichen *gr. n* punctuation mark.
Sau *f zo.* sow; *hunt.* wild sow; V *fig.* pig; **2...** F *in Zssgn kalt etc.*: damned ...
sauber *adj.* clean (*a.* F *fig.*); *Luft etc.*: *a.* pure; *ordentlich*: neat (*a. fig.*), tidy; *anständig*: decent; *iro.* fine, nice; **~halten** *v/t.* keep* clean (*sich* o.s.); **2keit** *f* clean(li)ness; tidiness, neatness; purity; decency; **~machen** *v/t. u. v/i.* clean (up).
säuber|n *v/t.* clean (up); *gründlich*: *a.* cleanse (*a.* ⚕); ~ *von* clear (*pol. fig. a.* purge) of; **2ung(saktion)** *pol. f* purge.
sauer *adj.* sour (*a. fig. Gesicht*), acid (*a.* ⚗); *Gurke*: pickled; *wütend*: mad (*auf* at), cross (with); ~ *werden* turn sour; *fig.* get* mad; *saurer Regen* acid rain; **2kraut** *n* sauerkraut.

S

säuerlich *adj.* sharp; F *fig.* wry.
Sauer|stoff ⚗ *m* oxygen; **~stoffgerät** ⚕ *n* resuscitator; **~teig** *m* leaven.
saufen *v/t. u. v/i.* drink*; F *Mensch:* booze.
Säufer F *m* drunkard, F boozer.
Saug... ⊕ *in Zssgn Pumpe etc.:* suction ...
saugen *v/i. u. v/t.* suck (*an et.* [at] s.th.).
säuge|n *v/t.* suckle (*a. Tier*); nurse; **ᘔtier** *n* mammal.
saugfähig *adj.* absorbent.
Säugling *m* baby, infant; **~sheim** *n* (baby) nursery; **~spflege** *f* infant care; **~ssterblichkeit** *f* infant mortality (rate).
Säule *f* column; *Pfeiler:* pillar (*a. fig.*); **~ngang** *m* colonnade.
Saum *m* hem(line); *Naht:* seam.
säum|en *v/t.* hem; *umranden:* border, edge; *die Straßen:* line.
Sauna *f* sauna (bath).
Säure ⚗ *f*, **ᘔhaltig** *adj.* acid.
sausen *v/i.* F rush; dash; *Ohren:* buzz; *Wind:* howl.
Saustall *m* pigsty (*a. fig.*).
Saxophon ♪ *n* saxophone, F sax.
Schabe *zo. f* cockroach; **ᘔn** *v/t.* scrape (*a.* ⊕) (*von* from).
Schabernack *m* prank, practical joke.
schäbig *adj.* shabby; *fig. a.* mean.
Schablone *f* stencil; *fig.* stereotype.
Schach *n* chess; *~!* check!; *~ und matt!* checkmate!; *in ~ halten* keep* *s.o.* in check; **~brett** *n* chess-board; **~feld** *n* square; **~figur** *f* chess-man, piece; **ᘔmatt** *adj.* checkmate; *fig.* all worn out, dead-beat; **~spiel** *n* (game of) chess; chessboard and men.
Schacht *m* shaft; ⚒ *a.* pit.
Schachtel *f* box; *Pappᘔ: a.* carton; *~ Zigaretten* packet (*bsd. Am.* pack) of cigarettes.
Schachzug *m* move (*a. fig.*).
schade *pred. adj.: es ist ~* it's a pity; *wie ~!* what a pity *od.* shame!; *zu ~ für* too good for.
Schädel *m* skull, F head; **~bruch** ⚕ *m* fracture of the skull.
schaden *v/i.* damage, do* damage to, harm, hurt*; *der Gesundheit ~* be* bad for one's health; *das schadet nichts* it doesn't matter; *es könnte ihm nicht ~* it wouldn't hurt him.
Schaden *m* damage (*an* to); *bsd.* ⊕ trouble, defect (*a.* ⚕); *Nachteil:* disadvantage; *econ.* loss; *j-m ~ zufügen* do* s.o. harm; **~ersatz** *m* damages *pl.*; *~ leisten* pay* damages; **~freude** *f*: *~ empfinden über* gloat over; **ᘔfroh** *adv.* gloatingly.
schadhaft *adj.* damaged; *mangelhaft:* defective, faulty; *Haus etc.:* out of repair; *Rohr etc.:* leaking; *Zähne:* decayed.
schädigen *v/t.* damage, harm.
schädlich *adj.* harmful, injurious; *gesundheits~: a.* bad (for your health).
Schädling *zo. m* pest; **~sbekämpfung** *f* pest control; **~sbekämpfungsmittel** *n* pesticide.
Schadstoff *m* harmful substance; *bsd. Umwelt: a.* pollutant.
Schaf *zo. n* sheep; **~bock** *zo. m* ram.
Schäfer *m* shepherd; **~hund** *m* sheep-dog; *deutscher ~* Alsatian.
Schaffell *n* sheepskin; *am Schaf:* fleece.
schaffen 1. *v/t. er~:* create; *bewirken, bereiten:* cause, bring* about; *bewältigen:* manage, get* *s.th.* done; *bringen:* take*; *es ~* make* it; *Erfolg haben: a.* succeed; *das wäre geschafft* we've done *od.* made it; **2.** *v/i.* work; *j-m zu ~ machen* cause s.o. trouble; *sich zu ~ machen an unbefugt:* tamper with.
Schaffner(in) conduct|or (-ress); *Brt.* 🚂 guard.
Schafhirt(e) *m* shepherd.
Schafott *n* scaffold.
Schaft *m* shaft; *Gewehrᘔ:* stock; *Werkzeugᘔ, Schlüsselᘔ:* shank; *Stiefelᘔ:* leg; **~stiefel** *m* high boot.
Schaf|wolle *f* sheep's wool; **~zucht** *f* sheep-breeding *od.* -raising.
schäkern *v/i.* joke; flirt.
schal *adj.* stale, flat; *fig. a.* empty.
Schal *m* scarf; *Wollᘔ: Brt. a.* comforter.
Schale *f* bowl, dish; *Eierᘔ, Nußᘔ etc.:* shell; *Obstᘔ, Kartoffelᘔ:* peel, skin; *Kartoffelᘔn pl.* peelings *pl.*
schälen *v/t.* peel, pare; *sich ~ Haut:* peel *od.* come* off.
Schall *m* sound; **~dämpfer** *m* silencer, *mot. Am.* muffler; **ᘔdicht** *adj.* sound-proof; **ᘔen** *v/i.* sound; *klingen, dröhnen:* ring* (out); **ᘔend** *adj.*: *~es Gelächter* roars *pl.* of laughter; **~geschwindigkeit** *f* speed of sound; (*mit*) *doppelte(r) ~* (at) Mach two; **~mauer** *f* sound barrier; **~platte** *f* record, disc; **~welle** *f* sound-wave.

S

schalt|en *v/i. u. v/t.* switch, turn; *mot.* change (*bsd. Am.* shift) gear; *verstehen*: get* it; *reagieren*: react; **2er** *m* 🚂 ticket counter; *Post2, Bank2 etc.*: counter; ⚡ switch; **2hebel** *m mot.* gear lever; ⊕, ✈ control lever; ⚡ switch lever; **2jahr** *n* leap year; **2tafel** ⚡ *f* switchboard, control panel; **2uhr** *f* time switch; **2ung** *f mot.* gearshift; ⚡ circuit.

Scham *f* shame (*vor* in, for).

schämen *v/refl.* be* *od.* feel* ashamed (*gen., wegen* of); *du solltest dich* (*was*) *~!* you ought to be ashamed of yourself!

Scham|gefühl *n* sense of shame; **~haare** *pl.* pubic hair *sg.*; **2haft** *adj.* bashful; **2los** *adj.* shameless; *unanständig*: indecent; **~losigkeit** *f* shamelessness; indecency.

Schande *f* shame, disgrace.

schänden *v/t.* disgrace; *entweihen*: desecrate; *vergewaltigen*: rape.

Schandfleck *m* stain, taint; *Schande*: disgrace; *Anblick*: eyesore.

schändlich *adj.* disgraceful.

Schandtat *f* atrocity.

Schanze *f Sport*: ski-jump.

Schar *f* troop, band; F horde; *Menge*: crowd; *Gänse2 etc.*: flock; ↗ *Pflug2*: ploughshare, *Am.* plowshare; **2en** *v/refl.*: *sich ~ um* gather round.

scharf *adj.* sharp (*a. fig.*); *phot. a.* in focus; *deutlich*: clear; *Hund*: savage, fierce; *Munition*: live; *Bombe etc.*: armed; *~ gewürzt*: hot; *erregt*: hot, *aufreizend*: *a.* sexy; *~ sein auf* be* keen on (*bsd. sexuell*: hot for); *~ (ein)stellen phot.* focus; F *~e Sachen* hard liquo(u)r *sg.*

Schärfe *f* sharpness (*a. phot.*); *Härte*: severity, fierceness; **2n** *v/t.* sharpen.

Scharf|richter *m* executioner; **~schütze** ⚔ *m* sharpshooter; sniper; **2sichtig** *adj.* sharp-sighted; *fig.* clear-sighted; **~sinn** *m* acumen; **2sinnig** *adj.* sharp-witted, shrewd.

Scharlach *m* scarlet; ⚕ scarlet fever; **2rot** *adj.* scarlet.

Scharlatan *m* charlatan, fraud.

Scharnier ⊕ *n* hinge.

Schärpe *f* sash.

scharren *v/i.* scrape, scratch.

Schart|e *f* notch, nick; **2ig** *adj.* jagged, notchy.

Schaschlik *m, n* shish kebab.

Schatten *m* shadow (*a. fig.*); *nicht Licht od. Sonne*: shade; *im ~* in the shade; **2haft** *adj.* shadowy.

Schattierung *f* shade; *fig.* colo(u)r.

schattig *adj.* shady.

Schatz *m* treasure; *fig.* darling; **~amt** *pol. n* Treasury, *Am.* Treasury Department.

schätzen *v/t.* estimate; *Wert*: *a.* value (*beide*: *auf* at); *zu ~ wissen*: appreciate; *hoch~*: think* highly of; F *vermuten*: reckon, *Am. a.* guess.

Schatz|kammer *f* treasury (*a. fig.*); **~kanzler** *m* Chancellor of the Exchequer; **~meister** *m* treasurer.

Schätzung *f* estimate, valuation.

Schau *f* show, exhibition; *zur ~ stellen* exhibit, display.

Schauder *m* shudder; **2haft** *adj.* horrible, dreadful; **2n** *v/i.* shudder, shiver (*beide*: *vor* with).

schauen *v/i.* look (*auf* at); *s. sehen.*

Schauer *m Regen2 etc.*: shower; *Schauder*: shudder, shiver; **~geschichte** *f* horror story (*a. fig.*); **2lich** *adj.* dreadful, horrible.

Schaufel *f* shovel; *Kehr2*: dustpan; **2n** *v/t.* shovel; *graben*: dig*.

Schaufenster *n* shop window; **~bummel** *m*: *e-n ~ machen* go* window-shopping; **~dekoration** *f* window-dressing.

Schaukel *f* swing; **2n 1.** *v/i.* swing*; *Boot etc.*: rock; **2.** *v/t.* rock; **~pferd** *n* rocking-horse; **~stuhl** *m* rocking-chair, rocker.

Schaulustige *pl.* (curious) onlookers *pl.*, *Am.* F rubbernecks *pl.*

Schaum *m* foam; *Bier2*: froth, head; *Seifen2*: lather; *Gischt*: spray.

schäumen *v/i.* foam (*a. fig.*), froth; *Seife*: lather; *Wein etc.*: sparkle.

Schaum|gummi *n, m* foam rubber; **2ig** *adj.* foamy, frothy.

Schau|platz *m* scene; **~prozeß** ⚖ *m* show trial.

schaurig *adj.* creepy; horrible.

Schau|spiel *n* spectacle; *thea.* play; **~spieler(in)** act|or (-ress); **~spielschule** *f* drama school; **~steller** *m* showman.

Scheck *econ. m* cheque, *Am.* check; **~heft** *n* cheque- (*Am.* check-)book.

scheckig *adj.* spotty.

Scheckkarte *f* cheque (*Am.* check) card.

scheel *adj. Blick*: squint-eyed.

scheffeln *v/t. Geld etc.*: amass.

Scheibe *f* disc, disk; *Brot2 etc.*: slice; *Fenster2*: pane; *Schieß2*: target;

~nbremse *mot. f* disc brake; **~nwischer** *mot. m* windscreen (*Am.* windshield) wiper.
Scheide *f* sheath; *Degen*2 *etc.*: *a.* scabbard; *anat.* vagina; 2**n 1.** *v/t.* separate, part (*beide*: *von* from); *Ehe*: divorce; *sich ~ lassen* get* a divorce; *von j-m*: divorce *s.o.*; **2.** *v/i.*: *~ aus Amt etc.*: retire from; *aus dem Leben ~* take* one's life; **~weg** *fig. m* cross-roads *sg.*
Scheidung *f* divorce; **~sklage** ⚖ *f* divorce suit.
Schein[1] *m Bescheinigung*: certificate; *Formular*: form, *Am.* blank; *Geld*2: note, *Am. a.* bill.
Schein[2] *m Licht*2: light; *fig.* appearance; *et. (nur) zum ~ tun* (only) pretend to do s.th.; 2**bar** *adj.* seeming, apparent; 2**en** *v/i.* shine*; *fig.* seem, appear, look; 2**heilig** *adj.* hypocritical; F *~ tun* act (the) innocent; **~welt** *f* world of illusion; **~werfer** *m Such*2: searchlight; *mot.* headlight; *thea.* spotlight.
Scheiß|... V *in Zssgn* damn ..., *bsd. Brt.* bloody ..., *bsd. Am.* fucking ...; **~e** V *f*, 2**en** V *v/i.* shit*, crap.
Scheit *n* piece of wood.
Scheitel *m* parting; *Spitze*: summit, peak; *~punkt*: apex, vertex (*a.* ⩓); *e-n ~ tragen* part one's hair; 2**n** *v/t. Haar*: part.
Scheiterhaufen *m* pyre; *hist.* stake.
scheitern *fig. v/i.* fail, go* wrong.
Schelle *f* (little) bell; ⊕ clamp, clip.
Schellfisch *zo. m* haddock.
Schelm *fig. m* rascal; 2**isch** *adj.* impish.
Schema *n* pattern, framework (*beide a. fig.*); 2**tisch** *adj.* schematic; *Arbeit etc.*: mechanical.
Schemel *m* stool.
schemenhaft *adj.* shadowy.
Schenkel *m Ober*2: thigh; *Unter*2: shank; ⩓ leg.
schenk|en *v/t.* give* (as a present) (*zu* for); 2**ung** ⚖ *f* donation.
Scherbe *f*, **~n** *m* (broken) piece, fragment.
Schere *f* scissors *pl.* (*a. fig.*); *große*: shears *pl.* (*a.* ⊕); *zo. Krebs*2 *etc.*: claw.
scheren[1] *v/t.* shear*, clip (*a. Hecke*), cut* (*a. Haare*).
scheren[2] *v/refl.*: *sich ~ um* bother about.
scheren[3] *v/refl.*: *scher dich zum Teufel!* go to hell!
Scherereien *pl.* trouble *sg.*, bother *sg.*
Schermaus *zo. östr. f* mole.
Scherz *m* joke; *im (zum) ~* for fun; 2**en** *v/i.* joke (*über* at); 2**haft** *adj.* joking; *~ gemeint* meant as a joke.
scheu *adj.* shy (*a. Pferd*); *schüchtern*: bashful; *~ machen* frighten.
Scheu *f* shyness; *Ehrfurcht*: awe.
scheuen 1. *v/i.* shy (*vor* at), take* fright (at); **2.** *v/t.* shun, avoid; *fürchten*: fear; *sich ~, et. zu tun* be* afraid of doing s.th.
scheuer|n *v/t. u. v/i.* scrub, scour; *Kragen, wund~*: chafe; 2**tuch** *n* floorcloth.
Scheuklappen *pl.* blinkers *pl.*, *Am. a.* blinders *pl.* (*beide a. fig.*).
Scheune *f* barn.
Scheusal *n* monster; *fig. Mann*: *a.* brute.
scheußlich *adj.* horrible (*a.* F *Wetter etc.*); *Verbrechen etc.*: *a.* atrocious; 2**keit** *f* atrocity.
Schicht *f* layer; *Farb*2 *etc.*: coat; *dünne ~*: film; *Arbeits*2: shift; *Gesellschafts*2: class; 2**en** *v/t.* arrange in layers, pile up; 2**weise** *adv.* in layers.
schick *adj.* smart, chic, stylish.
Schick *m* smartness, chic, style.
schicken *v/t.* send* (*nach, zu* to); *das schickt sich nicht* that isn't done.
Schickeria F *f* smart set, beautiful people *pl.*
Schicksal *n* fate, destiny; *Los*: lot.
Schiebe|... *in Zssgn Dach, Tür etc.*: sliding ...; **~fenster** *n* sash-window; 2**n** *v/t.* push, shove; **~r** ⊕ *m* slide; *Riegel*: bolt.
Schiebung F *f* swindle, fix (*a. Sport*).
Schiedsrichter *m* judge, *bsd. pl. a.* jury *sg.*; *Sport*: referee (*a. Fußball*), umpire (*a. Tennis*).
schief *adj.* crooked, not straight; *schräg*: sloping, oblique (*a.* ⩓); *Turm*: *etc.*: leaning; *fig. Bild, Vergleich*: false.
Schiefer *geol. m* slate; **~tafel** *f* slate.
schiefgehen *v/i.* go* wrong.
schielen *v/i.* squint, be* cross-eyed.
Schienbein *n* shin(-bone).
Schiene *f* 🚂 *etc.*: rail; ⚕ splint; 2**n** ⚕ *v/t.* splint.
Schieß|bude *f* shooting-gallery; 2**en** *v/i. u. v/t.* shoot* (*a. fig.*), fire (*beide*: *auf* at); *Tor*: score; **~erei** *f* shooting; *Kampf*: gunfight; **~pulver** *n* gunpowder; **~scharte** ⚔ *f* loophole,

S

embrasure; **~scheibe** *f* target; **~stand** *m* rifle-range.
Schiff *n* ⚓ ship, boat; *arch. Kirchen*2: nave; mit dem ~ by boat.
Schiffahrt *f* shipping, navigation.
schiff|bar *adj.* navigable; **2bau** *m* shipbuilding; **2bruch** *m* shipwreck (*a. fig.*); ~ erleiden be* shipwrecked; **~brüchig** *adj.* shipwrecked; **2er** *m* sailor; *Kapitän*: skipper; **2schaukel** *f* swing-boat(s *pl.*).
Schiffs|junge *m* ship's boy; **~ladung** *f* shipload; *Frachtgut*: cargo; **~makler** *m* ship-broker; **~werft** *f* shipyard.
Schikan|e *f* spite, malice; (aus) reine(r) ~ (out of) sheer spite; F mit allen ~n nothing lacking; **2ieren** *v/t.* push around; *Mitschüler etc.*: *a.* bully.
Schild 1. *n allg.* sign (*a. mot.*); *Namens*2, *Firmen*2 *etc.*: plate; **2.** ⚔ *m* shield; **~drüse** *anat. f* thyroid (gland).
schilder|n *v/t.* describe; *anschaulich*: *a.* depict, portray; **2ung** *f* description, portrayal; *sachliche*: account.
Schildkröte *zo. f* turtle; *Land*2: *a.* tortoise.
Schilf ⚘ *n* reed(s *pl.*); **~rohr** *n* reed.
schillern *v/i.* change colo(u)r, be* iridescent; **~d** *adj.* iridescent; *fig.* dubious.
Schimm|el *m zo.* white horse; ⚘ mo(u)ld; **2eln** *v/i.* go* mo(u)ldy; **2lig** *adj.* mo(u)ldy, musty.
Schimmer *m* glimmer (*a. fig.*), gleam; *fig. a.* trace, touch; **2n** *v/i.* shimmer, glimmer, gleam.
Schimpanse *zo. m* chimpanzee.
schimpf|en *v/i. u. v/t.* scold (mit j-m s.o.); F tell* *s.o.* off, bawl *s.o.* out; ~ über complain about, grumble at; **2wort** *n* swearword, invective.
Schindel *f* shingle.
schind|en *v/t.* maltreat; *Arbeiter etc.*: *a.* slave-drive*; sich ~ drudge, slave, sweat; **2er** *fig. m* slave-driver; **2erei** *f* grind, drudgery.
Schinken *m* ham.
Schippe *f*, **2n** *v/t.* shovel.
Schirm *m Regen*2: umbrella; *Sonnen*2: parasol, sunshade; *Fernseh*2, *Schutz*2 *etc.*: screen; *Lampen*2: shade; *Mützen*2: peak, visor; **~herr** *m* patron, sponsor; **~herrschaft** *f* patronage, sponsorship; unter der ~ von under the auspices of; **~mütze** *f* peaked cap; **~ständer** *m* umbrella-stand.
Schlacht ⚔ *f* battle (bei of); **2en** *v/t.* slaughter, kill, butcher.
Schlacht|feld ⚔ *n* battlefield, battleground; **~haus** *n*, **~hof** *m* slaughterhouse; **~plan** *m* ⚔ plan of action (*a. fig.*); **~schiff** *n* battleship.
Schlacke *f* cinders *pl.*; *geol.*, *metall.* slag.
Schlaf *m* sleep; e-n leichten (festen) ~ haben be* a light (sound) sleeper; F *fig.* im ~ on one's head, blindfold; **~anzug** *m* pyjamas *pl.*, *Am.* pajamas *pl.*
Schläfe *f* temple.
schlafen *v/i.* sleep* (*a. fig.*); ~ gehen, sich ~ legen go* to bed; fest ~ be* fast asleep; *j-n* ~ legen put* to bed *od.* sleep.
schlaff *adj.* slack (*a. fig.*); *Haut, Muskeln etc.*: flabby; *kraftlos*: limp; (*ver*)*weich*(*licht*): soft.
Schlaf|gelegenheit *f* sleeping accommodation; **~krankheit** ⚕ *f* sleeping sickness; **~lied** *n* lullaby; **2los** *adj.* sleepless; **~losigkeit** *f* sleeplessness, ⚕ insomnia; **~mittel** ⚕ *n* sleeping-draught *od.* -pills *pl.*; **~mütze** *fig. f* sleepyhead; slowcoach, *Am.* slowpoke.
schläfrig *adj.* sleepy, drowsy.
Schlaf|saal *m* dormitory; **~sack** *m* sleeping-bag; **~tablette** ⚕ *f* sleeping-pill; **2trunken** *adj.* (very) drowsy; **~wagen** 🚂 *m* sleeping-car, sleeper; **~wandler** *m* sleep-walker, somnambulist; **~zimmer** *n* bedroom.
Schlag *m allg.* blow (*a. fig.*); *mit der Hand*: slap; *Faust*2: punch; ⚕, *Uhr*2, *Blitz*2, *Tennis*: stroke; ⚡ shock (*a. fig.*); *Herz, Puls*: beat; *leichter* ~: pat, tap; Schläge *pl.* beating *sg.*; **~ader** *anat. f* artery; **~anfall** ⚕ *m* (apoplectic) stroke; **2artig 1.** *adj.* sudden, abrupt; **2.** *adv.* all of a sudden, abruptly; **~baum** *m* toll-bar *od.* -gate; **~bohrer** *m* percussion drill.
schlagen 1. *v/t.* hit*, beat* (*a. besiegen, Sahne etc.*), strike* (*a. Uhrzeit*), knock; *Baum*: fell, cut* (down); sich ~ fight* (um over); sich geschlagen geben admit defeat; **2.** *v/i.* hit*, beat* (*a. Herz etc.*), strike* (*a. Uhr, Blitz*), knock; an *od.* gegen et. ~ hit* s.th., bump *od.* crash into s.th.

S

Schlager *m* hit (*a. fig.*), (pop) song.
Schläger *m Tennis etc.*: racket; *Tischtennis, Cricket, Baseball*: bat; *Golf*: club; putter; *Hockey*: stick; *Person*: rough, tough; **⁓ei** *f* fight, brawl.
schlag|fertig *fig. adj.* quick-witted; *⁓e Antwort* (witty) repartee; **²instrument** *n* percussion instrument; **²kraft** *f* striking power (*a.* ⚔); **²loch** *n* pot-hole; **²obers** *östr. n s. Schlagsahne*; **²ring** *m* knuckle-duster, *Am.* brass knuckles *pl.*; **²sahne** *f* whipped cream; **²seite** ⚓ *f* list; *⁓ haben* ⚓ be⋆ listing; **²stock** *m* baton, truncheon, *Am. a.* billy (club); **²wort** *n* catchword, slogan; **²zeile** *f* headline; **²zeug** ♪ *n* drums *pl.*; **²zeuger** ♪ *m* drummer.
schlaksig *adj.* lanky, gangling.
Schlamm *m* mud; **²ig** *adj.* muddy.
Schlamp|e *f* slut; **²ig** *adj.* sloppy.
Schlange *f zo.* snake, *bsd. große*: serpent (*a. fig.*); *Menschen²*, *Auto²*: queue, *Am.* line; *⁓ stehen* queue (*Am.* line) up (*nach* for).
schlängeln *v/refl.* wind⋆ *od.* snake (one's way); *Person*: worm one's way *od.* o.s.
Schlangenlinie *f* serpentine line; *in ⁓n fahren* weave⋆.
schlank *adj.* slim, slender; *⁓ machen Kleid etc.*: make⋆ *s.o.* look slim; **²heitskur** *f*: *e-e ⁓ machen* be⋆ *od.* go⋆ on a diet, be⋆ slimming.
schlapp F *adj.* worn out; *schwach*: weak; **²e** F *f* beating; **⁓machen** F *v/i.* give⋆ up; *zs.-brechen*: break⋆ down; **²schwanz** F *m* weakling.
schlau *adj. klug*: clever, smart, bright; *listig*: sly, cunning, crafty.
Schlauch *m* tube; *zum Spritzen*: hose; **⁓boot** *n* (inflatable *od.* rubber) dinghy.
Schlaufe *f* loop.
schlecht *adj.* bad; *Qualität, Leistung etc.*: *a.* poor; *mir ist* (*wird*) *⁓* I feel (I'm getting) sick (*Am.* to my stomach); *⁓ (krank) aussehen* look ill; *sich ⁓ fühlen* feel⋆ bad; *⁓ werden Fleisch etc.*: go⋆ bad; *es geht ihm sehr ⁓* he is in a bad way; **⁓gelaunt** *adj.* in a bad temper *od.* mood, bad-tempered; **⁓machen** *v/t.* run⋆ *s.o.* down, backbite⋆.
schleich|en *v/i.* creep⋆ (*a. fig.*), sneak; **²weg** *m* secret path; **²werbung** *f* plugging; *für et. ⁓ machen* plug s.th.

Schleier *m* veil (*a. fig.*); *Dunst*: *a.* haze; **²haft** *fig. adj.*: *es ist mir (völlig) ⁓* it's a (complete) mystery to me.
Schleife *f* bow; *Zier²*: ribbon; *Fluß²*, ⚡, ⊕: loop.
schleifen[1] *v/t. u. v/i.* drag (along); *reiben*: rub.
schleif|en[2] *v/t.* grind⋆ (*a.* ⊕), sharpen; *Holz*: sand(paper); *Glas, Edelsteine*: cut⋆; F *fig. j-n*: drill hard; **²er** ⊕ *m*, **²maschine** *f* grinder; **²papier** *n* sandpaper; **²stein** *m großer*: grindstone; *bsd. für Messer*: whetstone.
Schleim *m* slime; ⚕ mucus; **⁓haut** *anat. f* mucous membrane; **²ig** *adj.* slimy (*a. fig.*); mucous.
schlemme|n *v/i.* feast; **²r** *m* gourmet; **²rei** *f* feasting.
schlendern *v/i.* stroll, saunter.
schlenkern *v/i. u. v/t.* dangle, swing⋆ (*mit den Armen* one's arms); *Fahrzeug etc.*: swerve.
schlepp|en *v/t.* drag (*a. fig.*); *mot.*, ⚓ tow; *sich ⁓* drag (on); **⁓end** *adj.* dragging; *Redeweise*: drawling; **²er** *m* ⚓ tug; *mot.* tractor; **²tau** *n* tow-rope; *im (ins) ⁓* in tow (*a. fig.*).
Schleuder *f* catapult (*a.* ✈), *Am. a.* slingshot; *Trocken²*: spin drier; **²n 1.** *v/t.* fling⋆, hurl (*beide a. fig.*); *Wäsche*: spin-dry; **2.** *mot. v/i.* skid; **⁓sitz** ✈ *m* ejector (*bsd. Am.* ejection) seat.
schleunigst *adv.* immediately.
Schleuse *f* sluice; *Kanal²*: lock.
schlicht *adj.* plain, simple; **⁓en** *v/t.* settle; **²ung** *f* settlement.
schließ|en *v/t. u. v/i.* shut⋆, close (*für immer*: down); *beenden*: close, finish; *⁓ aus* conclude from; *nach ... zu ⁓* judging by ...; **²fach** *n* 🚂 *etc.*: (left luggage) locker; *Bank²*: safe-deposit box; *s. Postfach*; **⁓lich** *adv.* finally; *am Ende*: eventually, in the end; *immerhin*: after all.
Schliff *m von Edelsteinen, Glas*: cut; *Glätte*: polish (*a. fig.*).
schlimm *adj.* bad; *furchtbar*: awful; *das ist nicht od. halb so ⁓* it's not as bad as that; *das ²e daran* the bad thing about it; **⁓stenfalls** *adv.* at (the) worst.
Schling|e *f* loop; *zs.-ziehbare*: noose; *hunt.* snare (*a. fig.*); ⚕ sling; **⁓el** *m* rascal; **²en** *v/t.* wind⋆, twist; *binden*: tie; *Arme, Schal*: wrap (*um* [a]round); *sich um et. ⁓* wind⋆ (a)round; **²ern** *bsd.* ⚓ *v/i.* roll; **⁓pflanze** ⚘ *f* creeper, climber.

S

Schlips *m* (neck)tie.
schlitt|eln *v/i. Schweiz*: go* sledging, toboggan; **≈en** *m* sled(ge); *Pferde≈*: sleigh; *Sport*: toboggan (*a.* ~ *fahren*).
Schlittschuh *m* skate (*a.* ~ *laufen*); **~läufer(in)** skater.
Schlitz *m* slit; *Hosen≈*: fly; *Einwurf≈*: slot; **~augen** *pl.*: ~ *haben* be* slit-eyed; **≈en** *v/t.* slit*, slash.
Schloß *n* lock; *Bau*: castle, palace; *ins* ~ *fallen Tür*: slam shut; *hinter* ~ *und Riegel* locked up, under lock and key.
Schlosser *m* mechanic, fitter; *Schloßmacher*: locksmith; **~ei** *f* metalwork shop.
schlottern *v/i.* shake*, tremble (*beide*: *vor* with); F *Hose etc.*: bag.
Schlucht *f* gorge, ravine, *Am.* canyon.
schluchz|en *v/i.*, **≈er** *m* sob.
Schluck *m* draught, swallow; *kleiner*: sip; *großer*: gulp; **~auf** *m*: ~ *haben* have* the hiccups; **≈en** *v/t. u. v/i.* swallow (*a. fig.*); **~impfung** ⚕ *f* oral vaccination.
Schlummer *m* slumber; **≈n** *v/i.* lie* asleep; *poet.*, *fig.* slumber.
Schlund *m anat.* pharynx; *fig.* abyss.
schlüpfe|n *v/i.* slip, slide*; *in die* (*aus der*) *Kleidung* ~ slip on *od.* into (off *od.* out of) one's clothes; **≈r** *m* briefs *pl.*; *bsd. Damen≈*, *Kinder≈*: *a.* panties *pl.*; *Herren≈*: *Brt. a.* pants *pl.*, *Am. a.* shorts *pl.*
schlüpfrig *adj.* slippery; *fig.* risqué.
Schlupfwinkel *m* hiding-place.
schlurfen *v/i.* shuffle (along).
schlürfen *v/t. u. v/i.* F slurp.
Schluß *m* end; *Ab≈*, *~folgerung*: conclusion; *e-s Films etc.*: ending; ~ *machen* finish; *sich trennen*: break* up; ~ *machen mit et.* stop, put* an end to; *zum* ~ finally; (*ganz*) *bis zum* ~ to the (very) end; ~ *für heute!* that's all for today!
Schlüssel *m* key (*a. fig. u. in Zssgn*) (*für*, *zu* to); **~bein** *anat. n* collarbone; **~bund** *m*, *n* bunch of keys; **~loch** *n* keyhole; **~wort** *n* keyword; *Computer*: *a.* password.
Schlußfolgerung *f* conclusion.
schlüssig *adj. Beweis etc.*: conclusive; *sich* ~ *werden* make* up one's mind (*über* about).
Schluß|licht *n mot. etc.*: tail-light; **~pfiff** *m* final whistle; **~phase** *f* final stage(s *pl.*); **~verkauf** *econ. m* (end-of-season) sale(s *pl.*).
Schmach *f* disgrace, shame.
schmachten *v/i.* languish (*nach* for), pine (for); *vor Hitze*: swelter.
schmächtig *adj.* slight, thin, frail.
schmackhaft *adj.* tasty.
schmal *adj.* narrow; *Figur*: thin, slender (*a. fig.*).
schmälern *fig. v/t.* detract from.
Schmal|film *phot. m* cine film; **~spur** 🚂 *f* narrow ga(u)ge; **~spur...** *fig. in Zssgn* small-time ...
Schmalz *n* grease; *Schweine≈*: lard; *fig.* mush, schmal(t)z; **≈ig** *fig. adj.* mushy, soapy.
schmarotze|n F *v/i.* sponge (*bei* on); **≈r** *m* ⚘, *zo.* parasite; *fig. a.* sponger.
schmatzen *v/i.* smack (one's lips), eat* noisily.
Schmaus *m* feast; *fig. a.* treat; **≈en** *v/i.* feast, munch.
schmecken *v/i. u. v/t.* taste (*nach* of); *gut* (*schlecht*) ~ taste good (bad); (*wie*) *schmeckt dir ...?* (how) do you like ...? (*a. fig.*); *es schmeckt süß* (*nach nichts*) it has a sweet (no) taste.
Schmeich|elei *f* flattery; **≈elhaft** *adj.* flattering; **≈eln** *v/i.* flatter *s.o.*; **~ler(in)** flatterer; **≈lerisch** *adj.* flattering.
schmeiß|en F *v/t. u. v/i.* throw*, chuck; *Tür etc.*: slam; *mit Geld um sich* ~ throw* one's money about; **≈fliege** *zo. f* blowfly, bluebottle.
schmelz|en *v/i. u. v/t.* melt*; *Schnee*: *a.* thaw; *metall.* smelt; **≈ofen** *m* (s)melting furnace; **≈tiegel** *m* melting-pot (*a. fig.*).
Schmerz *m* pain (*a. fig.*), *anhaltender*: ache; *fig.* grief, sorrow; **≈en** *v/i. u. v/t.* hurt* (*a. fig.*), ache; *bsd. fig.* pain; **≈frei** *adj.* without pain; **≈haft** *adj.* painful; **≈lich** *adj.* painful, sad; **≈los** *adj.* painless; **~mittel** *n* painkiller; **≈stillend** *adj.* pain-relieving.
Schmetter|ling *zo. m* butterfly; **≈n 1.** *v/t.* dash, smash (*a. Tennis*) (*zu Boden* to the ground; *in Stücke* to pieces); **2.** *v/i.* crash, slam; *Trompete etc.*: blare.
Schmied *m* (black)smith; **~e** *f* forge, smithy; **~eeisen** *n* wrought iron; **≈en** *v/t.* forge; *Pläne etc.*: make*.
schmiegen *v/refl.*: *sich* ~ *an* snuggle up to; *den Körper etc.*: cling* to.
Schmier|e *f* grease; **≈en** *v/t.* ⊕

grease, oil, lubricate; *Butter etc.*: spread*; *unsauber schreiben*: scribble, scrawl; **~erei** *f* scrawl; *Wand*♀: graffiti *pl.*; ♀**ig** *adj.* greasy; *schmutzig*: dirty; *unanständig*: filthy; F *kriecherisch*: slimy; **~mittel** ⊕ *n* lubricant.
Schminke *f* make-up (*a. thea.*); ♀**n** *v/t.* make* *s.o.* up; *sich* ~ make* o.s. *od.* one's face up.
Schmirgelpapier *n* emery-paper.
schmollen *v/i.* sulk, be* sulky, pout.
Schmor|braten *m* pot-roast; ♀**en** *v/t. u. v/i.* braise, stew (*a. fig.*), pot-roast.
Schmuck *m* jewel(le)ry, jewels *pl.*; *Zierde*: decoration(s *pl.*), ornament(s *pl.*).
schmücken *v/t.* decorate.
schmuck|los *adj.* unadorned; *schlicht*: plain; ♀**stück** *n* piece of jewel(le)ry; *fig.* gem.
Schmuggel *m*, **~ei** *f* smuggling; ♀**n** *v/t. u. v/i.* smuggle; **~ware** *f* smuggled goods *pl.*
Schmuggler *m* smuggler.
schmunzeln *v/i.* smile (amusedly).
schmusen F *v/i.* cuddle; *Liebespaar*: *a.* smooch, neck, pet.
Schmutz *m* dirt, *stärker*: filth; *fig. a.* smut; **~fink** *fig. m* pig; **~fleck** *m* smudge, stain; ♀**ig** *adj.* dirty (*a. fig.*); *stärker*: filthy (*a. fig.*); ~ *werden, sich ~ machen* get* dirty; **~wasser** *n* waste water, sewage.
Schnabel *m* bill, *bsd. Krumm*♀: beak.
Schnalle *f* buckle; ♀**n** *v/t.* buckle; *et. ~ an* strap s.th. to.
schnalzen *v/i.* snap one's fingers; click one's tongue.
schnapp|en 1. *v/i.* snap, snatch (*beide*: *nach* at); *nach Luft* ~ gasp for breath; **2.** F *v/t. fangen*: catch*; ♀**schloß** *n* spring lock; ♀**schuß** *phot. m* snapshot.
Schnaps *m* brandy, gin, whisky *etc.*: *coll.* hard liquor, spirits *pl.*, F booze.
schnarchen *v/i.* snore.
schnarren *v/i.* rattle; *Stimme*: rasp.
schnattern *v/i.* cackle; *Affen*, F *fig.*: chatter.
schnauben *v/i. u. v/t.* snort; *sich die Nase* ~ blow* one's nose.
schnaufen *v/i.* breathe hard, pant, puff.
Schnauz|bart *m* m(o)ustache; **~e** *f zo.* snout, mouth; *bsd. Hunde*♀: muzzle; F ✈, *mot.* nose; *e-r Kanne*: spout; V *Mund*: trap, kisser; *die ~ halten* keep* one's trap shut; **~er** *zo. m* schnauzer.
Schnecke *zo. f* snail; *Nackt*♀: slug; **~nhaus** *n* snail shell; **~ntempo** *n*: *im ~* at a snail's pace.
Schnee *m* snow; ~ *räumen* remove snow; **~ball** *m* snowball (*a. fig. in Zssgn System etc.*); **~ballschlacht** *f* snowball fight; ♀**bedeckt** *adj.* snow-covered, *Bergspitze*: *a.* snow-capped; **~fall** *m* snowfall; **~flocke** *f* snowflake; **~gestöber** *n starkes*: snowstorm; **~glöckchen** ⚘ *n* snowdrop; **~grenze** *f* snow-line; **~mann** *m* snowman; **~matsch** *m* slush; **~pflug** *m* snow-plough, *Am.* snowplow; **~regen** *m* sleet; **~sturm** *m* snowstorm, blizzard; **~verwehung** *f* snow-drift; ♀**weiß** *adj.* snow-white.
Schneid F *m* grit, guts *pl.*
Schneid|brenner ⊕ *m* cutting torch; **~e** *f* edge; ♀**en** *v/t. u. v/i.* cut* (*a. fig.*); *Film etc.*: *a.* edit; *schnitzen*: carve; **~er** *m* tailor; **~erei** *f* tailoring, dressmaking; *Werkstatt*: tailor's *od.* dressmaker's shop; **~erin** *f* dressmaker; ♀**ern** *v/i. u. v/t. als Hobby*: do* dressmaking; *Kleid etc.*: make*, sew*; **~ezahn** *m* incisor; ♀**ig** *adj.* dashing; *schick*: *a.* smart.
schneien *v/i.* snow.
schnell *adj.* fast, quick; *Handeln, Antwort etc.*: *a.* prompt; *Puls, Anstieg etc.*: *a.* rapid; *es geht ~* it won't take long; (*mach*[*t*]) *~!* hurry up!; ♀... *in Zssgn Dienst, Paket, Zug etc.*: *mst* express ...; ♀**boot** ⚓ *n* speedboat; **~en** *v/t. u. v/i.* shoot*, spring*; ♀**hefter** *m* folder; ♀**igkeit** *f* speed; *im Handeln, Arbeiten etc.*: *a.* quickness, rapidity; ♀**imbiß** *m* snack bar; ♀**straße** *mot. f* motorway, *Am.* expressway.
schnetzeln *v/t. bsd. Schweiz*: chop up.
Schnipp|chen *n*: F *j-m ein ~ schlagen* outwit s.o.; ♀**isch** *adj.* pert, saucy, *Am. a.* sassy.
schnipsen *v/i.* snap one's fingers.
Schnitt *m* cut (*a. fig.*); *Durch*♀: average; **~blumen** *pl.* cut flowers *pl.*; **~e** *f* slice; *belegte*: (open) sandwich; **~fläche** *f* (surface of) ⩚ intersection *od.* ⊕ cut; ♀**ig** *adj.* stylish; *Boot*: *a.* rakish; **~muster** *n* pattern; **~punkt** *m* (point of) intersection; **~wunde** *f* cut.
Schnitzel[1] *n* cutlet; *Kalbs*♀: *a.* schnitzel.

S

Schnitzel[2] *n, m* chip; *Papier*~: scrap.
schnitz|en *v/t.* carve, cut* (in wood); **~er** *m* (wood) carver; **~erei** *f* (wood) carving.
Schnorchel *m* snorkel (*a.* ⚓ ⚔).
Schnörkel *m* flourish; *arch.* scroll.
schnorr|en F *v/t.* cadge; **~er** *m* cadger.
schnüff|eln *v/i.* sniff (*an* at); F *fig.* snoop (about *od.* around); **~ler** F *fig. m* snoop(er); *Detektiv*: sleuth.
Schnuller *m* dummy, *Am.* pacifier.
Schnulz|e F *f* tear-jerker, trashy film *od.* song; **~ensänger** *m* crooner; **~ig** *adj.* schmal(t)zy, soapy.
Schnupf|en *m* cold; *e-n ~ haben (bekommen)* have* a (catch* [a]) cold; **~tabak** *m* snuff.
schnuppe F *adj.*: *das ist mir ~* I don't care (F a damn); **~rn** *v/i.* sniff (*an et.* [at] s.th.).
Schnur *f* string, cord; ⚡ flex.
Schnür|chen *n*: *wie am ~* like clockwork; **~en** *v/t.* lace (up); *ver~*: tie up.
schnurgerade *adv.* dead straight.
Schnürlsamt *östr. m* corduroy.
Schnurr|bart *m* m(o)ustache; **~en** *v/i. Katze, Motor*: purr.
Schnür|schuh *m* laced shoe; **~senkel** *m* shoe-lace *od.* -string.
schnurstracks *adv.* direct(ly), straight; *sofort*: straight away.
Schober *m* rick, stack.
Schock ⚕ *m* shock; *unter ~ stehen* be* in (a state of) shock; **~en, ~ieren** *v/t.* shock.
Schokolade *f* chocolate; *e-e Tafel ~* a bar of chocolate.
Scholle *f Erd~*: clod; *Eis~*: (ice-)floe; *zo.* plaice, *Am.* flounder.
schon *adv.* already; *jemals*: ever; (*sogar*) *~*: even; *~ damals* even then; *~ 1968* as early as 1968; *~ der Gedanke* the very idea; *ist sie ~ da (zurück)?* has she come (is she back) yet?; *habt (seid) ihr ~ ...?* have you ... yet?; *hast (bist) du ~ einmal ...?* have you ever ...?; *ich bin (wohne) hier ~ seit zwei Jahren* I've been (living) here for two years now; *ich kenne ihn ~, aber* I do know him, but; *er macht das ~* he'll do it all right; *~ gut!* never mind!, all right!
schön 1. *adj.* beautiful, lovely; *Wetter*: *a.* fine, fair; *gut, angenehm, nett*: fine, nice (*beide a. iro.*); (*na,*) *~* all right; **2.** *adv.*: *~ warm (kühl)* nice and warm (cool); *ganz ~ teuer (schnell)* pretty expensive (fast); *j-n ganz ~ erschrecken (überraschen)* give* s.o. quite a start (surprise).
schonen *v/t.* take* care of, go* easy on (*a.* ⊕); *j-n, j-s Leben*: spare; *sich ~* take* it easy; *für et.*: save o.s. *od.* one's strength; **~d 1.** *adj.* gentle; *Mittel etc.*: *a.* mild; **2.** *adv.*: *~ umgehen mit* take* (good) care of; *Glas etc.*: handle with care; *sparsam*: go* easy on.
Schönheit *f* beauty; **~spflege** *f* beauty care.
Schonung *f* (good) care; *Ruhe*: rest; *Erhaltung*: preservation; *Bäume*: tree nursery; **~slos** *adj.* relentless, brutal.
schöpf|en *v/t.* scoop, ladle; *aus e-m Brunnen*: draw*; *s. Luft, Verdacht*; **~er** *m* creator; **~erisch** *adj.* creative; **~ung** *f* creation.
Schorf ⚕ *m* scab.
Schornstein *m* chimney; ⚓, 🚂 funnel; **~feger** *m* chimney-sweep(er).
Schoß *m* lap; *Mutterleib*: womb.
Schote ⚘ *f* pod, husk, shell.
Schotte *m* Scot(sman); *die ~n pl.* the Scots *pl. od.* Scottish *pl.*
Schotter *m* gravel, road-metal.
Schott|in *f* Scotswoman; **~isch** *adj.* Scottish; *bsd. Produkte etc.*: Scotch.
schräg 1. *adj.* slanting, sloping, oblique (*a.* ⚔); *Linie etc.*: diagonal; **2.** *adv.*: *~ gegenüber* diagonally opposite.
Schramme *f*, **~n** *v/t. u. v/i.* scratch.
Schrank *m* cupboard; *Am. Wand~*: closet; *Kleider~*: wardrobe.
Schranke *f* barrier (*a. fig.*); 🚂 *a.* gate; ⚖ bar; *~n pl. Grenzen*: limits *pl.*, bounds *pl.*; **~nlos** *fig. adj.* boundless; *zügellos*: unbridled; **~nwärter** *m* gatekeeper.
Schrank|koffer *m* wardrobe trunk; **~wand** *f* wall units *pl.*
Schraube *f*, **~n** *v/t.* screw.
Schrauben|schlüssel ⊕ *m* spanner, wrench; **~zieher** ⊕ *m* screwdriver.
Schraubstock ⊕ *m* vice, *Am.* vise.
Schrebergarten *m Brt.* allotment.
Schreck *m* fright, shock; *j-m e-n ~ einjagen* give* s.o. a fright, scare s.o.; **~en** *m* terror, fright; *Greuel*: horror(s *pl.*); **~ensnachricht** *f* dreadful news *sg.*; **~haft** *adj.* jumpy; *bsd. Pferd*: skittish; **~lich** *adj.* awful, terrible; *stärker*: horrible, dreadful; *Mord etc.*: *a.* atrocious.

Schrei *m* cry; *lauter*: shout, yell; *Angst*♀: scream (*alle*: um, nach for).
schreiben *v/t. u. v/i.* write* (j-m to s.o.; über about); *tippen*: type; *recht-*~: spell*; groß ~ capitalize; falsch ~ misspell* *s.th.*; wie schreibt man ...? how do you spell ...?
Schreib|en *n* letter; ♀**faul** *adj.*: ~ sein be* a bad correspondent; ~**fehler** *m* spelling mistake; ~**heft** *n Schulheft*: exercise book; ~**kraft** *f* typist; ~**maschine** *f* typewriter; ~**material** *n* writing-materials *pl.*; ~**tisch** *m* desk; ~**ung** *f* spelling; ~**unterlage** *f* desk mat, blotter; ~**waren** *pl.* stationery *sg.*; ~**warengeschäft** *n* stationer('s shop).
schreien *v/i. u. v/t.* cry; *lauter*: shout, yell; *kreischend*: scream (*alle*: um, nach [out] for); ~ vor Schmerz (Angst) cry out with pain (in terror); es war zum ♀ it was a scream; ~**d** *adj. Farben*: loud; *Unrecht etc.*: flagrant.
Schreiner *m s.* Tischler.
schreiten *v/i.* stride*; *fig.* come* (zu to).
Schrift *f* (hand)writing, hand; *print.* type; ~*zeichen*: character, letter; ~en *pl. Werke*: works *pl.*, writings *pl.*; die Heilige ~ *eccl.* the Scriptures *pl.*; ~**art** *f* script; *print.* type; ~**deutsch** *n* standard German; ♀**lich** *adj.* written; ~ übersetzen etc. translate *etc.* in writing; ~**steller(in)** author(ess), writer; ~**verkehr,** ~**wechsel** *m* correspondence; ~**zeichen** *n* character, letter.
schrill *adj.* shrill, piercing.
Schritt *m* step (*a. fig.*); *Einzel*♀: *a.* pace; ~e unternehmen take* steps; ~**macher** *m* pacemaker (*a.* ⚕); ♀**weise** *adv.* step by step, gradually.
schroff *adj.* steep; *zerklüftet*: jagged; *fig.* gruff; *kraß*: sharp, glaring.
Schrot *m, n* coarse meal; *hunt.* (small) shot; ~*korn*: pellet; ~**flinte** *f* shotgun.
Schrott *m* scrap(-iron *od.* -metal).
schrubben *v/t.* scrub, scour.
schrumpfen *v/i.* shrink*.
Schub *m s.* Schubkraft; ~**fach** *n* drawer; ~**karren** *m* wheelbarrow; ~**kasten** *m* drawer; ~**kraft** *phys.*, ⊕ *f* thrust; ~**lade** *f* drawer.
Schubs F *m*, ♀**en** F *v/t.* push.
schüchtern *adj.* shy, bashful; ♀**heit** *f* shyness, bashfulness.
Schuft *m sl. contp.* bastard; *thea. etc.* villain; ♀**en** F *v/i.* work like a dog.
Schuh *m* shoe; j-m et. in die ~e schieben put* the blame for s.th. on s.o.; ~**anzieher** *m* shoehorn; ~**creme** *f* shoe polish; ~**geschäft** *n* shoe shop (*Am.* store); ~**löffel** *m* shoehorn; ~**macher** *m* shoemaker; ~**putzer** *m* bootblack.
Schul|abgänger *m* school-leaver; *Abbrecher*: drop-out; ~**amt** *n* education authority, *Am.* school board; ~**arbeit** *f* schoolwork; *pl. Hausaufgaben*: homework *sg.*; ~**besuch** *m* (school) attendance; ~**bildung** *f* education; ~**buch** *n* textbook, school-book.
Schuld *f* ⚖, ~*gefühl*: guilt; *bsd. eccl.* sin; *Geld*♀: debt; j-m die ~ (an et.) geben blame s.o. (for s.th.); es ist (nicht) deine ~ it is(n't) your fault; ~en haben (machen) be* in (run* into) debt; ♀**bewußt** *adj.*: ~e Miene guilty look; ♀**en** *v/t.*: j-m et. ~ owe s.o. s.th.
schuldig *adj. bsd.* ⚖ guilty (an of); *verantwortlich*: responsible *od.* to blame (for); j-m et. ~ sein owe s.o. s.th.; ♀**e** *m, f* ⚖ guilty person; *Verantwortliche(r)*: person *etc.* responsible *od.* to blame, offender; ♀**keit** *f* duty.
schuld|los *adj.* innocent; ♀**ner** *m* debtor; ♀**schein** *m* promissory note, IOU (= I owe you).
Schule *f* school (*a. fig.*); höhere ~ secondary school, *Am. appr.* (senior) high school; auf *od.* in der ~ at school; in die (zur) ~ gehen (kommen) go* to (start) school; die ~ fängt an um school begins at; ♀**n** *v/t.* train, school.
Schüler *m jüngerer*: schoolboy, *bsd. Brt. a.* pupil; *älterer*, *Am. allg.*: student; ~**austausch** *m* student exchange (program[me]); ~**in** *f* schoolgirl, *bsd. Brt. a.* pupil; *ältere*, *Am. allg.*: student; ~**vertretung** *f appr.* student council (*Am.* government).
Schul|ferien *pl.* holidays *pl.*, *Am.* vacation *sg.*; ~**fernsehen** *n* educational TV; ~**funk** *m* schools programmes *pl.*; ~**gebäude** *n* school (building); ~**geld** *n* school fee(s *pl.*), tuition; ~**heft** *n* exercise book; ~**hof** *m* school yard *od.* playground; ~**kamerad(in)** schoolfellow; ~**leiter(in)** head|master (-mistress), *Am.*

principal; **~mappe** *f* school-bag; *Ranzen*: *a.* satchel; **~ordnung** *f* school regulations *pl.*; **2pflichtig** *adj.*: *~es Kind* school-age child; **~schiff** *n* training-ship; **~schluß** *m* end of school; *vor den Ferien*: end of term; *nach ~* after school; **~schwänzer** *m* truant; **~stunde** *f* lesson, class, period.
Schulter *f* shoulder; **~blatt** *n* shoulder-blade; **2frei** *adj.* strapless; **2n** *v/t.* shoulder; **~sieg** *m* win by a fall.
Schulwesen *n* education(al system).
schummeln F *v/i.* cheat.
Schund *m* trash, rubbish, junk.
Schupp|e *f* scale; **~n** *pl. Kopf2n*: dandruff *sg.*; **~en** *m* shed, *bsd. fig.* shack; **2ig** *adj.* scaly.
schüren *v/t.* stir up (*a. fig.*).
schürf|en ⚒ *v/i.* prospect (*nach* for); **2wunde** *f* graze, abrasion.
Schurke *m bsd. thea. etc.*: villain.
Schurwolle *f* virgin wool.
Schürze *f* apron.
Schuß *m* shot; *Spritzer*: dash; *Ski*: schuss (*a. ~ fahren*); *sl. Droge*: shot, fix; *in ~ sein* be* in (good) shape.
Schüssel *f* bowl, dish; *Wasser2*: basin; *Suppen2*: tureen.
Schuß|waffe *f* firearm; **~wunde** *f* gunshot *od.* bullet wound.
Schuster *m* shoemaker.
Schutt *m* rubble, debris.
Schüttel|frost ⚕ *m* shivering-fit, chill(s *pl.*); **2n** *v/t.* shake*; *den Kopf ~* shake* one's head.
schütten *v/t.* pour; *werfen*: throw*.
Schutz *m* protection (*gegen, vor* against), defen|ce, *Am.* -se (against, from); *Zuflucht*: shelter (from); *Vorsichtsmaßnahme*: safeguard (against); *Deckung*: cover; **~blech** *n* mudguard, *Am.* fender; **~brille** *f* goggles *pl.*
Schütze *m* ⚔ rifleman; *Jäger*: hunter; *Tor2*: scorer; *ast.* Sagittarius; *guter ~* good shot; **2n** *v/t.* protect (*gegen, vor* against, from), defend (against, from), guard (against, from); *gegen Wetter*: shelter (from); *sichern*: safeguard.
Schutzengel *m* guardian angel.
Schützen|graben ⚔ *m* trench; **~könig** *m* champion marksman.
Schutz|haft ⚖ *f* protective custody; **~heilige** *m, f* patron (saint); **~impfung** ⚕ *f* protective inoculation; *Pocken2*: vaccination.

S

Schützling *m* protégé(e *f*).
schutz|los *adj.* unprotected; *wehrlos*: defen|celess, *Am.* -seless; **2maßnahme** *f* safety measure; **2patron(in)** patron (saint); **2umschlag** *m* dust-cover.
schwach *adj.* weak (*a. fig.*); *Leistung, Augen, Gesundheit etc.*: *a.* poor; *Ton, Hoffnung, Erinnerung etc.*: faint; *zart*: delicate, frail; *schwächer werden* grow* weak; *nachlassen*: decline.
Schwäch|e *f* weakness (*a. fig.*); *bsd. Alters2*: infirmity; *Nachteil, Mangel*: drawback, shortcoming; *e-e ~ haben für* be* partial to; **2en** *v/t.* weaken (*a. fig.*); *vermindern*: lessen; **2lich** *adj.* weakly, feeble; *zart*: delicate, frail; **~ling** *m* weakling (*a. fig.*), softy, sissy.
schwach|sinnig *adj.* feeble-minded; **2strom** ⚡ *m* low-voltage current.
Schwager *m* brother-in-law.
Schwägerin *f* sister-in-law.
Schwalbe *zo. f* swallow.
Schwall *m* gush, *bsd. fig. a.* torrent.
Schwamm *m* sponge; ⚘ fungus; ⚘ *Haus2*: dry rot; **~erl** ⚘ *östr. n s. Pilz*; **2ig** *adj.* spongy; *Gesicht etc.*: puffy; *vage*: hazy, misty.
Schwan *zo. m* swan.
schwanger *adj.* pregnant.
Schwangerschaft *f* pregnancy; **~sabbruch** *m* abortion.
schwank|en *v/i.* sway, roll (*a. Schiff u. Betrunkener*); *wanken, torkeln*: stagger; *fig. ~ zwischen ... und ...* vary between ... and ..., range from ... to ...; **2ung** *f* change, variation (*a. econ.*).
Schwanz *m* tail (*a.* ✈, *ast.*).
schwänze|ln *v/i.*: *~ um j-n (herum)* fawn on s.o. (*a. fig.*); **~n** *v/i. u. v/t.*: (*die Schule*) *~* play truant (*Am. a.* hooky), skip school.
Schwarm *m* swarm; *Menschen2*: *a.* crowd, F bunch; *Fisch2*: shoal, school; F *Wunsch*: dream; *Idol*: idol; *du bist ihr ~* she's got a crush on you.
schwärmen *v/i. Bienen etc.*: swarm; *~ für* be* mad about; *sich wünschen*: dream* of; *j-n*: *a.* adore, worship; *verliebt sein*: have* a crush on; *~ von erzählen*: rave about.
Schwärmer *m* dreamer; *Eiferer*: fanatic; **~ei** *f* enthusiasm (*für* for); *stärker*: worship(ping) (of); *mit Wor-*

ten: raving (about); *in ~ geraten* get* carried away.
Schwarte *f* rind; F *fig.* (old) tome.
schwarz *adj.* black (*a. fig.*); **2***es Brett* notice-board, *bsd. Am.* bulletin board; *~ auf weiß* in black and white; **2arbeit** *f* illicit work; **2brot** *n* rye bread.
Schwarze *m, f* black, Neg|ro (-ress); *die ~n pl.* the Blacks *pl.*
schwärzen *v/t.* blacken.
Schwarz|fahrer *m* fare-dodger; **~händler** *m* black marketeer.
schwärzlich *adj.* blackish, darkish.
Schwarz|markt *m* black market; **~seher** *m* pessimist; (TV) licen|ce (*Am.* -se) dodger; **~weiß...** *in Zssgn Film, Fernseher etc.*: black-and-white ...
schwatzen, schwätzen *v/i.* chatter; *Schule*: talk; *plaudern*: chat.
Schwätzer *m* loudmouth, big mouth.
schwatzhaft *adj.* chatty.
Schwebe|bahn *f* cableway, ropeway; **~balken** *m* beam; **2n** *v/i.* be* suspended; *Vogel*, ✈: hover (*a. fig.*); *gleiten*: glide; *bsd.* ⚖ be* pending; *in Gefahr ~* be* in danger.
Schwed|e *m*, **~in** *f* Swede; **2isch** *adj.* Swedish.
Schwefel ⚗ *m* sulphur, *Am.* sulfur; **~säure** ⚗ *f* sulphuric (*Am.* sulfuric) acid.
Schweif *m* tail (*a. ast.*); **2en** *v/i.* wander (*a. fig.*), roam.
Schweigen *n* silence.
schweig|en *v/i.* be* silent; *ganz zu ~ von* let alone; **~end** *adj.* silent; **~sam** *adj.* quiet, reticent.
Schwein *n zo.* pig, *bsd. Am. a.* hog; *bsd. fig. a.* swine; V *Schuft*: bastard; F *~ haben* be* lucky.
Schweine|braten *m* roast pork; **~fleisch** *n* pork; **~rei** *f* mess; *Gemeinheit*: dirty trick; *Schande*: dirty *od.* crying shame; *Unanständigkeit*: filth(y story *od.* joke); **~stall** *m* pigsty (*a. fig.*).
schweinisch *fig. adj.* filthy, obscene.
Schweinsleder *n* pigskin.
Schweiß *m* sweat, perspiration; **2en** ⊕ *v/t.* weld; **~er** ⊕ *m* welder; **2gebadet** *adj.* sweating profusely; **~geruch** *m* body odo(u)r.
Schweizer(in) Swiss.
schwelen *v/i.* smo(u)lder (*a. fig.*).
schwelgen *v/i.*: *~ in* revel in.
Schwell|e *f Tür2*: threshold (*a. fig.*); 🚂 sleeper, *Am.* tie; **2en** *v/i. u. v/t.* swell*; **~ung** *f* swelling.
Schwemm|e *econ. f* glut, oversupply; **2en** *v/t.*: *an Land ~* wash ashore.
Schwengel *m Glocken2*: clapper; *Pumpen2*: handle.
schwenken *v/t. u. v/i.* swing* (*a.* ⊕); *Fahne etc.*: wave; ⊕ *a.* swivel.
schwer 1. *adj.* heavy; *schwierig*: difficult, hard (*a. Arbeit*); *Wein, Zigarre etc.*: strong; *Essen*: rich; *Krankheit, Fehler, Unfall, Schaden etc.*: serious; *Strafe etc.*: severe; *heftig*: heavy, violent; *~e Zeiten* hard times; *es ~ haben* have* a bad time; *100 Pfund ~ sein* weigh a hundred pounds; **2.** *adv.*: *~ arbeiten* work hard; *s. hören*; **~beschädigt** *adj.* (seriously) disabled; **2e** *f* weight (*a. fig.*); *fig.* seriousness; **~fallen** *v/i.* be* difficult (*dat.* for); *es fällt ihm schwer zu ...* he finds it difficult to ...; **~fällig** *adj.* awkward, clumsy; **2gewicht** *n* heavyweight; *fig.* (main) emphasis; **~hörig** *adj.* hard of hearing, deaf; **2industrie** *f* heavy industry; **2kraft** *phys. f* gravity; **2metall** *n* heavy metal; **~mütig** *adj.* melancholy; *~ sein* have* the blues; **2punkt** *m* cent|re (*Am.* -er) of gravity; *fig.* (main) emphasis.
Schwert *n* sword.
Schwer|verbrecher *m* dangerous criminal, ⚖ felon; **2verdaulich** *adj.* indigestible, heavy (*beide a. fig.*); **2verständlich** *adj.* difficult *od.* hard to understand; **2verwundet** *adj.* seriously wounded; **2wiegend** *fig. adj.* weighty, serious.
Schwester *f* sister; *Ordens2*: *a.* nun; *Kranken2*: nurse.
Schwieger... *in Zssgn Eltern, Mutter, Sohn etc.*: ...-in-law.
Schwiel|e *f* callus; **2ig** *adj.* horny.
schwierig *adj.* difficult, hard; **2keit** *f* difficulty, trouble; *in ~en geraten* get* into trouble; *~en haben, et. zu tun* have* difficulty in doing s.th.
Schwimm|bad *n* (*Hallen2*: indoor) swimming-pool; **2en** *v/i.* swim*; *Gegenstand*: float; *~ gehen* go* swimming; **~flosse** *f* fin, flipper; **~gürtel** *m* swimming-belt; *Rettungsgürtel*: lifebelt; **~haut** *f* web; **~lehrer** *m* swimming-instructor; **~weste** *f* life-jacket.
Schwindel *m* ⚕ giddiness, dizziness; *fig.* swindle, fraud; *Ulk*: hoax;

~anfall ⚕ *m* attack of dizziness; **2erregend** *adj*. dizzy; **2n** *v/i*. fib, tell* fibs.
schwinden *v/i*. dwindle, decline.
Schwindl|er *m* swindler, crook; *Lügner*: liar; **2ig** ⚕ *adj*. dizzy, giddy; *mir ist* ~ I feel dizzy.
Schwing|e *f* wing; **2en** *v/i. u. v/t*. swing*; *Fahne etc*.: wave; ⊕ oscillate; vibrate; **~ung** *f* oscillation; vibration.
Schwips F *m*: *e-n* ~ *haben* be* tipsy.
schwirren *v/i*. whirr, whizz; *bsd. Insekt*: buzz (*a. fig*.); *mir schwirrt der Kopf* my head is buzzing.
schwitz|en *v/i*. sweat (*stark* profusely; *vor Angst* with fear), perspire; **2kasten** *m*: *j-n in den* ~ *nehmen* put* a headlock on s.o.
schwören *v/t. u. v/i*. swear* (*e-n Eid* an oath) (*bei* by).
schwul F *adj*. gay; *contp*. queer, *Brt. a*. poofy; *die* **2en** *pl*. the gay community *sg*.; **2en...** *in Zssgn Bar etc*.: gay ...
schwül *adj*. sultry (*a. fig*.), close.
Schwulst *m* bombast.
schwülstig *adj*. bombastic, pompous.
Schwund *m in Zssgn*: *mst* drop in ...
Schwung *m* swing; *fig*. verve, zest, F vim, pep; *Energie*: drive; *in* ~ *kommen* (*bringen*) get* (*s.th*.) going; **2haft** *econ. adj*. flourishing; **~rad** ⊕ *n* flywheel; **2voll** *adj*. full of energy *od*. verve; *Melodie*: swinging, catchy; *Stil*: racy.
Schwur *m* oath; **~gericht** ⚖ *n appr*. jury court.
sechs *adj*. six; *Note*: F, *Brt. a*. poor; **2eck** *n* hexagon; **~eckig** *adj*. hexagonal; **~fach** *adj*. sixfold, sextuple; **~mal** *adv*. six times; **2tagerennen** *n* six-day race; **~tägig** *adj*. lasting *od*. of six days.
sechste *adj*. sixth; **2l** *n* sixth (part); **~ns** *adv*. sixthly, in the sixth place.
sech|zehn(te) *adj*. sixteen(th); **~zig** *adj*. sixty; **~zigste** *adj*. sixtieth.
See 1. *m* lake; **2.** *f* sea, ocean; *auf* ~ at sea; *auf hoher* ~ on the high seas; *an der* ~ at the seaside; *zur* ~ *gehen* (*fahren*) go* to sea (be* a sailor); *in* ~ *stechen* put* to sea; **~bad** *n* seaside resort; **2fahrend** *adj*. *Nation etc*.: seafaring; **~fahrt** *f* navigation; *s. Seereise*; **~gang** *m*: *schwerer* ~ heavy sea; **~hafen** *m* seaport; **~hund** *zo. m* seal; **~jungfrau** *myth. f* mermaid; **~karte** *f* nautical chart; **2krank** *adj*. seasick; **~krankheit** *f* seasickness.
Seel|e *f* soul (*a. fig*.); **2enlos** *adj*. soulless; **~enruhe** *f* coolness; *in aller* ~ as cool as you please; **~enwanderung** *f* reincarnation; **2isch** *adj*. mental; ~ *krank* mentally ill; **~sorge** *f* pastoral care; **~sorger** *m* pastor.
See|macht *f* sea power; **~mann** *m* seaman, sailor; **~meile** *f* nautical mile; **~not** *f* distress (at sea); **~notkreuzer** *m* rescue cruiser; **~räuber** *m* pirate; **~reise** *f* voyage, cruise; **~rose** ⚘ *f* water lily; **~sack** *m* duffle bag; **~schlacht** *f* naval battle; **~streitkräfte** *pl*. naval forces *pl*., navy *sg*.; **2tüchtig** *adj*. *Zustand*: seaworthy; *hoch*~: seagoing; F: (*nicht*) ~ *sein Person*: be* a good (bad) sailor; **~warte** *f* naval observatory; **~weg** *m* sea-route; *auf dem* ~ by sea; **~zeichen** ⚓ *n* sea-mark; **~zunge** *zo. f* (Dover) sole.
Segel *n* sail; **~boot** *n* sailing-boat, *Am*. sailboat; **~fliegen** *n* gliding; **~flugzeug** *n* glider; **2n** *v/i*. sail; *Sport*: *a*. yacht; **~schiff** *n* sailing-ship; sailing-vessel; **~sport** *m* yachting, sailing; **~tuch** *n* canvas, sail-cloth.
Segen *m* blessing (*a. fig*.).
Segler(in) yachts|man (-woman).
segn|en *v/t*. bless; **2ung** *f* blessing.
sehen *v/i. u. v/t*. see*; *Sendung, Spiel etc*.: *a*. watch; *bemerken*: notice; ~ *nach sich kümmern um*: look after; *suchen*: look for; *sich* ~ *lassen kommen*: show* up; *das sieht man* (*kaum*) it (hardly) shows; *siehst du erklärend*: (you) see; *vorwurfsvoll*: I told you; *siehe oben* (*unten, Seite* ...) see above (below, page ...); **~swert** *adj*. worth seeing; **2swürdigkeit** *f* place *etc*. worth seeing; ~*en pl*. sights *pl*.
Sehkraft *f* eyesight, vision.
Sehne *f* *anat*. sinew; *Bogen*2: string.
sehnen *v/refl*. long (*nach* for); *stärker*: yearn (for); *sich danach* ~ *zu inf*. be* longing to *inf*.
Sehnerv *m* optic nerve.
sehnig *adj*. sinewy; *Fleisch*: *a*. stringy.
sehn|lichst *adj*. *Wunsch*: dearest; **2sucht** *f*, **~süchtig, ~suchtsvoll** *adj*. longing; *stärker*: yearning.

S

sehr *adv. vor adj. u. adv.*: very, most; *mit vb.*: (very) much, greatly.
Seh|rohr ⚓ *n* periscope; **~schwäche** *f* weak sight; **~test** *m* sight test; **~weite** *f* range of vision.
seicht *adj.* shallow (*a. fig.*).
Seid|e *f*, **≈en** *adj.* silk; **~enpapier** *n* tissue(-paper); **~enraupe** *zo. f* silkworm; **≈ig** *adj.* silky.
Seif|e *f* soap; **~enblase** *f* soap-bubble; **~enlauge** *f* (soap)suds *pl.*; **~enschale** *f* soap-dish; **~enschaum** *m* lather; **≈ig** *adj.* soapy.
seihen *v/t.* strain, filter.
Seil *n* rope; **~bahn** *f* cableway, ropeway; **~hüpfen** *n* skipping.
Sein *n* being; existence.
sein[1] *v/i.* be*; *bestehen, existieren*: *a.* exist.
sein[2] *poss. pron.* his; her; its; *der* (*die, das*) *~e* his; hers; its; *die Seinen pl.* his family *od.* people.
seiner|seits *adv.* for his part; **~zeit** *adv.* then, in those days.
seinesgleichen *pron.* his equals *pl.*; *j-n wie ~ behandeln* treat s.o. as one's equal.
seinetwegen *adv. vgl. meinetwegen.*
seinlassen *v/t.*: *et.* ~ stop (*bsd. Am. a.* quit*) (doing) s.th.
seit *prp u. cj.* since; *~ 1982* since 1982; *~ drei Jahren* for three years (now); *~ langem* (*kurzem*) for a long (short) time; **~dem 1.** *adv.* since then, since that time, ever since; **2.** *cj.* since.
Seite *f* side (*a. fig.*); *Buch≈*: page; *auf der linken ~* on the left(-hand side); *fig. auf der e-n* (*anderen*) *~* on the one (other) hand.
Seiten|ansicht *f* side-view, profile; **~blick** *m* sidelong glance; **~hieb** *fig. m* sideswipe; **≈s** *prp.* on the part of, by; **~sprung** F *m*: *e-n ~ machen* cheat (on one's wife *od.* husband); **~stechen** *n* stitches *pl.*
seither *adv. s. seitdem 1.*
seit|lich *adj.* side..., at the side(s *pl.*); **~wärts** *adv.* sideways, to the side.
Sekret|är *m* secretary; *Schreibtisch*: bureau; **~ariat** *n* secretary's office; *Verwaltung*: administration; **~ärin** *f* secretary.
Sekt *m* champagne.
Sekt|e *f* sect; **~ion** *f* section; ⚕ dissection; *Obduktion*: autopsy; **~or** *m* sector; *fig.* field.
Sekunde *f* second; *auf die ~* to the second; **~nzeiger** *m* second(s) hand.
selbe *adj.* same; **~r** *pron. s. selbst 1.*
selbst 1. *pron.*: *ich* (*du etc.*) ~ I (you *etc.*) myself (yourself *etc.*); *mach es ~* do it yourself; *et. ~* (*ohne Hilfe*) *tun* do s.th. by oneself; *von ~* by itself; **2.** *adv.* even.
selbständig *adj.* independent; *beruflich*: *a.* self-employed; **≈keit** *f* independence.
Selbst|bedienung(sladen *m*) *f* self-service (shop, *Am.* store); **~befriedigung** *f* masturbation; **~beherrschung** *f* self-control; **~bestimmung** *f* self-determination; **≈bewußt** *adj.* self-confident; ⚠ *nicht self-conscious*; **~bewußtsein** *n* self-confidence; ⚠ *nicht self-consciousness*; **~bildnis** *n* self-portrait; **~erhaltung(strieb** *m*) *f* (instinct of) self-preservation; **~erkenntnis** *f* self-knowledge; **≈gemacht** *adj.* home-made; **≈gerecht** *adj.* self-righteous; **~gespräch** *n thea.* monolog(ue); F *~e führen* talk to o.s.; **≈herrlich** *adj.* overbearing; *unbefugt*: unauthorized; **~hilfe** *f* self-help; **~kostenpreis** *econ. m*: *zum ~* at cost (price); **≈kritisch** *adj.* self-critical; **~laut** *gr. m* vowel; **≈los** *adj.* unselfish; **~mord** *m*, **~mörder(in)** suicide; **≈mörderisch** *adj.* suicidal; **≈sicher** *adj.* self-confident, self-assured; **≈süchtig** *adj.* selfish, ego(t)istic(al); **≈tätig** ⊕ *adj.* automatic; **~täuschung** *f* self-deception; **~unterricht** *m* self-instruction; **~versorger** *m* self-supporter; **≈verständlich 1.** *adj.* natural; *das ist ~* that's a matter of course; **2.** *adv.* of course, naturally; *~! a.* by all means!; **~verständlichkeit** *f* matter of course; **~verteidigung** *f* self-defen|ce, *Am.* -se; **~vertrauen** *n* self-confidence, self-reliance; **~verwaltung** *f* self-government, autonomy; **~wähldienst** *teleph. m* automatic long-distance dial(l)ing service; **≈zufrieden** *adj.* self-satisfied; **~zweck** *m* end in itself.
selchen *östr. v/t. s. räuchern.*
selig *adj. eccl.* blessed; *verstorben*: late; *fig.* overjoyed.
Sellerie ⚘ *m, f* celery.
selten 1. *adj.* rare; *~ sein* be* rare *od.* scarce; **2.** *adv.* rarely, seldom; **≈heit** *f* rarity.
seltsam *adj.* strange, odd, F funny.

Semester *univ. n* term, *Am. a.* semester.
Semikolon *n* semicolon.
Seminar *n univ.* seminar; *Priester*♀: seminary; *Lehrer*♀: teacher training college.
Senat *m* senate; **~or** *m* senator.
sende|n *v/t.* send* (*mit der Post* by post, *Am.* by mail); *ausstrahlen*: broadcast*, transmit (*a. Funk*); *TV a.* televise; ♀**r** *m* radio *od.* television station; ⊕ *Anlage*: transmitter; ♀**reihe** *f* TV *od.* radio series; ♀**schluß** *m* close-down, sign-off; ♀**zeichen** *n* call-sign.
Sendung *f* broadcast, program(me); *TV a.* telecast; *Waren*♀; consignment, shipment; *fig. pol. etc.* mission; *auf ~ sein* be* on the air.
Senf *m* mustard (*a.* ♀).
senil *adj.* senile; ♀**ität** *f* senility.
Senior *m nachgestellt*: Senior; *Sport*: senior player; **~en** *pl.* senior citizens *pl.*; **~enheim** *n* old people's home.
Senk|e *geogr. f* depression, hollow; ♀**en** *v/t.* lower (*a. Stimme*); *Kopf*: *a.* bow; *Kosten, Preise etc.*: *a.* reduce, cut*; *sich ~* drop, go* *od.* come* down; ♀**recht** *adj.* vertical; *~ nach oben* (*unten*) straight up (down).
Sensation *f* sensation; ♀**ell** *adj.*, **~s...** *in Zssgn Blatt etc.*: sensational (...); **~smache** *contp. f* sensationalism.
Sense *f* scythe.
sensib|el *adj.* sensitive; *empfindlich*: *a.* touchy; ⚠ *nicht sensible*; **~ilisieren** *v/t.* sensitize (*für* to).
sentimental *adj.* sentimental; ♀**ität** *f* sentimentality.
September *m* September.
Serenade ♪ *f* serenade.
Serie *f* series; *TV etc. a.* serial; *Satz*: set; *in ~ bauen etc.*: in series; ♀**nmäßig** *adj.* series(-produced); *Ausstattung etc.*: standard; **~nnummer** *f* serial number; **~nwagen** *mot. m* standard-type car.
seriös *adj.* respectable; *ehrlich*: honest; *Zeitung*: serious.
Serum *n* serum.
Service[1] *n* set; *Tee*♀ *etc.*: *a.* service.
Service[2] *m, n* service.
servier|en *v/t.* serve; ♀**erin** *f* waitress; ♀**tochter** *f Schweiz*: waitress.
Serviette *f* napkin.
Servo... *mot. in Zssgn Lenkung etc.*: power ...
Sessel *m* armchair, easy chair; **~lift** *m* chair-lift.
seßhaft *adj.*: *~ werden* settle.
Set *n, m Platzdeckchen*: place-mat.
setzen *v/t. u. v/i.* put*, set* (*a. print.*, ♂, *Segel*), place; *j-n*: *a.* seat; ♂ *a.* plant; *~ über* jump over; *Fluß*: cross; *~ auf wetten*: bet* on, back; *sich ~* sit* down; ⊕ *etc.* settle; *sich ~ auf Pferd, Rad etc.*: get* on, mount; *sich ~ in Auto etc.*: get* into; *sich zu j-m ~* sit* beside *od.* with s.o.; *~ Sie sich bitte!* take *od.* have a seat!
Setz|er *print. m* compositor, typesetter; **~erei** *print. f* composing-room; **~kasten** *print.* typecase.
Seuche *f* epidemic (disease).
seufze|n *v/i.*, ♀**r** *m* sigh.
Sexual|... *in Zssgn Erziehung, Leben, Trieb etc.*: sex(ual) ...; **~verbrechen** *n* sex crime.
sex|uell *adj.* sexual; **~y** *adj.* sexy.
sezieren *v/t.* dissect (*a. fig.*); *Leiche*: perform an autopsy on.
sich *refl. pron.* oneself; *sg.* himself, herself, itself; *pl.* themselves; *sg.* yourself, *pl.* yourselves; *~ ansehen im Spiegel etc.*: look at o.s.; *einander*: look at each other.
Sichel *f* sickle; *Mond, fig.*: crescent.
sicher 1. *adj.* safe (*vor* from), secure (from); *bsd.* ⊕ proof (*gegen* against); *in Zssgn* ...proof; *gewiß, überzeugt*: certain, sure; *zuverlässig*: reliable; (*sich*) *~ sein* be* sure (*e-r Sache* of s.th.; *daß* that); **2.** *adv. fahren etc.*: safely; *natürlich*: of course, *bsd. Am. a.* sure(ly); *gewiß*: certainly; *wahrscheinlich*: probably; *du hast* (*bist*) *~* ... you must have (be) ...
Sicherheit *f* security (*a.* ⚔, *pol., econ.*); *bsd. körperliche*: safety (*a.* ⊕); *Gewißheit*: certainty; *Können*: skill; (*sich*) *in ~ bringen* get* to safety; **~s...** *bsd.* ⊕ *in Zssgn Glas, Schloß etc.*: safety ...; **~sgurt** *m* seat- *od.* safety-belt; **~snadel** *f* safety-pin.
sicher|lich *adv. s. sicher 2*; **~n** *v/t.* secure (*a.* ⚔, ⊕); *schützen*: protect, safeguard; *sich ~* secure o.s. (*gegen, vor* against, from); **~stellen** *v/t.* secure, guarantee; ♀**ung** *f* securing; safeguard(ing); ⊕ safety device; ⚡ fuse.
Sicht *f* visibility; *Aus*♀: view; *in ~ kommen* come* into sight *od.* view; *auf lange ~* in the long run; ♀**bar** *adj.* visible; ♀**en** *v/t.* sight; *fig.* sort

S

(through *od.* out); **~karte** *f* (non-transferable) season-ticket; **2lich** *adj.* obvious; **~weite** *f*: *in (außer) ~* within (out of) sight.
sickern *v/i.* trickle, ooze, seep.
sie *pers. pron.* she (*a. Schiff, Staat*); *Sache*: it; *pl.* they; *Sie sg. u. pl.* you.
Sieb *n* sieve; *Tee2 etc.*: strainer.
sieben[1] *v/t.* sieve, sift; *fig.* weed out.
sieben[2] *adj.* seven; **2meter** *m* penalty shot *od.* throw.
sieb|te *adj.*, **2tel** *n* seventh; **~zehn(te)** *adj.* seventeen(th); **~zig** *adj.* seventy; **~zigste** *adj.* seventieth.
siedeln *v/i.* settle.
siede|n *v/t. u. v/i.* boil, simmer; **2punkt** *m* boiling-point (*a. fig.*).
Siedl|er *m* settler; **~ung** *f* settlement; *Wohn2*: housing development.
Sieg *m* victory; *Sport*: *a.* win.
Siegel *n* seal (*a. fig.*), *privates*: signet; **~lack** *m* sealing-wax; **2n** *v/t.* seal; **~ring** *m* signet-ring.
sieg|en *v/i.* win*; **2er(in)** winner; **~reich** *adj.* winning; *stärker*: victorious (*a. pol.*, ⚔).
Signal *n*, **2isieren** *v/t.* signal.
signieren *v/t.* sign; *Buch*: autograph.
Silbe *f* syllable; **~ntrennung** *f* syllabi(fi)cation.
Silber *n* silver; *Bestecke*: cutlery, table silver; **2grau** *adj.* silver-grey (*Am.* -gray); **~hochzeit** *f* silver wedding; **2n** *adj.* silver.
Silhouette *f* silhouette; *e-r Stadt*: *a.* skyline.
Silvester *n* New Year's Eve.
Sims *m*, *n* ledge; window-sill.
Simul|ant *m* malingerer; **2ieren** *v/t. u. v/i.* ⊕ *etc.* simulate; *Krankheit vortäuschen*: sham, malinger; **2tan** *adj.* simultaneous.
Sinfonie ♪ *f* symphony.
singen *v/t. u. v/i.* sing* (*richtig [falsch] in [out of] tune*).
Singular *gr. m* singular.
Singvogel *m* song-bird, songster.
sinken *v/i.* sink* (*a. fig. Person*), go* down (*a. Preise etc.*); *Sonne*: *a.* set*; *Preise etc.*: fall*, drop.
Sinn *m* sense (*für* of); *Verstand etc.*: mind; *Bedeutung*: sense, meaning; *e-r Sache*: point, idea; *im ~ haben* have* in mind; *es hat keinen ~ (zu warten etc.)* it's no use *od.* good (waiting *etc.*); **~bild** *n* symbol.
sinnentstellend *adj.* distorting.
Sinnes|eindruck *m* sensation; *Wahrnehmung*: sensory perception; **~organ** *n* sense-organ; **~täuschung** *f* hallucination; **~wandel** *m* change of mind.
sinn|lich *adj. die Sinne betreffend*: sensuous; *Wahrnehmung etc.*: sensory; *Begierden etc.*: sensual; **2lichkeit** *f* sensuality; **~los** *adj.* senseless; *zwecklos*: useless; **2losigkeit** *f* senselessness; uselessness; **~verwandt** *adj.* synonymous; **~voll** *adj.* meaningful; *nützlich*: useful; *vernünftig*: wise, sensible.
Sintflut *f biblisch*: *the* Deluge.
Sippe *f* (extended) family, clan.
Sirene *f* siren.
Sirup *m Frucht2*: syrup, *Am.* sirup; *Zucker2*: treacle, molasses.
Sitte *f* custom, tradition; *~n pl.* morals *pl.*; *Benehmen*: manners *pl.*
Sitten|losigkeit *f* immorality; **~polizei** *f* vice squad; **2widrig** *adj.* immoral (*a.* ⚖).
sittlich *adj.* moral; *anständig*: decent; **2keitsverbrechen** *n* sex(ual) crime.
sittsam *adj.* modest; well-behaved.
Situation *f* situation; *Lage*: *a.* position.
Sitz *m* seat; *e-s Kleides etc.*: fit.
sitzen *v/i.* sit* (*an* at; *auf* on); *sich befinden*: be*; *stecken*: be* (stuck); *passen*: fit; F *im Gefängnis*: do* time; *~ bleiben* keep* one's seat; **~bleiben** *v/i. Schule*: have* to repeat a year; F *keinen Mann kriegen*: be* left on the shelf; *~ auf* be* left with; **~lassen** *v/t.* leave* *s.o.* in the lurch, let* *s.o.* down.
Sitz|gelegenheit *f* seat; *genug ~en pl.* enough seating (room) *sg.*; **~ordnung** *f*, **~plan** *m* seating plan; **~platz** *m* seat; **~ung** *f* session (*a. parl.*), meeting, conference.
Skala *f* scale; *fig. a.* range.
Skalp *m*, **2ieren** *v/t.* scalp.
Skandal *m* scandal; **2ös** *adj.* scandalous, shocking.
Skelett *n* skeleton (*a.* ⊕).
Skep|sis *f* scepticism; **~tiker** *m* sceptic; **2tisch** *adj.* sceptical.
Ski *m* ski; *~ laufen od. fahren* ski; **~fahrer(in)** skier; **~fliegen** *n* ski-flying; **~lift** *m* ski-lift; **~schuh** *m* ski boot; **~sport** *m* skiing; **~springen** *n* ski-jumping.
Skizz|e *f*, **2ieren** *v/t.* sketch.
Sklav|e *m* slave (*a. fig.*); **~enhandel** *m* slave-trade; **~erei** *f* slavery

S

(*a. fig.*); **˜isch** *adj.* slavish (*a. fig.*).
Skonto *econ. m, n* (cash) discount.
Skrupel *m* scruple, qualm; **˜los** *adj.* unscrupulous.
Skulptur *f* sculpture.
Slalom *m* slalom.
Slaw|e *m*, **~in** *f* Slav; **˜isch** *adj.* Slavonic.
Slip *m* briefs *pl.*; *Damen˜*: *a.* panties *pl.*; ⚠ *nicht slip*; **~per** *m* casual, *Am.* loafer; ⚠ *nicht slipper*.
Smaragd *m*, **˜grün** *adj.* emerald.
Smoking *m* dinner-jacket, *Am. a.* tuxedo, F tux.
Snob *m* snob; **~ismus** *m* snobbery; **˜istisch** *adj.* snobbish.
so 1. *adv.* so; *auf diese Weise*: like this *od.* that, this *od.* that way; *damit, dadurch*: *a.* thus; *solch*: such; (*nicht*) *~ groß wie* (not) as big as; *~ ein(e)* such a; *~ sehr* so (F that) much; *und ~ weiter* and so on; *oder ~ et.* or s.th. like that; *oder ~* or so; *~, fangen wir an!* well *od.* all right, let's begin!; **2.** *cj. deshalb, daher*: so, therefore; *~ daß* so that; **3.** *int.*: *~!* all right!, o.k.!; *fertig*: that's it!; *ach ~!* I see; **~bald** *cj.* as soon as.
Socke *f* sock.
Sockel *m* base; *Statue*: pedestal (*a. fig.*); *Lampen˜*: socket.
Sodbrennen ⚕ *n* heartburn.
soeben *adv.* just (now).
Sofa *n* sofa, *Am. a.* davenport.
so|fern *cj.* if, provided that; *~ nicht* unless; **~fort** *adv.* at once, immediately, right away; **˜fortbildkamera** *phot. f* instant *od.* Polaroid (*TM*) camera.
Sog *m* suction, wake (*a. fig.*).
so|gar *adv.* even; **~genannt** *adj.* so-called; **~gleich** *adv. s. sofort*.
Sohle *f* sole; *Tal˜ etc.*: bottom; ⚒ floor.
Sohn *m* son.
Sojabohne ⚘ *f* soybean (*a. in Zssgn*).
solange *cj.* as long as.
Solar... *in Zssgn Zelle etc.*: solar ...
solch *dem pron.* such, like this *od.* that.
Sold ⚔ *m* pay; **~at** *m* soldier.
Söldner *m* mercenary.
Sole *f* brine, salt water.
solidarisch *adj.*: *sich ~ erklären mit* declare one's solidarity with.
solide *adj. haltbar*: solid; *fig. a.* sound (*a. econ.*); *Preise*: reasonable; *Person*: steady.
Solist(in) soloist.
Soll *econ. n* debit; *Plan˜*: target, quota.
sollen *v/i. u. v/aux. geplant, bestimmt*: be* to; *angeblich, verpflichtet*: be* supposed to; (*was*) *soll ich ...?* (what) shall I ...?; *du solltest* (*nicht*) you should(n't); *stärker*: you ought(n't) to; *was soll das?* what's the idea?
Solo *n* solo; *Sport*: solo attempt *etc.*
somit *cj.* thus, so, consequently.
Sommer *m* summer; **˜lich** *adj.* summerlike, summer(l)y; **~sprosse** *f* freckle; **˜sprossig** *adj.* freckled; **~zeit** *f* summertime; *vorverlegte*: summer *od.* daylight saving time.
Sonate ♪ *f* sonata.
Sonde *f* probe (*a.* ⚕).
Sonder|... *in Zssgn Angebot, Ausgabe, Flug, Preis, Wunsch, Zug etc.*: special ...; **˜bar** *adj.* strange, F funny; **˜lich** *adv.*: *nicht ~* not particularly; **~ling** *m* eccentric, F crank, *sl.* weirdo.
sondern *cj.* but; *nicht nur ..., ~ auch* not only ... but also.
Sonderschule *f* special school (for the handicapped *etc.*).
Sonnabend *m* Saturday.
Sonne *f* sun; **˜n** *v/refl.* sunbathe.
Sonnen|aufgang *m* sunrise; **~bad** *n* sun-bath; **~blume** ⚘ *f* sunflower; **~brand** *m* sunburn; **~brille** *f* sunglasses *pl.*; **~energie** *f* solar energy; **~finsternis** *f* solar eclipse; **˜klar** *fig. adj.* (as) clear as daylight; **~licht** *n* sunlight; **~schein** *m* sunshine; **~schirm** *m* sunshade; **~schutz** *m Mittel*: sun-tan lotion; **~seite** *f* sunny side (*a. fig.*); **~stich** ⚕ *m* sunstroke; **~strahl** *m* sunbeam; **~uhr** *f* sundial; **~untergang** *m* sunset.
sonnig *adj.* sunny (*a. fig.*).
Sonntag *m* Sunday.
Sonntags|fahrer *mot. contp. m* Sunday driver; **~rückfahrkarte** 🚂 *f* week-end ticket.
sonst *adv. außerdem*: else; *andernfalls*: otherwise, or (else); *normalerweise*: normally, usually; *~ noch et.* (*j.*)? anything (anyone) else?; *~ noch Fragen?* any other questions?; *~ nichts* nothing else, that's all; *alles wie ~* everything as usual; *nichts* (*alles*) *ist wie ~* nothing (all) is as it used to be; **~ig** *adj.* other.
Sopran ♪ *m*, **~istin** ♪ *f* soprano.
Sorge *f* worry, problem; *Kummer*:

sorrow; *Ärger*: trouble; *Für*2: care; *sich ~n machen* (*um*) worry *od.* be* worried (about); *keine ~!* don't worry!

sorgen 1. *v/i.*: *~ für* care for, take* care of; *dafür ~, daß* see* (to it) that; **2.** *v/refl.*: *sich ~ um* worry *od.* be* worried about; **2kind** *n* problem child; handicapped child.

Sorg|falt *f* care; **2fältig** *adj.* careful; **2los** *adj.* carefree; *nachlässig*: careless; **~losigkeit** *f* carelessness.

Sort|e *f* sort, kind, type; **2ieren** *v/t.* sort; *ordnen*: arrange; **~iment** *n* assortment.

Soße *f* sauce; *Braten*2: gravy.

Souffl|eur *m*, **~euse** *f* prompter; **2ieren** *v/i.* prompt (*j-m* s.o.).

souverän *adj. pol.* sovereign; *fig.* superior; **2ität** *f* sovereignty; *fig.* superior style.

so|viel 1. *cj.* as far as; **2.** *adv.*: *doppelt ~* twice as much; *~ wie möglich* as much as possible; **~weit 1.** *cj.* as far as; **2.** *adv. bis jetzt od. hier*: so far; *~ sein* be* ready; *es ist ~* it is time; **~wie** *cj.* as well as, and ... as well; *zeitlich*: as soon as; **~wieso** *adv.* anyway, anyhow, in any case.

Sowjet *m*, **2isch** *adj.* Soviet.

sowohl *cj.*: *~ Lehrer als* (*auch*) *Schüler* both teachers and students.

sozial *adj.* social; **2...** *in Zssgn Arbeiter(in), Demokrat, Kritik etc.*: social ...; **2fürsorge, 2hilfe** *f* social security; **~isieren** *v/t. Betrieb etc.*: nationalize; **2ismus** *m* socialism; **2ist(in), ~istisch** *adj.* socialist; **2kunde** *f* social studies *pl.*; **2staat** *m* welfare state.

Soziolog|e *m* sociologist; **~ie** *f* sociology.

Sozius *mot. m* pillion; *Mitfahrer*: pillion passenger.

sozusagen *adv.* so to speak.

Spagat *m*: *~ machen* do* the splits.

spähen *v/i.* look out (*nach* for).

Spalier *n* espalier; ⚔ *etc.* lane.

Spalt *m* crack, gap; **~e** *f s. Spalt*; *print.* column; **2en** *v/t.* split* (*a. fig. Haare etc.*); *Staat etc.*: divide; *sich ~* split* (up); **~ung** *f* split(ting); *phys.* fission; *fig.* split(-up); *Staat etc.*: division.

Span *m* chip; ⊕ *pl.* shavings *pl.*

Spange *f* clasp; *s. Haarspange.*

Spani|er(in) Spaniard; **2sch** *adj.* Spanish.

Spann *m* instep; **~e** *f* span; **2en 1.** *v/t.* stretch, tighten; *Leine etc.*: put* up; *Gewehr*: cock; *Bogen*: draw*, bend*; **2.** *v/i.* be* (too) tight; **2end** *adj.* exciting, thrilling, gripping; **~ung** *f* tension (*a.* ⊕, *pol.*, *psych.*); ⚡ voltage; *fig.* suspense, exitement; **~weite** *f* span; *fig. a.* range.

Spar|buch *n* savings book; **~büchse** *f* money-box, F piggy bank; **2en** *v/i. u. v/t.* save; *er~*: *a.* spare; *~ mit* (*an*) economize on; **~er** *m* saver.

Spargel ⚘ *m* asparagus.

Spar|kasse *f* savings bank; **~konto** *n* savings account.

spärlich *adj.* sparse, scant; *Lohn, Wissen etc.* scanty; *Besuch etc.*: poor.

sparsam *adj.* economical (*mit* of); *~ leben* lead* a frugal life; *~ umgehen mit* use sparingly; **2keit** *f* economy.

Spaß *m* fun; *Scherz*: joke; *aus* (*nur zum*) *~* (just) for fun; *es macht viel* (*keinen*) *~* it's great (no) fun; *j-m den ~ verderben* spoil s.o.'s fun; *er macht nur* (*keinen*) *~* he is only (not) joking (F kidding); *keinen ~ verstehen* have* no sense of humo(u)r; **2en** *v/i.* joke; **2ig** *adj.* funny; **~macher, ~vogel** *m* joker, comedian.

Spast|iker ⚕ *m*, **2isch** *adj.* spastic.

spät *adj. u. adv.* late; *am ~en Nachmittag* late in the afternoon; *wie ~ ist es?* what time is it?; *früher oder ~er* sooner or later; *von früh bis ~* from morning till night; (*fünf Minuten*) *zu ~ kommen* be* (five minutes) late; *bis ~er!* see you (later)!

Spaten *m* spade.

spätestens *adv.* at the latest.

Spatz *zo. m* sparrow.

spazieren|fahren *v/i. u. v/t.* go* (*j-n*: take*) for a drive; *Baby*: take* out; **~gehen** *v/i.* go* for *od.* take* a walk.

Spazier|fahrt *f* drive, ride; **~gang** *m* walk; *e-n ~ machen* go* for a walk; **~gänger** *m* walker; **~weg** *m* walk.

Specht *zo. m* woodpecker.

Speck *m* bacon; **2ig** *fig. adj.* greasy.

Spedit|eur *m* shipping agent; *Möbel*2: remover; **~ion** *f* shipping agency; removal (*Am.* moving) firm.

Speer *m* spear; *Sport*: javelin.

Speiche *f* spoke.

Speichel *m* spit(tle), saliva.

Speicher *m* storehouse; *Wasser*2: tank, reservoir; *Dachboden*: attic; *Computer*: memory, store; **2n** *v/t.* store (up).

S

speien *v/t.* spit*; *Wasser*: spout; *Vulkan etc.*: belch.
Speise *f* food; *Gericht*: dish; **~eis** *n* ice-cream; **~kammer** *f* larder, pantry; **~karte** *f* menu; **2n 1.** *v/i.* dine; **2.** *v/t.* feed* (*a.* ⚡ *etc.*); **~röhre** *anat. f* gullet; **~saal** *m* dining-hall; **~wagen** 🚂 *m* dining-car, diner; **~zimmer** *n* dining-room.
Spekul|ant *m* speculator; **~ation** *f* speculation; *econ. a.* venture; **2ieren** *v/i.* speculate (*auf* on; *mit* in).
Spende *f* gift; *Beitrag*: contribution; *für Hilfswerk etc.*: donation; **2n** *v/t.* give* (*a. fig. Schatten etc.*); *Geld, Blut etc.*: donate; **~r** *m* giver; donor (*a. Blut2, Organ2*).
spendieren *v/t.*: *j-m et.* ~ treat s.o. to s.th.
Spengler *östr. m s. Klempner.*
Sperling *zo. m* sparrow.
Sperr|e *f* barrier; 🚂 *a.* gate; *fig. allg.* stop; ⊕ lock(ing device); *Straßen2*: barricade; *Verbot*: ban (on), prohibition (of); *Sport*: suspension; *psych.* mental block; *econ.* embargo; **2en** *v/t.* close; *econ.* embargo; *Strom etc.*: cut* off; *Scheck*: stop; *Sport*: suspend; *behindern*: obstruct; ~ *in* lock (up) in; **~holz** *n* plywood; **~müllabfuhr** *f* removal of bulky refuse; **~ung** *f* closing; *mot., econ.* stoppage.
Spesen *pl.* expenses *pl.*
Spezi *östr. m* pal, chum, buddy.
Spezial|ausbildung *f* special training; **~gebiet** *n* special field, special(i)ty; **~geschäft** *n* specialized shop *od.* store; **2isieren** *v/refl.* specialize (*auf* in); **~ist(in)** specialist; **~ität** *f* special(i)ty.
speziell *adj.* specific, particular.
spezifisch *adj.* specific; *~es Gewicht* specific gravity.
Sphäre *f* sphere (*a. fig.*).
spicken 1. *v/t.* lard (*a. fig. ausschmücken*); **2.** F *fig. v/i.* crib.
Spiegel *m* mirror (*a. fig.*); **~bild** *n* reflection (*a. fig.*); **2blank** *adj.* mirror-like; **~ei** *n* fried egg; **2glatt** *adj. Wasser etc.*: glassy; *Straße*: icy; **2n** *v/i. u. v/t.* reflect (*a. fig.*); *glänzen*: shine*; *sich* ~ be* reflected (*a. fig.*); **~ung** *f* reflection.
Spiel *n* game; *Wett2*: *a.* match; *das ~en, ~weise*: play (*a. thea. etc.*); *Glücks2*: gambling; *fig.* game, gamble; *auf dem ~ stehen* be* at stake; *aufs ~ setzen* risk; **2en** *v/i. u. v/t.* play (*a. fig.*) (*um* for); *darstellen*: *a.* act; *aufführen*: perform; *Glücksspiel*: gamble; *Lotto etc.*: do*; *Klavier etc.* ~ play the piano *etc.*; **2end** *fig. adv.* easily; **~er** *m* player; *Glücks2*: gambler; **~feld** *n* playing-field; **~film** *m* feature film; **~halle** *f* amusement arcade, game room; **~hölle** *f* gambling den; **~kamerad(in)** playmate; **~karte** *f* playing-card; **~kasino** *n* casino; **~marke** *f* jet(t)on, chip; **~plan** *m thea. etc.*: program(me); **~platz** *m* playground; **~raum** *fig. m* play, scope; **~regel** *f* rule (of the game); **~sachen** *pl.* toys *pl.*; **~schuld** *f* gambling debt; **~stand** *m* score; **~uhr** *f* musical (*Am.* music) box; **~verderber(in)** spoil-sport; **~waren** *pl.* toys *pl.*; **~zeit** *f* season; *Dauer*: playing (*Film*: running) time; **~zeug** *n* toy(s *pl.*); **~zeug...** *in Zssgn Pistole etc.*: toy ...
Spieß *m* spear, pike; *Brat2*: spit; *Fleisch2*: skewer; **2en** *v/t.* skewer; **~er** *contp. m* bourgeois, philistine; **2ig** *adj.* narrow-minded, stuffy.
Spinat ⚘ *m* spinach.
Spind *n, m* locker.
Spindel *f* spindle.
Spinn|e *zo. f* spider; **2en 1.** *v/t.* spin* (*a. fig.*); **2.** F *fig. v/i.* be* nuts; talk nonsense; **~er** *m* spinner; F *fig.* nut, crackpot; *Angeber*: braggart, big mouth; **~rad** *n* spinning-wheel; **~webe** *f* cobweb.
Spion *m* spy; **~age** *f* espionage; **2ieren** *v/i.* spy; F *schnüffeln*: snoop.
Spiral|e *f*, **2förmig** *adj.* spiral.
Spirituosen *pl.* spirits *pl.*
Spiritus *m* spirit (*a. in Zssgn*).
Spital *n* hospital.
spitz *adj.* pointed (*a. fig.*); ⊿ *Winkel*: acute; *~e Zunge* sharp tongue; **2bogen** *arch. m* pointed arch; **2e** *f* point; *Nasen2, Finger2*: tip; *Turm2*: spire; *Baum2, Berg2*: top; *Pfeil2, Unternehmens2*: head; *Gewebe*: lace; F *mot.* top speed; F *großartig*: super, (the) tops; *an der ~* at the top (*a. fig.*); **2el** *m* informer, stool-pigeon; **~en** *v/t.* point, sharpen; *Lippen*: purse; *Ohren*: prick up.
Spitzen... *Höchst..., Best... etc. in Zssgn*: top ...
spitz|findig *adj.* quibbling; **2findigkeit** *f* subtlety; **2hacke** *f* pickax(e), pick; **2name** *m* nickname.

S

Splitter *m*, **2n** *v/i*. splinter; **2nackt** F *adj*. stark naked.
spontan *adj*. spontaneous.
Sporen *pl*. spurs *pl*. (*a. zo*.); *biol*. spores *pl*.
Sport *m* sport(s *pl. coll*.); *Fach*: physical education; ~ *treiben* do* *od*. play sports.
Sport|... *in Zssgn Ereignis, Geschäft, Hemd, Verein, Wagen etc*.: *mst* sports ...; **~kleidung** *f* sportswear; **~ler(in)** athlete; **2lich** *adj*. athletic; *Kleidung*: casual, sporty; **~nachrichten** *pl*. sports news *sg*.; **~platz** *m* sports field; stadium.
Spott *m* mockery; *Hohn*: derision; *verächtlicher*: scorn; **2billig** F *adj*. dirt-cheap.
spotten *v/i*. mock (*über* at), scoff (at); *sich lustig machen*: make* fun (of), ridicule.
Spött|er *m* mocker, scoffer; **2isch** *adj*. mocking, derisive.
Spottpreis *m*: *für e-n* ~ dirt cheap.
Sprache *f* language (*a. fig*.); *das Sprechen, Sprechweise*: speech; *zur* ~ *kommen* (*bringen*) come* (bring* *s.th*.) up.
Sprach|fehler ⚕ *m* speech defect; **~gebrauch** *m* usage; **~labor** *n* language lab; **~lehre** *f* grammar; **~lehrer(in)** language teacher; **2lich** **1.** *adj*. language (*attr*.); **2.** *adv*.: ~ *richtig* grammatically correct; **2los** *adj*. speechless; **~rohr** *fig*. *n* mouthpiece; **~unterricht** *m* language teaching; **~wissenschaft** *f* philology, linguistics *sg*.
sprech|en *v/t. u. v/i*. speak* (*j-n, mit j-m* to s.o.); *reden, sich unterhalten*: talk (to) (*beide*: *über, von* about, of); *nicht zu* ~ *sein* be* busy; **2er** *m* speaker; *Ansager*: announcer; *Wortführer*: spokesman; **2stunde** *f* office hours *pl*.; ⚕ consulting (*Am*. office) hours *pl*.; **2zimmer** *n* consulting room, *Am. a*. office.
spreizen *v/t*. spread* (out).
spreng|en *v/t*. blow* up; *Fels*: blast; *Wasser*: sprinkle; *Rasen*: water; *Versammlung*: break* up; **2kopf** ⚔ *m* warhead; **2körper, 2stoff** *m* explosive; **2ung** *f* blasting; blowing up.
sprenkeln *v/t*. speck(le), spot, dot.
Spreu *f* chaff (*a. fig*.).
Sprich|wort *n* proverb, saying; **2wörtlich** *adj*. proverbial (*a. fig*.).
sprießen *v/i*. sprout; *fig*. burgeon.
Spring|brunnen *m* fountain; **2en** *v/i*. jump, leap*; *Ball etc*.: bounce; *Schwimmen*: dive*; *Glas etc*.: crack; *zer~*: break*; *platzen*: burst*; *in die Höhe* (*zur Seite*) ~ jump up (aside); **~er** *m* jumper; *Schwimmen*: diver; *Schach*: knight; **~flut** *f* spring tide; **~reiten** *n* show jumping.
Spritze *f* ⚕ injection, F shot; *Instrument*: syringe (*a*. ✓); ⚕ *a*. hypodermic needle; **2n** *v/i. u. v/t*. splash; *sprühen*: spray (*a*. ⊕, ✓); ⚕ inject; *j-m et*.: give* *s.o*. an injection of; *Fett*: spatter; *Blut*: gush (*aus* from); **~r** *m* splash; *kleine Menge*: dash.
Spritz|mittel *n* spray, insecticide *etc*.; **~pistole** ⊕ *f* spray-gun.
spröde *adj*. brittle (*a. fig*.); *Haut*: rough.
Sproß ⚘ *m* shoot, scion (*a. fig*.).
Sprosse *f* rung, step.
Spruch *m* saying, words *pl*.; *Entscheidung*: decision; **~band** *n* banner.
Sprudel *m* mineral water; **2n** *v/i*. bubble (*a. fig*.).
Sprüh|dose *f* spray can; **2en** *v/t. u. v/i*. spray; *Funken*: throw* out; **~regen** *m* drizzle.
Sprung *m* jump, leap; *Schwimmen*: dive; *Riß*: crack, fissure; **~brett** *n* diving-board; *Turnen*: springboard; *fig*. stepping-stone; **~schanze** *f* ski-jump.
Spucke F *f* spit(tle); **2n** *v/i. u. v/t*. spit*; F *brechen*: throw* up.
Spuk *m* apparition, ghost; **2en** *v/i*.: ~ *in* haunt; *hier spukt es* this place is haunted.
Spule *f* spool, reel; *Garn2*: bobbin; ⚡ coil; **2n** *v/t*. spool, wind*, reel.
spül|en *v/t. u. v/i*. wash up (the dishes); *aus~*: rinse; *W.C*.: flush the toilet; *schwemmen*: wash; **2maschine** *f* dishwasher.
Spundloch *n* bung-hole.
Spur *f* trace (*a*. 🝖 *u. fig*.); *Fußspuren, Wagenspuren*: track(s *pl*.); *Abdruck*: print; *Fahr2*: lane; *Tonband2*: track; *j-m auf der* ~ *sein* be* on s.o.'s track.
spüren *v/t. allg*. feel*; *instinktiv*: *a*. sense; *wahrnehmen*: notice.
spur|los *adv*. without leaving a trace; **2weite** *f* 🚂 ga(u)ge; *mot*. track.
Staat *m* state; *Regierung*: government; **~enbund** *m* confederacy, confederation; **2enlos** *adj*. stateless; **2-**

S

lich 1. *adj.* state; *Einrichtung*: *a.* public, national; **2.** *adv.*: ~ *geprüft* qualified, registered.

Staats|angehörige(r) national, citizen, *bsd. Brt.* subject; **~angehörigkeit** *f* nationality; **~anwalt** ⚖ *m* (public) prosecutor, *Am.* district attorney; **~besuch** *m* official *od.* state visit; **~bürger** *m* citizen, national; **~chef** *m* head of state; **~dienst** *m* civil (*Am. a.* public) service; **2eigen** *adj.* state-owned; **~feind** *m* public enemy; **2feindlich** *adj.* subversive; **~haushalt** *m* budget; **~kasse** *f* treasury; **~mann** *m* statesman; **~oberhaupt** *n* head of (the) state; **~sekretär** *m* undersecretary of state; **~streich** *m* coup d'état; **~vertrag** *m* treaty; **~wissenschaft** *f* political science.

Stab *m* staff (*a. fig.*); *Metall2*, *Holz2*: bar; *Staffel2*, ♪ *Dirigenten2*: baton; *~hochsprung*: pole.

Stäbchen *pl. Eß2*: chopsticks *pl.*

stabil *adj.* stable (*a. econ.*, *pol.*); *robust*: solid, strong; *gesund*: sound; **~isieren** *v/t.* stabilize; **2ität** *f* stability.

Stachel *m* ⚘, *zo.* spine, prick; *Insekt*: sting; **~beere** ⚘ *f* gooseberry; **~draht** *m* barbed wire; **2ig** *adj.* prickly; **~schwein** *zo. n* porcupine.

Stad(e)l *östr. m* barn.

Stadi|on *n* stadium; **~um** *n* stage, phase.

Stadt *f* town; *bsd. Groß2*: city; *die ~ Berlin* the city of Berlin; *in die ~ gehen od. fahren* go* (in)to town, *bsd. Am. a.* go* downtown; **~bahn** *f* urban railway (service).

Städter *m* urban dweller, *Brt.* F townie; ~ *pl.* urban people *pl.*

Stadt|gebiet *n* urban area; **~gespräch** *fig. n* talk of the town.

städtisch *adj.* urban; *pol.* municipal.

Stadt|plan *m* city map; **~rand** *m* outskirts *pl.*; **~rat** *m* town council; *Person*: town council(l)or, *Am.* city council|man (-woman); **~rundfahrt** *f* sightseeing tour; **~teil** *m*, **~viertel** *n* quarter.

Staffel *f* relay race *od.* team; ⚔ ✈ squadron; **~ei** *paint. f* easel; **2n** *v/t.* grade, scale.

Stahl *m* steel (*a. in Zssgn Helm*, *Wolle etc.*); **~kammer** *f* strong-room, bank vault; **~rohr...** *in Zssgn Möbel etc.*: tubular (metal) ...; **~werk** *n* steelworks *pl.*

Stall *m* stable; *s. Kuh2*, *Schweine2*; **~knecht** *m* stableman.

Stamm *m* ⚘ stem (*a. gr.*), trunk; *Volks2*: tribe; *Geschlecht*: stock; *fig. Kern e-r Firma*, *Mannschaft etc.*: regulars *pl.*; **~...** *in Zssgn Gast*, *Kunde*, *Spieler etc.*: regular ...; **~baum** *m* family tree; *zo.* pedigree; **2eln** *v/t.* stammer; **2en** *v/i.*: ~ *aus (von) allg.* come* from; *zeitlich*: be* from; ~ *von Künstler etc.*: be* by; **~formen** *gr. pl.* principal parts *pl.*, *mst* tenses *pl.*

stämmig *adj.* sturdy; *dicklich*: stout.

Stammkneipe F *f* local.

stampfen 1. *v/t.* mash; **2.** *v/i.* stamp (*mit dem Fuß* one's foot).

Stand *m* stand(ing), standing *od.* upright position; *Halt*: footing, foothold; *~platz*: stand; *Verkaufs2*: stand, stall; *ast.* position; *Wasser2 etc.*: height, level; *des Thermometers*: reading; *fig. Niveau*, *Höhe*: level; *soziale Stellung*: social standing, status; *Klasse*: class; *Beruf*: profession; *Sport*: score; *Rennen*: standings *pl.*; *Lage*: state; *Zustand*: *a.* condition; *auf den neuesten ~ bringen* bring* up to date; *e-n schweren ~ haben* have* a hard time (of it).

Standard *m* standard (*a. in Zssgn*).

Standbild *n* statue.

Ständchen *n* serenade.

Ständer *m* stand; *Kleider2 etc.*: rack.

Standes|amt *n* registry office, *Am.* marriage license bureau; **2amtlich** *adj.*: *~e Trauung* civil marriage; **~beamte** *m* registrar, *Am.* civil magistrate.

standhaft *adj.* steadfast, firm; ~ *bleiben* resist temptation; **2igkeit** *f* steadfastness, firmness.

standhalten *v/i.* withstand*, resist.

ständig *adj.* constant; *Adresse etc.*: permanent; *Einkommen*: fixed.

Stand|licht *mot. n* parking light; **~ort** *m* position; *Betrieb etc.*: location; ⚔ garnison, *bsd. Am.* post; **~photo** *n* still; **~platz** *m* stand; **~punkt** *fig. m* (point of) view, standpoint; **~recht** ⚔ *n* martial law; **~uhr** *f* grandfather clock.

Stange *f* pole; *Fahnen2*: *a.* staff; *Metall2*: rod, bar; *Zigaretten*: carton.

Stanniol *n* tin foil.

S

Stanze ⊕ *f*, 2**n** *v/t*. punch.
Stapel *m* pile, stack; *Haufen*: heap; *vom ~ lassen* ⚓ launch (*a. fig.*); *vom ~ laufen* ⚓ be* launched; **~lauf** ⚓ *m* launch; 2**n** *v/t*. pile (up), stack.
stapfen *v/i*. trudge, plod.
Star *m zo*. starling; *thea. etc.*: star; ⚕ cataract.
stark 1. *adj*. strong (*a. fig. Kaffee, Bier, Tabak etc.*); *mächtig, kraftvoll*: *a.* powerful; *Raucher, Regen, Erkältung, Verkehr etc.*: heavy; F *toll*: super, great; **2.** *adv*.: *~ beeindruckt etc.* very much *od.* greatly impressed *etc.*; *~ beschädigt etc.* badly damaged *etc.*
Stärke *f* strength, power; *Intensität*: intensity; *Maß*: degree; ⚗ starch; 2**n** *v/t*. strengthen (*a. fig.*); *Wäsche etc.*: starch; *sich ~* take* some refreshment.
Starkstrom ⚡ *m* heavy current.
Stärkung *f* strengthening; *Imbiß*: refreshment; **~smittel** *n* tonic.
starr *adj*. stiff; *unbeweglich*: rigid (*a.* ⊕); *Gesicht etc.*: *a.* frozen; *Augen*: glassy; *~er Blick* (fixed) stare; *~ vor Kälte* (*Entsetzen*) frozen (scared) stiff; **~en** *v/i*. stare (*auf* at); **~köpfig** *adj*. stubborn, obstinate; 2**sinn** *m* stubbornness, obstinacy.
Start *m* start (*a. fig.*); ✈ take-off; *Rakete*: lift-off; **~bahn** ✈ *f* runway; 2**bereit** *adj*. ready to start; ✈ ready for take-off; 2**en** *v/i. u. v/t.* start (*a.* F *fig.*); ✈ take* off; *Raumfahrt*: lift off; *e-e Rakete*: launch (*a. fig. Unternehmen etc.*); **~platz** *m* start(ing-place); ✈ take-off point; *Raumfahrt*: launch site.
Station *f* station; *Kranken*2: ward; 2**är** ⚕ *adj*.: *~er Patient* in-patient; 2**ieren** ⚔ *v/t*. station; *Raketen*: deploy; **~svorsteher** 🚂 *m* stationmaster.
Statist *m* supernumerary, *mst* F super, extra; **~ik** *f* statistics *pl.*; **~iker** *m* statistician; 2**isch** *adj*. statistical.
Stativ *n* stand; *phot. mst* tripod.
statt *prp*. instead of; *~ dessen* instead (*mst nachgestellt*); *~ et. zu tun* instead of doing s.th.
Stätte *f* place; *e-s Unglücks etc.*: scene.
statt|finden *v/i*. take* place; *geschehen*: happen; **~lich** *adj*. imposing; *Summe etc.*: handsome.
Stat|ue *f* statue; **~ur** *f* build, figure, stature; (*a. fig.*); **~us** *m* state; *sozialer*: status; **~ussymbol** *n* status symbol.
Stau *mot. m* (traffic) jam, congestion.
Staub *m* dust (*a. ~ wischen*).
Staubecken *n* reservoir.
staub|en *v/i*. give* off *od.* make* dust; 2**fänger** F *m* dust-trap; **~ig** *adj*. dusty; **~saugen** *v/i. u. v/t.* vacuum (-clean), F *Brt*. hoover; 2**sauger** *m* vacuum cleaner, F *Brt*. hoover; 2**tuch** *n* duster.
Staudamm *m* dam.
Staude ⚘ *f* perennial (plant).
stauen *v/t*. *Fluß etc.*: dam up; *sich ~ mot. etc.* be* stacked up.
staunen *v/i*. be* astonished *od.* surprised (*über* at).
Staunen *n* astonishment, amazement.
Staupe *vet. f* distemper.
Stausee *m* reservoir.
stech|en *v/i. u. v/t.* prick (*in den Finger* one's finger); *Biene etc.*: sting*; *Mücke etc.*: bite*; *mit Messer etc.*: stab; *durch~*: pierce; *mit et. ~ in* stick* s.th. in(to); *sich ~* prick o.s.; **~end** *adj*. *Blick*: piercing; *Schmerz*: stabbing; 2**uhr** *f* time-clock.
Steck|brief ⚖ *m* "wanted" poster; 2**brieflich** ⚖ *adv*.: *er wird ~ gesucht* a warrant is out against him; **~dose** ⚡ *f* (wall) socket; 2**en 1.** *v/t*. stick*; *wohin tun*: put*; *bsd.* ⊕ insert (*in* into); *an~*: pin (*an* to, on); ✐ set*, plant; **2.** *v/i*. *sich befinden*: be*; *festsitzen*: stick*, be* stuck; *tief in Schulden ~* be* deeply in debt; 2**enbleiben** *v/i*. get* stuck (*a. fig.*); **~enpferd** *n Spielzeug*: hobby-horse; *fig*. hobby; **~er** ⚡ *m* plug; **~kontakt** ⚡ *m* plug (connection); **~nadel** *f* pin.
Steg *m* foot-bridge; *Brett*: plank.
Stegreif *m*: *aus dem ~* extempore, F ad lib; *aus dem ~ sprechen, spielen etc.* extemporize, F ad-lib.
stehen *v/i*. stand*; *sich befinden, sein*: be*; *aufrecht ~*: stand* up; *es steht ihr* it suits (*od.* looks well on) her; *wie(viel) steht es?* what's the score?; *hier steht, daß* it says here that; *wo steht das?* where does it say so *od.* that?; *sich gut* (*schlecht*) *~* be* well (badly) off; *sich ~ mit j-m*: get* along with; *wie steht es mit ...?* what about ...?; F: *darauf stehe ich* it turns me on; **~bleiben** *v/i*. stop; *bsd.* ⊕, *Entwicklung etc.*: come* to a standstill;

S

~lassen *v/t.* leave* (*Essen etc.*: untouched); *unverändert*: leave* *s.th.* as it is; *Schirm etc.*: leave* behind; *Bart*: grow*.

Steh|kragen *m* stand-up collar; **~lampe** *f* standard (*Am.* floor) lamp; **~leiter** *f* step-ladder.

stehlen *v/t. u. v/i.* steal* (*a. fig.* sich ~).

Stehplatz *m* standing-room.

steif *adj.* stiff (*a. fig.*) (vor with).

Steigbügel *m* stirrup.

steigen *v/i. sich begeben*: go*, step; *klettern*: climb; *hoch~, zunehmen*: rise*, go* up, climb (*a.* ✈); ~ in (auf) *Fahrzeug*: get* on; ~ aus (von) get* off (*Bett*: out of).

steiger|n *v/t.* raise, increase; *verstärken*: heighten; *verbessern*: improve; *gr.* compare; sich ~ *Person*: improve, get* better; **≈ung** *f* rise, increase; heightening; improvement; *gr.* comparison.

Steigung *f* gradient; *Hang*: slope.

steil *adj.* steep (*a. fig. u. in Zssgn*).

Stein *m* stone (*a.* ⚘, ⚕), *Am. a.* rock; *s.* Edel≈; **~bock** *m zo.* rock goat; *ast.* Capricorn; **~bruch** *m* quarry; **≈ern** *adj.* (of) stone; *fig.* stony; **~gut** *n* earthenware; **≈ig** *adj.* stony; **≈igen** *v/t.* stone; **~kohle** *f* (hard) coal; **~metz** *m* stonemason; **~wurf** *fig. m* stone's throw; **~zeit** *f* Stone Age.

Stellage *östr. f* stand, rack, shelf.

Stelle *f* place; *genauere*: spot; *Punkt*: point; *Arbeits≈*: job; *Behörde*: authority; ♪ figure; freie ~ vacancy, opening; auf der (zur) ~ on the spot; an erster ~ stehen (kommen) be* (come*) first; an j-s ~ in s.o.'s place; ich an deiner ~ if I were you.

stellen *v/t. allg.* put*; *Uhr, Aufgabe, Falle etc.*: set*; *ein, aus, leiser etc.*: turn; *Frage*: ask; *zur Verfügung* ~: provide; *Verbrecher etc.*: corner, hunt down; sich ~ give* o.s. up, turn o.s. in; sich ~ gegen (hinter) *fig.* oppose (back); sich schlafend etc. ~ pretend to be asleep *etc.*; stell dich dorthin! (go and) stand over there!

Stellen|angebot *n* vacancy; ich habe ein ~ I was offered a job; **~gesuch** *n* application for a post; **≈weise** *adv.* partly, in places.

Stellung *f* position; *Arbeitsplatz*: *a.* post, job; ~ nehmen zu comment on, give* one's opinion of; **~nahme** *f* comment, opinion (*beide*: zu on); **≈slos** *adj.* unemployed, jobless.

stellvertrete|nd *adj. amtlich*: acting, deputy, vice-...; **≈r** *m* representative; *amtlich*: deputy.

Stelze *f* stilt; **≈n** *v/i.* stalk.

stemmen *v/t. Gewicht*: lift; sich ~ gegen press o.s. against; *fig.* resist *od.* oppose *s.th.*

Stempel *m* stamp; *Post≈*: postmark; *auf Silber etc.*: hallmark; ⚘ pistil; **~kissen** *n* ink-pad; **≈n 1.** *v/t.* stamp; *entwerten*: cancel; *Gold, Silber*: hallmark; **2.** *v/i.* F: ~ gehen be* on the dole.

Stengel ⚘ *m* stalk, stem.

Steno|gramm *n* shorthand notes *pl.*; **~graphie** *f* shorthand; **≈graphieren** *v/t.* take* down in shorthand; **~typistin** *f* shorthand typist.

Stepp|decke *f* quilt; **≈en 1.** *v/t.* quilt; *Naht*: stitch; **2.** *v/i.* tap-dance.

Sterbebett *n* deathbed.

sterben *v/i.* die (an of) (*a. fig.*); im ≈ liegen be* dying.

sterblich *adj.* mortal; **≈keit** *f* mortality.

Stereo *n* stereo (*a. in Zssgn*).

steril *adj.* sterile; **≈isation** *f* sterilization; **~isieren** *v/t.* sterilize.

Stern *m* star (*a. fig.*); **~bild** *ast. n* constellation; *des Tierkreises*: sign of the zodiac; **~enbanner** *n* Star-Spangled Banner, Stars and Stripes *pl.*; **~(en)himmel** *m* starry sky; **≈klar** *adj.* starry; **~kunde** *f* astronomy; **~schnuppe** *f* shooting *od.* falling star; **~system** *ast. n* galaxy; **~warte** *f* observatory.

stet|(ig) *adj.* continual, constant; *gleichmäßig*: steady; **~s** *adv.* always.

Steuer[1] *n mot.* (steering-)wheel; ⚓ helm, rudder.

Steuer[2] *f* tax (auf on); **~beamte** *m* revenue officer; **~berater** *m* tax adviser; **~bord** ⚓ *n* starboard; **~erklärung** *f* tax return; **~ermäßigung** *f* tax allowance; **≈frei** *adj.* tax-free; *Waren*: duty-free; **~hinterziehung** *f* tax-evasion; **~knüppel** ✈ *m* control column *od.* stick; **~mann** *m* ⚓ helmsman; *Boots≈*: coxswain; **≈n** *v/t. u. v/i. allg.* steer; ⚓, ✈ *a.* navigate, pilot; *mot. a.* drive*; ⊕ control; *fig.* direct, control; **≈pflichtig** *adj.* taxable; *Waren*: dutiable; **~rad** *n* steering-wheel; **~ruder** ⚓ *n* helm, rudder; **~senkung** *f* tax reduction; **~ung** *f* steering (system); ⊕, ⚡ control (*a. fig.*); **~zahler** *m* taxpayer.

Stich *m Nadel*2: prick; *Bienen*2 *etc.*: sting; *Mücken*2 *etc.*: bite; *Messer*2: stab; *Nähen*: stitch; *Kartenspiel*: trick; *Kupfer*2 *etc.*: engraving; *im ~ lassen* let* *s.o.* down; *verlassen*: abandon (*a.* ⚓), desert.

Stichel|ei *fig.* dig, gibe; **2n** *fig. v/i.* make* digs, gibe (*gegen* at).

Stich|flamme *f* darting flame; **2haltig** *adj.* valid, sound; *unwiderlegbar*: watertight; *nicht ~ sein* F not hold* water; **~probe** *f* spot check; *~n machen* spot-check (*bei et.* s.th.); **~tag** *m* fixed day; **~wahl** *f* final (*Am.* runoff) ballot; **~wort** *n thea.* cue; *im Lexikon*: headword; *~e pl. Notizen*: notes *pl.*; *das Wichtigste in ~en* an outline of the main points; **~wunde** *f* stab.

stick|en *v/t. u. v/i.* embroider; **2erei** *f* embroidery; **~ig** *adj.* stuffy; **2stoff** ⚗ *m* nitrogen.

Stief... *in Zssgn Mutter etc.*: step...

Stiefel *m* boot.

Stiefmütterchen ⚘ *n* pansy.

Stiege *östr. f s. Treppe.*

Stiel *m* handle; *Besen*2: stick; *Glas, Pfeife, Blume etc.*: stem; ⚘ stalk.

Stier *m zo.* bull; *ast.* Taurus; **2en** *v/i.* stare (*auf* at); **~kampf** *m* bullfight.

Stift *m* pen; *Blei*2: pencil; *Farb*2: *a.* crayon; ⊕ pin; *Holz*2: peg; *Kosmetik*: stick; **2en** *v/t. spenden*: donate; *verursachen*: cause; **~ung** *f* donation.

Stil *m* style (*a. fig.*); *in großem ~* in (grand) style; *fig.* on a large scale; **2istisch** *adj.* stylistic.

still *adj.* quiet, silent; *bsd. unbewegt*: still; *sei(d) ~!* be quiet!; *halt ~!* keep still!; *sich ~ verhalten* keep* quiet (*körperlich*: still); **2e** *f* silence (*a. Schweigen*), quiet(ness); *in aller ~* quietly; *heimlich*: secretly.

Stilleben *paint. n* still life.

stillegen *v/t.* close down.

stillen *v/t. Baby*: nurse, breastfeed*; *Schmerz*: relieve; *Hunger, Neugier etc.*: satisfy; *Durst*: quench.

stillhalten *v/i.* keep* still.

stillos *adj.* lacking style, tasteless.

still|schweigend *fig. adj.* tacit; **~sitzen** *v/i.* sit* still; **2stand** *m* standstill, stop; *fig. a.* stagnation (*a. econ.*); *von Verhandlungen*: deadlock; **~stehen** *v/i.* (have*) stop(ped), (have*) come* to a standstill.

Stil|möbel *pl.* period furniture *sg.*; **2voll** *adj.* stylish; *~ sein* have* style.

Stimm|band *anat. n* vocal cord; **2berechtigt** *adj.* entitled to vote.

Stimm|e *f* voice; *pol.* vote; *sich der ~ enthalten* abstain; **2n 1.** *v/i.* be* right *od.* true *od.* correct (*a. Rechnung etc.*); *pol.* vote (*für* for; *gegen* against); *es stimmt et. nicht (damit od. mit ihm)* there's s.th. wrong (with it *od.* him); **2.** *v/t.* ♪ tune; *fig. j-n traurig etc.*: make*; **~enthaltung** *f* abstention; **~gabel** ♪ *f* tuning-fork; **~recht** *n* right to vote; **~ung** *fig. f* mood; *Atmosphäre*: *a.* atmosphere; *allgemeine*: feeling; *alle waren in ~* everybody was having fun; **2ungsvoll** *adj. Party etc.*: swinging; *Musik*: *a.* rollicking; *Bild etc.*: atmospheric; **~zettel** *m* ballot.

stinken *v/i.* stink* (*a. fig.*) (*nach* of); F: *das (er etc.) stinkt mir* I'm sick of (*od.* fed up with) it (him *etc.*).

Stipendium *univ. n* scholarship.

stipp|en *v/t.* dip; **2visite** F *f* flying visit.

Stirn *f* forehead; *die ~ runzeln* frown; **~runzeln** *n* frown.

stöbern F *v/i.* rummage (about).

stochern *v/i.*: *im Feuer ~* poke the fire; *im Essen ~* pick at one's food; *in den Zähnen ~* pick one's teeth.

Stock *m* stick; *Rohr*2: cane; *~werk*: stor(e)y, floor; *im ersten ~* on the first floor, *Am.* on the second floor; **2dunkel** F *adj.* pitch-black.

stocken *v/i.* stop (short); *unsicher werden*: falter; *Verkehr*: be* jammed; **~d** *adj. Stimme etc.*: halting; *~ lesen od. sprechen* stumble through a text *od.* speech.

stock|finster F *adj.* pitch-black; **2fleck** *m* mo(u)ld stain; **2ung** *f* hold-up, delay (*beide a. Verkehr*); **2werk** *n* stor(e)y, floor.

Stoff *m* material, stuff (*a. sl. fig.*); *Gewebe*: fabric, textile; *Tuch*: cloth; ⚗, *phys. etc.*: substance; *fig. Thema, behandelter ~*: subject(-matter); *~ sammeln* collect material; **2lich** *adj.* material; **~tier** *n* soft toy animal.

stöhnen *v/i.* groan, moan (*a. fig.*).

Stollen ⚒ *m* tunnel, gallery.

stolpern *v/i.* stumble (*über* over), trip (over) (*beide a. fig.*).

stolz *adj.* proud (*auf* of).

S

Stolz *m* pride (*auf* in); **≈ieren** *v/i.* strut, stalk.

Stopf... *in Zssgn Nadel etc.*: darning-...

stopfen *v/t. Socken, Loch*: darn, mend; *pressen, füllen*: stuff, fill (*a. Pfeife*).

Stoppel *f* stubble; **~bart** F *m* stubbly beard; **≈ig** *adj.* stubbly; **~zieher** *östr. m* corkscrew.

stopp|en *v/i. u. v/t.* stop (*a. fig.*); *mit der Uhr*: time; **≈licht** *mot. n* stop-light; **≈uhr** *f* stop-watch.

Stöpsel *m* stopper, cork, plug (*a.* ↯).

Storch *zo. m* stork.

stören *v/t. u. v/i.* disturb; *bemühen*: trouble; *ärgern, belästigen*: bother, annoy; *im Weg sein*: be* in the way; *lassen Sie sich nicht ~!* don't let me disturb you!; *darf ich Sie kurz ~?* may I trouble you for a minute?; *es (er) stört mich nicht* it (he) doesn't bother me, I don't mind (him); *stört es Sie (wenn ich rauche)?* do you mind (my smoking *od.* if I smoke)?; **≈fried** *m* troublemaker; *Eindringling*: intruder.

störrisch *adj.* stubborn, obstinate.

Störung *f* disturbance; trouble (*a.* ⊕); *Betriebs≈*: breakdown; *mot.* hold-up, delay; *TV, Radio*: interference.

Stoß *m* push, shove; *mit e-r Waffe*: thrust; *Fuß≈*: kick; *Kopf≈*: butt; *Schlag*: blow, knock; *Erschütterung*: shock; *e-s Wagens*: jolt; *Anprall*: bump, *bsd.* ⊕, *phys.* impact; *Stapel*: pile, stack; **~dämpfer** *mot. m* shock absorber; **≈en** *v/t. u. v/i.* push, shove; thrust*; kick; butt; knock, strike*; *zer~*: pound; *~ gegen od. an* bump *od.* run* into *od.* against; *sich den Kopf ~ (an)* knock one's head (against); *~ auf fig. zufällig*: come* across; *Schwierigkeiten etc.*: meet* with; *Öl etc.*: strike*; **≈gesichert** *adj.* shock-proof *od.* -resistant; **~stange** *mot. f* bumper; **~zahn** *m* tusk; **~zeit** *f* rush-hour, peak hours *pl.*

stottern *v/i. u. v/t.* stutter.

Straf|anstalt *f Gefängnis etc.*: prison, *Am. a.* penitentiary; **≈bar** *adj.* punishable, penal; *sich ~ machen* commit an offen|ce, *Am.* -se; **~e** *f* punishment; ⚖, *econ., Sport, fig.*: penalty; *Geld≈*: fine; *20 Mark ~ zahlen müssen* be* fined 20 marks; *zur ~* as a punishment; **≈en** *v/t.* punish.

straff *adj.* tight; *fig.* strict.

straf|frei *adj.*: *~ ausgehen* go* unpunished; **≈gefangene(r)** prisoner, convict; **≈gesetz** *n* criminal law.

sträf|lich **1.** *adj.* inexcusable; **2.** *adv.*: *~ vernachlässigen* neglect badly; **≈ling** *m* convict.

Straf|minute *f Sport*: penalty minute; **~prozeß** *m* criminal action, trial; **~raum** *m Sport*: penalty area; **~stoß** *m* penalty kick; **~tat** ⚖ *f* criminal offen|ce, *Am.* -se; *schwere*: crime; **~zettel** *m* ticket.

Strahl *m* ray (*a. fig.*); *Licht≈, Funk≈ etc.*: *a.* beam; *Blitz≈ etc.*: flash; *Wasser≈ etc.*: jet; **≈en** *v/i.* radiate; *Sonne*: shine* (brightly); *fig.* beam (*vor* with); **~en...** *phys. in Zssgn Schutz etc.*: radiation ...; **~er** *m* spotlight; **~ung** *f* radiation, rays *pl.*

Strähne *f* strand; *weiße etc.*: streak.

stramm *adj.* tight; **~stehen** ⚔ *v/i.* stand* to attention.

strampeln *v/i.* kick; F *fig. Rad*: pedal.

Strand *m* beach; *am ~* on the beach; **≈en** *v/i.* ⚓ strand; *fig.* fail; **~gut** *n* flotsam and jetsam (*a. fig.*); **~korb** *m* roofed wicker beach chair.

Strang *m* rope; *bsd. anat.* cord.

Strapaz|e *f* strain, exertion, hardship; **≈ieren** *v/t.* wear* *s.o. od. s.th.* out, be* hard on; **≈ierfähig** *adj.* durable, hard- (*Am.* long-)wearing; **≈iös** *adj.* exhausting, strenuous.

Straße *f* road, highway; *e-r Stadt etc.*: street; *Meerenge*: strait; *auf der ~* on the road; in (*Am. a.* on) the street.

Straßen|arbeiten *pl.* roadworks *pl.*; **~bahn** *f* tram(car), *Am.* streetcar; **~café** *n* street (*Am.* sidewalk) café; **~junge** *m* street arab; **~kehrer** *m* street-sweeper; **~kreuzung** *f* crossing, crossroads *sg.*; intersection; **~lage** *mot. f* roadholding; **~rand** *m* roadside; **~reinigung** *f* street cleaning; **~sperre** *f* road-block.

strategisch *adj.* strategic.

sträuben *v/t. u. v/refl. Federn*: ruffle (up); *Haare*: bristle (up); *sich ~ gegen* struggle against.

Strauch *m* shrub, bush.

straucheln *v/i.* stumble; *fig.* go* astray.

Strauß *m zo.* ostrich; *Blumen≈*: bunch, bouquet.

Strebe *f* prop, stay (*a.* ✈, ⚓).
streben *v/i.* strive* (*nach* for, after).
Streb|en *n* striving; ~ *nach Glück etc.* pursuit of happiness *etc.*; **~er(in)** pusher; *Schule etc.*: *Brt.* swot, *Am.* grind; **2sam** *adj.* ambitious.
Strecke *f* distance (*a. Sport*, ⚘), way; *Route*: route; 🚂 line; *Renn2*: course; *Abschnitt*, *Fläche*: stretch; *zur* ~ *bringen* kill; *bsd. fig.* hunt down; **2n** *v/t.* stretch (out), extend; *in der Schule*, *Finger*, *Hand*: put* up.
Streich *fig. m* trick, prank, practical joke; *j-m e-n* ~ *spielen* play a trick on s.o.; *auf e-n* ~ F in one go; **2eln** *v/t.* stroke, caress; **2en** *v/t. u. v/i.* *an*~: paint; *schmieren*: spread*; *aus*~: cross out; *Auftrag etc.*: cancel; ⚓ strike*; ♪ bow; *mit der Hand* ~ *über* run* one's hand over; ~ *durch* roam *acc.*; **~holz** *n* match; **~instrument** ♪ *n* string instrument; *die* ~*e pl.* the strings *pl.*; **~orchester** *n* string orchestra; **~ung** *f* cancellation; *Kürzung*: cut.
Streife *f* patrol; patrolman; ~*ngang*: beat, rounds *pl.*
streifen *v/t. u. v/i.* stripe; *berühren*: touch, brush (against); *Kugel*, *Auto etc.*: graze; *Ring*: slip (*von* off); *Thema*: touch on; ~ *durch* roam *acc.*, wander through *od.* over.
Streif|en *m* stripe; *Papier2 etc.*: strip; **~enwagen** *m* patrol (*Am.* squad) car; **~schuß** *n* graze; **~zug** *m* tour (*durch* of).
Streik *m* strike, walkout; *wilder* ~ wildcat strike; **~brecher** *m* strikebreaker, F blackleg; **2en** *v/i.* (go* *od.* be* on) strike*; F *fig.* refuse (to work *etc.*); **~ende** *m, f* striker; **~posten** *m* picket.
Streit *m* quarrel; *Wort2*: *a.* argument; *Ehe2*: *a.* fight; *pol. etc.*: dispute; ~ *anfangen* pick a fight *od.* quarrel; ~ *suchen* be* looking for trouble; **2en** *v/i. u. v/refl.* quarrel, argue, fight* (*alle*: *wegen*, *über* about, over); *sich* ~ *um* fight* for; **~frage** *f* (point at) issue; **2ig** *adj.*: *j-m et.* ~ *machen* dispute s.o.'s right to s.th.; **~kräfte** ⚔ *pl.* (armed) forces *pl.*; **2süchtig** *adj.* quarrelsome.
streng 1. *adj.* strict; *Kälte*, *Kritik*, *Strafe etc.*: severe; *hart*: harsh; *unnachgiebig*: rigid; **2.** *adv.* ~ *verboten* (*vertraulich*) strictly prohibited (confidential); **2e** *f* strictness; severity; harshness; rigidity; **~genommen** *adv.* strictly speaking; **~gläubig** *adj.* orthodox.
Streß *m* stress; *im* ~ under stress.
Streu *f* litter; **2en** *v/t. u. v/i.* scatter (*a. phys.*); *Sand etc.*: *a.* spread*; *Salz etc.*: sprinkle; *Gehweg etc.*: grit.
streunen *v/i.*, **~d** *adj.* stray.
Strich *m* stroke; *Linie*: line; *Streichung*: cut; F red-light district; F *auf den* ~ *gehen* walk the streets; **~junge** F *m* male prostitute; **~mädchen** F *n* streetwalker; **2weise** *adv. Regen etc.*: in places.
Strick *m* cord; *dicker*: rope (*a. des Henkers*); **~...** *in Zssgn Nadel etc.*: knitting-...; **2en** *v/t. u. v/i.* knit*; **~jacke** *f* cardigan; **~leiter** *f* rope-ladder; **~waren** *pl.* knitwear *sg.*; **~zeug** *n* knitting (things *pl.*).
Striemen *m* welt, weal.
strittig *adj.* controversial; ~*er Punkt* point at issue.
Stroh *n* straw; *Dach2*: thatch; **~dach** *n* thatch(ed) roof; **~halm** *m* straw; **~hut** *m* straw hat; **~witwe(r)** F grass widow(er).
Strom *m* (large) river; *Strömung*, ⚡: current; *ein* ~ *von* a stream of (*a. fig.*); *es gießt in Strömen* it's pouring (with rain); **2ab(wärts)** *adv.* downstream; **2auf(wärts)** *adv.* upstream; **~ausfall** ⚡ *m* power failure; *allgemeiner*: blackout.
strömen *v/i.* stream (*a. fig.*), flow, run*; *Regen*: pour (*a. fig. Menschen etc.*).
Strom|kreis ⚡ *m* circuit; **2linienförmig** *adj.* streamlined; **~schnelle** *f* rapid; **~stärke** ⚡ *f* amperage.
Strömung *f* current; *fig. a.* trend.
Strophe *f* stanza, verse.
strotzen *v/i.*: ~ *von* abound with; ~ *vor* be* bursting with.
Strudel *m* whirlpool (*a. fig.*), eddy.
Struktur *f* structure, pattern.
Strumpf *m* stocking; **~hose** *f* tights *pl.*, pantie-hose.
struppig *adj.* shaggy; *Bart*: bristly.
Stück *n* piece; *Teil*: *a.* part; *Zucker*: lump; *Vieh*: head (*a. pl.*); *thea.* play; *2 Mark das* ~ 2 marks each; *im od. am* ~ *Käse etc.*: in one piece; *in* ~*e schlagen* (*reißen*) smash (tear*) to pieces; **2weise** *adv.* bit by bit (*a. fig.*); *econ.* by the piece; **~werk** *fig. n* patchwork.
Student(in) student.

Studie *f* study (*über* of); **~nplatz** *univ. m* university *od.* college place, place to study *medicine etc.*; **2ren** *v/t. u. v/i.* study, be* a student (of) (*an* at).
Studium *n* studies *pl.*; *das ~ der Medizin etc.* the study of medicine *etc.*
Stufe *f* step; *Niveau*: level; *Stadium, Raketen2*: stage; **~nbarren** *m* uneven parallel bars *pl.*
Stuhl *m* chair; ⚕ stool; **~gang** ⚕ *m* (bowel) movement; **~lehne** *f* back of a chair.
stülpen *v/t.* put* (*auf, über* over, on).
stumm *adj.* dumb, mute; *fig.* silent.
Stummel *m* stub, stump, butt.
Stummfilm *m* silent film.
Stümper F *m* bungler.
Stumpf *m* stump, stub.
stumpf *adj.* blunt, dull (*a. fig.*) (*beide a. ~ machen*); **~sinnig** *adj.* dull; *Arbeit*: *a.* monotonous.
Stunde *f* hour; *Unterrichts2*: class, lesson; *erste etc.*: period.
Stunden|kilometer *m* kilomet|re (*Am.* -er) per hour; **2lang 1.** *adj.*: *nach ~em Warten* after hours of waiting; **2.** *adv.* for hours (and hours); **~lohn** *m* hourly wage; *im ~* by the hour; **~plan** *m* timetable, *Am.* schedule; **2weise** *adv.* by the hour; **~zeiger** *m* hour-hand.
stündlich 1. *adj.* hourly; **2.** *adv.* hourly, every hour.
Stupsnase F *f* snub- *od.* pug-nose.
stur F *adj.* pig-headed.
Sturm *m* storm (*a. fig.*).
stürm|en *v/t. u. v/i.* storm; *Sport*: attack; *rennen*: rush; **2er** *m Sport*: forward; *bsd. Fußball*: striker; **~isch** *adj.* stormy; *fig.* wild, vehement.
Sturz *m* fall (*a. fig.*); *e-r Regierung etc.*: overthrow.
stürzen 1. *v/i.* (have* a) fall*; *laut*: crash; *rennen*: rush, dash; **2.** *v/t.* throw*; *Regierung etc.*: overthrow*; *j-n ins Unglück ~* ruin s.o.; *sich stürzen aus* (*auf etc.*) throw* o.s. out of (at *etc.*).
Sturz|flug ✈ *m* nosedive; **~helm** *m* crash-helmet.
Stute *zo. f* mare.
Stütze *f* support, prop; *fig. a.* aid.
stutzen 1. *v/t.* trim, clip (*a. Flügel*); **2.** *v/i.* stop short; (begin* to) wonder.
stützen *v/t.* support (*a. fig.*); *sich ~ auf* lean* on; *fig.* be* based on.
stutzig *adj.*: *j-n ~ machen* make* s.o. wonder (*argwöhnisch*: suspicious).
Stütz|pfeiler *arch. m* supporting column; **~punkt** ⚔ *m* base (*a. fig.*).
Styropor *TM n* styrofoam.
Subjekt *n gr.* subject; *contp.* character; **2iv** *adj.* subjective; **~ivität** *f* subjectivity.
Sub|stantiv *gr. n* noun; **~stanz** *f* substance (*a. fig.*); **2trahieren** ⅌ *v/t.* subtract; **~traktion** ⅌ *f* subtraction; **2ventionieren** *v/t.* subsidize.
Suche *f* search (*nach* for); *auf der ~ nach* in search of; **2n** *v/t. u. v/i. allg.* look for; *stärker*: search for; *gesucht*: ... wanted: ...; *was hat er hier zu ~?* what's he doing here?; *er hat hier nichts zu ~* he has no business to be here; **~r** *m phot.* viewfinder; *Suchgerät*: detector.
Sucht *f* addiction (*a. in Zssgn*) (*nach* to); *Besessenheit*: mania (for).
süchtig *adj.*: *~ sein* be* addicted to *drugs etc.*, be* a *drug etc.* addict; **2e(r)** addict.
Süd *geogr.*, **~en** *m* south; *nach ~ fahrend etc.* southbound; **~früchte** *pl.* citrus fruits *pl.*, tropical fruits *pl.*; **2lich 1.** *adj.* south(ern); *Wind etc.*: southerly; **2.** *adv.*: *~ von* (to the) south of; **~ost(en** *m***)** south-east; **2-östlich** *adj.* south-east(ern); **~pol** *geogr. m* South Pole; **2wärts** *adv.* southward(s); **~west(en** *m***)** south-west; **2westlich** *adj.* south-west(ern); **~wind** *m* south wind.
Sühne *f* atonement (*für* of); *Strafe*: punishment (for); **2n** *v/t.* atone for; *Tat etc.*: *a.* pay* for.
Sülze *f* jellied meat.
Summe *f* sum (*a. fig.*); *bsd. Geld2*: *a.* amount; *Gesamt2*: (sum) total.
summen *v/i. u. v/t.* buzz, hum (*a. Lied etc.*).
summieren *v/refl.* add up (*auf* to).
Sumpf *m* swamp, bog; **~....** *in Zssgn Pflanze etc.*: *mst* marsh ...; **2ig** *adj.* swampy, marshy.
Sünd|e *f* sin (*a. fig.*); **~enbock** F *m* scapegoat; **~er(in)** sinner; **2ig** *adj.* sinful; **2igen** *v/i.* (commit a) sin.
Super|... *in Zssgn Macht etc.*: *mst* super...; **~(benzin)** *n Brt.* four-star (petrol), *Am.* super *od.* premium (gasoline); **~lativ** *gr. m* superlative (*a. fig.*); **~markt** *m* supermarket.
Suppe *f* soup; **~n...** *in Zssgn Löffel,*

S

Teller etc.: soup-…; **~nkelle** *f* soup ladle; **~nschüssel** *f* tureen.
Surf|brett *n* surfboard; **2en** *v/i.* go* surfing.
surren *v/i.* whirr; *Insekten*: buzz.
süß *adj.* sweet (*a. fig.*); *niedlich*: *a.* cute, darling; **2e** *f* sweetness; **~en** *v/t.* sweeten; **2igkeiten** *pl.* sweets *pl.*, *bsd. Am. a.* candy *sg.*; **~lich** *adj.* sweetish; *fig.* mawkish; **~-sauer** *adj.* sweet-and-sour; **2stoff** *m* sweetener; **2wasser** *n* fresh water; *in Zssgn*: freshwater.
Symbol *n* symbol; **~ik** *f* symbolism; **2isch** *adj.* symbolic(al).
Symmetri|e *f* symmetry; **2sch** *adj.* symmetric(al).
Sympathi|e *f* liking (*für* for); *Mitgefühl*: sympathy; **~sant** *m* sympathizer; **2sch** *adj.* nice, likable; ⚠ *nicht sympathetic*; *er ist mir* ~ I like him.
Symphonie ♪ *f* symphony; **~orchester** *n* symphony orchestra.
Symptom *n* symptom.
Synagoge *f* synagogue.
synchron ⊕ *adj.* synchronous (*a. in Zssgn*); **~isieren** *v/t.* synchronize; *Film etc.*: dub.
Synkope ♪ *f* syncope.
synonym *adj.* synonymous.
Synonym *n* synonym.
Synthe|se *f* synthesis; **~tik** ⊕ *f* synthetic(s *pl.*); **2tisch** *adj.* synthetic, artificial.
System *n* system; **2atisch** *adj.* systematic, methodical.
Szene *f* scene (*a. fig.*); *(j-m) e-e ~ machen* make* a scene; **~rie** *f* scenery; *thea. mst* set.

T

Tabak *m* tobacco; **~geschäft** *n* tobacconist('s shop); **~waren** *pl.* tobacco products *pl.*, F smokes *pl.*
Tabelle *f* table (*a.* ⚔, *Sport*); **~nplatz** *m* position.
Tablett *n* tray; **~e** *pharm. f* tablet.
Tabu *n*, 2 *adj.* taboo.
Tachometer *mot. m, n* speedometer.
Tadel *m* blame; *förmlich*: censure, reproof, rebuke; **2los** *adj.* faultless; *Leben etc.*: blameless; *ausgezeichnet*: excellent; *Sitz, Funktionieren etc.*: perfect; **2n** *v/t.* criticize, blame; *förmlich*: censure, reprove, rebuke (*alle: wegen* for).
Tafel *f Schule etc.*: blackboard; *Anschlag2 etc.*: (bulletin, *bsd. Brt.* notice) board; *Schild*: sign; *Gedenk2 etc.*: tablet, plaque; *Schokoladen2*: bar; *die ~ putzen* wipe *od.* clean the board; *an die ~ schreiben* write* on the board; **~dienst** *m*: *~ haben* be* in charge of the board; **~lappen** *m* duster.
täfel|n *v/t.* panel; **2ung** *f* panel(l)ing.
Taft *m* taffeta.
Tag *m* day; *~eslicht*: daylight; *welchen ~ haben wir heute?* what's (the date) today?; *alle zwei (paar) ~e* every other day (few days); *heute (morgen) in 14 ~en* two weeks from today (tomorrow); *e-s ~es* one day; *den ganzen ~* all day; *am ~e* during the day; *~ und Nacht* night and day; *am hellichten ~* in broad daylight; *ein freier ~* a day off; *guten ~!* hello!, *Am. a.* hi!; *beim Vorstellen*: how do you do?; *(j-m) guten ~ sagen* say* hello (to s.o.); F *sie hat ihre ~e* she has her period; *unter ~e* ⚒ underground.
Tage|bau ⚒ *m* opencast mining; **~buch** *n* diary; *~ führen* keep* a diary; **2lang** *adv.* for days.
tagen *v/i.* meet*, hold* a meeting; ⚖ be* in session.
Tages|anbruch *m*: *bei ~* at daybreak *od.* dawn; **~gespräch** *n* talk of the day; **~licht** *n* daylight; **~ordnung** *f* agenda; **~presse** *f* daily press; **~reise, ~tour** *f Entfernung*: day's journey; *Ausflug*: day trip *od.* tour; **~zeit** *f* time of day; *zu jeder ~* at any hour; **~zeitung** *f* daily (paper).
tageweise *adv.* by the day.
täglich *adj. u. adv.* daily.
Tagschicht *f* day shift.
tagsüber *adv.* during the day.

Tagung *f* convention, conference.
Taill|e *f* waist; *am Kleid*: *a.* waistline; **≈iert** *adj. Hemd*: tapered; *Kleid*: darted.
Takelage ⚓ *f* rigging.
Takt *m* ♪ time, measure, beat; *ein* ~: bar; *mot.* stroke; *Feingefühl*: tact; *den* ~ *halten* ♪ keep* time; *den* ~ *schlagen* ♪ beat* time; **~ik** *f* ⚔ tactics *sg.*, *pl.* (*a. fig.*); **~iker** *m* tactician; **≈isch** *adj.* tactical; **≈los** *adj.* tactless; **~stock** ♪ *m* baton; **~strich** ♪ *m* bar; **≈voll** *adj.* tactful.
Tal *n* valley.
Talar *m* robe, gown.
Talent *n* talent (*a. Person*), gift; **≈iert** *adj.* talented, gifted.
Talg *m* suet; *ausgelassener*: tallow.
Talisman *m* talisman, charm.
Talsperre *f* dam, barrage.
Tandler *östr. m* second-hand dealer; F *fig.* dawdler, slow-coach; loiterer.
Tang ⚘ *m* seaweed.
Tank *m* tank; **≈en** *v/i.* get* some petrol (*Am.* gasoline), fill up; **~er** ⚓ *m* tanker; **~stelle** *f* service *od.* filling station, petrol (*Am.* gas) station; **~wart** *m* service *etc.* station attendant.
Tanne *f* fir(-tree); **~nbaum** *m* Christmas tree; **~nzapfen** *m* fir-cone.
Tante *f* aunt; ~ *Lindy* Aunt Lindy.
Tantiemen *pl.* royalties *pl.*
Tanz *m*, **≈en** *v/i. u. v/t.* dance.
Tänzer(in) dancer.
Tanz|fläche *f* dance floor; **~kurs** *m* dancing lessons *pl.*; **~musik** *f* dance music; **~schule** *f* dancing school; *Unterricht*: *s. Tanzkurs.*
Tape|te *f*, **≈zieren** *v/t.* wallpaper; **~zierer** *m* paper-hanger.
tapfer *adj.* brave; *mutig*: courageous; **≈keit** *f* bravery; courage.
Tarif *m* rate(s *pl.*), tariff; *Lohn≈*: (wage) scale; **~lohn** *m* agreed (minimum) wage; **~verhandlungen** *pl.* collective bargaining *sg.*
tarn|en *v/t.* camouflage; *fig.* disguise; **≈ung** *f* camouflage.
Tasche *f* bag; *Hosen≈ etc.*: pocket.
Taschen|buch *n* paperback; **~dieb** *m* pickpocket; **~geld** *n* pocket-money, allowance; **~lampe** *f* torch, *Am. mst* flashlight; **~messer** *n* pocket-knife; *großes*: jack-knife; **~rechner** *m* pocket calculator; **~schirm** *m* telescopic umbrella; **~tuch** *n* handkerchief; **~uhr** *f* pocket-watch.
Tasse *f* cup (*Tee etc.* of tea *etc.*).
Tastatur *f* keyboard, keys *pl.*
Tast|e *f* key; **≈en 1.** *v/i.* grope (*nach* for), feel* (for); *ungeschickt*: fumble (for); **2.** *v/t.* touch, feel*; *sich* ~ feel* *od.* grope (*a. fig.*) one's way; **~sinn** *m* sense of touch.
Tat *f* act, deed (*a. Groß≈*); *Handeln*: action; *Straf≈*: offen|ce, *Am.* -se; *j-n auf frischer* ~ *ertappen* catch* s.o. in the act; **≈enlos** *adj.* inactive, passive.
Täter(in) person responsible for the crime *etc.*; ⚖ culprit, offender.
tätig *adj.* active; *geschäftig*: busy; ~ *sein bei* be* employed with; ~ *werden* act, take* action; **≈keit** *f* activity; *Arbeit*: work; *Beruf*, *Beschäftigung*: occupation, job; *in* ~ in action.
Tat|kraft *f* energy; **≈kräftig** *adj.* energetic, active.
tätlich *adj.* violent; ~ *werden gegen* assault; **≈keiten** *pl.* (acts *pl.* of) violence; ⚖ assault (and battery).
Tatort ⚖ *m* scene of the crime.
tätowier|en *v/t.*, **≈ung** *f* tattoo.
Tat|sache *f* fact; **≈sächlich 1.** *adj.* actual, real; **2.** *adv.* actually, in fact; *wirklich*: really.
tätscheln *v/t.* pat, pet.
Tatze *f* paw (*a. fig.*).
Tau[1] *n* rope.
Tau[2] *m* dew.
taub *adj.* deaf (*fig.*: *gegen* to) (*a. Nuß*); *Finger etc.*: (be)numb(ed).
Taube *zo. f* pigeon; *bsd. poet.*, *fig.*, *pol.* dove; **~nschlag** *m* pigeon-house.
Taub|heit *f* deafness; numbness; **≈stumm** *adj.* deaf and dumb; **~stumme(r)** deaf mute.
tauch|en 1. *v/i.* dive* (*nach* for); *Sport*: skin-dive; *U-Boot*: *a.* submerge; *unter Wasser bleiben*: stay underwater; **2.** *v/t. ein~*: dip (*in* into); *j-n*: duck; **≈er(in)** (*Sport*: skin-)diver; **≈sport** *m* skin-diving.
tauen *v/i. u. v/t.* thaw, melt*.
Taufe *f* baptism, christening; **≈n** *v/t.* baptize, christen.
Tauf|pate *m* godfather; **~patin** *f* godmother; **~schein** *m* certificate of baptism.
taug|en *v/i.* be* good *od.* fit *od.* of use *od.* suited (*alle*: *zu*, *für* for); *nichts* ~ be* no good; F *taugt es was?* is it any good?; **≈enichts** *m* good-for-nothing; **~lich** *bsd.* ⚔ *adj.* fit (for service).
Taumel *m Schwindel*: dizziness; *Verzückung*: rapture, ecstasy; **≈ig**

T

adj. dizzy; *Gang etc.*: staggering; ≈**n** *v/i.* stagger, reel.

Tausch *m* exchange, trade; ≈**en** *v/t.* exchange, trade, F swap (*alle: gegen* for); *Rollen, Plätze etc.*: *a.* switch; *wechseln*: change (*a. Geld*); *ich möchte nicht mit ihm* ~ I wouldn't like to be in his place.

täuschen *v/t.* deceive, fool; delude; *betrügen*: cheat; *Sport etc.*: feint; *sich* ~ deceive o.s.; *sich irren*: be* mistaken; *sich* ~ *lassen von* be* taken in by; ~**d** *adj. Ähnlichkeit*: striking.

Täuschung *f* deception; ⚖ deceit; *Schule etc.*: cheating; *Selbst*≈: delusion.

tausend *adj.* a thousand; ~**st** *adj.* thousandth; ≈**stel** *n* thousandth (part).

Tau|tropfen *m* dew-drop; ~**wetter** *n* thaw; ~**ziehen** *n* tug-of-war (*a. fig.*).

Taxi *n* taxi(-cab), cab.

taxieren *v/t.* rate, estimate (*auf* at).

Taxistand *m* taxi rank, *bsd. Am.* cabstand.

Technik *f* technology; *angewandte*: *a.* engineering; *Verfahren*: technique (*a. Sport, Kunst*); ♪ execution; ~**er(in)** engineer; technician (*a. Sport, Kunst*).

technisch *adj.* technical (*a. Gründe, Daten, Zeichnen etc.*); ~*-wissenschaftlich*: technological (*a. Fortschritt, Zeitalter etc.*); ~*e Hochschule* school *etc.* of technology.

Technolog|ie *f* technology; ≈**isch** *adj.* technological.

Tee *m* tea; ~**beutel** *m* tea-bag; ~**kanne** *f* teapot; ~**löffel** *m* teaspoon.

Teer *m*, ≈**en** *v/t.* tar.

Tee|sieb *n* tea strainer; ~**tasse** *f* teacup.

Teich *m* pool, pond.

Teig *m* dough, paste; ≈**ig** *adj.* doughy, pasty; ~**waren** *pl.* noodles *pl.*; *bsd. italienische*: pasta *sg.*

Teil *m, n* part; *An*≈: portion, share; *Bestand*≈: component; *zum* ~ partly, in part; ~... *in Zssgn Erfolg etc.*: partial ...; ≈**bar** *adj.* divisible; ~**chen** *n* particle; ≈**en** *v/t.* divide; *mit anderen, sich* ~: share; ≈**haben** *v/i.*: ~ *an* (have* a) share in; ~**haber** *econ. m* partner; ~**nahme** *f* participation (*an* in); *fig.* interest (in); *An*≈: sympathy (for); ≈**nahmslos** *adj.* indifferent; *bsd.* ⚕ apathetic; ~**nahmslosigkeit** *f* indifference; apathy; ≈**nehmen** *v/i.*: ~ *an* take* part *od.* participate in; *Freude etc.*: share (in); ~**nehmer(in)** participant; *univ.* student; *Sport*: competitor; ≈**s** *adv.* partly; ~**strecke** *f Reise, Rennen*: stage, leg; ~**ung** *f* division; ≈**weise** *adv.* partly, in part; ~**zahlung** *f s. Abzahlung, Rate.*

Teint *m* complexion.

Tele|fon *n etc. s. Telephon etc.*; ~**graf** *m etc. s. Telegraph etc.*; ~**gramm** *n* telegram, *bsd. Am. a.* wire; *Übersee*: cable(gram).

Telegraph *m* telegraph; ~**enamt** *n* telegraph office; ≈**ieren** *v/t. u. v/i.* telegraph, wire; *Übersee*: cable; ≈**isch** *adj. u. adv.* by telegraph *od.* wire; by cable.

Teleobjektiv *phot. n* telephoto lens.

Telephon *n* telephone, F phone; *am* ~ on the (tele)phone; ~ *haben* be* on the (*Am.* have* a) (tele)phone; ~**anschluß** *m* telephone connection; ~**buch** *n* telephone directory, F phone book; ~**gebühr** *f* telephone charge; ~**gespräch** *n* (tele)phone call; ≈**ieren** *v/i.* telephone (*mit j-m* s.o.), F phone (s.o.); *gerade*: be* on the phone, be* making a phone call; ≈**isch** *adj. u. adv.* by (tele)phone, over the (tele)phone; ~**ist(in)** (telephone) operator; ~**leitung** *f* telephone line; ~**netz** *n* telephone network; ~**nummer** *f* (tele)phone number; ~**zelle** *f* (tele)phone booth (*Brt. a.* box), *Brt. a.* call-box; ~**zentrale** *f* (telephone) exchange.

Teller *m* plate; ~**voll** *m* plateful; ~**wäscher** *m* dishwasher.

Tempel *m* temple.

Temperament *n* temper(ament); *Schwung*: life, F pep; ≈**los** *adj.* lifeless, dull; ≈**voll** *adj.* full of life *od.* F pep.

Temperatur *f* temperature; *j-s* ~ *messen* take* s.o.'s temperature.

Tempo *n* speed; ♪ time; *mit* ~ ... at a speed of ... an hour; *in rasendem* ~ at breakneck speed.

Tendenz *f* tendency, trend; *Neigung*: *a.* leaning; ≈**iös** *adj.* tendentious.

tendieren *v/i.* tend (*zu* towards; *dazu, et. zu tun* to do s.th.).

Tennis *n* tennis; ~**platz** *m* tennis-court; ~**schläger** *m* (tennis-)racket; ~**spieler(in)** tennis player.

Tenor ♪ *m* tenor.

Teppich *m* carpet, *kleinerer*: *a.*

rug; **~boden** *m* (wall-to-wall) carpeting.

Termin *m* date; *letzter*: deadline; *Geschäfts*≈ *etc.*: engagement; *e-n ~ vereinbaren* (*einhalten*, *absagen*) make* (keep*, cancel) an appointment.

Terrasse *f* terrace; **≈nförmig** *adj.* terraced, in terraces.

Terrine *f* tureen.

Territorium *n* territory.

Terror *m* terror; **≈isieren** *v/t.* terrorize; **~ismus** *m* terrorism; **~ist(in), ≈istisch** *adj.* terrorist.

Terzett ♪ *n* trio.

Testament *n* (last) will, (*oft*: last will and) testament; *eccl.* Testament; **≈arisch** *adv.* by will; **~svollstrecker** *m* executor.

testen *v/t.* test; ≈ *n* testing.

teuer *adj.* expensive; *bsd. Brt. a.* dear; *wie ~ ist es?* how much is it?

Teufel *m* devil (*a. fig.*); *wer* (*wo*, *was*) *zum ~ ...?* who (where, what) the hell ...?; **~skerl** F *m* devil of a fellow; **~skreis** *m* vicious circle.

teuflisch *adj.* devilish, diabolic(al).

Text *m* text; *unter Bild etc.*: caption; *Lied*≈: words *pl.*, lyrics *pl.*; **~aufgabe** *f* comprehension test; *A* problem; **~er(in)** ♪ lyric writer; *s. Werbetexter*.

Textil|... *in Zssgn* textile ...; **~ien** *pl.* textiles *pl.*

Theater *n* theat|re, *Am.* -er; *Bühne*: stage; F *fig. ~ machen* (*um*) make* a fuss (about); **~besucher** *m* theatregoer, playgoer; **~karte** *f* theatre ticket; **~kasse** *f* box-office; **~stück** *n* (stage) play, drama.

theatralisch *adj.* theatrical, stagy.

Thema *n* subject, topic; *bsd. Leitgedanke*, ♪: theme; *das ~ wechseln* change the subject.

Theolog|e *m* theologian; **~ie** *f* theology; **≈isch** *adj.* theological.

Theo|retiker *m* theorist; **≈retisch** *adj.* theoretical; **~rie** *f* theory.

Thera|peut *m* therapist; **~pie** *f* therapy.

Thermometer *n* thermometer.

Thermosflasche *f* thermos flask (*Am.* bottle).

These *f* thesis.

Thon *m Schweiz*: tuna.

Thrombose ⚕ *f* thrombosis.

Thron *m* throne; **~folger(in)** successor to the throne.

Thunfisch *zo. m* tuna.

Tick F *m* kink; tic; **≈en** *v/i.* tick.

tief 1. *adj.* deep (*a. fig.*); *niedrig*: low (*a. Ausschnitt*); **2.** *adv.*: *~ schlafen* be* fast asleep.

Tief *n meteor.* depression (*a. psych.*), low (*a. econ.*); **~e** *f* depth (*a. fig.*); **~ebene** *f* lowland(s *pl.*); **~flug** *m* low-level flight; **~gang** *m* ⚓ draught, *Am.* draft; *fig.* depth; **~garage** *f* underground car-park, *Am.* parking *od.* underground garage; **≈gekühlt** *adj.* deep-frozen; **~kühlschrank** *m*, **≈kühltruhe** *f* freezer, deep-freeze.

Tier *n* animal (F *bsd. Säuge*≈); *großes od. hohes ~* V.I.P., *bsd. contp.* big shot; **~arzt** *m mst* F vet; *förmlich*: *Brt.* veterinary surgeon, *Am.* veterinarian; **~garten** *m s. Zoo*; **~heim** *n* animal home; **≈isch** *adj.* animal; *fig.* bestial, brutish; **~kreis** *ast. m* zodiac; **~medizin** *f* veterinary medicine; **~quälerei** *f* cruelty to animals; **~reich** *n* animal kingdom; **~schutz** *m* protection of animals; **~schutzverein** *m* Society for the Prevention of Cruelty to Animals; **~versuch** ⚕ *m* experiment with animals.

Tiger *zo. m* tiger; **~in** *zo. f* tigress.

tilgen *v/t.* wipe out; *econ.* pay* off.

Tinte *f* ink; **~nfisch** *zo. m* cuttlefish, octopus; **~nfleck** *m* ink stain; **~nkiller** *m* ink killer.

Tip *m* hint, *bsd. Wett*≈: tip; *vertraulich*: *a.* tip-off; *j-m e-n ~ geben vertraulich*: tip s.o. off; **≈pen** *v/i. u. v/t. berühren*: tap; *schreiben*: type; *raten*: guess; *im Lotto etc.*: do* *Lotto etc.*

Tisch *m* table; *am ~ sitzen* sit* at the table; *bei ~* at table; *den ~ decken* (*abräumen*) lay* (clear) the table; **~decke** *f* table-cloth; **~gebet** *n*: *das ~ sprechen* say* grace.

Tischler *m* joiner; *Möbel*≈: cabinet-maker.

Tisch|platte *f* tabletop; **~tennis** *n* table tennis.

Titel *m* title; **~...** *in Zssgn Kampf, Rolle etc.*: title ...; **~bild** *n* cover (picture); **~blatt** *n* cover, front page.

Toast *m*, **~en** *v/t. u. v/i.* toast (*a. fig.*).

tob|en *v/i. rasen*: rage (*a. fig.*); *Kinder*: romp; **≈sucht** ⚕ *f* raving madness, frenzy; **~süchtig** *adj.* raving mad, frantic; **~süchtige(r)** maniac.

Tochter *f* daughter; **~gesellschaft** *econ. f* subsidiary (company).

Tod *m* death (*a. fig.*) (*durch* from);

zu(m) ~e to death (*a. fig.*); ⁓... *in Zssgn ernst, müde, sicher*: dead ...; **~esängste** *fig. pl.*: ~ *ausstehen* be* scared to death; **~esanzeige** *f* obituary (notice); **~esfall** *m* (case of) death; **~eskampf** *m* agony; **~esopfer** *n* casualty; **~esstrafe** ⚖ *f* capital punishment; death penalty; **~esursache** *f* cause of death; **~esurteil** ⚖ *n* death sentence; **~feind** *m* deadly enemy; **⁓krank** *adj*. mortally ill.

tödlich *adj*. fatal; *bsd. todbringend*: deadly; *bsd. fig.* mortal.

Todsünde *f* mortal *od*. deadly sin.

Toilette *f* toilet, lavatory, F *a*. bathroom; *~n pl.* ladies' *od*. men's rooms, *Am*. rest rooms *pl*.; **~n...** *in Zssgn Papier, Seife etc.*: toilet ...

toler|ant *adj*. tolerant (*gegen* of, towards); **⁓anz** *f* tolerance (*a*. ⊕); **~ieren** *v/t*. tolerate.

toll *adj*. *ausgelassen, wild*: wild; F *großartig*: great, fantastic, terrific, super; *Frau*: *a*. gorgeous; *ein ~er Kerl* (*Wagen etc.*) a hell of a fellow (good car *etc*.); **~en** *v/i*. *Kinder*: romp; **~kühn** *adj*. daredevil; **⁓wut** *vet*. *f* rabies; **~wütig** *vet*. *adj*. rabid.

Tolpatsch F *m* awkward *od*. clumsy fellow; **⁓ig** F *adj*. awkward, clumsy.

Tomate ⚘ *f* tomato.

Ton[1] *m* clay.

Ton[2] *m* tone (*a*. ♪, *paint*., *fig*., *Stimme*); *Klang, Geräusch*: sound (*a*. *TV*, *Film*); *Note*: note; *Betonung*: stress; *Farb⁓*: *a*. shade; *der gute* ~ good form; *kein* ~ not a word; **~abnehmer** ⚡ *m* pick-up; **~art** ♪ *f* key; **~band** *n* (recording) tape; **~bandgerät** *n* tape recorder.

tönen 1. *v/i*. sound, ring*; **2.** *v/t*. tinge, tint (*a*. *Haar*); *dunkel*: shade.

Ton|fall *m* tone (of voice); *Akzent*: accent; **~film** *m* sound film; **~kopf** ⚡ *m* (magnetic) head; **~lage** *f* pitch; **~leiter** ♪ *f* scale.

Tonne *f* ⊕, ⚓ ton; *Faß*: barrel.

Tontechniker *m* sound engineer.

Tönung *f* tint (*a*. *Haar*), tinge, shade.

Topf *m* pot; *Koch⁓*: *a*. saucepan.

Topfen *östr*. *m* curd(s *pl*.).

Töpfer *m* potter; **~ei** *f* pottery; **~scheibe** *f* potter's wheel; **~ware** *f* pottery, earthenware, crockery.

Tor *n* gate (*a*. *Ski*); *Fußball etc.*: goal; *ein ~ schießen* score (a goal); *im ~ stehen* keep* goal.

Torf *m* peat; **~mull** *m* peat dust.

torkeln *v/i*. reel, stagger, totter.

Tor|latte *f Sport*: crossbar; **~linie** *f* goal-line.

torped|ieren *v/i*. (*a*. *fig*.), **⁓o** *m* torpedo.

Tor|pfosten *m Sport*: goal-post; **~schuß** *m* shot at the goal; **~schütze** *m Sport*: scorer.

Torte *f Obst⁓*: flan, *bsd*. *Am*. pie; *Sahne⁓ etc.*: cream cake, gateau.

Tor|wart *m* goalkeeper; **~weg** *m* gateway.

tosen *v/i*. roar; *stärker*: thunder; **~d** *adj*. *Applaus*: thunderous.

tot *adj*. dead (*a*. *fig*.); *verstorben*: late; ~ *umfallen* drop dead.

total *adj*. total, complete; **~itär** *pol*. *adj*. totalitarian.

tot|arbeiten *v/refl*. work o.s. to death; **⁓e** *m, f* dead man *od*. woman; *Leiche*: (dead) body, corpse; *Todesopfer mst pl.*: casualty; *die ~n pl.* the dead *pl*.

töten *v/t*. kill.

Toten|bett *n* deathbed; **⁓blaß** *adj*. deadly pale; **~gräber** *m* grave-digger; **~kopf** *m* skull; *Symbol*: skull and cross-bones; **~maske** *f* death-mask; **~messe** *eccl*. *f* mass for the dead, requiem (*a*. ♪); **~schädel** *m* skull; **~schein** *m* death certificate; **⁓still** *adj*. deathly still; **~stille** *f* dead(ly) silence.

Tot|geburt *f* still birth; **⁓lachen** *v/refl*. nearly die with laughter.

Toto *m*, F *n* football pools *pl*.

tot|schießen *v/t*. shoot* dead, shoot* and kill; **⁓schlag** ⚖ *m* manslaughter, homicide; **~schlagen** *v/t*. kill (*fig*. *die Zeit* time), slay; **~schweigen** *v/t*. hush up; **~stellen** *v/refl*. feign death.

Tötung *f* killing; ⚖ manslaughter.

Toup|et *n* hair-piece; **⁓ieren** *v/t*. back-comb.

Tour *f* tour (*durch* of), trip; *Ausflug*: *a*. excursion; ⊕ turn, revolution; *auf ~en kommen mot*. pick up speed; *krumme ~en* underhand methods; **~en...** *in Zssgn Rad etc.*: touring ...

Touris|mus *m* tourism; **~t(in)** tourist; **⁓tisch** *adj*. touristic.

Tournee *f* tour; *auf ~ gehen* go* on tour.

Trab *m* trot; *auf ~ fig*. on the move.

Trabant *m* satellite; **~en...** *in Zssgn Stadt etc.*: satellite ...

trab|en *v/i*. trot; **⁓er** *m Pferd*: trotter; **⁓rennen** *n* harness race.

T

Tracht *f* costume; *Schwestern*♀ *etc.*: uniform; *Amts*♀: dress; *e-e gehörige* ~ *Prügel* a good hiding.
trächtig *adj.* with young, pregnant.
Tradition *f* tradition; ♀**ell** *adj.* traditional.
Trafik *östr. f s. Tabakgeschäft*; ~**ant** *östr. m* tobacconist.
Trag|bahre *f* stretcher, litter; ♀**bar** *adj.* portable; *Kleidungsstück*: wearable; *fig.* bearable; *Person*: acceptable; ~**e** *f s. Tragbahre.*
träge *adj.* lazy, indolent; *phys.* inert.
tragen 1. *v/t.* carry (*a. Waffe etc.*); *Kleidung, Schmuck, Brille, Haar etc.*: wear*; *er*~, *a. Früchte, Folgen, Verantwortung, Namen etc.*: bear*; *sich gut* ~ *Stoff etc.*: wear* well; **2.** *v/i.* bear* fruit; *tragfähig sein*: hold*; ~**d** *adj. arch.* supporting; *thea.* leading.
Träger *m* carrier; *Gepäck*♀: porter; *Kranken*♀: stretcher-bearer; *am Kleid*: (shoulder-)strap; ⊕ support; *arch.* girder; *fig.* bearer; ♀**los** *adj. Kleid etc.*: strapless.
Trag|fähigkeit *f* load-carrying capacity; ⚓ tonnage; ~**fläche** ✈ *f* wing.
Trägheit *f* laziness, indolence; *phys.* inertia.
Trag|ik *f* tragedy; ♀**isch** *adj.* tragic; ~**ödie** *thea. f* tragedy (*a. fig.*).
Trag|riemen *m* strap; *am Gewehr*: sling; ~**tasche,** ~**tüte** *f* carrier (bag); ~**weite** *f* range; *fig.* importance.
Train|er *m* coach; ♀**ieren** *v/i. u. v/t. allg.* train; *j-n, e-e Mannschaft*: *a.* coach; ~**ing** *n* training, practi|ce, *Am. a.* -se; ~**ingsanzug** *m* track suit.
traktieren *v/t.* treat (badly), give* *s.o.* a rough time; *mit Fragen*: badger.
Traktor *m* tractor.
trällern *v/t. u. v/i.* warble; *bsd. Vogel*: trill.
Tram *östr. f, Schweiz n* tram, *Am.* streetcar.
trampel|n *v/i.* trample, stamp; ♀**pfad** *m* beaten track.
tramp|en *v/i.* hitchhike; ♀**er(in)** hitchhiker.
Träne *f* tear; *in* ~*n ausbrechen* burst* into tears; ♀**n** *v/i.* water; ~**ngas** *n* tear-gas.
Tränke *f* watering-place; ♀**n** *v/t.* water; *Material*: soak, drench.
Trans|fer *m* transfer (*a. Sport*); ~**formator** ⚡ *m* transformer; ~**fusion** ⚕ *f* transfusion.
Transistor ⚡ *m* transistor (*a. in Zssgn*).
Transit *m* transit (*a. in Zssgn*); ♀**iv** *gr. adj.* transitive.
transparent *adj.* transparent.
Transparent *n* banner.
Transplant|ation ⚕ *f*, ♀**ieren** ⚕ *v/t.* transplant.
Transport *m* transport (*a. in Zssgn*); *bsd. Sendung*: *a.* shipment; ♀**abel,** ♀**fähig** *adj.* transportable; ♀**ieren** *v/t.* transport, ship, carry; *bsd. mit LKW*: *a.* haul; ~**mittel** *n* (means *sg.* of) transport(ation); ~**unternehmen** *n* carrier, haulier, *Am.* hauler.
Trapez *n* ⩓ trapezium, *Am.* trapezoid; *Turnen*: trapeze.
trappeln *v/i.* clatter; *Kind*: patter.
Traube *f* bunch of grapes; *Weinbeere*: grape; *fig.* cluster; ~*n pl.* grapes *pl.*; ~**nsaft** *m* grape-juice; ~**nzucker** *m* glucose, dextrose (*a.* ~*drops*).
trauen 1. *v/t.* marry; *sich* ~ *lassen* get* married; **2.** *v/i.* trust (*j-m* s.o.); *sich* ~, *et. zu tun* dare (to) do s.th.; *ich traute meinen Ohren* (*Augen*) *nicht* I could not believe my ears (eyes).
Trauer *f* grief, sorrow; *um j-n*: mourning; *in* ~ in mourning (*a. Kleidung*); ~**fall** *m* death; ~**feier** *f* funeral ceremonies *pl.*; *kirchliche*: funeral service; ~**marsch** *m* funeral march; ♀**n** *v/i.* mourn (*um* for); ~**nachricht** *f* sad news *sg.*; ~**zug** *m* funeral procession.
träufeln *v/t.* drip, trickle.
Traum *m* dream (*a. fig.*); ~**...** *in Zssgn Beruf, Mann etc.*: dream ..., ... of one's dreams; ~**deutung** *f* interpretation of dreams.
träum|en *v/i. u. v/t.* dream* (*a. fig.*) (*von* about, of); *schlecht* ~ have* bad dreams; ♀**er** *m* dreamer (*a. fig.*); ♀**erei** *fig. f* (day)dream(s *pl.*), reverie (*a.* ♪); ~**erisch** *adj.* dreamy.
traurig *adj.* sad (*über, wegen* about); ♀**keit** *f* sadness, sorrow.
Trau|ring *m* wedding-ring; ~**schein** *m* marriage certificate; ~**ung** *f* marriage, wedding; ~**zeuge** *m*, ~**zeugin** *f* witness to a marriage.
Trecker ⊕ *m* tractor.
Treff F *m* meeting(-place).
treffen *v/t. u. v/i.* hit* (*a. fig.*);

T

kränken: hurt*; *begegnen*: meet* (*a. Sport*); *Maßnahmen etc.*: take*; *nicht* ~ miss; *sich* ~ (*mit j-m*) meet* (s.o.); *gut* ~ *phot. etc.*: capture well.
Treffen *n* meeting; **2d 1.** *adj. Bemerkung etc.*: apt; **2.** *adv.*: ~ *gesagt* well put.
Treff|er *m* hit (*a. fig.*); *Tor*: goal; *Gewinn*: win; **~punkt** *m* meeting-place.
Treibeis *n* drift-ice.
treiben 1. *v/t.* drive* (*a.* ⊕ *u. fig.*); *Sport etc.*: do*; *j-n an~*: push, press; *Blüten etc.*: put* forth; F *allg. machen, tun*: do*, be* up to; F *es* (*mit j-m*) ~ have* sex (with s.o.), make* love (to s.o.); **2.** *v/i.* drift (*a. fig.*), float; ♀ shoot* (up); *sich* ~ *lassen* drift along (*a. fig.*).
Treiben *n Tun*: doings *pl.*; *Vorgänge*: goings-on *pl.*; *geschäftiges* ~ bustle; **2d** *adj.*: ~*e Kraft* driving force.
Treib|haus *n* hothouse; **~holz** *n* driftwood; **~jagd** *f* battue; *fig.* hunt; **~riemen** *m* driving-belt; **~sand** *m* quicksand; **~stoff** *m* fuel.
trenn|en *v/t.* separate; *ab~*: sever; *Kämpfer etc.*: part; *Länder, Gruppen, Wort*: divide; *Rassen*: segregate; *teleph.* disconnect; *sich* ~ separate (*von* from), *auseinandergehen*: part (*a. fig.*); *sich* ~ *von et.*: part with; *j-m*: leave*; **2schärfe** *f Radio*: selectivity; **2ung** *f* separation; *Ehe2 etc.*: *a.* breakup; *Aufteilung*: division; *Rassen2*: segregation; **2(ungs)wand** *f* partition (wall).
Treppe *f* staircase, stairs *pl.*
Treppen|absatz *m* landing; **~geländer** *n* banisters *pl.*; **~haus** *n* staircase; *Flur*: hall.
Tresor *m* safe; *Bank2*: strong-room, bank vault.
treten *v/i. u. v/t.* kick; *gehen*: step (*aus* out of; *in* into; *auf* on[to]); *stampfen*: tread* (*a. Wasser*); *radfahren*: pedal (away); ~ *auf* step on (*a. Gas, Bremse*); ~ *in* enter (*a. fig.*).
treu *adj.* faithful (*a. fig.*); *Anhänger, Diener etc.*: *a.* loyal; *ergeben*: devoted; **2bruch** *m* breach of faith; **2e** *f* fidelity, faithfulness, loyalty; **2händer** *m* trustee; **~herzig** *adj.* innocent, trusting; **~los** *adj.* faithless, disloyal, unfaithful (*alle*: *gegen* to).
Tribüne *f* platform; *Sport etc.*: (grand)stand.
Trichter *m* funnel; *Erd2*: crater.
Trick *m* trick (*a. in Zssgn*); **~aufnahmen** *pl.* special effects *pl.*; **~betrüger** *m* trickster.
Trieb *m* ♀ (young) shoot, sprout; *An2*: impulse, drive; *Natur2*: instinct; sex urge; **~feder** *f* mainspring (*a. fig.*); **~kraft** *fig. f* driving force; **~wagen** 🚂 *m* rail car; **~werk** ⊕ *n* engine.
triefen *v/i.* drip, be* dripping (*von* with).
triftig *adj.* valid, weighty; *Grund*: *a.* good.
Trikot *n Sport*: shirt, jersey; *Tanz2 etc.*: leotard, tights *pl.*
Triller ♪ *m* trill, shake; **2n** ♪ *v/i. u. v/t.* trill, shake*; *Vogel*: *a.* warble.
trimm|en *v/refl.* keep* fit; **2pfad** *m* fitness trail.
trink|bar *adj.* drinkable; **~en** *v/t. u. v/i.* drink* (*auf* to; *zu* with); *Tee etc.*: *a.* have*; *et. zu* ~ a drink; **2er(in)** drinker, alcoholic; **2geld** *n* tip; *j-m* (*e-e Mark*) ~ *geben* tip s.o. (one mark); **2spruch** *m* toast; **2wasser** *n* drinking-water.
Trio *n* trio.
trippeln *v/i.* trip; *affektiert*: mince.
Tripper ⚕ *m* gonorrh(o)ea.
Tritt *m Fuß2*: kick; *Schritt*: step; **~brett** *n* step; *mot.* running-board; **~leiter** *f* stepladder, steps *pl.*
Triumph *m* triumph; **2al** *adj.* triumphant; **2ieren** *v/i.* triumph (*über* over).
trocken *adj.* dry (*a. fig.*); **2...** *in Zssgn*: *getrocknet*: dried ...; *zum Trocknen*: drying ...; **2haube** *f* hair dryer; **2heit** *f* dryness; *Dürre*: drought; **~legen** *v/t.* drain; *Baby*: change.
trockn|en *v/t. u. v/i.* dry; **2er** *m* dryer.
Troddel *f* tassel.
Tröd|el *m* junk, second-hand articles *pl.*; **2eln** *v/i.* dawdle; **~ler** *m* second-hand *od.* junk dealer; dawdler.
Trog *m* trough.
Trommel *f* drum (*a.* ⊕); **~fell** *anat. n* ear-drum; **2n** *v/i. u. v/t.* drum; *fig. a.* bang.
Trommler *m* drummer.
Trompete *f* trumpet; **2n** *v/i. u. v/t.* trumpet (*a. zo.*); **~r** *m* trumpeter.
Tropen: *die* ~ *pl.* the tropics *pl.*; **~...** *in Zssgn* tropical ...
Tropf ⚕ *m*: *am* ~ *hängen* be* on a drip.
Tröpf|chen *n* droplet; **2eln** *v/i. u. v/t.* drip.

T

tropfen *v/i. u. v/t.* drip (*a. Hahn*), drop.
Tropfen *m* drop (*a. fig.*); *ein ~ auf den heißen Stein* a drop in the bucket; **⁓weise** *adv.* by *od.* in drops.
Trophäe *f* trophy (*a. fig.*).
tropisch *adj.* tropical.
Trosse *f* cable; ⚓ *a.* hawser.
Trost *m* comfort, consolation; *schwacher ~* cold comfort; *du bist wohl nicht (recht) bei ~!* F you must be out of your mind!
tröst|en *v/t.* comfort, console; *sich ~* console o.s. (*mit* with); **~lich** *adj.* comforting.
trost|los *adj.* miserable; *Gegend etc.*: desolate; **⁓losigkeit** *f* misery; desolation; **⁓preis** *m* consolation prize; **~reich** *adj.* consoling; *Worte etc.*: *a.* of comfort.
Trott *m* trot; F: *der alte ~* the old routine; **~el** F *m* idiot, knucklehead; **⁓elig** *adj.* stupid, *sl.* dopey; **~inett** *n Schweiz*: scooter; **~oir** *n Schweiz*: pavement, *Am.* sidewalk; **⁓en** *v/i.* trot.
Trotz *m* defiance; *aus reinem ~* out of sheer spite.
trotz *prp.* in spite of, despite; **~dem** *adv.* in spite of it, nevertheless, F anyhow, anyway; **~en** *v/i.* defy; *schmollen*: sulk; **~ig** *adj.* defiant; sulky.
trüb(e) *adj.* cloudy; *Wasser*: *a.* muddy; *Licht etc.*: dim; *Himmel*, *Farben*: dull; *Stimmung*, *Tag etc.*: *a.* gloomy.
Trubel *m* (hustle and) bustle.
trüben *fig. v/t. Glück*, *Freude etc.*: spoil*, mar.
Trüb|sal *f*: *~ blasen* mope; **⁓selig** *adj.* sad, gloomy; *Tag etc.*: *a.* dreary; **~sinn** *m* melancholy, gloom, low spirits *pl.*; **⁓sinnig** *adj.* melancholy, gloomy.
Trugbild *n* illusion, hallucination.
trüg|en **1.** *v/t.* deceive; **2.** *v/i.* be* deceptive; **~erisch** *adj.* deceptive.
Trugschluß *m* fallacy.
Truhe *f* chest.
Trümmer *pl.* ruins *pl.*; *Schutt*: debris *sg.*; *Stücke*: pieces *pl.*, bits *pl.*
Trumpf *m* trump(s *pl.*) (*a. fig.*); *~ sein* be* trumps *pl.*; *fig.* be* in; *s-n ~ ausspielen* play one's trump card.
Trunk|enheit ⚖ *f*: *~ am Steuer* drunken driving; **~sucht** *f* alcoholism; **⁓süchtig** *adj.* alcoholic.
Trupp *m* band, party; *weitS.* group.
Truppe *f* ⚔ troop; *thea.* company, troupe; **~n** *pl.* ⚔ troops *pl.*, forces *pl.*; **~ngattung** ⚔ *f* branch (of service); **~nübungsplatz** ⚔ *m* training area.
Truthahn *zo. m* turkey.
Tschechoslowak|e *m* Czechoslovak; **⁓isch** *adj.* Czechoslovak(ian).
Tube *f* tube.
Tuberkulose ⚕ *f* tuberculosis.
Tuch *n* cloth; *Kopf⁓*: kerchief; *Umhänge⁓*: shawl; *Hals⁓*, *Kopf⁓*: scarf; *Staub⁓*: duster; **~fühlung** *fig. f*: *in ~* in (close) touch.
tüchtig *adj.* (cap)able, competent; *geschickt*: skil(l)ful; *leistungsfähig*: efficient; F *fig. ordentlich*: good; **⁓keit** *f* (cap)ability, qualities *pl.*; skill; efficiency.
tückisch *adj.* malicious; *Krankheit etc.*: insidious; *gefährlich*: treacherous.
tüfteln F *v/i.* puzzle (*an* over).
Tugend *f* virtue (*a. fig.*).
Tüll *m* tulle; **~e** *f* spout.
Tulpe ⚘ *f* tulip.
tummeln *v/refl.* romp; *fig.* hurry.
Tumor ⚕ *m* tumo(u)r.
Tümpel *m* pool.
Tumult *m* tumult, uproar.
tun *v/t. u. v/i.* do*; *Schritt*: take*; F *legen etc.*: put*; F: *j-m et. ~* do* s.th. to s.o.; *zu ~ haben* have* work to do; *beschäftigt sein*: be* busy; *ich weiß (nicht), was ich ~ soll od. muß* I (don't) know what to do; *so ~, als ob* pretend to *be etc.*; *ah, das tut gut!* ah, that's better!
Tünche *f*, **⁓n** *v/t.* whitewash.
Tunke *f* sauce; **⁓n** *v/t.* dip.
Tunnel *m* tunnel.
Tüpfel *m*, *n*, **⁓n** *v/t.* dot, spot.
tupfen *v/t.* dab; *s. tüpfeln*.
Tupf|en *m* dot, spot; **~er** ⚕ *m* swab.
Tür *f* door (*a. fig.*); *die ~(en) knallen* slam the door(s); *vor die ~ setzen* throw* out; *Tag der offenen ~* Open House.
Turbine ⊕ *f* turbine.
Tür|flügel *m* leaf (of a door); **~griff** *m* door handle; *Knopf*: doorknob.
Türk|e *m* Turk; **~in** *f* Turk(ish woman); **⁓isch** *adj.* Turkish.
Türklinke *f* door handle.
Turm *m* tower; *Kirch⁓*: *a.* steeple; *Schach*: castle, rook.
türmen **1.** *v/t.* pile up; *sich ~* tower; **2.** F *v/i.* bolt, run* away.

Turm|spitze *f* spire; **~springen** *n* high diving.
turnen *v/i.* do* gymnastics; ~ *an* do* exercises *od.* work on.
Turnen *n* gymnastics *pl.*; *Fach*: physical education, *abbr.* PE.
Turn|er(in) gymnast; **~gerät** *n* gymnastic apparatus; **~halle** *f* gym(-nasium); **~hemd** *n* (gym-)shirt; **~hose** *f* shorts *pl.*
Turnier *n* tournament; **~tanz** *m* ballroom dancing.
Turn|lehrer(in) gym(nastics) *od.* PE teacher; **~schuh** *m* gym shoe; *weitS.* tennis shoe; **~verein** *m* gym(nastic) club; **~zeug** F *n* gym things *pl.*
Tür|öffner *m* door opener; **~pfosten** *m* doorpost; **~rahmen** *m* door-case *od.* -frame; **~schild** *n* door-plate.
Tusch|e *f* India(n) *od.* Chinese ink; *Zeichen*2: drawing ink; **~farbe** *f* watercolo(u)r; **~kasten** *m* paintbox.
Tüte *f* (paper) bag; *e-e* ~ ... a bag of ...
tuten *v/i.* toot, hoot; *mot.* honk.
Typ *m* type; *Modell*: model; F fellow, *Brt. a.* chap, *Am. a.* guy; **~e** *f* ⊕ type; F *fig.* character.
Typhus ⚕ *m* typhoid (fever).
typisch *adj.* typical (*für* of).
Tyrann *m* tyrant; **~ei** *f* tyranny; **2isch** *adj.* tyrannical; **2isieren** *v/t.* tyrannize (over); *fig. a.* bully.

U

U-Bahn *f* underground; *Londoner*: *mst* Tube; *Am.* subway.
übel *adj.* bad; *mir ist* (*wird*) ~ I'm feeling (getting) sick.
Übel *n notwendiges, kleineres etc.*: evil; **~keit** ⚕ *f* nausea; **2nehmen** *v/t.* be* offended by, take* offen|ce (*Am.* -se) at; **2riechend** *adj.* foul(-smelling); **2schmeckend** *adj.* foul-tasting; **~täter** *m* evildoer.
üben *v/t. u. v/i.* practi|se, *Am.* -ce; *Klavier etc.* ~ practise the piano *etc.*
über *prp.* over; *oberhalb*: *a.* above (*a. fig.*); *mehr als*: *a.* more than; *quer* ~: across (*a. Straße, Fluß etc.*); *Thema*: about, of; *Vortrag, Buch etc.*: *a.* on; *sprechen* (*nachdenken etc.*) ~ talk (think* *etc.*) about; ~ *Nacht bleiben* stay overnight; ~ *München nach Rom* to Rome via Munich; *froh* (*traurig*) ~ glad (sad) about; *sich ärgern* ~ be* angry about; *lachen* ~ laugh at.
überall *adv.* everywhere; ~ *in ... a.* throughout ..., all over ...
über|anstrengen *v/t. u. v/refl.* overstrain (o.s.); **~arbeiten** *v/t. Buch etc.*: revise; *sich* ~ overwork o.s.
überaus *adv.* most, extremely.
über|belichten *phot. v/t.* overexpose; **~bieten** *v/t. bsd. Auktion*: outbid* (*um* by); *fig.* beat*; *j-n*: *a.* outdo*; **2bleibsel** *n* remains *pl.*; *Essen*: *a.* leftover(s *pl.*); **2blick** *fig. m* survey (*über* of); *Vorstellung*: general idea; **~blicken** *v/t.* overlook; *fig.* see*; **~bringen** *v/t.* bring*, deliver; **~brücken** *v/t.* bridge (*a. fig.*); **~dacht** *adj.* roofed, covered; **~dauern** *v/t.* outlast, survive; **~decken** *v/t.* cover; **~denken** *v/t.* think* *s. th.* over.
überdies *adv.* besides, moreover.
über|dimensional *adj.* oversized; **2dosis** ⚕ *f* overdose.
Über|druck *m* ⊕ overpressure; 🙰 overprint; **~druß** *m* weariness; **2drüssig** *adj.* disgusted with, weary *od.* sick of; **2durchschnittlich** *adj.* above(-)average; **2eifrig** *adj.* overzealous.
übereil|en *v/t.* rush; *nichts ~!* don't rush things!; **~t** *adj.* rash, overhasty.
übereinander *adv.* on top of (*sprechen etc.*: about) each other; **~schlagen** *v/t. Arme*: fold; *Beine*: cross.
überein|kommen *v/i.* agree; **2kommen** *n*, **2kunft** *f* agreement; **~stimmen** *v/i. Person*: agree (*mit* with); *Sache*: correspond (with); *genau*: be* identical (with); **2stimmung** *f* agreement; correspondence; *in ~ mit* in accordance with.
überfahr|en *v/t.* run* over; *Ampel*

etc.: go* through; **⁲t** *f* crossing, passage.
Überfall *m* assault (*auf* [up]on); *Raub*⁲: hold-up (on, of); *Straßenraub*: *a.* mugging (of); ⚔ raid ([up]on); invasion (of); **⁲en** *v/t.* attack, assault; hold* up; mug; ⚔ raid; invade.
überfällig *adj.* overdue.
überfliegen *v/t.* fly* over *od.* across; *fig.* glance over, skim (through).
über|fließen *v/i.* overflow; **~flügeln** *v/t.* outstrip, leave* behind (*beide a. fig.*); **⁲fluß** *m* abundance (*an* of); *Wohlstand*: affluence; *im ~ haben* abound in; **~flüssig** *adj.* superfluous; *unnötig*: unnecessary; **~fluten** *v/t.* flood (*a. fig.*); **~fordern** *v/t.* *Kräfte, Geduld etc.*: overtax; **~fragt** *adj.*: F: *da bin ich ~* you've got me there.
überführ|en *v/t.* transport; ⚖ convict (*e-r Tat* of a crime); **⁲ung** *f* transfer; ⚖ conviction; *mot.* flyover, *Am.* overpass; *Fußgänger*⁲: footbridge.
Überfüll|e *f* (super)abundance (*an* of); **⁲t** *adj.* overcrowded, packed.
überfüttern *v/t.* overfeed*, cram (*a. fig.*).
Übergang *m* crossing; *fig.* transition (*a.* ♪); **~sstadium** *n* transition(al) stage.
über|geben *v/t.* hand over; ⚔ surrender; *sich ~* throw* up, *bsd. Brt. a.* be* sick; **~gehen 1.** *v/i.* pass (*zu* on to); *~ in* change *od.* turn (in)to; **2.** *v/t.* pass over; *j-n, Bemerkung*: *a.* ignore; *auslassen*: *a.* skip.
Übergewicht *n* (*~ haben*) (be*) overweight; *fig.* predominance.
überglücklich *adj.* overjoyed.
über|greifen *fig. v/i.*: *~ auf* spread* to; *ineinander ~* overlap; **⁲griff** *m* infringement (*auf* of); *Gewaltakt*: (act of) violence.
überhandnehmen *v/i.* be* rampant.
überhäufen *v/t.* *mit Arbeit etc.*: swamp; *mit Geschenken etc.*: shower.
überhaupt *adv.* at all (*nachgestellt*); *sowieso, eigentlich*: anyway; *~ nicht(s)* not(hing) at all.
überheblich *adj.* priggish; *Art*: *a.* superior; **⁲keit** *f* priggishness, arrogance.
über|hitzen *v/t.* overheat (*a. fig.*); **~höht** *adj.* excessive; **~holen** *v/t.* pass, overtake* (*a. Sport*); ⊕ overhaul, service; **~holt** *adj.* outdated, antiquated; **~hören** *v/t.* miss, not catch* *od.* get*; *absichtlich*: ignore; ⚠ *nicht overhear*.
überirdisch *adj.* supernatural.
überkleben *v/t.* paste up, cover.
überkochen *v/i.* boil over.
über|kommen *v/t.*: ... *überkam ihn* he was seized with *od.* overcome by ...; **~laden** *v/t.* overload (*a.* ⚡); *fig.* clutter.
über|lassen *v/t.*: *j-m et. ~* let* s.o. have s.th., leave* s.th. to s.o. (*a. fig.*); *j-n sich selbst ~* leave* s.o. to himself; *j-n s-m Schicksal ~* leave* s.o. to his fate; **~lasten** *v/t.* overload; *fig.* overburden.
überlaufen[1] **1.** *v/i.* run* *od.* flow over; ⚔ desert; **2.** *v/t.*: *es überlief mich heiß und kalt* I went hot and cold; *s. a. überkommen.*
über|laufen[2] *adj.* overcrowded; **⁲läufer** *m* ⚔ deserter; *pol.* defector.
überleben *v/t. u. v/i.* survive (*a. fig.*); *et.*: *a.* live through; **⁲de(r)** survivor; **~sgroß** *adj.* larger than life.
überlegen[1] *v/t. u. v/i.* think* about *s.th.*, think* *s.th.* over; *erwägen*: *a.* consider; *lassen Sie mich ~* let me think; *ich habe es mir (anders) überlegt* I've made up (changed) my mind.
überleg|en[2] *adj.* superior (*j-m* to s.o.); **⁲enheit** *f* superiority; **~t** *adj.* deliberate; *klug*: prudent; **⁲ung** *f* thought, consideration, reflection.
über|leiten *v/i.*: *~ zu* lead* up *od.* over to; **⁲leitung** *f* transition (*a.* ♪); **~liefern** *v/t.* hand down, pass on; **⁲lieferung** *f* tradition; **~listen** *v/t.* outwit.
Über|macht *f* superiority; *bsd.* ⚔ superior forces *pl.*; *in der ~ sein* be* superior in numbers; **⁲mächtig** *adj.* superior; *fig. Gefühl etc.*: overpowering.
Über|maß *n* excess (*an* of); **⁲mäßig** *adj.* excessive; **⁲menschlich** *adj.* superhuman.
übermitt|eln *v/t.* send*, transmit (*a.* ⚡, *econ.*); **⁲lung** *f* transmission.
übermorgen *adv.* the day after tomorrow.
übermüd|et *adj.* overtired; **⁲ung** *f* (over)fatigue.
Über|mut *m* (*aus* out of) overenthusiasm; **⁲mütig** *adj.* overenthusiastic.

U V

übernächst *adj. the* next but one; ~*e Woche* the week after next.
übernacht|en *v/i.* stay overnight (*bei j-m* at s.o.'s [house], with s.o.), spend* the night (at, with); **2ung** *f* night; *e-e* ~ one overnight stay; ~ *und Frühstück* bed and breakfast.
Übernahme *f* taking (over); *e-r Idee etc.*: *a.* adoption.
übernatürlich *adj.* supernatural.
übernehmen *v/t.* take* over; *Idee, Brauch, Namen etc.*: *a.* adopt; *Führung, Risiko, Verantwortung, Auftrag etc.*: take*; *erledigen*: take* care of.
überprüf|en *v/t.* check, examine, inspect (*a. amtlich*); *Aussage etc.*: verify; *bsd. pol.* screen; **2ung** *f* checkup, examination, inspection; verification; screening.
über|queren *v/t.* cross; **~ragen** *v/t.* tower above (*a. fig.*); **~ragend** *adj.* superior.
überrasch|en *v/t.* surprise; *j-n bei et.* ~ *a.* catch* s.o. doing s.th.; **2ung** *f* surprise.
überregional *adj. Presse etc.*: national.
überred|en *v/t.* persuade (*et. zu tun* to do s.th.), talk into (doing s.th.); **2ung** *f* persuasion.
überreich|en *v/t.* present, hand *s.th.* over (*dat.* to); **2ung** *f* presentation.
überreiz|en *v/t.* overexcite; **~t** *adj.* overwrought, F on edge.
Überrest *m* rest, remainder; ~*e pl.* remains *pl.*
überrump|eln *v/t.* (take* by) surprise; **2(e)lung** *f* surprise.
überrunden *v/t. Sport*: lap; *fig.* get* ahead of, leave* behind.
übersät *adj.* covered; *fig.* studded.
übersättigt *adj.* surfeited.
Überschall... *in Zssgn*: supersonic ...
über|schatten *v/t.* overshadow (*a. fig.*); **~schätzen** *v/t.* overrate, overestimate.
Überschlag *m Turnen*: somersault; ✈ loop; ⚡ flashover; *Schätzung*: estimate, rough calculation.
überschlagen 1. *v/t. Beine*: cross; *Kosten*: make* a rough estimate of; *auslassen*: skip; **2.** *fig. v/i.*: ~ *in* turn into; **3.** *v/refl.* turn (right) over; *Person*: go* head over heels; *Stimme*: break*.
über|schnappen F *v/i.* crack up; **~schneiden** *v/refl.* overlap (*a. fig.*); *Linien*: intersect; **~schreiben** *v/t. Besitz*: make* *s.th.* over (*dat.* to); **~schreiten** *v/t.* cross; *fig.* go* beyond; *Höhepunkt*: pass; *Höchstgeschwindigkeit*: break*.
Überschrift *f* heading, title; *Schlagzeile*: headline.
Über|schuß *m*, **2schüssig** *adj.* surplus.
überschütten *v/t.*: ~ *mit* cover with; *Geschenken*: shower with; *Lob etc.*: heap *s.th.* on.
überschwemm|en *v/t.*, **2ung** *f* flood (*a. fig.*).
überschwenglich *adj.* effusive.
Übersee: *nach* ~ *gehen* go* overseas; **~...** *in Zssgn Handel etc.*: overseas ..., intercontinental ...
übersehen *v/t.* overlook; *absichtlich, bsd. j-n*: *a.* ignore; *sich et.* ~ get* tired of (seeing) s.th.
übersetzen[1] **1.** *v/i.* cross (*über e-n Fluß* a river); **2.** *v/t.* take* over.
übersetz|en[2] *v/t.* translate (*in* into); ⊕ transmit; **2er(in)** translator; **2ung** *f* translation (*aus* from; *in* into); ⊕ transmission ratio.
Übersicht *f* general idea *od.* view (*über* of); *Zusammenfassung*: outline, summary; **2lich** *adj.* clear(ly arranged).
über|siedeln *v/i.* (re)move (*nach* to); **2sied(e)lung** *f* move, removal.
übersinnlich *adj.* supernatural, magic(al), occult.
überspann|en *v/t.* (over)strain; *Tal etc.*: span; **~t** *adj. Person*: eccentric; *übertrieben*: exaggerated.
überspielen *v/t.* record; *auf Band*: *a.* tape; *fig.* cover up.
überspitzt *adj.* exaggerated.
überspringen *v/t.* jump (over); *bsd. Sport*: *a.* clear; *auslassen*: skip.
überstehen 1. *v/t.* get* over; *überleben*: survive (*a. fig.*), live through; **2.** *v/i.* jut out.
über|steigen *fig. v/t.* exceed; **~stimmen** *v/t.* outvote, vote down.
über|streifen *v/t.* slip *s.th.* on; **~strömen** *v/i.* overflow (*vor* with).
Überstunden *pl.* overtime *sg.*; ~ *machen* work overtime.
überstürz|en *v/t.*: *et.* ~ rush things; *sich* ~ *Ereignisse*: follow in rapid succession; **~t** *adj.* (over)hasty; *Entscheidung etc.*: rash.
über|teuert *adj.* overexpensive; **~tönen** *v/t.* drown.

übertragbar *adj.* transferable; ⚕ contagious.
übertragen[1] *adj. Bedeutung*: figurative.
übertrag|en[2] *v/t. senden*: broadcast*; *TV a.* televise; *aufnehmen*: record; *auf Band*: *a.* tape; *übersetzen*: translate; *Krankheit*, ⊕ *Kraft*: transmit; *Blut*: transfuse; *Organ etc.*: transplant; ⚖, *econ., Zeichnung etc., Gelerntes*: transfer; **2ung** *f* radio *od.* TV broadcast; recording; transmission; transfusion; transfer.
übertreffen *v/t.* outdo*, be* better *etc.* than, surpass, F beat*.
übertreib|en *v/i. u. v/t.* exaggerate; *Tätigkeit*: overdo*; **2ung** *f* exaggeration.
übertret|en 1. *v/i. Sport*: foul (a jump *od.* throw); ~ *zu* go* over (*eccl.* convert) to; **2.** *v/t.* break*, violate; **2ung** *f* violation; ⚖ *a.* offen|ce, *Am.* -se.
Übertritt *m* change (*zu* to); *eccl., pol.* conversion (to).
übervölkert *adj.* over-populated.
übervorteilen *v/t.* overreach, cheat.
überwach|en *v/t.* supervise, oversee*; *leiten*: control; *polizeilich*: keep* under observance *od.* surveillance, shadow; **2ung** *f* supervision, control; observance, surveillance.
überwältigen *v/t.* overwhelm, overpower; *fig. a.* overcome*; **~d** *fig. adj.* overwhelming, F smashing.
überweis|en *v/t. Geld*: remit (*an* to); ⚖, ⚕ refer (to); **2ung** *f econ.* remittance; ⚕ referral.
überwerfen *v/t.* slip *s.th.* on; *sich* ~ (*mit j-m*) fall* out with each other (with s.o.).
über|wiegen 1. *v/t.* outweigh; **2.** *v/i.* prevail, predominate; **~wiegend** *adj.* predominant; *Mehrheit*: vast; **~winden** *v/t.* overcome* (*a. fig.*); *Gegner*: defeat; *sich ~ zu inf.* bring* o.s. to *inf.*; **~wintern** *v/i.* (spend* the) winter; **~wuchern** *v/t.* overgrow*.
Über|wurf *m* wrap; **~zahl** *f* majority; *in der ~ sein* outnumber *s.o.*; **2zahlt** *adj.* overpaid.
überzeug|en *v/t.* convince (*von* of), persuade; *sich ~ von* (*, daß*) make* sure of (that); *sich selbst* ~ (go* and) see* for o.s.; **~t** *adj.* convinced; ~ *sein a.* be* *od.* feel* (quite) sure; **2ung** *f* conviction.
überziehe|n *v/t.* put* *s.th.* on; ⊕ *etc.* cover; *Bett*: change; *Konto*: overdraw*; *sich ~ Himmel*: become* overcast.
Überzug *m* cover; *Schicht*: coat(ing).
üblich *adj.* usual, normal; *es ist ~ Brauch*: it's the custom; *wie* ~ as usual.
U-Boot ⚓, ⚔ *n* submarine.
übrig *adj.* remaining; *die ~en pl.* the others *pl.*, the rest; ~ *sein* (*haben*) be* (have*) left; **~bleiben** *v/i.* be* left, remain; *es bleibt mir nichts anderes übrig* (*als zu*) there is nothing else I can do (but *do s.th.*); **~ens** *adv.* by the way; **~lassen** *v/t.* leave*.
Übung *f* exercise; *das Üben, Erfahrung*: practice; *in* (*aus der*) ~ in (out of) practice.
Ufer *n* shore; *Fluß2*: bank; *ans* ~ ashore.
Uhr *f* clock; *Armband2 etc.*: watch; *um vier* ~ at four o'clock; **~armband** *n* watch-strap; **~macher** *m* watchmaker; **~werk** *n* clockwork; **~zeiger** *m* hand; **~zeigersinn** *m*: *im* ~ clockwise; *entgegen dem* ~ counter-clockwise.
Uhu *zo. m* eagle-owl.
UKW VHF, very high frequency.
Ulk *m* joke; hoax; **2ig** *adj.* funny.
Ulme ⚘ *f* elm.
Ultimatum *n* ultimatum; *j-m ein ~ stellen* deliver an ultimatum to s.o.
um *prp. u. cj. räumlich*: (a)round; *zeitlich*: at; *ungefähr*: about, around; *bitten* ~ ask for; *sich Sorgen machen* ~ worry about; ~ *Geld* for money; ~ *e-e Stunde* (*10 cm*) by an hour (10 cm); *je ... ~ so* the ... the; ~ *so besser!* so much the better!; ~ *... willen* for ...'s sake, for the sake of ...; ~ *zu* (in order) to.
umarm|en *v/t.* embrace (*a. sich* ~), hug; **2ung** *f* embrace, hug.
Umbau *m* rebuilding, reconstruction; **2en** *v/t.* rebuild*, reconstruct.
um|binden *v/t.* put* *s.th.* on; **~blättern** *v/i.* turn (over) the page; **~bringen** *v/t.* kill; *sich* ~ kill o.s. (*a. fig.*); **~denken** *v/i.* change one's way of thinking; **~disponieren** *v/i.* change one's plans.
umdreh|en *v/t. u. v/refl.* turn (a)round; **2ung** *f* turn; *phys.*, ⊕ rotation, revolution.
um|einander *adv. kümmern etc.*: about *od.* for each other; **~fahren** *v/t.* run* down; drive* (⚓ sail)

UV

round; **~fallen** *v/i.* fall*; *umkippen*: tip over; *zusammenbrechen*: collapse; *tot* ~ drop dead.
Umfang *m* circumference; *Buch etc.*: size; *Ausmaß*: extent; in großem ~ on a large scale; **2reich** *adj.* extensive; *massig*: voluminous.
umfassen *fig. v/t.* cover; *enthalten*: *a.* include; **~d** *adj.* comprehensive; *vollständig*: complete.
umforme|n *v/t.* *allg.* turn, change; ⚡, *gr.*, ⚒ *a.* transform, convert (*alle*: in [in]to); **2r** ⚡ *m* converter.
Umfrage *f Meinungs2*: opinion poll.
Umgang *m* company; ~ haben mit associate with; beim ~ mit when dealing with.
umgänglich *adj.* sociable.
Umgangs|formen *pl.* manners *pl.*; **~sprache** *f* colloquial speech; die englische ~ colloquial English.
umgeben[1] *v/t.* surround (mit with).
umgeb|en[2] *adj.* surrounded (von by); **2ung** *f* surroundings *pl.*; *Milieu*: environment.
umgeh|en 1. *v/i.* go* (a)round; ~ mit deal* with, handle; ~ können mit have* a way with; *et.*: be* handy with; **2.** *v/t.* avoid, get* (a)round; *Stadt etc.*: *a.* bypass; **~end** *adj.* immediate, prompt; **2ungsstraße** *f* bypass.
umgekehrt 1. *adj.* reverse; opposite; (gerade) ~ (just) the other way round; **2.** *adv.* the other way round; und ~ and vice versa.
umgraben *v/t.* dig* (up), break* up.
um|haben F *v/t.* have* *s.th.* on; **2hang** *m* cape; **~hängen** *v/t.* put* around *od.* over s.o.'s shoulders *etc.*; *Bilder*: rehang*; **~hauen** *v/t.* fell, cut* down; F *fig.* knock out.
umher *adv.* (a)round, about; **~streifen** *v/i.* roam *od.* wander around.
umkehr|en 1. *v/i.* turn back; **2.** *v/t.* *Reihenfolge etc.*: reverse; *s.* umdrehen; **2ung** *f* reversal (*a. fig.*).
umkippen 1. *v/t.* tip over, upset*; **2.** *v/i.* *s.* umfallen.
umklammer|n *v/t.*, **2ung** *f* clasp, clutch, clench.
umkleide|n *v/refl.* change (one's clothes); **2raum** *m* changing room.
umkommen *v/i.* be* killed (bei in), die (in); F: ~ vor be* dying with.
Umkreis *m*: im ~ von within a radius of; **2en** *v/t.* circle; *ast.* revolve around; *Satellit etc.*: orbit.
umkrempeln *v/t.* roll up.
Umlauf *m* circulation; *phys.*, ⊕ rotation; *Schreiben*: circular; im (in) ~ sein (bringen) be* in (put* into) circulation, circulate; **~bahn** *f* orbit; **2en** *v/i.* circulate.
umlegen *v/t.* *Schal etc.*: put* on; *verlegen*: move; *Kosten*: share; *Hebel etc.*: pull; *sl. töten*: do* *s.o.* in, bump *s.o.* off.
umleit|en *v/t.* divert; **2ung** *f* diversion, *Am. mot.* detour.
umliegend *adj.* surrounding.
umnachtet *adj.*: geistig ~ mentally deranged.
um|packen *v/t.* repack; **~pflanzen** *v/t.* *Topfblumen etc.*: repot.
umrahmen *v/t.* frame; musikalisch ~ put* into a musical setting.
umrand|en *v/t.*, **2ung** *f* edge, border, rim (*a. Brille*).
um|ranken *v/t.* twine around; **~räumen** *v/t.* rearrange.
umrechn|en *v/t.* convert (in into); **2ung** *f* conversion; **2ungskurs** *m* exchange rate.
um|reißen *v/t.* tear* (*j-n*: knock) down; **~ringen** *v/t.* surround.
Um|riß *m* outline (*a. fig.*), contour; **2rühren** *v/t.* stir; **2rüsten** ⊕ *v/t.* convert (auf to); **2satteln** F *fig. v/i.*: ~ von ... auf switch from ... to; **~satz** *econ. m* sales *pl.*
umschalten *v/t. u. v/i.* switch (over) (auf to) (*a. fig.*).
Umschau *f*: ~ halten nach look out for, be* on the look-out for; **2en** *v/refl. s.* umsehen.
Umschichtung *fig. f* shift(s *pl.*).
Umschlag *m Brief2*: envelope; *Hülle*: cover, wrapper; *Buch2*: jacket; *an der Hose*: turn-up, *Am. a.* cuff; ⚕ compress; *econ.* handling; *fig. Änderung*: change; **2en 1.** *v/t.* *Baum*: cut* down, fell; *Ärmel*: turn up; *Kragen*: turn down; *econ.* handle; **2.** *v/i.* *Boot etc.*: turn over, (be*) upset*; *sich ändern*: change; **~platz** *m* cent|re (*Am.* -er) of trade, market.
um|schlungen *adj.* with their arms (a)round each other; **~schnallen** *v/t.* buckle on.
umschreib|en *v/t.* rewrite*; *Begriff etc.*: paraphrase; **2ung** *f* paraphrase.
Umschrift *f Lautung*: transcription.
um|schulen *v/t.* retrain; *Schüler*: transfer to another school; **~schütten** *v/t.* *verschütten*: spill*; **~**

schwärmt *fig. adj.* worshipped, idolized.
Um|schweife *pl.*: *ohne ~ sagen*: straight out; *tun*: straight away *od.* off; **~schwung** *m* (drastic) change; *bsd. pol. a.* swing.
umseg|eln *v/t.* sail round; *Kap*: double; *Erde*: circumnavigate; **2(e)lung** *f* sailing round; doubling; circumnavigation.
um|sehen *v/refl.* look around (*in e-m Laden* a shop; *nach* for); *zurückblicken*: look back (*nach* at); *sich ~ nach suchen*: be* looking for; **~sein** F *v/i.* be* over; *die Zeit ist um* time's up; **~setzen** *v/t.* move (*a. Schüler*); *econ.* sell*; *~ in* convert (in)to; *in die Tat ~* put* into action; *sich ~* change places.
umsied|eln *v/i. u. v/t.* resettle; *s. umziehen*; **2ler** *m* resettler; **2(e)lung** *f* resettlement.
umsonst *adv.* free (of charge), for nothing; F for free; *vergebens*: in vain.
umspanne|n *v/t.* span (*a. fig.*); ⚡ transform; **2r** ⚡ *m* transformer.
umspringen *v/i.* shift, change (suddenly) (*a. fig.*); *~ mit* treat (badly).
Umstand *m* circumstance; *Tatsache*: fact; *Einzelheit*: detail; *unter diesen (keinen) Umständen* under the (no) circumstances; *unter Umständen* possibly; *keine Umstände machen j-m*: not cause any trouble; *sich*: not go* to any trouble, not put* o.s. out; *in anderen Umständen sein* be* expecting.
umständlich *adj.* awkward; *kompliziert*: complicated; *Stil etc.*: long-winded; *das ist (mir) viel zu ~* that's far too much trouble (for me).
Umstands|kleid *n* maternity dress; **~wort** *gr. n* adverb.
Umstehenden *pl. the* bystanders *pl.*
umsteigen *v/i.* change (*nach* for); 🚂 *a.* change trains (for).
umstell|en *v/t. allg.* change (*auf* to), make* a change *od.* changes in; *bsd.* ⊕ *a.* switch (over) (to), convert (to); *anpassen*: adjust (to); *neu ordnen*: rearrange (*a. Möbel*), reorganize; *Uhr*: reset*; *umzingeln*: surround; *sich ~ auf* change *od.* switch (over) to; *anpassen*: adjust (o.s.) to, get* used to; **2ung** *f* change; switch, conversion; adjustment; rearrangement, reorganization.

um|stimmen *v/t.*: *j-n ~* change s.o.'s mind; **~stoßen** *v/t.* knock over: *Dinge*: *a.* upset* (*a. fig. Pläne*).
umstritten *adj.* controversial.
Um|sturz *m* overthrow; **2stürzen** *v/i.* upset*, overturn, fall* over.
Umtausch *m*, **2en** *v/t.* exchange (*gegen* for).
umwälz|end *adj.* revolutionary; **2ung** *fig. f* radical change.
umwand|eln *v/t. allg.* turn (*in* into), transform (into); *bsd.* ⚗, ⚡, *phys. a.* convert ([in]to); **2ler** *m* converter; **2lung** *f* transformation, conversion.
Umweg *m* roundabout route *od.* way (*a. fig.*); *bsd. mot. a.* detour; *ein ~ von 10 Minuten* ten minutes out of the way; *fig. auf ~en* in a roundabout way.
Umwelt *f* environment; **~...** *in Zssgn mst* environmental ...; **~forscher** *m* ecologist; **~forschung** *f* ecology; **2freundlich** *adj.* non-polluting; **2schädlich** *adj.* harmful, noxious, polluting; **~schutz** *m* environmental protection, pollution control; **~schützer** *m* environmentalist; **~schutzpapier** *n* recycled paper; **~verschmutzer** *m* polluter, offender; **~verschmutzung** *f* (environmental) pollution.
umwerfen *v/t.* knock over *od.* down (F *fig.* out); *Dinge*: *a.* upset*.
umziehen 1. *v/i.* move (*nach* to), **2.** *v/refl.* change (one's clothes).
umzingeln *v/t.* surround, encircle.
Umzug *m* move (*nach* to), removal (to); *Festzug*: parade.
unab|hängig *adj.* independent (*von* of); *~ davon, ob (was)* regardless of whether (what); **2hängigkeit** *f* independence (*von* of); **~sichtlich** *adj.* unintentional; *et. ~ tun* do* s.th. by mistake; **~wendbar** *adj.* inevitable, inescapable.
unachtsam *adj.* careless, negligent; **2keit** *f* carelessness, negligence.
unan|fechtbar *adj.* indisputable; **~gebracht** *adj.* inappropriate; *~ sein* be* out of place; **~gemessen** *adj.* unreasonable; *unzureichend*: inadequate; **~genehm** *adj.* unpleasant; *peinlich*: embarrassing; **~nehmbar** *adj.* unacceptable; **2nehmlichkeiten** *pl.* trouble *sg.*, difficulties *pl.*; **~sehnlich** *adj.* unsightly; **~ständig** *adj.* indecent, *stärker*: obscene; **2ständigkeit** *f* indecency; obscenity;

~tastbar *adj.* unimpeachable.
unappetitlich *adj.* unappetizing, F nasty (*a. fig.*).
Unart *f* bad habit; **2ig** *adj.* naughty, bad.
unauf|dringlich *adj.* unobtrusive; **~fällig** *adj.* inconspicuous, unobtrusive; **~findbar** *adj.* undiscoverable, untraceable; **~gefordert** *adv.* without being asked, of one's own accord; **~hörlich** *adj.* continuous; **~merksam** *adj.* inattentive; **2merksamkeit** *f* inattention, inattentiveness; **~richtig** *adj.* insincere.
unaus|löschlich *adj.* indelible; **~stehlich** *adj.* unbearable.
unbarmherzig *adj.* merciless.
unbe|absichtigt *adj.* unintentional; **~achtet** *adj.* unnoticed; **~aufsichtigt** *adj.* unattended; **~baut** *adj.* undeveloped; **~dacht** *adj.* thoughtless; **~denklich 1.** *adj.* safe; **2.** *adv.* without hesitation; **~deutend** *adj.* insignificant; *geringfügig*: *a.* minor; **~dingt 1.** *adj.* unconditional, absolute; **2.** *adv.* by all means, absolutely; *brauchen*: badly; **~fahrbar** *adj.* impassable; **~fangen** *adj. unparteiisch*: unprejudiced, unbias(s)ed; *ohne Hemmung*: unembarrassed; **~friedigend** *adj.* unsatisfactory; **~friedigt** *adj.* dissatisfied; *enttäuscht*: disappointed; **~gabt** *adj.* untalented; **~greiflich** *adj.* inconceivable, incomprehensible; **~grenzt** *adj.* unlimited, boundless; **~gründet** *adj.* unfounded; **2hagen** *n* uneasiness, discomfort; **~haglich** *adj.* uneasy, uncomfortable; **~helligt** *adj.* unmolested; **~herrscht** *adj.* uncontrolled, lacking self-control; **~holfen** *adj.* clumsy, awkward; **~irrt** *adj.* unwavering; **~kannt** *adj.* unknown; **~kümmert** *adj.* light-hearted, cheerful; **~lebt** *adj.* inanimate; *ruhig*: quiet; **~lehrbar** *adj.*: er ist ~ he'll never learn; **~liebt** *adj.* unpopular; er ist überall ~ nobody likes him; **~mannt** *adj.* unmanned; **~merkt** *adj.* unnoticed; **~nutzt** *adj.* unused; **~quem** *adj.* uncomfortable; *lästig*: inconvenient; **~berechenbar** *adj.* unpredictable; **~rechtigt** *adj.* unauthorized; *ungerechtfertigt*: unjustified; **~schädigt** *adj.* undamaged; **~scheiden** *adj.* immodest; **~schränkt** *adj.* unlimited; *Macht etc.*: *a.* absolute; **~schreiblich** *adj.* indescribable; **~sehen** *adv.* unseen; **~siegbar** *adj.* invincible; **~sonnen** *adj.* thoughtless, imprudent; *überstürzt*: rash; **~ständig** *adj.* unstable; *Wetter*: changeable, unsettled; **~stätigt** *adj.* unconfirmed; **~stechlich** *adj.* incorruptible; *fig.* unerring; **~stimmt** *adj.* indefinite (*a. gr.*); *unsicher*: uncertain; *Gefühl etc.*: vague; **~streitbar** *adj.* indisputable; **~stritten** *adj.* undisputed; **~teiligt** *adj. nicht verwickelt*: not involved; *gleichgültig*: indifferent; **~tont** *adj.* unstressed.
unbeugsam *adj.* inflexible.
unbe|wacht *adj.* unwatched, unguarded (*a. fig.*); **~waffnet** *adj.* unarmed; **~weglich** *adj.* immovable; *bewegungslos*: motionless; **~wohnbar** *adj.* uninhabitable; **~wohnt** *adj.* uninhabited; *Gebäude*: unoccupied, vacant; **~wußt** *adj.* unconscious; **~zahlbar** *fig. adj.* invaluable, priceless (*a. komisch*).
un|blutig 1. *adj.* bloodless; **2.** *adv.* without bloodshed; **~brauchbar** *adj.* useless.
und *cj.* and; F: na ~? so what?
undankbar *adj.* ungrateful (gegen to); *Aufgabe*: thankless; **2keit** *f* ingratitude, ungratefulness.
un|denkbar *adj.* unthinkable; **~definierbar** *adj.* nondescript; **~deutlich** *adj.* indistinct; *Sprache*: *a.* inarticulate; *fig.* vague; **~dicht** *adj.* leaky.
unduldsam *adj.* intolerant; **2keit** *f* intolerance.
undurch|dringlich *adj.* impenetrable; **~führbar** *adj.* impracticable; **~lässig** *adj.* impervious, impermeable; **~sichtig** *adj.* opaque; *fig.* mysterious.
uneben *adj.* uneven; **2heit** *f* unevenness; *Stelle*: bump.
un|echt *adj.* false; *künstlich*: artificial; *imitiert*: imitation; F *contp. vorgetäuscht*: fake, phon(e)y; **~ehelich** *adj.* illegitimate; **~ehrenhaft** *adj.* dishono(u)rable; **~ehrlich** *adj.* dishonest; **~eigennützig** *adj.* unselfish.
uneinig *adj.*: (sich) ~ sein disagree (über on); **2keit** *f* disagreement.
un|einnehmbar *adj.* impregnable; **~empfänglich** *adj.* insusceptible (für to); **~empfindlich** *adj.* insensitive (gegen to); *haltbar*: durable.
unendlich *adj.* infinite; *endlos*:

endless, never-ending; 2**keit** infinity (*a. fig.*).

unent|behrlich *adj.* indispensable; **~geltlich** *adj.* gratuitous, free (of charge); **~schieden** *adj.* undecided; ~ *enden* end in a draw *od.* tie; *es steht* ~ the score is even; 2**schieden** *n* draw, tie; **~schlossen** *adj.* irresolute; **~schuldbar** *adj.* inexcusable; **~wegt** *adv.* untiringly; *unaufhörlich*: continuously.

uner|fahren *adj.* inexperienced; **~freulich** *adj.* unpleasant; **~füllt** *adj.* unfulfilled; **~giebig** *adj.* unproductive; **~heblich** *adj.* irrelevant (*für* to); *geringfügig*: insignificant; **~hört** *adj.* outrageous; **~kannt** *adj.* unrecognized; **~klärlich** *adj.* inexplicable; **~läßlich** *adj.* essential; **~laubt** *adj.* unallowed; *unbefugt*: unauthorized; **~ledigt** *adj.* unsettled (*a. econ.*); **~meßlich** *adj.* immeasurable, immense; **~müdlich** *adj. Person*: indefatigable; *Anstrengungen*: untiring; **~reichbar** *adj.* inaccessible; *bsd. fig.* unattainable; **~reicht** *adj.* unequal(l)ed; **~sättlich** *adj.* insatiable; **~schlossen** *adj.* undeveloped; **~schöpflich** *adj.* inexhaustible; **~schütterlich** *adj.* unshakable; **~schwinglich** *adj. Preise*: exorbitant; *für j-n ~ sein* be* beyond s.o.'s means; **~setzlich** *adj.* irreplaceable; *Schaden etc.*: irreparable; **~träglich** *adj.* unbearable; **~wartet** *adj.* unexpected; **~wünscht** *adj.* unwanted.

unfähig *adj.* incapable (*zu tun* of doing), incompetent (*a. beruflich*); *außerstande*: unable (to *inf.*); 2**keit** *f* incapacity, incompetence; inability.

Unfall *m* accident; *Verkehrs*2: *a.* crash; **~stelle** *f* scene of the accident.

un|fehlbar *adj.* infallible (*a. eccl.*); *Instinkt etc.*: unfailing; **~förmig** *adj.* shapeless; *mißgestaltet*: misshapen; *stärker*: monstrous; **~frankiert** *adj.* unstamped; **~frei** *adj.* unfree; ✉ unpaid; **~freiwillig** *adj.* involuntary; *Humor*: unconscious; **~freundlich** *adj.* unfriendly (*zu* to), unkind (to); *Zimmer, Tag*: cheerless; 2**frieden** *m* discord; ~ *stiften* make* mischief.

unfruchtbar *adj.* infertile; 2**keit** *f* infertility.

Unfug *m* nonsense; ~ *treiben* be* up to mischief, fool around.

Ungar|(in), 2**isch** *adj.* Hungarian.

ungastlich *adj.* inhospitable.

unge|achtet *prp.* regardless of; *trotz*: despite; **~ahnt** *adj.* unthought-of; **~beten** *adj.* uninvited, unasked; *~er Gast* intruder; **~bildet** *adj.* uneducated; **~boren** *adj.* unborn; **~bräuchlich** *adj.* uncommon, unusual; **~bührlich** *adj.* unseemly; **~bunden** *fig. adj.* free, independent; *frei und* ~ footloose and fancy-free; **~deckt** *adj. Tisch*: unlaid; *Sport*, ⚔, *econ.*: uncovered.

Ungeduld *f* impatience; 2**ig** *adj.* impatient.

ungeeignet *adj.* unfit; *Person*: *a.* unqualified.

ungefähr 1. *adj.* approximate; *Vorstellung etc.*: *a.* rough; **2.** *adv.* approximately, roughly, about, around, ... or so; *so* ~ (just) about like that; **~lich** *adj.* harmless; *sicher*: safe.

Ungeheuer *n* monster (*a. fig.*).

ungeheuer 1. *adj.* enormous (*a. fig.*), huge, vast; **2.** *adv.*: ~ *reich etc.* enormously rich *etc.*; **~lich** *adj.* monstrous.

unge|hindert *adj. u. adv.* unhindered; **~hobelt** *fig. adj.* uncouth, rough; **~hörig** *adj.* improper, unseemly.

ungehorsam *adj.* disobedient.

Ungehorsam *m* disobedience.

unge|künstelt *adj.* unaffected; **~kürzt** *adj.* unabridged.

ungelegen *adj.* inconvenient; *j-m ~ kommen* be* inconvenient for s.o.

unge|lenk *adj.* awkward, clumsy; **~lernt** *adj.* unskilled; **~mütlich** *adj.* uncomfortable; F: ~ *werden* get* nasty.

ungenau *adj.* inaccurate; *fig.* vague; 2**igkeit** *f* inaccuracy.

ungeniert *adj.* informal, easygoing, (free and) easy.

unge|nießbar *adj.* uneatable; undrinkable; F *Person*: unbearable; **~nügend** *adj.* insufficient; *Leistung*: *a.* poor, unsatisfactory; *Note*: *a.* F; **~pflegt** *adj.* unkempt, untidy; **~rade** *adj.* uneven; odd.

ungerecht *adj.* unfair, unjust; 2**igkeit** *f* injustice, unfairness.

un|gern *adv. widerwillig*: unwillingly; *et. ~ tun* hate *od.* not like to do s.th.; **~geschehen** *adj.*: ~ *machen* undo*.

unge|schickt *adj.* awkward, clumsy; **~schliffen** *adj. Diamant etc.*: uncut;

Marmor etc., Benehmen etc.: unpolished; **~schminkt** *adj.* without make-up; *fig.* unvarnished, plain; **~setzlich** *adj.* illegal, unlawful; **~stört** *adj.* undisturbed, uninterrupted; **~straft** *adj.*: ~ *davonkommen* get* off unpunished (F scot-free); **~sund** *adj.* unhealthy (*a. fig.*); **~teilt** *adj.* undivided (*a. fig.*); **≈tüm** *n* monster; *fig. a.* monstrosity.
ungewiß *adj.* uncertain; *j-n im ungewissen lassen* keep* s.o. in the dark (*über* about); **≈heit** *f* uncertainty.
unge|wöhnlich *adj.* unusual; **~wohnt** *adj.* strange, unfamiliar; *unüblich*: unusual; **≈ziefer** *n* pests *pl.*; *bsd. Läuse etc.*: vermin *pl.*; **~zogen** *adj. unartig*: naughty, bad; *verzogen*: spoilt; **~zwungen** *adj.* relaxed, informal; *Person*: *a.* easygoing.
ungläubig *adj.* incredulous, unbelieving (*a. eccl.*); *heidnisch*: infidel.
unglaub|lich *adj.* incredible, unbelievable; **~würdig** *adj.* untrustworthy; *bsd. pol. a.* not credible; *Geschichte, Entschuldigung*: incredible.
ungleich *adj.* unequal, different; *unähnlich*: unlike; **~mäßig** *adj.* uneven; *unregelmäßig*: irregular.
Unglück *n* bad luck, misfortune; *Unfall*: accident; *stärker*: disaster; *Elend*: misery; **≈lich** *adj.* unhappy; *bedauernswert*: unfortunate (*a. Umstände etc.*); **≈licherweise** *adv.* unfortunately.
ungültig *adj.* invalid, F no good; *für ~ erklären* invalidate; *bsd.* ⚖ nullify.
Un|gunst *f*: *zu j-s ~en* to s.o.'s disadvantage; **≈günstig** *adj.* unfavo(u)rable; *nachteilig*: disadvantageous.
un|gut *adj.*: *~es Gefühl* misgivings *pl.* (*bei et.* about s.th.); *nichts für ~!* no offen|ce, *Am.* -se!; **~haltbar** *fig. adj.* untenable; *Torschuß*: unstoppable; **~handlich** *adj.* unwieldy, bulky.
Unheil *n* mischief; *Übel*: evil; *Unglück*: disaster; **≈bar** *adj.* incurable; **≈voll** *adj.* disastrous; *Blick etc.*: sinister.
unheimlich 1. *adj.* creepy, spooky, eerie; F *fig.* tremendous; **2.** F *adv.*: ~ *gut* terrific, fantastic.
unhöflich *adj.* impolite; *stärker*: rude; **≈keit** *f* impoliteness; rudeness.
un|hörbar *adj.* inaudible; **~hygienisch** *adj.* insanitary.
Uniform *f* uniform.
uninteress|ant *adj.* uninteresting; **~iert** *adj.* uninterested (*an* in).
Universität *f* university.
Universum *n* universe.
Unke *f zo.* toad; F *fig.* croaker; **≈n** F *v/i.* croak.
unkennt|lich *adj.* unrecognizable; **≈nis** *f* ignorance.
unklar *adj.* unclear; *ungewiss*: uncertain; *verworren*: confused, muddled; *im ~en sein (lassen)* be* (leave* *s.o.*) in the dark; **≈heit** *f* unclarity; uncertainty.
unklug *adj.* imprudent, unwise.
Unkosten *pl.* expenses *pl.*, costs *pl.*
Unkraut *n* weed; *coll.* weeds *pl.*; ~ *jäten* weed (the garden).
un|kündbar *adj. Stellung*: permanent; **~längst** *adv.* lately, recently; **~leserlich** *adj.* illegible; **~logisch** *adj.* illogical; **~lösbar** *adj.* insoluble; **~männlich** *adj.* unmanly, effeminate; **~mäßig** *adj.* excessive; **≈menge** *f* vast quantity *od.* number(s *pl.*) (*von* of), F loads *pl.* (of), tons *pl.* (of).
Unmensch *m* monster, brute; **≈lich** *adj.* inhuman, cruel; **~lichkeit** *f* inhumanity, cruelty.
un|merklich *adj.* imperceptible; **~mißverständlich** *adj.* unmistakable; **~mittelbar 1.** *adj.* immediate, direct; **2.** *adv.*: ~ *nach (hinter)* right after (behind); **~möbliert** *adj.* unfurnished; **~modern** *adj.* out of fashion *od.* style; **~möglich 1.** *adj.* impossible; **2.** *adv.*: *ich kann es ~ tun* I can't possibly do it; **~moralisch** *adj.* immoral; **~mündig** *adj.* under age; **~musikalisch** *adj.* unmusical; **~nachahmlich** *adj.* inimitable; **~nachgiebig** *adj.* unyielding; **~nachsichtig** *adj.* strict, severe; **~nahbar** *adj.* standoffish, cold; **~natürlich** *adj.* unnatural (*a. fig.*); *geziert*: affected; **~nötig** *adj.* unnecessary, needless; **~nütz** *adj.* useless; **~ordentlich** *adj.* untidy; ~ *sein Zimmer etc.*: be* (in) a mess; **≈ordnung** *f* disorder, mess; **~parteiisch** *adj.* impartial, unbias(s)ed; **~passend** *adj.* unsuitable; *unschicklich*: improper; *unangebracht*: inappropriate; **~passierbar** *adj.* impassable; **~päßlich** *adj.* indisposed, unwell; **~persönlich** *adj.* impersonal (*a. gr.*); **~politisch** *adj.* unpolitical; **~praktisch** *adj.* impractical; **~pünktlich** *adj.* unpunctual.

unrecht *adj.* wrong; ~ *haben* (*tun*) be* (do* *s.o.*) wrong.
Unrecht *n* injustice, wrong; *zu* ~ wrong(ful)ly; **≈mäßig** *adj.* unlawful.
unregelmäßig *adj.* irregular (*a. gr.*); **≈keit** *f* irregularity.
unreif *adj.* unripe; *fig.* immature; **≈e** *fig. f* immaturity.
unrein *adj.* unclean; *bsd. Wasser etc.*: *a.* impure (*a. eccl.*); **≈heit** *f* impurity (*a. fig.*).
unrichtig *adj.* incorrect, wrong.
Unruh|e *f* restlessness, unrest (*a. pol.*); *Besorgnis*: anxiety, alarm; **~n** *pl.* disturbances *pl.*; *stärker*: riots *pl.*; **≈ig** *adj.* restless; *innerlich*: *a.* uneasy; *besorgt*: worried, alarmed; *See*: rough; *Straße*: busy.
uns *pers. pron.* (to) us; *einander*: each other; ~ (*selbst*) (to) ourselves; *ein Freund von* ~ a friend of ours.
un|sachgemäß *adj.* improper; **~sachlich** *adj.* not objective; personal; **~sanft** *adj.* ungentle; *grob*: rude, rough; **~sauber** *adj.* unclean; *bsd. fig. a.* impure; *Sport*: unfair; *Methoden*: underhanded; **~schädlich** *adj.* harmless; ~ *machen fig.* eliminate; **~scharf** *adj.* blurred, out of focus; **~schätzbar** *adj.* inestimable, invaluable; **~scheinbar** *adj.* inconspicuous; *einfach*: plain; **~schicklich** *adj.* indecent; **~schlüssig** *adj.* undecided; **~schön** *adj.* unsightly; *fig.* unpleasant.
Unschuld *f* innocence; *fig.* virginity; **≈ig** *adj.* innocent (*an* of); (*noch*) ~ *sein* be* (still) a virgin.
unselbständig *adj.* dependent on others; **≈keit** *f* lack of independence, dependence on others.
unser *poss. pron.* our; *der* (*die, das*) **~e** ours; *die* **≈en** *pl.* our people *pl.*; *das* **≈e** our own.
unsicher *adj.* unsafe, insecure (*a. psych.*); *gehemmt*: self-conscious; *ungewiß*: uncertain; **≈heit** *f* insecurity, unsafeness; self-consciousness; uncertainty.
unsichtbar *adj.* invisible.
Unsinn *m* nonsense; **≈ig** *adj.* nonsensical, stupid; *absurd*: absurd.
Unsitt|e *f* bad habit; *Mißbrauch*: abuse; **≈lich** *adj.* immoral, indecent.
un|sozial *adj.* unsocial; **~sportlich** *adj.* unfair; *Mensch*: unathletic.
unsterblich 1. *adj.* immortal (*a. fig.*); **2.** *adv.*: ~ *verliebt* madly in love (*in* with); **≈keit** *f* immortality.
Un|stimmigkeit *f* discrepancy; **~en** *pl.* disagreements *pl.*; **≈sympathisch** *adj.* disagreeable; *er* (*es*) *ist mir* ~ I don't like him (it); **≈tätig** *adj.* inactive; *müßig*: idle; **~tätigkeit** *f* inactivity; **≈tauglich** *adj.* unfit (*a.* ⚔); *Person*: *a.* incompetent; **≈teilbar** *adj.* indivisible.
unten *adv.* (down) below, down (*a. nach* ~); *im Hause*: downstairs; ~ *auf der Seite etc.*: at the bottom of; *siehe* ~ see below; *von oben bis* ~ from top to bottom.
unter *prp.* under; *örtlich, rangmäßig*: *a.* below; *weniger als*: *a.* less than; *zwischen, bei*: among; *während*: during; ~ *anderem* among other things; ~ *uns* (*gesagt*) between you and me.
Unter|arm *m* forearm; **≈belichtet** *phot. adj.* underexposed; **~bewußtsein** *n* subconscious; *im* ~ subconsciously.
unter|bieten *v/t.* underbid*; *Rekord*: lower; **~binden** *fig. v/t.* stop, put* an end to.
unterbrech|en *v/t.* interrupt; **≈ung** *f* interruption.
unterbring|en *v/t. beherbergen*: accommodate, put* *s.o.* up; *Platz finden für*: find* a place for, put* (*in* into); **≈ung** *f* accommodation.
unterdessen *adv.* (in the) meantime, meanwhile.
unterdrück|en *v/t.* oppress; *Gefühl etc.*: suppress; **≈er** *m* oppressor; **≈ung** *f* oppression.
untere *adj.* lower (*a. fig.*).
unter|entwickelt *adj.* underdeveloped; **~ernährt** *adj.* undernourished, underfed; **≈ernährung** *f* undernourishment, malnutrition.
Unter|führung *f* underpass, *Brt. a.* subway; **~gang** *m ast.* setting; ⚓ sinking; *fig.* fall, destruction; **≈gehen** *v/i.* go* down (*a. fig.*); *Sonne etc.*: *a.* set*; ⚓ *a.* sink*.
unterge|ordnet *adj.* subordinate, inferior; *zweitrangig*: secondary; **≈wicht** *n*, **~wichtig** *adj.* underweight.
untergraben *fig. v/t.* undermine.
Untergrund *m* subsoil; *pol.* underground (*a. in Zssgn*); **~bahn** *f s. U-Bahn.*
unterhalb *prp.* below, underneath.
Unterhalt *m* keep, maintenance (*a.*

⚖); **≈en** *v/t. Publikum etc.*: entertain; *Familie etc.*: support; *sich* ~ (*mit*) talk (to, with); *sich* (*gut*) ~ enjoy o.s., have* a good time; **≈sam** *adj.* entertaining; **~ung** *f* talk, conversation; *Vergnügen*: entertainment (*a. TV etc.*); **~ungsbranche** *f* show business.

Unter|händler *m* negotiator; **~haus** *parl. n* House of Commons; **~hemd** *n* vest, *Am.* undershirt; **~holz** *n* undergrowth; **~hose** *f* underpants *pl.*, *Brt. a.* pants *pl.*; *kurze*: *a.* briefs *pl.*, *Am.* shorts *pl.*; *lange*: long johns *pl.*; **≈irdisch** *adj.* underground; **~kiefer** *m* lower jaw; **~kleid** *n* slip.

unterkommen *v/i.* find* accommodation; find* work *od.* a job (*bei* with).

Unter|kunft *f* accommodation, lodging(s *pl.*); ⚔ quarters *pl.*; ~ *und Verpflegung* board and lodging; **~lage** *f* ⊕ base; *Schreib≈*: pad; **~n** *pl.* documents *pl.*; *Angaben*: data *pl.*

unterlass|en *v/t.* fail to do *s.th.*: *aufhören mit*: stop *od.* quit* doing *s.th.*; **≈ung** *f* omission (*a.* ⚖).

unterlegen[1] *v/t.* underlay*.

unterlegen[2] *adj.* inferior (*dat.* to); **≈e** *m* loser; *Schwächere*: underdog; **≈heit** *f* inferiority.

Unter|leib *m* abdomen, belly; **≈liegen** *v/i.* be* defeated (*j-m* by s.o.), lose* (to s.o.); *fig.* be* subject to; **~lippe** *f* lower lip; **~mieter(in)** lodger, subtenant, *Am. a.* roomer.

unternehmen *v/t. Reise etc.*: make*, take*, go* on; *et.* ~ do* s.th. (*gegen* about *s.th.*), take* action (against *s.o.*).

Unternehm|en *n* firm, business; *Vorhaben*: undertaking, enterprise; ⚔ operation; *gewagtes* ~ venture, risky undertaking; **~er** *m* entrepreneur; *Arbeitgeber*: employer; *vertraglicher*: contractor; **≈ungslustig** *adj.* active, dynamic; *abenteuerlustig*: adventurous.

Unter|offizier ⚔ *m* non-commissioned officer; **≈ordnen** *v/t. u. v/refl.* subordinate (o.s.) (*dat.* to).

Unterredung *f* talk(s *pl.*).

Unterricht *m* instruction, teaching; *Schul≈*: school, classes *pl.*, lessons *pl.*; **≈en** *v/i. u. v/t.* teach*; *Stunden geben*: give* lessons; *informieren*: inform (*über* of).

Unterrock *m* slip.

untersagen *v/t.* prohibit.

Untersatz *m* stand; ⊕ support, rest.

unter|schätzen *v/t.* underestimate; *Können etc.*: *a.* underrate; **~scheiden** *v/t. u. v/i.* distinguish (*zwischen* between; *von* from); *auseinanderhalten*: *a.* tell* apart; *sich* ~ differ (*von* from; *in* in; *durch* by); **≈scheidung** *f* distinction.

Unterschied *m* difference; *im* ~ *zu* unlike, as opposed to; **≈lich** *adj.* different; *schwankend*: varying.

unterschlag|en *v/t. Geld*: embezzle; *fig.* hold* back; **≈ung** *f* embezzlement.

Unterschlupf *m* hiding-place.

unter|schreiben *v/t. u. v/i.* sign; **≈schrift** *f* signature; *Bild≈*: caption.

Unterseeboot ⚓, ⚔ *n s. U-Boot.*

untersetzt *adj.* thickset, stocky.

Unterstand ⚔ *m* shelter, dug-out.

unter|stehen 1. *v/i.* be* under (the control of); **2.** *v/refl.* dare; ~ *Sie sich* (*et. zu tun*)! don't you dare ([to] do s.th.)!; **~stellen** *v/t.* put* *s.th.* in; *lagern*: store; *annehmen*: assume; *sich* ~ take* shelter; *j-m* ~, *daß er* ... insinuate that s.o. ...; **~streichen** *v/t.* underline (*a. fig.*).

unterstütz|en *v/t.* support; *bsd. ideell*: *a.* back (up); **≈ung** *f* support; *bsd. soziale, staatliche*: *a.* aid; *Fürsorge*: welfare (payments *pl.*).

untersuch|en *v/t.* examine (*a.* ⚕), investigate (*a.* ⚖); *Gepäck etc.*: search; ⚗ analyze; **≈ung** *f* examination (*a.* ⚕), investigation (*a.* ⚖); ⚕ *a.* (medical) check-up; ⚗ analysis.

Untersuchungs|gefangene *m* prisoner on remand; **~gefängnis** *n* remand prison; **~haft** *f*: *in* ~ *sein* be* on remand; **~richter** *m* examining magistrate.

Unter|tan *m* subject; **~tasse** *f* saucer; **≈tauchen** *v/i. u. v/t.* dive*, submerge (*a. U-Boot*); *j-n*: duck; *fig.* disappear; *bsd. pol.* go* underground; **~teil** *n, m* lower part, bottom.

unterteil|en *v/t.* subdivide; **≈ung** *f* subdivision.

Unter|titel *m* subtitle; **~ton** *m* undertone; **~treibung** *f* understatement; **≈vermieten** *v/t.* sublet*; **≈wandern** *v/t.* infiltrate; **~wäsche** *f* underwear; **~wasser...** *in Zssgn* underwater ...; **≈wegs** *adv.* on the *od.* one's way (*nach* to); *viel* ~ *sein* be* away a lot.

unterweis|en *v/t.* instruct; **2ung** *f* instruction.
Unterwelt *f* underworld (*a. fig.*).
unterwerf|en *v/t.* subject (*dat.* to); *sich* ~ submit (to); **2ung** *f* subjection; submission (*unter* to).
unterwürfig *adj.* servile; **2keit** *f* servility.
unterzeichn|en *v/t.* sign; **2ete(r)** *the* undersigned; **2ung** *f* signing.
unterziehen *v/t. Kleidung*: put* *s.th.* on underneath; *sich* ~ *e-r Behandlung etc.*: undergo*; *e-r Prüfung*: take*.
Untiefe *f* shallow, shoal.
un|tragbar *adj.* unbearable, intolerable; **~trennbar** *adj.* inseparable; **~treu** *adj.* unfaithful (*dat.* to); **~tröstlich** *adj.* inconsolable; **~trüglich** *adj.* unmistakable.
Untugend *f* vice, bad habit.
unüber|legt *adj.* thoughtless; **~sichtlich** *adj. Kurve etc.*: blind; *komplex*: intricate; **~trefflich** *adj.* unsurpassable, matchless; **~windlich** *adj.* insuperable (*a. fig.*).
unum|gänglich *adj.* inevitable; **~schränkt** *adj.* absolute, unlimited; **~wunden** *adv.* straight out, frankly.
ununterbrochen *adj.* uninterrupted; *ständig*: continuous.
unver|änderlich *adj.* unchanging; **~antwortlich** *adj.* irresponsible; **~besserlich** *adj.* incorrigible; **~bindlich** *adj. bsd. econ.* not binding; *Art etc.*: non-committal; **~daulich** *adj.* indigestible (*a. fig.*); **~dient** *adj.* undeserved; **~dorben** *adj.* unspoiled; *fig.*: *a.* uncorrupted; *rein*: pure, innocent; **~dünnt** *adj.* undiluted; *Schnaps etc.*: straight; **~einbar** *adj.* incompatible; **~fälscht** *adj.* unadulterated; *fig.* genuine; **~fänglich** *adj.* harmless; **~froren** *adj.* brazen, impertinent; **~gänglich** *adj.* immortal, eternal; **~geßlich** *adj.* unforgettable; **~gleichlich** *adj.* incomparable; **~hältnismäßig** *adv.* disproportionately; ~ *hoch* excessive; **~heiratet** *adj.* unmarried, single; **~hofft** *adj.* unhoped-for; *unerwartet*: unexpected; **~hohlen** *adj.* unconcealed; **~käuflich** *adj.* not for sale; *nicht gefragt*: unsal(e)able; **~kennbar** *adj.* unmistakable; **~letzt** *adj.* unhurt; **~meidlich** *adj.* inevitable; **~mindert** *adj.* undiminished; **~mittelt** *adj.* abrupt.
Unvermögen *n* inability, incapacity; **2d** *adj.* without means.
unver|mutet *adj.* unexpected; **~nünftig** *adj.* unreasonable; *töricht*: foolish; **~richteterdinge** *adv.* unsuccessfully, without having achieved anything.
unverschämt *adj.* rude, impertinent, F cheeky; F: ~ *werden a. zudringlich*: get* fresh; **2heit** *f* impertinence (*a. Bemerkung*); *die* ~ *haben zu* have* the nerve to.
unver|schuldet *adj.* through no fault of one's own; **~sehens** *adv.* unexpectedly, all of a sudden; **~sehrt** *adj.* unhurt; *Sache*: undamaged; **~söhnlich** *adj.* irreconcilable (*a. fig.*); **~sorgt** *adj.* unprovided for; **~standen** *adj.* (*sich fühlen* feel*) misunderstood; **~ständlich** *adj.* unintelligible; *es ist mir* ~ I can't see how *od.* why, F it beats me; **~sucht** *adj.*: *nichts* ~ *lassen* leave* nothing undone; **~wundbar** *adj.* invulnerable; **~wüstlich** *adj.* indestructible; **~zeihlich** *adj.* inexcusable; **~züglich** **1.** *adj.* immediate, prompt; **2.** *adv.* immediately, without delay.
unvollendet *adj.* unfinished.
unvollkommen *adj.* imperfect; **2heit** *f* imperfection.
unvollständig *adj.* incomplete.
unvor|bereitet *adj.* unprepared; **~eingenommen** *adj.* unbias(s)ed, unprejudiced; **~hergesehen** *adj.* unforeseen; **~hersehbar** *adj.* unforeseeable; **~sichtig** *adj.* careless; **2sichtigkeit** *f* carelessness; **~stellbar** *adj.* inconceivable; *undenkbar*: unthinkable; **~teilhaft** *adj.* unprofitable; *Kleid etc.*: unbecoming.
unwahr *adj.* untrue; **2heit** *f* untruth; **~scheinlich** *adj.* improbable, unlikely; F *toll*: fantastic.
un|wegsam *adj.* pathless; **~weigerlich** *adv.* inevitably; **~weit** *prp.* not far from; **~wesentlich** *adj.* irrelevant; *geringfügig*: negligible; **2wetter** *n* disastrous (thunder)storm; **~wichtig** *adj.* unimportant.
unwider|legbar *adj.* irrefutable; **~ruflich** *adj.* irrevocable; **~stehlich** *adj.* irresistible.
unwiederbringlich *adj.* irretrievable.
Unwill|e(n) *m* indignation (*über* at); **2ig** *adj.* indignant (*über* at); *widerwillig*: unwilling, reluctant; **2kürlich** *adj.* involuntary.

UV

unwirk|lich *adj.* unreal; **~sam** *adj.* ineffective; ⚖ *etc.* inoperative.
unwirsch *adj.* surly, gruff, unfriendly.
unwirt|lich *adj.* inhospitable, desolate; **~schaftlich** *adj.* uneconomic(al).
unwissen|d *adj.* ignorant; **⁓heit** *f* ignorance.
un|wohl *adj.* unwell; *unbehaglich*: uneasy; **~würdig** *adj.* unworthy (*gen.* of); **~zählig** *adj.* innumerable, countless; **~zeitgemäß** *adj.* old-fashioned.
unzer|brechlich *adj.* unbreakable; **~reißbar** *adj.* untearable; **~störbar** *adj.* indestructible; **~trennlich** *adj.* inseparable.
Un|zucht ⚖ *f* sexual offen|ce, *Am.* -se; **⁓züchtig** *adj.* indecent; *Literatur etc.*: obscene.
unzufrieden *adj.* discontent(ed) (*mit* with), dissatisfied (with); **⁓heit** *f* discontent, dissatisfaction.
unzu|gänglich *adj.* inaccessible; **~länglich** *adj.* inadequate; **~lässig** *adj.* inadmissible; **~mutbar** *adj.* unacceptable.
unzurechnungsfähig *adj.* irresponsible; **⁓keit** *f* irresponsibility.
unzu|reichend *adj.* insufficient; **~sammenhängend** *adj.* incoherent; **~verlässig** *adj.* unreliable; *Methode etc.*: uncertain.
üppig *adj.* luxuriant (*a. Stil etc.*), lush (*beide a. fig. Leben etc.*); *Figur*: *a.* voluptuous, luscious; *rundlich*: plump; *Frau*: buxom; *Mahl*: opulent; *gehaltvoll*: rich.
uralt *adj.* ancient (*a. fig. iro.*).
Uran *n* uranium.
Ur|aufführung *f* première, first performance (*Film*: showing); **⁓bar** *adj.* arable; ~ *machen* reclaim; **~bevölkerung** *f*, **~einwohner** *pl.* aboriginals *pl.*; *Australiens*: Aborigines *pl.*; **~enkel(in)** great-grand|son (-daughter); **~groß...** *in Zssgn Eltern, Mutter, Vater*: great-grand...; **~heberrechte** *pl.* copyright *sg.* (*an* of, on, for).
Urin *m* urine; **⁓ieren** *v/i.* urinate.
Urkunde *f* document; *Zeugnis, Ehren⁓*: diploma; **~nfälschung** *f* forgery of documents.
Urlaub *m Ferien*: holiday(s *pl.*), *bsd. Am.* vacation; *bsd. amtlich*, ⚔: leave; *in ~ sein* (*gehen*) be* (go*) on holiday (*Am. a.* vacation); *e-n Tag* (*ein paar Tage*) *~ nehmen* take* a day (a few days) off; **~er** *m* holiday-maker, *bsd. Am.* vacationist, vacationer.
Urne *f* urn; *Wahl⁓*: ballot-box.
Ur|sache *f* cause; *Grund*: reason; *keine ~!* not at all, you are welcome; **~sprung** *m* origin; *germanischen ~s* of Germanic origin; **⁓sprünglich** *adj.* original.
Urteil *n* judg(e)ment (*a.* *~svermögen*); ⚖ *Strafmaß*: sentence; *sich ein ~ bilden* form a judg(e)ment (*über* about); **⁓en** *v/i.* judge (*über j-n* s.o.; *über et.* [of] s.th.; *nach* by, from).
Ur|wald *m* primeval forest; *Dschungel*: jungle; **⁓wüchsig** *adj.* coarse, earthy; **~zeit** *f* prehistoric times *pl.*
Utensilien *pl.* utensils *pl.*
Utop|ie *f* illusion; **⁓isch** *adj.* utopian; *Plan etc.*: fantastic.

V

Vagabund *m* vagabond, vagrant, tramp, *Am. sl.* hobo, bum.
vage *adj.* vague.
Vakuum *n* vacuum (*a. in Zssgn*).
Vampir *zo. m* vampire (*a. fig.*).
Vanille *f* vanilla (*a. in Zssgn*).
variabel *adj.* variable.
Varia|nte *f* variant; **~tion** *f* variation.
Varieté *n* variety theatre, music-hall, *Am.* vaudeville theater.
variieren *v/i. u. v/t.* vary.
Vase *f* vase.
Vater *m* father; **~land** *n* native country *od.* land, mother country; **~landsliebe** *f* patriotism.
väterlich *adj.* fatherly, paternal.
Vaterunser *eccl. n* Lord's Prayer.

V-Ausschnitt *m* V-neck.
Veget|arier(in), ²arisch *adj.* vegetarian; **~ation** *f* vegetation; **²ieren** *v/i.* vegetate.
Veilchen ⚘ *n* violet.
Velo *n Schweiz*: bicycle, F bike.
Ventil *n* valve; *fig.* vent, outlet; **~ation** *f* ventilation; **~ator** *m* fan.
verab|reden *v/t.* agree (up)on, arrange; *Ort, Zeit*: *a.* appoint, fix; *sich ~* make* a date (*bsd. geschäftlich*: an appointment) (*mit* with); **²redung** *f* appointment; *bsd. private*: date; **~reichen** *v/t.* give*; ⚕ administer; **~scheuen** *v/t.* loathe, detest; **~schieden** *v/t.* say* goodbye to (*a. sich ~ von*); *entlassen*: dismiss; *Gesetz*: pass; **²schiedung** *f* dismissal; passing.
ver|achten *v/t.* despise; **~ächtlich** *adj.* contemptuous; **²achtung** *f* contempt; **~allgemeinern** *v/t.* generalize; **~altet** *adj.* antiquated, obsolete, out of date.
Veranda *f* veranda(h), *Am.* porch.
veränder|lich *adj.* changeable (*a. Wetter*), variable (*a.* ⚗, *gr.*); **~n** *v/t. u. v/refl.*, **²ung** *f* change.
verängstigt *adj.* frightened, scared.
veranlag|en *v/t.* assess; **~t** *adj.* inclined (*zu, für* to); *künstlerisch* (*musikalisch*) *~ sein* have* a gift *od.* bent for art (music); **²ung** *f* (pre)disposition (*a.* ⚕); talent, gift; *steuerliche*: assessment.
veranlass|en *v/t. et.*: make* arrangements *od.* arrange for; *j-n zu et. ~* make* s.o. do s.th.; **²ung** *f* cause (*zu* for).
ver|anschaulichen *v/t.* illustrate; **~anschlagen** *v/t.* estimate (*auf* at).
veranstalt|en *v/t.* arrange, organize; *Konzert etc.*: give*; **²ung** *f* event; *Sport*: *a.* meeting, *Am.* meet.
verantwort|en *v/t.* take* the responsibility for; **~lich** *adj.* responsible; *j-n ~ machen für* hold* s.o. responsible for.
Verantwortung *f* responsibility; *auf eigene ~* at one's own risk; *zur ~ ziehen* call to account; **~sbewußtsein, ~sgefühl** *n* sense of responsibility; **²slos** *adj.* irresponsible.
ver|arbeiten *v/t.* ⊕ *allg.* process; *fig.* digest; *et. ~ zu* manufacture *od.* make* s.th. into; **~ärgern** *v/t.* make* *s.o.* angry, annoy; **~armt** *adj.* impoverished; **~ausgaben** *v/refl.* overspend*; *fig.* exhaust o.s.
Verb *gr. n* verb.
Verband *m* ⚕ dressing, bandage; association, union; ⚔ formation, unit; **~(s)kasten** *m* first-aid box; **~(s)zeug** *n* dressing material.
verbann|en *v/t.* banish (*a. fig.*), exile; **²ung** *f* banishment, exile.
ver|barrikadieren *v/t.* barricade; *Straße etc.*: block; **~bergen** *v/t.* hide* (*a. sich ~*), conceal.
verbesser|n *v/t.* improve; *berichtigen*: correct; **²ung** *f* improvement; correction.
verbeug|en *v/refl.*, **²ung** *f* bow (*vor* to).
ver|biegen *v/t.* twist; **~bieten** *v/t.* forbid*; *amtlich*: prohibit; **~billigen** *v/t.* reduce in price; **~billigt** *adj.* reduced, at reduced prices.
verbind|en *v/t.* ⚕ dress, bind* (up), bandage (up); *mit et., a.* ⊕: connect (*a. teleph.*), join (*a.* ⚗), link (up); *kombinieren*: combine (*a.* ⚗ *sich ~*); *vereinen*: unite; *Vorstellung etc.*: associate; *j-m die Augen ~* blindfold s.o.; *mit e-r Tätigkeit etc. verbunden sein* involve doing s.th. *etc.*; *falsch verbunden!* wrong number!; **~lich** *adj.* obligatory, compulsory (*a. Schulfach*); *gefällig*: obliging; **²lichkeit** *f* obligingness; *pl. econ.* liabilities *pl.*
Verbindung *f allg.* connection; *Kombination*: combination; ⚗ compound; *univ.* society; *Am.* fraternity; *weibliche*: sorority; *sich in ~ setzen mit* get* in touch with; *in ~ stehen* (*bleiben*) be* (keep*) in touch.
ver|bissen *adj.* dogged; **~bitten** *v/t.*: *das verbitte ich mir!* I won't stand for it!
verbitter|t *adj.* bitter, embittered; **²ung** *f* embitterment, bitterness.
verblassen *v/i.* fade (*a. fig.*).
Verbleib *m* whereabouts *sg., pl.*; **²en** *v/i.* remain.
verblend|et *fig. adj.* blind; **²ung** *fig. f* blindness.
verblichen *adj. Farbe*: faded.
verblüff|en *v/t.* amaze, baffle, F flabbergast; **²ung** *f* amazement, bafflement.
ver|blühen *v/i.* fade, wither (*beide a. fig.*); **~bluten** *v/i.* bleed* to death.
verborgen *adj.* hidden, concealed; *im ~en* in secret.

Verbot *n* prohibition, ban (on *s.th.*); **≈en** *adj.*: *Rauchen* ~ no smoking.

Verbrauch *m* consumption (*an* of); **≈en** *v/t.* consume, use up; **~er** *m* consumer; **~erschutz** *m* consumer protection; **≈t** *adj.* used(-)up (*a. fig.*).

Verbrech|en *n* crime; *ein* ~ *begehen* commit a crime; **~er(in), ≈erisch** *adj.* criminal.

verbreit|en *v/t. u. v/refl.* spread★ (*in, über* over, through); *Nachricht etc.*: *a.* circulate; **~ern** *v/t. u. v/refl.* widen, broaden; **≈ung** *f* spread(ing); circulation.

verbrenn|en *v/i. u. v/t.* burn★ (up); *Leiche*: cremate; **≈ung** *f* burning; *bsd.* ⊕ combustion; cremation; *Wunde*: burn.

verbringen *v/t.* spend★, pass.

verbrüder|n *v/refl.* fraternize; **≈ung** *f* fraternization.

ver|brühen *v/t.* scald; *sich* ~ scald o.s.; **~buchen** *v/t.* book.

verbünde|n *v/refl.* ally o.s. (*mit* to, with); **≈te** *m, f* ally, confederate; *die* ~*n pl.* the allies *pl.*

ver|bürgen *v/t.* guarantee, warrant; *sich* ~ *für* answer for; **~büßen** *v/t.*: *e-e Strafe* ~ serve a sentence, serve time; **~chromt** *adj.* cromium-plated.

Verdacht *m* suspicion; ~ *schöpfen* become★ suspicious; *im* ~ *stehen, et. zu tun* be★ under suspicion of doing s.th.

verdächtig *adj.* suspicious, suspect; **≈e** *m, f* suspect; **~en** *v/t.* suspect (*j-n e-r Tat* s.o. of [doing] s.th.); **≈ung** *f* suspicion; *Unterstellung*: insinuation.

verdamm|en *v/t.* condemn (*zu* to), damn (*a. eccl.*); **≈nis** *f* damnation; **~t** **1.** *adj.* damned, F *a.* damn, darn(ed), *Brt. sl. a.* bloody; F: ~ *(noch mal)!* damn (it)!; **2.** *adv.*: ~ *gut etc.* damn (*Brt. sl. a.* bloody) good *etc.*; **≈ung** condemnation, damnation.

ver|dampfen *v/t. u. v/i.* evaporate; **~danken** *v/t.*: *j-m (e-m Umstand etc.) et.* ~ owe s.th. to s.o. (s.th.).

verdau|en *v/t.* digest (*a. fig.*); **~lich** *adj.* digestible; *leicht (schwer)* ~ easy (hard) to digest; **≈ung** *f* digestion; **≈ungsstörungen** *pl. Verstopfung*: constipation *sg.*

Verdeck *n* top; **≈en** *v/t.* cover (up) (*a. fig.*).

verdenken *v/t.*: *ich kann es ihm nicht* ~(, *daß*) I can't blame him (if).

verderb|en **1.** *v/i.* spoil★ (*a. fig.*); *Fleisch etc.*: go★ bad; **2.** *v/t.* spoil★ (*a. Spaß, Appetit etc.*), ruin; *sich den Magen* ~ upset★ one's stomach; **≈en** *n* ruin; **~lich** *adj.* perishable; *fig.* pernicious; ~*e Waren* perishables *pl.*

ver|deutlichen *v/t.* make★ *s.th.* clear; **~dichten** *v/t.* compress, condense; *sich* ~ condense; *fig.* grow★ stronger; **~dicken** *v/t. u. v/refl.* thicken; **~dienen** *v/t. Geld*: earn, make★; *Lob, Strafe etc.*: deserve.

Verdienst **1.** *m* earnings *pl.*; *Gewinn*: gain, profit; **2.** *n* merit; *es ist sein* ~, *daß* it is thanks to him that.

ver|dient *adj. Strafe etc.*: (well-)deserved; **~doppeln** *v/t. u. v/refl.* double.

verdorben *adj.* spoilt (*a. fig.*); *Charakter, Lebensmittel*: *a.* bad, rotten; *Magen*: upset.

ver|dorren *v/i.* wither (up); **~drängen** *v/t. j-n*: supplant, supersede (*a. Methode etc.*); *ersetzen*: replace; *phys.* displace; *psych.* repress; *bewußt*: suppress; **~drehen** *v/t.* twist; *fig. a.* distort; *Augen*: roll; *j-m den Kopf* ~ turn s.o.'s head; **~dreht** F *fig. adj.* mixed up; **~dreifachen** *v/t. u. v/refl.* triple.

ver|drießlich, ~drossen *adj.* glum, morose, sullen.

verdrucken *v/t.* misprint.

Verdruß *m* displeasure; *Ärger*: trouble.

verdummen **1.** *v/t.* make★ stupid, stultify; **2.** *v/i.* become★ stupid.

verdunk|eln *v/t. u. v/refl.* darken; *völlig*: black out; *fig.* obscure; **≈(e)lung** *f* darkening; black-out; ⚖ collusion.

ver|dünnen *v/t.* thin (down), dilute (*a.* ⚗); **~dunsten** *v/i.* evaporate; **~dursten** *v/i.* die of thirst; **~dutzt** *adj.* puzzled.

vered|eln *v/t.* ⚘ graft; ⊕ process; *Öl, Stahl*: refine; **≈(e)lung** *f* ⚘ graft; ⊕ processing, refinement.

verehr|en *v/t. bewundern*: admire; *anbeten, a. fig.*: adore, worship; *bsd. eccl. a.* revere, venerate; **≈er(in)** admirer (*a. e-r Frau etc.*); *bsd. e-s Stars*: *a.* fan; **≈ung** *f* admiration; adoration, worship; reverence, veneration.

vereidigen *v/t.* swear★ *s.o.* in; ⚖ *Zeugen*: put★ *s.o.* under an oath.

U V

Verein *m* club (*a. Sport*2); *bsd. eingetragener*: *a.* society, association.
vereinbar *adj.* compatible (*mit* with); **~en** *v/t.* agree (up)on, arrange; **2ung** *f* agreement, arrangement.
vereinen *v/t. s. vereinigen.*
vereinfach|en *v/t.* simplify; **2ung** *f* simplification.
vereinheitlichen *v/t.* standardize.
vereinig|en *v/t. u. v/refl.* unite (*zu* into); (*sich*) *verbinden*: *a.* combine, join; **2ung** *f* union; combination; *Bündnis*: alliance.
verein|samen *v/i.* become* lonely *od.* isolated; **~zelt** *adj.* occasional, odd; *~ Regen* occasional showers.
ver|eiteln *v/t.* prevent; *Plan etc.*: *a.* frustrate; **~enden** *v/i.* die, perish; **~enge(r)n** *v/t. u. v/refl.* narrow.
vererb|en *v/t.*: *j-m et. ~* leave* (⚕ transmit) s.th. to s.o.; *sich ~* (*auf*) be* passed on *od.* down (to) (*a.* ⚕ *u. fig.*); **2ung** *biol. f* heredity; **2ungslehre** *f* genetics *sg.*
verewigen *v/t.* immortalize.
verfahren 1. *v/i.* proceed; *~ mit* deal* with; **2.** *v/refl.* get* lost.
Verfahren *n* procedure, method; *bsd.* ⊕ *a.* technique, way; ⚖ (legal) proceedings *pl.* (*gegen* against).
Verfall *m* decay (*a. fig.*); *e-s Hauses etc.*: *a.* dilapidation; *Niedergang*: decline; *econ. etc.* expiry; **2en**[1] *v/i.* decay (*a. fig.*); *bsd. fig. a.* decline; *Haus etc.*: *a.* dilapidate; *ablaufen*: expire; *Kranker*: waste away; *e-m Laster etc.*: become* addicted to; (*wieder*) *~ in* fall* (back) into; *~ auf* hit* (up)on.
verfall|en[2] *adj.* decayed; *Haus*: *a.* dilapidated; *j-m ~ sein* be* s.o.'s slave; **2sdatum** *n* expiry date.
ver|fälschen *v/t.* falsify; *Bericht etc.*: *a.* distort; *Speisen etc.*: adulterate; **~fänglich** *adj.* delicate, tricky; *peinlich*: embarrassing, compromising; **~färben** *v/refl.* discolo(u)r.
verfass|en *v/t.* write*; **2er(in)** author(ess).
Verfassung *f* state (*gesundheitlich*: of health; *seelisch*: of mind), condition; *pol.* constitution; **2smäßig** *adj.* constitutional; **2swidrig** *adj.* unconstitutional.
ver|faulen *v/i.* rot, decay; **~fechten** *v/t.*, **~fechter(in)** advocate.
verfehl|en *v/t.* miss (*sich* each other); **2ung** *f* offen|ce, *Am.* -se.
ver|feinden *v/refl.* become* enemies; **~feindet** *adj.* hostile; **~feinern** *v/t. u. v/refl.* refine.
verfilm|en *v/t.* film; **2ung** *f* filming; *Film*: film version.
ver|flachen *v/i.* become* shallow; **~flechten** *v/t.* intertwine (*a. sich ~*); *econ.* interlock; **2flechtung** *f* intertwinement; *econ.* interlocking; *~ in* involvement in; **~flossen** *adj. Zeit*: past; F: *mein ~er Mann* my ex-husband.
verfluch|en *v/t.* curse; **~t** *adj. s. verdammt.*
Verflüssigung *f* liquefaction.
verfolg|en *v/t.* pursue (*a. fig.*); *jagen, a. fig.*: chase, hunt; *pol., eccl.* persecute; *Spuren*: follow; *Gedanken, Traum*: haunt; *gerichtlich ~* prosecute; **2er** *m* pursuer; persecutor; **2ung** *f* pursuit (*a. Radsport*); chase, hunt; persecution; *gerichtliche ~* prosecution; **2ungswahn** ⚕ *m* persecution mania.
ver|frachten *v/t.* freight, ship; F *j-n*: put* (*ins Bett etc.* to bed *etc.*); **~fremden** *v/t. Kunst etc.*: (make*) abstract, stylize; **2fremdungseffekt** *thea. m* alienation effect; **~früht** *adj.* premature.
verfüg|bar *adj.* available; **~en 1.** *v/t.* decree, order; **2.** *v/i.*: *~ über* have* at one's disposal; **2ung** *f* decreee, order; disposal; *j-m zur ~ stehen* (*stellen*) be* (place) at s.o.'s disposal.
verführ|en *v/t.* seduce (*et. zu tun* into doing s.th.); **2er** *m* seducer; **2erin** *f* seductress; **~erisch** *adj.* seductive; *verlockend*: tempting; **2ung** *f* seduction.
vergangen *adj.* gone, past; *im ~en Jahr* last year; **2heit** *f* past (*gr.* tense).
vergänglich *adj.* transitory.
vergas|en *v/t.* gasify; *töten*: gas; **2er** *mot. m* carburet(t)or.
vergeb|en *v/t.* give* away (*a. Chance*); *Preis etc.*: *a.* award; *verzeihen*: forgive*; **~ens** *adv.* in vain; **~lich 1.** *adj.* vain; **2.** *adv.* in vain; **2ung** *f* forgiveness, pardon.
vergegenwärtigen *v/t.* visualize.
vergehen 1. *v/i. Zeit etc.*: go* by, pass; *nachlassen*: wear* off; *~ vor* be* dying with; *wie die Zeit vergeht!* how time flies!; **2.** *v/refl.*: *sich ~ an* violate; *vergewaltigen*: *a.* rape.
Vergehen ⚖ *n* offen|ce, *Am.* -se.

UV

vergelt|en *v/t.* repay★; *belohnen*: *a.* reward; **≈ung** *f Rache*: retaliation (*a.* ⚔); ~ *üben* retaliate (*an* [up]on, against); **≈ungsmaßnahme** *f* retaliatory measure.
vergessen *v/t.* forget★; *liegenlassen*: leave★; **≈heit** *f*: *in* ~ *geraten* sink★ *od.* fall★ into oblivion.
vergeßlich *adj.* forgetful.
vergeud|en *v/t.*, **≈ung** *f* waste.
vergewaltig|en *v/t.* rape, violate (*a. fig.*); **≈ung** *f* rape, violation.
ver|gewissern *v/refl.* make★ sure (*e-r Sache* of s.th.; *ob* whether; *daß* that); **~gießen** *v/t.* shed★; *verschütten*: spill★.
vergift|en *v/t.* poison (*a. fig.*); *Umwelt*: contaminate; **≈ung** *f* poisoning; contamination.
vergittern *v/t.* grate, bar.
Vergleich *m* comparison; ⚖ compromise; **≈bar** *adj.* comparable (*mit* to, with); **≈en** *v/t.* compare (*mit* with; *gleichstellend*: to); *ist nicht zu* ~ *mit* cannot be compared to; *an Wert etc.*: cannot compare with; *verglichen mit* compared to *od.* with; **≈sweise** *adv.* comparatively.
verglühen *v/i.* burn★ out (*Rakete etc.*: up).
Vergnügen *n* pleasure, enjoyment, *Spaß*: fun; *mit* ~ with pleasure; *viel* ~*!* have fun *od.* a good time!
vergnüg|en *v/refl.* enjoy o.s. (*mit et.* doing s.th.); **~t** *adj.* cheerful; **≈ung** *f* pleasure, amusement, entertainment; **≈ungspark** *m* amusement park, *bsd. Brt. a.* fun-fair; **~ungssüchtig** *adj.* pleasure-seeking; **≈ungsviertel** *n* night-life district.
ver|golden *v/t.* gild★; **~göttern** *v/t.* idolize, adore; **~graben** *v/t.* bury (*a. fig.*); *sich* ~ bury o.s.; **~greifen** *v/refl.*: *sich* ~ *an* lay★ hands on; **~griffen** *adj.* unavailable; *Buch*: out of print.
vergrößer|n *v/t.* enlarge (*a. phot.*); *vermehren*: increase; *opt.* magnify; *sich* ~ increase, grow★, expand; **≈ung** *f phot.* enlargement; *opt.* magnification; increase; **≈ungsglas** *n* magnifying glass.
Vergünstigung *f* privilege.
vergüt|en *v/t.* reimburse, pay★ (for); **≈ung** *f* reimbursement.
verhaft|en *v/t.*, **≈ung** *f* arrest.
verhalten[1] *v/refl.* behave; *Person*: *a.* conduct o.s., act; *sich ruhig* ~ keep★ quiet.
verhalten[2] *adj.* restrained; *Ton*: subdued.
Verhalten *n* behavio(u)r, conduct; **~sforschung** *psych. f* behavio(u)ral science; **≈sgestört** *adj.* disturbed, maladjusted.
Verhältnis *n Beziehung*, *a. pol. etc.*: relationship, relations *pl.*; *Einstellung*: attitude; *zahlenmäßig etc.*: proportion, relation, *bsd.* 𝔄 ratio; F *Liebes≈*: affair; **~se** *pl.* circumstances *pl.*, conditions *pl.* (*a. soziale*); *über j-s* ~*se* beyond s.o.'s means; **≈mäßig** *adv.* comparatively, relatively; **~wort** *gr. n* preposition.
verhand|eln **1.** *v/i.* negotiate; **2.** *v/t.* ⚖ *Fall*: hear★; **≈lung** *f* negotiation, talk; ⚖ hearing; *Strafrecht*: trial; **~lungsbasis** *econ. f* asking price.
verhäng|en *v/t.* cover (*mit* with); *Strafe etc.*: impose (*über* on); **≈nis** *n* fate; *Unheil*: disaster; **~nisvoll** *adj.* fatal, disastrous.
ver|harmlosen *v/t.* play *s.th.* down; **~härmt** *adj.* care-worn; **~haßt** *adj.* hated; *Sache*: *a.* hateful; **~hätscheln** *v/t.* coddle, pamper, spoil★; **~hauen** *v/t.* beat★ *s.o.* up; *bsd. Kind*: spank.
verheerend *adj.* disastrous.
ver|hehlen *v/t. s. verheimlichen*; **~heilen** *v/i.* heal (up).
verheimlich|en *v/t.* hide★, conceal; **≈ung** *f* concealment.
verheirat|en *v/t.* marry (*s.o.* off) (*mit* to); *sich* ~ get★ married; **~et** *adj.* married; F: *frisch* ~ just married.
verheiß|en *v/t.*, **≈ung** *f* promise; **~ungsvoll** *adj.* promising.
verhelfen *v/i.*: *j-m zu et.* ~ help s.o. to s.th.
verherrlich|en *v/t.* glorify; *contp. a.* idolize; **≈ung** *f* glorification.
verhexen *v/t.* bewitch; *es ist wie verhext* there's a jinx on it.
verhinder|n *v/t.* prevent (*daß j. et. tut* s.o. from doing s.th.); **~t** *adj.* unable to come; *ein* ~*er Künstler* a would-be artist; **≈ung** *f* prevention.
verhöhn|en *v/t.* deride, mock (at), jeer (at); **≈ung** *f* derision.
Verhör ⚖ *n* interrogation; **≈en** **1.** *v/t.* interrogate, question; **2.** *v/refl.* get★ it wrong.
ver|hüllen *v/t.* cover, veil (*a. fig.*); **~hungern** *v/i.* die of hunger, starve (to death); **≈hungern** *n* starvation;

~hüten *v/t.* prevent; **2hütungsmittel** ⚕ *n* contraceptive.
verirr|en *v/refl.* get* lost, lose* one's way, go* astray (*a. fig.*); **2ung** *fig. f* aberration.
verjagen *v/t.* chase *od.* drive* away.
verjähr|en ⚖ *v/i.* come* under the statute of limitation; **~t** ⚖ *adj.* statute-barred.
verjüngen *v/t.* make* *s.o.* (look) younger, rejuvenate; *sich ~ arch. etc.*: taper (off).
verkabeln ⚡ *v/t.* cable.
Verkauf *m* sale; **2en** *v/t.* sell*; *zu ~* for sale; *sich gut ~* sell* well.
Verkäuf|er *m* seller, salesman; *bsd. im Laden*: (shop) assistant, *Am.* (sales) clerk; **~erin** *f* saleswoman, saleslady; (shop) assistant, *Am.* (sales) clerk; **2lich** *adj.* for (*Brt. a.* on) sale; *leicht* (*schwer*) ~ easy (hard) to sell.
Verkehr *m* traffic; *öffentlicher*: transport(ation *Am.*); *Umgang*: dealings *pl.*, intercourse (*a. Geschlechts2*); *Umlauf*: circulation; *starker* (*schwacher*) ~ heavy (light) traffic; **2en 1.** *v/i. Bus etc.*: run*; ~ *in Lokal etc.*: frequent; ~ *mit* associate *od.* mix with; *sexuell*: have* intercourse with; **2.** *v/t.* turn (*in* into); *ins Gegenteil ~* reverse.
Verkehrs|ader *f* arterial road; **~ampel** *f* traffic light(s *pl.*); **~behinderung** *f* holdup, delay; ⚖ obstruction of traffic; **~flugzeug** *n* airliner; **~insel** *f* traffic island; **~minister** *m* minister of transport; **~ministerium** *n* ministry of transport; **~mittel** *n* means *sg.*, *pl.* of transport(ation *Am.*); *öffentliche ~ pl.* public transport(ation *Am.*) *sg.*; **~opfer** *n* road casualty; **~polizei** *f* traffic police *pl.*; **2sicher** *mot. adj.* roadworthy; **~sicherheit** *f* road safety; *e-s Autos etc.*: roadworthiness; **~stau** *m* traffic jam; **~sünder** F *m* traffic offender; *stärker*: road-hog; **~teilnehmer** *m* road user; **~unfall** *m* traffic accident; *schwerer*: (car) crash; **~unterricht** *m* traffic instruction; **~zeichen** *n* traffic sign.
ver|kehrt *adj. u. adv. falsch*: wrong; ~ *herum*: upside down; *Pulli etc.*: inside out; **~kennen** *v/t.* mistake*, misjudge.
Verkettung *f* concatenation (*fig. unglücklicher Umstände* of misfortunes).
ver|klagen ⚖ *v/t.* sue (*auf, wegen* for); **~kleben** *v/t.* glue (together).
verkleid|en *v/t.* disguise (*als* as), dress *s.o.* up (as); ⊕ cover, (en)case; *täfeln*: panel; *sich ~* disguise o.s., dress (o.s.) up; **2ung** *f* disguise; ⊕ cover, encasement; panel(l)ing; *mot.* fairing.
verkleiner|n *v/t.* make* smaller, reduce, diminish; **2ung** *f* reduction, diminution.
ver|klingen *v/i.* die away; **~knallt** F *adj.*: ~ *sein in* be* madly in love with, have* a crush on; **2knappung** *f* shortage (*an* of); **~knoten** *v/t.* knot; **~knüpfen** *v/t.* knot together; *fig.* connect, combine; **~kohlen 1.** *v/t.* carbonize, char; F: *j-n ~* pull s.o.'s leg; **2.** *v/i.* char; **~kommen**[1] *v/i. Haus etc.*: become* run-down *od.* dilapidated; *Person*: go* to the dogs; *Speisen etc.*: go* bad; **~kommen**[2] *adj.* run-down, dilapidated; *verwahrlost*: neglected; *Person*: depraved, rotten (to the core); **~korken** *v/t.* cork (up).
verkörper|n *v/t.* personify; *bsd. Sache*: embody; *bsd. thea.* impersonate; **2ung** *f* personification, embodiment; *thea.* impersonation.
ver|krachen F *v/refl.* fall* out (*mit* with); **~kriechen** *v/refl.* hide*; **~krümmt** *adj.* crooked, curved (*a.* ⚕); **~krüppelt** *adj.* crippled; **~kühlen** *v/refl.* catch* a chill.
verkümmer|n *v/i.* become* stunted; **~t** *adj.* stunted.
verkünd|en, ~igen *v/t.* announce; *bsd. öffentlich*: proclaim; *Urteil*: pronounce; *eccl. predigen*: preach; **2igung, 2ung** *f* announcement; proclamation; pronouncement; *eccl.* preaching; *Mariä ~* the Annunciation.
ver|kürzen *v/t.* shorten; (*Arbeits-*)*Zeit*: *a.* reduce; **~laden** *v/t.* load, ship; 🚂 entrain.
Verlag *m* publishing house *od.* company, publisher(s *pl.*).
verlagern *v/t. u. v/refl.* shift (*auf* to).
verlangen *v/t.* ask for; *fordern*: demand; *beanspruchen*: claim; *Preis*: charge; *erfordern*: take*, call for.
Verlangen *n* desire (*nach* for); *Sehnen*: longing (for), yearning (for); *auf ~* by request; *econ.* on demand.

verlänger|n *v/t.* lengthen, make* longer; *bsd. fig.* prolong (*a. Leben*), extend (*a. econ.*); **&ung** *f* lengthening; prolongation, extension; *Sport*: extra time.
verlangsamen *v/t. u. v/refl.* slacken, slow down (*beide a. fig.*).
verlassen 1. *v/t.* leave*; *im Stich lassen*: *a.* abandon, desert; **2.** *v/refl.*: *sich ~ auf* rely *od.* depend on.
verläßlich *adj.* reliable, dependable.
Verlauf *m* course; **&en 1.** *v/i.* run*; *ablaufen*: go*; *enden*: end (up); **2.** *v/refl.* get* lost, lose* one's way.
verlauten *v/i.*: *~ lassen* give* *s.o.* to understand; *wie verlautet* as reported.
verleben *v/t.* spend*; *Zeit etc.*: *a.* have*.
verleg|en[1] *v/t. Ort etc.*: move; *Brille etc.*: mislay*; ⊕ lay*; *zeitlich*: put* off, postpone; *Buch*: publish; **~en**[2] *adj.* embarrassed; **&enheit** *f* embarrassment; *Lage*: embarrassing situation, F fix; **&er** *m* publisher; **&ung** *f* removal; laying; postponement.
verleiden *v/t.* spoil* (*j-m et.* s.th. for s.o.).
Verleih *m* hire, rental; *Film&*: distributor(s *pl.*); **&en** *v/t.* lend*, *Am. a.* loan; *Autos etc.*: hire (*Am.* rent) out; *Preis etc.*: award; *Recht etc.*: grant; **~ung** *f* award(ing), presentation; grant(ing).
ver|leiten *v/t.*: *j-n zu et. ~* make* s.o. do s.th., lead* s.o. to do s.th.; **~lernen** *v/t.* forget*; **~lesen 1.** *v/t.* read* (*Namen*: *a.* call) out; **2.** *v/refl.* make* a slip (in reading); *in, bei et.*: misread* *s.th.*
verletz|en *v/t.* hurt*, injure; *fig. a.* offend; *sich ~* hurt* o.s., get* hurt; **~end** *adj.* offensive; **&te** *m, f* injured person; *die ~n pl.* the injured *pl.*; **&ung** *f* injury, *bsd. pl. a.* hurt; *fig.*, ⚖ violation.
verleugnen *v/t.* deny; *Glauben etc.*: *a.* renounce.
verleumd|en *v/t.* defame; ⚖ *mündlich*: slander; *schriftlich*: libel; **~erisch** *adj.* slanderous, libel(l)ous; **&ung** ⚖ *f* slander; libel.
verlieb|en *v/refl.* fall* in love (*in* with); **~t** *adj.* in love (*in* with); *Blick etc.*: amorous; **&te(r)** woman *od.* girl (man *od.* boy) in love, lover.
verlier|en *v/t. u. v/i.* lose*; **&er(in)** loser.
verlob|en *v/refl.* get* engaged (*mit* to); **&te(r)** fiancé(e *f*); **&ung** *f* engagement.
verlock|en *v/t.* tempt; **~end** *adj.* tempting; **&ung** *f* temptation.
verlogen *adj.* untruthful, lying; **&heit** *f* untruthfulness, dishonesty.
verloren *adj.* lost; *Zeit etc.*: *a.* wasted; **~gehen** *v/i.* be* *od.* get* lost.
verlos|en *v/t.*, **&ung** *f* raffle.
Verlust *m* loss (*a. fig.*); *~e pl. bsd.* ⚔ casualties *pl.*
vermachen *v/t.* leave*, will.
Vermächtnis *n* legacy (*a. fig.*).
vermarkt|en *v/t.* market; *bsd. contp.* commercialize; **&ung** *f* marketing; commercialization.
vermehr|en *v/t. u. v/refl.* increase (*um* by), multiply (by) (*a. biol.*); *biol.* reproduce, *bsd. zo. a.* breed*; **&ung** *f* increase; *biol.* reproduction.
vermeid|bar *adj.* avoidable; **~en** *v/t.* avoid.
ver|meintlich *adj.* supposed; **~mengen** *v/t.* mix, mingle, blend.
Vermerk *m* note, entry; **&en** *v/t.* note down, make* a note of, record.
vermess|en[1] *v/t.* measure; *Land*: survey; **~en**[2] *adj.* presumptuous; **&enheit** *f* presumption; **&ung** *f* measuring; survey(ing).
vermiete|n *v/t.* let*, rent, lease (out); *Autos etc.*: hire (*Am.* rent) out; *zu ~* to let; *Autos etc.*: for hire; *beide*: *bsd. Am.* for rent; **&r(in)** land|lord (-lady); **&ung** *f* letting, renting; *s. Verleih.*
vermindern *v/t. s. verringern.*
vermisch|en *v/t. u. v/refl.* mix, mingle, blend (*mit* with); **~t** *adj.* mixed; *Nachrichten etc.*: miscellaneous; **&ung** *f* mixture.
vermi|ssen *v/t.* miss; **~ßt** *adj.* missing; *die &en pl.* the missing *pl.*
vermitt|eln 1. *v/t.* arrange; *j-m et. ~* get* *od.* find* s.o. s.th., fix s.o. up with s.th.; **2.** *v/i.* mediate (*zwischen* between); **&ler** *m* mediator, go-between; *econ.* agent, broker; **&lung** *f* mediation; *Herbeiführung*: arrangement; *Stelle*: agency, office; *teleph.* (telephone) exchange; *Mensch*: operator.
vermodern *v/i.* mo(u)lder, rot.
Vermögen *n* fortune (*a.* F *fig.*); *Besitz*: property, possessions *pl.*; *Können*: ability, capacity; *Macht*: power; **&d** *adj.* well-to-do, well-off.

vermummen *v/refl.* mask o.s., disguise o.s.
vermut|en *v/t.* suppose, expect, think*, *Am. a.* guess; **~lich** *adv.* probably, supposedly; **＆ung** *f* supposition; *bloße*: speculation.
vernachlässig|en *v/t.*, **＆ung** *f* neglect.
vernarben *v/i.* scar over; *fig.* heal.
vernarrt *adj.*: ~ *in* mad *od.* crazy about; *s. verknallt.*
vernehm|en *v/t.* hear*; ⚖ question, interrogate; **~lich** *adj.* clear, distinct; **＆ung** ⚖ *f* interrogation, examination.
verneig|en *v/refl.*, **＆ung** *f* bow (*vor* to) (*a. fig.*).
verneın|en 1. *v/t.* deny; **2.** *v/i.* say* no, answer in the negative; **~end** *adj.* negative; **＆ung** *f* denial, negative (*a. gr.*).
vernicht|en *v/t.* destroy; **~end** *adj.* devastating (*a. fig.*); *Antwort, Niederlage*: crushing; **＆ung** *f* destruction; *bsd.* ⚔ *a.* annihilation; *Ausrottung*: extermination.
Vernunft *f* reason; ~ *annehmen* listen to reason; *j-n zur ~ bringen* bring* s.o. to reason.
vernünftig *adj.* sensible, reasonable (*a. Preis etc.*); F *ordentlich*: decent.
veröden *v/i.* become* desolate.
veröffentlich|en *v/t.* publish; **＆ung** *f* publication.
verordn|en *v/t.* order; ⚕ *a.* prescribe (*gegen* for); **＆ung** *f* order; *Rezept*: prescription.
ver|pachten *v/t.* lease; **＆pächter** *m* lessor.
verpack|en *v/t.* pack (up); ⊕ package; *einwickeln*: wrap up; **＆ung** *f* pack(ag)ing; *Papier＆*: wrapping.
ver|passen *v/t.* miss; **~patzen** F *v/t.* mess up, spoil*; **~pesten** *v/t.* pollute, foul, contaminate; F stink* out; **~petzen** F *v/t.*: *j-n ~* tell* on s.o. (*bei* to); **~pfänden** *v/t.* pawn, pledge (*a. fig.*).
verpflanz|en *v/t.*, **＆ung** *f* transplant (*a.* ⚕).
verpfleg|en *v/t.* board, feed*; **＆ung** *f* board, food.

verpflicht|en *v/t.* oblige; *engagieren*: engage; *sich ~, et. zu tun* undertake* (*econ.* agree) to do s.th.; **~et** *adj.*: ~ *sein* (*sich ~ fühlen*) *zu et.* be* (feel*) obliged to do s.th.; **＆ung** *f* obligation; *Pflicht*: duty; *econ.* ⚖ liability; *übernommene*: engagement, commitment.
ver|pfuschen F *v/t.* bungle, botch; **~plappern** *v/refl.* blab; **~pönt** *adj.* taboo; **~prügeln** F *v/t.* beat* *s.o.* up; **~puffen** *fig. v/i.* fizzle out.
Verputz *arch. m*, **＆en** *v/t.* plaster.
ver|quollen *adj. Holz*: warped; *Gesicht etc.*: puffy, swollen; **~rammeln** *v/t.* barricade, block.
Verrat *m* betrayal (*an* of); *Treulosigkeit*: treachery (to); ⚖ *Landes＆*: treason (to); **＆en** *v/t.* betray, give* away (*beide a. fig.*); *sich ~* betray o.s., give* o.s. away.
Verräter *m* traitor; **＆isch** *adj.* treacherous; *fig.* revealing, telltale.
verrechn|en 1. *v/t.* set* off (*mit* against); **2.** *v/refl.* miscalculate, make* a mistake (*a. fig.*); *sich um e-e Mark ~* be* one mark out; **＆ung** *f* setting off; **＆ungsscheck** *m* crossed cheque, *Am.* voucher check.
verregnet *adj.* rainy, wet.
verreis|en *v/i.* go* away (*geschäftlich*: on business); **~t** *adj.* out of town; (*geschäftlich*) ~ away (on business).
verrenk|en *v/t.* ⚕ dislocate, luxate; *sich et. ~* ⚕ dislocate s.th.; *sich den Hals ~* crane one's neck; **＆ung** ⚕ *f* dislocation, luxation.
ver|richten *v/t.* do*, perform, carry out; **~riegeln** *v/t.* bolt, bar.
verringer|n *v/t.* decrease, lessen (*beide a. sich ~*), reduce, cut* down; **＆ung** *f* reduction, decrease.
ver|rosten *v/t.* rust, get* rusty (*a. fig.*); **~rotten** *v/i.* rot; **~rottet** *adj.* rotten.
verrück|en *v/t.* move, shift; **~t** *adj.* mad, crazy (*beide a. fig.*: *nach* about); *wie ~* like mad; *~ werden* go* mad *od.* crazy; *j-n ~ machen* drive* s.o. mad; **＆te(r)** mad|man (-woman), lunatic, maniac (*alle a.* F *fig.*); **＆theit** *f* madness, craziness; *Tat etc.*: crazy thing.
Verruf *m*: *in ~ bringen* bring* discredit (up)on; *in ~ kommen* get* into discredit; **＆en** *adj.* notorious.
verrutschen *v/i.* slip, get* out of place.
Vers *m* verse; *Zeile*: *a.* line.
versagen 1. *v/i. allg.* fail (*a.* ⚕); *mot. etc. a.* break* down; *Waffe*: misfire; **2.** *v/t.* deny, refuse.
Versag|en *n* failure; **~er** *m* failure; ⚔ misfire.

versalzen *v/t.* oversalt; F *fig.* spoil.
versamm|eln *v/t.* gather, assemble; *sich ~ a.* meet*; **2lung** *f* assembly, meeting.
Versand *m* dispatch, shipment; **~...** *in Zssgn Haus, Katalog etc.*: mail-order ...
versäum|en *v/t.* miss; *et. zu tun ~* fail to do s.th.; **2nis** *n Unterlassung*: omission; *Schule, Arbeit*: absence (from school *od.* work).
ver|schaffen *v/t.* get*, find*; *sich ~ a.* obtain; **~schämt** *adj.* bashful; **~schanzen** *v/refl.* entrench o.s. (*a. fig. hinter* behind); **~schärfen** *v/t. verschlimmern*: aggravate; *Kontrollen etc.*: tighten up; *erhöhen*: increase; *sich ~ schlimmer werden*: get* worse; **~schenken** *v/t.* give* away (*a. fig.*); **~scherzen** *v/t.* forfeit; **~scheuchen** *v/t.* scare off, chase away (*a. fig.*); **~schicken** *v/t.* send* off; *bsd. econ. a.* dispatch.
verschieb|en *v/t.* move, shift (*a. sich ~*); *zeitlich*: postpone, put* off; **2ung** *f* shift(ing); postponement.
verschieden *adj.* different (*von* from); *~e pl. mehrere*: various, several; **~artig** *adj.* different; *mannigfaltig*: various; **2heit** *f* difference; **~tlich** *adv.* repeatedly.
verschiff|en *v/t.* ship; **2ung** *f* shipment.
verschimmeln *v/i.* get* mo(u)ldy.
verschlafen[1] **1.** *v/i.* oversleep*; **2.** *v/t. et.*: sleep* through.
verschlafen[2] *adj.* sleepy (*a. fig.*).
Verschlag *m* shed.
verschlagen[1] *fig. v/t. Atem*: take* away; *j-m die Sprache ~* leave* s.o. speechless; *es hat ihn nach X ~* he ended up in X.
verschlagen[2] *adj.* sly, cunning.
verschlechter|n *v/t. u. v/refl.* make* (*refl.* get*) worse, worsen, deteriorate; **2ung** *f* deterioration; *e-s Zustands*: *a.* change for the worse.
verschleiern *v/t.* veil; *fig. a.* cover up.
Verschleiß *m* wear (and tear); **2en** *v/t.* wear* out.
ver|schleppen *v/t.* carry off; *pol.* displace; *in die Länge ziehen*: draw* out, delay; *Krankheit*: neglect; **~schleudern** *v/t.* waste; *econ.* sell* dirt cheap; **~schließen** *v/t.* close (*a. fig. die Augen*); *absperren*: lock (up).
verschlimmern *v/t. u. v/refl. s. verschlechtern.*
verschlingen *v/t.* devour (*a. fig.*); *bsd. Essen*: gulp (down).
verschlossen *adj.* closed; *fig.* aloof, reserved; **2heit** *f* aloofness.
verschlucken **1.** *v/t.* swallow (*fig.* up); **2.** *v/refl.* choke; *ich habe mich verschluckt* it went down the wrong way.
Verschluß *m* fastener; *aus Metall*: *a.* clasp; *Schnapp2*: catch; *Schloß*: lock; *Deckel*: cover, lid; *a. Schraub2*: cap, top; *phot.* shutter; *unter ~* under lock and key.
ver|schlüsseln *v/t.* (en)code, (en-)cipher; **2schlußzeit** *phot. f* shutter speed; **~schmachten** *v/i. s. schmachten*; **~schmähen** *v/t.* disdain, scorn.
verschmelz|en *v/i. u. v/t.* merge, fuse (*beide a. econ., pol. etc.*), melt*; **2ung** *f* fusion (*a. fig.*).
ver|schmerzen *v/t.* get* over *s.th.*; **~schmieren** *v/t.* smear, smudge; **~schmitzt** *adj.* mischievous; **~schmutzen** **1.** *v/t.* soil, dirty; *Umwelt*: pollute; **2.** *v/i.* get* dirty; get* polluted; **~schnaufen** F *v/i. u. v/refl.* stop for breath; **~schneiden** *v/t.* cut* badly; *Schnaps etc.*: blend; **~schneit** *adj.* snow-covered, snowy.
Verschnitt *m* blend; *Abfall*: waste.
verschnupft *adj.*: *~ sein* ⚕ have* a cold; F *fig.* be* peeved.
ver|schnüren *v/t.* tie up; **~schollen** *adj.* missing; ⚖ presumed dead; **~schonen** *v/t.* spare; *j-n mit et. ~* spare s.o. s.th.
verschöne|(r)n *v/t.* embellish, beautify; **2rung** *f* embellishment.
ver|schossen *adj. Farbe*: faded; F: *~ sein in* have* a crush on; **~schränken** *v/t.* fold; *Beine*: cross.
verschreib|en **1.** *v/t.* ⚕ prescribe (*gegen* for); **2.** *v/refl.* make* a slip of the pen; *sich e-r Sache ~* devote o.s. to s.th; **~ungspflichtig** *pharm. adj.* available on prescription only.
ver|schroben *adj.* eccentric, odd; **~schrotten** *v/t.* scrap; **~schüchtert** *adj.* intimidated.
verschulde|n *v/t.* be* responsible for, cause, be* the cause of; *sich ~* get* into debt; **~t** *adj.* in debt.
ver|schütten *v/t. Flüssigkeit*: spill*; *j-n*: bury (alive); **~schwägert** *adj.* related by marriage; **~schweigen**

UV

v/t. hide*, say* nothing about.
verschwend|en *v/t.* waste; **2er(in)** spendthrift; **~erisch** *adj.* wasteful, extravagant; *üppig*: lavish; **2ung** *f* waste.
verschwiegen *adj.* discreet; *verborgen*: hidden, secret; **2heit** *f* secrecy, discretion.
ver|schwimmen *v/i.* become* blurred; **~schwinden** *v/i.* disappear, vanish; F: *verschwinde!* beat it!; **2schwinden** *n* disappearance; **~schwommen** *adj.* blurred (*a. phot.*); *fig. a.* vague, hazy.
verschwör|en *v/refl.* conspire, plot; **2er** *m* conspirator; **2ung** *f* conspiracy, plot.
verschwunden *adj.* missing.
versehen 1. *v/t. Haushalt etc.*: take* care of; ~ *mit* provide with; **2.** *v/refl.* make* a mistake.
Versehen *n* mistake, error; *aus* ~ = **2tlich** *adv.* by mistake, unintentionally.
Versehrte(r) disabled person.
versenden *v/t. s. verschicken.*
ver|sengen *v/t.* singe, scorch; **~senken** *v/t.* sink*; *sich* ~ *in* become* absorbed in; **~sessen** *adj.*: ~ *auf* mad *od.* crazy about.
versetz|en *v/t.* move, shift; *dienstlich*: transfer; *Schüler*: move *s.o.* up, *Am.* promote; *Schlag etc.*: give*; *verpfänden*: pawn; ✓ transplant; F *j-n* ~ stand* s.o. up; *in die Lage* ~, *zu* put* in a position to, enable to; *sich in j-s Lage* ~ put* o.s. in s.o.'s place; **2ung** *f* transfer; *Schule*: remove, *Am.* promotion.
verseuch|en *v/t.* contaminate; **2ung** *f* contamination.
versicher|n *v/t. econ.* insure (*bei* with); *behaupten*: assure (*j-m et.* s.o. of s.th.), assert; *sich* ~ insure o.s.; *sichergehen*: make* sure (*daß* that); **2te(r)** *the* insured; **2ung** *f* insurance; assurance, assertion.
Versicherungs|gesellschaft *f* insurance company; **~police** *f*, **~schein** *m* insurance policy.
ver|sickern *v/i.* trickle away; **~siegeln** *v/t.* seal; **~siegen** *v/i.* dry up, run* dry; **~silbern** *v/t.* silver (-plate); F *fig.* turn into cash; **~sinken** *v/i.* sink*; *s. versunken*; **~sinnbildlichen** *v/t.* symbolize.
Version *f* version.
versklaven *v/t.* enslave (*a. fig.*).
Versmaß *n* met|re, *Am.* -er.
versöhn|en *v/t.* reconcile; *sich (wieder)* ~ make* it up (*mit* with); **~lich** *adj.* conciliatory; **2ung** *f* reconciliation; *bsd. pol.* appeasement.
versorg|en *v/t.* provide (*mit* with), supply (with); *Familie etc.*: support; *sich kümmern um*: take* care of, look after; **2ung** *f* supply (*mit* with); *Unterhalt*: support; *Betreuung*: care.
verspät|en *v/refl.* be* late; **~et** *adj.* belated, late, *Am. a.* tardy; *Zug etc.*: *a.* delayed; **2ung** *f* being *od.* coming late; *Am. a.* tardiness; *Schule*: *Am.* tardy; *Zug etc.*: delay; *20 Minuten* ~ *haben* be* 20 minutes late.
ver|speisen *v/t.* eat* (up); **~sperren** *v/t.* bar, block (up), obstruct (*a. Sicht*); *zuschließen*: lock; **~spielen** *v/t.* lose*; **~spielt** *adj.* playful; **~spotten** *v/t.* make* fun of, ridicule; **~sprechen 1.** *v/t.* promise (*a. fig.*); *sich zuviel* ~ (*von*) expect too much (of); **2.** *v/refl.* make* a mistake *od.* slip; **2sprechen** *n* promise; *ein* ~ *geben* (*halten*, *brechen*) make* (keep*, break*) a promise; **~sprecher** F *m* slip (of the tongue).
verstaatlich|en *v/t.* nationalize; **2ung** *f* nationalization.
Verstädterung *f* urbanization.
Verstand *m* mind, intellect; *Vernunft*: reason, (common) sense; *Intelligenz*: intelligence, brains *pl.*; *nicht bei* ~ out of one's mind, not in one's right mind; *den* ~ *verlieren* lose* one's mind; **2esmäßig** *adj.* rational.
verständ|ig *adj.* reasonable, sensible; **~igen** *v/t.* inform (*von* of), notify (of); *Arzt, Polizei*: *a.* call; *sich* ~ communicate; *sich einigen*: come* to an agreement (*über* on); **2igung** *f* communication (*a. teleph.*); *Einigung*: agreement; **~lich** *adj.* intelligible; *begreiflich*: *a.* comprehensible; *Verhalten*: understandable; *hörbar*: audible; *schwer* (*leicht*) ~ difficult (easy) to understand; *j-m et.* ~ *machen* make* s.th. clear to s.o; *sich* ~ *machen* make* o.s. understood.
Verständnis *n* comprehension, understanding (*a. menschliches*); *Mitgefühl*: *a.* sympathy; (*viel*) ~ *haben* be* (very) understanding; ~ *haben für* understand*; appreciate; **2los** *adj.* unappreciative; *Blick etc.*:

blank; **2voll** *adj.* understanding, sympathetic; *Blick etc.*: knowing.
verstärk|en *v/t.* reinforce (*a.* ⊕, ⚔); *zahlenmäßig*: strengthen (*a.* ⊕); *Radio, phys.*: amplify; *steigern*: intensify; **2er** *m* amplifier; **2ung** *f* strengthening; reinforcement(s *pl.* ⚔); amplification; intensification.
verstauben *v/i.* get* dusty.
verstauch|en ⚕ *v/t.*, **2ung** ⚕ *f* sprain.
verstauen *v/t.* stow away.
Versteck *n* hiding-place, F hideout, hideaway; ~ *spielen* play (at) hide-and-seek; **2en** *v/t. u. v/refl.* hide* (*a. fig.*).
verstehen *v/t.* understand*, F get*; *akustisch*: *a.* catch*; *einsehen*: see*; *sich im klaren sein*: realize; *können*: know*; *es ~ zu* know* how to; *zu ~ geben* give* *s.o.* to understand, suggest; ~ *Sie* (?) *erklärend*: you know *od.* see; *fragend*: you see?; *ich verstehe!* I see!; *falsch* ~ misunderstand*; *was ~ Sie unter ...?* what do you mean *od.* understand by ...?; *sich (gut)* ~ get* along (well) (*mit* with); *es versteht sich von selbst* it goes without saying.
versteifen 1. *v/t.* stiffen (*a. sich ~*); ⊕ strut, brace; **2.** *v/refl.*: *sich auf et.* ~ insist on (doing) s.th.
versteiger|n *v/t.* (sell* by) auction; **2ung** *f* auction (sale).
versteinern *v/i.* petrify (*a. fig.*).
verstell|bar *adj.* adjustable; **~en** *v/t.* *versperren*: block; *umstellen*: move; *falsch einstellen*: set* *s.th.* wrong *od.* the wrong way; ⊕ adjust, regulate; *Stimme etc.*: disguise; *sich* ~ pretend, put* on an act; *s-e Gefühle verbergen*: hide* one's feelings; **2ung** *fig. f* disguise, make-believe, (false) show.
ver|steuern *v/t.* pay* duty *od.* tax on; **~stiegen** *fig. adj.* high-flown.
verstimm|en *v/t.* put* out of tune; *fig.* irritate; **~t** *adj.* out of tune; *Magen*: upset; *verärgert*: annoyed, F cross; **2ung** *f* annoyance.
verstockt *adj.* stubborn, obstinate.
verstohlen *adj.* furtive, stealthy.
verstopf|en *v/t.* plug (up); *versperren*: block, jam; ⚕ constipate; **~t** *adj.* *Nase*: stuffed; ⚕ constipated; **2ung** *f* block(age); ⚕ constipation.
verstorben *adj.* late, deceased; **2e** *m, f the* deceased; *die ~n pl.* the deceased *pl.*
verstört *adj.* upset; *erschreckt*: dismayed; *Blick etc.*: *a.* wild.
Verstoß *m* offen|ce, *Am.* -se (*gegen* against), violation (of); **2en 1.** *v/t.* expel (*aus* from); *Frau, Kind etc.*: repudiate, disown; **2.** *v/i.*: ~ *gegen* offend against, violate.
ver|streichen 1. *v/i.* *Zeit*: pass, go* by; *Frist*: expire; **2.** *v/t.* spread*; **~streuen** *v/t.* scatter.
verstümmel|n *v/t.* mutilate; *Text etc.*: *a.* garble; **2ung** *f* mutilation.
verstummen *v/i.* grow* silent; *Gespräch etc.*: stop; *langsam*: die down.
Versuch *m* attempt, try; *Probe*: trial, test; *phys. etc.*: experiment; *mit et. (j-m) e-n ~ machen* give* s.th. (s.o.) a trial; **2en** *v/t.* try, attempt; *kosten*: try, taste; *eccl. j-n*: tempt; *es ~* have* a try (at it).
Versuchs|... *in Zssgn Bohrung etc.*: test *od.* trial ...; **~kaninchen** *fig. n* guinea pig; **~stadium** *n* experimental stage; **~tier** *n* laboratory *od.* test animal; **2weise** *adv.* on trial.
Versuchung *f* temptation; *j-n in ~ führen* tempt s.o.
ver|sunken *fig. adj.*: ~ *in* absorbed *od.* lost in; **~süßen** *v/t.* sweeten.
vertag|en *v/t. u. v/refl.* adjourn; **2ung** *f* adjournment.
vertauschen *v/t.* exchange (*mit* for).
verteidig|en *v/t.* defend (*sich* o.s.); **2er** *m* defender; *Sport*: *a.* back; *fig.* advocate; **2ung** *f* defen|ce, *Am.* -se.
Verteidigungs|... *in Zssgn Politik etc.*: *mst* defen|ce, *Am.* -se ...; **~minister** *m* Minister of Defence, *Am.* Secretary of Defense; **~ministerium** *n* Ministry of Defence, *Am.* Department of Defense.
verteil|en *v/t.* distribute; *austeilen*: hand out; **2er** *m* distributor; **2ung** *f* distribution.
vertief|en *v/t. u. v/refl.* deepen (*a. fig.*); *sich ~ in* become* absorbed in; **2ung** *f* hollow, depression, *kleine*: dent; *fig. von Wissen etc.*: reinforcement.
vertikal *adj.*, **2e** *f* vertical.
vertilg|en *v/t.* exterminate; F consume; **2ung** *f* extermination.
vertonen ♪ *v/t.* set* to music.
Vertrag *m* contract; *pol.* treaty; **2en** *v/t.* endure, bear*, stand*; *ich kann ... nicht ~ Essen, Alkohol etc.*: ... doesn't agree with me; *j-n, Lärm etc.*: I can't stand ...; *er kann viel ~*

he can take a lot (*Spaß*: a joke); *Alkohol*: *a.* he can hold his drink; F: *ich (es) könnte ...* ~ I (it) could do with ...; *sich (gut)* ~ get* along (well) (*mit* with); *sich wieder* ~ make* it up; **≗lich** *adv.* by contract.
verträglich *adj.* easy to get on with; *Essen*: (easily) digestible.
vertrauen *v/i.* trust (*auf* in).
Vertrauen *n* confidence, trust, faith; *im* ~ *(gesagt)* between you and me; **≗erweckend** *adj.* inspiring confidence; *wenig* ~ suspicious.
Vertrauens|frage *parl. f*: *die* ~ *stellen* ask for a vote of confidence; **~sache** *f*: *das ist* ~ that is a matter of confidence; **~stellung** *f* position of trust; **≗voll** *adj.* trustful, trusting; **~votum** *parl. n* vote of confidence; **≗würdig** *adj.* trustworthy.
vertraulich *adj.* confidential; *plump*-~: familiar; **≗keit** *f* confidence; familiarity.
vertraut *adj.* familiar; *Freund etc.*: close; **≗e(r)** intimate; **≗heit** *f* familiarity.
vertreib|en *v/t.* drive* *od.* chase away (*a. fig.*); *Zeit*: pass; *econ.* sell*; ~ *aus* drive* out of; **≗ung** *f* expulsion (*aus* from).
vertret|en *v/t.* substitute for, replace, stand* in for (*alle a. Schule*); *pol., econ.* represent; *parl. a.* sit* for; ⚖ *j-n*: act for; *j-s Sache* ~ ⚖ plead s.o.'s cause; *die Ansicht* ~, *daß* argue that; *sich den Fuß* ~ sprain one's ankle; F: *sich die Beine* ~ stretch one's legs; **≗er** *m* substitute, deputy; ⚕, *eccl. mst* locum; *pol., econ.* representative; *econ. a.* agent; *Handels*≗: *a.* (*bsd. Am.* travel[l]ing) salesman; **≗ung** *f* substitution, replacement; *Person*: substitute, stand-in (*alle a. Schule*); *Lehrer*: *a.* supply teacher; *econ., pol.* representation.
Vertrieb *econ. m* sale, distribution; **~ene(r)** expellee, refugee.
ver|trocknen *v/i.* dry up; **~trödeln** F *v/t.* dawdle away, waste; **~trösten** *v/t.* put* off; **~tuschen** F *v/t.* cover up; **~übeln** *v/t.* take* amiss; *j-m et. nicht* ~ not blame s.o. for s.th.; **~üben** *v/t.* commit.
verunglücken *v/i.* have* (*tödlich*: die in) an accident; *fig.* go* wrong.
verun|reinigen *v/t. s. verschmutzen 1*; **~stalten** *v/t.* disfigure.
veruntreuen *v/t.* embezzle.
verursachen *v/t.* cause, bring* about.
verurteil|en *v/t.* condemn (*zu* to) (*a. fig.*), sentence (to), convict (*wegen* of); **≗ung** *f* condemnation (*a. fig.*).
verviel|fachen *v/t.* multiply; **~fältigen** *v/t.* copy, duplicate; **≗fältigung** *f* duplication; *Abzug*: copy.
vervoll|kommnen *v/t.* perfect; *verbessern*: improve; **~ständigen** *v/t.* complete.
ver|wachsen *adj.* deformed, crippled; *fig.* ~ *mit* deeply rooted in, bound up with; **~wackeln** *phot. v/t.* blur.
verwahr|en *v/t.* keep* (in a safe place); *sich* ~ *gegen* protest against; **~lost** *adj.* uncared-for, neglected; **≗ung** *f* custody (*a.* ⚖).
verwaist *adj.* orphan(ed); *fig.* deserted.
verwalt|en *v/t.* manage; *bsd. pol. a.* administer; **≗er** *m* manager; administrator; **≗ung** *f* administration (*a. öffentliche*), management; **≗ungs...** *in Zssgn Gericht, Kosten etc.*: administrative ...
verwand|eln *v/t.* change, turn (*beide a. sich* ~); *bsd. phys.*, ⚗ *a.* transform, convert (*alle*: *in* into); **≗lung** *f* change, transformation; *Umwandlung*: *a.* conversion.
verwandt *adj.* related (*mit* to); **≗e** *m, f* relative; (*alle*) *m-e* ~*n* (all) my relatives *od.* relations *od.* F folks; *der nächste* ~ the next of kin; **≗schaft** *f* relationship; *Verwandte*: relations *pl.*, F folks *pl.*
verwarn|en *v/t.* caution, F book (*a. Sport*); **≗ung** *f* caution, F booking.
ver|waschen *adj.* washed-out; **~wässern** *v/t.* water down (*a. fig.*).
verwechs|eln *v/t.* confuse (*mit* with), mix up (with), mistake* (for); **≗(e)lung** *f* mistake; confusion.
verwegen *adj.* daring, bold; **≗heit** *f* boldness, daring, audacity.
ver|wehren *v/t. et.*: refuse; *et. zu tun*: keep* from *doing s.th.*; **~weichlicht** *adj.* soft.
verweiger|n *v/t.* refuse; *Befehl*: disobey; **≗ung** *f* denial, refusal.
verweilen *v/i.* stay; *fig. Blick*: rest.
Verweis *m* reprimand, reproof; reference (*auf* to); **≗en** *v/t.* refer (*auf, an* to); *hinauswerfen*: expel (*gen.* from).
verwelken *v/i.* wither; *fig. a.* fade.
verwend|en *v/t.* use; *Zeit etc.*:

spend* (*auf* on); **2ung** *f* use; *keine* ~ *haben für* have* no use for.
verwerf|en *v/t.* drop, give* up; *ablehnen*: reject; **~lich** *adj.* abject.
verwerten *v/t.* use, make* use of.
verwes|en *v/i.* rot, decay; **2ung** *f* decay.
verwick|eln *fig. v/t.* involve; *sich* ~ *in* get* caught in; **~elt** *fig. adj.* complicated; ~ *sein* (*werden*) *in* be* (get*) involved in; **2lung** *fig. f* involvement; complication.
verwilder|n *v/i.* grow* (*Kinder*: run*) wild; **~t** *adj. Garten etc.*: wild (*a. fig.*), overgrown.
verwinden *v/t.* get* over *s.th.*
verwirklich|en *v/t.* realize; *sich* ~ come* true; **2ung** *f* realization.
verwirr|en *v/t.* confuse, mix up; *Fäden etc.*: tangle (*a. fig.*); **~t** *fig. adj.* confused; **2ung** *fig. f* confusion.
verwischen *v/t.* blur (*a. fig.*); *Spuren*: cover.
verwitter|n *geol. v/i.* weather; **~t** *adj. geol.* weather-beaten (*a. fig.*).
verwitwet *adj.* widowed.
verwöhn|en *v/t.* spoil*; **~t** *adj.* spoilt.
verworren *adj.* confused, muddled; *Situation*: complicated.
verwund|bar *adj.* vulnerable (*a. fig.*); **~en** *v/t.* wound.
verwunder|lich *adj.* surprising; **2ung** *f* surprise.
Verwund|ete(r) wounded (person), casualty; **~ung** *f* wound, injury.
verwünsch|en *v/t.*, **2ung** *f* curse.
verwüst|en *v/t.* lay* waste, devastate, ravage; **2ung** *f* devastation, ravage.
ver|zählen *v/refl.* count wrong; **~zärteln** *v/t.* coddle, pamper; **~zaubern** *v/t.* enchant; *fig. a.* charm; ~ *in* turn into; **~zehren** *v/t.* consume (*a. fig.*).
verzeichn|en *v/t.* record, keep* a record of, list; *fig. erzielen*: achieve; *erleiden*: suffer; **2is** *n* list, catalog(ue); record, register; *Stichwort*2: index.
verzeih|en *v/t. u. v/i. bsd. j-m*: forgive*; *bsd. et.*: pardon, excuse; **~lich** *adj.* pardonable; **2ung** *f* pardon; (*j-n*) *um* ~ *bitten* apologize (to s.o.); ~! (I'm) sorry!; *vor Bitten etc.*: excuse me!
verzerr|en *v/t.* distort (*a. fig.*); *sich* ~ become* distorted; **2ung** *f* distortion.
verzetteln *v/refl.* fritter away one's time.

Verzicht *m förmlich*: renunciation (*auf* of); *mst* giving up, doing without *etc.*; **2en** *v/i.*: ~ *auf* do* *od.* go* without; *aufgeben*: give* up, F cut* out; *förmlich*: renounce (*a.* ⚖).
verziehen 1. *v/i.* move (*nach* to); **2.** *v/t. Kind*: spoil*; *das Gesicht* ~ make* a face; *sich* ~ *Holz*: warp; *Gewitter etc.*: pass (over); F *verschwinden*: disappear.
verzier|en *v/t.* decorate; **2ung** *f* decoration, ornament.
verzins|en *v/t.* pay* interest on; *sich* ~ yield interest; **2ung** *f* interest.
verzöger|n *v/t.* delay; *sich* ~ be* delayed; **2ung** *f* delay.
verzollen *v/t.* pay* duty on; *et.* (*nichts*) *zu* ~ s.th. (nothing) to declare.
verzück|t *adj.* ecstatic; **2ung** *f* ecstasy; *in* ~ *geraten* go* into ecstasies *od.* raptures (*wegen, über* over).
Verzug *m* delay; *im* ~ *sein* (*in* ~ *geraten*) *econ.* be* (come*) in default.
verzweif|eln *v/i.* despair (*an* of); **~elt** *adj.* desperate; **2lung** *f* despair; *j-n zur* ~ *bringen* drive* s.o. to despair.
verzweig|en *v/refl.* branch (out); **2ung** *f* ramification (*a. fig.*).
verzwickt *adj.* intricate, tricky.
Veteran *m* ⚔ veteran (*a. fig.*).
Veterinär *m* veterinary surgeon, *Am.* veterinarian, F vet.
Veto *n* veto (*a.* ~ *einlegen gegen*).
Vetter *m* cousin; **~nwirtschaft** *f* nepotism.
Vibr|ation *f* vibration; **2ieren** *v/i.* vibrate.
Video *n* video (*a. in Zssgn Aufnahme, Kassette etc.*); *auf* ~ *aufnehmen* videotape; **~band** *n* videotape; **~thek** *f* video shop *od.* store.
Vieh *n* cattle *pl.*; *20 Stück* ~ 20 head of cattle; **~händler** *m* cattle dealer; **~hof** *m* stockyard; **2isch** *adj.* bestial, beastly, brutal; **~zucht** *f* cattle breeding; **~züchter** *m* cattle breeder, farmer.
viel *adj. u. adv.* a lot (of), plenty (of), F lots of; *bsd. interr., verneint, nach too, so, as, how, very*: much; **~e** *pl.* a lot (of), many, plenty (of), F lots of; *das* ~*e Geld* all that money; *ziemlich* ~ quite a lot (of); *ziemlich* ~*e* quite a few; ~ *besser* much better; ~ *teurer* much more expensive; ~ *zuviel(e)* far too much (many); ~ *zu wenig*

not nearly enough; ~ *lieber* much rather.
viel|beschäftigt *adj.* very busy; **~deutig** *adj.* ambiguous; **~erlei** *adj.* all kinds *od.* sorts of; **~fach 1.** *adj.* multiple; **2.** *adv.* in many cases, (very) often; **&falt** *f* (great) variety (*gen.* of); **~farbig** *adj.* multi-colo(u)red; **~leicht** *adv.* perhaps, maybe; ~ *ist er* ... he may *od.* might be ...; **~mals** *adv.*: (*ich*) *danke* (*Ihnen*) ~ thank you very much; *entschuldigen Sie* ~ I'm very sorry, I do apologize; **~mehr** *cj.* rather; **~sagend** *adj.* meaningful; **~seitig** *adj.* versatile; **&seitigkeit** *f* versatility; **~versprechend** *adj.* promising.
vier *adj.* four; *zu* ~*t sein* be* four; *auf allen* ~*en* on all fours; *unter* ~ *Augen* in private, privately; **~beinig** *adj.* four-legged; **&eck** *n* quadrangle; **~eckig** *adj.* quadrangular; *rechteckig*: rectangular; *quadratisch*: square; **&er** *m Rudern*: coxed (*ohne* coxless) four; **~erlei** *adj.* four (different) kinds *od.* sorts of; **~fach** *adj.* fourfold; ~*e Ausfertigung* four copies *pl.*; **~füßig** *adj.* four-footed; **&füßler** *zo. m* quadruped; **~händig** ♪ *adj.* for four hands; **~jährig** *adj.* four-year-old, of four; **&linge** *pl.* quadruplets *pl.*; **~mal** *adv.* four times; **~seitig** *adj.* four-sided, tetragonal; **&sitzer** *bsd. mot. m* four-seater; **~spurig** *adj.* four-laned; **~stöckig** *adj.* four-sto|reyed, *Am.* -ried; **&taktmotor** *mot. m* four-stroke engine; **~te** *adj.* fourth.
Viertel *n* fourth (part); *Stadt&*: quarter; (*ein*) ~ *vor* (*nach*) (a) quarter to (past); **~jahr** *n* three months *pl.*; **&jährlich 1.** *adj.* quarterly; **2.** *adv.* every three months, quarterly; **&n** *v/t.* quarter; **~note** ♪ *f* crotchet, *Am. a.* quarter note; **~pfund** *n* quarter of a pound; **~stunde** *f* quarter of an hour.
vier|tens *adv.* fourthly; **&vierteltakt** ♪ *m* four-four *od.* common time.
vierzehn *adj.* fourteen; ~ *Tage pl.* two weeks *pl.*, *bsd. Brt. a.* a fortnight *sg.*; **~te** *adj.* fourteenth.
vierzig *adj.* forty; **~ste** *adj.* fortieth.
Villa *f* villa, residence.
violett *adj.* violet, purple.
Violine ♪ *f* violin.
virtuos *adj.* masterly; **&e** *m*, **&in** *f* virtuoso; **&ität** *f* virtuosity.

Virus ⚕ *n*, *m* virus.
Visier *n am Gewehr*: sights *pl.*; *am Helm*: visor.
Vision *f* vision.
Visite ⚕ *f* round; **~nkarte** *f* card.
Visum *n* visa (*a. mit e-m* ~ *versehen*).
vital *adj.* vigorous; **&ität** *f* vigo(u)r.
Vitamin *n* vitamin.
Vitrine *f* (glass) cabinet; *Schaukasten*: showcase.
Vize... *in Zssgn Präsident etc.*: vice-...
Vogel *m* bird (*a. fig.* ✈); F *e-n* ~ *haben sl.* be* off one's rocker; *den* ~ *abschießen* hit* the jackpot; **~bauer** *n*, *m* birdcage; **&frei** *adj.* outlawed; **~freund** *m* bird-fancier; *in der Natur*: bird-watcher; **~futter** *n* birdseed; **~kunde** *f* ornithology.
vögeln V *v/t. u. v/i.* fuck, screw, bang.
Vogel|nest *n* bird's nest; **~perspektive, ~schau** *f* bird's-eye view; **~scheuche** *f* scarecrow (*a. fig.*); **~schutzgebiet** *n* bird sanctuary; **~warte** *f* ornithological station; **~zug** *m* bird migration.
Vokab|el *f* word; ~*n pl.* = **~ular** *n* vocabulary.
Vokal *ling. m* vowel.
Volant *östr. m s. Lenkrad.*
Volk *n* people, nation; *Leute*: the people *pl.*; *Bienen&*: swarm; *ein Mann aus dem* ~*e* a man of the people.
Völker|kunde *f* ethnology; **~mord** *m* genocide; **~recht** *n* international law; **~wanderung** *f* migration of peoples; *fig.* exodus.
Volks|abstimmung *pol. f* referendum; **~bücherei** *f* public library; **~fest** *n* (fun-)fair; **~hochschule** *f* adult evening classes *pl.*; **~lied** *n* folk-song; **~schule** *f* elementary *od.* primary (*Am. a.* grade) school; **~sport** *m* popular sport; **~sprache** *f* vernacular; **~stamm** *m* tribe, race; **~tanz** *m* folk-dance; **~tracht** *f* national costume; **&tümlich** *adj.* popular, folk-...; *herkömmlich*: traditional; **~versammlung** *f* public meeting; **~wirt** *m* economist; **~wirtschaft(slehre)** *f* economics *sg.*; **~zählung** *f* census.
voll 1. *adj.* full (*a. fig.*); *besetzt*, F *satt*: *a.* full up; F *betrunken*: *a.* plastered; *Haar*: thick, rich; ~*er* full of, filled with; *Schmutz, Flecken etc.*: *a.* covered with; **2.** *adv.* fully; *vollkommen*, ~ *und ganz*: *a.* completely, totally,

wholly; *zahlen etc.*: in full, the full price; F *direkt, genau*: full, straight, right; (*nicht*) *für* ~ *nehmen* (not) take* seriously.

voll|auf *adv.* perfectly, quite; **~automatisch** *adj.* fully automatic; **2bart** *m* full beard; **2beschäftigung** *f* full employment; **2blut...** *in Zssgn* full-blooded (*a. fig.*); **2blut(pferd)** *zo. n* thoroughbred (horse); **~bringen** *v/t.* accomplish, achieve; *Wunder*: perform; **2dampf** *m* full steam; F: *mit* ~ (at) full blast; **~enden** *v/t.* finish, complete; **~endet** *adj.* completed; *fig.* perfect; **~ends** *adv.* completely; **2endung** *f* finishing, completion; *fig.* perfection; **~entwickelt** *adj.* fully developed.

Völlerei *f* gluttony.

voll|führen *v/t.* perform; **~füllen** *v/t.* fill (up); **2gas** *mot. n* full throttle; ~ *geben* F step on it; **~gießen** *v/t.* fill (up).

völlig 1. *adj.* complete, absolute, total; **2.** *adv.*: ~ *nackt* (*verrückt*) stark naked (mad).

voll|jährig *adj.*: ~ *sein* (*werden*) be* (come*) of age; *nicht* ~ *sein* be* under age, be* a minor; **2jährigkeit** *f* majority; **~kommen** *adj.* perfect; *fig. s. völlig*; **2kommenheit** *f* perfection; **2korn...** *in Zssgn Brot etc.*: whole-meal ...; **~machen** *v/t.* fill (up); F soil, dirty; *um das Unglück vollzumachen* to crown it all; **2macht** *f* full power(s *pl.*), authority; ⚖ power of attorney; ~ *haben* be* authorized; **2milch** *f* full-cream milk; **2mond** *m* full moon; **~packen** *v/t.* load (*mit* with) (*a. fig.*); **2pension** *f* full board; **~schlank** *adj.* plump, on the plump side; **~ständig** *adj.* complete; *fig. s. völlig*; **~stopfen** *v/t.* stuff; *fig. a.* cram, pack (*alle*: *mit* with); **~strecken** *v/t.* execute; **2streckung** *f* execution; **~tanken** *v/t.*: *bitte* ~! fill her up, please!; **~transistorisiert** ⚡ *adj.* solid-state; **2treffer** *m* direct hit; *Schießen*: bull's eye (*a. fig.*); **2versammlung** *f* plenary session; **~wertig** *adj.* full; **~zählig** *adj.* complete; **~ziehen** *v/t.* execute; *Trauung*: perform; *sich* ~ take* place; **2ziehung** *f*, **2zug** *m* execution.

Volontär(in) trainee.

Volt ⚡ *n* volt; **~zahl** ⚡ *f* voltage.

Volumen *n* volume; *Größe*: *a.* size.

von *prp. räumlich, zeitlich*: from; *für Genitiv*: of; *Urheberschaft, a. beim Passiv*: by; *über j-n od. et.*: about; *südlich* ~ south of; *weit* ~ far from; ~ *Hamburg* from Hamburg; ~ *nun an* from now on; *ein Freund* ~ *mir* a friend of mine; *die Freunde* ~ *Alice* Alice's friends; *ein Brief* (*Geschenk*) ~ *Tom* a letter (gift) from Tom; *ein Buch* (*Bild*) ~ *Orwell* (*Picasso*) a book (painting) by Orwell (Picasso); *der König* (*Bürgermeister etc.*) ~ the King (Mayor *etc.*) of; *ein Kind* ~ *10 Jahren* a child of ten; *müde* ~ *der Arbeit* tired from work; *es war nett* (*gemein*) ~ *dir* it was nice (mean) of you; *reden* (*hören*) ~ talk (hear*) about *od.* of; ~ *Beruf* (*Geburt*) by profession (birth); ~ *selbst* by itself; *von mir aus!* I don't mind *od.* care; **~statten** *adv.*: ~ *gehen* go*, come* off.

vor *prp. räumlich*: in front of; *außerhalb*: outside (*a. der Tür, dem Haus etc.*); *zeitlich, Reihenfolge*: before; *e-m Jahr etc.*: ago (*nachgestellt*); *infolge*: with, for; ~ *der Klasse* in front of the class; ~ *der Schule* in front of *od.* outside the school; *zeitlich*: before school; ~ *kurzem* (*e-r Stunde*) a short time (an hour) ago; *5 Minuten* ~ *12* five (minutes) to twelve; ~ *j-m liegen* be* *od.* lie* ahead of s.o. (*a. fig. u. Sport*); ~ *sich hin lächeln etc.*: to o.s.; *sicher* ~ safe from; ~ *Kälte* (*Angst*) with cold (for fear); ~ *allem* above all; ~ *sich gehen* go* on, happen.

Vor|abend *m* eve (*a. fig.*); **~ahnung** *f* presentiment, foreboding.

voran *adv.* at the head (*dat.* of), in front (of), before; *Kopf* ~ head first; **~gehen** *v/i.* go* in front *od.* first; *bsd. fig.* lead* the way; **~kommen** *v/i.* get* on *od.* along (*a. fig.*).

Voranzeige *f* preannouncement; *Film*: trailer, preview.

vorarbeite|n *v/i.* work in advance; *fig.* pave the way; **2r** *m* foreman.

voraus *adv.* ahead (*dat.* of); *im* ~ in advance, beforehand; **~gehen** *v/i. zeitlich*: precede; *s. vorangehen*; **~gesetzt** *cj.*: ~, *daß* provided that; ~, *daß nicht* unless; **2sage** *f* prediction, forecast; **~sagen** *v/t.* predict; **~schicken** *v/t.* send* on ahead; *lassen Sie mich* ~ let me first mention; **~sehen** *v/t.* foresee*, see* *s.th.* coming; **~setzen** *v/t.* assume; *selbstverständlich*: take* *s.th.* for granted; **~setzung** *f* (pre-)assumption; *Vorbedingung*: prerequisite; *die ~en erfüllen* meet* the requirements; **~sicht** *f* foresight; *aller ~ nach* in all probability; **~sichtlich 1.** *adj.* expected; **2.** *adv.* probably; *er kommt ~ morgen* he is expected to arrive tomorrow; **~zahlung** *f* advance payment.

Vorbe|deutung *f* omen; **~dingung** *f* prerequisite; **~halt** *m* reservation; **~halten¹** *v/t.*: *sich (das Recht) ~, zu* reserve the right to; **~halten²** *adj.* reserved; **~haltlos** *adj.* unconditional.

vorbei *adv. zeitlich*: over; *Winter, Woche etc.*: *a.* past; *aus, beendet*: finished; *vergangen*: gone; *räumlich*: past, by; *jetzt ist alles ~* it's all over now; *~! daneben*: missed!; **~fahren** *v/i.* go* (*mot.* drive*) past (*an s.o. od. s.th.*), pass (*s.o. od. s.th.*); **~gehen** *v/i.* walk past; *a. fig.*: go* by, pass; *nicht treffen*: miss; **~kommen** *v/i.* pass (*an et.* s.th.); *an e-m Hindernis*: get* past; F *besuchen*: drop in (*bei j-m* on s.o.); *fig. an et.*: avoid; **~lassen** *v/t.* let* *s.o.* pass.

Vorbe|merkung *f* preliminary note *od.* remark; **~reiten** *v/t. u. v/refl.* prepare (*auf* for); **~reitung** *f* preparation (*auf* for); **~stellen** *v/t.* book (*Waren*: order) in advance; *Tisch, Platz, Zimmer etc.*: *a.* reserve; **~stellung** *f* advance booking, reservation; **~straft** *adj.*: *~ sein* have* a police record.

vorbeug|en 1. *v/i.* prevent (*e-r Sache* s.th.); **2.** *v/t. u. v/refl.* bend* forward; **~end** *adj.* preventive; ⚕ *a.* prophylactic; **~ung** *f* prevention.

Vorbild *n* model, pattern; *(j-m) ein ~ sein* set* an example (to s.o.); *sich j-n zum ~ nehmen* follow s.o.'s example; **~lich** *adj.* exemplary; **~ung** *f* education(al background).

vor|bringen *v/t. Angelegenheit, Beweis etc.*: bring* forward; *sagen*: say*, state; **~datieren** *v/t.* antedate.

Vorder|... *in Zssgn Achse, Ansicht, Rad, Sitz, Tür, Zahn etc.*: front ...; **~e** *adj.* front; *bsd.* ⊕ *a.* fore; **~grund** *m* foreground (*a. fig.*); **~lader** *m* muzzle-loader; **~mann** *m*: *mein ~* the man *od.* boy in front of me; **~seite** *f* front (side); *Münze*: head.

vor|dränge(l)n *v/refl. Brt.* jump the queue, *Am.* cut* into line, butt in; **~dringen** *v/i.* advance; *~ (bis) zu* work one's way through to (*a. fig.*); **~dringlich** *adj.* (most) urgent; *~ sein* be* a first *od.* top priority; **~druck** *m* form, *Am. a.* blank.

voreilig *adj.* hasty, rash, precipitate; *~e Schlüsse ziehen* jump to conclusions.

voreingenommen *adj.* prejudiced, bias(s)ed; **~heit** *f* prejudice, bias.

vor|enthalten *v/t.* keep* back, withhold* (*beide*: *j-m et.* s.th. from s.o.); **~entscheidung** *f* preliminary decision; **~erst** *adv.* for the present, for the time being.

Vorfahr *m* ancestor.

vorfahr|en *v/i.* drive* up (*weiter*: on); **~t(srecht** *n*) *f* right of way, priority.

Vorfall *m* incident, occurrence, event; **~en** *v/i.* happen, occur.

vorfinden *v/t.* find*.

Vorfreude *f* anticipation.

vorführ|en *v/t.* show*, present; *Kunststück etc.*: perform; *Gerät etc.*: demonstrate; ⚖ bring* (*j-m* before s.o.); **~er** *m Kino*: projectionist; **~ung** *f* presentation, show(ing); performance (*a. Vorstellung*); demonstration; ⚖ production; **~wagen** *mot. m* demonstration car, *Am.* demonstrator.

Vor|gabe *f* handicap; **~gang** *m* event, occurrence, happening; *Akte*: file, record(s *pl.*); *biol.*, ⊕ process; *e-n ~ schildern* give* an account of what happened; **~gänger(in)** predecessor; **~garten** *m* front garden (*Am. a.* yard).

vorgeben *v/t. Sport*: give*; *fig.* use *s.th.* as a pretext.

Vorge|birge *n* foothills *pl.*; **~fertigt** *adj.* prefabricated; *Meinung*: preconceived; **~fühl** *n* presentiment.

vorgehen *v/i. geschehen*: go* on; *wichtiger sein*: come* first; *handeln*: act; *gerichtlich*: sue (*gegen j-n* s.o.); *verfahren*: proceed; *Uhr*: be* fast.

Vorgehen *n* procedure.

vorge|schichtlich *adj.* prehistoric; **~schmack** *m* foretaste (*auf, von* of); **~setzte(r)** superior, F boss.

vorgestern *adv.* the day before yesterday.

vorgreifen *v/i.* anticipate *s.o. od. s.th.*

vorhaben *v/t.* plan, intend; *haben*

Sie heute abend et. vor? have you anything on tonight?; *was hat er jetzt wieder vor?* what is he up to now?
Vorhaben *n* plan(s *pl.*), intention; ⊕, *econ. a.* project.
Vorhalle *f* (entrance) hall, lobby.
vorhalt|en 1. *v/t.*: *j-m et.* ~ hold* s.th. in front of s.o.; *fig.* blame s.o. for (doing) s.th.; **2.** *v/i.* last; **2ungen** *pl.* reproaches *pl.*; *j-m ~ machen (für et.)* reproach s.o. (with s.th., for being ...).
Vorhand *f* forehand (*a. Tennis*).
vorhanden *adj.* in existence; *econ.* available; **2sein** *n* existence.
Vor|hang *m* curtain (*a. fig. pol.*); **~hängeschloß** *n* padlock.
vorher *adv.* before, earlier; *im voraus*: in advance, beforehand.
vorher|bestimmen *v/t.* predetermine; **2bestimmung** *f* predetermination; **~gehen** *v/i.* precede; **~ig** *adj.* preceding, previous.
Vorherr|schaft *f* predominance; **2schen** *v/i.* predominate, prevail; **2schend** *adj.* predominant, prevailing.
Vorher|sage *f s. Voraussage*; **2sagen** *v/t. s. voraussagen*; **2sehbar** *adj.* foreseeable.
vorhin *adv.* a (little) while ago; **~ein** *adv.*: *im ~* beforehand.
Vor|hof *m* forecourt; *anat.* auricle; **~hut** ⚔ *f* vanguard.
vor|ig *adj.* last; *früher*: former; **~jährig** *adj.* of last year, last year's.
Vor|kämpfer(in) champion, pioneer; **~kehrungen** *pl.*: *~ treffen* take* precautions; **~kenntnisse** *pl.* previous knowledge *sg.* (*in* of) *od.* experience *sg.* (in).
vorkommen *v/i.* be* found; *geschehen*: happen; *es kommt mir ... vor* it seems ... to me.
Vorkomm|en *n* ⚒ deposit(s *pl.*); *Ereignis*: = **~nis** *n* occurrence, incident, event.
Vorkriegs... *in Zssgn* prewar ...
vorlad|en ⚖ *v/t.* summon; **2ung** ⚖ *f* summons.
Vorlage *f* model; *Muster*: pattern; *Zeichen2 etc.*: copy; *Unterbreitung*: presentation; *parl.* bill; *Fußball etc.*: pass.
vorlassen *v/t.* let* *s.o.* go* first; *vorbei*: let* *s.o.* pass; *vorgelassen werden* be* admitted (*bei* to).
Vorlauf *m* (preliminary) heat.
Vorläuf|er(in) forerunner, precursor; **2ig 1.** *adj.* provisional, temporary; **2.** *adv.* for the present, for the time being.
vorlaut *adj.* forward, pert.
Vorleben *n* former life, past.
vorlege|n *v/t.* present; *Dokument etc.*: produce; *zeigen*: show*; *j-m e-e Frage ~* put* a question to s.o.; *sich ~* lean* forward; **2r** *m* rug, mat.
vorles|en *v/t.* read* out (aloud); *j-m et. ~* read* s.th. to s.o.; **2ung** *f* lecture (*über* on; *vor* to); *e-e ~ halten* (give* a) lecture.
vorletzte *adj.* last but one; *~ Nacht (Woche)* the night (week) before last.
Vorlieb|e *f* preference, special liking; **2nehmen** *v/i.*: *~ mit* make* do with.
vorliegen *v/i.*: *es liegen (keine) ... vor* there are (no) ...; *was liegt gegen ihn vor?* what is he charged with?; **~d** *adj.* present, in question.
vor|lügen *v/t.*: *j-m et. ~* tell* s.o. lies; **~machen** *v/t.*: *j-m et. ~* show* s.th. to s.o., show* s.o. how to do s.th.; *fig.* fool s.o.; **2machtstellung** *f* supremacy; **2marsch** ⚔ *m* advance (*a. fig.*); **~merken** *v/t.* put* (*j-n*: s.o.'s name) down.
Vormittag *m* morning; *heute 2* this morning; **2s** *adv.* in the morning; *sonntags ~* on Sunday mornings.
Vormund *m* guardian; **~schaft** *f* guardianship.
vorn *adv.* in front; *nach ~* forward; *von ~* from the front; *zeitlich*: from the beginning; *j-n von ~(e) sehen* see* s.o.'s face; *noch einmal von ~(e) (anfangen)* (start) all over again.
Vorname *m* first *od.* Christian name, *bsd. amtlich*: *a.* forename.
vornehm *adj.* distinguished; *edel, adlig*: noble; F *fein, teuer etc.*: smart, fashionable, exclusive, F posh; *die ~e Gesellschaft* (high) society, the upper crust; *~ tun* put* on airs; **~en** *v/t.* carry out, do*; *Änderungen etc.*: make*; *sich et. ~* decide *od.* resolve to do s.th.; *planen*: make* plans for s.th.; *sich fest vorgenommen haben, zu* have* the firm intention to, be* determined to; *sich j-n ~* take* s.o. to task (*wegen* about, for).
vornherein *adv.*: *von ~* from the start *od.* beginning.
Vorort *m* suburb; **~(s)zug** *m* suburban *od.* local *od.* commuter train.

Vor|posten *m* outpost (*a.* ⚔); **2programmieren** *v/t.* (pre)program; *fig. a.* condition; **~rang** *m* precedence (*vor* over), priority (over); **~rat** *m* store, stock, supply (*alle: an* of); *bsd. Lebensmittel: a.* provisions *pl.*; *bsd. Rohstoffe etc.*: resources *pl.*, reserves *pl.* (*a. Geld2*); **2rätig** *adj.* available; *econ.* in stock; **~recht** *n* privilege; **~redner** *m* previous speaker; **~richtung** ⊕ *f* device; **2rücken 1.** *v/t.* move forward; **2.** *v/i.* advance; **~runde** *f Sport*: preliminary round; **2sagen** *v/i.*: *j-m* ~ prompt s.o.; **~saison** *f* off-peak season; **~satz** *m* resolution; *Absicht*: intention; ⚖ intent; **2sätzlich** *adj.* intentional; *bsd.* ⚖ wil(l)ful; **~schau** *f* preview (*auf* of); *Film, TV: a.* trailer; **~schein** *m*: *zum* ~ *bringen* produce; *fig.* bring* out; *zum* ~ *kommen* appear, come* out; **2schieben** *v/t.* push forward; *Riegel*: slip; *fig.* use as a pretext; **2schießen** *v/t.* advance.

Vorschlag *m* suggestion, proposal (*a. parl. etc.*); *den* ~ *machen* = **2en** *v/t.* suggest, propose.

Vor|schlußrunde *f Sport*: semifinal; **2schnell** *adj.* hasty, rash; **2schreiben** *fig. v/t.* prescribe; *anordnen*: tell*; *ich lasse mir nichts* ~ I won't be dictated to.

Vorschrift *f* ⚖ *etc.* rule, regulation; ⚕, ⊕ instruction, direction; *Dienst nach* ~ *machen* work to rule; **2smäßig** *adj.* correct, proper; **2swidrig** *adj. u. adv.* contrary to regulations.

Vor|schub *m*: ~ *leisten* favo(u)r; ⚖ aid and abet; **~schul...** *in Zssgn* preschool ...; **~schule** *f Brt.* infant school, *Am.* kindergarten; **~schuß** *m* advance; **2schützen** *v/t.* use *s.th.* as a pretext; **2schweben** *v/i.*: *mir schwebt et. vor* I have s.th. in mind.

vorseh|en 1. *v/t.* plan; ⚖ provide; ~ *für* intend (*ein Amt*: designate) for; **2.** *v/refl.* be* careful, take* care, look *od.* watch out (*vor* for), be* on the watch (for), be* on one's guard (against); **2ung** *f* providence.

vorsetzen *v/t.*: *j-m et.* ~ put* s.th. before s.o.; *anbieten*: offer s.o. s.th.; *fig.* dish up s.th. to s.o.

Vorsicht *f* caution, care; ~*!* look *od.* watch out!, (be) careful!; ~, *Glas!* Glass, with care!; ~, *Stufe!* mind the step!; **2ig** *adj.* careful, cautious; ~*!* careful!

vorsichts|halber *adv.* to be on the safe side; **2maßnahme, 2maßregel** *f* precaution(ary measure); ~*n treffen* take* precautions.

Vorsilbe *gr. f* prefix.

vorsingen *v/t. u. v/i.* sing* (*j-m et.* s.th. to s.o.); *zur Probe*: (have* an) audition.

Vorsitz *m* chair(manship), presidency; *den* ~ *haben* (*übernehmen*) be* in (take*) the chair, preside (*bei* over, at); **~ende(r)** chairman, president.

Vorsorg|e *f* precaution; ⚕ *~untersuchung*: preventive checkup; ~ *treffen* take* precautions; **2lich 1.** *adj.* precautionary; **2.** *adv.* as a precaution.

Vor|spann *m Film etc.*: credit titles *pl.*, credits *pl.*; **~speise** *f* hors d'œuvres *pl.*, F starter; *als* ~ for starters.

vorspieg|eln *v/t.* pretend; **2(e)lung** *f* preten|ce, *Am.* -se.

Vorspiel *n* ♪ prelude (*a. fig.*); **2en** *v/t.*: *j-m et.* ~ play s.th. to s.o.

vor|sprechen 1. *v/t.* pronounce (*j-m* for s.o.); **2.** *v/i.* call (*bei* at); *thea.* (have* an) audition; **~springen** *fig. v/i.* project, protrude (*beide a. arch.*); **2sprung** *m arch.* projection; *Sport*: lead; *e-n* ~ *haben* be* leading (*von* by); *bsd. fig. a.* be* (*von 2 Jahren* two years) ahead; **2stadt** *f* suburb; **2stand** *m* board (of directors); *e-s Clubs etc.*: managing committee.

vorsteh|en *v/i.* project, protrude; *fig. leiten*: manage, be* the head of, be* in charge of.

vorstell|en *v/t.* introduce (*sich* o.s.; *j-n j-m* s.o. to s.o.); *Uhr*: put* forward (*um* by); *bedeuten*: mean*; *sich et.* (*j-n als* ...) ~ imagine s.th. (s.o. as ...); *so stelle ich mir ... vor* that's my idea of ...; *sich* ~ *bei Firma etc.*: have* an interview with; **2ung** *f thea.* performance; *Kino2 etc.*: *a.* show; *Gedanke etc.*: idea; *Erwartung*: expectation; *von j-m od. et.*: introduction; *~sgespräch*: interview; **2ungsvermögen** *n* imagination.

Vor|stopper *m* cent|re (*Am.* -er) half; **~stoß** *m* ⚔ advance; *Versuch*: attempt; **~strafe** *f* previous conviction; **2strecken** *v/t. Geld*: advance; **~stufe** *f* preliminary stage; **⁀täuschen** *v/t.* feign, pretend.

Vorteil *m* advantage (*a. Tennis etc.*); *Nutzen*: benefit, profit; *die ~e und Nachteile* the pros and cons; **⁀haft** *adj.* advantageous, profitable.

Vortrag *m* talk; *bsd. akademischer*: lecture; ♪, *Gedicht⁀*: recital; *e-n ~ halten* give* a talk *od.* lecture (*vor* to); **⁀en** *v/t. äußern*: express, state; ♪ *etc.*: perform, play; *Gedicht etc.*: recite.

vor|trefflich *adj.* splendid; **~treten** *v/i.* step forward; *fig.* protrude (*a. Augen etc.*), stick* out; **⁀tritt** *m* precedence.

vorüber *adv.*: *~ sein* be* over (*fort*: gone); **~gehen** *v/i.* pass, go* by; **~gehend** *adj.* temporary.

Vor|übung *f* preparatory exercise; **~untersuchung** ⚖, ⚕ *f* preliminary examination.

Vorurteil *n* prejudice; **⁀slos** *adj.* unprejudiced, unbias(s)ed.

Vor|verkauf *thea. m* advance booking; **⁀verlegen** *v/t.* advance; **~wahl** *f teleph.* STD code, *Am.* area code; *pol.* preliminary election, *Am.* primary; **~wand** *m* pretext, preten|ce, *Am.* -se; *Ausrede*: excuse.

vorwärts *adv.* forward, on(ward), ahead; *~!* come on!, let's go!; **~kommen** *v/i.* (make*) progress; *fig.* make* one's way, get* on *od.* along (well).

vorweg *adv.* beforehand; **~nehmen** *v/t.* anticipate.

vor|weisen *v/t.* produce, show*; *et. ~ können* boast s.th.; **~werfen** *fig. v/t.*: *j-m et. ~* reproach s.o. with s.th.; **~wiegend** *adv.* predominantly, chiefly, mainly, mostly; **~witzig** *adj.* forward, pert.

Vor|wort *n des Autors*: preface; foreword; **~wurf** *m* reproach; *j-m Vorwürfe machen* (*wegen*) reproach s.o. (for); **⁀wurfsvoll** *adj.* reproachful; **~zeichen** *n* omen, sign (*a.* 𝄞); **⁀zeigen** *v/t.* show*; *Karte etc.*: *a.* produce.

vorzeitig *adj.* premature, early.

vor|ziehen *v/t. Vorhänge*: draw*; *fig.* prefer; **⁀zimmer** *n* antechamber, anteroom; *Wartezimmer*: waiting-room; **⁀zug** *fig. m geben etc.*: preference (*vor* over); *haben*: advantage; *Wert*: merit; **~züglich** *adj.* excellent, superior, exquisite; **~zugsweise** *adv.* preferably.

Votum *n* vote.

vulgär *adj.* vulgar.

Vulkan *m* volcano; **~ausbruch** *m* volcanic eruption; **⁀isch** *adj.* volcanic.

W

Waag|e *f* scale(s *pl.*); *Fein⁀*: balance; *ast.* Libra; *sich die ~ halten* balance each other; **⁀(e)recht** *adj.* horizontal; **~schale** *f* scale.

Wabe *f* honeycomb (*a. fig.* ⊕).

wach *adj.* awake; *~ werden* wake* (up); *bsd. fig.* awake*; **⁀ablösung** *f* changing of the guard; **⁀e** *f* guard (*a.* ⚔); *Posten*: *a.* sentry; ⚓, *Kranken⁀ etc.*: watch; *Polizei⁀*: police station; *~ haben* be* on guard (⚓ watch); *~ halten* keep* watch; **~en** *v/i.* (keep*) watch (*über* over); **⁀hund** *m* watchdog (*a. fig.*); **⁀mann** *m* guard, (night-)watchman; *östr. s. Polizist.*

Wacholder ⚘ *m* juniper.

wach|rufen *v/t.* call up, evoke; **~rütteln** *v/t.* rouse; *fig. a.* shake* up.

Wachs *n* wax (*a. in Zssgn*: *Kerze etc.*).

wachsam *adj.* watchful, on one's guard, vigilant; **⁀keit** *f* watchfulness, vigilance.

wachsen[1] *v/i.* grow* (*a. sich ~ lassen*); *fig. a.* increase.

wachsen[2] *v/t.* wax.

Wachs|figurenkabinett *n* waxworks *pl.*; **⁀tuch** *n* oilcloth.

Wachstum *n* growth; *fig. a.* increase.

Wachtel *zo. f* quail.

Wächter *m* guard.

Wacht|meister *m* (police) constable, *Am.* patrolman; *Anrede*: officer; **~turm** *m* watch-tower.

W

wackel|ig *adj.* shaky (*a. fig.*); *Zahn*: loose; **≈kontakt** ⚡ *m* loose contact; **~n** *v/i.* shake*; *Tisch etc.*: wobble; *Zahn*: be* loose; *phot.* move; ~ *mit bsd. Körperteil*: wag; *mit den Hüften* ~ wiggle.
Wade *f* calf.
Waffe *f* weapon (*a. fig.*); *~n pl. a.* arms *pl.*
Waffel *f* waffle; *bsd. Eis≈*: wafer.
Waffen|gattung *f* arm; **~gewalt** *f*: *mit* ~ by force of arms; **~schein** *m* gun licen|ce, *Am.* -se; **~stillstand** *m* armistice (*a. fig.*); *zeitweiliger*: truce.
wagen *v/t.* dare; *riskieren*: risk; *sich aus dem Haus etc.* ~ venture out of doors *etc.*
Wagen *m Auto*: car; *s. Lastwagen, Pferdewagen etc.*; **~heber** *m* jack; **~ladung** *f* carload; *fig.* cartload; **~rad** *n* cart-wheel; **~spur** *f* (wheel) track.
Waggon 🚃 *m* wag(g)on, *Am.* car.
wag|halsig *adj.* daring; **≈nis** *n* venture, risk.
Wahl *f* choice; *andere*: alternative; *Auslese*: selection; *pol.* election; *~vorgang*: voting, poll; *Abstimmung*: vote; *die ~ haben* (*s-e ~ treffen*) have* the (make* one's) choice; *keine* (*andere*) *~ haben* have* no choice *od.* alternative; **≈berechtigt** *adj.* entitled to vote; **~beteiligung** *f* (voter) turnout; *hohe* (*niedrige*) ~ heavy (light) poll.
wählen *v/t. u. v/i.* choose*, *aus~*: *a.* pick, select; *pol. Stimme abgeben*: vote (*j-n, et.*: for); *in ein Amt etc.*: elect; *teleph.* dial.
Wahlergebnis *n* election returns *pl.*
Wähler *m* voter; **≈isch** *adj.* particular, fussy, choos(e)y (*alle*: *in* about); **~schaft** *f* electorate, voting population.
Wahl|fach *n* optional subject, *Am. a.* elective; **~kabine** *f* polling booth; **~kampf** *m* election campaign; **~kreis** *m* constituency; *Am.* electoral district; **~lokal** *n* polling station; **≈los** *adj.* indiscriminate; **~programm** *n* election platform; **~recht** *n* (right to) vote, suffrage, franchise; **~rede** *f* election speech.
Wählscheibe *teleph. f* dial.
Wahl|spruch *m* motto; **~urne** *f* ballot-box; **~versammlung** *f* election rally; **~zettel** *m* ballot, voting-paper.

Wahn *m* delusion; *Besessenheit*: mania; **~sinn** *m* madness (*a. fig.*), insanity; **≈sinnig 1.** *adj.* mad (*a. fig.*), insane; F *fig. a.* crazy; *Angst, Schmerz etc.*: awful, terrible; **2.** F *fig. adv. sehr*: terribly, awfully; *verliebt*: madly; **~sinnige(r)** mad|man (-woman), maniac, lunatic; **~vorstellung** *f* delusion, hallucination.
wahr *adj.* true; *wirklich*: *a.* real; *echt*: genuine; **~en** *v/t. Interessen, Rechte*: protect; *den Schein* ~ keep* up appearances.
während 1. *prp.* during; **2.** *cj.* while; *Gegensatz*: *a.* whereas.
wahrhaft(ig) *adv.* really, truly.
Wahrheit *f* truth; **≈sgemäß, ≈sgetreu** *adj.* truthful, faithful; **~sliebe** *f* truthfulness, love of truth; **≈sliebend** *adj.* truthful.
wahr|nehmbar *adj.* noticeable, perceptible; **~nehmen** *v/t.* perceive, notice; *Gelegenheit, Vorteil*: seize, take*; *Interessen*: look after; **≈nehmung** *f* perception; **~sagen** *v/i.*: *j-m* ~ tell* s.o. his fortune; *sich ~ lassen* have* one's fortune told; **≈sager(in)** fortune-teller; **~scheinlich 1.** *adj.* probable, likely; **2.** *adv.* probably, (very *od.* most) likely; ~ *gewinnt er* (*nicht*) he is (not) likely to win; **≈scheinlichkeit** *f* probability, likelihood; *aller ~ nach* in all probability *od.* likelihood.
Währung *f* currency; **~s...** *in Zssgn Politik, Reform etc.*: monetary ...
Wahrzeichen *n* landmark.
Waise *f* orphan; **~nhaus** *n* orphanage.
Wal *zo. m* whale.
Wald *m* wood(s *pl.*), forest; **~brand** *m* forest fire; **≈reich** *adj.* wooded; **~sterben** *n appr.* the dying-forest syndrome.
Wal|fang *m* whaling; **~fänger** *m* whaler.
Wall *m* mound; ⚔ rampart.
Wallach *m* gelding.
wallen *v/i.* flow (*a. fig. Haar etc.*).
Wallfahr|er(in) *m* pilgrim; **~t** *f* pilgrimage.
Wal|nuß *f* walnut; **~roß** *zo. n* walrus.
walten *v/i.*: ~ *lassen Gnade etc.*: show*.
Walze *f* roller (*a. Straßen≈, print.*); cylinder (*a. print.*); ⊕, ♪ barrel; **≈n** *v/t.* roll (*a.* ⊕).

wälzen *v/t.* roll (*a. sich* ~); *Problem*: turn over in one's mind.
Walzer ♪ *m* waltz (*a.* ~ *tanzen*).
Wand *f* wall; *fig. a.* barrier.
Wandalismus *m* vandalism.
Wandel *m*, ≗**n** *v/t. u. v/refl.* change.
Wander|er *m* hiker; ≗**n** *v/i.* hike; *umherstreifen*: ramble (about), roam, wander (*a. fig.*); ~**preis** *m* challenge trophy; ~**tag** *m* (school) outing *od.* excursion; ~**ung** *f* walking-tour, hike; *von Tieren, Völkern etc.*: migration.
Wand|gemälde *n* mural (painting); ~**kalender** *m* wall-calendar; ~**lung** *f* change, transformation; *eccl.* transubstantiation; ~**schrank** *m* built-in cupboard, *Am.* closet; ~**tafel** *f* blackboard; ~**teppich** *m* tapestry; ~**uhr** *f* wall-clock.
Wange *f* cheek.
Wankelmotor *m* rotary piston *od.* Wankel engine.
wankelmütig *adj.* fickle, inconstant.
wanken *v/i.* stagger, reel; *fig.* rock.
wann *interr. adv.* when, (at) what time; *seit* ~? (for) how long?, since when?
Wanne *f* tub; bath(-tub), F tub.
Wanze *zo. f* bug (*a.* F *fig. Abhörgerät*).
Wappen *n* (coat of) arms *pl.*; ~**kunde** *f* heraldry; ~**tier** *n* heraldic animal.
wappnen *fig. v/refl.* arm o.s.
Ware *f coll. mst* goods *pl.*; *Artikel*: article; *Produkt*: product.
Waren|haus *n* department store; ⚠ *nicht warehouse*; ~**lager** *n* stock; ~**probe** *f* sample; ~**zeichen** *n* trade mark.
warm *adj.* warm (*a. fig.*); *Essen*: hot; *schön* ~ nice and warm; ~ *halten* (*stellen*) keep* warm; ~ *machen* warm (up).
Wärm|e *f* warmth; *phys.* heat; ~**e-isolierung** *f* heat insulation; ≗**en** *v/t.* warm; *sich die Füße* ~ warm one's feet; ~**epumpe** *f* heat pump; ~**flasche** *f* hot-water bottle.
warmherzig *adj.* warm-hearted.
Warmwasser|bereiter *m* water heater; ~**versorgung** *f* hot-water supply.
warn|en *v/t.* warn (*vor* of, against); *j-n davor* ~, *et. zu tun* warn s.o. not to do s.th.; ≗**schild** *n* danger sign; ≗**signal** *n* warning (signal); ≗**streik** *m* token strike; ≗**ung** *f* warning, caution.

warten[1] *v/i.* wait (*auf* for); ~ *auf a.* await (*beide a. fig. bevorstehen*); *j-n* ~ *lassen* keep* s.o. waiting.
warten[2] ⊕ *v/t.* service, maintain.
Wärter(in) *Museum etc.*: attendant; *Zoo etc.*: keeper; *s. Gefängniswärter.*
Warte|saal *m*, ~**zimmer** *n* waiting-room.
Wartung ⊕ *f* maintenance.
warum *adv.* why, F what (...) for, how come.
Warze *f* wart.
was 1. *interr. pron.* what; ~? *überrascht etc.*: what?; *wie bitte?*: pardon?, F what?; ~ *gibt's?* what is it?, F what's up?; *zu essen*: what's for lunch *etc.*?; ~ *soll's?* so what?; ~ *machen Sie? gerade*: what are you doing?; *beruflich*: what do you do?; ~ *kostet ...?* how much is ...?; ~ *für ...?* what kind *od.* sort of ...?; ~ *für eine Farbe* (*Größe*)? what colo(u)r (size)?; ~ *für ein Unsinn* (*e-e gute Idee*)! what nonsense (a good idea)!; **2.** *rel. pron.* what; ~ (*auch*) *immer* (*für ein*) whatever; *alles*, ~ *ich habe* (*brauche*) all I have (need); *ich weiß nicht*, ~ *ich tun* (*sagen*) *soll* I don't know what to do (say); ..., ~ *mich ärgerte* ..., which made me angry; **3.** F *indef. pron. s. etwas.*
wasch|bar *adj.* washable; ≗**becken** *n* wash-basin, *bsd. Am.* washbowl.
Wäsche *f* wash(ing), laundry; *Bett*≗, *Tisch*≗: linen(s *pl.*); *Unter*≗: underwear; *in der* ~ in the wash; ~ *aufhängen* hang* out the wash(ing); *schmutzige* ~ *waschen* wash one's dirty linen (in public).
waschecht *adj.* washable; *Farben*: fast; *fig.* true-born, genuine.
Wäsche|klammer *f* (clothes-)peg, *Am.* clothes-pin; ~**leine** *f* clothes-line.
waschen *v/t. u. v/refl.* wash (*die Haare* [*Hände*] one's hair [hands]); *sich gut* ~ (*lassen*) wash well.
Wäscherei *f* laundry; *Automaten*≗: launderette, *bsd. Am. a.* laundromat.
Wasch|küche *f* utility room; ~**lappen** *m* flannel, face-cloth, *Am.* washcloth; ~**maschine** *f* washing machine, washer; ≗**maschinenfest** *adj.* machine-washable; ~**mittel**, ~**pulver** *n* detergent, washing-powder; ~**raum** *m* lavatory, *Am. a.* washroom; ~**straße** *mot. f* car wash.

Wasser *n* water; **~ball** *m* beach-ball; *Sport*: water polo; **~behälter** *m* reservoir, water-tank; **~dampf** *m* steam; **2dicht** *adj.* waterproof; *bsd.* ⚓ watertight (*a. fig.*); **~fall** *m* waterfall; *großer*: falls *pl.*; **~farbe** *f* watercolo(u)r; **~flugzeug** *n* seaplane; **~graben** *m* ditch; **~hahn** *m* tap, *Am. a.* faucet.

wässerig *adj.* watery; *j-m den Mund ~ machen* make* s.o.'s mouth water.

Wasser|kessel *m* kettle; **~klosett** *n* water-closet, W.C.; **~kraft** *f* water-power; **~kraftwerk** *n* hydroelectric power station *od.* plant; **~lauf** *m* watercourse; **~leitung** *f* water-pipe(s *pl.*); **~mangel** *m* water shortage; **~mann** *ast. m* Aquarius; **2n** *v/i.* land on water; *Raumfahrzeug*: splash down.

wässern 1. *v/t.* soak; **2.** *v/i.* water.

Wasser|rohr *n* water-pipe; **~rose** ⚘ *f* water-lily; **2scheu** *adj.* afraid of water; **~ski** *m* water-ski(ing); *~ laufen* water-ski; **~spiegel** *m* water-level; **~sport** *m* water sports *pl.*, aquatics *pl.*; **~spülung** *f* ⊕ flushing cistern; *Toilette mit ~* water-closet, W.C.; **~stand** *m* water-level; **~standsanzeiger** *m* water-ga(u)ge; **~stiefel** *pl.* waders *pl.*; **~stoff** ⚗ *m* hydrogen; **~stoffbombe** *f* hydrogen bomb, H-bomb; **~strahl** *m* jet of water; **~straße** *f* waterway; **~tier** *n* aquatic animal; **~verdrängung** *f* displacement; **~verschmutzung** *f* water pollution; **~versorgung** *f* water-supply; **~waage** *f* spirit-level, water-level; **~weg** *m* water-way; *auf dem ~* by water; **~welle** *f* water-wave; **~werk** *n* waterworks *sg.*, *pl.*; **~zeichen** *n* watermark.

waten *v/i.* wade.

watscheln *v/i.* waddle.

Watt[1] ⚡ *n* watt.

Watt[2] *geogr. n* mud-flats *pl.*

Watt|e *f* cotton wool; *Polster2*: padding; **~ebausch** *m* cotton pad; **2iert** *adj.* padded; *Jacke etc.*: quilted.

web|en *v/t. u. v/i.* weave*; **2er** *m* weaver; **2erei** *f* weaving-mill; **2stuhl** *m* loom.

Wechsel *m* change; *Geld2*: exchange; *Bank2*: bill of exchange; *Monats2*: allowance; *Abwechslung*: alternation, rotation; **~beziehung** *f* correlation; **~geld** *n* (small) change; **~kurs** *m* exchange rate; **2n** *v/t. u. v/i.* change, switch (*a. über~*); *austauschen*: exchange; *variieren*: vary; *ab~ (lassen)*: alternate; **2nd** *adj.* varying; **2seitig** *adj.* mutual, reciprocal; **~strom** ⚡ *m* alternating current, *abbr.* A.C.; **~stube** *f* exchange office; **2weise** *adv.* alternately, by turns; **~wirkung** *f* interaction.

wecke|n *v/t.* wake* (up), waken; *bsd. fig.* awaken, (a)rouse; **2r** *m* alarm (clock).

wedeln *v/i.* wave (*mit et.* s.th.); *Ski*: wedel; *mit dem Schwanz ~ Hund*: wag its tail.

weder *cj.*: *~ ... noch* neither ... nor.

Weg *m* way (*a. fig.*); *Straße*: road (*a. fig.*); *Pfad*: path; *Reise2*: route; *Fuß2*: walk; *auf halbem ~ (entgegenkommen)* (meet* *s.o.*) half-way (*a. fig.*); *auf friedlichem (legalem) ~e* by peaceful (legal) means; *j-m aus dem ~ gehen* get* (*fig.* keep*) out of s.o.'s way; *aus dem ~ räumen* put* *s.o.* out of the way; *vom ~(e) abkommen* lose* one's way, go* astray (*a. fig.*).

weg *adv. entfernt, fort, verreist etc.*: away; *verschwunden, verloren etc.*: gone; *los, ab*: off; F *bewußtlos*: out (cold); F *begeistert*: in raptures (*von* over, about); *Finger ~!* (keep your) hands off!; *~ (hier)!* get out (of here)!; *sl.* beat it!; **~bleiben** F *v/i.* stay away; *ausgelassen werden*: be* left out; **~bringen** *v/t.* take* away; *~ von* get* *s.o.* away from.

wegen *prp.* because of; *um ... willen*: for *s.o.*'s *od. s.th.*'s sake, for the sake of; *infolge*: due *od.* owing to; *~ Mordes etc.*: for.

weg|fahren 1. *v/i.* leave*, go* away (*a. verreisen*); *mot. a.* drive* away *od.* off; **2.** *v/t.* take* away, remove; **~fallen** *v/i.* be* dropped; *aufhören*: stop, be* stopped; *die ... werden ~* there will be no more ...; **2gang** *m* going away, leaving; **~gehen** *v/i.* go* away (*a. fig. Schmerz etc.*), leave*; *Fleck etc.*: come* off; *Ware*: sell*; **~jagen** *v/t.* drive* *od.* chase away; **~kommen** F *v/i.* get* away; *verlorengehen*: get* lost; *gut ~* come* off well; *mach, daß du wegkommst!* get out of here!, *sl.* get lost!; **~lassen** *v/t.* let* *s.o.* go; *bsd. et.*: leave* out; **~laufen** *v/i.* run* away (*[vor] j-m* from s.o.) (*a. fig.*); **~legen** *v/t.* put* away; **~machen** F *v/t.* get* off;

Kind: get* rid of; **~müssen** F *v/i.* have* to go (*a. fig.*); *ich muß jetzt weg* I must be off now; **~nehmen** *v/t.* take* away (*von* from); *Platz, Zeit*: take* up; *stehlen* (*a. fig. Frau etc.*): steal*; *j-m et.* ~ take* s.th. (away) from s.o.
Wegrand *m* (*am* by the) wayside.
weg|räumen *v/t.* clear away, remove; **~schaffen** *v/t.* remove; **~schicken** *v/t.* send* away *od.* off; **~sehen** *v/i.* look away; **~setzen** *v/t.* move (*a. j-n*); **~tun** F *v/t.* put* away.
Wegweiser *m* signpost; *fig.* guide.
Wegwerf|... *in Zssgn* throw-away ...; **2en** *v/t.* throw* away (*a. fig.*).
weg|wischen *v/t.* wipe off; *fig. Einwand etc.*: brush aside; **~ziehen 1.** *v/i.* move away; **2.** *v/t.* pull away.
weh *adv.*: ~ *tun* hurt* (*j-m* s.o.; *fig. a.* s.o.'s feelings); *Kopf etc.*: *a.* be* aching; *sich* (*am Finger*) ~ *tun* hurt* o.s. (hurt* one's finger).
Wehen ⚕ *pl.* labo(u)r *sg.*
wehen *v/i. u. v/t.* blow*; *Haar etc.*: wave.
weh|leidig *adj.* hypochondriac; *Stimme*: whining; **2mut** *f* nostalgia; **~mütig** *adj. Gefühl*: nostalgic; *Lächeln etc.*: wistful.
Wehr 1. *f*: *sich zur* ~ *setzen s. wehren*; **2.** *n* weir; **~dienst** ⚔ *m* military service; **~dienstverweigerer** ⚔ *m* conscientious objector; **2en** *v/refl.* defend o.s. (*gegen* against), fight* (*a. fig. gegen et.* s.th.); **2los** *adj.* defenceless, *Am.* defenseless; *fig.* helpless; **~pflicht** ⚔ *f* compulsory military service; **2pflichtig** ⚔ *adj.* liable to military service; **~pflichtiger** *m Soldat*: conscript, *Am.* draftee.
Weib *n bsd. iro., contp.* woman; *böses*: bitch; **~chen** *zo. n* female; **2isch** *adj.* effeminate, F sissy (*a. ~er Junge*); **2lich** *adj.* female; *gr., Art, Stimme etc.*: feminine.
weich *adj.* soft (*a. fig.*) *zart*: tender; *gar*: done; *Ei*: soft-boiled; ~ *werden* soften; *fig.* give* in.
Weiche 🚂 *f* switch, points *pl.*
weichen *v/i.* give* way (*dat.* to), yield (to); *verschwinden*: go* (away).
weich|lich *adj.* soft, effeminate, F sissy; **2ling** *m* weakling, F softy, sissy; **~machen** F *fig. v/t.* soften *s.o.* up; **2macher** ⊕ *m* (fabric) softener; **2tier** *zo. n* mollus|c, *Am.* -k.

Weide[1] ♣ *f* willow.
Weide[2] ✓ *f* pasture; *auf die* (*der*) ~ to (at) pasture; **~land** *n* pasture(-land), *Am. a.* range; **2n** *v/t. u. v/i.* graze, pasture; *sich ~ an* feast on; *contp.* gloat over.
Weidenkorb *m* wicker basket.
weiger|n *v/refl.* refuse; **2ung** *f* refusal.
Weihe *eccl. f* consecration; *Priester2*: ordination; **2n** *eccl. v/t.* consecrate; *j-n zum Priester* ~ ordain s.o. priest.
Weiher *m* pond.
Weihnachten *n* Christmas, F Xmas.
Weihnachts|abend *m* Christmas Eve; **~baum** *m* Christmas tree; **~einkäufe** *pl.* Christmas shopping *sg.*; **~geschenk** *n* Christmas present; **~lied** *n* (Christmas) carol; **~mann** *m* Father Christmas, Santa (Claus); **~markt** *m* Christmas fair; **~tag** *m* Christmas Day; *zweiter* ~ day after Christmas, *bsd. Brt.* Boxing Day; **~zeit** *f* Christmas season.
Weih|rauch *m* incense; **~wasser** *eccl. n* holy water.
weil *cj.* because; *da*: since, as.
Weil|chen *n*: *ein* ~ a little while; **~e** *f*: *e-e* ~ a while.
Wein *m* wine; *Rebe*: vine; **~bau** *m* wine-growing; **~beere** *f* grape; **~berg** *m* vineyard; **~brand** *m* brandy.
weine|n *v/i.* cry (*vor* with; *nach* for; *wegen* about, over); *bsd. lit.* weep* (*um* for, over; *über* at; *vor* for, with); **~rlich** *adj.* tearful; *Stimme*: whining.
Wein|ernte *f* vintage; **~faß** *n* wine cask *od.* barrel; **~flasche** *f* winebottle; **~gut** *n* winery; **~händler** *m* wine merchant; **~hauer** *östr. m s. Winzer*; **~karte** *f* wine list; **~keller** *m* wine-vault *od.* -cellar; **~kellerei** *f* winery; **~kenner** *m* wine connoisseur; **~lese** *f* vintage; **~presse** *f* winepress; **~probe** *f* wine-tasting; **~rebe** *f* vine; **2rot** *adj.* claret; **~stock** *m* (grape)vine; **~traube** *f s. Traube.*
weis|e *adj.* wise; **2e** *f Art u.* ~: way; ♪ tune; *auf diese* (*die gleiche*) ~ this (the same) way; *auf m-e* (*s-e*) ~ my (his) way; **~en** *v/t. u. v/i. zeigen*: show*; *j-n von der Schule etc. od. aus dem Lande etc.* ~ expel s.o. from, F kick s.o. out of; ~ *auf* point to *od.* at; **2er** *m* wise man; **2heit** *f* wisdom; *mit s-r ~ am Ende* at one's wit's end; **2heitszahn** *m* wisdom tooth; **~ma-**

W

chen F *v/t.*: *j-m ~, daß* make* s.o. believe that; *du kannst mir nichts ~* you can't fool me.

weiß *adj.* white; **2brot** *n* white bread; **2e** *m* white (man); *die ~n pl.* the whites *pl.*, the white man *sg.*; **~en** *v/t.* whitewash; **~glühend** *adj.* white-hot; **2glut** *f* white heat; **2kohl** *m*, **2kraut** *n* green cabbage; **~lich** *adj.* whitish; **2wein** *m* white wine.

Weisung *f* instruction, directive.

weit 1. *adj.* wide; *Kleidung*: *a.* big; *Reise, Weg*: long; **2.** *adv.* far, a long way (*a. zeitlich u. fig.*); *~ weg* far away (*von* from); *von ~em* from a distance; *~ und breit* far and wide; *bei ~em* by far; *bei ~em nicht so* not nearly as; *~ über* well over; *~ besser* far *od.* much better; *zu ~ gehen* go* too far; *es ~ bringen* go* far, F go* places; *wir haben es ~ gebracht* we have come a long way.

weit|ab *adv.* far away (*von* from); **~aus** *adv.* (by) far, much; **2blick** *m* far-sightedness; **2e** *f* vastness, expanse; *Sport*: distance; **~en** *v/t. u. v/refl.* widen.

weiter *adv.* on, further; *(mach) ~!* go on!; *(geh) ~!* move on!; *und so ~* and so on *od.* forth, et cetera; *nichts ~* nothing else; **~arbeiten** *v/i.* go* on working; **~bilden** *v/refl.* improve one's knowledge; *schulisch, beruflich*: continue one's education *od.* training; **2bildung** *f* further education *od.* training.

weitere *adj.* another, further, additional; *alles ~* the rest; *bis auf ~s* until further notice; *ohne ~s* easily; **2s** *n* more, (further) details *pl.*

weiter|geben *v/t.* pass (*dat.*, *an* to) (*a. fig.*); **~gehen** *v/i.* move on; *fig.* continue, go* on; **~hin** *adv. ferner*: further(more); *et. ~ tun* go* on doing s.th., continue to do s.th.; **~kommen** *v/i.* get* on (*fig.* in life); **~können** *v/i.* be* able to go on; **~leben** *v/i.* live on; *fig. a.* survive; **2leben** *n* life after death; **~machen** *v/t. u. v/i.* go* *od.* carry on, continue; **2verkauf** *m* resale.

weit|gehend 1. *adj.* considerable; **2.** *adv.* largely; **~läufig** *adj. Haus etc.*: spacious; *Verwandter*: distant; **~reichend** *adj.* far-reaching; **~sichtig** ⚕ *adj.* far-sighted (*a. fig.*); **2sprung** *m* long jump, *Am.* broad jump; **~verbreitet** *adj.* widespread; **2winkel** *phot. m* wide-angle lens.

Weizen ♀ *m* wheat.

welche|(r), ~s 1. *interr. pron.* what, *auswählend*: which; *welcher?* which one?; *welcher von beiden?* which of the two?; **2.** *rel. pron.* who, that; *bei Sachen*: which, that; **3.** F *indef. pron.* some, any.

welk *adj.* faded, withered; *Haut*: flabby; **~en** *v/i.* fade, wither.

Wellblech *n* corrugated iron.

Welle *f* wave (*a. phys., fig.*); ⊕ shaft.

wellen *v/t. u. v/refl.* wave; **2bereich** ⚡ *m* wave range; **2länge** ⚡ *f* wavelength; **2linie** *f* wavy line; **~sittich** *zo. m* budgie.

wellig *adj.* wavy.

Wellpappe *f* corrugated cardboard.

Welt *f* world; *die ganze ~* the whole world; *auf der ganzen ~* all over *od.* throughout the world; *das beste etc. ... der ~* the best *etc.* ... in the world, the world's best *etc.* ...; *zur ~ kommen* be* born; *zur ~ bringen* give* birth to.

Welt|all *n* universe, cosmos; **~anschauung** *f* philosophy (of life); **~ausstellung** *f* world fair; **2berühmt** *adj.* world-famous.

Weltergewicht *n*, **~ler** *m* welterweight.

welt|fremd *adj.* naive, unworldly; **2friede(n)** *m* universal peace; **2geschichte** *f* world history; **2krieg** *m* world war; *der Zweite ~* World War II; **2kugel** *f* globe; **2lage** *f* international situation; **~lich** *adj.* worldly; **2literatur** *f* world literature; **2macht** *f* world power; **2markt** *m* world market; **2meer** *n* ocean; **2meister(in)** world champion; **2meisterschaft** *f* world championship; *bsd. Fußball2*: World Cup; **2raum** *m* (outer) space; **2raum...** *in Zssgn s. Raum...*; **2reich** *n* empire; **2reise** *f* world trip *od.* tour; **2rekord** *m* world record; **2ruf** *m* world-wide reputation; **2stadt** *f* metropolis; **2untergang** *m* end of the world; **~weit** *adj.* world-wide; **2wunder** *n* wonder of the world.

Wende *f* turn (*a. Schwimmen*); *Änderung*: change; **~kreis** *m geogr.* tropic; *mot.* turning-circle.

Wendeltreppe *f* spiral staircase.

wende|n *v/t. u. v/i. u. v/refl.* turn (*nach* to; *gegen* against; *an j-n um Hilfe* to s.o. for help); *Auto etc.*: turn

around; *Braten etc.*: turn over; *bitte* ~ please turn over, *abbr.* p.t.o.; ♀**punkt** *m* turning-point.
wend|ig *adj. mot.*, ⚓ manoeuvrable, *Am.* maneuverable; *fig.* nimble; ♀**ung** *f* turn (*a. fig.*); *fig. a.* change; *Ausdruck*: expression, phrase.
wenig *indef. pron. u. adv.* little; ~(e) *pl.* few; *nur* ~*e* only few; *ein paar*: only a few; (*in*) ~*er als* (in) less than; *am* ~*sten* least of all; *er spricht* ~ he doesn't talk much; (*nur*) *ein* (*klein*) ~ (just) a little (bit); *s. bißchen*; ~**stens** *adv.* at least.
wenn *cj.* when; *falls*: if; ~ ... *nicht* if ... not, unless; ~ *auch* (al)though, even though; *wie od. als* ~ as though, as if; ~ *ich nur ... wäre!* if only I were ...!; ~ *auch noch so* ... no matter how ...; *und* ~ *nun ...?* what if ...?
wer 1. *interr. pron.* who, *auswählend*: which; ~ *von euch?* which of you?; **2.** *rel. pron.* who; ~ *auch* (*immer*) who(so)ever; **3.** F *indef. pron.* somebody, anybody.
Werbe|abteilung *f* publicity department; ~**agentur** *f* advertising agency; ~**feldzug** *m* advertising campaign; ~**fernsehen** *n* commercial television; *Werbung*: TV adverts *pl.*, *Am.* (TV) commercials *pl.*; ~**film** *m* promotion(al) film; ~**funk** *m* radio adverts *pl.* (*Am.* commercials *pl.*); ♀**n 1.** *v/i.* advertise (*für et.* s.th.), promote (s.th.), give* *s.th. od. s.o.* publicity; *bsd. pol.* make* propaganda (*für* for), canvass (for); ~ *um Frau, Beliebtheit etc.*: court; **2.** *v/t. an*~: recruit; *Stimmen, Kunden*: canvass, solicit; ~**sendung** *f*, ~**spot** *m* TV advert, *Am.* (TV) commercial.
Werbung *f* advertising, (sales) promotion; *a. pol. etc.*: publicity, propaganda; *An*♀: recruitment; ~ *machen für et.* advertise s.th.
Werdegang *m beruflicher*: career.
werden *v/i. u. v/aux.* become*, get*; *sich wandeln*: turn, go*; *bsd. allmählich*: grow*; *ausfallen*: turn out; *Futur*: *wir* ~ we will (*lit.* shall), we are going to; *Passiv*: *geliebt* ~ be* loved (*von* by); *was willst du* ~? what do you want to be?; *mir wird schlecht* I'm going to be sick; F: *es wird schon wieder* (~) it'll be all right.
werfen *v/i. u. v/t.* throw* (*a. zo.*) ([*mit*] *et. nach* s.th. at); ✈ *Bomben*: drop; *Schatten*: cast*; *sich* ~ throw* o.s.; *Torwart*: dive* (*nach* for).
Werft ⚓ *f* shipyard, dockyard.
Werk *n* work; *gutes*: *a.* deed; ⊕ mechanism; *Fabrik*: works *sg. od. pl.*, factory; *ans* ~ *gehen* set* *od.* go* to work; ~**bank** ⊕ *f* work-bench; ~**meister** *m* foreman; ~**statt** *f* (work)shop; ~**tag** *m* workday; ♀**tätig** *adj.* working; ~**zeug** *n* tool (*a. fig.*); *coll.* tools *pl.*; *feines*: instrument; ~**zeugmacher** *m* toolmaker.
wert *adj.* worth; *in Zssgn sehens*~ *etc.*: worth *seeing etc.*; *die Mühe* (*e-n Versuch*) ~ worth the trouble (a try); *fig. nichts* ~ no good.
Wert *m allg.* value; *bsd. fig. u. in Zssgn*: *a.* worth; *Sinn, Nutzen*: use; ~*e pl. Daten*: data *sg. od. pl.*, figures *pl.*; ... *im* ~(*e*) *von e-m Pfund* a pound's worth of ...; *großen* (*wenig, keinen, nicht viel*) ~ *legen auf* set* great (little, no, not much) store by.
wert|en *v/t.* value; *beurteilen, a. Sport*: rate, judge; ♀**gegenstand** *m* article of value; ~**los** *adj.* worthless; ♀**papiere** *pl.* securities *pl.*; ♀**sachen** *pl.* valuables *pl.*; ♀**ung** *f* valuation; *a. Sport*: rating, judging; *Punktzahl etc.*: score, points *pl.*; ~**voll** *adj.* valuable.
Wesen *n Lebe*♀: being, creature; ~*skern*: essence; *Natur*: nature, character; *viel* ~*s machen um* make* a fuss about; ♀**tlich** *adj.* essential; *beträchtlich*: considerable; *im* ~*en* on the whole.
weshalb *interr. adv. s. warum.*
Wespe *zo. f* wasp.
West *geogr.* west; ~**e** *f* waistcoat, *Am.* vest; ~**en** *m* west; *pol.* West; *der Wilde* ~ the Wild West; ♀**lich** *adj.* western; *Wind, Richtung etc.*: *a.* west(erly); *pol.* West(ern); ~ *von* west of; ~**wind** *m* west(erly) wind.
Wett|bewerb *m* competition (*a. econ.*), contest; ~**büro** *n* betting office; ~**e** *f* bet; *e-e* ~ *schließen* make* a bet; *um die* ~ *laufen etc.* race (*mit j-m* s.o.); *et. um die* ~ *tun* = ♀**eifern** *v/i.* compete (*mit* with; *um* for); ♀**en** *v/i. u. v/t.* bet* (*mit j-m um 10 Pfund* s.o. ten pounds); ~ *auf* bet* on, back.
Wetter *n* weather; ~**bericht** *m* weather report; ♀**fest** *adj.* weatherproof; ~**karte** *f* weather-chart; ~**lage** *f* weather situation; ~**leuchten** *n* sheet lightning; ~**vorhersage** *f* weather

forecast *od.* prediction(s *pl.*); **~warte** *f* weather-station.

Wett|kampf *m* competition, contest; **~kämpfer(in)** contestant, competitor; **~lauf** *m* race (*a. fig. mit* against); **~läufer(in)** runner; **♀machen** *v/t.* make* up for; **~rennen** *n* race; **~rüsten** *n* arms race; **~streit** *m* contest, competition.

wetzen *v/t.* whet, sharpen.

wichtig *adj.* important; *et. ~ nehmen* take* s.th. seriously; **♀keit** *f* importance; **♀tuer** *m* pompous ass.

Wickel *m* ⚕ compress; ⊕ reel; **~kommode** *f* changing unit; **♀n** *v/t.* wind*; *Haare*: curl; *Baby*: change; *~ in (um)* wrap in ([a]round).

Widder *m zo.* ram; *ast.* Aries.

wider *prp.*: *~ Willen* against one's will; *~ Erwarten* contrary to expectation; **♀haken** *m* barb; **~hallen** *v/i.* resound (*von* with); **~legen** *v/t.* refute, disprove; **~lich** *adj.* sickening, disgusting; **~rechtlich** *adj.* illegal, unlawful; **♀rede** *f* contradiction; *keine ~!* no arguing!, don't talk back!; **♀ruf** *m* ⚖ revocation; *e-r Erklärung*: withdrawal; **~rufen** *v/t.* revoke; withdraw*; **♀sacher(in)** adversary, rival; **♀schein** *m* reflection; **~setzen** *v/refl.* oppose, resist (*e-r Sache* s.th.); **~sinnig** *adj.* absurd; **~spenstig** *adj.* unruly (*a. Haar etc.*), stubborn; **~spiegeln** *v/t.* reflect (*a. fig.*); *sich ~ in* be* reflected in; **~sprechen** *v/i.* contradict; **♀spruch** *m* contradiction; **~sprüchlich** *adj.* contradictory; **~spruchslos** *adv.* without contradiction; **♀stand** *m* resistance (*a.* ⚡), opposition; *~ leisten* offer resistance (*dat.* to); **~standsfähig** *adj.* resistant (*a.* ⊕); **~stehen** *v/i.* resist; **~streben** *v/i.*: *es widerstrebt mir, dies zu tun* I hate doing *od.* to do that; **~strebend** *adv.* reluctantly; **~wärtig** *adj.* disgusting; **♀wille** *m* aversion (*gegen* to, for, from), dislike (to, of, for); *Ekel*: disgust (at, for); **~willig** *adj.* reluctant, unwilling.

widm|en *v/t.* dedicate; **♀ung** *f* dedication.

wie 1. *interr. adv.* how; *~ geht es Gordon?* how is Gordon?; *~ ist er?* what is he like?; *~ ist das Wetter?* what's the weather like?; *~ heißen Sie?* what's your name?; *~ nennt man ...?* what do you call ...?; *~ wäre (ist, steht) es mit ...?* what *od.* how about ...?; **2.** *cj.* like; as; *~ neu (verrückt)* like new (mad); *(genau)so ... ~* as ... as; *doppelt so ... ~* twice as ... as; *~ (zum Beispiel)* such as, like; *~ üblich* as usual; *~ er sagte* as he said; *ich zeige (sage) dir, ~ (...)* I'll show (tell) you how (...).

wieder *adv.* again; *~... in Zssgn oft* re...; *immer ~* again and again; **♀aufbau** *m* reconstruction, rebuilding; **~aufbauen** *v/t.* reconstruct; **♀aufbereitung** ⊕ *f* recycling, reprocessing (*a. nukleare*); **♀aufleben** *n* revival; **♀aufnahme** *f* resumption; **~aufnehmen** *v/t.* resume; **~bekommen** *v/t.* get* back; **~beleben** *v/t.* resuscitate, revive (*a. fig.*); **♀belebungsversuch** *m* attempt at resuscitation; **♀bewaffnung** *f* rearmament; **~bringen** *v/t.* bring* back; *zurückgeben*: return; **♀einführung** *f* reintroduction; **~einstellen** *v/t.* re-engage, re-employ; *sich ~* return; **♀entdeckung** *f* rediscovery; **~erkennen** *v/t.* recognize (*an* by); **~finden** *v/t.* find* (what one has lost); *fig.* regain; **♀gabe** ⊕ *f* reproduction, play-back; **~geben** *v/t.* give* back, return; *schildern*: describe; ⊕ play back, reproduce; **~gutmachen** *v/t.* make* up for; **♀gutmachung** *f* reparation; **~herstellen** *v/t.* restore; **~holen** *v/t.* repeat; *Lernstoff*: revise, review; *zurückholen*: (go* and) get* *s.th. od. s.o.* back; *sich ~* repeat o.s. (*a. fig. Geschichte etc.*); **~holt** *adv.* repeatedly, several times; **♀holung** *f* repetition; *von Lernstoff*: revision, review; *TV etc.*: rerun; *e-r Szene*: (instant) replay; **♀kehr** *f* return; *periodische*: *a.* recurrence; **~kehren** *v/i.* return; recur; **~kommen** *v/i.* come* back, return; **~sehen** *v/t.* see* *od.* meet* again; **♀sehen** *n* seeing *s.o.* again; *Treffen*: reunion; *auf ~!* good-bye!; **~um** *adv.* again; **♀vereinigung** *f* reunion; *bsd. pol. a.* reunification; **♀verwendung** *f* re-use; **♀verwertung** ⊕ *f* recycling; **♀wahl** *f* re-election.

Wiege *f* cradle.

wiegen[1] *v/t. u. v/i.* weigh.

wiegen[2] *v/t.* rock (*in den Schlaf* to sleep), sway; **♀lied** *n* lullaby.

wiehern *v/i.* neigh; F *fig.* guffaw.

Wiese *f* meadow; **~l** *zo. n* weasel.

wieso *interr. adv. s. warum.*

wieviel *adv.* how much; *pl.* how many; **~te** *adv.*: *den* ≈*n haben wir heute?* what's the date today?
wild *adj.* wild (*a. fig.*) (F *auf* about); *heftig*: violent; *~er Streik* wildcat strike.
Wild *n hunt.* game; *Braten*: *mst* venison; **~bach** *m* torrent; **~e(r)** savage; F: *wie ein Wilder* like mad; **~erer** *m* poacher; ≈**ern** *v/i.* poach; **~hüter** *m* gamekeeper; **~leder** *n* suede; **~nis** *f* wilderness; **~schwein** *zo. n* wild boar; **~wasserfahren** *n* white-water canoeing; **~westfilm, ~westroman** *m* western.
Wille *m* will; *Absicht*: *a.* intention; *s-n ~n durchsetzen* have* *od.* get* one's own way; *j-m s-n ~n lassen* let* s.o. have his (own) way; ≈**n** *prp.*: *um gen. ~* for ...'s sake, for the sake of ...; ≈**nlos** *adj.* weak(-willed).
Willens|freiheit *f* free(dom of the) will; **~kraft** *f* will-power; ≈**stark** *adj.* strong-willed.
will|ig *adj.* willing; **~kommen** *adj.* welcome (*a. ~ heißen*) (*in* to); **~kürlich** *adj.* arbitrary; *Auswahl etc.*: *a.* random.
wimm|eln *v/i.* swarm (*von* with); *bsd. von Fischen, Fehlern*: be* teeming (with); **~ern** *v/i.* whimper.
Wimpel *m* pennant, pennon.
Wimper *f* eyelash; **~ntusche** *f* mascara.
Wind *m* wind.
Winde *f* windlass, winch.
Windel *f* (baby's) napkin, *Am.* diaper; *die ~n wechseln* change the baby.
winden *v/t.* wind*; ⊕ *a.* hoist; *sich ~* wind* (one's way); *vor Schmerz*: writhe.
Windhund *zo. m* greyhound.
wind|ig *adj.* windy; ≈**mühle** *f* windmill; ≈**pocken** ⚕ *pl.* chicken-pox *sg.*; ≈**richtung** *f* direction of the wind; ≈**schutzscheibe** *f* windscreen, *Am.* windshield; ≈**stärke** *f* wind speed; **~still** *adj.*, ≈**stille** *f* calm; ≈**stoß** *m* gust; ≈**surfen** *n* windsurfing.
Windung *f* bend, turn (*a.* ⊕).
Wink *m* sign; *fig.* hint, warning.
Winkel *m* ⩓ angle; *Ecke*: corner; ≈**ig** *adj.* angular; *Straße*: crooked.
winken *v/i.* wave (one's hand *etc.*), signal; *Taxi*: hail; *her~*: beckon.
winseln *v/i.* whimper, whine.
Winter *m* winter; **~ausrüstung** *mot.*, ⚔ *f* winter equipment; ≈**lich** *adj.* wintry; **~reifen** *mot. m* snow tyre (*Am.* tire); **~schlaf** *m* hibernation; **~spiele** *pl.* Winter Olympics *pl.*; **~sport** *m* winter sports *pl.*
Winzer *m* wine-grower.
winzig *adj.* tiny, diminutive.
Wipfel *m* (tree-)top.
Wippe *f*, ≈**n** *v/i.* seesaw.
wir *pers. pron.* we; *~ drei* the three of us; F: *~ sind's!* it's us!
Wirbel *m* whirl (*a. fig.*); *anat.* vertebra; *im Haar*: cow-lick; ≈**n** *v/i.* whirl; **~säule** *anat. f* spinal column, spine; **~sturm** *m* cyclone, tornado; **~tier** *n* vertebrate; **~wind** *m* whirlwind (*a. fig.*).
wirk|en 1. *v/t.* weave*; *Wunder*: work; **2.** *v/i. allg.* work; be* effective (*gegen* against); *(er)scheinen, aussehen*: look, seem; *anregend etc. ~* have* a stimulating *etc.* effect (*auf* [up]on); *~ als* act as; **~lich** *adj.* real, actual; *echt*: true, genuine; ≈**lichkeit** *f* reality; *in ~* in reality, actually; **~sam** *adj.* effective; ≈**ung** *f* effect.
Wirkungs|grad ⊕ *m* efficiency; ≈**los** *adj.* ineffective; ≈**voll** *adj.* effective.
wirr *adj.* confused, mixed-up; *Haar*: tousled; ≈**en** *pl.* disorder *sg.*, confusion *sg.*; ≈**warr** *m* confusion, mess, chaos.
Wirt(in) land|lord (-lady).
Wirtschaft *f econ. pol.* economy; *Geschäftswelt*: business; *s. Gastwirtschaft*; ≈**en** *v/i.* keep* house; *bsd. finanziell*: manage one's money *od.* affairs *od.* business; *sparen*: economize; *gut (schlecht) ~* be* a good (bad) manager; **~erin** *f* housekeeper; ≈**lich** *adj.* economic; *sparsam*: economical; **~s...** *econ. in Zssgn Gemeinschaft, Krise, System, Wunder etc.*: economic ...
Wirtshaus *n s. Gastwirtschaft.*
wischen *v/t.* wipe; *Staub ~* dust.
wispern *v/t. u. v/i.* whisper.
wißbegierig *adj.* curious.
wissen *v/t. u. v/i.* know*; *ich möchte ~* I'd like to know, I wonder; *soviel ich weiß* as far as I know; *weißt du* you know; *weißt du noch?* (do you) remember?; *woher weißt du (das)?* how do you know?; *man kann nie ~* you never know; *ich will davon (von ihm) nichts ~* I want nothing to do with it (him).

W

Wissen *n* knowledge; *praktisches*: *a.* know-how.
Wissenschaft *f* science; **~ler(in)** scientist; **&lich** *adj.* scientific.
wissenswert *adj.* worth knowing; *&es* useful facts *pl.*; *alles &e* (*über*) all you need to know (about).
wittern *v/t.* scent, smell* (*beide a. fig.*).
Witwe *f* widow; **~r** *m* widower.
Witz *m* joke; *~e reißen* crack jokes; **&ig** *adj.* funny; *geistreich*: witty.
wo *adv. u. cj.* where; *~ ... doch* when, although; **~bei** *adv. in welchem*: in which; *~? wie?*: how?; *~ bist du?* what are you at?; *~ mir einfällt* which reminds me.
Woche *f* week; **~n...** *in Zssgn Lohn, Markt, Zeitung etc.*: weekly ...; **~nende** *n* weekend; *am ~* at (*Am.* on) weekends *pl.*; **&nlang 1.** *adj.*: *~es Warten* (many) weeks of waiting; **2.** *adv.* for weeks; **~nschau** *f* news-reel; **~ntag** *m* weekday.
wöchentlich 1. *adj.* weekly; **2.** *adv.* weekly, every week; *einmal ~* once a week.
wo|durch *adv. wie*: how; *durch was*: through which; **~für** *adv. für was*: for which; *~?* what (...) for?
Woge *f* wave; *bsd. fig. a.* surge; *Brecher*: breaker; **&n** *v/i.* surge (*a. fig.*), heave (*a. fig. Busen*).
wo|her *adv.* where ... from; *~ weißt du* (*das*)? how do you know?; **~hin** *adv.* where (... to).
wohl *adv. u. cj.* well; *vermutlich*: probably, I suppose; *sich ~ fühlen* be* well; *seelisch*: feel* good; *in e-m Haus, bei j-m etc.*: feel* at home (*bei* with); *ich kenne ihn ~, aber* I do know him (I know him all right), but; *ich kenne sie nicht – du kennst sie ~!* I don't know her – yes, you do!, *Am. a.* you do too!
Wohl *n ~befinden*: well-being; *auf j-s ~ trinken* drink* to s.o.('s health); *zum ~!* your health!; F cheers!; **&behalten** *adv.* safely; **~fahrts...** *in Zssgn Staat etc.*: welfare ...; **&gemerkt** *int.* mind you; **&genährt** *adj.* well-fed; **&gesinnt** *adj.*: well-disposed (*j-m* towards s.o.); **&habend** *adj.* well-off, well-to-do; **&ig** *adj.* cosy, snug; **~stand** *m* prosperity, affluence; **~standsgesellschaft** *f* affluent society; **~tat** *fig. f* pleasure; *Erleichterung*: relief; *Segen*: blessing; **~täter** *m* benefactor; **&tätig** *adj.* charitable, beneficent; **~tätigkeits...** *in Zssgn Konzert etc.*: benefit ...; **&tun** *v/i.* do* good; **&verdient** *adj.* (well-)deserved; **&wollend** *adj.* benevolent.
wohn|en *v/i.* live (*in* in; *bei j-m* with s.o.); *vorübergehend*: stay (at; with); **&gebiet** *n* residential area; **&gemeinschaft** *f*: (*mit j-m*) *in e-r ~ leben* share a flat (*Am.* an apartment) *od.* house (with s.o.); **~lich** *adj.* comfortable, cosy, snug; **&mobil** *n Brt.* dormobile, *Am.* camper; **&sitz** *m* residence; *ohne festen ~* of no fixed abode; **&ung** *f* flat, *Am.* apartment; *m-e etc. ~* my *etc.* place.
Wohnungs|amt *n* housing office; **~not** *f* housing shortage.
Wohn|wagen *m* caravan, *Am.* trailer; *großer*: mobile home; **~zimmer** *n* sitting-room, living-room.
wölb|en *v/refl.*, **&ung** *f* vault, arch.
Wolf *zo. m* wolf.
Wolk|e *f* cloud; **~enbruch** *m* cloudburst; **~enkratzer** *m* skyscraper; **&enlos** *adj.* cloudless; **&ig** *adj.* cloudy, clouded.
Woll|... *in Zssgn Decke, Schal etc.*: wool(l)en ...; **~e** *f* wool.
wollen *v/t. u. v/i. u. v/aux.* want (to); *lieber ~* prefer; *~ wir* (*gehen etc.*)? shall we (go *etc.*)?; *~ Sie bitte ...* will *od.* would you please ...; *wie* (*was, wann*) *du willst* as (whatever, whenever) you like; *sie will, daß ich komme* she wants me to come; *es* (*er*) *will einfach nicht ...* it (he) won't ...; *ich wollte, ich wäre* (*hätte*) ... I wish I were (had) ...
wo|mit *adv. mit dem*: which *od.* that ... with; *~?* what ... with?
Wonne *f* joy, delight.
wor|an *adv. ~ denkst du?* what are you thinking of?; *~ liegt es, daß ...?* how is it that ...?; *~ sieht man, welche* (*ob*) ...? how can you tell which (if) ...?; **~auf** *adv. zeitlich*: after which; *örtlich*: on which; *~?* what ... on?; *~ wartest du?* what are you waiting for?; **~aus** *adv. von dem*: which *od.* that ... from; *~ ist es?* what is it made of?; **~in** *adv. in dem*: in which; *~?* where?
Wort *n* word; *mit anderen ~en* in other words; *sein ~ geben* (*halten, brechen*) give* (keep*, break*) one's

word; *j-n beim ~ nehmen* take* s.o. at his word; *ein gutes ~ einlegen für* put* in a good word for; *j-m ins ~ fallen* cut* s.o. short; **~art** *gr. f* part of speech.

Wörter|buch *n* dictionary; **~verzeichnis** *n* vocabulary, list of words.

Wort|führer *m* spokesman; **~karg** *adj.* taciturn.

wörtlich *adj.* literal; *~e Rede* direct speech.

Wort|schatz *m* vocabulary; **~spiel** *n* play on words; *Witz*: pun; **~stellung** *gr. f* word order.

wo|rüber *adv. über was*: (that) ... about, about which; *~ lachen Sie?* what are you laughing at *od.* about?; **~rum** *adv. um was*: (which *od.* that) ... for *od.* about; *~ handelt es sich?* what is it about?; **~runter** *adv. unter denen*: among which; *~?* what ... under?; **~von** *adv.* (which *od.* that) ... about; *~ redest du?* what are you talking about?; **~vor** *adv.* (which *od.* that) ... of; *~ hast du Angst?* what are you afraid of?; **~zu** *adv.*: *~ er mir rät* what he advised me to do; *~?* what (...) for?; *warum?*: *a.* why?

Wrack *n* ⚓ wreck (*a. fig.*).

wringen *v/t.* wring*.

Wucher *m* usury; **~er** *m* usurer; **~n** *v/i.* grow* (*fig.* be*) rampant; **~ung** ⚕ *f* growth.

Wuchs *m* growth; *Gestalt*: build.

Wucht *f* force; *e-s Aufpralls etc.*: impact; **~ig** *adj.* massive; *kraftvoll*: powerful.

wühlen *v/i.* dig*; *Schwein*: root; *suchen*: rummage (*in* in, through).

Wulst *m, f* bulge; *von Fett*: roll; **~ig** *adj.* bulging; *Lippen*: thick.

wund *adj.* sore; *~e Stelle* sore; *~er Punkt* sore point; **~e** *f* wound.

Wunder *n* miracle; *fig. a.* wonder, marvel (*beide*: *an* of); *~ wirken* work wonders (*bei* in); (*es ist*) *kein ~, daß du müde bist* no wonder you are tired; **~bar** *adj. fig.* wonderful, marvel(l)ous; *wie ein Wunder*: miraculous; **~kind** *n* infant prodigy; **~lich** *adj.* funny, odd; *alter Mensch*: *a.* senile; **~n** *v/refl.* be* surprised *od.* astonished (*über* at); **~schön** *adj.* lovely; **~voll** *adj.* wonderful; **~werk** *n* marvel, wonder.

Wundstarrkrampf ⚕ *m* tetanus.

Wunsch *m* wish (*a. Glück*~); *Bitte*: request; *auf j-s (eigenen) ~* at s.o.'s (own) request; *nach ~* as desired.

wünschen *v/t.* wish; *sich et.* (*zu Weihnachten etc.*) *~* want s.th. (for Christmas *etc.*); *das habe ich mir (schon immer) gewünscht* that's what I (always) wanted; *alles, was man sich nur ~ kann* everything one could wish for; *ich wünschte, ich wäre (hätte)* I wish I were (had); **~swert** *adj.* desirable.

Würde *f* dignity; **~los** *adj.* undignified; **~nträger** *m* dignitary; **~voll** *adj.* dignified.

würdig *adj.* worthy(*gen.* of); *würdevoll*: dignified; **~en** *v/t.* appreciate; *j-n keines Blickes ~* ignore s.o. completely; **~ung** *f* appreciation.

Wurf *m* throw; *zo.* litter.

Würfel *m* cube (*a.* ⚗); *Spiel*~: dice; **~n** *v/i.* (play) dice; *e-e Sechs ~* throw* a six; **~spiel** *n* (*Partie*: game of) dice; **~zucker** *m* lump sugar.

Wurfgeschoß *n* missile (*a. Flasche etc.*).

würgen *v/i. u. v/t.* choke; *j-n*: *a.* throttle.

Wurm *zo. m* worm; **~en** F *v/t.* gall; **~stichig** *adj.* wormeaten.

Wurst *f* sausage.

Würstchen *n* small sausage, frankfurter, wiener; *im Brötchen*: hot dog; **~bude** *f* sausage stand.

Würze *f* spice, zest (*beide a. fig.*).

Wurzel *f* root (*a. gr.*, ⚗); *~n schlagen* strike* *od.* take* root (*a. fig.*); **~n** *v/i.*: *~ in* be* rooted in (*a. fig.*).

würz|en *v/t.* spice, season, flavo(u)r; **~ig** *adj.* spicy, well-seasoned.

Wust F *m* tangled mass.

wüst *adj.* desert, waste; *wirr*: confused; *liederlich*: wild; *Kerl*: tough; **~e** *f* desert.

Wut *f* rage, fury; *e-e ~ haben* be*-furious (*auf* with); **~anfall** *m* fit of rage.

wüten *v/i.* rage (*a. fig.*); **~d** *adj.* furious (*auf* with; *über* at), F mad (at).

wutschnaubend *adj.* fuming.

X, Y

X-Beine *pl.* knock-knees *pl.*; **X-beinig** *adj.* knock-kneed.
x-beliebig *adj.*: *jede(r, -s) ~e ...* any (... you like).
x-mal F *adv.* umpteen times.
x-te *adj.*: *zum ~n Male* for the umpteenth time.
Xylophon ♪ *n* xylophone.

Yacht ⚓ *f* yacht.

Z

Zack|e *f*, **~en** *m* (sharp) point; *Säge, Kamm, Briefmarke*: tooth; **≈ig** *adj.* pointed; *gezahnt*: serrated; *Linie, Blitz, Felsen*: jagged; *fig.* smart.
zaghaft *adj.* timid; **≈igkeit** *f* timidity.
zäh *adj.* tough (*a. fig.*); **~flüssig** *adj.* thick, viscous; *Verkehr*: slow-moving; **≈igkeit** *f* toughness; *fig. a.* stamina.
Zahl *f* number; *Ziffer*: figure; **≈bar** *adj.* payable (*an* to; *bei* at).
zählbar *adj.* countable.
zahlen *v/i. u. v/t.* pay*; *~, bitte!* the bill (*Am. a.* check), please!
zählen *v/t. u. v/i.* count (*bis* up to; *fig. auf* on); *~ zu den Besten etc.*: rank with.
zahlenmäßig 1. *adj.* numerical; **2.** *adv.*: *j-m ~ überlegen sein* outnumber s.o.
Zähler *m* counter (*a.* ⊕); ⩕ numerator; *Gas≈*, ⚡ *etc.*: meter.
Zahl|karte ✆ *f* paying-in (*Am.* deposit) slip; **≈los** *adj.* countless; **~meister** *m* ⚔ paymaster; ⚓ purser; **≈reich 1.** *adj.* numerous; **2.** *adv.* in great number; **~tag** *m* pay-day; **~ung** *f* payment.
Zählung *f* count; *Volks≈*: census.
Zahlungs|aufforderung *f* request for payment; **~bedingungen** *pl.* terms *pl.* of payment; **~befehl** *m* order to pay; **~bilanz** *f* balance of payments; **≈fähig** *adj.* solvent; **~frist** *f* term of payment; **~mittel** *n* currency; *gesetzliches ~* legal tender; **~schwierigkeiten** *pl.* financial difficulties *pl.*; **~termin** *m* date of payment; **≈unfähig** *adj.* insolvent.
Zählwerk ⊕ *n* meter, counter.
Zahlwort *gr. n* numeral.
zahm *adj.* tame (*a. fig.*).
zähm|en *v/t.* tame (*a. fig.*); **≈ung** *f* taming (*a. fig.*).
Zahn *m* tooth; ⊕ *a.* cog; **~arzt** *m*, **~ärztin** *f* dentist, dental surgeon; **~bürste** *f* tooth-brush; **~creme** *f* toothpaste; **≈en** *v/i.* cut* one's teeth, teethe; **~fleisch** *n* gums *pl.*; **≈los** *adj.* toothless; **~lücke** *f* gap between the teeth; **~medizin** *f* dentistry; **~pasta, ~paste** *f* toothpaste; **~rad** ⊕ *n* gearwheel, cog-wheel; **~radbahn** *f* rack *od.* cog railway (*Am.* railroad); **~schmerzen** *pl.* toothache *sg.*; **~spange** *f* brace; **~stocher** *m* toothpick.
Zange *f* ⊕ pliers *pl.*; *Kneif≈*: pincers *pl.*; *Greif≈, Zucker≈ etc.*: tongs *pl.*; ⚕ forceps *pl.*; *zo.* pincer.
zanken *v/refl.* quarrel (*wegen* about; *um* over), fight*, argue (about; over).
zänkisch *adj.* quarrelsome.
Zäpfchen *n anat.* uvula; *pharm.* suppository.
Zapf|en *m Faßhahn*: tap, *Am.* faucet; ⊕ *Pflock*: peg, pin; *Spund*: bung; *Verbindungs≈*: tenon; *Dreh≈*: pivot; ♀ cone; **≈en** *v/t. Bier etc.*: tap; **~enstreich** ⚔ *m* tattoo, *Am. a.* taps; **~hahn** *m* tap, *Am.* faucet; *mot.* nozzle; **~säule** *mot. f* petrol (*Am.* gasoline) pump.
zappel|ig *adj.* fidgety; **~n** *v/i.* fidget, wriggle (*a. Fisch etc.*).
zart *adj.* tender; *sanft*: gentle; **~fühlend** *adj.* delicate; **≈gefühl** *n* delicacy (of feeling).
zärtlich *adj.* tender, affectionate (*zu* with); **≈keit** *f* tenderness, affection; *Liebkosung*: caress.

Zauber *m* magic, spell, charm (*alle a. fig.*); **~ei** *f* magic, witchcraft; **~er** *m* wizard (*a. fig.*), magician; **~formel** *f* spell; **≈haft** *fig. adj.* enchanting, charming; **~in** *f* sorceress; **~kraft** *f* magic power; **~kunststück** *n* conjuring trick; **≈n 1.** *v/i.* practise magic; *im Zirkus etc.*: do* conjuring tricks; **2.** *v/t.* conjure (up); **~spruch** *m* spell; **~stab** *m* (magic) wand; **~wort** *n* magic word, spell.

zaudern *v/i.* hesitate.

Zaum *m* bridle; *im ~ halten* control (*sich* o.s.), keep* in check.

zäumen *v/t.* bridle.

Zaumzeug *n* bridle.

Zaun *m* fence; **~gast** *fig. m* armchair witness; **~pfahl** *m* pale.

Zebrastreifen *m* zebra crossing.

Zeche *f* bill; ⚒ (coal) mine, pit; *die ~ zahlen* pay* (F *u. fig.* foot) the bill.

Zeh *m*, **~e** *f* toe; *große* (*kleine*) *~* big (little) toe; **~enspitze** *f* tip of the toe; *auf ~n gehen* (walk on) tiptoe.

zehn *adj.* ten; **~fach** *adj.* tenfold; **~jährig** *adj.* ten-year-old, of ten (years); **≈kampf** *m* decathlon; **~mal** *adv.* ten times; **~te** *adj.* tenth; **≈tel** *n* tenth (part); **~tens** *adv.* tenthly, in the tenth place.

Zeichen *n* sign; *Merk≈*: *a.* mark; *Signal*: signal; *Satz≈*: punctuation mark; *zum ~ gen.* as a token of; **~block** *m* drawing-block; **~brett** *n* drawing-board; **~lehrer(in)** art teacher; **~papier** *n* drawing-paper; **~setzung** *gr. f* punctuation; **~sprache** *f* sign language; **~trickfilm** *m* (animated) cartoon.

zeichnen *v/i. u. v/t.* draw*; *kenn~*: mark; *unter~*: sign; *fig.* mark, leave* its mark on *s.o.*

Zeichn|en *n* drawing; *Schulfach*: art; **~er(in)** *mst* artist; *genauer*: draughts|man (-woman), *Am.* drafts|man (-woman); **~ung** *f* drawing; ⊕ *Graphik*: diagram; *zo.* marking.

Zeige|finger *m* forefinger, index (finger); **≈n 1.** *v/t.* show* (*a. sich ~*); **2.** *v/i.*: *~ auf* (*nach*) point to; (*mit dem Finger*) *~ auf* point (one's finger) at; **~r** *m Uhr≈*: hand; ⊕ pointer, needle; **~stock** *m* pointer.

Zeile *f* line (*a. TV*); *j-m ein paar ~n schreiben* drop s.o. a line.

Zeit *f* time; *~alter*: *a.* age, era; *gr.* tense; *vor einiger ~* some time *od.* a while ago; *zur ~* at the moment, at present; *in letzter ~* lately, recently; *in der od. zur ~ gen.* in the days of; ... *aller ~en* ... of all time; *die ~ ist um* time's up; *sich ~ lassen* take* one's time; *es wird ~, daß* ... it is time to *inf.*; *das waren noch ~en* those were the days.

Zeit|abschnitt *m* period (of time); **~alter** *n* age; **~aufnahme** *phot. f* time exposure; **~bombe** *f* time bomb (*a. fig.*); **~druck** *m*: *unter ~ stehen* be* pressed for time; **~fahren** *n* time trials *pl.*; **≈gemäß** *adj.* modern, up-to-date; **~genosse** *m*, **≈genössisch** *adj.* contemporary; **~geschichte** *f* contemporary history; **~gewinn** *m* gain of time; **~karte** *f* season-ticket; **~lang** *f*: *e-e ~* for some time, for a while; **≈lebens** *adv.* all one's life; **≈lich 1.** *adj.* time ...; **2.** *adv.*: *et. ~ planen od. abstimmen* time s.th.; **≈los** *adj.* timeless; *a. Stil, Kleidung etc.*: classic; **~lupe** *f* (*in* in) slow motion; **~not** *f s. Zeitdruck*; **~punkt** *m* moment; **~raffer** *phot. m* time-lapse photography; **≈raubend** *adj.* time-consuming; **~raum** *m* period *od.* space (of time); **~rechnung** *f* chronology; *unsere ~* our time; **~schrift** *f* magazine.

Zeitung *f* (news)paper, journal.

Zeitungs|abonnement *n* subscription to a paper; **~artikel** *m* newspaper article; **~ausschnitt** *m* (newspaper) cutting (*Am.* clipping); *zum Sammeln*: scrap; **~junge** *m* newsboy, paper-boy; **~kiosk** *m* newsstand; **~notiz** *f* press item; **~papier** *n* newsprint; **~verkäufer** *m* newsvendor.

Zeit|verlust *m* loss of time; **~verschiebung** *f* time-lag; **~verschwendung** *f* waste of time; **~vertreib** *m* pastime; *zum ~* to pass the time; **≈weilig** *adj.* temporary; **≈weise** *adv.* at times, occasionally; **~wort** *gr. n* verb; **~zeichen** *n* time-signal; **~zünder** *m* time-fuse.

Zell|e *f* cell; **~stoff** *m*, **~ulose** ⊕ *f* cellulose.

Zelt *n* tent; **≈en** *v/i.* camp; **~lager** *n* camp; **~platz** *m* camping-ground.

Zement *m*, **≈ieren** *v/t.* cement.

Zenit *m* zenith (*a. fig.*).

zens|ieren *v/t.* censor; *Schule*: mark, grade; **≈or** *m* censor; **≈ur** *f* censorship; mark, grade.

Zent|imeter *n, m* centimet|re, *Am.* -er; **~ner** *m* 50 kilograms, *appr.* hundredweight, *abbr.* cwt.
zentral *adj.* central; **2e** *f* central office, headquarters *pl.* (*a. Taxi2*); *teleph.* (telephone) exchange; ⊕ control room; **2heizung** *f* central heating.
Zentrum *n* cent|re, *Am.* -er.
Zepter *n* scept|re, *Am.* -er.
zerbeißen *v/t.* bite* to pieces.
zerbrech|en *v/i. u. v/t.* break* ([in]to pieces *od.* in two); *s. Kopf*; **~lich** *adj.* fragile.
zer|bröckeln *v/t. u. v/i.* crumble; **~drücken** *v/t.* crush.
Zeremon|ie *f* ceremony; **2iell** *adj.*, **~iell** *n* ceremonial.
Zerfall *m* disintegration, decay; **2en** *v/i.* disintegrate, decay; ~ *in* break* up into.
zer|fetzen, ~fleischen *v/t.* tear* to pieces; **~fressen** *v/t.* eat* (holes in); ⚗ corrode; **~gehen** *v/i.* melt*, dissolve; **~hacken** *v/t.* cut* *od.* chop up; ⚡ chop; **~kauen** *v/t.* chew; **~kleinern** *v/t.* cut* *od.* chop up; *zermahlen*: grind*.
zerknirsch|t *adj.* remorseful; **2ung** *f* remorse.
zer|knittern *v/t.* (c)rumple, crease; **~knüllen** *v/t.* crumple up; **~kratzen** *v/t.* scratch; **~krümeln** *v/t.* crumble; **~lassen** *v/t.* melt*; **~legen** *v/t.* take* apart *od.* to pieces; *Möbel, Maschine*: *a.* knock down; *Fleisch*: carve; ⚗ *gr., fig.* analy|se, *Am.* -ze; **~lumpt** *adj.* ragged, tattered; **~mahlen** *v/t.* grind*; **~malmen** *v/t.* crush; **~mürben** *v/t.* wear* out (*a. seelisch*: down); **~platzen** *v/i.* burst*; explode; **~quetschen** *v/t.* crush.
Zerrbild *n* caricature.
zer|reiben *v/t.* rub to powder, pulverize; **~reißen 1.** *v/t.* tear* up *od.* to pieces; *sich die Hose etc.* ~ tear* *od.* rip one's pants *etc.*; **2.** *v/i.* tear*; *Seil etc.*: break*.
zerren 1. *v/t.* drag, haul; ⚕ strain; **2.** *v/i.*: ~ *an* tug (*stärker*: strain) at.
zerrinnen *v/i.* melt* away (*a. fig.*).
Zerrung ⚕ *f* strain.
zer|rütten *v/t.* ruin; **~rüttet** *adj. Ehe*: broken; ~*e Verhältnisse* a broken home; **~sägen** *v/t.* saw* up; **~schellen** *v/i.* be* smashed, smash (up); ✈ *a.* crash; **~schlagen** *v/t.* break* *od.* smash (to pieces); *sich* ~ come* to nothing; *sich* ~ *fühlen* be* (all) worn out *od.* F dead-beat; **~schmettern** *v/t.* smash (to pieces), shatter (*a. fig.*); **~schneiden** *v/t.* cut* (up *od.* into pieces).
zersetz|en *v/t.* ⚗ decompose (*a. sich* ~); *fig.* corrupt, undermine; **2ung** *f* decomposition; corruption.
zer|splittern *v/t. u. v/i.* split* (up), splinter; **~springen** *v/i.* burst*; *Glas*: crack; **~stampfen** *v/t.* pound.
zerstäub|en *v/t.* spray; **2er** *m* atomizer, sprayer.
zerstör|en *v/t.* destroy, ruin (*beide a. fig.*); **2er** *m* destroyer (*a.* ⚓); **~erisch** *adj.* destructive; **2ung** *f* destruction.
zerstreu|en *v/t. u. v/refl.* scatter, disperse; *Menge*: *a.* break* up; *fig.* take* s.o.'s (*refl.* one's) mind off things; **~t** *fig. adj.* absent-minded; **2theit** *f* absent-mindedness; **2ung** *fig. f* distraction.
zer|stückeln *v/t.* cut* up *od.* (in)to pieces; *Leiche etc.*: dismember; **~teilen** *v/t. u. v/refl.* divide (*in* into); **~treten** *v/t.* crush (*a. fig.*); **~trümmern** *v/t.* smash; **~zaust** *adj.* tousled, dishevel(l)ed.
Zettel *m* slip (of paper); *Nachricht*: note: *Klebe2*: label, sticker.
Zeug *n* stuff (*a. fig. contp.*); *Sachen*: things *pl.* (*a. in Zssgn Schwimm2 etc.*); *er hat das ~ dazu* he's got what it takes; *dummes* ~ nonsense, *sl.* bullshit.
Zeuge *m* witness; **2n 1.** *v/i.* ⚖ give* (*fig.* be*) evidence (*für* for; *fig. von* of); **2.** *v/t. biol.* procreate; *Kinder*: become* the father of.
Zeugen|aussage ⚖ *f* testimony, evidence; **~bank** *f* witness-box, *Am.* witness stand.
Zeugin *f* (female) witness.
Zeugnis *n* (school) report, *Am.* report card; *Prüfungs2*: certificate, diploma; *vom Arbeitgeber*: reference; **~se** *pl.* credentials *pl.*
Zeugung *biol. f* procreation.
Zickzack *m* zigzag; *im* ~ *fahren etc.* (go* in a) zigzag.
Ziege *zo. f* (she-)goat, nanny(-goat).
Ziegel *m* brick; *Dach2*: tile; **~dach** *n* tiled roof; **~ei** *f* brick-field, brickyard; **~stein** *m* brick.
Ziegen|bock *zo. m* he-goat, billy-goat; **~leder** *n* kid; **~peter** ⚕ *m* mumps.

ziehen 1. *v/t.* pull (*a. Bremse etc.*), draw* (*a. Waffe, Karte, Lose, Linie*); *Hut*: take* off (*vor* to) (*a. fig.*); *Blumen*: grow*; *heraus~*: pull *od.* take* out (*aus* of); *j-n ~ an* pull s.o. by (*stärker*: at); *auf sich ~ Aufmerksamkeit, Augen*: attract; *sich ~* run*; *dehnen*: stretch; *s. Länge, Erwägung*; **2.** *v/i.* pull (*an* at); *sich bewegen, um~*: move; *Vögel, Volk*: migrate; *gehen*: go*; *reisen*: travel; *ziellos*: wander, roam; *es zieht* there is a draught (*Am.* draft).
Zieh|harmonika ♪ *f* accordion; **~ung** *f Lotto etc.*: draw.
Ziel *n* aim, *~scheibe*: target, mark (*alle a. fig.*); *fig. a.* goal, objective; *Reise*2: destination: *Sport*: finish; *sich ein ~ setzen* (*sein ~ erreichen*) set* o.s. a (reach one's) goal; *sich zum ~ gesetzt haben, et. zu tun* aim to do *od.* at doing s.th.; **~band** *n* tape; **2en** *v/i.* (take*) aim (*auf* at); **~fernrohr** *n* telescopic sight; **2los** *adj.* aimless; **~scheibe** *f* target; *fig. a.* object; **2strebig** *adj.* purposeful, determined.
ziemlich 1. *adj.* quite a; **2.** *adv.* rather, fairly, quite, F pretty; *~ viele* quite a few.
Zier|de *f* (*zur* as a) decoration; **2en** *v/t.* decorate; *sich ~* make* a fuss; **2lich** *adj.* dainty; *Frau*: *a.* petite; **~pflanze** *f* ornamental plant.
Ziffer *f* figure; **~blatt** *n* dial, face.
Zigarette *f* cigarette; **~nautomat** *m* cigarette machine; **~nstummel** *m* cigarette-end, stub, butt.
Zigarre *f* cigar.
Zigeuner(in) gipsy, *bsd. Am.* gypsy.
Zimmer *n* room; apartment; **~einrichtung** *f* furniture; **~mädchen** *n* chamber-maid; **~mann** *m* carpenter; **2n** *v/t. allg.* build*, make*; *Dach etc.*: carpenter; **~pflanze** *f* indoor plant; **~suche** *f*: *auf ~ sein* be* looking *od.* hunting for a room; **~vermittlung** *f* accommodation agency *od.* service.
zimperlich *adj.* prudish; *weichlich*: soft, F sissy; *nicht gerade ~ behandeln etc.*: none too gently.
Zimt *m* cinnamon.
Zink ⚗ *n* zinc; **~e** *f* tooth; *Gabel*: prong.
Zinn *n* ⚗ tin; *legiertes*: pewter (*a. ~geschirr*).
Zins *econ. m* interest (*a. ~en pl.*); 3% *~en bringen* bear* interest at 3%; **~satz** *m* interest rate.
Zipfel *m Tuch etc.*: corner; *Mütze*: point; *Hemd*: tail; *Wurst*: end; **~mütze** *f* pointed cap *od.* hat.
zirk|a *adv.* about, approximately; **2el** *m* ⚒ compasses *pl.*; *Kreis*: circle (*a. fig.*); **~ulieren** *v/i.* circulate; **2us** *m* circus.
zirpen *v/i.* chirp.
zischen *v/i. u. v/t.* hiss; *Fett etc.*: sizzle; *fig. durch die Luft etc.*: whiz(z).
ziselieren *v/t.* engrave.
Zit|at *n* quotation; **2ieren** *v/t.* quote (from), cite (*a.* ⚖).
Zitrone *f* lemon; *Getränk*: lemon squash, *Am.* lemonade; **~nlimonade** *f* (fizzy) lemonade, *Am.* lemon soda *od.* pop; **~npresse** *f* lemon-squeezer.
zitt|erig *adj.* shaky; **~ern** *v/i.* tremble, shake* (*beide*: *vor* with).
zivil *adj.* civil, civilian; *Preis*: reasonable.
Zivil *n coll.* civilians *pl.*; *Polizist in ~* plain-clothes policeman; **~bevölkerung** *f* civilians *pl.*; **~dienst** *m s. Ersatzdienst*; **~isation** *f* civilization; **2isieren** *v/t.* civilize; **~ist** *m* civilian; **~recht** ⚖ *n* civil law; **~schutz** *m* civil defen|ce, *Am.* -se.
Znüni *m, n Schweiz*: mid-morning snack, tea- *od.* coffee-break.
zögern *v/i.* hesitate.
Zögern *n* hesitation.
Zoll *m Behörde*: customs *sg.*; *Abgabe*: duty; *Maß*: inch; **~abfertigung** *f* customs clearance; **~beamter** *m* customs officer; **~erklärung** *f* customs declaration; **2frei** *adj.* duty-free; **~kontrolle** *f* customs examination; **2pflichtig** *adj.* liable to duty; **~stock** *m* (folding) rule.
Zone *f* zone.
Zoo *m* zoo; **~handlung** *f* pet shop.
Zoolog|e *m* zoologist; **~ie** *f* zoology; **2isch** *adj.* zoological.
Zopf *m* plait; *bsd. Kind*: pigtail.
Zorn *m* anger; **2ig** *adj.* angry.
Zote *f* filthy joke, obscenity.
zott(el)ig *adj.* shaggy.
zu 1. *prp. Richtung*: to, toward(s); *Ort, Zeit*: at, *Zweck, Anlaß*: for; *~ Fuß* (*Pferd*) on foot (horseback); *~ Hause* (*Ostern etc.*) at home (Easter *etc.*); *~ Weihnachten schenken etc.*: for Christmas; *Tür* (*Schlüssel*) *~* ...

door (key) to ...; ~ *m-r Überraschung* to my surprise; *wir sind ~ dritt* there are three of us; ~ *zweien* two by two; ~ *e-r Mark* at *od.* for one mark; *1 ~ 1* one all; *2 ~ 1 gewinnen* win* two one *od.* by two goals *etc.* to one; *s. zum, zur*; **2.** *adv.* too; F *geschlossen*: closed, shut; *ein ~ heißer Tag* too hot a day; **3.** *cj.* to; *es ist ~ erwarten* it is to be expected.
Zubehör *n* accessories *pl.*
zubereit|en *v/t.* prepare; **2ung** *f* preparation.
zu|binden *v/t.* tie (up); **~bleiben** *v/i.* stay shut; **~blinzeln** *v/i.* wink at; **~bringen** *v/t.* spend*; **2bringer** *mot. m* feeder (road).
Zucht *f zo.* breeding; ⚘ cultivation; *Rasse*: breed.
zücht|en *v/t. zo.* breed*; ⚘ grow*, cultivate; **2er** *m* breeder; grower.
Zucht|haus *n* prison, *Am. a.* penitentiary; *Strafe*: imprisonment, confinement; **~perle** *f* culture(d) pearl.
zucken *v/i.* jerk; *krampfhaft*: twitch (*mit et.* s.th.); *vor Schmerz*: wince; *Blitz*: flash.
zücken *v/t. Waffe*: draw*; F *fig.* pull out.
Zucker *m* sugar; **~dose** *f* sugar-bowl; **~guß** *m* icing, frosting; **2krank** *adj.*, **~kranke(r)** diabetic; **~krankheit** *f* diabetes; **2n** *v/t.* sugar; **~rohr** ⚘ *n* sugar-cane; **~rübe** ⚘ *f* sugar-beet; **2süß** *adj.* (as) sweet as sugar; **~wasser** *n* sugared water; **~watte** *f* candy floss; **~zange** *f* sugar-tongs *pl.*
zuckrig *adj.* sugary.
Zuckung *f* twitch(ing); *Tick*: tic; *Krampf*: convulsion, spasm.
zudecken *v/t.* cover (up).
zudem *adv.* besides, moreover.
zu|drehen *v/t.* turn off; *j-m den Rücken ~* turn one's back on s.o.; **~dringlich** *adj.*: ~ *werden* F get* fresh (*zu* with); **~drücken** *v/t.* close, push *s.th.* shut; *s. Auge.*
zuerst *adv.* first; *anfangs*: at first; *zunächst*: first (of all), to begin with.
zufahr|en *v/i.* drive* on; ~ *auf* drive* toward(s), head for; **2t** *f* approach; *zum Haus*: drive(way); **2tsstraße** *f* approach (road).
Zufall *m* chance; *durch ~* by chance, by accident; **2en** *v/i. Tür etc.*: slam (shut); *j-m*: fall* to; *mir fallen die Augen zu* I can't keep my eyes open.
zufällig **1.** *adj.* accidental; *attr. a.* chance; **2.** *adv.* by accident, by chance; ~ *et. tun* happen to do s.th.
zufassen *fig. v/i.* give* (s.o.) a hand (*bei* with).
Zuflucht *f*: ~ *suchen* (*finden*) look for (find*) refuge *od.* shelter (*vor* from; *bei* with); (*s-e*) ~ *nehmen zu* resort to.
zufolge *prp.* according to.
zufrieden *adj.* content(ed), satisfied; **~geben** *v/refl.*: *sich ~ mit* content o.s. with, make* do with; **2heit** *f* contentment, satisfaction; **~lassen** *v/t.* leave* *s.o.* alone; **~stellen** *v/t.* satisfy; **~stellend** *adj.* satisfactory.
zu|frieren *v/i.* freeze* up *od.* over; **~fügen** *v/t.* do*, cause; *j-m Schaden ~ a.* harm s.o.; **2fuhr** *f* supply.
Zug *m* 🚂 train; *Menschen, Wagen etc.*: procession, line; *Fest2*: parade; *Gesichts2*: feature; *Charakter2*: trait; *Hang*: tendency; *Schach etc.*: move (*a. fig.*); *Schwimm2*: stroke; *Ziehen*: pull (*a.* ⊕ *Griff etc.*); *phys. a.* tension; *Rauchen*: *a.* puff; *Schluck*: *a.* draught, *Am.* draft; *~luft*: draught, *Am.* draft; *Schule*: stream; *im ~e gen.* in the course of; *in e-m ~* at one go; ~ *um ~* step by step; *in groben Zügen* in broad outlines.
Zu|gabe *f* addition; *thea.* encore; **~gang** *m* access (*a. fig.*); **2gänglich** *adj.* accessible (*für* to) (*a. fig.*); **2geben** *v/t.* add; *fig.* admit.
zugehen *v/i. Tür etc.*: close, shut*; *geschehen*: happen; *es geht lustig zu* we have a lot of fun; ~ *auf* walk up to, approach (*a. fig.*).
Zugehörigkeit *f* membership.
Zügel *m* rein (*a. fig.*); **2n** **1.** *v/t.* rein in; *fig.* curb, control, check; **2.** *v/i.* *Schweiz*: move.
Zuge|ständnis *n* concession; **2stehen** *v/t.* concede, grant.
zugetan *adj.* attached (*dat.* to).
Zugführer 🚂 *m* guard, *Am.* conductor.
zug|ig *adj.* draughty, *Am.* drafty; **2kraft** *f* ⊕ traction; *fig.* attraction, draw, appeal; **~kräftig** *adj.*: ~ *sein* be* a draw.
zugleich *adv.* at the same time.
Zug|luft *f* draught, *Am.* draft; **~maschine** *f* tractor.
zugreifen *v/i.* grab it (*fig.* the opportunity); *greifen Sie zu! bei Tisch*: help yourself!; *Werbung*: buy now!; *s. zufassen.*

zugrunde *adv.*: ~ *gehen* (*an*) perish (of); *e-r Sache et.* ~ *legen* base s.th. on s.th.; ~ *richten* ruin.
zu|gunsten *prp.* in favo(u)r of; **~gute** *adv.*: *j-m et.* ~ *halten* make* allowances *od.* allow for s.o.'s ...; ~ *kommen* be* for the benefit (*dat.* of).
Zugvogel *m* bird of passage.
zu|halten *v/t.* keep* shut; *sich die Ohren* (*Augen*) ~ cover one's ears (eyes) with one's hands; *sich die Nase* ~ hold* one's nose; **&hälter** *m* pimp.
Zuhause *n* home.
zuhör|en *v/i.* listen (*dat.* to *s.o. od. s.th.*); **~er(in)** listener; *pl. coll. a.* audience *sg.*, *pl.*
zu|jubeln *v/i.* cheer; **~kleben** *v/t.* *Umschlag*: seal; **~knallen** *v/t.* bang, slam; **~knöpfen** *v/t.* button (up); **~kommen** *v/i.*: ~ *auf* come* up to; *fig.* be* ahead of; *die Dinge auf sich* ~ *lassen* wait and see*.
Zu|kunft *f* future (*a. gr.*); **&künftig 1.** *adj.* future; **2.** *adv.* in future; **~kunftsforschung** *f* futurology.
zu|lächeln *v/i.* smile at; **&lage** *f* bonus; **~lassen** *v/t.* keep* *s.th.* closed; *erlauben*: allow; *beruflich, mot.*: licen|ce, *Am.* -se, register; *j-n zu et.* ~ admit s.o. to s.th.; **~lässig** *adj.* admissible (*a.* ⚖); ~ *sein* be* allowed; **&lassung** *f* admission; *mot. etc.*: licen|ce, *Am.* -se.
zulegen *v/t.* add; F: *sich* ~ get* o.s. *s.th.*; *Namen*: adopt.
zuleide *adv.*: *j-m et.* ~ *tun* harm *od.* hurt* s.o.
zu|letzt *adv.* in the end; *kommen etc.*: last; *schließlich*: finally; *wann hast du ihn* ~ *gesehen?* when did you last see him?; **~liebe** *adv.*: *j-m* ~ for s.o.'s sake.
zum *prp. zu dem*: *s. zu*; ~ *ersten Mal* for the first time; *et.* ~ *Kaffee s.th.* with one's coffee; ~ *Schwimmen etc. gehen* go* swimming *etc.*
zumachen *v/t.* close, shut*; *zuknöpfen*: button (up).
zumal *cj.* especially since.
zumauern *v/t.* brick *od.* wall up.
zumut|bar *adj.* reasonable; **~e** *adv.*: *mir ist ...* ~ I feel ...; **~en** *v/t.*: *j-m et.* ~ expect s.th. of s.o.; *sich zuviel* ~ overtax o.s.; **&ung** *f*: *das ist e-e* ~ that's asking *od.* expecting a bit much.
zunächst *adv. s. zuerst.*

zu|nageln *v/t.* nail up; **~nähen** *v/t.* sew* up; **&nahme** *f* increase, growth; **&name** *m* surname.
zünd|en *v/i.* kindle; ⚡, *mot.* ignite, fire; **~end** *fig. adj.* stirring; **&er** ⚔ *m* fuse, *Am.* fuze; **&holz** *n* match; **&kerze** *mot. f* spark(ing)-plug; **&schlüssel** *mot. m* ignition key; **&schnur** *f* fuse; **&ung** *f* ignition.
zunehmen *v/i.* increase (*an* in); *Person*: put* on weight; *Mond*: wax; *Tage*: grow* longer.
zuneig|en *v/refl.*: *sich dem Ende* ~ draw* to a close; **&ung** *f* affection.
Zunft *hist. f* guild.
Zunge *f* tongue; *es liegt mir auf der* ~ it's on the tip of my tongue.
züngeln *v/i. Flamme*: lick, flicker.
Zungen|brecher *m* tongue-twister; **~spitze** *f* tip of the tongue.
zunicken *v/i.* nod to *od.* at.
zunutze *adv.*: *sich et.* ~ *machen* utilize s.th., make* use of s.th.
zupfen *v/t. u. v/i.* pull (*an* at), pick, pluck (at) (*a.* ♪).
zur *prp. zu der*: *s. zu*; ~ *Schule* (*Kirche*) *gehen* go* to school (church); ~ *Hälfte* half of it *od.* them; ~ *Belohnung etc.* as a reward *etc.*
zurechnungsfähig ⚖ *adj.* responsible; **&keit** ⚖ *f* responsibility.
zurecht|finden *v/refl.* find* one's way; **~kommen** *v/i.* get* along (*mit* with); *bsd. mit et.*: *a.* cope (with); **~legen** *v/t.* arrange; *fig. sich et.* ~ think* s.th. out; **~machen** F *v/t.* get* ready, prepare, *Am. a.* fix; *sich* ~ *Frau*: do* o.s. up; **~rücken** *v/t.* put* *s.th.* straight (*a. fig.*); **~weisen** *v/t.*, **&weisung** *f* reprimand.
zu|reden *v/i.*: *j-m* ~ encourage s.o.; **~reiten** *v/t.* break* in; **~richten** F *fig. v/t.*: *übel* ~ batter; *j-n*: *a.* beat* up badly; *et.*: *a.* make* a mess of, ruin.
zurück *adv.* back; *hinten*: behind (*a. fig.*); **~...** *in Zssgn bringen, fahren, gehen, werfen etc.*: ... back; **~behalten** *v/t.* keep* back, retain; **~bekommen** *v/t.* get* back; **~bleiben** *v/i.* stay behind, be* left behind; *nicht mithalten*: fall* behind (*a. schulisch etc.*); **~blicken** *v/i.* look back (*auf* at; *fig.* on); **~datieren** *v/t.* antedate (*auf* to); **~fallen** *fig. v/i.* fall* behind; *Sport*: *a.* drop back; **~finden** *v/i.* find* one's way back (*nach*, *zu* to); *fig.* return (to); **~**

fordern *v/t.* reclaim; **~führen** *v/t.* lead* back; ~ auf attribute to; **~geben** *v/t.* give* back, return; **~geblieben** *fig. adj.* backward; *geistig*: retarded; **~gehen** *fig. v/i.* decrease; *fallen*: *a.* go* down, drop; **~gezogen** *adj.* secluded; **~greifen** *fig. v/i.*: ~ auf fall* back (up)on; **~halten 1.** *v/t.* hold* back; **2.** *v/refl.* control o.s.; *im Essen, Reden etc.*: be* careful; **~haltend** *adj.* reserved; **≈haltung** *f* reserve; **~kehren** *v/i.* return; **~kommen** *v/i.* come* back, return (*beide*: *fig.* auf to); **~lassen** *v/t.* leave* (behind); **~legen** *v/t.* put* back; *Geld*: put* aside, save; *Strecke*: cover, do*; **~nehmen** *v/t.* take* back (*a. fig. Worte etc.*); **~rufen 1.** *v/t.* call back (*a. teleph.*); *Autos in die Werkstatt etc.*: recall; ins Gedächtnis ~ recall; **2.** *v/i. teleph.* call back; **~schlagen 1.** *v/t. Angriff etc.*: beat* off; *Tennisball*: return; *Decke, Verdeck etc.*: fold back; **2.** *v/i.* hit* back; *fig.*, ⚔ retaliate; **~schrekken** *v/i.*: ~ vor shrink* from; vor nichts ~ stop at nothing; **~setzen** *v/t. Auto*: back (up); *fig. j-n*: neglect; **~stehen** *fig. v/i.* stand* aside; **~stellen** *v/t.* put* back (*a. Uhr*); *fig.* put* aside; ⚔ defer; **~strahlen** *v/t.* reflect; **~treten** *v/i.* step *od.* stand* back; resign (von e-m Amt [Posten] one's office [post]); *econ.* withdraw* (von from); **~weichen** *v/i.* fall* back (*a.* ⚔); **~weisen** *v/t.* turn down; ⚖ dismiss; **~zahlen** *v/t.* pay* back (*a. fig.*); **~ziehen** *v/t.* draw* back; *fig.* withdraw*; sich ~ retire, withdraw* (*a.* ⚔); ⚔ *a.* retreat.

Zuruf *m* shout; **≈en** *v/t.*: j-m et. ~ shout s.th. to s.o.

Zusage *f* promise, *Einwilligung*: assent; **≈n** *v/i. u. v/t.* accept (an invitation); *einwilligen*: agree; *passen*: suit; *gefallen*: appeal to.

zusammen *adv.* together; alles ~ (all) in all; das macht ~ ... that makes ... altogether; **≈arbeit** *f* cooperation; in ~ mit in collaboration with; **~arbeiten** *v/i.* cooperate, collaborate; **~beißen** *v/t.*: die Zähne ~ clench one's teeth; **~brechen** *v/i.* break* down, collapse (*beide a. fig.*); **≈bruch** *m* breakdown, collapse; **~fallen** *v/i.* collapse; *zeitlich*: coincide; **~falten** *v/t.* fold up; **~fassen** *v/t.* summarize, sum up; **≈fassung** *f* summary; **~fügen** *v/t.* join (together); **~gesetzt** *adj.* compound; **~halten** *v/i. u. v/t.* hold* together (*a. fig.*); F *fig.* stick* together; **≈hang** *m Beziehung*: connection; *e-s Textes etc.*: context; im ~ stehen (mit) be* connected (with); **~hängen** *v/i.* be* connected; **~hängend** *adj.* coherent; **~hang(s)los** *adj.* incoherent, disconnected; **~klappen** *v/i. u. v/t.* ⊕ fold up; F *fig.* break* down; **~kommen** *v/i.* meet*; **≈kunft** *f* meeting; **~legen 1.** *v/t. vereinigen*: combine; *falten*: fold up; **2.** *v/i. Geld*: club together; **~nehmen** *fig. v/t. Mut, Kraft*: muster (up); sich ~ pull o.s. together; **~packen** *v/t.* pack up; **~passen** *v/i. allg.* harmonize; *Dinge, Farben*: *a.* match; **~rechnen** *v/t.* add up; **~reißen** F *v/refl.* pull o.s. together; **~rollen** *v/t. u. v/refl.* coil (up); **~rotten** *v/refl.* band together; **~rücken 1.** *v/t.* move closer together; **2.** *v/i.* move up; **~schlagen** *v/t. Hände*: clap; *Hacken*: click; *j-n*: beat* up; *et.*: smash (up); **~schließen** *v/refl.* join, unite; **≈schluß** *m* union; **~schreiben** *v/t.* write* in one word; **~schrumpfen** *v/i.* shrivel (up), shrink*; **~setzen** *v/t.* put* together; ⊕ assemble; sich ~ aus consist of, be* composed of; **≈setzung** *f* composition; ⚗ *ling.* compound; ⊕ assembly; **~stellen** *v/t.* put* together; *anordnen*: arrange; **≈stoß** *m* collision (*a. fig.*), crash; *Aufprall*: impact; *fig.* clash; **~stoßen** *v/i.* collide (*a. fig.*); *fig.* clash; ~ mit run* *od.* bump into; *fig.* have* a clash with; **~stürzen** *v/i.* collapse, fall* in; **~tragen** *v/t.* collect; **~treffen** *v/i.* meet*; *zeitlich*: coincide; **≈treffen** *n* meeting; coincidence; *besonderes*: encounter; **~treten** *v/i.* meet*; **~tun** *v/refl.* join (forces), F team up; **~wirken** *v/i.* combine; **≈wirken** *n* combination; **~zählen** *v/t.* add up; **~ziehen** *v/t. u. v/refl.* contract; **~zucken** *v/i.* wince, flinch.

Zusatz *m* addition; *chemischer etc.*: additive; **~...** *in Zssgn mst* additional ..., supplementary ...; *Hilfs...*: auxiliary ...

zusätzlich *adj.* additional, extra.

zuschau|en *v/i.* look on ([bei] et. at s.th.); j-m ~ watch s.o. (bei et. doing s.th.); **≈er(in)** spectator; *TV*: viewer; die ~ *pl. a.* the audience *sg., pl.*; **2erraum** *thea. m* auditorium.

Zuschlag *m* extra charge; 🚂 *etc.*: excess fare; *Gehalts2*: bonus; *Auktion*: knocking down; **2en** *v/i. u. v/t. Tür etc.*: slam *od.* bang shut; *Boxer etc.*: hit*, strike* (a blow); *fig.* act; *j-m et.* ~ knock s.th. down to s.o.

zu|schließen *v/t.* lock (up); **~schnallen** *v/t.* buckle (up); **~schnappen** *v/i. Hund*: snap; *Tür etc.*: snap shut; **~schneiden** *v/t. Kleid etc.*: cut* out; *Holz etc.*: cut* (to size); **~schnüren** *v/t.* tie (*Schuh a.* lace) up; **~schrauben** *v/t.* screw shut; **~schreiben** *v/t.* ascribe *od.* attribute (*dat.* to); **2schrift** *f* letter.

zuschulden *adv.*: *sich et.* (*nichts*) ~ *kommen lassen* do* s.th. (nothing) wrong.

Zu|schuß *m* allowance; *staatlich*: subsidy; **2schütten** *v/t.* fill up; F add; **2sehen** *v/i. s. zuschauen*; ~, *daß* see* (to it) that, take* care to *inf.*; **2sehends** *adv.* noticeably; *schnell*: rapidly; **2setzen 1.** *v/t.* add; *Geld*: lose*; **2.** *v/i.* lose* money; *j-m* ~ press s.o. (hard).

zusicher|n *v/t.*, **2ung** *f* promise.

zu|spielen *v/t. Ball*: pass; **~spitzen** *v/t.* point; *sich* ~ become* critical; **2spruch** *m* encouragement; *Trost*: words *pl.* of comfort; **2stand** *m* condition, state, F shape.

zustande *adv.*: ~ *bringen* bring* about, manage (to do); ~ *kommen* come* about; *es kam nicht* ~ it didn't come off.

zuständig *adj.* responsible (*für* for), in charge (of).

zustehen *v/i.*: *j-m steht et.* (*zu tun*) *zu* s.o. is entitled to (do) s.th.

zustell|en *v/t.* deliver; **2ung** *f* delivery.

zustimm|en *v/i.* agree (*dat.* to *s.th.*; with *s.o.*); **2ung** *f* approval, consent; (*j-s*) ~ *finden* meet* with (s.o.'s) approval.

zustoßen *v/i.*: *j-m* ~ happen to s.o.

zutage *adv.*: ~ *bringen* (*kommen*) bring* (come*) to light.

Zutaten *pl.* ingredients *pl.*

zuteil|en *v/t.* assign, allot; **2ung** *f* allotment; *Ration*: ration.

zutragen *v/t.*: *j-m et.* ~ inform s.o. of s.th.; *sich* ~ happen.

zutrauen *v/t.*: *j-m et.* ~ credit s.o. with s.th.; *sich zuviel* ~ overrate o.s.

Zutrauen *n* confidence (*zu* in).

zutraulich *adj.* trusting; *Tier*: friendly.

zutreffen *v/i.* be* true; ~ *auf* apply to, go* for; **~d** *adj.* true, correct.

zutrinken *v/i.*: *j-m* ~ drink* to s.o.

Zutritt *m* admission; *Zugang*: access; ~ *verboten!* no admittance!

zuverlässig *adj.* reliable, dependable; *sicher*: safe; **2keit** *f* reliability, dependability.

Zuversicht *f* confidence; **2lich** *adj.* confident, optimistic.

zuviel *adv.* too much; *vor pl.*: too many; *e-r* ~ one too many.

zuvor *adv.* before, previously; *zunächst*: first; **~kommen** *v/i.* anticipate; *verhindern*: prevent; *j-m* ~ *a.* F beat* s.o. to it; **~kommend** *adj.* obliging; *höflich*: polite.

Zuwachs *m* increase, growth; **2en** *v/i.* become* overgrown; *Wunde*: close.

zu|wege *adv.*: *et.* ~ *bringen* manage to do s.th., succeed in doing s.th.; **~weilen** *adv.* occasionally, now and then; **~weisen** *v/t.* assign.

zuwend|en *v/t. u. v/refl.* turn to (*a. fig. e-m Thema etc.*); **2ung** *f* payment; *fig.* attention; *Kind etc.*: *a.* (loving) care, love, affection.

zuwenig *adv.* too little (*pl.* few).

zuwerfen *v/t. Tür*: slam (shut); *j-m* ~ throw* (to) s.o.; *Blick*: *a.* cast* at s.o.

zuwider *adj.*: ... *ist mir* ~ I hate *od.* detest ...; **~handeln** *v/i.* act contrary to; *Vorschriften etc.*: violate.

zu|winken *v/i.* wave to; signal to; **~zahlen** *v/t.* pay* extra; **~ziehen 1.** *v/t. Vorhänge*: draw*; *Schlinge etc.*: pull tight; *Arzt etc.*: consult; *sich* ~ ⚕ catch*; **2.** *v/i.* move in; **~züglich** *prp.* plus.

Zvieri *m, n Schweiz*: afternoon snack, tea- *od.* coffee-break.

Zwang *m* compulsion (*a. innerer*), constraint (*a. moralischer*); *sozialer*: restraint; *Nötigung, Unterdrückung*: coercion; *Gewalt*: force; ~ *sein* be* compulsory.

zwängen *v/t.* press, squeeze, force.

zwanglos *adj.* informal; *bsd. Kleidung*: *a.* casual; **2igkeit** *f* informality.

Zwangs|arbeit ⚖ *f* hard labo(u)r; **2ernähren** *v/t.* force-feed*; **~herrschaft** *f* despotism, tyranny; **~jacke** *f* strait-jacket (*a. fig.*); **~lage** *f* predicament; **2läufig** *adv.* inevitably;

~maßnahme *f* sanction; **~vollstreckung** ⚖ *f* execution; **~vorstellung** ⚕ *f* obsession; **²weise** *adv.* by force.
zwanzig *adj.* twenty; **~ste** *adj.* twentieth.
zwar *adv.*: *ich kenne ihn ~, aber ...* I do know him, but ..., I know him all right, but ...; *und ~* that is (to say), namely.
Zweck *m* purpose, aim; *s-n ~ erfüllen* serve its purpose; *es hat keinen ~ (zu warten etc.)* it's no use (waiting *etc.*); **²los** *adj.* useless; **²mäßig** *adj.* practical; *angebracht*: wise; ⊕, *arch.* functional; **~mäßigkeit** *f* practicality, functionality; **²s** *prp.* for the purpose of.
zwei *adj.* two; **~beinig** *adj.* two-legged; **~deutig** *adj.* ambiguous; *Witz*: off-colo(u)r; **²er** *m Rudern*: (*mit* coxed) pair; **~erlei** *adj.* two kinds of; **~fach** *adj.* double, twofold.
Zweifel *m* doubt; **²haft** *adj.* doubtful, dubious; **²los** undoubtedly, no *od.* without doubt; **²n** *v/i.*: *~ an* doubt *s.th.*, have* one's doubts about.
Zweig *m* branch (*a. fig.*); *kleiner*: twig; **~geschäft** *n*, **~niederlassung** *f*, **~stelle** *f* branch.
zwei|jährig *adj.* two-year-old, of two (years); **²kampf** *m* duel; **~mal** *adv.* twice; **~malig** *adj.* (twice) repeated; **~motorig** *adj.* twin-engined; **~reihig** *adj. Anzug*: double-breasted; **~schneidig** *adj.* double- *od.* two-edged (*beide a. fig.*); **~seitig** *adj.* two-sided; *Vertrag etc.*: bilateral; *Stoff*: reversible; **²sitzer** *bsd. mot. m* two-seater; **~sprachig** *adj.* bilingual; **~stimmig** *adj.* for two voices; **~stöckig** *adj.* two-stor|eyed, -ied; **~stufig** ⊕ *adj.* two-stage; **~stündig** *adj.* two-hour.
zweit *adj.* second; *ein ~er* another; *jede(r, -s) ~e ...* every other ...; *aus ~er Hand* second-hand; *wir sind zu ~* there are two of us.
zweitbeste *adj.* second-best.
zweiteilig *adj.* two-piece.
zweitens *adv.* secondly.
Zwerchfell *anat. n* diaphragm.
Zwerg *m* dwarf; *myth. a.* gnome (*a. Figur*); *Mensch*: midget; **~...** *in Zssgn* ⚘ dwarf ...; *zo.* pygmy ...
Zwetsch(g)e *f* plum.
Zwick|el *m* gusset; **²en** *v/t. u. v/i.* pinch, nip; **~mühle** *fig. f* fix.
Zwieback *m* rusk; French toast.
Zwiebel *f* onion; *Blumen²*: bulb.
Zwie|gespräch *n* dialog(ue); **~licht** *n* twilight; **~spalt** *m* conflict; **²spältig** *adj.* conflicting; **~tracht** *f* discord.
Zwilling|e *pl.* twins *pl*; *ast.* Gemini *sg.*; **~sbruder** *m* twin brother; **~sschwester** *f* twin sister.
Zwinge ⊕ *f* clamp, vi|ce, *Am.* -se; **²n** *v/t.* force; **²nd** *adj.* cogent, compelling; **~r** *m Hunde²*: kennels *sg.*
zwinkern *v/i.* wink, blink.
Zwirn *m* thread, yarn, twist.
zwischen *prp.* between; *unter*: among; **²deck** ⚓ *n* tween deck; **~durch** F *adv.* in between; **²ergebnis** *n* intermediate result; **²fall** *m* incident; **²händler** *econ. m* middleman; **²landung** ✈ *f* stop(over); *(Flug) ohne ~* non-stop (flight); **²pause** *f* break, intermission; **²raum** *m* space, interval; **²ruf** *m* (loud) interruption; *~e pl.* heckling *sg.*; **²rufer** *m* heckler; **²spiel** *n* interlude; **²station** *f* stop(over); *~ machen (in)* stop over *od.* off (at, in); **²stecker** ⚡ *m* adapter; **²stück** *n* connection; **²stufe** *f* intermediate stage; **²wand** *f* partition (wall); **²zeit** *f*: *in der ~* (in the) meantime, meanwhile.
Zwist *m*, **~igkeiten** *pl.* discord *sg.*
zwitschern *v/i.* twitter, chirp.
Zwitter *biol. m* hermaphrodite.
zwölf *adj.* twelve; *um ~ (Uhr)* at twelve (o'clock); *mittags*: *a.* at noon; *nachts*: *a.* at midnight; **~te** *adj.* twelfth.
Zyankali *n* potassium cyanide.
Zyklus *m* cycle; *Reihe*: series, course.
Zylind|er *m* top hat; ⚗, ⊕ cylinder; **²risch** *adj.* cylindrical.
Zyni|ker *m* cynic; **²sch** *adj.* cynical; **~smus** *m* cynicism.
Zypresse ⚘ *f* cypress.

ANHANG

Wichtige Eigennamen

Aberdeen [æbəˈdiːn] *Stadt in Schottland.*
Adam [ˈædəm] Adam *m.*
Adelaide [ˈædəleɪd] *Stadt in Australien.*
Aden [ˈeɪdn] *Hauptstadt des Südjemen.*
Africa [ˈæfrɪkə] Afrika *n.*
Aix-la-Chapelle [ˈeɪkslɑːʃæˈpel] Aachen *n.*
Alabama [æləˈbæmə] *Staat der USA.*
Alaska [əˈlæskə] *Staat der USA.*
Alberta [ælˈbɜːtə] *Provinz in Kanada.*
Alderney [ˈɔːldənɪ] *e-e der Kanalinseln.*
Alleghany [ˈælɪgeɪnɪ] *Fluß u. Gebirge in USA.*
Alsace [ælˈsæs] Elsaß *n.*
America [əˈmerɪkə] Amerika *n.*
Andes [ˈændiːz] *die* Anden.
Andrew [ˈændruː] Andreas *m.*
Ann(e) [æn] Anna *f.*
Anthony [ˈæntənɪ, ˈænθənɪ] Anton *m.*
Antilles [ænˈtɪliːz] *die* Antillen.
Appalachians [æpəˈleɪtʃjənz] *die* Appalachen (*Gebirge in USA*).
Arizona [ærɪˈzəʊnə] *Staat der USA.*
Arkansas [ˈɑːkənsɔː] *Fluß u. Staat der USA.*
Arlington [ˈɑːlɪŋtən] *Nationalfriedhof bei Washington.*
Ascot [ˈæskət] *Stadt in England mit berühmter Rennbahn.*
Asia [ˈeɪʃə] Asien *n.*
Athens [ˈæθɪnz] Athen *n.*
Atlantic [ətˈlæntɪk] *der* Atlantik.
Auckland [ˈɔːklənd] *Hafenstadt in Neuseeland.*
Austen [ˈɒstɪn] *engl. Autorin.*
Australia [ɒˈstreɪljə] Australien *n.*
Austria [ˈɒstrɪə] Österreich *n.*
Avon [ˈeɪvən] *Fluß u. Grafschaft in England.*
Azores [əˈzɔːz] *die* Azoren.

Bahamas [bəˈhɑːməz] *die* Bahamainseln.
Balkans [ˈbɔːlkənz] *der* Balkan.
Balmoral [bælˈmɒrəl] *Königsschloß in Schottland.*
Basle [bɑːl] Basel *n.*
Baltimore [ˈbɔːltɪmɔː] *Hafenstadt in USA.*
Bath [bɑːθ] *Badeort in England.*
Bavaria [bəˈveərɪə] Bayern *n.*
Bedfordshire [ˈbedfədʃə] *Grafschaft in England.*
Belfast [belˈfɑːst] *Hauptstadt von Nordirland.*
Belgium [ˈbeldʒəm] Belgien *n.*
Ben Nevis [benˈnevɪs] *höchster Berg in Großbritannien.*
Berkshire [ˈbɑːkʃə] *Grafschaft in England.*
Berlin [bɜːˈlɪn] Berlin *n.*
Bermudas [bəˈmjuːdəz] *die* Bermudainseln.
Bern(e) [bɜːn] Bern *n.*
Bess(ie) [ˈbes(ɪ)] *Kurzform von Elizabeth.*
Bill(y) [ˈbɪl(ɪ)] *Kurzform von William.*
Birmingham [ˈbɜːmɪŋəm] *Industriestadt in England.*
Bob [bɒb] *Kurzform von Robert.*
Boston [ˈbɒstən] *Stadt in USA.*
Bournemouth [ˈbɔːnməθ] *Seebad in England.*
Bridget [ˈbrɪdʒɪt] Brigitte *f.*
Brighton [ˈbraɪtn] *Seebad in England.*
Bristol [ˈbrɪstl] *Hafenstadt in England.*
British Columbia [ˈbrɪtɪʃ kəˈlʌmbɪə] *Provinz in Kanada.*
Britten [ˈbrɪtn] *engl. Komponist.*
Brontë [ˈbrɒntɪ] *Name dreier engl. Autorinnen.*
Brooklyn [ˈbrʊklɪn] *Stadtteil von New York.*
Brussels [ˈbrʌslz] Brüssel *n.*
Buckingham Palace [ˈbʌkɪŋəm ˈpælɪs] *Königsschloß in London.*
Buckinghamshire [ˈbʌkɪŋəmʃə] *Grafschaft in England.*
Buddha [ˈbʊdə] Buddha *m.*
Burma [ˈbɜːmə] Birma *n.*
Burns [bɜːnz] *schott. Dichter.*
Byron [ˈbaɪərən] *engl. Dichter.*

Calcutta [kælˈkʌtə] Kalkutta *n.*
California [kælɪˈfɔːnjə] Kalifornien *n* (*Staat der USA*).
Cambridge [ˈkeɪmbrɪdʒ] **1.** *engl. Universitätsstadt*; **2.** *Stadt in USA, Sitz der Harvard-Universität*; **3.** *a.* **~shire** [~ʃə] *Grafschaft in England.*
Canada [ˈkænədə] Kanada *n.*
Canary Islands [kəˈneərɪ ˈaɪləndz] *die* Kanarischen Inseln.
Canberra [ˈkænbərə] *Hauptstadt von Australien.*
Canterbury [ˈkæntəbərɪ] *Stadt in England, Erzbischofssitz.*
Capetown [ˈkeɪptaʊn] Kapstadt *n.*
Cardiff [ˈkɑːdɪf] *Hauptstadt von Wales.*
Carinthia [kəˈrɪnθɪə] Kärnten *n.*
Carlyle [kɑːˈlaɪl] *schott. Autor.*
Carnegie [kɑːˈnegɪ] *amer. Industrieller.*
Caroline [ˈkærəlaɪn] Karoline *f.*
Carrie [ˈkærɪ] *Kurzform von Caroline.*
Carter [ˈkɑːtə] *Präsident der USA.*
Catherine [ˈkæθərɪn] Katharina *f.*
Cecil [ˈsesl, ˈsɪsl] *männlicher Vorname.*
Cecilia [sɪˈsɪljə], **Cecily** [ˈsɪsɪlɪ, ˈsesɪlɪ] Cäcilie *f.*
Ceylon [sɪˈlɒn] Ceylon *n.*
Chamberlain [ˈtʃeɪmbəlɪn] *Name mehrerer brit. Staatsmänner.*
Charlemagne [ˈʃɑːləmeɪn] Karl der Große.
Charles [tʃɑːlz] Karl *m.*
Chaucer [ˈtʃɔːsə] *engl. Dichter.*
Cheshire [ˈtʃeʃə] *Grafschaft in England.*
Chesterfield [ˈtʃestəfiːld] *Industriestadt in England.*
Cheviot Hills [ˈtʃevɪət ˈhɪlz] *Grenzgebirge zwischen England u. Schottland.*
Chicago [ʃɪˈkɑːgəʊ] *Industriestadt in USA.*
China [ˈtʃaɪnə] China *n.*
Churchill [ˈtʃɜːtʃɪl] *brit. Staatsmann.*
Cincinatti [sɪnsɪˈnætɪ] *Stadt in USA.*
Cissie [ˈsɪsɪ] Cilli *f.*
Cleveland [ˈkliːvlənd] **1.** *Grafschaft in England*; **2.** *Industrie- u. Hafenstadt in USA.*
Clyde [klaɪd] *Fluß in Schottland.*
Coleridge [ˈkəʊlərɪdʒ] *engl. Dichter.*
Cologne [kəˈləʊn] Köln *n.*
Colorado [kɒləˈrɑːdəʊ] *Name zweier Flüsse u. Staat der USA.*
Columbia [kəˈlʌmbɪə] *Fluß in USA.*
Connecticut [kəˈnetɪkət] *Fluß u. Staat der USA.*
Constance [ˈkɒnstəns] **1.** Konstanze *f*; **2.** Konstanz *n*; *Lake ~* Bodensee *m.*
Cooper [ˈkuːpə] *amer. Autor.*
Copenhagen [kəʊpnˈheɪgən] Kopenhagen *n.*
Cordilleras [kɔːdɪˈljeərəz] *die* Kordilleren (*amer. Gebirge*).
Cornwall [ˈkɔːnwəl] *Grafschaft in England.*
Coventry [ˈkɒvəntrɪ] *Industriestadt in England.*
Cromwell [ˈkrɒmwəl] *engl. Staatsmann.*
Cumbria [ˈkʌmbrɪə] *Grafschaft in England.*
Cyprus [ˈsaɪprəs] Zypern *n.*
Czechoslovakia [ˈtʃekəʊsləʊˈvækɪə] die Tschechoslowakei.

Dallas [ˈdæləs] *Stadt in USA.*
Daniel [ˈdænjəl] Daniel *m.*
Danube [ˈdænjuːb] Donau *f.*
Darwin [ˈdɑːwɪn] *engl. Naturforscher.*
David [ˈdeɪvɪd] David *m.*
Defoe [dɪˈfəʊ] *engl. Autor.*
Delaware [ˈdeləweə] *Fluß u. Staat der USA.*
Denmark [ˈdenmɑːk] Dänemark *n.*
Denver [ˈdenvə] *Stadt in USA.*
Derbyshire [ˈdɑːbɪʃə] *Grafschaft in England.*
Detroit [dəˈtrɔɪt] *Industriestadt in USA.*
Devon(shire) [ˈdevn(ʃə)] *Grafschaft in England.*
Diana [daɪˈænə] Diana *f.*
Dick [dɪk] *Kurzform von Richard.*
Dickens [ˈdɪkɪnz] *engl. Autor.*
Disraeli [dɪsˈreɪlɪ] *engl. Staatsmann.*
District of Columbia [ˈdɪstrɪkt əv kəˈlʌmbɪə] *Bezirk um Washington, Bundesdistrikt der USA.*
Dorset(shire) [ˈdɔːsɪt(ʃə)] *Grafschaft in England.*
Dover [ˈdəʊvə] *Hafenstadt in England.*
Downing Street [ˈdaʊnɪŋ striːt] *Straße in London mit der Amtswohnung des Prime Minister.*
Doyle [dɔɪl] *schott. Autor.*
Dublin [ˈdʌblɪn] *Hauptstadt der Republik Irland.*
Dunkirk [dʌnˈkɜːk] Dünkirchen *n.*

Durham [ˈdʌrəm] *Grafschaft in England.*

East Sussex [ˈiːst ˈsʌsɪks] *Grafschaft in England.*
Edinburgh [ˈedɪnbərə] Edinburg *n.*
Edison [ˈedɪsn] *amer. Erfinder.*
Egypt [ˈiːdʒɪpt] Ägypten *n.*
Eire [ˈeərə] *irischer Name der Republik Irland.*
Eisenhower [ˈaɪznhaʊə] *Präsident der USA.*
Eliot [ˈeljət] **1.** *engl. Autorin;* **2.** *engl. Dichter, geboren in USA.*
Elizabeth [ɪˈlɪzəbəθ] Elisabeth *f.*
Emerson [ˈeməsn] *amer. Philosoph.*
England [ˈɪŋglənd] England *n.*
Epsom [ˈepsəm] *Stadt in England mit Pferderennplatz.*
Erie [ˈɪərɪ]: *Lake* ~ Eriesee *m (e-r der fünf Großen Seen Nordamerikas).*
Essex [ˈesɪks] *Grafschaft in England.*
Ethel [ˈeθl] *weiblicher Vorname.*
Ethiopia [iːθɪˈəʊpjə] Äthiopien *n.*
Eton [ˈiːtn] *berühmte Public School.*
Europe [ˈjʊərəp] Europa *n.*
Eve [iːv] Eva *f.*

Falkland Islands [ˈfɔːlklənd ˈaɪləndz] *die* Falklandinseln.
Faulkner [ˈfɔːknə] *amer. Autor.*
Fawkes [fɔːks] *Haupt der Pulververschwörung (1605).*
Finland [ˈfɪnlənd] Finnland *n.*
Florida [ˈflɒrɪdə] *Staat der USA.*
Folkestone [ˈfəʊkstən] *Hafenstadt in England.*
Ford [fɔːd] **1.** *amer. Industrieller;* **2.** *Präsident der USA.*
France [frɑːns] Frankreich *n.*
Frances [ˈfrɑːnsɪs] Franziska *f.*
Francis [ˈfrɑːnsɪs] Franz *m.*
Franklin [ˈfræŋklɪn] *amer. Staatsmann u. Physiker.*

Gainsborough [ˈgeɪnzbərə] *engl. Maler.*
Galveston(e) [ˈgælvɪstən] *Hafenstadt in USA.*
Geneva [dʒɪˈniːvə] Genf *n*; *Lake* ~ Genfer See *m.*
Geoffrey [ˈdʒefrɪ] Gottfried *m.*
George [dʒɔːdʒ] Georg *m.*
Georgia [ˈdʒɔːdʒjə] *Staat der USA.*
Germany [ˈdʒɜːmənɪ] Deutschland *n.*
Gershwin [ˈgɜːʃwɪn] *amer. Komponist.*
Gettysburg [ˈgetɪzbɜːg] *Stadt in USA.*
Gibraltar [dʒɪˈbrɔːltə] Gibraltar *n.*
Giles [dʒaɪlz] Julius *m.*
Gill [gɪl] *weiblicher Vorname.*
Gladstone [ˈglædstən] *brit. Staatsmann.*
Glasgow [ˈglɑːsgəʊ] *Hafenstadt in Schottland.*
Gloucester [ˈglɒstə] *Stadt in England; a.* **~shire** [~ʃə] *Grafschaft in England.*
Great Britain [ˈgreɪt ˈbrɪtn] Großbritannien *n.*
Greece [griːs] Griechenland *n.*
Greene [griːn] *engl. Autor.*
Greenland [ˈgriːnlənd] Grönland *n.*
Greenwich [ˈgrɪnɪdʒ] *Vorort von London.*
Guernsey [ˈgɜːnzɪ] *e-e der Kanalinseln.*
Guy [gaɪ] Guido *m*, Veit *m.*

Hague [heɪg]: *The* ~ Den Haag.
Halifax [ˈhælɪfæks] *Name zweier Städte in England u. Kanada.*
Hampshire [ˈhæmpʃə] *Grafschaft in England.*
Hanover [ˈhænəʊvə] Hannover *n.*
Harlem [ˈhɑːləm] *Stadtteil von New York.*
Harrow [ˈhærəʊ] *Nordwestl. Stadtbezirk Groß-Londons mit berühmter Public School.*
Harvard University [ˈhɑːvəd juːnɪˈvɜːsətɪ] *amer. Universität.*
Harwich [ˈhærɪdʒ] *Hafenstadt in England.*
Hawaii [həˈwaiiː] *Staat der USA.*
Hebrides [ˈhebrɪdiːz] *die* Hebriden.
Heligoland [heˈlɪgəʊlænd] Helgoland *n.*
Helsinki [ˈhelsɪŋkɪ] Helsinki *n.*
Hemingway [ˈhemɪŋweɪ] *amer. Autor.*
Henry [ˈhenrɪ] Heinrich *m.*
Hereford and Worcester [ˈherɪfədənˈwʊstə] *Grafschaft in England.*
Hertfordshire [ˈhɑːfədʃə] *Grafschaft in England.*
Hogarth [ˈhəʊgɑːθ] *engl. Maler.*
Hollywood [ˈhɒlɪwʊd] *Filmstadt in Kalifornien, USA.*
Houston [ˈhjuːstən] *Stadt in USA.*
Hudson [ˈhʌdsn] *Fluß in USA.*
Hugh [hjuː] Hugo *m.*
Hull [hʌl] *Hafenstadt in England.*

Humberside [ˈhʌmbəsaɪd] *Grafschaft in England.*
Hungary [ˈhʌŋɡərɪ] Ungarn *n.*
Huron [ˈhjuːərən]: *Lake* ~ Huronsee *m (e-r der fünf Großen Seen Nordamerikas).*
Huxley [ˈhʌkslɪ] *engl. Autor.*

Iceland [ˈaɪslənd] Island *n.*
Idaho [ˈaɪdəhəʊ] *Staat der USA.*
Illinois [ɪlɪˈnɔɪ] *Fluß u. Staat der USA.*
India [ˈɪndjə] Indien *n.*
Indiana [ɪndɪˈænə] *Staat der USA.*
Indies [ˈɪndɪz]: *East* ~ Ostindien *n*; *West* ~ Westindien *n.*
Iowa [ˈaɪəʊə] *Staat der USA.*
Iran [ɪˈrɑːn] Iran *m.*
Iraq [ɪˈrɑːk] Irak *m.*
Ireland [ˈaɪələnd] Irland *n.*
Isle of Man [ˈaɪləvˈmæn] *Insel in der Irischen See.*
Isle of Wight [ˈaɪləvˈwaɪt] *Insel u. Grafschaft vor der Südküste Englands.*
Israel [ˈɪzreɪəl] Israel *n.*
Italy [ˈɪtəlɪ] Italien *n.*

Jack [dʒæk] *Kurzform von James.*
James [dʒeɪmz] Jakob *m.*
Jane [dʒeɪn] Johanna *f.*
Japan [dʒəˈpæn] Japan *n.*
Jefferson [ˈdʒefəsn] *Präsident der USA, Verfasser der Unabhängigkeitserklärung von 1776.*
Jeremy [ˈdʒerɪmɪ] *männlicher Vorname.*
Jersey [ˈdʒɜːzɪ] *e-e der Kanalinseln*; ~ *City Stadt in USA.*
Jesus (Christ) [ˈdʒiːzəs (ˈkraɪst)] Jesus (Christus) *m.*
Jim [dʒɪm] *Kurzform von James.*
Joan [dʒəʊn] Johanna *f.*
Job [dʒəʊb] Hiob *m.*
Joe [dʒəʊ] *Kurzform von Joseph.*
John [dʒɒn] Johann(es) *m*, Hans *m.*
Johnson [ˈdʒɒnsn] **1.** *engl. Autor*; **2.** *Präsident der USA.*
Joseph [ˈdʒəʊzɪf] Joseph *m.*
Joule [dʒuːl] *engl. Physiker.*
Joyce [dʒɔɪs] *irischer Autor.*

Kansas [ˈkænzəs] *Fluß u. Staat der USA.*
Karachi [kəˈrɑːtʃɪ] *Hafenstadt in Pakistan.*
Kashmir [kæʃˈmɪə] Kaschmir *n.*
Kate [keɪt] Käthe *f.*
Keats [kiːts] *engl. Dichter.*
Kennedy [ˈkenɪdɪ] *Präsident der USA*; ~ *Airport Flughafen von New York.*
Kent [kent] *Grafschaft in England.*
Kentucky [kenˈtʌkɪ] *Fluß u. Staat der USA.*
King [kɪŋ] *amer. Bürgerrechtskämpfer.*
Kipling [ˈkɪplɪŋ] *engl. Dichter.*
Klondike [ˈklɒndaɪk] *Fluß u. Landschaft in Kanada u. Alaska.*
Kremlin [ˈkremlɪn] *der* Kreml.

Labrador [ˈlæbrədɔː] *Halbinsel Nordamerikas.*
Lancashire [ˈlæŋkəʃə] *Grafschaft in England.*
Lancaster [ˈlæŋkəstə] *Name zweier Städte in England u. USA*; *s. Lancashire.*
Lawrence [ˈlɒrəns] *engl. Autor.*
Lebanon [ˈlebənən] *der* Libanon.
Leeds [liːdz] *Industriestadt in England.*
Leicester [ˈlestə] *Stadt in England*; *a.* **~shire** [~ʃə] *Grafschaft in England.*
Leslie [ˈlezlɪ] *männlicher u. weiblicher Vorname.*
Lewis [ˈluːɪs] Ludwig *m.*
Libya [ˈlɪbɪə] Libyen *n.*
Lincoln [ˈlɪŋkən] **1.** *Präsident der USA*; **2.** *Stadt in USA*; **3.** *Stadt in England*; **4.** *a.* **~shire** [~ʃə] *Grafschaft in England.*
Lisbon [ˈlɪzbən] Lissabon *n.*
Liverpool [ˈlɪvəpuːl] *Hafen- u. Industriestadt in England.*
London [ˈlʌndən] **1.** London *n*; **2.** *amer. Autor.*
Los Angeles [lɒsˈændʒɪliːz] *Stadt in USA.*
Louisiana [luːiːzɪˈænə] *Staat der USA.*
Lucerne [luːˈsɜːn] Luzern *n*; *Lake of* ~ Vierwaldstätter See *m.*
Luxembourg [ˈlʌksəmbɜːɡ] Luxemburg *n.*

Mabel [ˈmeɪbl] *weiblicher Vorname.*
Mackenzie [məˈkenzɪ] *Strom in Nordamerika.*
Madge [mædʒ] *weiblicher Vorname.*
Madrid [məˈdrɪd] Madrid *n.*
Maine [meɪn] *Staat der USA.*
Malta [ˈmɔːltə] Malta *n.*
Manchester [ˈmæntʃɪstə] *Industriestadt u. Grafschaft in England.*

Manhattan [mæn'hætn] *Stadtteil von New York.*
Manitoba [mænɪ'təʊbə] *Provinz in Kanada.*
Margaret ['mɑːgərɪt] Margarete *f.*
Mark [mɑːk] Markus *m.*
Mary ['meərɪ] Maria *f.*
Maryland ['meərɪlænd] *Staat der USA.*
Massachusetts [mæsə'tʃuːsɪts] *Staat der USA.*
Mat(h)ilda [mə'tɪldə] Mathilde *f.*
Ma(t)thew ['mæθjuː] Matthäus *m.*
Maud [mɔːd] *Kurzform von* Mat(h)ilda.
Maugham [mɔːm] *engl. Autor.*
Maurice ['mɒrɪs] Moritz *m.*
May [meɪ] *Kurzform von* Mary.
Melbourne ['melbən] *Stadt in Australien.*
Merseyside ['mɜːzɪsaɪd] *Grafschaft in England.*
Miami [maɪ'æmɪ] *Badeort in Florida, USA.*
Michigan ['mɪʃɪgən] *Staat der USA*; Lake ~ Michigansee *m* (*e-r der fünf Großen Seen Nordamerikas*).
Miller ['mɪlə] *amer. Dramatiker.*
Millicent ['mɪlɪsnt] *weiblicher Vorname.*
Milton ['mɪltən] *engl. Dichter.*
Milwaukee [mɪl'wɔːkiː] *Stadt in USA.*
Minneapolis [mɪnɪ'æpəlɪs] *Stadt in USA.*
Minnesota [mɪnɪ'səʊtə] *Staat der USA.*
Mississippi [mɪsɪ'sɪpɪ] *Strom u. Staat der USA.*
Missouri [mɪ'zʊərɪ] *Fluß u. Staat der USA.*
Mohammed [məʊ'hæmed] Mohammed *m.*
Monroe [mən'rəʊ] **1.** *Präsident der USA*; **2.** *amer. Filmschauspielerin.*
Montana [mɒn'tænə] *Staat der USA.*
Montgomery [mənt'gʌmərɪ] *brit. Feldmarschall.*
Montreal [mɒntrɪ'ɔːl] *Stadt in Kanada.*
Moore [mʊə] *engl. Bildhauer.*
Morocco [mə'rɒkəʊ] Marokko *n.*
Moscow ['mɒskəʊ] Moskau *n.*
Moselle [məʊ'zel] Mosel *f.*
Munich ['mjuːnɪk] München *n.*

Nancy ['nænsɪ] *weiblicher Vorname.*
Nebraska [nɪ'bræskə] *Staat der USA.*
Nelson ['nelsn] *engl. Admiral.*
Netherlands ['neðələndz] *die* Niederlande.
Nevada [ne'vɑːdə] *Staat der USA.*
New Brunswick [njuː'brʌnzwɪk] *Provinz in Kanada.*
Newcastle ['njuːkɑːsl] *Hafenstadt in England.*
New Delhi [njuː'delɪ] *Hauptstadt von Indien.*
New England [njuː'ɪŋglənd] Neuengland *n.*
Newfoundland ['njuːfəndlənd] Neufundland *n.*
New Hampshire [njuː'hæmpʃə] *Staat der USA.*
New Jersey [njuː'dʒɜːzɪ] *Staat der USA.*
New Mexico [njuː'meksɪkəʊ] Neumexiko *n* (*Staat der USA*).
New Orleans [njuː'ɔːlɪəns] *Hafenstadt in USA.*
Newton ['njuːtn] *engl. Physiker.*
New York [njuː'jɔːk] *Stadt u. Staat der USA.*
New Zealand [njuː'ziːlənd] Neuseeland *n.*
Niagara [naɪ'ægərə] Niagara *m* (*Fluß zwischen Erie- u. Ontariosee*).
Nicholas ['nɪkələs] Nikolaus *m.*
Nixon ['nɪksən] *Präsident der USA.*
Norfolk ['nɔːfək] *Grafschaft in England.*
Northampton [nɔː'θæmptən] *Stadt in England*; *a.* **~shire** [~ʃə] *Grafschaft in England.*
North Carolina ['nɔːθ kærə'laɪnə] Nordkarolina *n* (*Staat der USA*).
North Dakota ['nɔːθ də'kəʊtə] Norddakota *n* (*Staat der USA*).
Northumberland [nɔː'θʌmbələnd] *Grafschaft in England.*
Northwest Territories [nɔːθ'west 'terɪtərɪz] Nordwestterritorien *pl.* (*Kanada*).
North Yorkshire ['nɔːθ 'jɔːkʃə] *Grafschaft in England.*
Norway ['nɔːweɪ] Norwegen *n.*
Norwich ['nɒrɪdʒ] *Stadt in England.*
Nottingham ['nɒtɪŋəm] *Stadt in England*; *a.* **~shire** [~ʃə] *Grafschaft in England.*
Nova Scotia ['nəʊvə'skəʊʃə] *Provinz in Kanada.*

Oceania [əʊʃɪ'eɪnjə] Ozeanien *n.*

Ohio [əʊˈhaɪəʊ] *Fluß u. Staat der USA.*
Oklahoma [əʊkləˈhəʊmə] *Staat der USA.*
Oliver [ˈɒlɪvə] *männlicher Vorname.*
Omaha [ˈəʊməhɑː] *Stadt in USA.*
O'Neill [əʊˈniːl] *amer. Dramatiker.*
Ontario [ɒnˈteərɪəʊ] *Provinz in Kanada*; Lake ~ Ontariosee *m* (*e-r der fünf Großen Seen Nordamerikas*).
Oregon [ˈɒrɪgən] *Staat der USA.*
Orkney Islands [ˈɔːknɪ ˈaɪləndz] *die* Orkneyinseln.
Orwell [ˈɔːwəl] *engl. Autor.*
Osborne [ˈɒzbən] *engl. Dramatiker.*
Ostend [ɒˈstend] Ostende *n.*
Ottawa [ˈɒtəwə] *Hauptstadt von Kanada.*
Oxford [ˈɒksfəd] *engl. Universitätsstadt*; *a.* **~shire** [~ʃə] *Grafschaft in England.*

Pacific [pəˈsɪfɪk] *der* Pazifik.
Pakistan [pɑːkɪˈstɑːn] Pakistan *n.*
Paris [ˈpærɪs] Paris *n.*
Patricia [pəˈtrɪʃə] *weiblicher Vorname.*
Patrick [ˈpætrɪk] *männlicher Vorname.*
Paul [pɔːl] Paul *m.*
Pearl Harbor [ˈpɜːl ˈhɑːbə] *Hafenstadt auf Hawaii.*
Peg(gy) [ˈpeg(ɪ)] *Kurzform von Margaret.*
Pennsylvania [pensɪlˈveɪnjə] Pennsylvanien *n* (*Staat der USA*).
Peter [ˈpiːtə] Peter *m.*
Philadelphia [fɪləˈdelfjə] *Stadt in USA.*
Philippines [ˈfɪlɪpiːnz] *die* Philippinen.
Pittsburgh [ˈpɪtsbɜːg] *Stadt in USA.*
Plymouth [ˈplɪməθ] *Hafenstadt in England.*
Poe [pəʊ] *amer. Autor.*
Poland [ˈpəʊlənd] Polen *n.*
Portsmouth [ˈpɔːtsməθ] *Hafenstadt in England.*
Portugal [ˈpɔːtjʊgl] Portugal *n.*
Potomac [pəˈtəʊmək] *Fluß in USA.*
Prague [prɑːg] Prag *n.*
Prince Edward Island [prɪnsˈedwəd ˈaɪlənd] *Provinz in Kanada.*
Pulitzer [ˈpʊlɪtsə] *amer. Journalist.*
Purcell [ˈpɜːsl] *engl. Komponist.*

Quebec [kwɪˈbek] *Provinz u. Stadt in Kanada.*

Reagan [ˈreɪgən] *Präsident der USA.*
Reynolds [ˈrenldz] *engl. Maler.*
Rhine [raɪn] Rhein *m.*
Rhode Island [rəʊdˈaɪlənd] *Staat der USA.*
Rhodesia [rəʊˈdiːzjə] Rhodesien *n.*
Richard [ˈrɪtʃəd] Richard *m.*
Robert [ˈrɒbət] Robert *m.*
Rockefeller [ˈrɒkɪfelə] *amer. Industrieller.*
Rocky Mountains [ˈrɒkɪˈmaʊntɪnz] *Gebirge in USA.*
Roger [ˈrɒdʒə] *männlicher Vorname.*
Romania [ruːˈmeɪnjə] Rumänien *n.*
Rome [rəʊm] Rom *n.*
Roosevelt [ˈrəʊzəvelt] *Name zweier Präsidenten der USA.*
Rugby [ˈrʌgbɪ] *berühmte Public School.*
Russell [ˈrʌsl] *engl. Philosoph.*
Russia [ˈrʌʃə] Rußland *n.*

Salinger [ˈsælɪndʒə] *amer. Autor.*
Salop [ˈsæləp] *Grafschaft in England.*
Sam [sæm] *Kurzform von Samuel.*
Samuel [ˈsæmjʊəl] Samuel *m.*
San Francisco [sænfrənˈsɪskəʊ] *Hafenstadt in USA.*
Saskatchewan [səsˈkætʃɪwən] *Provinz in Kanada.*
Scandinavia [skændɪˈneɪvjə] Skandinavien *n.*
Scotland [ˈskɒtlənd] Schottland *n*; ~ *Yard Polizeipräsidium in London.*
Seattle [sɪˈætl] *Hafenstadt in USA.*
Shakespeare [ˈʃeɪkspɪə] *engl. Dichter.*
Shaw [ʃɔː] *engl. Dramatiker.*
Shelley [ˈʃelɪ] *engl. Dichter.*
Shetland Islands [ˈʃetlənd ˈaɪləndz] *die* Shetlandinseln.
Sillitoe [ˈsɪlɪtəʊ] *engl. Autor.*
Singapore [sɪŋgəˈpɔː] Singapur *n.*
Snowdon [ˈsnəʊdn] *Berg in Wales.*
Somerset(shire) [ˈsʌməsɪt(ʃə)] *Grafschaft in England.*
South Carolina [ˈsaʊθ kærəˈlaɪnə] Südkarolina *n* (*Staat der USA*).
South Dakota [ˈsaʊθ dəˈkəʊtə] Süddakota *n* (*Staat der USA*).
South Yorkshire [ˈsaʊθ ˈjɔːkʃə] *Grafschaft in England.*
Spain [speɪn] Spanien *n.*
Staffordshire [ˈstæfədʃə] *Grafschaft in England.*
Stevenson [ˈstiːvnsn] *schott. Autor.*
St. Lawrence [sntˈlɒrəns] *der* St.-Lorenz-Strom.

St. Louis [snt'lʊɪs] *Industriestadt in USA.*
Stratford ['strætfəd]: ~*-on-Avon Geburtsort Shakespeares.*
Styria ['stɪrɪə] Steiermark *f.*
Suffolk ['sʌfək] *Grafschaft in England.*
Superior [su:'pɪərɪə]: *Lake* ~ Oberer See *m* (*e-r der fünf Großen Seen Nordamerikas*).
Surrey ['sʌrɪ] *Grafschaft in England.*
Susan ['su:zn] Susanne *f.*
Sweden ['swi:dn] Schweden *n.*
Swift [swɪft] *engl. Autor.*
Switzerland ['swɪtsələnd] die Schweiz.
Sydney ['sɪdnɪ] *Hafen- u. Industriestadt in Australien.*

Tennessee [tenə'si:] *Fluß u. Staat der USA.*
Tennyson ['tenɪsn] *engl. Dichter.*
Texas ['teksəs] *Staat der USA.*
Thackeray ['θækərɪ] *engl. Autor.*
Thames [temz] Themse *f.*
Thatcher ['θætʃə] *engl. Politikerin.*
Thomas ['tɒməs] Thomas *m.*
Tokyo ['təʊkɪəʊ] Tokio *n.*
Tom(my) ['tɒm(ɪ)] *Kurzform von Thomas.*
Toronto [tə'rɒntəʊ] *Stadt in Kanada.*
Trafalgar [trə'fælgə] *Vorgebirge bei Gibraltar* (*Seesieg Nelsons 1805*).
Truman ['tru:mən] *Präsident der USA.*
Turkey ['tɜ:kɪ] die Türkei.
Turner ['tɜ:nə] *engl. Maler.*
Twain [tweɪn] *amer. Autor.*
Tyne and Wear ['taɪnən'wɪə] *Grafschaft in England.*
Tyrol ['tɪrəl] Tirol *n.*

Ulster ['ʌlstə] Ulster *n* (*Nordirland*).
United States of America [ju:'naɪtɪd 'steɪtsəvə'merɪkə] *die* Vereinigten Staaten von Amerika.
Utah ['ju:tɑ:] *Staat der USA.*

Vancouver [væn'ku:və] *Stadt in Kanada.*
Vatican ['vætɪkən] Vatikan *m.*
Venice ['venɪs] Venedig *n.*
Vermont [vɜ:'mɒnt] *Staat der USA.*
Vienna [vɪ'enə] Wien *n.*
Virginia [və'dʒɪnjə] *Staat der USA.*
Vivian ['vɪvɪən] *männlicher u. weiblicher Vorname.*

Wales [weɪlz] Wales *n.*
Wallace ['wɒlɪs] *engl. Autor.*
Wall Street ['wɔ:l stri:t] *Straße u. Finanzzentrum in New York.*
Warsaw ['wɔ:sɔ:] Warschau *n.*
Warwickshire ['wɒrɪkʃə] *Grafschaft in England.*
Washington ['wɒʃɪŋtən] **1.** *Präsident der USA*; **2.** *Staat der USA*; **3.** *Bundeshauptstadt der USA.*
Waterloo [wɔ:tə'lu:] *Dorf in Belgien* (*Niederlage Napoleons 1815*).
Watt [wɒt] *schott. Erfinder.*
Wellington ['welɪŋtən] **1.** *engl. Feldherr u. Staatsmann*; **2.** *Hauptstadt von Neuseeland.*
West Midlands ['west 'mɪdləndz] *Grafschaft in England.*
West Sussex ['west 'sʌsɪks] *Grafschaft in England.*
West Virginia ['west və'dʒɪnjə] *Staat der USA.*
West Yorkshire ['west 'jɔ:kʃə] *Grafschaft in England.*
White House ['waɪt haʊs] *das* Weiße Haus (*Amtssitz des Präsidenten der USA*).
Whitman ['wɪtmən] *amer. Dichter.*
Wilde [waɪld] *engl. Autor u. Dramatiker.*
Wilder ['waɪldə] *amer. Dramatiker.*
Will [wɪl] *Kurzform von William.*
William ['wɪljəm] Wilhelm *m.*
Wilson ['wɪlsn] **1.** *Präsident der USA*; **2.** *brit. Politiker.*
Wiltshire ['wɪltʃə] *Grafschaft in England.*
Wimbledon ['wɪmbldən] *Vorort von London* (*Tennisturniere*).
Winnipeg ['wɪnɪpeg] *See u. Stadt in Kanada.*
Wisconsin [wɪs'kɒnsɪn] *Fluß u. Staat der USA.*
Wolfe [wʊlf] *amer. Autor.*
Woolf [wʊlf] *engl. Autorin.*
Worcester ['wʊstə] *Industriestadt in England.*
Wordsworth ['wɜ:dzwəθ] *engl. Dichter.*
Wyoming [waɪ'əʊmɪŋ] *Staat der USA.*

Yale University ['jeɪl ju:nɪ'vɜ:sətɪ] *amer. Universität.*
Yellowstone ['jeləʊstəʊn] *Fluß u. Nationalpark der USA.*
York [jɔ:k] *Stadt in England*; **~shire** [~ʃə] *Grafschaft in England.*

Yosemite [jəʊˈsemɪtɪ] *Nationalpark der USA.*

Yugoslavia [juːgəʊˈslɑːvjə] Jugoslawien *n.*

Yukon [ˈjuːkɒn] *Fluß und Territorium in Kanada.*

Zimbabwe [zɪmˈbɑːbwɪ] Simbabwe *n.*

Britische und amerikanische Abkürzungen

abbr. *abbreviated* abgekürzt; *abbreviation* Abk., Abkürzung *f.*
ABC *American Broadcasting Company* (*amer. Rundfunkgesellschaft*).
AC *alternating current* Wechselstrom *m.*
A/C *account* (Bank)Konto *n.*
acc(t). *account* Konto *n*, Rechnung *f.*
AEC *Atomic Energy Commission* Atomenergie-Kommission *f.*
AFL-CIO *American Federation of Labor & Congress of Industrial Organizations* (*größter amer. Gewerkschaftsverband*).
AFN *American Forces Network* (*Rundfunkanstalt der amer. Streitkräfte*).
AI *Amnesty International.*
AL *Alabama.*
Alta *Alberta.*
AK *Alaska.*
AM *amplitude modulation* MW, Mittelwelle *f.*
a.m. *ante meridiem* (*lateinisch* = *before noon*) vormittags.
AP *Associated Press* (*amer. Nachrichtenbüro*).
AR *Arkansas.*
ARC *American Red Cross* Amer. Rotes Kreuz.
arr. *arrival* Ank., Ankunft *f.*
ASA *American Standards Association* Amer. Normungs-Organisation *f.*
AZ *Arizona.*

BA *Bachelor of Arts* Bakkalaureus *m* der Philosophie; *British Airways* (*brit. Fluggesellschaft*).
BBC *British Broadcasting Corporation* (*brit. Rundfunkgesellschaft*).
BC *British Columbia.*
B/E *bill of exchange* Wechsel *m.*
Beds. *Bedfordshire.*
Benelux *Belgium, Netherlands, Luxembourg* (*Zollunion*).
Berks. *Berkshire.*
BFN *British Forces Network* (*Sender der brit. Streitkräfte in Deutschland*).
BL *Bachelor of Law* Bakkalaureus *m* des Rechts.
bldg *building* Gebäude *n.*
BM *Bachelor of Medicine* Bakkalaureus *m* der Medizin.
BO *body odour* Körpergeruch *m.*
BOT *Board of Trade* Handelsministerium *n* (*in Großbritannien*).
BR *British Rail* (*Eisenbahn in Großbritannien*).
Brit. *Britain* Großbritannien *n*; *British* britisch.
Bros. *brothers* Gebrüder *pl.* (*in Firmenbezeichnungen*).
BS *Bachelor of Science* Bakkalaureus *m* der Naturwissenschaften; *British Standard* Brit. Norm *f.*
BSI *British Standards Institution* Brit. Normungs-Organisation *f.*
Bucks. *Buckinghamshire.*

C *Celsius, centigrade* (*Thermometereinteilung*).
c. *cent(s)* Cent *m od. pl.*; *circa* ca., ungefähr, zirka; *cubic* Kubik...
CA *California.*
C/A *current account* Girokonto *n.*
Cambs. *Cambridgeshire.*
Can. *Canada* Kanada *n*; *Canadian* kanadisch.
CBS *Columbia Broadcasting System* (*amer. Rundfunkgesellschaft*).
CD *compact disc* CD-Platte *f*, Kompaktschallplatte *f.*
cf. *confer* vgl., vergleiche.
Ches. *Cheshire.*
CIA *Central Intelligence Agency* (*amer. Geheimdienst*).
CID *Criminal Investigation Department* (*brit. Kriminalpolizei*).
c.i.f. *cost, insurance, freight* Kosten, Versicherung und Fracht einbegriffen.
CO *Colorado.*
Co. *Company* Gesellschaft *f*; *County* Grafschaft *f*, Kreis *m.*
c/o *care of* p.A., per Adresse, bei.
COD *cash* (*Am. collect*) *on delivery* Zahlung bei Empfang, gegen Nachnahme.

Corn. *Cornwall.*
cp. *compare* vgl., vergleiche.
CPU *central processing unit Computer*: Zentraleinheit *f.*
CT *Connecticut.*
Cumb. *Cumberland.*
cwt. *hundredweight* (*etwa 1*) Zentner *m.*

DC *direct current* Gleichstrom *m.*
D.C. *District of Columbia* (*mit der amer. Hauptstadt Washington*).
DE *Delaware.*
dep. *departure* Abf., Abfahrt *f.*
Dept. *Department* Abt., Abteilung *f.*
Derby. *Derbyshire.*
Devon. *Devonshire.*
disc. *discount* Diskont *m*, Abzug *m.*
div. *dividend* Dividende *f.*
DJ *disc jockey* Diskjockey *m.*
Dors. *Dorsetshire.*
doz. *dozen* Dutzend *n od. pl.*
Dpt. *Department* Abt., Abteilung *f.*
Dur(h). *Durham.*
dz. *dozen* Dutzend *n od. pl.*

E *east* Ost(en *m*); *eastern* östlich; *English* englisch.
ea. *each* jeder.
ECU *European Currency Unit* europäische Währungseinheit.
Ed., ed. *edition* Auflage *f*; *edited* hrsg., herausgegeben; *editor* Hrsg., Herausgeber *m.*
EDP *electronic data processing* EDV, elektronische Datenverarbeitung.
EEC *European Economic Community* EWG, Europäische Wirtschaftsgemeinschaft.
EFTA *European Free Trade Association* EFTA, Europäische Freihandelsgemeinschaft *od.* -zone.
e.g. *exempli gratia* (*lateinisch* = *for instance*) z. B., zum Beispiel.
Enc. *enclosure*(*s*) Anlage(n *pl.*) *f.*
Ess. *Essex.*

F *Fahrenheit* (*Thermometereinteilung*).
f. *feminine* weiblich; *foot*, *pl. feet* Fuß *m od. pl.*; *following* folgend.
FAO *Food and Agricultural Organization* Organisation *f* für Ernährung und Landwirtschaft (*der UN*).
FBI *Federal Bureau of Investigation* (*Bundeskriminalamt der USA*).
fig. *figure*(*s*) Abb., Abbildung(en *pl.*) *f.*
FL *Florida.*
FM *frequency modulation* UKW, Ultrakurzwelle *f.*
FO *Foreign Office Brt.* Auswärtiges Amt.
f.o.b. *free on board* frei Schiff.
fol. *folio* Folio *n*, Seite *f.*
fr. *franc*(*s*) Franc(s *pl.*) *m.*
ft *foot*, *pl. feet* Fuß *m od. pl.*

g *gramme* g, Gramm *n.*
GA *Georgia.*
gal. *gallon* Gallone *f.*
GATT *General Agreement on Tariffs and Trade* Allgemeines Zoll- und Handelsabkommen.
GB *Great Britain* Großbritannien *n.*
GI *government issue* von der Regierung ausgegeben; Staatseigentum *n*; *fig. amer.* Soldat.
Glos. *Gloucestershire.*
GMT *Greenwich Mean Time* WEZ, Westeuropäische Zeit.
GP *general practitioner* Arzt *m* (Ärztin *f*) für Allgemeinmedizin.
GPO *General Post Office* Hauptpostamt *n.*
gr. *gross* brutto.

h. *hour*(*s*) Std., Stunde(n *pl.*) *f.*
Hants. *Hampshire.*
HBM *His* (*Her*) *Britannic Majesty* Seine (Ihre) britannische Majestät.
H.C. *House of Commons* Unterhaus *n.*
Herts. *Hertfordshire.*
hf. *half* halb.
HI *Hawaii.*
H.L. *House of Lords* Oberhaus *n.*
H.M. *His* (*Her*) *Majesty* Seine (Ihre) Majestät.
H.M.S. *His* (*Her*) *Majesty's Ship* (*Steamer*) Seiner (Ihrer) Majestät Schiff *n* (Dampfschiff *n*).
H.O. *Home Office Brt.* Innenministerium *n.*
H.P., hp *horsepower* PS, Pferdestärke *f.*
H.Q., Hq. *Headquarters* Stab(squartier *n*) *m*, Hauptquartier *n.*
H.R. *House of Representatives* Repräsentantenhaus *n* (*der USA*).
H.R.H. *His* (*Her*) *Royal Highness* Seine (Ihre) Königliche Hoheit.

IA *Iowa.*
ICBM *intercontinental ballistic missile* interkontinentaler ballistischer Flugkörper.
ID *Idaho.*
I.D. *Intelligence Department* Nachrichtenamt *n.*
i.e. *id est* (*lateinisch* = *that is to say*) d. h., das heißt.
IL *Illinois.*
IMF *International Monetary Fund* Internationaler Währungsfonds.
IN *Indiana.*
in. *inch(es)* Zoll *m od. pl.*
Inc. *Incorporated* (amtlich) eingetragen.
inst. *instant* d. M., dieses Monats.
IOC *International Olympic Committee* Internationales Olympisches Komitee.
I of W *Isle of Wight.*
IOU *I owe you* Schuldschein *m.*
Ir. *Ireland* Irland *n*; *Irish* irisch.
IRC *International Red Cross* Internationales Rotes Kreuz.

JP *Justice of the Peace* Friedensrichter *m.*
Jr *junior* jr., jun., der Jüngere.

k.o. *knock(ed) out Boxen*: k.o. (ge)schlagen; *fig.* erledigt.
KS *Kansas.*

l. *litre(s)* Liter *n*, *m od. pl.*
£ *pound sterling* Pfund *n* Sterling (*Währung*).
LA *Louisiana.*
Lab *Labrador.*
Lancs. *Lancashire.*
lb. *pound(s)* Pfund *n od. pl.* (*Gewicht*).
L/C *letter of credit* Kreditbrief *m.*
Leics. *Leicestershire.*
Lincs. *Lincolnshire.*
LP *long playing record* LP, Langspielplatte *f.*
Ltd. *limited* mit beschränkter Haftung.

m. *male* männlich; *metre* m, Meter *n*, *m*; *mile* Meile *f*; *minute* Min., Minute *f.*
MA *Massachusetts.*
M.A. *Master of Arts* Magister *m* der Philosophie.
Man *Manitoba.*
MD *Maryland.*
M.D. *Medicinae Doctor* (*lateinisch* = *Doctor of Medicine*) Dr. med., Doktor *m* der Medizin.
ME *Maine.*
MI *Michigan.*
MN *Minnesota.*
MO *Missouri.*
M.O. *money order* Postanweisung *f.*
Mon. *Monmouthshire.*
MP, M.P. *Member of Parliament* Parlamentsabgeordnete(r *m*) *f*; *Military Police* Militärpolizei *f.*
m.p.h. *miles per hour* Stundenmeilen *pl.*
Mr *Mister* Herr *m.*
MRP *manufacturer's recommended price* unverbindliche Preisempfehlung.
Mrs *Mistress* Frau *f.*
MS *Mississippi*; *manuscript* Manuskript *n.*
Ms *Anrede für Frauen ohne Berücksichtigung des Familienstandes.*
Mt *Mount* Berg *m.*

N *north* Nord(en *m*); *northern* nördlich.
n. *noon* Mittag *m.*
NASA *National Aeronautics and Space Administration* NASA *f* (*amer. Luftfahrt- und Raumforschungsbehörde*).
NATO *North Atlantic Treaty Organization* NATO *f*, Nordatlantikpakt-Organisation *f.*
NB *New Brunswick.*
N.B. *nota bene* (*lateinisch* = *note well*) NB, notabene.
NBC *National Broadcasting Company* (*amer. Rundfunkgesellschaft*).
NC *North Carolina.*
ND *North Dakota*; *Newfoundland.*
NE *north-east* Nordost(en *m*); *north-eastern* nordöstlich; *Nebraska.*
NH *New Hampshire.*
N.H.S. *National Health Service* Nationaler Gesundheitsdienst (*in Großbritannien*).
NJ *New Jersey.*
NM *New Mexico.*
Norf. *Norfolk.*
Northants. *Northamptonshire.*
Northumb. *Northumberland.*
Notts. *Nottinghamshire.*
NS *Nova Scotia.*
NV *Nevada.*
NW *north-west* Nordwest(en *m*); *north-western* nordwestlich.

NY *New York.*
N.Y.C. *New York City* Stadt *f* New York.

o/a *on account of* für Rechnung von.
OAS *Organization of American States* Organisation *f* amerikanischer Staaten.
O.E.C.D. *Organization for Economic Cooperation and Development* Organisation *f* für wirtschaftliche Zusammenarbeit und Entwicklung.
OH *Ohio.*
O.H.M.S. *On His (Her) Majesty's Service* im Dienste Seiner (Ihrer) Majestät; Dienstsache *f.*
OK *Oklahoma.*
O.K. o.k., in Ordnung.
Ont *Ontario.*
OPEC *Organization of Petroleum-Exporting Countries* Organisation *f* erdölexportierender Staaten.
OR *Oregon.*
Oxon. *Oxfordshire.*
oz. *ounce* Unze.

p *(new) penny od. pence* Penny *m.*
PA *Pennsylvania.*
p.a. *per annum* (*lateinisch* = *yearly*) jährlich.
Pan Am *Pan American World Airways* (*amer. Fluggesellschaft*).
PC *Personal Computer* PC, Personalcomputer *m.*
P.C. *police constable* Schutzmann *m.*
p.c. *per cent* %, Prozent *n od. pl.*
pd. *paid* bezahlt.
P.E.N., *mst* **PEN Club** *Poets, Playwrights, Editors, Essayists, and Novelists* Pen-Club *m* (*Internationale Vereinigung von Dichtern, Dramatikern, Redakteuren, Essayisten und Romanschriftstellern*).
Ph.D. *Philosophiae Doctor* (*lateinisch* = *Doctor of Philosophy*) Dr. phil., Doktor *m* der Philosophie.
PM *Prime Minister* Premierminister(in).
p.m. *post meridiem* (*lateinisch* = *after noon*) nachmittags, abends.
P.O. *Post Office* Postamt *n*; *postal order* Postanweisung *f.*
POD *pay on delivery* Nachnahme *f.*
P.S. *postscript* PS, Nachschrift *f.*
pt *pint* Pinte *f* (*etwa* ½ *l*).
P.T.O., p.t.o. *please turn over* b.w., bitte wenden.
PX *Post Exchange* Verkaufsläden *pl* (*der amer. Streitkräfte*).

Que *Quebec.*
qt *quart* Quart *n* (*etwa 1 l*).

R.A.F. *Royal Air Force* Königlich-Brit. Luftwaffe *f.*
RAM *Computer*: *random access memory* Speicher *m* mit wahlfreiem Zugriff, Direktzugriffsspeicher *m.*
RC *Roman Catholic* rk, r.-k., römisch-katholisch.
Rd. *Road* Str., Straße *f.*
ref. *(in) reference (to)* (mit) Bezug *m* (auf); Empfehlung *f.*
regd. *registered* eingetragen; eingeschrieben.
reg.tn. *register ton* RT, Registertonne *f.*
resp. *respective(ly)* bzw., beziehungsweise.
ret. *retired* i.R., im Ruhestand.
Rev. *Reverend* Pfarrer *m.*
rev *revolution* Umdrehung *f.*
RI *Rhode Island.*
R.N. *Royal Navy* Königlich-Brit. Marine *f.*
ROM *Computer*: *read only memory* Nur-Lese-Speicher *m*, Fest(wert)-speicher *m.*
R.R. *Railroad Am.* Eisenbahn *f.*
RSVP *répondez s'il vous plaît* (*französisch* = *please reply*) u.A.w.g., um Antwort wird gebeten.

S *south* Süd(en *m*); *southern* südlich.
s. *second(s)* Sek., Sekunde(n *pl.*) *f.*
$ *dollar* Dollar *m.*
S.A. *South Africa* Südafrika *n*; *South America* Südamerika *n*; *Salvation Army* Heilsarmee *f.*
Salop. *Shropshire.*
Sask *Saskatchewan.*
SC *South Carolina*; *Security Council* Sicherheitsrat *m* (*der UN*).
SD *South Dakota.*
SE *south-east* Südost(en *m*); *south-eastern* südöstlich; *Stock Exchange* Börse *f.*
SEATO *South East Asia Treaty Organization* Südostasienpakt-Organisation *f.*
Soc. *society* Gesellschaft *f*; Verein *m.*
Som. *Somersetshire.*

Sq. *Square* Platz *m.*
sq. *square* ... Quadrat...
Sr *senior* sen., der Ältere.
S.S. *steamship* Dampfer *m.*
St(.) *Saint* ... Sankt ...; *Station* Bahnhof *m*; *Street* Straße *f.*
Staffs. *Staffordshire.*
St.Ex. *Stock Exchange* Börse *f.*
stg. *sterling* Sterling *m* (*brit. Währungseinheit*).
Suff. *Suffolk.*
SW *south-west* Südwest(en *m*); *south-western* südwestlich.
Sx *Sussex.*
Sy *Surrey.*

t *ton*(*s*) Tonne(n *pl.*) *f.*
TM *trademark* Warenzeichen *n.*
TMO *telegraph money order* telegraphische Geldanweisung.
TN *Tennessee.*
TO *Telegraph* (*Telephone*) *Office* Telegraphen-(Fernsprech)amt *n.*
TU *Trade*(s) *Union* Gewerkschaft *f.*
TUC *Trade*(s) *Union Congress* brit. Gewerkschaftsverband *m.*
TV *television* Fernsehen *n.*
TWA *Trans World Airlines* (*amer. Fluggesellschaft*).
TX *Texas.*

UK *United Kingdom* Vereinigtes Königreich (*England, Schottland, Wales und Nordirland*).
UN(O) *United Nations* (*Organization*) UN(O) *f*, (Organisation *f* der) Vereinte(n) Nationen *pl.*
UNESCO *United Nations Educational, Scientific, and Cultural Organization* Organisation *f* der Vereinten Nationen für Erziehung, Wissenschaft und Kultur.
UNICEF *United Nations International Children's Emergency Fund* Weltkinderhilfswerk *n* der UNO.
UPI *United Press International* (*amer. Nachrichtenagentur*).
US(A) *United States* (*of America*) US(A) *pl.*, Vereinigte Staaten *pl.* (von Amerika).
UT *Utah.*

v. *verse* Vers *m*; *versus* (*lateinisch* = *against*) gegen; *vide* (*lateinisch* = *see*) s., siehe.
VA *Virginia.*
VAT *value-added tax* Mehrwertsteuer *f.*
VF *video frequency* Videofrequenz *f.*
viz. *videlicet* (*lateinisch* = *namely*) nämlich.
vol(s). *volume*(s) Band *m* (Bände *pl.*).
VT *Vermont.*

W *west* West(en *m*); *western* westlich.
WA *Washington.*
Warks. *Warwickshire.*
WC *water closet* WC *n*, Wasserklosett *n.*
W.F.T.U. *World Federation of Trade Unions* Weltgewerkschaftsbund *m.*
W.H.O. *World Health Organization* Weltgesundheitsorganisation *f* (*der UN*).
WI *Wisconsin.*
W.I. *West Indies* Westindien *n.*
Wilts. *Wiltshire.*
Worcs. *Worcestershire.*
wt. *weight* Gewicht *n.*
W.V. *West Virginia.*
WY *Wyoming.*

Xmas *Christmas* Weihnachten *n.*

yd(s). *yard*(s) Elle(n *pl.*) *f.*
Y.M.C.A. *Young Men's Christian Association* CVJM, Christlicher Verein Junger Männer.
Yorks. *Yorkshire.*
Y.W.C.A. *Young Women's Christian Association* Christlicher Verein Junger Mädchen.

Zahlwörter

Grundzahlen

0 null *nought, zero, cipher*
1 eins *one*
2 zwei *two*
3 drei *three*
4 vier *four*
5 fünf *five*
6 sechs *six*
7 sieben *seven*
8 acht *eight*
9 neun *nine*
10 zehn *ten*
11 elf *eleven*
12 zwölf *twelve*
13 dreizehn *thirteen*
14 vierzehn *fourteen*
15 fünfzehn *fifteen*
16 sechzehn *sixteen*
17 siebzehn *seventeen*
18 achtzehn *eighteen*
19 neunzehn *nineteen*
20 zwanzig *twenty*
21 einundzwanzig *twenty-one*
22 zweiundzwanzig *twenty-two*
23 dreiundzwanzig *twenty-three*
30 dreißig *thirty*
31 einunddreißig *thirty-one*
40 vierzig *forty*
41 einundvierzig *forty-one*
50 fünfzig *fifty*
51 einundfünfzig *fifty-one*
60 sechzig *sixty*
61 einundsechzig *sixty-one*
70 siebzig *seventy*
71 einundsiebzig *seventy-one*
80 achtzig *eighty*
81 einundachtzig *eighty-one*
90 neunzig *ninety*
91 einundneunzig *ninety-one*
100 hundert *a* od. *one hundred*
101 hundert(und)eins *a hundred and one*
200 zweihundert *two hundred*
300 dreihundert *three hundred*
572 fünfhundert(und)zweiundsiebzig *five hundred and seventy-two*
1000 tausend *a* od. *one thousand*
1986 neunzehnhundertsechsundachtzig *nineteen hundred and eighty-six*
2000 zweitausend *two thousand*
1 000 000 eine Million *a* od. *one million*
2 000 000 zwei Millionen *two million*
1 000 000 000 eine Milliarde *a* od. *one milliard* (*Am. billion*)

Ordnungszahlen

1. erste *first*
2. zweite *second*
3. dritte *third*
4. vierte *fourth*
5. fünfte *fifth*
6. sechste *sixth*
7. siebente *seventh*
8. achte *eighth*
9. neunte *ninth*
10. zehnte *tenth*
11. elfte *eleventh*
12. zwölfte *twelfth*
13. dreizehnte *thirteenth*
14. vierzehnte *fourteenth*
15. fünfzehnte *fifteenth*
16. sechzehnte *sixteenth*
17. siebzehnte *seventeenth*
18. achtzehnte *eighteenth*
19. neunzehnte *nineteenth*
20. zwanzigste *twentieth*
21. einundzwanzigste *twenty-first*
22. zweiundzwanzigste *twenty-second*
23. dreiundzwanzigste *twenty-third*
30. dreißigste *thirtieth*
31. einunddreißigste *thirty-first*
40. vierzigste *fortieth*
41. einundvierzigste *forty-first*

50. fünfzigste *fiftieth*
51. einundfünfzigste *fifty-first*
60. sechzigste *sixtieth*
61. einundsechzigste *sixty-first*
70. siebzigste *seventieth*
71. einundsiebzigste *seventy-first*
80. achtzigste *eightieth*
81. einundachtzigste *eighty-first*
90. neunzigste *ninetieth*
100. hundertste (*one*) *hundredth*
101. hundert(und)erste *hundred and first*
200. zweihundertste *two hundredth*
300. dreihundertste *three hundredth*
572. fünfhundert(und)zweiundsiebzigste *five hundred and seventy-second*
1000. tausendste (*one*) *thousandth*
1990. neunzehnhundert(und)neunzigste *nineteen hundred and ninetieth*
2000. zweitausendste *two thousandth*
1 000 000. millionste (*one*) *millionth*
2 000 000. zweimillionste *two millionth*

Bruchzahlen und andere Zahlenwerte

$^1/_2$ halb *one* od. *a half*
$1^1/_2$ anderthalb *one and a half*
$2^1/_2$ zweieinhalb *two and a half*
$^1/_2$ Meile *half a mile*
$^1/_3$ ein Drittel *one* od. *a third*
$^2/_3$ zwei Drittel *two thirds*
$^1/_4$ ein Viertel *one fourth*, *one* od. *a quarter*
$^3/_4$ drei Viertel *three fourths*, *three quarters*
$1^1/_4$ ein ein Viertel Stunden *one hour and a quarter*
$^1/_5$ ein Fünftel *one* od. *a fifth*
$3^4/_5$ drei vier Fünftel *three and four fifths*
0,4 null Komma vier *point four* (.4)
2,5 zwei Komma fünf *two point five* (2.5)
einfach *single*
zweifach *double*, *twofold*
dreifach *threefold*, *treble*, *triple*
vierfach *fourfold*, *quadruple*
fünffach *fivefold*, *quintuple*
einmal *once*
zweimal *twice*
drei-, vier-, fünfmal *three*, *four*, *five times*
zweimal soviel(e) *twice as much* od. *many*
noch einmal *once more*
erstens, zweitens, drittens *firstly*, *secondly*, *thirdly*, *in the first* (*second*, *third*) *place*
$2 \times 3 = 6$ zwei mal drei ist *od.* macht sechs *twice three are* od. *make six*.
$7 + 8 = 15$ sieben plus acht ist fünfzehn *seven and eight are fifteen*.
$10 - 3 = 7$ zehn minus drei ist sieben *ten minus three are seven*.
$20 : 5 = 4$ zwanzig dividiert durch fünf ist vier *twenty divided by five make four*.

Britische und amerikanische Maße und Gewichte

1. Längenmaße

1 inch (in.) = 2,54 cm

1 foot (ft)
= 12 inches = 30,48 cm

1 yard (yd)
= 3 feet = 91,439 cm

1 perch (p.)
= $5^{1}/_{2}$ yards = 5,029 m

1 mile (m.)
= 1,760 yards = 1,609 km

2. Nautische Maße

1 fathom (f., fm)
= 6 feet = 1,829 m

1 nautical mile
= 6,080 feet = 1853,18 m

3. Flächenmaße

1 square inch (sq. in.)
= 6,452 cm^2

1 square foot (sq. ft)
= 144 square inches
= 929,029 cm^2

1 square yard (sq. yd)
= 9 square feet = 8361,26 cm^2

1 square perch (sq. p.)
= $30^{1}/_{4}$ square yards = 25,293 m^2

1 rood
= 40 square perches = 10,117 a

1 acre (a.) = 4 roods = 40,47 a

1 square mile
= 640 acres = 258,998 ha

4. Raummaße

1 cubic inch (cu. in.)
= 16,387 cm^3

1 cubic foot (cu. ft)
= 1,728 cubic inches = 0,028 m^3

1 cubic yard (cu. yd)
= 27 cubic feet = 0,765 m^3

1 register ton (reg. ton)
= 100 cubic feet = 2,832 m^3

5. Hohlmaße
Trocken- und Flüssigkeitsmaße

1 British *od.* **imperial gill (gl, gi.)**
= 0,142 l

1 British *od.* **imperial pint (pt)**
= 4 gills = 0,586 l

1 British *od.* **imperial quart (qt)**
= 2 pints = 1,136 l

1 British *od.* **imperial gallon (imp. gal.)**
= 4 imperial quarts = 4,546 l

Trockenmaße

1 British *od.* **imperial peck (pk)**
= 2 imperial gallons = 9,0092 l

1 Brit. *od.* **imp. bushel (bu., bus.)**
= 8 imperial gallons = 36,366 l

1 Brit. *od.* **imp. quarter (qr)**
= 8 imperial bushels = 290,935 l

Flüssigkeitsmaß

1 Brit. *od.* **imp. barrel (bbl, bl)**
= 36 imperial gallons = 163,656 l

*

1 U.S. dry pint = 0,551 l

1 U.S. dry quart
= 2 dry pints = 1,101 l

1 U.S. dry gallon
= 4 dry quarts = 4,405 l

1 U.S. peck
= 2 dry gallons = 8,809 l

1 U.S. bushel
= 8 dry gallons = 35,238 l

1 U.S. gill = 0,118 l

1 U.S. liquid pint
= 4 gills = 0,473 l

1 U.S. liquid quart
= 2 liquid pints = 0,946 l

1 U.S. liquid gallon
= 8 liquid pints = 3,785 l

1 U.S. barrel
= $31^1/_2$ liquid gallons = 119,228 l

1 U.S. barrel petroleum
= 42 liquid gallons = 158,97 l

6. Handelsgewichte

1 grain (gr.) = 0,065 g

1 dram (dr.)
= 27.344 grains = 1,772 g

1 ounce (oz.)
= 16 drams = 28,35 g

1 pound (lb.)
= 16 ounces = 453,592 g

1 quarter (qr)
= 28 pounds = 12,701 kg (*USA* 25 pounds = 11,339 kg)

1 hundredweight (cwt.)
= 112 pounds
= 50,802 kg (*USA* 100 pounds = 45,359 kg)

1 ton (t.)
(*a.* long ton) = 20 hundredweights = 1016,05 kg (*USA*, *a.* short ton, = 907,185 kg)

1 stone (st.) = 14 pounds = 6,35 kg

7. Feingewichte

1 grain = 0,065 g

1 pennyweight (dwt.)
= 24 grains = 1,555 g

1 ounce
= 20 pennyweights = 31,103 g

1 pound = 12 ounces = 373,242 g

Die Stammformen der unregelmäßigen englischen Verben

Mit Stern (*) gekennzeichnete unregelmäßige Stammformen können auch durch die regelmäßig gebildete Form ersetzt werden.

arise (*sich erheben*) - arose - arisen
awake (*erwachen*) - awoke - awoken*
be (*sein*) - was - been
bear (*tragen*; *gebären*) - bore - *getragen*: borne - *geboren*: born
beat (*schlagen*) - beat - beat(en)
become (*werden*) - became - become
beget (*zeugen*) - begot - begotten
begin (*anfangen*) - began - begun
bend (*beugen*) - bent - bent
bereave (*berauben*) - bereft* - bereft*
beseech (*dringend bitten*) - besought - besought
bet (*wetten*) - bet* – bet*
bid ([*ge*]*bieten*) - bade, bid - bid(den)
bide (*abwarten*) - bode* - bided
bind (*binden*) - bound - bound
bite (*beißen*) - bit - bitten
bleed (*bluten*) - bled - bled
bless (*segnen*; *preisen*) - blest* - blest*
blow (*blasen*) - blew - blown
break (*brechen*) - broke - broken
breed (*aufziehen*) - bred - bred
bring (*bringen*) - brought - brought
build (*bauen*) - built - built
burn (*brennen*) - burnt* - burnt*
burst (*bersten*) - burst - burst
buy (*kaufen*) - bought - bought
cast (*werfen*) - cast - cast
catch (*fangen*) - caught - caught
choose (*wählen*) - chose - chosen
cleave ([*sich*] *spalten*) - cleft, clove* - cleft, cloven*
cling (*sich* [*an*]*klammern*) - clung - clung
clothe ([*an-*, *be*]*kleiden*) - clad* - clad*
come (*kommen*) - came - come
cost (*kosten*) - cost - cost
creep (*kriechen*) - crept - crept
crow (*krähen*) - crew* - crowed
cut (*schneiden*) - cut - cut
deal (*handeln*) - dealt - dealt
dig (*graben*) - dug - dug
dive ([*unter*]*tauchen*) - dived, *Am. a.* dove - dived
do (*tun*) - did - done
draw (*ziehen*) - drew - drawn
dream (*träumen*) - dreamt* - dreamt*
drink (*trinken*) - drank - drunk
drive (*treiben*; *fahren*) - drove - driven
dwell (*wohnen*) - dwelt* - dwelt*
eat (*essen*) -ate - eaten
fall (*fallen*) - fell - fallen
feed (*füttern*) - fed - fed
feel (*fühlen*) - felt - felt
fight (*kämpfen*) - fought - fought
find (*finden*) - found - found
fit ([*an*]*passen*) - fitted, *Am. a.* fit - fitted, *Am. a.* fit
flee (*fliehen*) - fled - fled
fling (*schleudern*) - flung - flung
fly (*fliegen*) - flew - flown
forbid (*verbieten*) - forbade - forbidden
forget (*vergessen*) - forgot - forgotten
forsake (*aufgeben*; *verlassen*) - forsook - forsaken
freeze ([*ge*]*frieren*) - froze - frozen
get (*bekommen*) - got - got, *Am.* gotten
gild (*vergolden*) - gilded - gilt*
give (*geben*) - gave - given
go (*gehen*) - went - gone
grind (*mahlen*) - ground - ground
grow (*wachsen*) - grew - grown
hang (*hängen*) - hung - hung
have (*haben*) - had - had
hear (*hören*) - heard - heard
heave (*heben*) - hove* - hove*
hew (*hauen*, *hacken*) - hewed - hewn*
hide (*verbergen*) - hid - hidden
hit (*treffen*) - hit - hit
hold (*halten*) - held - held
hurt (*verletzen*) - hurt - hurt
keep (*halten*) - kept - kept
kneel (*knien*) - knelt* - knelt*
knit (*stricken*) - knit* - knit*

know (*wissen*) - knew - known
lay (*legen*) - laid - laid
lead (*führen*) - led - led
lean ([*sich*] [*an*]*lehnen*) - leant* - leant*
leap ([*über*]*springen*) - leapt* - leapt*
learn (*lernen*) - learnt* - learnt*
leave (*verlassen*) - left - left
lend (*leihen*) - lent -lent
let (*lassen*) - let - let
lie (*liegen*) - lay - lain
light (*anzünden*) - lit* - lit*
lose (*verlieren*) - lost - lost
make (*machen*) - made - made
mean (*meinen*) -meant - meant
meet (*begegnen*) - met - met
mow (*mähen*) - mowed - mown*
pay (*zahlen*) - paid - paid
plead (*plädieren*) - pleaded, *bsd. schott.*, *Am.* pled - pleaded, *bsd. schott.*, *Am.* pled
put (*setzen, stellen*) - put - put
read (*lesen*) - read - read
rid (*befreien*) - rid - rid
ride (*reiten*) - rode - ridden
ring (*läuten*) - rang - rung
rise (*aufstehen*) - rose - risen
run (*laufen*) - ran - run
saw (*sägen*) - sawed - sawn*
say (*sagen*) - said - said
see (*sehen*) - saw - seen
seek (*suchen*) - sought - sought
sell (*verkaufen*) - sold - sold
send (*senden*) - sent - sent
set (*setzen*) - set - set
sew (*nähen*) - sewed - sewn*
shake (*schütteln*) - shook - shaken
shave ([*sich*] *rasieren*) - shaved - shaven*
shear (*scheren*) - sheared - shorn
shed (*ausgießen*) - shed - shed
shine (*scheinen*) - shone - shone
shit (*scheißen*) - shit - shit
shoe (*beschuhen*) - shod - shod
shoot (*schießen*) - shot - shot
show (*zeigen*) - showed - shown*
shrink ([*ein*]*schrumpfen*) - shrank - shrunk
shut (*schließen*) - shut - shut
sing (*singen*) - sang - sung
sink (*sinken*) - sank, sunk - sunk
sit (*sitzen*) - sat - sat
slay (*erschlagen*) - slew - slain
sleep (*schlafen*) - slept - slept
slide (*gleiten*) - slid - slid
sling (*schleudern*) - slung - slung
slink (*schleichen*) - slunk - slunk
slit (*schlitzen*) - slit - slit
smell (*riechen*) - smelt* - smelt*
sow ([*aus*]*säen*) - sowed - sown*
speak (*sprechen*) - spoke - spoken
speed (*eilen*) - sped* - sped*
spell (*buchstabieren*) - spelt* - spelt*
spend (*ausgeben*) - spent - spent
spill (*verschütten*) - spilt* - spilt*
spin (*spinnen*) - spun - spun
spit ([*aus*]*spucken*) - spat - spat
split (*spalten*) - split - split
spoil (*verderben*) - spoilt* - spoilt*
spread (*verbreiten*) - spread - spread
spring (*springen*) - sprang, *Am.* sprung - sprung
stand (*stehen*) - stood - stood
stave (*den Boden einschlagen*) - stove* - stove*
steal (*stehlen*) - stole - stolen
stick (*stecken*) - stuck - stuck
sting (*stechen*) - stung - stung
stink (*stinken*) - stank, stunk - stunk
strew ([*be*]*streuen*) - strewed - strewn*
stride (*über-, durchschreiten*) - strode - stridden
strike (*schlagen*) - struck - struck
string (*spannen*) - strung - strung
strive (*streben*) - strove - striven
swear (*schwören*) - swore - sworn
sweat (*schwitzen*) - sweat* - sweat*
sweep (*fegen*) - swept - swept
swell ([*an*]*schwellen*) - swelled - swollen
swim (*schwimmen*) - swam - swum
swing (*schwingen*) - swung - swung
take (*nehmen*) - took - taken
teach (*lehren*) - taught - taught
tear (*ziehen*) - tore - torn
tell (*sagen*) - told - told
think (*denken*) - thought - thought
thrive (*gedeihen*) - throve* - thriven*
throw (*werfen*) - threw - thrown
thrust (*stoßen*) - thrust - thrust
tread (*treten*) - trod - trodden, trod
wake (*wachen*) - woke* - woke(n)*
wear ([*Kleider*] *tragen*) - wore - worn
weave (*weben*) - wove - woven
wed (*heiraten*) - wedded, *selten* wed - wedded, *selten* wed
weep (*weinen*) - wept - wept
wet (*nässen*) - wet* - wet*
win (*gewinnen*) - won - won
wind (*winden*) - wound - wound
wring ([*aus*]*wringen*) - wrung - wrung
write (*schreiben*) - wrote - written

Die Anwendung wichtiger Präpositionen

Vorbemerkungen: Die Präpositionen regieren den Akkusativ. – Die folgenden Ziffern können hinter den betreffenden Präpositionen erscheinen:

1. = räumlich; **2.** = zeitlich; **3.** = bildlich.

Falls du dich eingehender mit Bedeutung und korrektem Gebrauch der Präpositionen beschäftigen willst, empfehlen wir dir das im Langenscheidt-Verlag erschienene Büchlein „Englische Präpositionen".

about 1. *um (... herum)*: the fields ~ Oxford; *um*: look ~ you; *(irgendwo) in*: be ~ the house; *in (... umher)*: walk ~ the garden; **2.** *ungefähr, etwa*: ~ 8 o'clock; ~ 40 years; stay ~ a week; **3.** *über*: what do you know ~ him?; *bei*: I haven't any money ~ me.

above 1. *über (... hinaus)*: the sun rose ~ the horizon; **3.** be ~ suspicion (*erhaben über*).

across 1. *(quer) über, (mitten) durch*: walk ~ the street; *über (e-e Fläche hinaus)*: be ~ the Channel; **3.** come ~ a friend (*zufällig treffen*).

after 1. *nach*: they ran ~ the thief; **2.** *nach*: ~ 2 o'clock; ~ dinner; one ~ the other; *für*: day ~ day; **3.** *nach*: ~ this fashion; a painting ~ Rembrandt; strive ~ s.th.; inquire ~ s.o.; look ~ s.o. (*sich kümmern um*).

against 1. *gegen*: he was rowing ~ the current; *an*: place s.th. ~ the wall; **3.** *gegen*: be ~ s.th.

at 1. *an*: ~ the door; *in*: ~ Oxford; *in*: ~ a distance (*a. von weitem*); *auf*: ~ sea level; **2.** *um*: ~ 10 o'clock; *zu*: ~ Easter; *bei*: ~ daybreak; **3.** *bei*: ~ work; *in*: ~ war; *über*: be surprised ~ s.th. *od.* s.o.

before 1. *vor*: *s. in front of*; be brought ~ the judge; **2.** *vor*: ~ 8 o'clock; two days ~ Christmas; **3.** death ~ dishonour (*lieber als*).

behind 1. *hinter*: ~ a tree; close ~ me; **2.** be ~ time (*Verspätung haben*); **3.** he left nothing but debts ~ him (*hinter sich lassen, hinterlassen*); ~ other boys of his age (*zurückgeblieben*).

below 1. *unter(halb)*: ~ the knees; ~ the surface; 5 degrees ~ freezing point; **3.** *unter*: ~ s.o. in rank; ~ the average.

by 1. *an*: write ~ the window; side ~ side; *über*: travel to London ~ Hamburg; *an ... vorbei*: walk ~ s.o.; **2.** *in*: work ~ night; *(spätestens) bis*: finish work ~ tomorrow; return ~ 10 o'clock; **3.** *von*: a poem ~ Keats; ~ birth; *mit*: ~ post; ~ name (*namentlich*).

down 1. *hinab, hinunter*: run ~ a hill; *entlang*: walk ~ a street; *weiter unten an*: farther ~ the river.

for 1. ~ miles (*meilenweit*); **2.** *für*: ~ a moment; ~ ever; *seit (Zeitraum)*: ~ a month; **3.** *für*: I have s.th. ~ you; *an*: it is ~ you to decide; *für*: be tall ~ one's age; *nach*: train ~ London; *zu*: it's done ~ your best; read ~ pleasure; *für, auf*: prepare ~ an examination; *um*: ask ~ money; *nach*: look ~ a job; *vor*: ~ joy; *um*: tremble ~ s.o.

from 1. *von*: jump down ~ a wall; travel ~ London to Rome; 10 miles ~ the coast; **2.** *von ... an*: ~ the first of May; ~ childhood; **3.** *von*: a letter ~ my father; *nach*: painted ~ life; *aus*: quotation ~ Shakespeare; *vor*: die ~ fatigue.

in 1. *in*: ~ the room; ~ London; *auf*: ~ the street; ~ the country; **2.** *an*: ~ the morning; *in*: ~ the 20th century; ~ 10 minutes; **3.** *in*: be ~ danger; *auf*: ~ this way; ~ English.

in front of 1. *vor*: some trees ~ the house.

into 1. *in (... hinein)*: run ~ the house; **2.** *bis*: work far ~ the night; **3.** *zu*: make ~ leather; *in*: translate ~ English; *nach*: look ~ the matter.

off 1. *(weg) von*: ~ the main road; **3.** *aus*: take the responsibility ~ s.o.'s hands; be ~ duty (*dienstfrei haben*).

on 1. *auf*: ~ the table; ~ the road; sit ~ a chair; **2.** *an*: ~ Saturday; ~ March 28th; *bei*: ~ my return; **3.** *auf*: ~ application; *von*: live ~ s.th.; *über*: a speech ~ s.th.

out of 1. *außerhalb, aus (... hinaus)*: be ~ the house; he walked ~ the shop; **3.** *aus*: made ~ wood; *außer(halb)*: ~ sight; *außer*: ~ danger; ~ breath; *von*: in nine cases ~ ten; *aus*: ~ kindness.

over 1. *über*: leap ~ a wall; look ~ s.o.'s shoulder; *über (e-e Fläche)*: a bridge ~ the river; walk ~ a field; **2.** *über*: ~ the weekend; ~ night; ~ a century; **3.** *über*: ~ 50 miles; he went to sleep ~ his work; *bei*: ~ a glass of wine.

round 1. *um (...herum)*: sit ~ a table; *(rings)umher*: look ~ the room; *um (... herum)*: walk ~ a corner; *in (... umher)*: walk ~ the garden; **2.** *ungefähr um*: arrive ~ 10 o'clock.

since 2. *seit (Zeitpunkt)*: ~ Easter; ~ his father's death.

through 1. *durch*: come in ~ the window; **2.** *hindurch*: all ~ my life; ~ the night; **3.** *durch*: pass ~ his mind; learn the news ~ a friend; go ~ the accounts (*durchgehen, durchsehen*); get ~ an examination (*durchkommen, bestehen*); see ~ the trick (*durchschauen*).

till 2. *bis*: ~ Monday; ~ late at night; the train will not start ~ ten (*nicht vor*).

to 1. *zu*: ~ the station; ~ school; ~ the left; *nach*: ~ London; ~ the north; *an*: be tied ~ a post; **2.** *bis*: from eight ~ five; *vor*: 10 minutes ~ 8; *zu*: from day ~ day; *bis (zu)*: ~ this day; **3.** *für*: blind ~ s.th.; *gegen*: deaf ~ s.th.; be faithful ~ s.o. (*j-m treu sein*); give s.th. ~ s.o. (*j-m et. geben*).

toward(s) 1. *auf ... zu* : sail ~ the island; *nach*: ~ the west; **2.** *gegen*: ~ evening; **3.** *zu*: contribution ~ the expenses; be polite ~ s.o.; *gegenüber*: s.o.'s attitude ~ s.th.

under 1. *unter*: ~ the table; **2.** *weniger als*: ~ 12 seconds; *unter*: be ~ 20; ~ the Stuarts; **3.** *unter*: living ~ an assumed name; *bei*: ~ sentence of death; road ~ repair (*Straßenarbeiten*).

until *s. till*.

up 1. *auf, hinauf*: climb ~ a tree; *entlang*: walk ~ the road; sail ~ a river (*flußaufwärts*); travel ~ country (*ins Landesinnere*).

with 3. *mit*: fill ~ water; a coat ~ two pockets; write ~ a pen; he went ~ his friends; rise ~ the sun; sympathize ~ her; agree ~ s.o.; ~ a smile (*lächelnd*); ~ care (*vorsichtig*); *bei*: leave the child ~ me; stay ~ s.o.; I have no money ~ me; *bei, an*: it rests ~ you to decide; *gegen, mit*: fight ~ s.o.; *vor*: silent ~ shame; shaking ~ cold; *von*: part ~ s.o.; *mit*: break ~ a friend.

Kennzeichnung der Kino-Filme (in Großbritannien)

U Universal. Suitable for all ages.
Für alle Altersstufen geeignet.

PG Parental Guidance. Some scenes may be unsuitable for young children.
Einige Szenen ungeeignet für Kinder. Erklärung und Orientierung durch Eltern sinnvoll.

15 No person under 15 years admitted when a "15" film is in the programme.
Nicht freigegeben für Jugendliche unter 15 Jahren.

18 No person under 18 years admitted when an "18" film is in the programme.
Nicht freigegeben für Jugendliche unter 18 Jahren.

Kennzeichnung der Kino-Filme (in USA)

G All ages admitted. General audiences.
Für alle Altersstufen geeignet.

PG Parental guidance suggested. Some material may not be suitable for children.
Einige Szenen ungeeignet für Kinder. Erklärung und Orientierung durch Eltern sinnvoll.

R Restricted. Under 17 requires accompanying parent or adult guardian.
Für Jugendliche unter 17 Jahren nur in Begleitung eines Erziehungsberechtigten.

X No one under 17 admitted.
Nicht freigegeben für Jugendliche unter 17 Jahren.

Buchstabieralphabete

Phonetic Alphabets

	Deutsch	*Britisches Englisch*	*Amerikanisches Englisch*	*International*	*Zivil-Luftfahrt (ICAO)*
A	Anton	Andrew	Abel	Amsterdam	Alfa
Ä	Ärger	—	—	—	—
B	Berta	Benjamin	Baker	Baltimore	Bravo
C	Cäsar	Charlie	Charlie	Casablanca	Charlie
CH	Charlotte	—	—	—	—
D	Dora	David	Dog	Danemark	Delta
E	Emil	Edward	Easy	Edison	Echo
F	Friedrich	Frederick	Fox	Florida	Foxtrot
G	Gustav	George	George	Gallipoli	Golf
H	Heinrich	Harry	How	Havana	Hotel
I	Ida	Isaac	Item	Italia	India
J	Julius	Jack	Jig	Jérusalem	Juliett
K	Kaufmann	King	King	Kilogramme	Kilo
L	Ludwig	Lucy	Love	Liverpool	Lima
M	Martha	Mary	Mike	Madagaskar	Mike
N	Nordpol	Nellie	Nan	New York	November
O	Otto	Oliver	Oboe	Oslo	Oscar
Ö	Ökonom	—	—	—	—
P	Paula	Peter	Peter	Paris	Papa
Q	Quelle	Queenie	Queen	Québec	Quebec
R	Richard	Robert	Roger	Roma	Romeo
S	Samuel	Sugar	Sugar	Santiago	Sierra
Sch	Schule	—	—	—	—
T	Theodor	Tommy	Tare	Tripoli	Tango
U	Ulrich	Uncle	Uncle	Upsala	Uniform
Ü	Übermut	—	—	—	—
V	Viktor	Victor	Victor	Valencia	Victor
W	Wilhelm	William	William	Washington	Whiskey
X	Xanthippe	Xmas	X	Xanthippe	X-Ray
Y	Ypsilon	Yellow	Yoke	Yokohama	Yankee
Z	Zacharias	Zebra	Zebra	Zürich	Zulu

Abkürzungen im Wörterbuchteil

a.	*also*, auch.
abbr.	*abbreviation*, Abkürzung.
acc.	*accusative (case)*, Akkusativ.
adj.	*adjective*, Adjektiv.
adv.	*adverb*, Adverb.
allg.	allgemein, *commonly*.
Am.	*American English*, amerikanisches Englisch.
anat.	*anatomy*, Anatomie.
appr.	*approximately*, etwa.
arch.	*architecture*, Architektur.
art.	*article*, Artikel.
ast.	*astronomy*, Astronomie.
attr.	*attributive*, attributiv.
biol.	*biology*, Biologie.
Brit.	britisch, *British*.
Brt.	*British English*, britisches Englisch.
b.s.	*bad sense*, in schlechtem Sinne.
bsd.	besonders, *especially*.
cj.	*conjunction*, Konjunktion.
co.	*comic(al)*, scherzhaft.
coll.	*collectively*, als Sammelwort.
comp.	*comparative*, Komparativ.
contp.	*contemptuously*, verächtlich.
dat.	*dative (case)*, Dativ.
dem.	*demonstrative*, hinweisend.
ea.	einander, *one another*, *each other*.
eccl.	*ecclesiastical*, kirchlich.
econ.	*economics*, Volkswirtschaft.
et., *et.*, *et.*	etwas, *something*.
etc.	*et cetera*, *and so on*, und so weiter.
F	umgangssprachlich, *familiar*.
f	*feminine*, weiblich.
fig.	*figuratively*, bildlich.
frz.	französisch, *French*.
gen.	*genitive (case)*, Genitiv.
geogr.	*geography*, Geographie.
geol.	*geology*, Geologie.
geom.	*geometry*, Geometrie.
ger.	*gerund*, Gerundium.
gr.	*grammar*, Grammatik.